# BÍBLIA SAGRADA

ALMEIDA EDIÇÃO CONTEMPORÂNEA

Almeida Edição Contemporânea
©1990, 2010, 2020 por Editora Vida.

**EDITORA VIDA**
Rua Conde de Sarzedas, 246 – Liberdade
CEP 01512-070 – São Paulo, SP
Tel.: 0 xx 11 2618 7000
atendimento@editoravida.com.br
www.editoravida.com.br

*Diretor executivo:*
Omar Daldi

*Editor responsável:*
Gisele Romão da Cruz

*Revisão de provas:*
Equipe Vida

*Diagramação:*
Mauricio Diaz
Claudia Fatel Lino

*Capas:*
Arte Vida

O texto pode ser citado de várias maneiras (escrito, visual, eletrônico ou áudio) até quinhentos (500) versículos sem a expressa permissão por escrito do editor, cuidando para que a soma de versículos citados não complete um livro da Bíblia nem os versículos computem 25% ou mais do texto do trabalho em que são citados.

O pedido de permissão que exceder as normas aqui expressas deve ser encaminhado à Editora Vida Ltda. e estará sujeito à aprovação.

1. edição: ago. 2021

---

**Dados Internacionais de Catalogação na Publicação (CIP)**
**(Câmara Brasileira do Livro, SP, Brasil)**

Bíblia AEC : letra gigante / [tradução João Ferreira de Almeida]. -- 1. ed. -- São Paulo : Editora Vida, 2021.

ISBN 978-65-5584-209-8

1. Bíblia. A.T. Português - Traduções - Ferreira de Almeida I. Almeida, João Ferreira de.

21-60483 CDD--220.569

Índices para catálogo sistemático:
1. Bíblia Sagrada : Português : Tradução Almeida  220.569
Maria Alice Ferreira - Bibliotecária - CRB-8/7964

*Impresso na Bielorrússia | Printed in Belarus*

# SUMÁRIO

## ANTIGO TESTAMENTO

| | | | | | | | |
|---|---|---|---|---|---|---|---|
| Gênesis | 7 | 2Crônicas | 555 | Daniel | 1124 | | |
| Êxodo | 75 | Esdras | 602 | Oseias | 1145 | | |
| Levítico | 132 | Neemias | 616 | Joel | 1158 | | |
| Números | 173 | Ester | 636 | Amós | 1163 | | |
| Deuteronômio | 231 | Jó | 647 | Obadias | 1173 | | |
| Josué | 281 | Salmos | 693 | Jonas | 1175 | | |
| Juízes | 314 | Provérbios | 809 | Miqueias | 1178 | | |
| Rute | 348 | Eclesiastes | 849 | Naum | 1186 | | |
| 1Samuel | 353 | Cântico dos Cânticos | 861 | Habacuque | 1190 | | |
| 2Samuel | 397 | Isaías | 868 | Sofonias | 1194 | | |
| 1Reis | 434 | Jeremias | 957 | Ageu | 1199 | | |
| 2Reis | 476 | Lamentações | 1045 | Zacarias | 1201 | | |
| 1Crônicas | 516 | Ezequiel | 1054 | Malaquias | 1213 | | |

## NOVO TESTAMENTO

| | | | | | | | |
|---|---|---|---|---|---|---|---|
| Mateus | 1219 | Efésios | 1486 | Hebreus | 1523 | | |
| Marcos | 1266 | Filipenses | 1493 | Tiago | 1538 | | |
| Lucas | 1296 | Colossenses | 1498 | 1Pedro | 1543 | | |
| João | 1345 | 1Tessalonicenses | 1503 | 2Pedro | 1549 | | |
| Atos | 1381 | 2Tessalonicenses | 1507 | 1João | 1553 | | |
| Romanos | 1428 | 1Timóteo | 1510 | 2João | 1558 | | |
| 1Coríntios | 1448 | 2Timóteo | 1515 | 3João | 1559 | | |
| 2Coríntios | 1467 | Tito | 1519 | Judas | 1560 | | |
| Gálatas | 1479 | Filemom | 1522 | Apocalipse | 1562 | | |

# SUMÁRIO

## ANTIGO TESTAMENTO

| | | | |
|---|---|---|---|
| Gênesis | 7 | 2 Crônicas | 665 Daniel 1124 |
| Êxodo | 73 Esdras | 600 Oséias | 1148 |
| Levítico | 132 Neemias | 616 Joel | 1158 |
| Números | 172 Ester | 666 Amós | 1163 |
| Deuteronômio | 231 Jó | 687 Obadias | 1170 |
| Josué | 287 Salmos | 693 Jonas | 1175 |
| Juízes | 318 Provérbios | 809 Miquéias | 1178 |
| Rute | 366 Eclesiastes | 849 Naum | 1186 |
| 1 Samuel | 378 Cântico dos Cânticos | 861 Habacuque | 1190 |
| 2 Samuel | 397 Isaías | 868 Sofonias | 1194 |
| 1 Reis | 424 Jeremias | 961 Ageu | 1199 |
| 2 Reis | 476 Lamentações | 1045 Zacarias | 1201 |
| 1 Crônicas | 515 Ezequiel | 1054 Malaquias | 1213 |

## NOVO TESTAMENTO

| | | | |
|---|---|---|---|
| Mateus | 1219 Efésios | 1485 Hebreus | 1822 |
| Marcos | 1268 Filipenses | 1499 Tiago | 1838 |
| Lucas | 1289 Colossenses | 1505 1 Pedro | 1845 |
| João | 1341 1 Tessalonicenses | 1512 2 Pedro | 1854 |
| Atos | 1381 2 Tessalonicenses | 1517 1 João | 1857 |
| Romanos | 1428 1 Timóteo | 1510 2 João | 1865 |
| 1 Coríntios | 1446 2 Timóteo | 1515 3 João | 1866 |
| 2 Coríntios | 1467 Tito | 1519 Judas | 1868 |
| Gálatas | — 1479 Filemom | 1522 Apocalipse | 1869 |

# ANTIGO TESTAMENTO

# GÊNESIS

## O princípio

**1** No princípio criou Deus os céus e a terra. **2** A terra era sem forma e vazia; havia trevas sobre a face do abismo, e o Espírito de Deus pairava sobre a face das águas. **3** E disse Deus: Haja luz. E houve luz. **4** Viu Deus que a luz era boa, e fez separação entre a luz e as trevas. **5** E chamou Deus à luz dia, e às trevas, noite. E houve tarde e manhã; esse foi o primeiro dia. **6** E disse Deus: Haja um firmamento no meio das águas, e haja separação entre águas e águas. **7** Deus fez o firmamento e fez separação entre as águas que estavam debaixo do firmamento e as águas que estavam por cima do firmamento. E assim foi. **8** Chamou Deus ao firmamento céu. E houve tarde e manhã; esse foi o segundo dia. **9** E disse Deus: Ajuntem-se as águas que estão debaixo dos céus num só lugar, e apareça a parte seca. E assim foi. **10** Chamou Deus à parte seca terra, e ao ajuntamento das águas, mares. E viu Deus que isso era bom. **11** E disse Deus: Produza a terra relva, ervas que deem semente e árvores frutíferas que deem fruto conforme a sua espécie, cuja semente esteja nele, sobre a terra. E assim foi. **12** A terra produziu relva, ervas que davam semente conforme a sua espécie e árvores que davam fruto, cuja semente estava nele, conforme a sua espécie. E viu Deus que isso era bom. **13** E houve tarde e manhã; esse foi o terceiro dia. **14** E disse Deus: Haja luminares no firmamento do céu, para fazerem separação entre o dia e a noite; e sejam eles sinais para marcar estações, dias e anos. **15** Sirvam de luminares no firmamento do céu, para iluminar a terra. E assim foi. **16** Fez Deus os dois grandes luminares: o luminar maior para governar o dia e o luminar menor para governar a noite. Fez também as estrelas. **17** Deus os pôs no firmamento do céu para iluminar a terra, **18** para governar o dia e a noite e para fazer separação entre a luz e as trevas. E viu Deus que isso era bom. **19** E houve tarde e manhã; esse foi o quarto dia. **20** E disse Deus: Produzam as águas enxames de seres viventes; e voem as aves acima da terra, no firmamento do céu. **21** Assim Deus criou as grandes criaturas do mar, todos os seres viventes que se arrastam, os quais povoavam as águas, conforme as suas espécies, e todas as aves que voam, conforme a sua espécie. E viu Deus que isso era bom. **22** Deus os abençoou, dizendo: Frutificai e multiplicai-vos; enchei as águas dos mares; e multipliquem-se as aves na terra. **23** E houve tarde e manhã; esse foi o quinto dia.

Gênesis 2

24 E disse Deus: Produza a terra seres viventes conforme a sua espécie: animais domésticos, répteis e animais selvagens conforme a sua espécie. E assim foi.
25 Deus fez os animais selvagens, conforme a sua espécie, e os animais domésticos, conforme a sua espécie, e todos os répteis, conforme a sua espécie. E viu Deus que isso era bom.
26 Então disse Deus: Façamos o homem à nossa imagem, conforme a nossa semelhança; domine ele sobre os peixes do mar, sobre as aves dos céus, sobre os animais domésticos, sobre toda a terra e sobre todos os répteis que se arrastam sobre a terra.
27 Assim Deus criou o homem
à sua imagem,
à imagem de Deus o criou;
macho e fêmea os criou.
28 Deus os abençoou e lhes disse: Frutificai, multiplicai-vos; enchei a terra e sujeitai-a. Dominai sobre os peixes do mar, sobre todas as aves dos céus e sobre todos os animais que se arrastam sobre a terra.
29 E disse Deus ainda: Tenho-vos dado todas as ervas que produzem semente e se acham sobre a face de toda a terra, bem como todas as árvores em que há fruto que dá semente. Elas vos servirão de mantimento.
30 E a todos os animais da terra, a todas as aves do céu e a todos os seres viventes que se arrastam sobre a terra, tenho dado todas as ervas verdes como mantimento. E assim foi.
31 Viu Deus tudo o que tinha feito, e que era muito bom. E houve tarde e manhã; esse foi o sexto dia.

**2** Assim os céus, a terra e todo o seu exército foram acabados.
2 Havendo Deus acabado no sétimo dia a obra que fizera, descansou nesse dia de toda a sua obra.
3 E abençoou Deus o sétimo dia e o santificou, porque nele descansou de toda a obra de criação que fizera.

### Adão e Eva

4 Estas são as origens dos céus e da terra quando foram criados. No dia em que o Senhor Deus fez a terra e os céus,
5 não havia ainda nenhuma planta do campo na terra; nenhuma erva do campo tinha brotado, pois o Senhor Deus ainda não tinha feito chover sobre a terra, e também não havia homem para lavrar o solo.
6 Um vapor, porém, subia da terra e regava toda a superfície do solo.
7 Formou o Senhor Deus o homem do pó da terra e soprou-lhe nas narinas o fôlego da vida, e o homem tornou-se alma vivente.
8 Ora, plantou o Senhor Deus um jardim no Éden, ao oriente, e pôs ali o homem que tinha formado.
9 E o Senhor Deus fez brotar da terra toda espécie de árvores agradáveis à vista e boas para comida, bem como a árvore da vida no meio do jardim, e a árvore do conhecimento do bem e do mal.
10 Saía um rio do Éden para regar o jardim; dali se dividia e se tornava em quatro braços.
11 O nome do primeiro é Pisom: este é o que rodeia toda a terra de Havilá, onde há ouro.
12 O ouro dessa terra é bom: ali há o bdélio e a pedra de ônix.

13 O nome do segundo rio é Giom: este é o que rodeia toda a terra de Cuxe.
14 O nome do terceiro rio é Tigre: este é o que corre pelo oriente da Assíria. E o quarto rio é o Eufrates.
15 O Senhor Deus tomou o homem e o pôs no jardim do Éden para o lavrar e o guardar.
16 Ordenou o Senhor Deus ao homem, dizendo: De toda a árvore do jardim comerás livremente,
17 mas da árvore do conhecimento do bem e do mal, dela não comerás, pois no dia em que dela comeres, certamente morrerás.

### Como Deus criou a mulher

18 Disse o Senhor Deus: Não é bom que o homem esteja só. Farei para ele uma ajudadora que lhe corresponda.
19 Havendo, pois, o Senhor Deus formado da terra todos os animais do campo e todas as aves do céu, trouxe-os ao homem, para ver como lhes chamaria; e o nome que o homem deu a todo ser vivente, esse foi o seu nome.
20 Assim o homem deu nome a todos os animais domésticos, às aves do céu e a todos os animais do campo. Mas para o homem não se achava ajudadora que lhe correspondesse.
21 Então o Senhor Deus fez cair um sono pesado sobre o homem, e este adormeceu; então, tomou o Senhor Deus uma das suas costelas e fechou a carne em seu lugar.
22 Então da costela que o Senhor Deus tomou do homem, formou a mulher e a trouxe ao homem.
23 Disse o homem:
Esta é agora osso dos meus ossos,
e carne da minha carne;
ela será chamada mulher, pois do homem foi tomada.
24 Portanto, deixará o homem a seu pai e a sua mãe e se unirá à sua mulher, e serão os dois uma só carne.
25 E ambos estavam nus, o homem e a sua mulher, e não se envergonhavam.

### A queda do homem

3 Ora, a serpente era o mais astuto de todos os animais do campo, que o Senhor Deus tinha feito. Esta disse à mulher: É assim que Deus disse: Não comereis de toda árvore do jardim?
2 Respondeu a mulher à serpente: Do fruto das árvores do jardim podemos comer,
3 mas do fruto da árvore que está no meio do jardim, disse Deus: Não comereis dele nem nele tocareis, para que não morrais.
4 Então a serpente disse à mulher: Certamente não morrereis.
5 Porque Deus sabe que no dia em que comerdes desse fruto, os vossos olhos se abrirão, e sereis como Deus, conhecendo o bem e o mal.
6 Vendo a mulher que aquela árvore era boa para se comer, agradável aos olhos e desejável para dar entendimento, tomou do seu fruto e comeu, e deu também a seu marido, que estava com ela, e ele comeu.
7 Então os olhos de ambos foram abertos, e perceberam que estavam nus; juntaram, pois, folhas de figueira e cobriram-se.
8 Então ouvindo a voz do Senhor Deus, que passeava no jardim pela viração do dia, o homem e sua mulher esconderam-se da presença do Senhor Deus, entre as árvores do jardim.

9 Chamou, porém, o Senhor Deus o homem e lhe perguntou: Onde estás?
10 Ele respondeu: Ouvi a tua voz no jardim e tive medo, porque estava nu, e escondi-me.
11 Perguntou-lhe Deus: Quem te mostrou que estavas nu? Comeste da árvore de que te ordenei que não comesses?
12 Disse o homem: A mulher que me deste por companheira deu-me da árvore, e eu comi.
13 Então disse o Senhor Deus à mulher: Que é isso que fizeste? Respondeu a mulher: A serpente me enganou, e eu comi.
14 Disse, pois, o Senhor Deus à serpente:
Porque fizeste isso,
   maldita és entre todos os
      animais domésticos,
e entre todos os animais do
      campo;
   sobre o teu ventre andarás,
e pó comerás todos os dias da
      tua vida.
15 E porei inimizade entre ti e a mulher,
   entre a tua descendência
   e o seu descendente.
   Este te ferirá a cabeça,
   e tu lhe ferirás o calcanhar.
16 À mulher disse:
   Multiplicarei grandemente a
      dor da tua gravidez;
   em dor darás à luz filhos.
   O teu desejo será para o teu
      marido,
   e ele te dominará.
17 Ao homem disse: Porque deste ouvidos à voz de tua mulher e comeste da árvore de que te ordenei não comesse,
   maldita é a terra por tua causa;
   em fadiga comerás
   dela todos os dias da tua vida.
18 Ela produzirá também espinhos e ervas daninhas,
   e tu comerás das plantas do
      campo.
19 Do suor do teu rosto
   comerás o teu pão,
   até que tornes à terra,
      porque dela foste tomado;
      pois és pó,
   e ao pó tornarás.
20 Chamou o homem a sua mulher Eva, porque era a mãe de todos os viventes.
21 Fez o Senhor Deus vestimenta de peles para Adão e sua mulher e os vestiu.
22 Então disse o Senhor Deus: O homem agora se tornou como um de nós, conhecendo o bem e o mal. Não aconteça que ele estenda a mão e tome também da árvore da vida e coma e viva eternamente.
23 O Senhor Deus, pois, o lançou fora do jardim do Éden, para lavrar a terra de que fora tirado.
24 Havendo lançado fora o homem, pôs querubins ao oriente do jardim do Éden e uma espada flamejante que se movia por todos os lados, para guardar o caminho da árvore da vida.

### Caim e Abel

**4** Conheceu Adão a Eva, sua mulher, e ela concebeu e teve a Caim; então disse: Adquiri um varão com o auxílio do Senhor.
2 Tornou a dar à luz e teve a Abel, seu irmão. Abel foi pastor de ovelhas, e Caim foi lavrador da terra.
3 Ao cabo de dias trouxe Caim do fruto da terra uma oferta ao Senhor.
4 Abel também trouxe dos primogênitos das suas ovelhas e da gordura delas. Atentou o Senhor para Abel e para a sua oferta,

5 mas para Caim e para a sua oferta não atentou. E irou-se Caim fortemente, e descaiu-lhe o semblante.
6 Então lhe disse o Senhor: Por que te iraste? E por que descaiu o teu semblante?
7 Se procederes bem, não serás aceito? E, se não procederes bem, o pecado jaz à porta, querendo conquistar-te, mas sobre ele deves dominar.
8 Disse Caim a seu irmão Abel: Vamos ao campo. Estando eles no campo, Caim se levantou contra o seu irmão Abel e o matou.
9 Disse o Senhor a Caim: Onde está Abel, teu irmão? E ele respondeu: Não sei. Acaso sou eu guarda do meu irmão?
10 Disse Deus: Que fizeste? A voz do sangue do teu irmão clama a mim desde a terra.
11 Agora maldito és desde a terra, que abriu a sua boca para receber das tuas mãos o sangue do teu irmão.
12 Quando lavrares o solo, não te dará mais a sua força; fugitivo e errante serás pela terra.
13 Então disse Caim ao Senhor: É maior o meu castigo do que o que eu possa suportar.
14 Hoje me lanças da face da terra, e da tua presença me esconderei; serei fugitivo e errante pela terra, e qualquer que comigo se encontrar me matará.
15 O Senhor, porém, lhe disse: Portanto qualquer que matar a Caim será vingado sete vezes. E pôs o Senhor um sinal em Caim, para que não o ferisse quem quer que o encontrasse.
16 Então saiu Caim da presença do Senhor e habitou na terra de Node, ao oriente do Éden.
17 Conheceu Caim a sua mulher, e ela concebeu e teve a Enoque. Caim edificou uma cidade e lhe deu o nome do filho, Enoque.
18 A Enoque nasceu Irade, e Irade gerou a Meujael, e Meujael gerou a Metusael, e Metusael gerou a Lameque.
19 Lameque tomou para si duas mulheres: o nome de uma era Ada; o da outra, Zilá.
20 E Ada deu à luz a Jabal; este foi o pai dos que habitam em tendas e possuem gado.
21 O nome do seu irmão era Jubal; este foi o pai de todos os que tocam harpa e flauta.
22 Zilá também deu à luz Tubal-Caim, mestre de toda a obra de cobre e de ferro. A irmã de Tubal-Caim foi Naamá.
23 Disse Lameque às suas mulheres:

Ada e Zilá, ouvi a minha voz;
 vós, mulheres de Lameque,
 escutai as minhas palavras.
Matei um homem por me
 ferir,
 e um rapaz por me pisar.
24 Se Caim há de ser vingado
 sete vezes,
 com certeza Lameque
 o será setenta e sete vezes.

25 Tornou Adão a conhecer a sua mulher, e ela teve um filho, a quem pôs o nome de Sete; porque, disse ela, Deus me deu outro descendente em lugar de Abel, que Caim matou.
26 A Sete também nasceu um filho, a quem pôs o nome de Enos. Foi nesse tempo que os homens começaram a invocar o nome do Senhor.

### De Adão a Noé

5 Este é o livro das gerações de Adão. No dia em que Deus

criou o homem, à semelhança de Deus o fez.

2 Macho e fêmea os criou; e os abençoou, e os chamou pelo nome de Homem, no dia em que foram criados.

3 Adão viveu cento e trinta anos e gerou um filho à sua semelhança, conforme a sua imagem, e pôs-lhe o nome de Sete.

4 Foram os dias de Adão, depois que gerou Sete, oitocentos anos, e gerou filhos e filhas.

5 Foram todos os dias que Adão viveu novecentos e trinta anos, e morreu.

6 Viveu Sete cento e cinco anos e gerou Enos.

7 Viveu Sete, depois que gerou Enos, oitocentos e sete anos e gerou filhos e filhas.

8 Foram todos os dias de Sete novecentos e doze anos, e morreu.

9 Viveu Enos noventa anos e gerou Cainã.

10 Viveu Enos, depois que gerou Cainã, oitocentos e quinze anos e gerou filhos e filhas.

11 Foram todos os dias de Enos novecentos e cinco anos, e morreu.

12 Viveu Cainã setenta anos e gerou Maalaleel.

13 Viveu Cainã, depois que gerou Maalaleel, oitocentos e quarenta anos e gerou filhos e filhas.

14 Foram todos os dias de Cainã novecentos e dez anos, e morreu.

15 Viveu Maalaleel sessenta e cinco anos e gerou Jarede.

16 Viveu Maalaleel, depois que gerou Jarede, oitocentos e trinta anos e gerou filhos e filhas.

17 Foram todos os dias de Maalaleel oitocentos e noventa e cinco anos, e morreu.

18 Viveu Jarede cento e sessenta e dois anos e gerou Enoque.

19 Viveu Jarede, depois que gerou Enoque, oitocentos anos e gerou filhos e filhas.

20 Foram todos os dias de Jarede novecentos e sessenta e dois anos, e morreu.

21 Viveu Enoque sessenta e cinco anos e gerou Matusalém.

22 Andou Enoque com Deus, depois que gerou Matusalém, trezentos anos e gerou filhos e filhas.

23 Foram todos os dias de Enoque trezentos e sessenta e cinco anos.

24 Andou Enoque com Deus; e já não era, porque Deus para si o tomou.

25 Viveu Matusalém cento e oitenta e sete anos e gerou Lameque.

26 Viveu Matusalém, depois que gerou Lameque, setecentos e oitenta e dois anos e gerou filhos e filhas.

27 Foram todos os dias de Matusalém novecentos e sessenta e nove anos, e morreu.

28 Viveu Lameque cento e oitenta e dois anos e gerou um filho,

29 a quem chamou Noé, dizendo: Este nos consolará acerca de nossas obras e do trabalho de nossas mãos, por causa da terra que o Senhor amaldiçoou.

30 Viveu Lameque, depois que gerou Noé, quinhentos e noventa e cinco anos e gerou filhos e filhas.

31 Foram todos os dias de Lameque setecentos e setenta e sete anos, e morreu.

32 Aos quinhentos anos, Noé tinha gerado Sem, Cão e Jafé.

## O Dilúvio

6 Quando os homens começaram a multiplicar-se sobre a terra e lhes nasceram filhas,

2 viram os filhos de Deus que as filhas dos homens eram formosas

e tomaram para si mulheres de todas as que escolheram.

3 Então disse o Senhor: Não permanecerá o meu Espírito para sempre com o homem, pois este é mortal; os seus dias serão cento e vinte anos.

4 Havia naqueles dias gigantes na terra, e também depois, quando os filhos de Deus conheceram as filhas dos homens, as quais lhes deram filhos. Estes foram valentes, os homens de renome que houve na antiguidade.

5 Viu o Senhor que a maldade do homem se multiplicara sobre a terra e que toda a imaginação dos pensamentos de seu coração era má continuamente.

6 Então arrependeu-se o Senhor de haver feito o homem sobre a terra, e isso lhe pesou no coração.

7 Disse o Senhor: Destruirei de sobre a face da terra o homem que criei, tanto o homem como o animal, os répteis e as aves do céu, pois me arrependo de os haver feito.

8 Noé, porém, achou graça aos olhos do Senhor.

9 São estas as gerações de Noé. Era ele homem justo e íntegro em sua geração; Noé andava com Deus.

10 Gerou Noé três filhos: Sem, Cão e Jafé.

11 A terra, porém, estava corrompida diante de Deus e cheia de violência.

12 Viu Deus que a terra estava corrompida, pois todas as pessoas haviam corrompido a sua conduta sobre a terra.

13 Então disse Deus a Noé: O fim de todos os seres humanos é chegado perante mim, pois a terra está cheia da violência dos homens. Eu os destruirei com a terra.

14 Faze para ti uma arca de madeira de cipreste. Farás compartimentos na arca e a revestirás de betume por dentro e por fora.

15 Desta maneira a farás: o comprimento da arca será de trezentos côvados, a sua largura de cinquenta e a sua altura de trinta.

16 Farás na arca uma janela e lhe darás um côvado de altura. A porta da arca porás no seu lado; farás um primeiro, um segundo e um terceiro andares.

17 Eu trago o Dilúvio sobre a terra, para destruir tudo o que tem vida debaixo dos céus; tudo o que há na terra expirará.

18 Contigo, porém, estabelecerei a minha aliança. Entrarás na arca tu e contigo os teus filhos, a tua mulher e as mulheres de teus filhos.

19 De tudo o que vive, de tudo o que é carne, dois de cada espécie, farás entrar na arca, para os conservares vivos contigo; macho e fêmea serão.

20 Das aves conforme as suas espécies, de todos os animais conforme as suas espécies, de todo réptil da terra conforme as suas espécies, dois de cada espécie virão a ti, para os conservares em vida.

21 Leva contigo de tudo o que se come e ajunta-o para ti; e te será para mantimento, a ti e a eles.

22 Assim fez Noé, conforme tudo o que Deus lhe mandou.

### Noé e sua família entram na arca

**7** Depois disse o Senhor a Noé: Entra na arca, tu e toda a tua casa, porque és justo diante de mim nesta geração.

2 De todos os animais limpos levarás contigo sete e sete, o macho e

sua fêmea; mas dos animais que não são limpos, dois, o macho e sua fêmea.
**3** Também das aves dos céus sete e sete, macho e fêmea, para se conservar em vida a semente sobre a face de toda a terra.
**4** Porque, passados ainda sete dias, farei chover sobre a terra quarenta dias e quarenta noites; exterminarei da face da terra todos os seres que fiz.
**5** E Noé fez conforme tudo o que o Senhor lhe ordenara.
**6** Tinha Noé seiscentos anos de idade quando as águas do Dilúvio vieram sobre a terra.
**7** Entrou Noé, seus filhos, sua mulher e as mulheres de seus filhos na arca, por causa das águas do Dilúvio.
**8** Dos animais limpos e dos animais que não são limpos, das aves e de todo o réptil sobre a terra
**9** entraram de dois em dois para Noé na arca, macho e fêmea, como Deus ordenara a Noé.
**10** E, passados sete dias, vieram sobre a terra as águas do Dilúvio.
**11** No ano seiscentos da vida de Noé, no segundo mês, aos dezessete dias do mês, romperam-se todas as fontes do grande abismo, e as janelas dos céus se abriram.
**12** Houve copiosa chuva sobre a terra durante quarenta dias e quarenta noites.
**13** Nesse mesmo dia, entrou Noé na arca, e com ele seus filhos Sem, Cão e Jafé, como também sua mulher e as três mulheres de seus filhos,
**14** e com eles todo animal conforme a sua espécie, e todo o gado conforme a sua espécie, e todo o réptil que se arrasta sobre a terra conforme a sua espécie, e toda a ave conforme a sua espécie, pássaros de toda qualidade.
**15** E de todas as criaturas, em que havia fôlego de vida, entraram de dois em dois para Noé na arca.
**16** E os que entraram eram macho e fêmea de todos os seres viventes, como Deus lhe tinha ordenado. Então o Senhor fechou a porta por fora.
**17** Esteve o Dilúvio quarenta dias sobre a terra; e aumentaram as águas e levantaram a arca, e ela se elevou por cima da terra.
**18** Prevaleceram as águas e aumentaram grandemente sobre a terra; e a arca vagava sobre as águas.
**19** As águas prevaleceram excessivamente sobre a terra. Todos os altos montes, que havia debaixo de todo o céu, foram cobertos.
**20** Quinze côvados acima deles prevaleceram as águas; e os montes foram cobertos.
**21** Pereceram todos os seres viventes que se moviam sobre a terra: aves, gado, animais selvagens, todo réptil que se arrasta sobre a terra e todo homem.
**22** Tudo o que tinha fôlego de vida em suas narinas, tudo o que havia em terra seca, morreu.
**23** Assim foram exterminados todos os seres que havia sobre a face da terra: o homem e o animal, os répteis e as aves dos céus foram extintos da terra; ficaram somente Noé e os que com ele estavam na arca.
**24** E prevaleceram as águas sobre a terra cento e cinquenta dias.

### As águas do Dilúvio diminuem

**8** Lembrou-se Deus de Noé, de todos os animais selvagens e de todos os animais domésticos

que com ele estavam na arca e fez passar um vento sobre a terra, e as águas começaram a baixar.
2 Cerraram-se as fontes do abismo e as janelas dos céus, e a chuva dos céus se deteve.
3 As águas se foram retirando de sobre a terra. No fim de cento e cinquenta dias as águas haviam diminuído,
4 e a arca repousou, no sétimo mês, no dia dezessete do mês, sobre os montes de Ararate.
5 E as águas foram minguando até o décimo mês. No décimo mês, no primeiro dia do mês, apareceram os cumes dos montes.

### Noé solta um corvo e depois uma pomba

6 Ao cabo de quarenta dias, Noé abriu a janela que havia feito na arca
7 e soltou um corvo que, saindo, ia e voltava até que as águas se secaram de sobre a terra.
8 Depois soltou uma pomba, para ver se as águas tinham minguado de sobre a face da terra.
9 A pomba, porém, não achando onde pousar a planta do pé, voltou a ele para a arca, porque as águas ainda estavam sobre a face de toda a terra. Noé, estendendo a mão, tomou-a e a recolheu consigo na arca.
10 Esperou ainda outros sete dias e tornou a enviar a pomba fora da arca.
11 Quando a pomba voltou a ele à tarde, no seu bico havia uma folha verde de oliveira. Assim soube Noé que as águas tinham minguado de sobre a terra.
12 Então esperou ainda outros sete dias e enviou fora a pomba, mas esta não tornou mais a ele.

13 No ano seiscentos e um, no primeiro mês, no primeiro dia do mês, as águas se secaram de sobre a terra. Então Noé tirou a cobertura da arca, e olhou, e a face da terra estava enxuta.
14 No segundo mês, aos vinte e sete dias do mês, a terra estava seca.

### Noé e sua família saem da arca

15 Então disse Deus a Noé:
16 Sai da arca, tu e tua mulher, teus filhos e as mulheres de teus filhos.
17 Todos os animais que estão contigo, de todos os seres viventes, tanto aves como animais domésticos e todo réptil que se arrasta sobre a terra, traze-os fora contigo, para que se reproduzam abundantemente na terra, frutifiquem e se multipliquem.
18 Então saiu Noé, e com ele seus filhos, sua mulher e as mulheres de seus filhos.
19 Todos os animais, todos os répteis, todas as aves, tudo o que se move sobre a terra, conforme as suas famílias, saíram da arca.
20 Então edificou Noé um altar ao Senhor e, tomando de todos os animais limpos e de todas as aves limpas, ofereceu holocaustos sobre o altar.
21 O Senhor sentiu o suave cheiro e disse em seu coração: Não tornarei mais a amaldiçoar a terra por causa do homem; porque a imaginação do coração do homem é má desde a sua meninice. E jamais tornarei a ferir a todos os seres viventes, como fiz.
22 Enquanto a terra durar,
 não deixará de haver plantio
  e colheita,
 frio e calor,
 verão e inverno,
  dia e noite.

# Gênesis 9

## A aliança de Deus com Noé

**9** Abençoou Deus a Noé e a seus filhos, e lhes disse: Frutificai, multiplicai-vos e enchei a terra.
2 O pavor e o medo de vós virão sobre todos os animais da terra e sobre todas as aves dos céus; tudo o que se move sobre a terra e todos os peixes do mar são entregues nas vossas mãos.
3 Tudo o que se move e vive será para vosso mantimento. Assim como vos dei as ervas verdes, tudo vos dou agora.
4 A carne, porém, com sua vida, isto é, com seu sangue, não comereis.
5 Certamente requererei o vosso sangue, o sangue das vossas vidas; de todo animal o requererei, como também das mãos do homem, sim, das mãos do irmão de cada um requererei a vida do homem.
6 Quem derramar sangue de homem,
    pelo homem o seu sangue
      será derramado;
   pois Deus fez o homem
      à sua imagem.
7 Mas vós, frutificai e multiplicai-vos; povoai abundantemente a terra e multiplicai-vos nela.
8 Então disse Deus a Noé e a seus filhos:
9 Agora estabeleço a minha aliança convosco e com a vossa descendência depois de vós,
10 e com todos os seres viventes que convosco estão: as aves, os animais domésticos e os animais selvagens que saíram da arca, como todos os animais da terra.
11 Estabeleço convosco a minha aliança: Não mais será destruído tudo o que tem vida pelas águas do Dilúvio; não haverá mais Dilúvio para destruir a terra.
12 E disse Deus: Este é o sinal da aliança que ponho entre mim e vós e entre todos os seres viventes que estão convosco, por gerações perpétuas:
13 O meu arco tenho posto nas nuvens e ele será por sinal de haver uma aliança entre mim e a terra.
14 Sempre que eu trouxer nuvens sobre a terra e aparecer o arco nas nuvens,
15 eu me lembrarei da minha aliança, que está entre mim e vós e todos os seres viventes de toda a carne. As águas não se tornarão mais em Dilúvio, para destruir tudo o que tem vida.
16 O arco estará nas nuvens, e eu o verei, para me lembrar da aliança eterna entre Deus e todos os seres viventes de todas as espécies, que estão sobre a terra.
17 Disse Deus a Noé: Este é o sinal da aliança que tenho estabelecido entre mim e tudo o que tem vida que está sobre a terra.
18 Os filhos de Noé, que saíram da arca, foram Sem, Cão e Jafé. Cão é o pai de Canaã.
19 Esses três foram os filhos de Noé, e deles se povoou toda a terra.

### Noé planta uma vinha

20 Começou Noé a cultivar a terra e plantou uma vinha.
21 Bebeu do vinho, embriagou-se e ficou nu dentro de sua tenda.
22 E Cão, pai de Canaã, vendo a nudez de seu pai, fê-lo saber, fora, a seus dois irmãos.
23 Então Sem e Jafé tomaram uma capa e puseram-na sobre os seus ombros, e indo virados para trás, cobriram a nudez do seu pai, tendo os rostos virados, de maneira que não viram a nudez do seu pai.

24 Despertando Noé do seu vinho, soube o que seu filho mais moço lhe fizera
25 e disse:
Maldito seja Canaã!
Escravo de escravos seja para seus irmãos.
26 Disse mais:
Bendito seja o Senhor Deus de Sem!
Seja-lhe Canaã por servo.
27 Alargue Deus a Jafé;
habite ele nas tendas de Sem, e seja-lhe Canaã por servo.
28 Viveu Noé, depois do Dilúvio, trezentos e cinquenta anos.
29 Foram todos os dias de Noé novecentos e cinquenta anos, e morreu.

### Os descendentes de Noé

**10** São estas as gerações dos filhos de Noé: Sem, Cão e Jafé, aos quais nasceram filhos depois do Dilúvio.
2 Os filhos de Jafé são: Gômer, Magogue, Madai, Javã, Tubal, Meseque e Tiras.
3 Os filhos de Gômer são: Asquenaz, Rifá e Togarma.
4 Os filhos de Javã são: Elisá, Társis, Quitim e Dodanim.
5 Por estes foram repartidas as ilhas das nações nas suas terras, cada qual segundo a sua língua, segundo as suas famílias, entre as suas nações.
6 Os filhos de Cão: Cuxe, Mizraim, Pute e Canaã.
7 Os filhos de Cuxe são: Sebá, Havilá, Sabtá, Raamá e Sabtecá. Os filhos de Raamá: Sabá e Dedã.
8 Cuxe também gerou Ninrode, que começou a ser poderoso na terra.
9 Ele foi poderoso caçador diante da face do Senhor; pelo que se diz: Como Ninrode, poderoso caçador diante do Senhor.
10 O princípio do seu reino foi Babel, Ereque, Acade e Calné, na terra de Sinear.
11 Dessa mesma terra saiu ele para a Assíria e edificou Nínive, Reobote-Ir e Calá.
12 E, entre Nínive e Calá, a grande cidade de Resém.
13 Mizraim gerou Ludim, Anamim, Leabim, Naftuim,
14 Patrusim, Casluim (donde saíram os filisteus) e Caftorim.
15 Canaã gerou Sidom, seu primogênito, e Hete,
16 e o jebuseu, o amorreu, o girgaseu,
17 o heveu, o arqueu, o sineu,
18 o arvadeu, o zemareu e o hamateu. Depois se espalharam as famílias dos cananeus.
19 Foi o termo dos cananeus desde Sidom, em direção a Gerar, até Gaza; em direção a Sodoma, Gomorra, Admá e Zeboim, até Lasa.
20 Estes são os filhos de Cão segundo as suas famílias, segundo as suas línguas, em suas terras, em suas nações.
21 A Sem, irmão mais velho de Jafé, nasceram filhos; ele foi o pai de todos os filhos de Éber.
22 Os filhos de Sem foram: Elão, Assur, Arfaxade, Lude e Arã.
23 Os filhos de Arã: Uz, Hul, Géter e Más.
24 Arfaxade gerou Selá, e Selá gerou Éber.
25 A Éber nasceram dois filhos: o nome de um foi Pelegue, porque em seus dias se repartiu a terra; o nome do seu irmão foi Joctã.
26 Joctã gerou Almodá, Salefe, Hazarmavé, Jerá,
27 Hadorão, Uzal, Dicla,
28 Obal, Abimael, Sabá,

# Gênesis 11

29 Ofir, Havilá e Jobabe. Todos esses foram filhos de Joctã.
30 E habitaram desde Messa até Sefar, montanha do oriente.
31 São esses os filhos de Sem segundo as suas famílias, segundo as suas línguas, nas suas terras, segundo as suas nações.
32 São essas as famílias dos filhos de Noé segundo as suas gerações, nas suas nações. Deles foram disseminadas as nações na terra depois do Dilúvio.

## A torre de Babel

**11** Ora, a terra toda tinha uma só língua e uma só maneira de falar.
2 Partindo eles do oriente, acharam uma planície na terra de Sinear e habitaram ali.
3 Disseram uns aos outros: Vinde, façamos tijolos e queimemo-los bem. Os tijolos lhes serviram de pedra e o betume de cal.
4 Então disseram: Vinde, edifiquemos para nós uma cidade e uma torre cujo cume toque no céu. Tornemos famoso o nosso nome, para que não sejamos espalhados sobre a face de toda a terra.
5 O Senhor, porém, desceu para ver a cidade e a torre que os filhos dos homens edificavam.
6 Disse o Senhor: O povo é um e todos têm uma só língua. Começam a construir a torre; agora não haverá restrição para tudo o que eles intentarem fazer.
7 Vinde, desçamos e confundamos ali a sua língua, para que não entendam mais um ao outro.
8 Assim o Senhor os espalhou dali sobre a face de toda a terra, e cessaram de edificar a cidade.
9 Por isso se chamou o seu nome Babel, porque ali confundiu o Senhor a língua de toda a terra e dali os espalhou o Senhor sobre a face de toda a terra.

## Os descendentes de Sem

10 São estas as gerações de Sem. Sem era da idade de cem anos quando gerou Arfaxade, dois anos depois do Dilúvio.
11 E viveu Sem, depois que gerou Arfaxade, quinhentos anos e gerou filhos e filhas.
12 Viveu Arfaxade trinta e cinco anos e gerou Selá.
13 Viveu Arfaxade, depois que gerou Selá, quatrocentos e três anos e gerou filhos e filhas.
14 Viveu Selá trinta anos e gerou Héber.
15 Viveu Selá, depois que gerou Héber, quatrocentos e três anos e gerou filhos e filhas.
16 Viveu Héber trinta e quatro anos e gerou Pelegue.
17 Viveu Héber, depois que gerou Pelegue, quatrocentos e trinta anos e gerou filhos e filhas.
18 Viveu Pelegue trinta anos e gerou Reú.
19 Viveu Pelegue, depois que gerou Reú, duzentos e nove anos e gerou filhos e filhas.
20 Viveu Reú trinta e dois anos e gerou Serugue.
21 Viveu Reú, depois que gerou Serugue, duzentos e sete anos e gerou filhos e filhas.
22 Viveu Serugue trinta anos e gerou Naor.
23 Viveu Serugue, depois que gerou Naor, duzentos anos e gerou filhos e filhas.
24 Viveu Naor vinte e nove anos e gerou Terá.
25 Viveu Naor, depois que gerou Terá, cento e dezenove anos e gerou filhos e filhas.

26 Viveu Terá setenta anos e gerou Abrão, Naor e Harã.
27 São estas as gerações de Terá: Terá gerou Abrão, Naor e Harã. E Harã gerou Ló.
28 Morreu Harã estando seu pai, Terá, ainda vivo, na terra do seu nascimento, em Ur dos caldeus.
29 Abrão e Naor tomaram mulheres para si. O nome da mulher de Abrão era Sarai, e o nome da mulher de Naor era Milca, filha de Harã, pai de Milca e de Iscá.
30 Sarai era estéril; não tinha filhos.
31 Tomou Terá a Abrão, seu filho, e a Ló, filho de Harã, filho de seu filho, e a Sarai, sua nora, mulher de seu filho Abrão, e saiu com eles de Ur dos caldeus, para ir à terra de Canaã. Mas, quando chegaram a Harã, habitaram ali.
32 Foram os dias de Terá duzentos e cinco anos, e morreu Terá em Harã.

### O chamado de Abrão

**12** Ora, o Senhor disse a Abrão: Sai da tua terra, da tua parentela e da casa de teu pai, para a terra que eu te mostrarei.
2 Farei de ti uma grande nação, te abençoarei e engrandecerei o teu nome,
e tu serás uma bênção.
3 Abençoarei os que te abençoarem,
e amaldiçoarei os que te amaldiçoarem;
em ti serão benditas
todas as famílias da terra.
4 Partiu, pois, Abrão, como o Senhor lhe tinha dito, e Ló foi com ele. Tinha Abrão setenta e cinco anos quando saiu de Harã.
5 Abrão levou consigo Sarai, sua mulher, e Ló, filho de seu irmão, e todos os bens que haviam adquirido e os servos comprados em Harã; e foram para a terra de Canaã, e lá chegaram.
6 Passou Abrão pela terra até o lugar de Siquém, até o carvalho de Moré. Nesse tempo, estavam os cananeus na terra.
7 Apareceu o Senhor a Abrão e disse: À tua semente darei esta terra. Abrão edificou ali um altar ao Senhor, que lhe aparecera.
8 Dali passou para o monte ao oriente de Betel e armou a sua tenda, ficando Betel ao ocidente e Ai ao oriente; também ali edificou um altar ao Senhor e invocou o nome do Senhor.
9 Depois continuou Abrão o seu caminho, seguindo sempre para o sul.

### Abrão desce ao Egito

10 Havia fome naquela terra. Desceu Abrão ao Egito, para peregrinar ali, porque a fome era grande na terra.
11 Estando ele prestes a entrar no Egito, disse a Sarai, sua mulher: Ora, bem sei que és mulher formosa à vista.
12 Quando os egípcios te virem, dirão: Esta é a mulher dele. E me matarão, e te guardarão com vida.
13 Dize, peço-te, que és minha irmã, para que me vá bem por causa de ti, e que viva a minha alma por tua causa.
14 Entrando Abrão no Egito, viram os egípcios que a mulher era muito formosa.
15 Viram-na os príncipes de faraó e gabaram-na diante dele; e foi levada a mulher para a casa de faraó.
16 Ele tratou bem a Abrão por causa dela, e este veio a ter ovelhas,

vacas, jumentos, servos e servas, jumentas e camelos.

17 Feriu, porém, o Senhor a faraó e a sua casa com grandes pragas, por causa de Sarai, mulher de Abrão.

18 Então chamou faraó a Abrão e disse: Que é isso que me fizeste? Por que não me disseste que ela era tua mulher?

19 Por que disseste: É minha irmã? Por isso que a tomei para ser minha mulher. Agora, pois, eis aqui tua mulher; toma-a e vai-te.

20 Então faraó deu ordens aos seus guardas a respeito de Abrão, os quais o fizeram partir com sua mulher e tudo o que tinha.

### Abrão e Ló separam-se

**13** Subiu, pois, Abrão do Egito para o Neguebe, com sua mulher e tudo o que tinha, e Ló estava com ele.

2 Era Abrão muito rico em gado, em prata e em ouro.

3 Fez as suas jornadas do Neguebe até Betel, até o lugar onde primeiro estivera a sua tenda, entre Betel e Ai,

4 até o lugar do altar que dantes ali fizera. Ali invocou Abrão o nome do Senhor.

5 Também Ló, que ia com Abrão, tinha rebanhos, gado e tendas.

6 A terra, porém, não podia sustentá-los, para que habitassem juntos, pois os seus bens eram muitos; de maneira que não podiam habitar juntos.

7 Houve contenda entre os pastores do gado de Abrão e os pastores do gado de Ló. Nesse tempo, os cananeus e os ferezeus habitavam na terra.

8 Disse Abrão a Ló: Ora, não haja contenda entre mim e ti, e entre os meus pastores e os teus pastores, pois somos irmãos.

9 Não está toda a terra diante de ti? Rogo-te que te apartes de mim. Se escolheres a esquerda, irei para a direita; se a direita escolheres, irei para a esquerda.

10 Levantou Ló os olhos e viu que a campina do Jordão era toda bem regada (antes de o Senhor ter destruído Sodoma e Gomorra). Ela era como o jardim do Senhor, como a terra do Egito, na direção de Zoar.

11 Então, Ló escolheu para si toda a campina do Jordão e partiu para o oriente. Assim se apartaram um do outro.

12 Habitou Abrão na terra de Canaã, e Ló habitou nas cidades da campina e armou as suas tendas até Sodoma.

13 Ora, eram maus os homens de Sodoma e grandes pecadores contra o Senhor.

14 Disse o Senhor a Abrão, depois que Ló se apartou dele: Levanta agora os teus olhos e olha desde o lugar onde estás, para o norte, para o sul, para o oriente e para o ocidente.

15 Toda esta terra que vês, hei de dar a ti e à tua descendência, para sempre.

16 Farei a tua descendência como o pó da terra, de modo que, se alguém puder contar o pó da terra, também a tua descendência será contada.

17 Levanta-te, percorre a terra no seu comprimento e na sua largura, pois eu a darei a ti.

18 Então mudou Abrão as suas tendas e foi habitar nos carvalhais de Manre, que estão junto a Hebrom, onde edificou um altar ao Senhor.

## Guerra de quatro reis contra cinco

**14** Naquele tempo, Anrafel, rei de Sinear, Arioque, rei de Elasar, Quedorlaomer, rei de Elão, e Tidal, rei de Goim, 2 fizeram guerra a Bera, rei de Sodoma, a Birsa, rei de Gomorra, a Sinabe, rei de Admá, a Semeber, rei de Zeboim, e ao rei de Belá (esta é Zoar).
3 Todos esses últimos se juntaram no vale de Sidim (que é o mar Salgado).
4 Doze anos haviam servido a Quedorlaomer, mas no décimo terceiro ano rebelaram-se.
5 No décimo quarto ano, Quedorlaomer e os reis que estavam com ele feriram os refains em Asterote-Carnaim, os zuzins em Hã, os emins em Savé-Quiriataim, 6 e os horeus no seu monte Seir, até El-Parã, que está junto ao deserto.
7 Depois voltaram e vieram a En-Mispate (que é Cades), e feriram toda a terra dos amalequitas e dos amorreus, que habitavam em Hazazom-Tamar.
8 Então saíram os reis de Sodoma, de Gomorra, de Admá, de Zeboim, de Belá (esta é Zoar) e ordenaram batalha contra eles no vale de Sidim,
9 contra Quedorlaomer, rei de Elão, Tidal, rei de Goim, Anrafel, rei de Sinear e Arioque, rei de Elasar; quatro reis contra cinco.
10 Ora, o vale de Sidim estava cheio de poços de betume. Quando os reis de Sodoma e de Gomorra fugiram, caíram ali; então os restantes fugiram para os montes.
11 Os quatro reis tomaram todos os bens de Sodoma e de Gomorra, todo o seu mantimento e se foram.
12 Tomaram também Ló, filho do irmão de Abrão, que habitava em Sodoma, e os bens dele, e partiram.
13 Então veio um que escapara e contou tudo a Abrão, o hebreu. Ora, habitava Abrão junto aos carvalhais de Manre, o amorreu, irmão de Escol e de Aner, aliados de Abrão.
14 Quando Abrão ouviu que o seu parente estava preso, chamou trezentos e dezoito homens treinados, nascidos em sua casa, e perseguiu os reis até Dã.
15 Dividiu-se contra eles de noite, ele e os seus servos, e os feriu, perseguindo-os até Hobá, que fica à esquerda de Damasco.
16 Assim trouxe de novo todos os seus bens. Trouxe também Ló, seu sobrinho, e os bens dele, e também as mulheres e o povo.
17 Depois que Abrão voltou do ataque a Quedorlaomer e aos reis que estavam com ele, o rei de Sodoma saiu-lhes ao encontro no vale de Savé (isto é, o vale do Rei).

### Melquisedeque abençoa a Abrão

18 Então Melquisedeque, rei de Salém e sacerdote do Deus Altíssimo, trouxe pão e vinho;
19 e abençoou a Abrão, dizendo:
   Bendito seja Abrão pelo Deus
      Altíssimo,
   o Criador dos céus e da terra.
20 E bendito seja o Deus
   Altíssimo,
   que entregou os teus inimigos
      nas tuas mãos!
Então Abrão deu-lhe o dízimo de tudo.
21 O rei de Sodoma disse a Abrão: Dá-me as pessoas e toma os bens para ti.

22 Abrão, porém, respondeu ao rei de Sodoma: Levantei a minha mão ao Senhor, o Deus Altíssimo, o Criador dos céus e da terra, 23 jurando que não tomarei coisa alguma de tudo o que é teu, nem um fio, nem uma correia de sapato, para que não digas: Eu enriqueci a Abrão;
24 salvo tão somente o que os rapazes comeram e a parte que toca aos homens que foram comigo — Aner, Escol e Manre. Esses que tomem a sua parte.

### Aliança de Deus com Abrão

**15** Depois dessas coisas veio a palavra do Senhor a Abrão numa visão, dizendo:
Não temas, Abrão,
 eu sou o teu escudo;
 o teu galardão será muito grande.
2 Então disse Abrão: Ó Senhor Deus, o que me darás, se continuo sem filhos, e o herdeiro da minha casa é o damasceno Eliézer? 3 Disse mais Abrão: A mim não me tens dado filhos; de modo que um servo nascido na minha casa será o meu herdeiro.
4 Ao que lhe veio a palavra do Senhor: Este homem não será o teu herdeiro, mas aquele que de tuas entranhas sair será o teu herdeiro.
5 Então o levou para fora e disse: Olha agora para o céu e conta as estrelas, se as podes contar. Então lhe disse: Assim será a tua descendência.
6 Creu Abrão no Senhor, e isso lhe foi imputado para justiça.
7 Disse-lhe mais: Eu sou o Senhor, que te tirei de Ur dos caldeus, para dar-te por herança esta terra.
8 Perguntou-lhe Abrão: Ó Senhor Deus, como saberei que hei de herdá-la?
9 Respondeu-lhe: Toma-me uma novilha de três anos, uma cabra de três anos, um carneiro de três anos, uma rola e um pombinho.
10 Abrão trouxe-lhe todos esses animais, partiu-os pelo meio, e pôs cada parte deles em frente da outra; as aves, porém, não partiu.
11 Então as aves de rapina desciam sobre os cadáveres, porém Abrão as enxotava.
12 Ao pôr do sol, caiu um profundo sono sobre Abrão, e lhe sobrevieram grande pavor e densas trevas.
13 Então disse o Senhor a Abrão: Sabe, com certeza, que peregrina será a tua descendência em terra alheia, e será reduzida à escravidão, e será afligida por quatrocentos anos.
14 Eu, porém, julgarei a nação à qual ela tem de servir, e depois sairá com muitos bens.
15 Tu, porém, irás para os teus pais em paz, e em boa velhice serás sepultado.
16 Na quarta geração, voltarão para cá, pois a medida da iniquidade dos amorreus ainda não está cheia.
17 Posto o sol, houve densas trevas; um fogo fumegante e uma tocha acesa apareceram e passaram por aquelas metades.
18 Naquele mesmo dia, fez o Senhor uma aliança com Abrão, dizendo: À tua descendência dei esta terra, desde o rio do Egito até o grande rio Eufrates;
19 o queneu, o quenezeu, o cadmoneu,
20 o heteu, o ferezeu, os refains,
21 o amorreu, o cananeu, o girgaseu e o jebuseu.

### Hagar e Ismael

**16** Ora, Sarai, mulher de Abrão, não lhe dava filhos. Mas tinha uma serva egípcia, cujo nome era Hagar.
2 Disse, pois, Sarai a Abrão: O Senhor me tem impedido de ter filhos. Toma a minha serva; que eu tenha filhos por meio dela. E ouviu Abrão a voz de Sarai.
3 Assim, Sarai, mulher de Abrão, tomou a Hagar, a egípcia, sua serva, e a deu por mulher a Abrão, seu marido, depois de ter Abrão habitado dez anos na terra de Canaã.
4 Ele conheceu a Hagar, e ela concebeu. Vendo ela que concebera, desprezou a sua senhora.
5 Então disse Sarai a Abrão: Sobre ti seja a afronta que me é dirigida. Pus a minha serva em teu regaço, e vendo ela agora que concebeu, desprezou-me. O Senhor julgue entre mim e ti.
6 Disse Abrão a Sarai: A tua serva está nas tuas mãos, faze-lhe como bem te parecer. Então Sarai a maltratou, e ela fugiu de sua presença.
7 O anjo do Senhor encontrou-a junto a uma fonte de água no deserto, a fonte que está no caminho de Sur.
8 E disse: Hagar, serva de Sarai, donde vens e para onde vais? Ela respondeu: Estou fugindo da presença de Sarai, minha senhora.
9 Então lhe disse o anjo do Senhor: Volta para a tua senhora e humilha-te debaixo de suas mãos.
10 Disse-lhe mais o anjo do Senhor: Multiplicarei sobremaneira a tua descendência, de modo que, por numerosa, não será contada.
11 Disse-lhe também o anjo do Senhor:
Concebeste e terás um filho,
a quem chamarás Ismael,
pois o Senhor ouviu a tua aflição.
12 Ele será como um jumento selvagem
entre os homens;
a sua mão será contra todos,
e a mão de todos, contra ele;
e habitará diante de todos os seus irmãos.
13 Ela chamou o nome do Senhor, que com ela falava: Tu és Deus que vê, pois disse ela: Agora olhei para aquele que me vê.
14 Por isso, aquele poço se chama Beer-Laai-Roi; está entre Cades e Berede.
15 Assim, Hagar deu um filho a Abrão, e Abrão pôs no menino o nome de Ismael.
16 Tinha Abrão oitenta e seis anos quando Hagar lhe deu Ismael.

### Deus muda o nome de Abrão

**17** Quando Abrão tinha noventa e nove anos de idade, apareceu-lhe o Senhor e lhe disse: Eu sou o Deus Todo-poderoso; anda na minha presença e sê perfeito.
2 Firmarei a minha aliança entre mim e ti e te multiplicarei extremamente.
3 Então prostrou-se Abrão com o rosto em terra, e falou Deus com ele, dizendo:
4 Quanto a mim, é esta a minha aliança contigo: Serás pai de muitas nações.
5 Não mais te chamarás Abrão, mas Abraão será o teu nome, pois por pai de muitas nações te tenho posto.
6 Eu te farei frutificar sobremaneira; de ti farei nações, e reis sairão de ti.

**7** Estabelecerei a minha aliança entre mim e ti e a tua descendência depois de ti em suas gerações, como aliança perpétua, para ser o teu Deus e da tua descendência depois de ti.
**8** Darei a ti e à tua descendência depois de ti a terra das tuas peregrinações, toda a terra de Canaã, em perpétua possessão; e serei o seu Deus.
**9** Disse mais Deus a Abraão: Quanto a ti, guardarás a minha aliança, tu e a tua descendência depois de ti, nas suas gerações.
**10** Esta é a minha aliança, que guardareis entre mim e vós e a tua descendência depois de ti: Todo macho entre vós será circuncidado.
**11** Circuncidareis a carne do vosso prepúcio; será isso por sinal da aliança entre mim e vós.
**12** Quando completarem oito dias, todos os machos serão circuncidados, nas vossas gerações, tanto o nascido em casa, como o comprado por dinheiro de qualquer estrangeiro, que não for da tua linhagem.
**13** Com efeito será circuncidado o nascido em tua casa e o comprado por teu dinheiro. Assim estará a minha aliança na vossa carne como aliança perpétua.
**14** O incircunciso, cuja carne do prepúcio não for circuncidada, será extirpado do seu povo; violou a minha aliança.

### Deus muda o nome de Sarai

**15** Disse também Deus a Abraão: Quanto a Sarai, tua mulher, não mais a chamarás de Sarai, mas Sara será o seu nome.
**16** Eu a abençoarei e dela te darei um filho. Eu a abençoarei, e ela será mãe de nações; reis de povos sairão dela.
**17** Então prostrou-se Abraão com o rosto em terra, e riu-se, e disse no seu coração: A um homem de cem anos há de nascer um filho? Conceberá Sara com a idade de noventa anos?
**18** Disse Abraão a Deus: Oxalá viva Ismael diante de ti!
**19** Deus lhe respondeu: Na verdade, Sara, tua mulher te dará um filho, e lhe porás o nome de Isaque; com ele estabelecerei a minha aliança, aliança perpétua para a sua descendência depois dele.
**20** E quanto a Ismael, também te tenho ouvido: Certamente o abençoarei; o farei fecundo e o multiplicarei grandissimamente. Doze príncipes gerará, e dele farei uma grande nação.
**21** A minha aliança, porém, estabelecerei com Isaque, que Sara te dará neste mesmo tempo, daqui a um ano.
**22** Tendo acabado de falar com Abraão, subiu Deus de diante dele.
**23** Então tomou Abraão seu filho Ismael, e todos os nascidos na sua casa, e todos os comprados por seu dinheiro, todos os machos entre os homens da casa de Abraão e circuncidou a carne do seu prepúcio, naquele mesmo dia, como Deus lhe ordenara.
**24** Tinha Abraão a idade de noventa e nove anos quando lhe foi circuncidada a carne do prepúcio.
**25** E Ismael, seu filho, tinha treze anos quando lhe foi circuncidada a carne do prepúcio.
**26** No mesmo dia, foram circuncidados Abraão e Ismael, seu filho.
**27** E todos os homens da sua casa, tanto os nascidos em casa como os comprados por dinheiro, do

estrangeiro, foram circuncidados com ele.

## Aparecem três anjos a Abraão

**18** Depois apareceu o Senhor a Abraão nos carvalhais de Manre, estando ele assentado à porta da tenda, no maior calor do dia.
2 Levantou Abraão os olhos, olhou e viu três homens em pé na sua frente. Vendo-os, correu da porta da tenda ao seu encontro e prostrou-se em terra.
3 Disse ele: Senhor meu, se achei graça aos teus olhos, rogo-te que não passes de teu servo.
4 Traga-se agora um pouco d'água; lavai os pés e repousai debaixo desta árvore.
5 Trarei um bocado de pão, para que possais refazer as vossas forças, e depois passareis adiante, visto que chegastes até o vosso servo. Responderam: Faze como disseste.
6 Abraão apressou-se em ir ter com Sara na tenda e lhe disse: Amassa depressa três medidas de flor de farinha e faze bolos.
7 Então, ele correu ao rebanho, tomou um bezerro tenro e bom e deu-o ao criado, que se apressou a prepará-lo.
8 Tomou também coalhada, leite e o bezerro que tinha preparado, e pôs tudo diante deles, ficando ele em pé ao lado deles debaixo da árvore; e eles comeram.
9 Então lhe perguntaram: Onde está Sara, tua mulher? Ele respondeu: Está aí na tenda.
10 Disse um deles: Certamente tornarei a ti, daqui a um ano, e Sara, tua mulher, terá um filho. Sara estava escutando à porta da tenda, que estava atrás dele.
11 Abraão e Sara eram já velhos e avançados em idade; e a Sara havia cessado o costume das mulheres.
12 Assim riu-se Sara consigo, dizendo: Terei ainda prazer depois de haver envelhecido, sendo também o meu senhor já velho?
13 Disse o Senhor a Abraão: Por que se riu Sara, dizendo: É verdade que darei ainda à luz, sendo velha?
14 Há, acaso, alguma coisa demasiadamente difícil para o Senhor? Ao tempo determinado, daqui a um ano tornarei a ti, e Sara terá um filho.
15 Então Sara, receosa, mentiu, dizendo: Eu não ri. Ele, porém, disse: Não é assim, é certo que riste.
16 Levantando-se aqueles homens dali, olharam para a direção de Sodoma, e Abraão ia com eles, para os encaminhar.

## Anúncio da destruição de Sodoma e Gomorra

17 Disse o Senhor: Ocultarei eu a Abraão o que faço,
18 visto que Abraão certamente virá a ser uma grande e poderosa nação, e nele serão benditas todas as nações da terra?
19 Pois eu o escolhi para que ordene a seus filhos e a sua casa depois dele, para que guardem o caminho do Senhor, para que pratiquem a justiça e o juízo, a fim de que o Senhor faça vir sobre Abraão o que acerca dele tem falado.
20 Disse mais o Senhor: O clamor de Sodoma e Gomorra se tem multiplicado tanto, e o seu pecado se tem agravado de tal maneira que
21 descerei e verei se de fato o que têm praticado corresponde a

esse clamor que é vindo até mim. Se não, saberei.
22 Então viraram aqueles homens o rosto dali e foram para Sodoma, mas Abraão permaneceu ainda na presença do Senhor.
23 Então Abraão aproximou-se dele e disse: Destruirás também o justo com o ímpio?
24 Se houver cinquenta justos na cidade, destruirás e não pouparás o lugar por causa dos cinquenta justos que ali estão?
25 Longe de ti que faças tal coisa, que mates o justo com o ímpio; que o justo seja como o ímpio, longe de ti esteja. Não fará justiça o Juiz de toda a terra?
26 Então, disse o Senhor: Se eu em Sodoma achar cinquenta justos dentro da cidade, pouparei o lugar por causa deles.
27 Respondeu Abraão: Agora que me atrevi a falar ao Senhor, ainda que sou pó e cinza,
28 se de cinquenta justos faltarem cinco, destruirás toda a cidade por causa dos cinco? Respondeu ele: Não a destruirei, se eu achar ali quarenta e cinco.
29 Continuou Abraão ainda a falar-lhe, e disse: Se porventura se acharem ali quarenta? Respondeu: Não o farei por causa dos quarenta.
30 Disse mais: Ora, não se ire o Senhor, se eu ainda falar: Se porventura se acharem ali trinta? Respondeu o Senhor: Não o farei se achar ali trinta.
31 Continuou Abraão: Agora que me atrevi a falar ao Senhor, se porventura se acharem ali vinte? Respondeu o Senhor: Não a destruirei por causa dos vinte.
32 Disse ainda Abraão: Ora, não se ire o Senhor, pois só mais esta vez falarei. Se porventura se acharem ali dez? Respondeu o Senhor: Não a destruirei por causa dos dez.
33 E foi-se o Senhor, logo que acabou de falar com Abraão, e Abraão voltou para o seu lugar.

### Ló recebe os dois anjos em sua casa

**19** À tarde chegaram os dois anjos a Sodoma. Ló estava sentado à porta de Sodoma e, vendo-os, levantou-se para os receber e prostrou-se com o rosto em terra.
2 Disse ele: Meus senhores, entrai, peço-vos, na casa do vosso servo, e passai nela a noite e lavai os pés; de madrugada vos levantareis e seguireis vosso caminho. Responderam eles: Não, antes na rua passaremos a noite.
3 Ló, porém, insistiu muito com eles, pelo que foram com ele e entraram na sua casa. Ele lhes deu um banquete, assando-lhes pães sem fermento, e eles comeram.
4 Entretanto, antes que se deitassem, os homens daquela cidade cercaram a casa, os homens de Sodoma, desde o moço até o velho; todo o povo de todos os lados.
5 Chamaram a Ló e lhe perguntaram: Onde estão os homens que entraram esta noite na tua casa? Traze-os para fora, para que os conheçamos intimamente.
6 Então Ló saiu-lhes à porta, fechando-a atrás de si,
7 e disse: Meus irmãos, rogo-vos que não façais mal.
8 Tenho duas filhas virgens. Eu as trarei para fora e lhes fareis como bem vos parecer. Somente nada façais a estes homens, pois se acham sob a proteção do meu teto.
9 Eles, porém, disseram: Sai daí. Disseram mais: Este indivíduo, como estrangeiro veio aqui habitar,

e pretende ser juiz em tudo? Agora te faremos mais mal a ti do que a eles. E arremessaram-se contra o homem, isto é, contra Ló, e aproximavam-se para arrombar a porta.
10 Aqueles homens, porém, estendendo a mão, fizeram Ló entrar para dentro da casa e fecharam a porta.
11 Então feriram de cegueira os homens que estavam do lado de fora, desde o menor até o maior, de modo que se cansaram de procurar a porta.
12 Disseram aqueles homens a Ló: Tens alguém mais aqui? Teu genro, teus filhos, tuas filhas e todos quantos tens nesta cidade, tira-os fora deste lugar,
13 porque nós vamos destruir este lugar, pois o seu clamor se tem avolumado diante do Senhor, e o Senhor nos enviou a destruí-lo.
14 Então saiu Ló e disse a seus genros, que haviam de casar com suas filhas: Levantai-vos, saí deste lugar, porque o Senhor há de destruir a cidade. Porém ele pareceu aos seus genros como quem estava gracejando.
15 Ao amanhecer os anjos apertaram com Ló, dizendo: Levanta-te, toma tua mulher e tuas duas filhas que aqui estão, para que não pereças na injustiça desta cidade.
16 Ele, porém, demorava-se, e aqueles homens lhe pegaram pela mão, pela mão de sua mulher, e pela mão de suas duas filhas, sendo-lhe misericordioso o Senhor, e o tiraram e o puseram fora da cidade.
17 Havendo-os tirado fora, disse um deles: Escapa-te, salva tua vida; não olhes para trás, nem te detenhas em toda esta planície. Escapa-te para os montes, para que não pereças.
18 Respondeu-lhes Ló: Assim não, meu Senhor!
19 O teu servo achou graça aos teus olhos, e engrandeceste a tua misericórdia que a mim fizeste, salvando-me a vida. Mas não posso escapar-me para os montes, pois receio que o mal me apanhe, e eu morra.
20 Eis ali perto uma cidade, para a qual eu posso fugir, e é pequena. Permite que eu escape para lá (não é pequena?), e viverá a minha alma.
21 Disse-lhe: Quanto a isso estou de acordo, para não subverter a cidade de que falaste.
22 Apressa-te, escapa-te para lá, porque nada poderei fazer enquanto não tiveres ali chegado. Por isso se chamou o nome da cidade Zoar.
23 Saía o sol sobre a terra, quando Ló entrou em Zoar.
24 Então o Senhor fez chover enxofre e fogo sobre Sodoma e Gomorra, desde o céu.
25 Subverteu, pois, aquelas cidades, e toda aquela planície, e todos os moradores daquelas cidades, e o que nascia da terra.
26 E a mulher de Ló olhou para trás e foi transformada numa estátua de sal.
27 Abraão levantou-se de madrugada e foi ao lugar onde estivera em pé na presença do Senhor.
28 Olhando para Sodoma e Gomorra, e para toda a terra da planície, viu que subia da terra fumaça como a de uma fornalha.
29 Quando destruía as cidades da planície, Deus lembrou-se de Abraão e tirou Ló do meio da destruição, ao subverter aquelas cidades em que Ló habitara.

30 Subiu Ló de Zoar e habitou nos montes com suas duas filhas, pois temia habitar em Zoar. Habitou numa caverna, ele e as suas duas filhas.
31 Então a primogênita disse à menor: Nosso pai já está velho, e não há homem na terra que venha deitar-se conosco, segundo o costume de toda a terra.
32 Vem, demos a nosso pai vinho a beber e deitemo-nos com ele, para que conservemos a descendência de nosso pai.
33 Deram, pois, a seu pai vinho a beber naquela noite, e veio a primogênita e deitou-se com seu pai. Não sentiu ele quando ela se deitou nem quando se levantou.
34 No dia seguinte, disse a primogênita à menor: Eu ontem à noite me deitei com meu pai. Demos-lhe vinho a beber também esta noite, e então entra tu, deita-te com ele, para que conservemos a descendência de nosso pai.
35 Deram, pois, a seu pai vinho a beber também naquela noite, e a menor foi-se e deitou-se com ele. De novo, não sentiu ele quando ela se deitou nem quando se levantou.
36 Assim as duas filhas de Ló conceberam do próprio pai.
37 A primogênita deu à luz um filho, a quem chamou de Moabe; este é o pai dos moabitas de hoje.
38 A menor também deu à luz um filho, a quem chamou de Ben-Ami; este é o pai dos amonitas de hoje.

### Abraão nega que Sara é sua mulher

**20** Partiu Abraão dali para a terra do Negueb, habitou entre Cades e Sur, e morou em Gerar.
2 Havendo Abraão dito de Sara, sua mulher: É minha irmã, Abimeleque, rei de Gerar, mandou buscá-la.
3 Deus, porém, veio a Abimeleque em sonhos, de noite, e lhe disse: Estás para morrer por causa da mulher que tomaste; ela tem marido.
4 Ora, Abimeleque ainda não se havia chegado a ela, por isso perguntou: Senhor, matarás também uma nação inocente?
5 Não me disse ele mesmo: É minha irmã? E ela também disse: É meu irmão. Na sinceridade do meu coração e na pureza das minhas mãos procedi.
6 Então lhe disse Deus no sonho: Bem sei eu que na sinceridade do teu coração procedeste, e também eu te impedi de pecar contra mim. É por isso que não te permiti tocá-la.
7 Agora, pois, restitui a mulher ao seu marido, pois ele é profeta, e rogará por ti, para que vivas. Mas, se não a restituíres, certamente morrerás, tu e tudo o que é teu.
8 Levantou-se Abimeleque de madrugada e, chamando todos os seus servos, falou-lhe todas essas palavras; os homens temeram muito.
9 Então chamou Abimeleque a Abraão e lhe perguntou: Que nos fizeste? E em que pequei contra ti, para trazeres sobre mim e meu reino tamanho pecado? Tu me fizeste o que não se deve fazer.
10 Disse mais Abimeleque a Abraão: Com que intenção fizeste isto?
11 Respondeu Abraão: Eu disse comigo mesmo: Certamente não há temor de Deus neste lugar, e eles me matarão por causa da minha mulher.

12 E, na verdade, é ela também minha irmã, filha do meu pai, mas não filha da minha mãe; e veio a ser minha mulher.
13 E, quando Deus me fez sair errante da casa de meu pai, eu disse a ela: Seja esta a graça que me farás: em todo lugar aonde formos, dize de mim: É meu irmão.
14 Então tomou Abimeleque ovelhas e bois, e servos e servas, e os deu a Abraão, e lhe restituiu Sara, sua mulher.
15 E disse Abimeleque: A minha terra está diante da tua face, habita onde bem te parecer.
16 E a Sara disse: Tenho dado ao teu irmão mil moedas de prata. Isso te seja por reparação da ofensa que sofreste diante de todos os que estão contigo; perante todos estás justificada.
17 Orou Abraão a Deus, e Deus curou Abimeleque, e sua mulher, e suas servas, de maneira que tiveram filhos,
18 pois o Senhor havia fechado totalmente todas as madres da casa de Abimeleque, por causa de Sara, mulher de Abraão.

### O nascimento de Isaque

**21** O Senhor visitou Sara, como tinha dito, e lhe fez como havia prometido.
2 Sara concebeu e deu a Abraão um filho na sua velhice, ao tempo determinado, de que Deus lhe falara.
3 Abraão pôs no filho que lhe nascera, que Sara lhe dera, o nome de Isaque.
4 Abraão circuncidou o seu filho Isaque quando tinha oito dias, conforme Deus lhe havia ordenado.
5 Era Abraão da idade de cem anos quando lhe nasceu Isaque, seu filho.
6 Disse Sara: Deus me trouxe riso, e todo aquele que o ouvir, rirá comigo.
7 Disse mais: Quem diria a Abraão que Sara amamentaria um filho? Contudo, lhe dei um filho na sua velhice.
8 Cresceu o menino e foi desmamado. Abraão fez um grande banquete no dia em que Isaque foi desmamado.

### Hagar no deserto

9 Sara, porém, viu que o filho de Hagar, a egípcia, o qual ela dera à luz a Abraão, zombava de Isaque,
10 e disse a Abraão: Deita fora esta escrava e o seu filho, pois o filho desta escrava não herdará com meu filho Isaque.
11 Pareceu isso muito penoso aos olhos de Abraão, por causa de seu filho.
12 Deus, porém, disse a Abraão: Não te pareça isso mal por causa do moço e por causa da tua serva. Em tudo o que Sara te diz, ouve a sua voz, porque em Isaque será chamada a tua descendência.
13 Também, do filho desta serva, porém, farei uma nação, porque ele é da tua descendência.
14 Então se levantou Abraão de madrugada, tomou pão e um odre de água e os deu a Hagar, pondo-os sobre o ombro dela; também lhe deu o menino e a despediu. Ela partiu e foi andando errante pelo deserto de Berseba.
15 Consumida a água do odre, colocou o menino debaixo de um dos arbustos
16 e foi assentar-se em frente dele, a boa distância, como a de um tiro de arco, pois dizia: Que eu não veja morrer o menino. E sentada

Gênesis 22

em frente dele, levantou a voz e chorou.
17 Ouviu Deus a voz do menino, e bradou o anjo de Deus a Hagar, desde o céu, dizendo-lhe: Que tens, Hagar? Não temas. Deus ouviu a voz do rapaz desde o lugar onde está.
18 Ergue-te, levanta o rapaz e toma-o pela mão, pois dele farei uma grande nação.
19 Então Deus abriu-lhe os olhos, e ela viu um poço; e foi encher de água o odre e deu de beber ao rapaz.
20 Deus estava com o rapaz, que cresceu e, habitando no deserto, foi flecheiro.
21 Ele habitou no deserto de Parã, e sua mãe tomou-lhe uma mulher da terra do Egito.

### Abimeleque faz um pacto com Abraão

22 Naquele mesmo tempo, Abimeleque, acompanhado de Ficol, o chefe do seu exército, disse a Abraão: Deus é contigo em tudo o que fazes.
23 Agora jura-me aqui por Deus que não mentirás a mim, nem a meu filho nem a meu neto. Segundo a bondade que te fiz, me farás a mim, e à terra onde peregrinaste.
24 Respondeu Abraão: Eu jurarei.
25 Abraão, porém, repreendeu Abimeleque por causa de um poço de água que os servos de Abimeleque haviam tomado à força.
26 Então disse Abimeleque: Eu não sei quem fez isso. Também nada me fizeste saber, tampouco ouvi falar nisso, senão hoje.
27 Tomou Abraão ovelhas e bois, e os deu a Abimeleque, e fizeram ambos aliança.
28 Abraão pôs à parte sete cordeiras do rebanho,
29 e perguntou Abimeleque a Abraão: Para que estão aqui estas sete cordeiras, que puseste à parte?
30 Respondeu Abraão: Tomarás estas sete cordeiras das minhas mãos, para que sirvam de testemunho de que eu cavei este poço.
31 Por isso se chamou aquele lugar Berseba, porque ambos juraram ali.
32 Assim fizeram aliança em Berseba. Depois se levantaram Abimeleque e Ficol, chefe do seu exército, e voltaram para as terras dos filisteus.
33 Plantou Abraão um bosque em Berseba e invocou ali o nome do Senhor, o Deus eterno.
34 E morou Abraão na terra dos filisteus muitos dias.

### Abraão é provado

**22** Depois dessas coisas, provou Deus a Abraão dizendo-lhe: Abraão! E este respondeu: Eis-me aqui.
2 Então disse Deus: Toma o teu filho, o teu único filho, Isaque, a quem amas, e vai à terra de Moriá, e oferece-o ali em holocausto sobre um dos montes que te mostrarei.
3 Levantou-se, pois, Abraão de madrugada, albardou o seu jumento, tomou consigo dois de seus servos e a Isaque, seu filho. Tendo cortado lenha para o holocausto, partiu para o lugar que Deus lhe dissera.
4 Ao terceiro dia, levantou Abraão os olhos e viu o lugar de longe.
5 Disse Abraão a seus servos: Ficai-vos aqui com o jumento; eu e o rapaz iremos até lá e, havendo adorado, voltaremos a vós.
6 Tomou Abraão a lenha do holocausto e a pôs sobre Isaque, seu

filho; e ele tomou o fogo e o cutelo na sua mão, e foram ambos juntos.
**7** Então disse Isaque a Abraão, seu pai: Meu pai! Respondeu Abraão: Eis-me aqui, meu filho! Perguntou-lhe Isaque: Eis o fogo e a lenha, mas onde está o cordeiro para o holocausto?
**8** Respondeu Abraão: Deus proverá para si o cordeiro para o holocausto, meu filho. E os dois seguiam juntos.
**9** Chegaram ao lugar que Deus lhe dissera; e edificou Abraão ali o altar, e sobre ele pôs em ordem a lenha. Amarrou Isaque, seu filho, deitou-o sobre o altar, em cima da lenha
**10** e, estendendo a mão, pegou no cutelo para imolá-lo.
**11** O anjo do Senhor, porém, lhe bradou desde o céu e disse: Abraão! Abraão! Respondeu ele: Eis-me aqui.
**12** Então disse o anjo: Não estendas a tua mão sobre o rapaz e não lhe faças nada. Agora sei que temes a Deus, pois não me negaste o teu filho, o teu único filho.
**13** Então levantou Abraão os olhos e olhou, e viu atrás de si um carneiro preso pelos chifres entre os arbustos. Foi Abraão, tomou o carneiro e o ofereceu em holocausto em lugar de seu filho.
**14** Assim chamou Abraão àquele lugar "o Senhor proverá". Daí dizer-se até o dia de hoje: No monte do Senhor se proverá.
**15** Então o anjo do Senhor bradou a Abraão pela segunda vez desde o céu
**16** e disse: Por mim mesmo jurei, diz o Senhor, porque fizeste isso e não me negaste o teu filho, o teu único filho,
**17** que deveras te abençoarei e grandemente multiplicarei a tua descendência, como as estrelas do céu e como a areia que está na praia do mar. A tua descendência tomará posse das cidades dos seus inimigos,
**18** e em tua descendência serão benditas todas as nações da terra, porque obedeceste à minha voz.
**19** Então Abraão voltou aos seus servos e, levantando-se, foram juntos a Berseba. E Abraão habitou em Berseba.
**20** Depois dessas coisas, anunciaram a Abraão dizendo: Milca também deu à luz filhos a Naor, teu irmão:
**21** Uz, o primogênito; Buz, seu irmão; Quemuel, pai de Arã;
**22** Quésede, Hazo, Pildas, Jidlafe e Betuel.
**23** Betuel gerou Rebeca. Estes oito deu à luz Milca a Naor, irmão de Abraão.
**24** A sua concubina, cujo nome era Reumá, lhe deu também à luz Tebá, Gaã, Taás e Maaca.

### A morte de Sara

**23** Os anos da vida de Sara foram cento e vinte e sete.
**2** Morreu Sara em Quiriate-Arba, que é Hebrom, na terra de Canaã, e veio Abraão lamentar Sara e chorar por ela.
**3** Depois se levantou Abraão de diante da sua esposa morta e disse aos filhos de Hete:
**4** Estrangeiro e peregrino sou entre vós. Dai-me o direito de um lugar de sepultura entre vós, para que eu sepulte a minha morta.
**5** Responderam os filhos de Hete a Abraão:
**6** Ouve-nos, meu senhor. Príncipe de Deus és no meio de nós. Enterra a tua morta na mais escolhida de nossas sepulturas; nenhum

de nós te vedará a sua sepultura, para enterrares a tua morta.
7 Então se levantou Abraão e prostrou-se em terra diante do povo da terra, diante dos filhos de Hete,
8 dizendo: Se é de vossa vontade que eu sepulte a minha morta, ouvi-me e intercedei por mim junto a Efrom, filho de Zoar,
9 para que ele me dê a caverna de Macpela, que possui no fim do seu campo; que dê a mim pelo devido preço em posse de sepulcro no meio de vós.
10 Ora, Efrom, o heteu, estava sentado no meio dos filhos de Hete e respondeu a Abraão, aos ouvidos dos filhos de Hete, de todos os que entravam pela porta da sua cidade, dizendo:
11 Não, meu senhor. Ouve-me, o campo te dou, também te dou a caverna que nele está, na presença dos filhos do meu povo te dou. Sepulta a tua morta.
12 Então Abraão se inclinou diante do povo da terra
13 e disse a Efrom, aos ouvidos do povo da terra: Se te agrada, ouve-me, peço-te. Darei o preço do campo. Toma-o de mim, e sepultarei ali a minha morta.
14 Respondeu Efrom a Abraão:
15 Meu senhor, ouve-me. Um terreno de quatrocentos siclos de prata! Que é isso entre mim e ti? Sepulta ali a tua morta.
16 Abraão concordou com os termos de Efrom e pesou-lhe a prata de que este tinha falado aos ouvidos dos filhos de Hete, quatrocentos siclos de prata, moeda corrente entre os mercadores.
17 Assim o campo de Efrom, que estava em Macpela, em frente de Manre, o campo e a caverna que nele estava, e todo o arvoredo que nele havia, e todo o limite em redor
18 se confirmaram a Abraão por posse na presença dos filhos de Hete, de todos os que entravam pela porta da sua cidade.
19 Depois sepultou Abraão a sua mulher, Sara, na caverna do campo de Macpela, em frente de Manre, que é Hebrom, na terra de Canaã.
20 Assim o campo e a caverna que nele estava foram confirmados a Abraão pelos filhos de Hete em posse de sepultura.

### Isaque e Rebeca

**24** Era Abraão já idoso e avançado em anos; e o Senhor em tudo o havia abençoado.
2 Disse Abraão ao seu servo, o mais antigo da casa, que governava tudo o que possuía: Põe a tua mão debaixo da minha coxa,
3 para que eu te faça jurar pelo Senhor Deus do céu e da terra, que não tomarás para meu filho mulher dentre as filhas dos cananeus, no meio dos quais habito;
4 mas que irás à minha terra e à minha parentela, e dali tomarás mulher para meu filho Isaque.
5 Perguntou-lhe o servo: Se a mulher não quiser seguir-me a esta terra, farei então tornar teu filho à terra donde saíste?
6 Respondeu-lhe Abraão: Guarda-te de não fazeres tornar para lá meu filho.
7 O Senhor, Deus do céu, que me tirou da casa de meu pai e da terra da minha parentela, e que me falou, e que me jurou, dizendo: Darei esta terra à tua descendência; ele enviará o seu anjo adiante de ti, para que tomes mulher de lá para meu filho.

**8** Se a mulher, porém, não quiser seguir-te, serás livre deste juramento. Somente não faças para lá tornar a meu filho.
**9** Então pôs o servo a sua mão debaixo da coxa de Abraão, seu senhor, e jurou-lhe sobre esse negócio.
**10** Tomou o servo dez dos camelos do seu senhor e, levando consigo de todos os bens do seu senhor, partiu rumo à Mesopotâmia, para a cidade de Naor.
**11** Fez ajoelhar os camelos fora da cidade, junto a um poço de água, pela tarde, à hora em que as mulheres saíam a tirar água.
**12** Então disse: Ó Senhor, Deus de meu senhor Abraão, dá-me hoje, peço-te, bom êxito e usa de bondade para com o meu senhor Abraão.
**13** Eis que estou em pé junto à fonte, e as filhas dos homens desta cidade saem para tirar água.
**14** Faze, pois, que a moça a quem eu disser: Abaixa o teu cântaro, peço-te, para que eu beba, e ela responder: Bebe, e também darei de beber aos teus camelos, seja aquela que designaste para o teu servo Isaque. Nisso verei que usaste de bondade para com o meu senhor.
**15** Antes que acabasse de orar, saía Rebeca, filha de Betuel, filho de Milca, mulher de Naor, irmão de Abraão, com o seu cântaro sobre o ombro.
**16** A moça era muito formosa à vista, virgem, a quem nenhum homem havia conhecido. Ela desceu à fonte, encheu o seu cântaro e subiu.
**17** Então o servo correu-lhe ao encontro e disse: Deixa-me beber um pouco da água do teu cântaro.
**18** Respondeu ela: Bebe, meu senhor. Então, prontamente, abaixou o seu cântaro para a mão e lhe deu de beber.
**19** Acabando ela de lhe dar de beber, disse: Tirarei também água para os teus camelos, até que todos bebam.
**20** E, apressando-se, despejou o seu cântaro no bebedouro e correu outra vez ao poço para tirar mais água para todos os camelos.
**21** O homem a contemplava atentamente, em silêncio, para saber se o Senhor havia tornado próspera a sua jornada ou não.
**22** Quando os camelos acabaram de beber, o homem tomou um pendente de ouro, de meio siclo de peso, e duas pulseiras para as suas mãos, do peso de dez siclos de ouro,
**23** e perguntou: De quem és filha? Peço-te que me digas. Haverá em casa de teu pai lugar para nós pousarmos?
**24** Ela respondeu: Sou filha de Betuel, filho de Milca, o qual ela deu a Naor.
**25** Disse-lhe mais: Temos palha e forragem bastante, e lugar para pousar.
**26** Então se inclinou o homem e adorou ao Senhor,
**27** dizendo: Bendito seja o Senhor, Deus de meu senhor Abraão, que não retirou a sua benevolência e a sua verdade de meu senhor. Quanto a mim, o Senhor me guiou no caminho à casa dos irmãos de meu senhor.
**28** A moça correu e contou essas coisas aos da casa de sua mãe.
**29** Ora, Rebeca tinha um irmão, chamado Labão; este correu ao encontro do homem junto à fonte.
**30** Pois, quando viu o pendente e as pulseiras nas mãos de sua irmã

e tendo ouvido as palavras de sua irmã Rebeca, que dizia: Assim me falou o homem, foi Labão ter com ele, o qual estava em pé junto aos camelos, junto à fonte.

31 E lhe disse: Entra, bendito do Senhor, por que estás aí fora? Pois já preparei a casa e o lugar para os camelos.

32 Então veio o homem à casa, e descarregaram os camelos. Trouxeram palha e forragem para os camelos, água para lavar os pés dele e os pés dos homens que com ele estavam.

33 Diante dele puseram comida. Porém ele disse: Não comerei até que tenha exposto a minha incumbência. Disse-lhe Labão: Fala.

34 Então ele disse: Sou servo de Abraão.

35 O Senhor tem abençoado muito ao meu senhor, e ele se tem engrandecido. Deu-lhe ovelhas e bois, e prata e ouro, e servos e servas, e camelos e jumentos.

36 Sara, mulher do meu senhor, mesmo depois de velha, gerou um filho a meu senhor, e a este deu ele tudo o que tem.

37 E meu senhor me fez jurar, dizendo: Não tomarás mulher para meu filho dentre as filhas dos cananeus, em cuja terra habito,

38 mas irás à casa de meu pai e à minha família, e tomarás mulher para meu filho.

39 Então respondi ao meu senhor: Porventura, e se não me seguir a mulher?

40 Ele me disse: O Senhor, em cuja presença tenho andado, enviará o seu anjo contigo e prosperará o teu caminho, para que, da minha família e da casa de meu pai, tomes esposa para meu filho.

41 Então serás livre do meu juramento, quando chegares à minha família; e, se não a derem a ti, livre serás do meu juramento.

42 E hoje cheguei à fonte e disse: Ó Senhor, Deus de meu senhor Abraão, se prosperas o meu caminho, o qual venho seguindo,

43 eis que estou junto à fonte; faze, pois, que a moça que sair para tirar água, a quem eu disser: Dá-me, peço-te, de beber um pouco de água do teu cântaro,

44 e ela me disser: Bebe tu, e também tirarei água para os teus camelos; seja esta a mulher que o Senhor designou para o filho de meu senhor.

45 Antes que eu acabasse de falar no meu coração, saía Rebeca com o seu cântaro sobre o seu ombro, desceu à fonte e tirou água, e eu lhe disse: Dá-me de beber, peço-te.

46 E ela, prontamente, abaixou o seu cântaro do ombro e disse: Bebe, e também darei de beber aos teus camelos. Assim bebi, e ela deu também de beber aos camelos.

47 Então lhe perguntei: De quem és filha? E ela disse: Filha de Betuel, filho de Naor, que Milca lhe deu. Então eu lhe pus o pendente no nariz e as pulseiras nas mãos,

48 e, inclinando-me, adorei e bendisse ao Senhor, Deus do meu senhor Abraão, que me havia conduzido pelo caminho direito, a fim de tomar para seu filho a filha do irmão de meu senhor.

49 Agora, pois, se vós haveis de usar de bondade e verdade para com o meu senhor, fazei-me saber; e, se não, declarai-me, para que eu vá ou para a direita ou para a esquerda.

50 Então responderam Labão e Betuel: Do Senhor procede esse

negócio; não podemos falar-te mal ou bem.

51 Eis Rebeca diante de ti; toma-a e vai-te; seja ela a mulher do filho de teu senhor, como tem dito o Senhor.

52 Quando o servo de Abraão ouviu as palavras deles, prostrou-se em terra diante do Senhor.

53 Então tirou o servo joias de prata, e joias de ouro, e vestidos, e deu-os a Rebeca; também deu coisas preciosas a seu irmão e a sua mãe.

54 Então comeram e beberam, ele e os homens que com ele estavam, e ali passaram a noite. Quando se levantaram de manhã, disse o servo: Deixai-me voltar a meu senhor.

55 O irmão e a mãe da moça, porém, disseram: Fique ela ainda conosco alguns dias, pelo menos dez; e depois irá.

56 Ele, porém, lhes disse: Não me detenhais, pois o Senhor tem prosperado o meu caminho. Deixai-me partir, para que eu volte a meu senhor.

57 Disseram: Chamemos a moça e perguntemos a ela mesma.

58 Chamaram, pois, Rebeca e lhe perguntaram: Irás tu com este homem? Ela respondeu: Irei.

59 Então despediram-se de Rebeca, sua irmã, e de sua ama, e do servo de Abraão, e de seus homens.

60 Abençoaram Rebeca e lhe disseram:

Irmã nossa, sê tu a mãe de
milhares de milhares,
e que a tua descendência
possua
a porta dos seus inimigos!

61 Então se levantou Rebeca com as suas moças e, montando nos camelos, seguiram o homem. Assim o servo tomou a Rebeca e partiu.

62 Ora, Isaque tinha vindo de Beer-Laai-Roi, pois habitava na terra do Neguebe.

63 Saiu Isaque a meditar no campo, à tarde, e, levantando os olhos, viu que vinham camelos.

64 Rebeca também levantou os olhos e, vendo a Isaque, saltou do camelo

65 e perguntou ao servo: Quem é aquele homem que vem pelo campo ao nosso encontro? Respondeu o servo: É meu senhor. Então ela tomou o véu e se cobriu.

66 O servo contou a Isaque todas as coisas que havia feito.

67 Isaque levou Rebeca para a tenda de Sara, sua mãe, e a tomou. Assim ela lhe foi por mulher, e ele a amou; e Isaque foi consolado depois da morte de sua mãe.

### A morte de Abraão

**25** Tomou Abraão outra mulher, cujo nome era Quetura.

2 Ela lhe deu à luz Zinrá, Jocsã, Medã, Midiã, Jisbaque e Sua.

3 Jocsã gerou Sabá e Dedã; os filhos de Dedã foram os assurins, os letusins e os leumins.

4 Os filhos de Midiã foram Efá, Efer, Enoque, Abida e Elda. Todos estes foram filhos de Quetura.

5 Abraão deu tudo o que possuía a Isaque.

6 Aos filhos das suas concubinas, porém, deu Abraão presentes e, ainda em vida, separou-os do seu filho Isaque, enviando-os ao Oriente.

7 Estes, pois, foram os dias de vida que viveu Abraão: cento e setenta e cinco anos.

8 Expirou Abraão e morreu em boa velhice, velho e cheio de dias; e foi reunido ao seu povo.

9 Sepultaram-no Isaque e Ismael, seus filhos, na caverna de Macpela,

Gênesis 25

no campo de Efrom, filho de Zoar, o heteu, que estava em frente de Manre,
10 o campo que Abraão comprara dos filhos de Hete. Ali estão sepultados Abraão e Sara, sua mulher.
11 Depois da morte de Abraão, Deus abençoou Isaque, seu filho; habitava Isaque junto a Beer-Laai-Roi.

### Os descendentes de Ismael

12 São estas as gerações de Ismael, filho de Abraão, que Hagar, a egípcia, serva de Sara, lhe deu.
13 São estes os nomes dos filhos de Ismael pela sua ordem, segundo as suas gerações: o primogênito de Ismael foi Nebaiote, depois Quedar, Abdeel, Mibsão,
14 Misma, Dumá, Massá,
15 Hadade, Tema, Jetur, Nafis e Quedemá.
16 Foram estes os filhos de Ismael, e foram estes os seus nomes pelas suas vilas e pelos seus acampamentos: doze líderes segundo as suas tribos.
17 E os anos da vida de Ismael foram cento e trinta e sete. Ele morreu e foi reunido ao seu povo.
18 Os seus filhos habitaram desde Havilá até Sur, que está em frente do Egito, como quem vai na direção da Assíria. Ele se estabeleceu diante da face de todos os seus irmãos.

### Jacó e Esaú

19 São estas as gerações de Isaque, filho de Abraão: Abraão gerou Isaque,
20 e Isaque tinha quarenta anos quando tomou por mulher Rebeca, filha de Betuel, arameu de Padã-Arã, e irmã de Labão, arameu.
21 Isaque orou insistentemente ao Senhor por sua mulher, porque ela era estéril. O Senhor ouviu as suas orações, e Rebeca, sua mulher, concebeu.
22 Os filhos lutavam no ventre dela, e ela disse: Por que isso está acontecendo comigo? E foi perguntar ao Senhor.
23 O Senhor lhe disse:
Duas nações há no teu ventre,
e dois povos se dividirão
das tuas entranhas;
um povo será mais forte do
que o outro povo,
e o mais velho servirá ao
mais moço.
24 Cumpridos os dias para que desse à luz, havia gêmeos no seu ventre.
25 Saiu o primeiro, ruivo, todo revestido de pelo; por isso lhe chamaram Esaú.
26 Depois saiu o seu irmão, agarrada sua mão ao calcanhar de Esaú; por isso lhe chamaram Jacó. Tinha Isaque sessenta anos quando Rebeca os deu à luz.
27 Cresceram os meninos. Esaú tornou-se perito caçador, homem do campo, ao passo que Jacó, homem sossegado, habitava em tendas.
28 Isaque, que tinha gosto pela caça, amava a Esaú, mas Rebeca amava a Jacó.
29 Jacó tinha feito um guisado, quando Esaú chegou do campo muito cansado.
30 Disse Esaú a Jacó: Deixa-me, peço-te, comer desse guisado vermelho, porque estou muito cansado. Por isso se chamou Edom.
31 Disse Jacó: Vende-me primeiro o teu direito de primogenitura.
32 Respondeu Esaú: Estou a ponto de morrer; logo, para que me servirá o direito de primogenitura?

33 Então disse Jacó: Jura-me primeiro. Ele jurou e vendeu o seu direito de primogenitura a Jacó.
34 Jacó deu a Esaú pão e o guisado de lentilhas. Ele comeu e bebeu, e então se levantou e saiu. Assim desprezou Esaú o seu direito de primogenitura.

### Isaque e Abimeleque

**26** Houve uma fome na terra, além da primeira ocorrida nos dias de Abraão. Por isso foi Isaque a Abimeleque, rei dos filisteus, em Gerar.
2 Apareceu-lhe o Senhor e disse: Não desças ao Egito; habita na terra que eu te disser.
3 Mora nesta terra, e eu serei contigo e te abençoarei. Pois a ti e à tua descendência darei todas estas terras e confirmarei o juramento que fiz a Abraão, teu pai.
4 Multiplicarei a tua descendência como as estrelas do céu e lhe darei todas estas terras. Por meio dela serão benditas todas as nações da terra,
5 porque Abraão obedeceu à minha voz e guardou o meu mandado, os meus preceitos, os meus estatutos e as minhas leis.
6 Assim habitou Isaque em Gerar.
7 Perguntando-lhe os homens do lugar acerca de sua mulher, disse: É minha irmã, porque temia dizer: É minha mulher; para que, dizia ele, não me matem os homens do lugar por causa de Rebeca, porque é muito formosa.
8 Ora, tendo Isaque permanecido ali muito tempo, Abimeleque, rei dos filisteus, olhou por uma janela e viu que Isaque estava acariciando a Rebeca, sua mulher.
9 Então chamou Abimeleque a Isaque e disse: Na verdade é tua mulher! Como, pois, disseste: É minha irmã? Respondeu-lhe Isaque: Porque eu dizia: Para que eu não morra por causa dela.
10 Disse Abimeleque: Que é isso que nos fizeste? Facilmente se teria deitado alguém deste povo com tua mulher, e tu terias trazido culpa sobre nós.
11 Assim Abimeleque ordenou a todo o povo, dizendo: Qualquer que tocar neste homem ou em sua mulher, certamente morrerá.
12 Semeou Isaque naquela terra e, no mesmo ano, colheu cem vezes mais, porque o Senhor o abençoava.
13 Engrandeceu-se o homem e foi-se enriquecendo até que se tornou muito poderoso.
14 Possuía ovelhas e bois, e muita gente de serviço; de modo que os filisteus o invejavam.
15 Por isso, entulharam todos os poços que os servos de seu pai tinham cavado, nos dias de Abraão, enchendo-os de terra.
16 Disse Abimeleque a Isaque: Aparta-te de nós, pois já és muito mais poderoso do que nós.
17 Então Isaque partiu dali e se acampou no vale de Gerar, e aí se estabeleceu.
18 Tornou Isaque a abrir os poços de água que se escavaram nos dias de Abraão, seu pai, e que os filisteus haviam entulhado depois da morte de Abraão, e lhes deu os mesmos nomes que seu pai lhes havia posto.
19 Cavaram, pois, os servos de Isaque naquele vale e acharam ali uma fonte de águas correntes.
20 Os pastores de Gerar, porém, contenderam com os pastores de Isaque, dizendo: Esta água é nossa. Por isso, chamou o poço

de Eseque, porque contenderam com ele.

21 Então cavaram outro poço e também contenderam por causa dele; por isso chamou-lhe Sitna.

22 Partiu dali e cavou ainda outro poço, pelo qual não contenderam. Por isso lhe deu o nome de Reobote e disse: Agora o Senhor nos deu lugar, e cresceremos nesta terra.

23 Depois subiu dali a Berseba.

24 Apareceu-lhe o Senhor naquela mesma noite e disse: Eu sou o Deus de Abraão, teu pai. Não temas, pois eu sou contigo; eu te abençoarei e multiplicarei a tua descendência por amor de Abraão, meu servo.

25 Então edificou ali um altar e invocou o nome do Senhor. Armou ali a sua tenda, e os seus servos cavaram um poço.

26 Então Abimeleque veio a ele de Gerar, com Ausate, seu amigo, e Ficol, chefe do seu exército.

27 Disse-lhes Isaque: Por que viestes a mim, visto que me odiais e me expulsastes do vosso meio?

28 Responderam eles: Temos visto claramente que o Senhor é contigo, pelo que dissemos: Haja agora juramento entre nós e ti. Façamos aliança contigo,

29 que nos não farás mal, como nós não te temos tocado, mas te fizemos somente o bem e te deixamos ir em paz. Agora tu és o bendito do Senhor.

30 Então Isaque lhes deu um banquete, e comeram e beberam.

31 Levantaram-se de madrugada e juraram de parte a parte. Então Isaque os despediu, e eles se foram em paz.

32 Nesse mesmo dia, vieram os servos de Isaque e deram-lhe notícia acerca do poço que tinham cavado, dizendo-lhe: Achamos água.

33 Ele chamou o poço de Seba; por isso até o dia de hoje o nome daquela cidade é Berseba.

34 Quando Esaú tinha quarenta anos, tomou por mulher Judite, filha de Beeri, heteu, e Basemate, filha de Elom, heteu.

35 Elas foram para Isaque e Rebeca uma amargura de espírito.

### Jacó toma a bênção de Esaú

**27** Quando Isaque estava velho e os seus olhos se enfraqueciam, de maneira que não podia ver, chamou a Esaú, seu filho mais velho, e lhe disse: Meu filho. Respondeu ele: Eis-me aqui!

2 Disse-lhe o pai: Agora estou velho e não sei o dia da minha morte.

3 Toma, pois, as tuas armas, a tua aljava e o teu arco, e sai ao campo, e apanha para mim alguma caça.

4 Faze-me um guisado saboroso, como eu gosto, e traze-me, para que eu coma, para que a minha alma te abençoe, antes que morra.

5 Ora, Rebeca esteve escutando quando Isaque falava ao seu filho Esaú. E foi-se Esaú ao campo para apanhar a caça e trazê-la.

6 Então disse Rebeca a Jacó, seu filho: Ouvi o teu pai falar com Esaú, teu irmão, dizendo:

7 Traze-me caça e faze-me um guisado saboroso, para que eu coma e te abençoe diante do Senhor, antes da minha morte.

8 Agora, pois, filho meu, ouve a minha voz naquilo que eu te ordeno:

9 Vai ao rebanho e traze-me de lá dois bons cabritos, e eu farei deles um guisado saboroso para teu pai, como ele gosta.

**10** Depois leva-o a teu pai, para que ele o coma, para que te abençoe antes da sua morte.
**11** Disse Jacó a Rebeca, sua mãe: Mas Esaú, meu irmão, é peludo, e eu sou liso.
**12** Pode ser que meu pai me apalpe, e serei a seus olhos enganador; assim trarei sobre mim maldição, não bênção.
**13** Disse-lhe sua mãe: Meu filho, sobre mim seja a tua maldição. Somente obedece à minha voz; vai e traze-os a mim.
**14** Então ele foi, tomou-os e os trouxe a sua mãe, que fez um guisado saboroso, como seu pai gostava.
**15** Depois Rebeca tomou as melhores vestes de Esaú, seu filho mais velho, que tinha consigo em casa, e vestiu a Jacó, seu filho mais moço.
**16** Com a pele dos cabritos cobriu-lhe as mãos e a lisura de seu pescoço.
**17** Então pôs o guisado saboroso e o pão que tinha preparado na mão de Jacó, seu filho.
**18** Ele veio a seu pai e disse: Meu pai! Ele respondeu: Eis-me aqui. Quem és tu, meu filho?
**19** Respondeu Jacó a seu pai: Eu sou Esaú, teu primogênito. Fiz o que me ordenaste. Levanta-te agora, assenta-te e come da minha caça, para que me abençoe.
**20** Então disse Isaque a seu filho: Como é que tão depressa a achaste, filho meu? Respondeu ele: O Senhor teu Deus a mandou ao meu encontro.
**21** Então disse Isaque a Jacó: Chega-te, pois, para que te apalpe e veja se és mesmo meu filho Esaú ou não.
**22** Então se chegou Jacó a Isaque seu pai, que o apalpou e disse: A voz é de Jacó, porém as mãos são de Esaú.
**23** Ele não o reconheceu, pois as suas mãos estavam peludas, como as de Esaú, seu irmão. E o abençoou.
**24** E lhe disse: Tu és mesmo o meu filho Esaú? Respondeu ele: Sou.
**25** Então disse: Faze chegar isso para perto de mim, para que eu coma da caça de meu filho, e te abençoe. E assim fez, e ele comeu; e trouxe-lhe também vinho, e ele bebeu.
**26** Então lhe disse Isaque, seu pai: Aproxima-te agora e beija-me, filho meu.
**27** Ele se aproximou e o beijou. Quando sentiu o cheiro das vestes dele, Isaque o abençoou, dizendo:
Eis que o cheiro do meu filho
é como o cheiro do campo,
que o Senhor abençoou.
**28** Assim, pois, Deus te dê do
orvalho do céu,
da gordura da terra,
e da abundância de trigo e
de mosto.
**29** Sirvam-te povos,
e nações se encurvem a ti.
Sê senhor de teus irmãos,
e os filhos da tua mãe se
encurvem a ti.
Malditos sejam os que te
amaldiçoarem,
e benditos sejam os que te
abençoarem.
**30** Depois que Isaque acabou de abençoar a Jacó, tendo este saído da presença de Isaque, seu pai, chegou Esaú, seu irmão, da sua caçada.
**31** Fez também ele um guisado saboroso, o trouxe a seu pai e lhe disse: Levanta-te, meu pai, e come da caça de teu filho, para que me abençoe.

32 Perguntou-lhe Isaque, seu pai: Quem és tu? Respondeu ele: Eu sou teu filho, o teu primogênito, Esaú.
33 Então estremeceu Isaque de um estremecimento muito grande e disse: Quem, pois, é aquele que apanhou a caça e a trouxe a mim? Eu comi de tudo, antes que tu viesses, e o abençoei, e ele será bendito.
34 Esaú, ouvindo as palavras de seu pai, bradou com grande e amargo brado e disse a seu pai: Abençoa-me também a mim, meu pai.
35 Respondeu Isaque: Veio teu irmão e, com sutileza, tomou a tua bênção.
36 Disse Esaú: Não se chama ele com razão Jacó, visto que já duas vezes me enganou? Tomou-me o direito de primogenitura e agora me tirou a bênção. Disse ainda: Não reservaste bênção alguma para mim?
37 Então respondeu Isaque a Esaú: Eu o tenho posto por senhor sobre ti, e todos os seus irmãos lhe tenho dado por servos, e de trigo e de mosto o tenho fortalecido. O que, pois, poderei fazer por ti, meu filho?
38 Disse Esaú a seu pai: Tens uma única bênção, meu pai? Abençoa-me também a mim, meu pai. Levantou Esaú a voz e chorou.
39 Então lhe respondeu Isaque, seu pai:

A tua habitação será
 longe dos lugares férteis da
  terra,
 longe do orvalho que cai do
  alto.
40 Pela tua espada viverás,
 e ao teu irmão servirás.
 Mas quando te tornares
  impaciente,
 sacudirás o jugo do teu
  pescoço.

41 Esaú passou a odiar a Jacó por causa da bênção com que seu pai o tinha abençoado e disse consigo: Os dias de luto por meu pai estão próximos; então matarei a Jacó, meu irmão.
42 Quando essas palavras de Esaú, seu filho mais velho, chegaram aos ouvidos de Rebeca, ela mandou chamar a Jacó, seu filho mais moço, e lhe disse: Esaú, teu irmão, se consola a teu respeito, propondo-se matar-te.
43 Agora, pois, meu filho, ouve a minha voz: Levanta-te, refugia-te na casa de Labão, meu irmão, em Harã.
44 Fica com ele alguns dias, até que passe o furor de teu irmão.
45 Quando a ira de teu irmão se desviar de ti, e ele se esquecer do que lhe fizeste, mandarei trazer-te de lá. Por que eu perderia meus dois filhos num só dia?
46 Então disse Rebeca a Isaque: Enfadada estou da minha vida, por causa das filhas de Hete. Se Jacó tomar mulher dentre as filhas de Hete, tais como estas, dentre as filhas desta terra, de que me servirá a vida?

### Isaque manda Jacó a Padã-Arã

**28** Isaque chamou Jacó, o abençoou e ordenou-lhe, dizendo: Não tomes mulher de entre as filhas de Canaã.
2 Levanta-te, vai a Padã-Arã, à casa de Betuel, pai de tua mãe, e toma de lá uma mulher dentre as filhas de Labão, irmão de tua mãe.
3 Que o Deus Todo-poderoso te abençoe, e te faça frutificar, e te multiplique, para que venhas a ser uma multidão de povos;
4 e te dê a bênção de Abraão, a ti e à tua descendência contigo,

para que herdes a terra de tuas peregrinações, que Deus deu a Abraão.

5 Assim despediu Isaque a Jacó, o qual foi a Padã-Arã, a Labão, filho de Betuel, o arameu, irmão de Rebeca, mãe de Jacó e de Esaú.

6 Vendo, pois, Esaú que Isaque abençoara a Jacó e o enviara a Padã-Arã, para tomar de lá mulher para si, e que, abençoando-o, lhe ordenara, dizendo: Não tomes mulher dentre as filhas de Canaã,

7 e que Jacó, obedecendo a seu pai e a sua mãe, fora a Padã-Arã;

8 vendo também Esaú que as filhas de Canaã eram más aos olhos de Isaque, seu pai,

9 foi-se Esaú a Ismael e tomou para si por mulher, além das suas mulheres, a Maalate, filha de Ismael, filho de Abraão, irmã de Nebaiote.

### A visão da escada de Jacó

10 Partiu Jacó de Berseba e se foi a Harã.

11 Chegou a um lugar onde passou a noite, porque o sol já se havia posto. Tomando uma das pedras daquele lugar e fazendo-a de travesseiro, deitou-se ali para dormir.

12 E sonhou: Eis que uma escada estava posta na terra, cujo topo chegava ao céu; e os anjos de Deus subiam e desciam por ela.

13 Por cima dela estava o Senhor, que lhe disse: Eu sou o Senhor, o Deus de Abraão, teu pai, e o Deus de Isaque. Esta terra em que estás deitado, eu a darei a ti e à tua descendência.

14 A tua descendência será como o pó da terra. Tu te estenderás ao ocidente, ao oriente, ao norte e ao sul, e em ti e na tua descendência serão benditas todas as famílias da terra.

15 Estou contigo, e te guardarei por onde quer que fores, e te farei tornar a esta terra. Não te deixarei até que tenha cumprido aquilo que te tenho dito.

16 Despertando Jacó do seu sono, disse: Na verdade, o Senhor está neste lugar, e eu não o sabia.

17 Temeu e disse: Quão terrível é este lugar! Este não é outro lugar senão a casa de Deus; esta é a porta dos céus.

18 Então se levantou Jacó de madrugada, tomou a pedra que tinha posto por travesseiro, erigiu-a em coluna e derramou azeite em cima dela.

19 E chamou àquele lugar Betel; porém o nome daquela cidade antes era Luz.

20 Fez também Jacó um voto, dizendo: Se Deus for comigo e me guardar nesta viagem que ora faço, e me der pão para comer e vestes para vestir,

21 e eu em paz voltar à casa de meu pai, o Senhor será o meu Deus;

22 e esta pedra que tenho posto como coluna será casa de Deus, e de tudo o que me deres, certamente te darei o dízimo.

### Jacó chega ao poço de Harã

**29** Então seguiu viagem Jacó e chegou à terra dos filhos do Oriente.

2 Viu ali um poço no campo e três rebanhos de ovelhas que estavam deitados junto dele porque desse poço se dava de beber aos rebanhos. E havia uma grande pedra sobre a boca do poço.

3 Ajuntavam-se ali todos os rebanhos, e os pastores removiam a pedra de sobre a boca do poço,

davam de beber às ovelhas e tornavam a pôr a pedra no seu lugar sobre a boca do poço.

4 Perguntou-lhes Jacó: Meus irmãos, donde sois? Responderam eles: Somos de Harã.

5 Perguntou-lhes mais: Conheceis a Labão, filho de Naor? Responderam: Conhecemos.

6 Perguntou-lhes ainda: Vai ele bem? Responderam: Vai bem. Aí vem Raquel, sua filha, chegando com as ovelhas.

7 Disse ele: Olha, ainda vai alto o dia; não é hora de se ajuntar o gado. Dai de beber às ovelhas e ide apascentá-las.

8 Responderam: Não podemos, até que todos os rebanhos se ajuntem e seja removida a pedra da boca do poço, para que demos de beber às ovelhas.

9 Enquanto Jacó ainda lhes falava, chegou Raquel com as ovelhas de seu pai, pois ela era pastora.

10 Quando Jacó viu a Raquel, filha de Labão, irmão de sua mãe, e as ovelhas de Labão, irmão de sua mãe, chegou-se, revolveu a pedra da boca do poço e deu de beber às ovelhas de Labão, irmão de sua mãe.

11 Então Jacó beijou a Raquel e, levantando a voz, chorou.

12 E Jacó anunciou a Raquel que ele era parente de seu pai e que era filho de Rebeca. Então ela correu e o anunciou a seu pai.

13 Assim que Labão ouviu as novas de Jacó, filho de sua irmã, correu-lhe ao encontro, abraçou-o, beijou-o e o levou à sua casa. E Jacó contou a Labão todas essas coisas.

14 Então, Labão lhe disse: Verdadeiramente tu és meu osso e minha carne. E Jacó ficou com ele um mês inteiro.

15 Depois perguntou Labão a Jacó: Por seres meu irmão hás de servir-me de graça? Declara-me, qual será o teu salário?

16 Ora, Labão tinha duas filhas; o nome da mais velha era Lia; o da mais moça, Raquel.

17 Lia tinha olhos fracos, ao passo que Raquel era formosa de porte e de semblante.

18 Jacó amava a Raquel e disse: Sete anos te servirei por Raquel, tua filha mais moça.

19 Respondeu Labão: Melhor é que eu a dê a ti do que a outro. Fica comigo.

20 Assim, serviu Jacó sete anos por amor a Raquel, mas estes lhe pareceram como poucos dias, pelo muito que a amava.

21 Então, Jacó disse a Labão: Dá-me minha mulher. O meu tempo já está cumprido, e eu quero tomá-la por mulher.

22 Reuniu, pois, Labão a todos os homens daquele lugar e fez um banquete.

23 Chegada, porém, a tarde, ele tomou a Lia, sua filha, e a trouxe a Jacó. E Jacó se deitou com ela.

24 E Labão deu sua serva Zilpa por serva a Lia, sua filha.

25 Quando amanheceu, eis que era Lia; pelo que perguntou Jacó a Labão: Que é isso que me fizeste? Não te servi em troca de Raquel? Por que me enganaste?

26 Respondeu Labão: Não se faz assim em nossa terra; não se dá a mais nova antes da primogênita.

27 Cumpre a semana desta; então te daremos também a outra, pelo trabalho de outros sete anos que ainda me servirás.

28 E Jacó fez assim. Cumpriu a semana de Lia, e então Labão lhe deu por mulher a Raquel, sua filha.

29 Labão deu sua serva Bila por serva a Raquel, sua filha.
30 Jacó deitou-se também com Raquel e a amou muito mais do que a Lia. E serviu a Labão ainda outros sete anos.
31 Quando o Senhor viu que Lia era desprezada, abriu a sua madre, mas Raquel era estéril.

### Os filhos de Jacó

32 Concebeu Lia e deu à luz um filho, a quem chamou Rúben, pois disse: O Senhor atendeu à minha aflição; certamente agora me amará meu marido.
33 Concebeu outra vez e deu à luz um filho, e disse: Porque o Senhor ouviu que eu era desprezada, deu-me também este. E lhe pôs o nome de Simeão.
34 Concebeu ainda outra vez e deu à luz um filho, e disse: Agora esta vez se unirá meu marido comigo, porque três filhos lhe tenho dado. Por isso lhe chamou Levi.
35 De novo concebeu e deu à luz um filho, e disse: Esta vez louvarei ao Senhor. Por isso lhe chamou Judá. E cessou de dar à luz.

# 30
Vendo Raquel que não dava filhos a Jacó, teve inveja de sua irmã e disse a Jacó: Dá-me filhos, senão eu morro.
2 Então se acendeu a ira de Jacó contra Raquel e disse: Acaso estou eu no lugar de Deus que te impediu o fruto de teu ventre?
3 Respondeu ela: Eis aqui minha serva Bila; recebe-a por mulher, para que ela tenha filhos em meu lugar, e eu receba filhos por meio dela.
4 Assim, ela lhe deu Bila, sua serva, por mulher. Jacó deitou-se com Bila,
5 e ela concebeu e deu a Jacó um filho.
6 Então disse Raquel: Julgou-me Deus; ouviu a minha voz e me deu um filho. Por isso lhe chamou Dã.
7 Bila, serva de Raquel, concebeu outra vez e deu a Jacó o segundo filho.
8 Então disse Raquel: Com grandes lutas tenho lutado com minha irmã e venci. E lhe chamou Naftali.
9 Vendo Lia que ela mesma cessara de conceber, tomou a Zilpa, sua serva, e a deu a Jacó por mulher.
10 Zilpa, serva de Lia, deu um filho a Jacó.
11 Então disse Lia: Afortunada! E chamou-lhe Gade.
12 Depois deu Zilpa, serva de Lia, um segundo filho a Jacó.
13 Então disse Lia: Feliz sou eu! As filhas me chamarão feliz. E chamou-lhe Aser.
14 Saiu Rúben nos dias da ceifa do trigo e achou mandrágoras no campo, e as trouxe a Lia, sua mãe. Então disse Raquel a Lia: Dá-me, peço-te, das mandrágoras do teu filho.
15 Respondeu ela: É já pouco que hajas tomado o meu marido? Tomarás também as mandrágoras do meu filho? Disse Raquel: Por isso ele se deitará contigo esta noite, pelas mandrágoras de teu filho.
16 Quando Jacó veio à tarde do campo, saiu-lhe Lia ao encontro e disse: Hoje te deitarás comigo, porque certamente te aluguei com as mandrágoras do meu filho. E deitou-se com ela aquela noite.
17 E ouviu Deus a Lia, e ela concebeu e deu à luz um quinto filho.
18 Então disse Lia: Deus me tem dado o meu galardão, porque dei

Gênesis 30

minha serva ao meu marido. E o chamou de Issacar.

19 Lia concebeu outra vez e deu a Jacó um sexto filho.

20 Disse Lia: Deus me deu um excelente dote; desta vez o meu marido me tratará com honras, porque lhe dei seis filhos. E chamou-lhe Zebulom.

21 Algum tempo mais tarde deu à luz uma filha e chamou-lhe Diná.

22 Então Deus se lembrou de Raquel, ouviu-a e abriu a sua madre.

23 Ela concebeu, deu à luz um filho e disse: Tirou-me Deus a minha humilhação.

24 E chamou-lhe José, dizendo: Acrescente-me o Senhor outro filho.

**Aumentam os rebanhos de Jacó**

25 Depois que Raquel deu à luz José, disse Jacó a Labão: Despede-me a fim de que eu vá para o meu lugar e para a minha terra.

26 Dá-me as minhas mulheres e os meus filhos, pelas quais te servi, e partirei. Tu sabes o serviço que te prestei.

27 Labão lhe respondeu: Se tenho achado graça aos teus olhos, fica comigo. Tenho experimentado que o Senhor me abençoou por amor de ti.

28 E disse mais: Determina-me o teu salário, que o darei a ti.

29 Disse-lhe Jacó: Tu sabes como te tenho servido e como cuidei do teu gado.

30 O pouco que tinhas antes da minha vinda foi aumentado grandemente, e o Senhor te tem abençoado por meu trabalho. Agora, pois, quando hei de trabalhar também por minha casa?

31 Perguntou-lhe Labão: Que te darei? Respondeu Jacó: Não me darás nada. Tornarei a apascentar e a guardar o teu rebanho se me fizeres isto:

32 Passarei hoje por todo o teu rebanho, separando dele todos os salpicados e malhados, e todos os negros entre os cordeiros, e os malhados e salpicados entre as cabras. Esse será o meu salário.

33 Assim responderá por mim a minha justiça no dia de amanhã, quando vieres ver o meu salário assim exposto diante de ti: tudo o que não for salpicado e malhado entre as cabras, e negro entre as ovelhas, esse, se for achado comigo, será tido por furtado.

34 Disse Labão: Concordo! Seja conforme a tua palavra.

35 E separou naquele mesmo dia os bodes listrados e malhados, todas as cabras salpicadas e malhadas, tudo em que havia brancura, e todos os negros entre os cordeiros, e os deu nas mãos dos seus filhos.

36 Então pôs três dias de caminho entre si e Jacó; e Jacó apascentava o restante dos rebanhos de Labão.

37 Tomou então Jacó varas verdes de álamo, de amendoeira e de plátano e, descascando nelas riscas brancas, descobriu o branco que nelas havia.

38 Então pôs as varas, que tinha descascado, em frente dos rebanhos, nos canais de água e nos bebedouros, onde os rebanhos bebiam; e conceberam quando vinham beber.

39 E concebiam os rebanhos diante das varas, e as ovelhas davam crias listradas, salpicadas e malhadas.

40 Então separou Jacó os cordeiros e fez os rebanhos olharem

para os listrados e para os pretos no rebanho de Labão; e pôs o seu rebanho à parte, e não o pôs com o rebanho de Labão.

41 Todas as vezes que as ovelhas fortes concebiam, punha Jacó as varas diante do rebanho, nos bebedouros, para que concebessem diante das varas.

42 Quando, porém, o rebanho era fraco, não as punha. Assim as fracas eram de Labão, e as fortes de Jacó.

43 E o homem se enriqueceu sobremaneira; e teve grandes rebanhos, servas e servos, camelos e jumentos.

### Jacó foge de Labão

**31** Então Jacó ouviu que os filhos de Labão estavam dizendo: Jacó tomou tudo o que nosso pai possuía, e do que pertencia a nosso pai fez ele todas estas riquezas.

2 Viu também Jacó que o rosto de Labão não lhe era favorável, como antes.

3 Disse o Senhor a Jacó: Volta para a terra dos teus pais e para a tua parentela, e eu serei contigo.

4 Então Jacó mandou chamar a Raquel e a Lia ao campo, onde estava o seu rebanho,

5 e lhes disse: Vejo que o rosto de vosso pai para comigo não é como antes, mas o Deus de meu pai tem estado comigo.

6 Vós mesmas sabeis que com todas as minhas forças tenho servido a vosso pai;

7 mas vosso pai me tem enganado, e dez vezes mudou o meu salário. Porém Deus não permitiu que ele me fizesse mal.

8 Quando ele dizia: Os salpicados serão o teu salário, então todo o rebanho dava salpicados. E, quando ele dizia: Os listrados serão o teu salário, então todo o rebanho dava listrados.

9 Assim Deus tomou o gado de vosso pai, e deu-o a mim.

10 Chegado o tempo em que o rebanho concebia, levantei os olhos e num sonho vi que os bodes que cobriam o rebanho eram listrados, salpicados e malhados.

11 Disse-me o anjo de Deus no sonho: Jacó. Eu respondi: Eis-me aqui.

12 Prosseguiu o anjo: Levanta os teus olhos e vê que todos os bodes que cobrem o rebanho são listrados, salpicados e malhados, pois vi tudo o que Labão te vem fazendo.

13 Eu sou o Deus de Betel, onde ungiste uma coluna, onde me fizeste um voto. Agora levanta-te, sai desta terra e volta para a terra da tua parentela.

14 Então lhe responderam Raquel e Lia: Temos nós ainda parte ou herança na casa de nosso pai?

15 Não nos considera ele estrangeiras? Pois nos vendeu e consumiu tudo o que foi pago por nós.

16 Toda a riqueza que Deus tirou de nosso pai é nossa e de nossos filhos. Portanto, faze tudo o que Deus te ordenou.

17 Então se levantou Jacó, pôs os seus filhos e as suas mulheres sobre os camelos,

18 e levou todo o seu gado e todos os seus bens, que havia adquirido em Padã-Arã, a fim de ir ter com Isaque, seu pai, à terra de Canaã.

19 Tendo Labão ido tosquiar as suas ovelhas, Raquel furtou os ídolos do lar que pertenciam a seu pai.

20 E enganou Jacó a Labão, o arameu, não lhe fazendo saber que fugia.

# Gênesis 31

21 Assim fugiu com tudo o que tinha, e, passando o rio, foi em direção da montanha de Gileade.

### Labão persegue a Jacó

22 No terceiro dia, foi anunciado a Labão que Jacó tinha fugido.
23 Tomando consigo os seus irmãos, seguiu a Jacó por sete dias e o alcançou na montanha de Gileade.
24 Veio, porém, Deus a Labão, o arameu, num sonho de noite, e disse-lhe: Guarda-te, não fales a Jacó nem bem nem mal.
25 Alcançou, pois, Labão a Jacó. Ora, Jacó tinha armado a sua tenda naquela montanha; também Labão armou com os seus irmãos a sua na montanha de Gileade.
26 Então disse Labão a Jacó: Que fizeste, que me enganaste e levaste minhas filhas como cativas pela espada?
27 Por que fugiste ocultamente, e me enganaste, e não me fizeste saber, para que eu te despedisse com alegria e com cânticos, ao som de tambores e de harpas?
28 Nem mesmo me permitiste beijar meus filhos e minhas filhas. Fazendo assim, procedeste nesciamente.
29 Eu tenho o poder para vos fazer mal, mas o Deus de vosso pai me falou ontem à noite, dizendo: Guarda-te, não fales a Jacó nem bem nem mal.
30 Ora, partiste de vez porque tinhas saudades de voltar à casa de teu pai. Mas por que furtaste os meus deuses?
31 Respondeu Jacó a Labão: Tive medo, porque pensava que tu me arrebatarias as tuas filhas.
32 Com quem achares os teus deuses, esse não viva. Diante de nossos irmãos, descobre o que é teu do que está comigo e leva-o contigo. Pois Jacó não sabia que Raquel os tinha furtado.
33 De modo que Labão entrou na tenda de Jacó, na tenda de Lia, na tenda de ambas as servas, e não os achou. Saindo da tenda de Lia, entrou na tenda de Raquel.
34 Ora, Raquel havia tomado os ídolos do lar e os tinha metido na sela do camelo, e se assentara sobre eles. Labão vasculhou toda a tenda, mas não os achou.
35 Disse Raquel a seu pai: Não se acenda a ira de meu senhor, por não poder eu levantar-me na tua presença, pois estou com o incômodo das mulheres. Assim ele procurou, mas não achou os ídolos do lar.
36 Então irou-se Jacó e contendeu com Labão, dizendo: Qual é a minha transgressão? Qual é o meu pecado, que tão furiosamente me tens perseguido?
37 Havendo vasculhado todos os meus utensílios, o que achaste de todos os utensílios de tua casa? Põe-nos aqui diante de meus irmãos e de teus irmãos, para que julguem entre mim e ti.
38 Estes vinte anos eu estive contigo, as tuas ovelhas e as tuas cabras nunca abortaram, e nunca comi os carneiros do teu rebanho.
39 Não te trouxe eu o despedaçado; eu o pagava. Das minhas mãos requerias o furtado de dia e o furtado de noite.
40 De maneira que eu andava, de dia consumido pelo calor, de noite, pela geada, e o meu sono me fugia dos olhos.
41 Vinte anos permaneci na tua casa. Catorze anos te servi por tuas duas filhas, e seis por teu rebanho, e dez vezes mudaste o meu salário.

42 Se o Deus de meu pai, o Deus de Abraão, e o Temor de Isaque não fora por mim, certamente hoje me enviarias vazio. Deus viu a minha aflição e o trabalho das minhas mãos e te repreendeu ontem à noite.
43 Então respondeu Labão a Jacó: Estas filhas são minhas filhas, e estes filhos são meus filhos, e este rebanho é meu rebanho. Tudo o que vês é meu. O que farei hoje a estas minhas filhas, ou aos filhos que tiveram?
44 Agora, pois, vem, e façamos uma aliança eu e tu, e seja por testemunho entre mim e ti.
45 Então Jacó tomou uma pedra e erigiu-a por coluna.
46 Disse Jacó a seus irmãos: Ajuntai pedras. Tomaram pedras e fizeram um montão, e comeram ali sobre aquele montão.
47 Chamou-lhe Labão Jegar-Saaduta, e Jacó chamou-lhe Galeede.
48 Disse Labão: Este montão seja hoje por testemunha entre mim e ti. Por isso foi chamado Galeede.
49 Foi também chamado Mispa, porque disse: Atente o Senhor entre mim e ti, quando nós estivermos apartados um do outro.
50 Se afligires as minhas filhas e se tomares mulheres além das minhas filhas, embora ninguém esteja conosco, lembra-te de que Deus é testemunha entre mim e ti.
51 Disse mais Labão a Jacó: Eis este mesmo montão, e eis esta coluna que levantei entre mim e ti.
52 Este montão seja testemunha, e esta coluna seja testemunha de que eu não passarei este montão para lá, e que tu não passarás este montão e esta coluna para cá, para mal.
53 O Deus de Abraão e o Deus de Naor, o Deus do pai deles julgue entre nós. E jurou Jacó pelo Temor de seu pai Isaque.
54 E ofereceu Jacó um sacrifício na montanha e convidou seus irmãos para comer pão; comeram pão e passaram a noite na montanha.
55 Levantou-se Labão de madrugada, beijou seus filhos e suas filhas e os abençoou. Então partiu e voltou para o seu lugar.

## 32
Jacó também seguiu o seu caminho, e os anjos de Deus o encontraram.
2 Quando Jacó os viu, disse: Este é o acampamento de Deus. E chamou àquele lugar Maanaim.

### Jacó envia mensageiros a Esaú
3 Jacó enviou mensageiros adiante de si a Esaú, seu irmão, à terra de Seir, território de Edom.
4 Ordenou-lhes, dizendo: Assim direis a meu senhor Esaú: Assim diz Jacó, teu servo: Como peregrino morei com Labão e estive lá até agora.
5 Tenho bois e jumentos, ovelhas e bodes, servos e servas; envio esta mensagem a meu senhor, para achar graça aos teus olhos.
6 Os mensageiros voltaram a Jacó, dizendo: Fomos a teu irmão Esaú, e também ele vem a encontrar-te, e quatrocentos homens com ele.
7 Então Jacó temeu muito e se angustiou, e repartiu em dois bandos o povo que com ele estava, e as ovelhas, os bois e os camelos.
8 Porque dizia: Se Esaú vier a um bando e o ferir, o outro bando escapará.
9 Disse mais Jacó: Ó Deus de meu pai Abraão, e Deus de meu pai Isaque, ó Senhor, que me disseste: Volta para a tua terra e para a tua parentela, e eu te farei bem;

10 sou indigno de todas as beneficências e de toda a fidelidade que tens usado para com teu servo. Com o meu cajado passei este Jordão e agora me tornei em dois bandos.
11 Livra-me, peço-te, das mãos de meu irmão, das mãos de Esaú, pois eu o temo, para que não venha ele matar-me, e a mãe com os filhos.
12 Pois tu disseste: Certamente te farei bem e farei a tua descendência como a areia do mar, que, pela multidão, não se pode contar.
13 Ele passou ali aquela noite e separou do que tinha um presente para seu irmão Esaú:
14 duzentas cabras e vinte bodes, duzentas ovelhas e vinte carneiros,
15 trinta camelas de leite com suas crias, quarenta vacas e dez touros, vinte jumentas e dez jumentinhos.
16 Ele os entregou ao cuidado dos seus servos, cada manada à parte, e disse aos servos: Passai adiante de mim e ponde espaço entre manada e manada.
17 Ordenou ao primeiro, dizendo: Quando Esaú, meu irmão, te encontrar e te perguntar: De quem és, para onde vais, de quem são estes diante de ti?
18 Responderás: São de teu servo Jacó, presente que envia a meu senhor, a Esaú, e ele mesmo vem vindo atrás de nós.
19 Ordenou também ao segundo, ao terceiro e a todos os que vinham atrás das manadas: Desta maneira falareis a Esaú, quando vos encontrardes com ele.
20 E direis também: O teu servo Jacó vem atrás de nós. Porque dizia: Eu o aplacarei com o presente, que vai diante de mim, e depois verei a sua face; porventura ele me aceitará.
21 Assim passou o presente adiante dele; ele, porém, ficou aquela noite no acampamento.

### Jacó luta com Deus

22 Naquela mesma noite Jacó se levantou e tomou suas duas mulheres, suas duas servas e seus onze filhos e passou o vau de Jaboque.
23 Tomou-os e fê-los passar o ribeiro, e fez passar tudo o que tinha.
24 Jacó, porém, ficou só. E lutou com ele um homem até o romper do dia.
25 Quando o homem viu que não prevalecia contra ele, tocou-lhe a articulação da coxa, e se deslocou a articulação da coxa de Jacó, enquanto lutava com ele.
26 Então o homem disse: Deixa-me ir, pois já rompeu o dia. Porém Jacó respondeu: Não te deixarei ir, se não me abençoares.
27 Perguntou-lhe o homem: Qual é o teu nome? E Jacó respondeu: Jacó.
28 Então o homem disse: Não te chamarás mais Jacó, mas Israel, porque lutaste com Deus e com os homens e prevaleceste.
29 Perguntou-lhe Jacó: Dize-me, peço-te, o teu nome. Mas o homem respondeu: Por que perguntas pelo meu nome? E ali o abençoou.
30 Jacó chamou àquele lugar Peniel, pois disse: Vi a Deus face a face, e a minha vida foi poupada.
31 Saía o sol quando ele transpôs Peniel; e manquejava de uma coxa.
32 Por isso, os filhos de Israel até hoje não comem o nervo do quadril, que está sobre a articulação da coxa, porque o homem tocou a articulação da coxa de Jacó no nervo do quadril.

### Jacó encontra-se com Esaú

**33** Levantou Jacó os olhos e olhou, e viu que vinha Esaú, e com ele quatrocentos homens. Então repartiu os filhos entre Lia, Raquel e as duas servas.
2 Pôs as servas e seus filhos na frente, Lia e seus filhos atrás destes, e Raquel e José por último.
3 Ele mesmo passou adiante deles e inclinou-se à terra sete vezes, até que chegou a seu irmão.
4 Então Esaú correu-lhe ao encontro, abraçou-o, lançou-se ao pescoço dele e o beijou. E eles choraram.
5 Depois Esaú levantou os olhos e viu as mulheres e os meninos, e perguntou: Quem são estes contigo? E ele respondeu: Os filhos que Deus bondosamente deu a teu servo.
6 Então chegaram-se as servas, elas e seus filhos, e se inclinaram.
7 Chegaram-se também Lia e seus filhos e se inclinaram; depois chegaram José e Raquel e se inclinaram.
8 Perguntou Esaú: Que queres dizer com todo este bando que encontrei? Respondeu Jacó: Para achar graça aos olhos de meu senhor.
9 Então, disse Esaú: Eu tenho bastante, meu irmão; seja teu o que tens.
10 Então disse Jacó: Não, se agora achei graça aos teus olhos, peço-te que aceites o meu presente, porque vi o teu rosto, como se tivesse visto o rosto de Deus, e te agradaste de mim.
11 Aceita, peço-te, o presente que eu te trouxe, pois Deus tem sido bondoso para comigo, e tenho de tudo. E insistiu com ele, e ele o aceitou.
12 Então disse Esaú: Ponhamo-nos a caminho, e vamos; eu irei adiante de ti.
13 Respondeu-lhe Jacó: Meu senhor sabe que estes filhos são tenros, e que tenho comigo ovelhas e vacas de leite; se forçadas a caminhar demais um só dia, todos os rebanhos morrerão.
14 Passe o meu senhor adiante de seu servo, e eu seguirei, conduzindo-os pouco a pouco, conforme o passo do gado que está diante de mim, e conforme o passo dos meninos, até que chegue a meu senhor em Seir.
15 Respondeu Esaú: Então permite-me deixar contigo alguns dos meus homens. Perguntou Jacó: Para quê? Basta que eu ache graça aos olhos de meu senhor.
16 Assim tornou Esaú aquele dia pelo seu caminho a Seir.
17 Jacó, porém, partiu para Sucote, edificou para si uma casa e fez abrigos para o seu gado. Por isso chamou àquele lugar Sucote.
18 Depois que voltou de Padã-Arã, Jacó chegou são e salvo à cidade de Siquém, que está na terra de Canaã, e se acampou diante da cidade.
19 Por cem peças de prata ele comprou dos filhos de Hamor, pai de Siquém, a parte do campo em que estendera a sua tenda.
20 Então levantou ali um altar e lhe chamou "Deus, o Deus de Israel".

### Diná é violentada

**34** Ora, Diná, filha de Lia, que esta dera a Jacó, saiu para ver as filhas da terra.
2 Quando Siquém, filho do heveu Hamor, príncipe da terra, a viu, tomou-a, deitou-se com ela e a humilhou.
3 Seu coração se apegou a Diná, filha de Jacó, e amou a moça, e falou-lhe afetuosamente.

4 Então disse Siquém a Hamor, seu pai: Consegue-me esta moça por esposa.
5 Quando Jacó ouviu que sua filha Diná fora violada por Siquém, estavam os seus filhos no campo com o gado; calou-se Jacó até que viessem.
6 E saiu Hamor, pai de Siquém, a fim de falar com Jacó.
7 Ora, os filhos de Jacó tinham vindo do campo assim que souberam do caso. Entristeceram-se e iraram-se muito, pois Siquém havia cometido uma insensatez em Israel, deitando-se com a filha de Jacó, o que não se devia fazer.
8 Então falou Hamor com eles, dizendo: A alma de Siquém, meu filho, está enamorada da vossa filha; dai-a a ele, peço-vos, por esposa.
9 Aparentai-vos conosco, dai-nos as vossas filhas e tomai as nossas.
10 Habitareis conosco; a terra estará diante de vós. Habitai e negociai nela, e nela adquiri propriedades.
11 Então Siquém disse ao pai e aos irmãos dela: Ache eu graça aos vossos olhos e darei o que me disserdes.
12 Aumentai quanto quiserem o valor do dote e os presentes, e darei o que me pedirdes. Somente dai-me a moça por esposa.
13 Então responderam os filhos de Jacó a Siquém e a Hamor, seu pai, enganosamente, porque havia contaminado a Diná, sua irmã,
14 e lhes disseram: Não podemos fazer isso, dar a nossa irmã a um homem incircunciso. Isso seria uma vergonha para nós.
15 Sob uma única condição consentiremos: se vos tornardes como nós, circuncidando-se todo macho entre vós.
16 Então vos daremos as nossas filhas e tomaremos as vossas; habitaremos convosco e seremos um só povo.
17 Se, porém, não nos ouvirdes e não vos circuncidardes, tomaremos a nossa filha e iremos embora.
18 E suas palavras agradaram a Hamor e a Siquém, seu filho.
19 Não tardou o moço em fazer isso, porque se agradava da filha de Jacó e era o mais honrado de toda a casa de seu pai.
20 Vieram, pois, Hamor e Siquém, seu filho, à porta da sua cidade e falaram aos homens da cidade, dizendo:
21 Estes homens são pacíficos para conosco. Portanto habitem na terra e negociem nela, pois é bastante espaçosa para eles. Recebamos as suas filhas por mulheres e lhes demos as nossas.
22 Somente, porém, consentirão aqueles homens em habitar conosco, para que sejamos um só povo, se todo macho entre nós se circuncidar, como eles são circuncidados.
23 O seu gado, as suas propriedades e todos os seus animais não serão nossos? Concordemos, pois, com eles, e habitarão conosco.
24 Deram ouvidos a Hamor e a Siquém, seu filho, todos os que saíam da porta da cidade, e todo homem foi circuncidado, dos que saíam pela porta da sua cidade.
25 Três dias mais tarde, quando os homens estavam doloridos, dois filhos de Jacó, Simeão e Levi, irmãos de Diná, tomaram cada um a sua espada, entraram inesperadamente na cidade e mataram todos os homens.
26 Mataram também a fio de espada a Hamor e a seu filho, Siquém,

e tomaram a Diná da casa de Siquém e saíram.

27 Vieram os filhos de Jacó aos mortos e saquearam a cidade, porque haviam violentado a sua irmã.

28 Tomaram deles os seus rebanhos, os bois, os jumentos e o que havia tanto na cidade como no campo.

29 Todos os seus bens, e todos os seus meninos, e as suas mulheres levaram cativos e pilharam tudo o que havia nas casas.

30 Então disse Jacó a Simeão e a Levi: Tendes-me perturbado, fazendo-me odioso aos habitantes da terra, aos cananeus e ferezeus. Nós somos pouca gente, e, se eles se ajuntarem e vierem contra mim, serei destruído, eu e minha casa.

31 Ao que responderam: Devia ele tratar a nossa irmã como uma prostituta?

### Jacó volta a Betel

**35** Então disse Deus a Jacó: Levanta-te, sobe a Betel e habita ali; e faze ali um altar ao Deus que te apareceu quando fugias da presença de Esaú, teu irmão.

2 Então disse Jacó à sua família e a todos os que com ele estavam: Lançai fora os deuses estranhos que há no meio de vós, purificai-vos e trocai as vossas vestes.

3 Levantemo-nos e subamos a Betel, onde farei um altar ao Deus que me respondeu no dia da minha angústia e que foi comigo no caminho por onde andei.

4 Então deram a Jacó todos os deuses estranhos que tinham nas mãos e as argolas que lhes pendiam das orelhas; e Jacó os escondeu debaixo do carvalho que está junto a Siquém.

5 Então partiram, e o terror de Deus caiu sobre as cidades que estavam ao redor deles, e não seguiram aos filhos de Jacó.

6 Assim chegou Jacó a Luz, que está na terra de Canaã (isto é, Betel), ele e todo o povo que com ele havia.

7 Edificou ali um altar e chamou àquele lugar El-Betel, porque ali Deus se lhe tinha manifestado quando fugia de seu irmão.

8 Morreu Débora, a ama de Rebeca, e foi sepultada ao pé de Betel, debaixo do carvalho que se chamou Alom-Bacute.

9 Depois que Jacó voltou de Padã-Arã, Deus lhe apareceu de novo e o abençoou.

10 Disse-lhe Deus: O teu nome é Jacó, mas não te chamarás mais Jacó; Israel será o teu nome. E lhe chamou Israel.

11 Disse-lhe mais Deus: Eu sou o Deus Todo-poderoso; frutifica e multiplica-te. Uma nação, sim, uma multidão de nações sairá de ti, e reis procederão dos teus lombos.

12 E te darei a terra que dei a Abraão e a Isaque, a ti a darei; também à tua descendência, depois de ti, a darei.

13 Então Deus se retirou dele, do lugar onde lhe falara.

14 Jacó erigiu uma coluna de pedra no lugar onde Deus lhe falara e derramou sobre ela uma libação; deitou-lhe também azeite.

15 Jacó chamou Betel ao lugar onde Deus lhe falara.

16 Partiram de Betel e, havendo ainda pequena distância para chegar a Efrata, Raquel deu à luz um filho, cujo nascimento lhe foi penoso.

17 Tendo ela trabalho em seu parto, disse-lhe a parteira: Não temas, pois também este filho terás.

# Gênesis 36

18 Ao sair-lhe a alma (porque morreu), chamou-lhe Benoni. Mas seu pai lhe chamou Benjamim.
19 Assim morreu Raquel e foi sepultada no caminho de Efrata (isto é, Belém).
20 Sobre a sepultura de Raquel erigiu Jacó uma coluna, e até o dia hoje essa coluna marca a sepultura de Raquel.
21 Então partiu Israel e armou a sua tenda além de Migdal-Eder.
22 Enquanto Israel habitava nessa região, Rúben foi e se deitou com Bila, concubina de seu pai, e Israel o soube. Eram doze os filhos de Jacó:
23 Os filhos de Lia: Rúben, o primogênito de Jacó, depois Simeão, Levi, Judá, Issacar e Zebulom.
24 Os filhos de Raquel: José e Benjamim.
25 Os filhos de Bila, serva de Raquel: Dã e Naftali.
26 Os filhos de Zilpa, serva de Lia: Gade e Aser. Foram estes os filhos de Jacó, que lhe nasceram em Padã-Arã.
27 Jacó veio a seu pai Isaque a Manre, a Quiriate-Arba (esta é Hebrom), onde peregrinaram Abraão e Isaque.
28 Foram os dias de Isaque cento e oitenta anos.
29 Então expirou Isaque e morreu, e foi reunido ao seu povo, velho e cheio de dias. E Esaú e Jacó, seus filhos, o sepultaram.

## Os descendentes de Esaú

**36** São estas as gerações de Esaú (que é Edom).
2 Esaú tomou suas mulheres dentre as filhas de Canaã: Ada, filha de Elom, heteu, Oolíbama, filha de Aná, filho de Zibeão, heveu,
3 e Basemate, filha de Ismael, irmã de Nebaiote.
4 Ada teve de Esaú a Elifaz, Basemate teve a Reuel,
5 e Oolíbama teve a Jeús, a Jalão e a Coré. Foram estes os filhos de Esaú, que lhe nasceram na terra de Canaã.
6 Tomou Esaú suas mulheres, seus filhos, suas filhas e todas as pessoas de sua casa, seu gado, todos os seus animais e todos os seus bens, que havia adquirido na terra de Canaã, e foi-se para outra terra, apartando-se de seu irmão Jacó.
7 Os bens deles eram muitos para habitarem juntos; a terra de suas peregrinações não os podia sustentar por causa do seu gado.
8 Portanto Esaú (isto é, Edom) habitou no monte de Seir.
9 São estas as gerações de Esaú, pai dos idumeus, no monte de Seir:
10 São estes os nomes dos filhos de Esaú: Elifaz, filho de Ada, mulher de Esaú, e Reuel, filho de Basemate, mulher de Esaú.
11 Os filhos de Elifaz: Temã, Omar, Zefô, Gaetã e Quenaz.
12 Timna era concubina de Elifaz, filho de Esaú, e teve de Elifaz a Amaleque. Foram estes os filhos de Ada, mulher de Esaú.
13 Os filhos de Reuel: Naate, Zerá, Samá e Mizá. Foram estes os filhos de Basemate, mulher de Esaú.
14 Os filhos de Oolíbama, filha de Aná, filha de Zibeão, mulher de Esaú, que ela deu a Esaú: Jeús, Jalão e Coré.
15 São estes os chefes dos filhos de Esaú: dos filhos de Elifaz, o primogênito de Esaú, os chefes Temã, Omar, Zefô, Quenaz,

16 Coré, Gaetã e Amaleque. Foram estes os chefes de Elifaz na terra de Edom; foram filhos de Ada.
17 São estes os filhos de Reuel, filho de Esaú: os chefes Naate, Zerá, Samá e Mizá. Foram estes os chefes de Reuel, na terra de Edom; foram filhos de Basemate, mulher de Esaú.
18 São estes os filhos de Oolíbama, mulher de Esaú: os chefes Jeús, Jalão e Coré. Foram estes os chefes que nasceram a Oolíbama, filha de Aná, mulher de Esaú.
19 Foram estes os filhos de Esaú (isto é, Edom), e foram estes os seus chefes.
20 São estes os filhos de Seir, o horeu, moradores da terra: Lotã, Sobal, Zibeão, Aná,
21 Disom, Eser e Disã. São estes os chefes dos horeus, filhos de Seir, na terra de Edom.
22 Os filhos de Lotã: Hori e Hemã. A irmã de Lotã era Timna.
23 São estes os filhos de Sobal: Alvã, Manaate, Ebal, Sefô e Onã.
24 São estes os filhos de Zibeão: Aiá e Aná. Este é o Aná que achou as fontes termais no deserto, quando apascentava os jumentos de Zibeão, seu pai.
25 São estes os filhos de Aná: Disom e Oolíbama, filha de Aná.
26 São estes os filhos de Disã: Hendã, Esbã, Itrã e Querã.
27 São estes os filhos de Eser: Bilã, Zaavã e Acã.
28 São estes os filhos de Disã: Uz e Arã.
29 São estes os chefes dos horeus: os chefes Lotã, Sobal, Zibeão, Aná,
30 Disom, Eser e Disã. Foram estes os chefes dos horeus segundo as suas divisões na terra de Seir.
31 Foram estes os reis que reinaram na terra de Edom, antes que reinasse rei algum sobre os filhos de Israel.
32 Belá, filho de Beor, reinou em Edom, e o nome da sua cidade era Dinabá.
33 Morreu Belá, e Jobabe, filho de Zerá de Bozra, reinou em seu lugar.
34 Morreu Jobabe, e Husão, da terra dos temanitas, reinou em seu lugar.
35 Morreu Husão, e em seu lugar reinou Hadade, filho de Bedade, o que feriu Midiã no campo de Moabe. O nome da sua cidade era Avite.
36 Morreu Hadade, e Samlá de Masreca reinou em seu lugar.
37 Morreu Samlá, e Saul de Reobote do rio reinou em seu lugar.
38 Morreu Saul, e Baal-Hanã, filho de Acbor, reinou em seu lugar.
39 Morreu Baal-Hanã, filho de Acbor, e Hadar reinou em seu lugar. O nome da sua cidade era Pau, e o nome da sua mulher era Meetabel, filha de Matrede, filha de Me-Zaabe.
40 São estes os nomes dos chefes de Esaú, segundo as suas famílias, segundo as suas regiões, pelos seus nomes: os chefes Timna, Alva, Jetete,
41 Oolíbama, Elá, Pinom,
42 Quenaz, Temã, Mibzar,
43 Magdiel e Irã. Foram estes os chefes de Edom, segundo as suas habitações na terra da sua possessão. Este é Esaú, pai dos idumeus.

### Os sonhos de José

**37** Jacó habitou na terra das peregrinações de seu pai, na terra de Canaã.
2 Esta é a história de Jacó. Sendo José de dezessete anos, apascentava os rebanhos com seus irmãos; sendo ainda jovem, andava com

os filhos de Bila e com os filhos de Zilpa, mulheres de seu pai; e trazia más notícias deles a seu pai.

3 Israel amava a José mais do que a todos os seus outros filhos, porque era filho da sua velhice; e fez-lhe uma túnica de várias cores.

4 Vendo seus irmãos que seu pai o amava mais do que a todos os outros filhos, odiaram-no e já não podiam falar com ele pacificamente.

5 José teve um sonho e o contou a seus irmãos; por isso o odiaram ainda mais.

6 Pois lhes disse: Ouvi, peço-vos, este sonho que tive:

7 Estávamos atando feixes no campo, e eis que o meu feixe, levantando-se, ficou de pé; e os vossos feixes o rodeavam e se inclinavam ao meu feixe.

8 Então lhe disseram seus irmãos: Tu deveras reinarás sobre nós? Tu deveras terás domínio sobre nós? Por isso, tanto mais o odiavam por causa dos seus sonhos e das suas palavras.

9 Teve ainda outro sonho e o contou a seus irmãos, dizendo: Tive outro sonho; e eis que o sol, a lua e onze estrelas se inclinavam perante mim.

10 Quando o contou a seu pai e a seus irmãos, repreendeu-o seu pai, dizendo: Que sonho é esse que tiveste? Viremos, eu e tua mãe e teus irmãos, a inclinar-nos em terra perante ti?

11 Seus irmãos, pois, o invejavam; seu pai, porém, guardava este caso no coração.

### José é vendido pelos irmãos

12 Ora, seus irmãos foram apascentar o rebanho de seu pai em Siquém.

13 Disse Israel a José: Não apascentam os teus irmãos em Siquém? Vem, e te enviarei a eles. Respondeu-lhe José: Eis-me aqui.

14 Disse-lhe Israel: Vai, vê se vão bem os teus irmãos e o rebanho; e traze-me notícias. Assim o enviou do vale de Hebrom; e José foi a Siquém.

15 Um homem encontrou a José, que andava errante pelo campo, e lhe perguntou: Que procuras?

16 Respondeu ele: Procuro meus irmãos; dize-me, peço-te, onde apascentam eles o rebanho.

17 Disse o homem: Foram-se daqui, pois ouvi-os dizer: Vamos a Dotã. Então, José seguiu atrás de seus irmãos e os achou em Dotã.

18 Eles o viram de longe e, antes que chegasse onde estavam, conspiraram contra ele, para o matarem.

19 Disseram uns aos outros: Lá vem o sonhador!

20 Vinde agora, matemo-lo e lancemo-lo numa destas cisternas, e diremos: Um animal selvagem o devorou. Veremos, então, que será dos seus sonhos.

21 Rúben, porém, ouvindo isso, livrou-o das mãos deles, dizendo: Não lhe tiremos a vida.

22 Também lhes disse: Não derrameis sangue. Lançai-o nesta cisterna aqui no deserto, e não lanceis mão nele. Disse isso para livrá-lo das mãos deles, a fim de restituí-lo a seu pai.

23 Chegando José a seus irmãos, estes o despiram da sua túnica, a túnica de várias cores, que ele estava usando;

24 e, tomando-o, lançaram-no na cisterna. Ora, a cisterna estava vazia, não havia água nela.

25 Quando se assentaram para comer, levantaram os olhos e

viram que uma caravana de ismaelitas vinha de Gileade; nos seus camelos traziam especiarias, bálsamo e mirra, que levavam para o Egito.

**26** Então Judá disse a seus irmãos: Que proveito teremos em matar a nosso irmão e encobrir o seu sangue?

**27** Vinde, vendamo-lo a esses ismaelitas; não seja nossa mão sobre ele, pois é nosso irmão, nossa carne. E seus irmãos concordaram.

**28** Passando, pois, os mercadores midianitas, os irmãos de José, tirando-o da cisterna, venderam-no por vinte siclos de prata aos ismaelitas, os quais o levaram para o Egito.

**29** Quando Rúben voltou à cisterna e viu que José não estava nela, rasgou as suas vestes,

**30** voltou a seus irmãos e disse: O menino não está lá! E eu, para onde irei?

**31** Então tomaram a túnica de José, mataram um cabrito e a molharam no sangue.

**32** Enviaram a túnica de várias cores a seu pai e disseram: Achamos esta túnica. Vê se é a túnica de teu filho ou não.

**33** Ele a reconheceu e disse: É a túnica de meu filho! Um animal selvagem o devorou. Certamente José foi despedaçado.

**34** Então Jacó rasgou as suas vestes, vestiu-se de pano de saco e lamentou o seu filho por muitos dias.

**35** Levantaram-se todos os seus filhos e todas as suas filhas, para o consolarem, mas ele recusou ser consolado e disse: Na verdade, com choro hei de descer a meu filho até a sepultura. Assim o chorou seu pai.

**36** Os midianitas venderam José no Egito a Potifar, oficial de faraó, capitão da guarda.

### Judá e Tamar

**38** Nesse tempo Judá desceu de entre seus irmãos e entrou na casa de um homem de Adulão, que se chamava Hira.

**2** Ali Judá viu a filha de um homem cananeu, chamado Sua. Ele a tomou por mulher e se deitou com ela.

**3** Ela concebeu e teve um filho, e o pai lhe chamou Er.

**4** Tornou ela a conceber e teve um filho, a quem chamou Onã.

**5** Concebeu outra vez e deu à luz outro filho, cujo nome foi Selá. Foi em Quezibe que ela lhe deu à luz.

**6** Judá tomou uma mulher para Er, o seu primogênito; o nome dela era Tamar.

**7** Er, porém, o primogênito de Judá, era mau aos olhos do Senhor, pelo que o Senhor o matou.

**8** Então disse Judá a Onã: Deita com a mulher do teu irmão, cumprindo-lhe o dever de cunhado, e suscita descendência a teu irmão.

**9** Onã, porém, sabia que a descendência não seria dele; de modo que sempre que deitava com a mulher de seu irmão, derramava o sêmen na terra para não dar descendência a seu irmão.

**10** O que ele fazia era mau aos olhos do Senhor, pelo que também o matou.

**11** Então disse Judá a Tamar, sua nora: Permanece viúva em casa de teu pai, até que Selá, meu filho, venha a ser homem. Pois pensava: Para que não morra também este, como seus irmãos. Assim se foi Tamar e morou em casa de seu pai.

**12** Depois de muito tempo, morreu a filha de Sua, mulher de Judá. Depois de consolado, Judá subiu aos tosquiadores de suas ovelhas, em Timna, ele e Hira seu amigo, o adulamita.
**13** E avisaram a Tamar, dizendo: O teu sogro sobe a Timna para tosquiar as suas ovelhas.
**14** Então ela se despiu dos vestidos da sua viuvez, se cobriu com o véu para se disfarçar e assentou-se à entrada de Enaim, no caminho de Timna. Pois via que Selá já era homem, e ela não lhe fora dada por mulher.
**15** Vendo-a Judá, teve-a por prostituta, pois ela havia coberto o rosto.
**16** Não percebendo que era a sua nora, ele se dirigiu a ela no caminho e lhe disse: Vem, deixa-me dormir contigo. E ela lhe perguntou: Que darás para dormires comigo?
**17** Disse ele: Eu te enviarei um cabrito do rebanho. Perguntou ela: O que me dás como garantia até que o envie?
**18** Respondeu ele: Que garantia devo eu dar-te? Disse ela: O teu selo com o seu cordão e o cajado que está em tua mão. Ele, pois, os deu e dormiu com ela, e ela concebeu dele.
**19** Levantou-se ela e se foi; tirou de si o véu e vestiu os vestidos da sua viuvez.
**20** Enviou Judá o cabrito por mão do adulamita, seu amigo, para receber o penhor da mão da mulher, porém ele não a achou.
**21** Então perguntou aos homens daquele lugar: Onde está a prostituta cultual que estava junto ao caminho de Enaim? Responderam: Aqui não esteve prostituta alguma.
**22** Assim ele voltou a Judá e disse: Não a achei. E também disseram os homens daquele lugar: Aqui não esteve prostituta cultual alguma.
**23** Então disse Judá: Deixa-a ficar com o penhor, para que não venhamos a cair em desprezo. Enviei-lhe este cabrito, mas tu não a achaste.
**24** Passados cerca de três meses, foram dizer a Judá: Tamar, tua nora, adulterou, pois está grávida. Então disse Judá: Tirai-a para fora, e seja queimada.
**25** Enquanto ela era tirada para fora, mandou dizer a seu sogro: Do homem de quem são estas coisas eu concebi. E disse mais: Reconhece de quem é este selo com o cordão e este cajado.
**26** Reconheceu-os Judá e disse: Mais justa é ela do que eu, porque não a dei a meu filho Selá. E nunca mais a conheceu.
**27** Estando ela para dar à luz, havia gêmeos em seu ventre.
**28** Dando ela à luz, um pôs fora a mão, e a parteira tomou um fio escarlate e o atou em sua mão, dizendo: Este saiu primeiro.
**29** Ele, porém, recolheu a mão, e saindo o outro, ela disse: Como tens tu rompido! E lhe chamaram Perez.
**30** Depois saiu o seu irmão, em cuja mão estava o fio escarlate, e foi chamado Zerá.

### José na casa de Potifar

**39** José foi levado ao Egito. Potifar, oficial de faraó, capitão da guarda, egípcio, comprou-o dos ismaelitas que o tinham levado para lá.
**2** O Senhor estava com José; ele se tornou próspero e estava na casa de seu senhor egípcio.
**3** Vendo o seu senhor que Deus era com ele e que tudo o que ele

fazia o Senhor prosperava em suas mãos,
4 achou José graça aos olhos dele e o servia. Ele o pôs por mordomo de sua casa e entregou nas suas mãos tudo o que tinha.
5 Desde que o pôs por mordomo de sua casa e de tudo o que tinha, o Senhor abençoou a casa do egípcio por amor de José. A bênção do Senhor estava sobre tudo o que tinha, tanto na casa como no campo.
6 Assim Potifar deixou tudo o que tinha nas mãos de José, de modo que de nada sabia do que estava com ele, a não ser do pão que comia. Ora, José era atraente e de boa aparência.
7 Depois dessas coisas, a mulher de seu senhor começou a cobiçar José e lhe disse: Deita-te comigo.
8 Ele, porém, recusou e disse à mulher do seu senhor: Estando eu aqui, meu senhor não se preocupa com o que se passa na casa e entregou nas minhas mãos tudo o que tem.
9 Ninguém há maior do que eu nesta casa, e nenhuma coisa me vedou, senão a ti, porque és sua mulher. Como, pois, posso cometer este tão grande mal e pecar contra Deus?
10 Embora ela instasse com José dia após dia, ele, porém, não lhe dava ouvidos, para se deitar com ela ou estar com ela.
11 Certo dia, ele entrou na casa para atender aos seus deveres, e ninguém da casa estava presente.
12 Ela o pegou pela capa, dizendo: Deita-te comigo! Mas ele deixou a sua capa nas mãos dela e fugiu, escapando para fora.
13 Quando ela viu que ele deixara a capa em suas mãos e fugira para fora,
14 chamou pelos homens de sua casa e lhes disse: Vede, trouxe-nos meu marido este hebreu para nos insultar! Veio a mim para se deitar comigo, mas eu gritei em alta voz.
15 Quando ele ouviu que eu levantava a voz e gritava, deixou a capa ao meu lado e fugiu, escapando para fora.
16 Ela guardou a capa consigo, até que o senhor dele voltou para casa.
17 Então falou-lhe conforme as mesmas palavras, dizendo: O servo hebreu, que nos trouxeste, veio a mim para me insultar,
18 mas, levantando eu a voz e gritando, ele deixou a capa comigo e fugiu para fora.
19 Quando o seu senhor ouviu as palavras de sua mulher, que lhe dizia: Desta maneira me fez teu servo, a sua ira se acendeu.
20 Então o senhor de José o tomou e o lançou na prisão, no lugar em que os presos do rei estavam presos. Mas, enquanto José ficou preso,
21 o Senhor era com ele; estendeu sobre ele a sua benignidade e lhe concedeu graça aos olhos do carcereiro.
22 De sorte que o carcereiro entregou nas mãos de José todos os presos que estavam no cárcere, e era José quem ordenava tudo o que se fazia ali.
23 O carcereiro não tinha cuidado de coisa alguma que estava nas mãos de José, porque o Senhor era com ele, fazendo prosperar tudo o que ele empreendia.

### José interpreta dois sonhos

**40** Depois dessas coisas, o copeiro do rei do Egito e o seu padeiro ofenderam o seu senhor, o rei do Egito.

# Gênesis 41

2 Indignou-se faraó contra os seus dois oficiais, contra o copeiro-chefe e o padeiro-chefe.
3 E mandou detê-los na casa do capitão da guarda, na prisão onde José estava preso.
4 O capitão da guarda pô-los a cargo de José, para que os servisse. Depois que estiveram muitos dias na prisão,
5 ambos sonharam, cada um o seu sonho, na mesma noite, cada um conforme a interpretação do seu sonho, o copeiro e o padeiro do rei do Egito, que estavam presos.
6 Quando José veio a eles pela manhã, viu que estavam perturbados.
7 Então perguntou aos oficiais de faraó, que com ele estavam na prisão da casa de seu senhor: Por que estão hoje tristes os vossos semblantes?
8 Responderam-lhe: Tivemos um sonho e ninguém há que o interprete. Disse-lhes José: Não pertencem a Deus as interpretações? Contai-o a mim, peço-vos.
9 Então o copeiro-chefe contou o seu sonho a José. Disse-lhe: Em meu sonho havia uma videira diante de mim,
10 e na videira três ramos. Ao brotar a videira, havia flores, e seus cachos produziam uvas maduras.
11 O copo de faraó estava na minha mão, e eu tomava as uvas, e as espremia no copo de faraó, e entregava o copo na mão de faraó.
12 Então lhe disse José: Esta é a sua interpretação: os três ramos são três dias.
13 Dentro de três dias faraó levantará a tua cabeça e te restaurará ao teu cargo, e darás o copo de faraó na sua mão, conforme o costume antigo, quando eras seu copeiro.
14 Lembra-te, porém, de mim, quando te for bem; usa, peço-te, de compaixão para comigo e faze menção de mim a faraó, e tira-me desta prisão.
15 Pois fui roubado da terra dos hebreus e, aqui, nada fiz para que me pusessem nesta masmorra.
16 Quando o padeiro-chefe viu que tinha interpretado bem, disse a José: Eu também sonhei, e três cestos de pão branco estavam sobre a minha cabeça.
17 No cesto mais alto, havia de todos os manjares de faraó, arte de padeiro, mas as aves os comiam do cesto na minha cabeça.
18 Então respondeu José: Esta é a interpretação do sonho: os três cestos são três dias.
19 Dentro de três dias, faraó tirará fora a tua cabeça e te pendurará num madeiro, e as aves comerão a tua carne.
20 Ora, no terceiro dia, o dia do aniversário de faraó, deu este um banquete a todos os seus servos. Levantou a cabeça do copeiro-chefe e do padeiro-chefe, na presença dos seus oficiais.
21 Restaurou o copeiro-chefe ao seu cargo de copeiro, e este deu o copo na mão de faraó,
22 mas ao padeiro-chefe enforcou, como José havia interpretado.
23 O copeiro-chefe, porém, não se lembrou de José, antes se esqueceu dele.

## José interpreta os sonhos de faraó

**41** Passados dois anos inteiros, faraó sonhou que estava em pé junto ao rio Nilo.
2 Do rio subiam sete vacas, formosas e gordas, e pastavam entre os juncos.

3 Após elas subiam do Nilo outras sete vacas, feias e magras, e paravam junto às outras vacas à beira do rio.
4 E as vacas feias e magras devoravam as sete formosas e gordas. Então faraó acordou.
5 Depois dormiu e tornou a sonhar. Brotavam de um mesmo pé sete espigas cheias e boas.
6 E após elas brotavam sete espigas miúdas e queimadas do vento oriental.
7 As espigas miúdas devoravam as sete espigas grandes e cheias. Então acordou faraó; tinha sido um sonho.
8 Pela manhã, o seu espírito estava perturbado, pelo que mandou chamar todos os adivinhadores do Egito e todos os seus sábios. Faraó contou-lhes os seus sonhos, mas não havia quem os interpretasse.
9 Então disse o copeiro-chefe a faraó: Das minhas faltas me lembro hoje:
10 faraó estava muito indignado contra os seus servos e entregou-me à prisão na casa do capitão da guarda, a mim e ao padeiro-chefe.
11 Então tivemos um sonho na mesma noite, eu e ele, e cada sonho com a sua própria interpretação.
12 Estava ali conosco um moço hebreu, servo do capitão da guarda; e contamos-lhe os sonhos, e ele interpretou os nossos sonhos, a cada um interpretou conforme o seu sonho.
13 E conforme a sua interpretação, assim mesmo aconteceu: Eu fui restituído ao meu cargo, e ele foi enforcado.
14 Então faraó mandou chamar José, e o fizeram sair apressadamente da masmorra. Ele se barbeou, trocou de roupa e apresentou-se a faraó.
15 Disse faraó a José: Eu tive um sonho, e não há quem o interprete. Mas de ti ouvi dizer que, ouvindo contar um sonho, podes interpretá-lo.
16 Respondeu José a faraó: Isso não está em mim, mas Deus é que dará uma resposta de paz a faraó.
17 Então disse faraó a José: Em meu sonho eu estava em pé à beira do rio Nilo,
18 e subiam do rio sete vacas gordas e formosas, e pastavam entre os juncos.
19 Após elas subiam outras sete vacas, fracas, muito feias e magras, tão feias quais nunca vi em toda a terra do Egito.
20 As vacas magras e feias devoravam as primeiras sete vacas gordas.
21 Depois de as terem consumido, não se podia reconhecer que as houvessem consumido; a sua aparência era tão feia como no princípio. Então acordei.
22 Depois vi, em meu sonho, que de um mesmo pé subiam sete espigas cheias e boas.
23 Após elas brotavam sete espigas secas, miúdas e queimadas do vento oriental.
24 As sete espigas miúdas devoravam as sete espigas boas. Contei-o aos magos, mas não houve quem o interpretasse.
25 Então disse José a faraó: O sonho de faraó é um só. O que Deus há de fazer, mostrou-o a faraó.
26 As sete vacas boas são sete anos, e as sete espigas boas também são sete anos; o sonho é um só.
27 As sete vacas magras e feias, que subiam após as primeiras, são sete anos, como as sete espigas

miúdas e queimadas do vento oriental: são sete anos de fome.

28 Esta é a palavra que eu disse a faraó: o que Deus há de fazer, mostrou-o a faraó.

29 Vêm sete anos de grande fartura em toda a terra do Egito.

30 Depois deles surgirão sete anos de fome, e toda aquela fartura será esquecida na terra do Egito, e a fome consumirá a terra.

31 Não será conhecida a abundância na terra, por causa daquela fome que seguirá, porque será intensa.

32 Ora, o sonho de faraó foi duplicado porque esta coisa é determinada por Deus, e ele se apressa a fazê-la.

33 Portanto, procure faraó agora um homem entendido e sábio e o ponha sobre a terra do Egito.

34 Faça isso faraó, e nomeie administradores sobre a terra, que tomem a quinta parte dos produtos da terra do Egito nos sete anos de fartura.

35 Ajuntem todo o mantimento dos bons anos que vêm e amontoem trigo debaixo da autoridade de faraó, para mantimento nas cidades, e o guardem.

36 Será o mantimento para provimento da terra, para os sete anos de fome, que haverá na terra do Egito, para que a terra não pereça de fome.

37 Este plano pareceu bom aos olhos de faraó, e aos olhos de todos os seus oficiais.

38 Perguntou, pois, faraó a seus oficiais: Acaso acharíamos um homem como este, em quem haja o espírito de Deus?

39 Depois disse faraó a José: Visto que Deus te fez saber tudo isso, ninguém há tão entendido e sábio como tu.

40 Tu estarás sobre a minha casa, e por tua boca se governará todo o meu povo. Somente no trono eu serei maior do que tu.

41 Disse mais faraó a José: Vê, eu te hei posto sobre toda a terra do Egito.

42 Então tirou faraó o anel da sua mão e o pôs na mão de José, e o fez vestir roupas de linho fino e pôs um colar de ouro no seu pescoço.

43 E fê-lo subir no segundo carro que tinha, e clamavam diante dele: Ajoelhai-vos. Assim faraó o pôs sobre toda a terra do Egito.

44 Disse ainda faraó a José: Eu sou faraó, porém sem ti ninguém levantará a mão ou o pé em toda a terra do Egito.

45 Chamou faraó a José de Zafenate-Panéia e deu-lhe por mulher a Asenate, filha de Potífera, sacerdote de Om. E saiu José por toda a terra do Egito.

46 Era José da idade de trinta anos quando esteve diante de faraó, rei do Egito. E saiu José da presença de faraó e viajou por toda a terra do Egito.

47 Nos sete anos de fartura, a terra produziu com abundância.

48 Ajuntou José todo o mantimento dos sete anos produzidos na terra do Egito, e o guardou nas cidades. O mantimento do campo que estava ao redor de cada cidade, guardou-o na mesma cidade.

49 Assim ajuntou José muitíssimo trigo, como a areia do mar, até que cessou de contar, porque ia além das medidas.

50 Antes de chegar o ano da fome, nasceram a José dois filhos, que lhe deu Asenate, filha de Potífera, sacerdote de Om.

51 Chamou José ao primogênito Manassés e disse: Deus me fez esquecer de todo o meu trabalho e de toda a casa de meu pai.

52 Ao segundo chamou Efraim e disse: Deus me fez crescer na terra da minha aflição.

53 Acabaram-se, então, os sete anos de fartura que houve na terra do Egito,

54 e começaram os sete anos de fome, como José tinha dito. Havia fome em todas as terras, mas em toda a terra do Egito havia pão.

55 Quando toda a terra do Egito começou a ter fome, clamou o povo a faraó por pão. Então disse faraó a todos os egípcios: Ide a José, e o que ele vos disser, fazei.

56 Havendo fome em toda a terra, abriu José todos os celeiros e vendia aos egípcios, pois a fome prevaleceu na terra do Egito.

57 E todas as terras vinham ao Egito, para comprar de José, porque a fome prevaleceu em todo o mundo.

### Os irmãos de José descem ao Egito

**42** Quando Jacó soube que havia mantimento no Egito, disse a seus filhos: Por que estais olhando uns para os outros?

2 Disse mais: Tenho ouvido que há cereais no Egito. Descei até lá e comprai-nos deles, para que vivamos e não morramos.

3 Então desceram os dez irmãos de José, para comprar cereal do Egito.

4 A Benjamim, porém, irmão de José, não enviou Jacó com os seus irmãos, porque dizia: Para que não lhe suceda algum desastre.

5 Assim foram os filhos de Israel, entre os que iam comprar cereal, pois havia fome na terra de Canaã.

6 Ora, José era o governador da terra; era ele quem vendia cereal a todo o povo da terra. Assim os irmãos de José vieram e se inclinaram diante dele com o rosto em terra.

7 Vendo José os seus irmãos, reconheceu-os, mas comportou-se como estranho para com eles; falou-lhes asperamente e perguntou-lhes: De onde vindes? Responderam: Da terra de Canaã, para comprar mantimento.

8 José conheceu os seus irmãos, mas eles não o conheceram.

9 Então se lembrou José dos sonhos que tivera a respeito deles e lhes disse: Vós sois espias e viestes para ver a nudez da terra.

10 Responderam: Não, senhor meu. Os teus servos vieram comprar mantimento.

11 Nós somos todos filhos de um mesmo homem. Os teus servos são homens de retidão, não são espias.

12 Disse-lhes ele: Não! Viestes para ver a nudez da terra.

13 Eles, porém, responderam: Nós, teus servos, somos doze irmãos, filhos de um homem da terra de Canaã. O mais novo está hoje com nosso pai, e um já não existe.

14 Disse-lhes José: É como já vos disse: sois espias!

15 E nisto sereis provados: Pela vida de faraó, não saireis daqui sem que primeiro venha o vosso irmão mais novo.

16 Enviai um dentre vós que traga vosso irmão; o restante de vós ficará preso, e vossas palavras serão provadas, se há verdade no que dizeis. Se não, pela vida de faraó, vós sois espias!

17 E colocou a todos eles na prisão por três dias.

**18** Ao terceiro dia, disse-lhes José: Fazei isso, e vivereis, pois eu temo a Deus.
**19** Se sois homens de retidão, que fique um de vossos irmãos aqui na prisão; vós outros ide, levai cereal para a fome de vossas casas.
**20** Trazei-me, porém, o vosso irmão mais novo, para que sejam verificadas as vossas palavras, e não morrereis. Eles assim fizeram.
**21** Então disseram uns aos outros: Na verdade, somos culpados com respeito a nosso irmão, pois vimos a angústia de sua alma, quando nos rogava, mas nós não o atendemos; é por isso que vem sobre nós esta angústia.
**22** Respondeu-lhes Rúben: Não vos dizia eu: Não pequeis contra o menino? Mas não me quisestes ouvir! Por isso, agora, é requerido de nós o seu sangue.
**23** Eles não sabiam que José os entendia, porque lhes falava por intérprete.
**24** Retirando-se deles, chorou. Depois voltou a eles, falou-lhes, tomou Simeão entre eles e o amarrou perante os seus olhos.
**25** Ordenou José que lhes enchessem os sacos de cereal, restituíssem o dinheiro a cada um na sua bagagem e dessem comida para o caminho. E assim fizeram-lhes.
**26** E carregaram o cereal sobre os seus jumentos e partiram dali.
**27** Abrindo um deles a sua bagagem, para dar de comer ao seu jumento na estalagem, viu o seu dinheiro, pois estava na boca da bagagem.
**28** Então disse a seus irmãos: Devolveram o meu dinheiro. Está aqui na bagagem. Então lhes desfaleceu o coração e, tremendo, entreolhavam-se, dizendo: Que é isso que Deus nos fez?
**29** E vieram para Jacó, seu pai, na terra de Canaã, e contaram-lhe tudo o que lhes acontecera, dizendo:
**30** O homem, o senhor da terra, falou conosco asperamente e tratou-nos como espias da terra.
**31** Dissemos-lhe, porém: Somos homens de retidão; não somos espias.
**32** Somos doze irmãos, filhos de um mesmo pai. Um já não existe, e o mais novo está hoje com nosso pai na terra de Canaã.
**33** Respondeu-nos o homem, o senhor da terra: Nisto conhecerei que vós sois homens de retidão: Deixai comigo um de vossos irmãos, tomai o cereal para a fome de vossas casas e parti.
**34** Trazei-me o vosso irmão mais novo para que eu saiba que não sois espias, mas homens de retidão. Então vos entregarei o vosso irmão e negociareis na terra.
**35** Esvaziando eles a sua bagagem, eis que a trouxinha de dinheiro de cada um estava na bagagem! Quando eles e seu pai viram as trouxinhas de dinheiro, temeram.
**36** Então Jacó, seu pai, lhes disse: Tendes-me desfilhado. José já não existe e Simeão não está aqui; agora haveis de levar a Benjamim. Todas essas coisas vieram sobre mim.
**37** Rúben, porém, disse a seu pai: Mata os meus dois filhos se eu não tornar a trazê-lo para ti. Entrega-o nas minhas mãos, e tornarei a trazê-lo.
**38** Ele, porém, disse: Não descerá meu filho convosco; o seu irmão é morto, e só ele ficou. Se lhe suceder algum desastre na viagem que ireis fazer, fareis descer os meus cabelos brancos com tristeza à sepultura.

## A segunda viagem ao Egito

**43** ¹Ora, a fome era intensa na terra. ²Tendo eles acabado de comer o cereal que trouxeram do Egito, disse-lhes seu pai: Voltai, comprai-nos um pouco mais de alimento. ³Judá, porém, lhe respondeu: Fortemente nos protestou o homem, dizendo: Não vereis a minha face, se o vosso irmão não vier convosco. ⁴Se enviares conosco o nosso irmão, desceremos e te compraremos alimento. ⁵Se, contudo, não o enviares, não desceremos, porque o homem nos disse: Não vereis a minha face, se o vosso irmão não vier convosco. ⁶Perguntou Israel: Por que me causastes este mal, fazendo saber ao homem que tínheis ainda outro irmão? ⁷Responderam eles: O homem perguntou particularmente por nós e por nossa família, dizendo: Vive ainda vosso pai? Tendes mais um irmão? Simplesmente respondemos às suas perguntas. Podíamos acaso saber que ele diria: Trazei vosso irmão? ⁸Então disse Judá a Israel, seu pai: Envia o jovem comigo, e nos levantaremos, e iremos, para que tu, nós e nossos filhos vivamos e não morramos. ⁹Eu serei responsável por ele; das minhas mãos o requererás. Se eu não o trouxer e não o puser perante a tua face, serei réu de crime para contigo para sempre. ¹⁰E se não nos tivéssemos demorado, certamente já segunda vez estaríamos de volta. ¹¹Então lhes disse Israel, seu pai: Se é assim, fazei isto: tomai dos melhores produtos da terra em vossos sacos e levai ao homem um presente; um pouco de bálsamo, um pouco de mel, especiarias, mirra, nozes de pistácia e amêndoas. ¹²Levai também dinheiro em dobro; e o dinheiro que foi devolvido na boca das vossas bagagens, tornai a levá-lo nas vossas mãos. Bem pode ser que fosse erro. ¹³Levai também a vosso irmão, levantai-vos e voltai ao homem. ¹⁴E o Deus todo-poderoso vos dê misericórdia diante do homem, para que deixe vir convosco vosso outro irmão e Benjamim. E eu, se ficar sem filhos, sem filhos ficarei. ¹⁵Tomaram, pois, os homens aquele presente, o dinheiro em dobro e Benjamim. Levantaram-se, desceram ao Egito e se apresentaram perante José. ¹⁶Quando José viu a Benjamim com eles, disse ao despenseiro de sua casa: Leva os homens à casa, mata reses e prepara tudo; eles comerão comigo ao meio-dia. ¹⁷O homem fez como José dissera, e levou-os à casa de José. ¹⁸Então os homens tiveram medo, porque foram levados à casa de José, e diziam: Por causa do dinheiro que da outra vez voltou nos nossos sacos, fomos trazidos aqui, para nos incriminar e arremeter contra nós, para nos tomar por servos, tanto a nós como a nossos jumentos. ¹⁹Por isso, eles se chegaram ao despenseiro de José e falaram com ele à porta da casa, ²⁰dizendo: Ai! meu senhor, já uma vez descemos a comprar mantimento. ²¹Quando, porém, chegamos à estalagem, abrimos nossa bagagem, e o dinheiro de cada um estava na boca da sua bagagem, nosso dinheiro no peso exato. Assim tornamos a trazê-lo nas nossas mãos.

22 Também trouxemos outro dinheiro nas nossas mãos, para comprar mantimento. Não sabemos quem colocou o nosso dinheiro nas nossas bagagens.

23 Respondeu ele: Paz seja convosco, não temais. O vosso Deus, o Deus de vosso pai, vos deu tesouro nas vossas bagagens; o vosso dinheiro me chegou a mim. Então lhes trouxe fora a Simeão.

24 Depois levou os homens à casa de José, deu-lhes água para lavarem os pés e providenciou forragem para os seus jumentos.

25 Então prepararam o presente, para quando José viesse ao meio-dia, porque tinham ouvido que ali haviam de comer.

26 Quando José chegou, trouxeram-lhe ali o presente que guardavam junto de si e se inclinaram a ele até a terra.

27 Então ele lhes perguntou como estavam e prosseguiu: Vosso pai, o velho de quem falastes, está bem? Ainda vive?

28 Responderam eles: Bem está o teu servo, nosso pai vive ainda. E abaixaram a cabeça e se inclinaram.

29 Levantando os olhos, José viu a Benjamim, seu irmão, filho de sua mãe, e perguntou: É este o vosso irmão mais novo de quem me falastes? E disse: Deus te conceda graça, meu filho.

30 Profundamente comovido por causa de seu irmão, José se apressou e procurou onde chorar. E, entrando no seu quarto, chorou ali.

31 Depois que lavou o rosto, saiu e, contendo-se, disse: Servi a comida.

32 Eles o serviram à parte, e a eles também à parte, e aos egípcios, que comiam com ele, à parte, porque os egípcios não podiam comer com os hebreus, pois é isso abominação para os egípcios.

33 Assentaram-se diante dele, o primogênito segundo a sua primogenitura, e o menor segundo a sua menoridade; e disso os homens se maravilhavam entre si.

34 Então lhes apresentou as porções que estavam diante dele; porém a porção de Benjamim era cinco vezes maior do que a de qualquer deles. Eles beberam e se regalaram com ele.

### A taça de José na bagagem de Benjamim

**44** Deu José esta ordem ao despenseiro de sua casa: Enche de mantimento a bagagem desses homens, quanto puderem levar, e põe o dinheiro de cada um na boca da sua bagagem.

2 E a minha taça, a taça de prata, porás na boca da bagagem do mais novo, com o dinheiro do seu cereal. Assim fez ele conforme a palavra que José tinha dito.

3 Chegada a luz da manhã, despediram-se os homens, eles com os seus jumentos.

4 Tendo eles saído da cidade, mas não se tendo distanciado muito, disse José ao despenseiro de sua casa: Levanta-te e segue os homens; e, quando os alcançares, dirás: Por que pagastes o bem com o mal?

5 Não é esta a taça em que bebe meu senhor e por meio da qual faz suas adivinhações? Procedestes mal no que fizestes.

6 E alcançou-os e lhes falou essas mesmas palavras.

**7** Então eles lhe responderam: Por que diz meu senhor tais palavras? Longe estejam teus servos de fazer semelhante coisa.
**8** Até o dinheiro que achamos nas bocas das nossas bagagens tornamos a trazer-te desde a terra de Canaã. Como, pois, furtaríamos da casa do teu senhor prata ou ouro?
**9** Aquele dos teus servos com quem for achada, morra; e ainda nós seremos escravos do meu senhor.
**10** Ao que ele disse: Seja conforme as vossas palavras. Aquele com quem se achar será meu escravo; vós outros sereis inocentes.
**11** Depressa, cada um pôs em terra sua bagagem e a abriu.
**12** O despenseiro buscou, começando pelo maior e acabando pelo mais novo. E achou-se a taça na bagagem de Benjamim.
**13** Então rasgaram as suas vestes e, tendo cada um carregado o seu jumento, tornaram à cidade.
**14** E veio Judá com seus irmãos à casa de José, porque ele ainda estava ali, e prostraram-se diante dele em terra.
**15** Disse-lhes José: Que é isto que fizestes? Não sabeis vós que um homem como eu é capaz de adivinhar?
**16** Respondeu-lhe Judá: Que diremos a meu senhor? Que falaremos? Como nos justificaremos? Achou Deus a iniquidade de teus servos; somos escravos de meu senhor, tanto nós como aquele em cuja mão foi achada a taça.
**17** Ele, porém, disse: Longe de mim que eu tal faça! O homem em cuja mão foi achada a taça, esse será meu servo. Porém vós subi em paz para vosso pai.
**18** Então Judá se chegou a ele e disse: Ai! senhor meu, deixa, peço-te, o teu servo dizer uma palavra aos ouvidos de meu senhor, e não se acenda a tua ira contra o teu servo, porque tu és como faraó.
**19** O meu senhor perguntou a teus servos: Tendes vós pai ou irmão?
**20** E respondemos a meu senhor: Temos pai já velho e um filho da sua velhice, o mais novo. O seu irmão é morto, e ele é o único de sua mãe, e seu pai o ama.
**21** Então disseste a teus servos: Trazei-o a mim, para que o veja.
**22** Respondemos a meu senhor: O moço não poderá deixar a seu pai; se deixar a seu pai, este morrerá.
**23** Então disseste a teus servos: Se vosso irmão mais novo não descer convosco, nunca mais vereis a minha face.
**24** Então subimos a teu servo, meu pai, e lhe contamos as palavras de meu senhor.
**25** Disse nosso pai: Tornai; comprai-nos um pouco de mantimento.
**26** Nós respondemos: Não poderemos descer. Somente se nosso irmão menor for conosco, desceremos. Não poderemos ver a face do homem, se nosso irmão menor não estiver conosco.
**27** Então nos disse teu servo, meu pai: Vós sabeis que minha mulher me deu dois filhos.
**28** Um se ausentou de mim, e eu disse: Certamente foi despedaçado, e não o vi mais.
**29** Se agora também me tirardes a este e lhe acontecer algum desastre, fareis descer os meus cabelos brancos com tristeza à sepultura.
**30** Agora, pois, indo eu a teu servo, meu pai, e não indo o moço, visto a sua alma estar ligada com a dele,
**31** acontecerá que, vendo ele que o moço ali não está, morrerá.

E teus servos farão descer os cabelos brancos de teu servo, nosso pai, com tristeza à sepultura. 32 O teu servo ficou responsável pelo moço diante de meu pai, dizendo: Se eu não tornar a trazê-lo, serei culpado para com meu pai todos os dias.
33 Agora, pois, fique teu servo em lugar do moço por escravo de meu senhor, e que suba o moço com os seus irmãos.
34 Como subirei eu a meu pai, se o moço não for comigo? Não me permitas ver o mal que se abaterá sobre meu pai.

### José dá-se a conhecer

**45** Então José, não se podendo conter diante de todos os que estavam com ele, clamou: Fazei sair a todos da minha presença! E ninguém ficou com ele, quando José se deu a conhecer a seus irmãos.
2 E levantou a voz em choro, de maneira que os egípcios o ouviram, bem como a casa de faraó.
3 Disse José a seus irmãos: Eu sou José! Vive ainda meu pai? E seus irmãos não lhe puderam responder, porque estavam perplexos diante dele.
4 Disse mais José a seus irmãos: Peço-vos, chegai-vos a mim. E eles se chegaram. Então disse: Eu sou José, vosso irmão, a quem vendestes para o Egito.
5 Agora, porém, não vos entristeçais nem vos irriteis contra vós mesmos por me haverdes vendido para cá, porque, para conservação da vida, Deus me enviou adiante de vós.
6 Pois já houve dois anos de fome na terra, e ainda restam cinco anos em que não haverá lavoura nem colheita.

7 Pelo que Deus me enviou adiante de vós a fim de conservar vossa sucessão na terra e para guardar-vos em vida por um grande livramento.
8 Assim, não fostes vós que me enviastes para cá, senão Deus, que me tem posto por pai de faraó, por senhor de toda a sua casa e como governador em toda a terra do Egito.
9 Apressai-vos, subi a meu pai e dizei-lhe: Assim diz teu filho José: Deus me pôs por senhor em toda a terra do Egito. Desce a mim; não te demores.
10 Habitarás na terra de Gósen e estarás perto de mim, tu, teus filhos, os filhos dos teus filhos, os teus rebanhos, o teu gado e tudo o que tens.
11 Ali te sustentarei, porque ainda haverá cinco anos de fome, para que não sejas reduzido à pobreza, tu e tua casa, e tudo o que tens.
12 Os vossos olhos e os olhos de meu irmão Benjamim veem que é minha a boca que vos fala.
13 Fazei, pois, saber a meu pai toda a minha glória no Egito e tudo o que tendes visto. Apressai-vos a fazer descer meu pai para cá.
14 Então se lançou ao pescoço de Benjamim, seu irmão, e chorou; e Benjamim chorou também ao pescoço dele.
15 E José beijou a todos os seus irmãos e chorou sobre eles. Depois seus irmãos falaram com ele.
16 Quando se ouviu no palácio de faraó que os irmãos de José haviam chegado, isso pareceu bem aos olhos de faraó e dos seus oficiais.
17 Disse faraó a José: Dize a teus irmãos: Fazei isto: carregai os vossos animais e parti, tornai à terra de Canaã,

**18** tomai a vosso pai e as vossas famílias e vinde a mim. Eu vos darei o melhor da terra do Egito, e comereis da fartura da terra.
**19** A ti, pois, é ordenado dizer-lhes: Fazei isto: levai da terra do Egito carros para vossos meninos e para vossas mulheres; trazei vosso pai e vinde.
**20** Não vos preocupeis com vossos bens, porque o melhor de toda a terra do Egito será vosso.
**21** Assim fizeram os filhos de Israel. José lhes deu carros, conforme o mandado de faraó, e também lhes deu comida para a viagem.
**22** A cada um deles deu mudas de roupa, mas a Benjamim deu trezentas peças de prata e cinco mudas de roupa.
**23** E a seu pai enviou o seguinte: dez jumentos carregados do melhor do Egito, dez jumentas carregadas de trigo, pão e outras provisões para a sua viagem.
**24** Então despediu-se dos seus irmãos. Ao partirem, disse-lhes: Não contendais pelo caminho.
**25** Assim, subiram do Egito e vieram à terra de Canaã, a Jacó, seu pai,
**26** e lhe anunciaram: José ainda vive. Ele é governador de toda a terra do Egito. E o coração de Jacó fraquejou, porque não acreditava neles.
**27** Porém, havendo-lhe eles contado todas as palavras que José lhes falara e vendo ele os carros que José enviara para levá-lo, reanimou-se o seu espírito
**28** e disse: Basta! Ainda vive meu filho José. Eu irei e o verei antes que morra.

### Jacó desce ao Egito

**46** Partiu Israel com tudo o que tinha e chegou a Berseba, onde ofereceu sacrifícios ao Deus de seu pai Isaque.
**2** Falou Deus a Israel em visões de noite: Jacó, Jacó! Ele respondeu: Eis-me aqui.
**3** Disse Deus: Eu sou Deus, o Deus de teu pai. Não temas descer ao Egito, pois eu te farei ali uma grande nação.
**4** Eu descerei contigo ao Egito e certamente te farei tornar a subir. E José fechará os teus olhos.
**5** Então se levantou Jacó de Berseba; e os filhos de Israel levaram seu pai, Jacó, seus meninos, suas mulheres nos carros que faraó enviara para o levar.
**6** Tomaram o seu gado e os seus bens que tinham adquirido na terra de Canaã e vieram para o Egito, Jacó e toda a sua descendência com ele.
**7** Os seus filhos e os filhos de seus filhos com ele, as suas filhas e as filhas de seus filhos e toda a sua descendência, levou-os consigo para o Egito.
**8** São estes os nomes dos filhos de Israel, Jacó e seus filhos, que vieram para o Egito: Rúben, o primogênito de Jacó.
**9** Os filhos de Rúben: Enoque, Palu, Hezrom e Carmi.
**10** Os filhos de Simeão: Jemuel, Jamim, Oade, Jaquim, Zoar e Saul, filho de uma mulher cananeia.
**11** Os filhos de Levi: Gérson, Coate e Merari.
**12** Os filhos de Judá: Er, Onã, Selá, Perez e Zera. Er e Onã, porém, morreram na terra de Canaã. Os filhos de Perez foram: Hezrom e Hamul.
**13** Os filhos de Issacar: Tola, Puva, Jó e Sinrom.
**14** Os filhos de Zebulom: Serede, Elom e Jaleel.

15 Foram estes os filhos de Lia, que ela deu a Jacó em Padã-Arã, além de Diná, sua filha. Ao todo trinta e três pessoas.
16 Os filhos de Gade: Zifiom, Hagi, Suni, Esbom, Eri, Arodi e Areli.
17 Os filhos de Aser: Imna, Isvá, Isvi, Berias e Será, irmã deles. Os filhos de Berias: Héber e Malquiel.
18 Foram estes os filhos de Zilpa, a qual Labão deu à sua filha Lia; estes ela deu a Jacó, ao todo dezesseis pessoas.
19 Os filhos de Raquel, mulher de Jacó: José e Benjamim.
20 Nasceram a José na terra do Egito Manassés e Efraim, que lhe deu Asenate, filha de Potífera, sacerdote de Om.
21 Os filhos de Benjamim: Bela, Bequer, Asbel, Gera, Naamã, Eí, Rôs, Mupim, Hupim e Arde.
22 Foram estes os filhos de Raquel, que nasceram a Jacó, ao todo catorze pessoas.
23 O filho de Dã: Husim.
24 Os filhos de Naftali: Jazeel, Guni, Jezer e Silém.
25 Foram estes os filhos que Bila, serva que Labão deu à sua filha Raquel, deu a Jacó; ao todo sete pessoas.
26 Todos os que vieram com Jacó para o Egito, e que eram da sua descendência, fora as mulheres dos filhos de Jacó, foram sessenta e seis pessoas.
27 Com os dois filhos de José, que lhe nasceram no Egito, todas as pessoas da casa de Jacó, que vieram para o Egito, foram setenta.
28 Jacó enviou Judá à sua frente a José, para o encaminhar a Gósen. Quando chegaram à terra de Gósen,
29 José aprontou o seu carro e subiu ao encontro de Israel, seu pai, a Gósen. Quando o viu, correu, lançou-se ao seu pescoço, e chorou por longo tempo.
30 Disse Israel a José: Já posso morrer, pois vi o teu rosto, e ainda vives.
31 Depois disse José a seus irmãos e à casa de seu pai: Eu subirei e informarei a faraó, e lhe direi: Meus irmãos e a casa de meu pai, que estavam na terra de Canaã, vieram a mim.
32 Os homens são pastores, homens de gado, e trouxeram consigo os seus rebanhos, o seu gado e tudo o que têm.
33 Quando faraó vos chamar e perguntar: Qual é a vossa ocupação?
34 Respondereis: Teus servos foram homens de gado desde a nossa juventude até agora, tanto nós como os nossos pais; para que habiteis na terra de Gósen, pois todos os pastores são abominação para os egípcios.

### A chegada do pai de José

**47** Então veio José e disse a faraó: Meu pai e meus irmãos, com seus rebanhos e seu gado, e tudo o que têm, chegaram da terra de Canaã, e estão na terra de Gósen.
2 E tomou cinco dos seus irmãos e os apresentou a faraó.
3 Então perguntou faraó aos irmãos de José: Qual é a vossa ocupação? Eles responderam: Teus servos são pastores, tanto nós como nossos pais.
4 Disseram mais a faraó: Viemos para habitar nesta terra, porque não há pasto para os rebanhos de teus servos, pois a fome é grave na terra de Canaã. Agora, rogamos-te, permite que teus servos habitem na terra de Gósen.

5 Então disse faraó a José: Teu pai e teus irmãos vieram a ti,
6 e a terra do Egito está diante de ti; no melhor da terra faze habitar teu pai e teus irmãos. Habitem na terra de Gósen. E, se sabes que entre eles há homens capazes, põe-nos por chefes dos pastores do meu gado.
7 Trouxe José a Jacó, seu pai, e o apresentou a faraó. E Jacó abençoou a faraó.
8 Então perguntou faraó a Jacó: Quantos são os dias dos anos da tua vida?
9 Respondeu-lhe Jacó: Os anos das minhas peregrinações são cento e trinta. Poucos e maus foram os anos da minha vida e não chegaram aos anos da vida de meus pais nos dias das suas peregrinações.
10 Então Jacó abençoou a faraó e saiu da sua presença.
11 Assim, José instalou seu pai e seus irmãos, dando-lhes possessão na terra do Egito, no melhor da terra, na terra de Ramessés, como faraó ordenara.
12 E José sustentou de pão a seu pai, a seus irmãos e a toda a casa de seu pai, segundo o número de seus filhos.

### José e a fome

13 Não havia pão em toda a terra, porque a fome era muito intensa; de modo que a terra do Egito e a terra de Canaã desfaleciam por causa da fome.
14 Então José recolheu todo o dinheiro que se achou na terra do Egito e na terra de Canaã, pelo trigo que compravam, e trouxe-o à casa de faraó.
15 Acabando-se o dinheiro na terra do Egito e na terra de Canaã, vieram todos os egípcios a José, dizendo: Dá-nos pão. Por que morreremos na tua presença? Pois não há mais dinheiro.
16 Respondeu José: Se vos falta dinheiro, trazei o vosso gado; em troca do vosso gado eu vos suprirei.
17 Então trouxeram o seu gado a José, e ele lhes deu pão em troca de cavalos, de ovelhas, de bois e de jumentos. E os sustentou de pão aquele ano em troca de todo o seu gado.
18 Findo aquele ano, vieram a ele no segundo ano e disseram-lhe: Não ocultaremos ao meu senhor que o dinheiro é acabado, e meu senhor possui os animais; nenhuma outra coisa nos resta diante de meu senhor, senão o nosso corpo e a nossa terra.
19 Por que morreremos diante dos teus olhos, tanto nós como a nossa terra? Compra-nos, e também a nossa terra em troca de pão, e nós e a nossa terra seremos servos de faraó. Dá-nos semente para que vivamos e não morramos, e a terra não fique deserta.
20 Assim José comprou toda a terra do Egito para faraó. Os egípcios venderam cada um o seu campo, porque a fome lhes era grave em extremo. A terra passou a ser de faraó,
21 e José escravizou o povo de uma a outra extremidade da terra do Egito.
22 Somente a terra dos sacerdotes não a comprou, porque eles recebiam sustento de faraó, e viviam do que faraó lhes dava. Por isso não venderam a sua terra.
23 Então disse José ao povo: Eis que hoje vos comprei a vós e a vossa terra para faraó; aí tendes semente para vós, para que semeeis a terra.

24 Há de ser, porém, que das colheitas dareis o quinto a faraó, e as quatro partes serão vossas, para semente do campo, para o vosso mantimento e dos vossos filhos e de todos os que estão nas vossas casas.
25 Responderam eles: A vida nos tens dado! Achemos graça aos olhos de meu senhor e seremos servos de faraó.
26 José, pois, estabeleceu isto por lei até o dia de hoje, na terra do Egito, que um quinto da produção pertence a faraó. Só a terra dos sacerdotes não passou a ser de faraó.
27 Assim habitou Israel na terra do Egito, na terra de Gósen. Nela adquiriram propriedades, e frutificaram, e se multiplicaram muito.
28 Jacó viveu na terra do Egito dezessete anos, e os anos da sua vida foram cento e quarenta e sete.
29 Aproximando-se o tempo da morte de Israel, ele chamou José, seu filho, e lhe disse: Se achei graça a teus olhos, rogo-te que ponhas a tua mão debaixo da minha coxa e usa para comigo de benevolência e verdade. Rogo-te que não me enterres no Egito,
30 mas, quando eu tiver dormido com meus pais, me levarás do Egito e me sepultarás onde eles foram sepultados. Respondeu José: Farei conforme a tua palavra.
31 Então lhe disse Jacó: Jura-me. E ele lhe jurou, e Israel se inclinou sobre a cabeceira da cama.

### Jacó adoece

**48** Depois dessas coisas, disseram a José: Teu pai está enfermo. Então José tomou consigo os seus dois filhos, Manassés e Efraim.
2 Disse alguém a Jacó: José, teu filho, vem a ti. E esforçou-se Israel, e se assentou na cama.
3 Disse Jacó a José: O Deus todo-poderoso me apareceu em Luz, na terra de Canaã, e me abençoou,
4 e me disse: Eu te farei frutificar e te multiplicarei. Eu te farei uma multidão de povos e darei esta terra à tua descendência depois de ti, em possessão perpétua.
5 Agora, pois, os teus dois filhos, que te nasceram na terra do Egito, antes que eu viesse a ti no Egito, são meus; Efraim e Manassés serão meus, como Rúben e Simeão.
6 A tua descendência, porém, que gerarás depois deles, será tua; no território que herdarem serão contados segundo o nome de seus irmãos.
7 Vindo eu de Padã, morreu-me Raquel no caminho, na terra de Canaã, quando ainda faltava alguma distância para chegar a Efrata. Sepultei-a ali, no caminho de Efrata, que é Belém.
8 Vendo Israel os filhos de José, perguntou: Quem são estes?
9 José disse a seu pai: Eles são meus filhos, que Deus me deu aqui. Continuou Israel: Traze-os aqui, peço-te, para que os abençoe.
10 Ora, os olhos de Israel já se tinham escurecido por causa da velhice, de modo que não podia ver. José, pois, fê-los chegar a ele, e seu pai os beijou e os abraçou.
11 Então disse Israel a José: Eu não esperava ver o teu rosto de novo, e agora Deus me fez ver também a tua descendência.
12 Então José os tirou dos joelhos de seu pai, e se inclinou à terra diante dele.
13 Tomou José ambos, a Efraim com a mão direita, à esquerda de

Israel, e a Manassés com a mão esquerda, à direita de Israel, e os fez chegar a ele.

14 Israel, porém, estendeu a mão direita e a pôs sobre a cabeça de Efraim, ainda que era o menor, e a sua esquerda sobre a cabeça de Manassés, cruzando assim as mãos, não obstante ser Manassés o primogênito.

15 E abençoou a José, dizendo:
O Deus em cuja presença
  andaram meus pais Abraão
  e Isaque,
o Deus que me sustentou,
  desde que nasci até
  este dia,
16 o Anjo que me livrou de todo
  o mal,
  abençoe estes rapazes.
Seja chamado neles o
  meu nome,
e o nome de meus pais
  Abraão e Isaque,
  e multipliquem-se
  abundantemente
  no meio da terra.

17 Vendo José que seu pai punha a mão direita sobre a cabeça de Efraim, foi-lhe isso desagradável, e tomou a mão de seu pai, para mudar da cabeça de Efraim para a cabeça de Manassés.

18 Disse José a seu pai: Não assim, meu pai, este é o primogênito; põe a tua mão direita sobre a cabeça dele.

19 Seu pai, porém, o recusou e disse: Eu sei, filho meu, eu sei. Também ele será um povo, e também ele será grande. Contudo o seu irmão menor será maior do que ele, e a sua descendência será uma multidão de nações.

20 Assim os abençoou naquele dia, dizendo: Por vós Israel abençoará e dirá: Deus te faça como a Efraim e como a Manassés. E pôs a Efraim diante de Manassés.

21 Depois disse Israel a José: Eis que eu morro, mas Deus será convosco e vos fará tornar à terra de vossos pais.

22 E eu te dou um pedaço de terra a mais que a teus irmãos, o qual tomei com a minha espada e com o meu arco das mãos dos amorreus.

### Jacó abençoa seus filhos

**49** Depois chamou Jacó a seus filhos e disse: Ajuntai-vos para que vos anuncie o que vos há de acontecer nos dias vindouros.
2 Ajuntai-vos e ouvi, filhos de Jacó;
  ouvi a Israel, vosso pai.
3 Rúben, tu és meu primogênito,
  minha força, e as primícias
    do meu vigor,
  o mais excelente em alteza,
  e o mais excelente em poder.
4 Turbulento como as águas,
  não serás o mais excelente,
  pois subiste ao leito de teu pai,
  subiste à minha cama e a
    desonraste.
5 Simeão e Levi são irmãos;
  as suas espadas são
    instrumentos de violência.
6 No seu conselho não entre
    minha alma,
  com a sua congregação
  minha glória não se ajunte,
  pois no seu furor mataram
    homens,
  e na sua teima aleijaram touros.
7 Maldito seja o seu furor, pois
    era forte,
  e a sua ira, pois era dura;
  eu os dividirei em Jacó,
  e os espalharei em Israel.
8 Judá, a ti te louvarão
  os teus irmãos;
  a tua mão será sobre o
    pescoço de teus inimigos;

# Gênesis 49

diante de ti se inclinarão os filhos de teu pai.

9 Judá é um leãozinho.
Subiste da presa, filho meu.
Encurva-se e deita-se como leão
e como leoa; quem o despertará?

10 O cetro não se arredará de Judá, nem o bastão de autoridade de entre seus pés,
até que venha Siló,
e a ele obedecerão os povos.

11 Ele amarrará o seu jumentinho à vide,
e o filho da sua jumenta à videira mais excelente;
lavará as suas vestes no vinho,
e a sua capa em sangue de uvas.

12 Os seus olhos serão mais escuros do que o vinho,
e seus dentes mais brancos do que o leite.

13 Zebulom habitará no litoral,
e servirá de porto para navios;
o seu termo se estenderá até Sidom.

14 Issacar é jumento forte,
deitado entre dois fardos.

15 Viu ele que o descanso era bom,
e que a terra era deliciosa
e baixou o ombro à carga;
sujeitou-se ao trabalho servil.

16 Dã julgará o seu povo,
como uma das tribos de Israel.

17 Dã será serpente junto ao caminho,
uma víbora junto à vereda,
que morde os calcanhares do cavalo,
e faz cair o seu cavaleiro para trás.

18 A tua salvação espero, ó Senhor!

19 Quanto a Gade, uma guerrilha o acometerá,
mas ele a acometerá por fim.

20 De Aser, o seu pão será abundante,
e ele providenciará delícias reais.

21 Naftali é uma gazela solta que profere palavras formosas.

22 José é um ramo frutífero,
ramo frutífero junto à fonte,
cujos galhos se estendem sobre o muro.

23 Os flecheiros lhe deram amargura,
o flecharam e perseguiram.

24 O seu arco, porém, permanece firme,
e os seus braços foram fortalecidos
pelas mãos do Poderoso de Jacó,
o Pastor, o Rochedo de Israel,

25 pelo Deus de teu pai,
o qual te ajudará,
e pelo Todo-poderoso, o qual te abençoará
com bênçãos dos céus em cima,
com bênçãos do abismo que jaz embaixo,
com bênçãos da fartura e da fertilidade.

26 As bênçãos de teu pai excederão as bênçãos de meus pais
até o cume dos montes eternos;
elas estarão sobre a cabeça de José,
e sobre o alto da cabeça do que foi separado de seus irmãos.

27 Benjamim é lobo que despedaça;
pela manhã devorará a presa,
e à tarde repartirá o despojo.

28 Todas estas são as doze tribos de Israel, e isto é o que lhes falou seu pai quando os abençoou; a cada um deles abençoou segundo a sua bênção.

29 Depois lhes ordenou, dizendo: Eu estou para ser reunido ao meu povo. Sepultai-me com meus pais, na caverna que está no campo de Efrom, o heteu,

30 na caverna que está no campo de Macpela, fronteiro a Manre, na terra de Canaã, a qual Abraão comprou de Efrom, o heteu, com aquele campo, como propriedade de sepultura.

31 Ali sepultaram a Abraão e a Sara, sua mulher; ali sepultaram a Isaque e a Rebeca, sua mulher; e ali eu sepultei a Lia.

32 O campo e a caverna que está nele foram comprados aos filhos de Hete.

33 Acabando Jacó de dar estas instruções a seus filhos, recolheu os pés na cama, expirou e foi reunido ao seu povo.

### A lamentação por Jacó

**50** Então José se lançou sobre o rosto de seu pai, chorou sobre ele e o beijou.

2 Ordenou José aos seus servos, os médicos, que embalsamassem a seu pai. Assim os médicos embalsamaram a Israel.

3 Eles levaram quarenta dias, pois assim se cumprem os dias daqueles que se embalsamam. E os egípcios o choraram setenta dias.

4 Passados os dias de seu choro, disse José à casa de faraó: Se achei graça aos vossos olhos, rogo-vos que faleis aos ouvidos de faraó, dizendo:

5 Meu pai me fez jurar, dizendo: Eis que eu morro; em meu sepulcro, que cavei para mim na terra de Canaã, ali me sepultarás. Agora, peço-te, que eu suba, para que sepulte meu pai; então voltarei.

6 Respondeu faraó: Sobe e sepulta teu pai, como ele te fez jurar.

7 José subiu para sepultar seu pai. Subiram com ele todos os oficiais de faraó, as autoridades da sua corte e todas as autoridades da terra do Egito,

8 como também toda a família de José, e seus irmãos, e a família de seu pai. Somente deixaram na terra de Gósen os seus pequeninos, e os rebanhos, e o gado.

9 Subiram também com ele tanto carros como cavaleiros. O cortejo foi enorme.

10 Chegando eles à eira de Atade, que está perto do Jordão, levantaram ali um grande e forte pranto; assim José levantou por seu pai um grande pranto por sete dias.

11 Vendo os moradores da terra, os cananeus, o luto na eira de Atade, disseram: Grande pranto é este dos egípcios. Por isso se chamou àquele lugar de Abelmizraim, que está perto do Jordão.

12 Fizeram-lhe os seus filhos assim como ele lhes havia ordenado:

13 Levaram-no à terra de Canaã e o sepultaram na caverna do campo de Macpela, perto de Manre, que Abraão comprara com o campo, de Efrom, o heteu, como propriedade de sepultura.

14 Depois de haver sepultado seu pai, voltou José para o Egito, ele

e seus irmãos, e todos os que com ele haviam subido para sepultar seu pai.

### José anima a seus irmãos

15 Vendo os irmãos de José que seu pai já estava morto, disseram: Porventura nos odiará José e nos retribuirá todo o mal que lhe fizemos.
16 Portanto mandaram dizer a José: Teu pai ordenou, antes da sua morte:
17 Assim direis a José: Perdoa, rogo-te, a transgressão de teus irmãos e o seu pecado, porque te fizeram mal. Agora, pois, rogamos-te que perdoes a transgressão dos servos do Deus de teu pai. E José chorou quando eles lhe falavam.
18 Depois vieram também seus irmãos, prostraram-se diante dele e disseram: Somos teus servos.
19 Respondeu-lhes José: Não temais. Acaso estou eu em lugar de Deus?
20 Vós, na verdade, intentastes o mal contra mim, porém Deus o tornou em bem, para fazer como se vê neste dia, para conservar muita gente com vida.
21 Agora, pois, não temais. Eu vos sustentarei, a vós e a vossos filhos. Assim os consolou e lhes falou ao coração.

### A morte de José

22 José habitou no Egito, ele e a família de seu pai. Ele viveu cento e dez anos.
23 E viu os filhos de Efraim, da terceira geração. Também os filhos de Maquir, filho de Manassés, nasceram sobre os joelhos de José.
24 Disse José a seus irmãos: Eu morro. Mas Deus certamente vos visitará e vos fará subir desta terra para a terra que jurou a Abraão, a Isaque e a Jacó.
25 E José fez jurar os filhos de Israel, dizendo: Certamente Deus vos visitará, e então fareis transportar daqui os meus ossos.
26 Assim morreu José com a idade de cento e dez anos. E depois que o embalsamaram, puseram-no num caixão no Egito.

# ÊXODO

## Os descendentes de Jacó no Egito

**1** São estes os nomes dos filhos de Israel que entraram no Egito com Jacó, cada um com a sua família:
2 Rúben, Simeão, Levi e Judá;
3 Issacar, Zebulom e Benjamim;
4 Dã e Naftali, Gade e Aser.
5 Todas as pessoas, pois, que descenderam de Jacó foram setenta; José já estava no Egito.
6 Faleceu José, e todos os seus irmãos, e toda aquela geração.
7 Os filhos de Israel, porém, frutificaram e aumentaram muito, multiplicaram-se e se tornaram sobremaneira fortes, de modo que a terra se encheu deles.
8 Então se levantou um novo rei sobre o Egito, que não conhecera José.
9 Disse ele ao seu povo: O povo de Israel é mais numeroso e mais forte do que nós.
10 Eia, usemos de astúcia para com ele, para que não se multiplique, e, vindo a guerra, ele se ajunte com os nossos inimigos, peleje contra nós e saia da terra.
11 Então puseram sobre eles feitores, para os afligirem com as suas cargas. Assim os israelitas edificaram para faraó cidades-celeiros, Pitom e Ramessés.
12 Todavia, quanto mais os egípcios afligiam o povo de Israel, mais este se multiplicava e se espalhava; de maneira que os egípcios se inquietavam por causa dos filhos de Israel
13 e os faziam servir com dureza.
14 Assim lhes amarguravam a vida com dura servidão, em barro e em tijolos, e com toda a sorte de trabalho no campo; com todo o serviço que eram obrigados a fazer.
15 O rei do Egito disse às parteiras das hebreias, das quais uma se chamava Sifrá, e a outra Puá:
16 Quando ajudardes no parto às hebreias e as virdes sobre os assentos, se for filho, matai-o; mas, se for filha, então viva.
17 As parteiras, porém, temeram a Deus e não fizeram como o rei do Egito lhes dissera, antes conservavam os meninos com vida.
18 Então o rei do Egito chamou as parteiras e lhes disse: Por que fizestes isso? Por que deixastes viver os meninos?
19 Responderam as parteiras a faraó: É que as mulheres hebreias não são como as egípcias; são vigorosas, e já têm dado à luz os seus filhos antes que a parteira chegue a elas.
20 Portanto Deus fez bem às parteiras. O povo aumentou e se fortaleceu muito.
21 E, porque as parteiras temeram a Deus, ele lhes constituiu família.
22 Então ordenou faraó a todo o seu povo: A todos os filhos que nascerem aos hebreus lançareis no Nilo, mas a todas as filhas deixareis viver.

## O nascimento de Moisés

**2** Um homem da tribo de Levi casou-se com uma descendente da mesma tribo.
2 A mulher concebeu e deu à luz um filho. Vendo que ele era formoso, escondeu-o três meses.

Êxodo 2

3 Não podendo, porém, escondê-lo por mais tempo, tomou um cesto de juncos e o revestiu de betume e piche. Então pôs nele o menino e o largou entre os juncos à beira do rio.
4 Sua irmã postou-se de longe, para saber o que lhe havia de acontecer.
5 A filha de faraó desceu para se lavar no rio, e as suas donzelas passeavam pela beira do rio. Ela viu o cesto no meio dos juncos e enviou a sua criada para tomá-lo.
6 Abrindo-o, viu o menino. Ele chorava, e ela teve compaixão dele, e disse: Este é menino dos hebreus.
7 Então disse sua irmã à filha de faraó: Queres que eu vá chamar uma ama dentre as hebreias, que crie este menino para ti?
8 Respondeu-lhe a filha de faraó: Vai. Foi, pois, a moça e chamou a mãe do menino.
9 Então lhe disse a filha de faraó: Leva este menino e o cria, que eu te darei o teu salário. A mulher tomou o menino e o criou.
10 Sendo o menino já grande, ela o trouxe à filha de faraó, que o adotou. Ela lhe pôs o nome de Moisés, e disse: Das águas o tirei.

### Moisés foge para Midiã

11 Naqueles dias, sendo Moisés já grande, saiu ao encontro de seus irmãos e atentou para as suas cargas. Ele viu que um egípcio feria a um hebreu dos seus irmãos.
12 Olhou de uma e de outra banda, e, vendo que ninguém ali havia, matou o egípcio e o escondeu na areia.
13 Tornou a sair no dia seguinte e viu dois hebreus que contendiam. Perguntou ao culpado: Por que feres a teu próximo?
14 O homem respondeu: Quem te pôs por líder e juiz sobre nós? Pensas matar-me, como mataste o egípcio? Então temeu Moisés e disse: Certamente tudo foi descoberto.
15 Ouvindo, pois, faraó este caso, procurou matar Moisés, mas Moisés fugiu da presença de faraó e foi habitar na terra de Midiã, onde se assentou junto a um poço.
16 O sacerdote de Midiã tinha sete filhas, as quais vieram tirar água e encher os bebedouros para dar de beber ao rebanho de seu pai.
17 Então vieram os pastores e as expulsaram dali; Moisés, porém, levantou-se, as defendeu e deu de beber ao rebanho delas.
18 Tendo elas voltado a Reuel, seu pai, este lhes perguntou: Por que voltastes hoje tão depressa?
19 Responderam elas: Um egípcio nos livrou das mãos dos pastores. Ele ainda tirou água para nós e deu de beber ao rebanho.
20 Ele perguntou a suas filhas: E onde está ele? Por que deixastes lá o homem? Chamai-o para que coma pão.
21 Moisés concordou em morar com aquele homem, e ele deu a Moisés sua filha Zípora.
22 Zípora deu à luz um filho, a quem Moisés chamou Gérson, dizendo: Peregrino sou em terra estranha.
23 Depois de muitos dias, morreu o rei do Egito. Os filhos de Israel gemiam sob a servidão e por causa dela clamaram, e o seu clamor subiu a Deus.
24 Ouviu Deus o seu gemido e se lembrou da sua aliança com Abraão, com Isaque e com Jacó.

25 E viu Deus os filhos de Israel e atentou para a sua condição.

### Moisés e a sarça ardente

3 Apascentava Moisés o rebanho de Jetro, seu sogro, sacerdote de Midiã, e levou o rebanho para trás do deserto e chegou a Horebe, o monte de Deus.
2 Apareceu-lhe o anjo do Senhor numa chama de fogo do meio duma sarça. Moisés olhou e viu que a sarça ardia no fogo, mas a sarça não se consumia.
3 Então disse consigo mesmo: Agora me virarei para lá e verei esta estranha visão, e por que a sarça não se queima.
4 Vendo o Senhor que se virava para ver, bradou Deus a ele do meio da sarça: Moisés! Moisés! Respondeu ele: Eis-me aqui.
5 Continuou Deus: Não te chegues para cá. Tira as sandálias dos pés, pois o lugar em que estás é terra santa.
6 Disse mais: Eu sou o Deus de teu pai, o Deus de Abraão, o Deus de Isaque e o Deus de Jacó. Moisés escondeu o rosto, porque temeu olhar para Deus.
7 Então disse o Senhor: De fato tenho visto a aflição do meu povo, que está no Egito, e tenho ouvido o seu clamor por causa dos seus opressores, conheço os seus sofrimentos.
8 Por isso, desci para livrá-lo das mãos dos egípcios e para fazê-lo subir daquela terra para uma terra boa e espaçosa, para uma terra em que manam leite e mel: a terra do cananeu, do heteu, do amorreu, do ferezeu, do heveu e do jebuseu.
9 E agora o clamor dos filhos de Israel chegou a mim e também tenho visto a opressão com que os egípcios os oprimem.
10 Vem, agora, e eu te enviarei a faraó, para que tires do Egito o meu povo, os filhos de Israel.
11 Então Moisés disse a Deus: Quem sou eu, para que vá a faraó e tire do Egito os filhos de Israel?
12 Respondeu-lhe Deus: Certamente eu serei contigo. E isto te será por sinal de que eu te enviei: Quando houveres tirado do Egito o meu povo, servireis a Deus neste monte.
13 Então disse Moisés a Deus: Quando eu for aos filhos de Israel e lhes disser: O Deus de vossos pais me enviou a vós, e me perguntarem: Qual é o seu nome?, que lhes direi?
14 Disse Deus a Moisés: Eu SOU O QUE SOU. Disse mais: Assim dirás aos filhos de Israel: Eu SOU me enviou a vós.
15 Disse mais Deus a Moisés: Assim dirás aos filhos de Israel: O Senhor, Deus de vossos pais, o Deus de Abraão, o Deus de Isaque e o Deus de Jacó me enviou a vós. Este é o meu nome eternamente, e este é o meu memorial de geração em geração.
16 Vai, ajunta os anciãos de Israel e dize-lhes: O Senhor, o Deus de vossos pais, o Deus de Abraão, o Deus de Isaque e o Deus de Jacó, me apareceu, dizendo: Certamente vos tenho visitado e visto o que vos tem sido feito no Egito.
17 Portanto disse: Eu vos farei subir da aflição do Egito para a terra do cananeu, do heteu, do amorreu, do ferezeu, do heveu e do jebuseu, para uma terra em que manam leite e mel.
18 E ouvirão a tua voz. Então ireis, tu e os anciãos de Israel, ao rei do Egito e lhe direis: O Senhor, o

Deus dos hebreus, nos encontrou. Agora, pois, deixa-nos ir caminho de três dias para o deserto, a fim de que sacrifiquemos ao Senhor nosso Deus.

19 Eu sei, porém, que o rei do Egito não vos deixará ir, a não ser por uma forte mão.

20 Portanto estenderei a minha mão e ferirei ao Egito com todas as minhas maravilhas que farei no meio dele. Depois disso ele vos deixará ir.

21 E eu darei graça a este povo aos olhos dos egípcios, e, quando sairdes, não saireis vazios.

22 Cada mulher pedirá à sua vizinha e à sua hóspeda joias de prata e joias de ouro, bem como vestimentas, as quais poreis sobre vossos filhos e sobre vossas filhas. E assim despojareis os egípcios.

### Os prodígios de Moisés

4 Então respondeu Moisés: Mas, eis que não crerão em mim, nem ouvirão a minha voz e dirão: O Senhor não te apareceu.

2 Perguntou-lhe o Senhor: Que é isso na tua mão? E ele respondeu: Uma vara.

3 Então lhe disse: Lança-a na terra. Ele a lançou na terra, e ela se tornou em cobra. E Moisés fugia dela.

4 Então disse o Senhor a Moisés: Estende a mão e pega-lhe pela cauda. Ele estendeu a mão, pegou-lhe pela cauda, e ela se tornou em vara na sua mão.

5 É para que creiam que te apareceu o Senhor, Deus de seus pais, o Deus de Abraão, o Deus de Isaque e o Deus de Jacó.

6 Disse-lhe mais o Senhor: Mete a mão no peito. Ele meteu a mão no peito e, tirando-a, a mão estava leprosa, branca como a neve.

7 Disse-lhe ainda: Torna a meter a mão no peito. Ele tornou a meter a mão no peito e, tirando-a do peito, ela se tornara como o restante da sua pele.

8 Se eles não crerem em ti nem atentarem para o primeiro sinal, talvez crerão no segundo.

9 Se ainda assim não crerem nestes dois sinais nem ouvirem a tua voz, tomarás das águas do rio e as derramarás na terra seca. As águas, que tomarás do rio, se tornarão em sangue sobre a terra seca.

10 Então disse Moisés ao Senhor: Ah! Senhor! Eu nunca fui eloquente, nem antes nem depois que falaste ao teu servo. Sou pesado de boca e pesado de língua.

11 Disse-lhe o Senhor: Quem fez a boca do homem? Ou quem fez o mudo, ou o surdo, ou o que vê, ou o cego? Não sou eu, o Senhor?

12 Vai, pois, agora; eu serei com a tua boca e te ensinarei o que hás de falar.

13 Ele, porém, disse: Ah! Senhor! Envia aquele que hás de enviar.

14 Então se acendeu a ira do Senhor contra Moisés e disse: Não é Arão, o levita, teu irmão? Eu sei que ele fala muito bem. Ele também te sai ao encontro e, vendo-te, se alegrará em seu coração.

15 Tu lhe falarás e porás as palavras na sua boca; eu serei com a tua boca e com a dele, ensinando-vos o que haveis de fazer.

16 Ele falará por ti ao povo e te será por boca e tu lhe serás por Deus.

17 Toma, pois, esta vara na mão, com a qual hás de fazer os sinais.

## Moisés volta ao Egito

18 Então voltou Moisés para Jetro, seu sogro, e lhe disse: Deixa-me ir, voltar a meus irmãos, que estão no Egito, para ver se ainda vivem. Disse Jetro a Moisés: Vai em paz.
19 Disse também o Senhor a Moisés em Midiã: Vai, volta para o Egito, pois morreram todos os que procuravam tirar-te a vida.
20 Assim tomou Moisés sua mulher e seus filhos, e os fez montar num jumento e voltou para a terra do Egito. E Moisés levou a vara de Deus na sua mão.
21 Disse ainda o Senhor a Moisés: Quando voltares ao Egito, vê que faças diante de faraó todas as maravilhas que tenho posto na tua mão. Mas endurecerei o seu coração, para que não deixe ir o povo.
22 Dirás a faraó: Assim diz o Senhor: Israel é meu filho, meu primogênito,
23 e eu te disse: Deixa ir o meu filho, para que me sirva. Mas tu recusaste deixá-lo ir; por isso matarei a teu filho, o teu primogênito.
24 Durante a viagem, estando Moisés numa estalagem, encontrou-o o Senhor e o quis matar.
25 Então Zípora tomou uma pedra aguda, circuncidou o prepúcio de seu filho e, lançando-o aos pés de Moisés, disse: Certamente me és um esposo sanguinário.
26 O Senhor, pois, o deixou. Ela disse: "Esposo sanguinário", por causa da circuncisão.
27 Disse o Senhor a Arão: Vai ao deserto para te encontrares com Moisés. Ele foi e, encontrando Moisés no monte de Deus, o beijou.
28 Então relatou Moisés a Arão todas as palavras do Senhor, com as quais o enviara, e todos os sinais que lhe mandara.
29 Foram Moisés e Arão e ajuntaram todos os anciãos dos filhos de Israel.
30 Arão falou todas as palavras que o Senhor havia dito a Moisés. Então Moisés fez os sinais perante os olhos do povo,
31 e o povo creu. E, quando ouviram que o Senhor havia visitado os filhos de Israel e que tinha visto a sua aflição, inclinaram-se e o adoraram.

## Moisés e Arão falam a faraó

5 Depois foram Moisés e Arão e disseram a faraó: Assim diz o Senhor, o Deus de Israel: Deixa ir o meu povo, para que me celebre uma festa no deserto.
2 Faraó, porém, respondeu: Quem é o Senhor para que eu ouça a sua voz e deixe ir Israel? Não conheço o Senhor, tampouco deixarei Israel partir.
3 Então eles disseram: O Deus dos hebreus nos encontrou. Portanto deixa-nos agora ir caminho de três dias ao deserto, para que ofereçamos sacrifícios ao Senhor, e ele não venha sobre nós com pestilência e com espada.
4 Então lhes disse o rei do Egito: Moisés e Arão, por que fazeis o povo cessar das suas obras? Voltai ao vosso trabalho.
5 Disse mais faraó: O povo da terra já é muito, e vós os fazeis abandonar o trabalho.
6 Naquele mesmo dia faraó deu ordem aos feitores do povo e aos seus capatazes:
7 Daqui em diante não torneis a dar palha ao povo, para fazer tijolos, como fizestes ontem e anteontem; vão eles mesmos e colham palha para si.
8 Deles, porém, exigireis a mesma

quantidade de tijolos que dantes faziam; nada diminuireis dela. Eles estão ociosos; é por isso que clamam, dizendo: Vamos, sacrifiquemos ao nosso Deus.

9 Aumente-se o serviço sobre estes homens, para que se ocupem nele e não confiem em palavras de mentira.

10 Então saíram os feitores do povo e seus capatazes e falaram ao povo: Assim diz faraó: Eu não vos darei palha.

11 Ide vós mesmos e tomai palha onde a achardes, mas nada se diminuirá de vosso serviço.

12 Então o povo se espalhou por toda a terra do Egito a colher restolho em lugar de palha.

13 Os inspetores os apertavam, dizendo: Acabai a vossa obra, a tarefa do dia no seu dia, como quando havia palha.

14 Foram açoitados os capatazes dos filhos de Israel, que os feitores de faraó tinham posto sobre eles. E lhes perguntavam: Por que não acabastes a vossa tarefa nem ontem nem hoje, fazendo tijolos como antes?

15 Pelo que os capatazes dos filhos de Israel foram e clamaram a faraó, dizendo: Por que tratas assim teus servos?

16 Palha não se dá a teus servos e nos dizem: Fazei tijolos. Os teus servos são açoitados, mas o teu povo é que tem a culpa.

17 Disse faraó: Sois preguiçosos, sois preguiçosos; por isso dizeis: Vamos, sacrifiquemos ao Senhor.

18 Ide, pois, agora, trabalhai. Palha, porém, não se vos dará, contudo fareis a conta integral dos tijolos.

19 Então os capatazes dos filhos de Israel viram-se em aflição, porque lhes era dito que não poderiam diminuir a quantidade de tijolos exigida por dia.

20 Ao saírem da presença de faraó, encontraram-se com Moisés e Arão, que vinham ao encontro deles,

21 e lhes disseram: Olhe o Senhor para vós e julgue isso, pois nos fizestes repelentes diante de faraó e diante de seus servos, dando-lhes a espada nas mãos para nos matar.

22 Então, tornando-se Moisés ao Senhor, disse: Senhor! Por que trataste mal a este povo? Por que me enviaste?

23 Pois desde que me apresentei a faraó para falar em teu nome, ele tem maltratado este povo, e de nenhum modo livraste o teu povo.

### Deus promete livramento

**6** Então disse o Senhor a Moisés: Agora verás o que hei de fazer a faraó. Por causa da minha poderosa mão os deixará ir, por causa da minha poderosa mão os lançará fora da sua terra.

2 Disse mais Deus a Moisés: Eu sou o Senhor.

3 Apareci a Abraão, a Isaque e a Jacó, como o Deus todo-poderoso, mas pelo meu nome, o Senhor, não lhes fui conhecido.

4 Também estabeleci a minha aliança com eles, para lhes dar a terra de Canaã, a terra de suas peregrinações, na qual foram peregrinos.

5 E agora ouvi o gemido dos filhos de Israel, aos quais os egípcios escravizam, e me lembrei da minha aliança.

6 Portanto dize aos filhos de Israel: Eu sou o Senhor. Eu vos tirarei

de debaixo das cargas dos egípcios, vos livrarei da sua servidão e vos resgatarei com braço estendido e com grandes juízos.
7 Eu vos tomarei por meu povo e serei o vosso Deus. Então sabereis que eu sou o Senhor, o vosso Deus, que vos tiro de debaixo das cargas dos egípcios.
8 E vos levarei à terra, a qual jurei dar a Abraão, a Isaque e a Jacó; e a darei a vós por herança. Eu sou o Senhor.
9 Deste modo falou Moisés aos filhos de Israel, mas eles não lhe deram ouvidos, por causa da angústia de espírito e da dura servidão.
10 Disse mais o Senhor a Moisés:
11 Entra e fala a faraó, rei do Egito, que deixe sair os filhos de Israel da sua terra.
12 Moisés, porém, disse ao Senhor: Se nem os filhos de Israel me querem ouvir, como, pois, me ouvirá faraó? Ainda mais que não falo com desenvoltura.
13 Todavia o Senhor falou a Moisés e a Arão e lhes deu mandamento para os filhos de Israel e para faraó, rei do Egito, a fim de tirarem os filhos de Israel da terra do Egito.

### Genealogias de Moisés e Arão

14 São estes os chefes das famílias de seus pais: Os filhos de Rúben, o primogênito de Israel: Enoque, Palu, Hezrom e Carmi. São estas as famílias de Rúben.
15 Os filhos de Simeão: Jemuel, Jamim, Oade, Jaquim, Zoar e Saul, filho de uma cananeia. São estas as famílias de Simeão.
16 São estes os nomes dos filhos de Levi, segundo as suas gerações: Gérson, Coate e Merari. Os anos da vida de Levi foram cento e trinta e sete.
17 Os filhos de Gérson: Libni e Simei, segundo as suas famílias.
18 Os filhos de Coate: Anrão, Jizar, Hebrom e Uziel. Os anos da vida de Coate foram cento e trinta e três.
19 Os filhos de Merari: Maali e Musi. São estas as famílias de Levi, segundo as suas gerações.
20 Anrão tomou por mulher a Joquebede, sua tia, que lhe deu a Arão e a Moisés. Os anos da vida de Anrão foram cento e trinta e sete.
21 Os filhos de Jizar: Corá, Nefegue e Zicri.
22 Os filhos de Uziel: Misael, Elzafã e Sitri.
23 Arão tomou por mulher a Eliseba, filha de Aminadabe, irmã de Naassom, e ela lhe deu a Nadabe, Abiú, Eleazar e Itamar.
24 Os filhos de Corá: Assir, Elcana e Abiasafe. São estas as famílias dos coraítas.
25 Eleazar, filho de Arão, tomou para si por mulher uma das filhas de Putiel, e ela lhe deu a Fineias. São estes os chefes de suas famílias, segundo seus clãs.
26 São estes Arão e Moisés, aos quais o Senhor disse: Tirai os filhos de Israel da terra do Egito, segundo os seus exércitos.
27 São estes os que falaram a faraó, rei do Egito, a fim de tirarem do Egito os filhos de Israel. São estes Moisés e Arão.
28 No dia em que o Senhor falou a Moisés na terra do Egito,
29 disse o Senhor a Moisés: Eu sou o Senhor. Dize a faraó, rei do Egito, tudo o que eu te digo.
30 Respondeu Moisés ao Senhor: Eu não falo com desenvoltura, como, pois, me ouvirá faraó?

### Moisés fala outra vez a faraó

**7** Então disse o Senhor a Moisés: Vê que te tenho posto como Deus sobre faraó, e Arão, teu irmão, será o teu profeta.
2 Tu falarás tudo o que eu te mandar, e Arão, teu irmão, falará a faraó que deixe ir os filhos de Israel da sua terra.
3 Eu, porém, endurecerei o coração de faraó e, embora eu multiplique na terra do Egito os meus sinais e as minhas maravilhas,
4 ele não vos ouvirá. Então porei a minha mão sobre o Egito e tirarei os meus exércitos, o meu povo, os filhos de Israel, da terra do Egito, com grandes juízos.
5 E os egípcios saberão que eu sou o Senhor, quando estender a minha mão sobre o Egito e tirar os filhos de Israel do meio deles.
6 Assim fizeram Moisés e Arão; como o Senhor lhes ordenara, assim fizeram.
7 Era Moisés da idade de oitenta anos, e Arão de oitenta e três, quando falaram com faraó.
8 Disse o Senhor a Moisés e a Arão:
9 Quando faraó vos disser: Apresentai da vossa parte algum milagre, dirás a Arão: Toma a tua vara e lança-a diante de faraó, e ela se tornará em serpente.
10 Então Moisés e Arão foram ter com faraó e fizeram assim como o Senhor ordenara. Lançou Arão a sua vara diante de faraó e diante dos seus conselheiros, e ela se tornou em serpente.
11 Faraó então mandou vir os sábios e encantadores, e os magos do Egito também fizeram o mesmo com os seus encantamentos.
12 Cada um deles lançou a sua vara, e elas se tornaram em serpentes. Mas a vara de Arão tragou as varas deles.
13 O coração de faraó, porém, se endureceu, e ele não os ouviu, como o Senhor tinha dito.

### A praga do sangue

14 Então, disse o Senhor a Moisés: O coração de faraó está obstinado; ele recusa deixar ir o povo.
15 Vai pela manhã a faraó, quando ele sair às águas. Esperarás por ele à beira do rio, tomarás em tua mão a vara que se tornou em cobra
16 e lhe dirás: O Senhor, o Deus dos hebreus, me enviou a ti, dizendo: Deixa ir o meu povo, para que me sirva no deserto; porém até agora não tens ouvido.
17 Assim diz o Senhor: Nisto saberás que eu sou o Senhor: Com esta vara que tenho em minha mão, ferirei as águas que estão no rio, e elas se transformarão em sangue.
18 Os peixes que estão no rio morrerão, e o rio cheirará mal; os egípcios terão nojo de beber da água do rio.
19 Disse mais o Senhor a Moisés: Dize a Arão: Toma a tua vara e estende a tua mão sobre as águas do Egito, sobre as suas correntes, sobre os seus rios, sobre os seus canais, sobre as suas lagoas e sobre todas as suas águas, para que se tornem em sangue; haja sangue em toda a terra do Egito, assim nos vasos de madeira como nos de pedra.
20 Fizeram Moisés e Arão como o Senhor lhes havia mandado. Arão, levantando a sua vara, feriu as águas que estavam no rio, diante dos olhos de faraó e diante dos olhos de seus conselheiros,

e todas as águas do rio se transformaram em sangue.
21 Os peixes que estavam no rio morreram, e o rio cheirou mal, e os egípcios não podiam beber da água do rio. Houve sangue por toda a terra do Egito.
22 Os magos do Egito, porém, fizeram o mesmo com os seus encantamentos, de maneira que o coração de faraó se endureceu, e não os ouviu, como o Senhor tinha dito.
23 Virou-se faraó e foi para seu palácio; nem ainda nisso pôs o seu coração.
24 Todos os egípcios cavaram poços junto ao rio para encontrar água que beber, porque não podiam beber das águas do rio.
25 Assim se passaram sete dias, depois que o Senhor feriu o rio.

### A praga das rãs

**8** Então disse o Senhor a Moisés: Vai ter com faraó e dize-lhe: Assim diz o Senhor: Deixa ir o meu povo, para que me sirva.
2 Se recusares deixá-lo ir, ferirei com rãs todo o teu território.
3 O rio produzirá rãs em abundância, que subirão e virão à tua casa, e ao teu quarto, e sobre a tua cama, e às casas dos teus oficiais, e sobre o teu povo, e aos teus fornos, e às tuas amassadeiras.
4 As rãs subirão sobre ti, e sobre o teu povo, e sobre todos os teus oficiais.
5 Disse mais o Senhor a Moisés: Dize a Arão: Estende a tua mão com a tua vara sobre as correntes, e sobre os rios, e sobre as lagoas, e faze subir rãs sobre a terra do Egito.
6 Estendeu Arão a sua mão sobre as águas do Egito, e subiram rãs, e cobriram a terra do Egito.
7 Então os magos fizeram o mesmo com os seus encantamentos, e fizeram subir rãs sobre a terra do Egito.
8 Chamou faraó a Moisés e a Arão e disse: Rogai ao Senhor que tire as rãs de mim e do meu povo, depois deixarei ir o povo, para que sacrifiquem ao Senhor.
9 Respondeu Moisés a faraó: Digna-te de dizer-me quando é que hei de rogar por ti, pelos teus subordinados, e pelo teu povo, para tirar as rãs de ti e das suas casas, de sorte que somente fiquem no rio.
10 Disse faraó: Amanhã. E Moisés disse: Seja conforme a tua palavra, para que saibas que ninguém há como o Senhor nosso Deus.
11 As rãs se apartarão de ti, e das tuas casas, dos teus oficiais e do teu povo; ficarão somente no rio.
12 Então saíram Moisés e Arão da presença de faraó, e Moisés clamou ao Senhor por causa das rãs que tinha posto sobre faraó.
13 E o Senhor fez conforme a palavra de Moisés. As rãs morreram nas casas, nos pátios e nos campos.
14 Ajuntaram-nas em montões, e a terra cheirou mal.
15 Vendo, pois, faraó que havia descanso, endureceu o seu coração e não os ouviu, como o Senhor tinha dito.

### A praga dos piolhos

16 Disse mais o Senhor a Moisés: Dize a Arão: Estende a tua vara e fere o pó da terra, para que se torne em piolhos por toda a terra do Egito.
17 Assim fizeram. Arão estendeu a sua mão com a sua vara e feriu o pó da terra, e houve muitos piolhos nos homens e no gado.

Todo o pó da terra se tornou em piolhos em toda a terra do Egito.
18 Fizeram os magos o mesmo com os seus encantamentos para produzir piolhos, mas não puderam. E havia piolhos nos homens e no gado.
19 Então disseram os magos a faraó: Isso é o dedo de Deus. Mas o coração de faraó se endureceu e não os ouviu, como o Senhor tinha dito.

### A praga das moscas

20 Disse mais o Senhor a Moisés: Levanta-te pela manhã cedo e põe-te diante de faraó, quando ele sair às águas, e dize-lhe: Assim diz o Senhor: Deixa ir o meu povo, para que me sirva.
21 Se não deixares ir o meu povo, enviarei enxames de moscas sobre ti, e sobre os teus oficiais, e sobre o teu povo, e nas tuas casas. As casas dos egípcios se encherão desses enxames, e também a terra em que eles estiverem.
22 Naquele dia, separarei a terra de Gósen, em que meu povo habita, a fim de que nela não haja enxames de moscas, para que saibas que eu sou o Senhor no meio desta terra.
23 Farei distinção entre o meu povo e o teu povo. Amanhã será este sinal.
24 Assim fez o Senhor. Vieram grandes enxames de moscas à casa de faraó, e às casas dos seus oficiais, e por todo o Egito a terra foi assolada por estes enxames.
25 Então faraó chamou Moisés e Arão e disse: Ide e oferecei sacrifícios ao vosso Deus nesta terra.
26 Respondeu Moisés: Não convém que façamos assim, porque sacrificaríamos ao Senhor nosso Deus a abominação dos egípcios. E, se sacrificássemos a abominação dos egípcios perante os seus olhos, não nos apedrejariam eles?
27 Devemos ir caminho de três dias ao deserto, para que ofereçamos sacrifícios ao Senhor nosso Deus, como ele nos ordenar.
28 Então disse faraó: Eu vos deixarei ir, para que ofereçais sacrifícios ao Senhor, o vosso Deus, no deserto, apenas se, saindo, não fordes longe. Agora orai por mim.
29 Respondeu Moisés: Assim que eu tiver saído da tua presença, orarei ao Senhor, que estes enxames de moscas se retirem amanhã de faraó, dos seus oficiais e do seu povo. Mas que o faraó não mais me engane, não deixando ir o povo para oferecer sacrifícios ao Senhor.
30 Então saiu Moisés da presença de faraó e orou ao Senhor.
31 Fez o Senhor conforme a palavra de Moisés, e os enxames de moscas se retiraram de faraó, dos seus oficiais e do seu povo; não ficou uma sequer.
32 Faraó, porém, endureceu novamente o seu coração e não deixou ir o povo.

### A praga da peste nos animais

9 Então disse o Senhor a Moisés: Vai ter com faraó e dize-lhe: Assim diz o Senhor, o Deus dos hebreus: Deixa ir o meu povo, para que me sirva.
2 Se recusares deixá-los ir, e ainda por força os detiveres,
3 a mão do Senhor será sobre o teu gado, que está no campo, sobre os cavalos, sobre os jumentos, sobre os camelos, sobre os bois e sobre as ovelhas, com pestilência gravíssima.

4 O Senhor, porém, fará distinção entre o gado de Israel e o gado do Egito, para que nada morra de tudo o que for dos filhos de Israel.
5 O Senhor assinalou certo tempo, dizendo: Amanhã fará o Senhor isso na terra.
6 E o Senhor o fez no dia seguinte, e todo o gado dos egípcios morreu, mas do gado dos filhos de Israel não morreu nenhum.
7 Faraó mandou ver e descobriu que do gado de Israel não morrera nenhum. Porém o coração de faraó se endureceu, e não deixou ir o povo.

### A praga das úlceras

8 Então disse o Senhor a Moisés e a Arão: Tomai mãos cheias da cinza do forno, e Moisés a espalhe para o céu diante dos olhos de faraó.
9 Ela se tornará em pó miúdo sobre toda a terra do Egito e se tornará em tumores que arrebentem em úlceras nos homens e nos animais, por toda a terra do Egito.
10 Eles tomaram a cinza do forno e se apresentaram a faraó. Moisés a espalhou para o céu, e ela se tornou em tumores que arrebentavam em úlceras nos homens e nos animais.
11 Os magos não podiam permanecer na presença de Moisés, por causa dos tumores que havia neles e em todos os egípcios.
12 O Senhor, porém, endureceu o coração de faraó, e ele não os ouviu, como o Senhor tinha dito a Moisés.

### A praga da saraiva

13 Então disse o Senhor a Moisés: Levanta-te pela manhã cedo, apresenta-te a faraó e dize-lhe: Assim diz o Senhor, o Deus dos hebreus: Deixa ir o meu povo para que me sirva,
14 ou desta vez enviarei todas as minhas pragas sobre o teu coração, e sobre os teus oficiais, e sobre o teu povo, para que saibas que não há outro como eu em toda a terra.
15 Pois eu já poderia ter estendido a minha mão para te ferir a ti e ao teu povo com pestilência, e terias sido destruído da terra.
16 Para isto, porém, te mantive, para te mostrar o meu poder e para que o meu nome seja anunciado em toda a terra.
17 Ainda te levantas contra o meu povo, para não os deixar ir?
18 Portanto, amanhã por este tempo farei chover saraiva tão grave qual nunca houve no Egito, desde o dia em que foi fundado até agora.
19 Agora, pois, manda recolher o teu gado e tudo o que tens no campo; todo homem e animal que forem achados no campo e não forem recolhidos à casa, a saraiva cairá sobre eles, e morrerão.
20 Alguns dos oficiais de faraó que temiam a palavra do Senhor fizeram fugir os seus servos e o seu gado para as casas.
21 Aqueles, porém, que não tinham aplicado a palavra do Senhor ao seu coração deixaram os seus servos e o seu gado no campo.
22 Então disse o Senhor a Moisés: Estende a tua mão para o céu, e haverá saraiva em toda a terra do Egito, sobre os homens e sobre os animais, e sobre toda a erva do campo na terra do Egito.
23 Estendeu Moisés a sua vara para o céu, e o Senhor deu trovões e saraiva, e fogo desceu à terra.

Assim fez o Senhor chover saraiva sobre a terra do Egito;
24 havia saraiva misturada com fogo, saraiva tão grave qual nunca houve em toda a terra do Egito, desde que veio a ser nação.
25 A saraiva feriu, em toda a terra do Egito, tudo o que havia no campo, desde os homens até os animais; feriu toda a erva do campo e quebrou todas as árvores do campo.
26 Somente na terra de Gósen, onde se achavam os filhos de Israel, não havia saraiva.
27 Então faraó mandou chamar Moisés e Arão e disse-lhes: Desta vez pequei. O Senhor é justo, mas eu e o meu povo somos ímpios.
28 Orai ao Senhor, pois já bastam estes trovões da parte de Deus e esta saraiva. Eu vos deixarei ir, e não ficareis mais aqui.
29 Então lhe disse Moisés: Em saindo eu da cidade, estenderei as mãos ao Senhor. Os trovões cessarão, e não haverá mais saraiva, para que saibas que a terra é do Senhor.
30 Todavia, quanto a ti e aos teus oficiais, eu sei que ainda não temereis ao Senhor Deus.
31 (O linho e a cevada foram feridos, porque a cevada já estava na espiga, e o linho, em flor.
32 Não foram, porém, danificados o trigo e o centeio, porque amadurecem mais tarde.)
33 Então saiu Moisés da cidade, da presença de faraó, e estendeu as mãos ao Senhor. Cessaram os trovões e a saraiva, e a chuva não mais caiu sobre a terra.
34 Vendo faraó que a chuva, a saraiva e os trovões tinham cessado, continuou a pecar e endureceu o coração, ele e os seus oficiais.
35 Assim o coração de faraó se endureceu, e ele não deixou ir os filhos de Israel, como o Senhor tinha dito por Moisés.

## A praga dos gafanhotos

**10** Depois disse o Senhor a Moisés: Vai ao faraó, pois endureci o seu coração e o coração de seus oficiais, para fazer estes meus sinais no meio deles,
2 e para que contes aos teus filhos, e aos filhos de teus filhos, as coisas que fiz no Egito, e os meus sinais, que operei entre eles, e para que saibais que eu sou o Senhor.
3 Foram Moisés e Arão a faraó e lhe disseram: Assim diz o Senhor, o Deus dos hebreus: Até quando recusarás humilhar-te diante de mim? Deixa ir o meu povo, para que me sirva.
4 Do contrário, se recusares deixar ir o meu povo, trarei amanhã gafanhotos ao teu território.
5 Eles cobrirão a face da terra, de modo que não se poderá ver o solo. Comerão o resto do que escapou, o que vos ficou da saraiva; comerão todas as árvores que vos crescem no campo.
6 Encherão os teus palácios, as casas de todos os teus oficiais e as casas de todos os egípcios, como nunca viram teus pais nem os pais de teus pais, desde o dia em que eles apareceram sobre a terra até o dia de hoje. Com isso Moisés virou-se e saiu da presença de faraó.
7 Então os oficiais de faraó lhe disseram: Até quando este homem nos há de ser uma ameaça? Deixa ir os homens, para que sirvam ao Senhor, o seu Deus. Ainda não sabes que o Egito está destruído?
8 Então Moisés e Arão foram levados outra vez a faraó, e ele lhes

disse: Ide, servi ao Senhor, o vosso Deus. Quem deverá ir?

**9** Respondeu-lhe Moisés: Temos de ir com os nossos jovens e com os nossos velhos, com os nossos filhos e com as nossas filhas, com os nossos rebanhos e com o nosso gado, porque temos de celebrar festa ao Senhor.

**10** Disse-lhe faraó: Seja o Senhor convosco, se eu vos deixar ir com as crianças! Vede como tendes más intenções.

**11** Não será assim. Agora, ide vós, os homens, e servi ao Senhor, pois isso é o que pedistes. E os expulsaram da presença de faraó.

**12** Então disse o Senhor a Moisés: Estende a mão sobre a terra do Egito, para que os gafanhotos venham sobre a terra do Egito e comam toda a erva da terra, tudo o que deixou a saraiva.

**13** Estendeu Moisés a sua vara sobre a terra do Egito, e o Senhor trouxe sobre a terra um vento oriental todo aquele dia e toda aquela noite. Quando amanheceu, o vento oriental trouxe os gafanhotos.

**14** Vieram os gafanhotos sobre toda a terra do Egito e pousaram sobre todo o seu território. Tão numerosos foram, que antes destes nunca houve tantos nem depois deles virão outros assim.

**15** Cobriram a face de toda a terra, de modo que a terra se escureceu. Comeram toda a erva da terra e todo o fruto das árvores, que deixara a saraiva. Não ficou verdura alguma nas árvores nem na erva do campo, em toda a terra do Egito.

**16** Então faraó se apressou a chamar Moisés e Arão e disse: Pequei contra o Senhor, o vosso Deus, e contra vós.

**17** Agora peço-vos que esta vez ainda perdoeis o meu pecado e que oreis ao Senhor, o vosso Deus, que tire de mim esta morte.

**18** Saiu Moisés da presença de faraó e orou ao Senhor.

**19** Então o Senhor trouxe um vento ocidental fortíssimo, o qual levantou os gafanhotos e os lançou no mar Vermelho. Nem um só gafanhoto ficou em todo o território do Egito.

**20** O Senhor, porém, endureceu o coração de faraó, e este não deixou ir os filhos de Israel.

### A praga das trevas

**21** Então disse o Senhor a Moisés: Estende a mão para o céu, e virão trevas sobre a terra do Egito, trevas que se possam apalpar.

**22** Estendeu Moisés a mão para o céu, e houve trevas espessas em toda a terra do Egito por três dias.

**23** Não viram uns aos outros, e ninguém se levantou do seu lugar por três dias. Mas todos os filhos de Israel tinham luz nas suas habitações.

**24** Então faraó mandou chamar Moisés e disse: Ide, servi ao Senhor. Somente fiquem os vossos rebanhos e o vosso gado; vão também convosco as vossas crianças.

**25** Moisés, porém, disse: Tu também tens de dar em nossas mãos sacrifícios e holocaustos, que ofereçamos ao Senhor nosso Deus.

**26** Também o nosso gado há de ir conosco; nem uma unha ficará. Dele havemos de tomar para servir ao Senhor, e até que cheguemos lá não saberemos o que devemos usar para servir ao Senhor.

**27** O Senhor, porém, endureceu o coração de faraó, e este não os quis deixar ir.

28 Disse faraó a Moisés: Vai-te da minha presença! Guarda-te que não mais vejas o meu rosto! No dia em que vires o meu rosto, morrerás.
29 Respondeu Moisés: Bem disseste. Eu nunca mais verei o teu rosto.

### A praga sobre os primogênitos

**11** Disse o Senhor a Moisés: Ainda uma praga trarei sobre faraó e sobre o Egito. Então vos deixará ir daqui, e, quando vos deixar ir, é certo que vos expulsará completamente.
2 Fala agora aos ouvidos do povo, que cada homem peça ao seu vizinho, e cada mulher à sua vizinha, joias de prata e joias de ouro.
3 O Senhor deu graça ao povo aos olhos dos egípcios; e o próprio Moisés era muito famoso na terra do Egito, aos olhos dos oficiais de faraó e aos olhos do povo.
4 Disse Moisés a faraó: Assim diz o Senhor: À meia-noite eu sairei pelo meio do Egito.
5 Todos os primogênitos na terra do Egito morrerão, desde o primogênito de faraó, que se assenta com ele sobre o seu trono, até o primogênito da serva que está detrás do moinho, e todos os primogênitos dos animais.
6 Haverá grande clamor em toda a terra do Egito, como nunca houve nem jamais haverá.
7 Contra todos os filhos de Israel, porém, nem ainda um cão moverá a sua língua, desde os homens até os animais, para que saibais que o Senhor faz distinção entre os egípcios e os israelitas.
8 Então todos estes teus oficiais descerão a mim e se inclinarão diante de mim, dizendo: Sai tu e todo o povo que te segue as pisadas. Depois disso eu sairei. Saiu Moisés da presença do faraó ardendo em ira.
9 O Senhor dissera a Moisés: Faraó não vos ouvirá, para que as minhas maravilhas se multipliquem na terra do Egito.
10 Moisés e Arão fizeram todas estas maravilhas diante de faraó, mas o Senhor endureceu o coração de faraó, e ele não deixou ir da sua terra os filhos de Israel.

### A Páscoa

**12** Disse o Senhor a Moisés e a Arão na terra do Egito:
2 Este mês será para vós o primeiro mês, o primeiro mês do ano.
3 Dizei a toda a congregação de Israel: Aos dez deste mês tome cada homem um cordeiro para a sua família, um cordeiro para cada casa.
4 Se a família, porém, for pequena para um cordeiro, então convidará ele o seu vizinho mais próximo, conforme o número das pessoas. Conforme o que cada um puder comer, fareis a conta para o cordeiro.
5 O cordeiro, ou cabrito, será sem defeito, um macho de um ano, o qual tomareis das ovelhas ou das cabras.
6 Vós os guardareis até o décimo quarto dia deste mês, quando toda a assembleia da congregação de Israel o matará ao crepúsculo.
7 Tomarão do sangue e o porão em ambos os batentes e na viga da porta, nas casas em que o comerem.
8 Naquela noite, comerão a carne assada ao fogo, com pães sem fermento e ervas amargas.
9 Não comereis dele nada cru nem cozido em água, mas sim assado ao fogo: a cabeça, as pernas e vísceras.

**10** Nada deixareis dele até pela manhã; se algo ficar dele até pela manhã, queimareis ao fogo.
**11** Assim o comereis: Os vossos lombos cingidos, os vossos sapatos nos pés e o vosso cajado na mão. E o comeis apressadamente; esta é a Páscoa do Senhor.
**12** Naquela noite, passarei pela terra do Egito e ferirei todos os primogênitos na terra do Egito, desde os homens até os animais; e sobre todos os deuses do Egito executarei juízo. Eu sou o Senhor.
**13** O sangue vos será por sinal nas casas em que estiverdes; vendo o sangue, passarei por cima de vós, e não haverá entre vós praga destruidora, quando eu ferir a terra do Egito.
**14** Este dia vos será por memorial, e o celebrareis por festa ao Senhor; nas vossas gerações o celebrareis por estatuto perpétuo.
**15** Sete dias comereis pães sem fermento. No primeiro dia tirareis o fermento das vossas casas, pois qualquer que comer pão levedado, desde o primeiro dia até o sétimo, será eliminado de Israel.
**16** No primeiro dia e no sétimo dia haverá santa assembleia. Nenhuma obra se fará neles, senão o que cada pessoa houver de comer; somente isso podereis fazer.
**17** Guardai, pois, a festa dos pães sem fermento, porque nesse mesmo dia tirei vossos exércitos da terra do Egito. Pelo que guardareis este dia nas vossas gerações por estatuto perpétuo.
**18** No primeiro mês, aos catorze dias do mês, à tarde, comereis pães sem fermento até vinte e um do mês à tarde.
**19** Por sete dias não se ache nenhum fermento nas vossas casas. E qualquer que comer pão levedado será eliminado da congregação de Israel, tanto o peregrino como o natural da terra.
**20** Nenhuma coisa levedada comereis. Em todas as vossas habitações comereis pães sem fermento.
**21** Chamou, pois, Moisés todos os anciãos de Israel e lhes disse: Escolhei e tomai vós cordeiros para vossas famílias, e imolai a Páscoa.
**22** Então tomai um molho de hissopo, molhai-o no sangue que estiver na bacia e marcai a viga da porta e os seus batentes. Nenhum de vós saia da porta da sua casa até pela manhã.
**23** Quando o Senhor passar para ferir os egípcios, verá o sangue na viga da porta e em ambos os batentes e passará sobre aquela porta, e não deixará o destruidor entrar em vossas casas, para vos ferir.
**24** Portanto, guardai isto por estatuto para vós e para vossos filhos, para sempre.
**25** Quando tiverdes entrado na terra que o Senhor vos dará, como tem dito, guardareis esta cerimônia.
**26** Quando vossos filhos vos perguntarem: Que cerimônia é esta?
**27** Respondereis: Este é o sacrifício da Páscoa ao Senhor, que passou por cima das casas dos filhos de Israel no Egito, quando feriu os egípcios e livrou as nossas casas. Então o povo se inclinou e adorou.
**28** Foram os filhos de Israel e fizeram tudo como o Senhor ordenara a Moisés e a Arão.
**29** À meia-noite o Senhor feriu todos os primogênitos na terra do Egito, desde o primogênito de faraó, que se sentava em seu

# Êxodo 12

trono, até o primogênito do cativo que estava no cárcere, e todos os primogênitos dos animais.

30 Levantou-se faraó de noite, ele, todos os seus oficiais e todos os egípcios, e havia grande clamor no Egito, pois não havia casa em que não houvesse um morto.

31 Então chamou Moisés e a Arão de noite e disse: Levantai-vos, saí do meio do meu povo, tanto vós como os filhos de Israel! Ide, servi ao Senhor, como pedistes.

32 Levai também convosco os vossos rebanhos e o vosso gado, como dissestes. E abençoai também a mim.

33 Os egípcios apertavam com o povo, apressando-se em lançá-los fora da terra, pois diziam: Morreremos todos.

34 O povo tomou a sua massa, antes que levedasse, e as suas amassadeiras atadas em trouxas com as suas vestimentas, sobre os seus ombros.

35 Fizeram, pois, os filhos de Israel conforme a palavra de Moisés: pediram aos egípcios joias de prata, joias de ouro e roupas.

36 O Senhor deu ao povo graça aos olhos dos egípcios, de modo que estes lhes davam o que pediam; assim despojaram os egípcios.

## O Êxodo

37 Partiram os filhos de Israel de Ramessés para Sucote, cerca de seiscentos mil a pé, somente de homens, sem contar mulheres e crianças.

38 Subiu também com eles uma grande mistura de gente, ovelhas, gado, muitíssimos animais.

39 Fizeram bolos sem fermento da massa que levaram do Egito. A massa não se tinha levedado, porque foram lançados fora do Egito e não tiveram tempo de preparar provisões para o caminho.

40 Ora, o tempo que os filhos de Israel habitaram no Egito foi de quatrocentos e trinta anos.

41 Passados os quatrocentos e trinta anos, nesse mesmo dia, todos os exércitos do Senhor saíram da terra do Egito.

42 Esta noite se observará ao Senhor, porque nela os tirou da terra do Egito. Esta é a noite do Senhor, que devem guardar todos os filhos de Israel nas suas gerações.

43 Disse mais o Senhor a Moisés e a Arão: Esta é a ordenança da Páscoa: Nenhum estrangeiro comerá dela.

44 Todo escravo comprado por dinheiro, porém, depois que o houveres circuncidado, comerá dela.

45 O estrangeiro e o assalariado não comerão dela.

46 Numa só casa se comerá o cordeiro; não levareis daquela carne fora da casa. Não lhe quebrareis osso algum.

47 Toda a congregação de Israel o fará.

48 Se, porém, algum estrangeiro se hospedar contigo e quiser celebrar a Páscoa do Senhor, seja-lhe circuncidado todo macho; então se chegará e a celebrará, e será como o natural da terra. Nenhum incircunciso comerá dela.

49 A mesma lei haja para o natural e para o estrangeiro que peregrinar entre vós.

50 Fizeram todos os filhos de Israel como o Senhor ordenara a Moisés e a Arão.

51 Naquele mesmo dia, o Senhor tirou os filhos de Israel da terra do Egito, segundo os seus exércitos.

## Consagração dos primogênitos

**13** Disse o Senhor a Moisés: 2 Consagra-me todos os primogênitos, todo o que abrir a madre de sua mãe entre os filhos de Israel, assim de homens como de animais, será meu.

3 Disse Moisés ao povo: Lembrai-vos deste dia, em que saístes do Egito, da casa da servidão, porque com mão forte o Senhor vos tirou daqui. Portanto não comereis pão levedado.

4 Hoje, no mês de abibe, estais saindo.

5 Quando o Senhor te houver introduzido na terra dos cananeus, dos heteus, dos amorreus, dos heveus, dos jebuseus, a qual jurou a teus pais que te daria, terra em que manam leite e mel, guardarás esta cerimônia neste mês:

6 Sete dias comerás pães sem fermento, e no sétimo dia haverá festa ao Senhor.

7 Sete dias se comerão pães sem fermento; o levedado não se verá contigo nem ainda fermento será visto em todo o teu território.

8 Naquele mesmo dia, farás saber a teu filho: Isto é por causa do que o Senhor me fez, quando saí do Egito.

9 Esta lembrança te será por sinal sobre a tua mão e entre os teus olhos, para que a lei do Senhor esteja em tua boca. Pois com mão forte o Senhor te tirou do Egito.

10 Portanto guardarás este estatuto a seu tempo, de ano em ano.

11 Também quando o Senhor te houver feito entrar na terra dos cananeus, como jurou a ti e a teus pais, quando a houver dado a ti,

12 apartarás para o Senhor tudo o que abrir a madre e todo o primogênito dos animais que tiveres. Os machos serão do Senhor.

13 Todos os primogênitos da jumenta, porém, resgatarás com um cordeiro, mas, se não o resgatares, lhe cortarás a cabeça. Todos os primogênitos do homem entre teus filhos resgatarás.

14 Quando teu filho no futuro te perguntar: Que é isso? Tu lhe dirás: O Senhor, com mão forte, nos tirou do Egito, da casa da servidão.

15 Endurecendo-se faraó, para não nos deixar ir, o Senhor matou todos os primogênitos na terra do Egito, desde o primogênito do homem até o primogênito dos animais. É por isso que eu sacrifico ao Senhor todos os primogênitos machos e resgato todos os primogênitos de meus filhos.

16 E isto será por sinal sobre tua mão e por frontais entre os teus olhos, de que o Senhor nos tirou do Egito com mão forte.

## A travessia do mar

17 Quando faraó deixou ir o povo, Deus não os levou pelo caminho da terra dos filisteus, ainda que este fosse o caminho mais curto. Pois Deus disse: Para que o povo não se arrependa, vendo a guerra, e volte ao Egito.

18 Assim Deus fez o povo rodear pelo caminho do deserto perto do mar Vermelho. Os filhos de Israel subiram da terra do Egito armados para a batalha.

19 Levou Moisés os ossos de José consigo, porque havia este solenemente ajuramentado os filhos de Israel, dizendo: Certamente Deus vos visitará, e então fazei subir daqui os meus ossos convosco.

20 Assim partiram de Sucote e acamparam em Etã, à entrada do deserto.

21 O Senhor ia adiante deles, de dia numa coluna de nuvem, para os guiar pelo caminho, e de noite numa coluna de fogo, para os iluminar, a fim de que caminhassem de dia e de noite.

22 Nunca se apartou do povo a coluna de nuvem de dia nem a coluna de fogo de noite.

### Deus anuncia a ruína dos egípcios

**14** Então disse o Senhor a Moisés:

2 Dize aos filhos de Israel que voltem e se acampem junto a Pi-Hairote, entre Migdol e o mar. Assentareis o acampamento junto ao mar, diante de Baal-Zefom.

3 Então faraó dirá dos filhos de Israel: Estão desorientados na terra, o deserto os encerrou.

4 Endurecerei o coração de faraó, para que os persiga. Mas serei glorificado em faraó e em todo o seu exército, e saberão os egípcios que eu sou o Senhor. Eles assim o fizeram.

5 Sendo, pois, anunciado ao rei do Egito que o povo fugia, mudou-se o seu coração e dos seus oficiais contra o povo, e disseram: Que foi que fizemos, deixando ir Israel, para que não nos sirva?

6 Assim aprontou faraó o seu carro e tomou consigo o seu povo.

7 Tomou também seiscentos carros escolhidos e todos os carros do Egito, e capitães sobre todos eles.

8 O Senhor endureceu o coração de faraó, rei do Egito, para que perseguisse os filhos de Israel, que estavam marchando afoitamente.

9 Perseguiram-nos os egípcios, todos os cavalos e carros de faraó, e os seus cavaleiros, e o seu exército, e os alcançaram acampados junto ao mar, perto de Pi-Hairote, diante de Baal-Zefom.

10 Aproximando-se faraó, os filhos de Israel levantaram os olhos e viram os egípcios que vinham atrás deles. Temeram muito e clamaram ao Senhor.

11 Disseram a Moisés: Foi por não haver sepulcros no Egito que nos tiraste de lá para que morramos neste deserto? Por que nos fizeste isto, tirando-nos do Egito?

12 Não é isto que te dissemos no Egito: Deixa-nos, que sirvamos aos egípcios? Pois melhor nos fora servir aos egípcios do que morrermos no deserto.

13 Moisés, porém, disse ao povo: Não temais. Estai quietos e vede o livramento do Senhor, que hoje vos fará. Aos egípcios, que hoje vistes, nunca mais vereis para sempre.

14 O Senhor pelejará por vós, e vós vos calareis.

### A passagem pelo meio do mar

15 Então disse o Senhor a Moisés: Por que clamas a mim? Dize aos filhos de Israel que marchem.

16 E tu, levanta a tua vara, estende a tua mão sobre o mar e divide-o, para que os filhos de Israel passem pelo meio do mar em seco.

17 Endurecerei o coração dos egípcios, para que entrem atrás deles. Serei glorificado em faraó e em todo o seu exército, nos seus carros e nos seus cavaleiros.

18 Os egípcios saberão que eu sou o Senhor, quando for glorificado em faraó, nos seus carros e nos seus cavaleiros.

19 Então o anjo de Deus, que ia adiante do exército de Israel, se retirou e se pôs atrás deles. Também a coluna de nuvem se retirou de diante deles e se pôs atrás,

20 e ia entre o acampamento dos egípcios e o acampamento de Israel. A nuvem era escuridade para aqueles, e para este esclarecia a noite; de maneira que em toda a noite este e aqueles não puderam aproximar-se.
21 Então Moisés estendeu a mão sobre o mar, e o Senhor fez retirar-se o mar por um forte vento oriental toda aquela noite e fez do mar terra seca. As águas foram divididas,
22 e os filhos de Israel entraram pelo meio do mar em seco, e as águas lhes foram qual muro à sua direita e à sua esquerda.
23 Os egípcios os perseguiram e entraram atrás deles até o meio do mar, com todos os cavalos de faraó, os seus carros e os seus cavaleiros.
24 Na vigília da manhã, o Senhor, na coluna de fogo e na nuvem, viu o acampamento dos egípcios e o alvoroçou.
25 Emperrou-lhes as rodas dos carros e fê-los andar dificultosamente. Então, disseram os egípcios: Fujamos da presença de Israel! O Senhor peleja por eles contra o Egito.
26 Disse o Senhor a Moisés: Estende a mão sobre o mar, para que as águas se tornem sobre os egípcios, sobre os seus carros e sobre os seus cavaleiros.
27 Então Moisés estendeu a mão sobre o mar, e o mar retomou a sua força ao amanhecer. Os egípcios foram de encontro a ele, e o Senhor derrubou os egípcios no meio do mar.
28 As águas, tornando, cobriram os carros e os cavaleiros de todo o exército de faraó, que os haviam seguido no mar. Nem ainda um deles ficou.
29 Os filhos de Israel, porém, caminharam a pé enxuto pelo meio do mar, e as águas lhes foram qual muro à sua direita e à sua esquerda.
30 Assim o Senhor salvou a Israel naquele dia das mãos dos egípcios, e Israel viu os egípcios mortos na praia do mar.
31 Quando Israel viu o grande poder que o Senhor mostrara aos egípcios, o povo temeu ao Senhor e confiou no Senhor e em Moisés, seu servo.

## O cântico de Moisés e Miriã

**15** Então cantaram Moisés e os filhos de Israel este cântico ao Senhor:
Cantarei ao Senhor,
 pois sumamente se exaltou.
Lançou no mar o cavalo e o
 seu cavaleiro.
2 O Senhor é a minha força
 e o meu cântico;
 ele me foi por salvação.
Este é o meu Deus, portanto
 eu o louvarei;
 ele é o Deus de meu pai, por
 isso o exaltarei.
3 O Senhor é um guerreiro;
 o Senhor é o seu nome.
4 Lançou no mar os carros de
 faraó e o seu exército.
Os seus príncipes afogaram-
 -se no mar Vermelho.
5 Os abismos os cobriram;
 desceram às profundezas
 como pedra.
6 A tua destra, ó Senhor,
 é gloriosa em poder;
 a tua mão direita, ó Senhor,
 despedaça o inimigo.
7 Na grandeza da tua excelência
 derrubaste os que se
 levantaram contra ti.
Enviaste o teu furor, que os
 consumiu como palha.

8 Com o sopro das tuas narinas amontoaram-se as águas.
As correntes pararam em montão;
os abismos coalharam-se no coração do mar.
9 O inimigo dizia: Perseguirei, alcançarei,
repartirei os despojos;
a minha alma se fartará deles,
arrancarei a minha espada,
a minha mão os destruirá.
10 Sopraste com o teu vento, e o mar os cobriu.
Afundaram-se como chumbo em impetuosas águas.
11 Ó Senhor, quem é como tu entre os deuses?
Quem é como tu glorificado em santidade,
terrível em louvores, que opera maravilhas?
12 Estendeste a mão direita, e a terra os tragou.
13 Tu, com a tua beneficência, guiarás o povo que remiste.
Com a tua força o levarás à tua santa habitação.
14 Os povos o ouvirão e tremerão;
a angústia tomará conta dos habitantes da Filístia.
15 Os príncipes de Edom se perturbarão,
dos poderosos dos moabitas se apoderará tremor,
todos os habitantes de Canaã serão destruídos.
16 Espanto e pavor cairão sobre eles.
Pela grandeza do teu braço emudecerão como pedra;
até que o teu povo haja passado, ó Senhor,
até que passe o povo que adquiriste.
17 Tu os introduzirás e os plantarás
no monte da tua herança,
no lugar que tu, ó Senhor, preparaste para a tua habitação,
no santuário, ó Senhor, que as tuas mãos estabeleceram.
18 O Senhor reinará eterna e perpetuamente.
19 Quando os cavalos de faraó, com os seus carros e com os seus cavaleiros, entraram no mar, o Senhor fez tornar as águas do mar sobre eles, mas os filhos de Israel passaram em seco pelo meio do mar.
20 Então Miriã, a profetisa, irmã de Arão, tomou um tamborim, e todas as mulheres saíram atrás dela com tamborins e com danças.
21 E Miriã lhes respondia:
Cantai ao Senhor,
pois sumamente se exaltou,
e lançou no mar o cavalo com o seu cavaleiro.
22 Depois fez Moisés partir os israelitas do mar Vermelho, e saíram para o deserto de Sur. Caminharam três dias no deserto e não acharam água.

**As águas amargas tornam-se doces**

23 Então chegaram a Mara, mas não puderam beber as águas de Mara, porque eram amargas. E por isso que o lugar é chamado Mara.
24 E o povo murmurou contra Moisés, dizendo: Que havemos de beber?
25 Então Moisés clamou ao Senhor, e o Senhor lhe mostrou uma árvore. Lançou-a Moisés nas águas, e as águas se tornaram doces. Ali Deus lhes deu estatutos e uma ordenança, e ali os provou.

**26** Disse ele: Se ouvires atentamente a voz do Senhor, o teu Deus, e fizeres o que é reto diante dos seus olhos, e inclinares os teus ouvidos aos seus mandamentos, e guardares todos os seus estatutos, nenhuma enfermidade virá sobre ti, das que enviei sobre os egípcios, pois eu sou o Senhor que te sara.
**27** Então chegaram a Elim, onde havia doze fontes de água e setenta palmeiras, e se acamparam junto das águas.

### Deus manda o maná

**16** Partiram de Elim, e toda a congregação dos filhos de Israel veio ao deserto de Sim, que está entre Elim e Sinai, aos quinze dias do segundo mês, depois que saíram da terra do Egito.
**2** Toda a congregação dos filhos de Israel murmurou contra Moisés e contra Arão no deserto.
**3** Disseram-lhes os filhos de Israel: Quem nos dera tivéssemos morrido pela mão do Senhor na terra do Egito, quando estávamos sentados junto às panelas de carne, quando comíamos pão a fartar! Tu nos trouxeste a este deserto, para matardes de fome a toda esta multidão.
**4** Então disse o Senhor a Moisés: Eu vos farei chover pão dos céus. O povo sairá e colherá diariamente a porção para cada dia, para que eu o prove se anda em minha lei ou não.
**5** Ao sexto dia prepararão o que colherem, e será o dobro do que colhem cada dia.
**6** Então disseram Moisés e Arão a todos os filhos de Israel: À tarde, sabereis que o Senhor vos tirou da terra do Egito,
**7** e amanhã vereis a glória do Senhor, porque ele ouviu as vossas murmurações contra o Senhor. Quem somos nós, para que murmureis contra nós?
**8** Disse mais Moisés: Será isso quando o Senhor, à tarde, vos der carne para comer e, pela manhã, pão a fartar, porque o Senhor ouviu as vossas murmurações, com que murmurais contra ele. Quem somos nós? As vossas murmurações não são contra nós, e sim contra o Senhor.
**9** Então disse Moisés a Arão: Dize a toda a congregação dos filhos de Israel: Chegai-vos à presença do Senhor, pois ele ouviu as vossas murmurações.
**10** Enquanto Arão falava a toda a congregação dos filhos de Israel, eles se viraram para o deserto, e lá estava a glória do Senhor na nuvem.
**11** Então disse o Senhor a Moisés:
**12** Tenho ouvido as murmurações dos filhos de Israel; dize-lhes: Ao crepúsculo comereis carne e, pela manhã, vos fartareis de pão. Então sabereis que eu sou o Senhor, o vosso Deus.
**13** À tarde, subiram codornizes e cobriram o arraial e, pela manhã, havia uma camada de orvalho ao redor do arraial.
**14** Quando se evaporou o orvalho caído, sobre a face do deserto estava uma coisa fina e semelhante a escamas, fina como a geada sobre a terra.
**15** Vendo-a os filhos de Israel, disseram uns aos outros: Que é isso? Pois não sabiam o que era. Disse-lhes Moisés: Este é o pão que o Senhor vos deu para comer.
**16** Esta é a ordem do Senhor: Colhei dele cada um conforme o

que pode comer, um ômer por cabeça, segundo o número de vossas pessoas. Cada um tomará para os que se acharem na sua tenda.
17 Assim o fizeram os filhos de Israel; e colheram, uns mais, outros menos.
18 Medindo-o com o ômer, porém, não sobrava ao que colhera muito nem faltava ao que colhera pouco. Cada um colheu tanto quanto podia comer.
19 Disse-lhes Moisés: Ninguém deixe dele para amanhã.
20 Eles, porém, não deram ouvidos a Moisés; antes alguns deixaram um pouco para o dia seguinte; entretanto, ele criou bichos e cheirava mal. E Moisés se indignou contra eles.
21 Colhiam-no, pois, pela manhã, cada um conforme o que podia comer, e, vindo o calor, se derretia.
22 Ao sexto dia, colheram pão em dobro, dois ômeres para cada um; e os principais da congregação vieram e contaram-no a Moisés.
23 Ele lhes disse: Isto é o que o Senhor disse: Amanhã é repouso, o santo sábado do Senhor. O que quiserdes assar no forno, assai-o, e o que quiserdes cozer em água, cozei-o em água. Tudo o que sobrar, ponde de lado, para amanhã.
24 Guardaram-no até pela manhã, como Moisés ordenara, e não cheirou mal nem houve nele bicho algum.
25 Então disse Moisés: Comei-o hoje, porque hoje é o sábado do Senhor. Hoje não o achareis no campo.
26 Seis dias o colhereis, mas no sétimo dia, o sábado, nada achareis.
27 Ao sétimo dia, saíram alguns do povo para colher, mas não o acharam.
28 Então disse o Senhor a Moisés: Até quando recusareis guardar os meus mandamentos e as minhas leis?
29 Lembrai-vos de que o Senhor vos deu o sábado, por isso ele no sexto dia vos dá pão para dois dias. Cada um fique no seu lugar, que ninguém saia do seu lugar no sétimo dia.
30 Assim repousou o povo no sétimo dia.
31 A casa de Israel deu-lhe o nome de maná. Era como semente de coentro e tinha o sabor de bolos de mel.
32 Disse Moisés: Esta é a palavra que o Senhor ordenou: Encherás um ômer dele e o guardarás para as vossas gerações, para que vejam o pão que vos tenho dado a comer neste deserto, quando vos tirei da terra do Egito.
33 Disse também Moisés a Arão: Toma um vaso, mete nele um ômer cheio de maná e põe-no diante do Senhor, a fim de que seja guardado para as vossas gerações.
34 Como o Senhor tinha ordenado a Moisés, assim Arão o pôs diante do Testemunho para ser guardado.
35 Comeram os filhos de Israel maná quarenta anos, até que entraram em terra habitada; comeram maná até que chegaram aos termos da terra de Canaã.
36 Um ômer é a décima parte do efa.

### A água da rocha

**17** Toda a congregação dos filhos de Israel partiu do deserto de Sim, indo de lugar a lugar, segundo o mandamento do Senhor. Acamparam-se em Refidim, mas não havia ali água para o povo beber.

2 Então contendeu o povo com Moisés e disse: Dá-nos água para beber. Respondeu-lhes Moisés: Por que contendeis comigo? Por que tentais ao Senhor?
3 Tendo aí o povo sede de água, murmurou contra Moisés e disse: Por que nos fizeste subir do Egito, para nos matares de sede, a nós, a nossos filhos e a nosso gado?
4 Clamou Moisés ao Senhor: Que farei com este povo? Daqui a pouco me apedrejarão.
5 Então disse o Senhor a Moisés: Passa adiante do povo. Toma contigo alguns dos anciãos de Israel, leva contigo a tua vara, com que feriste o rio, e vai.
6 Eu estarei ali diante de ti sobre a rocha, em Horebe. Ferirás a rocha, e dela sairá água, e o povo beberá. Moisés assim o fez, na presença dos anciãos de Israel.
7 E chamou o nome daquele lugar Massá e Meribá, por causa da contenda dos filhos de Israel e porque tentaram ao Senhor, dizendo: Está o Senhor no meio de nós ou não?

### Amaleque peleja contra os israelitas

8 Então veio Amaleque e pelejou contra Israel em Refidim.
9 Pelo que disse Moisés a Josué: Escolhe-nos homens e sai, peleja contra Amaleque. Amanhã eu estarei no cume do outeiro, e a vara de Deus estará na minha mão.
10 Fez Josué como Moisés lhe dissera e pelejou contra Amaleque; mas Moisés, Arão e Hur subiram ao cume do outeiro.
11 Quando Moisés levantava as mãos, Israel prevalecia, mas, quando ele baixava as mãos, Amaleque prevalecia.
12 Quando as mãos de Moisés ficaram cansadas, tomaram uma pedra e a puseram debaixo dele, e ele se sentou nela. Arão e Hur sustentavam-lhe as mãos, um de cada lado; assim ficaram as suas mãos firmes até que o sol se pôs.
13 Assim Josué venceu o exército amalequita a fio de espada.
14 Então disse o Senhor a Moisés: Escreve isto para memória num livro e repete-o a Josué, porque riscarei totalmente a memória de Amaleque de debaixo dos céus.
15 Edificou Moisés um altar e lhe chamou "O Senhor é a minha bandeira".
16 Disse ele: Pois mãos foram levantadas ao trono do Senhor. O Senhor fará guerra contra Amaleque de geração em geração.

### Jetro visita Moisés

**18** Ora Jetro, sacerdote de Midiã, sogro de Moisés, ouviu todas as coisas que Deus tinha feito a Moisés e a Israel, seu povo, e como o Senhor tinha tirado a Israel do Egito.
2 E Jetro, sogro de Moisés, tomou Zípora, mulher de Moisés, depois que este a enviara,
3 e os seus dois filhos, dos quais um se chamava Gérson, pois Moisés disse: Fui peregrino em terra estrangeira;
4 e o outro se chamava Eliezer, pois disse: o Deus de meu pai foi minha ajuda e me livrou da espada de faraó.
5 Vindo, pois, Jetro, sogro de Moisés, com os filhos e com a mulher deste, ao encontro de Moisés no deserto, ao monte de Deus, onde se tinha acampado,

**6** disse a Moisés: Eu, teu sogro Jetro, venho a ti, com a tua mulher e seus dois filhos.
**7** Então saiu Moisés ao encontro do seu sogro e se inclinou e o beijou, e perguntaram um ao outro como estavam, e entraram na tenda.
**8** Contou Moisés a seu sogro todas as coisas que o Senhor tinha feito a faraó e aos egípcios por amor de Israel, e todo o trabalho que passaram no caminho, e como o Senhor os livrara.
**9 A**legrou-se Jetro de todo o bem que o Senhor tinha feito a Israel, livrando-o das mãos dos egípcios,
**10** e disse: Bendito seja o Senhor, que vos livrou das mãos dos egípcios e das mãos de faraó.
**11** Agora sei que o Senhor é maior que todos os deuses, pois fez isto aos que trataram a Israel com arrogância.
**12** Então tomou Jetro, sogro de Moisés, holocausto e sacrifícios para Deus; e veio Arão e todos os anciãos de Israel para comerem pão com o sogro de Moisés diante de Deus.
**13 N**o dia seguinte, assentou-se Moisés para julgar o povo, e o povo estava em pé diante de Moisés desde a manhã até a tarde.
**14** Vendo o sogro de Moisés tudo o que ele fazia ao povo, disse: Que é isso que fazes ao povo? Por que te assentas só, e todo o povo está em pé diante de ti, desde a manhã até o cair da tarde?
**15** Respondeu Moisés a seu sogro: É porque o povo vem a mim para consultar a Deus.
**16** Quando tem alguma questão vem a mim, para que eu julgue entre um e outro e lhes declare os estatutos de Deus e as suas leis.
**17** O sogro de Moisés, porém, lhe disse: Não é bom o que fazes.
**18** Certamente desfalecerás, assim tu, como este povo que está contigo. O trabalho te é pesado demais; tu só não o podes fazer.
**19** Ouve agora a minha voz, e te aconselharei, e Deus seja contigo. Representa o povo diante de Deus e leva as suas causas a Deus.
**20** Ensina-lhes os estatutos e as leis, e faze-lhes saber o caminho em que devem andar, e a obra que devem fazer.
**21** Procura, porém, no meio de todo o povo homens capazes, tementes a Deus, homens de verdade, que aborreçam a avareza; põe-nos sobre eles por chefes de mil, chefes de cem, chefes de cinquenta e chefes de dez.
**22** Julguem este povo em todo o tempo. Que a ti tragam toda causa grave, mas toda causa pequena eles mesmos a julguem. Assim a ti mesmo te aliviarás da carga, e eles a levarão contigo.
**23** Se isso fizeres, e Deus assim ordenar, poderás então suportar a tensão; e também todo este povo irá em paz para o seu lugar.
**24** Moisés deu ouvidos à palavra de seu sogro, e fez tudo o que este lhe dissera.
**25** Escolheu Moisés homens capazes, de todo o Israel, e os pôs por cabeças sobre o povo, chefes de mil, chefes de cem, chefes de cinquenta e chefes de dez.
**26** Eles julgaram o povo em todo o tempo. A causa grave trouxeram a Moisés, e toda causa pequena julgaram eles.
**27** Então despediu Moisés a seu sogro, o qual se foi para a sua terra.

## No monte Sinai

**19** No terceiro mês da saída dos filhos de Israel da terra do Egito, nesse mesmo dia, chegaram ao deserto do Sinai.
**2** Tendo partido de Refidim, chegaram ao deserto do Sinai, e Israel se acampou ali no deserto em frente do monte.
**3** Subiu Moisés a Deus, e o Senhor o chamou do monte, dizendo: Assim falarás à casa de Jacó e anunciarás aos filhos de Israel:
**4** Vistes o que fiz aos egípcios, como vos levei sobre asas de águias e vos trouxe a mim.
**5** Agora, se diligentemente ouvirdes a minha voz e guardardes a minha aliança, sereis a minha propriedade peculiar entre todos os povos. Embora toda a terra seja minha,
**6** vós me sereis reino sacerdotal e nação santa. São estas as palavras que falarás aos filhos de Israel.
**7** Veio Moisés, chamou os anciãos do povo e lhes expôs todas estas palavras que o Senhor lhe tinha ordenado.
**8** Então todo o povo respondeu a uma voz: Tudo o que o Senhor falou, faremos. E relatou Moisés ao Senhor as palavras do povo.
**9** Disse o Senhor a Moisés: Eu virei a ti em uma nuvem espessa, para que o povo ouça quando eu falar contigo e para que também sempre creiam em ti. Então Moisés anunciou as palavras do seu povo ao Senhor.
**10** Disse mais o Senhor a Moisés: Vai ao povo e santifica-os hoje e amanhã. Lavem eles as suas vestes
**11** e estejam prontos para o terceiro dia, porque no terceiro dia o Senhor descerá à vista de todo o povo sobre o monte Sinai.
**12** Marcarás limites ao povo em redor, dizendo: Guardai-vos de subir ao monte, e não toqueis o seu termo. Todo aquele que tocar no monte, certamente será morto.
**13** Certamente será apedrejado ou flechado; nenhuma mão tocará nele. Quer seja animal, quer seja homem, não viverá. Quando soar longamente a buzina, então subirão ao monte.
**14** Então Moisés desceu do monte ao povo, e santificou o povo, e lavaram as suas vestes.
**15** E Moisés disse ao povo: Estai prontos para o terceiro dia. Não toqueis mulher nenhuma.
**16** Ao amanhecer do terceiro dia, houve trovões, e relâmpagos, e uma espessa nuvem sobre o monte, e um sonido de buzina muito forte. Todo o povo que estava no arraial se estremeceu.
**17** Então levou Moisés o povo para fora do arraial ao encontro de Deus, e puseram-se ao pé do monte.
**18** Todo o monte Sinai fumegava, porque o Senhor descera sobre ele em fogo. A sua fumaça subia como a fumaça de uma fornalha; todo o monte tremia grandemente,
**19** e o clangor da buzina ia aumentando cada vez mais. Então Moisés falava, e Deus lhe respondia por uma voz.
**20** Descendo o Senhor para o cume do monte Sinai, chamou Moisés para o cume do monte. Moisés subiu,
**21** e o Senhor lhe disse: Desce, adverte ao povo que não ultrapasse o termo até o Senhor para vê-lo, a fim de muitos deles não perecerem.
**22** Também os sacerdotes, que se chegam ao Senhor, se hão de

consagrar, para que o Senhor não se lance sobre eles.

23 Então disse Moisés ao Senhor: O povo não poderá subir ao monte Sinai, porque tu nos advertiste, dizendo: Marca limites ao redor do monte e consagra-o.

24 Respondeu-lhe o Senhor: Vai, desce; depois subirás tu, e Arão contigo. Os sacerdotes, porém, e o povo não ultrapassem o termo para subir ao Senhor, para que não se lance sobre eles.

25 Desceu, pois, Moisés ao povo e lhes disse isso.

### Os dez mandamentos

**20** Então falou Deus todas estas palavras:

2 Eu sou o Senhor, o teu Deus, que te tirei da terra do Egito, da casa da servidão.

3 Não terás outros deuses diante de mim.

4 Não farás para ti imagem de escultura nem semelhança alguma do que há nos céus, na terra, ou nas águas debaixo da terra.

5 Não te encurvarás a elas nem as servirás; pois eu, o Senhor, o teu Deus, sou Deus zeloso, que visito a maldade dos pais nos filhos até a terceira e quarta geração daqueles que me odeiam,

6 mas faço misericórdia até mil gerações daqueles que me amam e guardam os meus mandamentos.

7 Não tomarás o nome do Senhor, o teu Deus, em vão, pois o Senhor não terá por inocente o que tomar o seu nome em vão.

8 Lembra-te do dia do sábado, para o santificar.

9 Seis dias trabalharás e neles farás toda a tua obra,

10 mas o sétimo dia é o sábado do Senhor, o teu Deus. Não farás nenhum trabalho, nem tu, nem o teu filho, nem a tua filha, nem o teu escravo, nem a tua escrava, nem o teu animal, nem o estrangeiro que está dentro das tuas portas.

11 Pois em seis dias fez o Senhor o céu e a terra, o mar e tudo o que neles há, mas ao sétimo dia descansou. Por isso, abençoou o Senhor o dia de sábado e o santificou.

12 Honra a teu pai e a tua mãe, para que se prolonguem os teus dias na terra que o Senhor, o teu Deus, te dá.

13 Não matarás.

14 Não adulterarás.

15 Não furtarás.

16 Não dirás falso testemunho contra o teu próximo.

17 Não cobiçarás a casa do teu próximo, não cobiçarás a mulher do teu próximo, nem o seu escravo, nem a sua escrava, nem o seu boi, nem o seu jumento, nem coisa alguma do teu próximo.

18 Quando o povo viu os trovões, os relâmpagos, o som da buzina e o monte fumegante, tremeu de medo, retirou-se, pôs-se de longe

19 e disse a Moisés: Fala tu conosco, e ouviremos. Mas não fale Deus conosco, para que não morramos.

20 Respondeu Moisés ao povo: Não temais. Deus veio para vos provar e para que o seu temor esteja diante de vós, para que não pequeis.

21 O povo permaneceu em pé de longe, enquanto Moisés se chegou às densas trevas, onde Deus estava.

### Ídolos e altares

22 Então disse o Senhor a Moisés: Assim dirás aos filhos de Israel: Vistes que do céu eu vos falei.

**23** Não fareis outros deuses ao lado de mim; deuses de prata ou deuses de ouro não fareis para vós.
**24** Um altar de terra me farás e sobre ele sacrificarás os teus holocaustos, as tuas ofertas pacíficas, as tuas ovelhas e os teus bois. Em todo o lugar onde eu fizer celebrar a memória do meu nome, virei a ti e te abençoarei.
**25** Se me levantares um altar de pedras, não o farás de pedras lavradas, pois, se sobre ele usares a tua ferramenta, tu o profanarás.
**26** Não subirás por degraus ao meu altar, para que não seja ali exposta a tua nudez.

### Leis acerca dos escravos

**21** São estes os estatutos que lhes proporás:
**2** Se comprares um escravo hebreu, seis anos servirá. Mas ao sétimo sairá forro, de graça.
**3** Se entrou sozinho, sozinho sairá; mas, se era homem casado, com ele sairá a sua mulher.
**4** Se o seu senhor lhe houver dado uma mulher, e ela lhe houver dado filhos ou filhas, a mulher e os filhos dela serão do seu senhor, e ele sairá sozinho.
**5** Se, porém, esse escravo expressamente disser: Eu amo a meu senhor, e a minha mulher, e a meus filhos, e não quero sair forro,
**6** então, o seu senhor o levará perante os juízes e o fará chegar à porta, ou ao batente, e o seu senhor lhe furará a orelha com uma sovela. Então ele o servirá para sempre.
**7** Se um homem vender a sua filha como escrava, ela não será liberta como os escravos.
**8** Se ela não agradar ao seu senhor, que a escolheu para si, ele deve permitir que ela seja resgatada. Não poderá vendê-la a um povo estranho, pois isso será deslealdade para com ela.
**9** Se, porém, a casar com seu filho, deve conceder-lhe os direitos de filha.
**10** Se ele der ao filho outra mulher, não diminuirá o mantimento, as vestes, ou os direitos conjugais da primeira.
**11** Se não lhe fizer essas três coisas, ela poderá ir embora sem pagar quantia alguma.
**12** Quem ferir um homem, de modo que este morra, certamente será morto.
**13** Se, porém, não fez isso premeditadamente, mas Deus permitiu que isso acontecesse, deverá ele fugir para um lugar que te designarei.
**14** Se, contudo, alguém se levantar intencionalmente contra o seu próximo, matando-o à traição, será tirado até mesmo do meu altar, para que morra.
**15** Quem ferir a seu pai ou a sua mãe, certamente será morto.
**16** O que raptar alguém e o vender, ou for achado com ele em seu poder, certamente será morto.
**17** Quem amaldiçoar seu pai ou a sua mãe, certamente será morto.
**18** Se dois homens brigarem, e um ferir o outro com pedra ou com o punho, e este não morrer, mas cair de cama,
**19** se ele tornar a levantar-se e andar com o auxílio de uma bengala, então, aquele que o feriu será absolvido; somente lhe pagará o tempo perdido e o fará curar-se totalmente.
**20** Se alguém ferir seu escravo ou a sua escrava com pau, e o ferido morrer, certamente será punido,

21 mas, se ficar vivo por um ou dois dias, não será punido, porque é dinheiro seu.
22 Se homens brigarem, e ferirem uma mulher grávida, e forem causa de que ela dê à luz prematuramente, sem que haja morte, certamente o ofensor será multado conforme o que lhe impuser o marido da mulher e pagará segundo decisão dos juízes.
23 Se, contudo, houver dano grave, então, darás vida por vida,
24 olho por olho, dente por dente, mão por mão, pé por pé,
25 queimadura por queimadura, ferida por ferida, golpe por golpe.
26 Se alguém ferir o olho do seu escravo ou o olho da sua escrava e o danificar, o deixará livre por causa do seu olho.
27 E, se tirar o dente do seu escravo ou o dente da sua escrava, o deixará livre por causa do seu dente.
28 Se um boi chifrar um homem ou uma mulher, e isso lhe causar a morte, o boi será apedrejado, e a sua carne não se comerá. Mas o dono do boi será absolvido.
29 Se, porém, o boi costumava chifrar, e o seu dono, tendo sido alertado disso, não o prendeu, e o boi matar homem ou mulher, será apedrejado, e também o seu dono será morto.
30 Se lhe for imposto resgate, então dará como resgate da sua vida tudo o que lhe for exigido.
31 Quer tenha chifrado um menino, quer tenha chifrado uma menina, conforme este estatuto lhe será feito.
32 Se o boi chifrar um escravo ou uma escrava, trinta siclos de prata o dono dele receberá, e o boi será apedrejado.
33 Se alguém abrir ou deixar aberta uma cova e não a cobrir, e nela cair boi ou jumento,
34 o dono da cova terá de pagar o prejuízo, mas ficará com o animal morto.
35 Se o boi de alguém ferir de morte o boi do seu próximo, será vendido o boi vivo e o dinheiro dele se repartirá igualmente, e também o morto se repartirá igualmente.
36 Se, porém, for notório que o boi costumava chifrar, e o seu dono não o guardou, certamente pagará boi por boi, e ficará com o animal morto.

### Leis acerca da propriedade

**22** Se alguém furtar boi ou ovelha e o abater ou vender, por um boi pagará cinco bois e pela ovelha quatro ovelhas.
2 Se um ladrão for pego arrombando uma casa e for ferido mortalmente, o que o feriu não será culpado do sangue.
3 Se, porém, já havia sol quando tal se deu, quem o feriu será culpado do sangue. O ladrão fará restituição total, mas, se não tiver com que pagar, será vendido por seu furto.
4 Se o furto for achado vivo na sua mão, seja boi, ou jumento, ou ovelha, pagará o dobro.
5 Se alguém fizer pastar o seu animal num campo ou numa vinha e o largar para comer no campo de outro, indenizará com o melhor do seu próprio campo e o melhor da sua própria vinha.
6 Se, ao alastrar-se o fogo, pegar nos espinheiros e destruir o trigo ou a lavoura, aquele que acendeu o fogo pagará totalmente o queimado.

**7** Se alguém der dinheiro ou objetos ao seu próximo para serem guardados, e isso for roubado da casa daquele homem, se o ladrão for achado, pagará o dobro.
**8** Se o ladrão não for achado, o dono da casa será levado à presença dos juízes para se verificar se não se apoderou dos bens do seu próximo.
**9** Em todo caso de litígio, seja a respeito de boi, ou de jumento, ou de ovelhas, ou de vestes, ou de qualquer coisa perdida de alguém que disser que é sua, a causa de ambas as partes será levada perante os juízes. Aquele a quem os juízes condenarem pagará o dobro ao seu próximo.
**10** Se alguém der ao seu próximo para guardar o seu jumento, boi, ou ovelha, ou outro animal qualquer, e este morrer, ou for dilacerado, ou levado, sem que ninguém o veja,
**11** então haverá o juramento do Senhor entre ambos, de que não se apropriou dos bens do seu próximo. O dono aceitará o juramento, e o outro não fará restituição.
**12** Se, porém, o animal lhe tiver sido furtado, ele indenizará o seu dono.
**13** Se tiver sido dilacerado, o trará em testemunho disso e não pagará o dilacerado.
**14** Se alguém pedir emprestado a seu próximo algum animal, e este for danificado ou morrer, não estando presente o seu dono, certamente dará indenização.
**15** Se, contudo, o dono estiver presente, não fará restituição. Se foi alugado, o preço do aluguel será o pagamento.

### Leis sociais

**16** Se alguém seduzir uma virgem que ainda não tenha compromisso de casamento e se deitar com ela, certamente pagará o seu dote, e a tomará por mulher.
**17** Se o pai dela definitivamente recusar dá-la, pagará ele em dinheiro conforme o dote das virgens.
**18** A feiticeira não deixarás viver.
**19** Todo aquele que se deitar com animal, certamente será morto.
**20** Quem sacrificar aos deuses, e não somente ao Senhor, será morto.
**21** O estrangeiro não afligirás nem o oprimirás, pois estrangeiros fostes na terra do Egito.
**22** A nenhuma viúva nem órfão afligireis.
**23** Se de alguma maneira os afligirdes, e eles clamarem a mim, eu certamente ouvirei o seu clamor.
**24** A minha ira se acenderá, e vos matarei à espada; as vossas mulheres ficarão viúvas, e os vossos filhos, órfãos.
**25** Se emprestares dinheiro ao meu povo, ao pobre que está contigo, não te comportarás com ele como credor; não lhe imporás juros.
**26** Se tomares como garantia a veste do teu próximo, tu a restituirás antes do pôr do sol,
**27** porque é a sua única cobertura; é a vestimenta da sua pele. Em que se deitaria? Quando clamar a mim, eu o ouvirei, pois sou misericordioso.
**28** Contra Deus não blasfemarás, nem amaldiçoarás a autoridade do teu povo.
**29** Não tardarás em trazer ofertas do melhor das tuas colheitas e das tuas vinhas. O primogênito de teus filhos me darás.
**30** Assim farás com os teus bois e com as tuas ovelhas. Sete dias ficará a cria com a mãe, mas ao oitavo dia ela me será dada.

31 Sede homens santos. Portanto, não comereis carne despedaçada no campo; aos cães a lançareis.

### Leis de justiça e misericórdia

**23** Não espalharás notícias falsas nem serás cúmplice do ímpio, para seres testemunha injusta.
2 Não seguirás a multidão para fazeres o mal; num processo não deporás, acompanhando a maioria, para perverter a justiça.
3 Nem ao pobre favorecerás na sua causa.
4 Se encontrares o boi do teu inimigo ou o seu jumento desgarrado, sem falta o reconduzirás a ele.
5 Se vires o jumento daquele que te odeia deitado debaixo da sua carga, não o deixarás aí, certamente o ajudarás a levantá-lo.
6 Não perverterás o direito dos pobres na sua causa.
7 Da falsa acusação te guardarás; não matarás o inocente e o justo, pois não justificarei o ímpio.
8 Também suborno não aceitarás, pois o suborno cega os que têm vista e perverte as palavras dos justos.
9 Também não oprimirás o estrangeiro; vós conheceis o coração do estrangeiro, porque fostes estrangeiros na terra do Egito.

### O ano de descanso e o sábado

10 Seis anos semearás a tua terra e recolherás os seus frutos,
11 mas no sétimo ano a deixarás descansar, para que possam comer os pobres do teu povo, e da sobra comam os animais do campo. Assim farás com a tua vinha e com o teu olival.
12 Seis dias farás os teus trabalhos, mas ao sétimo dia descansarás, para que descanse o teu boi e o teu jumento e para que tome alento o filho da tua escrava e o estrangeiro.
13 Prestai atenção a tudo o que vos tenho dito. Do nome de outros deuses não vos lembreis, nem se ouça da vossa boca.

### As três festas anuais

14 Três vezes no ano me celebrareis festa.
15 A festa dos pães sem fermento guardarás; sete dias comerás pães sem fermento, como te ordenei, ao tempo apontado, no mês de abibe, pois nele saíste do Egito. Ninguém apareça de mãos vazias perante mim.
16 Guardarás a festa da colheita dos primeiros frutos do teu trabalho, que houveres semeado no campo. Guardarás a festa da colheita no final do ano, quando tiveres recolhido do campo os frutos do teu trabalho.
17 Três vezes no ano todos os teus homens aparecerão diante do Senhor Deus.
18 Não oferecerás o sangue do meu sacrifício com pão fermentado; não guardará da noite para a manhã a gordura da minha festa.
19 O melhor dos primeiros frutos da tua terra trarás à casa do Senhor, o teu Deus. Não cozinharás o cabrito no leite da sua mãe.

### Deus promete enviar um anjo

20 Eu envio um anjo adiante de ti, para te guardar pelo caminho e te levar ao lugar que te preparei.
21 Guarda-te diante dele e ouve a sua voz. Não te rebeles contra ele; ele não perdoará a vossa rebeldia, pois nele está o meu nome.

22 Se, porém, diligentemente ouvires a sua voz e fizeres tudo o que eu disser, então, serei inimigo dos teus inimigos e adversário dos teus adversários.

23 O meu anjo irá adiante de ti e te levará aos amorreus, aos heteus, aos ferezeus, aos cananeus, aos heveus e aos jebuseus, e eu os destruirei.

24 Não te inclinarás diante dos seus deuses, não os servirás nem farás conforme as suas obras. Antes os destruirás totalmente e quebrarás de todo as suas colunas.

25 Servireis ao Senhor, o vosso Deus, e ele abençoará o vosso pão e a vossa água. Tirarei do meio de vós as enfermidades,

26 e na tua terra não haverá mulher que aborte nem estéril. O número dos teus dias completarei.

27 Enviarei o meu terror à tua frente pondo em confusão todo o povo em cujas terras entrares. Farei que todos os teus inimigos te voltem as costas e fujam.

28 Enviarei vespas à tua frente, que lancem fora os heveus, os cananeus e os heteus de diante de ti.

29 Não os expulsarei num só ano, para que a terra não se transforme em deserto, e as feras do campo não se multipliquem e te ameacem.

30 Pouco a pouco os expulsarei, até que te multipliques e possuas a terra por herança.

31 Porei os teus termos desde o mar Vermelho até o mar dos filisteus e desde o deserto até o Eufrates. Darei nas tuas mãos os moradores da terra, para que os expulse.

32 Não farás aliança alguma com eles nem com os seus deuses.

33 Na tua terra não habitarão, para que não te façam pecar contra mim, porque, se servires aos seus deuses, isso te será uma armadilha.

### A confirmação da aliança

**24** Depois disse a Moisés: Subi ao Senhor, tu, Arão, Nadabe, Abiú e setenta dos anciãos de Israel. Adorai de longe,

2 e só Moisés se chegará ao Senhor; os outros não se chegarão. E o povo não subirá com ele.

3 Veio, pois, Moisés e relatou ao povo todas as palavras do Senhor e todos os estatutos, e o povo respondeu a uma voz: Tudo o que o Senhor falou, faremos.

4 Moisés escreveu todas as palavras do Senhor e, tendo-se levantado pela manhã de madrugada, edificou um altar ao pé do monte e doze colunas, segundo as doze tribos de Israel.

5 Então enviou alguns jovens dos filhos de Israel, os quais ofereceram holocaustos e sacrificaram ao Senhor sacrifícios pacíficos de novilhos.

6 Tomou Moisés a metade do sangue e a pôs em bacias; a outra metade do sangue espargiu sobre o altar.

7 Então tomou o livro da aliança e o leu ao povo, e eles disseram: Tudo o que o Senhor falou faremos fielmente.

8 Tomou, pois, Moisés aquele sangue e o aspergiu sobre o povo, dizendo: Este é o sangue da aliança que o Senhor fez convosco no tocante a todas essas palavras.

9 Subiram Moisés, Arão, Nadabe, Abiú e setenta dos anciãos de Israel

10 e viram o Deus de Israel. Debaixo dos seus pés havia como que

uma calçada de pedra de safira que se parecia com o céu na sua claridade.

11 Deus, contudo, não estendeu a sua mão contra os escolhidos dos filhos de Israel; eles viram a Deus, e comeram, e beberam.

12 Então disse o Senhor a Moisés: Sobe a mim ao monte e espera ali; eu te darei tábuas de pedra, e a lei, e os mandamentos que escrevi, para os ensinares.

13 Levantou-se Moisés com Josué, seu servidor, e subiu ao monte de Deus.

14 Disse Moisés aos anciãos: Esperai-nos aqui até que tornemos a vós. Arão e Hur ficam convosco, e quem tiver alguma questão, se chegará a eles.

15 Tendo Moisés subido, a nuvem cobriu o monte,

16 e a glória do Senhor repousou sobre o monte Sinai. A nuvem o cobriu por seis dias. No sétimo dia, chamou Deus Moisés do meio da nuvem.

17 Aos olhos dos filhos de Israel a glória do Senhor era como um fogo consumidor no cume do monte.

18 Então, Moisés entrou na nuvem, depois que subiu ao monte, e lá permaneceu quarenta dias e quarenta noites.

**Ofertas para o tabernáculo**

**25** Então disse o Senhor a Moisés:
2 Fala aos filhos de Israel que me tragam uma oferta. De todo homem cujo coração se mover voluntariamente, dele tomareis a minha oferta.
3 Esta é a oferta que recebereis deles: ouro, prata, bronze,
4 estofo azul, púrpura, carmesim, linho fino, pelos de cabras,
5 peles de carneiros tingidas de vermelho, peles de animais marinhos, madeira de acácia,
6 azeite para a luz, especiarias para o óleo da unção e para o incenso aromático,
7 pedras ônix e pedras de engaste, para a estola e para o peitoral.
8 E me farão um santuário, para que eu habite no meio deles.
9 Conforme tudo o que eu te mostrar para modelo do tabernáculo e para modelo de todos os seus móveis, assim mesmo o fareis.

**A arca**

10 Também farão uma arca de madeira de acácia; o seu comprimento será de dois côvados e meio, a sua largura de um côvado e meio, e a sua altura de um côvado e meio.
11 Tu a cobrirás de ouro puro, por dentro e por fora, e farás sobre ela uma moldura de ouro ao redor.
12 Fundirás para ela quatro argolas de ouro e as porás nos seus quatro cantos, duas argolas de um lado e duas do outro.
13 Farás varas de madeira de acácia e as cobrirás com ouro.
14 Meterás as varas nas argolas, aos lados da arca, para se levar por meio delas a arca.
15 As varas permanecerão nas argolas da arca, não se tirarão dela.
16 Então porás na arca o testemunho, que eu te darei.

**O propiciatório**

17 Também farás um propiciatório de ouro puro; o seu comprimento será de dois côvados e meio, e a sua largura de um côvado e meio.
18 Farás dois querubins de ouro batido nas duas extremidades do propiciatório.

19 Farás um querubim numa extremidade e o outro na outra extremidade; de uma só peça com o propiciatório fareis os querubins nas duas extremidades dele.
20 Os querubins estenderão as suas asas por cima, cobrindo com elas o propiciatório. Estarão eles com o rosto voltado um para o outro, o rosto dos querubins estará voltado para o propiciatório.
21 Porás o propiciatório em cima da arca, e dentro dela porás o testemunho que eu te darei.
22 Ali virei a ti e, de cima do propiciatório, do meio dos dois querubins que estão sobre a arca do testemunho, falarei contigo acerca de tudo o que eu te ordenar para os filhos de Israel.

### A mesa

23 Também farás uma mesa de madeira de acácia; o seu comprimento será de dois côvados, a sua largura de um côvado e a sua altura de um côvado e meio.
24 De ouro puro a cobrirás e lhe farás uma moldura de ouro ao redor.
25 Também lhe farás ao redor uma guarnição de quatro dedos de largura, e ao redor da guarnição farás uma moldura de ouro.
26 Também lhe farás quatro argolas de ouro, e as porás nos quatro cantos, que estarão sobre os quatro pés.
27 Junto da guarnição estarão as argolas, como lugares para as varas, para se levar a mesa.
28 Farás estas varas de madeira de acácia e as cobrirás de ouro; com elas se levará a mesa.
29 Também farás os seus pratos, os seus recipientes para incenso e as suas tigelas em que se hão de oferecer libações; de ouro puro as farás.
30 Sobre a mesa porás os pães da proposição perante mim perpetuamente.

### O candelabro

31 Também farás um candelabro de ouro puro, de ouro batido se fará o candelabro; o seu pedestal, a sua haste, os seus cálices, os seus botões e as suas flores formarão com ele uma só peça.
32 Dos seus lados sairão seis hastes: três de um lado e três do outro.
33 Numa haste haverá três cálices com formato de amêndoas, um botão e uma flor; três cálices com formato de amêndoas na outra haste, um botão e uma flor; assim serão as seis hastes que saem do candelabro.
34 No candelabro mesmo, porém, haverá quatro cálices com o formato de amêndoas, com seus botões e suas flores.
35 Haverá um botão debaixo do primeiro par de hastes que sai dele, um segundo botão debaixo do segundo par, um terceiro botão debaixo do terceiro par, seis hastes ao todo.
36 Os botões e as suas hastes formarão uma só peça com o candelabro, obra batida de ouro puro.
37 Também lhe farás sete lâmpadas, as quais se acenderão para iluminar a frente dele.
38 Os seus aparadores e os seus apagadores serão de ouro puro.
39 De um talento de ouro puro se fará o candelabro, com todos estes utensílios.
40 Vê que os faças conforme o modelo que te foi mostrado no monte.

## O tabernáculo

**26** O tabernáculo farás de dez cortinas de linho fino trançado, e de estofo azul, púrpura e carmesim; com querubins as farás de obra de artífice.
2 O comprimento de cada cortina será de vinte e oito côvados; e a largura, de quatro côvados; todas as cortinas terão a mesma medida.
3 Cinco cortinas serão ligadas umas às outras, e as outras cinco também serão ligadas umas às outras.
4 Farás laçadas de estofo azul na borda da última cortina do primeiro grupo; assim também farás na borda da primeira cortina do segundo grupo.
5 Cinquenta laçadas farás numa cortina, e cinquenta na outra cortina no extremo do segundo grupo; as laçadas serão contrapostas umas às outras.
6 Farás cinquenta ganchos de ouro, e prenderás com eles as cortinas, umas às outras, e o tabernáculo virá a ser um todo.
7 Farás também cortinas de pelos de cabras para servirem de tenda sobre o tabernáculo; onze cortinas farás.
8 O comprimento de cada cortina será de trinta côvados, e a largura, de quatro côvados; as onze cortinas serão da mesma medida.
9 Ajuntarás cinco cortinas em um grupo, e as outras seis cortinas em outro grupo, e dobrarás a sexta cortina na frente da tenda.
10 Farás cinquenta laçadas na borda da última cortina do primeiro grupo, e outras cinquenta laçadas na borda da primeira cortina do segundo grupo.
11 Farás também cinquenta ganchos de bronze e os colocarás nas laçadas, e assim ajuntarás a tenda, para que venha a ser um todo.
12 O resto que sobrar das cortinas da tenda, a saber, a meia cortina que sobrar, penderá aos fundos do tabernáculo.
13 O côvado que sobrar de um lado e de outro no comprimento das cortinas da tenda penderá de um e de outro lado do tabernáculo para o cobrir.
14 Farás também para a tenda uma coberta de peles de carneiro, tingidas de vermelho, e por cima desta uma coberta de peles de animais marinhos.

## As tábuas do tabernáculo

15 Farás também as tábuas para o tabernáculo de madeira de acácia, que serão colocadas verticalmente.
16 O comprimento de cada tábua será de dez côvados, e a sua largura, de um côvado e meio.
17 Cada tábua terá dois encaixes, unidos um ao outro; assim farás com todas as tábuas do tabernáculo.
18 Ao fazeres as tábuas para o tabernáculo, farás vinte delas para o lado do sul.
19 Farás também quarenta bases de prata debaixo das vinte tábuas; duas bases debaixo de uma tábua, para os seus dois encaixes, e duas bases debaixo de outra, para os seus dois encaixes.
20 Também haverá vinte tábuas ao outro lado do tabernáculo, para o lado do norte,
21 com as suas quarenta bases de prata; duas bases debaixo de uma tábua e duas bases debaixo de outra.
22 Ao lado do tabernáculo para o ocidente farás seis tábuas.

23 Farás também duas tábuas para os cantos do tabernáculo, na parte posterior,
24 as quais por baixo serão duplas, mas em cima se ajustarão à primeira argola; assim se fará com as duas tábuas; elas serão para os dois cantos.
25 Assim serão as oito tábuas com as suas bases de prata, dezesseis bases: duas bases debaixo de uma tábua e duas bases debaixo de outra.
26 Farás também travessões de madeira de acácia: cinco para as tábuas de um lado do tabernáculo
27 e cinco para as tábuas do outro lado do tabernáculo, bem como cinco para as tábuas do lado posterior do tabernáculo, o que dá para o ocidente.
28 O travessão central passará entre as tábuas, de uma extremidade à outra.
29 Cobrirás de ouro as tábuas e farás de ouro as suas argolas, como lugares para os travessões. Cobrirás também de ouro os travessões.
30 Então levantarás o tabernáculo conforme o modelo que te foi mostrado no monte.

### O véu do tabernáculo

31 Farás também um véu de estofo azul, púrpura e carmesim, e de linho fino trançado; com querubins, obra de artífice se fará.
32 Tu o suspenderás sobre quatro colunas de madeira de acácia, cobertas de ouro; os seus ganchos serão de ouro, sobre quatro bases de prata.
33 Pendurarás o véu debaixo dos ganchos e levarás a arca do testemunho para dentro do véu. Esse véu vos fará separação entre o Lugar Santo e o Santo dos Santos.
34 Porás a coberta do propiciatório sobre a arca do testemunho no Santo dos Santos.
35 A mesa porás fora do véu e o candelabro em frente dela, ao lado do tabernáculo, para o sul, e a mesa porás para o lado do norte.
36 Farás também para a porta da tenda uma cortina de estofo azul, púrpura e carmesim, e de linho fino trançado, obra de bordador.
37 Farás para esta cortina cinco colunas de madeira de acácia e as cobrirás de ouro; os seus ganchos serão de ouro, e para elas fundirás cinco bases de bronze.

### O altar dos holocaustos

**27** Farás também o altar de madeira de acácia; de cinco côvados será o comprimento, de cinco côvados a largura (será quadrado o altar) e de três côvados a altura.
2 Farás as suas pontas nos seus quatro cantos; as suas pontas formarão uma só peça, e o cobrirás de bronze.
3 Farás também recipientes para recolher a sua cinza, e as pás, e as suas bacias, e os garfos, e os braseiros; todos os seus utensílios farás de bronze.
4 Farás também uma grelha de bronze em forma de rede e, para essa rede, quatro argolas de metal nos seus quatro cantos,
5 e a porás debaixo da borda do altar, de maneira que chegue até o meio do altar.
6 Farás também varas para o altar, varas de madeira de acácia, e as cobrirás de bronze.
7 As varas serão colocadas nas argolas, de maneira que estejam de ambos os lados do altar, quando for levado.

# Êxodo 28

8 Oco e de tábuas o farás. Como te foi mostrado no monte, assim o farão.

## O átrio do tabernáculo

9 Farás também o átrio do tabernáculo. Ao lado que dá para o sul, o átrio terá cortinas de linho fino retorcido, de cem côvados de comprimento.
10 Também as suas vinte colunas e as suas vinte bases serão de bronze; os ganchos das colunas e as suas faixas serão de prata.
11 Assim também, do lado do norte, o comprimento das cortinas será de cem côvados, e serão vinte as suas colunas e vinte as suas bases de bronze; os ganchos das colunas e as suas faixas serão de prata.
12 Na largura do átrio do lado do ocidente haverá cortinas de cinquenta côvados; serão dez as suas colunas, e dez as bases.
13 Semelhantemente a largura do átrio do lado que dá para o leste será de cinquenta côvados.
14 As cortinas para um lado da porta serão de quinze côvados com três colunas e três bases.
15 De quinze côvados serão as cortinas do outro lado, com três colunas e três bases.
16 À porta do átrio haverá uma cortina de vinte côvados, de estofo azul, púrpura, carmesim e de linho fino trançado, obra de bordador, com quatro colunas e quatro bases. 17 Todas as colunas do átrio ao redor serão cingidas de faixas de prata; os seus ganchos serão de prata, mas as suas bases de bronze.
18 O comprimento do átrio será de cem côvados, a largura de cinquenta e a altura de cinco. As cortinas serão de linho fino trançado, e as bases das colunas, de bronze.
19 Todos os utensílios do tabernáculo em todo o seu serviço, e todas as estacas do átrio, serão de bronze.

## O azeite puro

20 Ordenarás aos filhos de Israel que te tragam azeite puro de oliveira batido para o candeeiro, para manter a lâmpada acesa continuamente.
21 Na tenda da congregação fora do véu, que está diante do testemunho, Arão e seus filhos as manterão em ordem, desde a tarde até pela manhã, perante o Senhor. Este será um estatuto perpétuo a favor dos filhos de Israel pelas suas gerações.

## As vestes sacerdotais

**28** Depois farás chegar a ti teu irmão Arão, e seus filhos com ele, do meio dos filhos de Israel, para me administrarem o ofício sacerdotal; a saber, Arão, Nadabe e Abiú, Eleazar e Itamar, os filhos de Arão.
2 Farás vestes sagradas para Arão, teu irmão, para glória e ornamento.
3 Falarás também a todos os homens hábeis, a quem eu tenha enchido do espírito de sabedoria, que façam as vestes de Arão, para santificá-lo, a fim de que administre o ofício sacerdotal.
4 Estas são as vestes que farão: um peitoral, uma estola sacerdotal, um manto, uma túnica bordada, um turbante e um cinto. Farão essas vestes sagradas para Arão, teu irmão, e para seus filhos, a fim de que me administrem o ofício sacerdotal.

5 Tomarão ouro, estofo azul, púrpura, carmesim e linho fino
6 e farão a estola sacerdotal de ouro, estofo azul, púrpura, carmesim e linho fino trançado, trabalho artesanal.
7 Terá duas ombreiras, que se unam às suas duas pontas, e assim se unirá.
8 O cinto de trabalho artesanal, que estará sobre a estola sacerdotal, será de obra igual, formando com ela uma só peça, de ouro, estofo azul, púrpura, carmesim e linho fino trançado.
9 Tomarás duas pedras de ônix e gravarás nelas os nomes dos filhos de Israel,
10 segundo a ordem do seu nascimento: seis dos seus nomes numa pedra e os outros seis nomes na outra pedra.
11 Conforme obra de lapidador, como gravura de selos gravarás estas duas pedras, com os nomes dos filhos de Israel; engastadas ao redor em ouro as farás.
12 E porás as duas pedras nas ombreiras da estola sacerdotal, por pedras de memória para os filhos de Israel. Arão levará os seus nomes sobre ambos os seus ombros, para memória diante do Senhor.
13 Farás também engastes de ouro
14 e duas correntes de ouro puro, entrelaçadas como corda, e as correntes prenderás nos engastes.
15 Farás também o peitoral do juízo de trabalho artesanal, conforme a obra da estola sacerdotal o farás; de ouro, estofo azul, púrpura, carmesim e linho fino trançado o farás.
16 Quadrado e duplo, será de um palmo o seu comprimento, e de um palmo a sua largura.
17 E o encherás de pedras de engaste, com quatro ordens de pedras; a ordem de sárdio, topázio e carbúnculo será a primeira ordem;
18 a segunda ordem será de esmeralda, safira e diamante;
19 a terceira ordem será de jacinto, ágata e ametista;
20 a quarta ordem será de berilo, ônix e jaspe. Elas serão guarnecidas de ouro com engastes.
21 As pedras serão conforme os nomes dos filhos de Israel, doze segundo os seus nomes, serão como a gravura de selo, cada uma com o seu nome, para as doze tribos.
22 Farás para o peitoral correntes como cordas, de obra trançada de ouro puro.
23 Também farás para o peitoral duas argolas de ouro e porás as duas argolas nas extremidades do peitoral.
24 Então colocarás as duas correntes de ouro nas duas argolas, nas extremidades do peitoral.
25 As duas pontas das correntes prenderás nos dois engastes e as porás nas ombreiras da estola sacerdotal, na parte da frente.
26 Farás duas argolas de ouro e as porás nas duas extremidades do peitoral, na sua borda que estiver junto ao lado interior da estola sacerdotal.
27 Farás também duas argolas de ouro e as porás na parte de baixo das duas ombreiras da estola sacerdotal, próximas da costura, e acima do cinto de trabalho artesanal da estola sacerdotal.
28 E ligarão o peitoral com as suas argolas às argolas da estola sacerdotal por cima com uma fita azul, para que esteja sobre o cinto da estola sacerdotal, e nunca

o peitoral se separará da estola sacerdotal.

29 Assim Arão levará os nomes dos filhos de Israel no peitoral do juízo sobre o seu coração, quando entrar no santuário, para memória diante do Senhor continuamente.

### Urim e Tumim

30 Também porás no peitoral do juízo o Urim e o Tumim, para que estejam sobre o coração de Arão, quando entrar diante do Senhor. Assim Arão levará o juízo dos filhos de Israel sobre o seu coração diante do Senhor continuamente.

31 Farás também o manto da estola sacerdotal todo de estofo azul.

32 No meio dele haverá uma abertura para a cabeça. A abertura terá uma dobra tecida ao redor, como a abertura de uma gola, para que não se rompa.

33 Nas suas abas, em todo o seu redor, farás romãs de estofo azul, púrpura e carmesim, e campainhas de ouro no meio delas.

34 Uma campainha de ouro e uma romã, outra campainha de ouro e outra romã, haverá nas abas do manto ao redor.

35 E estará sobre Arão quando ministrar, para que se ouça o seu sonido, quando entrar no santuário diante do Senhor e quando sair, para que não morra.

36 Também farás uma lâmina de ouro puro e nela gravarás como se grava um selo: Santidade ao Senhor.

37 Prenda-a com um cordão de estofo azul, de maneira que esteja na frente do turbante.

38 Estará sobre a testa de Arão, para que Arão leve a iniquidade das coisas santas, que os filhos de Israel santificarem em todas as ofertas de suas coisas santas. Estará continuamente na sua testa, para que sejam aceitos diante do Senhor.

39 Tecerás a túnica quadriculada de linho fino, farás um turbante de linho fino e um cinto feito por um bordador.

40 Também farás túnicas, cintos e tiaras para os filhos de Arão, para glória e ornamento.

41 Vestirás com eles Arão, teu irmão, e também seus filhos, e os ungirás e consagrarás, e os santificarás, para que me administrem o sacerdócio.

42 Faze-lhes também calções de linho, para cobrirem a pele nua; calções que se estendam da cintura às coxas.

43 Estarão sobre Arão e sobre seus filhos, quando entrarem na tenda da congregação, ou quando chegarem ao altar para ministrar no santuário, para que não levem iniquidade e morram. Isto será estatuto perpétuo para ele e para a sua descendência depois dele.

### A consagração dos sacerdotes

**29** Isto é o que lhes farás para os consagrar, para que me administrem o sacerdócio: Toma um novilho e dois carneiros sem defeito,

2 e pães e bolos sem fermento, amassados com azeite, e pães finos, untados com azeite; de flor de farinha de trigo os farás,

3 e os porás num cesto, e os trarás no cesto, com o novilho e os dois carneiros.

4 Então farás chegar Arão e seus filhos à entrada da tenda da congregação e os lavarás com água.

5 Depois tomarás as vestes e vestirás a Arão da túnica e do manto da estola sacerdotal, e da estola sacerdotal, e do peitoral, e lhe cingirás a estola sacerdotal com o seu cinto de trabalho artesanal;
6 e o turbante porás sobre a sua cabeça, e a coroa de santidade porás sobre o turbante.
7 Então tomarás o óleo da unção e o derramarás sobre a sua cabeça; assim o ungirás.
8 Depois farás chegar seus filhos e os vestirás de túnicas,
9 porás o cinto em Arão e em seus filhos, e lhes atarás as tiaras, para que tenham o sacerdócio por estatuto perpétuo, e consagrarás Arão e seus filhos.
10 Farás chegar o novilho diante da tenda da congregação, e Arão e seus filhos porão as mãos sobre a cabeça do novilho.
11 Degolarás o novilho perante o Senhor, à entrada da tenda da congregação.
12 Depois tomarás do sangue do novilho e o porás com o dedo sobre as pontas do altar, e todo o sangue restante derramarás à base do altar.
13 Também tomarás toda a gordura que cobre as vísceras, o redenho do fígado, os dois rins e a gordura que houver neles, e os queimarás sobre o altar.
14 A carne do novilho, o seu couro e o seu excremento, porém, queimarás com fogo fora do arraial. É sacrifício pelo pecado.
15 Depois tomarás um carneiro sobre o qual Arão e seus filhos porão as mãos.
16 Degolarás o carneiro e pegarás o seu sangue, e o espargirás sobre o altar ao redor.
17 Partirás o carneiro em suas partes e lavarás as suas vísceras e as suas pernas, e as porás sobre as suas partes e sobre a sua cabeça.
18 Assim queimarás todo o carneiro sobre o altar. É holocausto para o Senhor, cheiro suave, oferta queimada ao Senhor.
19 Depois tomarás o outro carneiro. Arão e seus filhos porão as mãos sobre a cabeça dele.
20 Degolarás o carneiro e pegarás do seu sangue, e o porás sobre a ponta da orelha direita de Arão e sobre a ponta das orelhas direitas de seus filhos, como também sobre o polegar das mãos direitas e sobre o polegar dos pés direitos. O resto do sangue espargirás sobre o altar ao redor.
21 Então tomarás do sangue, que estará sobre o altar, e do óleo da unção, e os espargirás sobre Arão e sobre as suas vestes, sobre os seus filhos e sobre as vestes deles. Assim ele será santificado, e as suas vestes, também os seus filhos e as vestes deles.
22 Depois tomarás do carneiro a gordura, a cauda gorda, a gordura que cobre as vísceras, o redenho do fígado, os dois rins com a gordura que houver neles e a coxa direita. Este é o carneiro da consagração.
23 Do cesto dos pães sem fermento que estiverem diante do Senhor, tomarás um pão, um bolo de pão azeitado e um pão fino.
24 Tudo porás nas mãos de Arão e nas mãos de seus filhos e, movendo-as de um lado para outro, as oferecerás como ofertas movidas perante o Senhor.
25 Depois o tomarás das suas mãos e o queimarás no altar sobre o

holocausto por cheiro suave perante o Senhor, oferta queimada ao Senhor.

**26** Tomarás o peito do carneiro da consagração, que é de Arão, e, movendo-o de um lado para outro, o oferecerás como oferta movida perante o Senhor, e isso será a tua parte.

**27** Consagrarás o peito da oferta de movimento e a coxa da oferta alçada, depois de movida e alçada, isto é, aquilo do carneiro da consagração que for de Arão e de seus filhos.

**28** Isto será para Arão e para seus filhos por estatuto perpétuo da parte dos filhos de Israel. É a oferta alçada que, dos seus sacrifícios pacíficos, os filhos de Israel farão ao Senhor.

**29** As vestes santas de Arão passarão a seus filhos depois dele, para nelas serem ungidos e consagrados.

**30** Sete dias as vestirá aquele que de seus filhos for sacerdote em seu lugar, quando entrar na tenda da congregação para ministrar no santuário.

**31** Tomarás o carneiro da consagração e cozinharás a sua carne em lugar santo.

**32** Arão e seus filhos comerão a carne deste carneiro e o pão que está no cesto à porta de entrada da tenda da congregação.

**33** Comerão das coisas com que for feita expiação, para consagrá-los e para santificá-los. Mas delas o estranho não comerá, porque são santas.

**34** Se sobrar alguma coisa da carne da consagração ou do pão até pela manhã, será queimada no fogo. Não se comerá, porque é santo.

**35** Assim farás a Arão e a seus filhos, conforme tudo o que eu te tenho ordenado; por sete dias os consagrarás.

**36** Também cada dia prepararás um novilho como oferta pelo pecado para as expiações. Purificarás o altar fazendo expiação por ele mediante oferta pelo pecado, e o ungirás para consagrá-lo.

**37** Sete dias farás expiação pelo altar, e o consagrarás. Então o altar será santíssimo, e tudo o que tocar no altar será santo.

**38** Isto é o que oferecerás sobre o altar: dois cordeiros de um ano cada dia continuamente.

**39** Um cordeiro oferecerás pela manhã, e o outro, à tardinha.

**40** Com um cordeiro a décima parte de um efa de flor de farinha, misturada com a quarta parte de um him de azeite batido, e para libação a quarta parte de um him de vinho.

**41** O outro cordeiro oferecerás à tardinha, e com ele farás oferta de cereais como com a oferta da manhã, e conforme a sua oferta de libação, por cheiro suave, oferta queimada ao Senhor.

**42** Este será o holocausto contínuo por vossas gerações, à porta de entrada da tenda da congregação, perante o Senhor. Ali vos encontrarei e falarei contigo;

**43** ali também virei aos filhos de Israel, e a tenda será consagrada pela minha glória.

**44** Consagrarei a tenda da congregação e o altar; também consagrarei Arão e seus filhos, para que me administrem o sacerdócio.

**45** Habitarei no meio dos filhos de Israel e serei o seu Deus.

**46** Eles saberão que eu sou o Senhor, o seu Deus, que os tirei da terra do Egito, para habitar no meio deles. Eu sou o Senhor, o seu Deus.

## O altar do incenso

**30** Farás um altar para queimar o incenso, de madeira de acácia o farás. 2 Será quadrado e terá um côvado de comprimento, um de largura e dois de altura; as suas pontas formarão uma só peça com ele. 3 De ouro puro o cobrirás, tanto a parte superior como as suas paredes ao redor e as suas pontas, e lhe farás uma moldura de ouro ao redor. 4 Também lhe farás duas argolas de ouro debaixo da sua moldura; de ambos os lados as farás, e elas servirão de lugares para as varas com que o altar será levado. 5 Farás as varas de madeira de acácia e as cobrirás de ouro. 6 Porás o altar diante do véu que está junto à arca do testemunho, diante do propiciatório, que se acha sobre o testemunho, onde eu virei a ti. 7 Arão queimará sobre ele o incenso das especiarias, cada manhã, quando puser em ordem as lâmpadas. 8 Também quando acender as lâmpadas ao pôr do sol, o queimará; este será incenso perpétuo perante o Senhor pelas vossas gerações. 9 Não oferecereis sobre ele incenso estranho, nem holocausto, nem oferta de cereais, tampouco derramareis sobre ele ofertas de libação. 10 Uma vez no ano Arão fará expiação sobre as pontas do altar. Com o sangue da oferta pelo pecado fará expiação sobre ele pelas vossas gerações. Santíssimo é ao Senhor.
11 Disse mais o Senhor a Moisés: 12 Quando fizeres recenseamento dos filhos de Israel, cada um deles pagará ao Senhor o resgate pela sua vida, quando os contares; para que não haja entre eles praga alguma quando os contares. 13 Cada recenseado dará metade de um siclo, segundo o siclo do santuário (este siclo é de vinte geras); a metade de um siclo é a oferta ao Senhor. 14 Todo recenseado, de vinte anos para cima, dará a oferta ao Senhor. 15 O rico não dará mais nem o pobre dará menos de meio siclo, quando derem a oferta ao Senhor, para fazerdes expiação por vossa vida. 16 Tomarás o dinheiro da expiação dos filhos de Israel e o darás ao serviço da tenda da congregação. Será para memória aos filhos de Israel diante do Senhor, para fazerdes expiação pelas vossas almas.

## A pia de bronze

17 Disse mais o Senhor a Moisés: 18 Farás também uma pia de bronze com a sua base de bronze, para lavar. E a porás entre a tenda da congregação e o altar, e deitarás água nela. 19 Nela Arão e seus filhos lavarão as mãos e os pés. 20 Sempre que entrarem na tenda da congregação, deverão lavar-se com água, para que não morram. Também, quando se chegarem ao altar para ministrar, para acender a oferta queimada ao Senhor, 21 lavarão as mãos e os pés, para que não morram. Isso lhes será por estatuto perpétuo, a ele e à sua descendência, por todas as suas gerações.

## O óleo da santa unção

22 Disse mais o Senhor a Moisés: 23 Toma das principais especiarias: da mais pura mirra quinhentos

siclos, de canela aromática a metade, a saber, duzentos e cinquenta siclos, de cálamo aromático duzentos e cinquenta siclos,

24 de cássia quinhentos siclos, segundo o siclo do santuário, de azeite de oliveira um him.

25 Disso farás o óleo sagrado para a unção, um perfume composto segundo a arte do perfumista. Este será o óleo sagrado da unção.

26 Com ele ungirás a tenda da congregação, a arca do testemunho,

27 a mesa com todos os seus utensílios, o candelabro com os seus utensílios, o altar do incenso,

28 o altar do holocausto, com todos os seus utensílios, e a pia com a sua base.

29 Assim consagrarás essas coisas, para que sejam santíssimas, e tudo o que tocar nelas será santo. 30 Também ungirás a Arão e a seus filhos e os santificarás para me administrarem o sacerdócio.

31 Dirás aos filhos de Israel: Este me será o óleo sagrado da unção nas vossas gerações.

32 Não se ungirá com ele o corpo do homem, nem fareis outro semelhante conforme a sua composição. Sagrado é, e para vós será sagrado.

33 O homem que compuser um perfume como este, ou que com ele ungir um estranho, será extirpado do seu povo.

### O incenso sagrado

34 Disse mais o Senhor a Moisés: Toma especiarias aromáticas, estoraque, onicha e gálbano; essas especiarias aromáticas com incenso puro, cada um de igual peso,

35 e disso farás incenso, perfume segundo a arte do perfumista, temperado com sal, puro e santo.

36 Uma parte dele reduzirás a pó e o porás diante do testemunho, na tenda da congregação, onde eu virei a ti. Coisa santíssima vos será.

37 O incenso que fareis, segundo a composição deste, porém, não o fareis para vós mesmos; santo será para o Senhor.

38 O homem que fizer tal como este para o cheirar, será extirpado do seu povo.

### Bezalel e Aoliabe

**31** Disse mais o Senhor a Moisés: 2 Vê, eu chamei por nome a Bezalel, filho de Uri, filho de Hur, da tribo de Judá,

3 e o enchi do Espírito de Deus, de habilidade, de inteligência e de conhecimento em todo o artifício,

4 para inventar obras artísticas e trabalhar em ouro, em prata e em bronze,

5 e em lavramento de pedras para engastar, e em entalhadura de madeira; enfim para trabalhar em todo o tipo de obra artesanal.

6 Além disso, eu lhe designei por companheiro a Aoliabe, filho de Aisamaque, da tribo de Dã. Também dei habilidade a todos os artífices, para que façam tudo o que tenho ordenado,

7 a saber, a tenda da congregação, a arca do testemunho, o propiciatório que estará sobre ela, e todos os utensílios da tenda;

8 a mesa com os seus utensílios, o candelabro de ouro puro com todos os seus utensílios, o altar do incenso,

9 o altar do holocausto com todos os seus utensílios, a pia com a sua base;

10 as vestes finamente tecidas, e as vestes sagradas do sacerdote

Arão, e as de seus filhos, para administrarem o sacerdócio, 11 e o óleo da unção, e o incenso aromático para o santuário. Eles farão tudo conforme tenho ordenado.

### O sábado

12 Disse mais o Senhor a Moisés: 13 Dize aos filhos de Israel: Certamente guardareis os meus sábados. Isso é um sinal entre mim e vós nas vossas gerações, para que saibais que eu sou o Senhor, que vos santifica.
14 Portanto guardareis o sábado, porque santo é para vós. Aquele que o profanar certamente será morto; qualquer que nele fizer algum trabalho será exterminado do meio do seu povo.
15 Seis dias se trabalhará, mas o sétimo dia será o sábado do descanso solene, santo ao Senhor. Qualquer que no dia do sábado fizer algum trabalho, certamente será morto.
16 Os filhos de Israel guardarão o sábado, celebrando-o nas suas gerações por aliança perpétua.
17 Entre mim e os filhos de Israel será ele um sinal para sempre, pois em seis dias fez o Senhor o céu e a terra, e ao sétimo dia descansou e tomou alento.
18 Quando o Senhor acabou de falar com Moisés no monte Sinai, deu-lhe as duas tábuas do testemunho, tábuas de pedra, escritas pelo dedo de Deus.

### O bezerro de ouro

**32** Vendo o povo que Moisés tardava em descer do monte, juntou-se em volta de Arão e lhe disse: Levanta-te, faze-nos deuses que nos conduzam. Quanto a este Moisés, esse homem que nos tirou da terra do Egito, não sabemos o que lhe sucedeu.
2 Disse-lhes Arão: Tirai os pendentes de ouro que estão nas orelhas de vossas mulheres, de vossos filhos e de vossas filhas, e trazei-os.
3 Então todo o povo tirou os pendentes de ouro que estavam nas suas orelhas e os trouxe a Arão.
4 Ele os tomou das suas mãos e com um buril deu forma ao ouro, e dele fez um bezerro de fundição. Então eles disseram: São estes, ó Israel, os teus deuses, que te tiraram da terra do Egito.
5 Arão, vendo isso, edificou um altar diante do bezerro e, apregoando, disse: Amanhã será festa ao Senhor.
6 No dia seguinte, madrugaram, ofereceram holocaustos e trouxeram ofertas pacíficas. Depois o povo assentou-se para comer e beber, e levantou-se para farrear.
7 Então disse o Senhor a Moisés: Vai, desce, porque o teu povo, que fizeste subir do Egito, se corrompeu.
8 Depressa se desviou do caminho que eu lhes ordenei e fizeram para si um bezerro de fundição. Perante ele se inclinaram e lhe ofereceram sacrifícios, e disseram: São estes, ó Israel, os teus deuses, que te tiraram da terra do Egito.
9 Disse mais o Senhor a Moisés: Tenho visto este povo, e é povo obstinado.
10 Agora, pois, deixa-me, para que o meu furor se acenda contra eles e os consuma. Então eu farei de ti uma grande nação.
11 Moisés, porém, suplicou ao Senhor, o seu Deus, e disse: Ó Senhor, por que se acende o

teu furor contra o teu povo, que tiraste da terra do Egito com grande força e com forte mão?
12 Por que hão de dizer os egípcios: Para mal os tirou, para matá-los nos montes e para destruí-los da face da terra? Torna-te da ira do teu furor e arrepende-te deste mal contra o teu povo.
13 Lembra-te de Abraão, de Isaque, e de Israel, teus servos, aos quais por ti mesmo juraste e lhes disseste: Multiplicarei os vossos descendentes como as estrelas dos céus e lhes darei toda esta terra, de que tenho dito, para que a possuam por herança eternamente.
14 Então o Senhor se arrependeu do mal que dissera havia de fazer ao seu povo.
15 Voltou-se Moisés e desceu do monte com as duas tábuas do testemunho na mão; tábuas escritas de ambos os lados, de um e de outro lado estavam escritas.
16 Aquelas tábuas eram obra de Deus; também a escritura era a mesma escritura de Deus, esculpida nas tábuas.
17 Ora, ouvindo Josué a voz do povo que jubilava, disse a Moisés: Barulho de guerra há no arraial.
18 Respondeu-lhe Moisés:
Não é canto dos vitoriosos,
  nem canto dos vencidos,
 mas é a voz dos que cantam
  que eu ouço.
19 Chegando ele ao arraial e vendo o bezerro e as danças, irou-se, arremessou das mãos as tábuas e as quebrou ao pé do monte.
20 Então tomou o bezerro que tinham feito e o queimou no fogo, moendo-o até que se tornou em pó, e o espargiu sobre a água e deu-o a beber aos filhos de Israel.

21 Perguntou Moisés a Arão: Que te fez este povo, que sobre ele trouxeste tamanho pecado?
22 Respondeu Arão: Não se acenda a ira do meu senhor. Tu sabes que o povo é inclinado para o mal.
23 Disseram-me: Faze-nos deuses que vão adiante de nós. Não sabemos o que sucedeu a este Moisés, a esse homem que nos tirou da terra do Egito.
24 Então eu lhes disse: Quem tem ouro, arranque-o. Deram-no a mim, e eu o lancei no fogo, e saiu este bezerro.
25 Vendo Moisés que o povo estava desenfreado e que Arão o havia deixado à solta, para vergonha entre os seus inimigos,
26 pôs-se em pé à entrada do arraial e disse: Quem é do Senhor, venha a mim. E se ajuntaram a ele todos os filhos de Levi.
27 Então ele lhes disse: Assim diz o Senhor, o Deus de Israel: Cada um ponha a sua espada sobre a sua coxa. Passai e tornai pelo arraial de porta em porta e mate cada um a seu irmão, e cada um a seu amigo, e cada um a seu vizinho.
28 Os filhos de Levi fizeram conforme a palavra de Moisés; e morreram do povo, naquele dia, cerca de três mil homens.
29 Então disse Moisés: Hoje fostes separados para o Senhor, pois cada um foi contra o seu filho, e contra o seu irmão, e hoje ele vos abençoou.
30 No dia seguinte, Moisés disse ao povo: Vós cometestes grande pecado. Agora, porém, subirei ao Senhor; talvez eu possa fazer propiciação pelo vosso pecado.
31 Assim tornou Moisés ao Senhor e disse: Oh! este povo cometeu

grande pecado, fazendo para si deuses de ouro.
32 Agora, peço-te, perdoa o seu pecado; ou, se não, risca-me do livro que escreveste.
33 Então, disse o Senhor a Moisés: Aquele que pecar contra mim, a este riscarei do meu livro.
34 Agora vai, conduze este povo para o lugar que te tenho dito; e o meu Anjo irá adiante de ti. Mas, no dia da minha visitação, punirei o pecado deles.
35 E o Senhor feriu o povo por causa do que fizeram com o bezerro que Arão fabricara.

### Deus não irá no meio do povo

**33** Disse mais o Senhor a Moisés: Vai, sobe daqui, tu e o povo que fizeste subir da terra do Egito, para a terra da qual jurei a Abraão, a Isaque e a Jacó, dizendo: À tua descendência a darei.
2 Enviarei um anjo à tua frente e lançarei fora os cananeus, os amorreus, os heteus, os ferezeus, os heveus e os jebuseus.
3 Sobe para uma terra em que manam leite e mel. Mas eu não subirei no meio de ti, porque és povo obstinado, para que eu não te destrua no caminho.
4 Ouvindo o povo essas más notícias, pôs-se a prantear, e nenhum deles vestiu os seus enfeites.
5 Pois o Senhor tinha dito a Moisés: Dize aos filhos de Israel: És um povo obstinado. Se por um momento eu subir no meio de ti, eu te consumirei. Tira, pois, de ti os atavios, para que eu saiba o que te hei de fazer.
6 Então os filhos de Israel se despojaram dos seus atavios, ao pé do monte Horebe.
7 Ora, Moisés costumava tomar a tenda e armá-la para si, fora, bem longe do arraial, e lhe chamava a tenda da congregação. Todo aquele que buscava o Senhor saía à tenda da congregação, que estava fora do arraial.
8 Quando Moisés saía à tenda, todo o povo se levantava e ficava em pé cada um à porta da sua tenda, e olhava Moisés pelas costas, até entrar ele na tenda.
9 Quando Moisés entrava na tenda, descia a coluna de nuvem e ficava à porta de entrada da tenda, e o Senhor falava com Moisés.
10 Assim todo o povo via a coluna de nuvem que estava à entrada da tenda, e todo o povo, levantando-se, se inclinava cada um à entrada da sua tenda.
11 Falava o Senhor a Moisés face a face, como quem fala com o seu amigo. Depois tornava Moisés ao arraial, mas o jovem Josué, seu servidor, filho de Num, não se distanciava da tenda.

### Moisés e a glória do Senhor

12 Disse Moisés ao Senhor: Tu me dizes: Faze subir este povo, mas não me fizeste saber a quem hás de enviar comigo. Disseste também: Conheço-te pelo teu nome, e achaste graça aos meus olhos.
13 Se eu achei graça aos teus olhos, rogo-te que agora me mostres os teus caminhos, para que eu te conheça, a fim de que ache graça aos teus olhos. Considera que esta nação é teu povo.
14 Respondeu-lhe o Senhor: A minha presença irá contigo, e eu te darei descanso.
15 Então Moisés lhe disse: Se a tua presença não for conosco, não nos faças subir deste lugar.
16 Como se saberá que achamos graça aos teus olhos, eu e o teu povo?

Acaso não é por andares conosco, de modo que somos separados, eu e o teu povo, de todos os povos que há sobre a face da terra?

**17** Então disse o Senhor a Moisés: Farei também isto que disseste, porque achaste graça aos meus olhos, e te conheço pelo teu nome. **18** Então disse Moisés: Rogo-te que me mostres a tua glória. **19** Respondeu-lhe o Senhor: Eu farei passar toda a minha bondade diante de ti, e te proclamarei o nome do Senhor. Terei misericórdia de quem eu tiver misericórdia e me compadecerei de quem me compadecer. **20** E acrescentou: Não poderás ver a minha face, pois homem nenhum pode ver a minha face e viver. **21** Disse mais o Senhor: Eis aqui um lugar perto de mim; aqui, sobre a penha, te porás. **22** Quando a minha glória passar, eu te porei numa fenda da penha, e te cobrirei com a minha mão, até que eu tenha passado. **23** Depois, quando eu tirar a mão, me verás pelas costas; mas a minha face não se verá.

### As novas tábuas da lei

**34** Então disse o Senhor a Moisés: Lavra duas tábuas de pedra, como as primeiras, e eu escreverei nelas as mesmas palavras que estavam nas primeiras tábuas, que tu quebraste. **2** Prepara-te para amanhã, para que subas pela manhã ao monte Sinai, e ali te apresentes a mim no cume do monte. **3** Ninguém suba contigo, ninguém apareça em todo o monte; nem ovelhas nem gado pastem perto dele. **4** Então Moisés lavrou duas tábuas de pedra, como as primeiras, levantou-se de madrugada e subiu ao monte Sinai, como o Senhor lhe tinha ordenado, levando na mão as duas tábuas de pedra. **5** O Senhor desceu numa nuvem e, pondo-se ali junto a ele, proclamou o nome do Senhor. **6** Passando o Senhor perante Moisés, proclamou: Senhor, Senhor Deus misericordioso e compassivo, tardio em irar-se e grande em beneficência e verdade, **7** que usa de beneficência com milhares, que perdoa a iniquidade, a rebeldia e o pecado. Contudo, ao culpado não tem por inocente; castiga a iniquidade dos pais sobre os filhos e sobre os filhos dos filhos até a terceira e quarta geração. **8** Então Moisés imediatamente se prostrou e adorou, **9** dizendo: Senhor, se agora achei graça aos teus olhos, vá o Senhor no meio de nós. Embora este seja povo obstinado, perdoa a nossa iniquidade e o nosso pecado, e toma-nos por tua herança. **10** Então disse o Senhor: Eu faço uma aliança contigo. Farei diante de todo o teu povo maravilhas que nunca foram feitas em toda a terra nem entre gente alguma. Todo este povo, em cujo meio estás, verá a obra do Senhor, porque coisa temível é o que farei contigo. **11** Guarda o que eu te ordeno hoje. Lançarei fora de diante de ti os amorreus, os cananeus, os heteus, os ferezeus, os heveus e os jebuseus. **12** Guarda-te de fazeres aliança com os moradores da terra em que hás de entrar, para que não se tornem armadilha no meio de ti.

13 Os seus altares, porém, derrubareis, as suas colunas quebrareis e os seus postes sagrados cortareis.
14 Não te inclinarás diante de outro deus, pois o nome do Senhor é Zeloso, sim, Deus zeloso é ele.
15 Guarda-te de fazeres aliança com os moradores da terra; pois, quando se prostituírem após os seus deuses e sacrificarem a eles, eles te convidarão para comeres do seu sacrifício.
16 Não tomarás mulheres das suas filhas para os teus filhos, pois, quando as suas filhas se prostituírem após os seus deuses, farão que também os teus filhos se prostituam após os seus deuses.
17 Não farás para ti deuses de fundição.
18 A festa dos pães sem fermento guardarás. Sete dias comerás pães sem fermento, como te ordenei, no tempo apontado no mês de abibe, porque foi no mês de abibe que saíste do Egito.
19 Todo o primeiro a sair do ventre é meu, todo o primeiro macho que nascer das tuas vacas e das tuas ovelhas.
20 O jumento, porém, que nascer primeiro resgatarás com um cordeiro, mas, se não o resgatares, lhe cortarás a cabeça. Todos os primogênitos de teus filhos resgatarás. Ninguém aparecerá diante de mim com as mãos vazias.
21 Seis dias trabalharás, mas ao sétimo dia descansarás, quer no tempo de arar quer no tempo de colher.
22 Também guardarás a festa das semanas, que é a festa dos primeiros frutos da colheita do trigo, e a festa da colheita no fim do ano.
23 Três vezes no ano todo homem entre ti aparecerá perante o Senhor Deus, Deus de Israel.
24 Lançarei fora as nações de diante de ti, alargarei as tuas fronteiras e ninguém cobiçará a tua terra quando subires para aparecer três vezes no ano diante do Senhor, o teu Deus.
25 Não oferecerás o sangue do meu sacrifício com pão fermentado nem o sacrifício da festa da Páscoa ficará da noite para a manhã.
26 O melhor dos primeiros frutos da tua terra trarás à casa do Senhor, o teu Deus. Não cozinharás o cabrito no leite da sua mãe.
27 Disse mais o Senhor a Moisés: Escreve estas palavras, pois conforme o teor delas fiz aliança contigo e com Israel.
28 Moisés esteve ali com o Senhor quarenta dias e quarenta noites, sem comer pão nem beber água. E escreveu nas tábuas as palavras da aliança, os dez mandamentos.

**O rosto de Moisés resplandece**

29 Quando Moisés desceu do monte Sinai, trazendo nas mãos as duas tábuas do testemunho, sim, quando desceu do monte, Moisés não sabia que a pele do seu rosto resplandecia, por haver Deus falado com ele.
30 Olhando Arão e todos os filhos de Israel para Moisés, a pele do seu rosto resplandecia, pelo que tiveram medo de aproximar-se dele.
31 Moisés, porém, os chamou; Arão e todos os príncipes da congregação tornaram a ele, e Moisés lhes falou.
32 Depois chegaram também todos os filhos de Israel, e ele lhes ordenou tudo o que o Senhor falara com ele no monte Sinai.

33 Tendo Moisés acabado de falar com eles, pôs um véu sobre o seu rosto.
34 Entrando, porém, Moisés perante o Senhor, para falar com ele, tirava o véu até sair. Quando saía e dizia aos filhos de Israel o que lhe era ordenado,
35 viam os filhos de Israel que o rosto de Moisés resplandecia. Então Moisés cobria de novo o rosto com o véu até entrar para falar com Deus.

## O sábado

**35** Moisés convocou toda a congregação dos filhos de Israel e lhes disse: São estas as palavras que o Senhor ordenou que se cumprissem:
2 Seis dias trabalhareis, mas o sétimo dia vos será santo, sábado de repouso solene ao Senhor. Todo aquele que nele fizer qualquer trabalho será morto.
3 Não acendereis fogo em nenhuma das vossas moradas no dia de sábado.

### Materiais para o tabernáculo

4 Disse mais Moisés a toda a congregação dos filhos de Israel: Esta é a palavra que o Senhor ordenou:
5 Tomai, do que tendes, uma oferta para o Senhor. Cada um, cujo coração é voluntariamente disposto, a trará por oferta alçada ao Senhor: ouro, prata e bronze,
6 como também estofo azul, púrpura, carmesim, linho fino, pelos de cabras,
7 peles de carneiros tingidas de vermelho, peles de animais marinhos, madeira de acácia,
8 azeite para a iluminação, especiarias para o óleo da unção e para o incenso aromático,
9 pedras de ônix e pedras de engaste para a estola sacerdotal e para o peitoral.
10 Venham todos os homens hábeis entre vós e façam tudo o que o Senhor ordenou:
11 o tabernáculo, a sua tenda e a sua coberta, os seus ganchos e as suas tábuas, os seus travessões, as suas colunas e as suas bases;
12 a arca e as suas varas, o propiciatório e o véu protetor;
13 a mesa e as suas varas, todos os seus utensílios e os pães da proposição;
14 o candelabro da iluminação, os seus utensílios, as suas lâmpadas e o azeite para a iluminação;
15 o altar do incenso e as suas varas, o óleo da unção e o incenso aromático, e a cortina da porta para a entrada do tabernáculo;
16 o altar do holocausto e a sua grelha de bronze, as suas varas e todos os seus utensílios, a pia e a sua base;
17 as cortinas do átrio, as suas colunas e as suas bases, a cortina para a porta do átrio;
18 as estacas do tabernáculo, as estacas do átrio e as suas cordas;
19 as vestes do ministério para ministrar no santuário, as vestes sagradas do sacerdote Arão, e as vestes de seus filhos, para administrarem o sacerdócio.
20 Então toda a congregação dos filhos de Israel saiu da presença de Moisés,
21 e veio todo homem cujo coração o moveu, e todo aquele cujo espírito o estimulou e trouxeram a oferta alçada ao Senhor para a obra da tenda da congregação, para todo o seu serviço e para as vestes sagradas.
22 Vieram homens e mulheres, todos dispostos de coração, e

trouxeram fivelas, pendentes, anéis, braceletes, todos objetos de ouro. Todo homem fazia oferta de ouro ao Senhor.

23 Todo homem que possuía estofo azul, púrpura, carmesim, linho fino, pelos de cabras, peles de carneiro tingidas de vermelho e peles de animais marinhos os trazia.

24 Todo aquele que fazia oferta alçada de prata ou de metal, por oferta ao Senhor a trazia; e todo aquele que possuía madeira de acácia a trazia para toda a obra do serviço.

25 Todas as mulheres hábeis teciam com as mãos e traziam o que tinham tecido, estofo azul, púrpura, carmesim e linho fino.

26 E todas as mulheres, cujo coração as moveu em habilidade, teciam os pelos das cabras.

27 Os príncipes traziam pedras de ônix e pedras de engaste para a estola sacerdotal e para o peitoral.

28 Traziam também as especiarias e o azeite para a iluminação, para o óleo da unção e para o incenso aromático.

29 Os filhos de Israel, tanto os homens quanto as mulheres, cujo coração voluntariamente se moveu a trazer alguma coisa para toda a obra que o Senhor ordenara se fizesse pela mão de Moisés, trouxeram oferta voluntária ao Senhor.

### Deus chama a Bezalel e Aoliabe

30 Então disse Moisés aos filhos de Israel: Vede, o Senhor chamou por nome a Bezalel, filho de Uri, filho de Hur, da tribo de Judá,

31 e o Espírito de Deus o encheu de habilidade, inteligência e conhecimento, em todo artifício,

32 para inventar obras artísticas, para trabalhar em ouro, em prata e em bronze,

33 em lavramento de pedras de engaste, em entalhadura de madeira, para trabalhar em toda obra artesanal.

34 Também lhe dispôs o coração para ensinar a outrem, a ele e a Aoliabe, filho de Aisamaque, da tribo de Dã.

35 Encheu-os de habilidade, para fazerem toda obra de mestre, até a mais engenhosa, e a do bordador, em estofo azul, em púrpura, em carmesim e em linho fino, e a do tecelão; toda sorte de obra, e a elaborar desenhos.

**36** Assim trabalharam Bezalel e Aoliabe, e todo o homem hábil a quem o Senhor dera habilidade e inteligência para saberem fazer toda obra para o serviço do santuário, conforme tudo o que o Senhor tinha ordenado.

2 Então Moisés chamou Bezalel e Aoliabe, e todo homem hábil, em cujo coração Deus tinha posto sabedoria, isto é, a todo aquele cujo coração o moveu a se chegar à obra para fazê-la.

3 Estes receberam de Moisés toda a oferta alçada que os filhos de Israel tinham trazido para realizar a obra do santuário. E ainda lhe traziam cada manhã ofertas voluntárias.

4 Então vieram todos os sábios que faziam a obra do santuário, cada um interrompeu a obra que fazia,

5 e disseram a Moisés: O povo traz muito mais do que é necessário para o serviço da obra que o Senhor ordenou se fizesse.

6 Então Moisés deu uma ordem e proclamou-se por todo o arraial: Nenhum homem, ou mulher, deve

fazer mais obra alguma para a oferta alçada do santuário. Assim o povo foi proibido de trazer mais, 7 porque o material que tinham era suficiente para toda a obra que se devia fazer, e ainda sobrava.
8 Assim todos os homens habilidosos, dos que trabalhavam na obra, fizeram o tabernáculo de dez cortinas de linho fino trançado, de estofo azul, de púrpura, de carmesim com querubins, de obra de artífice.
9 O comprimento de cada cortina era de vinte e oito côvados, e a largura, de quatro; todas as cortinas tinham a mesma medida.
10 Ligaram cinco cortinas umas às outras, e as outras cinco da mesma maneira.
11 Fizeram laçadas de estofo azul na borda da última cortina do primeiro grupo; e assim também fizeram na borda da primeira cortina do segundo grupo.
12 Cinquenta laçadas fizeram na borda de uma cortina, e cinquenta laçadas na borda da outra, do segundo grupo; as laçadas eram contrapostas umas às outras.
13 Também fizeram cinquenta ganchos de ouro, e com estes uniram as cortinas umas às outras, e o tabernáculo veio a ser um todo.
14 Fizeram cortinas de pelos de cabras para servirem de tendas sobre o tabernáculo; onze cortinas fizeram.
15 O comprimento de uma cortina era de trinta côvados, e a largura, de quatro; estas onze cortinas tinham a mesma medida.
16 Uniram cinco cortinas à parte, e as outras seis à parte.
17 Fizeram cinquenta laçadas na borda da última cortina do primeiro grupo, e cinquenta na borda da primeira cortina do segundo grupo.
18 Fizeram cinquenta ganchos de bronze para ajuntar a tenda, para que viesse a ser um todo.
19 Fizeram também para a tenda uma coberta de peles de carneiros, tingidas de vermelho, e por cima desta uma coberta de peles de animais marinhos.
20 Fizeram, de madeira de acácia, as tábuas para o tabernáculo, as quais foram colocadas verticalmente.
21 O comprimento de cada tábua era de dez côvados, e a largura de um côvado e meio.
22 Cada tábua tinha dois encaixes, unidos um ao outro. Assim fizeram com todas as tábuas do tabernáculo.
23 Fizeram vinte tábuas para o lado sul do tabernáculo,
24 quarenta bases de prata debaixo das vinte tábuas; duas bases debaixo de uma tábua para os seus dois encaixes e duas bases debaixo de outra para os seus dois encaixes.
25 Também fizeram vinte tábuas para o outro lado do tabernáculo, o que dá para o norte,
26 com as suas quarenta bases de prata; duas bases debaixo de uma tábua e duas bases debaixo de outra tábua.
27 Ao lado do tabernáculo para o ocidente fizeram seis tábuas.
28 Fizeram também duas tábuas para os cantos do tabernáculo, de ambos os lados;
29 as quais por baixo eram duplas, dali se estendendo até a primeira argola, em cima. Assim fizeram com as duas tábuas nos dois cantos.

30 Assim havia oito tábuas com as suas bases de prata, a saber, dezesseis bases, duas debaixo de cada tábua.
31 Fizeram também travessões de madeira de acácia; cinco para as tábuas de um lado do tabernáculo, 32 cinco para as tábuas do outro lado do tabernáculo e outros cinco para as tábuas do tabernáculo no lado posterior, o que dá para o ocidente.
33 Fizeram o travessão central de modo que passasse ao meio das tábuas de uma extremidade à outra.
34 Cobriram as tábuas de ouro, e de ouro fizeram as suas argolas, pelas quais passavam os travessões. Também os travessões cobriram de ouro.
35 Fizeram o véu de estofo azul, púrpura, carmesim e de linho fino trançado, com querubins bordados nele.
36 E lhe fizeram quatro colunas de madeira de acácia e as cobriram de ouro. Os seus ganchos fizeram de ouro e fundiram-lhe quatro bases de prata.
37 Fizeram para a porta da tenda uma cortina de estofo azul, púrpura, carmesim e de linho fino trançado, obra de bordador, 38 com as suas cinco colunas e os seus ganchos. E de ouro cobriram as partes superior e lateral das colunas, e as suas cinco bases eram de bronze.

### A arca

**37** Fez Bezalel a arca de madeira de acácia; o seu comprimento era de dois côvados e meio, a sua largura de um côvado e meio, e a sua altura de um côvado e meio.
2 Cobriu-a de ouro puro por dentro e por fora e fez-lhe uma moldura de ouro ao redor.
3 Fundiu-lhe quatro argolas de ouro nos seus quatro cantos, duas argolas num lado e duas no outro.
4 Também fez varas de madeira de acácia e as cobriu de ouro.
5 E colocou as varas pelas argolas aos lados da arca, para erguê-la.

### O propiciatório

6 Fez de ouro puro o propiciatório; o seu comprimento era de dois côvados e meio, e a sua largura de um côvado e meio.
7 Então fez dois querubins de ouro; de ouro batido os fez nas duas extremidades do propiciatório.
8 Um querubim numa extremidade, e o outro querubim na outra; de uma só peça com o propiciatório fez os querubins nas duas extremidades dele.
9 Os querubins estendiam as asas por cima, cobrindo com elas o propiciatório. Estavam eles de frente um para o outro, e estavam com o rosto voltado para o propiciatório.

### A mesa

10 Fez a mesa de madeira de acácia; o seu comprimento era de dois côvados, e a sua largura de um côvado, e a sua altura de um côvado e meio.
11 Cobriu-a de ouro puro e fez-lhe uma moldura de ouro ao redor.
12 Fez-lhe também uma borda, da largura de quatro dedos, e ao redor da borda fez uma moldura de ouro.
13 Fundiu-lhe quatro argolas de ouro e pôs as argolas nos quatro cantos que estavam nos seus quatro pés.

14 Perto da borda estavam as argolas para os lugares das varas, para se levar a mesa.
15 Fez as varas de madeira de acácia e as cobriu de ouro, para se levar a mesa.
16 E de ouro puro fez os utensílios que haviam de estar sobre a mesa, os seus pratos e as suas colheres, as suas tigelas e os seus cântaros, com que se haviam de oferecer as libações.

### O candelabro

17 Fez o candelabro de ouro puro, de ouro batido o fez; o seu pedestal, a sua haste, os seus cálices, as suas flores e os seus botões formavam com ele uma só peça.
18 Dos seus lados saíam seis hastes: três de um lado do candelabro e três do outro.
19 Numa haste havia três cálices em forma de amêndoas, com botões e flores; igualmente na outra haste três cálices em forma de amêndoas, com botões e flores; assim fez com as suas hastes que saíam do candelabro.
20 No candelabro havia quatro cálices em forma de amêndoas com botões e flores.
21 Um botão estava debaixo do primeiro par de hastes que saíam do candelabro, um segundo botão debaixo do segundo par e um terceiro botão debaixo do terceiro par — seis hastes ao todo.
22 Os seus botões e as suas hastes formavam uma só peça com o candelabro; tudo era uma só peça, obra batida de ouro puro.
23 Fez-lhe sete lâmpadas, e os seus aparadores e os seus apagadores eram de ouro puro.
24 De um talento de ouro puro fez o candelabro e todos os seus utensílios.

### O altar do incenso

25 Fez o altar do incenso de madeira de acácia. Era quadrado e tinha um côvado de comprimento, um de largura, e dois de altura; os seus chifres formavam uma só peça com ele.
26 Cobriu-o de ouro puro, a parte superior, as paredes ao redor e os chifres, e lhe fez uma moldura de ouro ao redor.
27 Fez-lhe duas argolas de ouro debaixo da sua moldura, nos dois cantos de ambos os lados, para as varas, para com elas se levar o altar.
28 As varas fez de madeira de acácia e as cobriu de ouro.
29 Fez também o óleo sagrado da unção e o incenso aromático, puro, de obra de perfumista.

### O altar do holocausto

**38** Fez o altar do holocausto de madeira de acácia, de três côvados de altura; era quadrado e tinha cinco côvados de comprimento, e cinco de largura.
2 Fez-lhe os chifres nos seus quatro cantos, de modo que os chifres formavam uma só peça com ele, e o cobriu de bronze.
3 Fez todos os utensílios do altar — os recipientes para as cinzas, as pás, as bacias, os garfos e os braseiros; todos os seus utensílios fez de bronze.
4 Fez para o altar uma grelha de bronze em forma de rede, debaixo da borda ao redor, que chegava até o meio do altar.

5 Fundiu quatro argolas nas quatro extremidades da grelha de bronze, para as varas.
6 Fez as varas de madeira de acácia e as cobriu de bronze.
7 Meteu as varas pelas argolas aos lados do altar, para com elas se levar o altar. O altar era oco, feito de tábuas.
8 Fez a pia de bronze com a sua base de bronze, dos espelhos das mulheres que se reuniam e ministravam à porta da tenda da congregação.

## O átrio

9 A seguir fez o átrio. Para o lado do sul as cortinas do átrio eram de linho fino trançado, de cem côvados.
10 As suas vinte colunas e as suas vinte bases eram de bronze; os ganchos dessas colunas e as suas faixas eram de prata.
11 Para o lado do norte as cortinas eram de cem côvados; as suas vinte colunas e as suas vinte bases eram de bronze, os ganchos das colunas e as suas faixas eram de prata.
12 Para o lado ocidental as cortinas eram de cinquenta côvados, as suas colunas eram dez, e as suas bases dez; os ganchos das colunas e as suas faixas eram de prata.
13 Para o lado oriental eram as cortinas de cinquenta côvados.
14 As cortinas para um lado da porta eram de quinze côvados; as suas colunas três e as suas bases três.
15 Para o outro lado da porta do átrio, de ambos os lados, as cortinas eram de quinze côvados; as suas colunas três e as suas bases três.
16 Todas as cortinas do átrio ao redor eram de linho fino trançado.
17 As bases das colunas eram de bronze, os ganchos das colunas e as suas faixas eram de prata, o revestimento dos seus capitéis era de prata, e todas as colunas do átrio eram cingidas de faixas de prata.
18 A cortina da porta do átrio era de estofo azul, púrpura, carmesim e de linho fino trançado, obra de bordador. Tinha vinte côvados de comprimento e, conforme a medida das cortinas do átrio, cinco côvados de altura.
19 As suas quatro colunas e as suas quatro bases eram de bronze; os seus ganchos eram de prata, o revestimento dos seus capitéis e as suas faixas, de prata.
20 Todas as estacas do tabernáculo e do átrio ao redor eram de bronze.
21 Esta é a lista das coisas para o tabernáculo, a saber, o tabernáculo do testemunho, que por ordem de Moisés foram contadas para o ministério dos levitas, por intermédio de Itamar, filho do sacerdote Arão.
22 Fez Bezalel, filho de Uri, filho de Hur, da tribo de Judá, tudo o que o Senhor tinha ordenado a Moisés.
23 Com ele Aoliabe, filho de Aisamaque, da tribo de Dã, gravador, desenhista e bordador em estofo azul, púrpura, carmesim e linho fino.
24 Todo o ouro gasto na obra, em toda a obra do santuário, a saber, o ouro da oferta, foi vinte e nove talentos e setecentos e trinta siclos, conforme o siclo do santuário.
25 A prata recolhida dos recenseados da congregação foi cem talentos e mil setecentos e setenta e cinco siclos, conforme o siclo do santuário;

26 um beca por cabeça, isto é, meio siclo, conforme o siclo do santuário, de qualquer dos arrolados, de vinte anos para cima, que foram seiscentos e três mil quinhentos e cinquenta.
27 Houve cem talentos de prata para fundir as bases do santuário e as bases do véu; para cem bases eram cem talentos, um talento para cada base.
28 Os mil setecentos e setenta e cinco siclos foram usados para fazer os ganchos para as colunas, para revestir a parte superior das colunas e para as faixas.
29 O bronze da oferta foi setenta talentos e dois mil e quatrocentos siclos.
30 Dele fez as bases da porta da tenda da congregação, o altar de bronze e a grelha de bronze para ele, todos os utensílios do altar,
31 as bases do átrio ao redor e as bases da porta do átrio, todas as estacas do tabernáculo e todas as estacas do átrio ao redor.

### As vestes dos sacerdotes

**39** Fez de estofo azul, púrpura e de carmesim as vestes, finamente tecidas, para ministrar no lugar santo, e fez as vestes sagradas para Arão, como o Senhor ordenara a Moisés.
2 Fez a estola sacerdotal de ouro, estofo azul, púrpura, carmesim e de linho fino trançado.
3 De ouro batido fez lâminas delgadas e as cortou em fios, para entretecê-los no estofo azul, na púrpura, no carmesim e no linho fino da obra de desenhista.
4 Fez-lhe duas ombreiras que se ajuntavam nas duas extremidades, e assim se uniam.
5 O cinto, que estava sobre a estola sacerdotal, formava com ela uma só peça e era de obra semelhante, de ouro, estofo azul, púrpura, carmesim e de linho fino trançado, como o Senhor ordenara a Moisés.
6 Preparou as pedras de ônix, engastadas em ouro, lavradas como se grava um selo, com os nomes dos filhos de Israel.
7 Então pôs as pedras de ônix sobre as ombreiras da estola sacerdotal para servirem de pedras de memorial para os filhos de Israel, como o Senhor ordenara a Moisés.
8 Fez o peitoral de obra de desenhista, como a obra da estola sacerdotal, de ouro, estofo azul, púrpura, carmesim e de linho fino trançado.
9 Era quadrado; duplo fez o peitoral: o seu comprimento e a sua largura eram de um palmo, dobrado em dois.
10 Então colocou nele quatro ordens de pedras. A ordem de sárdio, topázio e carbúnculo era a primeira;
11 a segunda ordem era de esmeralda, safira e diamante;
12 a terceira ordem era de jacinto, ágata e ametista;
13 a quarta ordem era de berilo, ônix e jaspe. Eram elas engastadas nos seus engastes de ouro.
14 As pedras eram segundo os nomes dos filhos de Israel, doze segundo os seus nomes; eram semelhantes a gravuras de selo, cada uma com o seu nome para as doze tribos.
15 Fez para o peitoral correntes como cordas, de obra trançada de ouro puro.
16 Fez dois engastes de ouro e duas argolas de ouro, e fixou as

duas argolas nas duas extremidades do peitoral.

**17** Pôs as duas correntes trançadas de ouro nas duas argolas, nas duas extremidades do peitoral.

**18** As outras duas pontas das duas correntes trançadas pôs nos dois engastes e as pôs sobre as ombreiras da estola sacerdotal, na parte da frente dela.

**19** Fez outras duas argolas de ouro, as quais pôs nas duas extremidades do peitoral, na sua borda que estava junto à estola sacerdotal por dentro.

**20** Então fez mais duas argolas de ouro, as quais pôs nas duas ombreiras da estola sacerdotal, debaixo, na parte da frente, junto à sua costura, acima do cinto de trabalho artesanal da estola sacerdotal.

**21** Ligou o peitoral, pelas suas argolas, às argolas da estola sacerdotal, por meio de um cordão azul, para que estivesse sobre o cinturão, e o peitoral não se separasse da estola sacerdotal, como o Senhor ordenara a Moisés.

**22** Fez a sobrepeliz da estola sacerdotal de obra tecida, toda de estofo azul,

**23** e a abertura da sobrepeliz no centro dela, como uma gola, e esta abertura tinha uma dobra em volta, para que não se rompesse.

**24** Nas abas da sobrepeliz fez romãs de estofo azul, púrpura, carmesim, de fio trançado.

**25** Fez campainhas de ouro puro e as pôs nas abas da sobrepeliz ao redor, intercaladas com as romãs.

**26** Uma campainha e uma romã, outra campainha e outra romã, nas abas da sobrepeliz ao redor, para uso no ministério, como o Senhor ordenara a Moisés.

**27** Fez as túnicas de linho fino, de obra de tecelão, para Arão e para seus filhos,

**28** e o turbante, o adorno das tiaras e os calções, todos de linho fino trançado,

**29** e o cinto de linho fino trançado, e de estofo azul, e de púrpura e de carmesim, obra de bordador, como o Senhor ordenara a Moisés.

**30** Fez, de ouro puro, a lâmina da coroa sagrada e nela gravou uma inscrição como se grava um selo: "Santidade ao Senhor".

**31** Então a prendeu com um cordão de estofo azul, para prendê-la à parte superior do turbante, como o Senhor ordenara a Moisés.

**32** Assim se acabou toda a obra do tabernáculo da tenda da congregação. Os filhos de Israel fizeram conforme tudo o que o Senhor ordenara a Moisés.

### O tabernáculo é entregue a Moisés

**33** Então trouxeram a Moisés o tabernáculo, a tenda e todos os seus utensílios, os seus ganchos, as suas tábuas, as suas varas, as suas colunas e as suas bases;

**34** a cobertura de peles de carneiro tingidas de vermelho, a cobertura de peles de animais marinhos e o véu protetor;

**35** a arca do testemunho com as suas varas e o propiciatório;

**36** a mesa com todos os seus utensílios e os pães da proposição;

**37** o candelabro de ouro puro com as suas lâmpadas em ordem, todos os seus utensílios, e o azeite para a iluminação;

**38** o altar de ouro, o óleo da unção, o incenso aromático e a cortina da porta da tenda;

39 o altar de bronze e o seu crivo de bronze, as suas varas e todos os seus utensílios; a pia e a sua base;
40 as cortinas do átrio, as suas colunas e as suas bases, a cortina da porta do átrio, as suas cordas e as suas estacas, e todos os utensílios do serviço do tabernáculo, para a tenda da congregação;
41 e as vestes finamente tecidas para ministrar no santuário e as vestes sagradas do sacerdote Arão, e as vestes dos seus filhos, para administrarem o sacerdócio.
42 Conforme tudo o que o Senhor ordenara a Moisés, assim fizeram os filhos de Israel.
43 Moisés inspecionou toda a obra e viu que a tinham feito como o Senhor ordenara. Então Moisés os abençoou.

### O tabernáculo é levantado

**40** Depois disse o Senhor a Moisés:
2 No primeiro mês, no primeiro dia do mês, levantarás o tabernáculo da tenda da congregação.
3 Porás nele a arca do testemunho e cobrirás a arca com o véu.
4 Depois colocarás nele a mesa e porás em ordem o que se deve pôr em ordem nela. Então colocarás nele o candelabro e acenderás as suas lâmpadas.
5 Porás o altar de ouro para o incenso diante da arca do testemunho e pendurarás a cortina da porta do tabernáculo.
6 Porás o altar do holocausto em frente da porta do tabernáculo da tenda da congregação;
7 porás a pia entre a tenda da congregação e o altar, e nela derramarás água.
8 Depois porás o átrio ao redor e pendurarás a cortina na porta de entrada do átrio.
9 Então tomarás o óleo da unção e ungirás o tabernáculo e tudo o que nele há; tu o consagrarás com todos os seus pertences, e será santo.
10 Ungirás também o altar do holocausto e todos os seus utensílios; consagrarás o altar, e será santíssimo.
11 Então ungirás a pia e a sua base, e a consagrarás.
12 Farás chegar Arão e seus filhos à entrada da tenda da congregação e os lavarás com água.
13 Então vestirás Arão das vestes sagradas; o ungirás e o consagrarás para que me administre o sacerdócio.
14 Farás chegar seus filhos e lhes vestirás as túnicas;
15 e os ungirás como ungiste a seu pai, para que me administrem o sacerdócio. A sua unção lhes será por sacerdócio perpétuo nas suas gerações.
16 Moisés fez conforme tudo o que o Senhor lhe ordenou.
17 No primeiro mês do segundo ano, ao primeiro do mês, o tabernáculo foi levantado.
18 Moisés levantou o tabernáculo, e pôs as suas bases, e armou as suas tábuas, e colocou nele os seus travessões, e levantou as suas colunas.
19 Então estendeu a tenda sobre o tabernáculo e pôs a cobertura da tenda sobre ela, em cima, como o Senhor lhe ordenara.
20 Tomou o testemunho e o pôs na arca, e colocou as varas na arca, e pôs o propiciatório em cima da arca.
21 Trouxe a arca para o tabernáculo, pendurou o véu protetor

e cobriu a arca do testemunho, como o Senhor lhe ordenara.

22 Pôs a mesa na tenda da congregação, ao lado do tabernáculo para o norte, fora do véu,
23 e sobre ela pôs em ordem o pão perante o Senhor, como o Senhor lhe ordenara.
24 Pôs na tenda da congregação o candelabro em frente da mesa, ao lado do tabernáculo para o sul,
25 e acendeu as lâmpadas perante o Senhor, como o Senhor lhe ordenara.
26 Pôs o altar de ouro na tenda da congregação, diante do véu,
27 e acendeu sobre ele o incenso de especiarias aromáticas, como o Senhor lhe ordenara.
28 Então pendurou a cortina da porta do tabernáculo
29 e pôs o altar do holocausto à entrada do tabernáculo da tenda da congregação e ofereceu sobre ele holocausto e oferta de cereais, como o Senhor lhe ordenara.
30 Pôs a pia entre a tenda da congregação e o altar e a encheu de água;
31 Moisés, Arão e seus filhos a usaram para lavar as mãos e os pés.
32 Quando entravam na tenda da congregação e quando chegavam ao altar, lavavam-se, como o Senhor ordenara a Moisés.
33 Então Moisés levantou o átrio ao redor do tabernáculo e do altar e pendurou a cortina da entrada do átrio. Assim Moisés acabou a obra.

### A glória do Senhor

34 Então a nuvem cobriu a tenda da congregação, e a glória do Senhor encheu o tabernáculo.
35 Moisés não podia entrar na tenda da congregação, porque a nuvem repousava sobre ela, e a glória do Senhor enchia o tabernáculo.
36 Quando a nuvem se levantava de sobre o tabernáculo, os filhos de Israel seguiam viagem;
37 se a nuvem, porém, não se levantava, não prosseguiam até o dia em que ela se levantava.
38 Assim, a nuvem do Senhor estava de dia sobre o tabernáculo, e o fogo estava de noite sobre ele, perante os olhos de toda a nação de Israel, em todas as suas viagens.

# LEVÍTICO

### Os holocaustos

**1** Chamou o Senhor a Moisés e, da tenda da congregação, lhe disse:
**2** Fala aos filhos de Israel e dize-lhes: Quando algum de vós apresentar oferta ao Senhor, trareis as vossas ofertas de gado ou de ovelhas.
**3** Se a sua oferta for holocausto de gado, oferecerá ele um macho sem defeito. À entrada da tenda da congregação o oferecerá, para que seja aprovado pelo Senhor.
**4** Porá a mão sobre a cabeça do holocausto, para que este seja aceito a favor dele, para a sua expiação.
**5** Depois degolará o novilho perante o Senhor, e os filhos de Arão, os sacerdotes, oferecerão o sangue, e o espargirão em volta do altar que está à entrada da tenda da congregação.
**6** Então esfolará o holocausto e o partirá em pedaços.
**7** Os filhos de Arão, os sacerdotes, porão fogo sobre o altar, colocando em ordem a lenha sobre o fogo.
**8** Também os filhos de Arão, os sacerdotes, porão em ordem os pedaços, a cabeça e a gordura sobre a lenha que está no fogo em cima do altar.
**9** As vísceras, porém, e as pernas, ele as lavará com água, e o sacerdote queimará tudo isso sobre o altar. É holocausto, oferta queimada, de cheiro suave ao Senhor.
**10** Se a sua oferta for de gado miúdo, de ovelhas ou de cabritos, para holocausto, oferecerá macho sem defeito.
**11** Ele o degolará ao lado do altar que dá para o norte, perante o Senhor, e os filhos de Arão, os sacerdotes, espargirão o seu sangue em volta do altar.
**12** Depois ele o partirá em pedaços, como também a sua cabeça e a sua gordura, e o sacerdote os porá em ordem sobre a lenha que está no fogo sobre o altar.
**13** As vísceras, porém, e as pernas serão lavadas com água, e o sacerdote tudo oferecerá, e o queimará sobre o altar. É holocausto, oferta queimada, de cheiro suave ao Senhor.
**14** Se a sua oferta ao Senhor for holocausto de aves, trará a sua oferta de rolinhas ou de pombinhos.
**15** O sacerdote a trará ao altar, lhe torcerá o pescoço e a queimará sobre o altar; espremerá o seu sangue na parede do altar.
**16** Tirará o seu papo com as suas penas e o jogará junto ao altar, para o lado do oriente, no lugar da cinza.
**17** Rasgará a ave pelas asas, porém não a partirá, e o sacerdote a queimará em cima do altar sobre a lenha que está no fogo. É holocausto, oferta queimada de cheiro suave ao Senhor.

### As ofertas de cereais

**2** Quando alguém fizer oferta de cereais ao Senhor, a sua oferta será de flor de farinha. Nela derramará azeite, sobre ela porá o incenso
**2** e a trará aos filhos de Arão, os sacerdotes. O sacerdote tomará dela um punhado da flor de farinha e do seu azeite com todo o seu incenso e os queimará sobre

o altar por oferta memorial. É oferta queimada de cheiro suave ao Senhor.

3 O que sobrar da oferta de cereais será de Arão e de seus filhos; é coisa santíssima das ofertas queimadas ao Senhor.

4 Quando fizerdes oferta de cereais cozida no forno, será de bolos sem fermento de flor de farinha, amassados com azeite, e pães finos untados com azeite.

5 Se a tua oferta for de cereais cozida na assadeira, será de flor de farinha sem fermento, amassada com azeite.

6 Em pedaços a partirás e sobre ela derramarás azeite; é oferta de cereais.

7 Se a tua oferta for de cereais cozida na frigideira, será feita de flor de farinha com azeite.

8 Então, trarás ao Senhor a oferta de cereais que for feita dessas coisas; ela será apresentada ao sacerdote, que a levará ao altar.

9 O sacerdote tomará da oferta de cereais o memorial dela e o queimará sobre o altar; é oferta queimada de cheiro suave ao Senhor.

10 O que sobrar da oferta de cereais será de Arão e de seus filhos; é coisa santíssima das ofertas queimadas ao Senhor.

11 Nenhuma oferta de cereais, que fizerdes ao Senhor, se fará com fermento, pois de nenhum fermento nem de mel algum fareis oferta queimada ao Senhor.

12 Deles trareis ao Senhor por oferta dos primeiros frutos, mas sobre o altar não subirão por cheiro suave.

13 Todas as ofertas dos teus cereais temperarás com sal. Não deixarás faltar às tuas ofertas de cereais o sal da aliança do teu Deus; em todas as tuas ofertas oferecerás sal.

14 Se fizeres ao Senhor oferta de cereais dos primeiros frutos, oferecerás espigas verdes tostadas ao fogo, isto é, o grão esmagado de espigas verdes.

15 Sobre ela derramarás azeite, e por cima lhe porás incenso; é oferta de cereais.

16 Assim o sacerdote queimará a porção memorial do grão esmagado, e do seu azeite, com todo o incenso; é oferta queimada ao Senhor.

## Os sacrifícios das ofertas pacíficas

**3** Se a oferta de alguém for sacrifício pacífico e se o fizer de gado, seja macho ou fêmea, deverá ser oferecida sem defeito diante do Senhor.

2 Porá a mão sobre a cabeça da sua oferta e a degolará diante da entrada da tenda da congregação. Então os filhos de Arão, os sacerdotes, espargirão o sangue em volta do altar.

3 Do sacrifício de oferta pacífica oferecerá, como oferta queimada ao Senhor, a gordura que cobre as vísceras, sim, toda a gordura que está sobre ela,

4 os dois rins e a gordura que está sobre eles, e a que está junto aos lombos, e o redenho que está sobre o fígado com os rins, ele os tirará.

5 Os filhos de Arão queimarão isso sobre o altar, em cima do holocausto que estará sobre a lenha no fogo; é oferta queimada de cheiro suave ao Senhor.

6 Se a sua oferta por sacrifício pacífico ao Senhor for de gado miúdo, seja macho ou fêmea, sem defeito a oferecerá.

7 Se trouxer um cordeiro por sua oferta, deverá oferecê-lo perante o Senhor.
8 Porá a mão sobre a cabeça da sua oferta e a degolará diante da tenda da congregação. Então os filhos de Arão espargirão o seu sangue em volta do altar.
9 Do sacrifício de oferta pacífica trará ao Senhor por oferta queimada a sua gordura, a cauda toda, que tirará do espinhaço, e a gordura que cobre as vísceras, sim, toda a gordura que está sobre ela,
10 os dois rins e a gordura que está sobre eles, e a que está junto aos lombos, e o redenho que está sobre o fígado com os rins, ele os tirará.
11 O sacerdote queimará tudo isso sobre o altar; é o alimento da oferta queimada ao Senhor.
12 Se a sua oferta, porém, for uma cabra, perante o Senhor a oferecerá.
13 Porá a mão sobre a sua cabeça e a degolará diante da tenda da congregação. Então os filhos de Arão espargirão o seu sangue em volta do altar.
14 Depois trará dela a sua oferta, por oferta queimada ao Senhor, a gordura que cobre as vísceras, sim, toda a gordura que está sobre ela,
15 os dois rins e a gordura que está sobre eles, e a que está junto aos lombos, e o redenho que está sobre o fígado, com os rins, ele os tirará.
16 O sacerdote queimará isso sobre o altar; é o alimento da oferta queimada, de cheiro suave. Toda gordura será do Senhor.
17 Estatuto perpétuo será nas vossas gerações, em todas as vossas habitações: Nenhuma gordura nem sangue algum comereis.

## O sacrifício pelos pecados dos sacerdotes

**4** Disse o Senhor a Moisés:
2 Dize aos filhos de Israel: Quando alguém pecar por ignorância e fizer o que é proibido em qualquer dos mandamentos do Senhor,
3 se o sacerdote ungido pecar para escândalo do povo, oferecerá ao Senhor, pelo pecado que cometeu, um novilho sem defeito como oferta.
4 Trará o novilho à entrada da tenda da congregação, perante o Senhor. Porá a mão sobre a cabeça do novilho e o degolará perante o Senhor.
5 Então o sacerdote ungido tomará do sangue do novilho e o trará à tenda da congregação.
6 Molhará o dedo no sangue e espargirá dele sete vezes perante o Senhor, diante do véu do santuário.
7 Então o sacerdote porá daquele sangue sobre os chifres do altar do incenso aromático, perante o Senhor, que está na tenda da congregação. Todo o resto do sangue do novilho derramará à base do altar do holocausto, que está à entrada da tenda da congregação.
8 Toda a gordura do novilho da expiação tirará dele; a gordura que cobre as vísceras, sim, toda a gordura que está sobre ela,
9 os dois rins e a gordura que está sobre eles, e a que está junto aos lombos, e o redenho de sobre o fígado, com os rins, ele os tirará,
10 como se tira do novilho do sacrifício de oferta pacífica. Então o sacerdote os queimará sobre o altar do holocausto.
11 O couro do novilho, porém, e toda a sua carne, com a cabeça, as pernas, as vísceras e o excremento,

12 a saber, o novilho todo, levará fora do arraial, a um lugar limpo, onde se lança a cinza, e o queimará com fogo sobre a lenha, no monte de cinza.
13 Se, porém, toda a congregação de Israel pecar por ignorância, e isso for oculto aos olhos da assembleia, e se fizerem o que é proibido em qualquer dos mandamentos do Senhor, aquilo que não se deve fazer, e forem culpados,
14 e o pecado que cometerem for notório, então a assembleia oferecerá um novilho como oferta pelo pecado e o trará diante da tenda da congregação.
15 Os anciãos da congregação porão as mãos sobre a cabeça do novilho perante o Senhor, e o novilho será degolado perante o Senhor.
16 Então o sacerdote ungido trará do sangue do novilho à tenda da congregação.
17 O sacerdote molhará o dedo naquele sangue e o espargirá sete vezes perante o Senhor, diante do véu.
18 Daquele sangue porá sobre os chifres do altar que está perante o Senhor, na tenda da congregação. O restante do sangue derramará à base do altar do holocausto, que está na entrada da tenda da congregação.
19 Tirará dele toda a sua gordura e a queimará sobre o altar;
20 e fará com este novilho como fez ao novilho da oferta pelo pecado. Assim lhe fará, e o sacerdote por eles fará propiciação, e lhes será perdoado o pecado.
21 Depois levará o novilho fora do arraial e o queimará como queimou o primeiro novilho. É oferta pelo pecado da assembleia.
22 Quando um líder pecar e por ignorância fizer alguma de todas as coisas que o Senhor, o seu Deus, ordenou não se fizessem, ele se tornará culpado.
23 Quando o pecado que cometeu lhe for notificado, então trará por sua oferta um bode sem defeito.
24 Porá a mão sobre a cabeça do bode e o degolará no lugar onde se degola o holocausto, perante o Senhor. É oferta pelo pecado.
25 Depois, o sacerdote, com o dedo, tomará do sangue da oferta pelo pecado e o porá sobre os chifres do altar do holocausto; o restante do seu sangue derramará à base do altar do holocausto.
26 Também queimará sobre o altar toda a sua gordura, como a gordura do sacrifício de oferta pacífica. Assim o sacerdote fará por ele expiação do seu pecado, e ele será perdoado.
27 Se alguém do povo da terra pecar por ignorância, fazendo algumas das coisas que o Senhor ordenou não se fizessem, ele se torna culpado.
28 Quando o pecado que cometeu lhe for notificado, então trará por sua oferta uma cabra, sem defeito, pelo pecado cometido.
29 Porá a mão sobre a cabeça da oferta pelo pecado e a degolará no lugar do holocausto.
30 Depois o sacerdote, com o dedo, tomará do sangue da oferta e o porá sobre os chifres do altar do holocausto; o restante do seu sangue derramará à base do altar.
31 Tirará toda a gordura, como se tira a gordura do sacrifício de oferta pacífica, e a queimará sobre o altar, por cheiro suave ao Senhor. Assim o sacerdote fará

expiação por ele, e ele será perdoado.

32 Se, porém, como sua oferta pelo pecado trouxer uma cordeira, sem defeito a trará.
33 Porá a mão sobre a cabeça do animal que será morto e o degolará por oferta pelo pecado, no lugar onde se degola o holocausto.
34 Depois, o sacerdote, com o dedo, tomará do sangue da oferta pelo pecado e o porá sobre os chifres do altar do holocausto; o restante do seu sangue derramará na base do altar.
35 Tirará toda a gordura, como se tira a gordura do cordeiro do sacrifício pacífico, e a queimará sobre o altar, em cima das ofertas queimadas ao Senhor. Assim o sacerdote fará por ele expiação do pecado que cometeu, e ele será perdoado.

### O sacrifício pelos pecados ocultos

**5** Quando alguém pecar porque, intimado a depor em juízo, não denunciar o que viu ou o que soube, levará a sua iniquidade.
2 Ou, quando uma pessoa tocar em alguma coisa imunda, seja cadáver de animal selvagem, seja cadáver de animal doméstico, seja cadáver de réptil, ainda que o faça sem perceber, será ela imunda e culpada.
3 Ou, quando alguém, sem perceber, tocar em qualquer imundícia humana, qualquer coisa que o faça imundo, quando ele souber depois, será culpado.
4 Ou, quando uma pessoa jurar irrefletidamente com os seus lábios para fazer mal ou para fazer bem, em tudo o que o homem possa jurar sem refletir, sem perceber, e o souber depois, culpado será numa dessas coisas.
5 Sendo alguém culpado numa dessas coisas, confessará aquilo em que pecou,
6 e, como oferta pelo pecado que cometeu, trará ao Senhor uma fêmea de gado miúdo, cordeira ou cabrita, e o sacerdote fará por ele expiação do seu pecado.
7 Se os seus recursos, porém, não forem suficientes para gado miúdo, então trará ao Senhor, em expiação da culpa que cometeu, duas rolinhas ou dois pombinhos: um como oferta pelo pecado, e o outro como holocausto.
8 Ele os trará ao sacerdote, que oferecerá primeiro o que é para a oferta pelo pecado, e com a sua unha lhe torcerá a cabeça rente ao pescoço, sem separá-la de todo.
9 Do sangue da oferta pelo pecado espargirá sobre a parede do altar, mas o que sobrar daquele sangue deixará escorrer na base do altar. É oferta pelo pecado.
10 Do outro fará holocausto conforme o estabelecido; assim o sacerdote fará por ele a expiação do pecado que cometeu, e lhe será perdoado.
11 Se os seus recursos, porém, não lhe permitirem oferecer duas rolinhas, ou dois pombinhos, então aquele que pecou trará pela sua oferta a décima parte de um efa de flor de farinha, como oferta pelo pecado. Não lhe misturará azeite, nem sobre ela porá o incenso, pois é oferta pelo pecado.
12 Ele a trará ao sacerdote, que dela tomará um punhado cheio como memorial e a queimará sobre o altar, em cima das ofertas queimadas ao Senhor. É oferta pelo pecado.
13 Assim o sacerdote fará por ele a expiação do pecado que cometeu

em alguma dessas coisas, e lhe será perdoado. O restante será do sacerdote, como nas ofertas de cereais.

14 Disse o Senhor a Moisés:
15 Quando uma pessoa cometer ofensa e pecar por ignorância nas coisas sagradas do Senhor, então trará ao Senhor por oferta um carneiro sem defeito do rebanho, conforme a tua avaliação em siclos de prata, segundo o siclo do santuário, para oferta pela culpa.
16 Assim restituirá o que tirou das coisas sagradas, e ainda acrescentará o seu quinto, e o trará ao sacerdote. O sacerdote fará expiação por ele com o carneiro da oferta pelo pecado, e será perdoado.
17 Se alguém pecar, fazendo contra algum de todos os mandamentos do Senhor o que não se deve fazer, ainda que sem perceber, será culpado, e levará a sua iniquidade.
18 Do rebanho trará ao sacerdote um carneiro sem defeito, conforme a tua avaliação, como oferta pela culpa, e o sacerdote por ele fará expiação do erro que cometeu sem perceber, e lhe será perdoado.
19 É oferta pelo pecado; certamente se fez culpado para com o Senhor.

## O sacrifício pelos pecados voluntários

**6** Disse o Senhor a Moisés:
2 Quando alguém pecar e for infiel ao Senhor, enganando o seu próximo referente a algo que este lhe deu em depósito, ou penhor ou roubo, ou reter em seu poder alguma coisa de seu próximo,
3 ou que, tendo achado o perdido, o negar com falso juramento, ou fizer alguma outra coisa de todas aquelas em que o homem costuma pecar,
4 quando assim pecar e se tornar culpado, restituirá o objeto roubado, ou extorquido, ou o que lhe foi confiado, ou o perdido que achou,
5 ou tudo aquilo sobre o que falsamente jurou. Restituirá por inteiro e ainda sobre isso acrescentará a quinta parte; a quem pertence o dará no dia da sua oferta pela culpa.
6 E por sua oferta pela culpa trará ao Senhor um carneiro sem defeito, do rebanho, conforme a tua avaliação para a oferta pela culpa, o qual entregará ao sacerdote.
7 Assim o sacerdote fará por ele expiação diante do Senhor, e lhe será perdoada qualquer de todas as coisas que fez, pela qual se tornou culpado.

## O holocausto

8 Disse o Senhor a Moisés:
9 Dá ordem a Arão e a seus filhos, dizendo: Esta é a lei do holocausto: o holocausto ficará sobre a lareira do altar a noite inteira, até a manhã seguinte, e nela se conservará aceso o fogo do altar.
10 O sacerdote então vestirá a sua túnica de linho e as calças de linho sobre a sua pele, e retirará a cinza, que o fogo consumiu do holocausto no altar, e a porá junto ao altar.
11 Depois, trocará as suas vestes e vestirá outras; e levará a cinza para fora do arraial a um lugar limpo.
12 O fogo sempre se conservará aceso sobre o altar; não se apagará. Cada manhã o sacerdote acenderá lenha nele, e sobre ele porá

em ordem o holocausto, e sobre ele queimará a gordura das ofertas pacíficas.

13 O fogo arderá continuamente sobre o altar; não se apagará.

### A oferta de cereais

14 Esta é a lei da oferta de cereais: os filhos de Arão a oferecerão perante o Senhor diante do altar.
15 O sacerdote tomará um punhado de flor de farinha da oferta de cereais e do seu azeite, e todo o incenso que estiver sobre a oferta de cereais, e os queimará no altar como memorial de cheiro suave ao Senhor.
16 Arão e seus filhos comerão o restante dela, mas deverá ser comido sem fermento, no lugar santo, no pátio da tenda da congregação.
17 Fermentado não se assará; é a parte que lhes dei das minhas ofertas queimadas. Como a oferta pelo pecado, e como a oferta pela culpa, é coisa santíssima.
18 Todo varão entre os filhos de Arão comerá dela. Estatuto perpétuo será para as vossas gerações das ofertas queimadas ao Senhor. Tudo o que nelas tocar será santo.
19 Disse mais o Senhor a Moisés:
20 Esta é a oferta de Arão e de seus filhos, que oferecerão ao Senhor no dia em que ele for ungido: a décima parte de um efa de flor de farinha como oferta de cereais contínua, metade pela manhã e metade à tarde.
21 Numa assadeira será preparada com azeite; bem misturada; e apresentará a oferta de cereais partida em pedaços, como cheiro suave ao Senhor.
22 Também o sacerdote, que dentre seus filhos for ungido em seu lugar, fará o mesmo. Por estatuto perpétuo será toda ela queimada ao Senhor.
23 Assim toda a oferta de cereais do sacerdote será totalmente queimada; não se comerá.

### A oferta pelo pecado

24 Disse o Senhor a Moisés:
25 Dize a Arão e a seus filhos: Esta é a lei da oferta pelo pecado: no lugar onde se imola o holocausto se imolará a oferta pelo pecado perante o Senhor; é coisa santíssima.
26 O sacerdote que a oferecer pelo pecado, a comerá no lugar santo, no pátio da tenda da congregação.
27 Tudo o que tocar a carne da oferta será santo, e se o sangue respingar sobre alguma roupa, lavarás a mancha no lugar santo.
28 O vaso de barro em que for cozida será quebrado; mas se for cozida num vaso de cobre, este será esfregado e lavado com água.
29 Todo varão entre os sacerdotes comerá dela; é coisa santíssima.
30 Não se comerá, porém, nenhuma oferta pelo pecado, da qual se levou sangue à tenda da congregação, para fazer expiação no santuário; no fogo será queimada.

### A oferta pela culpa

7 Esta é a lei da oferta pela culpa, que é coisa santíssima:
2 No lugar onde imolam o holocausto, imolarão a oferta pela culpa, e o seu sangue se espargirá em volta do altar.
3 Dela se oferecerá toda a sua gordura: a cauda, e a gordura que cobre as vísceras,
4 ambos os rins, e a gordura que está sobre eles, junto aos lombos, e o redenho sobre o fígado com os rins se tirará.

5 O sacerdote o queimará sobre o altar em oferta queimada ao Senhor. É oferta pela culpa.
6 Todo homem entre os sacerdotes a comerá, mas no lugar santo se comerá; é coisa santíssima.
7 Como a oferta pelo pecado, assim será a oferta pela culpa, uma mesma lei haverá para elas: a vítima pertencerá ao sacerdote que com ela fizer a expiação.
8 Também ao sacerdote que oferecer o holocausto de alguém pertencerá o couro do animal que oferecer.
9 Como também toda a oferta que se assar no forno, com tudo o que se preparar na frigideira e na assadeira, será do sacerdote que a oferecer.
10 Também toda a oferta de cereais, amassada com azeite ou seca, será de todos os filhos de Arão, sem distinção.

### As ofertas pacíficas

11 Esta é a lei das ofertas pacíficas que alguém pode oferecer ao Senhor:
12 Se for oferecida em ação de graças, com a oferta em ação de graças serão oferecidos bolos sem fermento amassados com azeite, pães finos sem fermento untados de azeite, e bolos de flor de farinha embebidos em azeite.
13 Com os bolos oferecerá pão levedado como sua oferta, com o sacrifício de sua oferta pacífica por ação de graças.
14 De toda oferta se retirará um bolo por oferta alçada ao Senhor, o qual será do sacerdote que espargir o sangue da oferta pacífica.
15 A carne do sacrifício de ofertas pacíficas de ação de graças, porém, se comerá no dia do seu oferecimento; nada se deixará dela para o dia seguinte.
16 Se, porém, o sacrifício da sua oferta for voto, ou oferta voluntária, no dia em que for oferecido se comerá, mas o que dele ficar se comerá no dia seguinte.
17 O que ainda restar da carne do sacrifício ao terceiro dia, será queimado no fogo.
18 Se da carne do seu sacrifício pacífico se comer ao terceiro dia, aquele que a ofereceu não será aceito nem lhe terá o sacrifício, pois coisa abominável será; a pessoa que comer dela levará a sua iniquidade.
19 A carne que tocar em alguma coisa imunda não se comerá; com fogo será queimada. Mas da outra carne qualquer que estiver limpo comerá dela.
20 Se, contudo, uma pessoa comer a carne do sacrifício da oferta pacífica, que é do Senhor, estando imunda, essa pessoa será extirpada do seu povo.
21 Se uma pessoa tocar em alguma coisa imunda, como imundícia de homem, ou gado, ou qualquer réptil e comer da carne do sacrifício da oferta pacífica, que é do Senhor, essa pessoa será extirpada do seu povo.

### Proíbe-se o comer a gordura e o sangue

22 Depois disse o Senhor a Moisés:
23 Dize aos filhos de Israel: Nenhuma gordura de boi, carneiro ou cabra comereis.
24 A gordura do animal que morre por si mesmo e a gordura do dilacerado por feras podereis usar para qualquer fim, mas de maneira alguma a comereis.
25 Qualquer que comer a gordura do animal, do qual se oferecer

ao Senhor oferta queimada, será extirpado do seu povo.

26 Nenhum sangue comereis em qualquer das vossas habitações, quer de aves, quer de gado.

27 Toda pessoa que comer algum sangue será extirpada do seu povo.

### A porção dos sacerdotes

28 Disse o Senhor a Moisés:

29 Dize aos filhos de Israel: Quem oferecer ao Senhor o seu sacrifício pacífico, trará ao Senhor a oferta do seu sacrifício pacífico.

30 Com suas próprias mãos trará as ofertas queimadas ao Senhor; o peito com a gordura trará para movê-lo por oferta movida perante o Senhor.

31 O sacerdote queimará a gordura sobre o altar, mas o peito será de Arão e de seus filhos.

32 Também a coxa direita dareis ao sacerdote por oferta alçada dos vossos sacrifícios das ofertas pacíficas.

33 Aquele dentre os filhos de Arão que oferecer o sangue do sacrifício da oferta pacífica e a gordura, esse terá a coxa direita por sua parte.

34 O peito movido e a espádua alçada tomei dos filhos de Israel dos sacrifícios das suas ofertas pacíficas e os dei a Arão, o sacerdote, e a seus filhos, por direito perpétuo dos filhos de Israel.

35 Esta é a parte de Arão e de seus filhos das ofertas queimadas ao Senhor, no dia em que os apresentou para administrar o sacerdócio ao Senhor.

36 No dia em que foram ungidos, ordenou o Senhor aos israelitas que se lhes desse essa parte, como estatuto perpétuo pelas suas gerações.

37 Esta é a lei do holocausto, da oferta de cereais, da oferta pelo pecado, da oferta pela culpa, da oferta das consagrações, e do sacrifício das ofertas pacíficas,

38 que o Senhor ordenou a Moisés no monte Sinai, no dia em que mandou que os filhos de Israel oferecessem as suas ofertas ao Senhor no deserto de Sinai.

### A consagração de Arão e seus filhos

**8** Disse o Senhor a Moisés:

2 Toma Arão e seus filhos, e as vestes, e o azeite da unção, como também o novilho da oferta pelo pecado, e dois carneiros, e o cesto dos pães sem fermento,

3 e reúne toda a congregação à entrada da tenda da congregação.

4 Fez, pois, Moisés como o Senhor lhe ordenara, e a comunidade se reuniu à entrada da tenda da congregação.

5 Então disse Moisés à comunidade: Isto é o que o Senhor ordenou que se fizesse.

6 Então Moisés trouxe Arão e seus filhos e os lavou com água.

7 E vestiu Arão com a túnica, e cingiu-o com o cinto, e pôs sobre ele o manto. Também pôs sobre ele a estola sacerdotal e a prendeu, cingindo-a com o cinturão.

8 Depois, colocou-lhe o peitoral, no qual pôs o Urim e o Tumim.

9 Então pôs sobre a sua cabeça o turbante e, na parte da frente dele, pôs a lâmina de ouro, a coroa sagrada, como o Senhor lhe ordenara.

10 Então Moisés tomou o azeite da unção e ungiu o tabernáculo e tudo o que havia nele e os consagrou.

11 E dele aspergiu sete vezes sobre o altar e ungiu o altar e todos os seus vasos, como também a pia e a sua base, para consagrá-los.

12 Depois derramou do azeite da unção sobre a cabeça de Arão e ungiu-o, para consagrá-lo.
13 Também Moisés trouxe os filhos de Arão e vestiu-lhes as túnicas, cingiu-os com o cinto e apertou-lhes as tiaras, como o Senhor lhe ordenara.
14 Então trouxe o novilho da oferta pelo pecado, e Arão e seus filhos puseram as mãos sobre a cabeça do novilho da oferta pelo pecado.
15 Depois de imolá-lo, Moisés tomou o sangue, e dele pôs com o dedo sobre os chifres ao redor do altar, purificando o altar. Derramou o resto do sangue na base do altar e o consagrou para fazer expiação por ele.
16 Tomou também toda a gordura que está nas vísceras, o redenho do fígado, e os dois rins e a sua gordura, e os queimou sobre o altar.
17 O novilho, porém, com o seu couro, e a sua carne, e o seu esterco queimou com fogo fora do arraial, como o Senhor lhe ordenara.
18 Depois mandou trazer o carneiro do holocausto, e Arão e seus filhos puseram as mãos sobre a cabeça do carneiro.
19 Moisés o imolou e espargiu o sangue em volta do altar.
20 Depois de partir o carneiro em seus pedaços, Moisés queimou dele a cabeça, os pedaços e a gordura.
21 Lavou com água as vísceras e as pernas e queimou todo o carneiro sobre o altar; foi holocausto de cheiro suave, uma oferta queimada ao Senhor, como o Senhor ordenara a Moisés.
22 Então mandou trazer o outro carneiro, o carneiro da consagração, e Arão e seus filhos puseram as mãos sobre a cabeça do carneiro.
23 Moisés o imolou, pegou do seu sangue e pôs sobre a ponta da orelha direita de Arão, e sobre o polegar da sua mão direita, e sobre o polegar do seu pé direito.
24 Moisés também trouxe os filhos de Arão e pôs daquele sangue sobre a ponta da orelha direita deles, e sobre o polegar da sua mão direita, e sobre o polegar do seu pé direito. Então espargiu o resto do sangue em volta do altar.
25 Tomou a gordura, a cauda, toda a gordura que está nas vísceras, o redenho do fígado, ambos os rins e a sua gordura e a coxa direita.
26 Então do cesto dos pães sem fermento, que estava diante do Senhor, pegou um bolo sem fermento, e um bolo de pão azeitado, e um pão fino, e os pôs sobre a gordura e sobre a coxa direita.
27 Tudo isso pôs nas mãos de Arão e nas mãos de seus filhos e o ofereceu por oferta movida perante o Senhor.
28 Depois Moisés os tomou das mãos deles e os queimou no altar sobre o holocausto; era uma oferta de consagração, por cheiro suave, oferta queimada ao Senhor.
29 Em seguida, tomou Moisés o peito e o moveu por oferta movida perante o Senhor; era a parte de Moisés do carneiro da consagração, como o Senhor lhe ordenara.
30 Pegou também Moisés do azeite da unção e do sangue que estava sobre o altar e os espargiu sobre Arão e suas vestes, e sobre os seus filhos e sobre as vestes de seus filhos. Assim consagrou a Arão e as suas vestes, e a seus filhos, e as vestes de seus filhos com ele.

31 Então disse Moisés a Arão e a seus filhos: Cozinhai a carne na entrada da tenda da congregação e ali a comei com o pão que está no cesto da consagração, como ordenei, dizendo: Arão e seus filhos a comerão.
32 O que sobrar da carne e do pão, porém, queimareis com fogo.
33 Também da entrada da tenda da congregação não saireis durante sete dias, até que se cumpram os dias da vossa consagração, pois por sete dias ele vos consagrará.
34 Como se fez no dia de hoje, assim o Senhor ordenou se fizesse, em expiação por vós.
35 Ficareis à entrada da tenda da congregação dia e noite durante sete dias e observareis as ordenanças do Senhor, para que não morrais; pois assim me foi ordenado.
36 Assim Arão e seus filhos fizeram todas as coisas que o Senhor lhes ordenou por meio de Moisés.

### Os sacerdotes iniciam o seu ministério

**9** Ao oitavo dia, Moisés chamou Arão e seus filhos, e os anciãos de Israel,
2 e disse a Arão: Toma um bezerro para oferta pelo pecado, e um carneiro para holocausto, ambos sem defeito, e traze-os perante o Senhor.
3 Então dirás aos filhos de Israel: Tomai um bode para oferta pelo pecado, um bezerro e um cordeiro de um ano, ambos sem defeito, para o holocausto,
4 e um boi e um carneiro por oferta pacífica, para sacrificar perante o Senhor, e oferta de cereais amassada com azeite. Pois hoje o Senhor vos aparecerá.
5 Então trouxeram diante da tenda da congregação o que Moisés ordenou, e chegou-se toda a congregação, e se pôs perante o Senhor.
6 Disse Moisés: Isto é o que o Senhor vos ordenou que fizésseis, para que a sua glória vos apareça.
7 Disse Moisés a Arão: Chega-te ao altar, oferece a tua oferta pelo pecado e o teu holocausto, e faze expiação por ti e pelo povo; também oferece a oferta do povo e faze expiação por ele, como o Senhor ordenou.
8 Então Arão se chegou ao altar e imolou o bezerro da oferta pelo pecado destinado a si próprio.
9 Os filhos de Arão trouxeram-lhe o sangue e ele molhou o seu dedo no sangue e o pôs sobre as pontas do altar; o resto do sangue derramou na base do altar.
10 A gordura, e os rins, e o redenho do fígado, porém, tirados da oferta pelo pecado, queimou sobre o altar, como o Senhor ordenara a Moisés;
11 a carne e o couro queimou fora do arraial.
12 A seguir, imolou o holocausto, e os filhos de Arão lhe entregaram o sangue, e ele o espargiu sobre o altar em redor.
13 Também lhe entregaram o holocausto nos seus pedaços, com a cabeça, e o queimou sobre o altar.
14 E lavou as vísceras e as pernas e as queimou sobre o holocausto, no altar.
15 Depois apresentou a oferta do povo, pegou o bode da oferta pelo pecado, que era do povo, o imolou e o preparou por oferta pelo pecado, como fizera com a primeira vítima.
16 Apresentou também o holocausto e o ofereceu segundo o rito.

17 Apresentou a oferta de cereais, da qual tomou um punhado e queimou sobre o altar, além do holocausto da manhã.
18 Depois imolou o boi e o carneiro em sacrifício pacífico pelo povo. Os filhos de Arão entregaram-lhe o sangue, que ele espargiu ao redor do altar,
19 como também a gordura do boi e do carneiro, a cauda e o que cobre as vísceras, os rins e o redenho do fígado.
20 Puseram a gordura sobre os peitos, e ele a queimou sobre o altar.
21 Os peitos e a coxa direita, porém, Arão os ofereceu por oferta movida perante o Senhor, como Moisés ordenara.
22 Depois, Arão levantou as mãos ao povo e o abençoou. E desceu, havendo feito a oferta pelo pecado, o holocausto e as ofertas pacíficas.
23 Moisés e Arão entraram na tenda da congregação. Quando saíram, abençoaram o povo; e a glória do Senhor apareceu a todo o povo.
24 Fogo saiu da presença do Senhor e consumiu o holocausto e a gordura sobre o altar. O que vendo todo o povo, jubilou e prostrou-se com o rosto em terra.

### A morte de Nadabe e Abiú

**10** Nadabe e Abiú, filhos de Arão, tomaram cada um o seu incensário, puseram neles fogo, puseram incenso sobre ele e trouxeram fogo estranho perante o Senhor, o que ele não lhes ordenara.
2 Então saiu fogo da presença do Senhor e os consumiu; e morreram perante o Senhor.
3 Disse Moisés a Arão: Isto é o que o Senhor disse: Serei santificado naqueles que se chegarem a mim; serei glorificado diante de todo o povo. Arão, porém, se calou.
4 Moisés chamou Misael e Elzafã, filhos de Uziel, tio de Arão, e disse-lhes: Chegai, tirai vossos irmãos da frente do santuário, para fora do arraial.
5 Então se chegaram e levaram-nos nas suas túnicas para fora do arraial, como Moisés ordenara.
6 Disse Moisés a Arão e a seus filhos, Eleazar e Itamar: Não descobrireis a vossa cabeça nem rasgareis as vossas vestes, para que não morrais, nem venha grande indignação sobre toda a congregação; mas vossos irmãos, toda a casa de Israel, lamentem este incêndio que o Senhor provocou.
7 Não saireis da entrada da tenda da congregação, para que não morrais, porque está sobre vós o azeite da unção do Senhor. E fizeram conforme a palavra de Moisés.
8 Disse o Senhor a Arão:
9 Não beberás vinho nem bebida forte, nem tu nem teus filhos, quando entrardes na tenda da congregação, para que não morrais. Estatuto perpétuo será isso pelas vossas gerações,
10 para que possais discernir entre o santo e o profano, e entre o imundo e o limpo,
11 e para ensinar aos filhos de Israel todos os estatutos que o Senhor lhes tem dado por meio de Moisés.
12 Disse Moisés a Arão, a Eleazar e a Itamar, seus filhos, que ficaram vivos: Tomai a oferta de cereais, restante das ofertas queimadas ao Senhor, e comei-a sem fermento junto ao altar, pois é coisa santíssima.

13 E vós a comereis em lugar santo, pois isso é a tua parte e de teus filhos das ofertas queimadas do Senhor; pois assim me foi ordenado.
14 Também o peito da oferta movida e a coxa da oferta alçada comereis em lugar limpo, tu, teus filhos e tuas filhas contigo; foram dados por tua parte e de teus filhos, dos sacrifícios das ofertas pacíficas dos filhos de Israel.
15 A coxa da oferta alçada e o peito da oferta movida trarão com as ofertas queimadas de gordura, para movê-los como oferta movida perante o Senhor. Pertencem a ti e a teus filhos contigo, por direito perpétuo, como o Senhor tem ordenado.
16 Moisés buscou diligentemente o bode da oferta pelo pecado e descobriu que já havia sido queimado. Indignado grandemente contra Eleazar e Itamar, os filhos de Arão que ficaram vivos, disse-lhes:
17 Por que não comestes a oferta pelo pecado em lugar santo? É coisa santíssima, e o Senhor a deu a vós, para que leveis a iniquidade da congregação e para que façais expiação por eles diante do Senhor.
18 Visto que não se trouxe o seu sangue para dentro do santuário, certamente devíeis tê-la comido no santuário, como eu tinha ordenado.
19 Então, disse Arão a Moisés: Hoje ofereceram a sua oferta pelo pecado e o seu holocausto perante o Senhor, mas tais coisas me sucederam. Se eu tivesse comido hoje a oferta pelo pecado, seria isso porventura agradável aos olhos do Senhor?
20 Ouvindo isso, Moisés deu-se por satisfeito.

### Animais limpos e imundos

**11** Disse o Senhor a Moisés e a Arão:
2 Dizei aos filhos de Israel: São estes os animais que podereis comer de todos os animais que há sobre a terra:
3 Dos animais, podereis comer tudo o que tem unhas fendidas, o casco dividido e que rumina.
4 Mas dos que ruminam e têm a unha fendida não comereis: o camelo, que rumina mas não tem as unhas fendidas, esse vos será imundo.
5 O coelho, que rumina, mas não tem as unhas fendidas, esse vos será imundo.
6 A lebre, que rumina, mas não tem as unhas fendidas, essa vos será imunda.
7 Também o porco, que tem as unhas fendidas e o casco dividido, mas não rumina, esse vos será imundo.
8 Da sua carne não comereis nem tocareis no seu cadáver. Estes vos serão imundos.
9 Estes são os que podereis comer de todos os animais que há nas águas: tudo o que tem barbatanas e escamas, nos mares e nos rios, esses comereis.
10 Tudo, porém, o que não tem barbatanas nem escamas, nos mares e nos rios, todo réptil das águas e todos os animais que vivem nas águas, esses serão abomináveis para vós.
11 Eles serão para vós abominação; da sua carne não comereis e abominareis o seu cadáver.
12 Tudo o que não tem barbatanas ou escamas, nas águas, será para vós abominável.
13 Das aves, a estas abominareis, não se comerão, serão abomináveis: a águia, o urubu, a águia-marinha,

14 o açor, o falcão de qualquer espécie,
15 toda a variedade de corvo,
16 o avestruz, a coruja, a gaivota, o gavião de qualquer espécie,
17 o mocho, o corvo-marinho, o corujão,
18 a gralha, o pelicano, o abutre,
19 a cegonha, a garça de qualquer espécie, a poupa e o morcego.
20 Todo inseto que voa e anda sobre quatro pés será para vós abominação.
21 Mas de todo inseto que voa, que anda sobre quatro pés, podereis comer dos que tiver pernas compridas para com elas saltar sobre a terra.
22 Deles comereis estes: a locusta de qualquer espécie, o gafanhoto devorador de qualquer espécie, o grilo de qualquer espécie e o gafanhoto de qualquer espécie.
23 Todos os outros insetos que voam e têm quatro pés serão para vós abominação.
24 Por eles sereis imundos; qualquer que tocar nos seus cadáveres, imundo será até a tarde.
25 Qualquer que transportar um de seus cadáveres lavará as suas vestes e será imundo até a tarde.
26 Todo animal que tem unhas fendidas, mas cuja fenda não as divide em duas, e tudo o que não rumina, vos será imundo; qualquer que neles tocar será imundo.
27 Todos os animais quadrúpedes, que andam nas plantas dos pés, vos serão imundos; qualquer que tocar nos seus cadáveres será imundo até a tarde.
28 O que transportar os seus cadáveres lavará as suas vestes e será imundo até a tarde. Eles vos serão imundos.
29 Também estes vos serão imundos entre os animais que se arrastam pelo chão: a doninha, o rato, o lagarto de qualquer espécie,
30 a lagartixa, o lagarto da areia, o lagarto pintado, a lesma e a toupeira.
31 Esses vos serão imundos entre todos os animais que se arrastam pelo chão. Qualquer que neles tocar, estando eles mortos, será imundo até a tarde.
32 Todo objeto sobre o qual cair algum desses animais, estando mortos, será imundo, seja vaso de madeira, ou vestes, ou pele, ou saco, qualquer instrumento com que se faz alguma obra. Será colocado na água; será imundo até a tarde e, então, será limpo.
33 Todo vaso de barro em que cair algum deles, tudo o que houver nele, será imundo, e o vaso quebrareis.
34 Todo alimento preparado com a água desse vaso será imundo; e toda bebida que se pode beber, depositada nesse vaso, será imunda.
35 Todo objeto sobre o qual cair algum desses cadáveres será imundo; o forno e o vaso de barro serão quebrados. Imundos são, portanto vos serão imundos.
36 A fonte ou cisterna, porém, que contenha águas, será limpa, mas quem tocar no cadáver será imundo.
37 Se dos seus cadáveres cair alguma coisa sobre alguma semente que se há de semear, esta será limpa.
38 Se, porém, for derramada água sobre a semente, e um cadáver cair sobre ela, será imunda.
39 Se morrer algum dos animais destinados à vossa alimentação,

quem tocar no seu cadáver será imundo até a tarde.
40 Quem comer do seu cadáver lavará as suas vestes e será imundo até a tarde. Quem transportar o seu cadáver lavará as suas vestes e será imundo até a tarde.
41 Toda criatura que se arrasta sobre a terra será abominação; não se comerá.
42 Tudo o que anda sobre o ventre, e tudo o que anda sobre quatro pés, ou que tem mais pés, de toda criatura que se arrasta sobre a terra, não comereis; é abominação.
43 Não façais a vossa alma abominável por nenhuma criatura que se arrasta nem com elas vos contaminareis, para não serdes imundos.
44 Eu sou o Senhor, o vosso Deus; consagrai-vos e sede santos, porque eu sou santo. Não vos contaminareis com nenhuma criatura que se arrasta sobre a terra.
45 Eu sou o Senhor que vos fiz subir da terra do Egito para ser o vosso Deus; portanto, sede santos porque eu sou santo.
46 Esta é a lei referente aos animais, às aves, a todos os seres viventes que se movem nas águas e a todos os que se arrastam sobre a terra,
47 para que possais distinguir entre o imundo e o limpo, entre os animais que se podem comer e os que não se podem comer.

## A purificação depois do parto

**12** Disse o Senhor a Moisés: 2 Dize aos filhos de Israel: Se uma mulher conceber e tiver um menino, será imunda durante sete dias, como nos dias da sua menstruação.
3 No oitavo dia, o menino será circuncidado.
4 Depois ficará ela trinta e três dias purificando-se do seu sangue; em nenhuma coisa santa tocará e não virá ao santuário até que se cumpram os dias da sua purificação.
5 Se, porém, tiver uma menina, será imunda duas semanas, como nos dias da sua menstruação; depois ficará sessenta e seis dias purificando-se do seu sangue.
6 Quando forem cumpridos os dias da sua purificação por filho ou por filha, trará um cordeiro de um ano por holocausto e um pombinho ou uma rolinha para oferta pelo pecado, à entrada da tenda da congregação, ao sacerdote.
7 Ele os oferecerá perante o Senhor, fazendo por ela expiação, e será limpa do fluxo do seu sangramento. Esta é a lei para a mulher que der à luz um menino ou uma menina.
8 Se os seus recursos não forem suficientes para um cordeiro, então, tomará duas rolinhas ou dois pombinhos, um para o holocausto e outro para a oferta pelo pecado. Assim o sacerdote fará por ela expiação, e será limpa.

## As leis acerca da praga da lepra

**13** Disse o Senhor a Moisés e a Arão:
2 Quando um homem tiver na pele inchaço, erupção ou mancha lustrosa, com aparência de praga de lepra, será levado ao sacerdote Arão ou a um de seus filhos, os sacerdotes.
3 O sacerdote lhe examinará a praga na pele, e, se o pelo na praga se tornou branco e a praga parecer mais profunda do que a pele do seu corpo, é praga de lepra. O sacerdote, vendo-o, o declarará imundo.

**4** Se a mancha lustrosa na pele for branca, e não parecer mais profunda do que a pele, e o pelo não se tornou branco, então, o sacerdote isolará durante sete dias o que tem a praga.

**5** Ao sétimo dia, o sacerdote o examinará e, se no seu parecer, a praga não mudou e não se estendeu na sua pele, então o sacerdote o isolará por outros sete dias.

**6** No sétimo dia, o sacerdote o examinará outra vez e, se perceber que a praga se escureceu e não se estendeu na pele, então o sacerdote o declarará limpo; é apenas uma erupção. O homem lavará as suas vestes e será limpo.

**7** Se, porém, a erupção se estender muito na pele, depois de ele ter sido examinado pelo sacerdote, outra vez será mostrado ao sacerdote.

**8** O sacerdote o examinará e, se a erupção se tiver estendido na pele, o declarará imundo; é lepra.

**9** Quando no homem houver praga de lepra, será levado ao sacerdote.

**10** O sacerdote o examinará e, se houver inchação branca na pele, a qual tornou o pelo branco e houver carne viva no inchaço,

**11** é lepra envelhecida na sua pele, e o sacerdote o declarará imundo. Não o isolará, porque já é imundo.

**12** Se a lepra florescer de todo na pele e cobrir toda a pele do que tem a praga, desde a sua cabeça até os seus pés, quanto podem ver os olhos do sacerdote,

**13** o sacerdote o examinará e, se a lepra tiver coberto toda a carne, declarará limpo o que tem a mancha. Toda a lepra se tornou branca, o homem está limpo.

**14** No dia em que aparecer nela carne viva, porém, será imundo.

**15** Vendo o sacerdote a carne viva, o declarará imundo. A carne é imunda; é lepra.

**16** Ou, tornando a carne viva e mudando-se em branca, ele virá ao sacerdote.

**17** O sacerdote o examinará e, se a praga se tornou branca, o sacerdote declarará limpo o que tem a mancha; limpo está.

**18** Se também a carne, em cuja pele houver alguma úlcera, se sarar,

**19** e em lugar da erupção aparecer inchaço branco ou mancha lustrosa rosada, se mostrará ao sacerdote.

**20** O sacerdote o examinará e, se ela parecer mais profunda do que a pele e o seu pelo se tornou branco, o sacerdote o declarará imundo. É praga de lepra que brotou da úlcera.

**21** Se o sacerdote, porém, vendo-a, notar que o seu pelo não se tornou branco, nem está mais profunda do que a pele, mas escurecida, então o sacerdote o isolará durante sete dias.

**22** Se depois ela grandemente se espalhar na pele, o sacerdote declarará imundo o homem; é praga.

**23** Se, ao contrário, a mancha lustrosa permanecer no mesmo lugar, não se estendendo, é cicatriz da úlcera, e o sacerdote o declarará limpo.

**24** Quando na pele houver queimadura e na parte queimada houver mancha lustrosa rosada ou branca,

**25** o sacerdote a examinará e, se o pelo na mancha lustrosa se tornou branco, e ela parece mais profunda do que a pele, é lepra que brotou da queimadura. O sacerdote declarará imundo o homem; é praga de lepra.

26 Se o sacerdote, porém, constatar que a mancha lustrosa não está mais profunda do que a pele, e nela não aparece pelo branco, mas tiver escurecido, o sacerdote o isolará durante sete dias.
27 Ao sétimo dia, o sacerdote o examinará, e, se grandemente se houver estendido na pele, o sacerdote o declarará imundo; é praga de lepra.
28 Se, porém, a mancha lustrosa permanecer no seu lugar, não se estendendo, mas se tornando escura, é inchaço da queimadura, e o sacerdote o declarará limpo; é cicatriz da queimadura.
29 Quando o homem ou a mulher tiver chaga na cabeça ou na barba,
30 o sacerdote examinará a chaga e, se perceber que ela parece mais profunda do que a pele e houver nela pelo amarelo fino, o sacerdote declarará imunda a pessoa; é sarna, é lepra da cabeça ou da barba.
31 Se, contudo, o sacerdote, havendo examinado a praga da sarna, achar que ela não parece mais profunda do que a pele, e nela não houver pelo preto, então o sacerdote isolará o que tem a praga da sarna durante sete dias.
32 Ao sétimo dia, examinará a praga e, se a sarna não se tiver estendido, e nela não houver pelo amarelo nem parecer mais profunda do que a pele,
33 então o homem se rapará, exceto a área afetada pela sarna, e o sacerdote o isolará por mais sete dias.
34 Ao sétimo dia, o sacerdote examinará a sarna e, se ela não se houver estendido na pele e não parecer mais profunda do que a pele, o sacerdote declarará limpo o homem. Este lavará as suas vestes e será limpo.
35 Se, porém, a sarna, depois da sua purificação, se estender grandemente na pele,
36 o sacerdote o examinará e, se a sarna se tiver estendido na pele, o sacerdote não buscará pelo amarelo; o homem está imundo.
37 Se, contudo, a sarna, a seu ver, parou, e nela cresceu pelo preto, ela está curada. Limpo está o homem, e o sacerdote o declarará limpo.
38 Quando o homem ou a mulher tiver manchas lustrosas brancas na pele,
39 o sacerdote as examinará, e, se na pele aparecem manchas escurecidas, é impigem que floresceu na pele; está limpo.
40 Quando alguém perder os cabelos da cabeça, e for calvo, está limpo.
41 Se perder os cabelos da frente e ficar com a testa calva, é limpo.
42 Se, porém, na parte calva houver ferida de cor avermelhada, é lepra que está brotando na sua calvície da frente ou de trás da cabeça.
43 Havendo o sacerdote examinado e constatado que o inchaço da praga na calvície da frente ou de trás da cabeça é avermelhada, como parece a lepra na pele,
44 leproso é aquele homem, e está imundo. O sacerdote o declarará totalmente imundo; na sua cabeça está a praga.
45 Também o leproso, em quem está a praga, andará com as vestes rasgadas, a cabeça descoberta e os cabelos soltos, mas cobrirá o bigode, e gritará: Imundo! Imundo!
46 Será imundo todos os dias em que a praga estiver nele. É imundo, e habitará só; a sua habitação será fora do arraial.

**47** Quando houver praga de lepra em alguma veste de lã ou de linho, **48** quer no fio entrelaçado, quer no fio tecido, seja de linho ou de lã, ou em pele, ou em qualquer obra de peles, **49** e a praga na veste, na pele, no fio entrelaçado ou tecido, ou em qualquer coisa de peles, for verde ou vermelha, é praga de lepra, pelo que se mostrará ao sacerdote. **50** O sacerdote examinará a praga e isolará o objeto que tem a praga durante sete dias. **51** Então examinará a praga ao sétimo dia e, se a praga se houver estendido na veste, no fio entrelaçado ou tecido, na pele, ou sobre qualquer obra feita de pele, é lepra roedora; o objeto é imundo. **52** Pelo que se queimará aquela veste, ou o fio entrelaçado ou tecido, seja de lã ou de linho, ou qualquer obra de peles em que houver a praga, porque é lepra roedora; ao fogo se queimará. **53** Examinando-a, porém, o sacerdote, se a praga não se estendeu na veste, no fio entrelaçado ou tecido, ou em qualquer obra de peles, **54** então o sacerdote ordenará que se lave aquilo em que havia a praga e o isolará por mais sete dias. **55** Se, depois de lavada, o sacerdote constatar que a praga não mudou o seu parecer, nem se estendeu, o objeto é imundo. Ao fogo se queimará; é praga penetrante, seja no avesso ou no direito. **56** Se o sacerdote, porém, notar que a mancha se escureceu depois de lavada, então a rasgará da veste, ou da pele, ou do fio entrelaçado ou tecido. **57** Se, contudo, ainda aparecer na veste, ou no fio entrelaçado ou tecido ou em qualquer coisa de peles, é lepra brotante, e ao fogo queimarás o objeto em que há a praga. **58** Se, porém, a veste, ou fio entrelaçado ou tecido, ou qualquer coisa de peles, que lavares, e de que a praga se retirar, se lavará segunda vez, e será limpo. **59** Esta é a lei da praga da lepra na veste de lã, ou de linho, ou do fio entrelaçado ou tecido, ou de qualquer coisa de peles, para determinar se são limpos ou imundos.

### A lei acerca do leproso depois de sarado

**14** Disse o Senhor a Moisés: **2** Esta será a lei do leproso no dia da sua purificação, quando for levado ao sacerdote: **3** O sacerdote irá para fora do arraial e o examinará. Se a praga da lepra estiver curada, **4** o sacerdote ordenará que, por aquele que deve ser purificado, se tragam duas aves vivas e limpas, madeira de cedro, carmesim e hissopo. **5** Mandará também que se imole uma ave num vaso de barro sobre águas correntes. **6** Tomará a ave viva, a madeira de cedro, com o pano vermelho e o hissopo e os molhará com a ave viva no sangue da ave morta sobre as águas correntes. **7** Sobre aquele que deve ser purificado da lepra, espargirá sete vezes e o declarará limpo. Então soltará no campo a ave viva. **8** Aquele que deve ser purificado lavará as suas vestes, rapará todos os seus pelos e se lavará com água; assim será limpo. Depois entrará no arraial, mas ficará fora da sua tenda por sete dias.

## Levítico 14

9 Ao sétimo dia, rapará o cabelo, a cabeça, a barba, as sobrancelhas e o restante do seu pelo. Lavará as suas vestes e banhará o corpo com água; e então será limpo.

10 No oitavo dia, tomará dois cordeiros sem defeito, uma ovelha sem defeito, de um ano, três décimos de um efa de flor de farinha para oferta de cereais amassada com azeite e uma caneca de azeite.

11 O sacerdote que faz a purificação apresentará perante o Senhor o homem que deve ser purificado com aquelas coisas, na entrada da tenda da congregação.

12 Então o sacerdote tomará um dos cordeiros e o oferecerá como oferta pela culpa, com a caneca de azeite; ele os moverá por oferta movida perante o Senhor.

13 Então imolará o cordeiro no lugar em que se imola a oferta pelo pecado e o holocausto, no lugar santo. Tanto a oferta pela culpa como a oferta pelo pecado pertencem ao sacerdote; é coisa santíssima.

14 O sacerdote tomará do sangue da oferta pela culpa e o porá sobre a ponta da orelha direita daquele que deve ser purificado e sobre o polegar da sua mão direita, e sobre o polegar do seu pé direito.

15 Também o sacerdote pegará azeite da caneca e o derramará na palma da sua própria mão esquerda.

16 Então molhará o dedo direito no azeite que está na sua mão esquerda e daquele azeite com o seu dedo espargirá sete vezes perante o Senhor.

17 Do restante do azeite que está na sua mão, o sacerdote porá sobre a ponta da orelha direita daquele que se há de purificar, e sobre o dedo polegar da sua mão direita, e sobre o dedo polegar do seu pé direito, em cima do sangue da oferta pela culpa.

18 O restante do azeite que está na mão do sacerdote, este o porá sobre a cabeça daquele que deve ser purificado; assim o sacerdote fará expiação por ele perante o Senhor.

19 Também o sacerdote oferecerá a oferta pelo pecado e fará expiação por aquele que deve ser purificado da sua imundícia. Depois imolará o holocausto

20 e o oferecerá com a oferta de cereais sobre o altar; assim o sacerdote fará expiação pelo ofertante, que ficará limpo.

21 Se, porém, for pobre, e os seus recursos insuficientes, tomará apenas um cordeiro para oferta pela culpa como oferta movida, para fazer expiação por ele. Levará a décima parte de um efa de flor de farinha amassada com azeite, para oferta de cereais, e uma caneca de azeite,

22 duas rolinhas ou dois pombinhos, conforme os seus recursos, dos quais um será para oferta pelo pecado, e o outro, para holocausto.

23 Ao oitavo dia da sua purificação os trará ao sacerdote, à entrada da tenda da congregação, perante o Senhor.

24 O sacerdote tomará o cordeiro da oferta pela culpa e a caneca de azeite e os moverá por oferta movida perante o Senhor.

25 Então o sacerdote imolará o cordeiro da oferta pela culpa e pegará do sangue da oferta pela culpa e o porá sobre a ponta da orelha direita daquele que deve ser purificado, e sobre o polegar da sua mão direita, e sobre o polegar do seu pé direito.

26 Também o sacerdote derramará do azeite na palma da sua própria mão esquerda
27 e com o dedo indicador direito espargirá o azeite sete vezes perante o Senhor.
28 Do azeite que tem na mão porá na ponta da orelha direita daquele que deve ser purificado, no polegar da sua mão direita e no polegar do seu pé direito, no mesmo lugar em que pôs o sangue da oferta pela culpa.
29 O que sobrar do azeite que tem na mão, o sacerdote porá sobre a cabeça do que deve ser purificado, para fazer expiação por ele perante o Senhor.
30 Depois oferecerá uma das rolinhas ou um dos pombinhos, conforme os seus recursos.
31 Será um para oferta pelo pecado e o outro para holocausto, além da oferta de cereais. Assim o sacerdote fará expiação por aquele que deve ser purificado perante o Senhor.
32 Esta é a lei daquele em quem está a praga da lepra, cujos recursos são insuficientes para a sua purificação.
33 Disse o Senhor a Moisés e a Arão:
34 Quando entrardes na terra de Canaã, que vos darei por propriedade, e eu enviar a praga da lepra a alguma casa da terra que vos pertence,
35 o dono da casa o fará saber ao sacerdote, dizendo: Parece-me que há praga em minha casa.
36 O sacerdote ordenará que esvaziem a casa antes de ir examinar a praga, para que não seja contaminado tudo o que nela há. Depois entrará o sacerdote para examinar a casa.
37 Se, ao examinar a praga, notar nas paredes da casa manchas verdes ou vermelhas, parecendo mais profundas do que a parede,
38 o sacerdote sairá da casa e a isolará durante sete dias.
39 Ao sétimo dia, o sacerdote voltará e, se constatar que a praga se alastrou pelas paredes da casa,
40 ordenará que arranquem as pedras em que estiver a praga e que as lancem fora da cidade num lugar imundo.
41 Fará raspar toda a casa por dentro, e o pó da raspagem será lançado fora da cidade, num lugar imundo.
42 Depois tomarão outras pedras e as porão no lugar das primeiras, e a casa será rebocada com outra argamassa.
43 Se, porém, a praga tornar a brotar, depois de arrancadas as pedras e de a casa ter sido raspada e rebocada,
44 o sacerdote voltará para a examinar. Se a praga se tiver estendido na casa, é lepra maligna, e a casa está imunda.
45 Portanto será demolida a casa com as suas pedras, a sua madeira, como também todo o reboco, e tudo será levado para fora da cidade, a um lugar imundo.
46 Aquele que entrar na casa, em qualquer dia em que estiver fechada, será imundo até a tarde.
47 Também o que dormir ou comer em tal casa, lavará as suas vestes.
48 Se, porém, ao entrar na casa o sacerdote notar que a praga não se estendeu nela depois de ter sido rebocada, declarará a casa limpa, porque a praga está curada.
49 Para purificar a casa, tomará duas aves, madeira de cedro, pano vermelho e hissopo.

50 Imolará uma ave num vaso de barro sobre águas correntes.
51 Então tomará a madeira de cedro, o hissopo, o pano vermelho e a ave viva e os molhará no sangue da ave morta, e nas águas correntes, e espargirá a casa sete vezes.
52 Assim purificará aquela casa com o sangue da ave, com as águas correntes, com a ave viva, com a madeira de cedro, com o hissopo e com o pano vermelho.
53 Então soltará a ave viva para fora da cidade, para o campo aberto. Assim fará expiação pela casa, e ela será limpa.
54 Esta é a lei referente a toda a sorte de praga de lepra, de sarna,
55 da lepra dos vestuários e das casas,
56 do inchaço, da erupção e das manchas lustrosas,
57 para determinar quando qualquer coisa é limpa ou imunda. Esta é a lei da lepra.

### As impurezas do homem e da mulher

**15** Disse o Senhor a Moisés e a Arão:
2 Falai aos filhos de Israel e dizei-lhes: Qualquer homem que tiver um fluxo que sai do seu corpo, será imundo por causa do fluxo.
3 Esta é a lei da imundícia: Quer o fluxo continue a escorrer, quer seja estancado, ele é imundo.
4 Toda cama em que o homem que tiver o fluxo se deitar será imunda, e toda coisa sobre o que se assentar será imunda.
5 Quem lhe tocar na cama lavará as vestes, se banhará em água e será imundo até a tarde.
6 Quem se assentar sobre aquilo em que esteve assentado o que tem o fluxo, lavará as vestes, se banhará em água e será imundo até a tarde.
7 Quem tocar no corpo do que tem o fluxo lavará as vestes, se banhará em água e será imundo até a tarde.
8 Se o homem que tem o fluxo cuspir numa pessoa limpa, esta lavará as suas vestes, se banhará em água e será imunda até a tarde.
9 Toda a sela em que cavalgar o que tem o fluxo será imunda,
10 e qualquer que tocar em alguma coisa que estiver debaixo dele será imundo até à tarde; qualquer que levar essas coisas lavará as suas vestes, se banhará em água e será imundo até a tarde.
11 Todo aquele em quem o que tem fluxo tocar, sem que este tenha lavado as mãos em água, lavará as suas vestes, se banhará em água e será imundo até a tarde.
12 O vaso de barro em que tocar o que tem o fluxo será quebrado; mas todo vaso de madeira será lavado em água.
13 Quando, pois, o que tem o fluxo estiver limpo do seu fluxo, se contarão sete dias para a sua purificação; então lavará as suas vestes, se banhará em águas correntes e será limpo.
14 No oitavo dia, tomará duas rolinhas ou dois pombinhos e virá perante o Senhor, à entrada da tenda da congregação, e os dará ao sacerdote.
15 O sacerdote os oferecerá, um para oferta pelo pecado, e o outro, em holocausto. Assim o sacerdote fará por ele expiação do seu fluxo perante o Senhor.
16 Quando um homem tiver uma emissão de sêmen, banhará todo o seu corpo em água e será imundo até a tarde.

**17** Também todo vestuário e toda pele em que houver sêmen, se lavarão em água e serão imundos até a tarde.
**18** Quando um homem se deitar com uma mulher e houver emissão de sêmen, ambos se banharão em água e serão imundos até a tarde.
**19** Quando uma mulher tiver o fluxo menstrual, e o fluxo de seu corpo for sangue, ficará sete dias na impureza da sua menstruação, e qualquer que nela tocar será imundo até a tarde.
**20** Tudo aquilo sobre o que ela se deitar durante a sua impureza será imundo, e tudo aquilo sobre o que se assentar será imundo.
**21** Todo aquele que tocar na sua cama lavará as suas vestes, se banhará em água e será imundo até a tarde.
**22** Quem tocar em alguma coisa sobre o que ela tiver assentado, lavará as suas vestes, se banhará em água e será imundo até a tarde.
**23** Quem tocar em alguma coisa que estiver sobre a cama, ou sobre aquilo em que ela se assentou, ficará imundo até a tarde.
**24** Se um homem se deitar com ela, e a sua menstruação o atingir, ficará imundo durante sete dias; também toda cama sobre a qual ele se deitar será imunda.
**25** Quando uma mulher tiver fluxo sanguíneo por muitos dias fora do tempo da sua menstruação, ou quando o fluxo se prolongar além do costume, ficará imunda enquanto durar o fluxo, como nos dias da sua menstruação.
**26** Toda cama em que se deitar todos os dias do seu fluxo será como a cama da sua menstruação e toda coisa sobre a qual se assentar será imunda, conforme a imundícia da sua menstruação.
**27** Quem tocar em alguma dessas coisas ficará imundo; portanto, lavará as suas vestes, se banhará em água e será imundo até a tarde.
**28** Quando ela estiver livre do seu fluxo, se contarão sete dias, e depois será limpa.
**29** Ao oitavo dia, tomará duas rolinhas, ou dois pombinhos, e os trará ao sacerdote, à entrada da tenda da congregação.
**30** O sacerdote oferecerá um deles como oferta pelo pecado, e o outro, em holocausto. Assim fará por ela expiação diante do Senhor por causa da impureza do seu fluxo.
**31** Assim separareis os filhos de Israel das suas imundícias, para que não morram nas suas imundícias, contaminando o meu tabernáculo, que está no meio deles.
**32** Esta é a lei a respeito do homem que tem fluxo, daquele que ficou imundo em virtude de emissão de sêmen,
**33** da mulher em seu período menstrual, da pessoa que tem fluxo, seja homem ou mulher, e do homem que se deita com mulher imunda.

### O Dia da Expiação

**16** O Senhor falou a Moisés, depois da morte dos dois filhos de Arão, que morreram quando se aproximaram do Senhor.
**2** Disse o Senhor a Moisés: Dize a Arão, teu irmão, que não entre no Santíssimo Lugar a qualquer hora, além do véu, diante do propiciatório que está sobre a arca, para que não morra; porque eu

apareço na nuvem sobre o propiciatório.
3 Deste modo Arão entrará no santuário: com um novilho para oferta pelo pecado e um carneiro para holocausto.
4 Vestirá ele a sagrada túnica de linho, terá os calções de linho sobre o corpo, porá um cinto de linho e se cobrirá com um turbante de linho. Essas são vestes sagradas; por isso ele se banhará com água, antes de vesti-las.
5 Da congregação dos filhos de Israel tomará dois bodes para oferta pelo pecado e um carneiro para holocausto.
6 Arão trará o novilho da sua oferta pelo pecado e fará expiação por si e pela sua casa.
7 Também tomará ambos os bodes e os porá perante o Senhor, na entrada da tenda da congregação.
8 Arão lançará sortes sobre os dois bodes: uma pelo Senhor, e a outra, pelo bode emissário.
9 Arão fará chegar o bode, sobre o qual cair a sorte pelo Senhor, e o oferecerá como oferta pelo pecado.
10 O bode escolhido por sorte como o bode emissário, porém, será apresentado vivo diante do Senhor, para fazer com ele expiação a fim de ser enviado ao deserto como bode emissário.
11 Arão trará o novilho da oferta pelo seu próprio pecado e fará expiação por si e pela sua casa; imolará o novilho da oferta pelo seu próprio pecado.
12 Tomará também o incensário cheio de brasas de fogo do altar, diante do Senhor, e tomará dois punhados de incenso aromático moído e levará tudo para trás do véu.
13 Porá o incenso sobre o fogo perante o Senhor, e a nuvem do incenso cobrirá o propiciatório, que está sobre o Testemunho, para que não morra.
14 Tomará do sangue do novilho e, com o seu dedo, o espargirá sobre a frente oriental do propiciatório; e perante o propiciatório espargirá sete vezes do sangue com o seu dedo.
15 Depois, imolará o bode da oferta pelo pecado do povo e trará o seu sangue para trás do véu; fará com o seu sangue como fez com o sangue do novilho: o espargirá sobre o propiciatório e diante do propiciatório.
16 Assim fará expiação pelo Santíssimo Lugar por causa das impurezas dos filhos de Israel e das suas rebeldias, segundo todos os seus pecados. Procederá da mesma forma para com a tenda da congregação que está entre eles, no meio das suas impurezas.
17 Nenhum homem estará na tenda da congregação desde quando ele entrar para fazer propiciação no Santíssimo Lugar até sair, tendo feito expiação por si mesmo, pela sua casa e por toda a congregação de Israel.
18 Então sairá ao altar, que está diante do Senhor, e fará expiação por ele. Tomará do sangue do novilho e do sangue do bode e os porá sobre as pontas do altar ao redor.
19 Daquele sangue espargirá, com o seu dedo, sete vezes sobre o altar, e o purificará das impurezas dos filhos de Israel, e o santificará.
20 Terminada a purificação do Santíssimo Lugar, da tenda da congregação e do altar, Arão trará o bode vivo.

**21** Porá ambas as mãos sobre a cabeça do bode vivo e sobre ele confessará todas as iniquidades dos filhos de Israel, e todas as suas rebeldias, segundo todos os seus pecados, fazendo-os assim cair sobre a cabeça do bode. E o enviará ao deserto pela mão de um homem designado para isso. **22** O bode levará sobre si todas as iniquidades deles para terra solitária; e o homem soltará o bode no deserto. **23** Depois, Arão entrará na tenda da congregação, tirará as vestes de linho, que havia vestido antes de entrar no Santíssimo Lugar, e ali as deixará. **24** Banhará o corpo em água no lugar santo e vestirá as suas vestes. Então sairá e preparará o seu holocausto e o holocausto do povo, e fará expiação por si e pelo povo. **25** Também queimará a gordura da oferta pelo pecado sobre o altar. **26** O homem que tiver soltado o bode emissário lavará as suas vestes e banhará o corpo em água; depois entrará no arraial. **27** O novilho da oferta pelo pecado, porém, e o bode da oferta pelo pecado, cujo sangue foi trazido para o Santíssimo Lugar para fazer expiação, serão levados para fora do arraial. As peles, a carne e o excremento serão queimados com fogo. **28** Aquele que os queimar lavará as suas vestes, banhará o corpo em água e, depois, entrará no arraial. **29** Isto vos será por estatuto perpétuo: No sétimo mês, aos dez do mês, afligireis as vossas almas e nenhuma obra fareis, nem o natural nem o estrangeiro que peregrina entre vós, **30** porque nesse dia se fará expiação por vós, para serdes purificados.

Diante do Senhor sereis purificados de todos os vossos pecados. **31** Será sábado de descanso para vós, e afligireis as vossas almas; é estatuto perpétuo. **32** O sacerdote que for ungido e ordenado para administrar o sacerdócio no lugar de seu pai fará a expiação. Porá as vestes sagradas de linho **33** e fará expiação pelo Santíssimo Lugar, pela tenda da congregação e pelo altar, pelos sacerdotes e por todo o povo da congregação. **34** Isto vos será por estatuto perpétuo, para fazer expiação pelos filhos de Israel de todos os seus pecados, uma vez por ano. E fez Arão como o Senhor ordenara a Moisés.

### Proíbe-se comer sangue

**17** Disse o Senhor a Moisés: **2** Fala a Arão e aos seus filhos, e a todos os filhos de Israel, e dize-lhes: Isto é o que o Senhor ordenou: **3** Qualquer homem da casa de Israel que imolar boi, ou cordeiro, ou cabra, no arraial ou fora dele, **4** e não os trouxer à entrada da tenda da congregação, para oferecê-lo ao Senhor diante do seu tabernáculo, tal homem será considerado culpado de derramamento de sangue; derramou sangue, esse homem será eliminado do seu povo. **5** Isso é para que os filhos de Israel tragam os seus sacrifícios, que agora imolam no campo aberto, e os apresentem ao Senhor, à entrada da tenda da congregação, ao sacerdote, e os ofereçam por sacrifícios pacíficos ao Senhor. **6** O sacerdote espargirá o sangue sobre o altar do Senhor, à entrada

da tenda da congregação, e queimará a gordura por cheiro suave ao Senhor.
7 Nunca mais oferecerão os seus sacrifícios aos demônios, com os quais se prostituem. Isto lhes será por estatuto perpétuo pelas suas gerações.
8 Dize-lhes: Qualquer homem da casa de Israel, ou dos estrangeiros que peregrinam entre vós, que oferecer holocausto ou sacrifício
9 e não o trouxer à entrada da tenda da congregação, para oferecê-lo ao Senhor, esse homem será eliminado do seu povo.
10 Qualquer homem da casa de Israel, ou dos estrangeiros que peregrinam entre eles, que comer sangue, contra ele porei o meu rosto e o eliminarei do seu povo.
11 Pois a vida da carne está no sangue, pelo que o tenho dado a vós para fazer expiação pela vossa vida sobre o altar; é o sangue que faz expiação pela vida.
12 Portanto digo aos filhos de Israel: Nenhum de vós comerá sangue, nem o estrangeiro que peregrine entre vós.
13 Também, qualquer homem dos filhos de Israel, ou dos estrangeiros que peregrinam entre eles, que caçar um animal selvagem ou uma ave própria para comer, derramará o seu sangue e o cobrirá com pó,
14 porque a vida de toda criatura é o seu sangue. Por isso, eu disse aos filhos de Israel: Não comereis o sangue de nenhuma carne, porque a vida de toda carne é o seu sangue. Qualquer que o comer será eliminado.
15 Todo homem, quer natural, quer estrangeiro, que comer um animal morto ou dilacerado, lavará as suas vestes, se banhará em água e será imundo até a tarde; depois será limpo.
16 Se, porém, não as lavar nem banhar o corpo, levará sobre si a sua culpa.

### Relações sexuais ilícitas

**18** Disse o Senhor a Moisés:
2 Fala aos filhos de Israel e dize-lhes: Eu sou o Senhor, o vosso Deus.
3 Não imitareis os costumes do Egito, onde habitastes, nem os da terra de Canaã, para a qual vos conduzo, nem andareis segundo os seus estatutos.
4 Praticareis os meus juízos e guardareis os meus estatutos, para andardes neles. Eu sou o Senhor, o vosso Deus.
5 Portanto, os meus estatutos e os meus juízos guardareis, pois o homem que os cumprir, por eles viverá. Eu sou o Senhor.
6 Nenhum de vós se chegará a qualquer parente próximo, para relacionar-se sexualmente com ele. Eu sou o Senhor.
7 Não desonrarás o teu pai, nem a tua mãe. É tua mãe; não descobrirás a sua nudez.
8 Não te envolverás sexualmente com a mulher de teu pai.
9 Não te envolverás sexualmente com a tua irmã, quer seja filha de teu pai, quer filha de tua mãe, quer seja nascida em casa, quer fora dela.
10 Não te envolverás sexualmente com a filha de teu filho, ou com a filha de tua filha; pois te desonrarias a ti mesmo.
11 Não te envolverás sexualmente com a filha da mulher de teu pai, gerada de teu pai; ela é tua irmã.

12 Não te envolverás sexualmente com a irmã de teu pai; ela é parente próxima de teu pai.
13 Não te envolverás sexualmente com a irmã de tua mãe; ela é parenta próxima de tua mãe.
14 Não desonrarás o irmão de teu pai, aproximando-se da sua mulher com interesse sexual; ela é tua tia.
15 Não te envolverás sexualmente com a tua nora. Ela é mulher de teu filho; não te envolverás sexualmente com ela.
16 Não te envolverás sexualmente com a mulher de teu irmão; é desonra para teu irmão.
17 Não te envolverás sexualmente com uma mulher e sua filha. Não tomarás a filha de seu filho nem a filha de sua filha, para se envolver sexualmente com ela; são parentes próximos. É maldade.
18 Não tomarás a irmã de tua esposa como esposa rival, para se envolver sexualmente com ela enquanto tua esposa viver.
19 Não te chegarás à mulher durante a sua menstruação, para se envolver sexualmente com ela.
20 Não te deitarás com a mulher de teu próximo, para te contaminares com ela.
21 Não darás nenhum de teus filhos para ser sacrificado a Moloque, a fim de não profanares o nome do teu Deus. Eu sou o Senhor.
22 Com homem não te deitarás, como se fosse mulher; é abominação.
23 Não te deitarás com um animal, para te contaminares com ele. A mulher não se porá perante um animal, para juntar-se com ele; é depravação.
24 Com nenhuma dessas coisas vos contamineis, porque com todas essas coisas se contaminaram as nações que eu expulso de diante de vós.
25 Até a terra foi contaminada; pelo que a castiguei por sua iniquidade, e a terra vomitou os seus moradores.
26 Mas vós guardareis os meus estatutos e os meus juízos; nenhuma dessas abominações fareis, nem o natural, nem o estrangeiro que peregrina entre vós,
27 pois todas essas abominações foram cometidas pelos homens que habitaram esta terra antes de vós, e a terra foi contaminada.
28 Não vos vomite a terra pelo fato de a haverdes contaminado, como vomitou o povo que nela estava antes de vós.
29 Todo aquele que praticar algumas dessas abominações será eliminado do seu povo.
30 Portanto, guardareis o meu mandamento, não praticando nenhum dos costumes abomináveis que se praticavam antes de vós e não vos contamineis com eles. Eu sou o Senhor, o vosso Deus.

**Diversas leis**

**19** Disse o Senhor a Moisés: 2 Fala a toda a congregação dos filhos de Israel e dize-lhes: Sede santos porque eu, o Senhor vosso Deus, sou santo.
3 Cada um temerá a sua mãe e a seu pai e guardará os meus sábados. Eu sou o Senhor, o vosso Deus.
4 Não vos voltareis para os ídolos nem fareis para vós deuses de fundição. Eu sou o Senhor, o vosso Deus.
5 Quando oferecerdes sacrifício de ofertas pacíficas ao Senhor, oferecei-o de modo que sejais aceitos.

6 No dia em que o oferecerdes e no dia seguinte, se comerá; o que sobrar no terceiro dia será queimado com fogo.
7 Se alguma coisa dele for comida ao terceiro dia, é abominação; não será aceita.
8 Qualquer que o comer levará sobre si a sua iniquidade, porque profanou o que foi consagrado ao Senhor; por isso será eliminado do seu povo.
9 Quando fizeres a colheita da tua terra, não a segarás totalmente, nem colherás as espigas caídas da tua messe.
10 Semelhantemente não rabiscarás a tua vinha, nem colherás os bagos caídos da tua vinha. Deixá-los-ás para o pobre e para o estrangeiro. Eu sou o Senhor, o vosso Deus.
11 Não furtareis. Não mentireis. Não vos defraudeis uns aos outros.
12 Não jurareis falsamente pelo meu nome, pois profanaríeis o nome do vosso Deus. Eu sou o Senhor.
13 Não oprimirás o teu próximo, nem o roubarás. O salário do operário não ficará em teu poder até o dia seguinte.
14 Não amaldiçoarás o surdo nem porás tropeço diante do cego, mas temerás a teu Deus. Eu sou o Senhor.
15 Não farás injustiça no juízo; não favorecerás ao pobre nem serás complacente com o poderoso, mas com justiça julgarás o teu próximo.
16 Não propagarás mexericos no meio do teu povo. Não conspirarás contra a vida do teu próximo. Eu sou o Senhor.
17 Não odiarás o teu irmão no teu coração, mas repreenderás o teu próximo e não levarás sobre ti pecado por causa dele.
18 Não te vingarás nem guardarás ira contra os filhos do teu povo, mas amarás o teu próximo como a ti mesmo. Eu sou o Senhor.
19 Guardarás os meus estatutos. Não permitirás que os teus animais se acasalem com os de espécie diferente. Não semearás no teu campo duas espécies de semente. Não usarás vestes de dois tecidos diferentes.
20 Quando um homem se deitar com uma mulher que for escrava, concubina de outro homem, e que não foi resgatada nem liberta, ambos serão castigados, mas não morrerão, porque ela não era livre.
21 Pela sua culpa, o homem trará ao Senhor, à entrada da tenda da congregação, um carneiro para expiação.
22 Com esse carneiro da expiação da culpa, o sacerdote fará expiação diante do Senhor pelo homem, pelo seu pecado que cometeu, e o seu pecado lhe será perdoado.
23 Quando tiverdes entrado na terra e plantardes toda espécie de árvore frutífera, vos será proibido o seu fruto. Três anos vos será proibido; dele não se comerá.
24 No quarto ano, porém, todo o seu fruto será santo, será oferta de louvores ao Senhor.
25 No quinto ano, podereis comer os frutos, para que a sua produção seja mais abundante. Eu sou o Senhor, o vosso Deus.
26 Não comereis coisa alguma com sangue. Não agourareis nem adivinhareis.
27 Não cortareis o cabelo em redondo nem danificareis a ponta da barba.
28 Pelos mortos não fareis incisões no vosso corpo nem fareis

marca alguma sobre vós. Eu sou o Senhor.

**29** Não contaminarás a tua filha, fazendo-a prostituir-se, para que a terra não se prostitua, nem se encha de maldade.

**30** Guardareis os meus sábados e o meu santuário reverenciareis. Eu sou o Senhor.

**31** Não vos voltareis para os médiuns nem para os feiticeiros, a fim de vos contaminardes com eles. Eu sou o Senhor, o vosso Deus.

**32** Diante dos idosos te levantarás, honrarás o ancião e temerás o teu Deus. Eu sou o Senhor.

**33** Se o estrangeiro peregrinar na vossa terra, não o oprimireis.

**34** Como o natural entre vós será o estrangeiro que peregrina convosco. Devereis amá-lo como a vós mesmos, pois fostes estrangeiros na terra do Egito. Eu sou o Senhor, o vosso Deus.

**35** Não cometereis injustiça nos julgamentos, nas medidas de comprimento, de peso ou de capacidade.

**36** Balanças justas, pesos justos, efa justo e justo him tereis. Eu sou o Senhor, o vosso Deus, que vos tirei da terra do Egito.

**37** Guardareis todos os meus estatutos e todos os meus juízos e os cumprireis. Eu sou o Senhor.

### Penas de diversos crimes

**20** Disse o Senhor a Moisés: **2** Também dirás aos filhos de Israel: Qualquer dos filhos de Israel, ou dos estrangeiros que peregrinam em Israel, que der de seus filhos a Moloque, certamente será morto. O povo da terra o apedrejará.

**3** Porei a minha face contra esse homem e o eliminarei do meio do seu povo; pois, dando os seus filhos a Moloque, ele contaminou o meu santuário e profanou o meu santo nome.

**4** Se o povo da terra de alguma maneira fechar os olhos para não ver esse homem, quando der os seus filhos a Moloque, e não o matar,

**5** voltarei o meu rosto contra esse homem e contra a sua família; o eliminarei do meio do seu povo, com todos os que, como ele, se prostituírem após Moloque.

**6** Quando alguém se voltar para os médiuns e feiticeiros, para se prostituir após eles, eu me voltarei contra ele e o eliminarei do meio do seu povo.

**7** Portanto, santificai-vos e sede santos, porque eu sou o Senhor, o vosso Deus.

**8** Guardai os meus estatutos e cumpri-os. Eu sou o Senhor que vos santifico.

**9** Quando um homem amaldiçoar seu pai ou sua mãe, certamente será morto. Ele amaldiçoou seu pai ou sua mãe, e o seu sangue será sobre ele.

**10** Se um homem cometer adultério com a mulher de seu próximo, ambos, o adúltero e a adúltera, certamente serão mortos.

**11** O homem que se deitar com a mulher de seu pai, desonrou seu pai; ambos certamente serão mortos, e o seu sangue será sobre eles.

**12** Se um homem se deitar com a sua nora, ambos certamente serão mortos. Cometeram perversão, e o seu sangue será sobre eles.

**13** Se também um homem dormir com outro homem, como se fosse com mulher, ambos fizeram

abominação. Certamente serão mortos, e o seu sangue será sobre eles.
14 Se um homem desposar ao mesmo tempo uma mulher e a mãe dela, é perversão. Tanto ele quanto elas serão queimados com fogo, para que não haja perversidade no meio de vós.
15 Se um homem se deitar com um animal, certamente será morto, e matareis o animal.
16 Se uma mulher se aproximar de um animal, para juntar-se com ele, matarás tanto a mulher como o animal. Certamente serão mortos, e o seu sangue será sobre eles.
17 Se um homem tomar sua irmã, filha de seu pai ou filha de sua mãe, para se envolver sexualmente com ela, é torpeza; serão eliminados aos olhos dos filhos de seu povo. Desonrou sua irmã; levarão sobre si a sua iniquidade.
18 Se um homem se deitar com uma mulher durante o período menstrual e tiver relação sexual com ela, serão ambos eliminados do meio do seu povo por terem posto a descoberto a fonte do sangue.
19 Também não te relacionarás sexualmente com a irmã de tua mãe ou com a irmã de teu pai, pois aquele que se relaciona sexualmente com seu parente próximo levará sobre si a sua iniquidade.
20 Se um homem se deitar com a sua tia, desonrou seu tio; ambos levarão seu pecado sobre si e sem filhos morrerão.
21 Se um homem tomar a mulher de seu irmão, é imundícia; desonrou seu irmão, e sem filhos ficarão.
22 Guardai todos os meus estatutos e juízos, e cumpri-os, a fim de que a terra, para a qual vos levo, para nela morardes, não vos vomite.
23 Não andeis nos costumes das nações que eu expulso de diante de vós. Porque praticaram todas essas coisas, eu me aborreci delas.
24 Eu, porém, disse a vós: Em herança possuireis a sua terra; eu a darei para a possuirdes, terra em que manam leite e mel. Eu sou o Senhor, o vosso Deus, que vos separei dos povos.
25 Portanto, fareis distinção entre os animais limpos e os imundos e entre as aves imundas e as limpas. Não vos façais abomináveis por causa de animais, aves, ou de tudo o que se arrasta sobre a terra, os quais separei de vós como imundos.
26 Sereis para mim santos, porque eu, o Senhor, sou santo e vos separei dos povos para serdes meus.
27 O homem ou a mulher que entre vós for médium ou feiticeiro certamente serão mortos. Serão apedrejados, e o seu sangue cairá sobre a sua própria cabeça.

### Leis acerca dos sacerdotes

**21** Disse o Senhor a Moisés: Fala aos sacerdotes, filhos de Arão, e dize-lhes: O sacerdote não se contaminará com o cadáver de um morto no meio do seu povo,
2 exceto com parente mais chegado a ele, como sua mãe ou seu pai, seu filho ou sua filha, seu irmão,
3 ou sua irmã virgem, chegada a ele, que ainda não teve marido.
4 Por ser principal no meio do seu povo, não se contaminará, pois que se profanaria.
5 Os sacerdotes não raparão a cabeça, os cantos da barba, nem farão incisões no corpo.

6 Santos serão a seu Deus e não profanarão o nome do seu Deus, porque oferecem as ofertas queimadas do Senhor, o pão do seu Deus; santos serão.
7 Não tomarão mulher prostituta ou desonrada nem tomarão mulher repudiada de seu marido, pois o sacerdote é santo para seu Deus.
8 Tu os considerarás santos, porque oferecem o pão do teu Deus. Serão santos para ti, porque eu, o Senhor que vos santifica, sou santo.
9 Se a filha de um sacerdote se desonrar, prostituindo-se, desonrará seu pai; com fogo será queimada.
10 O sumo sacerdote entre seus irmãos, sobre cuja cabeça foi derramado o azeite da unção, e que foi consagrado para vestir as vestimentas sagradas, não desgrenhará os cabelos nem rasgará as vestes.
11 Não se chegará a cadáver algum. Não se contaminará por causa de seu pai ou de sua mãe.
12 Não sairá do santuário, a fim de que não profane o santuário do seu Deus, pois a coroa do azeite da unção do seu Deus está sobre ele. Eu sou o Senhor.
13 Ele tomará uma mulher na sua virgindade.
14 Viúva, ou repudiada, ou desonrada, ou prostituta, essas não tomará, mas virgem do seu povo tomará por mulher,
15 pois assim não profanará a sua descendência entre o seu povo. Eu sou o Senhor que o santifico.
16 Disse o Senhor a Moisés:
17 Dize a Arão: Nenhum dos teus descendentes, nas suas gerações, em quem houver algum defeito, se chegará para oferecer o pão do seu Deus.
18 Nenhum homem, caso tenha algum defeito físico, se chegará: nenhum homem que seja cego, coxo, desfigurado ou deformado;
19 nenhum homem que tenha o pé quebrado ou a mão quebrada,
20 ou for corcunda, ou anão, ou que tenha qualquer defeito dos olhos, ou sarna, ou impigens ou testículos esmagados.
21 Nenhum dos descendentes de Arão, o sacerdote, em quem houver algum defeito, se chegará para oferecer as ofertas queimadas do Senhor. Ele tem defeito; por isso, não se chegará para oferecer o pão do seu Deus.
22 Poderá comer o pão do seu Deus, tanto do santíssimo como do santo,
23 mas não se aproximará do véu nem do altar, porque tem defeito, para que não profane os meus santuários. Eu sou o Senhor que os santifico.
24 Assim falou Moisés a Arão, aos filhos deste e a todos os israelitas.

### A lei acerca das coisas sagradas

**22** Disse o Senhor a Moisés:
2 Dize a Arão e a seus filhos que se apartem das coisas sagradas dos filhos de Israel, as quais eles consagram a mim, para que não profanem o meu santo nome. Eu sou o Senhor.
3 Dize-lhes: Todo aquele que, de vossos descendentes, em todas as vossas gerações, se chegar às coisas sagradas que os filhos de Israel consagram ao Senhor, tendo sobre si a sua imundícia, essa pessoa será eliminada de diante de mim. Eu sou o Senhor.
4 Ninguém da descendência de Arão que for leproso ou tiver fluxo comerá das coisas sagradas, até que seja limpo. Também será imundo todo aquele que tocar em

alguma coisa que um cadáver tornou imunda, como aquele que teve emissão de sêmen, 5 ou qualquer que tocar em algum réptil pelo qual se torne imundo, ou em algum homem pelo qual se torne imundo, seja qual for a sua imundícia.
6 O homem que tocar nele será imundo até a tarde e não comerá das coisas sagradas sem primeiro lavar o seu corpo em água. 7 Depois de posto o sol, então será limpo e poderá comer das coisas sagradas, pois são o seu alimento. 8 Não poderá comer um animal encontrado morto, ou dilacerado por feras, para não se contaminar. Eu sou o Senhor.
9 Guardarão os meus mandamentos, para que não incorram em pecado e morram nele, havendo-os profanado. Eu sou o Senhor que os santifico.
10 Nenhum estranho comerá das coisas sagradas. Nem o hóspede do sacerdote nem o seu empregado comerão das coisas sagradas. 11 Quando, porém, o sacerdote com o seu dinheiro comprar algum escravo, este comerá delas; também os nascidos na sua casa comerão do seu pão.
12 Se a filha de um sacerdote se casar com estranho, ela não comerá da oferta das coisas sagradas.
13 Quando, porém, a filha do sacerdote for viúva ou repudiada, e não tiver filhos, e se tiver tornado à casa de seu pai, como na sua juventude, do pão de seu pai comerá. Mas nenhum estranho comerá dele.
14 Se alguém por engano comer alguma coisa sagrada, terá de restitui-la acrescida da quinta parte e a dará ao sacerdote com a coisa sagrada.
15 Os sacerdotes não profanarão as coisas sagradas que os filhos de Israel oferecem ao Senhor, 16 pois assim os fariam levar sobre si a iniquidade, comendo as coisas sagradas. Eu sou o Senhor que os santifico.

### Sacrifícios inaceitáveis

17 Disse o Senhor a Moisés: 18 Fala a Arão e a seus filhos, e a todos os filhos de Israel, e dize-lhes: Qualquer que, da casa de Israel ou dos estrangeiros em Israel, apresentar a sua oferta em cumprimento de voto, ou como oferta voluntária, que oferecer ao Senhor em holocausto, 19 para que seja aceitável, oferecerá macho sem defeito, ou do gado, ou do rebanho de ovelhas ou de cabras.
20 Nenhuma coisa que tenha defeito oferecereis, porque não seria aceita a vosso favor.
21 Quando alguém oferecer sacrifício pacífico ao Senhor, em cumprimento de voto, ou como oferta voluntária, do gado ou do rebanho, o animal deverá ser sem defeito, para que seja aceito; nenhum defeito haverá nele.
22 O cego, ou aleijado, ou mutilado, ou ulceroso, ou sarnoso, ou cheio de impigens, não os oferecereis ao Senhor e deles não poreis oferta queimada ao Senhor sobre o altar.
23 Contudo, o novilho ou cordeiro que tenha membros desproporcionados poderás oferecer por oferta voluntária, mas por voto não será aceito.
24 Não podereis oferecer ao Senhor um animal que tenha testículos

machucados, esmagados, despedaçados ou cortados. Não fareis isso na vossa terra.

25 Também das mãos do estrangeiro nenhum desses animais aceitareis para oferecer como pão ao vosso Deus, pois a sua corrupção está neles. Não serão aceitos a vosso favor.

26 Disse o Senhor a Moisés:

27 Quando nascer o boi, ou cordeiro ou cabra, sete dias ficarão com a sua mãe. Do oitavo dia em diante, será aceito por oferta queimada ao Senhor.

28 Quer seja vaca, quer ovelha, não imolareis num mesmo dia um animal com a sua cria.

29 Quando oferecerdes sacrifício de louvor ao Senhor, oferecei-o de modo que seja aceito a vosso favor.

30 No mesmo dia deve ser comido; nada deixareis para o dia seguinte. Eu sou o Senhor.

31 Guardareis os meus mandamentos e os cumprireis. Eu sou o Senhor.

32 Não profanareis o meu santo nome. Eu serei santificado no meio dos filhos de Israel. Eu sou o Senhor que vos santifico

33 e que vos tirei da terra do Egito, para vos ser por Deus. Eu sou o Senhor.

**23** Disse o Senhor a Moisés: 2 Fala aos filhos de Israel e dize-lhes: As festas do Senhor, que proclamareis como santas convocações, são estas:

### O sábado

3 Seis dias trabalhareis, mas o sétimo dia será o sábado do descanso, dia de santa convocação. Nenhuma obra fareis; é sábado do Senhor em todas as vossas casas.

### A Páscoa

4 Estas são as festas do Senhor, as santas convocações que proclamareis no seu tempo determinado:

5 No primeiro mês, aos catorze do mês, pela tarde, é a Páscoa do Senhor.

6 Aos quinze dias deste mês é a festa dos pães sem fermento, a festa do Senhor; durante sete dias comereis pão sem fermento.

7 No primeiro dia, tereis santa convocação; nenhuma obra servil fareis.

8 Durante sete dias apresentareis oferta queimada ao Senhor. Ao sétimo dia haverá santa convocação; nenhuma obra servil fareis.

### Os primeiros frutos

9 Disse o Senhor a Moisés:

10 Fala aos filhos de Israel e dize-lhes: Quando entrardes na terra que vos dou e fizerdes nela a colheita, trareis um molho dos primeiros frutos da vossa colheita ao sacerdote.

11 Ele moverá o molho perante o Senhor, para que sejais aceitos; o sacerdote o moverá no dia seguinte ao sábado.

12 No dia em que moverdes o molho, oferecereis um cordeiro sem defeito, de um ano, em holocausto ao Senhor.

13 A sua oferta de cereais será dois décimos de um efa de flor de farinha, amassada com azeite, para oferta queimada em cheiro suave ao Senhor, e a sua oferta de libação será de vinho, a quarta parte de um him.

14 Não comereis pão, nem trigo tostado, nem espigas verdes até o dia em que trouxerdes a oferta do vosso Deus. É estatuto perpétuo

por vossas gerações, em todas as vossas casas.

## O Pentecoste

15 Contareis sete semanas completas, a partir do dia seguinte ao sábado; desde o dia em que trouxerdes o molho da oferta movida, sete semanas inteiras serão. 16 Até o dia seguinte ao sétimo sábado, contareis cinquenta dias e, então, apresentareis nova oferta de cereais ao Senhor. 17 Das vossas casas trareis dois pães feitos de dois décimos de um efa de flor de farinha, cozidos com fermento, como oferta movida; são os primeiros ao Senhor. 18 Com o pão oferecereis sete cordeiros sem defeito, de um ano, um novilho e dois carneiros. Holocausto serão ao Senhor, com a sua oferta de cereais e as suas libações, por oferta queimada de cheiro suave ao Senhor. 19 Também oferecereis um bode, para oferta pelo pecado, e dois cordeiros de um ano por sacrifício pacífico. 20 Então o sacerdote os moverá, com o pão dos primeiros frutos, por oferta movida perante o Senhor, com os dois cordeiros. Santos serão ao Senhor para o uso do sacerdote. 21 No mesmo dia, apregoareis que tereis santa convocação; nenhum trabalho servil fareis. É estatuto perpétuo pelas vossas gerações em todas as vossas casas. 22 Quando fizeres a colheita da tua terra, não colherás totalmente os cantos do teu campo nem colherás as espigas caídas. Para o pobre e para o estrangeiro as deixarás. Eu sou o Senhor, o vosso Deus.

23 Disse o Senhor a Moisés: 24 Dize aos filhos de Israel: No sétimo mês, ao primeiro do mês, tereis descanso solene, um memorial com som de trombeta, santa convocação. 25 Nenhum trabalho servil fareis, mas trareis oferta queimada ao Senhor.

## O Dia da Expiação

26 Disse o Senhor a Moisés: 27 O dia dez deste sétimo mês será o Dia da Expiação. Tereis santa convocação, afligireis as vossas almas e oferecereis oferta queimada ao Senhor. 28 Nesse dia nenhum trabalho fareis, porque é o Dia da Expiação, para fazer expiação por vós perante o Senhor, o vosso Deus. 29 Toda pessoa que, nesse dia, não se humilhar será eliminada do seu povo. 30 Toda pessoa que nesse dia fizer algum trabalho, eu a destruirei do meio do seu povo. 31 Nenhum trabalho fareis. É estatuto perpétuo pelas vossas gerações em todas as vossas casas. 32 Sábado de descanso solene vos será; e vos humilhareis. Aos nove do mês, à tarde, de uma tarde a outra tarde, celebrareis o vosso sábado.

## A festa dos tabernáculos

33 Disse o Senhor a Moisés: 34 Dize aos filhos de Israel: Aos quinze dias deste sétimo mês será a festa dos tabernáculos ao Senhor, por sete dias. 35 No primeiro dia, haverá santa convocação; nenhum trabalho servil fareis. 36 Durante sete dias oferecereis ofertas queimadas ao Senhor; no oitavo dia, tereis santa convocação

e apresentareis ofertas queimadas ao Senhor. É dia solene; nenhum trabalho servil fareis.
37 Estas são as festas do Senhor, que apregoareis para santas convocações, para apresentar ao Senhor oferta queimada, holocausto e oferta de cereais, sacrifício e libações, cada qual em seu dia próprio.
38 Estas ofertas são além dos sábados do Senhor, além dos vossos dons, além de todos os vossos votos e além de todas as vossas ofertas voluntárias que dareis ao Senhor.
39 Aos quinze dias do sétimo mês, porém, quando tiverdes colhido os produtos da terra, celebrareis a festa do Senhor durante sete dias; o primeiro dia é dia de descanso, e também o oitavo dia é dia de descanso.
40 No primeiro dia, tomareis para vós frutos de árvores formosas, folhas de palmeiras e ramos de árvores cheias de folhas; durante sete dias vos alegrareis perante o Senhor, o vosso Deus.
41 Celebrareis esta festa ao Senhor durante sete dias cada ano. É estatuto perpétuo pelas vossas gerações; no sétimo mês a celebrareis.
42 Sete dias habitareis em tendas; todos os naturais de Israel habitarão em tendas,
43 para que saibam as vossas gerações que eu fiz habitar os filhos de Israel em tendas, quando os tirei da terra do Egito. Eu sou o Senhor, o vosso Deus.
44 Assim Moisés proclamou aos filhos de Israel as festas do Senhor.

### A lei acerca das lâmpadas

**24** Disse o Senhor a Moisés:
2 Ordena aos filhos de Israel que te tragam azeite puro de olivas batidas, para o candelabro, a fim de alimentar as lâmpadas continuamente.
3 Arão as porá em ordem perante o Senhor continuamente, desde a tarde até a manhã, fora do véu do Testemunho, na tenda da congregação. É estatuto perpétuo pelas vossas gerações.
4 Sobre o castiçal de ouro puro porá em ordem as lâmpadas perante o Senhor continuamente.
5 Tomarás flor de farinha e dela cozerás doze bolos, tendo cada bolo dois décimos de um efa.
6 E os porás em duas fileiras, seis em cada fileira, sobre a mesa de ouro puro perante o Senhor.
7 Sobre cada fileira porás incenso puro para que seja, para os pães, como porção memorial; é oferta queimada ao Senhor.
8 Cada dia de sábado, Arão os porá em ordem perante o Senhor continuamente, da parte dos filhos de Israel, por aliança perpétua.
9 Serão de Arão e de seus filhos, os quais o comerão em lugar santo, porque é coisa santíssima para eles das ofertas queimadas ao Senhor, como estatuto perpétuo.

### A blasfêmia é castigada

10 Apareceu entre os filhos de Israel o filho de uma israelita com pai egípcio, o qual contendeu com certo homem israelita no arraial.
11 Então o filho da mulher israelita blasfemou o nome do Senhor e o amaldiçoou, pelo que o trouxeram a Moisés. O nome de sua mãe era Selomite, filha de Dibri, da tribo de Dã.

12 Levaram-no à prisão, onde o deixaram até que a vontade do Senhor fosse declarada.
13 Disse o Senhor a Moisés:
14 Tira o que blasfemou para fora do arraial. Todos os que o ouviram porão as mãos sobre a cabeça dele, e toda a congregação o apedrejará.
15 Aos filhos de Israel dirás: Qualquer que amaldiçoar o seu Deus, levará sobre si o seu pecado;
16 aquele que blasfemar o nome do Senhor, certamente será morto. Toda a congregação o apedrejará. Quer seja estrangeiro, quer natural, blasfemando o nome do Senhor será morto.
17 Quem matar a alguém, certamente será morto.
18 Quem, porém, matar um animal, o restituirá: vida por vida.
19 Se alguém desfigurar o seu próximo, como ele fez, assim lhe será feito:
20 quebradura por quebradura, olho por olho, dente por dente. Assim como feriu alguém, assim será ferido.
21 Quem matar um animal, terá de restituí-lo, mas quem matar um homem, será morto.
22 Uma mesma lei tereis, tanto para o estrangeiro como para o natural. Eu sou o Senhor, o vosso Deus.
23 Disse Moisés aos filhos de Israel que levassem o que tinha blasfemado para fora do arraial e o apedrejassem. Os filhos de Israel fizeram como o Senhor ordenara a Moisés.

## O ano sabático

**25** Disse o Senhor a Moisés no monte Sinai:
2 Fala aos filhos de Israel e dize-lhes: Quando tiverdes entrado na terra que eu vos dou, a terra guardará um sábado ao Senhor.
3 Seis anos semearás a tua terra, e seis anos podarás a tua vinha, e colherás os seus frutos.
4 No sétimo ano, porém, a terra terá o seu sábado de descanso, um sábado ao Senhor. Não semearás o teu campo nem podarás a tua vinha.
5 O que nascer de si mesmo da tua seara não podada não colherás. Ano de descanso solene será para a terra.
6 Os frutos da terra em descanso, porém, vos serão por alimento, a ti, ao teu servo, à tua serva, ao teu empregado e ao estrangeiro que peregrina contigo,
7 como também ao teu gado e aos animais que estão na tua terra; todos os seus produtos servirão de alimento.

## O ano do Jubileu

8 Contarás sete semanas de anos, sete vezes sete anos, de maneira que os dias das sete semanas de anos te serão quarenta e nove anos.
9 Então no sétimo mês, aos dez do mês, farás soar fortemente a trombeta; no Dia da Expiação fareis passar a trombeta por toda a vossa terra.
10 Santificareis o quinquagésimo ano e proclamareis liberdade na terra a todos os seus moradores. Ano de jubileu vos será; cada um de vós retornará à sua propriedade, e cada um voltará à sua família.
11 O quinquagésimo ano vos será jubileu; não semeareis, nem segareis o que nele nascer de si mesmo nem colhereis as uvas das vinhas não podadas.
12 Pois é jubileu, santo será para vós; o produto do campo comereis.

**13** Neste ano de jubileu tornareis cada um à sua propriedade.
**14** Se venderes alguma terra ao teu próximo, ou a comprares de teu próximo, não vos exploreis uns aos outros.
**15** De acordo com o número dos anos decorridos desde o jubileu, comprarás de teu próximo. E, de acordo com o número dos anos de colheita, ele venderá a ti.
**16** Se os anos forem muitos, aumentarás o preço, e, sendo poucos, abaixarás o preço, porque de acordo com o número de colheitas é que ele te vende.
**17** Ninguém explore o seu próximo, mas tema a seu Deus. Eu sou o Senhor, o vosso Deus.
**18 O**bservai os meus estatutos, guardai os meus juízos, e cumpri-os; assim habitareis seguros na terra.
**19** Então a terra dará o seu fruto, e comereis fartamente e nela habitareis seguros.
**20** Se disserdes: Que comeremos no sétimo ano, visto que não havemos de semear nem colher o nosso produto?
**21** Eu enviarei a minha bênção sobre vós no sexto ano, para que dê fruto por três anos.
**22** No oitavo ano, semeareis e comereis da colheita anterior até o nono ano; até que venha a colheita nova, comereis da antiga.
**23** A terra não será vendida perpetuamente, porque a terra é minha, e vós estais comigo como estrangeiros e peregrinos.
**24** Portanto, em toda a terra em que tiverdes propriedade dareis resgate à terra.
**25** Se teu irmão se tornar pobre e vender alguma parte das suas propriedades, então virá o seu resgatador, seu parente, e resgatará o que seu irmão vendeu.
**26** Se alguém não tiver resgatador, mas conseguir o bastante para o seu resgate,
**27** contará os anos desde a sua venda, e o que ficar restituirá ao homem a quem vendeu, e retomará a sua propriedade.
**28** Se, porém, os seus recursos não lhe permitirem reavê-la, a que for vendida ficará em poder do comprador até o ano do Jubileu. No ano do Jubileu será liberada e tornará à sua propriedade.
**29** Se alguém vender uma casa de moradia em cidade murada, poderá resgatá-la dentro de um ano a contar da sua venda. Durante um ano será lícito o seu resgate.
**30** Se não for resgatada antes de passado um ano inteiro, a casa que estiver na cidade murada ficará perpetuamente com o que a comprou, pelas suas gerações. Não será devolvida no jubileu.
**31** As casas das aldeias não muradas em redor, porém, serão estimadas como os campos da terra. Para elas haverá resgate, e serão devolvidas no jubileu.
**32** Quanto às cidades dos levitas, às casas das cidades que lhe pertencem, têm os levitas direito perpétuo de resgate.
**33** Se é um levita que faz o resgate, a casa comprada e a cidade da sua propriedade serão devolvidas no jubileu, porque as casas das cidades dos levitas são a sua propriedade no meio dos filhos de Israel.
**34** O campo ao redor das suas cidades, porém, não se venderá; é a sua propriedade permanente.
**35 Q**uando teu irmão empobrecer e as suas forças decaírem, tu

o sustentarás como se faz ao estrangeiro ou peregrino, para que viva contigo.
36 Não tomarás dele juros nem ganho, mas temerás o teu Deus, para que teu irmão viva contigo.
37 Não lhe emprestarás o teu dinheiro com juros nem lhe darás o teu mantimento por lucro.
38 Eu sou o Senhor, o vosso Deus, que vos tirei da terra do Egito, para vos dar a terra de Canaã e para ser o vosso Deus.
39 Se o teu irmão se tornar pobre, estando ele contigo, e vender-se a ti, não lhe imporás serviço de escravo.
40 Como um assalariado ou peregrino estará contigo; até o ano do Jubileu te servirá.
41 Então ele e seus filhos sairão da tua casa e tornarão à sua família e à propriedade de seus pais.
42 Porque os israelitas são meus servos, que tirei da terra do Egito; não serão vendidos como se vendem os escravos.
43 Não dominarás sobre eles com rigor, mas terás temor do teu Deus.
44 Quanto a teu escravo ou à tua escrava que tiveres, serão das nações que estão ao redor de vós; deles comprareis escravos e escravas.
45 Também os comprareis dos filhos dos forasteiros que peregrinam entre vós, deles e das suas gerações que estiverem convosco, que tiverem gerado na vossa terra, e vos serão por propriedade.
46 Vós os deixareis por herança para vossos filhos depois de vós, a fim de que os possuam como propriedade perpétua. Vós os tereis como escravos, mas sobre vossos irmãos, os filhos de Israel, não dominareis com rigor.

47 Se um estrangeiro ou peregrino que está contigo se tornar rico, e teu irmão que está com ele empobrecer e se vender ao estrangeiro ou peregrino que está contigo, ou ao descendente de uma família estrangeira,
48 depois de ter-se vendido haverá ainda resgate para ele. Um de seus irmãos o resgatará;
49 Será resgatado pelo seu tio, pelo filho de seu tio, ou por qualquer de seus parentes ou da sua família. Ou, se conseguir recursos, poderá resgatar-se a si mesmo.
50 Ajustará contas com aquele que o comprou desde o ano que se vendeu a ele até o ano do Jubileu. O preço da sua venda será calculado segundo o número de anos, de acordo com as diárias de um assalariado.
51 Se ainda faltarem muitos anos, ele deve pagar por seu resgate um valor maior como parte do preço pelo qual foi vendido.
52 Se restarem apenas poucos anos até o ano do Jubileu, então ajustará contas com ele; segundo os seus anos restituirá o seu resgate.
53 Ele será tratado como um assalariado que ganha por ano, mas não domine sobre ele com rigor diante dos teus olhos.
54 Se por nenhuma dessas formas for resgatado, será libertado no ano do Jubileu, ele e seus filhos com ele,
55 pois os filhos de Israel só a mim pertencem como servos. São os meus servos, que tirei da terra do Egito. Eu sou o Senhor, o vosso Deus.

### Recompensa pela obediência

**26** Não fareis para vós ídolos nem para vós levantareis

imagem de escultura nem estátua; não poreis figura de pedra na vossa terra para inclinar-vos diante dela. Eu sou o Senhor, o vosso Deus.
2 Guardareis os meus sábados e reverenciareis o meu santuário. Eu sou o Senhor.
3 Se andardes nos meus estatutos e guardardes os meus mandamentos, e os cumprirdes,
4 eu vos darei as vossas chuvas a seu tempo, e a terra dará o seu produto, e as árvores do campo o seu fruto.
5 A debulha se estenderá até a colheita das uvas, e a colheita das uvas até a época da plantação; comereis o vosso pão a fartar e habitareis seguros na vossa terra.
6 Darei paz na terra, e dormireis seguros sem que ninguém vos perturbe. Farei desaparecer da terra os animais nocivos, e pela vossa terra não passará espada.
7 Perseguireis os vossos inimigos, que cairão à espada diante de vós.
8 Cinco de vós perseguirão a cem, e cem de vós perseguirão a dez mil; os vossos inimigos cairão à espada diante de vós.
9 Olharei para vós e vos farei frutificar; vos multiplicarei e confirmarei a minha aliança convosco.
10 Estareis comendo ainda da colheita velha, quando lançareis fora a velha para dar lugar à nova.
11 Porei a minha habitação no meio de vós, e a minha alma não vos rejeitará.
12 Andarei no meio de vós, serei o vosso Deus, e vós sereis o meu povo.
13 Eu sou o Senhor, o vosso Deus, que vos tirei da terra do Egito, para que não fôsseis seus escravos; quebrei as traves do vosso jugo e vos fiz andar de cabeça erguida.

## O castigo pela desobediência

14 Se, porém, não me ouvirdes e não cumprirdes todos estes mandamentos,
15 e se rejeitardes os meus estatutos, e a vossa alma rejeitar os meus juízos, não cumprindo todos os meus mandamentos, e assim violardes a minha aliança,
16 então eu vos farei isto: Porei sobre vós o terror, a tuberculose e a febre, que consomem os olhos e esgotam a vida. Em vão semeareis a vossa semente, porque os vossos inimigos a comerão.
17 Eu me voltarei contra vós, e sereis feridos diante de vossos inimigos; os que vos odeiam dominarão sobre vós, e fugireis sem que ninguém vos persiga.
18 Se depois de tudo isso não me ouvirdes, eu vos castigarei sete vezes mais por causa dos vossos pecados.
19 Quebrarei a soberba da vossa força e vos farei os céus como de ferro e a terra, como de bronze.
20 Em vão se gastará a vossa força, pois a terra não dará o seu produto nem as árvores darão o seu fruto.
21 Se andardes contrariamente para comigo e não me quiserdes ouvir, multiplicarei as vossas aflições sete vezes mais, segundo os vossos pecados.
22 Enviarei animais selvagens contra vós, que matarão vossos filhos, acabarão com o vosso gado e vos reduzirão a tão poucos que os vossos caminhos se tornarão desertos.
23 Se nem ainda com essas coisas vos corrigirdes e voltardes para mim, mas continuardes a hostilizar-me,
24 eu mesmo vos serei contrário e eu vos ferirei sete vezes mais por causa dos vossos pecados.

**Levítico 26**

**25** Trarei contra vós a espada, que vingará a quebra da minha aliança. Quando vos ajuntardes nas vossas cidades, enviarei a peste contra vós, e sereis entregues nas mãos do inimigo.
**26** Quando eu cortar o suprimento do vosso pão, dez mulheres assarão o pão num só forno, e o pão será distribuído por peso. Comereis, mas não vos fartareis.
**27** Se ainda com tudo isso não me ouvirdes e continuardes a hostilizar-me,
**28** então eu vos serei contrário em furor e vos castigarei sete vezes mais por causa dos vossos pecados.
**29** Comereis a carne dos vossos filhos e das vossas filhas.
**30** Destruirei os vossos altares idólatras, desfarei os vossos altares de incenso, lançarei os vossos cadáveres sobre os cadáveres dos vossos deuses e vos abominarei.
**31** Converterei as vossas cidades em deserto, assolarei os vossos santuários e não aspirarei o vosso cheiro suave.
**32** Assolarei a terra, e se espantarão disso os vossos inimigos que nela morarem.
**33** Eu os espalharei pelas nações e desembainharei a espada atrás de vós. A vossa terra será assolada, e as vossas cidades ficarão desertas.
**34** Então a terra usufruirá dos seus sábados todos os dias da sua assolação, e vós estareis na terra dos vossos inimigos. Nesse tempo, a terra descansará e usufruirá dos seus sábados.
**35** Todos os dias da assolação descansará, porque não descansou nos vossos sábados, quando habitáveis nela.
**36** E, quanto aos que restarem de vós, nas terras dos seus inimigos, eu lhes encherei o coração de tal pavor que o sonido de uma folha movida os perseguirá; fugirão como quem foge da espada e cairão sem que ninguém os persiga.
**37** Cairão uns sobre os outros como diante da espada, sem que ninguém os persiga, e não podereis permanecer diante dos vossos inimigos.
**38** Perecereis entre as nações; a terra dos vossos inimigos vos consumirá.
**39** Aqueles que de vós restarem, nas terras dos seus inimigos, serão consumidos por causa das suas iniquidades; também por causa das iniquidades de seus pais serão consumidos.
**40** Se, porém, confessarem a sua iniquidade, e a iniquidade de seus pais, e as suas infidelidades contra mim e suas hostilidades diante de mim,
**41** por causa das quais fui contrário a eles e os conduzi à terra dos seus inimigos, então, se o seu coração incircunciso se humilhar, e aceitarem o castigo da sua iniquidade,
**42** eu me lembrarei da minha aliança com Jacó, e da minha aliança com Isaque, e da minha aliança com Abraão, e da terra me lembrarei.
**43** Pois a terra abandonada por eles descansará nos seus sábados, enquanto estiver assolada sem eles. Aceitarão o castigo pela sua iniquidade, visto que rejeitaram os meus juízos e desprezaram os meus estatutos.
**44** Mesmo assim, estando eles na terra dos seus inimigos, não os rejeitarei nem me aborrecerei deles,

para consumi-los e invalidar a minha aliança com eles. Eu sou o Senhor, o seu Deus.

45 Antes, por amor deles, me lembrarei da aliança com os seus antepassados, que tirei da terra do Egito perante os olhos das nações, para lhes ser por Deus. Eu sou o Senhor.

46 Estes são os estatutos, os juízos e as leis que o Senhor estabeleceu entre si e os filhos de Israel, no monte Sinai, por intermédio de Moisés.

### Resgatando o que é do Senhor

**27** Disse o Senhor a Moisés: 2 Dize aos filhos de Israel: Quando alguém fizer um voto de dar ao Senhor o valor estimativo de uma pessoa,

3 se a tua avaliação for de um homem da idade de vinte anos até a idade de sessenta, será a tua avaliação de cinquenta siclos de prata, segundo o siclo do santuário.

4 Se, porém, for mulher, a tua avaliação será de trinta siclos.

5 Se a idade for de cinco anos até vinte, a tua avaliação de um homem será de vinte siclos, e da mulher, dez siclos.

6 Se a idade for de um mês até cinco anos, a tua avaliação de um homem será de cinco siclos de prata, e a tua avaliação da mulher será de três siclos de prata.

7 Se a idade for de sessenta anos para cima, a tua avaliação de um homem será de quinze siclos, e da mulher, dez siclos.

8 Se aquele que fez o voto for demasiado pobre para pagar a sua avaliação, então apresentará a pessoa diante do sacerdote, para que este a avalie. Segundo os recursos do que fez o voto, o sacerdote a avaliará.

9 Se for animal dos que se oferecem ao Senhor, tudo quanto der dele ao Senhor será santo.

10 Não o mudará nem o trocará, substituindo um bom por um ruim, ou um ruim por um bom. Se, porém, de algum modo um animal for trocado por outro, serão ambos santos.

11 Se for animal imundo, dos que não se oferecem ao Senhor, então, apresentará o animal diante do sacerdote,

12 que o avaliará, seja bom ou ruim. Segundo a avaliação do sacerdote, assim será.

13 Se de algum modo o resgatar, então acrescentará à tua avaliação a quinta parte do seu valor.

14 Se alguém dedicar a sua casa para ser santa ao Senhor, o sacerdote a avaliará, seja boa ou ruim. Como o sacerdote a avaliar, assim será.

15 Se aquele que a dedicou quiser resgatar a sua casa, acrescentará à avaliação a quinta parte do seu valor, e será dele.

16 Se alguém dedicar ao Senhor uma parte do campo da sua propriedade, a avaliação será segundo a semente necessária para o semear: um ômer de semente de cevada será avaliado por cinquenta siclos de prata.

17 Se consagrar o campo desde o ano do Jubileu, segundo a tua avaliação ficará.

18 Se, contudo, dedicar o seu campo depois do ano do Jubileu, então o sacerdote lhe contará o dinheiro conforme os anos restantes até o ano do Jubileu, e isso se abaterá da tua avaliação.

19 Se aquele que dedicou o campo de alguma maneira o resgatar, acrescentará à avaliação a quinta parte do seu valor, e será seu.

20 Se, porém, não o resgatar, ou se o vender a outra pessoa, o campo nunca mais se resgatará.
21 Quando o campo sair livre no ano do Jubileu, será santo ao Senhor, como campo dedicado. A propriedade dele será do sacerdote.
22 Se alguém dedicar ao Senhor o campo que comprou, e não for parte da sua propriedade,
23 o sacerdote lhe calculará o preço até o ano do Jubileu, e aquele que o dedicou pagará o seu valor no mesmo dia, como coisa santa ao Senhor.
24 No ano do Jubileu, o campo voltará àquele que o vendeu, àquele que tem a posse do campo.
25 Toda avaliação será feita em siclos do santuário; o siclo será de vinte geras.
26 O primogênito de um animal, porém, por já pertencer ao Senhor, ninguém o dedicará; seja boi ou gado miúdo, é do Senhor.
27 Se for de um animal imundo, será resgatado segundo a tua avaliação, sobre a qual acrescentará a quinta parte do seu valor. Se ele não for resgatado, será vendido segundo a avaliação.
28 Todavia, nada do que alguém dedicar ao Senhor, de tudo o que possui, seja homem ou animal, ou campo da sua propriedade, se poderá vender nem resgatar; toda coisa assim consagrada será santíssima ao Senhor.
29 Nenhuma pessoa votada ao extermínio será resgatada; certamente será morta.
30 Todos os dízimos do campo, da semente do campo, do fruto das árvores, são do Senhor; são santos ao Senhor.
31 Se alguém do seu dízimo resgatar alguma coisa, acrescentará sobre ele a sua quinta parte.
32 No tocante a todos os dízimos de vacas e ovelhas, de tudo o que passar debaixo da vara do pastor, o dízimo será santo ao Senhor.
33 Não esquadrinhará entre o bom e o ruim nem o substituirá. Se de algum modo o substituir, ambos serão santos, e não podem ser resgatados.
34 São esses os mandamentos que o Senhor deu a Moisés, no monte Sinai, para os filhos de Israel.

# NÚMEROS

## O recenseamento

**1** No primeiro dia do segundo mês, no segundo ano após a saída do Egito, o Senhor falou a Moisés no deserto de Sinai, na tenda da congregação, dizendo:
**2** Fazei um recenseamento de toda a congregação dos filhos de Israel, segundo seus clãs e suas famílias, contando todos os homens, um a um, pelo nome.
**3** Todos os maiores de vinte anos, capazes de sair à guerra em Israel, a estes tu e Arão contareis segundo os seus exércitos.
**4** Estará convosco um homem de cada tribo que seja chefe da família de seus pais.
**5** São estes os nomes dos homens que estarão convosco: De Rúben, Elizur, filho de Sedeur;
**6** de Simeão, Selumiel, filho de Zurisadai;
**7** de Judá, Naassom, filho de Aminadabe;
**8** de Issacar, Natanael, filho de Zuar;
**9** de Zebulom, Eliabe, filho de Helom.
**10** Dos filhos de José: De Efraim, Elisama, filho de Amiúde; de Manassés, Gamaliel, filho de Pedazur;
**11** de Benjamim, Abidã, filho de Gideoni;
**12** de Dã, Aieser, filho de Amisadai;
**13** de Aser, Pagiel, filho de Ocrã;
**14** de Gade, Eliasafe, filho de Deuel;
**15** de Naftali, Aira, filho de Enã.
**16** Estes foram os chamados da congregação, os líderes das tribos de seus pais, os clãs dos chefes de Israel.
**17** Então Moisés e Arão tomaram estes homens, que foram declarados pelos seus nomes,
**18** e ajuntaram toda a congregação no primeiro dia do segundo mês. Declararam a descendência deles segundo seus clãs e conforme suas famílias, e todos os homens de vinte anos para cima foram relacionados por nome, um por um,
**19** como o Senhor ordenara a Moisés. E assim ele os contou no deserto de Sinai.
**20** Dos filhos de Rúben, o primogênito de Israel, conforme seus clãs e suas famílias, foram relacionados, um por um, os nomes de todos os homens de vinte anos para cima, todos os aptos para a guerra.
**21** Foram contados deles, da tribo de Rúben, quarenta e seis mil e quinhentos.
**22** Dos filhos de Simeão, conforme seus clãs e suas famílias, foram relacionados, um por um, os nomes de todos os homens de vinte anos para cima, todos os aptos para a guerra.
**23** Foram contados deles, da tribo de Simeão, cinquenta e nove mil e trezentos.
**24** Dos filhos de Gade, conforme seus clãs e suas famílias, foram relacionados os nomes de todos os homens de vinte anos para cima, todos os aptos para a guerra.
**25** Foram contados deles, da tribo de Gade, quarenta e cinco mil seiscentos e cinquenta.
**26** Dos filhos de Judá, conforme seus clãs e suas famílias, foram relacionados os nomes de todos os

homens de vinte anos para cima, todos os aptos para a guerra.
27 Foram contados deles, da tribo de Judá, setenta e quatro mil e seiscentos.
28 Dos filhos de Issacar, conforme seus clãs e suas famílias, foram relacionados os nomes de todos os homens de vinte anos para cima, todos os aptos para a guerra.
29 Foram contados deles, da tribo de Issacar, cinquenta e quatro mil e quatrocentos.
30 Dos filhos de Zebulom, conforme seus clãs e suas famílias, foram relacionados os nomes de todos os homens de vinte anos para cima, todos os aptos para a guerra.
31 Foram contados deles, da tribo de Zebulom, cinquenta e sete mil e quatrocentos.
32 Dos filhos de José, dos filhos de Efraim, conforme seus clãs e suas famílias, foram relacionados os nomes de todos os homens de vinte anos para cima, todos os aptos para a guerra.
33 Foram contados deles, da tribo de Efraim, quarenta mil e quinhentos.
34 Dos filhos de Manassés, conforme seus clãs e suas famílias, foram relacionados os nomes de todos os homens de vinte anos para cima, todos os aptos para a guerra.
35 Foram contados deles, da tribo de Manassés, trinta e dois mil e duzentos.
36 Dos filhos de Benjamim, conforme seus clãs e suas famílias, foram relacionados os nomes de todos os homens de vinte anos para cima, todos os aptos para a guerra.
37 Foram contados deles, da tribo de Benjamim, trinta e cinco mil e quatrocentos.
38 Dos filhos de Dã, conforme seus clãs e suas famílias, foram relacionados os nomes de todos os homens de vinte anos para cima, todos os aptos para a guerra.
39 Foram contados deles, da tribo de Dã, sessenta e dois mil e setecentos.
40 Dos filhos de Aser, conforme seus clãs e suas famílias, foram relacionados os nomes de todos os homens de vinte anos para cima, todos os aptos para a guerra.
41 Foram contados deles, da tribo de Aser, quarenta e um mil e quinhentos.
42 Dos filhos de Naftali, conforme seus clãs e suas famílias, foram relacionados os nomes de todos os homens de vinte anos para cima, todos os aptos para a guerra.
43 Foram contados deles, da tribo de Naftali, cinquenta e três mil e quatrocentos.
44 Estes foram os homens contados por Moisés, Arão e os cabeças de Israel, doze homens, um de cada uma das famílias.
45 Assim, o total de todos os contados dos filhos de Israel, segundo suas famílias, de vinte anos para cima, todos os aptos para a guerra em Israel,
46 foi de seiscentos e três mil quinhentos e cinquenta.
47 A tribo dos levitas, porém, segundo suas famílias, não foi contada entre eles.
48 O Senhor tinha dito a Moisés:
49 Somente não contarás a tribo de Levi, nem tomarás a soma dela entre os filhos de Israel.
50 Estabelece, porém, os levitas sobre o tabernáculo do testemunho,

sobre todos os seus utensílios e sobre tudo o que lhe pertence. Eles transportarão o tabernáculo e todos os seus utensílios; eles o administrarão e se acamparão ao redor dele.

51 Quando o tabernáculo tiver de partir, os levitas o desarmarão; e, quando o tabernáculo parar, os levitas o armarão. O estranho que se aproximar dele será morto.

52 Os filhos de Israel se acamparão cada um no seu esquadrão, junto à sua bandeira, segundo os seus exércitos.

53 Os levitas, porém, se acamparão ao redor do tabernáculo do testemunho, para que não haja indignação sobre a congregação dos filhos de Israel. Os levitas terão o cuidado da guarda do tabernáculo do testemunho.

54 Assim fizeram os filhos de Israel, de acordo com tudo o que o Senhor ordenara a Moisés.

### A ordem das tribos no acampamento

**2** Disse o Senhor a Moisés e a Arão:

2 Os filhos de Israel se acamparão junto à sua bandeira, segundo as insígnias da sua família. Ao redor, a certa distância da tenda da congregação, se acamparão.

3 Ao oriente se acamparão os da bandeira do exército de Judá, segundo os seus esquadrões; Naassom, filho de Aminadabe, será líder dos filhos de Judá.

4 O seu exército, segundo o recenseamento, é de setenta e quatro mil e seiscentos.

5 Junto a ele se acampará a tribo de Issacar; Natanael, filho de Suar, será líder dos filhos de Issacar.

6 Seu exército, segundo o recenseamento, é de cinquenta e quatro mil e quatrocentos.

7 Depois a tribo de Zebulom. Eliabe, filho de Helom, será líder dos filhos de Zebulom.

8 O seu exército, segundo o recenseamento, é de cinquenta e sete mil e quatrocentos.

9 Todos os contados do exército de Judá são cento e oitenta e seis mil e quatrocentos, segundo os seus esquadrões. Estes marcharão primeiro.

10 Ao sul se acamparão os da bandeira do exército de Rúben, segundo os seus esquadrões; Elizur, filho de Sedeur, será líder dos filhos de Rúben.

11 O seu exército, segundo o recenseamento, é de quarenta e seis mil e quinhentos.

12 Junto a ele se acampará a tribo de Simeão; Selumiel, filho de Zurisadai, será líder dos filhos de Simeão.

13 O seu exército, segundo o recenseamento, é de cinquenta e nove mil e trezentos.

14 Depois a tribo de Gade. Eliasafe, filho de Deuel, será líder dos filhos de Gade.

15 O seu exército, segundo o recenseamento, é de quarenta e cinco mil seiscentos e cinquenta.

16 Todos os contados do exército de Rúben são cento e cinquenta e um mil quatrocentos e cinquenta, segundo os seus esquadrões. Esses marcharão em segundo lugar.

17 Então partirá a tenda da congregação com o exército dos levitas no meio dos exércitos. Como se acamparam, assim marcharão, cada um no seu lugar, segundo as suas bandeiras.

18 Ao ocidente se acamparão os da bandeira do exército de Efraim, segundo os seus esquadrões. Elisama, filho de Amiúde, será líder dos filhos de Efraim.
19 O seu exército, segundo o recenseamento, é de quarenta mil e quinhentos.
20 Depois a tribo de Manassés. Gamaliel, filho de Pedazur, será líder dos filhos de Manassés.
21 O seu exército, segundo o recenseamento, é de trinta e dois mil e duzentos.
22 Depois a tribo de Benjamim. Abidã, filho de Gideoni, será líder dos filhos de Benjamim.
23 O seu exército, segundo o recenseamento, é de trinta e cinco mil e quatrocentos.
24 Todos os contados no exército de Efraim são cento e oito mil e cem, segundo os seus esquadrões. Estes marcharão em terceiro lugar.
25 Ao norte se acamparão os da bandeira do exército de Dã, segundo os seus esquadrões. Aieser, filho de Amisadai, será líder dos filhos de Dã.
26 O seu exército, segundo o recenseamento, é de sessenta e dois mil e setecentos.
27 Junto a ele se acampará a tribo de Aser. Pagiel, filho de Ocrã, será líder dos filhos de Aser.
28 O seu exército, segundo o recenseamento, é de quarenta e um mil e quinhentos.
29 Depois a tribo de Naftali. Aira, filho de Enã, será líder dos filhos de Naftali.
30 O seu exército, segundo o recenseamento, é de cinquenta e três mil e quatrocentos.
31 Todos os contados no exército de Dã são cento e cinquenta e sete mil e seiscentos. Esses marcharão em último lugar, segundo as suas bandeiras.
32 São estes os que foram contados dos filhos de Israel, segundo a casa de seus pais. Todos os recenseados dos exércitos pelos seus esquadrões foram seiscentos e três mil quinhentos e cinquenta.
33 Os levitas, porém, não foram contados entre os filhos de Israel, como o Senhor ordenara a Moisés.
34 Os filhos de Israel fizeram tudo de acordo com o que o Senhor ordenara a Moisés. Assim se acamparam segundo as suas bandeiras, e assim marcharam, cada qual segundo seu clã e sua família.

## Os levitas

**3** São estas as gerações de Arão e de Moisés, quando o Senhor falou a Moisés no monte Sinai.
2 São estes os nomes dos filhos de Arão: Nadabe, o primogênito, Abiú, Eleazar e Itamar.
3 Esses são os nomes dos filhos de Arão, dos sacerdotes ungidos, consagrados para exercer o sacerdócio.
4 Nadabe e Abiú morreram perante o Senhor, quando ofereceram fogo estranho perante o Senhor no deserto de Sinai. Não tiveram filhos; assim, somente Eleazar e Itamar exerceram o sacerdócio diante de Arão, seu pai.
5 Disse o Senhor a Moisés:
6 Faze chegar a tribo de Levi e põe-na diante de Arão, o sacerdote, para que o sirvam.
7 Cumprirão eles os seus deveres e os de todo o povo, diante da tenda da congregação, para ministrar no tabernáculo.
8 Cuidarão de todos os utensílios da tenda da congregação, cumprindo as obrigações dos filhos

de Israel, ao ministrarem no tabernáculo.
9 Darás os levitas a Arão e a seus filhos; dentre os filhos de Israel lhes são dados.
10 A Arão e a seus filhos, porém, ordenarás que guardem o seu sacerdócio, e o estranho que nele tomar parte será morto.
11 Disse o Senhor a Moisés:
12 Eu mesmo tomei os levitas do meio dos filhos de Israel, em lugar de todo primogênito que abre a madre, entre os filhos de Israel. Os levitas são meus,
13 pois todo primogênito é meu. Desde o dia em que feri todo primogênito na terra do Egito, consagrei para mim todo primogênito em Israel, tanto de homens como de animais. Eles são meus. Eu sou o Senhor.
14 Disse o Senhor a Moisés no deserto de Sinai:
15 Conta os filhos de Levi, segundo suas famílias e seus clãs. Conta todos os homens da idade de um mês para cima.
16 Assim Moisés os contou de acordo com o mandado do Senhor, como lhe fora ordenado.
17 São estes os filhos de Levi, pelos seus nomes: Gérson, Coate e Merari.
18 São estes os nomes dos filhos de Gérson, pelas suas famílias: Libni e Simei.
19 Os filhos de Coate, pelas suas famílias: Anrão, Jizar, Hebrom e Uziel.
20 Os filhos de Merari, pelas suas famílias: Mali e Musi. Estas são as famílias dos levitas, segundo a casa de seus pais.
21 De Gérson descendem os libnitas e os simeítas; essas são as famílias dos gersonitas.
22 O número de todos os homens da idade de um mês para cima, que foram contados, foi de sete mil e quinhentos.
23 As famílias dos gersonitas se acamparão atrás do tabernáculo, ao ocidente.
24 O líder da casa paterna dos gersonitas será Eliasafe, filho de Lael.
25 Os filhos de Gérson serão responsáveis, na tenda da congregação, pela guarda do tabernáculo, da tenda, da sua coberta, do véu da porta da tenda da congregação,
26 das cortinas externas do pátio, da cortina da porta do pátio, que rodeia o tabernáculo e o altar, e as suas cordas: todo o serviço a eles devido.
27 De Coate originaram-se as famílias dos anramitas, dos jizaritas, dos hebronitas e dos uzielitas. Essas são as famílias dos coatitas.
28 Todos os homens contados, da idade de um mês para cima, foram oito mil e seiscentos. Os coatitas eram responsáveis pela guarda do santuário.
29 As famílias dos filhos de Coate se acamparão ao lado do tabernáculo, ao sul.
30 O líder da família dos coatitas será Elisafã, filho de Uziel.
31 Terão eles a seu cuidado a arca, a mesa, o candelabro, os altares, os utensílios do santuário com que ministram e a cortina com todo o seu serviço.
32 O líder principal dos levitas será Eleazar, filho de Arão, o sacerdote; ele terá a superintendência sobre os que estão encarregados da guarda do santuário.
33 De Merari originaram-se as famílias dos malitas e dos musitas. Essas são as famílias de Merari.

34 Todos os homens contados, da idade de um mês para cima, foram seis mil e duzentos.
35 O líder da casa paterna das famílias de Merari será Zuriel, filho de Abiail. Eles se acamparão ao lado do tabernáculo, ao norte.
36 Terão eles a seu cuidado as tábuas do tabernáculo, os seus travessões, as suas colunas, as suas bases, todos os seus utensílios com todo o seu serviço,
37 bem como as colunas ao redor do pátio, as suas bases, as suas estacas e as suas cordas.
38 Moisés e Arão, com seus filhos, se acamparão diante do tabernáculo, ao oriente, em frente da tenda da congregação, para o nascente. Serão responsáveis pela guarda do santuário, em nome dos filhos de Israel. O estranho que se aproximar do santuário será morto.
39 Todos os levitas recenseados, contados por Moisés e Arão, por ordem do Senhor, segundo as suas famílias, todo homem da idade de um mês para cima, foram vinte e dois mil.
40 Disse o Senhor a Moisés: Conta todo primogênito homem dos filhos de Israel, da idade de um mês para cima, e faze uma lista dos seus nomes.
41 Para mim tomarás os levitas em lugar de todo primogênito dos filhos de Israel, e os animais dos levitas em lugar de todo primogênito entre os animais dos filhos de Israel.
42 Contou Moisés, como o Senhor lhe ordenara, todo primogênito entre os filhos de Israel.
43 Todos os primogênitos homens da idade de um mês para cima, relacionados por nome, foram vinte e dois mil duzentos e setenta e três.
44 Disse o Senhor a Moisés:
45 Toma os levitas em lugar de todo primogênito entre os filhos de Israel, e os animais dos levitas em lugar dos animais deles. Os levitas serão meus. Eu sou o Senhor.
46 Para resgatar os duzentos e setenta e três primogênitos dos filhos de Israel, que excederam o número dos levitas,
47 tomarás por pessoa cinco siclos; segundo o siclo do santuário os tomarás, a vinte geras o siclo.
48 Darás a Arão e a seus filhos o dinheiro para resgate dos que são excedentes.
49 Então Moisés tomou o dinheiro do resgate dos que excederam os resgatados pelos levitas.
50 Dos primogênitos dos filhos de Israel ele recebeu mil trezentos e sessenta e cinco siclos, segundo o siclo do santuário.
51 Deu Moisés o dinheiro desse resgate a Arão e a seus filhos, segundo o mandado do Senhor, como o Senhor lhe ordenara.

## Os deveres dos levitas

4 Disse o Senhor a Moisés e a Arão:
2 Fazei o recenseamento dos filhos de Coate, do meio dos filhos de Levi, pelas suas famílias, segundo a casa de seus pais.
3 Contareis os homens de trinta a cinquenta anos de idade, todos os que são aptos, para que sirvam na tenda da congregação.
4 Este será o serviço dos filhos de Coate na tenda da congregação: o cuidado das coisas santíssimas.
5 Quando partir o acampamento, Arão e seus filhos virão, abaixarão

o véu protetor e com ele cobrirão a arca do testemunho.

6 Por cima lhe porão uma coberta de peles de animais marinhos; sobre ela estenderão um pano todo azul e lhe colocarão as varas.

7 Sobre a mesa da proposição estenderão um pano azul; sobre ela porão os pratos, as colheres, as taças e os jarros para libação. O pão contínuo estará sobre ela.

8 Depois estenderão em cima deles um pano vermelho, que será recoberto com uma coberta de peles de animais marinhos, e lhe porão as suas varas.

9 Tomarão um pano azul e cobrirão o candelabro da luminária, as suas lâmpadas, os seus espevitadores, os seus apagadores e todos os vasos de azeite com que servem o candelabro.

10 Envolverão o candelabro com todos os seus acessórios numa coberta de peles de animais marinhos e o porão sobre as varas.

11 Sobre o altar de ouro estenderão um pano azul, que será recoberto com uma coberta de peles de animais marinhos, e lhe porão as varas.

12 Também tomarão todos os utensílios usados no serviço do santuário e os envolverão num pano azul, que será recoberto com uma coberta de peles de animais marinhos, e os porão sobre as varas.

13 Tirarão as cinzas do altar e por cima dele estenderão um pano roxo,

14 sobre o qual porão todos os seus utensílios com que servem no altar: os braseiros, os garfos, as pás e as bacias. Estenderão por cima uma coberta de peles de animais marinhos e lhe porão as varas.

15 Depois que Arão e seus filhos tiverem acabado de cobrir o santuário e todos os seus utensílios, os filhos de Coate virão para transportá-lo, mas sem tocar nas coisas santas, para que não morram. Os filhos de Coate transportarão essas coisas que estão na tenda da congregação.

16 Eleazar, filho do sacerdote Arão, terá a seu cargo o azeite da luminária, o incenso aromático, a contínua oferta de cereais e o azeite da unção. Cuidará também do tabernáculo em geral e de tudo o que nele há, incluindo os objetos sagrados e os seus acessórios.

17 Disse o Senhor a Moisés e a Arão:

18 Não deixareis que a tribo das famílias dos coatitas seja extirpada do meio dos levitas.

19 Isto lhes fareis, para que vivam e não morram, quando se aproximarem das coisas santíssimas: Arão e seus filhos entrarão e designarão a cada um o seu serviço e a sua carga.

20 Os coatitas, porém, não entrarão para ver as coisas santas, nem por um momento, para que não morram.

21 Disse mais o Senhor a Moisés:

22 Faze um recenseamento dos filhos de Gérson, segundo a casa de seus pais, segundo as suas famílias.

23 Contarás todos os homens da idade de trinta anos para cima, até os cinquenta, que forem aptos para a guerra, e que farão o seu serviço na tenda da congregação.

24 Será este o serviço das famílias dos gersonitas, suas funções e seus encargos:

25 Levarão as cortinas do tabernáculo, a tenda da congregação,

a sua coberta, a coberta de peles de animais marinhos que o recobre, a cortina da porta da tenda da congregação,
26 as cortinas externas do pátio, a cortina da porta do pátio que rodeia o tabernáculo e o altar, as cordas e todos os utensílios usados no seu serviço. Eles servirão em tudo o que diz respeito a essas coisas.
27 Todo o serviço dos filhos dos gersonitas será feito segundo o mandado de Arão e de seus filhos. Confiarás à sua guarda tudo o que tiverem de transportar.
28 Será este o serviço das famílias dos filhos dos gersonitas na tenda da congregação. O seu serviço estará sob o mandado de Itamar, filho do sacerdote Arão.
29 Quanto aos filhos de Merari, os contarás conforme seus clãs e suas famílias.
30 Contarás todos os homens da idade de trinta anos para cima, até os cinquenta, todos aqueles que prestarem serviço na tenda da congregação.
31 Isto é o que deverão transportar, segundo todo o seu serviço na tenda da congregação: as tábuas do tabernáculo, suas varas, suas colunas e bases,
32 como também as colunas ao redor do pátio, as suas bases, estacas, cordas e todos os utensílios usados no seu serviço. Designarás, nome por nome, os objetos que devem transportar.
33 Esse é o serviço das famílias dos filhos de Merari, segundo todo o seu serviço, na tenda da congregação, debaixo da orientação de Itamar, filho do sacerdote Arão.
34 Moisés, Arão e os líderes da comunidade contaram os filhos dos coatitas, conforme seus clãs e suas famílias.
35 Todos os homens da idade de trinta anos para cima, até os cinquenta, que entraram para o serviço da tenda da congregação,
36 contados segundo seus clãs, foram dois mil setecentos e cinquenta.
37 Esses são os que foram contados das famílias dos coatitas, todos aqueles que deviam servir na tenda da congregação, os quais foram contados por Moisés e Arão, conforme o mandado do Senhor, dado a Moisés.
38 Os gersonitas foram contados conforme seus clãs e suas famílias.
39 Todos os homens da idade de trinta anos para cima, até os cinquenta, que entraram para o serviço da tenda da congregação,
40 contados conforme seus clãs e suas famílias, foram dois mil seiscentos e trinta.
41 Esses são os que foram contados das famílias dos filhos de Gérson, todos aqueles que deviam servir na tenda da congregação, os quais foram contados por Moisés e Arão, segundo o mandado do Senhor.
42 Os que foram contados das famílias dos filhos de Merari, conforme seus clãs e suas famílias,
43 todos os homens da idade de trinta anos para cima, até os cinquenta, que entraram para o serviço da tenda da congregação,
44 contados segundo as suas famílias, foram três mil e duzentos.
45 Esses são os que foram contados das famílias dos filhos de Merari, os quais foram contados por Moisés e Arão, segundo o mandado do Senhor a Moisés.
46 O número total de todos os levitas, contados por Moisés, Arão

e os líderes de Israel, conforme seus clãs e suas famílias, 47 da idade de trinta anos para cima, até os cinquenta, que entraram para o serviço de transportar a tenda da congregação, 48 foram oito mil quinhentos e oitenta. 49 Segundo o mandado do Senhor a Moisés, foram contados, cada qual segundo o seu serviço e segundo a sua obrigação. Assim foram contados, conforme o Senhor ordenara a Moisés.

### A pureza do acampamento

5 Disse o Senhor a Moisés: 2 Ordena aos filhos de Israel que lancem fora do acampamento todo leproso, todo o que padece fluxo e todo imundo por causa de contato com algum morto. 3 Sejam homens ou mulheres os lançareis fora do acampamento, para que não o contaminem, no meio do qual eu habito. 4 Assim fizeram os filhos de Israel e os lançaram fora do arraial. Como o Senhor falara a Moisés, assim fizeram os filhos de Israel. 5 Disse o Senhor a Moisés: 6 Dize aos filhos de Israel: Se um homem ou uma mulher cometer algum pecado que prejudique o próximo, sendo assim infiel ao mandamento do Senhor, essa pessoa é culpada. 7 Confessará o pecado que cometeu e fará plena restituição àquele a quem prejudicou, acrescentando a quinta parte do seu valor. 8 Se, porém, essa pessoa não tiver parente chegado a quem possa fazer restituição pela culpa, a restituição pertencerá ao Senhor e será dada ao sacerdote, além do carneiro da expiação com que se fizer expiação pelo culpado.

9 Semelhantemente, toda oferta de todas as coisas santificadas dos filhos de Israel, que trouxerem ao sacerdote, será deste. 10 As coisas que alguém consagra lhe pertencem, mas aquilo que der ao sacerdote, será do sacerdote.

### A mulher sob suspeita de adultério

11 Disse mais o Senhor a Moisés: 12 Fala aos filhos de Israel e dize-lhes: Quando a mulher de alguém se desviar e lhe for infiel, 13 de maneira que outro homem se tenha deitado com ela, sem o conhecimento do seu marido, e o fato for oculto aos olhos do próprio marido, por ela se ter contaminado em segredo e não haver quem deponha contra ela, por não ter sido surpreendida em flagrante, 14 e o espírito de ciúmes vier sobre ele, e de sua mulher tiver ciúmes, por ela se haver contaminado, ou sobre ele vier o espírito de ciúmes, e de sua mulher tiver ciúmes, mesmo que ela não se tenha contaminado, 15 então esse homem trará a sua mulher perante o sacerdote e juntamente trará a sua oferta por ela: a décima parte de um efa de farinha de cevada, sobre a qual não derramará azeite nem porá incenso, porque é oferta de cereais de ciúmes, oferta memorativa, que traz a iniquidade em memória. 16 O sacerdote a fará chegar e a porá perante a face do Senhor. 17 Em seguida, pegará água santa num vaso de barro e, tendo tomado do pó que houver no chão do tabernáculo, o espargirá na água. 18 E apresentará a mulher perante o Senhor, soltando o cabelo dela, e lhe porá nas mãos a

ofertar memorativa de cereais, que é a oferta de cereais dos ciúmes. Nas mãos do sacerdote estarão as águas amargas e de maldição.

19 O sacerdote a fará jurar, dizendo-lhe: Se ninguém contigo se deitou, e se não te apartaste de teu marido pela imundícia, dessas águas amargas e de maldição serás livre.

20 Se, contudo, te apartaste de teu marido, e te contaminaste, e algum homem que não o teu marido se deitou contigo,

21 o sacerdote fará, aqui, a mulher prestar um juramento sob pena de maldição, dizendo à mulher: O Senhor te ponha por maldição e por conjuração no meio do teu povo, fazendo-te o Senhor descair a coxa e inchar a barriga.

22 Esta água de maldição penetre nas tuas entranhas, para te fazer inchar a barriga e te fazer descair a coxa. Então a mulher dirá: Amém, amém.

23 Depois o sacerdote escreverá essas mesmas maldições num livro e com a água amarga as apagará.

24 Fará a mulher beber a água amarga e de maldição, a fim de que essas águas de maldição penetrem nela causando-lhe amargura.

25 Da mão da mulher o sacerdote pegará a oferta de cereais, a moverá perante o Senhor e a trará ao altar.

26 Tomará um punhado da oferta de cereais, da oferta memorativa, e sobre o altar o queimará. Depois dará a beber a água à mulher.

27 Ao fazê-la beber a água, será que, se ela se tornou imunda enganando a seu marido, a água de maldição penetrará nela para amargura; a sua barriga se inchará, a sua coxa descairá; aquela mulher será por maldição no meio do seu povo.

28 Se, ao contrário, a mulher não se tiver contaminado, mas estiver limpa, então será livre e conceberá.

29 Esta é a lei dos ciúmes, quando a mulher se desviar e se tornar imunda, enquanto sob o poder de seu marido,

30 ou quando sobre o homem vier o espírito de ciúmes, e tiver ciúmes de sua mulher. O sacerdote apresente a mulher perante o Senhor e nela execute toda esta lei.

31 O homem será isento de culpa, porém a mulher levará a sua iniquidade.

### O nazireado

**6** Disse o Senhor a Moisés: 2 Fala aos filhos de Israel e dize-lhes. Se um homem ou uma mulher fizer um voto especial de nazireu, um voto de separação para o Senhor,

3 terá que se abster de vinho e de bebida forte; não beberá vinagre de vinho, nem vinagre de bebida forte; não tomará nenhuma bebida feita de uvas nem comerá uvas frescas nem secas.

4 Todos os dias da sua consagração não comerá nenhum produto da videira, desde as sementes até as cascas.

5 Todos os dias da sua consagração não passará navalha sobre a sua cabeça. Será santo, até que se cumpram os dias pelos quais se separou para o Senhor; depois deixará crescer o cabelo.

6 Durante todo o tempo da sua consagração ao Senhor, não se aproximará de nenhum cadáver.

7 Nem se o pai, a mãe, o irmão ou a irmã morrerem, não se contaminará, porque traz sobre a cabeça o nazireado do seu Deus.
8 Durante todo o tempo do seu nazireado será santo ao Senhor.
9 Se alguém subitamente morrer junto a ele, contaminando assim o cabelo que consagrou, no sétimo dia, o dia da sua purificação, rapará a cabeça.
10 No oitavo dia, trará ao sacerdote duas rolinhas, ou dois pombinhos, à entrada da tenda da congregação.
11 O sacerdote oferecerá um como oferta pelo pecado e o outro, como holocausto; e fará por ele a expiação do pecado que cometeu por causa do morto. Assim, naquele mesmo dia consagrará a sua cabeça.
12 Então consagrará ao Senhor os dias do seu nazireado e para oferta pela culpa trará um cordeiro de um ano. Os dias antecedentes serão perdidos, porque o seu nazireado foi contaminado.
13 É esta a lei do nazireu: no dia em que se cumprirem os dias do seu nazireado, será trazido à porta da tenda da congregação.
14 Ali apresentará ao Senhor a sua oferta: um cordeiro sem defeito, de um ano, em holocausto, uma cordeira sem defeito, de um ano, como oferta pelo pecado, um carneiro sem defeito como oferta pacífica,
15 um cesto de bolos sem fermento, de flor de farinha amassada com azeite, e pães finos untados com azeite, acompanhados da sua oferta de cereais e das libações.
16 O sacerdote os trará perante o Senhor e sacrificará a oferta pelo pecado e o holocausto.
17 Depois sacrificará o carneiro como oferta pacífica ao Senhor, com o cesto dos bolos sem fermento, e oferecerá a oferta de cereais e a libação.
18 Então o nazireu rapará o cabelo que consagrou, à entrada da tenda da congregação, pegará o cabelo e o porá sobre o fogo que está debaixo da oferta pacífica.
19 Depois o sacerdote tomará o ombro cozido do carneiro, um bolo sem fermento do cesto, um pão fino e os porá nas mãos do nazireu, quando este já houver rapado o seu cabelo.
20 O sacerdote os moverá em oferta movida perante o Senhor; são santos e pertencerão ao sacerdote, com o peito da oferta movida e com a espádua da oferta alçada. Depois disso o nazireu poderá beber vinho.
21 Esta é a lei do nazireu que fez voto e da sua oferta para a sua consagração ao Senhor, além do que permitirem seus recursos. De acordo com o voto que fez, assim fará conforme a lei do nazireado.

### A bênção sacerdotal

22 Disse o Senhor a Moisés:
23 Dize a Arão e a seus filhos: Assim abençoareis os filhos de Israel, dizendo-lhes:
24 O Senhor te abençoe e te guarde.
25 O Senhor faça resplandecer o seu rosto sobre ti
e tenha misericórdia de ti.
26 O Senhor sobre ti levante o seu rosto e te dê a paz.
27 Assim porão o meu nome sobre os filhos de Israel, e eu os abençoarei.

### Ofertas para o tabernáculo

7 Quando Moisés acabou de levantar o tabernáculo, e o ungiu, e o consagrou, e a todos os

seus pertences, também ungiu e consagrou o altar e todos os seus utensílios.

2 Então os líderes de Israel, os chefes das famílias, os que foram líderes das tribos e os responsáveis pelo recenseamento fizeram ofertas.

3 Trouxeram a sua oferta perante o Senhor: seis carros cobertos e doze bois; um boi de cada líder, e um carro de cada dois líderes; e os apresentaram diante do tabernáculo.

4 Disse o Senhor a Moisés:

5 Recebe-os deles, e sejam destinados ao serviço da tenda da congregação. Tu os darás aos levitas, a cada um segundo o seu serviço.

6 Assim Moisés recebeu os carros e os bois e os deu aos levitas.

7 Dois carros e quatro bois deu aos filhos de Gérson, segundo o seu serviço.

8 Quatro carros e oito bois deu aos filhos de Merari, segundo o seu serviço, sob a direção de Itamar, filho do sacerdote Arão.

9 Aos filhos de Coate, porém, nada deu, porque a seu cargo estava o santuário e o levavam aos ombros.

10 Os líderes trouxeram a sua oferta para a consagração do altar, no dia em que este foi ungido, e a apresentaram perante o altar.

11 Pois o Senhor dissera a Moisés: Cada líder oferecerá a sua oferta, cada qual em seu dia, para a consagração do altar.

12 O que ofereceu a sua oferta no primeiro dia foi Naassom, filho de Aminadabe, pela tribo de Judá.

13 A sua oferta foi um prato de prata de cento e trinta siclos e uma bacia de prata para as aspersões de setenta siclos, segundo o siclo do santuário, ambos cheios de flor de farinha amassada com azeite, para a oferta de cereais;

14 um vaso de ouro de dez siclos, cheio de incenso;

15 um novilho, um carneiro e um cordeiro de um ano, para holocausto;

16 um bode para oferta pelo pecado;

17 dois bois, cinco carneiros, cinco bodes e cinco cordeiros de um ano para sacrifício de ofertas pacíficas. Esta foi a oferta de Naassom, filho de Aminadabe.

18 No segundo dia, Natanael, filho de Zuar, líder de Issacar, fez a sua oferta.

19 Como oferta apresentou um prato de prata de cento e trinta siclos, e uma bacia de prata de setenta siclos, para as aspersões, segundo o siclo do santuário, ambos cheios de flor de farinha amassada com azeite, para a oferta de cereais;

20 um vaso de ouro de dez siclos, cheio de incenso;

21 um novilho, um carneiro e um cordeiro de um ano, para holocausto;

22 um bode para oferta pelo pecado;

23 dois bois, cinco carneiros, cinco bodes e cinco cordeiros de um ano, para sacrifício de ofertas pacíficas. Esta foi a oferta de Natanael, filho de Zuar.

24 No terceiro dia Eliabe, filho de Helom, líder dos filhos de Zebulom, fez a sua oferta.

25 Como oferta apresentou um prato de prata de cento e trinta siclos, e uma bacia de prata, para as aspersões, de setenta siclos, segundo o siclo do santuário, ambos cheios de flor de farinha amassada com azeite, para oferta de cereais;

26 um vaso de ouro de dez siclos, cheio de incenso;
27 um novilho, um carneiro e um cordeiro de um ano, para holocausto;
28 um bode para oferta pelo pecado;
29 dois bois, cinco carneiros, cinco bodes e cinco cordeiros de um ano, para sacrifício de ofertas pacíficas. Esta foi a oferta de Eliabe, filho de Helom.
30 No quarto dia, Elizur, filho de Sedeur, líder dos filhos de Rúben fez a sua oferta.
31 Como oferta apresentou um prato de prata de cento e trinta siclos, e uma bacia de prata de setenta siclos, para as aspersões, segundo o siclo do santuário, ambos cheios de flor de farinha amassada com azeite, para oferta de cereais;
32 um vaso de ouro de dez siclos, cheio de incenso;
33 um novilho, um carneiro e um cordeiro de um ano, para holocausto;
34 um bode para oferta pelo pecado;
35 dois bois, cinco carneiros, cinco bodes e cinco cordeiros de um ano, para sacrifício de ofertas pacíficas. Esta foi a oferta de Elizur, filho de Sedeur.
36 No quinto dia, o líder dos filhos de Simeão, Selumiel, filho de Zurisadai, fez a sua oferta.
37 Como oferta apresentou um prato de prata de cento e trinta siclos e uma bacia de prata de setenta siclos, para as aspersões, segundo o siclo do santuário, ambos cheios de flor de farinha amassada com azeite, para oferta de cereais;
38 um vaso de ouro de dez siclos, cheio de incenso;
39 um novilho, um carneiro e um cordeiro de um ano, para holocausto;
40 um bode para oferta pelo pecado;
41 dois bois, cinco carneiros, cinco bodes e cinco cordeiros de um ano, para sacrifício de ofertas pacíficas. Esta foi a oferta de Selumiel, filho de Zurisadai.
42 No sexto dia, o líder dos filhos de Gade, Eliasafe, filho de Deuel, fez a sua oferta.
43 Como oferta apresentou um prato de prata de cento e trinta siclos, e uma bacia de prata de setenta siclos, para as aspersões, segundo o siclo do santuário, ambos cheios de flor de farinha amassada com azeite, para oferta de cereais;
44 um vaso de ouro de dez siclos, cheio de incenso;
45 um novilho, um carneiro e um cordeiro de um ano, para holocausto;
46 um bode para oferta pelo pecado;
47 dois bois, cinco carneiros, cinco bodes e cinco cordeiros de um ano, para sacrifício de ofertas pacíficas. Esta foi a oferta de Eliasafe, filho de Deuel.
48 No sétimo dia, o líder dos filhos de Efraim, Elisama, filho de Amiúde, fez a sua oferta.
49 Como oferta apresentou um prato de prata de cento e trinta siclos e uma bacia de prata de setenta siclos, para as aspersões, segundo o siclo do santuário, ambos cheios de flor de farinha amassada com azeite, para oferta de cereais;
50 um vaso de ouro de dez siclos, cheio de incenso;
51 um novilho, um carneiro e um cordeiro de um ano, para holocausto;

52 um bode para oferta pelo pecado;
53 dois bois, cinco carneiros, cinco bodes e cinco cordeiros de um ano, para sacrifício de ofertas pacíficas. Esta foi a oferta de Elisama, filho de Amiúde.
54 No oitavo dia, o príncipe dos filhos de Manassés, Gamaliel, filho de Pedazur, fez a sua oferta.
55 Como oferta apresentou um prato de prata, do peso de cento e trinta siclos e uma bacia de prata de setenta siclos, para as aspersões, segundo o siclo do santuário, ambos cheios de flor de farinha amassada com azeite, para oferta de cereais;
56 um vaso de ouro de dez siclos, cheio de incenso;
57 um novilho, um carneiro e um cordeiro de um ano, para holocausto;
58 um bode para oferta pelo pecado;
59 dois bois, cinco carneiros, cinco bodes e cinco cordeiros de um ano, para sacrifício de ofertas pacíficas. Esta foi a oferta de Gamaliel, filho de Pedazur.
60 No nono dia, o líder dos filhos de Benjamim, Abidã, filho de Gideoni, fez a sua oferta.
61 Como oferta apresentou um prato de prata de cento e trinta siclos e uma bacia de prata de setenta siclos, para as aspersões, segundo o siclo do santuário, ambos cheios de flor de farinha amassada com azeite, para oferta de cereais;
62 um vaso de ouro de dez siclos, cheio de incenso;
63 um novilho, um carneiro e um cordeiro de um ano, para holocausto;
64 um bode para oferta pelo pecado;
65 dois bois, cinco carneiros, cinco bodes e cinco cordeiros de um ano, para sacrifício de ofertas pacíficas. Esta foi a oferta de Abidã, filho de Gideoni.
66 No décimo dia, o príncipe dos filhos de Dã, Aieser, filho de Amisadai, fez a sua oferta.
67 Como oferta apresentou um prato de prata de cento e trinta siclos e uma bacia de prata de setenta siclos, para as aspersões, segundo o siclo do santuário, ambos cheios de flor de farinha amassada com azeite, para oferta de cereais;
68 um vaso de ouro de dez siclos, cheio de incenso;
69 um novilho, um carneiro e um cordeiro de um ano, para holocausto;
70 um bode para oferta pelo pecado;
71 dois bois, cinco carneiros, cinco bodes e cinco cordeiros de um ano, para sacrifício de ofertas pacíficas. Esta foi a oferta de Aieser, filho de Amisadai.
72 No décimo primeiro dia, o líder dos filhos de Aser, Pagiel, filho de Ocrã, fez a sua oferta.
73 Como oferta apresentou um prato de prata de cento e trinta siclos e uma bacia de prata de setenta siclos, para as aspersões, segundo o siclo do santuário, ambos cheios de flor de farinha amassada com azeite, para oferta de cereais;
74 um vaso de ouro de dez siclos, cheio de incenso;
75 um novilho, um carneiro e um cordeiro de um ano, para holocausto;
76 um bode para oferta pelo pecado;
77 dois bois, cinco carneiros, cinco bodes e cinco cordeiros de um

ano, para sacrifício de ofertas pacíficas. Esta foi a oferta de Pagiel, filho de Ocrã.

78 No décimo segundo dia, o líder dos filhos de Naftali, Aira, filho de Enã, fez a sua oferta.

79 Como oferta apresentou um prato de prata de cento e trinta siclos e uma bacia de prata de setenta siclos, para as aspersões, segundo o siclo do santuário, ambos cheios de flor de farinha amassada com azeite, para oferta de cereais;

80 um vaso de ouro de dez siclos, cheio de incenso;

81 um novilho, um carneiro e um cordeiro de um ano, para holocausto;

82 um bode para oferta pelo pecado;

83 dois bois, cinco carneiros, cinco bodes e cinco cordeiros de um ano, para sacrifício de ofertas pacíficas. Esta foi a oferta a Aira, filho de Enã.

84 Foram estas as ofertas dos líderes de Israel para a consagração do altar, no dia em que foi ungido: doze pratos de prata, doze bacias de prata e doze vasos de ouro.

85 Cada prato de prata pesava cento e trinta siclos, e cada bacia, setenta siclos. Toda a prata dos vasos foi dois mil e quatrocentos siclos, segundo o siclo do santuário.

86 Os doze vasos de ouro cheios de incenso pesavam dez siclos cada, segundo o siclo do santuário. Todo o ouro dos vasos foi cento e vinte siclos.

87 Todos os animais para holocausto foram doze novilhos, doze carneiros, doze cordeiros de um ano, com a sua oferta de cereais, e doze bodes para oferta pelo pecado.

88 Todos os animais para sacrifício de ofertas pacíficas foram vinte e quatro novilhos, sessenta carneiros, sessenta bodes e sessenta cordeiros de um ano. Essas foram as ofertas para a consagração do altar, depois que foi ungido.

89 Quando Moisés entrava na tenda da congregação para falar com o Senhor, ouvia a voz que lhe falava de cima do propiciatório, que está sobre a arca do testemunho, entre os dois querubins. Era assim que lhe falava.

### As lâmpadas do candelabro

8 Disse o Senhor a Moisés:
2 Fala a Arão e dize-lhe: Quando acenderes as sete lâmpadas, deverão iluminar a área em frente do candelabro.

3 Assim fez Arão; pôs as lâmpadas voltadas para a frente do candelabro, como o Senhor ordenara a Moisés.

4 O candelabro era feito de ouro batido; desde o seu pedestal até as suas flores, segundo o modelo que o Senhor mostrara a Moisés, assim fez ele o candelabro.

### A consagração dos levitas

5 Disse o Senhor a Moisés:
6 Toma os levitas do meio dos filhos de Israel e purifica-os.
7 Assim procederás para os purificar: Esparge sobre eles a água da expiação. Depois devem passar a navalha sobre todo o corpo e lavar as vestes; assim se purificarão.
8 Tomarão um novilho com a sua oferta de cereais de flor de farinha amassada com azeite; então tomarás outro novilho, para oferta pelo pecado.
9 Farás os levitas se aproximarem da tenda da congregação;

farás ajuntar toda a congregação dos filhos de Israel.
10 Trarás os levitas diante do Senhor, e os filhos de Israel porão as suas mãos sobre eles.
11 Arão trará os levitas à presença do Senhor como oferta movida da parte dos filhos de Israel, para que atuem no serviço do Senhor.
12 Depois que os levitas impuserem as mãos sobre a cabeça dos novilhos, sacrificarás um para oferta pelo pecado e o outro, para holocausto ao Senhor, para fazer expiação pelos levitas.
13 Colocarás os levitas em pé perante Arão e seus filhos e com um gesto os apresentarás como oferta movida ao Senhor.
14 Desta maneira separarás os levitas do meio dos filhos de Israel, e os levitas serão meus.
15 Depois que tu os purificares e os apresentares como oferta movida, os levitas entrarão para fazer o serviço da tenda da congregação.
16 Eles me são dados dentre os filhos de Israel; em lugar de todo primogênito, do primeiro filho de cada um dos israelitas; eu os tenho tomado para mim.
17 Todo primogênito entre os filhos de Israel, homem ou animal, é meu. No dia em que, na terra do Egito, feri a todo primogênito, os consagrei para mim.
18 Tomei os levitas em lugar de todo primogênito entre os filhos de Israel.
19 Do meio de todos os filhos de Israel dei os levitas a Arão e a seus filhos, para fazerem o serviço dos filhos de Israel na tenda da congregação, para fazerem expiação por eles, de modo que não haja praga entre os filhos de Israel, quando se aproximarem do santuário.
20 Moisés, Arão e toda a congregação dos filhos de Israel fizeram assim com os levitas. De acordo com tudo o que o Senhor ordenara a Moisés acerca dos levitas, assim os filhos de Israel lhes fizeram.
21 Os levitas se purificaram e lavaram as suas vestes; Arão os apresentou perante o Senhor como oferta movida e fez expiação por eles, para purificá-los.
22 Depois, vieram os levitas para fazerem o seu serviço na tenda da congregação, perante Arão e seus filhos. Como o Senhor ordenara a Moisés acerca dos levitas, assim lhes fizeram.
23 Disse o Senhor a Moisés:
24 Isto é o que compete aos levitas: da idade de vinte e cinco anos para cima entrarão para fazerem o seu serviço na tenda da congregação,
25 mas com a idade de cinquenta anos sairão desse serviço e nunca mais servirão.
26 Contudo, poderão ajudar os seus irmãos na guarda da tenda da congregação, mas o serviço não exercerão. Assim farás para com os levitas no tocante aos seus cargos.

### A Páscoa

**9** Falou o Senhor a Moisés no deserto de Sinai, no segundo ano da sua saída da terra do Egito, no primeiro mês. Disse ele:
2 Celebrem os filhos de Israel a Páscoa no tempo determinado.
3 No dia catorze deste mês, à tarde, no tempo determinado a celebrareis. Segundo todos os seus estatutos e segundo todos os seus ritos, a celebrareis.

4 Disse, pois, Moisés aos filhos de Israel que celebrassem a Páscoa.
5 Então celebraram a Páscoa no dia catorze do primeiro mês, à tarde, no deserto de Sinai. Segundo tudo o que o Senhor ordenara a Moisés, assim fizeram os filhos de Israel.
6 Alguns deles, porém, que se acharam imundos por terem tocado um cadáver, não puderam celebrar a Páscoa naquele dia. Por isso, naquele mesmo dia, se chegaram perante Moisés e Arão
7 e lhes disseram: Estamos imundos por causa de um cadáver, mas por que seríamos privados de oferecer a oferta do Senhor no tempo determinado no meio dos filhos de Israel?
8 Disse-lhes Moisés: Esperai, e ouvirei o que o Senhor vos ordenará.
9 Então disse o Senhor a Moisés:
10 Dize aos filhos de Israel: Quando alguém entre vós, ou entre os vossos descendentes, achar-se imundo por causa de um cadáver, ou se achar em jornada longe de vós, ainda celebrará a Páscoa ao Senhor.
11 No segundo mês, no dia catorze, de tarde, a celebrarão. Com pães sem fermento e ervas amargas a comerão.
12 Dela nada deixarão para o dia seguinte e dela não quebrarão osso algum. Segundo todo o estatuto da Páscoa a celebrarão.
13 O homem, porém, que, achando-se limpo e não estiver em viagem, deixar de celebrar a Páscoa, esse será eliminado do seu povo, porque não ofereceu a oferta do Senhor no tempo determinado. Tal homem levará sobre si o seu pecado.
14 Algum estrangeiro, peregrinando entre vós, que quiser celebrar a Páscoa ao Senhor, deverá celebrá-la segundo o estatuto e o rito da Páscoa. Apenas um estatuto haverá entre vós, tanto para o estrangeiro como para o natural da terra.

## A nuvem

15 No dia em que o tabernáculo foi levantado, a nuvem cobriu o tabernáculo sobre a tenda do testemunho. Desde a tarde até a manhã, a nuvem estava sobre o tabernáculo com uma aparência de fogo.
16 Assim era continuamente: a nuvem o cobria e, de noite, havia aparência de fogo.
17 Quando a nuvem se erguia sobre a tenda, os filhos de Israel partiam; no lugar onde a nuvem parava, ali os filhos de Israel se acampavam.
18 Segundo a ordem do Senhor, os filhos de Israel partiam e, segundo a ordem do Senhor, se acampavam. Permaneciam acampados todos os dias em que a nuvem repousava sobre o tabernáculo.
19 Quando a nuvem se detinha muitos dias sobre o tabernáculo, os filhos de Israel cumpriam a ordem do Senhor e não partiam.
20 Houve ocasiões em que a nuvem deteve-se poucos dias sobre o tabernáculo; segundo a ordem do Senhor, eles permaneciam acampados e, segundo a ordem do Senhor, partiam.
21 Às vezes, a nuvem ficava desde a tarde até pela manhã seguinte; quando a nuvem se erguia pela manhã, partiam. Quer de dia, quer de noite, erguendo-se a nuvem, partiam.
22 Quando a nuvem se detinha sobre o tabernáculo dois dias,

ou um mês, ou um ano, permanecendo sobre ele, os filhos de Israel permaneciam acampados e não partiam; mas erguendo-se ela, partiam.

23 Segundo a ordem do Senhor se acampavam e, segundo a ordem do Senhor, partiam. Cumpriam a ordenança do Senhor, como este ordenara por meio de Moisés.

### As trombetas de prata

**10** Disse o Senhor a Moisés: 2 Faze duas trombetas de prata batida; elas te servirão para convocar a comunidade e dar ordem para a partida dos acampamentos.

3 Quando ambas soarem, toda a comunidade se ajuntará a ti à entrada da tenda da congregação.

4 Quando, porém, soar uma só, a ti se ajuntarão os líderes, os chefes dos clãs de Israel.

5 Quando se tocar retinindo, partirão os exércitos que estão acampados ao oriente.

6 Quando pela segunda vez se tocar retinindo, partirão os exércitos que estão acampados ao sul. Para a partida dos acampamentos se tocará retinindo.

7 Para ajuntar a comunidade, se tocará sem retinir.

8 Os filhos de Arão, os sacerdotes, tocarão as trombetas. Será isso para vós e vossas gerações um estatuto perpétuo.

9 Quando na vossa terra sairdes a pelejar contra o inimigo que vos oprime, tocareis as trombetas retinindo, e perante o Senhor, o vosso Deus, haverá lembrança de vós, e sereis salvos de vossos inimigos.

10 Semelhantemente, no dia da vossa alegria, nas vossas solenidades e nos princípios dos vossos meses tocareis as trombetas sobre os vossos holocaustos, sobre os vossos sacrifícios de ofertas pacíficas e vos serão por lembrança perante o vosso Deus. Eu sou o Senhor, o vosso Deus.

### A partida do Sinai

11 No segundo ano, no segundo mês, aos vinte do mês, a nuvem se ergueu de sobre o tabernáculo da congregação.

12 Então os filhos de Israel partiram do deserto do Sinai em viagem, e a nuvem parou no deserto de Parã.

13 Assim partiram pela primeira vez segundo o mandado do Senhor, pela mão de Moisés.

14 Primeiro partiu a bandeira do acampamento dos filhos de Judá, segundo as suas divisões. À frente do seu exército estava Naassom, filho de Aminadabe;

15 à frente do exército da tribo dos filhos de Issacar estava Natanael, filho de Zuar;

16 e à frente do exército da tribo dos filhos de Zebulom estava Eliabe, filho de Helom.

17 Então desarmaram o tabernáculo, e os filhos de Gérson e os filhos de Merari partiram, levando-o.

18 Depois partiu a bandeira do acampamento de Rúben, segundo as suas divisões. À frente do seu exército estava Elizur, filho de Sedeur;

19 à frente do exército da tribo dos filhos de Simeão estava Selumiel, filho de Zurisadai;

20 e à frente do exército da tribo dos filhos de Gade estava Eliasafe, filho de Deuel.

21 Então partiram os coatitas, levando as coisas santas, de modo

que o tabernáculo já estava montado quando eles chegaram.

22 Depois partiu a bandeira do acampamento dos filhos de Efraim, segundo as suas divisões. À frente do seu exército estava Elisama, filho de Amiúde;

23 à frente do exército da tribo dos filhos de Manassés estava Gamaliel, filho de Pedazur;

24 e à frente do exército da tribo dos filhos de Benjamim estava Abidã, filho de Gideoni.

25 Finalmente, partiu a bandeira do acampamento dos filhos de Dã, à retaguarda de todos os acampamentos, segundo as suas divisões. À frente do seu exército estava Aieser, filho de Amisadai;

26 à frente do exército da tribo dos filhos de Aser estava Pagiel, filho de Ocrã;

27 e à frente do exército da tribo dos filhos de Naftali estava Aira, filho de Enã.

28 Esta era a ordem de partida dos filhos de Israel, segundo os seus exércitos, quando se punham em marcha.

29 Disse Moisés a Hobabe, filho de Reuel, o midianita, sogro de Moisés: Estamos caminhando para o lugar que o Senhor nos prometeu: Eu vos darei. Vem conosco, e seremos bons contigo, pois o Senhor prometeu boas coisas a Israel.

30 Respondeu ele: Não, não irei. Estou voltando à minha terra e à minha parentela.

31 Tornou-lhe Moisés: Não nos deixes. Tu sabes onde devemos nos acampar no deserto; e nos servirás de guia.

32 Se vieres conosco, compartilharemos contigo tudo de bom que o Senhor nos fizer.

33 Assim partiram do monte do Senhor e viajaram três dias. A arca da aliança do Senhor seguia adiante deles, para lhes buscar lugar de descanso.

34 A nuvem do Senhor ia sobre eles de dia, quando partiam do acampamento.

35 Partindo a arca, dizia Moisés:
Levanta-te, Senhor,
e dissipados sejam os teus inimigos;
fujam diante de ti os que te aborrecem.

36 Pousando ela, dizia:
Volta, ó Senhor,
para os muitos milhares de Israel.

### As murmurações do povo

**11** Ora, o povo queixou-se de sua sorte, aos ouvidos do Senhor. Ouvindo-o o Senhor, a sua ira se acendeu, e o fogo do Senhor ardeu entre eles, consumindo as extremidades do acampamento.

2 Quando o povo clamou a Moisés, ele orou ao Senhor, e o fogo se apagou.

3 Pelo que chamou aquele lugar "Taberá", porque o fogo do Senhor se acendera entre eles.

4 Os estrangeiros que estavam no meio deles desejaram muito outro alimento, e os filhos de Israel tornaram a chorar, dizendo: Quem nos dará carne a comer?

5 Lembramo-nos dos peixes, que no Egito comíamos de graça, e dos pepinos, dos melões, dos alhos-porós, das cebolas e dos alhos.

6 Agora, porém, estamos definhando e nenhuma coisa vemos senão este maná.

7 O maná era como semente de coentro, e a sua aparência como a de resina.

# Números 11

8 O povo espalhava-se para colhê-lo e em moinhos o moía, ou num pilão o socava. Cozia-o em panelas e dele fazia bolos. E o seu sabor era de bolos amassados com azeite.
9 Quando à noite o orvalho descia sobre o acampamento, também descia o maná.
10 Moisés ouviu o povo chorar por famílias, cada qual à entrada da sua tenda. A ira do Senhor se acendeu grandemente, e Moisés se perturbou muito.
11 Disse Moisés ao Senhor: Por que fizeste mal a teu servo? Por que não achei graça aos teus olhos, visto que puseste sobre mim o encargo de todo este povo?
12 Concebi eu porventura todo este povo? Gerei-o eu para que me dissesses: Leva-o em teus braços, como a ama leva a criança no colo, à terra que juraste a seus pais?
13 Onde conseguiria eu carne para dar a todo este povo? Contra mim choram, dizendo: Dá-nos carne a comer.
14 Eu sozinho não posso levar todo este povo; é muito pesado para mim.
15 Se assim me tratas, mata-me de uma vez, eu te peço, se tenho achado graça aos teus olhos, e não me deixes ver a minha própria ruína.
16 Disse o Senhor a Moisés: Ajunta-me setenta homens dos anciãos de Israel, que sabes serem líderes e supervisores do povo. Tu os trarás à tenda da congregação, onde permanecerão contigo.
17 Eu descerei e ali falarei contigo, e tirarei do Espírito que está sobre ti e o porei sobre eles. Eles te ajudarão a levar o fardo do povo, para que tu não o leves sozinho.
18 Dirás ao povo: Consagrai-vos em preparação para amanhã, quando comereis carne. O Senhor vos ouviu quando chorastes, dizendo: Quem nos dará carne a comer? Bem nos ia no Egito! Pelo que o Senhor vos dará carne, e comereis.
19 Não comereis um dia nem dois dias; nem cinco dias nem dez dias, nem vinte dias,
20 mas um mês inteiro, até vos sair pelos narizes, até vos enfastiardes dela, porque rejeitastes ao Senhor, que está no meio de vós, e chorastes diante dele, dizendo: Por que saímos do Egito?
21 Disse Moisés: Seiscentos mil homens de pé é este povo no meio do qual estou, e tu dizes: Darei a eles carne, e comerão um mês inteiro!
22 Haverá para eles rebanhos de ovelhas e vacas, que lhes bastem? Ou se ajuntarão para eles todos os peixes do mar, que lhes bastem?
23 Respondeu o Senhor a Moisés: Estaria limitado o poder do Senhor? Agora mesmo verás se a minha palavra se cumpre ou não.
24 Moisés saiu e disse ao povo as palavras do Senhor e ajuntou setenta homens dos anciãos do povo, e os pôs ao redor da tenda.
25 Então o Senhor desceu na nuvem e lhe falou; e, tirando do Espírito que estava sobre ele, o pôs sobre aqueles setenta anciãos. Quando o Espírito repousou sobre eles, profetizaram, porém nunca mais voltaram a fazê-lo.
26 No acampamento ficaram dois homens, um chamado Eldade e o outro, Medade. Estavam eles entre os inscritos, mas não tinham ido à tenda. Contudo, o Espírito repousou sobre eles, e profetizavam no acampamento.

27 Então correu um moço e anunciou a Moisés: Eldade e Medade profetizam no acampamento.
28 Josué, filho de Num, servidor de Moisés desde a juventude, disse: Moisés, meu Senhor, proíbe-os!
29 Moisés respondeu: Tens ciúmes por mim? Quem dera que todo o povo do Senhor fosse profeta, que o Senhor lhes desse o seu Espírito!
30 Depois Moisés se recolheu ao acampamento, ele e os anciãos de Israel.
31 Então soprou um vento mandado pelo Senhor, o qual trouxe codornizes do lado do mar, e as espalhou numa extensão de quase um dia de marcha, de um lado e do outro do acampamento, ao seu redor, cerca de dois côvados sobre a terra.
32 Então o povo se levantou todo aquele dia, toda aquela noite e todo o dia seguinte para colher codornizes. O que menos tinha colhera dez ômeres. Então as estenderam para si ao redor do acampamento.
33 Quando a carne estava entre os seus dentes, antes que fosse mastigada, acendeu-se a ira do Senhor contra o povo, e o feriu com uma praga muito grande.
34 Pelo que se chamou aquele lugar Quibrote-Taavá, porque ali foi sepultado o povo que desejou outro alimento.
35 De Quibrote-Taavá o povo partiu para Hazerote, onde se acamparam.

### A rebelião de Miriã e Arão

**12** Miriã e Arão falaram contra Moisés por causa da mulher etíope que este tomara, pois ele havia desposado uma mulher etíope.
2 Diziam: Porventura falou o Senhor somente por Moisés? Não falou também por nós? E o Senhor o ouviu.
3 Ora, Moisés era homem muito manso, mais do que todos os homens que havia na terra.
4 Logo o Senhor disse a Moisés, a Arão e a Miriã: Vós três saí à tenda da congregação. E saíram eles três.
5 Então o Senhor desceu numa coluna de nuvens, pôs-se à entrada da tenda e chamou a Arão e a Miriã. Quando ambos se apresentaram,
6 ele disse:
Ouvi agora as minhas
  palavras:
Se entre vós há profeta, eu,
  o Senhor, em visão a ele
  me farei conhecer, ou em
  sonhos falarei com ele.
7 Não é assim com o meu
  servo Moisés,
que é fiel em toda a minha
  casa.
8 Face a face falo com ele,
  às claras, e não por figuras;
  ele contempla a semelhança
  do Senhor.
Por que, pois, não temestes
  falar contra o meu servo
  Moisés?
9 A ira do Senhor se acendeu contra eles, e ele se retirou.
10 Quando a nuvem se afastou de sobre a tenda, Miriã se achou leprosa, branca como a neve. Voltando-se para Miriã, Arão viu que estava leprosa.
11 Então disse Arão a Moisés: Ah! senhor meu, não ponhas sobre nós este pecado, que loucamente cometemos.
12 Não seja ela como um aborto, que saindo do ventre de sua

mãe, tenha metade da sua carne já consumida.
13 Moisés clamou ao Senhor: Ó Deus, rogo-te que a cures.
14 O Senhor respondeu a Moisés: Se seu pai lhe cuspisse no rosto, não ficaria envergonhada durante sete dias? Seja Miriã fechada sete dias fora do acampamento e, depois, recolhida.
15 Assim Miriã esteve fechada fora do acampamento durante sete dias, e o povo não partiu enquanto ela não foi novamente recolhida.
16 Depois disso, o povo partiu de Hazerote e se acampou no deserto de Parã.

### Moisés envia espias a Canaã

**13** Disse o Senhor a Moisés: 2 Envia homens que espiem a terra de Canaã, que eu hei de dar aos filhos de Israel. De cada tribo de seus pais envia um de seus líderes.
3 Enviou-os Moisés do deserto de Parã, segundo o mandado do Senhor. Todos aqueles homens eram líderes dos filhos de Israel.
4 São estes os seus nomes: Da tribo de Rúben, Samua, filho de Zacur;
5 da tribo de Simeão, Safate, filho de Hori;
6 da tribo de Judá, Calebe, filho de Jefoné;
7 da tribo de Issacar, Jigeal, filho de José;
8 da tribo de Efraim, Oseias, filho de Num;
9 da tribo de Benjamim, Palti, filho de Rafu;
10 da tribo de Zebulom, Gadiel, filho de Sodi;
11 da tribo de José, pela tribo de Manassés, Gadi, filho de Susi;
12 da tribo de Dã, Amiel, filho de Gemali;
13 da tribo de Aser, Setur, filho de Micael;
14 da tribo de Naftali, Nabi, filho de Vofsi;
15 da tribo de Gade, Guel, filho de Maqui.
16 São esses os homens que Moisés enviou para espiar a terra. Moisés deu a Oseias, filho de Num, o nome de Josué.
17 Quando Moisés os enviou para explorar a terra de Canaã, disse-lhes: Subi ao Neguebe e escalai as montanhas.
18 Vede como é a terra e o povo que nela habita, se é forte ou fraco, se são poucos ou muitos.
19 Como é a terra em que habita? É boa ou má? Como são as cidades em que vivem? São abertas ou fortificadas?
20 Como é o solo? É fértil ou estéril? Tem matas ou não? Esforçai-vos; e trazei do produto da terra. Era o tempo das primícias das uvas.
21 Assim subiram e espiaram a terra desde o deserto de Zim até Reobe, à entrada de Hamate.
22 Subiram através do Neguebe e vieram até Hebrom, onde viviam Aimã, Sesai e Talmai, filhos de Enaque. (Hebrom tinha sido fundada sete anos antes de Zoã no Egito.)
23 Depois vieram até o vale de Escol e dali cortaram um ramo de vide com um cacho de uvas, o qual dois homens trouxeram numa vara, bem como romãs e figos.
24 Chamou-se aquele lugar o vale de Escol, por causa do cacho que dali cortaram os filhos de Israel.

### O relato dos espias

25 Ao fim de quarenta dias, voltaram de espiar a terra.

26 Vieram a Moisés, a Arão e a toda a comunidade dos filhos de Israel no deserto de Parã, a Cades. Deram-lhes conta a eles, bem como a toda a comunidade, e mostraram-lhes o fruto da terra.
27 Relataram a Moisés o seguinte: Fomos à terra a que nos enviaste. Nela verdadeiramente manam leite e mel! Este é o seu fruto.
28 O povo que habita nessa terra, porém, é poderoso, e as cidades fortificadas e muito grandes. Também vimos ali os filhos de Enaque.
29 Os amalequitas habitam na terra do Neguebe; os heteus, os jebuseus e os amorreus habitam na parte montanhosa; e os cananeus habitam junto ao mar e ao longo do Jordão.
30 Então Calebe fez calar o povo perante Moisés e disse: Subamos animosamente e possuamo-la em herança, pois certamente prevaleceremos contra ela.
31 Os homens que com ele subiram, porém, disseram: Não poderemos atacar aquele povo; é mais forte do que nós.
32 E diante dos filhos de Israel divulgaram relatório negativo da terra que tinham explorado, dizendo: A terra, pelo meio da qual passamos a espiar, é terra que devora os seus moradores. Todo o povo que vimos nela são homens de grande estatura.
33 Também vimos ali gigantes (pois os descendentes de Enaque são de raça gigante), e éramos, aos nossos próprios olhos, como gafanhotos e assim também lhes parecíamos.

### A revolta do povo

**14** Então toda a comunidade levantou-se e chorou em voz alta aquela noite.
2 Todos os filhos de Israel murmuraram contra Moisés e Arão, e toda a comunidade lhes disse: Antes tivéssemos morrido na terra do Egito ou mesmo neste deserto!
3 Por que nos traz o Senhor a esta terra, para cairmos à espada e para que nossas mulheres e crianças sejam por presa? Não nos seria melhor voltarmos ao Egito?
4 E diziam uns aos outros: Levantemos um capitão e voltemos para o Egito.
5 Então Moisés e Arão prostraram-se perante todo o ajuntamento dos filhos de Israel.
6 Josué, filho de Num, e Calebe, filho de Jefoné, dos que espiaram a terra, rasgaram as suas vestes
7 e disseram a toda a comunidade dos filhos de Israel: A terra pelo meio da qual passamos a espiar é terra muito boa.
8 Se o Senhor se agradar de nós, então nos fará entrar nessa terra e a dará a nós. É uma terra em que manam leite e mel.
9 Somente não sejais rebeldes contra o Senhor e não temais o povo dessa terra, porque como pão os devoraremos. A proteção deles se foi, mas o Senhor está conosco. Não os temais.
10 Toda a comunidade, porém, disse que os apedrejassem. Então a glória do Senhor apareceu na tenda da congregação a todos os filhos de Israel.
11 Disse o Senhor a Moisés: Até quando me provocará este povo e até quando não crerá em mim, apesar de todos os sinais que fiz no meio deles?
12 Com pestilência o ferirei e o rejeitarei, mas farei de ti povo maior e mais forte do que este.

## Números 14

13 Respondeu Moisés ao Senhor: Os egípcios ouviram que com a tua força fizeste subir este povo do meio deles
14 e contam aos moradores desta terra. Eles têm ouvido que tu, ó Senhor, estás no meio deste povo, que face a face, ó Senhor, lhes apareces, que a tua nuvem está sobre eles, e que vais adiante deles numa coluna de nuvem de dia e, numa coluna de fogo, de noite.
15 Se matares este povo, as nações que ouviram a tua fama dirão:
16 O Senhor não pôde levar este povo para a terra que lhes tinha jurado, por isso os matou no deserto.
17 Agora, rogo-te que a força do meu Senhor se manifeste, como disseste:
18 O Senhor é muito paciente e grande em beneficência; que perdoa a iniquidade e a transgressão, que ao culpado não tem por inocente e visita a iniquidade dos pais sobre os filhos até a terceira e quarta geração.
19 Perdoa a iniquidade deste povo, segundo a grandeza da tua benignidade, como também perdoaste a este povo desde a terra do Egito até aqui.
20 Disse o Senhor: Conforme a tua palavra lhe perdoei.
21 Tão certo como eu vivo, e como a glória do Senhor encherá toda a terra,
22 nenhum dos homens que viram a minha glória e os sinais que fiz no Egito e no deserto, e me tentaram estas dez vezes e não obedeceram à minha voz,
23 nenhum deles verá a terra que prometi com juramento a seus pais. Nenhum daqueles que me desprezaram a verá.
24 O meu servo Calebe, no entanto, porque nele houve outro espírito e perseverou em seguir-me, eu o levarei à terra em que entrou, e a sua semente a possuirá em herança.
25 Como os amalequitas e os cananeus habitam no vale, mudai amanhã de rumo e retornai ao deserto, na direção do mar Vermelho.
26 Depois disse o Senhor a Moisés e a Arão:
27 Até quando sofrerei esta má congregação, que murmura contra mim? Tenho ouvido as queixas desses murmuradores filhos de Israel.
28 Dize-lhes: Tão certo como eu vivo, diz o Senhor, como falastes aos meus ouvidos, assim farei a vós outros.
29 Neste deserto cairão os vossos cadáveres, como também todos os que de vós foram contados no recenseamento, de vinte anos para cima, e que murmuraram contra mim.
30 Não entrareis nesta terra, a respeito da qual eu, levantando a mão, jurei de nela vos fazer habitar, salvo Calebe, filho de Jefoné, e Josué, filho de Num.
31 Os vossos filhos, porém, dos quais dizeis que seriam levados como presa, eu os farei entrar nela, e eles conhecerão a terra que desprezastes.
32 Quanto a vós, porém, os vossos cadáveres cairão neste deserto.
33 Vossos filhos serão pastores neste deserto durante quarenta anos, sofrendo por causa das vossas infidelidades, até que os vossos cadáveres se consumam no deserto.
34 Segundo o número dos dias em que espiastes a terra, quarenta

dias, cada dia representando um ano, levareis sobre vós as vossas iniquidades quarenta anos e conhecereis o meu desagrado.

35 Eu, o Senhor, falei e certamente assim farei a toda esta má congregação, que se levantou contra mim. Neste deserto se consumirão e morrerão.

36 Os homens que Moisés havia mandado para explorar a terra e que, voltando, fizeram murmurar toda a comunidade contra ele, infamando a terra,

37 aqueles mesmos homens, que infamaram a terra, morreram de praga perante o Senhor.

38 Dos homens que foram espiar a terra somente permaneceram vivos Josué, filho de Num, e Calebe, filho de Jefoné.

39 Quando Moisés transmitiu essas palavras a todos os filhos de Israel, o povo se contristou muito.

40 Levantaram-se de manhã cedo e subiram ao cume do monte, dizendo: Pecamos. Subiremos ao lugar que o Senhor prometeu.

41 Disse, porém, Moisés: Por que desobedeceis ao mandado do Senhor? Isso não prosperará.

42 Não subais, porque o Senhor não estará no meio de vós. Sereis derrotados diante dos vossos inimigos,

43 pois os amalequitas e os cananeus estão ali diante da vossa face. Porque vós vos desviastes do Senhor, ele não será convosco, e caireis à espada.

44 Contudo, audaciosamente tentaram subir ao cume do monte, mas a arca da aliança do Senhor e Moisés não se apartaram do meio do acampamento.

45 Então desceram os amalequitas e os cananeus que viviam naquela região montanhosa e os feriram, derrotando-os até Hormá.

## As ofertas suplementares

**15** Disse o Senhor a Moisés: 2 Fala aos filhos de Israel e dize-lhes: Quando entrardes na terra das vossas habitações, que eu vos darei,

3 e ao Senhor apresentardes oferta queimada, holocausto ou sacrifício, seja em cumprimento de um voto, ou a título de oferta voluntária, seja nas vossas solenidades, para oferecer com o sacrifício de ovelhas ou vacas um cheiro suave ao Senhor,

4 então aquele que oferecer a sua oferta ao Senhor, por oferta de cereais oferecerá a décima parte de um efa de flor de farinha, misturada com a quarta parte de um him de azeite.

5 De vinho para libação preparareis a quarta parte de um him por cordeiro, além do holocausto ou do sacrifício.

6 Para cada carneiro prepararás uma oferta de cereais de dois décimos de um efa de flor de farinha, misturada com a terça parte de um him de azeite.

7 De vinho para a libação oferecerás a terça parte de um him ao Senhor, em cheiro suave.

8 Quando preparares novilho para holocausto ou sacrifício, para cumprir um voto, ou um sacrifício de ofertas pacíficas ao Senhor,

9 com o novilho, trarás uma oferta de cereais de três décimos de um efa de flor de farinha, misturada com a metade de um him de azeite.

10 Também oferecerás, para a libação, a metade de um him, oferta queimada de cheiro suave ao Senhor.

11 Assim se fará para cada novilho, cada carneiro ou cada cabeça de gado miúdo, cordeiros ou cabritos.
12 Segundo o número que oferecerdes, fareis o mesmo para cada um, segundo o número deles.
13 Todo o natural fará essas coisas, oferecendo oferta queimada de cheiro suave ao Senhor.
14 Se algum estrangeiro peregrinar convosco ou estiver no meio de vós nas vossas gerações, e ele trouxer uma oferta queimada de cheiro suave ao Senhor, como vós fizerdes, assim fará ele.
15 Quanto à assembleia, um só estatuto haverá para vós e para o estrangeiro que entre vós peregrinar, nas vossas gerações; como vós sois, assim será o estrangeiro perante o Senhor.
16 A mesma lei e o mesmo rito haverá para vós e para o estrangeiro que peregrina convosco.
17 Disse o Senhor a Moisés:
18 Fala aos filhos de Israel: Quando entrardes na terra em que vos introduzirei,
19 e comerdes do pão dessa terra, apresentareis ao Senhor uma porção como oferta alçada.
20 Das primícias da vossa farinha apresentareis um bolo em oferta alçada; como oferta da eira, assim o oferecereis.
21 Das primícias da vossa farinha dareis ao Senhor oferta alçada nas vossas gerações.

### Faltas cometidas por inadvertência

22 Se, por inadvertência, deixardes de cumprir qualquer desses mandamentos que o Senhor deu a Moisés,
23 qualquer mandamento que o Senhor vos mandou por intermédio de Moisés, desde o dia que o Senhor ordenou e daí em diante, nas vossas gerações,
24 quando se fizer alguma coisa por inadvertência e for encoberta aos olhos da congregação, toda a congregação oferecerá um novilho para holocausto em cheiro suave ao Senhor, com a sua oferta de cereais e libação, conforme o estatuto, e um bode para oferta pelo pecado.
25 O sacerdote fará expiação por toda a comunidade dos filhos de Israel, e serão perdoados, pois foi uma inadvertência, e trouxeram ao Senhor, pelo pecado, a sua oferta queimada e a sua oferta pelo pecado.
26 Toda a comunidade dos filhos de Israel e mais os estrangeiros que peregrinam no meio deles serão perdoados, porque todo o povo foi envolvido no erro.
27 Se alguém pecar por inadvertência, para expiação do pecado oferecerá uma cabra de um ano.
28 O sacerdote fará expiação pela pessoa que errou, quando por inadvertência pecar perante o Senhor, fazendo expiação por ela, e será perdoada.
29 Tanto para o natural dos filhos de Israel como para o estrangeiro que no meio deles peregrina, haverá uma só lei entre vós, para aquele que pecar por inadvertência.
30 A pessoa, porém, que fizer alguma coisa deliberadamente, seja dos naturais da terra, seja dos estrangeiros, injuria ao Senhor; tal pessoa será eliminada do meio do seu povo.
31 Porque desprezou a palavra do Senhor e anulou o seu mandamento, totalmente será eliminada essa pessoa, e a sua iniquidade será sobre ela.

## A violação do sábado

32 Estando os filhos de Israel no deserto, acharam um homem apanhando lenha no dia de sábado. 33 Os que o acharam apanhando lenha trouxeram-no a Moisés e a Arão, e a toda a comunidade, 34 e o puseram sob guarda, porque ainda não estava determinado o que se devia fazer com ele. 35 Então disse o Senhor a Moisés: Tal homem será morto. Toda a comunidade o apedrejará fora do acampamento. 36 Portanto, toda a comunidade o levou para fora do acampamento e o apedrejou até que morreu, como o Senhor ordenara a Moisés.

## As bordas das vestes

37 Disse o Senhor a Moisés: 38 Fala aos filhos de Israel e dize-lhes que, por todas as suas gerações, façam franjas nas bordas das vestes e ponham nas bordas das vestes um cordão azul. 39 Tereis essas franjas para que, vendo-as, vos lembreis de todos os mandamentos do Senhor, para os cumprirdes, e não sigais vosso coração nem vossos olhos, com os quais andais adulterando. 40 Então vos lembrareis de cumprir todos os meus mandamentos e sereis consagrados ao vosso Deus. 41 Eu sou o Senhor, o vosso Deus, que vos tirei da terra do Egito, para ser vosso Deus. Eu sou o Senhor, o vosso Deus.

## Coré, Datã e Abirão

**16** Coré, filho de Jizar, filho de Coate, filho de Levi, tomou consigo a Datã e a Abirão, filhos de Eliabe, e a Om, filho de Pelete, filhos de Rúben, encheram-se de presunção 2 e se levantaram contra Moisés, com duzentos e cinquenta homens dos filhos de Israel, líderes da comunidade, respeitados nas solenidades, homens de posição. 3 Ajuntaram-se contra Moisés e contra Arão e lhes disseram: Basta! Toda a comunidade é santa, todos eles são santos, e o Senhor está no meio deles. Por que, pois, vos elevais sobre a comunidade do Senhor?

4 Quando Moisés ouviu isso, caiu prostrado, com o rosto em terra. 5 Então disse a Coré e a todos os seus seguidores: Amanhã pela manhã o Senhor fará saber quem é seu e quem é o santo que ele fará chegar a si. Aquele a quem escolher, fará chegar a si. 6 Fazei isto, Coré e todos os seus seguidores: Tomai incensários, 7 ponde neles fogo e incenso amanhã, perante o Senhor. O homem a quem o Senhor escolher, este será o santo. Isso vos é suficiente, filhos de Levi. 8 Disse mais Moisés a Coré: Ouvi agora, filhos de Levi: 9 Porventura pouco é para vós que o Deus de Israel vos tenha separado da comunidade de Israel, para vos fazer chegar a si, a fim de fazerdes o serviço do tabernáculo do Senhor e estar diante da comunidade para servi-la? 10 Ele te fez chegar a si, Corá, e todos os teus irmãos, os filhos de Levi, contigo, e também procurais o sacerdócio? 11 Pelo que tu e todos os teus seguidores estais congregados contra o Senhor. Quem é Arão, para que murmureis contra ele? 12 Moisés mandou chamar a Datã e a Abirão, filhos de Eliabe. Eles, porém, disseram: Não subiremos.

13 Porventura é pouco que nos fizeste subir de uma terra em que manam leite e mel para nos matares neste deserto, senão que também totalmente domines sobre nós?
14 Além do mais, não nos trouxeste a uma terra em que manam leite e mel nem nos deste campos e vinhas em herança! Porventura arrancarás os olhos a estes homens? Não subiremos.
15 Então Moisés irou-se muito e disse ao Senhor: Não atentes para a sua oferta. Não tomei deles um jumento nem sequer fiz mal a nenhum deles.
16 Disse Moisés a Coré: Tu e todos os teus seguidores ponde-vos perante o Senhor; tu e eles, e também Arão.
17 Tomai cada um o seu incensário, e neles ponde incenso; trazei cada um o seu incensário perante o Senhor, duzentos e cinquenta incensários. Também tu e Arão, cada qual o seu incensário.
18 Tomaram, pois, cada qual o seu incensário, neles puseram fogo e incenso, e se colocaram à entrada da tenda da congregação com Moisés e Arão.
19 Quando Coré ajuntou contra eles toda a comunidade à entrada da tenda da congregação; a glória do Senhor apareceu a toda a congregação.
20 Disse o Senhor a Moisés e a Arão:
21 Apartai-vos do meio desta congregação, e os consumirei como num momento.
22 Eles, porém, se prostraram sobre os seus rostos e disseram: Ó Deus, Deus dos espíritos de todos os viventes, pecará um só homem, e tu te indignarás tanto contra toda esta comunidade?
23 Disse o Senhor a Moisés:
24 Dize a toda esta comunidade: Levantai-vos do redor da tenda de Coré, Datã e Abirão.
25 Então Moisés se levantou e foi a Datã e a Abirão; e após ele foram as autoridades de Israel.
26 E disse à comunidade: Desviai-vos, peço-vos, das tendas destes homens ímpios e não toqueis nada do que é seu, para que porventura não pereçais em todos os seus pecados.
27 Levantaram-se, pois, do redor da tenda de Coré, Datã e Abirão. E Datã e Abirão saíram e se puseram à porta das suas tendas, com as suas mulheres, seus filhos e suas crianças.
28 Então disse Moisés: Nisto conhecereis que o Senhor me enviou a fazer todos estes feitos, que não procedem de meu coração.
29 Se estes morrerem como morrem todos os homens e acontecer com eles o que normalmente acontece a todos os homens, então o Senhor não me enviou.
30 Se, porém, o Senhor fizer alguma coisa estranha, e a terra abrir a sua boca e os tragar com tudo o que é seu, e vivos descerem ao sepulcro, então conhecereis que estes homens desprezaram o Senhor.
31 Acabando ele de falar todas essas palavras, o solo se fendeu sob os pés deles,
32 abriu a sua boca e os tragou com as suas casas, bem como todos os homens de Coré e todos os seus bens.
33 Eles e tudo o que lhes pertencia desceram vivos ao sepulcro; a terra os cobriu, e desapareceram do meio da comunidade.
34 Ouvindo o seu clamor, fugiram todos os filhos de Israel que

estavam ao redor deles, gritando: Que a terra não nos trague também.

35 Então saiu fogo do Senhor e consumiu os duzentos e cinquenta homens que ofereciam o incenso.

36 Disse o Senhor a Moisés:

37 Dize a Eleazar, filho de Arão, o sacerdote, que tome os incensários do meio do incêndio e espalhe o fogo longe, pois são santos.

38 Quanto aos incensários daqueles que pecaram contra a sua própria vida, que deles se façam lâminas para recobrir o altar, pois os trouxeram perante o Senhor, pelo que são santos. Serão um sinal para os filhos de Israel.

39 Eleazar, o sacerdote, tomou os incensários de bronze trazidos por aqueles que foram queimados e os converteu em lâminas para cobertura do altar,

40 por memorial para os filhos de Israel, para que nenhum estranho, que não for da semente de Arão, se chegue para acender incenso perante o Senhor, para que não seja como Coré e seus seguidores, como o Senhor lhe tinha dito pela boca de Moisés.

### A intercessão de Arão

41 No dia seguinte, porém, toda a comunidade dos filhos de Israel murmurou contra Moisés e contra Arão, dizendo: Vós matastes o povo do Senhor.

42 Quando a comunidade se ajuntou contra Moisés e Arão e virou-se para a tenda da congregação, de súbito a nuvem a cobriu, e a glória do Senhor apareceu.

43 Então vieram Moisés e Arão perante a tenda da congregação,

44 e o Senhor disse a Moisés:

45 Levantai-vos do meio desta comunidade, e a consumirei num momento. E eles se prostraram com o rosto em terra.

46 Disse Moisés a Arão: Toma o teu incensário, põe nele fogo do altar, deita incenso sobre ele, vai depressa à comunidade e faze expiação por eles. Grande indignação saiu de diante do Senhor, e já começou a praga.

47 Fez Arão conforme ordenou Moisés, e correu ao meio da comunidade. A praga já havia começado entre o povo, mas Arão ofereceu o incenso e fez expiação pelo povo.

48 Pôs-se em pé entre os mortos e os vivos, e a praga cessou.

49 Os que morreram daquela praga foram catorze mil e setecentos, fora os que morreram por causa de Coré.

50 Então voltou Arão a Moisés na entrada da tenda da congregação, pois a praga tinha cessado.

### A vara de Arão floresce

**17** Disse o Senhor a Moisés:

2 Fala aos filhos de Israel e recebe deles doze varas, uma para cada tribo de todos os seus líderes; segundo as tribos, doze varas. Escreve o nome de cada um deles na sua própria vara.

3 O nome de Arão, porém, escreverás sobre a vara de Levi, pois cada líder de tribo terá uma vara.

4 E as porás na tenda da congregação, perante o testemunho, onde virei a vós.

5 A vara do homem que eu tiver escolhido florescerá. Assim afastarei de mim as murmurações que os filhos de Israel fazem contra vós.

6 Assim falou Moisés aos filhos de Israel, e todos os seus líderes lhe deram uma vara, para cada líder uma vara, segundo as tribos. Doze varas, e a vara de Arão estava entre elas.
7 Moisés pôs as varas perante o Senhor na tenda do testemunho.
8 No dia seguinte, quando Moisés entrou na tenda do testemunho, viu que a vara de Arão, pela tribo de Levi, havia florescido: os botões haviam surgido, as flores haviam desabrochado e produzido amêndoas.
9 Então Moisés retirou todas as varas da presença do Senhor e as levou a todos os filhos de Israel. Eles as viram, e cada líder pegou sua vara.
10 Disse o Senhor a Moisés: Põe de volta a vara de Arão perante o testemunho, como sinal para os filhos rebeldes. Assim farás acabar as suas murmurações contra mim, e não morrerão.
11 Moisés fez como lhe ordenara o Senhor.
12 Disseram os filhos de Israel a Moisés: Nós morreremos! Morreremos todos, estamos todos perdidos!
13 Todo aquele que se aproximar do tabernáculo do Senhor morrerá. Seremos todos consumidos?

### Deveres dos sacerdotes e dos levitas

**18** Disse o Senhor a Arão: Tu e teus filhos, e a casa de teu pai contigo, levareis sobre vós as faltas cometidas com relação ao santuário. Tu e teus filhos contigo levareis sobre vós as faltas do vosso sacerdócio.
2 Farás também chegar contigo teus irmãos, a tribo de Levi, a tribo de teu pai, para que se ajuntem a ti e te sirvam. Mas tu e teus filhos contigo estareis perante a tenda do testemunho.
3 Eles estarão a teu serviço e a serviço de toda a tenda, mas não se chegarão aos vasos do santuário e ao altar, para que não morram, tanto eles como vós.
4 Eles se unirão a ti e farão todo o serviço da tenda da congregação; o estranho não se chegará a vós.
5 Vós fareis a guarda do santuário e a guarda do altar, para que não haja mais ira contra os filhos de Israel.
6 Eu mesmo tomei vossos irmãos, os levitas, do meio dos filhos de Israel como uma dádiva a vós, dedicada ao Senhor para fazer o serviço da tenda da congregação.
7 Tu e teus filhos contigo assumireis o vosso sacerdócio em tudo o que se refere ao altar, e por tudo o que estiver atrás do véu. Eu vos tenho dado o serviço do sacerdócio como dádiva. O estranho que se aproximar morrerá.

### A parte dos sacerdotes

8 Então disse o Senhor a Arão: Eu mesmo confiei a ti o cuidado das minhas ofertas alçadas; todas as coisas santas que os filhos de Israel me apresentarem dei-as a ti e a teus filhos por estatuto perpétuo.
9 Isto terás das coisas santíssimas reservadas do fogo: todas as suas ofertas, com todas as suas ofertas de cereais, e com todas as suas ofertas pelo pecado, e com todas as suas ofertas pela culpa, que me apresentarem, serão coisas santíssimas para ti e para teus filhos.
10 Num lugar santo as comerás; todo homem as comerá. Elas te serão santas.

**11** Também isto será teu: a oferta alçada das suas dádivas com todas as ofertas movidas dos filhos de Israel, a ti, a teus filhos e a tuas filhas contigo as tenho dado por estatuto perpétuo. Todo o que estiver limpo na tua casa as comerá. **12** Todo o melhor do azeite, do mosto e do grão, os primeiros frutos que derem ao Senhor, dei-os a ti. **13** Os primeiros frutos de tudo o que houver na terra, que trouxerem ao Senhor, serão teus. Todo o que estiver limpo na tua família os comerá. **14** Toda a coisa consagrada em Israel será tua. **15** Todo primogênito que trouxerem ao Senhor, tanto de homens como de animais, será teu. Mas os primogênitos dos homens resgatarás, bem como resgatarás também os primogênitos dos animais imundos. **16** Quando tiverem um mês de idade, tu os resgatarás, segundo a tua avaliação, por cinco siclos de prata, segundo o siclo do santuário, que é de vinte geras. **17** O primogênito do gado, ou o primogênito de ovelhas, ou o primogênito de cabras, porém, não resgatarás; são santos. Espargirás o seu sangue sobre o altar, e a sua gordura queimarás em oferta queimada de cheiro suave ao Senhor. **18** A carne deles será tua, assim como serão teus o peito movido e a coxa direita. **19** Todas as ofertas sagradas que os filhos de Israel oferecerem ao Senhor, dei-as a ti, a teus filhos e a tuas filhas contigo, por estatuto perpétuo. É aliança perpétua de sal perante o Senhor para ti e para a tua descendência contigo.

**20** Disse também o Senhor a Arão: Na sua terra, herança alguma terás, e, no meio deles, nenhuma parte terás; eu sou a tua parte e a tua herança no meio dos filhos de Israel. **21** Aos filhos de Levi dei todos os dízimos em Israel por herança, pelo serviço que exercem, o serviço da tenda da congregação. **22** Nunca mais os filhos de Israel se chegarão à tenda da congregação, para que não levem sobre si o pecado e morram. **23** Os levitas, porém, farão o serviço da tenda da congregação e levarão sobre si a sua iniquidade. Este será estatuto perpétuo pelas vossas gerações. No meio dos filhos de Israel, nenhuma herança terão. **24** Porque os dízimos dos filhos de Israel, que oferecerem ao Senhor em oferta alçada, dei-os por herança aos levitas, pois eu lhes disse: No meio dos filhos de Israel nenhuma herança terão. **25** Disse o Senhor a Moisés: **26** Também falarás aos levitas e lhes dirás: Quando receberdes os dízimos dos filhos de Israel, que da parte deles vos dou como herança, deles trareis uma oferta ao Senhor, o dízimo dos dízimos. **27** Vossa oferta será considerada como grão da eira e como plenitude do tanque de prensar uvas. **28** Assim também trareis ao Senhor uma oferta de todos os vossos dízimos, que receberdes dos filhos de Israel. Desses dízimos dareis a oferta do Senhor ao sacerdote Arão. **29** De todas as dádivas que receberdes trareis a oferta do Senhor; do melhor delas, a sua santa parte. **30** Dize aos levitas: Quando oferecerdes o melhor dos dízimos, será para vós como a novidade da eira e como a novidade do tanque de prensar uvas.

31 E vós e a vossa família o comereis em todo o lugar, pois é vosso galardão pelo vosso serviço na tenda da congregação.

32 Não sereis culpados de pecado algum por isso, quando deles oferecerdes o melhor; então não profanareis as coisas sagradas dos filhos de Israel, para que não morrais.

### A novilha vermelha

**19** Disse o Senhor a Moisés e a Arão:

2 Este é o estatuto da lei que o Senhor ordenou, dizendo: Dize aos filhos de Israel que te tragam uma novilha vermelha sem defeito e perfeita, sobre a qual nunca foi posto jugo.

3 Entregareis a novilha a Eleazar, o sacerdote. Será tirada para fora do acampamento e será imolada diante dele.

4 Eleazar, o sacerdote, tomará do sangue com o dedo, e dele espargirá para a frente da tenda da congregação sete vezes.

5 Na presença dele a novilha será queimada. Serão queimados o couro, a carne, o sangue e os excrementos.

6 O sacerdote, tomando em seguida pau de cedro, hissopo e pano vermelho, os lançará no meio do fogo que queima a novilha.

7 Então o sacerdote lavará as suas vestes e banhará o seu corpo com água. Depois entrará no acampamento, mas estará imundo até a tarde.

8 Também o que queimou a novilha lavará as suas vestes com água, e com água banhará o seu corpo, e imundo será até a tarde.

9 Um homem limpo ajuntará a cinza da novilha e a porá fora do acampamento, num lugar limpo. Será guardada pela comunidade dos filhos de Israel, para uso na água purificadora; é oferta pelo pecado.

10 Aquele que recolheu a cinza da novilha lavará as suas vestes e ficará imundo até a tarde. Isso será por estatuto perpétuo aos filhos de Israel e ao estrangeiro que peregrinar no meio deles.

11 Aquele que tocar em um cadáver, qualquer que seja o morto, ficará imundo sete dias.

12 Deverá purificar-se com esta água no terceiro e no sétimo dia; então será limpo. Mas se não se purificar no terceiro e no sétimo dia, não será limpo.

13 Todo aquele que tocar em um morto, cadáver de alguém que morreu, e não se purificar, contamina o tabernáculo do Senhor. Tal pessoa será eliminada de Israel. Porque a água purificadora não foi espargida sobre ele, é imundo; permanece nele a sua imundícia.

14 Esta é a lei a respeito de uma pessoa que morre numa tenda: Todo aquele que entrar na tenda, e todo aquele que estiver nela, será imundo sete dias.

15 Também todo recipiente aberto, que não tenha sido fechado com uma tampa ou com uma atadura, será imundo.

16 Todo aquele que no campo aberto tocar em alguém que tenha sido morto pela espada, ou em alguém que tenha morrido de causas naturais, ou nos ossos de algum homem, ou numa sepultura, será imundo sete dias.

17 Para o imundo tomarão num vaso um pouco da cinza da vítima

queimada como oferta pelo pecado e sobre esta porão água corrente. **18** Então um homem limpo tomará hissopo e o molhará naquela água, e a espargirá sobre aquela tenda, e sobre todo utensílio, e sobre as pessoas que ali estiverem; como também sobre aquele que tenha tocado em ossos, ou em alguém que tenha sido morto, ou que morreu de causas naturais, ou numa sepultura. **19** O homem limpo espargirá sobre o imundo no terceiro e sétimo dias e, no sétimo dia, o purificará. O que era imundo lavará as suas vestes e se banhará com água, e à tarde estará limpo. **20** Quem, porém, estiver imundo e não se purificar, esse será eliminado do meio da assembleia, porque contaminou o santuário do Senhor. A água purificadora não foi espargida sobre ele; é imundo. **21** Isto será para eles um estatuto perpétuo. O homem que espargir a água purificadora lavará as suas vestes, e o que tocar na água purificadora será imundo até a tarde. **22** Tudo em que o imundo tocar também será imundo e quem nele tocar será imundo até a tarde.

### A morte de Miriã.
### As águas de Meribá

**20** Toda a comunidade dos filhos de Israel chegou ao deserto de Zim, no primeiro mês, e o povo ficou em Cades. Ali morreu Miriã e, ali, foi sepultada. **2** Como não havia água para a comunidade, o povo ajuntou-se contra Moisés e Arão. **3** Contendeu o povo com Moisés, dizendo: Quem dera tivéssemos expirado quando expiraram nossos irmãos perante o Senhor! **4** Por que trouxestes a congregação do Senhor a este deserto, para que nós e os nossos animais morramos aqui? **5** Por que nos fizestes subir do Egito, para nos trazer a este terrível lugar? Não há cereais, nem figos, nem vides, nem romãs, nem água para beber. **6** Então Moisés e Arão se foram de diante do povo à entrada da tenda da congregação e se prostraram com a face em terra, e a glória do Senhor lhes apareceu. **7** Disse o Senhor a Moisés: **8** Toma a vara, ajunta o povo, tu e teu irmão Arão. Na presença deles ordenai à rocha que dê as suas águas. Assim lhes tirareis água da rocha e dareis a beber ao povo e aos seus animais. **9** Então Moisés tomou a vara de diante do Senhor, como lhe tinha ordenado. **10** Moisés e Arão reuniram o povo diante da rocha e lhes disseram: Ouvi, agora, rebeldes, porventura tiraremos água desta rocha para vós? **11** Então Moisés levantou a mão e feriu a rocha duas vezes com a sua vara. A água jorrou abundantemente, e a comunidade e os seus animais beberam. **12** O Senhor, porém, disse a Moisés e a Arão: Visto que não crestes em mim, para me santificardes diante dos filhos de Israel, não introduzireis este povo na terra que lhe dei. **13** Estas são as águas de Meribá, onde os filhos de Israel contenderam com o Senhor, que neles se santificou.

### Edom nega passagem a Israel

**14** Moisés enviou de Cades mensageiros ao rei de Edom, dizendo:

Assim diz teu irmão Israel: Sabes todo o trabalho que nos sobreveio, 15 como nossos pais desceram ao Egito e vivemos lá muitos anos. Os egípcios nos maltrataram, a nós e a nossos pais, 16 mas quando clamamos ao Senhor, ele ouviu a nossa voz, enviou um anjo e nos tirou do Egito. Agora estamos em Cades, cidade na extremidade dos teus termos. 17 Deixa-nos passar pela tua terra. Não passaremos por nenhuma plantação ou vinhas nem beberemos a água dos poços. Seguiremos pela estrada real, sem nos desviarmos nem para a direita nem para a esquerda, até que atravessemos os teus termos. 18 Respondeu-lhes Edom: Não passarás por mim; do contrário sairei com a espada ao teu encontro. 19 Disseram-lhe os filhos de Israel: Iremos pelo caminho principal; se nós ou o nosso gado bebermos da tua água, pagaremos por ela. Nada mais queremos, senão passar a pé. 20 Outra vez respondeu ele: Não passarás. Então Edom saiu contra eles com muita gente e grande força. 21 Assim Edom negou passagem a Israel pelo seu território, pelo que Israel se desviou dele.

### A morte de Arão

22 Então partiu de Cades toda a comunidade dos filhos de Israel, e chegaram ao monte Hor. 23 Disse o Senhor a Moisés e a Arão no monte Hor, na fronteira da terra de Edom: 24 Arão será recolhido ao seu povo. Ele não entrará na terra que dei aos filhos de Israel, porque fostes rebeldes à minha palavra, nas águas de Meribá. 25 Toma a Arão e a Eleazar, seu filho, e faze-os subir ao monte Hor. 26 Depois despirás a Arão das suas vestes e as porás em Eleazar, seu filho, pois Arão será recolhido e morrerá ali. 27 Moisés fez como o Senhor lhe ordenara: Subiram ao monte Hor perante os olhos de toda a comunidade. 28 Moisés despiu a Arão das suas vestes e as vestiu em Eleazar, seu filho. E morreu Arão ali no cume do monte. Então Moisés e Eleazar desceram do monte. 29 Quando toda a congregação soube que Arão havia morrido, toda a nação de Israel chorou por Arão durante trinta dias.

### Os israelitas destroem os cananeus

**21** Quando o rei cananeu de Arade, que habitava no Neguebe, soube que Israel vinha pelo caminho de Atarim, pelejou contra Israel e levou alguns prisioneiros dentre eles. 2 Então Israel fez um voto ao Senhor, dizendo: Se entregares este povo nas minhas mãos, destruirei totalmente as suas cidades. 3 O Senhor ouviu a voz de Israel e entregou-lhe os cananeus. Os israelitas os destruíram totalmente, a eles e a suas cidades; assim o lugar passou a ser chamado Hormá.

### A serpente de bronze

4 Então partiram do monte Hor, pelo caminho do mar Vermelho, para contornarem a terra de Edom. Mas o povo tornou-se impaciente no caminho; 5 falou contra Deus e contra Moisés, dizendo: Por que nos fizestes subir

do Egito, para morrermos neste deserto? Aqui não há pão nem água, e nossa alma detesta este miserável pão.

6 Então o Senhor enviou contra o povo serpentes venenosas, que os picavam, e morreu muita gente de Israel.

7 O povo veio a Moisés e disse: Pecamos, pois temos falado contra o Senhor e contra ti. Ora ao Senhor que tire de nós as serpentes. Então Moisés orou pelo povo.

8 Disse o Senhor a Moisés: Faze uma serpente e põe-na sobre uma haste. Todo aquele que for mordido e olhar para ela, viverá.

9 Moisés fez uma serpente de bronze e a pôs sobre uma haste. Quando alguém era mordido por alguma serpente, se olhava para a serpente de bronze, vivia.

### Viagens dos israelitas

10 Partiram os filhos de Israel e se acamparam em Obote.

11 Depois partiram de Obote e se acamparam nos outeiros de Abarim, no deserto que está em frente de Moabe, para o nascente.

12 Dali partiram e se acamparam junto ao ribeiro de Zerede.

13 Partindo dali, acamparam no outro lado do Arnom, que está no deserto que sai do território dos amorreus. Arnom é a fronteira de Moabe, entre Moabe e os amorreus.

14 Por isso se diz no livro das guerras do Senhor:
Vaebe em Sufá, e os vales de Arnom,
15 e o declive dos vales
que se inclina em direção à sede de Ar
e se encosta na fronteira de Moabe.

16 Dali partiram para Beer, o poço do qual o Senhor disse a Moisés: Ajunta o povo, e lhe darei água.

17 Então Israel cantou este cântico:
Brota, ó poço!
E vós, entoai-lhe cânticos!
18 Poço que os líderes cavaram, que os nobres do povo abriram com cetro e com cajados.
Então partiram do deserto para Mataná.

19 De Mataná, para Naaliel, e de Naaliel, para Bamote.

20 De Bamote, ao vale que está no campo de Moabe, no cume de Pisga, que fica diante do deserto.

### Vitória sobre os reis de Moabe e de Basã

21 Israel enviou mensageiros a Seom, rei dos amorreus, dizendo:
22 Deixa-me passar pela tua terra. Não nos desviaremos por nenhuma plantação ou vinha, nem a água dos poços beberemos. Seguiremos pela estrada real até que passemos os teus termos.

23 Seom, porém, não deixou Israel passar pelo seu território. Ao contrário, reuniu todo o seu povo e saiu ao encontro de Israel no deserto. Quando chegou a Jaza, pelejou contra Israel.

24 Israel, porém, o feriu a fio de espada e apoderou-se da sua terra, desde Arnom até Jaboque, fronteira dos filhos de Amom, porque esta fronteira era fortificada.

25 Assim Israel tomou todas estas cidades dos amorreus e as ocupou, inclusive Hesbom e todas as suas aldeias.

26 Hesbom era cidade de Seom, rei dos amorreus, que fez guerra ao primeiro rei dos moabitas e tomou dele toda a sua terra até Arnom.

27 Por isso dizem os poetas:
Vinde a Hesbom!
Edifique-se e estabeleça-se a cidade de Seom!
28 Fogo saiu de Hesbom,
e uma chama da cidade de Seom,
e consumiu Ar dos moabitas
e os senhores dos altos de Arnom.
29 Ai de ti, Moabe!
Perdido estás, povo de Camos!
Entregou seus filhos como fugitivos
e suas filhas, como cativas a Seom, rei dos amorreus.
30 Nós, porém, os subvertemos;
Hesbom está destruída até Dibom.
Nós os assolamos até Nofá, que se estende até Medeba.
31 Assim Israel habitou na terra dos amorreus.
32 Depois, Moisés mandou espiar a Jazer, de modo que os israelitas a conquistaram, bem como as suas aldeias, e desapossaram os amorreus que estavam ali.
33 Em seguida, viraram-se e subiram pelo caminho de Basã. E Ogue, rei de Basã, com todo o seu exército, marchou contra eles para travar batalha em Edrei.
34 Disse o Senhor a Moisés: Não o temas, pois eu o dei nas tuas mãos, a ele, a todo o seu povo e a sua terra, e tu lhe farás como fizeste a Seom, rei dos amorreus, que habitava em Hesbom.
35 De tal maneira o feriram, a seus filhos e a todo o seu povo, que nenhum deles escapou. E tomaram posse da sua terra.

### Balaque e Balaão

**22** Partiram os filhos de Israel e se acamparam nas campinas de Moabe, do outro lado do Jordão, na altura de Jericó.
2 Ora, Balaque, filho de Zipor, viu tudo o que Israel fizera aos amorreus,
3 e Moabe temeu muito diante deste povo, porque era muito numeroso, e andava angustiado por causa dos filhos de Israel.
4 Disse Moabe aos anciãos dos midianitas: Agora devorará esta multidão tudo quanto houver ao redor de nós, como o boi devora a erva do campo. Então Balaque, filho de Zipor, que naquele tempo era o rei de Moabe,
5 enviou mensageiros a Balaão, filho de Beor, a Petor, que está junto ao rio, na terra dos amonitas, a chamá-lo, dizendo: O povo que saiu do Egito cobriu a face da terra e estabeleceu-se perante mim.
6 Vem, agora, rogo-te, amaldiçoa este povo, pois é mais poderoso do que eu. Talvez assim eu possa combatê-lo e expulsá-lo da terra. Pois sei que a quem tu abençoares será abençoado, e a quem tu amaldiçoares será amaldiçoado.
7 Então partiram os líderes dos moabitas e os dos midianitas com o preço dos encantamentos. Chegaram a Balaão e lhe disseram as palavras de Balaque.
8 Balaão lhes respondeu: Passai aqui esta noite e vos trarei a resposta, como o Senhor me falar. Então os líderes de Moabe ficaram com Balaão.
9 Veio Deus a Balaão e lhe disse: Quem são estes homens que estão contigo?
10 Respondeu Balaão a Deus: Balaque, filho de Zipor, rei dos moabitas, enviou-os a mim, dizendo:
11 O povo que saiu do Egito cobriu a face da terra. Vem agora

amaldiçoá-lo por mim. Talvez assim eu possa combatê-lo e expulsá-lo da terra.

**12** Então disse Deus a Balaão: Não irás com eles nem amaldiçoarás o povo, porque é bendito.
**13** Levantou-se Balaão de manhã e disse aos líderes de Balaque: Tornai à vossa terra, pois o Senhor não me deixa ir convosco.
**14** Levantaram-se os líderes dos moabitas, voltaram a Balaque e lhe disseram: Balaão recusou-se a vir conosco.
**15** Balaque tornou a enviar outros líderes, em maior número e mais honrados que os primeiros.
**16** Chegando a Balaão, disseram-lhe: Assim diz Balaque, filho de Zipor: Rogo-te que não te demores em vir a mim,
**17** porque grandemente te honrarei e farei tudo o que me disseres. Portanto vem, rogo-te, e amaldiçoa por mim este povo.
**18** Respondeu Balaão aos servos de Balaque: Ainda que Balaque me desse o seu palácio cheio de prata e de ouro, eu não poderia desobedecer à ordem do Senhor, o meu Deus, para fazer coisa pequena ou grande.
**19** Agora rogo-vos que também aqui fiqueis esta noite, para que eu saiba o que o Senhor me dirá ainda.
**20** Veio o Senhor a Balaão, de noite, e disse-lhe: Visto que aqueles homens te vieram chamar, levanta-te, vai com eles, mas farás somente o que eu te disser.
**21** Então Balaão se levantou de manhã, selou a sua jumenta e partiu com os líderes de Moabe.

### A jumenta de Balaão

**22** A ira de Deus, porém, se acendeu quando ele se foi, e o Anjo do Senhor postou-se no caminho para barrar-lhe a passagem. Ele ia caminhando, montado na sua jumenta, e dois de seus moços com ele.
**23** Viu a jumenta o Anjo do Senhor, que estava no caminho com a sua espada desembainhada na mão, pelo que a jumenta se desviou do caminho e foi-se pelo campo. Então Balaão espancou a jumenta para fazê-la voltar ao caminho.
**24** O Anjo do Senhor, porém, pôs-se numa passagem estreita entre duas vinhas, com paredes de ambos os lados.
**25** Quando a jumenta viu o Anjo do Senhor, encostou-se contra uma das paredes e apertou contra a parede o pé de Balaão; por isso ele tornou a espancá-la.
**26** Então o Anjo do Senhor passou mais adiante e pôs-se num lugar estreito, onde não havia caminho para se desviar nem para a direita nem para a esquerda.
**27** Quando a jumenta viu o Anjo do Senhor, deitou-se debaixo de Balaão; a ira de Balaão se acendeu, e ele espancou a jumenta com o cajado.
**28** Então o Senhor abriu a boca da jumenta, e ela disse a Balaão: Que te fiz eu, que me espancaste já três vezes?
**29** Respondeu Balaão à jumenta: É porque zombaste de mim. Se eu tivesse uma espada na mão, agora te mataria.
**30** A jumenta disse a Balaão: Porventura não sou a tua jumenta, em que toda a tua vida cavalgaste até hoje? Tenho o costume de agir assim contigo? Ele respondeu: Não.
**31** Então o Senhor abriu os olhos a Balaão, e ele viu o Anjo do Senhor parado no caminho, tendo a espada

# Números 23

desembainhada na mão. De modo que ele se inclinou e se prostrou com o rosto em terra.

32 Disse-lhe o Anjo do Senhor: Por que já três vezes espancaste a tua jumenta? Eu saí para ser teu adversário, porque o teu caminho é perverso diante de mim.

33 A jumenta, porém, me viu, e já três vezes se desviou de mim. Se ela não se tivesse desviado de mim, na verdade eu te haveria matado, e a ela deixaria com vida.

34 Então Balaão respondeu ao Anjo do Senhor: Pequei, sem saber que estavas no caminho para te opores a mim. Agora, se parece mal aos teus olhos, voltarei.

35 Disse o Anjo do Senhor a Balaão: Vai com esses homens, mas fala somente aquilo que eu te mandar. Assim Balaão foi com os líderes de Balaque.

36 Ouvindo Balaque que Balaão vinha, saiu-lhe ao encontro até Ir-Moabe, na fronteira do Arnom, na extremidade do território.

37 Balaque disse a Balaão: Não enviei diligentemente a chamar-te? Por que não vieste a mim? Não posso eu na verdade honrar-te?

38 Balaão respondeu a Balaque: Eis-me junto de ti. Porventura poderei eu agora falar alguma coisa? A palavra que Deus puser na minha boca, essa falarei.

39 Balaão foi com Balaque, e chegaram a Quiriate-Huzote.

40 Então Balaque matou bois e ovelhas, e deu parte deles a Balaão e aos líderes que estavam com ele.

41 Pela manhã, Balaque tomou a Balaão, e o fez subir a Bamote-Baal, e de lá ele viu parte do povo.

## Balaque edifica sete altares

**23** Então Balaão disse a Balaque: Edifica-me aqui sete altares e prepara-me sete novilhos e sete carneiros.

2 Balaque fez como Balaão lhe havia dito; e Balaque e Balaão ofereceram um novilho e um carneiro sobre cada altar.

3 Disse mais Balaão a Balaque: Fica junto do teu holocausto, enquanto eu me retiro. Talvez o Senhor me sairá ao encontro, e o que me mostrar, te notificarei. E afastou-se para um monte.

4 Encontrando-se Deus com Balaão, este lhe disse: Preparei sete altares e ofereci um novilho e um carneiro sobre cada altar.

5 Então o Senhor pôs a palavra na boca de Balaão e disse: Volta para junto de Balaque, e assim lhe falarás.

6 Voltando para ele, encontrou-o junto do seu holocausto, ele e todos os líderes de Moabe.

7 Então proferiu Balaão a sua palavra:

De Arã me mandou trazer Balaque,
  rei dos moabitas das montanhas do Oriente,
dizendo: Vem, amaldiçoa a Jacó;
  vem, denuncia a Israel.
8 Como amaldiçoarei
  o que Deus não amaldiçoou?
E como denunciarei
  a quem o Senhor não denunciou?
9 Do cume das penhas o vejo,
  e dos outeiros o contemplo.
Vejo um povo que habitará à parte
  e entre as nações não será contado.

10 Quem pode contar o pó de Jacó
ou numerar a quarta parte de
Israel?
Que morra eu a morte dos
justos,
e seja o meu fim como o deles.
11 Então disse Balaque a Balaão:
Que me fizeste? Chamei-te para
amaldiçoar os meus inimigos,
mas inteiramente os abençoaste.
12 Ele respondeu: Porventura
não terei cuidado de falar o que
o Senhor pôs na minha boca?
13 Então Balaque lhe disse: Rogo-te que venhas comigo a outro
lugar de onde o verás. Verás somente uma parte dele; não poderás vê-lo todo. E de lá amaldiçoa-o
por mim.
14 Assim o levou ao campo de
Zofim, ao cume do monte Pisga.
Edificou ali sete altares e ofereceu um novilho e um carneiro sobre cada altar.
15 Então disse Balaão a Balaque:
Fica aqui junto do teu holocausto, enquanto eu vou ali ao encontro do Senhor.
16 Encontrando-se o Senhor com
Balaão, pôs uma palavra na sua
boca e disse: Volta para junto de
Balaque e assim lhe falarás.
17 Vindo a ele, encontrou-o junto do holocausto, e com ele os líderes de Moabe. Perguntou-lhe
Balaque: Que disse o Senhor?

### A segunda profecia de Balaão

18 Então proferiu a sua palavra:
Levanta-te, Balaque, e ouve;
inclina os teus ouvidos,
filho de Zipor.
19 Deus não é homem para
que minta
nem filho do homem para
que se arrependa.
Porventura tendo ele dito,
não o fará?
Ou, tendo falado, não o
realizará?
20 Recebi ordem de abençoar;
ele abençoou, e não o posso
revogar.
21 Não vi iniquidade em Jacó
nem maldade observei em
Israel.
O Senhor seu Deus está
com ele,
e no meio deles se ouvem
aclamações ao seu rei.
22 Deus os tirou do Egito;
as suas forças são como as do
boi selvagem.
23 Não há encantamento
que possa prevalecer
contra Jacó
nem adivinhação contra
Israel.
Agora será dito de Jacó e de
Israel:
Que coisas Deus tem feito!
24 O povo se levanta como
uma leoa;
ergue-se como um leão
que não se deitará sem ter
devorado a presa
e bebido o sangue de suas
vítimas.
25 Então Balaque disse a Balaão:
Não o amaldiçoarás nem o abençoarás.
26 Balaão, porém, respondeu a
Balaque: Não te falei eu, dizendo: Tudo o que o Senhor falar,
isso farei?
27 Disse mais Balaque a Balaão:
Ora, vem, e te levarei a outro lugar. Talvez de lá parecerá bem
aos olhos de Deus que o amaldiçoes.
28 E Balaque conduziu Balaão
ao cume de Peor, que domina o
deserto.

29 Disse Balaão a Balaque: Edifica-me aqui sete altares e prepara-me sete novilhos e sete carneiros.
30 Balaque fez conforme Balaão lhe dissera e ofereceu um novilho e um carneiro sobre cada altar.

### A terceira profecia de Balaão

**24** Vendo Balaão que era do agrado do Senhor que abençoasse a Israel, não recorreu, como das outras vezes, aos encantamentos, mas voltou a face para o deserto.
2 Levantando Balaão os olhos, e vendo a Israel acampado segundo as suas tribos, veio sobre ele o Espírito de Deus.
3 Então proferiu a sua palavra:
Palavra de Balaão, filho de Beor,
palavra do homem de olhos abertos,
4 palavra daquele que ouve os ditos de Deus,
o que tem a visão do Todo-poderoso,
e cai em êxtase, porém de olhos abertos:
5 Que boas são as tuas tendas, ó Jacó!
Que boas as tuas moradas, ó Israel!
6 Como vales que se estendem, como jardins ao lado de um rio,
como árvores de sândalo que o Senhor plantou,
como cedros junto às águas!
7 De seus baldes manarão águas,
suas lavouras estarão bem irrigadas.
Seu rei será maior do que Agague;
o seu reino será exaltado.

8 Deus os tirou do Egito;
eles têm a força de um boi selvagem.
Devoram as nações inimigas, quebram os seus ossos em pedaços
e com setas as atravessam.
9 Como um leão encurvam-se e deitam-se;
como leoa, quem os despertará?
Benditos os que te abençoarem,
e malditos os que te amaldiçoarem!

10 Então Balaque se encolerizou contra Balaão, bateu as mãos e lhe disse: Chamei-te para amaldiçoar os meus inimigos, mas estas três vezes os abençoaste.
11 Agora foge. Vai para o teu lugar. Eu tinha dito que te honraria grandemente, mas o Senhor te privou dessa honra.
12 Balaão respondeu a Balaque: Não falei eu aos teus mensageiros, dizendo:
13 Ainda que Balaque me desse o seu palácio cheio de prata e de ouro, não posso desobedecer à ordem do Senhor, fazendo bem ou mal de meu próprio coração; aquilo que o Senhor disser, isso falarei.
14 Agora que voltarei para o meu povo, vem, e te avisarei do que este povo fará ao teu povo nos últimos dias.

### A quarta profecia de Balaão

15 Então proferiu a sua palavra e disse:
Palavra de Balaão, filho de Beor,
palavra do homem de olhos abertos,
16 palavra daquele que ouve os ditos de Deus
e sabe a ciência do Altíssimo.

Ele tem a visão do
  Todo-poderoso
e cai em êxtase, porém de
  olhos abertos.
17 Eu o verei, mas não agora;
  o contemplarei, mas não de
  perto.
Uma estrela procederá de
  Jacó,
e de Israel subirá um cetro
que quebrará as frontes de
  Moabe
e destruirá todos os filhos
  de Sete.
18 Edom será conquistado,
e Seir, seu inimigo, também
  será conquistado,
mas Israel fará proezas.
19 Um dominador sairá de Jacó,
e destruirá os sobreviventes
  da cidade.

### A profecia final de Balaão

20 Então, vendo Amaleque, Balaão proferiu a sua palavra e disse:
  Amaleque era a primeira das
  nações,
mas o seu fim será ruína para
  sempre.
21 Depois, vendo os quenitas, proferiu a sua palavra e disse:
  Firme está a tua habitação,
  e puseste o teu ninho na penha.
22 Todavia, tu, quenita, serás destruído
  quando Assur te levar cativo.
23 Proferindo ainda a sua palavra, disse:
  Ai! Quem viverá quando
  Deus fizer isto?
24 Navios virão das costas
  de Quitim;
  afligirão a Assur e a Héber,
  mas também perecerão.
25 Então Balaão se levantou e voltou ao seu lugar. Balaque também seguiu o seu caminho.

## O pecado de Israel em Baal-Peor

**25** Enquanto Israel se demorava em Sitim, o povo se entregou à prostituição com as filhas de Moabe. 2 Estas convidaram o povo aos sacrifícios dos seus deuses; o povo comia e se prostrava diante deles. 3 Juntando-se Israel a Baal-Peor, a ira do Senhor se acendeu contra Israel. 4 Disse o Senhor a Moisés: Toma todos os chefes do povo e enforca-os ao Senhor ao ar livre, e o ardor da ira do Senhor se retirará de Israel. 5 Assim Moisés disse aos juízes de Israel: Cada um mate aquele dos seus homens que aderiram a Baal-Peor.
6 Então um homem dos filhos de Israel veio e trouxe a seus irmãos uma midianita perante os olhos de Moisés e de toda a comunidade dos filhos de Israel, enquanto eles choravam diante da tenda da congregação. 7 Vendo isso, Fineias, filho de Eleazar, filho de Arão, o sacerdote, levantou-se, tomou uma lança, 8 seguiu o israelita até a tenda e lá trespassou-os pela barriga, o homem israelita e a mulher. E cessou a praga que feria os filhos de Israel. 9 Os que morreram da praga foram vinte e quatro mil.
10 Então disse o Senhor a Moisés: 11 Fineias, filho de Eleazar, filho de Arão, o sacerdote, desviou a minha ira de sobre os filhos de Israel, pois foi tomado de zelo por mim; por isso, no meu zelo, não consumi os filhos de Israel. 12 Portanto dize: Dou-lhe a minha aliança de paz. 13 Ele, e a sua descendência depois dele, terá a aliança do sacerdócio

perpétuo, porque foi zeloso pela honra de seu Deus e fez propiciação pelos filhos de Israel.
14 O nome do israelita que foi morto com a midianita era Zinri, filho de Salu, líder de uma família simeonita.
15 E o nome da mulher midianita morta era Cosbi, filha de Zur, chefe de um clã midianita.
16 Disse o Senhor a Moisés:
17 Afligireis os midianitas e os ferireis,
18 porque eles vos afligiram com os seus enganos por intermédio de Peor e de Cosbi, filha do líder dos midianitas, irmã deles, morta no dia da praga por causa de Peor.

### O segundo recenseamento

**26** Depois dessa praga, disse o Senhor a Moisés e a Eleazar, filho de Arão, o sacerdote:
2 Fazei o recenseamento de toda a comunidade dos filhos de Israel, da idade de vinte anos para cima, conforme suas famílias; todos os aptos para a guerra em Israel.
3 Falou-lhes Moisés e Eleazar, o sacerdote, nas campinas de Moabe, junto do Jordão, na direção de Jericó, dizendo:
4 Contai o povo da idade de vinte anos para cima, como o Senhor ordenara a Moisés. Estes foram os filhos de Israel que saíram do Egito:
5 Os filhos de Rúben, primogênito de Israel, foram: de Enoque, a família dos enoquitas; de Palu, a família dos paluítas;
6 de Hezrom, a família dos hezronitas; de Carmi, a família dos carmitas.
7 Foram estes os descendentes de Rúben, os quais formaram o total de quarenta e três mil setecentos e trinta recenseados.
8 O filho de Palu: Eliabe;
9 os filhos de Eliabe: Nemuel, Datã e Abirão. Datã e Abirão foram os eleitos pela comunidade, os quais se rebelaram contra Moisés e Arão na rebelião de Coré, quando se rebelaram contra o Senhor.
10 A terra abriu a sua boca e os tragou com Coré, cujos seguidores morreram quando o fogo consumiu os duzentos e cinquenta homens, os quais serviram de advertência.
11 Os filhos de Coré, porém, não morreram.
12 Os filhos de Simeão, segundo as suas famílias: de Nemuel, a família dos nemuelitas; de Jamim, a família dos jaminitas; de Jaquim, a família dos jaquinitas;
13 de Zerá, a família dos zeraítas; de Saul, a família dos saulitas.
14 Foram estas as famílias dos simeonitas; vinte e dois mil e duzentos.
15 Os filhos de Gade, segundo as suas famílias: de Zefom, a família dos zefonitas; de Hagi, a família dos hagitas; de Suni, a família dos sunitas;
16 de Ozni, a família dos oznitas; de Heri, a família dos heritas;
17 de Arode, a família dos aroditas; de Areli, a família dos arelitas.
18 Foram estes os descendentes de Gade, os quais formaram o total de quarenta mil e quinhentos recenseados.
19 Os filhos de Judá: Er e Onã, mas Er e Onã morreram na terra de Canaã.
20 Assim os filhos de Judá, segundo as suas famílias, foram: de Selá, a família dos selanitas; de Perez, a família dos perezitas; de Zerá, a família dos zeraítas.
21 Os filhos de Perez foram: de Hezrom, a família dos hezronitas; de Hamul, a família dos hamulitas.

**22** Foram estes os descendentes de Judá, os quais formaram o total de setenta e seis mil e quinhentos recenseados.

**23** Os filhos de Issacar, segundo as suas famílias, foram: de Tola, a família dos tolaítas; de Puva, a família dos puvitas;

**24** de Jasube, a família dos jasubitas; de Sinrom, a família dos sinronitas.

**25** Foram estes os descendentes de Issacar, os quais formaram o total de sessenta e quatro mil e trezentos recenseados.

**26** Os filhos de Zebulom, segundo as suas famílias, foram: de Serede, a família dos sereditas; de Elom, a família dos elonitas; de Jaleel, a família dos jaleelitas.

**27** Foram estes os descendentes de Zebulom, os quais formaram o total de sessenta mil e quinhentos recenseados.

**28** Os filhos de José, segundo as suas famílias, foram Manassés e Efraim.

**29** Os filhos de Manassés foram: de Maquir, a família dos maquiritas (Maquir gerou Gileade); de Gileade, a família dos gileaditas.

**30** Foram estes os filhos de Gileade: de Jezer, a família dos jezeritas; de Heleque, a família dos heleguitas;

**31** de Asriel, a família dos asrielitas; de Siquém, a família dos siquenitas;

**32** de Semida, a família dos semidaítas; de Hefer, a família dos heferitas.

**33** Zelofeade, filho de Hefer, porém, não teve filhos, mas apenas filhas, cujos nomes foram Maalá, Noa, Hogla, Milca e Tirza.

**34** Foram estes os descendentes de Manassés, os quais formaram o total de cinquenta e dois mil e setecentos recenseados.

**35** Foram estes os filhos de Efraim, segundo as suas famílias: de Sutela, a família dos sutelaítas; de Bequer, a família dos bequeritas; de Taã, a família dos taanitas.

**36** Foram estes os filhos de Sutela: de Erã, a família dos eranitas.

**37** Foram estes os descendentes de Efraim, os quais formaram o total de trinta e dois mil e quinhentos; foram estes os filhos de José, segundo as suas famílias.

**38** Os filhos de Benjamim, segundo as suas famílias: de Bela, a família dos belaítas; de Asbel, a família dos asbelitas; de Airã, a família dos airamitas;

**39** de Sufã, a família dos sufamitas; de Hufã, a família dos hufamitas.

**40** Os filhos de Bela foram Arde e Naamã. De Arde, a família dos arditas; de Naamã, a família dos naamanitas.

**41** Foram estes os descendentes de Benjamim, os quais formaram o total de quarenta e cinco mil e seiscentos recenseados.

**42** Foram estes os filhos de Dã, segundo as suas famílias: de Suã a família dos suamitas. Foram estas as famílias de Dã, segundo as suas famílias.

**43** Todas as famílias dos suamitas formaram o total de sessenta e quatro mil e quatrocentos recenseados.

**44** Os filhos de Aser, segundo as suas famílias, foram: de Imna, a família dos imnaítas; de Isvi, a família dos isvitas; de Berias, a família dos beriitas.

**45** Dos filhos de Berias, foram: de Héber, a família dos heberitas; de Malquiel, a família dos malquielitas.

46 O nome da filha de Aser foi Sera.
47 Foram estes os descendentes de Aser, os quais formaram o total de cinquenta e três mil e quatrocentos recenseados.
48 Os filhos de Naftali, segundo as suas famílias: de Jazeel, a família dos jazeelitas; de Guni, a família dos gunitas;
49 de Jezer, a família dos jezeritas; de Silém, a família dos silemitas.
50 Foram estes os descendentes de Naftali, segundo as suas famílias, os quais formaram o total de quarenta e cinco mil e quatrocentos recenseados.
51 Foram estes os recenseados dos filhos de Israel: seiscentos e um mil setecentos e trinta.
52 Disse o Senhor a Moisés:
53 A estes a terra será repartida em herança, segundo o recenseamento.
54 À tribo mais numerosa darás herança maior e à pequena, herança menor; cada um receberá a herança em proporção aos seus recenseados.
55 Todavia a terra será repartida por sortes; cada um receberá a sua herança segundo os nomes das tribos de seus pais.
56 Cada herança será distribuída por sorte entre as tribos maiores e as menores.
57 Foram estes os recenseados de Levi, segundo as suas famílias: de Gérson, a família dos gersonitas; de Coate, a família dos coatitas; de Merari, a família dos meraritas.
58 Foram estas as famílias de Levi: a família dos libnitas, a família dos hebronitas, a família dos malitas, a família dos musitas, a família dos coreítas; e Coate gerou Anrão.
59 O nome da mulher de Anrão era Joquebede, filha de Levi, nascida no Egito. Ela deu a Anrão: Arão, Moisés; e Miriã, irmã destes.
60 A Arão nasceram Nadabe, Abiú, Eleazar e Itamar.
61 Nadabe e Abiú morreram quando trouxeram fogo estranho perante o Senhor.
62 Ao todo foram recenseados vinte e três mil homens, da idade de um mês para cima. Estes não foram recenseados com os filhos de Israel, porque não lhes foi destinada nenhuma herança entre eles.
63 Foram estes os recenseados por Moisés e Eleazar, o sacerdote, quando ambos contaram os filhos de Israel nas campinas de Moabe, junto do Jordão, na direção de Jericó.
64 Entre estes não se encontrava nem um só daqueles que foram recenseados por Moisés e Arão, o sacerdote, no deserto de Sinai,
65 porque o Senhor havia dito acerca deles: certamente morrerão no deserto. Nenhum deles sobreviveu, exceto Calebe, filho de Jefoné, e Josué, filho de Num.

### A lei acerca das heranças

**27** Vieram então as filhas de Zelofeade, filho de Héfer, filho de Gileade, filho de Maquir, filho de Manassés, entre as famílias de Manassés, filho de José. São estes os nomes de suas filhas: Maalá, Noa, Hogla, Milca e Tirza.
2 Elas se puseram diante de Moisés, diante de Eleazar, o sacerdote, diante dos líderes e de toda a comunidade, à entrada da tenda da congregação, e disseram:
3 Nosso pai morreu no deserto e não estava entre os seguidores de Coré, que se rebelaram contra o

Senhor; mas morreu no seu próprio pecado e não teve filhos.
4 Por que seria riscado o nome de nosso pai do meio da sua família, por não ter tido filhos? Dá-nos propriedade entre os irmãos de nosso pai.
5 Moisés levou a causa delas perante o Senhor,
6 e o Senhor disse a Moisés:
7 As filhas de Zelofeade falam retamente. Certamente lhes darás propriedade como herança entre os irmãos de seu pai, e a herança de seu pai farás passar a elas.
8 Dirás aos filhos de Israel: Quando alguém morrer e não tiver filho, transmitireis a sua herança à sua filha.
9 Se não tiver filha, então a sua herança dareis a seus irmãos.
10 Se, porém, não tiver irmãos, então dareis a sua herança aos irmãos de seu pai.
11 Se também seu pai não tiver irmãos, então dareis a sua herança àquele de sua família que lhe for o parente mais próximo, para que a possua. Isso será para os filhos de Israel estatuto de direito, como o Senhor ordenou a Moisés.

### Predição da morte de Moisés

12 Depois, disse o Senhor a Moisés: Sobe a este monte Abarim e vê a terra que dei aos filhos de Israel.
13 E, tendo-a visto, serás reunido aos teus, como Arão, teu irmão,
14 pois no deserto de Zim, quando a comunidade contendeu contra mim, não santificaste o meu nome diante deles na questão das águas. (Essas foram as águas de Meribá de Cades, no deserto de Zim.)
15 Então disse Moisés ao Senhor:
16 Possa o Senhor, Deus que a todos dá a vida, pôr um homem sobre esta comunidade,
17 que saia de diante deles, e entre diante deles, e os faça sair e entrar, para que a comunidade do Senhor não seja como ovelhas sem pastor.
18 Então disse o Senhor a Moisés: Toma a Josué, filho de Num, homem em quem há o Espírito, e põe a tua mão sobre ele.
19 Apresenta-o perante Eleazar, o sacerdote, e perante toda a comunidade, e dá-lhe mandamentos na presença deles.
20 Põe sobre ele da tua autoridade, para que lhe obedeça toda a comunidade dos filhos de Israel.
21 Ele se apresentará perante Eleazar, o sacerdote, o qual por ele consultará, segundo o juízo de Urim, perante o Senhor. Sob a sua ordem, ele e todos os filhos de Israel sairão, e sob a sua ordem entrarão.
22 Fez Moisés como o Senhor lhe ordenara. Tomou a Josué, apresentou-o perante Eleazar, o sacerdote, e perante toda a comunidade.
23 Então impôs as mãos sobre ele e lhe deu mandamentos, como o Senhor ordenara por meio de Moisés.

### As ofertas diárias

**28** Disse o Senhor a Moisés:
2 Ordena aos filhos de Israel e dize-lhes: Cuidai de apresentar-me no tempo determinado a oferta, o meu manjar para as minhas ofertas queimadas, como cheiro suave para mim.
3 Também lhes dirás: Esta é a oferta queimada que oferecereis ao Senhor, dia após dia: dois cordeiros de um ano, sem defeito, em contínuo holocausto.
4 Um cordeiro sacrificarás pela manhã, e o outro cordeiro sacrificarás ao cair da tarde;

5 e a décima parte de um efa de flor de farinha em oferta de cereais, amassada com a quarta parte de um him de azeite batido.
6 Este é o holocausto contínuo, instituído no monte Sinai, em cheiro suave, oferta queimada ao Senhor.
7 A sua libação será a quarta parte de um him para um cordeiro. No santuário oferecerás a libação de bebida forte ao Senhor.
8 O outro cordeiro sacrificarás ao cair da tarde; com a oferta de cereais da manhã e com a sua libação, o trarás em oferta queimada de cheiro suave ao Senhor.
9 No dia de sábado, porém, oferecereis dois cordeiros de um ano, sem defeito, e dois décimos de um efa de flor de farinha, amassada com azeite, em oferta de cereais, com a sua libação.
10 É o holocausto de todos os sábados, além do holocausto contínuo, e a sua libação.
11 Nos princípios dos vossos meses oferecereis, em holocausto ao Senhor, dois novilhos, um carneiro e sete cordeiros de um ano, sem defeito.
12 Três décimos de um efa de flor de farinha, amassada com azeite, em oferta de cereais, para um novilho; dois décimos de um efa de flor de farinha, amassada com azeite, em oferta de cereais, para um carneiro;
13 e a décima parte de um efa de flor de farinha, amassada com azeite, em oferta de cereais, para um cordeiro. É holocausto de cheiro suave, oferta queimada ao Senhor.
14 As suas libações serão a metade de um him de vinho para um novilho, a terça parte de um him para um carneiro e a quarta parte de um him para um cordeiro. Este é o holocausto da lua nova de cada mês, segundo os meses do ano.
15 Além do holocausto contínuo, trarás ao Senhor um bode como oferta pelo pecado, com a sua libação.

### A Páscoa

16 No primeiro mês, aos catorze dias do mês, é a Páscoa do Senhor.
17 Aos quinze dias do mesmo mês, haverá festa; por sete dias se comerão pães sem fermento.
18 No primeiro dia, haverá santa convocação; não fareis nenhum trabalho servil.
19 Trareis oferta queimada em holocausto ao Senhor, dois novilhos, um carneiro e sete cordeiros de um ano, todos eles sem defeito.
20 A sua oferta de cereais será de flor de farinha, amassada com azeite; oferecereis três décimos de um efa para um novilho e dois décimos para um carneiro.
21 Oferecereis um décimo para cada um dos sete cordeiros;
22 e um bode como oferta pelo pecado, para fazer expiação por vós.
23 Essas coisas oferecereis, além do holocausto da manhã, que é o holocausto contínuo.
24 Assim prepararei cada dia, durante sete dias, o alimento para a oferta queimada em cheiro suave ao Senhor, além do holocausto contínuo com a sua oferta derramada.
25 No sétimo dia, tereis santa convocação; nenhum trabalho servil fareis.

### A festa das semanas

26 Semelhantemente, tereis santa convocação no dia da festa dos

primeiros frutos, quando oferecerdes ao Senhor oferta nova de cereais durante a festa das semanas; nenhum trabalho servil fareis.

**27** Então oferecereis ao Senhor por holocausto, em cheiro suave, dois novilhos, um carneiro e sete cordeiros de um ano.

**28** A sua oferta de cereais será de flor de farinha, amassada com azeite; três décimos de um efa para um novilho, dois décimos para um carneiro

**29** e um décimo para cada um dos sete cordeiros;

**30** e um bode para fazer expiação por vós.

**31** Fareis isso além do holocausto contínuo, da sua oferta de cereais e das ofertas derramadas. Os animais deverão ser sem defeito.

## A festa das trombetas

**29** No sétimo mês, no primeiro dia do mês, tereis santa convocação; nenhum trabalho servil fareis. Será para vós dia do toque de trombetas.

**2** Então por holocausto, em cheiro suave ao Senhor, oferecereis um novilho, um carneiro e sete cordeiros de um ano, sem defeito.

**3** Pela sua oferta de cereais de flor de farinha, amassada com azeite, três décimos de um efa para o novilho, dois décimos para o carneiro

**4** e um décimo para cada um dos sete cordeiros;

**5** e um bode como oferta pelo pecado, para fazer expiação por vós.

**6** Isso além do holocausto do mês e da sua oferta de cereais, do holocausto contínuo e da sua oferta de cereais, com as suas ofertas derramadas, segundo o seu estatuto. São ofertas queimadas ao Senhor, em cheiro suave.

## O Dia da Expiação

**7** No dia dez deste sétimo mês, tereis santa convocação e vos humilhareis; nenhum trabalho fareis.

**8** Por holocausto, porém, em cheiro suave ao Senhor, oferecereis um novilho, um carneiro e sete cordeiros de um ano, todos sem defeito.

**9** Pela sua oferta de cereais de flor de farinha, amassada com azeite, três décimos de um efa para o novilho, dois décimos para o carneiro

**10** e um décimo para cada um dos sete cordeiros;

**11** e um bode como oferta pelo pecado, além da oferta pelo pecado do Dia da Expiação, do holocausto contínuo e da sua oferta de cereais com as suas ofertas derramadas.

## A festa dos tabernáculos

**12** Aos quinze dias deste sétimo mês, tereis santa convocação; nenhum trabalho servil fareis, mas sete dias celebrareis festa ao Senhor.

**13** Apresentareis uma oferta queimada de cheiro suave ao Senhor: treze novilhos, dois carneiros e catorze cordeiros de um ano, todos sem defeito.

**14** Pela sua oferta de cereais de flor de farinha, amassada com azeite, três décimos de um efa para cada um dos treze novilhos, dois décimos para cada um dos dois carneiros,

**15** e um décimo para cada um dos catorze cordeiros;

**16** e um bode como oferta pelo pecado, além do holocausto contínuo, da sua oferta de cereais e da sua oferta derramada.

**17** No segundo dia, doze novilhos, dois carneiros, catorze cordeiros de um ano, sem defeito,

**18** com a sua oferta de cereais e as suas ofertas derramadas para os novilhos, para os carneiros e para os cordeiros, conforme o seu número, segundo o estatuto.
**19** Um bode como oferta pelo pecado, além do holocausto contínuo, da sua oferta de cereais e das suas ofertas derramadas.
**20** No terceiro dia, onze novilhos, dois carneiros, catorze cordeiros de um ano, sem defeito,
**21** com as suas ofertas de cereais e as suas ofertas derramadas para os novilhos, para os carneiros e para os cordeiros, conforme o seu número, segundo o estatuto;
**22** e um bode como oferta pelo pecado, além do holocausto contínuo, da sua oferta de cereais e da sua oferta derramada.
**23** No quarto dia, dez novilhos, dois carneiros, catorze cordeiros de um ano, sem defeito,
**24** com as suas ofertas de cereais, e as suas ofertas derramadas para os novilhos, para os carneiros e para os cordeiros, conforme o seu número, segundo o estatuto;
**25** e um bode como oferta pelo pecado, além do holocausto contínuo, da sua oferta de cereais e da sua oferta derramada.
**26** No quinto dia, nove novilhos, dois carneiros e catorze cordeiros de um ano, sem defeito,
**27** com a sua oferta de cereais e as suas ofertas derramadas para os novilhos, para os carneiros e para os cordeiros, conforme o seu número, segundo o estatuto;
**28** e um bode como oferta pelo pecado, além do holocausto contínuo, da sua oferta de cereais e da sua oferta derramada.
**29** No sexto dia, oito novilhos, dois carneiros, catorze cordeiros de um ano, sem defeito,
**30** com a sua oferta de cereais e as suas ofertas derramadas para os novilhos, para os carneiros e para os cordeiros, conforme o seu número, segundo o estatuto;
**31** e um bode como oferta pelo pecado, além do holocausto contínuo, da sua oferta de cereais e da sua oferta derramada.
**32** No sétimo dia, sete novilhos, dois carneiros, catorze cordeiros de um ano, sem defeito,
**33** com a sua oferta de cereais e as suas ofertas derramadas para os novilhos, para os carneiros e para os cordeiros, conforme o seu número, segundo o seu estatuto;
**34** e um bode como oferta pelo pecado, além do holocausto contínuo, da sua oferta de cereais e da sua oferta derramada.
**35** No oitavo dia, tereis reunião solene; nenhum trabalho servil fareis.
**36** Apresentareis uma oferta queimada de cheiro suave ao Senhor: um novilho, um carneiro, sete cordeiros de um ano, sem defeito,
**37** com a sua oferta de cereais e as suas ofertas derramadas para o novilho, para o carneiro e para os cordeiros, conforme o seu número, segundo o estatuto;
**38** e um bode como oferta pelo pecado, além do holocausto contínuo, da sua oferta de cereais e da sua oferta derramada.
**39** Estas coisas oferecereis ao Senhor nas vossas solenidades, além dos vossos votos, das vossas ofertas voluntárias, com os vossos holocaustos, com as vossas ofertas de cereais, com as vossas ofertas

derramadas e com os vossos sacrifícios de ofertas pacíficas.
40 Moisés falou aos filhos de Israel tudo o que o Senhor lhe ordenara.

### A lei acerca dos votos

**30** Disse Moisés aos chefes das tribos dos filhos de Israel: Isto é o que o Senhor ordena:
2 Quando um homem fizer um voto ao Senhor, ou um juramento, impondo restrições a si próprio, não violará a sua palavra; segundo tudo aquilo que sair da sua boca, fará.
3 Quando uma mulher, na sua juventude, fizer um voto ao Senhor, impondo restrições a si própria, estando ainda na casa de seu pai,
4 e este, conhecendo o seu voto e a sua obrigação, nada lhe disser, todos os seus votos serão válidos.
5 Se, porém, o seu pai, no dia em que o souber, se opuser, todos os seus votos e as suas obrigações não serão válidos; o Senhor lhe perdoará, porque o seu pai fez oposição.
6 Se ela se casar, estando ainda comprometida por votos ou por alguma palavra precipitada que lhe saiu dos lábios,
7 e se o seu marido, ao tomar conhecimento, nada lhe disser, os seus votos serão válidos.
8 Se, contudo, o seu marido, no dia em que o souber, se opuser, anula assim o voto a que estava obrigada, como também a declaração dos seus lábios, e o Senhor lhe perdoará.
9 O voto de uma viúva ou de uma divorciada, e qualquer obrigação que contrair, serão válidos.
10 Se uma mulher, vivendo na casa de seu marido, fez um voto, ou mediante juramento se obrigou a alguma coisa,
11 e o seu marido, sabendo do fato, nada lhe disser e não lhe fizer oposição, todos os seus votos e obrigações, pelos quais ela se obrigou a si mesma, serão válidos.
12 Se, porém, o seu marido, no dia em que o souber, os anular, nada será válido de tudo quanto saiu dos seus lábios, tanto os seus votos como as suas obrigações. Seu marido os anulou, e o Senhor lhe perdoará.
13 Seu marido pode confirmar ou anular todo voto e todo juramento que ela tiver feito para se humilhar.
14 Se, porém, o seu marido de dia em dia se calar inteiramente para com ela, então confirma todos os seus votos e todas as suas obrigações, que estiverem sobre ela, pois se calou para com ela quando o soube.
15 Se, porém, ele, depois de estar informado, os anular mais tarde, responderá ele pela culpa dela.
16 São estes os estatutos que o Senhor ordenou a Moisés, com relação ao marido e à mulher, ao pai e à sua filha que, na sua juventude, vive na casa de seu pai.

### Vingança contra os midianitas

**31** Disse o Senhor a Moisés:
2 Vinga os filhos de Israel dos midianitas. Em seguida, serás recolhido ao teu povo.
3 Portanto, disse Moisés ao povo: Armem-se alguns de vós para a guerra e saiam contra os midianitas, para fazerem a vingança do Senhor nos midianitas.
4 Enviareis à guerra mil de cada uma das tribos de Israel.
5 Assim foram dados dos milhares de Israel mil de cada tribo: doze mil armados para a peleja.

6 Moisés mandou-os à guerra, de cada tribo mil, a eles e a Fineias, filho do sacerdote Eleazar, o qual levou os utensílios sagrados e as trombetas de alarme.
7 Pelejaram contra os midianitas, como o Senhor ordenara a Moisés, e mataram a todos os homens.
8 Mataram ainda os reis dos midianitas: Evi, Requém, Zur, Hur e Reba, cinco reis dos midianitas, e também a Balaão, filho de Beor, mataram à espada.
9 Os filhos de Israel, porém, levaram presas as mulheres dos midianitas e as suas crianças. Levaram também todos os seus animais, todo o seu gado e todos os seus bens.
10 Queimaram as cidades em que habitavam e todos os seus acampamentos.
11 Em seguida, tomaram todo o despojo e toda a presa de homens e de animais.
12 Trouxeram os cativos, a presa e o despojo a Moisés e a Eleazar, o sacerdote, e à comunidade dos filhos de Israel, ao acampamento, nas campinas de Moabe, junto ao Jordão, na altura de Jericó.
13 Moisés e Eleazar, o sacerdote, e todos os maiorais da congregação saíram a recebê-los fora do acampamento.
14 Indignou-se Moisés grandemente contra os oficiais do exército, capitães dos milhares e capitães das centenas, que retornavam da batalha.
15 Disse-lhes: Por que deixastes com vida todas as mulheres?
16 Foram elas que, por conselho de Balaão, levaram os filhos de Israel a serem infiéis ao Senhor no caso de Peor, pelo que houve aquela praga na comunidade do Senhor.
17 Agora matai a todas as crianças do sexo masculino. E matai também a todas as mulheres que coabitaram com algum homem, deitando-se com ele.
18 Para vós, porém, deixai viver todas as meninas e as jovens que não coabitaram com algum homem, deitando-se com ele.
19 Quanto a vós, acampai-vos durante sete dias fora do acampamento. Qualquer que tiver matado alguma pessoa, e qualquer que tiver tocado em algum morto, no terceiro e no sétimo dias vos purificareis, a vós e a vossos cativos.
20 Purificai também toda veste, toda obra de peles, toda obra de pelos de cabra e todo vaso de madeira.
21 Disse Eleazar, o sacerdote, aos homens do exército que partiram à peleja: Este é o estatuto da lei que o Senhor ordenou a Moisés:
22 O ouro, a prata, o cobre, o ferro, o estanho, o chumbo e
23 tudo aquilo que resiste ao fogo fareis passar pelo fogo, para que fique limpo. Todavia, será purificado com a água purificadora. E tudo aquilo que não pode suportar o fogo, fareis passar pela água.
24 Lavareis as vossas vestes no sétimo dia, para que fiqueis limpos. Depois, entrareis no acampamento.

### A divisão da presa

25 Disse o Senhor a Moisés:
26 Faze, com Eleazar, o sacerdote, e com os chefes das famílias da comunidade um inventário de tudo o que foi tomado, tanto de homens como de animais,
27 e divide a presa em duas metades, uma para os soldados que

foram à guerra e outra para toda a comunidade.

28 Então para o Senhor tomarás o tributo dos soldados que foram à guerra; um em quinhentos, tanto de pessoas como de bois, de jumentos e de ovelhas.

29 Da metade que lhes pertence o tomareis e dareis ao sacerdote Eleazar, para a oferta do Senhor.

30 Da metade que pertence aos filhos de Israel, porém, tomareis um de cada cinquenta, tanto de pessoas como de bois, de jumentos e de ovelhas, de todos os animais, e os dareis aos levitas que têm a seu cargo o serviço do tabernáculo do Senhor.

31 Moisés e Eleazar, o sacerdote, fizeram como o Senhor ordenara a Moisés.

32 Foi a presa, o restante do despojo, que tomaram os homens de guerra, seiscentas e setenta e cinco mil ovelhas,

33 setenta e dois mil bois,

34 sessenta e um mil jumentos

35 e trinta e duas mil mulheres que não coabitaram com algum homem, deitando-se com ele.

36 A metade, atribuída aos que foram à guerra, foi trezentas e trinta e sete mil e quinhentas ovelhas,

37 das quais o tributo para o Senhor foi seiscentas e setenta e cinco;

38 trinta e seis mil bois, dos quais o seu tributo para o Senhor foi setenta e dois;

39 trinta mil e quinhentos jumentos, dos quais o seu tributo para o Senhor foi sessenta e um;

40 dezesseis mil pessoas, das quais o seu tributo para o Senhor foi trinta e duas.

41 Moisés deu a Eleazar, o sacerdote, o tributo da oferta do Senhor como o Senhor ordenara a Moisés.

42 Da metade atribuída aos filhos de Israel, que Moisés separara daquela pertencente aos que foram à guerra;

43 a metade pertencente à congregação foi de trezentas e trinta e sete mil e quinhentas ovelhas,

44 trinta e seis mil bois,

45 trinta mil e quinhentos jumentos

46 e dezesseis mil pessoas.

47 Desta metade dos filhos de Israel, Moisés tomou um de cada cinquenta, de homens e de animais, e os deu aos levitas, que tinham cuidado da guarda do tabernáculo do Senhor, como o Senhor ordenara a Moisés.

48 Então os oficiais sobre os milhares do exército, os comandantes sobre mil e os comandantes sobre cem chegaram-se a Moisés

49 e lhe disseram: Teus servos fizeram a contagem dos soldados que estiveram sob o nosso comando, e não falta nenhum deles.

50 Pelo que trouxemos, cada um, como oferta ao Senhor, o que achamos em objetos de ouro: braceletes, correntes, anéis, brincos e colares, para fazer propiciação por nós perante o Senhor.

51 Moisés e Eleazar, o sacerdote, receberam o ouro, composto de objetos bem trabalhados.

52 O total da oferta que os comandantes de mil e os comandantes de cem ofereceram ao Senhor foi de dezesseis mil setecentos e cinquenta siclos.

53 Cada um dos soldados havia tomado despojo para si.

54 Moisés e Eleazar, o sacerdote, receberam o ouro dos comandantes de mil e comandantes de cem e o trouxeram à tenda da

### Rúben e Gade pedem a terra de Gileade

**32** Os filhos de Rúben e os filhos de Gade, que tinham gado em muitíssima quantidade, viram que a terra de Jazer e a terra de Gileade eram um lugar próprio para gado.

2 Assim vieram os filhos de Gade e os filhos de Rúben a Moisés, a Eleazar, o sacerdote, e aos líderes da comunidade e disseram:

3 Atarote, Dibom, Jazer, Ninra, Hesbom, Eleale, Sebã, Nebo, e Beom,

4 esta terra que o Senhor feriu diante da congregação de Israel, é terra de gado, e os teus servos têm gado.

5 Disseram mais: Se achamos graça aos teus olhos, dê-se esta terra aos teus servos em possessão, e não nos faças passar o Jordão.

6 Moisés, porém, disse aos filhos de Gade e aos filhos de Rúben: Irão vossos irmãos à peleja, e vós permanecereis aqui?

7 Por que desencorajais o coração dos filhos de Israel, para que não passem à terra que o Senhor lhes deu?

8 Assim fizeram vossos pais, quando os mandei de Cades-Barneia a ver esta terra.

9 Chegando eles até o vale de Escol e vendo esta terra, desencorajaram o coração dos filhos de Israel, para que não viessem à terra que o Senhor lhes tinha dado.

10 Então a ira do Senhor se acendeu naquele mesmo dia, e jurou, dizendo:

11 De certo esses homens que subiram do Egito, da idade de vinte anos para cima, não verão a terra que jurei a Abraão, a Isaque e a Jacó, porque não perseveraram em seguir-me;

12 exceto Calebe, filho de Jefoné, o quenezeu, e Josué, filho de Num, os quais perseveraram em seguir ao Senhor.

13 Assim se acendeu a ira do Senhor contra Israel, e fê-los andar errantes pelo deserto durante quarenta anos, até que toda aquela geração, que fizera mal aos olhos do Senhor, fosse consumida.

14 E aqui estais vós, uma multidão de homens pecadores, levantando-vos em lugar de vossos pais, para aumentardes ainda mais a ira do Senhor contra Israel.

15 Se vós vos apartardes de segui-lo, ele outra vez deixará este povo no deserto, e vós sereis a causa da destruição deles.

16 Então se chegaram a Moisés e disseram: Edificaremos aqui currais para o nosso gado e cidades para as nossas crianças.

17 Nós, porém, nos armaremos, apressando-nos diante dos filhos de Israel, até que os levemos ao seu lugar. Nossas crianças ficarão nas cidades fortificadas, por causa dos moradores da terra.

18 Não voltaremos para nossas casas até que os filhos de Israel estejam de posse, cada um da sua herança.

19 Não herdaremos com eles do outro lado do Jordão nem mais além, visto que teremos nossa herança do Jordão no lado leste.

20 Então Moisés lhes disse: Se realmente fizerdes assim, se vos armardes para a guerra perante o Senhor,

21 e cada um de vós armado passar o Jordão perante o Senhor, até

que haja lançado fora os seus inimigos de diante dele,
**22** e a terra esteja subjugada perante o Senhor, então voltareis e ficareis desculpados perante o Senhor e perante Israel. E esta terra vos será por propriedade perante o Senhor.
**23** Se não fizerdes assim, estareis pecando contra o Senhor; e sabei que o vosso pecado vos há de achar.
**24** Edificai cidades para as vossas crianças e currais para as vossas ovelhas, mas cumpri o que prometestes.
**25** Os filhos de Gade e os filhos de Rúben disseram a Moisés: Como ordena meu senhor, assim farão os teus servos.
**26** As nossas crianças, as nossas mulheres, os rebanhos e todo o nosso gado estarão aí nas cidades de Gileade.
**27** Os teus servos, porém, passarão, cada um armado para a guerra, perante o Senhor, como diz meu senhor.
**28** Então Moisés deu ordem acerca deles a Eleazar, o sacerdote, a Josué, filho de Num, e aos chefes de família das tribos dos filhos de Israel,
**29** dizendo: Se os filhos de Gade e os filhos de Rúben passarem convosco o Jordão, armado cada um para a guerra perante o Senhor, então quando a terra estiver subjugada diante de vós, em propriedade lhes darei a terra de Gileade.
**30** Se, porém, não passarem armados convosco, receberão entre vós a sua herança na terra de Canaã.
**31** Responderam os filhos de Gade e os filhos de Rúben: O que o Senhor falou a teus servos, isso faremos.
**32** Nós passaremos, armados, perante o Senhor à terra de Canaã e teremos a propriedade de nossa herança deste lado do Jordão.
**33** Assim deu Moisés aos filhos de Gade, aos filhos de Rúben e à meia tribo de Manassés, filho de José, o reino de Seom, rei dos amorreus, e o reino de Ogue, rei de Basã; toda essa terra com as suas cidades e o território ao redor delas.
**34** Os filhos de Gade edificaram a Dibom, Atarote, Aroer,
**35** Atarote-Sofã, Jazer, Jogbeá,
**36** Bete-Ninrá, e Bete-Harã, cidades fortificadas, e currais de ovelhas.
**37** Os filhos de Rúben edificaram a Hesbom, Eleale, Quiriataim,
**38** Nebo, Baal-Meom, mudando-lhes o nome, e Sibma. Deram outros nomes às cidades que edificaram.
**39** Os filhos de Maquir, filho de Manassés, marcharam contra Gileade e a tomaram, expulsando os amorreus que ali viviam.
**40** Assim Moisés deu Gileade a Maquir, filho de Manassés, o qual se estabeleceu nela.
**41** Jair, filho de Manassés, foi e tomou as suas aldeias, e as chamou Havote-Jair.
**42** Noba foi e tomou a Quenate com as suas aldeias, e a chamou Noba.

### As jornadas desde o Egito

**33** Estas são as jornadas que os filhos de Israel percorreram segundo os seus exércitos, desde que saíram da terra do Egito, segundo os seus exércitos, sob a direção de Moisés e Arão.
**2** Moisés registrou as suas saídas, segundo as suas jornadas,

conforme o mandado do Senhor. São estas as suas jornadas, segundo as suas saídas:

3 Partiram de Ramessés no décimo quinto dia do primeiro mês. No dia seguinte à Páscoa, os filhos de Israel saíram triunfantes aos olhos de todos os egípcios, 4 que ficaram sepultando os seus primogênitos, a quem o Senhor tinha ferido entre eles. Assim o Senhor fez justiça contra os seus deuses.

5 Partindo os filhos de Israel de Ramessés, acamparam-se em Sucote.

6 Partindo de Sucote, acamparam-se em Etã, que está no fim do deserto.

7 Partindo de Etã, voltaram a Pi-Hairote, que está em frente de Baal-Zefom, e se acamparam diante de Migdol.

8 Partindo de Pi-Hairote, passaram pelo meio do mar ao deserto, andaram caminho de três dias no deserto de Etã e se acamparam em Mara.

9 Partindo de Mara, vieram a Elim. Em Elim havia doze fontes de águas e setenta palmeiras; e se acamparam ali.

10 Partindo de Elim, acamparam-se junto ao mar Vermelho.

11 Partindo do mar Vermelho, acamparam-se no deserto de Sim.

12 Partindo do deserto de Sim, acamparam-se em Dofca.

13 Partindo de Dofca, acamparam-se em Alus.

14 Partindo de Alus, acamparam-se em Refidim, porém não havia ali água para beber.

15 Partindo de Refidim, acamparam-se no deserto de Sinai.

16 Partindo do deserto de Sinai, acamparam-se em Quibrote-Hataavá.

17 Partindo de Quibrote-Hataavá, acamparam-se em Hazerote.

18 Partindo de Hazerote, acamparam-se em Ritma.

19 Partindo de Ritma, acamparam-se em Rimom-Perez.

20 Partindo de Rimom-Perez, acamparam-se em Libna.

21 Partindo de Libna, acamparam-se em Rissa.

22 Partindo de Rissa, acamparam-se em Queelata.

23 Partindo de Queelata, acamparam-se no monte de Sefer.

24 Partindo do monte de Sefer, acamparam-se em Harada.

25 Partindo de Harada, acamparam-se em Maquelote.

26 Partindo de Maquelote, acamparam-se em Taate.

27 Partindo de Taate, acamparam-se em Tara.

28 Partindo de Tara, acamparam-se em Mitca.

29 Partindo de Mitca, acamparam-se em Hasmona.

30 Partindo de Hasmona, acamparam-se em Moserote.

31 Partindo de Moserote, acamparam-se em Bene-Jaacã.

32 Partindo de Bene-Jaacã, acamparam-se em Hor-Hagidgade.

33 Partindo de Hor-Hagidgade, acamparam-se em Jotbata.

34 Partindo de Jotbata, acamparam-se em Abrona.

35 Partindo de Abrona, acamparam-se em Eziom-Geber.

36 Partindo de Eziom-Geber, acamparam-se no deserto de Zim, que é Cades.

37 Partindo de Cades, acamparam-se no monte Hor, no fim da terra de Edom.

38 Então Arão, o sacerdote, subiu ao monte Hor, conforme o mandado do Senhor, e morreu ali no quinto

mês do ano quadragésimo da saída dos filhos de Israel da terra do Egito, no primeiro dia do mês.
**39** Era Arão da idade de cento e vinte e três anos quando morreu no monte Hor.
**40** O rei de Harade, cananeu que habitava no Neguebe, soube que chegavam os filhos de Israel.
**41** Partindo do monte Hor, acamparam-se em Zalmona.
**42** Partindo de Zalmona, acamparam-se em Punom.
**43** Partindo de Punom, acamparam-se em Obote.
**44** Partindo de Obote, acamparam-se em Ije-Abarim, na fronteira de Moabe.
**45** Partindo de Ije-Abarim, acamparam-se em Dibom-Gade.
**46** Partindo de Dibom-Gade, acamparam-se em Almom-Diblataim.
**47** Partindo de Almom-Diblataim, acamparam-se nos montes de Abarim, em frente de Nebo.
**48** Partindo dos montes de Abarim, acamparam-se nas campinas dos moabitas, junto ao Jordão, na altura de Jericó.
**49** Acamparam-se junto ao Jordão, desde Bete-Jesimote até Abel-Sitim, nas campinas de Moabe.
**50 D**isse o Senhor a Moisés, nas campinas de Moabe, junto ao Jordão, na altura de Jericó:
**51** Fala aos filhos de Israel e dize-lhes: Quando houverdes atravessado o Jordão para a terra de Canaã,
**52** expulsareis de diante de vós todos os moradores da terra. Destruireis todas as suas imagens esculpidas, todas as suas imagens de fundição e demolireis todos os seus lugares altos.
**53** Tomareis posse da terra, e nela habitareis, pois vos dei esta terra para a possuirdes.
**54** Por sortes herdareis a terra, segundo as vossas famílias. Ao mais numeroso dareis herança maior, e ao menos numeroso dareis herança menor. Onde a sorte cair para alguém, aí será a sua herança; segundo as tribos de vossos pais tomareis as heranças.
**55** Se, porém, não expulsardes os moradores da terra de diante de vós, os que deixardes entre eles vos serão por farpas nos vossos olhos e por espinhos nas vossas costas; eles vos hostilizarão na terra em que habitardes.
**56** E será que farei a vós como pensei fazer a eles.

### As fronteiras de Canaã

**34** Disse o Senhor a Moisés: **2** Dá ordem aos filhos de Israel e dize-lhes: Quando entrardes na terra de Canaã, esta será a terra que vos caberá em herança: a terra de Canaã, segundo as suas fronteiras.
**3** O lado sul será desde o deserto de Zim, acompanhando a fronteira de Edom; o limite do sul será desde a extremidade do mar Salgado para o oriente.
**4** Este limite contornará pelo sul a subida de Acrabim, passará por Zim e chegará até o sul de Cades-Barneia. Depois continuará na direção de Hazaar-Adar, passará por Azmom,
**5** onde a fronteira voltará até o rio do Egito e terminará nas praias do mar.
**6** Por vosso limite ao ocidente tereis o mar Grande. Este será a vossa fronteira do ocidente.
**7** Esta será a vossa fronteira ao norte: traçareis uma linha desde o mar Grande até o monte Hor.

8 Do monte Hor traçareis uma linha até a entrada de Hamate. Então a fronteira seguirá para Zedade; 9 dali continuará até Sefã e terminará em Hazar-Enã. Esta será a vossa fronteira ao norte.
10 Por vosso limite ao oriente traçareis uma linha de Hazar-Enã até Sefã.
11 A fronteira descerá desde Sefã até Ribla, ao oriente de Aim, e continuará descendo ao longo da costa oriental do mar de Quinerete.
12 Esta fronteira descerá, então, ao longo do Jordão e terminará no mar Salgado. Esta será a vossa terra, segundo as fronteiras que a cercam.
13 Moisés deu ordem aos filhos de Israel, dizendo: Esta é a terra que herdareis por meio de sortes. O Senhor mandou dá-la às nove tribos e à meia tribo,
14 porque a tribo dos filhos de Rúben, segundo as suas famílias, a tribo dos filhos de Gade, segundo a casa de seus pais, e a meia tribo de Manassés já receberam a sua herança.
15 Estas duas tribos e meia já receberam a sua herança deste lado oriental do Jordão, em frente de Jericó.
16 Disse o Senhor a Moisés:
17 São estes os nomes dos homens que vos repartirão a terra por herança: Eleazar, o sacerdote, e Josué, o filho de Num.
18 Para cada tribo tomareis um líder, para repartir a terra em herança.
19 São estes os nomes dos homens: Da tribo de Judá, Calebe, filho de Jefoné;
20 da tribo dos filhos de Simeão, Samuel, filho de Amiúde;
21 da tribo de Benjamim, Elidade, filho de Quislom;
22 da tribo dos filhos de Dã, o príncipe Buqui, filho de Jogli;
23 dos filhos de José, da tribo dos filhos de Manassés, o líder Haniel, filho de Éfode;
24 da tribo dos filhos de Efraim, o líder Quemuel, filho de Siftã;
25 da tribo dos filhos de Zebulom, o líder Elizafã, filho de Parnaque;
26 da tribo dos filhos de Issacar, o líder Paltiel, filho de Azã;
27 da tribo dos filhos de Aser, o líder Aiúde, filho de Selomi;
28 da tribo dos filhos de Naftali, o líder Pedael, filho de Amiúde.
29 Estes são aqueles aos quais o Senhor ordenou que repartissem a herança pelos filhos de Israel na terra de Canaã.

## As cidades dos levitas

35 Disse o Senhor a Moisés nas campinas de Moabe, junto ao Jordão, na altura de Jericó:
2 Dá ordem aos filhos de Israel que, da herança que possuem, deem aos levitas cidades, para que nelas habitem, e pastagens ao redor das cidades.
3 As cidades serão para habitação, mas as suas pastagens serão para os seus rebanhos, seu gado e todos os seus animais.
4 As pastagens nos arredores das cidades que dareis aos levitas se estenderão, desde o muro da cidade, mil côvados ao seu redor.
5 Fora da cidade medireis dois mil côvados ao oriente, dois mil côvados ao sul, dois mil côvados ao ocidente e dois mil côvados ao norte, ficando a cidade no centro. Estas serão as pastagens dessas cidades.
6 Seis das cidades que dareis aos levitas serão cidades de refúgio, para que o homicida ali se acolha. Além delas, lhes dareis quarenta e duas cidades.

7 Ao todo, dareis aos levitas quarenta e oito cidades, com as suas pastagens.
8 As cidades que dareis aos levitas, da herança dos filhos de Israel, serão dadas em proporção à herança de cada tribo: tomareis muitas cidades da que tem muitas e poucas cidades da que tem poucas.

## As cidades de refúgio

9 Então disse o Senhor a Moisés:
10 Fala aos filhos de Israel e dize-lhes: Quando passardes o Jordão para a terra de Canaã,
11 escolhereis cidades para servirem de refúgio, para que ali se acolha o homicida que matar alguém sem intenção.
12 Estas cidades vos servirão de refúgio contra o vingador do sangue, a fim de que o homicida não morra antes de comparecer para julgamento perante a comunidade.
13 Serão seis as cidades que dareis por cidades de refúgio para vós.
14 Dareis três delas deste lado do Jordão e três delas na terra de Canaã, como cidades de refúgio.
15 Estas seis cidades serão um lugar de refúgio para os filhos de Israel, para o estrangeiro e para o que se hospedar no meio deles, para que ali se acolha o homicida que matar alguém sem intenção.
16 Se alguém ferir a outrem com instrumento de ferro, e este morrer, é homicida; o homicida será morto.
17 Ou se o ferir com uma pedra, que possa causar a morte, e ele morrer, é homicida; o homicida será morto.
18 Ou se o ferir com instrumento de madeira, que possa causar a morte, e ele morrer, é homicida; o homicida será morto.
19 O vingador do sangue matará o homicida; encontrando-o, ele o matará.
20 Se alguém empurrar a outrem com ódio ou intencionalmente lançar contra ele alguma coisa, e ele morrer,
21 ou por inimizade o ferir com a sua mão, e ele morrer, aquele que o feriu será morto; é homicida. O vingador do sangue, encontrando o homicida, o matará.
22 Se, porém, o empurrar acidentalmente, sem inimizade, ou contra ele lançar algum projétil, sem intenção de atingi-lo,
23 ou, sem o ver, deixar cair sobre ele alguma pedra, que possa matar, e ele morrer, não sendo ele seu inimigo nem o tendo procurado para o mal,
24 então a comunidade julgará entre ele e o vingador do sangue, segundo estas leis.
25 A comunidade livrará o homicida da mão do vingador do sangue e o enviará de volta à cidade do seu refúgio, onde se tinha acolhido; ali ficará até a morte do sumo sacerdote, que foi ungido com o santo óleo.
26 Se, porém, de alguma maneira o homicida sair dos limites da cidade do seu refúgio, onde se tinha acolhido,
27 e o vingador do sangue o achar fora dos limites da cidade do seu refúgio, e o matar, não será culpado de crime.
28 O homicida deve morar na cidade do seu refúgio até a morte do sumo sacerdote. Somente depois da morte do sumo sacerdote, o homicida voltará à terra da sua propriedade.
29 Estas exigências legais serão para vós e para vossas gerações, onde quer que habitardes.

30 Todo aquele que ferir a alguma pessoa será morto conforme o depoimento das testemunhas, mas ninguém morrerá segundo o depoimento de uma só testemunha.
31 Não aceitareis resgate pela vida do homicida, que é culpado de morte. Ele certamente morrerá.
32 Também não aceitareis resgate por aquele que, tendo-se recolhido à sua cidade de refúgio, deseja tornar a habitar na sua terra antes da morte do sumo sacerdote.
33 Não profanareis a terra em que estais. O sangue profana a terra, e nenhuma expiação pode ser feita pela terra por causa do sangue que nela for derramado, exceto pelo sangue de quem o derramou.
34 Não contaminareis a terra na qual habitais, e no meio da qual eu habito. Eu, o Senhor, habito no meio dos filhos de Israel.

### A herança das filhas herdeiras

**36** Os chefes das famílias dos descendentes de Gileade, filho de Maquir, filho de Manassés, uma das famílias dos filhos de José, apresentaram-se diante de Moisés e dos líderes, chefes dos filhos de Israel,
2 e disseram: O Senhor mandou dar esta terra a meu senhor por sorte, em herança aos filhos de Israel; e a meu senhor foi ordenado pelo Senhor que a herança do nosso irmão Zelofeade se desse a suas filhas.
3 Ora, casando-se elas com algum dos filhos das outras tribos dos filhos de Israel, a sua herança seria tirada da herança de nossos pais e acrescentada à herança da tribo de quem forem; assim se tiraria da herança que nos tocou em sorte.
4 Vindo também o ano do Jubileu dos filhos de Israel, a sua herança se acrescentaria à herança da tribo daqueles com que se casarem; assim a sua herança será tirada da herança da tribo de nossos pais.
5 Então Moisés deu ordem aos filhos de Israel, segundo o mandado do Senhor, dizendo: A tribo dos filhos de José falou o que é justo.
6 Esta é a palavra que o Senhor mandou acerca das filhas de Zelofeade, dizendo: Tomem por mulheres a quem bem parecer aos seus olhos, contanto que se casem na família da tribo de seu pai.
7 Assim a herança dos filhos de Israel não passará de tribo em tribo, pois os filhos de Israel se chegarão cada um à herança da tribo de seus pais.
8 Qualquer filha que herdar alguma herança das tribos dos filhos de Israel se casará com alguém da geração da tribo de seu pai, para que os filhos de Israel possuam cada um a herança de seus pais.
9 Assim a herança não passará de uma tribo a outra, pois as tribos dos filhos de Israel se chegarão cada uma à sua herança.
10 Como o Senhor ordenara a Moisés, assim fizeram as filhas de Zelofeade,
11 pois Maalá, Tirza, Hogla, Milca e Noa, filhas de Zelofeade, se casaram com os filhos de seus tios paternos.
12 Elas se casaram nas famílias dos filhos de Manassés, filho de José, e a herança delas permaneceu na tribo da família de seu pai.
13 Estes são os mandamentos e as leis que o Senhor ordenou por intermédio de Moisés aos filhos de Israel nas campinas de Moabe, junto ao Jordão, na altura de Jericó.

# DEUTERONÔMIO

## O primeiro discurso de Moisés

**1** São estas as palavras que Moisés falou a todo o Israel além do Jordão, no deserto, no Arabá, diante do mar de Sufe, entre Parã, Tofel, Labã, Hazerote e Di-Zaabe. **2** São necessários onze dias de jornada do Horebe a Cades-Barneia, pelo caminho da montanha de Seir. **3** No quadragésimo ano, no primeiro dia do décimo primeiro mês, falou Moisés aos filhos de Israel, conforme tudo o que o Senhor lhe ordenara a respeito deles, **4** depois que feriu Seom, rei dos amorreus, que habitava em Hesbom, e Ogue, rei de Basã, que habitava em Astarote e Edrei. **5** Além do Jordão, na terra de Moabe, começou Moisés a expor-lhes esta lei, dizendo: **6** O Senhor nosso Deus nos disse em Horebe: Já permanecestes bastante tempo nesta montanha. **7** Voltai-vos e parti para a região montanhosa dos amorreus; ide a todos os povos vizinhos no Arabá, nas montanhas, no Negueb e ao longo da costa do mar, para a terra dos cananeus e para o Líbano, até o grande rio Eufrates. **8** Eis a terra que eu vos dei; entrai e possuí a terra que o Senhor jurou dar a vossos pais, Abraão, Isaque e Jacó, e à sua descendência depois deles. **9** Nesse mesmo tempo eu vos disse: Sozinho eu não poderei levar-vos. **10** O Senhor vosso Deus vos tem multiplicado, de modo que hoje sois multidão como as estrelas dos céus. **11** Possa o Senhor Deus de vossos pais aumentar-vos mil vezes mais e abençoar-vos, como vos prometeu. **12** Como poderia eu, sozinho, suportar vossos problemas, vossas cargas e vossas contendas? **13** Elegei homens sábios, entendidos e respeitados, segundo as vossas tribos, e eu os constituirei vossos chefes. **14** Vós me respondestes: É bom cumprir a palavra que tens falado. **15** De modo que tomei os chefes de vossas tribos, homens sábios e respeitados, e os constituí chefes sobre vós, por comandantes de mil, de cem, de cinquenta e de dez, e por oficiais, segundo as vossas tribos. **16** No mesmo tempo ordenei a vossos juízes: Ouvi a causa entre vossos irmãos e julgai com justiça entre um homem e seu irmão, ou o estrangeiro que está com ele. **17** Não mostrareis parcialidade no julgamento; ouvireis tanto o pequeno como o grande. Não temereis a ninguém, pois o juízo é de Deus. Mas, se a causa for muito difícil para vós, a trareis a mim, e eu a ouvirei. **18** Assim, naquele tempo vos ordenei todas as coisas que havíeis de fazer.

## Incredulidade em Cades

**19** Então partimos de Horebe e caminhamos por todo aquele grande e tremendo deserto que vistes, pelo caminho das montanhas dos amorreus, como o Senhor nosso

Deus nos ordenara, e chegamos a Cades-Barneia.

20 Então eu vos disse: Chegastes às montanhas dos amorreus, que o Senhor nosso Deus nos dá.

21 Vê, o Senhor, o teu Deus, te deu esta terra. Sobe e toma posse dela como te falou o Senhor Deus de teus pais. Não temas e não te assustes.

22 Então todos vós vos chegastes a mim e dissestes: Enviemos homens à nossa frente para que espiem a terra por nós e nos informem por qual caminho devemos subir a ela e a que cidades devemos ir.

23 Isso me pareceu bem, de modo que tomei dentre vós doze homens, um de cada tribo.

24 Eles partiram, atravessaram a região montanhosa até o vale de Escol, e espiaram a terra.

25 Tomaram do fruto da terra nas suas mãos e o trouxeram a nós, e nos deram informações, dizendo: Boa é a terra que nos dá o Senhor nosso Deus.

26 Vós, porém, não quisestes subir; fostes rebeldes ao mandado do Senhor, o nosso Deus.

27 Murmurastes nas vossas tendas e dissestes: O Senhor nos odeia, pois nos tirou da terra do Egito para nos entregar nas mãos dos amorreus e nos destruir.

28 Para onde subiremos? Nossos irmãos fizeram que se desanimasse o nosso coração, dizendo: Maior e mais alto é este povo do que nós; as cidades são grandes e fortificadas até o céu. Também vimos ali os descendentes dos enaquins.

29 Então eu vos disse: Não vos espanteis nem os temais.

30 O Senhor, o vosso Deus, que vai adiante de vós, combaterá por vós, conforme tudo o que fez convosco, diante dos vossos olhos, no Egito.

31 Também no deserto vistes que o Senhor, o vosso Deus, vos levou, como um homem leva seu filho, por todo o caminho que andastes até chegardes a este lugar.

32 Nem ainda assim, porém, crestes no Senhor, o vosso Deus,

33 que foi adiante de vós em vossa jornada, de noite no fogo e de dia na nuvem, para vos achar lugar onde deveríeis acampar, e para vos mostrar o caminho por onde havíeis de andar.

34 Quando o Senhor ouviu as vossas palavras, indignou-se e jurou, dizendo:

35 Nenhum dos homens desta maligna geração verá esta boa terra que jurei dar a vossos pais,

36 salvo Calebe, filho de Jefoné. Ele a verá, e a terra que pisou darei a ele e a seus filhos, porque perseverou em seguir ao Senhor.

37 Também o Senhor se indignou contra mim por causa de vós, dizendo: Também tu lá não entrarás.

38 Josué, filho de Num, que está em pé diante de ti, ele ali entrará. Encoraja-o, porque é ele quem fará que Israel a receba por herança.

39 Vossos meninos, de quem dissestes que seriam presas do inimigo, vossos filhos que hoje não sabem discernir entre o bem e o mal, eles ali entrarão, e a darei a eles para que a possuam.

40 Quanto a vós, voltai-vos e parti para o deserto, pelo caminho do mar Vermelho.

41 Então respondestes e me dissestes: Pecamos contra o Senhor. Subiremos e combateremos, conforme tudo o que nos ordenou o

Senhor, o nosso Deus. Vós vos armastes, cada um, dos seus instrumentos de guerra e estivestes prestes a subir à região montanhosa.
42 O Senhor então me disse: Dize-lhes: Não subais nem pelejeis, pois não estou no meio de vós, para que não sejais feridos diante de vossos inimigos.
43 Assim vos falei, mas não ouvistes; antes fostes rebeldes ao mandado do Senhor e vos ensoberbecestes, subindo à região montanhosa.
44 Os amorreus, que habitavam naquela região montanhosa, saíram contra vós e vos perseguiram como abelhas e vos derrotaram desde Seir até Hormá.
45 Voltastes e chorastes perante o Senhor, mas o Senhor não ouviu a vossa voz nem vos deu atenção.
46 Por isso, estivestes muitos dias em Cades.

## A passagem por Edom, Moabe e Amon

**2** Depois viramo-nos e partimos para o deserto, caminho do mar Vermelho, como o Senhor me tinha dito, e muitos dias rodeamos a montanha de Seir.
2 Então o Senhor me disse:
3 Já rodeastes bastante esta montanha; virai-vos para o norte.
4 Dá ordem ao povo, dizendo: Passareis pela fronteira de vossos irmãos, os filhos de Esaú, que habitam em Seir. Eles terão medo de vós; todavia, guardai-vos bem.
5 Não os ataqueis, pois nada vos darei da sua terra nem mesmo o espaço de um pé do seu território. A Esaú dei a montanha de Seir por herança.
6 Comprareis deles, a preço de dinheiro, alimento para comerdes e também comprareis deles, a preço de dinheiro, água para beberdes.
7 O Senhor, o teu Deus, te abençoou em toda a obra das tuas mãos. Ele sabe que andas por este grande deserto. Nestes quarenta anos, o Senhor, o teu Deus, esteve contigo, e coisa nenhuma te faltou.
8 Assim passamos por nossos irmãos, os filhos de Esaú, que habitavam em Seir, desde o caminho do Arabá de Elate e de Eziom-Geber. Depois nos viramos e seguimos o caminho do deserto de Moabe.
9 Então o Senhor me disse: Não incomodes os moabitas e não contendas com eles em combate, pois nada te darei da sua terra. Eu dei Ar aos filhos de Ló por herança.
10 (Antes habitavam ali os emins, um povo grande e numeroso, alto como os enaquins;
11 também estes foram considerados como refains, assim como os enaquins; os moabitas lhes chamavam emins.
12 Outrora os horeus também habitavam em Seir; os filhos de Esaú, porém, os desalojaram e destruíram, habitando no seu lugar, assim como Israel fez para se apossar da terra que o Senhor lhes dera.)
13 Levantai-vos, agora, e passai o ribeiro de Zerede; assim passamos o ribeiro de Zerede.
14 Os dias que caminhamos, desde Cades-Barneia até que passamos o ribeiro de Zerede, foram trinta e oito anos, até que toda aquela geração dos homens de guerra se consumiu do meio do acampamento, como o Senhor lhes jurara.
15 A mão do Senhor esteve contra eles, para os eliminar do meio

do acampamento até a sua completa extinção.

**16** Ora, quando todos os homens de guerra se extinguiram do meio do acampamento, pela morte,

**17** o Senhor me disse:

**18** Hoje passarás por Ar, nas fronteiras de Moabe,

**19** e te aproximarás dos filhos de Amom. Não os incomodes nem contendas com eles em combate, pois nada te darei da sua terra. Aos filhos de Ló dei-a por herança.

**20** (Também esta era considerada terra dos refains, pois outrora moravam lá gigantes que os filhos de Amom chamavam zanzumins,

**21** um povo grande, numeroso, de estatura alta como os enaquins. O Senhor os destruiu diante dos amonitas, que os desalojaram e habitaram no seu lugar.

**22** O Senhor havia feito o mesmo com os filhos de Esaú, que habitavam em Seir, de diante dos quais exterminou os horeus. Os filhos de Esaú, tendo-os desalojado, habitaram no seu lugar até o dia de hoje.

**23** Também os caftorins, que saíram de Caftor, exterminaram os aveus, que moravam em aldeias até Gaza, e habitavam no lugar deles.)

**24** Levantai-vos, parti e passai o ribeiro de Arnom. Vê, na tua mão entreguei Seom, amorreu, rei de Hesbom, e a sua terra. Começa a conquistá-la guerreando contra eles.

**25** Começarei hoje a espalhar terror e medo de ti no meio dos povos que estão debaixo de todo o céu. Os que ouvirem a tua fama tremerão diante de ti e se angustiarão.

**26** Então mandei mensageiros desde o deserto de Quedemote a Seom, rei de Hesbom, com palavras de paz, dizendo:

**27** Deixa-me passar pela tua terra; irei somente pela estrada, sem me desviar nem para a direita nem para a esquerda.

**28** A comida que eu comer e a água que eu beber, por dinheiro, me venderás; deixa-me apenas atravessar a pé,

**29** como fizeram comigo os filhos de Esaú, que habitam em Seir, e os moabitas, que habitam em Ar, até que eu atravesse o Jordão, em direção à terra que o Senhor, o nosso Deus, nos dará.

**30** Seom, rei de Hesbom, porém, não nos quis deixar passar por sua terra, pois o Senhor, o teu Deus, endurecera o seu espírito e fizera obstinado o seu coração, a fim de entregá-lo nas tuas mãos, como hoje se vê.

**31** O Senhor me disse: Vê, comecei a dar-te Seom e a sua terra diante de ti. Agora, começa a conquistá-la, para que herdes a sua terra.

**32** Seom saiu-nos ao encontro, ele e todo o seu povo, ao combate em Jaza.

**33** O Senhor nosso Deus o entregou a nós, e nós o derrotamos, a ele, a seus filhos e a todo o seu povo.

**34** Naquele tempo, tomamos todas as suas cidades e condenamos ao extermínio todos os seus habitantes: homens, mulheres e crianças, sem deixar um só sobrevivente.

**35** Somente levamos por presa o gado para nós, e o despojo das cidades que tínhamos tomado.

**36** Desde Aroer, que está junto ao ribeiro de Arnom, com a cidade que está junto a esse mesmo ribeiro, até Gileade, não houve cidade cujos muros fossem altos demais para nós. Tudo isso o Senhor, o nosso Deus, nos entregou. 37 Somente à terra dos amonitas não chegastes, ou seja, toda a terra ao longo do ribeiro de Jaboque e as cidades da região montanhosa, como nos proibira o Senhor, o nosso Deus.

### A conquista do reino de Ogue

**3** Depois nos viramos e subimos o caminho de Basã; e Ogue, rei de Basã, saiu ao nosso encontro com todo o seu exército, à batalha em Edrei. 2 Então o Senhor me disse: Não o temas, pois a ele, a todo o seu povo e a sua terra dei nas tuas mãos; tu lhe farás como fizeste a Seom, rei dos amorreus, que habitava em Hesbom. 3 Também o Senhor, o nosso Deus, nos deu nas nossas mãos a Ogue, rei de Basã, com todo o seu povo; de maneira que o ferimos até que não restou nenhum sobrevivente. 4 Nesse tempo, tomamos todas as suas cidades, e não houve um só lugar que não caísse em nossas mãos: sessenta cidades, toda a região de Argobe e o reino de Ogue, em Basã. 5 Todas essas cidades eram fortificadas com altos muros, portas e trancas, além de muitas outras cidades sem muros. 6 Destruímo-las completamente, como fizemos a Seom, rei de Hesbom, matando todos, homens, mulheres e crianças. 7 Todo o gado e o despojo das cidades, porém, tomamos como presa. 8 Assim, naquele tempo, tomamos daqueles dois reis dos amorreus o território ao oriente do Jordão, desde o rio Arnom até o monte Hermom. 9 (Os sidônios chamam ao Hermom de Siriom, porém os amorreus lhe chamam Senir.) 10 Tomamos todas as cidades do planalto, toda Gileade e Basã, até Salca e Edrei, cidades do reino de Ogue em Basã. 11 (Só Ogue, rei de Basã, ficou do resto dos refains. Seu leito é o leito de ferro que está em Rabá dos filhos de Amom; tem nove côvados de comprimento e quatro côvados de largura, pelo côvado comum.)

### A partilha da Transjordânia

12 Tomamos posse desta terra nesse tempo. Desde Aroer, que está junto ao ribeiro de Arnom, e a metade da região montanhosa de Gileade, com as suas cidades, dei aos rubenitas e gaditas. 13 O resto de Gileade, como também toda Basã, o reino de Ogue, dei à meia tribo de Manassés. Toda aquela região de Argobe, toda Basã, se chamava terra dos refains. 14 Jair, filho de Manassés, tomou toda a região de Argobe, até as fronteiras dos gesuritas e dos maacatitas, isto é Basã, e às aldeias deu o nome de Havote-Jair, que permanece até hoje. 15 A Maquir dei Gileade. 16 Aos rubenitas e gaditas, porém, dei desde Gileade até o vale de Arnom, cujo meio serve de fronteira, até o ribeiro de Jaboque, que é fronteira dos filhos de Amom, 17 como também Arabá, tendo o Jordão como limite ocidental, desde Quinerete até o mar da Arabá, o mar Salgado, das encostas do Pisga em direção ao oriente.

**18** Ordenei-vos nessa ocasião: O Senhor, o vosso Deus, vos deu esta terra, para a possuirdes. Passai, armados, todos os homens valentes, diante de vossos irmãos, os filhos de Israel.
**19** Tão somente vossas mulheres, vossas crianças e vosso rebanho, que eu sei é muito grande, ficarão nas vossas cidades, que já vos tenho dado,
**20** até que o Senhor dê descanso a vossos irmãos como a vós, para que eles herdem também a terra que o Senhor, o vosso Deus, lhes dará no outro lado do Jordão. Então voltareis cada um à propriedade que vos dei.
**21** Também nessa ocasião ordenei a Josué: Teus olhos veem tudo o que o Senhor, o nosso Deus, tem feito a estes dois reis. Assim fará o Senhor a todos os reinos por onde passares.
**22** Não tenhas medo deles; quem combate por vós é o Senhor, o vosso Deus.

### Moisés é proibido de cruzar o Jordão

**23** Também nessa ocasião pedi graça ao Senhor, dizendo:
**24** Ó Senhor Jeová! Já começaste a mostrar ao teu servo a tua grandeza e a tua forte mão. Pois que Deus há nos céus e na terra que possa realizar obras e feitos poderosos como os teus?
**25** Rogo-te que me deixes passar, para que veja essa boa terra que está do outro lado do Jordão, essa boa região montanhosa, e o Líbano!
**26** O Senhor, porém, indignou-se muito contra mim por vossa causa e não me atendeu. Pelo contrário, disse-me: Basta; não me fales mais a esse respeito.
**27** Sobe ao cume do Pisga, levanta os olhos para o ocidente, e para o norte, e para o sul, e para o oriente. Vê a terra com os teus próprios olhos, porque não atravessarás este Jordão.
**28** Dá ordens a Josué, encoraja-o e fortalece-o, pois é ele quem passará à frente deste povo, e o fará possuir a terra que tu apenas verás.
**29** Assim ficamos no vale diante de Bete-Peor.

### Moisés exorta o povo à obediência

**4** Agora, ó Israel, ouve os estatutos e os juízos que eu vos ensino, para os cumprirdes, para que vivais e entreis para possuir a terra que o Senhor, o Deus de vossos pais, vos dá.
**2** Nada acrescentareis ao que vos ordeno e nada diminuireis, para que guardeis os mandamentos do Senhor, o vosso Deus, que eu vos ordeno.
**3** Os vossos olhos viram o que Deus fez por causa de Baal-Peor. A todo homem que seguiu a Baal-Peor, o Senhor, o teu Deus, exterminou do meio de ti.
**4** Mas todos vós, que vos chegastes ao Senhor, o vosso Deus, hoje estais vivos.
**5** Vede, tenho-vos ensinado estatutos e juízos, como me ordenou o Senhor, o meu Deus, para que pratiqueis na terra em que ides entrar para a possuir.
**6** Guardai-os e praticai-os, pois assim a vossa sabedoria e o vosso entendimento serão vistos pelos outros povos. Quando ouvirem todos estes estatutos, dirão: Este grande povo é realmente sábio e entendido.
**7** Que nação há tão grande, que tenha deuses tão chegados a si

como o Senhor, o nosso Deus, todas as vezes que o invocamos?

8 Que gente há tão grande, que tenha estatutos e juízos tão justos como toda esta lei que hoje dou perante vós?

9 Tão somente guarda-te a ti mesmo e guarda bem a tua alma, para que não te esqueças das coisas que os teus olhos viram, e para que elas não se apartem do teu coração todos os dias da tua vida. Ensina-as aos teus filhos e aos filhos dos teus filhos.

10 Lembra-te do dia em que estiveste diante do Senhor, o teu Deus, em Horebe, quando o Senhor me disse: Ajunta-me o povo, para que eu os faça ouvir as minhas palavras, e aprendam a temer-me todo o tempo em que viverem na terra, e as ensinem a seus filhos.

11 Então vos chegastes e vos pusestes ao pé do monte, e o monte ardia em fogo até o céu, em meio a nuvens negras e profunda escuridão.

12 E o Senhor vos falou do meio do fogo. Vós ouvistes as palavras, mas, além da voz, não vistes figura nenhuma.

13 Ele vos anunciou a sua aliança, que vos prescreveu, os dez mandamentos, e os escreveu em duas tábuas de pedra.

14 E o Senhor me ordenou ao mesmo tempo que vos ensinasse *estatutos* e *juízos*, para que os cumprísseis na terra que passais a possuir.

15 No dia em que o Senhor, o vosso Deus, falou convosco em Horebe, do meio do fogo, não vistes figura nenhuma. Portanto, ficai muito atentos,

16 para que não vos corrompais, fazendo um ídolo, uma imagem de qualquer tipo, figura de homem ou de mulher,

17 de algum animal que vive na terra, ou de algum pássaro que voa pelos céus;

18 de algum animal que rasteja sobre o solo, ou de algum peixe que há nas águas que estão debaixo da terra.

19 E para não acontecer que, quando levantares os teus olhos aos céus e ao vires o sol, a lua, as estrelas e todo o exército dos céus, não sejas seduzido a inclinar-te e adorar coisas que o Senhor, o teu Deus, repartiu a todos os povos que vivem debaixo do céu.

20 O Senhor, porém, vos tomou e vos tirou do forno de ferro do Egito, para que lhe sejais por povo hereditário, como hoje se vê.

21 Também o Senhor se indignou contra mim por causa das vossas palavras e jurou que eu não atravessaria o Jordão nem entraria na boa terra que o Senhor, o teu Deus, te dá por herança.

22 Vou morrer nesta terra, sem atravessar o Jordão. Vós, porém, o atravessareis e possuireis aquela boa terra.

23 Cuidado para não esquecerdes da aliança que o Senhor, o vosso Deus, fez convosco, fazendo alguma imagem de escultura, figura de alguma coisa que o Senhor, o vosso Deus, proibiu.

24 Pois o Senhor, o teu Deus, é fogo que consome, é Deus zeloso.

25 Quando gerardes filhos e netos e envelhecerdes na terra, se vos corromperdes fabricando alguma imagem de escultura, figura de alguma coisa, fazendo assim mal aos olhos do Senhor, provocando-o à ira,

26 tomo hoje por testemunhas contra vós o céu e a terra, que

depressa sereis exterminados da face da terra que, atravessando o Jordão, ides possuir. Não prolongareis os vossos dias nela, antes sereis de todo destruídos.

27 O Senhor vos espalhará entre os povos, e de vós só restará um pequeno número entre as nações, às quais o Senhor vos conduzirá.

28 Ali servireis a deuses feitos por mãos humanas, de madeira e de pedra, que não veem nem ouvem, nem comem nem cheiram.

29 Então dali buscarás ao Senhor, o teu Deus, e o acharás, quando o buscares de todo o teu coração e de toda a tua alma.

30 Quando estiveres em angústia e todas essas coisas te alcançarem, então, nos últimos dias, voltarás para o Senhor, o teu Deus, e ouvirás a sua voz.

31 Pois o Senhor, o teu Deus, é Deus misericordioso; não te desamparará, nem te destruirá, nem se esquecerá da aliança que jurou a teus pais.

32 Agora pergunta aos tempos passados que te precederam desde o dia em que Deus criou o homem sobre a terra, desde uma extremidade do céu até a outra, se jamais aconteceu coisa tão grande como esta, ou se jamais se ouviu coisa semelhante!

33 Ou se algum outro povo ouviu a voz de Deus falar do meio do fogo, como tu a ouviste, e tenha ficado vivo?

34 Ou se um deus decidiu tomar para si um povo do meio de outro povo com provas, sinais, milagres e combate; com mão forte e braço estendido, com grandes terrores, conforme tudo quanto o Senhor, o vosso Deus, vos fez no Egito aos vossos olhos?

35 A ti te foi mostrado para que soubesses que o Senhor é Deus, e que nenhum outro há senão ele.

36 Desde os céus ele te fez ouvir a sua voz para te ensinar, e sobre a terra te mostrou o seu grande fogo, e ouviste as suas palavras do meio do fogo.

37 Porque amou teus pais, e depois deles escolheu a sua descendência, tirou-te do Egito com a sua presença e com a sua grande força,

38 para desalojar de diante de ti nações maiores e mais poderosas do que tu, e te introduzir na sua terra, e dá-la em herança a ti, como hoje se vê.

39 Portanto, reconhece hoje, e medita em teu coração, que só o Senhor é Deus em cima no céu, e embaixo na terra; nenhum outro há.

40 Guarda os seus estatutos e os seus mandamentos que hoje te ordeno, para que te vá bem a ti, e a teus filhos depois de ti, e para que prolongues os dias na terra que o Senhor, o teu Deus, te dá, para todo o sempre.

### As cidades de refúgio

41 Então Moisés separou três cidades além do Jordão, ao oriente,

42 para que ali se acolhesse o homicida que tivesse matado alguém sem intenção, de quem dantes não tivesse ódio algum. Ele poderia então salvar a própria vida, fugindo para uma dessas cidades.

43 A Bezer, no deserto, na terra plana, para os rubenitas; a Ramote, em Gileade, para os gaditas; e a Golã, em Basã, para os manassitas.

### O segundo discurso de Moisés

44 Esta é a lei que Moisés propôs aos filhos de Israel.

45 Estes são os testemunhos, os estatutos e os juízos que Moisés comunicou aos filhos de Israel, quando saíram do Egito,
46 no outro lado do Jordão, no vale em frente de Bete-Peor, na terra de Seom, rei dos amorreus, que habitava em Hesbom, a quem Moisés e os filhos de Israel feriram, ao saírem do Egito.
47 Tomaram posse da sua terra, como também da terra de Ogue, rei de Basã, dois reis dos amorreus, que estavam além do Jordão, ao oriente.
48 Esta terra se estendia desde Aroer, que está nas encostas do vale de Arnom, até o monte de Siom, que é Hermom,
49 e incluía toda a Arabá além do Jordão, ao oriente, até o mar da Arabá, ao pé das encostas do Pisga.

## Os Dez Mandamentos

5 Chamou Moisés a todo o Israel e disse-lhes: Ouve, ó Israel, os estatutos e juízos que hoje vos proclamo aos ouvidos, para que os aprendais e cuideis de praticá-los.
2 O Senhor, o vosso Deus, fez aliança conosco em Horebe.
3 Não foi com nossos pais que o Senhor fez esta aliança, mas conosco, todos os que hoje aqui estamos vivos.
4 Face a face o Senhor falou conosco no monte, do meio do fogo
5 (nesse tempo, eu estava em pé entre o Senhor e vós, para vos notificar a palavra do Senhor, porque temestes o fogo e não subistes ao monte), dizendo:
6 Eu sou o Senhor, o teu Deus, que te tirei da terra do Egito, da casa da servidão.
7 Não terás outros deuses diante de mim.
8 Não farás para ti imagem de escultura, nem semelhança alguma do que há em cima no céu, nem embaixo na terra, nem nas águas debaixo da terra.
9 Não te encurvarás a elas nem as servirás; pois eu, o Senhor, o teu Deus, sou Deus zeloso, que visito a maldade dos pais nos filhos até a terceira e quarta gerações daqueles que me aborrecem;
10 faço, porém, misericórdia até mil gerações daqueles que me amam e guardam os meus mandamentos.
11 Não tomarás o nome do Senhor, teu Deus, em vão, pois o Senhor não deixará sem punição o que tomar o seu nome em vão.
12 Guarda o dia de sábado para o santificar, como te ordenou o Senhor, o teu Deus.
13 Seis dias trabalharás e farás toda a tua obra,
14 o sétimo dia, porém, é o sábado do Senhor, o teu Deus. Não farás nenhuma obra nele, nem tu, nem o teu filho, nem a tua filha, nem o teu servo, nem a tua serva, nem o teu boi, nem o teu jumento, nem animal algum teu, nem o estrangeiro que está na tua cidade, para que o teu servo e a tua serva descansem como tu.
15 Lembra-te de que foste escravo na terra do Egito e que o Senhor, o teu Deus, te tirou dali com mão forte e braço estendido. Pelo que o Senhor, o teu Deus, te ordenou que guardasses o sábado.
16 Honra a teu pai e a tua mãe, como o Senhor, o teu Deus, te ordenou, para que se prolonguem os teus dias e para que te vá bem na terra que o Senhor, o teu Deus, te dá.
17 Não matarás.
18 Não adulterarás.

19 Não furtarás.
20 Não dirás falso testemunho contra o teu próximo.
21 Não cobiçarás a mulher do teu próximo. Não desejarás a casa do teu próximo, nem o seu campo, nem o seu servo, nem a sua serva, nem o seu boi, nem o seu jumento, nem coisa alguma do teu próximo.
22 Essas palavras falou o Senhor a toda a assembleia no monte, do meio do fogo, da nuvem e da escuridão, com grande voz, e nada acrescentou. Então as escreveu em duas tábuas de pedra e as entregou a mim.
23 Quando ouvistes a voz do meio das trevas e vistes o monte ardente em fogo, chegaste-vos a mim, todos os chefes das vossas tribos e vossas autoridades
24 e dissestes: O Senhor, o nosso Deus, nos fez ver a sua glória e a sua grandeza; ouvimos a sua voz do meio do fogo. Hoje vimos que Deus fala com o homem, e que este permanece vivo.
25 Agora, porém, por que morreríamos? Este grande fogo nos consumirá, e morreremos se continuarmos a ouvir a voz do Senhor, o nosso Deus.
26 Qual o mortal, como nós, que ouviu a voz do Deus vivo falando do meio do fogo e sobreviveu?
27 Chega-te e ouve tudo o que disser o Senhor, o nosso Deus. Então nos dirás tudo o que te disser o Senhor, o nosso Deus, e o ouviremos, e o faremos.
28 Ouvindo o Senhor as vossas palavras, quando me faláveis, o Senhor me disse: Eu ouvi as palavras deste povo, que te disseram. Em tudo falaram bem.
29 Quem dera que eles tivessem tal coração que me temessem e em todo o tempo guardassem todos os meus mandamentos, para que bem lhes fosse a eles e a seus filhos para sempre!
30 Vai, dize-lhes: Voltai às vossas tendas.
31 Mas tu fica-te aqui comigo, e eu te direi todos os mandamentos, estatutos e juízos que tu lhes hás de ensinar, para que os pratiquem na terra cuja posse eu lhes darei.
32 Portanto, cuidareis de fazer tudo o que o Senhor, o vosso Deus, vos ordenou; não vos desviareis nem para a direita nem para a esquerda.
33 Andareis em todo o caminho que o Senhor, o vosso Deus, vos ordenou, para que vivais, sejais prósperos e prolongueis os vossos dias na terra que haveis de possuir.

### Amarás o Senhor, o teu Deus

**6** Estes são os mandamentos, os estatutos e os juízos que o Senhor, o teu Deus, mandou ensinar-te, para que os cumpras na terra a que passas para a possuir,
2 para que temas ao Senhor, o teu Deus, e guardes todos os seus estatutos e mandamentos que ordeno a ti, a teus filhos e a teus netos, todos os dias da tua vida, a fim de que os teus dias sejam prolongados.
3 Ouve, ó Israel, e cuida de pô-los em prática, para que te vá bem e muito te multipliques na terra em que manam leite e mel, como te disse o Senhor, o Deus de teus pais.
4 Ouve, ó Israel: O Senhor nosso Deus é o único Senhor.
5 Amarás o Senhor, o teu Deus, de todo o teu coração, de toda a tua alma e de toda a tua força.
6 Estas palavras que hoje te ordeno estarão no teu coração.

7 Tu as ensinarás repetidamente a teus filhos e delas falarás assentado em tua casa, andando pelo caminho, deitando-te e levantando-te.
8 Também as atarás na tua mão por sinal, e te serão por faixa na tua testa.
9 E as escreverás nos batentes das portas da tua casa.
10 Quando o Senhor, o teu Deus, te fizer entrar na terra que, sob juramento, prometeu a teus pais, Abraão, Isaque e Jacó, que te daria, grandes e boas cidades que não edificaste,
11 casas cheias de bens que não encheste, poços abertos que não cavaste, vinhas e olivais que não plantaste; quando comeres e te fartares,
12 guarda-te, que não te esqueças do Senhor, que te tirou da terra do Egito, da casa da servidão.
13 Ao Senhor, o teu Deus, temerás, a ele servirás, e pelo seu nome jurarás.
14 Não seguirás outros deuses, os deuses dos povos que estão ao teu redor;
15 pois o Senhor, o teu Deus, é um Deus zeloso no meio de ti, para que a ira do Senhor, o teu Deus, não se acenda contra ti, e ele te destrua da face da terra.
16 Não tentarás o Senhor, o teu Deus, como o tentaste em Massá.
17 Diligentemente guardarás os mandamentos do Senhor, o teu Deus, bem como os seus testemunhos e estatutos que te ordenou.
18 Farás o que é reto e bom perante o Senhor, para que te vá bem e entres e possuas a boa terra que o Senhor jurou dar a teus pais,
19 expulsando da tua frente todos os teus inimigos, como o Senhor tem dito.
20 Quando teu filho te perguntar no futuro: Que são estes testemunhos, estatutos e juízos que o Senhor, o nosso Deus, vos ordenou?,
21 então dirás a teu filho: Éramos escravos de faraó no Egito, mas o Senhor nos tirou de lá com mão forte.
22 À nossa vista o Senhor fez grandes sinais e terríveis prodígios contra o Egito, contra faraó e contra toda a sua família.
23 Ele, porém, nos tirou de lá para nos trazer à terra que, com juramento, prometera a nossos pais.
24 O Senhor nos ordenou que cumpríssemos todos estes estatutos, para temermos ao Senhor, o nosso Deus, para que tudo nos corra bem, para nos guardar em vida, como hoje se vê.
25 E será justiça para nós, se cuidarmos de cumprir todos estes mandamentos perante o Senhor, o nosso Deus, como ele nos tem ordenado.

### Israel, um povo separado

7 Quando o Senhor, o teu Deus, te houver feito entrar na terra, a qual passas a possuir, e tiver expulsado de diante de ti muitas nações: os heteus, os girgaseus, os amorreus, os cananeus, os ferezeus, os heveus, os jebuseus, sete nações mais numerosas e mais poderosas do que tu,
2 e, quando o Senhor, teu Deus, as tiver dado diante de ti, totalmente as destruirás. Não farás aliança com elas nem terás piedade delas.
3 Não te aparentarás com elas. Não darás tuas filhas a seus filhos, e não tomarás suas filhas para teus filhos,

# Deuteronômio 7

4 pois elas afastariam o teu filho de mim, para servir a outros deuses, e a ira do Senhor se acenderia contra vós e vos destruiria rapidamente.

5 Assim, porém, lhes fareis: Derrubareis os seus altares, quebrareis as suas colunas, cortareis os seus bosques sagrados e queimareis no fogo as suas imagens de escultura.

6 Pois tu és um povo santo ao Senhor, o teu Deus. O Senhor, o teu Deus, te escolheu para que lhe fosses o seu povo próprio, de todos os povos que há sobre a terra.

7 O Senhor não se afeiçoou de vós e vos escolheu por serdes mais numerosos do que todos os outros povos, pois éreis menos em número do que todos os povos.

8 Mas porque o Senhor vos amava, e para guardar o juramento que fizera a vossos pais, ele vos tirou com mão forte e vos resgatou da casa da servidão, da mão de faraó, rei do Egito.

9 Saberás, portanto, que o Senhor, o teu Deus é Deus, o Deus fiel, que guarda a aliança e a misericórdia, até mil gerações aos que o amam e guardam os seus mandamentos,

10 e que retribui diretamente aos que o odeiam,
    fazendo-os perecer; não será demorado
    para com aquele que o odeia, retribuindo-lhe prontamente.

11 Guarda, pois, os mandamentos, os estatutos e os juízos que *hoje te mando* cumprir.

12 Se ouvires estes juízos e os puseres em prática, o Senhor, o teu Deus, manterá a aliança e a misericórdia que jurou a teus pais.

13 Ele te amará, te abençoará e te fará multiplicar. Abençoará o fruto do teu ventre, o fruto da tua terra, o teu cereal, o teu vinho, o teu azeite, a cria das tuas vacas e a cria das tuas ovelhas na terra que jurou a teus pais que te daria.

14 Bendito serás mais do que todos os povos; não haverá estéril no meio de ti, seja homem, seja mulher, nem entre os teus animais.

15 O Senhor desviará de ti toda enfermidade. Ele não te afligirá com as terríveis doenças que conheceste no Egito, antes as porá sobre todos os que te odeiam.

16 Exterminarás todos os povos que o Senhor, o teu Deus, te entregar. Não olharás para eles com piedade e não servirás a seus deuses, pois isso seria uma armadilha para ti.

17 Talvez digas no teu coração: Essas nações são mais numerosas do que eu. Como poderei conquistá-las?

18 Delas não tenhas medo. Não deixes de te lembrar do que o Senhor, o teu Deus, fez a faraó e a todos os egípcios.

19 Viste com teus próprios olhos as grandes provas, e os sinais, e as maravilhas, e a mão forte, e o braço estendido com que o Senhor, o teu Deus, te fez sair! Assim fará o Senhor, o teu Deus, com todos os povos, diante dos quais temes.

20 Além disso, o Senhor, o teu Deus, enviará entre eles vespões, até que pereçam os que ficarem e se esconderem de ti.

21 Não te espantes diante deles, pois o Senhor, o teu Deus, está no meio de ti, Deus grande e terrível.

22 O Senhor, o teu Deus, expulsará fora essas nações pouco a pouco de diante de ti. Não poderás

destruí-las todas de uma só vez, para que as feras do campo não se multipliquem contra ti.

23 O Senhor, o teu Deus, as entregará a ti, e lhes atingirá com profunda perturbação até que sejam destruídas.

24 Também entregará nas tuas mãos os seus reis, e apagarás a sua memória debaixo dos céus. Ninguém te poderá resistir, até que os destruas.

25 As imagens de escultura de seus deuses queimarás no fogo. Não cobiçarás a prata nem o ouro que haja nelas, nem os tomarás para ti, para que não sejas iludido, pois é abominação ao Senhor, o teu Deus.

26 Não introduzirás tal abominação em tua casa, para que não sejas amaldiçoado, como a ela. De todo a detestarás, e de todo a abominarás, pois é amaldiçoada.

### Os benefícios do Senhor

**8** Tereis muito cuidado em cumprir todos os mandamentos que hoje vos ordeno, para que vivais, e vos multipliqueis, e tomeis posse da terra que o Senhor com juramento prometeu a vossos pais.

2 E te lembrarás de todo o caminho pelo qual o Senhor, o teu Deus, te guiou no deserto estes quarenta anos, para te humilhar e te provar, para saber o que estava no teu coração, se guardarias ou não os seus mandamentos.

3 Ele te afligiu e te deixou ter fome; depois te sustentou com o maná que não conhecias, e que os teus pais também não conheceram, para te dar a entender que não só de pão vive o homem, mas de tudo o que sai da boca do Senhor.

4 Nunca se envelheceu a tua veste nem se inchou o teu pé estes quarenta anos.

5 Reconhece, portanto, em teu coração que, como um homem castiga seu filho, assim te castiga o Senhor, teu Deus.

6 Guarda os mandamentos do Senhor, o teu Deus, para andares nos seus caminhos e o temeres.

7 Pois o Senhor, o teu Deus, te faz entrar numa boa terra, terra de ribeiros de águas, de fontes e de mananciais profundos que manam dos vales e das montanhas;

8 terra de trigo, cevada, vides, figueiras e romãzeiras; terra de oliveiras, de azeite e mel;

9 terra em que comerás pão sem escassez, e nada te faltará nela; terra cujas pedras são de ferro e de cujas montanhas cavarás o cobre.

10 Comerás e te fartarás, bendizendo ao Senhor, o teu Deus, pela boa terra que te deu.

11 Guarda-te de não te esqueceres do Senhor, o teu Deus, não cumprindo os seus mandamentos, os seus juízos e os seus estatutos que hoje te ordeno;

12 para não suceder que, depois de teres comido e estares farto, de teres edificado boas casas e habitado nelas,

13 e depois de se multiplicarem as tuas vacas e as tuas ovelhas, e aumentar a prata e o ouro e tudo quanto tens,

14 se ensoberbeça o teu coração e te esqueças do Senhor, o teu Deus, que te tirou da terra do Egito, da casa da servidão;

15 que te guiou por aquele grande e terrível deserto de serpentes abrasadoras, de escorpiões, de terra árida e sem água, onde

fez jorrar para ti água da pedra dos rochedos;

16 que no deserto te sustentou com maná, que teus pais não conheceram, a fim de te humilhar e provar, e afinal te fazer bem.

17 Não digas no teu coração: A minha força e o poder do meu braço me proporcionaram esta riqueza.

18 Antes te lembrarás de que o Senhor, o teu Deus, é que te dá força para adquirires riquezas, confirmando a aliança que jurou a teus pais, como hoje se vê.

19 Se, porém, te esqueceres do Senhor, o teu Deus, e andares após outros deuses, servindo-os e adorando-os, protesto hoje contra vós que certamente perecereis.

20 Como as nações que o Senhor destruiu de diante de vós, assim perecereis, pois não quisestes obedecer à voz do Senhor, o vosso Deus.

### O dom da terra é gratuito

9 Ouve, ó Israel: Hoje passarás o Jordão para entrares a possuir nações maiores e mais fortes do que tu, cidades grandes e muradas até o céu.

2 O povo é grande e alto, filhos dos enaquins, que tu conheces e de quem já ouvistes dizer: Quem poderá enfrentar os filhos de Enaque?

3 Sabe, porém, hoje, que é o Senhor, o teu Deus, que vai na tua frente, como um fogo consumidor. Ele os destruirá e os derrubará diante de ti, e tu cedo os expulsarás e os desfarás, como o Senhor te prometeu.

4 Quando o Senhor, o teu Deus, os *lançar fora de diante de ti*, não digas em teu coração: Por causa da minha justiça é que o Senhor me trouxe a esta terra para a possuir. Antes, é pela impiedade destas nações que o Senhor as expulsa de diante de ti.

5 Não é por causa da tua justiça nem pela retidão do teu coração que possuirás a sua terra, mas pela impiedade destas nações o Senhor, o teu Deus, as expulsa de diante de ti, e para confirmar a palavra que o Senhor, o teu Deus, jurou a teus pais, Abraão, Isaque e Jacó.

6 Sabe, portanto, que não é por causa da tua justiça que o Senhor, o teu Deus te dá esta boa terra, para a possuíres, pois és povo rebelde.

7 Lembrai-vos e não vos esqueçais de que muito provocastes à ira o Senhor, o vosso Deus, no deserto. Desde o dia em que saístes do Egito até que chegastes a este lugar, fostes rebeldes contra o Senhor.

8 Já em Horebe tanto provocastes à ira o Senhor, que ele se irritou contra vós para vos destruir.

9 Subindo eu ao monte para receber as tábuas de pedra, as tábuas da aliança que o Senhor fizera convosco, fiquei no monte quarenta dias e quarenta noites, sem comer pão nem beber água.

10 O Senhor me deu as duas tábuas de pedra, escritas com o dedo de Deus, e nelas estavam todas as palavras que o Senhor havia falado convosco no monte, do meio do fogo, no dia da reunião.

11 Ao fim dos quarenta dias e das quarenta noites, o Senhor me deu as duas tábuas de pedra, as tábuas da aliança.

12 Então o Senhor me disse: Levanta-te, desce depressa daqui, porque o povo que tiraste do Egito já se corrompeu. Cedo se desviaram do caminho que eu lhes tinha ordenado e fizeram para si imagem fundida.

**13** Disse-me ainda o Senhor: Observei este povo e vi que é povo rebelde.
**14** Deixa-me que os destrua e apague o seu nome de debaixo dos céus. E farei a ti nação maior e mais numerosa do que esta.
**15** Então me virei e desci do monte, que ardia em fogo. E as duas tábuas da aliança estavam nas minhas duas mãos.
**16** Olhei e vi que havíeis pecado contra o Senhor, o vosso Deus, fazendo para vós um bezerro fundido. Cedo vos desviastes do caminho que o Senhor vos ordenara.
**17** Então peguei as duas tábuas, e as arremessei das minhas mãos, e as quebrei diante dos vossos olhos.
**18** Depois, prostrei-me perante o Senhor, como dantes, quarenta dias e quarenta noites, sem comer pão nem beber água, por causa de todo o vosso pecado que havíeis cometido, fazendo o que era mal aos olhos do Senhor, provocando-o à ira.
**19** Temi por causa da ira e do furor do Senhor contra vós, para vos destruir. Mas ainda desta vez o Senhor me ouviu.
**20** E o Senhor se irou muito contra Arão para o destruir, mas também orei por Arão nesse mesmo tempo.
**21** Peguei o bezerro do vosso pecado, a obra que fabricastes, e o atirei ao fogo, e o esmaguei, moendo-o bem até que se tornou pó, e lancei o pó no ribeiro que descia do monte.
**22** Também em Taberá, e em Massá, e em Quibrote-Hataavá provocastes muito a ira do Senhor.
**23** E, quando o Senhor vos enviou desde Cades-Barneia, dizendo: Subi e possuí a terra que vos dei, fostes rebeldes ao mandado do Senhor, o vosso Deus, e não o crestes, e não obedecestes à sua voz.
**24** Fostes rebeldes contra o Senhor desde o dia em que vos conheci.
**25** Prostrei-me perante o Senhor, quarenta dias e quarenta noites, porque o Senhor dissera que vos queria destruir.
**26** Orei ao Senhor, dizendo: Senhor Deus, não destruas o teu povo e a tua herança, que resgataste com a tua grandeza, que tiraste do Egito com mão forte.
**27** Lembra-te dos teus servos Abraão, Isaque e Jacó. Não atentes para a dureza deste povo, nem para a sua impiedade nem para o seu pecado,
**28** para que o povo da terra donde nos tiraste não diga: O Senhor não foi capaz de fazê-los entrar na terra de que lhes tinha falado. Ele os odiava, por isso os tirou daqui para os matar no deserto.
**29** Todavia são eles o teu povo e a tua herança que tiraste com a tua grande força e com o teu braço estendido.

### As segundas tábuas da lei

**10** Naquele mesmo tempo, disse-me o Senhor: Alisa duas tábuas de pedra, como as primeiras, e sobe a mim a este monte, e faze uma arca de madeira.
**2** Nessas tábuas escreverei as palavras que estavam nas primeiras tábuas que quebraste, e as porás na arca.
**3** Assim, fiz uma arca de madeira de acácia, alisei duas tábuas de pedra, como as primeiras, e subi ao monte com as duas tábuas na mão.

4 Então o Senhor escreveu nessas tábuas o que estava nas primeiras, os dez mandamentos que ele vos falara no dia da assembleia, no monte, do meio do fogo. E o Senhor entregou-as a mim.
5 Desci do monte, depositei as tábuas na arca que fizera; e ali estão, como o Senhor me ordenou.
6 Partiram os filhos de Israel de Beerote-Bene-Jaacã para Moserá. Ali faleceu Arão e ali foi sepultado. Eleazar, seu filho, administrou o sacerdócio em seu lugar.
7 Dali partiram para Gudgodá, e de lá para Jotbatá, terra de ribeiros de águas.
8 Nesse tempo, o Senhor separou a tribo de Levi para levar a arca da aliança do Senhor, para estar diante do Senhor, para o servir, e para abençoar em seu nome até o dia de hoje.
9 Pelo que Levi não tem parte nem herança com os irmãos; o Senhor é a sua herança, como o Senhor, o teu Deus, lhe disse.
10 Eu estive no monte, como antes, quarenta dias e quarenta noites, e o Senhor me ouviu ainda essa vez. O Senhor não quis destruir-te.
11 Em vez disso o Senhor me disse: Levanta-te, põe-te a caminho diante do povo, para que entrem e possuam a terra que jurei dar a seus pais.

### Exortação à obediência

12 E agora, ó Israel, o que o Senhor, o teu Deus, pede de ti? Não é que *temas o Senhor, o teu Deus*, que andes em todos os seus caminhos, e o ames, e sirvas ao Senhor, o teu Deus, de todo o teu coração e de toda a tua alma,
13 para guardares os mandamentos do Senhor e os seus estatutos que hoje te ordeno, para o teu bem?
14 Os céus e os céus dos céus são do Senhor, o teu Deus, a terra e tudo o que nela há.
15 Mesmo assim, o Senhor se afeiçoou a teus pais e os amou; e a vós, descendentes deles, escolheu dentre todas as nações, como hoje se vê.
16 Circuncidai, portanto, o vosso coração e não mais sejais obstinados.
17 Pois o Senhor, o vosso Deus, é o Deus dos deuses, o Senhor dos senhores, o Deus grande, poderoso e terrível, que não faz acepção de pessoas, nem aceita suborno.
18 Ele faz justiça ao órfão e à viúva e ama o estrangeiro, dando-lhe alimento e vestes.
19 Amai o estrangeiro, pois fostes estrangeiros na terra do Egito.
20 Ao Senhor, o teu Deus, temerás, a ele servirás, a ele te chegarás e pelo seu nome jurarás.
21 Ele é o teu louvor e o teu Deus, que por ti fez estas grandes e terríveis coisas que os teus olhos têm visto.
22 Com setenta pessoas teus pais desceram ao Egito, e agora o Senhor, o teu Deus, te fez como as estrelas dos céus em multidão.

### Os grandes feitos do Senhor

**11** Amarás ao Senhor, o teu Deus, e todos os dias observarás os seus estatutos, os seus juízos e os seus mandamentos.
2 Considerai hoje (não falo com vossos filhos, que não conheceram nem viram) a disciplina do Senhor, o vosso Deus: a sua grandeza, a sua mão forte e o seu braço estendido;

3 os sinais e as obras que fez no meio do Egito a faraó, rei do Egito, e a toda a sua terra;
4 o que fez ao exército dos egípcios, aos seus cavalos e aos seus carros, fazendo passar sobre eles as águas do mar Vermelho, quando vos perseguiam, e como o Senhor os destruiu até o dia de hoje.
5 Não foram os vossos filhos que viram o que ele fez por vós no deserto, até chegardes a este lugar,
6 e o que fez a Datã e a Abirão, filhos de Eliabe, filho de Rúben, quando a terra abriu a sua boca e os tragou com as suas famílias, as suas tendas e tudo o que lhes pertencia, no meio de todo o Israel.
7 Mas fostes vós que vistes com os vossos olhos toda a grande obra que o Senhor fez.
8 Guardai, portanto, todos os mandamentos que hoje vos ordeno, para que sejais fortes e tomeis posse da terra que passais a possuir,
9 e para que prolongueis os dias na terra que o Senhor, sob juramento, prometeu dar a vossos pais e à sua descendência, terra em que manam leite e mel.
10 A terra que passais a possuir não é como a terra do Egito, de onde saístes, em que semeáveis a vossa semente e a regáveis com a ajuda do pé, como se rega uma horta.
11 A terra que passais a possuir, porém, é terra de montes e de vales, que bebe a água das chuvas dos céus.
12 É uma terra da qual o Senhor, o teu Deus, tem cuidado; os olhos do Senhor, o teu Deus, estão sobre ela continuamente, desde o começo até o fim do ano.
13 Se fielmente obedecerdes aos mandamentos que hoje vos ordeno, de amar o Senhor, o vosso Deus, e de o servir de todo o vosso coração e de toda a vossa alma,
14 então darei a chuva da vossa terra no tempo, as primeiras e as últimas, para que recolhais o vosso trigo, o vosso vinho e o vosso azeite.
15 Darei erva nos vossos campos ao vosso gado, e comereis e vos fartareis.
16 Cuidai para que o vosso coração não se engane e, desviando-vos, sirvais a outros deuses, e vos prostreis diante deles.
17 Então a ira do Senhor se acenderá contra vós, e ele fechará os céus para que não haja chuva, e a terra não dê o seu fruto, e cedo desaparecereis da boa terra que o Senhor vos dá.
18 Gravai estas minhas palavras no vosso coração e na vossa alma, atai-as por sinal nas vossas mãos e ponde-as como faixas na vossa testa.
19 Ensinai-as a vossos filhos, falando delas assentado na vossa casa, andando pelo caminho, deitando-vos e levantando-vos.
20 Escrevei-as nos batentes das portas da vossa casa,
21 para que se multipliquem os vossos dias e os dias de vossos filhos na terra que o Senhor, sob juramento, prometeu dar a vossos pais, como numerosos são os dias em que o céu permanecer sobre a terra.
22 Se fielmente guardardes todos estes mandamentos que vos prescrevo, amando o Senhor, o vosso Deus, andando em todos os seus caminhos e achegando-vos a ele,
23 também o Senhor de diante de vós expulsará todas estas nações, e despojareis nações maiores e mais poderosas do que vós.

**24** Todo o lugar que pisar a planta do vosso pé será vosso; o vosso termo se estenderá do deserto ao Líbano e do rio Eufrates ao mar ocidental.
**25** Ninguém subsistirá diante de vós. O Senhor, o vosso Deus, porá sobre toda a terra que pisardes o terror e o temor, como vos disse.
**26** Vede, hoje eu ponho diante de vós a bênção e a maldição;
**27** a bênção, se ouvirdes os mandamentos do Senhor, o vosso Deus, que hoje vos mando;
**28** a maldição, se não ouvirdes os mandamentos do Senhor, o vosso Deus, e vos desviardes do caminho que hoje vos ordeno, para seguirdes outros deuses que não conhecestes.
**29** Quando o Senhor, o teu Deus, te fizer entrar na terra que vais conquistar, pronunciarás a bênção sobre o monte Gerizim e a maldição sobre o monte Ebal.
**30** Porventura não estão eles além do Jordão, na direção do pôr do sol, na terra dos cananeus, que habitam na campina próximos de Gilgal, junto aos carvalhais de Moré?
**31** Estais atravessando o Jordão para entrar e possuir a terra que vos dá o Senhor, o vosso Deus. Quando tomardes posse dela, e nela habitardes,
**32** tende cuidado em cumprir todos os estatutos e os juízos que hoje vos proponho.

### As leis acerca do culto

**12** São estes os estatutos e *os juízos* que cuidareis de cumprir na terra que o Senhor, o Deus de vossos pais, vos destinou como possessão, todos os dias que viverdes nela.
**2** Destruireis todos os lugares sobre as altas montanhas, sobre os outeiros e debaixo de qualquer árvore frondosa em que as nações, por vós desapossadas, prestavam cultos aos seus deuses.
**3** Derrubareis os seus altares, quebrareis as suas colunas, queimareis os seus bosques sagrados, abatereis as imagens esculpidas dos seus deuses e apagareis o seu nome daquele lugar.
**4** Não fareis assim para com o Senhor, o vosso Deus,
**5** mas buscareis o lugar que o Senhor, o vosso Deus, escolher entre todas as vossas tribos, para ali pôr o seu nome e a sua habitação.
**6** Trareis a esse lugar os vossos holocaustos e os vossos sacrifícios, os vossos dízimos e as vossas ofertas especiais, os vossos votos e as vossas ofertas voluntárias, e o primogênito das vossas vacas e das vossas ovelhas.
**7** Ali comereis na presença do Senhor, o vosso Deus, e vos alegrareis com as vossas famílias por todo o bem com que vos abençoar o Senhor, o vosso Deus.
**8** Não fareis cada um como bem parece aos seus olhos, conforme tudo o que hoje fazemos aqui,
**9** pois ainda não entrastes no descanso e na herança que vos dá o Senhor, o vosso Deus.
**10** Passareis, porém, o Jordão e habitareis na terra que vos fará herdar o Senhor, o vosso Deus. Quando vos der repouso de todos os vossos inimigos em redor, e morardes em segurança,
**11** então, para o lugar que escolher o Senhor, o vosso Deus, a fim de nele fazer habitar o seu nome, trareis tudo o que vos ordeno: os vossos holocaustos, os

vossos sacrifícios, os vossos dízimos, as vossas ofertas especiais e todas as vossas dádivas escolhidas que votardes ao Senhor.
**12** E ali vos alegrareis perante o Senhor, o vosso Deus, vós, vossos filhos e vossas filhas, vossos escravos e vossas escravas, bem como o levita que mora dentro das vossas cidades, que não recebeu nem parte nem herança convosco.
**13** Guarda-te de ofereceres os teus holocaustos em todo lugar que vires.
**14** Somente no lugar que o Senhor escolher em uma das tuas tribos, ali oferecerás os teus holocaustos e ali farás tudo o que te ordeno.
**15** No entanto, conforme desejares, poderás abater um animal e comer a sua carne nas tuas cidades, assim como se come a corça e o veado, segundo a bênção do Senhor, o teu Deus, que ele te houver dado. Tanto o imundo como o limpo comerão dela.
**16** Tão somente não comerás o sangue; tu o derramarás sobre a terra, como água.
**17** Nas tuas cidades não poderás comer o dízimo do teu grão, do teu vinho, do teu azeite, nem os primogênitos das tuas vacas e das tuas ovelhas, nem nada do que ofereceres como cumprimento de um voto, nem das ofertas voluntárias, nem das ofertas especiais.
**18** Antes, somente perante o Senhor, o teu Deus, no lugar que o Senhor, o teu Deus, escolher, comerás com teu filho, tua filha, teu escravo, tua escrava e o levita que mora dentro da tua cidade; e perante o Senhor, o teu Deus, te alegrarás em tudo em que puseres a tua mão.
**19** Guarda-te de desamparar o levita enquanto viver na tua terra.
**20** Quando o Senhor, o teu Deus, alargar as tuas fronteiras, como te prometeu, e disseres: Tenho desejo de comer carne, então, conforme o teu desejo, comerás carne.
**21** Se estiver longe o lugar que o Senhor, o teu Deus, escolher para ali pôr o seu nome, então, degolarás do teu gado e do teu rebanho, que o Senhor te houver dado, como te ordenei, e poderás comer em suas próprias cidades, conforme todo o teu desejo.
**22** Comerás essa carne como se come a corça e o veado. O homem imundo e o limpo igualmente comerão dela.
**23** De forma alguma comerás o sangue, porque o sangue é a vida, e não comerás a vida com a carne.
**24** Não o comerás; na terra o derramarás como água.
**25** Não o comerás, para que bem te suceda a ti e a teus filhos depois de ti, fazendo o que é reto aos olhos do Senhor.
**26** Toma, porém, as ofertas sagradas que tiveres de fazer e os teus votos e vai ao lugar que o Senhor tiver escolhido.
**27** Ali oferecerás os teus holocaustos, a carne e o sangue sobre o altar do Senhor, o teu Deus. O sangue dos teus sacrifícios se derramará sobre o altar do Senhor, o teu Deus, mas a carne comerás.
**28** Guarda e cumpre todas estas palavras que te ordeno, para que bem te suceda a ti e a teus filhos depois de ti, para sempre, fazendo o que é bom e reto aos olhos do Senhor, o teu Deus.
**29** Quando o Senhor, o teu Deus, exterminar de diante de ti as

nações para onde vais, para as possuir, e as tiveres expulsado e habitares em suas terras,
30 cuidado para não te enganares, imitando-as depois que forem destruídas diante de ti. Não perguntes acerca dos seus deuses: Como serviam estas nações os seus deuses? Assim também, faremos.
31 Assim não farás ao Senhor, o teu Deus, porque tudo o que é abominável ao Senhor, e que ele aborrece, fizeram eles a seus deuses. Até seus filhos e suas filhas queimaram no fogo aos seus deuses.
32 Tudo o que eu te ordeno, observarás; nada lhe acrescentarás nem diminuirás.

### Precauções contra a idolatria

**13** Quando um profeta ou um sonhador se levantar no meio de ti e te der um sinal ou prodígio,
2 e suceder o tal sinal ou prodígio de que te houver falado, e disser: Vamos após outros deuses, que não conheceste, e sirvamo-los,
3 não ouvirás as palavras daquele profeta ou sonhador. O Senhor, o vosso Deus, vos prova para saber se o amais de todo o vosso coração e de toda a vossa alma.
4 Andareis após o Senhor, o vosso Deus, e a ele temereis. Os seus mandamentos guardareis, a sua voz ouvireis, a ele servireis, e a ele vos achegareis.
5 Aquele profeta ou sonhador será morto, porque falou rebeldia contra o Senhor, o vosso Deus, que vos tirou do Egito e *vos resgatou da terra* da servidão, para vos apartar do caminho que vos ordenou o Senhor, o vosso Deus, para andardes nele. Assim tirareis o mal do meio de ti.

6 Se teu irmão, filho da tua mãe, ou teu filho, ou tua filha, ou a mulher do teu regaço, ou o teu amigo mais íntimo te incitar em segredo, dizendo: Vamos, sirvamos a outros deuses, os quais não conheceste, nem tu nem teus pais,
7 entre os deuses dos povos que estão em redor de ti, perto ou longe, de um ao outro extremo da terra,
8 não o atenderás nem o ouvirás. Não terás piedade dele, não o pouparás nem o esconderás.
9 Certamente o matarás. A tua mão será a primeira contra ele, para o matar, e depois a mão de todo o povo.
10 Tu o apedrejarás até que morra, porque procurou apartar-te do Senhor, o teu Deus, que te tirou do Egito, da terra da servidão.
11 Assim todo o Israel, ao sabê-lo, temerá e já não tornará a fazer maldade como esta no teu meio.
12 Se em alguma das tuas cidades que o Senhor, o teu Deus, te dá para ali habitares, ouvires dizer
13 que homens malignos saíram do meio de ti e incitaram os moradores da sua cidade, dizendo: Vamos, sirvamos a outros deuses aos quais não conheceste,
14 então averiguarás, e com diligência perguntarás. Se for verdade que se cometeu tal abominação no teu meio,
15 certamente ferirás a fio de espada os moradores daquela cidade, destruindo-a completamente com tudo o que nela houver, até os animais.
16 Ajuntarás todo o seu despojo no meio da sua praça, e a cidade com todo o seu despojo queimarás totalmente para o Senhor, o teu Deus. Será montão perpétuo de ruínas, nunca mais se edificará.

17 Também nada reterá a tua mão do que foi condenado à destruição, para que o Senhor se aparte do ardor da sua ira e use de piedade e de misericórdia para contigo e te multiplique, como jurou a teus pais,
18 se ouvires a voz do Senhor, o teu Deus, e guardares todos os seus mandamentos que hoje te ordeno, para fazeres o que for reto aos olhos do Senhor, o teu Deus.

### Os animais limpos e os imundos

**14** Vós sois filhos do Senhor, o vosso Deus. Não fareis incisão alguma no vosso corpo nem rapareis o cabelo em honra de algum morto,
2 pois sois povo santo ao Senhor, o vosso Deus. O Senhor vos escolheu, dentre todos os povos que há na face da terra, para lhes serdes o seu povo próprio.
3 Nenhuma abominação comereis.
4 Estes são os animais que comereis: o boi, a ovelha, a cabra,
5 o veado, a gazela, a corça, a cabra montês, o antílope, o búfalo e o gamo.
6 Todo animal que tem unhas fendidas, que tem a unha dividida em duas, que rumina, esse comereis.
7 Todavia, dos que somente ruminam, ou que têm a unha fendida, estes não comereis: o camelo, a lebre, o coelho, porque ruminam, mas não têm a unha fendida, são imundos para vós.
8 O porco, que tem a unha fendida, mas não rumina, será imundo para vós. Destes não comereis a carne e não tocareis no seu cadáver.
9 Dos animais que vivem na água, podereis comer todos os que têm barbatanas e escamas.
10 Tudo, porém, que não tiver barbatanas nem escamas não comereis; será imundo para vós.
11 Toda ave limpa comereis.
12 Estas, porém, são as que não comereis: a águia, o urubu, a águia marinha,
13 o açor, o falcão, o milhano de qualquer espécie,
14 todo corvo segundo a sua espécie,
15 o avestruz, a coruja, a gaivota, o gavião de qualquer espécie,
16 o mocho, o corvo marinho, o corujão,
17 a gralha, o pelicano, o abutre,
18 a cegonha, a garça de qualquer espécie, a poupa e o morcego.
19 Também todo inseto que voa vos será imundo; não se comerá.
20 Toda ave limpa comereis.
21 Não comereis nenhum animal que morreu de causas naturais. Podereis dá-lo ao estrangeiro, que mora nas vossas cidades, ou vendê-lo ao estranho. Mas vós sois povo santo ao Senhor, o vosso Deus. Não cozinhareis um cabrito no leite da sua mãe.

### Os dízimos

22 Certamente darás os dízimos de todo o fruto das tuas sementes, que cada ano se recolher do campo.
23 Perante o Senhor, o teu Deus, no lugar que ele escolher para ali fazer habitar o seu nome, comereis os dízimos do teu cereal, do teu vinho e do teu azeite e os primogênitos das tuas vacas e das tuas ovelhas, para que aprendas a temer ao Senhor, o teu Deus, todos os dias.
24 Se o caminho, porém, for longo demais, de modo que não os possas levar, por estar longe de ti o lugar que o Senhor, o teu Deus,

escolher para ali pôr o seu nome, quando ele tiver te abençoado, **25** então vende-os e leva o dinheiro na tua mão, e vai ao lugar que o Senhor, o teu Deus, escolher. **26** Com esse dinheiro comprarás tudo o que desejares: vacas, ou ovelhas, ou vinho, ou bebida forte, ou qualquer outra coisa que desejares. Come-o ali perante o Senhor, o teu Deus, e alegra-te, tu e a tua família.
**27** E não desampararás ao levita que está na tua cidade, pois ele não tem parte nem herança contigo. **28** Ao fim de cada três anos porás de lado todos os dízimos da colheita do terceiro ano e os recolherás na tua cidade, **29** para que, vindo o levita, que não tem parte nem herança contigo, o estrangeiro, o órfão e a viúva, que estiverem em tua cidade, comam e se fartem, e assim o Senhor, o teu Deus, te abençoe em todas as obras que as tuas mãos fizerem.

### O ano do perdão

**15** Ao fim de cada sete anos, as dívidas deverão ser perdoadas. **2** Essa prática deverá ser feita assim: todo credor, que emprestou ao seu próximo alguma coisa, perdoará o empréstimo; não exigirá nada do seu próximo ou do seu irmão, uma vez proclamado o ano do Senhor para perdão das dívidas. **3** Do estrangeiro poderás exigir pagamento, mas o que tiveres em poder de teu irmão a tua mão o quitará, **4** para que em teu meio não haja pobre, pois o Senhor abundantemente te abençoará na terra que o Senhor, o teu Deus, te dará por herança, para possuí-la, **5** se apenas ouvires diligentemente a voz do Senhor, o teu Deus, para cuidares em cumprir todos estes mandamentos que hoje te ordeno. **6** Pois o Senhor, o teu Deus, te abençoará, como te prometeu; assim, emprestarás a muitas nações, mas não tomarás empréstimos. Dominarás sobre muitas nações, mas elas não dominarão sobre ti.
**7** Quando no meio de ti houver algum pobre, entre teus irmãos, em qualquer das tuas cidades, na terra que o Senhor, o teu Deus, te dá, não endurecerás o teu coração nem fecharás a tua mão a teu irmão pobre. **8** Antes lhe abrirás de todo a tua mão e livremente lhe emprestarás o bastante para a sua necessidade. **9** Guarda-te; que não haja pensamento ímpio no teu coração e venhas a dizer: Aproxima-se o sétimo ano, o ano do perdão das dívidas, e que o teu olho não seja maligno para com teu irmão pobre, não lhe dando nada; e que ele clame contra ti ao Senhor, e haja pecado em ti. **10** Livremente lhe darás; não seja maligno o teu coração quando lhe deres; pois, por isso, te abençoará o Senhor, o teu Deus, em toda a tua obra e em tudo o que puseres a mão. **11** Nunca deixará de haver pobres na terra. Portanto eu te ordeno: Livremente abrirás a tua mão para o teu irmão, para o teu necessitado e para o teu pobre na tua terra.

### A libertação dos escravos

**12** Quando teu irmão hebreu ou irmã hebreia se vender a ti, seis anos te servirá, mas no sétimo ano lhe darás a liberdade.

13 E, quando lhe deres a liberdade, não o despedirás de mãos vazias.

14 Liberalmente lhe fornecerás do teu rebanho, da tua eira e do teu lagar; daquilo com que o Senhor, o teu Deus, te tiver abençoado lhe darás.

15 Lembra-te de que foste servo na terra do Egito e de que o Senhor, o teu Deus, te resgatou. É por isso que te ordeno hoje este mandamento.

16 Se, porém, ele te disser: Não quero deixar-te, porque ama a ti e a tua família e se sente bem contigo,

17 então pegarás um furador, e lhe furarás a orelha contra a porta, e será para sempre teu escravo. Procederás do mesmo modo com a tua escrava.

18 Não seja difícil para ti ter de libertá-lo, pois seis anos te serviu pela metade do que se paga a um assalariado. Assim o Senhor, o teu Deus, te abençoará em tudo o que fizeres.

### O primogênito dos animais

19 Todo primogênito macho que nascer das tuas vacas e das tuas ovelhas consagrarás ao Senhor, o teu Deus. Com o primogênito da vaca não trabalharás nem tosquiarás o primogênito das ovelhas.

20 Perante o Senhor, o teu Deus, os comerás de ano em ano, no lugar que o Senhor escolher, tu e a tua família.

21 Se, porém, tiver qualquer defeito, se for coxo, ou cego, ou tiver qualquer outra deformidade, não o oferecerás em sacrifício ao Senhor, o teu Deus.

22 Nas tuas cidades o comerás. O imundo e o limpo igualmente o comerão, como se come a corça ou o veado.

23 Não comerás, porém, o sangue; sobre a terra o derramarás como água.

### A Páscoa

16 Guarda o mês de abibe e celebra a Páscoa ao Senhor, o teu Deus, porque no mês de abibe ele te tirou do Egito, de noite.

2 Sacrificarás ao Senhor, o teu Deus, como oferta de Páscoa, ovelhas e vacas, no lugar que o Senhor escolher para ali fazer habitar o seu nome.

3 Nela não comerás pão levedado; sete dias nela comerás pães sem fermento, pão de aflição (porque apressadamente saíste do Egito), para que te lembres todos os dias da tua vida do dia da tua saída do Egito.

4 Fermento não se achará contigo durante sete dias em todo o teu território; também da vítima que matares à tarde do primeiro dia, nada ficará para a manhã seguinte.

5 Não poderás sacrificar a Páscoa em nenhuma das tuas cidades que te dá o Senhor, o teu Deus,

6 senão no lugar que o Senhor, o teu Deus, escolher para fazer habitar o seu nome. Ali sacrificarás a Páscoa à tarde, ao pôr do sol, hora da tua saída do Egito.

7 Assarás a carne do animal e a comerás no lugar que o Senhor, o teu Deus, escolher. Então, na manhã seguinte, voltarás às tuas tendas.

8 Durante seis dias comerás pães sem fermento, e, no sétimo dia, haverá solenidade ao Senhor, o teu Deus; nenhum trabalho farás.

### A festa das semanas

9 Contarás sete semanas. No dia em que começares a colheita,

começarás a contar as sete semanas.

10 Celebrarás, então, a festa das semanas ao Senhor, o teu Deus, com ofertas voluntárias da tua mão, que darás segundo as bênçãos que o Senhor, o teu Deus, te tiver concedido.

11 E te alegrarás perante o Senhor, o teu Deus, tu, teu filho, tua filha, teu servo, tua serva, o levita que está na tua cidade, o estrangeiro, o órfão, a viúva, que vivem contigo, no lugar que o Senhor, o teu Deus, escolher para ali fazer habitar o seu nome.

12 Lembra-te de que foste escravo no Egito e cumpre fielmente estes estatutos.

### A festa dos tabernáculos

13 Celebrarás a festa dos tabernáculos durante sete dias, quando houveres recolhido os produtos da eira e do tanque de prensar uvas.

14 Tu te alegrarás na festa; tu, teu filho, tua filha, teu escravo, tua escrava, o levita, o estrangeiro, o órfão e a viúva que habitam em tua cidade.

15 Durante sete dias celebrarás a festa ao Senhor, o teu Deus, no lugar que o Senhor escolher. Pois o Senhor, o teu Deus, há de abençoar-te em toda a tua colheita e em toda a obra das tuas mãos, e a tua alegria será completa.

16 Três vezes no ano, todos os teus homens aparecerão perante o Senhor, o teu Deus, no lugar que escolher: na festa dos pães sem fermento, na festa das semanas e na festa dos tabernáculos. Ninguém aparecerá de mãos vazias perante o Senhor.

17 Cada um dará segundo as suas posses, segundo a bênção que o Senhor, o seu Deus, lhe houver concedido.

### A administração da justiça

18 Constituirás juízes e oficiais em todas as cidades que o Senhor, o teu Deus, te der entre as tuas tribos, para que julguem o povo com reto juízo.

19 Não torcerás a justiça nem farás acepção de pessoas. Não tomarás subornos, pois o suborno cega os olhos dos sábios e perverte as palavras dos justos.

20 Segue a justiça, e só a justiça, para que vivas e possuas a terra que o Senhor, o teu Deus, te dá.

21 Não estabelecerás um poste sagrado junto ao altar que levantares para o Senhor, o teu Deus,

22 nem levantarás para ti estátuas; coisas que o Senhor, o teu Deus, detesta.

### A punição da idolatria

**17** Não sacrificarás ao Senhor, o teu Deus, bois ou ovelhas que tenham defeito ou qualquer deformidade, pois isso é abominação para ele.

2 Quando no teu meio, em alguma das cidades que o Senhor, o teu Deus, te dá, se achar um homem ou uma mulher que pratique o que desagrada ao Senhor, o teu Deus, violando a sua aliança,

3 servindo a outros deuses e prostrando-se diante deles, ou do sol, ou da lua, ou de qualquer astro do céu, coisas que não ordenei,

4 logo que te for denunciado, investigarás bem. Se de fato for verdade que se cometeu tal abominação em Israel,

5 então levarás o homem ou a mulher que fez esse malefício às portas da tua cidade e os apedrejarás até que morram.

6 Sob o depoimento de duas ou três testemunhas será morto o que houver de morrer, mas pelo depoimento de uma só testemunha não será condenado à morte. 7 As mãos das testemunhas serão as primeiras a levantar-se contra ele, para matá-lo, e depois as mãos de todo o povo. Assim extirparás o mal do meio de ti.

### O tribunal supremo

8 Quando alguma causa te for difícil demais para julgar, tal como: homicídio, demanda, lesão física ou outras questões de litígio em tuas cidades, então te levantarás e subirás ao lugar que o Senhor, o teu Deus, escolher. 9 Virás aos sacerdotes levitas e ao juiz que houver nesses dias e os consultarás; e eles te anunciarão a sentença do julgamento. 10 Farás segundo a sentença que anunciarem no lugar que o Senhor houver escolhido e cuidarás de fazer conforme tudo o que te ensinarem. 11 Conforme a sentença da lei que te ensinarem e o juízo que te disserem, farás. Da sentença que te anunciarem não te desviarás, nem para a direita nem para a esquerda. 12 O homem que proceder soberbamente, não dando ouvidos nem ao sacerdote que está ali para servir ao Senhor, o teu Deus, nem ao juiz, o tal homem será morto. Assim eliminarás o mal de Israel, 13 a fim de que todo o povo o ouça e tema, e nunca mais se ensoberbeça.

### Os deveres do rei

14 Quando entrares na terra que o Senhor, o teu Deus, te dá, e a possuíres, e nela habitares, e disseres: Porei sobre mim um rei, como todas as nações que me cercam, 15 estabelecerás sobre ti o rei que o Senhor, o teu Deus, escolher, entre os teus irmãos. Não poderás estabelecer como rei um estrangeiro, que não seja teu irmão. 16 Ele, porém, não adquirirá para si grande número de cavalos nem fará o povo voltar ao Egito, para adquirir mais cavalos, pois o Senhor vos disse: Nunca mais voltareis por este caminho. 17 Tampouco adquirirá para si mulheres em grande número, para que o seu coração não se desvie. Não acumulará para si grande quantidade de prata ou de ouro. 18 Quando se assentar no trono do seu reino, escreverá para si num livro uma cópia desta lei, que está diante dos sacerdotes levitas. 19 Conservará a cópia consigo e a lerá todos os dias da sua vida, para que aprenda a temer ao Senhor, o seu Deus, e a guardar todas as palavras desta lei e estes estatutos, para os cumprir. 20 Isso fará para que o seu coração não se eleve sobre os seus irmãos, e não se aparte do mandamento, nem para a direita nem para a esquerda, de sorte que prolongue os dias no seu reino, ele e seus filhos no meio de Israel.

### Os direitos dos sacerdotes e dos levitas

18 Os sacerdotes levitas e toda a tribo de Levi não terão parte nem herança em Israel; viverão das ofertas queimadas ao Senhor e daquilo que lhes é devido. 2 Eles não terão herança entre seus irmãos; o Senhor é a sua herança, como lhes tem dito.

3 Este será o direito dos sacerdotes sobre o povo, sobre os que oferecem sacrifício, seja boi seja ovelha: darão a eles o ombro, as queixadas e o estômago.
4 A eles darás também as primícias do cereal, do vinho e do azeite, e a primeira lã da tosquia das ovelhas,
5 pois foi a eles e a seus filhos que o Senhor, o teu Deus, escolheu dentre todas as tuas tribos, para exercer o ministério no nome do Senhor, todos os dias.
6 Quando um levita sair de qualquer cidade de Israel, onde habita, e vier com todo o desejo da sua alma ao lugar que o Senhor escolheu,
7 a fim de ministrar no nome do Senhor, o seu Deus, como todos os seus irmãos levitas que ali se encontrarem diante do Senhor,
8 poderá comer uma porção igual à dos outros, além das vendas do seu patrimônio.

### As abominações das nações

9 Quando tiveres entrado na terra que o Senhor, o teu Deus, te dá, não imitarás as abominações dessas nações.
10 Não haja no teu meio quem queime seu filho ou sua filha, nem adivinhador, nem prognosticador, nem agoureiro, nem feiticeiro,
11 nem encantador, nem necromante, nem mágico, nem quem consulte os mortos.
12 O Senhor abomina todo aquele que faz essas coisas. É por causa dessas abominações que o Senhor, o teu Deus, expulsa essas nações de diante de ti.
13 Serás perfeito diante do Senhor, o teu Deus.
14 As nações, que hás de possuir, dão ouvidos a agoureiros e a adivinhos. Mas a ti o Senhor, o teu Deus, não permite tal prática.

### O grande profeta

15 O Senhor, o teu Deus, te levantará um profeta como eu do meio de teus irmãos. A ele ouvirás.
16 Foi o que pediste ao Senhor, o teu Deus, em Horebe, no dia da assembleia, dizendo: Não ouvirei mais a voz do Senhor, o meu Deus, nem mais verei este grande fogo, para que não morra.
17 Então o Senhor me disse: Falaram bem no que disseram.
18 Eu lhes levantarei um profeta do meio de seus irmãos, semelhante a ti; porei as minhas palavras na sua boca, e ele lhes falará tudo o que eu lhe ordenar.
19 Eu mesmo pedirei contas de todo aquele que não ouvir as minhas palavras, que ele falar em meu nome.
20 O profeta, porém, que ousar falar em meu nome alguma palavra que eu não lhe tenho mandado falar, ou o que falar em nome de outros deuses, o tal profeta será morto.
21 Se disseres no teu coração: Como conheceremos a palavra que não procede do Senhor?
22 Quando o tal profeta falar em nome do Senhor, e o que disse não acontecer nem se realizar, essa palavra não procede do Senhor. Com soberba a falou o tal profeta. Não tenhas temor dele.

### As cidades de refúgio

19 Quando o Senhor, o teu Deus, expulsar as nações cuja terra te dá, e tirar delas tudo o que têm, e morares nas suas cidades e nas suas casas,

2 três cidades reservarás na terra que o Senhor, o teu Deus, te dá para a possuíres.
3 Construirás caminhos para elas e dividirás em três partes o território que o Senhor, o teu Deus, te dá em herança, para que nelas se acolha todo homicida.
4 São estes os casos em que o homicida, ao se acolher nelas, terá a vida salva: aquele que sem o querer ferir o seu próximo, sem ódio premeditado.
5 Por exemplo, aquele que com o seu próximo entrar no bosque para cortar lenha e, no momento de levantar o machado para cortar a árvore, o ferro se separar do cabo e atingir o seu próximo, e este morrer, o tal fugirá para uma dessas cidades, e viverá.
6 De outra forma, o vingador do sangue, enfurecido, perseguiria o homicida e, alcançando-o, por ser longo o caminho, lhe tiraria a vida, não sendo ele culpado de morte, pois não o odiava antes.
7 Portanto te ordeno: Três cidades separarás.
8 Se o Senhor, o teu Deus, ampliar as tuas fronteiras, como jurou a teus pais, e te der toda a terra que a teus pais jurou dar-te
9 — desde que guardes todos estes mandamentos que hoje te ordeno, para cumpri-los, amando o Senhor, o teu Deus, e andando nos seus caminhos todos os dias —, então acrescentarás outras três cidades além destas três,
10 para que não se derrame o sangue inocente no meio da terra que o Senhor, o teu Deus, te dá por herança, e sejas culpado de derramamento de sangue.
11 Se, contudo, alguém, por ódio ao seu próximo, lhe armar ciladas, levantar-se contra ele, o ferir mortalmente, de modo que morra, e se acolher a alguma destas cidades,
12 os anciãos da cidade mandarão prendê-lo e o entregarão nas mãos do vingador do sangue, para que morra.
13 Não terás piedade dele. Antes eliminarás de Israel o derramamento de sangue inocente, para que te vá bem.
14 Não mudes os marcos do teu próximo, que teus antepassados fixaram na tua herança, na terra que o Senhor, o teu Deus, te dá para a possuíres.

### As testemunhas

15 Uma só testemunha não será suficiente contra uma pessoa, seja qual for o seu delito, ou o seu pecado. Só pelo depoimento de duas ou três testemunhas se estabelecerá o fato.
16 Quando se levantar uma testemunha falsa contra uma pessoa, acusando-a de algum delito,
17 então, as duas pessoas que tiverem a demanda se apresentarão perante o Senhor, diante dos sacerdotes e juízes em exercício naqueles dias.
18 Se os juízes, depois de cuidadosa investigação, constatarem que a testemunha é falsa, que levantou falso testemunho contra seu irmão,
19 farás com ela o que pretendia fazer a seu irmão. Assim eliminarás o mal do meio de ti,
20 para que os que ficarem o ouçam e temam, e nunca mais tornem a fazer tal mal no meio de ti.
21 Não terás piedade dela: vida por vida, olho por olho, dente por dente, mão por mão, pé por pé.

# Deuteronômio 20

### A mobilização para a guerra

**20** Quando saíres à batalha contra teus inimigos e vires cavalos, carros e exército mais poderoso do que o teu, não os temerás, porque o Senhor, o teu Deus, que te tirou da terra do Egito, está contigo.

**2** Quando vos achegardes ao combate, o sacerdote virá à frente e falará ao povo,

**3** dizendo: Ouve, ó Israel, hoje vos achegais ao combate contra os vossos inimigos. Que não desanime o vosso coração; não temais, nem trebais, nem vos aterrorizeis diante deles,

**4** pois o Senhor, o vosso Deus, é quem vai convosco a combater contra os vossos inimigos, para salvar-vos.

**5** Então os oficiais dirão ao povo: Qual é o homem que construiu uma casa nova e ainda não a inaugurou? Volte para a sua casa, para que não morra no combate e outro homem a receba.

**6** Qual é o homem que plantou uma vinha e ainda não desfrutou dela? Volte para a sua casa, para que não morra no combate e outro desfrute dela em seu lugar.

**7** Qual é o homem que prometeu casamento a alguma mulher e ainda não a recebeu? Volte para a sua casa, para que não morra no combate e outro homem a receba.

**8** Os oficiais continuarão a dizer ao povo: Qual é o homem medroso e de coração covarde? Volte para a sua casa, para que o coração de seus irmãos não se desanime como o seu coração.

**9** Quando os oficiais acabarem de falar ao povo, os comandantes dos exércitos se colocarão à frente do povo.

**10** Ao marchar contra alguma cidade para combater contra ela, proponha-lhe antes a paz.

**11** Se a sua resposta é de paz, e te abrir as portas, todo o seu povo será sujeito a trabalhos forçados e te servirá.

**12** Se ela recusar a paz e preferir a guerra, então a sitiarás.

**13** Quando o Senhor, o teu Deus, a entregar nas tuas mãos, matarás todos os homens à espada.

**14** Quanto às mulheres, às crianças, aos animais e a tudo o que houver na cidade, todo o seu despojo, tomarás para ti. E comerás o despojo dos teus inimigos, que o Senhor, o teu Deus, te dá.

**15** Assim farás a todas as cidades mais afastadas, que não pertencerem às cidades destes povos.

**16** Das cidades destas nações que o Senhor, o teu Deus, te dá em herança, porém, nada que respire deixarás com vida.

**17** Antes, as destruirás totalmente: os heteus, os amorreus, os cananeus, os ferezeus, os heveus, os jebuseus, como o Senhor, o teu Deus, te mandou,

**18** para que não vos ensinem a imitar as abominações que fazem em honra a seus deuses, e venhais a pecar contra o Senhor, o vosso Deus.

**19** Quando sitiares uma cidade por muitos dias, combatendo contra ela para a tomar, não destruas as suas árvores, cortando-as com o machado, porque do seu fruto comerás. Não as cortarás. São as árvores do campo pessoas para que sejam sitiadas por ti?

**20** Somente as árvores que souberes não serem frutíferas poderás destruir e cortar, a fim de edificares baluartes contra a cidade que

## Morte cujo autor é desconhecido

**21** Quando, na terra que o Senhor te der em posse, se achar no campo alguém morto, sem que se saiba quem o matou, **2** os anciãos e os juízes sairão e medirão a distância até as cidades que estiverem em redor do morto. **3** Os anciãos da cidade mais próxima do morto tomarão uma bezerra da manada que não tenha trabalhado nem tenha puxado na canga **4** e a trarão a um vale de águas correntes que nunca tenha sido cultivado nem semeado. Ali, nesse vale, lhe quebrarão a nuca. **5** Depois, os sacerdotes, filhos de Levi, se aproximarão, pois o Senhor, o teu Deus, os escolheu para o servirem e para abençoarem em seu nome e, por sua palavra, decidirem toda demanda e todo dano, **6** e todos os anciãos da cidade mais próxima ao morto lavarão as suas mãos sobre a bezerra cuja nuca foi quebrada no vale **7** e dirão: As nossas mãos não derramaram este sangue, e os nossos olhos não o viram. **8** Sê favorável ao teu povo Israel, que tu, ó Senhor, resgataste, e não ponhas a culpa do sangue inocente no meio do teu povo Israel. E aquele sangue lhes será expiado. **9** Assim eliminarás do meio de ti a culpa do sangue inocente e farás o que é justo aos olhos do Senhor.

## O casamento com cativas de guerra

**10** Quando fores à guerra contra os teus inimigos, e o Senhor, o teu Deus, os entregar nas tuas mãos, e os fizeres prisioneiros, **11** e vires entre eles uma mulher formosa, da qual te afeiçoes e a queiras tomar por esposa, **12** então a trarás para a tua casa. Ela rapará a cabeça, cortará as unhas, **13** despirá o vestido do seu cativeiro, permanecerá em tua casa e chorará a seu pai e a sua mãe um mês inteiro. Depois disso a tomarás; tu serás seu marido, e ela será tua mulher. **14** Se ela cessar de te agradar, a deixarás partir livre, mas não a poderás vender nem maltratar, pois foi tua mulher.

## O direito do primogênito

**15** Se um homem tiver duas mulheres, uma a quem ama e outra a quem não ama, e ambas lhe derem filhos, e o primogênito for filho da desprezada, **16** no dia em que repartir os bens entre seus filhos, não poderá dar o direito de primogenitura ao filho da amada, preferindo-o ao filho da desprezada, que é o primogênito. **17** Reconhecerá, porém, por primogênito o filho da mulher não amada, dando-lhe porção dobrada dos bens. Esse filho é o primeiro fruto do seu vigor; a ele pertence o direito de primogenitura.

## Os filhos desobedientes

**18** Se alguém tiver um filho obstinado e rebelde, que não obedece à voz do pai nem da mãe e, embora o castiguem, não lhes dê ouvidos, **19** seu pai e sua mãe o tomarão e o levarão aos líderes da sua cidade, à sua porta, **20** e lhes dirão: Este nosso filho é rebelde e obstinado, não dá ouvidos à nossa voz. É dissoluto e beberrão.

**21** Então, todos os homens da sua cidade o apedrejarão, até que morra. Assim extirparás o mal do meio de ti e, ao sabê-lo, todo o Israel temerá.

### Os cadáveres dos supliciados

**22** Quando alguém tiver cometido um crime que mereça a morte, e, condenado, for suspenso num madeiro, **23** o seu cadáver não permanecerá no madeiro durante a noite. Certamente o enterrarás no mesmo dia, porque o que for pendurado é maldito de Deus. Assim não contaminarás a terra que o Senhor, o teu Deus, te dá em herança.

### A prática da caridade

**22** Vendo extraviado o boi ou a ovelha de teu irmão, não te desviarás deles, mas os restituirás sem falta a teu irmão. **2** Se teu irmão não estiver perto de ti, ou não o conheceres, tu os recolherás na tua casa, para que fiquem contigo até que teu irmão os busque, e tu lhe restituas. **3** O mesmo farás com o jumento, com o manto e com qualquer outra coisa perdida pelo teu irmão, que tu achares. Não poderás ignorá-las. **4** Se vires o jumento ou o boi, que pertencem a teu irmão, caídos no caminho, deles não te desviarás, mas sem falta os levantarás.

### Leis diversas

**5** A mulher não usará roupa de homem, e o homem não usará roupa de mulher, pois quem faz tal coisa é abominável ao Senhor, o teu Deus.
**6** Se encontrares no caminho um ninho de ave, numa árvore ou no chão, com passarinhos, ou ovos, e a mãe posta sobre os passarinhos, ou sobre os ovos, não tomarás a mãe com os filhos. **7** Deixarás ir livremente a mãe, e os filhos tomarás para ti, para que te vá bem e prolongues os teus dias.
**8** Quando construíres uma casa nova, farás um parapeito ao redor do terraço, para que não tragas sangue sobre a tua casa, se alguém cair dela.
**9** Não plantes dois tipos de semente na tua vinha com duas espécies de semente, para que não degenere o fruto da semente que semeaste nem o produto da vinha.
**10** Não lavrarás com boi e jumento no mesmo jugo.
**11** Não usarás roupa de lã e linho tecidos no mesmo jugo.
**12** Farás borlas nas quatro bordas do manto com que te cobrires.

### Leis sobre o casamento

**13** Se um homem casar-se e, depois de unir-se com sua mulher, a desprezar **14** e acusar de delitos vergonhosos, e difamá-la, dizendo: Tomei esta mulher e me cheguei a ela, mas não a achei virgem, **15** os pais da moça tomarão as provas da virgindade dela e as levarão aos líderes da cidade, à porta. **16** O pai da moça dirá aos anciãos: Dei minha filha por mulher a este homem, mas ele a desprezou **17** e lhe acusou de delitos vergonhosos, dizendo: Não achei tua filha virgem. Mas aqui estão os sinais da virgindade de minha filha. Então os pais estenderão a roupa dela diante dos líderes da cidade, **18** os quais tomarão aquele homem, e o castigarão.

**19** Eles o condenarão em cem siclos de prata e o entregarão ao pai da moça, porque difamou uma virgem de Israel. Ela continuará a ser sua mulher, e ele não poderá mandá-la embora enquanto viver.
**20** Se, porém, a acusação for verdadeira, e não se provar a virgindade da moça,
**21** esta será conduzida à entrada da casa de seu pai, e os homens da sua cidade a apedrejarão, até que morra. Ela cometeu loucura em Israel, prostituindo-se na casa de seu pai. Assim extirparás o mal do meio de ti.
**22** Se um homem for achado deitado com uma mulher casada, ambos serão mortos, o homem que se deitou com a mulher, e a mulher. Assim extirparás o mal de Israel.
**23** Se um homem encontrar na cidade uma moça ainda virgem, noiva de algum homem, e se deitar com ela,
**24** trareis ambos à entrada daquela cidade e os apedrejareis, até que morram; a moça, por não ter gritado, estando na cidade, e o homem por haver abusado da noiva de seu próximo. Assim extirparás o mal do meio de ti.
**25** Se, porém, algum homem achar no campo uma moça noiva e a forçar, e se deitar com ela, somente será morto o homem que se deitou com ela.
**26** À moça nada farás; ela não tem culpa de morte, pois o caso se assemelha a um homem que se levanta contra o seu próximo e o mata,
**27** pois ele a achou no campo, e a moça gritou, mas não houve quem a livrasse.
**28** Se um homem achar uma moça virgem, que não esteja noiva, e, forçando-a deitar-se com ela, forem apanhados,
**29** então o homem que se deitou com ela dará ao pai da moça cinquenta siclos de prata. Ela lhe será por mulher, pois a humilhou. Não poderá despedi-la enquanto ela viver.
**30** Nenhum homem tomará a mulher de seu pai, pois isso o desonraria.

### A exclusão da assembleia

**23** Ninguém que se tenha tornado eunuco, por acidente ou por mutilação, entrará na assembleia do Senhor.
**2** Nenhum bastardo entrará na assembleia do Senhor; nem ainda a sua décima geração poderá ser ali admitida.
**3** Nenhum amonita nem moabita entrarão na assembleia do Senhor; nem ainda na décima geração, nunca poderão entrar na assembleia do Senhor,
**4** pois não foram ao vosso encontro com pão e água, no caminho, quando saístes do Egito e, além disso, subornaram contra ti a Balaão, filho de Beor, de Petor, da Mesopotâmia, para te amaldiçoar.
**5** O Senhor, o teu Deus, porém, não quis ouvir Balaão, antes trocou em bênção a maldição, porque o Senhor, o teu Deus, te ama.
**6** Não procurarás paz ou amizade com eles enquanto viveres.
**7** Não abominarás o edomita, pois é teu irmão. Não abominarás o egípcio, pois foste estrangeiro em sua terra.
**8** Os filhos que lhes nascerem poderão ser admitidos na assembleia do Senhor a partir da terceira geração.

# Deuteronômio 24

## A limpeza do acampamento

**9** Quando saíres para guerrear contra os teus inimigos, evita toda impureza.
**10** Se houver nas tuas fileiras alguém que por motivo de poluição noturna não estiver limpo, sairá para fora do acampamento; não permanecerá nele.
**11** Ao cair da tarde, porém, se lavará com água, e, em se pondo o sol, entrará no acampamento.
**12** Também terás um lugar fora do acampamento para as tuas necessidades.
**13** Entre as tuas armas terás alguma coisa com que cavar, e, quando defecares, cavarás e cobrirás os teus excrementos.
**14** Pois o Senhor, o teu Deus, anda no meio do teu acampamento, para te proteger e para entregar-te os teus inimigos. O teu acampamento será santo, para que ele não veja em ti coisa indecente e se afaste de ti.

## Leis diversas

**15** Não entregarás ao seu senhor o escravo fugitivo que se acolher a ti.
**16** Contigo ficará, no meio de ti, no lugar que escolher em uma das tuas cidades, onde lhe agradar. Não o oprimirás.
**17** Não haverá entre os israelitas homem ou mulher que se entregue à prostituição cultual.
**18** Não trarás salário de prostituição, nem de homem nem de mulher, à casa do Senhor, o teu Deus, em pagamento de algum voto, *porque a ambos ele abomina*.
**19** De teu irmão não exigirás juro algum, quer se trate de dinheiro, quer se trate de víveres, ou de qualquer coisa que se empresta a juros.
**20** Ao estranho poderás emprestar com juros, mas não ao teu irmão, para que o Senhor, o teu Deus, te abençoe em tudo o que puseres a tua mão, na terra que passas a possuir.
**21** Quando fizeres algum voto ao Senhor, o teu Deus, não tardarás em cumpri-lo, pois o Senhor, o teu Deus, certamente o requererá de ti, e em ti haverá pecado.
**22** Se, porém, não votares, não haverá pecado em ti.
**23** Tudo o que proferiram os teus lábios, isso guardarás, e o farás, porque fizeste teu voto livremente ao Senhor, o teu Deus, com a tua própria boca.
**24** Quando entrares na vinha do teu próximo, poderás comer uvas até te fartares, mas não as levarás no cesto.
**25** Quando entrares na plantação do teu próximo, com a tua mão poderás colher espigas, mas não usarás a foice na plantação do teu próximo.

## O divórcio

**24** Se um homem tomar uma mulher, casar-se com ela, e esta depois deixar de lhe agradar por ter ele achado nela qualquer coisa indecente, este lhe escreverá uma carta de divórcio e a dará na mão, despedindo-a da sua casa.
**2** Se, uma vez saída da casa dele, for e se casar com outro homem,
**3** e este também a rejeitar e, escrevendo-lhe uma carta de divórcio, a der na mão e a despedir da sua casa; ou, se este último homem, que a tomou para si por mulher, vier a morrer,
**4** então o seu primeiro marido, que a despedira, não poderá tornar

a tomá-la para que seja sua mulher, porque ficou contaminada. Isso é abominação aos olhos do Senhor. Não farás pecar a terra que o Senhor, o teu Deus, te dá por herança.

### Leis diversas

**5** Um homem recém-casado não sairá à guerra; nenhum encargo lhe será imposto. Por um ano ficará livre na sua casa, para alegrar a sua mulher, com quem casou.
**6** Não tomarás em penhor as duas pedras do moinho, nem mesmo a pedra de cima, pois se penhoraria assim a vida.
**7** Se for descoberto alguém que tenha raptado um dos seus irmãos israelitas e o tenha feito escravo, ou vendido, esse sequestrador será morto. Assim extirparás o mal do meio de ti.
**8** Guarda-te da praga da lepra e tem grande cuidado de seguir fielmente tudo o que te ensinarem os sacerdotes levitas. Como lhes tenho ordenado, terás cuidado de o fazer.
**9** Lembra-te do que o Senhor, o teu Deus, fez a Miriã no caminho, quando saíste do Egito.
**10** Se emprestares alguma coisa a teu próximo, não lhe invadirás a casa para te garantires com algum penhor.
**11** Ficarás do lado de fora, e o homem, *a quem emprestaste*, te trará fora o penhor.
**12** Se ele, porém, for pobre, não te deitarás com o seu penhor.
**13** Em se pondo o sol, lhe restituirás sem falta o penhor, para que possa deitar-se no seu manto. Então ele te abençoará, e isso será para ti justiça diante do Senhor, o teu Deus.
**14** Não explorarás o assalariado pobre e necessitado, seja ele teu irmão, seja ele estrangeiro que mora na tua terra e nas tuas cidades.
**15** No mesmo dia, pagarás a ele o seu salário, antes que o sol se ponha sobre a dívida, pois ele é pobre, e disso depende a sua vida; para que não clame contra ti ao Senhor, e haja em ti pecado.
**16** Os pais não serão mortos pela culpa dos filhos, nem os filhos pela culpa dos pais; cada qual morrerá pelo seu pecado.
**17** Não perverterás o direito do estrangeiro e do órfão, nem tomarás em penhor a roupa da viúva.
**18** Lembra-te de que foste escravo no Egito, de onde o Senhor te libertou, pelo que te ordeno proceder assim.
**19** Quando fizeres a colheita do teu campo e te esqueceres de algum feixe, não voltarás a tomá-lo. Ele ficará para o estrangeiro, para o órfão e para a viúva, para que o Senhor, o teu Deus, te abençoe em toda a obra das tuas mãos.
**20** Quando sacudires a tua oliveira, não voltarás a colher o que restou nos galhos; isso ficará para o estrangeiro, para o órfão e para a viúva.
**21** Quando colheres uvas, não voltarás para buscar o que ficou; o que ficar, será para o estrangeiro, para o órfão e para a viúva.
**22** Lembra-te de que foste escravo na terra do Egito. Por isso, eu te ordeno que faças isso.

### A pena de açoites

**25** Se entre dois homens houver contenda, e vierem a juízo para serem julgados, o inocente

será absolvido, e o culpado será condenado.
2 Se o culpado merecer a pena de açoites, o juiz fará que ele se deite e seja açoitado na sua presença, com o número de açoites, segundo a sua culpa;
3 mas não poderás dar-lhe mais de quarenta açoites. Se lhe fizer dar mais açoites do que estes, teu irmão ficará humilhado aos teus olhos.
4 Não amordaçarás a boca ao boi quando estiver debulhando.

### A lei do levirato

5 Quando dois irmãos morarem juntos, e um deles morrer sem deixar filho, a mulher do defunto não poderá casar-se com um homem estranho, de fora da família. Seu cunhado a tomará e a receberá por mulher, e exercerá para com ela a obrigação de cunhado.
6 O primogênito que ela tiver, usará o nome do irmão morto, para que o seu nome não se apague de Israel.
7 Se, porém, o homem não quiser tomar a sua cunhada, esta irá aos líderes da cidade no tribunal e dirá: Meu cunhado recusa-se a suscitar a seu irmão nome em Israel. Não quer exercer para comigo o dever de cunhado.
8 Então os líderes da sua cidade devem chamá-lo e falar-lhe. Se ele persistir e disser: Não quero tomá-la,
9 a sua cunhada se chegará a ele na presença dos líderes, e lhe descalçará a sandália do pé, e lhe cuspirá no rosto, e protestará, dizendo: Assim se fará ao homem que não quer edificar a família de seu irmão.
10 E sua casa será chamada em Israel de a casa do descalçado.

11 Se dois homens brigarem, um com o outro, e a mulher de um chegar para livrar a seu marido das mãos do que o fere, e estender a mão, e o pegar pelas partes íntimas,
12 tu lhe cortarás a mão. Não terás piedade dela.

### Pesos e medidas justos

13 Não terás dois pesos na tua bolsa, um grande e um pequeno.
14 Não terás duas medidas em tua casa, uma grande e uma pequena.
15 Terás somente pesos exatos e justos, e medidas exatas e justas, para que se prolonguem os teus dias na terra que o Senhor, o teu Deus, te dá.
16 Pois o Senhor, o teu Deus, abomina todo aquele que pratica tal injustiça.
17 Lembra-te do que te fez Amaleque no caminho, quando saíste do Egito,
18 como te surpreendeu no caminho e derrubou todos os fracos que seguiram atrás de ti, na retaguarda, estando tu cansado e afadigado; não temeu a Deus.
19 Quando o Senhor, o teu Deus, te tiver dado repouso de todos os teus inimigos em redor, na terra que ele te dará por herança, para que a possuas, então apagarás a memória de Amaleque de debaixo do céu. Não te esqueças.

### Os primeiros frutos da terra

**26** Quanto tiveres entrado na terra que o Senhor, o teu Deus, te dá por herança, e a possuíres, e nela habitares,
2 separarás das primícias de todos os frutos do solo, que colheres da terra que o Senhor, o teu Deus, te dá, as porás num cesto e irás ao lugar que o Senhor, o teu

Deus, escolher para ali fazer habitar o seu nome.

**3** E irás apresentar-te ao sacerdote em exercício e lhe dirás: Hoje declaro perante o Senhor, o teu Deus, que entrei na terra que o Senhor prometeu a nossos pais que nos daria.

**4** O sacerdote receberá o cesto da tua mão e o porá diante do altar do Senhor, o teu Deus.

**5** Então protestarás perante o Senhor, o teu Deus, e dirás: Arameu prestes a perecer foi meu pai, que desceu ao Egito e ali peregrinou com pouca gente. Mas cresceu até tornar-se nação grande, poderosa e numerosa.

**6** Os egípcios, porém, nos maltrataram e nos afligiram, impondo sobre nós dura escravidão.

**7** Mas nós clamamos ao Senhor, o Deus de nossos pais, e ele ouviu a nossa voz e atentou para a nossa miséria, para o nosso trabalho e para a nossa opressão,

**8** e nos tirou do Egito com mão forte, com braço estendido, com grande espanto, com sinais e com milagres.

**9** Ele nos trouxe a este lugar e nos deu esta terra, terra em que manam leite e mel;

**10** e agora trago as primícias dos frutos da terra que tu, ó Senhor, me deste. Então, as porás perante o Senhor, o teu Deus, e o adorarás.

**11** E te alegrarás por todo o bem que o Senhor, o teu Deus, tem dado a ti e à tua família, tu e o levita, e o estrangeiro que está no meio de ti.

**12** Quando acabares de separar todos os dízimos dos produtos do terceiro ano, que é o ano dos dízimos, então os darás ao levita, ao estrangeiro, ao órfão e à viúva, para que comam e se fartem nas tuas cidades.

**13** Dirás perante o Senhor, o teu Deus: Retirei de minha casa o que era consagrado e dei também ao levita, ao estrangeiro, ao órfão e à viúva, segundo todos os teus mandamentos que me tens ordenado. Não me desviei dos teus mandamentos nem deles me esqueci.

**14** Dos dízimos não comi no meu luto, e estando eu imundo deles nada tirei, e deles nada ofereci aos mortos. Obedeci à voz do Senhor meu Deus; segundo tudo o que me ordenaste, tenho feito.

**15** Olha desde a tua santa habitação, desde o céu, e abençoa o teu povo, a Israel, e a terra que nos deste, como juraste a nossos pais, terra em que manam leite e mel.

**16** Hoje o Senhor, o teu Deus, te manda cumprir estes estatutos e juízos; guarda-os e observa-os de todo o teu coração e de toda a tua alma.

**17** Hoje declaraste que o Senhor é o teu Deus e que andarás nos seus caminhos, guardarás os seus estatutos, os seus mandamentos, os seus juízos, e darás ouvidos à sua voz.

**18** E hoje o Senhor te declarou que serás para ele um povo particular, como te tem dito, e que guardarás todos os seus mandamentos.

**19** Para assim te exaltar em louvor, em fama e em honra sobre todas as nações que criou, e para que sejas povo santo ao Senhor, o teu Deus, como tem dito.

## O terceiro discurso de Moisés

**27** Moisés e os anciãos deram ordem ao povo de Israel, dizendo: Guardai todos estes mandamentos que eu hoje te ordeno.

**2** No dia em que passares o Jordão para a terra que o Senhor, o teu Deus, te dá, levantarás pedras grandes e as pintarás com cal.
**3** Escreverás nelas todas as palavras desta lei, para entrares na terra que te dá o Senhor, o teu Deus, terra em que manam leite e mel, como te disse o Senhor, Deus de teus pais.
**4** E, quando tiveres passado o Jordão, levantarás estas pedras, como hoje te ordeno, no monte Ebal, e as pintarás com cal.
**5** Edificarás um altar ao Senhor, o teu Deus, um altar de pedras. Não utilizarás ferramenta sobre elas.
**6** De pedras inteiras edificarás o altar do Senhor, o teu Deus, e nele oferecerás holocaustos ao Senhor, o teu Deus.
**7** Oferecerás sacrifícios de ofertas pacíficas e ali comerás perante o Senhor, o teu Deus, e te alegrarás.
**8** Nessas pedras escreverás todas as palavras desta lei, gravando-as com nitidez.
**9** Então Moisés, juntamente com os sacerdotes levitas, disseram a todo o Israel: Escuta e ouve, ó Israel! Hoje vieste a ser povo do Senhor, o teu Deus.
**10** Obedecerás à voz do Senhor, o teu Deus, e lhe cumprirás os mandamentos e os estatutos que hoje te ordeno.

### As doze maldições

**11** No mesmo dia, Moisés deu ordem ao povo, dizendo:
**12** Quando houveres passado o Jordão, estas são as tribos que estarão sobre o monte Gerizim para abençoar o povo: Simeão, Levi, Judá, Issacar, José e Benjamim.
**13** E estas são as tribos que estarão sobre o monte Ebal para amaldiçoar: Rúben, Gade, Aser, Zebulom, Dã e Naftali.
**14** Os levitas testificarão a todo o povo de Israel em alta voz e dirão:
**15** Maldito o homem que fizer imagem de escultura, ou de fundição, abominável ao Senhor, obra de artífice, e a puser em lugar oculto. E todo o povo, respondendo, dirá: Amém!
**16** Maldito aquele que desprezar seu pai ou sua mãe. E todo o povo dirá: Amém!
**17** Maldito aquele que remover os marcos do seu próximo. E todo o povo dirá: Amém!
**18** Maldito aquele que fizer o cego errar o caminho. E todo o povo dirá: Amém!
**19** Maldito aquele que perverter o direito do estrangeiro, do órfão e da viúva. E todo o povo dirá: Amém!
**20** Maldito aquele que se deitar com a mulher de seu pai, pois desonra assim o leito paterno. E todo o povo dirá: Amém!
**21** Maldito aquele que se deitar com algum animal. E todo o povo dirá: Amém!
**22** Maldito aquele que se deitar com sua irmã, filha de seu pai ou filha de sua mãe. E todo o povo dirá: Amém!
**23** Maldito aquele que se deitar com sua sogra. E todo o povo dirá: Amém!
**24** Maldito aquele que ferir o seu próximo em oculto. E todo o povo dirá: Amém!
**25** Maldito aquele que aceitar suborno para matar uma pessoa inocente. E todo o povo dirá: Amém!
**26** Maldito aquele que não confirmar as palavras desta lei, para as cumprir. E todo o povo dirá: Amém!

## As bênçãos

**28** Se atentamente obedeceres à voz do Senhor, o teu Deus, tendo o cuidado de guardar todos os seus mandamentos que hoje te ordeno, o Senhor, o teu Deus, te exaltará sobre todas as nações da terra.
2 Se ouvires a voz do Senhor, o teu Deus, todas estas bênçãos virão sobre ti, e te seguirão:
3 Bendito serás na cidade e bendito serás no campo.
4 Bendito o fruto do teu ventre, e o fruto da tua terra, e o fruto dos teus animais, e as crias das tuas vacas e das tuas ovelhas.
5 Bendito o teu cesto e a tua amassadeira.
6 Bendito serás ao entrares e bendito serás ao saíres.
7 O Senhor fará que sejam derrotados na tua presença os inimigos que se levantarem contra ti. Se por um caminho vierem contra ti, por sete caminhos fugirão à tua vista.
8 O Senhor mandará que a bênção esteja contigo nos celeiros e em todo empreendimento da tua mão. O Senhor, o teu Deus, te abençoará na terra que te dá.
9 O Senhor te confirmará como seu povo santo, como te tem jurado, contanto que guardes os seus mandamentos e andes nos seus caminhos.
10 Todos os povos da terra verão que és chamado pelo nome do Senhor e terão temor de ti.
11 O Senhor te dará abundância de bens no fruto do teu ventre, no fruto dos teus animais, no fruto do teu solo, na terra que o Senhor jurou a teus pais te dar.
12 O Senhor te abrirá o seu bom tesouro, o céu, para dar chuva à tua terra no seu tempo e para abençoar toda a obra das tuas mãos. Emprestarás a muitas nações, mas não tomarás emprestado.
13 O Senhor te porá por cabeça, não por cauda. Estarás por cima, não por baixo, se obedeceres aos mandamentos do Senhor, o teu Deus, que hoje te ordeno, para os guardar e cumprir.
14 Não te desvies, nem para a direita nem para a esquerda, de nenhum dos mandamentos que hoje te ordeno, seguindo outros deuses, para os servires.

## As maldições

15 Se, porém, não deres ouvidos à voz do Senhor, o teu Deus, se não cuidares em cumprir todos os seus mandamentos e estatutos que hoje te ordeno, então virão sobre ti todas estas maldições, e te atingirão:
16 Maldito serás na cidade e maldito serás no campo.
17 Maldito o teu cesto e a tua amassadeira.
18 Maldito o fruto do teu ventre, e o fruto da tua terra, e as crias das tuas vacas e das tuas ovelhas.
19 Maldito serás ao entrares e maldito serás ao saíres.
20 O Senhor te enviará a praga, a confusão e a ameaça em tudo o que empreenderes, até seres destruído e repentinamente pereceres por causa da maldade das tuas obras, pelas quais me deixaste.
21 O Senhor fará que a pestilência te pegue, até que te consuma a terra a que passas a possuir.
22 O Senhor te ferirá com a tuberculose e com a febre, com a inflamação, com o calor ardente, com a seca, com o crestamento e com a ferrugem; e isto te perseguirá até que pereças.

23 Os teus céus sobre a tua cabeça serão de bronze, a terra debaixo de ti será de ferro.
24 O Senhor transformará a chuva da tua terra em pó e areia, que descerão dos céus sobre ti, até que pereças.
25 O Senhor te fará cair diante dos teus inimigos. Por um caminho sairás contra eles, mas por sete caminhos fugirás diante deles, e serás espalhado por todos os reinos da terra.
26 Teu cadáver servirá de pasto a todas as aves do céu e aos animais da terra, e ninguém os espantará.
27 O Senhor te ferirá com as úlceras do Egito, com tumores, com sarna e com prurido, de que não possas curar-te.
28 O Senhor te ferirá com loucura, cegueira e confusão mental.
29 Apalparás ao meio-dia, como o cego apalpa na escuridão. Não prosperarás nos teus caminhos; pelo contrário, serás sempre oprimido e roubado todos os dias, sem que ninguém te socorra.
30 Ficarás noivo de uma mulher, mas outro dormirá com ela. Edificarás casa, mas não morarás nela. Plantarás vinha, mas não desfrutarás dela.
31 O teu boi será abatido em tua presença, mas dele não comerás. Roubarão o teu jumento diante de ti e não o devolverão. Tuas ovelhas serão dadas aos teus inimigos, e ninguém te socorrerá.
32 Teus filhos e tuas filhas serão dados a outro povo; os teus olhos *verão isso e desfalecerão de saudades* todo o dia, mas a tua mão nada poderá fazer.
33 O fruto da tua terra e o produto do teu trabalho serão consumidos por um povo que nunca conheceste; tu serás oprimido e subjugado todos os dias.
34 E te enlouquecerás pelo que hás de ver com os teus olhos.
35 O Senhor te ferirá os joelhos e as pernas com tumores malignos incuráveis, desde a planta do teu pé até o alto da tua cabeça.
36 O Senhor te levará, e a teu rei que tiveres estabelecido sobre ti, a uma gente que não conheceste, nem tu nem teus pais, e lá servirás a outros deuses, deuses de madeira e de pedra.
37 Serás motivo de assombro, provérbio e zombaria entre todos os povos a que o Senhor te levará.
38 Lançarás muita semente ao campo, mas colherás pouco, porque o gafanhoto a consumirá.
39 Plantarás vinhas e as cultivarás, mas não beberás do seu vinho nem colherás as uvas, porque as larvas a tudo devorarão.
40 Terás oliveiras em todo o teu território, mas não te ungirás com azeite, porque as azeitonas cairão.
41 Gerarás filhos e filhas, mas não serão teus, porque serão levados ao cativeiro.
42 O gafanhoto consumirá todas as tuas árvores e o fruto da tua terra.
43 O estrangeiro, que está no meio de ti, se elevará mais e mais, e tu cada vez mais descerás.
44 Ele te emprestará, mas tu não emprestarás a ele. Ele será por cabeça, e tu serás por cauda.
45 Todas estas maldições virão sobre ti, te perseguirão e te atingirão, até que sejas destruído, porque não ouvistes a voz do Senhor, o teu Deus, para guardares os seus mandamentos e os estatutos que te ordenou.

**46** Serão no teu meio por sinal e por maravilha, como também entre a tua descendência, para sempre.
**47** Porque não serviste ao Senhor, o teu Deus, com alegria e bondade de coração, por causa da abundância de tudo,
**48** assim servirás aos teus inimigos, que o Senhor enviará contra ti, em fome e sede, e em nudez, e em falta de tudo. Sobre o teu pescoço ele porá um jugo de ferro, até que te tenha destruído.
**49** O Senhor levantará contra ti uma nação de longe, da extremidade da terra, veloz como a águia; nação cuja língua não entenderás,
**50** nação feroz de aparência, que não terá respeito pelo velho, nem compaixão do moço.
**51** Ela devorará as crias dos teus animais e o fruto do teu solo, até que sejas destruído. Não te deixará trigo, nem vinho, nem azeite, nem as crias das tuas vacas e das tuas ovelhas, até que te tenha consumido.
**52** Ela sitiará todas as tuas cidades, até que venham a cair, em toda a tua terra, os altos e fortes muros, em que confiavas. Ela sitiará todas as tuas cidades, toda a terra que o Senhor, o teu Deus, te deu.
**53** Comerás o fruto do teu ventre, a carne de teus filhos e filhas, que o Senhor, o teu Deus, te houver dado, por causa do cerco e da angústia com que os teus inimigos te apertarão.
**54** O homem mais delicado e afetuoso do teu meio olhará sem piedade o seu irmão, a mulher de seu amor, e o resto dos filhos que ainda tiver,
**55** e não dará a nenhum deles da carne de seus filhos que estiver comendo, porque nada restou no cerco e na angústia com que o inimigo te apertará em todas as tuas cidades.
**56** Quanto à mulher mais delicada e afetuosa do teu meio, que de tão delicada e afetuosa nunca tentaria pôr a planta do pé sobre a terra, será mesquinha para com o marido do seu amor, e para com seu filho, e para com sua filha,
**57** e também ela será mesquinha para com a placenta que lhe saiu do ventre, e dos filhos que acabou de dar à luz, pois, na falta de tudo, ela os comerá às escondidas, na angústia e no aperto com que o teu inimigo te apertará nas tuas cidades.
**58** Se não tiveres o cuidado de guardar todas as palavras desta lei, escritas neste livro, para temeres este nome glorioso e terrível, o Senhor, o teu Deus,
**59** o Senhor tornará terríveis as tuas pragas e as pragas da tua descendência; grandes e duradouras pragas, doenças cruéis e persistentes.
**60** Fará voltar contra ti todos os males do Egito, de que tiveste temor, e eles se apegarão a ti.
**61** O Senhor também fará vir sobre ti toda enfermidade e toda praga que não está escrita no livro desta lei, até que sejas destruído.
**62** Ficareis poucos em número, vós que éreis como as estrelas dos céus em multidão, porque não destes ouvidos à voz do Senhor, o vosso Deus.
**63** Assim como o Senhor se alegrava em vós, em fazer-vos bem e multiplicar-vos, assim o Senhor se alegrará em destruir-vos e consumir-vos. Sereis desarraigados da terra que passais a possuir.

**64** O Senhor vos espalhará entre todos os povos, de uma até a outra extremidade da terra, e ali servireis a outros deuses que não conhecestes, nem vós nem vossos pais, ídolos de madeira e de pedra.
**65** Nem ainda no meio dessas nações acharás repouso, nem a planta de teu pé descansará, pois ali o Senhor te dará tremor de coração, desespero de olhos e ansiedade de alma.
**66** A tua vida estará suspensa como por um fio diante de ti; viverás sobressaltado de noite e de dia e não acreditarás na tua própria vida.
**67** Pela manhã dirás: Ah! quem me dera ver a noite! E à tarde dirás: Ah! quem me dera ver a manhã! Tudo por causa do medo que tomará conta do teu coração e pelo que verás com os teus olhos.
**68** O Senhor te fará voltar ao Egito em navios, pelo caminho de que te disse: Nunca jamais o verás. Ali sereis oferecidos como escravos e escravas aos vossos inimigos, mas não haverá quem vos compre.

### Renovação da aliança

**29** São estas as palavras da aliança que o Senhor ordenou que Moisés fizesse com os filhos de Israel, na terra de Moabe, além da aliança que fizera com eles em Horebe.
**2** Moisés convocou todo o Israel e lhes disse: Tendes visto tudo o que, perante os vossos olhos, o *Senhor fez na terra do Egito*, a faraó, a todos os seus oficiais e a toda a sua terra.
**3** Com os vossos próprios olhos vistes as grandes provas, os sinais e aquelas grandes maravilhas.
**4** Até hoje, porém, o Senhor não vos deu um coração para entender, nem olhos para ver, nem ouvidos para ouvir.
**5** Quarenta anos vos fiz andar pelo deserto, sem que envelhecessem sobre vós as vossas vestes, nem se gastasse no vosso pé a sandália.
**6** Não comestes pão nem bebestes vinho ou bebida forte, para que soubésseis que eu sou o Senhor, o vosso Deus.
**7** Quando viestes a este lugar, Seom, rei de Hesbom, e Ogue, rei de Basã, nos saíram ao encontro, à batalha, mas nós os derrotamos.
**8** Tomamos a sua terra e a demos por herança aos rubenitas, aos gaditas e à meia tribo de Manassés.
**9** Guardai as palavras desta aliança e cumpri-as para que prospereis em tudo quanto fizerdes.
**10** Todos vós estais hoje perante o Senhor, o vosso Deus: os chefes das tribos, as autoridades, os líderes, todo homem de Israel,
**11** os meninos, as mulheres, o estrangeiro que se acha dentro do acampamento, desde o rachador de lenha até o tirador de água,
**12** para que entres em aliança com o Senhor, o teu Deus, que o Senhor, o teu Deus, hoje faz contigo sob juramento,
**13** para que hoje ele te estabeleça por seu povo e te seja por Deus, como te prometeu, e como jurou a teus pais, Abraão, Isaque e Jacó.
**14** E faço esta aliança, sob juramento, não somente convosco,
**15** que hoje estais aqui conosco perante o Senhor, o nosso Deus, mas também com aqueles que não estão aqui agora conosco.
**16** Vós mesmos sabeis como habitamos na terra do Egito e

como passamos por várias nações que atravessastes.

**17** Vós vistes entre elas as suas abominações e os seus ídolos de madeira e de pedra, de prata e de ouro.

**18** Que entre vós não exista homem, nem mulher, nem família, nem tribo cujo coração hoje se desvie do Senhor, o nosso Deus, e vá servir aos deuses dessas nações; que entre vós não exista raiz que produza frutos venenosos e amargos.

**19** Não aconteça que, ouvindo alguém as palavras desta maldição, invoque uma bênção sobre si mesmo e pense: Terei paz, ainda que persista em seguir o meu próprio caminho; para acrescentar à sede a bebedice.

**20** O Senhor não lhe quererá perdoar, mas se inflamará de ira e de zelo contra esse homem, e todas as maldições escritas neste livro cairão sobre ele, e o Senhor apagará o seu nome de debaixo do céu.

**21** O Senhor o separará de todas as tribos de Israel para entregá-lo à calamidade, segundo as maldições da aliança escritas no livro desta lei.

**22** Os vossos descendentes, os vossos filhos que se levantarem depois de vós, e o estrangeiro que vier de terras remotas verão as pragas desta terra e as suas doenças com que o Senhor a afligirá.

**23** Toda a sua terra será abrasada com enxofre e sal, de sorte que não será semeada, e nada produzirá, nem nela crescerá erva alguma. Será como a destruição de Sodoma e de Gomorra, de Admá e de Zeboim, que o Senhor destruiu na sua ira e no seu furor.

**24** Todas as nações perguntarão: Por que o Senhor fez assim a esta terra? Qual a causa do furor e desta tão grande ira?

**25** Então se dirá: Porque abandonaram a aliança do Senhor, o Deus de seus pais, a qual com eles tinha feito quando os tirou do Egito.

**26** Foram servir a outros deuses e prostraram-se diante deles, deuses desconhecidos, que o Senhor não lhes tinha dado.

**27** Portanto se acendeu a ira do Senhor contra esta terra, para trazer sobre ela todas as maldições que estão escritas neste livro.

**28** O Senhor os tirou da sua terra com ira, com indignação, com grande furor, e os lançou em outra terra, como hoje se vê.

**29** As coisas encobertas pertencem ao Senhor, o nosso Deus, mas as reveladas pertencem a nós e a nossos filhos para sempre, para que cumpramos todas as palavras desta lei.

### Promessas de redenção

**30** Quando te sobrevierem todas estas bênçãos e maldições que pus diante de ti, e te recordares delas entre todas as nações para onde te lançar o Senhor, o teu Deus,

**2** e te converteres ao Senhor, o teu Deus, tu e teus filhos, de todo o teu coração e de toda a tua alma, e deres ouvidos à sua voz conforme tudo o que te ordeno hoje,

**3** então o Senhor, o teu Deus, te fará voltar do teu cativeiro, se compadecerá de ti e tornará a ajuntar-te dentre todas as nações entre as quais te espalhou.

**4** Ainda que os teus exilados estejam na extremidade dos céus, de lá os ajuntará o Senhor, o teu Deus, e de lá os trará.

5 O Senhor, o teu Deus, te trará à terra que teus pais possuíram, e a possuirás. Ele te abençoará e te multiplicará mais do que a teus pais.
6 O Senhor, o teu Deus, circuncidará o teu coração e o coração dos teus descendentes, a fim de que ames ao Senhor, o teu Deus, de todo o coração e de toda a alma, para que vivas.
7 O Senhor, o teu Deus, porá todas estas maldições sobre os teus inimigos e sobre os teus aborrecedores, que te perseguiram.
8 De novo darás ouvidos à voz do Senhor e cumprirás todos os seus mandamentos que hoje te ordeno.
9 O Senhor, o teu Deus, te fará prosperar grandemente em toda a obra das tuas mãos, no fruto do teu ventre, na cria dos teus animais e no produto do teu solo. O Senhor tornará a alegrar-se em ti para te fazer bem, como se alegrou em teus pais,
10 se deres ouvidos à voz do Senhor, o teu Deus, guardando os seus mandamentos e os seus estatutos escritos neste livro da lei, e te converteres ao Senhor, o teu Deus, de todo o coração e de toda a alma.

### A vida ou a morte

11 Ora, este mandamento, que hoje te ordeno, não te é difícil demais nem está longe de ti.
12 Não está nos céus, para dizeres: Quem subirá por nós aos céus para trazê-lo e proclamá-lo a nós a fim de que o cumpramos?
13 Nem está do outro lado do mar, para dizeres: Quem atravessará por nós o mar para que o traga a nós e o faça ouvir, para que o cumpramos?
14 Pois esta palavra está muito perto de ti, na tua boca e no teu coração, para a cumprires.
15 Vê, hoje te proponho a vida e o bem, a morte e o mal.
16 Pois hoje te ordeno que ames o Senhor, o teu Deus, andes nos seus caminhos e guardes os seus mandamentos, estatutos e leis; então, viverás e te multiplicarás, e o Senhor, o teu Deus, te abençoará na terra que passas a possuir.
17 Se, porém, o teu coração se desviar, e não quiseres dar ouvidos, e fores seduzido, e te inclinares a outros deuses, e lhes prestares culto,
18 eu te anuncio hoje que certamente perecerás. Não prolongarás os dias na terra à qual vais, passando o Jordão, para a possuíres.
19 Os céus e a terra tomo hoje por testemunhas contra ti, que te propus a vida e a morte, a bênção e a maldição. Agora escolhe a vida, para que vivas, tu e os teus filhos,
20 amando o Senhor, o teu Deus, dando ouvidos à sua voz e apegando-te a ele. Pois ele é a tua vida e ele te dará muitos anos na terra que jurou dar a teus pais, Abraão, Isaque e Jacó.

### A despedida de Moisés

**31** Em seguida, Moisés dirigiu estas palavras a todo o Israel:
2 Tenho hoje cento e vinte anos e já não posso conduzir-vos. O Senhor me disse: Não atravessarás o Jordão.
3 O Senhor, o teu Deus, é quem passará adiante de ti. Ele destruirá estas nações de diante de ti, para que possuas as suas terras. Josué passará adiante de ti, como o Senhor disse.
4 O Senhor lhes fará como fez a Seom e a Ogue, reis dos amorreus, aos quais destruiu com a sua terra.

5 Quando o Senhor vos entregar estas nações, procedereis com elas segundo todo o mandamento que vos tenho ordenado.
6 Esforçai-vos e animai-vos. Não temais nem vos espanteis diante deles, pois o Senhor, o teu Deus, que vai contigo, não te deixará nem te desamparará.
7 Chamou Moisés a Josué e lhe disse diante de todo o Israel: Esforça-te e anima-te, pois com este povo entrarás na terra que o Senhor jurou a teus pais que lhes daria, e tu os farás herdá-la.
8 O Senhor é quem vai adiante de ti; ele será contigo, nunca te deixará, jamais te desamparará. Não temas. Não te espantes.

### A leitura da lei

9 Moisés escreveu esta lei e a entregou aos sacerdotes, filhos de Levi, que levavam a arca da aliança do Senhor, e a todos os líderes de Israel.
10 Ordenou-lhes Moisés: Ao fim de cada sete anos, ao chegar o ano da remissão, na festa dos tabernáculos,
11 quando todo o Israel vier apresentar-se diante do Senhor, o teu Deus, no lugar que ele escolher, lerás esta lei diante de todo o Israel para que a ouçam.
12 Reunireis o povo, homens, mulheres e crianças, e os estrangeiros que se acharem nas vossas cidades, para que ouçam, aprendam a temer ao Senhor, o vosso Deus, e tenham cuidado de observar todas as palavras desta lei.
13 Os seus filhos, que não a souberem, ouçam e aprendam a temer ao Senhor, o vosso Deus, todos os dias que viverdes na terra de que tomarão posse depois de passardes o Jordão.

### A futura rebelião de Israel

14 Disse o Senhor a Moisés: Ora, está próximo o dia da tua morte. Chama a Josué e apresentai-vos na tenda da congregação, para que eu lhe dê ordens. Assim Moisés e Josué foram e se apresentaram na tenda da congregação.
15 Então o Senhor apareceu na tenda, na coluna de nuvem, que parou à entrada da tenda.
16 Disse o Senhor a Moisés: Dormirás com teus pais. Este povo se levantará e se prostituirá com os deuses estrangeiros da terra para onde está indo. Eles me deixarão e anularão a minha aliança que fiz com eles.
17 Nesse dia, a minha ira se acenderá contra eles. Eu os desampararei e deles esconderei o meu rosto, para que sejam devorados. Tantos males e angústias os alcançarão, que dirão naquele dia: Não nos alcançaram estes males por não estar o nosso Deus no meio de nós?
18 E esconderei totalmente o meu rosto naquele dia, por todo o mal que tiverem feito, por se haverem tornado a outros deuses.
19 Agora, escrevei para vós este cântico e ensinai-o aos filhos de Israel; ponde-o na sua boca, para que este cântico me sirva por testemunha contra os filhos de Israel.
20 Quando eu tiver introduzido este povo na terra que, com juramento, prometi a seus pais, terra em que manam leite e mel, e, quando tiverem comido e se tiverem fartado e engordado, eles se voltarão para outros deuses e os servirão, irritando-me e anulando a minha aliança.
21 E, quando o tiverem atingido muitos males e angústias, este

cântico dará testemunho contra eles, pois não será esquecido pelos seus descendentes. Eu conheço a sua imaginação, o que eles fazem hoje antes que os introduza na terra que, sob juramento, lhes prometi.
**22** Assim Moisés escreveu este cântico naquele dia e o ensinou aos filhos de Israel.
**23** Ordenou o Senhor a Josué, filho de Num: Esforça-te e anima-te, pois farás entrar os filhos de Israel na terra que, com juramento, lhes prometi, e eu serei contigo.
**24** Quando Moisés acabou de escrever todas as palavras desta lei, **25** deu ordem aos levitas, que levavam a arca da aliança do Senhor: **26** Tomai este livro da lei e ponde-o ao lado da arca da aliança do Senhor, o vosso Deus, para que ali esteja por testemunha contra ti.
**27** Pois conheço a tua rebeldia e a tua obstinação. Se, vivendo eu ainda hoje convosco, sois rebeldes contra o Senhor, quanto mais depois da minha morte.
**28** Ajuntai perante mim todas as autoridades das vossas tribos e os vossos líderes, pois quero falar-lhes estas palavras, e tomar contra eles os céus e a terra por testemunhas.
**29** Pois sei que depois da minha morte certamente vos corrompereis e vos desviareis do caminho que vos ordenei. Então este mal vos alcançará nos últimos dias, quando fizerdes mal aos olhos do Senhor, provocando-o à ira com a obra das vossas mãos.
**30** E Moisés proferiu todas as palavras deste cântico aos ouvidos de toda a congregação de Israel:

## O cântico de Moisés

**32** Inclinai os ouvidos, ó céus, e falarei,
e a terra ouça as palavras da minha boca.
**2** Goteje a minha doutrina como a chuva,
destile o meu dito como o orvalho,
como chuvisco sobre a erva,
e como gotas de água sobre a relva.
**3** Apregoarei o nome do Senhor.
Engrandecei o nosso Deus.
**4** Ele é a Rocha, cuja obra é perfeita,
e todos os seus caminhos são justos.
Deus é a verdade, e não há nele injustiça.
Ele é justo e reto.
**5** Corromperam-se contra ele;
já não são seus filhos,
e isso é a sua mancha;
geração perversa e depravada é.
**6** É assim que recompensas ao Senhor,
povo louco e ignorante?
Não é ele teu Pai,
que te adquiriu, que te fez e te estabeleceu?
**7** Lembra-te dos dias antigos,
atenta para os anos de cada geração!
Pergunta a teus pais, e eles te ensinarão,
aos teus líderes, e eles te dirão.
**8** Quando o Altíssimo distribuía
as heranças às nações,
quando separava os filhos dos homens,
fixou os limites dos povos,

segundo o número dos
filhos de Israel.
9 Pois a porção do Senhor é o
seu povo;
Jacó é a sua parte, a sua
herança.
10 Achou-o numa terra
deserta,
numa terra árida e de ventos
uivantes.
Rodeou-o, instruiu-o,
guardou-o como a menina
dos seus olhos.
11 Como a águia desperta a sua
ninhada,
paira sobre os seus filhotes e,
estendendo as suas asas,
toma-os
e leva-os sobre as asas,
12 assim só o Senhor o guiou,
e não havia com ele deus
estranho.
13 Ele o fez cavalgar sobre as
alturas da terra
e o alimentou com os
produtos do campo.
Ele o fez sugar mel da rocha
e azeite do penhasco
pedregoso,
14 coalhada das vacas e leite
de ovelhas,
com a gordura dos
cordeiros,
dos carneiros que pastam
em Basã e dos bodes,
com o mais escolhido trigo.
Bebeste o sangue das uvas,
o vinho puro.
15 Engordando-se Jesurum,
deu coices;
engordou-se, engrossou-se,
cobriu-se de gordura
e deixou Deus, que o fez,
desprezando a Rocha da sua
salvação.
16 Com deuses estranhos o
provocaram a zelos;
com abominações o
irritaram.
17 Sacrifícios ofereceram aos
demônios, não a Deus;
a deuses que não haviam
conhecido,
novos deuses recém-chegados,
aos quais vossos pais não
veneraram.
18 Abandonaste a Rocha
que te gerou
e te esqueceste do Deus que
te formou.
19 Ao ver isso, o Senhor se
irritou,
provocado à ira por
seus filhos e suas filhas,
20 e disse: Esconderei deles o
meu rosto
e verei qual será o seu fim;
pois são uma geração
perversa,
filhos sem lealdade.
21 A ciúmes me provocaram com
aquilo que não é Deus
e com os seus ídolos me
provocaram à ira.
Também farei que tenham
ciúmes
daquele que não é povo;
com nação louca os
despertarei à ira.
22 Pois um fogo se acendeu na
minha ira,
e arderá até o mais
profundo do inferno.
Devorará a terra com seus
produtos
e consumirá os fundamentos
das montanhas.
23 Males amontoarei
sobre eles,
e as minhas setas esgotarei
contra eles.
24 Consumidos serão pela fome,
e devorados pela febre e peste
violenta;

enviarei contra eles o dente das feras e o veneno ardente das serpentes que se arrastam no pó.
25 Por fora devastará a espada, e por dentro o pavor; tanto ao jovem como à virgem, assim à criança de peito como ao homem encanecido.
26 Eu teria dito: Por todos os cantos os espalharei; farei cessar a sua memória entre os homens,
27 se não receasse a arrogância do inimigo, para que os seus adversários não se iludam e digam: A nossa mão triunfa; não foi o Senhor quem fez tudo isso.
28 O meu povo é gente que perdeu o bom senso, e neles não há entendimento.
29 Quem dera fossem sábios! Então, entenderiam isso e atentariam para o fim que os espera.
30 Como poderia um só perseguir mil, e dois colocarem em fuga dez mil, se a sua Rocha não os tivesse vendido, e o Senhor não os tivesse entregado?
31 Pois a rocha deles não é como a nossa Rocha; os próprios inimigos o confirmam.
32 A sua vinha é a vinha de Sodoma e provém dos campos de Gomorra. As suas uvas estão cheias de veneno, e os seus cachos são amargos.
33 O seu vinho é ardente veneno de répteis e peçonha cruel de víboras.
34 Não está isto guardado comigo e selado nos meus tesouros?
35 A mim pertencem a vingança e a recompensa, ao tempo em que seus pés resvalarem; o dia da sua ruína está próximo, e as coisas que lhes hão de suceder se apressam a chegar.
36 O Senhor fará justiça ao seu povo e terá compaixão dos seus servos, quando vir que a sua força se foi, e já não há nem escravo nem livre.
37 Então dirá: Onde estão os seus deuses, a rocha em que confiavam,
38 os deuses que comiam as gorduras de suas vítimas e bebiam o vinho de suas libações? Levantem-se eles e vos ajudem, para que haja esconderijo para vós.
39 Vede agora que Eu sou, Eu somente, e não há outro Deus além de mim. Eu causo a morte e restituo a vida; eu firo e eu saro, e não há quem possa livrar das minhas mãos.
40 Levanto a mão aos céus e juro por minha vida eterna:

41 Se eu afiar a minha espada reluzente
e a minha mão empunhá-la para o juízo,
eu me vingarei dos meus inimigos
e retribuirei aos que me odeiam.
42 Embeberei as minhas setas de sangue,
e a minha espada se fartará de carne:
o sangue dos mortos e dos cativos,
e as cabeças dos líderes dos inimigos.
43 Regozijai-vos, ó nações, com o seu povo,
pois o Senhor vingará o sangue dos seus servos,
ele se vingará dos seus inimigos
e purificará a sua terra e o seu povo.
44 Acompanhado de Josué, filho de Num, Moisés veio e proferiu todas as palavras deste cântico aos ouvidos do povo.
45 Acabando Moisés de falar todas as palavras deste cântico a todo o Israel,
46 disse-lhes: Guardem no vosso coração todas as palavras que hoje vos proclamo e ensinai-as a vossos filhos, para que tenham cuidado de cumprir todas as palavras desta lei.
47 Ela não é para vós uma palavra vã; antes é a vossa vida. Cumprindo-a, prolongareis os dias na terra que, passando o Jordão, ides a possuir.

O anúncio da morte de Moisés
48 Naquele mesmo dia, disse o Senhor a Moisés:
49 Sobe à cadeia de montanhas de Abarim, ao monte Nebo, que está na terra de Moabe, em frente de Jericó, e contempla a terra de Canaã, que eu dou aos filhos de Israel por propriedade.
50 Morrerás no monte a que vais subir e serás recolhido ao teu povo, assim como Arão, teu irmão, morreu no monte Hor e foi recolhido ao seu povo,
51 pois fostes infiéis a mim na presença dos filhos de Israel, nas águas de Meribá, em Cades, no deserto de Zim, não santificando o meu nome no meio deles.
52 Pelo que verás a terra diante de ti, mas não entrarás nela, na terra que dou aos filhos de Israel.

As bênçãos de Moisés
**33** Esta é a bênção com que Moisés, homem de Deus, antes de morrer, abençoou os filhos de Israel.
2 Disse ele:
   O Senhor veio de Sinai
     e lhes alvoreceu de Seir,
   resplandeceu desde o monte Parã.
   Veio das miríades de santos;
     à sua direita havia para eles o fogo da lei.
3 Na verdade, amas os povos;
   todos os santos estão na tua mão.
   Eles se colocam a teus pés
     e recebem das tuas palavras.
4 Moisés prescreveu-nos a lei
   por herança da assembleia de Jacó.
5 Ele foi rei em Jesurum,
   quando se congregaram os chefes do povo
     com as tribos de Israel.
6 Viva Rúben, e não morra;
   e que os seus homens sejam numerosos.
7 Isto é o que disse de Judá:
   Ouve, ó Senhor, a voz de Judá;

coloca-o no meio do seu
povo.
As suas mãos lhe bastem,
e tu lhe sejas em ajuda
contra os seus inimigos.
8 De Levi disse:
Dá, ó Deus, o teu Tumim e o
teu Urim
ao homem que te é fiel,
que tu provaste em Massá,
com quem contendeste nas
águas de Meribá.
9 Ele disse a seu pai e a sua mãe:
Nunca os vi.
Não conheceu a seus
irmãos,
não estimou a seus filhos,
mas guardou a tua palavra
e observou a tua aliança.
10 Ele ensina os teus juízos a
Jacó e a tua lei a Israel.
Ele oferece incenso diante
de ti
e holocausto sobre o teu
altar.
11 Abençoa os seus esforços, ó
Senhor,
e que a obra das suas mãos te
agrade.
Fere os lombos dos que
se levantam contra ele e o
aborrecem,
para que nunca mais se
levantem.
12 De Benjamim disse:
O amado do Senhor habitará
seguro com ele;
todo o dia o protegerá,
e descansará nos seus
braços.
13 De José disse:
Bendita do Senhor seja a sua
terra,
com o melhor do céu, o
orvalho,
e com as águas das
profundezas;
14 com os tesouros que o sol
amadurece
e com o que germina
durante cada lua;
15 com os produtos preciosos
dos montes antigos,
com o mais excelente dos
outeiros eternos;
16 com as delícias do solo e da
sua plenitude
e com a benevolência daquele
que habita na sarça ardente.
Que tudo isso repouse sobre a
cabeça de José,
sobre a fronte do escolhido de
seus irmãos.
17 Em majestade ele é como o
primogênito do touro,
e seus chifres são como os de
um boi selvagem.
Com eles ferirá os povos,
todos juntos, até as
extremidades da terra.
Tais são as miríades de Efraim,
e tais são os milhares de
Manassés.
18 De Zebulom disse:
Zebulom, alegra-te nas tuas
saídas,
e tu, Issacar, nas tuas tendas.
19 Os dois convidarão os povos
ao monte
e ali oferecerão ofertas de
justiça;
sugarão a abundância dos
mares
e os tesouros escondidos na
areia.
20 De Gade disse:
Bendito seja aquele que
amplia Gade!
Ele habita como a leoa
e despedaça o braço e a
cabeça.
21 Ele se proveu do melhor;
ali estava escondida a porção
do chefe.

Ele se tornou líder do povo,
executou a justiça do
    Senhor
e os seus juízos para com
    Israel.
22 De Dã disse:
Dã é leãozinho;
    saltará de Basã.
23 De Naftali disse:
Ó Naftali, saciado com a
    benevolência
e cheio de bênçãos do
    Senhor,
o sul do lago será a sua
    posse.
24 De Aser disse:
Bendito entre os filhos
    é Aser!
Agrade a seus irmãos
    e banhe o pé em azeite.
25 De ferro e bronze são os
    teus ferrolhos,
e a tua paz durará como os
    teus dias.
26 Não há outro, ó Jesurum,
    semelhante a Deus,
que cavalga sobre os céus
    para a tua ajuda
e com a sua alteza sobre as
    mais altas nuvens.
27 O Deus eterno é a tua
    habitação
e teu apoio são os braços
    eternos.
Ele expulsa o inimigo de
    diante de ti
e diz: Destrói-o.
28 Portanto, Israel habitará em
    segurança,
e a fonte de Jacó a sós,
    na terra do grão e do vinho
        novo,
onde os céus destilarão orvalho.
29 Bem-aventurado és tu,
    ó Israel!
Quem é como tu,
    povo salvo pelo Senhor?
Ele é o teu escudo
    e a tua ajuda,
a espada da tua glória.
Assim os teus inimigos te
    serão sujeitos,
e tu pisarás sobre os seus
    altos.

## A morte de Moisés

**34** Então subiu Moisés das campinas de Moabe ao monte Nebo, ao cume do Pisga, que está em frente de Jericó. Ali o Senhor mostrou-lhe toda a terra desde Gileade até Dã. 2 Todo o Naftali, e a terra de Efraim e Manassés; toda a terra de Judá até o mar ocidental; 3 e o Neguebe e a campina do vale de Jericó, a cidade das palmeiras até Zoar. 4 Então disse o Senhor: Esta é a terra que, sob juramento, prometi a Abraão, a Isaque e a Jacó, dizendo: À tua descendência a darei. Eu te faço vê-la com os teus próprios olhos, mas nela não entrarás. 5 Assim, Moisés, servo do Senhor, morreu ali, na terra de Moabe, como disse o Senhor. 6 Este o sepultou num vale, na terra de Moabe, em frente de Bete-Peor, mas ninguém sabe, até hoje, onde fica a sepultura. 7 Tinha Moisés a idade de cento e vinte anos quando morreu; contudo, a sua vista não se havia escurecido, nem se lhe havia fugido o vigor. 8 Os filhos de Israel choraram por Moisés nas campinas de Moabe por trinta dias, até que se cumpriram os dias do pranto de luto por Moisés. 9 Ora, Josué, filho de Num, estava cheio do espírito de sabedoria, porque Moisés tinha posto sobre ele as suas mãos. Assim os filhos de Israel lhe deram ouvidos e fizeram como o Senhor ordenara a Moisés.

**10** Nunca mais se levantou em Israel profeta algum como Moisés, a quem o Senhor conhecesse face a face,

**11** no que se refere a todos os sinais e maravilhas que o Senhor o enviou para fazer na terra do Egito, a faraó, a todos os seus servos e a toda a sua terra,

**12** e no que se refere à sua mão poderosa e aos grandes e magníficos feitos que realizou na presença de todo o Israel.

# JOSUÉ

### Deus anima a Josué

**1** Depois da morte de Moisés, servo do Senhor, disse o Senhor a Josué, filho de Num, auxiliar de Moisés:
**2** Moisés, meu servo, é morto. Levanta-te agora, passa este Jordão, tu e todo este povo, à terra que eu dou aos filhos de Israel.
**3** Todo o lugar que pisar a planta do vosso pé, eu o tenho dado a vós, como prometi a Moisés.
**4** Desde o deserto e o Líbano até o grande rio, o rio Eufrates, toda a terra dos heteus e até o grande mar para o poente será o vosso termo.
**5** Ninguém te poderá resistir todos os dias da tua vida. Como fui com Moisés, assim serei contigo; nunca te deixarei, jamais te desampararei.
**6** Esforça-te e tem bom ânimo, porque tu farás a este povo herdar a terra que jurei a seus pais lhes daria.
**7** Tão somente esforça-te e sê muito corajoso. Cuida em fazer conforme toda a lei que meu servo Moisés te ordenou; dela não te desvies, nem para a direita nem para a esquerda, para que sejas bem sucedido por onde quer que andares.
**8** Não se afaste da tua boca o livro desta lei; medita nele dia e noite, para que tenhas cuidado de fazer conforme tudo o que nele está escrito. Então farás prosperar o teu caminho e serás bem sucedido.
**9** Não te mandei eu? Esforça-te e tem bom ânimo. Não pasmes, nem te espantes, porque o Senhor, o teu Deus, é contigo por onde quer que andares.
**10** Então Josué ordenou aos oficiais do povo:
**11** Passai pelo meio do acampamento e dizei ao povo: Provede-vos de comida. Dentro de três dias passareis este Jordão, para ocupardes a terra que vos dá o Senhor, o vosso Deus, para a possuirdes.
**12** Aos rubenitas, aos gaditas, e à meia tribo de Manassés, porém, disse Josué:
**13** Lembrai-vos do mandamento que vos deu Moisés, o servo do Senhor: O Senhor, o vosso Deus, vos concede descanso e vos dá esta terra.
**14** Vossas mulheres, vossos meninos e vosso gado fiquem na terra que Moisés vos deu deste lado do Jordão, mas vós passareis armados na frente de vossos irmãos, todos os valentes, e os ajudareis,
**15** até que o Senhor conceda descanso a vossos irmãos, como a vós, e eles também possuam a terra que o Senhor, o vosso Deus, lhes dá. Então voltareis à terra da vossa herança e possuireis a que vos deu Moisés, servo do Senhor, deste lado do Jordão, para o nascente do sol.
**16** Então responderam a Josué: Tudo o que nos ordenaste faremos e aonde quer que nos enviares iremos.
**17** Como em tudo ouvimos a Moisés, assim ouviremos a ti. Tão somente que o Senhor, o teu Deus, seja contigo, como o foi com Moisés.
**18** Todo homem que for rebelde à tua boca e não ouvir as tuas

palavras em tudo o que lhe ordenares, será morto. Tão somente esforça-te e tem bom ânimo.

### Raabe e os espias

**2** De Sitim enviou Josué, filho de Num, dois homens, secretamente, como espias, dizendo: Andai e observai a terra, especialmente Jericó. Então foram e entraram na casa de uma prostituta, cujo nome era Raabe, e pousaram ali. **2** Deu-se notícia ao rei de Jericó: Vê, esta noite vieram aqui uns homens dos filhos de Israel, para espiar a terra. **3** Então o rei de Jericó mandou dizer a Raabe: Tira fora os homens que vieram a ti e entraram na tua casa, porque vieram espiar toda a terra. **4** Aquela mulher, porém, tomou os dois homens, os escondeu e disse: É verdade que os homens vieram a mim, mas eu não sabia de onde eram. **5** Havendo-se de fechar a porta, sendo já escuro, aqueles homens saíram. Não sei para onde foram. Ide após eles depressa. Podereis alcançá-los. **6** Ela, porém, os tinha feito subir ao eirado e os tinha escondido entre as canas do linho, que havia disposto em ordem sobre o telhado. **7** Foram-se aqueles homens após eles, pelo caminho do Jordão, até os vaus e, logo que saíram, fechou-se a porta. **8** Antes que os espias se deitassem, ela subiu ao eirado a ter com eles **9** e lhes disse: Bem sei que o Senhor vos deu esta terra, e que o vosso pavor caiu sobre nós, e que todos os moradores da terra estão apavorados diante de vós. **10** Temos ouvido como o Senhor secou as águas do mar Vermelho diante de vós, quando saíeis do Egito; e também o que fizestes aos dois reis dos amorreus, Seom e Ogue, que estavam além do Jordão, os quais destruístes. **11** Ouvindo isso, o povo desanimou-se, e em ninguém mais há coragem alguma, por causa da vossa presença, pois o Senhor, o vosso Deus, é Deus em cima nos céus e embaixo na terra. **12** Agora, pois, jurai-me, vos peço, pelo Senhor, porque usei de misericórdia para convosco, que vós também dela usareis para com a minha família; e dai-me um sinal certo **13** de que conservareis a vida a meu pai e a minha mãe, como também a meus irmãos e a minhas irmãs, com tudo o que têm, e de que livrareis a nossa vida da morte. **14** Então lhe responderam os homens: A nossa vida responderá pela vossa até o ponto de morrer, desde que não denuncies os nossos planos; e, dando-nos o Senhor esta terra, usaremos contigo de misericórdia e de fidelidade. **15** Ela, então, os fez descer por uma corda pela janela, pois a sua casa estava sobre o muro da cidade; ela morava sobre o muro. **16** E disse-lhes: Ide-vos ao monte, para que não vos encontrem os perseguidores, e escondei-vos lá três dias, até que voltem os perseguidores, e depois tomareis o vosso caminho. **17** Disseram-lhe os homens: Desobrigados seremos deste teu juramento, que nos fizeste jurar, **18** se vindo nós à terra, não atares este cordão vermelho à janela por onde nos fizeste descer e não recolheres em casa contigo o teu pai, a tua mãe, os teus irmãos e toda a família de teu pai.

**19** Qualquer pessoa que sair da tua casa, o seu sangue será sobre a sua cabeça, e nós seremos sem culpa. Mas qualquer que estiver contigo em casa, o seu sangue seja sobre a nossa cabeça, se nele se puser mão.

**20** Se tu, porém, denunciares este nosso negócio, seremos desobrigados do teu juramento, que nos fizeste jurar.

**21** Respondeu ela: Conforme as vossas palavras, assim seja. Então os despediu, e eles se foram. E ela atou o cordão vermelho à janela.

**22** Foram-se e chegaram ao monte, e ficaram ali três dias, até que voltaram os perseguidores, porque os perseguidores os buscaram por todo o caminho, mas não os acharam.

**23** Assim aqueles dois homens voltaram, desceram do monte, passaram, e vieram a Josué, filho de Num, e lhe contaram tudo o que lhes acontecera.

**24** Disseram a Josué: Certamente o Senhor nos deu toda esta terra nas nossas mãos, e todos os seus moradores estão apavorados diante de nós.

### A travessia do Jordão

**3** Levantou-se Josué de madrugada e, com todos os israelitas, partiram de Sitim e foram até o Jordão, onde acamparam antes de atravessar o rio.

**2** Ao fim de três dias, os oficiais passaram pelo meio do acampamento

**3** e ordenaram ao povo: Quando virdes a arca da aliança do Senhor, o vosso Deus, e que os sacerdotes levitas a levam, partireis vós também do vosso lugar e a seguireis.

**4** Haja, contudo, distância entre vós e ela, cerca de dois mil côvados. Não vos achegueis a ela, para que conheçais o caminho pelo qual haveis de ir, porque por este caminho nunca passastes antes.

**5** Disse Josué também ao povo: Santificai-vos, pois amanhã fará o Senhor maravilhas no meio de vós.

**6** Disse Josué aos sacerdotes: Levantai a arca da aliança e passai adiante do povo. Então levantaram a arca da aliança e foram andando na frente do povo.

**7** E disse o Senhor a Josué: Hoje começarei a engrandecer-te perante os olhos de todo o Israel, para que saibam que, assim como fui com Moisés, assim serei contigo.

**8** Ordenarás aos sacerdotes que levam a arca da aliança: Quando chegardes à beira das águas do Jordão, aí parareis.

**9** Então disse Josué aos filhos de Israel: Chegai-vos para cá e ouvi as palavras do Senhor, o vosso Deus.

**10** Nisto conhecereis que o Deus vivo está no meio de vós, e que expulsará de diante de vós os cananeus, os heteus, os heveus, os ferezeus, os girgaseus, os amorreus e os jebuseus.

**11** Vede, a arca da aliança do Senhor de toda a terra passará o Jordão adiante de vós.

**12** Tomai, pois, agora doze homens das tribos de Israel, um homem de cada tribo.

**13** Assim que a planta dos pés dos sacerdotes que levam a arca do Senhor, o Senhor de toda a terra, tocar nas águas do Jordão, elas serão cortadas; as águas que vêm de cima pararão e se amontoarão.

14 Partindo o povo das suas tendas, para passar o Jordão, levavam os sacerdotes a arca da aliança adiante do povo.
15 Quando os que levavam a arca chegaram ao Jordão, e os pés dos sacerdotes que levavam a arca se molharam na beira das águas (ora, o Jordão transbordava todas as suas ribanceiras durante todos os dias da colheita),
16 pararam-se as águas que vinham de cima. Levantaram-se numa muralha, muito longe da cidade de Adã, que fica do lado de Zaretã, e as águas que desciam ao mar da Arabá, que é o mar Salgado, foram de todo cortadas. Então passou o povo bem em frente de Jericó.
17 Os sacerdotes que levavam a arca da aliança do Senhor pararam firmes em seco no meio do Jordão, enquanto todo o Israel passou em seco, até que toda a nação acabou de atravessar o Jordão.

### As pedras comemorativas

**4** Tendo todo o povo acabado de passar o Jordão, disse o Senhor a Josué:
2 Escolhei dentre o povo doze homens, de cada tribo um homem,
3 e ordenai-lhes: Tomai daqui, do meio do Jordão, do lugar em que estiveram parados os pés dos sacerdotes, doze pedras, levai-as convosco para o outro lado e depositai-as no lugar em que haveis de passar esta noite.
4 Então chamou Josué os doze homens, que escolhera dentre os filhos de Israel, de cada tribo um homem,
5 e lhes disse: Passai adiante da arca do Senhor, o vosso Deus, ao meio do Jordão. Levante cada um uma pedra sobre o ombro, segundo o número das tribos dos filhos de Israel,
6 para que isso seja por sinal entre vós. No futuro, quando vossos filhos perguntarem: Que significam estas pedras?
7 Então lhes direis que as águas do Jordão se separaram diante da arca da aliança do Senhor. Passando ela pelo Jordão, as águas foram cortadas. Estas pedras serão para sempre por memorial aos filhos de Israel.
8 Fizeram os filhos de Israel como Josué tinha ordenado; pegaram doze pedras do meio Jordão, como o Senhor dissera a Josué, segundo o número das tribos dos filhos de Israel; e levaram-nas consigo ao lugar em que pousaram e as depositaram ali.
9 Erigiu Josué doze pedras no meio do Jordão, no lugar em que pousaram os pés dos sacerdotes que levavam a arca da aliança. E ali estão até o dia de hoje.
10 Os sacerdotes que levavam a arca pararam no meio do Jordão, até que se cumpriu tudo o que o Senhor mandara Josué dizer ao povo, conforme tudo o que Moisés tinha ordenado a Josué. Apressou-se o povo e passou.
11 Assim que todo o povo acabou de passar, então passou a arca do Senhor e os sacerdotes à vista do povo.
12 Passaram os filhos de Rúben, os filhos de Gade e a meia tribo de Manassés, armados, à frente dos filhos de Israel, como Moisés lhes tinha dito.
13 Uns quarenta mil homens de guerra armados passaram perante o Senhor para a batalha, às planícies de Jericó.

14 Naquele dia, o Senhor honrou Josué diante dos olhos de todo o Israel; e temeram-no, como haviam temido a Moisés, todos os dias da sua vida.
15 Disse o Senhor a Josué:
16 Dá ordem aos sacerdotes que levam a arca do Testemunho que subam do Jordão.
17 Então ordenou Josué aos sacerdotes: Subi do Jordão.
18 E os sacerdotes que levavam a arca da aliança do Senhor subiram do rio. Assim que a planta dos pés dos sacerdotes tocaram a terra seca, as águas do Jordão voltaram ao seu lugar e corriam, como antes, sobre todas as suas margens.
19 O povo subiu do Jordão no dia dez do primeiro mês e se acampou em Gilgal, ao oriente de Jericó.
20 As doze pedras, que tinham tirado do Jordão, levantou-as Josué em Gilgal.
21 Disse ele aos filhos de Israel: Quando no futuro vossos filhos perguntarem a seus pais: Que significam estas pedras?
22 Fareis saber a vossos filhos: Israel passou em seco este Jordão,
23 pois o Senhor, o vosso Deus, fez secar as águas do Jordão diante de vós, até que passásseis. O Senhor, o vosso Deus, fez ao Jordão o que havia feito com o mar Vermelho, que secou perante nós, até que passamos.
24 Ele fez isso para que todos os povos da terra conheçam que a mão do Senhor é forte, e para que temais ao Senhor, o vosso Deus, todos os dias.

### A circuncisão em Gilgal

**5** Ora, ouvindo todos os reis dos amorreus que habitavam o oeste do Jordão e todos os reis dos cananeus que estavam ao lado do mar que o Senhor tinha secado as águas do Jordão de diante dos filhos de Israel, até que passassem, desanimaram-se e perderam a coragem, por causa dos filhos de Israel.
2 Nesse tempo, disse o Senhor a Josué: Faze facas de pedra e circuncida os filhos de Israel.
3 Então Josué fez facas de pedra e circuncidou os filhos de Israel em Gibeate-Aralote.
4 Foi esta a razão por que Josué os circuncidou: Todo o povo que tinha saído do Egito, os homens, aptos para a guerra, haviam morrido no deserto, pelo caminho.
5 Todo o povo que saíra estava circuncidado, mas a nenhum do povo que nascera no deserto, pelo caminho, depois de terem saído do Egito, haviam circuncidado.
6 Quarenta anos andaram os filhos de Israel pelo deserto, até se acabar toda a nação, isto é, todos os homens de guerra que saíram do Egito, e isso porque não obedeceram à voz do Senhor. Pois o Senhor tinha jurado que não lhes deixaria ver a terra que, sob juramento, prometera a seus pais que nos daria, terra em que mana leite e mel.
7 Em seu lugar, porém, pôs seus filhos; a estes Josué circuncidou. Estavam incircuncisos porque não os haviam circuncidado no caminho.
8 Acabando de circuncidar toda a nação, ficaram no seu lugar no acampamento, até que sararam.
9 Então disse o Senhor a Josué: Hoje removi de sobre vós a humilhação do Egito. Pelo que o nome daquele lugar se chamou Gilgal, até o dia de hoje.

**10** Estando os filhos de Israel acampados em Gilgal, celebraram a Páscoa no dia catorze do mês, à tarde, nas campinas de Jericó. **11** Comeram do produto da terra no dia seguinte à Páscoa: pães sem fermento e espigas tostadas comeram nesse mesmo dia. **12** No dia depois de terem comido do produto da terra, cessou o maná; os filhos de Israel não o tiveram mais, mas nesse ano comeram das novidades da terra de Canaã. **13** Ora, estando Josué perto de Jericó, levantou os olhos e viu que se pôs em pé diante dele um homem que tinha na mão uma espada. Chegou-se Josué a ele e perguntou-lhe: És tu dos nossos ou dos nossos inimigos? **14** Respondeu ele: Nem uma coisa nem outra. Mas venho agora como comandante do exército do Senhor. Então Josué se prostrou com o rosto em terra, e o adorou, e perguntou-lhe: Que diz meu Senhor ao seu servo? **15** Respondeu o comandante do exército do Senhor a Josué: Tira as sandálias de teus pés, pois o lugar em que estás é santo. E Josué fez assim.

### A tomada de Jericó. Raabe é salva

**6** Ora, Jericó estava rigorosamente fechada, por causa dos filhos de Israel. Ninguém saía nem entrava.
**2** Então disse o Senhor a Josué: Olha, entreguei na tua mão Jericó, o seu rei e os seus valentes.
**3** Vós, todos os homens de guerra, rodeareis a cidade, cercando-a uma vez. Assim fareis por seis dias.
**4** Sete sacerdotes levarão sete trombetas de chifres de carneiros diante da arca. No sétimo dia, rodeareis a cidade sete vezes, e os sacerdotes tocarão as trombetas.
**5** Tocando-se longamente a trombeta, e ouvindo vós o sonido dela, todo o povo dará um grande brado; então o muro da cidade cairá e o povo subirá nele, cada qual em frente de si.
**6** Assim Josué, filho de Num, chamou os sacerdotes e lhes disse: Levai a arca da aliança, e sete sacerdotes levem sete trombetas adiante da arca do Senhor.
**7** E ordenou ao povo: Passai e rodeai a cidade; quem estiver armado, passe adiante da arca do Senhor.
**8** Assim foi que, como Josué dissera ao povo, os sete sacerdotes, levando as sete trombetas adiante do Senhor, passaram e tocaram as trombetas, e a arca da aliança do Senhor os seguia.
**9** Os homens armados iam adiante dos sacerdotes que tocavam as trombetas, e a retaguarda seguia após a arca; os sacerdotes seguiam, durante todo o tempo, tocando as trombetas.
**10** Ao povo, porém, Josué tinha dado ordem, dizendo: Não gritareis, não levantem a vossa voz, não saia palavra alguma da vossa boca, até o dia em que eu vos diga: Gritai. Então gritareis.
**11** Assim fizeram a arca do Senhor rodear a cidade, contornando-a uma vez. Então entraram no acampamento e ali passaram a noite.
**12** Josué levantou-se de madrugada, e os sacerdotes tomaram a arca do Senhor.
**13** Os sete sacerdotes que levavam as sete trombetas adiante da arca do Senhor iam andando, tocando as trombetas. Os homens

armados iam adiante deles, e o restante seguia atrás da arca do Senhor; os sacerdotes sempre tocando as trombetas.

14 No segundo dia, rodearam outra vez a cidade e voltaram para o acampamento. Assim fizeram durante seis dias.

15 No sétimo dia, madrugaram ao subir da alva, e da mesma maneira rodearam a cidade sete vezes, só que nesse dia rodearam a cidade sete vezes.

16 Tocando os sacerdotes as trombetas pela sétima vez, ordenou Josué ao povo: Gritai, pois o Senhor vos entregou a cidade!

17 A cidade, porém, será condenada, ela e tudo o que houver nela. Somente a prostituta Raabe viverá, ela e todos os que com ela estiverem em casa, porque escondeu os mensageiros que enviamos.

18 Tão somente guardai-vos das coisas condenadas, para que, tendo-as vós condenado, não tomeis delas coisa alguma, e não façais maldito o acampamento de Israel, e o perturbeis.

19 Toda a prata, o ouro, os vasos de bronze e de ferro, porém, são consagrados ao Senhor, e irão para o tesouro do Senhor.

20 Gritou o povo, e os sacerdotes tocaram as trombetas; ouvindo o povo o sonido da trombeta, deu um grande brado, e o muro caiu, *e o povo* subiu à cidade, cada qual a atacou de onde estava, e a tomaram.

21 Tudo o que havia na cidade destruíram totalmente a fio de espada, homem e mulher, menino e velho, bois, ovelhas e jumentos.

22 Disse Josué aos dois homens que tinham espiado a terra: Entrai na casa da prostituta e tirai-a de lá com tudo o que tiver, como lhe juraste.

23 Assim entraram os jovens espias e tiraram Raabe, e seu pai, e sua mãe, e seus irmãos, e tudo o que tinha. Tiraram também todos os seus parentes e puseram-nos fora do acampamento de Israel.

24 Então a cidade e tudo o que nela havia foi queimado, mas a prata, o ouro e os vasos de bronze e de ferro deram para o tesouro da casa do Senhor.

25 Josué, porém, poupou a vida da prostituta Raabe e a família de seu pai, e a tudo o que tinha, porque escondera os mensageiros que Josué enviara para espiar Jericó; ela habita no meio de Israel até o dia de hoje.

26 Nesse tempo, Josué pronunciou este juramento: Maldito diante do Senhor seja o homem que se levantar e reedificar esta cidade de Jericó:

> Com a perda do seu
> primogênito a fundará,
> e com a perda do seu filho
> mais novo
> lhe colocará as portas.

27 Assim era o Senhor com Josué, e corria a sua fama por toda a terra.

## O pecado de Acã e a derrota em Ai

7 Os filhos de Israel, porém, foram infiéis no tocante às coisas condenadas; Acã, filho de Carmi, filho de Zabdi, filho de Zerá, da tribo de Judá, tomou das coisas condenadas. Assim a ira do Senhor se acendeu contra os filhos de Israel.

2 Ora, enviou Josué, de Jericó, alguns homens a Ai, que está junto a Bete-Áven, ao oriente de Betel, e lhes disse: Subi; espiai a terra.

Então subiram aqueles homens e espiaram a Ai.

3 Quando voltaram a Josué, lhe disseram: Não suba todo o povo. Subam uns dois ou três mil homens para ferir a Ai; não canses ali todo o povo, porque há poucos habitantes.

4 Assim, subiram do povo para lá uns três mil homens, os quais fugiram diante dos homens de Ai, 5 que feriram deles uns trinta e seis. Perseguiram-nos desde a porta até Sebarim e os derrotaram na descida. E o coração do povo se desanimou, e se tornou como água.

6 Então Josué rasgou as suas vestes e se prostrou com o rosto em terra perante a arca do Senhor até à tarde. As autoridades de Israel fizeram o mesmo e deitaram pó sobre as suas cabeças.

7 Disse Josué: Ah, Senhor Deus! por que fizeste este povo atravessar o Jordão, para nos entregares nas mãos dos amorreus, para nos fazeres perecer? Quem dera nos tivéssemos contentado em ficar do outro lado do Jordão.

8 Ah, Senhor, que direi? Ora, Israel virou as costas diante dos seus inimigos!

9 Ouvindo isso, os cananeus e todos os moradores da terra nos cercarão e exterminarão o nosso nome da terra. Então que farás ao teu grande nome?

10 Disse o Senhor a Josué: Levanta-te! Por que estás prostrado?

11 Israel pecou; violou a minha aliança que lhes tinha ordenado, tomaram das coisas condenadas, furtaram e mentiram, e até debaixo da sua bagagem as puseram.

12 Pelo que os filhos de Israel não puderam subsistir perante os seus inimigos; viraram as costas diante deles porque Israel se fez condenado. Não serei mais convosco, se não eliminardes do vosso meio a coisa roubada.

13 Levanta-te, santifica o povo e dize: Santificai-vos para amanhã, pois assim diz o Senhor, o Deus de Israel: Coisas condenadas há no meio de ti, ó Israel. Não poderás resistir aos teus inimigos, enquanto não tirares do teu meio as coisas condenadas.

14 Amanhã, vos chegareis, segundo as vossas tribos. A tribo que o Senhor indicar se chegará por famílias; a família que o Senhor indicar se chegará por casas; e a casa que o Senhor indicar se chegará um homem de cada vez.

15 Aquele que for achado com a coisa condenada, será queimado no fogo, ele e tudo o que tiver. Violou a aliança do Senhor e fez loucura em Israel.

16 Então Josué se levantou de madrugada e fez chegar Israel, segundo as suas tribos, e foi indicada por sorte a tribo de Judá.

17 Fazendo chegar a tribo de Judá, foi escolhida a família dos zeraítas. Fazendo chegar a família dos zeraítas, um homem de cada vez, foi escolhido Zabdi.

18 Fazendo vir à frente a família de Zabdi, um homem de cada vez, foi indicado Acã, filho de Carmi, filho de Zabdi, filho de Zerá, da tribo de Judá.

19 Então disse Josué a Acã: Filho meu, dá, peço-te, glória ao Senhor, o Deus de Israel, e faze confissão perante ele. Declara-me agora o que fizeste, não o ocultes.

20 Respondeu Acã a Josué: Verdadeiramente pequei contra o Senhor, o Deus de Israel. Eis o que fiz:

21 Quando vi entre os despojos uma boa capa babilônica, duzentos siclos de prata e uma barra de ouro de cinquenta siclos, cobicei-os, e peguei-os. Estão escondidos na terra, no meio da minha tenda, e a prata debaixo da capa.
22 Então Josué enviou mensageiros, que foram correndo à tenda, e realmente tudo estava escondido na sua tenda, e a prata debaixo da capa.
23 Tomaram aquelas coisas do meio da tenda e as trouxeram a Josué e a todos os filhos de Israel, e as puseram perante o Senhor.
24 Então Josué, e todo o Israel com ele, pegaram Acã, filho de Zerá, e a prata, e a capa, e a barra de ouro, e seus filhos, e suas filhas, e seus bois, e seus jumentos, e suas ovelhas, e sua tenda, e tudo o que tinha, e levaram-nos ao vale de Acor.
25 Disse Josué: Por que nos perturbaste? Hoje o Senhor te perturbará. Então todo o Israel o apedrejou e, depois de apedrejá-los, queimaram-nos a fogo.
26 Levantaram sobre ele um grande monte de pedras, que permanece até o dia de hoje. Assim o Senhor se apartou do ardor da sua ira. Por isso, se chama aquele lugar o vale de Acor, até o dia de hoje.

### A tomada de Ai

**8** Então disse o Senhor a Josué: Não temas e não te espantes. Toma contigo toda a gente de guerra, levanta-te e sobe a Ai. Entreguei nas tuas mãos o rei de Ai, o seu povo, a sua cidade e a sua terra.
2 Farás com Ai e seu rei como fizeste com Jericó e seu rei: somente para vós saqueareis os seus despojos e o seu gado. Põe emboscadas atrás da cidade.
3 Então levantou-se Josué e toda a gente de guerra, para subir contra Ai. Escolheu Josué trinta mil homens valentes e os enviou de noite
4 com estas ordens: Ouvi atentamente! Armareis uma emboscada atrás da cidade. Não vos distancieis muito da cidade. Todos vós estareis alertas.
5 Eu e todo o povo que está comigo nos aproximaremos da cidade. Quando nos saírem eles ao encontro, como antes, fugiremos diante deles.
6 Deixai-os sair atrás de nós, até que os tiremos da cidade, pois dirão: Fogem diante de nós como dantes. Assim fugiremos diante deles.
7 Então saireis vós da emboscada e tomareis a cidade. O Senhor, o vosso Deus, a entregará na vossa mão.
8 Assim que tiverdes tomado a cidade, ateai fogo nela, conforme a palavra do Senhor. Prestai atenção ao que vos tenho mandado.
9 Assim Josué os enviou, e eles se foram e ficaram em emboscada entre Betel e Ai, ao ocidente de Ai; porém Josué passou aquela noite no meio do povo.
10 Levantou-se Josué de madrugada e contou o povo; subiram ele e os anciãos de Israel diante do povo contra Ai.
11 Subiram também todos os homens de guerra que estavam com ele; avançaram, e vieram pela frente da cidade. Acamparam-se ao norte de Ai, havendo um vale entre eles e Ai.
12 Tomou também uns cinco mil homens e os pôs entre Betel e Ai

de emboscada, ao ocidente da cidade.

13 Assim tomaram posição o povo, e todo o acampamento ao norte da cidade, e os que estavam em emboscada ao ocidente da cidade. Naquela noite, Josué foi até o meio do vale.

14 Ao ver isto, o rei de Ai, ele e os homens da cidade se apressaram e, levantando-se de madrugada, saíram ao combate contra Israel, ele e todo o seu povo, ao tempo determinado, em frente da planície. Mas não sabia que havia uma emboscada contra ele atrás da cidade.

15 Josué e todo o Israel fingiram-se feridos diante deles e fugiram pelo caminho do deserto.

16 Pelo que todo o povo que estava na cidade foi convocado para os perseguir, e perseguiram Josué, e foram afastados da cidade.

17 Nem um só homem ficou em Ai e em Betel; todos saíram atrás de Israel. Assim deixaram a cidade aberta e seguiram a Israel.

18 Então o Senhor disse a Josué: Estende para Ai a lança que tens na mão, pois a darei na tua mão. E Josué estendeu para a cidade a lança que estava na sua mão.

19 Ao estender ele a mão, os homens da emboscada se levantaram apressadamente do seu lugar, vieram à cidade, tomaram-na e apressando-se a incendiaram.

20 Virando-se os homens de Ai para trás, viram que a fumaça da cidade subia ao céu e não puderam fugir nem para uma parte nem para outra, pois o povo que fugia para o deserto se tornou contra eles.

21 Vendo Josué e todo o Israel que a emboscada tomara a cidade, e que a sua fumaça subia, voltaram e feriram os homens de Ai.

22 Também os israelitas que estavam na cidade saíram para lutar contra eles, e assim os de Ai ficaram cercados, estando os israelitas de uma e outra parte. Feriram-nos os israelitas, de sorte que nenhum deles sobreviveu, nem escapou.

23 Ao rei de Ai, porém, tomaram vivo, e o trouxeram a Josué.

24 Tendo os israelitas acabado de matar todos os moradores de Ai no campo, no deserto para onde os tinham seguido, e havendo todos morrido a fio de espada, então todo o Israel voltou a Ai e mataram os que lá haviam ficado.

25 Os que morreram naquele dia, assim homens como mulheres, foram doze mil; todos os moradores de Ai.

26 Pois Josué não retirou a mão, que estendera com a lança, enquanto não destruiu totalmente a todos os moradores de Ai.

27 Tão somente os israelitas tomaram para si o gado e os despojos da cidade, conforme a palavra do Senhor, que ordenara a Josué.

28 Assim, queimou Josué a Ai e a tornou num perpétuo montão de ruínas, como é até o dia de hoje.

29 Ao rei de Ai enforcou, deixando-o no madeiro até à tarde. Ao pôr do sol ordenou Josué que o seu corpo fosse tirado do madeiro, e o lançaram à porta da cidade. E levantaram sobre ele um grande montão de pedras, que permanece até o dia de hoje.

**A leitura da lei diante do altar**

30 Então Josué edificou um altar ao Senhor, o Deus de Israel, no monte Ebal,

31 como Moisés, servo do Senhor, ordenara aos filhos de Israel, conforme o que está escrito no livro da lei de Moisés, a saber: um altar de pedras brutas, sobre as quais não se manejara instrumento de ferro. Ofereceram sobre ele holocaustos ao Senhor e apresentaram ofertas pacíficas.
32 Escreveu ali em pedras uma cópia da lei de Moisés, que este já tinha escrito diante dos filhos de Israel.
33 E todo o Israel, estrangeiros e naturais, com os seus líderes, oficiais e juízes, estavam de um e de outro lado da arca, perante os sacerdotes levitas que levavam a arca da aliança do Senhor. Metade deles estava em frente do monte Gerizim, e a outra metade, em frente do monte Ebal, como Moisés, servo do Senhor, tinha ordenado, para que abençoassem o povo de Israel.
34 Depois leu em alta voz todas as palavras da lei, a bênção e a maldição, conforme tudo o que está escrito no livro da lei.
35 Palavra nenhuma houve, de tudo o que Moisés ordenara, que Josué não lesse perante toda a congregação de Israel, e as mulheres, e os meninos, e os estrangeiros, que andavam no meio deles.

### A astúcia dos gibeonitas

**9** Ora, ao ouvirem tais coisas, todos os reis que viviam a oeste do Jordão, nas montanhas, nas campinas e em toda a costa do grande mar, em frente do Líbano, a saber, os heteus, os amorreus, os cananeus, os ferezeus, os heveus e os jebuseus,
2 ajuntaram-se de comum acordo para pelejar contra Josué e contra Israel.
3 Todavia, quando os moradores de Gibeom ouviram o que Josué fizera com Jericó e com Ai,
4 usaram de astúcia, e foram, e se fingiram embaixadores, e levaram sacos velhos sobre os seus jumentos, e odres de vinho velhos, rotos e consertados.
5 Nos pés traziam sandálias velhas e remendadas, e roupas velhas sobre si. Todo o pão que levavam para o caminho era seco e bolorento.
6 Vieram a Josué, ao arraial em Gilgal, e disseram a ele e aos homens de Israel: Chegamos de uma terra distante; fazei aliança conosco.
7 Os homens de Israel responderam aos heveus: Bem pode ser que habiteis no meio de nós. Então como faremos aliança convosco?
8 Disseram a Josué: Nós somos teus servos. Perguntou-lhes Josué: Quem sois vós? De onde vindes?
9 Responderam-lhe: Teus servos vieram de uma terra muito distante, por causa do nome do Senhor, o teu Deus. Pois ouvimos a sua fama, e tudo o que fez no Egito,
10 e tudo o que fez aos dois reis dos amorreus, que estavam a leste do Jordão, a Seom, rei de Hesbom, e a Ogue, rei de Basã, que estava em Astarote.
11 Pelo que nossos anciãos e todos os moradores da nossa terra nos disseram: Tomai convosco provisão para o caminho, ide-lhes ao encontro e dizei-lhes: Nós somos vossos servos; fazei aliança conosco.
12 Este nosso pão tomamos quente das nossas casas no dia em que saímos para vir ter convosco. Mas agora já está seco e bolorento.

13 E estes odres, que enchemos de vinho, eram novos, mas já estão rotos. E nossas vestes e nossas sandálias já envelheceram, por causa da longa jornada.
14 Então os homens de Israel tomaram da provisão deles e não pediram conselho ao Senhor.
15 Assim Josué fez uma aliança de paz com eles, prometendo poupar-lhes a vida, e os líderes da comunidade prestaram-lhes juramento.
16 Ao fim de três dias, depois de terem feito a aliança com eles, ouviram que eram seus vizinhos e que moravam no meio deles.
17 Então partiram os filhos de Israel, e ao terceiro dia chegaram às cidades deles: Gibeom, Quefira, Beerote e Quiriate-Jearim.
18 Os filhos de Israel, porém, não os feriram, porque os líderes da comunidade lhes haviam jurado pelo Senhor, o Deus de Israel. Toda a comunidade murmurava contra os líderes,
19 que responderam: Nós lhes juramos pelo Senhor, o Deus de Israel, e agora não podemos tocar-lhes.
20 Isto, porém, lhes faremos: Nós os deixaremos viver, para que não haja grande ira sobre nós, por causa do juramento que lhes fizemos.
21 Continuaram os líderes: Vivam. Assim se tornaram rachadores de lenha e tiradores de água para toda a comunidade, como os líderes lhes haviam dito.
22 Chamou-os Josué e lhes perguntou: *Por que nos enganastes*, dizendo: Muito longe de vós habitamos, morando vós no meio de nós?
23 Agora sereis malditos: entre vós nunca deixará de haver servos, rachadores de lenha e tiradores de água, para a casa do meu Deus.
24 Então responderam a Josué: Foi anunciado aos teus servos, como certo, que o Senhor, o teu Deus, ordenou a Moisés, seu servo, que vos desse toda esta terra e destruísse todos os moradores dela diante de vós. Por isso, tememos muito por nossa vida por causa de vós, e fizemos isso.
25 Agora estamos nas tuas mãos. Faze conosco aquilo que te parecer bom e justo.
26 Josué então os livrou das mãos dos filhos de Israel, e não os mataram.
27 Nesse dia, Josué os fez rachadores de lenha e tiradores de água para a comunidade e para o altar do Senhor, até o dia de hoje, no lugar que Deus escolhesse.

### Gibeom é sitiada por cinco reis

**10** Ora, ouviu Adoni-Zedeque, rei de Jerusalém, que Josué tomara a Ai e a tinha destruído totalmente, fazendo com ela e com seu rei como fizera a Jericó e seu rei, e que os moradores de Gibeom fizeram paz com os israelitas, e estavam no meio deles.
2 Temeu muito, porque Gibeom era uma cidade grande como uma das cidades reais, e ainda maior do que Ai, e todos os seus homens eram valentes.
3 Pelo que Adoni-Zedeque, rei de Jerusalém, enviou mensageiros a Horão, rei de Hebrom, e a Pirão, rei de Jarmute, e a Jafia, rei de Laquis, e a Debir, rei de Eglom, dizendo:
4 Subi a mim e ajudai-me a ferir a Gibeom, porque fez paz com Josué e com os filhos de Israel.
5 Então se ajuntaram e subiram cinco reis dos amorreus, o rei

de Jerusalém, o de Hebrom, o de Jarmute, o de Laquis, o rei de Eglom, eles e todos os seus exércitos, sitiaram a Gibeom e pelejaram contra ela.

6 Enviaram os homens de Gibeom mensageiros a Josué, ao acampamento de Gilgal, dizendo: Não retires de teus servos as tuas mãos. Sobe apressadamente a nós, e livra-nos, e ajuda-nos, porque todos os reis dos amorreus, que habitam na região montanhosa, se ajuntaram contra nós.

7 Então subiu Josué de Gilgal, ele e todos os homens de guerra com ele, e todos os valentes.

8 Disse o Senhor a Josué: Não os temas; eu os entreguei nas tuas mãos. Nenhum deles te poderá resistir.

9 Josué lhes sobreveio de repente, porque toda a noite veio subindo desde Gilgal.

10 O Senhor perturbou-os diante de Israel e os feriu com grande matança em Gibeom; os perseguiu pelo caminho que sobe a Bete-Horom, derrotando-os até Azeca e Maquedá.

11 Ora, fugindo eles de diante de Israel, à descida de Bete-Horom, o Senhor lançou sobre eles, do céu, grandes pedras até Azeca, e morreram. Foram mais os que morreram das pedras da saraiva do que os que os filhos de Israel mataram à espada.

12 Então Josué falou ao Senhor, no dia em que o Senhor entregou os amorreus nas mãos dos filhos de Israel, e disse na presença dos israelitas:

Sol, detém-te em Gibeom,
  e tu, lua, no vale de
    Aijalom.

13 E o sol se deteve,
e a lua parou,
até que o povo se vingou de
  seus inimigos.

Não está isso escrito no livro dos Justos? O sol se deteve no meio do céu e não se apressou a pôr-se, quase um dia inteiro.

14 Não houve dia semelhante a esse, nem antes nem depois dele, em que atendeu o Senhor assim à voz de um homem. Certamente o Senhor pelejava por Israel.

15 Voltou Josué, e todo o Israel com ele, ao acampamento em Gilgal.

16 Aqueles cinco reis, porém, fugiram e se esconderam numa caverna em Maquedá.

17 E anunciaram a Josué: Acharam-se os cinco reis escondidos numa caverna em Maquedá.

18 Disse Josué: Arrastai grandes pedras para a boca da caverna, e ponde junto a ela homens que os guardem.

19 Vós, porém, não vos detenhais! Persegui os vossos inimigos e feri os que vão ficando atrás; não os deixeis entrar nas suas cidades, pois o Senhor, o vosso Deus, já os entregou nas vossas mãos.

20 Tendo Josué e os filhos de Israel acabado de os ferir com grande matança, até consumi-los, e tendo os que deles ficaram entrado nas cidades fortificadas,

21 todo o povo voltou em paz a Josué, ao acampamento em Maquedá, não havendo ninguém que usasse a sua boca para provocar os filhos de Israel.

22 Depois disse Josué: Abri a boca da caverna e trazei-me aqueles cinco reis.

23 Fizeram assim, e trouxeram-lhe aqueles cinco reis para fora da caverna: o rei de Jerusalém, o de Hebrom, o de Jarmute, o de Laquis, e o de Eglom.

**24** Trazidos os reis a Josué, chamou este todos os homens de Israel e disse aos capitães do exército, que tinham ido com eles: Chegai-vos, coloque o pé no pescoço destes reis. E eles obedeceram.
**25** Então Josué lhes disse: Não temais! Não vos espanteis! Esforçai-vos e animai-vos. Assim fará o Senhor a todos os vossos inimigos, contra os quais pelejardes.
**26** Depois disso, Josué os feriu e os matou; os pendurou em cinco madeiros, onde ficaram até a tarde.
**27** Ao pôr do sol, Josué ordenou que fossem tirados dos madeiros, e lançaram-nos na caverna em que se tinham escondido. Puseram grandes pedras na boca da cova, que ainda ali se encontram até o dia de hoje.

### Josué conquista as cidades do Sul

**28** Nesse mesmo dia, tomou Josué a Maquedá. Ele a atacou e matou à espada o seu rei. Destruiu-os totalmente, sem deixar ali sobrevivente. Fez ao rei de Maquedá como fizera ao rei de Jericó.
**29** Então Josué, e todo o Israel com ele, passou de Maquedá a Libna e pelejou contra ela.
**30** E o Senhor a entregou na mão de Israel, a ela e a seu rei, e a feriu à espada, com todos os que nela havia, sem deixar ali sobrevivente. E fez ao seu rei como fizera ao rei de Jericó.
**31** Então Josué, e todo o Israel com ele, passou de Libna a Laquis, sitiou-a e pelejou contra ela.
**32** O Senhor entregou Laquis nas mãos de Israel, que a tomou no dia seguinte, e a feriu a fio de espada, com todos os que nela havia, conforme tudo o que fizera a Libna.
**33** Então Horão, rei de Gezer, subiu para ajudar a Laquis, mas Josué o feriu, e ao seu povo, até não lhe deixar sobrevivente.
**34** Então Josué, e todo o Israel com ele, passou de Laquis a Eglom, e a sitiaram, e pelejaram contra ela.
**35** No mesmo dia, a tomaram e a feriram a fio de espada, com todos os que nela estavam, conforme tudo o que fizera a Laquis.
**36** Depois Josué, e todo o Israel com ele, subiu de Eglom a Hebrom e pelejaram contra ela.
**37** Tomaram-na e a feriram a fio de espada, assim ao seu rei como a todas as suas cidades, com todos os que nelas havia. A ninguém deixou com vida, conforme tudo o que fizera a Eglom, destruiu-a totalmente, com todos os que nela havia.
**38** Então Josué, e todo o Israel com ele, voltou a Debir, e pelejou contra ela.
**39** Tomou-a com o seu rei, e a todas as suas cidades, e as feriram a fio de espada, e a todos os que nelas havia destruíram totalmente, não deixando nela sobrevivente algum. Como fizera a Hebrom, assim fez a Debir e ao seu rei, e como fizera a Libna e ao seu rei.
**40** Assim feriu Josué toda aquela terra, a região montanhosa, o Neguebe, as campinas, as descidas das águas, e a todos os seus reis. Não deixou nelas sobrevivente algum. Mas a tudo o que tinha fôlego destruiu, como ordenara o Senhor, o Deus de Israel.
**41** Feriu-os Josué desde Cades-Barneia até Gaza, como também toda a terra de Gósen até Gibeom.
**42** De uma só vez tomou Josué todos estes reis e a sua terra, porque o Senhor, o Deus de Israel, pelejava por Israel.

**43** Então Josué, e todo o Israel com ele, voltou ao acampamento em Gilgal.

## A conquista das terras do norte

**11** Quando Jabim, rei de Hazor, ouviu isso, enviou mensageiros a Jobabe, rei de Madom, e ao rei de Sinrom, e ao rei de Acsafe, **2** e aos reis que estavam ao norte, na região montanhosa, na Arabá ao sul de Quinerete, nas planícies, e nos planaltos de Dor, da banda do mar; **3** ao cananeu do oriente e do ocidente, ao amorreu, ao heteu, ao ferezeu, ao jebuseu na região montanhosa, e ao heveu ao pé do Hermom, na terra de Mispa. **4** Saíram estes, e todos os seus exércitos com eles, muito povo, como a areia da praia, e muitíssimos cavalos e carros.
**5** Todos estes reis se ajuntaram, vieram e se acamparam junto às águas de Merom, para pelejarem contra Israel.
**6** Disse o Senhor a Josué: Não temas diante deles, porque amanhã a esta mesma hora eu os entregarei todos mortos diante dos filhos de Israel. Os seus cavalos aleijarás, e os seus carros queimarás a fogo.
**7** Josué e todos os homens de guerra com ele vieram de repente contra eles às águas de Merom e os atacaram,
**8** e o Senhor os entregou nas mãos de Israel. Feriram-nos e os perseguiram até a grande Sidom, e até Misrefote-Maim, e até o vale de Mispa ao oriente; feriram-nos até não lhes deixar sobrevivente.
**9** Fez-lhes Josué como o Senhor lhe dissera: os seus cavalos aleijou e os seus carros queimou no fogo.
**10** Nesse mesmo tempo, voltou Josué, tomou Hazor e matou a fio de espada o seu rei. Hazor dantes era a capital de todos estes reinos.
**11** A todos os que nela havia matou à espada. Totalmente os destruíram, nada restou do que tinha fôlego, e a Hazor ele queimou a fogo.
**12** Josué tomou todas as cidades destes reis, e todos os seus reis, e os matou à espada. Totalmente os destruiu, como ordenara Moisés, servo do Senhor.
**13** Tão somente não queimaram os israelitas as cidades que estavam sobre as colinas, exceto a Hazor, a qual Josué queimou.
**14** Todos os despojos dessas cidades, e o gado, os filhos de Israel saquearam para si, mas a todos os homens mataram à espada, até os destruírem; nada do que tinha fôlego deixaram com vida.
**15** Como ordenara o Senhor a Moisés, seu servo, assim Moisés ordenou a Josué, e assim Josué o fez; nem uma só palavra deixou de cumprir de tudo o que o Senhor ordenara a Moisés.
**16** Assim Josué tomou toda aquela terra, a região montanhosa, todo o Neguebe, toda a terra de Gósen, as planícies, a Arabá, a região montanhosa de Israel e as suas planícies,
**17** desde o monte Halque, que sobe a Seir, até Baal-Gade no vale do Líbano, ao pé do monte Hermom. Também tomou todos os seus reis e os feriu, e os matou.
**18** Por muito tempo Josué fez guerra contra todos esses reis.
**19** Não houve cidade que fizesse paz com os filhos de Israel, senão os heveus, moradores de Gibeom; por meio da guerra as tomaram todas.

20 Pois do Senhor vinha o endurecimento dos seus corações para saírem à guerra contra Israel, a fim de que fossem destruídos totalmente, e não encontrassem piedade alguma, mas fossem exterminados, como o Senhor tinha ordenado a Moisés.

21 Nesse tempo, veio Josué e exterminou os enaquins da região montanhosa: de Hebrom, de Debir, de Anabe, de toda a região montanhosa de Judá e de toda a região montanhosa de Israel. Josué destruiu-os totalmente, com as suas cidades.

22 Não ficou de resto nem um dos enaquins na terra dos filhos de Israel; somente ficaram alguns em Gaza, em Gate e em Asdode.

23 Assim tomou Josué toda esta terra conforme tudo o que o Senhor tinha dito a Moisés, e Josué deu-a em herança aos filhos de Israel, conforme as suas divisões, conforme as suas tribos. Então a terra repousou da guerra.

## Os reis vencidos

**12** Estes são os reis da terra, aos quais os filhos de Israel feriram, e cujas terras possuíram a leste do Jordão, desde o ribeiro de Arnom até o monte Hermom, e toda a planície do oriente:

2 Seom, rei dos amorreus, que habitava em Hesbom e dominava desde Aroer, que está à beira do vale de Arnom, e desde o meio do vale e a metade de Gileade, e até o ribeiro de Jaboque, termo dos filhos de Amom;

3 desde a campina até o mar de Quinerete para o oriente, e até o mar da campina, o mar Salgado para o oriente, pelo caminho de Bete-Jesimote; e desde o sul abaixo das faldas do Pisga.

4 Como também o território de Ogue, rei de Basã, que era do restante dos gigantes, e que habitava em Astarote e em Edrei;

5 e dominava no monte Hermom, e em Salcá, e em toda a Basã, até a fronteira dos gesureus e dos maacateus, e metade de Gileade, termo de Seom, rei de Hesbom.

6 A estes Moisés, servo do Senhor, e os filhos de Israel feriram. E Moisés, servo do Senhor, deu esta terra como propriedade aos rubenitas, aos gaditas e à meia tribo de Manassés.

7 Estes são os reis da terra aos quais Josué e os filhos de Israel derrotaram no lado ocidental do Jordão, desde Baal-Gade, no vale do Líbano, até o monte Halaque, que sobe a Seir; Josué deu as suas terras às tribos de Israel como propriedade, segundo as suas divisões;

8 o que havia na região montanhosa, nas planícies, na Arabá, nas descidas das águas, no deserto e no Neguebe; o heteu, o amorreu, o cananeu, o ferezeu, o heveu e o jebuseu.

9 O rei de Jericó, um; o de Ai, que está ao lado de Betel, outro;

10 o rei de Jerusalém, outro; o de Hebrom, outro;

11 o rei de Jarmute, outro; o de Laquis, outro;

12 o rei de Eglom, outro; o de Gezer, outro;

13 o rei de Debir, outro; o de Geder, outro;

14 o rei de Hormá, outro; o de Arade, outro;

15 o rei de Libna, outro; o de Adulão, outro;

16 o rei de Maquedá, outro; o de Betel, outro;

17 o rei de Tapua, outro; o de Héfer, outro;

18 o rei de Afeque, outro; o de Lasarom, outro;
19 o rei de Madom, outro; o de Hazor, outro;
20 o rei de Sinrom-Merom, outro; o de Acsafe, outro;
21 o rei de Taanaque, outro; o de Megido, outro;
22 o rei de Quedes, outro; o de Jocneão do Carmelo, outro;
23 o rei de Dor em Nafate-Dor, outro; o de Goim em Gilgal, outro;
24 o rei de Tirza, outro; trinta e um reis ao todo.

### Terras por conquistar

**13** Quando Josué era idoso e avançado em dias, disse-lhe o Senhor: Já estás velho e avançado em dias, e ainda muitíssima terra ficou para se possuir.
2 A terra que ainda fica é esta: todas as regiões dos filisteus e toda a Gesur;
3 desde Sior, próximo ao Egito, até o território de Ecrom para o norte, que se considera dos cananeus; os cinco governantes dos filisteus: o de Gaza, o de Asdode, o de Asquelom, o de Gate e o de Ecrom.
4 E ainda os aveus ao sul, toda a terra dos cananeus e Meara, que é dos sidônios; até Afeque, até o território dos amorreus;
5 como também a terra dos gibleus e todo o Líbano para o nascente do sol, desde Baal-Gade, ao pé do monte Hermom, até a entrada de Hamate;
6 todos os que habitam na região montanhosa desde o Líbano até Misrefote-Maim, todos os sidônios; eu os lançarei de diante dos filhos de Israel; tão somente reparte a terra a Israel por herança, como já te mandei.
7 Reparte agora esta terra por herança às nove tribos e à meia tribo de Manassés.
8 Com a outra meia tribo os rubenitas e os gaditas já receberam a sua herança a leste do Jordão, como já lhes tinha dado Moisés, servo do Senhor:
9 desde Aroer, que está à margem do vale de Arnom, e a cidade que está no meio do vale, todo o planalto de Medeba até Dibom;
10 e todas as cidades de Seom, rei dos amorreus, que reinou em Hesbom, até o termo dos filhos de Amom.
11 E Gileade, e o território dos gesureus e dos maacateus, e todo o monte Hermom e toda a Basã até Salcá;
12 todo o reino de Ogue em Basã, que reinou em Astarote e em Edrei, que ficou do resto dos gigantes, o qual Moisés feriu e expulsou.
13 Os filhos de Israel, porém, não expulsaram os gesureus e os maacateus, antes Gesur e Maacate ficaram no meio de Israel até o dia de hoje.
14 Tão somente à tribo de Levi não deu herança; os sacrifícios queimados do Senhor, o Deus de Israel, são a sua herança, como já lhe tinha dito.
15 Assim Moisés deu herança à tribo dos filhos de Rúben, conforme as suas famílias.
16 Foi o seu território desde Aroer, que está na margem do ribeiro de Arnom, e a cidade que está no meio do vale, e todo o planalto junto a Medeba;
17 Hesbom e todas as suas cidades, que estão na campina: Dibom, Bamote-Baal e Bete-Baal-Meom;
18 Jaza, Quedemote, Mefaate;
19 Quiriataim, Sibma e Zerete-Saar, no monte do vale;

**20** Bete-Peor, as encostas do Pisga e Bete-Jesimote;
**21** todas as cidades do planalto, todo o reino de Seom, rei dos amorreus, que reinou em Hesbom, a quem Moisés feriu, como também os líderes de Midiã, Evi, Requém, Zur, Hur e Reba, líderes de Seom, moradores da terra.
**22** Também os filhos de Israel mataram à espada a Balaão, o adivinho, filho de Beor, com os demais que por eles foram mortos.
**23** E ficou sendo o Jordão a fronteira dos filhos de Rúben; esta é a herança dos filhos de Rúben, segundo as suas famílias: as cidades e as suas aldeias.
**24** Deu Moisés herança à tribo de Gade, aos filhos de Gade, segundo as suas famílias.
**25** E foi o território de Jazer: todas as cidades de Gileade, metade da terra dos filhos de Amom, até Aroer, que está em frente de Rabá;
**26** desde Hesbom até Ramate-Mispa e Betonim; desde Maanaim até o termo de Debir;
**27** e no vale, Bete-Harã, Bete-Ninra, Sucote e Safom, que ficara do resto do reino de Seom, rei de Hesbom, tendo o Jordão por termo, até a extremidade do mar de Quinerete, o lado oriental do Jordão.
**28** Esta é a herança dos filhos de Gade, segundo as suas famílias, as cidades com suas aldeias.
**29** Deu também Moisés herança à meia tribo de Manassés, segundo as suas famílias.
**30** De maneira que o seu território foi desde Maanaim; toda a Basã, todo o reino de Ogue, rei de Basã, e todas as aldeias de Jair, que estão em Basã, sessenta cidades;
**31** e metade de Gileade, Astarote e Edrei, cidades do reino de Ogue, em Basã, foram para os filhos de Maquir, filho de Manassés, a saber, à metade dos filhos de Maquir, segundo as suas famílias.
**32** Isto foi o que Moisés repartiu em herança nas planícies de Moabe, a leste do Jordão, do lado oriental de Jericó.
**33** À tribo de Levi, porém, Moisés não deu herança; o Senhor, o Deus de Israel, é a sua herança, como já lhe tinha dito.

### A herança de Calebe

**14** São estas as terras que os filhos de Israel receberam por herança na terra de Canaã, o que Eleazar, o sacerdote, e Josué, filho de Num, e os chefes paternos dos pais das tribos dos filhos de Israel lhes fizeram repartir.
**2** Sua herança foi feita por sorte, como o Senhor ordenara por intermédio de Moisés acerca das nove tribos e meia.
**3** Moisés já dera herança às duas tribos e meia além do Jordão, mas aos levitas não tinha dado herança entre eles,
**4** pois os filhos de José haviam-se tornado duas tribos, Manassés e Efraim. Aos levitas não deram herança na terra, senão cidades em que habitassem, com pasto para seu gado.
**5** Como o Senhor ordenara a Moisés, assim fizeram os filhos de Israel e repartiram a terra.
**6** Os filhos de Judá chegaram a Josué em Gilgal, e Calebe, filho de Jefoné, o quenezeu, lhe disse: Tu sabes o que o Senhor falou a Moisés, homem de Deus, em Cades-Barneia, a respeito de mim e de ti.
**7** Eu tinha quarenta anos, quando Moisés, servo do Senhor, me enviou de Cades-Barneia para espiar

a terra. E eu lhe trouxe resposta, como sentia no meu coração. 8 No entanto, meus irmãos, que subiram comigo, fizeram desanimar o coração do povo. Eu, porém, perseverei em seguir ao Senhor, o meu Deus. 9 Então Moisés jurou naquele dia, dizendo: Certamente a terra que pisou o teu pé será tua e de teus filhos, em herança perpetuamente, porque perseveraste em seguir ao Senhor, o meu Deus. 10 Agora, pois, o Senhor me conservou em vida, como falou; quarenta e cinco anos há desde que o Senhor falou esta palavra a Moisés, andando Israel ainda no deserto. E já agora tenho oitenta e cinco anos de idade. 11 Ainda estou tão forte como no dia em que Moisés me enviou; qual era a minha força então tal ainda é agora, para a guerra, para sair e para entrar. 12 Agora dá-me este monte de que o Senhor falou naquele dia. Naquele dia, tu ouviste que os enaquins estavam ali, bem como cidades grandes e fortes. É certo que o Senhor será comigo para os expulsar, como prometeu. 13 Então Josué o abençoou e deu a Calebe, filho de Jefoné, Hebrom em herança. 14 Hebrom, portanto, passou a ser de Calebe, filho de Jefoné, o quenezeu, em herança até o dia de hoje, porque perseverara em seguir ao Senhor, o Deus de Israel. 15 Outrora o nome de Hebrom era Quiriate-Arba, porque Arba era o maior homem entre os enaquins. Então a terra repousou da guerra.

## A herança de Judá

**15** A sorte da tribo dos filhos de Judá, segundo as suas famílias, caiu em direção de Edom, desde o deserto de Zim para o sul, até a extremidade do lado do sul. 2 Foi o seu termo ao sul, desde a extremidade do mar Salgado, desde a baía que dá para o sul; 3 sai para o sul, até a subida de Acrabim, passa a Zim, sobe do sul a Cades-Barneia, passa por Hezrom, sobe a Adar, e rodeia Carca; 4 passa Azmom, chega ao ribeiro do Egito, prosseguindo até o mar; este será a vossa fronteira do lado do sul. 5 A fronteira, porém, para o oriente será o mar Salgado até a foz do Jordão, e a fronteira para o norte será da baía do mar, começando com a foz do Jordão; 6 sobe Bete-Hogla, passa do norte a Bete-Arabá e sobe até a pedra de Boã, filho de Rúben. 7 Sobe mais esta fronteira a Debir, desde o vale de Acor, e olha para o norte, na direção de Gilgal, que está à subida de Adumim, que está para o sul do ribeiro; passa até as águas de En-Semes e chegam a En-Rogel. 8 Deste ponto sobe pelo vale do filho de Hinom, da banda dos jebuseus do sul, isto é, Jerusalém; e sobe até o cume do monte que está diante do vale de Hinom para o ocidente, que está no fim do vale dos refains da banda do norte. 9 Então vai desde a altura do monte até a fonte das águas de Neftoa; e sai até as cidades do monte de Efrom, estende-se ainda até Baalá, isto é, Quiriate-Jearim. 10 Então volta para o ocidente, até o monte Seir, e passa ao lado do monte de Jearim da banda do norte, isto é, Quesalom, e desce a Bete-Semes e passa por Timna.

**11** Segue para a encosta norte de Ecrom e, indo para Sicrom, passa o monte de Baalá, e chega a Jabneel, indo terminar no mar.
**12** A fronteira ocidental é o mar Grande. São estas as fronteiras dos filhos de Judá, segundo as suas famílias.
**13** A Calebe, filho de Jefoné, porém, deu uma herança no meio dos filhos de Judá, conforme o dito do Senhor a Josué, a saber, Quiriate-Arba, que é Hebrom; Arba era o pai de Enaque.
**14** E Calebe expulsou dali os três filhos de Enaque: Sesai, Aimã e Talmai, gerados de Enaque.
**15** Dali subiu contra os habitantes de Debir, cujo nome dantes era Quiriate-Sefer.
**16** Disse Calebe: A quem ferir Quiriate-Sefer e a tomar, lhe darei a minha filha Acsa por mulher.
**17** Tomou-a Otniel, filho de Quenaz, irmão de Calebe; e este lhe deu a sua filha Acsa por mulher.
**18** Certo dia, vindo ela a Otniel, persuadiu-o a que pedisse um campo a seu pai. Quando ela desceu do jumento, Calebe lhe perguntou: Que é o que tens?
**19** Respondeu ela: Dá-me um presente. Visto que me deste terra seca, dá-me também fontes de águas. Então lhe deu as fontes superiores e as fontes inferiores.
**20** Esta é a herança da tribo dos filhos de Judá, segundo as suas famílias:
**21** As cidades no extremo sul da tribo dos filhos de Judá, em direção de Edom, foram: Cabzeel, Eder, Jagur,
**22** Quiná, Dimona, Adada,
**23** Quedes, Hazor, Itnã,
**24** Zife, Telém, Bealote,
**25** Hazor-Hadata, Quiriote-Hezrom (que é Hazor),
**26** Amã, Sema, Moladá,
**27** Hazar-Gada, Hesmom, Bete-Palete,
**28** Hazar-Sual, Berseba, Biziotiá,
**29** Baalá, Iim, Ezém,
**30** Eltolade, Quesil, Hormá,
**31** Ziclague, Madmana, Sansana,
**32** Lebaote, Silim, Aim e Rimom; ao todo vinte e nove cidades com suas aldeias.
**33** Nas planícies: Estaol, Zorá, Asná,
**34** Zanoa, En-Ganim, Tapua, Enã,
**35** Jarmute, Adulão, Socó, Azeca,
**36** Saaraim, Aditaim, Gederá e Gederotaim; catorze cidades com suas aldeias.
**37** Zenã, Hadasa, Migdal-Gade,
**38** Dileã, Mispa, Jocteel,
**39** Laquis, Bozcate, Eglom,
**40** Cabom, Laamás, Quitlis,
**41** Gederote, Bete-Dagom, Naamá e Maquedá; dezesseis cidades com suas aldeias.
**42** Libna, Eter, Asã,
**43** Iftá, Asná, Nezibe,
**44** Queila, Aczibe e Maressa; nove cidades com suas aldeias.
**45** Ecrom, suas vilas e aldeias;
**46** desde Ecrom até o mar, todas as que estão da banda de Asdode, com suas aldeias.
**47** Asdode, suas vilas e aldeias; e Gaza, suas vilas e aldeias, até o rio do Egito, e o mar Grande, que serve de termo.
**48** E na região montanhosa: Samir, Jatir, Socó,
**49** Daná, Quiriate-Sana, que é Debir,
**50** Anabe, Estemo, Anim,
**51** Gósen, Holom e Gilo; onze cidades com suas aldeias.
**52** Arabe, Dumá, Esã,
**53** Janim, Bete-Tapua, Afeca,
**54** Hunta, Quiriate-Arba (que é Hebrom) e Zior; nove cidades com suas aldeias.

55 Maom, Carmelo, Zife, Jutá,
56 Jezreel, Jocdeão, Zanoa,
57 Caim, Gibeá, Timna; dez cidades com suas aldeias.
58 Halul, Bete-Zur, Gedor,
59 Maarate, Bete-Anote e Eltecom; seis cidades com suas aldeias.
60 Quiriate-Baal (que é Quiriate-Jearim) e Rabá; duas cidades com suas aldeias.
61 No deserto: Bete-Arabá, Midim, Secaca.
62 Nibsã, Cidade do Sal e En-Gedi; seis cidades com suas aldeias.
63 Não puderam, porém, os filhos de Judá expulsar os jebuseus que habitavam em Jerusalém; assim ficaram habitando os jebuseus com os filhos de Judá em Jerusalém até o dia de hoje.

### A herança de Efraim

**16** A sorte que tocou aos filhos de José começa no Jordão, perto de Jericó, na banda oriental das águas de Jericó, e vai ao deserto que sobe de Jericó pela região montanhosa de Betel.
2 De Betel sai para Luz, passa ao território dos arquitas, até Atarote,
3 desce rumo ao ocidente ao território de Jafleti, até o território de Bete-Horom de baixo, e até Gezer, terminando no mar.
4 Assim alcançaram a sua herança os filhos de José, Manassés e Efraim.
5 Foi este o território dos filhos de Efraim, segundo as suas famílias: para o oriente a fronteira da sua herança é Atarote-Adar até Bete-Horom de cima;
6 sai este território para o ocidente junto a Micmetá, ao norte, vira para o oriente até Taanate-Siló, e passa por ela ao oriente a Janoa;
7 desce de Janoa a Atarote e a Naarate, toca em Jericó e termina no Jordão.
8 De Tapua vai ao território para o ocidente, ao ribeiro de Caná, e vai terminar no mar; esta é a herança da tribo dos filhos de Efraim, segundo as suas famílias,
9 com as cidades que se separaram para os filhos de Efraim, que estavam no meio da herança dos filhos de Manassés; todas aquelas cidades com suas aldeias.
10 Não expulsaram aos cananeus que habitavam em Gezer; os cananeus habitam no meio dos efraimitas até o dia de hoje, mas são sujeitos a trabalho forçado.

### A herança da meia tribo de Manassés

**17** A sorte da tribo de Manassés, primogênito de José, foi primeiramente para Maquir, primogênito de Manassés. Maquir foi pai dos gileaditas, que haviam recebido Gileade e Basã, porque eram homens de guerra.
2 Também os outros filhos de Manassés tiveram a sua parte, segundo as suas famílias, a saber: os filhos de Abiezer, e os filhos de Heleque, e os filhos de Asriel, e os filhos de Siquém, e os filhos de Héfer, e os filhos de Semida. São estes os filhos de Manassés, filho de José, segundo as suas famílias.
3 Zelofeade, porém, filho de Héfer, filho de Gileade, filho de Maquir, filho de Manassés, não teve filhos, mas só filhas; são estes os nomes de suas filhas: Maalá, Noa, Hogla, Milca e Tirza.
4 Estas se apresentaram diante de Eleazar, o sacerdote, e diante de Josué, filho de Num, e diante dos líderes e disseram: O Senhor ordenou

a Moisés que se nos desse herança no meio de nossos irmãos. Pelo que, conforme o dito do Senhor, lhes deu herança no meio dos irmãos de seu pai.

5 Couberam a Manassés dez quinhões, fora a terra de Gileade e Basã, que está perto do Jordão,
6 porque as filhas de Manassés no meio de seus filhos possuíram herança. Os outros filhos de Manassés tiveram a terra de Gileade.
7 O território de Manassés foi desde Aser até Micmetá, que está em frente de Siquém, e vai pela direita até os moradores de En-Tapua.
8 Tinha Manassés a terra de Tapua, mas Tapua, ainda que situada na fronteira de Manassés, pertencia aos filhos de Efraim.
9 Então desce a fronteira ao ribeiro de Caná. A Efraim couberam as cidades ao sul do ribeiro no meio das cidades de Manassés; mas a fronteira de Manassés está ao norte do ribeiro, indo até o mar.
10 Efraim ao sul, e Manassés, ao norte; o território de Manassés chegava ao mar e tocava em Aser, e pelo oriente, em Issacar.
11 Em Issacar e em Aser tinha Manassés a Bete-Seã e suas vilas, Ibleã e suas vilas, os habitantes de Dor e suas vilas, os habitantes de En-Dor e suas vilas, os habitantes de Taanaque e suas vilas e os habitantes de Megido e suas vilas, bem como a região dos três outeiros.
12 Os filhos de Manassés não puderam expulsar os habitantes daquelas cidades, pois os cananeus persistiram em habitar naquela terra.
13 Entretanto, fortalecendo-se os filhos de Israel, sujeitaram os cananeus a trabalhos forçados, mas não os expulsaram totalmente.
14 Então os filhos de José disseram a Josué: Por que nos deste por herança só uma parte e um quinhão, sendo nós tão grande povo, visto que o Senhor até aqui nos tem abençoado?
15 Disse-lhes Josué: Se sois grande povo, subi ao bosque e cortai para vós lugar ali na terra dos ferezeus e dos refains, visto que a região montanhosa de Efraim vos é estreita demais.
16 Então disseram os filhos de José: A região montanhosa não nos bastaria, e todos os cananeus que habitam na terra do vale possuem carros de ferro, tanto os de Bete-Seã e suas vilas como os que estão no vale de Jezreel.
17 Josué, porém, disse à tribo de José, a Efraim e a Manassés: Povo grande és e tens grande força. Não terás apenas uma sorte;
18 mas a região montanhosa será tua. Ainda que seja bosque, tu a cortarás, e as suas extremidades serão tuas; apesar de os cananeus possuírem carros de ferro e serem fortes, tu os expulsarás.

### Israel arma o tabernáculo em Siló

**18** Toda a comunidade dos filhos de Israel, depois que conquistou a terra, ajuntou-se em Siló e ali armou a tenda da congregação.
2 Dos filhos de Israel ficaram sete tribos que ainda não tinham repartido a sua herança.
3 Disse Josué aos filhos de Israel: Até quando sereis negligentes em passardes para possuir a terra que o Senhor, o Deus de vossos pais, vos deu?

4 De cada tribo escolhei três homens, para que eu os envie; e eles saiam a percorrer a terra e a demarquem segundo as suas heranças, e voltem a mim.
5 Dividirão a terra em sete partes: Judá ficará no seu território para o sul, e a tribo de José, para o norte.
6 E vós demarcareis a terra em sete partes e trareis a mim a sua descrição, para que eu aqui vos lance as sortes perante o Senhor, o nosso Deus.
7 Os levitas, porém, não têm parte no meio de vós, porque o sacerdócio do Senhor é a sua parte. Gade, Rúben e a meia tribo de Manassés tomaram a sua herança no lado leste do Jordão, a qual lhes deu Moisés, o servo do Senhor.
8 Então aqueles homens se levantaram e se foram. Josué deu ordem aos que iam demarcar a terra, dizendo: Ide, percorrei a terra e demarcai-a. Então voltai a mim, e aqui vos lançarei as sortes perante o Senhor, em Siló.
9 Assim, foram aqueles homens, percorreram a terra e a demarcaram em sete partes, segundo as suas cidades, num livro, e voltaram a Josué, ao acampamento em Siló.
10 Então Josué lhes lançou as sortes em Siló, perante o Senhor, e ali repartiu a terra entre os filhos de Israel, conforme as suas divisões.

### A herança de Benjamim

11 Saiu a sorte da tribo dos filhos de Benjamim, segundo as suas famílias, e coube-lhe o território entre os filhos de Judá e os filhos de José.
12 A sua fronteira foi para o norte desde o Jordão; sobe este território ao lado de Jericó para o norte e sobe pela montanha para o ocidente, indo terminar no deserto de Bete-Áven.
13 Dali passa este território a Luz, ao lado de Luz (que é Betel) para o sul; desce a Atarote-Adar, ao pé do monte que está no sul de Bete-Horom de baixo.
14 Vai este termo virando pelo lado do ocidente, para o sul do monte que está em frente de Bete-Horom, para o sul, e termina em Quiriate-Baal (que é Quiriate-Jearim), cidade dos filhos de Judá. Este é o seu lado ocidental.
15 O lado sul começa na extremidade de Quiriate-Jearim e dali se estende até Efrom, até a fonte das águas de Neftoa.
16 Desce a fronteira até a extremidade do monte que está em frente do vale do filho de Hinom, que está no vale dos refains, para o norte, e desce pelo vale de Hinom do lado dos jebuseus, para o sul; então desce à fonte de En-Rogel;
17 e vai para o norte, chegando a En-Semes; dali sai a Gelilote, que está em frente da subida de Adumim; desce à pedra de Boã, filho de Rúben;
18 passa pela vertente norte em frente da Arabá, e desce a Arabá;
19 dali segue para o norte, ladeando Bete-Hogla, e vai terminar na baía do mar Salgado, na foz do Jordão ao sul. Essa é a fronteira sul.
20 O Jordão delimitava o limite oriental. Essa é a herança dos filhos de Benjamim, nos seus limites em redor, segundo as suas famílias.
21 As cidades da tribo dos filhos de Benjamim, segundo suas famílias, são: Jericó, Bete-Hogla, Emeque-Queziz,

22 Bete-Arabá, Zemaraim, Betel,
23 Avim, Pará, Ofra,
24 Quefar-Amonai, Ofni e Geba: doze cidades com suas aldeias.
25 Gibeom, Ramá, Beerote,
26 Mispa, Quefira, Moza,
27 Requém, Irpeel, Tarala,
28 Zela, Elefe, Jebus (esta é Jerusalém), Gibeá e Quiriate: catorze cidades com suas aldeias. Essa é a herança dos filhos de Benjamim, segundo as suas famílias.

## A herança de Simeão

**19** Saiu a segunda sorte a Simeão, à tribo dos filhos de Simeão, segundo as suas famílias, e foi a sua herança no meio da herança dos filhos de Judá.
2 Tiveram na sua herança: Berseba, Seba, Molada,
3 Hazar-Sual, Balá, Ázen,
4 Eltolade, Betul, Hormá,
5 Ziclague, Bete-Marcabote, Hazar-Susa,
6 Bete-Lebaote e Saruém: treze cidades com suas aldeias.
7 Aim, Rimom, Eter e Asã: quatro cidades com suas aldeias.
8 E todos os povoados que havia em redor dessas cidades, até Baalate-Beer, que é Ramá do Neguebe. Essa é a herança da tribo dos filhos de Simeão, segundo as suas famílias.
9 A herança dos filhos de Simeão foi tirada do quinhão dos filhos de Judá, porque a herança dos filhos de Judá era demasiadamente grande para eles, pelo que os filhos de Simeão tiveram a sua herança no meio deles.

## A herança de Zebulom e Issacar

10 Saiu a terceira sorte aos filhos de Zebulom, segundo as suas famílias, e foi a fronteira da sua herança até Saride.
11 Sobe de lá pelo ocidente a Maralá e estende-se até Dabesete; chega até o ribeiro que está em frente de Jocneão.
12 De Saride volta para o oriente, para o nascente do sol, até o território de Quislote-Tabor, sai a Daberate, e vai subindo a Jafia.
13 Dali passa pelo oriente a Gate-Héfer, a Ete-Cazim, vai a Rimom-Metoar, que se estende até Neá,
14 e volta para o norte, a Hanatom, e termina no vale de Iftá-El;
15 e Catate, Naalal, Sinrom, Idala e Belém; doze cidades com suas aldeias.
16 Essa é a herança dos filhos de Zebulom, segundo as suas famílias, essas cidades com seus povoados.
17 A quarta sorte saiu a Issacar, aos filhos de Issacar, segundo as suas famílias.
18 Vai o seu território até Jezreel, Quesulote, Suném,
19 Hafaraim, Siom, Anaarate,
20 Rabite, Quisiom, Ebes,
21 Remete, En-Ganim, En-Hadá e Bete-Pazes.
22 O território estende-se até Tabor, Saazima e Bete-Semes, e termina no Jordão; dezesseis cidades com seus povoados.
23 Essa é a herança da tribo dos filhos de Issacar, segundo as suas famílias; essas cidades com seus povoados.

## A herança de Aser e de Naftali

24 Saiu a quinta sorte à tribo dos filhos de Aser, segundo as suas famílias.
25 Foi o seu território Helcate, Hali, Béten, Acsafe,
26 Alameleque, Amade e Misal; chega ao Carmelo para o ocidente, e a Sior-Libnate;

27 vira para o nascente do sol a Bete-Dagom, chega a Zebulom e ao vale de Iftá-El, ao norte de Bete-Emeque e de Neiel, e vem sair a Cabul pela esquerda, 28 Ebrom, Reobe, Hamom e Caná, até a grande Sidom. 29 Vira o território para Ramá e para a cidade fortificada de Tiro; então torna a Hosa e vai terminar no mar, na região de Aczibe; 30 também Umá, Afeque e Reobe; ao todo vinte e duas cidades com seus povoados. 31 Essa é a herança da tribo dos filhos de Aser, segundo as suas famílias; essas cidades com seus povoados. 32 Saiu a sexta sorte aos filhos de Naftali, segundo as suas famílias. 33 Foi o seu território desde Helefe, e desde o carvalho em Zaananim, e Adami-Neguebe, Jabneel, até Lacum e termina no Jordão. 34 Virava para o ocidente a Aznote-Tabor e dali passa a Hucoque; chega a Zebulom ao sul, e a Aser, ao ocidente; a Judá à margem do Jordão, ao nascente do sol. 35 E são as cidades fortificadas: Zidim, Zer, Hamate, Racate, Quinerete, 36 Adamá, Ramá, Hazor, 37 Quedes, Edrei, En-Hazor, 38 Irom, Migdal-El, Horém, e Bete-Anate e Bete-Semes; dezenove cidades com seus povoados. 39 Essa é a herança da tribo dos filhos de Naftali, segundo as suas famílias; estas cidades com seus povoados.

### A herança de Dã

40 A sétima sorte saiu à tribo dos filhos de Dã, segundo as suas famílias. 41 Foi o território da sua herança Zorá, Estaol, Ir-Semes, 42 Saalabim, Aijalom, Itla, 43 Elom, Timna, Ecrom, 44 Elteque, Gibetom, Baalate, 45 Jeúde, Bene-Beraque, Gate-Rimom, 46 Me-Jarcom e Racom com o território em frente de Jope. 47 Saiu, porém, pequeno o território dos filhos de Dã, pelo que subiram os filhos de Dã, pelejaram contra Lesém, tomaram-na, feriram-na a fio de espada e tomaram posse dela. Habitaram em Lesém e a chamaram Dã, conforme o nome de Dã, seu pai. 48 Essa é a herança da tribo dos filhos de Dã, segundo as suas famílias; essas cidades com seus povoados. 49 Acabando de repartir a terra em herança, segundo os seus territórios, deram os filhos de Israel a Josué, filho de Num, herança no meio deles, 50 segundo o dito do Senhor. Deram-lhe a cidade que pediu, Timnate-Sera, na região montanhosa de Efraim. E ele reedificou a cidade e habitou nela. 51 Essas são as heranças que Eleazar, o sacerdote, e Josué, filho de Num, e os chefes dos clãs das tribos repartiram por sorte em herança, pelas tribos dos filhos de Israel em Siló, perante o Senhor, à porta da tenda da congregação. E assim acabaram de repartir a terra.

### As cidades de refúgio

**20** Então disse o Senhor a Josué: 2 Dize aos filhos de Israel: Indicai para vós as cidades de refúgio, de que vos falei por intermédio de Moisés,

**3** para que fuja para ali o homicida, que por engano matar uma pessoa, para que vos sejam refúgio do vingador do sangue.
**4** Fugindo ele para uma dessas cidades, se apresentará à porta da cidade e exporá a sua causa aos ouvidos das autoridades de tal cidade. Então lhe darão lugar, para que habite com eles.
**5** Se o vingador do sangue o perseguir, não entregarão na sua mão o homicida, porque não o feriu intencionalmente, nem o odiava antes.
**6** Habitará na mesma cidade até que compareça em juízo perante a comunidade e até que morra o sumo sacerdote que servir naqueles dias. Então o homicida voltará e virá à sua cidade e à sua casa, à cidade de onde fugiu.
**7** Então indicaram a Quedes na Galileia, na região montanhosa de Naftali, Siquém, na região montanhosa de Efraim, e Quiriate-Arba, ou seja, Hebrom, na região montanhosa de Judá.
**8** No lado leste do Jordão, perto de Jericó para o oriente, indicaram Bezer, no deserto, na campina da tribo de Rúben, e Ramote, em Gileade, da tribo de Gade, e Golã, em Basã, da tribo de Manassés.
**9** Foram estas as cidades designadas para todos os filhos de Israel e para o estrangeiro que peregrinasse entre eles, para que se acolhesse a elas todo aquele que por engano matasse alguém, para que não morresse às mãos do vingador *do sangue, antes de comparecer perante a comunidade.*

### As cidades dos levitas

**21** Então os chefes das famílias dos levitas se chegaram a Eleazar, o sacerdote, e a Josué, filho de Num, e aos chefes das demais famílias das tribos dos filhos de Israel
**2** e lhes disseram em Siló, na terra de Canaã: O Senhor ordenou, por intermédio de Moisés, que se nos dessem cidades para habitar e pastos para os nossos animais.
**3** Pelo que os filhos de Israel deram aos levitas, da sua herança, conforme o dito do Senhor, estas cidades e os seus pastos.
**4** Saiu a sorte pelas famílias dos coatitas. Aos filhos de Arão, o sacerdote, que eram dos levitas, caíram por sorte, da tribo de Judá, da tribo de Simeão e da tribo de Benjamim, treze cidades.
**5** Aos outros filhos de Coate caíram por sorte, das famílias da tribo de Efraim, da tribo de Dã e da meia tribo de Manassés, dez cidades.
**6** Aos filhos de Gérson caíram por sorte, das famílias da tribo de Issacar, da tribo de Aser, da tribo de Naftali e da meia tribo de Manassés em Basã, treze cidades.
**7** Os filhos de Merari, segundo as suas famílias, da tribo de Rúben, da tribo de Gade e da tribo de Zebulom, receberam doze cidades.
**8** Deram os filhos de Israel aos levitas estas cidades e os seus pastos por sorte, como o Senhor ordenara por intermédio de Moisés.
**9** Deram mais, da tribo dos filhos de Judá e da tribo dos filhos de Simeão, estas cidades, que por nome foram mencionadas,
**10** para que fossem dos filhos de Arão, das famílias dos coatitas, dos filhos de Levi, porque lhes caiu a primeira sorte.
**11** Assim lhes deram Quiriate-Arba, do pai de Enaque (esta é Hebrom),

na região montanhosa de Judá, com os seus pastos ao redor.
12 O campo da cidade, porém, e as suas aldeias deram a Calebe, filho de Jefoné, por sua propriedade.
13 Assim aos filhos de Arão, o sacerdote, deram Hebrom, cidade de refúgio do homicida, com seus pastos, Libna com seus pastos,
14 Jatir e Estemoa com seus pastos,
15 Holom e Debir com seus pastos,
16 Aim, Jutá e Bete-Semes com seus pastos; nove cidades dessas duas tribos.
17 Da tribo de Benjamim, Gibeom e Geba com seus pastos,
18 Anatote e Almom com seus pastos; quatro cidades.
19 Todas as cidades dos sacerdotes, filhos de Arão, foram treze cidades com seus pastos.
20 As famílias dos filhos de Coate, levitas, os demais filhos de Coate, tiveram as cidades da sua sorte da tribo de Efraim.
21 Deram-lhes Siquém, cidade de refúgio do homicida, com seus pastos, na região montanhosa de Efraim, Gezer com seus pastos,
22 Quibzaim e Bete-Horom com seus pastos; quatro cidades.
23 Da tribo de Dã, Elteque e seus pastos, Gibetom e seus pastos,
24 Aijalom e Gate-Rimom e seus pastos; quatro cidades.
25 Da meia tribo de Manassés, Taanaque e Gate-Rimom com seus pastos; duas cidades.
26 Todas as cidades para as famílias dos demais filhos de Coate foram dez com seus pastos.
27 Aos filhos de Gérson, das famílias dos levitas, deram Golã, da meia tribo de Manassés, cidade de refúgio do homicida, em Basã, com seus pastos e também Beesterá com seus pastos; duas cidades.
28 Da tribo de Issacar, Quisiom e Daberate com seus pastos,
29 Jarmute e En-Ganim com seus pastos; quatro cidades.
30 Da tribo de Aser, Misal e Abdom com seus pastos,
31 Helcate e Reobe com seus pastos; quatro cidades.
32 Da tribo de Naftali, deram Quedes, cidade de refúgio do homicida, na Galileia, e Hamote-Dor com seus pastos; três cidades.
33 Todas as cidades dos gersonitas, segundo as suas famílias, foram treze cidades com seus pastos.
34 Às famílias dos demais levitas dos filhos de Merari, deram da tribo de Zebulom, Jocneão e Cartá com seus pastos,
35 Dimna e Naalal com seus pastos; quatro cidades.
36 Da tribo de Rúben, Bezer e Jaza com seus pastos,
37 Quedemote e Mefaate com seus pastos; quatro cidades.
38 Da tribo de Gade, deram Ramote, cidade de refúgio do homicida, em Gileade, e Maanaim com seus pastos,
39 Hesbom e Jazer com seus pastos; ao todo quatro cidades.
40 Todas essas cidades couberam por sorte aos filhos de Merari, segundo as suas famílias, que ainda restavam das famílias dos levitas; ao todo doze cidades.
41 Todas as cidades dos levitas, no meio da herança dos filhos de Israel, foram quarenta e oito cidades com seus pastos.
42 Cada uma dessas cidades tinha os seus pastos ao redor; assim foi com todas elas.
43 Desta maneira, deu o Senhor a Israel toda a terra que, com

juramento, prometera dar a seus pais; eles a possuíram e habitaram nela.

**44** O Senhor lhes deu repouso em redor, conforme tudo o que jurara a seus pais. Nenhum de todos os seus inimigos ficou de pé diante deles; a todos eles o Senhor lhes entregou nas mãos.

**45** Palavra alguma falhou de todas as boas coisas que o Senhor prometera à casa de Israel; tudo se cumpriu.

### Regressam as tribos dalém do Jordão

**22** Então Josué chamou os rubenitas, os gaditas e a meia tribo de Manassés

**2** e lhes disse: Tudo o que Moisés, servo do Senhor, vos ordenou, tendes cumprido, como tendes obedecido à minha voz em tudo o que vos ordenei.

**3** A vossos irmãos nunca desamparastes até o dia de hoje; antes tivestes cuidado de guardar o mandamento do Senhor, o vosso Deus.

**4** Agora que o Senhor, o vosso Deus, deu repouso a vossos irmãos, como lhes havia prometido, voltai-vos e ide-vos para as vossas tendas, para a terra da vossa possessão, que Moisés, servo do Senhor, vos deu dalém do Jordão.

**5** Tão somente tende cuidado de guardar com diligência o mandamento e a lei que Moisés, servo do Senhor, vos ordenou: que ameis o Senhor, o vosso Deus, andeis em todos os seus caminhos, guardeis *os seus mandamentos, e vos chegueis a ele, e o sirvais de todo o vosso coração e de toda a vossa alma.

**6** Assim Josué os abençoou e os despediu; e eles foram para as suas tendas.

**7** Moisés dera herança em Basã à meia tribo de Manassés, mas à outra metade Josué deu herança entre seus irmãos, do outro lado do Jordão, para o ocidente. Despedindo-os para as suas tendas, Josué os abençoou

**8** e lhes disse: Voltais para as vossas tendas com grandes riquezas, com muitíssimo gado, com prata, com ouro, com metal, com ferro e muitíssima roupa; reparti com vossos irmãos o despojo dos vossos inimigos.

**9** Assim os filhos de Rúben, os filhos de Gade e a meia tribo de Manassés, voltaram e se separaram dos filhos de Israel, de Siló, que está na terra de Canaã, para irem à terra de Gileade, à terra da sua propriedade, de que foram feitos proprietários, conforme o dito do Senhor por intermédio de Moisés.

### O altar perto do Jordão

**10** Assim que chegaram à região junto ao Jordão, ainda na terra de Canaã, os filhos de Rúben, os filhos de Gade e a meia tribo de Manassés edificaram um altar junto ao Jordão, um altar de grande proporção.

**11** E, quando os filhos de Israel ouviram dizer que os filhos de Rúben, os filhos de Gade e a meia tribo de Manassés haviam edificado um altar em frente da terra de Canaã, na região junto ao Jordão, do lado que pertence aos filhos de Israel,

**12** ajuntou-se toda a comunidade dos filhos de Israel em Siló, para saírem à batalha contra eles.

**13** Enviaram os filhos de Israel aos filhos de Rúben, aos filhos de Gade e à meia tribo de Manassés, à terra de Gileade, Fineias, filho de Eleazar, o sacerdote.

14 Com ele enviaram dez líderes, de cada família um líder, de todas as tribos de Israel, cada um o chefe de suas famílias entre os milhares de Israel.

15 Indo eles aos filhos de Rúben, aos filhos de Gade e à meia tribo de Manassés, à terra de Gileade, disseram-lhes:

16 Assim diz toda a comunidade do Senhor: Que transgressão é esta que cometeis contra o Deus de Israel, deixando de seguir ao Senhor, edificando-vos um altar, para vos rebelardes hoje contra o Senhor?

17 Foi-nos pouco a iniquidade de Peor, da qual até hoje não estamos ainda purificados, apesar de ter havido praga na comunidade do Senhor,

18 para que hoje queirais abandonar o Senhor? Rebelando-vos hoje contra o Senhor, amanhã ele se irará contra toda a comunidade de Israel.

19 Se, porém, a terra da vossa propriedade é imunda, passai-vos para a terra do Senhor, onde habita o tabernáculo do Senhor, e tomai propriedade entre nós. Mas não vos rebeleis contra o Senhor, tampouco vos rebeleis contra nós, edificando-vos um altar, que não o altar do Senhor, o nosso Deus.

20 Não foi Acã, filho de Zerá, infiel no tocante às coisas condenadas? E não veio ira sobre toda a comunidade de Israel, de modo que aquele homem não morreu sozinho na sua iniquidade?

21 Então responderam os filhos de Rúben, os filhos de Gade e a meia tribo de Manassés, aos chefes dos milhares de Israel:

22 O Poderoso, o Deus, o Senhor! O Poderoso, o Deus, o Senhor! Ele o sabe, e Israel mesmo o saberá. Se agimos em rebeldia ou desobediência ao Senhor, hoje não nos poupeis.

23 Se edificamos altar para nos tornar de após o Senhor, ou para sobre ele oferecer holocausto e oferta de cereais, ou sobre ele fazer oferta pacífica, o Senhor mesmo de nós o requeira.

24 Pelo contrário, fizemos isso com receio de que amanhã vossos filhos digam aos nossos: Que tendes vós com o Senhor, o Deus de Israel?

25 O Senhor pôs o Jordão por fronteira entre nós e vós, ó filhos de Rúben e filhos de Gade! Não tendes parte no Senhor. Assim bem poderiam os vossos filhos fazer que os nossos deixassem de temer ao Senhor.

26 Pelo que dissemos: Edifiquemos agora um altar, não para holocausto ou sacrifício,

27 mas para que entre nós e vós, e entre as nossas gerações depois de nós, nos seja em testemunho, para podermos fazer o serviço do Senhor diante dele com os nossos holocaustos, com os nossos sacrifícios e com as nossas ofertas pacíficas. E para que os vossos filhos não venham a dizer amanhã aos nossos: Não tendes parte no Senhor.

28 Pelo que dissemos: Se amanhã eles assim disserem a nós e às nossas gerações, então responderemos: Vede o modelo do altar do Senhor que fizeram nossos pais, não para holocausto nem para sacrifício, mas para ser testemunho entre nós e vós.

29 Longe esteja de nós que nos rebelemos contra o Senhor, ou que

hoje o abandonemos, edificando altar para holocausto, oferta de cereais ou sacrifício, além do altar do Senhor, o nosso Deus, que está perante o seu tabernáculo.

**30** Ouvindo Fineias, o sacerdote, e os líderes da comunidade, e os chefes dos milhares de Israel que com ele estavam as palavras que disseram os filhos de Rúben, os filhos de Gade e os filhos de Manassés, ficaram satisfeitos.

**31** Então disse Fineias, filho de Eleazar, o sacerdote, aos filhos de Rúben, aos filhos de Gade e aos filhos de Manassés: Hoje sabemos que o Senhor está no meio de nós, porque não agistes com infidelidade para com o Senhor. Agora livrastes os filhos de Israel da mão do Senhor.

**32** Voltou Fineias, filho de Eleazar, o sacerdote, com os líderes, sem os filhos de Rúben e com os filhos de Gade, da terra de Gileade à terra de Canaã, aos filhos de Israel, e trouxeram-lhes a resposta.

**33** A resposta agradou aos filhos de Israel. Eles louvaram a Deus e não falaram mais de subir a pelejar contra eles, para destruírem a terra em que habitavam os filhos de Rúben e os de Gade.

**34** Os filhos de Rúben e os de Gade chamaram ao altar Testemunho, dizendo: É testemunho entre nós de que o Senhor é Deus.

### O discurso de Josué em Siquém

**23** Passados muitos dias depois que o Senhor havia *dado repouso a Israel* de todos os seus inimigos em redor, e sendo Josué já idoso e de idade muito avançada,

**2** chamou todo o Israel, as autoridades, os seus líderes, os seus juízes e os seus oficiais e lhes disse: Eu já sou velho, com idade avançada.

**3** Vós tendes visto tudo o que o Senhor, o vosso Deus, fez a todas estas nações por causa de vós; é o Senhor, o vosso Deus, que tem pelejado por vós.

**4** Vede que vos reparti por sorte estas nações que restam, para serem herança das vossas tribos, com todas as nações que tenho eliminado, desde o Jordão até o mar Grande para o ocidente.

**5** O Senhor, o vosso Deus, as empurrará e as expulsará de diante de vós, e possuireis a sua terra, como o Senhor, o vosso Deus, vos prometeu.

**6** Esforçai-vos muito para guardar e cumprir tudo o que está escrito no livro da lei de Moisés, para que dele não vos aparteis, nem para a direita nem para a esquerda.

**7** Não vos mistureis com estas nações que ainda restam no vosso meio; não fareis menção dos nomes de seus deuses, não os invocareis nos vossos juramentos, não os servireis, não vos inclinareis a eles.

**8** Ao Senhor, o vosso Deus, porém, vos achegareis, como fizestes até o dia de hoje.

**9** O Senhor expulsou de diante de vós grandes e numerosas nações; quanto a vós outros, ninguém vos resistiu até o dia de hoje.

**10** Um só homem dentre vós perseguirá a mil, porque o Senhor, o vosso Deus, é quem peleja por vós, como já vos prometeu.

**11** Portanto, guardai com cuidado a vossa alma, para amardes ao Senhor, o vosso Deus.

**12** Se, porém, de alguma maneira vos desviardes e vos achegardes ao resto dessas nações que ficaram entre vós, e com elas vos aparentardes, e vos misturardes com elas, e elas convosco, 13 sabei certamente que o Senhor, o vosso Deus, não continuará a expulsar essas nações de diante de vós. Pelo contrário, elas vos serão por laço e rede, açoite às vossas ilhargas e espinhos aos vossos olhos, até que pereçais nesta boa terra que vos deu o Senhor, o vosso Deus.

14 Ora, vou hoje pelo caminho de toda a terra. Vós bem sabeis, de todo o vosso coração e de toda a vossa alma, que nem uma só palavra caiu de todas as boas coisas que o Senhor, o vosso Deus, falou a vosso respeito. Todas vos sobrevieram, nenhuma delas falhou.

15 Assim, porém, como sobre vós vieram todas estas boas coisas, que o Senhor, o vosso Deus, vos disse, da mesma forma trará o Senhor sobre vós todas aquelas más coisas até vos destruir de sobre a boa terra que vos deu o Senhor, o vosso Deus.

16 Se violardes a aliança do Senhor, o vosso Deus, que ele vos ordenou, e fordes e servirdes a outros deuses, e a eles vos inclinardes, então a ira do Senhor se acenderá contra vós, e logo perecereis na boa terra que ele vos deu.

### Renovação da aliança em Siquém

**24** Então Josué reuniu todas as tribos de Israel em Siquém. Chamou as autoridades de Israel, os seus líderes, os seus juízes e os seus oficiais, e eles se apresentaram diante de Deus.

2 Disse Josué a todo o povo: Assim diz o Senhor, o Deus de Israel: Além do Eufrates habitaram antigamente vossos pais, Terá, pai de Abraão e de Naor, e serviram a outros deuses.

3 Eu, porém, tomei a vosso pai Abraão além do rio e o guiei por toda a terra de Canaã; também multipliquei a sua descendência. Dei-lhe Isaque,

4 e a Isaque dei Jacó e Esaú. A Esaú dei o monte Seir, mas Jacó e seus filhos desceram para o Egito.

5 Então enviei Moisés e Arão e feri o Egito com as pragas que enviei a eles, e vos tirei de lá.

6 Tirando eu do Egito a vossos pais, viestes ao mar; e os egípcios perseguiram a vossos pais com carros e com cavaleiros, até o mar Vermelho.

7 Clamaram, porém, ao Senhor, e ele pôs uma escuridão entre vós e os egípcios; trouxe o mar sobre eles e os cobriu. Os vossos olhos viram o que eu fiz no Egito. Então habitastes no deserto muitos dias.

8 Eu vos trouxe à terra dos amorreus, que habitavam a leste do Jordão. Eles pelejaram contra vós, mas os dei nas vossas mãos. Eu os destruí de diante de vós, e possuístes a sua terra.

9 Quando Balaque, filho de Zipor, rei dos moabitas, levantou-se para pelejar contra Israel, mandou chamar Balaão, filho de Beor, para que vos amaldiçoasse.

10 Eu, porém, não quis ouvir a Balaão, pelo que ele vos abençoou, e eu vos livrei da sua mão.

11 Passando vós o Jordão, e chegando a Jericó, os habitantes de Jericó pelejaram contra vós, como também os amorreus, os ferezeus, os cananeus, os heteus, os girgaseus, os heveus e os jebuseus, mas os entreguei nas vossas mãos.

12 Enviei vespões adiante de vós, que os expulsaram da vossa presença,

bem como aos dois reis dos amorreus, não com a vossa espada ou com o vosso arco.
13 Assim vos dei uma terra em que não trabalhastes, e cidades que não edificastes, e habitais nelas; e comeis das vinhas e dos olivais que não plantastes.

### Josué renova a aliança com o povo

14 Agora temei ao Senhor e servi-o com sinceridade e com verdade. Deitai fora os deuses aos quais serviram vossos pais além do Eufrates e no Egito, e servi ao Senhor.
15 Se, porém, vos parece mal servir ao Senhor, escolhei hoje a quem sirvais; se aos deuses a quem serviram vossos pais, que estavam além do Eufrates, ou aos deuses dos amorreus, em cuja terra habitais. Eu e a minha casa serviremos ao Senhor.
16 Então respondeu o povo: Nunca nos aconteça que deixemos o Senhor para servirmos a outros deuses!
17 Foi o próprio Senhor, o nosso Deus, que nos fez subir da terra do Egito, com nossos pais, da casa da servidão, e fez estes grandes sinais aos nossos olhos. Ele nos guardou por todo o caminho que andamos e entre todos os povos pelo meio dos quais passamos.
18 O Senhor expulsou de diante de nós todas estas gentes, inclusive o amorreu, morador da terra. Nós também serviremos ao Senhor, porque ele é nosso Deus.
19 Então Josué disse ao povo: Não podereis servir ao Senhor. Ele é Deus santo; é Deus zeloso. Ele não perdoará a vossa rebeldia nem os vossos pecados.
20 Se deixardes o Senhor e servirdes a deuses estranhos, ele se voltará e vos fará mal, e vos consumirá, depois de vos ter feito bem.
21 Disse, porém, o povo a Josué: Não, antes ao Senhor serviremos.
22 Então disse Josué: Sois testemunhas contra vós mesmos de que escolhestes servir ao Senhor. Responderam: Somos testemunhas.
23 Agora, pois, lançai fora os deuses estranhos que há no meio de vós e inclinai o vosso coração ao Senhor, o Deus de Israel.
24 E disse o povo a Josué: Serviremos ao Senhor nosso Deus e obedeceremos à sua voz.
25 Assim fez Josué naquele dia uma aliança com o povo e ali em Siquém lhes deu estatutos e leis.

### A pedra do testemunho

26 E Josué escreveu essas palavras no livro da lei de Deus. Então tomou uma grande pedra e a erigiu ali debaixo do carvalho que estava junto ao santuário do Senhor.
27 Disse Josué a todo o povo: Vede! Esta pedra nos será por testemunho. Ela ouviu todas as palavras que o Senhor nos disse. Será por testemunho contra vós, para que não mintais a vosso Deus.
28 Então Josué despediu o povo, cada um para a sua propriedade.

### A morte de Josué

29 Depois dessas coisas, Josué, filho de Num, servo do Senhor, faleceu, com a idade de cento e dez anos.
30 Sepultaram-no no território da sua herança, em Timnate-Sera, que está na região montanhosa de Efraim, para o norte do monte Gaás.
31 Serviu Israel ao Senhor todos os dias de Josué, e todos os dias dos líderes que ainda viveram

muito depois de Josué, e que sabiam toda a obra que o Senhor tinha feito a favor de Israel.

32 Também enterraram em Siquém os ossos de José, que os filhos de Israel trouxeram do Egito, naquela parte do campo que Jacó comprara aos filhos de Hamor, pai de Siquém, por cem peças de prata. Esta terra veio a ser a herança dos filhos de José.

33 E faleceu Eleazar, filho de Arão, e o sepultaram em Gibeá, na região montanhosa de Efraim. Essa cidade tinha sido dada a Fineias, seu filho.

# JUÍZES

## Novas conquistas

**1** Depois da morte de Josué, os filhos de Israel perguntaram ao Senhor: Quem dentre nós subirá primeiro aos cananeus, para pelejar contra eles?

**2** Respondeu o Senhor: Judá subirá; entreguei a terra nas suas mãos.

**3** Então disse Judá a Simeão, seu irmão: Sobe comigo à herança que me coube por sorte, e pelejemos contra os cananeus, e também eu subirei contigo à tua herança que te coube por sorte. E Simeão partiu com ele.

**4** Subiu Judá, e o Senhor lhe entregou nas mãos os cananeus e os ferezeus, e mataram deles em Bezeque dez mil homens.

**5** Acharam Adoni-Bezeque em Bezeque e pelejaram contra ele; mataram os cananeus e os ferezeus.

**6** Adoni-Bezeque fugiu, mas o perseguiram e o prenderam; cortaram-lhe os polegares das mãos e dos pés.

**7** Então disse Adoni-Bezeque: Setenta reis, com os polegares das mãos e dos pés cortados, apanhavam as migalhas debaixo da minha mesa. Assim como eu fiz, assim Deus me pagou. E o trouxeram a Jerusalém, e morreu ali.

**8** Os filhos de Judá pelejaram contra Jerusalém e, tomando-a, mataram seus moradores a fio de espada e queimaram a cidade.

**9** Depois, os filhos de Judá desceram para pelejar contra os cananeus que habitavam na região montanhosa, no Neguebe e nas planícies.

**10** Partiu Judá contra os cananeus que habitavam em Hebrom, cujo nome era outrora Quiriate-Arba, e feriram Sesai, Aimã e Talmai.

**11** Dali partiu contra os moradores de Debir, que outrora se chamava Quiriate-Sefer.

**12** Disse Calebe: A quem atacar Quiriate-Sefer e a tomar, darei a minha filha Acsa por mulher.

**13** Otniel, filho de Quenaz, o irmão mais moço de Calebe, tomou-a; assim Calebe lhe deu a sua filha Acsa por mulher.

**14** Certo dia, vindo ela a ele, persuadiu-o que pedisse um campo ao pai dela. E, quando ela desceu do jumento, Calebe lhe perguntou: Que é que tens?

**15** Respondeu ela: Dá-me um presente. Visto que me deste uma terra seca, dá-me também fontes de águas. Calebe lhe deu as fontes superiores e as fontes inferiores.

**16** Os filhos do queneu, sogro de Moisés, subiram da cidade das palmeiras com os filhos de Judá ao deserto de Judá, que está ao sul de Arade; foram e habitaram com o povo.

**17** Então foi-se Judá com Simeão, seu irmão, e feriram os cananeus que habitavam na cidade de Zefate, e totalmente a destruíram; por isso, chamou-se esta cidade Hormá.

**18** Tomou ainda Judá a Gaza, a Ascalom e a Ecrom, com os seus respectivos territórios.

**19** Esteve o Senhor com Judá. Este despovoou a região montanhosa, mas não expulsou os moradores do vale, porque tinham carros de ferro.

20 Como Moisés havia prometido, deram Hebrom a Calebe, que dali expulsou os três filhos de Enaque.
21 Os filhos, porém, de Benjamim não expulsaram os jebuseus que habitavam em Jerusalém; antes os jebuseus habitam com os filhos de Benjamim em Jerusalém até o dia de hoje.
22 Subiram também os homens da tribo de José contra Betel, e era o Senhor com eles.
23 Eles mandaram homens para espiar Betel, cujo nome anteriormente era Luz.
24 Viram os espias um homem que saía da cidade e lhe disseram: Mostra-nos a entrada da cidade e usaremos de bondade para contigo.
25 Mostrando-lhes ele a entrada da cidade, mataram os moradores da cidade à espada, mas àquele homem e a toda a sua família deixaram ir.
26 Então ele se foi para a terra dos heteus, edificou uma cidade e pôs-lhe o nome de Luz, que é o seu nome até o dia de hoje.
27 Manassés não expulsou os habitantes de Bete-Seã e suas vilas, os de Taanaque e suas vilas, os de Dor e suas vilas, os de Ibleão e suas vilas, nem os de Megido e suas vilas, pois os cananeus estavam decididos a habitar naquela terra.
28 Quando, porém, Israel se tornou forte, sujeitou os cananeus a trabalhos forçados, contudo não os expulsou de todo.
29 Tampouco expulsou Efraim os cananeus que habitavam em Gezer, mas os cananeus ficaram habitando no meio dele, em Gezer.
30 Tampouco expulsou Zebulom os habitantes de Quitrom e os de Naalol, os quais ficaram habitando no meio dele; mas foram sujeitos a trabalhos forçados.
31 Tampouco expulsou Aser os moradores de Aco, de Sidom, de Alabe, de Aczibe, de Helba, de Afeque nem de Recobe;
32 assim os aseritas continuaram no meio dos cananeus que habitavam na terra.
33 Tampouco expulsou Naftali os moradores de Bete-Semes e de Bete-Anate; mas continuou no meio dos cananeus que habitavam na terra, e os de Bete-Semes e Bete-Anate foram sujeitos a trabalhos forçados.
34 Os amorreus impeliram os filhos de Dã para a região montanhosa e não os deixavam descer ao vale.
35 Também os amorreus quiseram habitar nas montanhas de Heres, em Aijalom e em Saalbim, mas logo que o poder da casa de José aumentou, foram sujeitos a trabalhos forçados.
36 Foi o território dos amorreus desde a subida de Acrabim, desde Sela, e dali para cima.

## As repreensões do Senhor

2 Subiu o anjo do Senhor de Gilgal a Boquim e disse: Do Egito vos fiz subir e vos trouxe à terra que, com juramento, havia prometido a vossos pais, e vos disse: Nunca invalidarei a minha aliança convosco,
2 e não fareis aliança com os moradores desta terra, antes derrubareis os seus altares. Mas vós não obedecestes à minha voz. Por que fizestes isso?
3 Pelo que também eu disse: Não os expulsarei de diante de vós; antes serão vossos adversários,

e os seus deuses vos serão por armadilha.

4 Tendo o anjo do Senhor acabado de falar essas palavras a todos os filhos de Israel, o povo levantou a voz e chorou;

5 e chamaram àquele lugar, Boquim. Ali ofereceram sacrifícios ao Senhor.

6 Havendo Josué despedido o povo, foram-se os filhos de Israel, cada um à sua herança, para possuírem a terra.

### A infidelidade dos israelitas

7 Serviu o povo ao Senhor todos os dias de Josué e todos os dias dos líderes que sobreviveram a Josué e viram toda aquela grande obra do Senhor, a qual ele fizera a favor de Israel.

8 Faleceu Josué, filho de Num, servo do Senhor, com a idade de cento e dez anos.

9 E o sepultaram no território da sua herança, em Timnate-Heres, na região montanhosa de Efraim, para o norte do monte Gaás.

10 Foi também congregada toda aquela geração a seus pais, e outra geração após deles se levantou, que não conhecia ao Senhor, tampouco a obra que ele fizera a Israel.

11 Então fizeram os filhos de Israel o que era mau aos olhos do Senhor e serviram aos baalins.

12 Deixaram o Senhor, o Deus de seus pais, que os tirara da terra do Egito. Seguiram outros deuses, entre os deuses das gentes que havia ao redor deles, e os adoraram. Provocaram o Senhor à ira,

13 porque deixaram o Senhor e serviram a Baal e a Astarote.

14 Pelo que a ira do Senhor se acendeu contra Israel, e os entregou nas mãos dos invasores, que os saquearam. Entregou-os nas mãos dos seus inimigos ao redor, aos quais não mais puderam resistir.

15 Por onde quer que saíam para lutar, a mão do Senhor era contra eles para mal, como o Senhor lhes tinha jurado, e estavam em grande aperto.

16 Então levantou o Senhor juízes, que os livraram das mãos dos que os despojavam.

17 Contudo, não ouviram aos juízes, antes se prostituíram após outros deuses e os adoraram. Depressa se desviaram do caminho, pelo qual seus pais andaram em obediência aos mandamentos do Senhor, e não fizeram como eles.

18 Quando o Senhor lhes levantava juízes, o Senhor era com o juiz e os livrava das mãos dos seus inimigos todos os dias desse juiz; pois o Senhor se arrependia em razão do seu gemido por causa dos que os apertavam e oprimiam.

19 Quando, porém, o juiz falecia, os filhos de Israel se desviavam e se corrompiam mais do que seus pais, seguindo outros deuses, servindo-os e adorando-os. Não deixavam as suas obras nem a sua obstinação.

20 Pelo que a ira do Senhor se acendeu contra Israel, e disse: Porque este povo violou a minha aliança, que tinha ordenado a seus pais, e não deram ouvidos à minha voz,

21 eu não expulsarei mais de diante deles nenhuma das nações que Josué deixou quando morreu.

22 Eu as usarei para provar a Israel e ver se há de guardar ou não o caminho do Senhor, como seus pais o guardaram.

23 Assim o Senhor deixou ficar essas nações e não as expulsou logo, nem as entregou nas mãos de Josué.

### Servidão dos israelitas sob Cusã

3 Estas são as nações que o Senhor deixou ficar, para por elas provar a Israel, isto é, provar quantos em Israel não sabiam de todas as guerras de Canaã,
2 tão somente para que as gerações dos filhos de Israel delas aprendessem (para lhes ensinar a guerra), pelo menos os que dantes não sabiam disso:
3 Cinco líderes dos filisteus, todos os cananeus, os sidônios e os heveus que habitavam as montanhas do Líbano, desde o monte Baal-Hermom até a entrada de Hamate.
4 Estes ficaram a fim de por eles provar a Israel, para saber se dariam ouvidos aos mandamentos do Senhor, que tinha ordenado a seus pais, por intermédio de Moisés.
5 Assim, habitaram os filhos de Israel no meio dos cananeus, dos heteus, dos amorreus, dos ferezeus, dos heveus e dos jebuseus.
6 Tomaram de suas filhas para si por mulheres e deram aos filhos deles as suas filhas, e serviram a seus deuses.

### Otniel livra Israel

7 Os filhos de Israel fizeram o que era mau aos olhos do Senhor; esqueceram-se do Senhor, o seu Deus, e serviram aos baalins e ao poste sagrado.
8 Acendeu-se a ira do Senhor contra Israel, e os entregou nas mãos de Cusã-Risataim, rei da Mesopotâmia. E os filhos de Israel serviram a Cusã-Risataim durante oito anos.
9 Quando, porém, clamaram ao Senhor, o Senhor levantou-lhes um libertador, que os libertou: Otniel, filho de Quenaz, irmão mais moço de Calebe.
10 Veio sobre ele o Espírito do Senhor, e ele julgou a Israel. Saiu à peleja, e o Senhor entregou nas suas mãos a Cusã-Risataim, rei da Mesopotâmia, contra o qual prevaleceu.
11 Então a terra teve sossego por quarenta anos, até que faleceu Otniel, filho de Quenaz.

### Eúde livra a Israel

12 Tornaram os filhos de Israel a fazer o que era mau aos olhos do Senhor. Então o Senhor fortaleceu Eglom, rei dos moabitas, contra Israel, porque os israelitas tinham feito o que era mau aos olhos do Senhor.
13 E ajuntou consigo os filhos de Amom e os amalequitas, e foi, e feriu Israel, tomando a cidade das palmeiras.
14 Os filhos de Israel serviram a Eglom, rei dos moabitas, dezoito anos.
15 Então os filhos de Israel clamaram ao Senhor, e o Senhor levantou-lhes um libertador, Eúde, filho de Gera, benjamita, homem canhoto. Por intermédio dele os filhos de Israel enviaram tributo a Eglom, rei dos moabitas.
16 Ora, Eúde fez uma espada de dois gumes, do comprimento de um côvado, e cingiu-a debaixo das suas roupas, à sua coxa direita.
17 Apresentou o tributo a Eglom, rei dos moabitas, que era muito gordo.

**18** Acabando Eúde de entregar o tributo, despediu a gente que o trouxera.
**19** Voltou, porém, do lugar onde estavam as imagens de escultura que estavam ao pé de Gilgal e disse: Tenho uma palavra secreta para ti, ó rei. O qual disse: Cala-te. Então todos os que lhe assistiam saíram de sua presença.
**20** Eúde entrou numa sala de verão, que o rei tinha para si só, onde estava assentado, e disse: Tenho para ti uma palavra de Deus. E Eglom levantou-se da cadeira.
**21** Então Eúde, estendendo a mão esquerda, puxou da espada de sobre a coxa direita e a cravou em seu ventre,
**22** de tal maneira que entrou também o cabo com a lâmina. Eúde não tirou a espada do ventre, e a gordura se fechou sobre ela.
**23** Então Eúde, saindo ao pórtico, fechou atrás de si as portas do quarto e as trancou.
**24** Tendo ele saído, vieram os servos do rei e encontraram as portas da sala de verão trancadas, e disseram: Sem dúvida ele está fazendo suas necessidades na sala de verão.
**25** Esperaram até ficarem alarmados e, como ele não abria a porta da sala, tomaram a chave e a abriram. E viram o seu senhor morto, caído no chão.
**26** Eúde escapou, enquanto eles se demoravam e, tendo passado pelas imagens de escultura, foi para Seirá.
**27** Entrando ele, tocou a trombeta na região montanhosa de Efraim, e os filhos de Israel desceram com ele das montanhas, indo ele à frente.
**28** Ordenou-lhes: Segui-me, pois o Senhor vos entregou nas mãos os vossos inimigos, os moabitas. Desceram após ele e tomaram os vaus do Jordão contra os moabitas, e a nenhum deles deixaram passar.
**29** Nessa ocasião mataram dos moabitas uns dez mil homens, todos robustos e valentes; não escapou nenhum.
**30** Assim foi subjugado Moabe naquele dia sob o poder de Israel, e a terra teve sossego por oitenta anos.
**31** Depois dele foi Sangar, filho de Anate, que matou seiscentos homens dos filisteus com uma aguilhada de bois. Ele também libertou Israel.

### Débora e Baraque livram Israel

**4** Os filhos de Israel tornaram a fazer o que era mau aos olhos do Senhor, depois da morte de Eúde.
**2** Por isso, o Senhor os entregou nas mãos de Jabim, rei de Canaã, que reinava em Hazor. O comandante do seu exército era Sísera, que então habitava em Harosete-Hagoim.
**3** Então os filhos de Israel clamaram ao Senhor, porque Jabim tinha novecentos carros de ferro e, por vinte anos, oprimia duramente os filhos de Israel.
**4** Débora, profetisa, mulher de Lapidote, liderava Israel nesse tempo.
**5** Ela atendia debaixo da palmeira de Débora, entre Ramá e Betel, na região montanhosa de Efraim, e os filhos de Israel procuravam-na para resolver suas causas.
**6** Ela mandou chamar Baraque, filho de Abinoão, de Quedes de Naftali, e lhe disse: O Senhor, o Deus de Israel, te ordena: Vai, leva contigo dez mil homens dos

filhos de Naftali e dos filhos de Zebulom ao monte Tabor.

7 E farei ir a ti, para o ribeiro Quisom, a Sísera, comandante do exército de Jabim, com os seus carros e com as suas tropas, e o darei nas tuas mãos.

8 Então lhe disse Baraque: Se fores comigo irei; mas se não fores comigo, não irei.

9 Respondeu ela: Certamente irei contigo. Mas não será tua a honra desta expedição, pois nas mãos de uma mulher o Senhor entregará Sísera. Levantou-se Débora e partiu com Baraque para Quedes.

10 Então Baraque convocou Zebulom e Naftali em Quedes, e com ele subiram dez mil homens, e Débora também subiu com ele.

11 Ora, Héber, o queneu, tinha-se separado dos queneus, dos filhos de Hobabe, sogro de Moisés, e tinha estendido as suas tendas até o carvalho de Zaanaim, que está junto a Quedes.

12 Anunciaram a Sísera que Baraque, filho de Abinoão, tinha subido ao monte Tabor.

13 Então Sísera convocou todos os seus carros, novecentos carros de ferro, e todo o povo que estava com ele, desde Harosete-Hagoim até o ribeiro de Quisom.

14 Disse então Débora a Baraque: Levanta-te! Este é o dia em que o Senhor entregou já Sísera nas tuas mãos. O Senhor saiu na tua frente. Assim, Baraque desceu do monte Tabor, e com ele dez mil homens.

15 O Senhor derrotou Sísera, todos os seus carros e todo o seu exército a fio de espada, diante de Baraque, e Sísera saltou do carro e fugiu a pé.

16 Baraque, contudo, perseguiu os carros e o exército, até Harosete-Hagoim. Todo o exército de Sísera caiu a fio de espada, até não ficar só um homem.

17 Sísera, porém, fugiu a pé para a tenda de Jael, mulher de Héber, o queneu, porque havia paz entre Jabim, rei de Hazor, e o clã de Héber, o queneu.

### Jael mata Sísera

18 Saindo Jael ao encontro de Sísera, disse-lhe: Entra, senhor meu, entra na minha tenda, não temas. Entrou ele na sua tenda e ela o cobriu com uma coberta.

19 Então ele lhe disse: Tenho sede. Dá-me, peço-te, de beber um pouco de água. Então ela abriu um odre de leite e deu-lhe de beber, e o cobriu.

20 Ele lhe disse: Põe-te à porta da tenda. Se alguém vier e te perguntar: Há aqui alguém? responde: Não.

21 Então Jael, mulher de Héber, tomou uma estaca da tenda e, lançando mão de um martelo, foi-se mansamente a ele enquanto estava em profundo sono e muito cansado. Ela cravou-lhe a estaca na têmpora, de sorte que penetrou na terra, e assim ele morreu.

22 Baraque chegou, perseguindo Sísera, e Jael saiu-lhe ao encontro e disse: Vem, e te mostrarei o homem a quem buscas. Entrou ele na tenda e encontrou Sísera morto, com a estaca na têmpora.

23 Assim, Deus humilhou naquele dia Jabim, rei de Canaã, diante dos filhos de Israel.

24 E a mão dos filhos de Israel prevalecia cada vez mais contra Jabim, rei de Canaã, até que o exterminaram.

## O cântico de Débora

**5** Então cantaram Débora e Baraque, filho de Abinoão, naquele dia, dizendo:
2 Quando os chefes se põem à frente em Israel,
quando o povo se oferece voluntariamente,
louvai ao Senhor!
3 Ouvi, ó reis! Dai ouvidos, ó governantes!
Eu, eu mesma cantarei ao Senhor;
salmodiarei ao Senhor, o Deus de Israel.
4 Ó Senhor, quando saístes de Seir,
quando caminhaste desde o campo de Edom,
a terra estremeceu, os céus gotejaram,
as nuvens gotejaram águas.
5 Os montes se derreteram diante do Senhor, e até o Sinai,
diante do Senhor, o Deus de Israel.
6 Nos dias de Sangar, filho de Anate,
nos dias de Jael cessaram as caravanas;
os viajantes tomavam caminhos tortuosos.
7 Cessaram as aldeias em Israel, cessaram até que eu,
Débora, me levantei,
levantei-me por mãe em Israel.
8 Quando escolhiam deuses novos,
logo a guerra estava às portas.
*E para os quarenta mil em Israel*
não se via escudo ou lança.
9 Meu coração é para os legisladores de Israel,
que voluntariamente se ofereceram entre o povo.
Louvai ao Senhor!
10 Vós os que cavalgais jumentas brancas,
que vos assentais em juízo,
e que andais pelo caminho, falai disto.
11 Onde se ouve o estrondo dos flecheiros,
entre os lugares onde se tiram águas,
ali falai das justiças do Senhor,
das justiças que fez às suas aldeias em Israel.
Então o povo do Senhor desceu às portas.
12 Desperta, desperta, Débora!
Desperta, desperta, entoa um cântico!
Levanta-te, Baraque!
Leva presos a teus prisioneiros,
tu, filho de Abinoão.
13 Então desceu o restante dos nobres e do povo;
desceu o Senhor por mim contra os poderosos.
14 De Efraim desceram os que tinham a sua raiz em Amaleque;
Benjamim estava entre os teus povos.
De Maquir desceram os comandantes,
e de Zebulom, os que levam a vara de comando.
15 Também os líderes de Issacar
foram com Débora;
sim, Issacar estava com Baraque,
seguindo-o apressado para o vale.
Nas correntes de Rúben foram grandes
as resoluções do coração.

16 Por que ficaste tu entre os currais
para ouvires os balidos dos rebanhos?
Nas divisões de Rúben houve muita inquietação.
17 Gileade ficou do outro lado do Jordão.
E Dã, por que se deteve com seus navios?
Aser assentou-se nos portos do mar
e ficou nas suas ruínas.
18 Zebulom é um povo que expôs a sua vida à morte,
como também Naftali,
nas alturas do campo.
19 Vieram reis e pelejaram;
então pelejaram os reis de Canaã em Taanaque,
junto às águas de Megido,
mas não tomaram despojo de prata.
20 Desde os céus pelejaram as estrelas,
desde as suas órbitas pelejaram contra Sísera.
21 O ribeiro de Quisom os arrastou,
aquele antigo ribeiro,
o ribeiro de Quisom.
Pisaste, ó minha alma, com força.
22 Então as unhas dos cavalos feriram a terra;
na fuga precipitada dos seus valentes.
23 Amaldiçoai a Meroz, disse o anjo do Senhor.
Duramente amaldiçoai aos seus moradores,
porque não vieram em socorro do Senhor,
em socorro do Senhor e seus heróis.
24 Bendita seja sobre as mulheres, Jael,
mulher de Héber, o queneu;
bendita seja sobre as mulheres que vivem em tendas.
25 Água pediu ele, leite lhe deu ela;
em taça de príncipes lhe ofereceu coalhada.
26 À estaca estendeu a mão esquerda,
e ao martelo dos trabalhadores a direita,
e matou Sísera, rachando-lhe a cabeça;
furou e trespassou-lhe a têmpora.
27 Entre os seus pés se encurvou,
caiu e ficou estirado.
Entre os seus pés se encurvou e caiu;
onde se encurvou, ali caiu morto.
28 A mãe de Sísera olhava pela janela
e exclamava pela grade:
Por que tarda em vir o seu carro?
Por que demora o ruído das suas carruagens?
29 As mais sábias das suas damas responderam,
e ela respondia a si mesma:
30 Não estão achando e repartindo despojos?
Uma ou duas moças a cada homem?
Para Sísera despojos de várias cores,
despojos de estofos de várias cores,
despojos de estofos tingidos bordados de várias cores,
para o meu pescoço?
31 Assim, ó Senhor, pereçam todos os teus inimigos!
Mas os que te amam sejam como o sol

quando se levanta na sua força.
**32** E a terra teve sossego por quarenta anos.

## A opressão dos midianitas

**6** Os filhos de Israel, porém, fizeram o que era mau aos olhos do Senhor, e o Senhor os entregou nas mãos dos midianitas por sete anos.
**2** Prevalecendo o poder dos midianitas contra Israel, fizeram os filhos de Israel para si, por causa dos midianitas, as covas que estão nos montes, as cavernas e as fortalezas.
**3** Sempre que Israel semeava, subiam contra ele os midianitas, os amalequitas e também os filhos do oriente.
**4** Contra eles se acampavam e destruíam o produto da terra até chegarem a Gaza, e não deixavam mantimento, ovelhas, bois nem jumentos em Israel.
**5** Subiam com os seus rebanhos e tendas, como um enxame de gafanhotos. Eram tão numerosos que não se podiam contar, nem a eles nem aos seus camelos; entravam na terra para a destruir.
**6** Assim Israel se enfraqueceu tanto com a presença dos midianitas que os filhos de Israel clamaram ao Senhor.
**7** Clamando eles ao Senhor por causa dos midianitas,
**8** enviou-lhes o Senhor um profeta, que lhes disse: Assim diz o Senhor, o Deus de Israel: Do Egito eu vos fiz subir, e vos tirei da terra da servidão.
**9** Eu vos livrei das mãos dos egípcios, e das mãos de todos quantos vos oprimiam. Eu os expulsei de diante de vós e vos dei a sua terra.
**10** Eu vos disse: Eu sou o Senhor, o vosso Deus; não temais aos deuses dos amorreus, em cuja terra habitais. Mas não destes ouvidos à minha voz.

## O chamado de Gideão

**11** O anjo do Senhor veio e assentou-se debaixo do carvalho que está em Ofra, que pertencia a Joás, o abiezrita, onde Gideão, seu filho, estava malhando o trigo no tanque de prensar uvas, para o esconder dos midianitas.
**12** Quando o anjo do Senhor apareceu a Gideão, lhe disse: O Senhor é contigo, homem valente.
**13** Gideão lhe respondeu: Ai, Senhor meu, se o Senhor é conosco, por que tudo isso nos sobreveio? E que é feito de todas as suas maravilhas que nossos pais nos contaram, dizendo: Não nos fez o Senhor subir do Egito? Mas agora o Senhor nos desamparou e nos entregou nas mãos dos midianitas.
**14** O Senhor olhou para ele e disse: Vai nesta tua força e livra Israel das mãos dos midianitas. Não te enviei eu?
**15** Respondeu-lhe Gideão: Ai, Senhor meu, com que livrarei Israel? A minha família é a mais pobre em Manassés, e eu sou o menor da minha família.
**16** Tornou-lhe o Senhor: Eu serei contigo, e tu ferirás os midianitas como a um só homem.
**17** Prosseguiu Gideão: Se agora achei graça aos teus olhos, dá-me um sinal de que és tu que falas comigo.
**18** Rogo-te que não te apartes daqui até que eu volte trazendo o meu presente e o ponha diante de ti. Respondeu ele: Esperarei até que voltes.

19 Gideão foi para casa e preparou um cabrito e bolos sem fermento de um efa de farinha. Pondo a carne num cesto e o caldo numa panela, trouxe tudo até debaixo do carvalho e apresentou ao anjo de Deus.

20 O anjo de Deus, porém, lhe disse: Toma a carne e os bolos sem fermento; põe-nos sobre esta rocha e derrama-lhes por cima o caldo. E assim o fez.

21 Estendeu o anjo do Senhor a ponta do cajado, que estava na sua mão, e tocou na carne e nos bolos sem fermento. Então subiu fogo da rocha e consumiu a carne e os bolos sem fermento. E o anjo do Senhor desapareceu da sua presença.

22 Então Gideão viu que era o anjo do Senhor e disse: Ai de mim, Senhor Deus, que vi o anjo do Senhor face a face.

23 O Senhor, porém, lhe disse: Paz seja contigo! Não temas! Não morrerás.

24 Então Gideão edificou ali um altar ao Senhor e lhe chamou "o Senhor é paz". Até o dia de hoje está o altar em Ofra dos abiezritas.

25 Naquela mesma noite, o Senhor lhe disse: Toma o boi de teu pai, a saber, o segundo boi de sete anos. Derruba o altar de Baal, que é de teu pai, e corta o poste sagrado que está ao pé dele.

26 Edifica ao Senhor, o teu Deus, um altar no cume deste lugar forte, na forma devida, toma o segundo boi e o oferece em holocausto com a lenha que cortares do bosque.

27 Então Gideão tomou dez homens dentre os seus servos e fez como o Senhor lhe dissera. Mas temendo ele a casa de seu pai e os homens daquela cidade, não o fez de dia, mas de noite.

28 Levantando-se os homens daquela cidade de madrugada, encontraram o altar de Baal derrubado, o bosque, que estava ao pé dele, cortado, e o segundo boi oferecido no altar edificado.

29 E uns aos outros diziam: Quem fez isso? E, perguntando e investigando, concluíram: Foi Gideão, filho de Joás, que fez isso.

30 Então os homens daquela cidade disseram a Joás: Traga para fora teu filho. Ele deve morrer, porque derrubou o altar de Baal e cortou o bosque que estava ao pé dele.

31 Joás, porém, disse a todos os que se puseram contra ele: Defendereis Baal? Havereis de livrá-lo? Qualquer que por ele lutar, ainda esta manhã será morto. Se ele fosse deus, poderia defender-se quando alguém lhe derrubou o altar.

32 Pelo que, naquele dia, chamaram Gideão de Jerubaal, dizendo: Baal contenda contra ele, porque derrubou o seu altar.

33 E todos os midianitas, amalequitas e os filhos do oriente ajuntaram seus exércitos, atravessaram o Jordão e se acamparam no vale de Jezreel.

34 Então o Espírito do Senhor revestiu Gideão, que tocou a trombeta, e os abiezritas passaram a segui-lo.

35 Enviou mensageiros por toda a tribo de Manassés, chamando-os à batalha, e enviou ainda mensageiros a Aser, a Zebulom e a Naftali, que lhe saíram ao encontro.

36 Disse Gideão a Deus: Se hás de livrar a Israel por minhas mãos, como disseste,

37 olha, eu porei um pouco de lã na eira. Se o orvalho estiver somente na lã, e seca a terra ao redor, então conhecerei que hás de livrar Israel por meu intermédio, como disseste.

38 E assim aconteceu. No dia seguinte, ele se levantou de madrugada, apertou a lã e do orvalho da lã espremeu uma taça cheia de água.

39 Disse mais Gideão a Deus: Não se acenda contra mim a tua ira. Permite-me ainda falar só esta vez. Rogo-te que mais esta vez eu faça a prova com a lã. Rogo-te que só a lã fique enxuta, e em toda a terra haja o orvalho.

40 Deus assim o fez naquela noite. Só a lã estava enxuta, e sobre toda a terra havia orvalho.

### A derrota dos midianitas

**7** Jerubaal, que é Gideão, e o povo todo que estava com ele se levantaram de madrugada, e se acamparam junto à fonte de Harode, de maneira que tinha o acampamento dos midianitas para o norte, perto do outeiro de Moré, no vale.

2 Disse o Senhor a Gideão: É demais o povo que está contigo, para eu dar os midianitas em suas mãos. Israel poderia se gloriar contra mim, dizendo: O meu próprio poder me livrou.

3 Apregoa aos ouvidos do povo: Quem for medroso e tímido, volte e retire-se da região montanhosa de Gileade. Então voltaram *do povo vinte e dois mil*, e dez mil ficaram.

4 Disse o Senhor a Gideão: Ainda há povo demais. Faze-os descer às águas, e ali os provarei. Aquele de que eu te disser: Este irá contigo, esse contigo irá; mas todo aquele de que eu te disser: Este não irá contigo, esse não irá.

5 Fez Gideão descer o povo às águas. Então o Senhor disse a Gideão: Qualquer que lamber as águas com a sua língua, como as lambe o cão, esse porás à parte; como também a todo aquele que se abaixar de joelhos a beber.

6 Foi o número dos que lamberam, levando a mão à boca, trezentos homens. Todo o restante do povo se abaixou de joelhos a beber as águas.

7 Então disse o Senhor a Gideão: Com estes trezentos homens que lamberam as águas eu vos livrarei e darei os midianitas nas tuas mãos. Que o restante se vá cada um para o seu lugar.

8 Assim enviou Gideão o restante dos homens de Israel cada um para a sua tenda, mas reteve os trezentos, os quais tomaram as provisões e as trombetas dos outros. Ora, estava o acampamento dos midianitas abaixo dele no vale.

9 Naquela mesma noite, o Senhor lhe disse: Levanta-te e desce ao arraial, porque eu o entreguei nas tuas mãos.

10 Se, porém, ainda temes descer, vai com o teu moço Purá ao acampamento

11 e ouça o que dizem; e então se fortalecerão as tuas mãos para desceres contra o acampamento. Então desceu ele com o seu moço Purá até o posto avançado das sentinelas do acampamento.

12 Os midianitas, os amalequitas e todos os filhos do oriente cobriam o vale, como gafanhotos em multidão. Eram inumeráveis os seus camelos, como a areia que há na praia do mar.

**13** Chegando Gideão, ouviu um homem contando o seu sonho ao seu companheiro. Dizia: Eu tive um sonho. Um pão de cevada torrado rodava contra o acampamento dos midianitas e atingiu a tenda do comandante, de maneira que esta caiu, e se virou de cima para baixo, e ficou assim estendida.
**14** Respondeu o seu companheiro: Isso não é outra coisa senão a espada de Gideão, filho de Joás, homem israelita. Deus entregou nas mãos dele os midianitas e todo este acampamento.
**15** Ouvindo Gideão a narração deste sonho e a sua explicação, adorou. Voltou ao acampamento de Israel e disse: Levantai-vos! O Senhor entregou o acampamento midianita nas vossas mãos.
**16** Então repartiu os trezentos homens em três companhias e deu-lhes a cada um nas suas mãos trombetas e jarros vazios, contendo tochas acesas,
**17** e disse-lhes: Olhai para mim e fazei como eu fizer. Chegando eu ao extremo do acampamento, como eu fizer, assim fareis vós.
**18** Tocando eu e todos os que comigo estiverem a trombeta, então também vós tocareis a trombeta ao redor de todo o acampamento e direis: Pelo Senhor e por Gideão!
**19** Chegaram Gideão e os cem homens que com ele iam à extremidade do acampamento, ao princípio da vigília da meia-noite, logo depois da troca das sentinelas. Tocaram as trombetas e partiram os jarros que traziam nas mãos.
**20** Tocaram as três companhias as trombetas e partiram os jarros. E, segurando na mão esquerda as tochas acesas e na mão direita, as trombetas que tocavam, exclamaram: À espada, pelo Senhor e por Gideão!
**21** Enquanto permanecia cada um no seu lugar ao redor do acampamento, todos os midianitas deitaram a correr e, gritando, fugiram.
**22** Tocando os trezentos as trombetas, o Senhor tornou a espada de um contra o outro, e isso em todo o acampamento, e fugiram até Bete-Sita, na direção de Zererá, até os limites de Abel-Meolá, acima de Tabate.
**23** Então os homens de Israel, de Naftali, de Aser e de todo o Manassés foram convocados, e perseguiram os midianitas.
**24** Também Gideão enviou mensageiros por toda a região montanhosa de Efraim, dizendo: Descei para atacar aos midianitas, tomai-lhes as águas até Bete-Bara e também o Jordão. Convocados todos os homens de Efraim, tomaram-lhes as águas até Bete-Bara e também o Jordão.
**25** Prenderam também os dois líderes dos midianitas, Orebe e Zeebe. Mataram Orebe na rocha de Orebe e Zeebe, mataram no lagar de Zeebe. Perseguiram os midianitas e trouxeram as cabeças de Orebe e de Zeebe a Gideão, além do Jordão.

### A ira dos efraimitas contra Gideão

**8** Então os homens de Efraim lhe disseram: Que é isto que nos fizeste, que não nos chamaste, quando foste pelejar contra os midianitas? E contenderam com ele fortemente.
**2** Ele, porém, lhes disse: Que mais fiz eu agora do que vós? Não são os restos das uvas de Efraim melhores do que a colheita de Abiezer?

3 Deus vos entregou nas vossas mãos os líderes dos midianitas, Orebe e Zeebe. O que pude eu fazer em comparação ao que fizestes? Então a sua ira se abrandou para com ele, quando falou essa palavra.

4 Vindo Gideão ao Jordão, passou com os trezentos homens que com ele estavam, cansados, mas ainda perseguindo.

5 Disse ele aos homens de Sucote: Dai, peço-vos, alguns pães para a tropa que me acompanha, pois ela está cansada, e eu continuo perseguindo Zeba e Zalmuna, reis dos midianitas.

6 Os líderes de Sucote, porém, disseram: Já estão em teu poder as mãos de Zeba e de Zalmuna, para que demos pão ao teu exército?

7 Respondeu Gideão: Quando o Senhor entregar na minha mão a Zeba e a Zalmuna, trilharei a vossa carne com os espinhos do deserto e com os espinheiros do deserto.

8 Dali subiu a Penuel e falou da mesma maneira aos homens desse lugar, que lhe responderam como os homens de Sucote lhe haviam respondido.

9 Pelo que disse aos homens de Penuel: Quando eu voltar em paz, derrubarei esta torre.

10 Ora, Zeba e Zalmuna estavam em Carcor, e os seus exércitos com eles, uns quinze mil homens, todos os que restaram do exército dos filhos do oriente; e os que morreram foram cento e *vinte mil homens,* que puxavam da espada.

11 Subiu Gideão pela rota dos que vivem em tendas, ao oriente de Noba e Jogbeá, e atacou de surpresa o exército.

12 Fugiram Zeba e Zalmuna, mas ele os perseguiu, prendeu esses dois reis midianitas e derrotou todo o exército.

13 Voltando Gideão, filho de Joás, da peleja, antes do nascer do sol,

14 Capturou um moço dos homens de Sucote e o interrogou; o jovem escreveu o nome dos setenta e sete líderes e autoridades de Sucote.

15 Então veio Gideão aos homens de Sucote e disse: Aqui estão Zeba e Zalmuna, a respeito dos quais escarnecestes de mim, dizendo: Estão já em teu poder as mãos de Zeba e Zalmuna, para que demos pão ao teu exército cansado?

16 Gideão prendeu Zeba e Zalmuna e, com espinhos e espinheiros do deserto, os castigou severamente.

17 Derrubou também a torre de Penuel e matou os homens da cidade.

18 Depois perguntou a Zeba e a Zalmuna: Como eram os homens que matastes em Tabor? Responderam: Qual és tu, tais eram eles; cada um se assemelhava a filho de rei.

19 Então disse ele: Eram meus irmãos, filhos de minha mãe; tão certo como vive o Senhor, se os tivésseis deixado em vida, eu não vos mataria.

20 Voltando-se para Jéter, seu primogênito, ordenou: Levanta-te, mata-os! O moço, porém, não puxou da espada, porque ainda era muito jovem e temia.

21 Disseram Zeba e Zalmuna: Levanta-te tu mesmo e acomete-nos. Qual o homem, tal a sua força. Portanto, levantou-se Gideão e matou Zeba e Zalmuna, e tomou os ornamentos do pescoço dos seus camelos.

### Gideão recusa governar

**22** Então os homens de Israel disseram a Gideão: Domina sobre nós, assim tu, como teu filho e o filho de teu filho, porque nos livraste das mãos dos midianitas. **23** Gideão, contudo, lhes disse: Não dominarei sobre vós. Tampouco meu filho dominará sobre vós. O Senhor sobre vós dominará. **24** E lhes disse: Uma petição vos farei: dai-me, cada um de vós, os brincos de ouro do despojo. (Os vencidos, de fato, usavam brincos de ouro porque eram ismaelitas.) **25** Disseram eles: De boa vontade os daremos. Estenderam uma capa, e cada um deles jogou um brinco do seu despojo sobre ela. **26** O peso dos brincos de ouro foi mil e setecentos siclos de ouro, sem contar os ornamentos, as cadeias e as vestes de púrpura que traziam os reis dos midianitas, fora as correntes que estavam no pescoço dos camelos. **27** Fez Gideão desse ouro uma estola sacerdotal e a pôs na sua cidade, em Ofra. Todo o Israel se prostituiu ali após ela; a estola se tornou uma armadilha para Gideão e sua família. **28** Assim foram abatidos os midianitas diante dos filhos de Israel e nunca mais levantaram a cabeça. Nos dias de Gideão a terra teve sossego por quarenta anos. **29** Foi-se Jerubaal, filho de Joás, e habitou em sua casa. **30** Teve Gideão setenta filhos, todos gerados por ele, pois possuía muitas mulheres. **31** A sua concubina, que estava em Siquém, deu-lhe também um filho, a quem chamou pelo nome de Abimeleque. **32** Faleceu Gideão, filho de Joás, em boa velhice e foi sepultado no sepulcro de seu pai, Joás, em Ofra dos abiezritas. **33** Tendo Gideão falecido, os filhos de Israel tornaram a se prostituir, seguindo os baalins e pondo Baal-Berite por deus. **34** Os filhos de Israel não se lembraram do Senhor, o seu Deus, que os livrara das mãos de todos os seus inimigos em redor. **35** Também não usaram de bondade para com a família de Jerubaal, a saber, de Gideão, conforme todo o bem que ele fizera a Israel.

### Abimeleque

**9** Abimeleque, filho de Jerubaal, foi a Siquém, aos irmãos de sua mãe, e disse a eles e a toda a geração da casa do pai de sua mãe: **2** Perguntai, peço-vos, aos ouvidos de todos os cidadãos de Siquém: Que é melhor para vós: que setenta homens, todos os filhos de Jerubaal, dominem sobre vós, ou que um só homem domine sobre vós? Lembrai-vos também de que sou vosso osso e vossa carne. **3** Então os irmãos de sua mãe falaram a respeito dele a todos os cidadãos de Siquém todas aquelas palavras; e o coração deles se inclinou a seguir a Abimeleque, pois disseram: É nosso irmão. **4** Deram-lhe setenta peças de prata tiradas do templo de Baal-Berite, com as quais Abimeleque alugou uns homens ociosos e levianos, que o seguiram. **5** Foi à casa de seu pai, em Ofra, e matou seus irmãos, os filhos de Jerubaal, setenta homens, sobre uma pedra. Mas Jotão, filho menor de Jerubaal, ficou, porque se tinha escondido.

6 Então se ajuntaram todos os cidadãos de Siquém e toda a Bete-Milo, e foram, e proclamaram a Abimeleque rei, junto ao carvalho da coluna que está perto de Siquém.

## A parábola de Jotão

7 Quando foi avisado disso, Jotão foi, pôs-se no cume do monte Gerizim, levantou a voz e clamou: Ouvi-me, cidadãos de Siquém, e Deus vos ouvirá a vós.
8 Foram certa vez as árvores a ungir para si um rei. Disseram à oliveira: Reina sobre nós.
9 A oliveira, porém, lhes respondeu: Deixaria eu a minha gordura, que Deus e os homens em mim prezam, e iria dominar sobre as árvores?
10 Então disseram as árvores à figueira: Venha reinar sobre nós.
11 A figueira, contudo, lhes respondeu: Deixaria eu a minha doçura e o meu bom fruto, e iria dominar sobre as árvores?
12 Então disseram as árvores à videira: Vem e reina sobre nós.
13 A videira, porém, lhes respondeu: Deixaria eu o meu vinho, que alegra Deus e os homens, e iria dominar sobre as árvores?
14 Então todas as árvores disseram ao espinheiro: Vem e reina sobre nós.
15 Respondeu o espinheiro às árvores: Se, na verdade, me ungis rei sobre vós, vinde refugiar-vos debaixo da minha sombra; mas, se não, saia fogo do espinheiro e consuma os cedros do Líbano.
16 Agora se é que em verdade e sinceridade procedestes, fazendo rei a Abimeleque, e se bem fizestes para com Jerubaal e para com a sua casa, e se com ele usastes conforme o seu merecimento
17 (porque meu pai pelejou por vós, arriscando a vida, e vos livrou das mãos dos midianitas;
18 porém vós hoje vos levantastes contra a família de meu pai e matastes seus filhos, setenta homens, sobre uma pedra, e a Abimeleque, filho de sua escrava, fizestes reinar sobre os cidadãos de Siquém, porque é vosso irmão);
19 se, pois, em verdade e sinceridade procedestes com Jerubaal e com a sua família hoje, alegrai-vos com Abimeleque, e também ele se alegre convosco!
20 Do contrário, saia fogo de Abimeleque e consuma os cidadãos de Siquém e a Bete-Milo; e saia fogo dos cidadãos de Siquém e da casa de Milo, e consuma a Abimeleque.
21 Então fugiu Jotão para Beer, e ali habitou, por medo de Abimeleque, seu irmão.

## Revolta contra Abimeleque

22 Havendo Abimeleque reinado três anos sobre Israel,
23 enviou Deus um espírito mau entre Abimeleque e os cidadãos de Siquém, os quais procederam traiçoeiramente contra Abimeleque,
24 para que a violência praticada contra os setenta filhos de Jerubaal, como também o sangue deles, recaíssem sobre Abimeleque, seu irmão, que os matara, e sobre os cidadãos de Siquém, que lhe ajudaram a matar a seus irmãos.
25 Os cidadãos de Siquém puseram contra ele homens sobre os cumes dos montes para emboscar e assaltar todo aquele que passava pelo caminho, e contou-se isso a Abimeleque.
26 Veio também Gaal, filho de Ebede, com seus irmãos, e se

estabeleceram em Siquém; e os cidadãos de Siquém confiaram nele.
27 Saíram ao campo, colheram uvas, pisaram nas uvas e fizeram festas no templo de seu deus. Enquanto comiam e bebiam, amaldiçoaram a Abimeleque.
28 Disse Gaal, filho de Ebede: Quem é Abimeleque, e quem é Siquém, para que o sirvamos? Não é filho de Jerubaal? E não é Zebul o seu oficial? Servi antes aos homens de Hemor, pai de Siquém! Por que razão serviríamos nós a Abimeleque?
29 Se este povo estivesse sob o meu comando, eu expulsaria Abimeleque e lhe diria: Conclama o teu exército e sai.
30 Ouvindo Zebul, o governador da cidade, as palavras de Gaal, filho de Ebede, acendeu-se a sua ira;
31 e enviou astutamente mensageiros a Abimeleque, dizendo: Gaal, filho de Ebede, e seus irmãos vieram a Siquém e estão agitando a cidade contra ti.
32 Portanto, levanta-te de noite, tu e o povo que tiveres contigo, e ponde-vos de emboscadas no campo.
33 Pela manhã, ao sair o sol, ataca a cidade. Saindo contra ti Gaal e o povo que tiver com ele, faze-lhe como puderes.

### Abimeleque vence a Gaal

34 Assim, levantou-se, de noite, Abimeleque e todo o povo que com ele havia e se puseram de emboscada contra Siquém, em quatro grupos.
35 Ora, Gaal, filho de Ebede, tinha saído e estava parado à entrada da porta da cidade quando Abimeleque e todo o povo que com ele estava se levantaram das emboscadas.
36 Vendo Gaal aquele povo, disse a Zebul: Olha, desce gente dos cumes dos montes. Zebul, ao contrário, lhe disse: As sombras dos montes vês por homens.
37 Gaal, porém, tornou a falar: Olha, desce gente do meio da terra, e uma tropa vem pelo caminho do carvalho de Meonenim.
38 Então lhe disse Zebul: Onde está agora a tua boca, com a qual dizias: Quem é Abimeleque, para que o sirvamos? Não é este o povo que desprezaste? Sai, pois, e peleja contra ele!
39 Saiu Gaal à vista dos cidadãos de Siquém e pelejou contra Abimeleque.
40 Abimeleque o perseguiu, e muitos caíram mortos, até a entrada da porta da cidade.
41 Abimeleque ficou em Arumá, e Zebul expulsou a Gaal e a seus irmãos, para que não habitassem em Siquém.
42 No dia seguinte, o povo saiu ao campo, e Abimeleque foi avisado disso.
43 Tomou o povo e o repartiu em três grupos, e os pôs de emboscada no campo. Quando viu que o povo saía da cidade, levantou-se contra ele e o feriu.
44 Abimeleque e os que com ele estavam avançavam à entrada da porta da cidade, enquanto os dois grupos avançavam sobre todos os que estavam no campo e os feriram.
45 Abimeleque pelejou contra a cidade todo aquele dia e a tomou. Matou o povo que nela havia, destruiu a cidade e espalhou sal sobre ela.
46 Ouvindo isso todos os cidadãos da torre de Siquém, entraram na fortaleza, na casa de El-Berite.

47 Contou-se a Abimeleque que todos os cidadãos da torre de Siquém se haviam reunido.
48 Subiu Abimeleque ao monte Zalmom, ele e todo o povo que com ele estava, e tomando um machado, cortou um galho de árvore que levantou e colocou sobre os ombros. Disse ao povo que com ele estava: O que me vistes fazer, apressai-vos a fazê-lo também.
49 Cada um cortou o seu galho e seguiu a Abimeleque. Os galhos foram empilhados junto da fortaleza que foi incendiada com os que nela estavam. De maneira que todos os da torre de Siquém morreram, uns mil homens e mulheres.

### A morte de Abimeleque

50 Então Abimeleque foi a Tebes, a sitiou e a tomou.
51 Havia, porém, no meio da cidade uma torre forte, onde todos os homens, mulheres e todos os cidadãos da cidade se acolheram. Fecharam após si as portas e subiram ao telhado da torre.
52 Abimeleque veio até à torre e a atacou. Mas ao chegar-se ele à porta da torre, para a incendiar,
53 certa mulher lançou uma pedra superior de um moinho sobre a cabeça dele e lhe quebrou o crânio.
54 Então ele chamou logo o moço, seu escudeiro, e lhe disse: Desembainha a tua espada e mata-me, para que não se diga de mim: Uma mulher o matou. E o moço o atravessou, e ele morreu.
55 Vendo os homens de Israel que Abimeleque era morto, foram-se cada um para o seu lugar.
56 Desta forma Deus fez tornar sobre Abimeleque o mal que tinha feito a seu pai, matando seus setenta irmãos.
57 Como também todo o mal dos homens de Siquém fez tornar sobre a cabeça deles. Assim a maldição de Jotão, filho de Jerubaal, veio sobre eles.

### Tola e Jair

**10** Depois de Abimeleque, levantou-se, para livrar Israel, Tola, filho de Puá, filho de Dodô, homem de Issacar. Ele habitava em Samir, na região montanhosa de Efraim.
2 Liderou Israel vinte e três anos; morreu e foi sepultado em Samir.
3 Depois dele levantou-se Jair, gileadita, e liderou Israel vinte e dois anos.
4 Tinha este trinta filhos, que cavalgavam trinta jumentos. Tinham trinta cidades em Gileade, que se chamam Havote-Jair, até o dia de hoje.
5 Morreu Jair e foi sepultado em Camom.

### A opressão dos amonitas

6 Então tornaram os filhos de Israel a fazer o que era mau aos olhos do Senhor. Serviram aos baalins, e a Astarote, e aos deuses da Síria, e aos de Sidom, e de Moabe, e dos amonitas, e dos filisteus. E porque deixaram o Senhor, e não o serviram,
7 acendeu-se a ira do Senhor contra Israel, e os entregou nas mãos dos filisteus e dos amonitas,
8 os quais, nesse mesmo ano, os oprimiram e humilharam. Por dezoito anos oprimiram todos os filhos de Israel que estavam do lado leste do Jordão, em Gileade, na terra dos amorreus.
9 Os amonitas também passaram o Jordão para pelejar contra Judá, contra Benjamim e contra a tribo

de Efraim; e Israel se viu muito angustiado.

10 Então os filhos de Israel clamaram ao Senhor: Contra ti temos pecado, porque deixamos a nosso Deus e servimos aos baalins.
11 Respondeu o Senhor: Não vos livrei dos egípcios, dos amorreus, dos amonitas e dos filisteus?
12 Também os sidônios, os amalequitas e os maonitas vos oprimiram, e, quando clamastes a mim, não vos livrei da sua mão?
13 Vós, porém, me deixastes a mim e servistes a outros deuses, pelo que não vos livrarei mais.
14 Ide e clamai aos deuses que escolhestes. Que eles vos livrem no tempo do vosso aperto.
15 Os filhos de Israel, porém, disseram ao Senhor: Pecamos. Faze-nos conforme tudo quanto te parecer bem, tão somente te rogamos que nos livres hoje.
16 Então tiraram os deuses alheios do meio de si e serviram ao Senhor. E o Senhor não pôde mais suportar a angústia de Israel.
17 Quando os amonitas se reuniram e se acamparam em Gileade, também os filhos de Israel se reuniram e se acamparam em Mispa.
18 Então o povo e os líderes de Gileade disseram uns aos outros: Quem começar a pelejar contra os amonitas será chefe de todos os moradores de Gileade.

### Jefté vence os amonitas

**11** Era então Jefté, o gileadita, valente e valoroso. O seu pai era Gileade; a sua mãe era uma prostituta.
2 Também a mulher de Gileade lhe deu filhos, os quais, quando já grandes, repeliram Jefté e lhe disseram: Não herdarás nada de nossa família, porque és filho de outra mulher.
3 Então Jefté fugiu da presença de seus irmãos e habitou na terra de Tobe, onde homens levianos se ajuntaram a ele e o seguiam.
4 Alguns dias mais tarde, quando os filhos de Amom pelejaram contra Israel,
5 foram os líderes de Gileade buscar Jefté da terra de Tobe.
6 Disseram a Jefté: Vem, sê nosso chefe, para que combatamos contra os filhos de Amom.
7 Jefté, porém, disse aos líderes de Gileade: Não me odiastes e não me expulsastes da casa de meu pai? Por que agora viestes a mim, quando estais em aperto?
8 Responderam os líderes de Gileade a Jefté: É por isso que viemos te procurar. Vem conosco; combate contra os filhos de Amom e serás o nosso chefe sobre todos os moradores de Gileade.
9 Então Jefté perguntou aos líderes de Gileade: Se me levardes para combater contra os filhos de Amom, e o Senhor os der a mim, então eu serei o vosso chefe?
10 Responderam os líderes de Gileade a Jefté: O Senhor é nossa testemunha; certamente faremos conforme a tua palavra.
11 Então Jefté foi com os líderes de Gileade, e o povo o pôs por comandante e chefe sobre si. E Jefté repetiu todas as suas palavras perante o Senhor em Mispa.
12 Enviou Jefté mensageiros ao rei dos filhos de Amom, dizendo: Que há entre mim e ti, que vieste a mim para pelejar contra a minha terra?
13 Respondeu o rei dos filhos de Amom aos mensageiros de Jefté: Quando subiu do Egito,

Israel tomou a minha terra, desde Arnom até Jaboque, e ainda até o Jordão. Devolva-me agora essas terras em paz.

**14** Jefté tornou a enviar mensageiros ao rei dos filhos de Amom, **15** dizendo: Assim diz Jefté: Israel não tomou a terra dos moabitas, nem a terra dos filhos de Amom. **16** Quando, porém, subiu do Egito, Israel andou pelo deserto até o mar Vermelho e chegou a Cades. **17** Então Israel enviou mensageiros ao rei dos edomitas, dizendo: Rogo-te que me deixes passar pela tua terra. Mas o rei dos edomitas não lhe deu ouvidos. Enviaram também mensageiros ao rei dos moabitas, o qual não lhes quis atender. Assim Israel ficou em Cades. **18** Depois andou pelo deserto e rodeou a terra dos edomitas e a terra dos moabitas, e veio pelo oriente da terra destes, e se acampou além do Arnom. Mas não entrou nos limites dos moabitas, pois Arnom é limite deles.

**19** Então Israel enviou mensageiros a Seom, rei dos amorreus, rei de Hesbom, e lhe disse: Deixa-nos, peço-te, passar pela tua terra até o nosso lugar.

**20** Seom, porém, não acreditou que Israel fosse apenas passar pelo seu território. Pelo contrário, ajuntou todo o seu povo, acampou em Jaza e pelejou contra Israel. **21** O Senhor, o Deus de Israel, entregou Seom com todo o seu povo nas mãos de Israel, que os feriu e tomou por herança toda a terra dos amorreus que habitavam naquela terra.

**22** Tomou por herança todo o território dos amorreus, desde o Arnom até o Jaboque e desde o deserto até o Jordão.

**23** Assim, visto que o Senhor, o Deus de Israel, expulsou os amorreus da presença do seu povo de Israel, que direito tendes de possuir essa terra?

**24** Não possuirias tu o território que Camos, o teu deus, te dá? Assim possuiremos nós o território de todos quantos o Senhor, o nosso Deus, nos der.

**25** És melhor do que Balaque, filho de Zipor, rei dos moabitas? Contendeu ele em algum tempo com Israel, ou pelejou alguma vez contra ele?

**26** Por trezentos anos Israel habitou em Hesbom e nas suas aldeias, em Aroer e nas suas aldeias, em todas as cidades que estão ao longo do Arnom. Por que não as recuperaste naquele tempo?

**27** Eu não pequei contra ti, mas tu fazes mal em pelejar contra mim. O Senhor, que é juiz, julgue hoje entre os filhos de Israel e os filhos de Amom.

**28** O rei dos filhos de Amom, porém, não deu ouvidos à mensagem que Jefté lhe enviou.

**29** Então o Espírito do Senhor veio sobre Jefté. Passou ele por Gileade e Manassés, chegou a Mispa de Gileade e dali foi ao encontro dos filhos de Amom.

**30** E Jefté fez um voto ao Senhor: Se totalmente entregares os filhos de Amom nas minhas mãos, **31** qualquer que, saindo da porta da minha casa, me vier ao encontro, voltando eu vitorioso dos filhos de Amom, esse será do Senhor, e o oferecerei em holocausto.

**32** Assim Jefté foi combater os filhos de Amom, e o Senhor os entregou nas suas mãos.

**33** Jefté feriu-os com grande mortandade, desde Aroer até chegar a

Minite, vinte cidades, e até Abel-Queramim. Assim os filhos de Israel subjugaram os filhos de Amom.

34 Vindo Jefté a Mispa, à sua casa, a sua filha lhe saiu ao encontro com adufes e com danças. Era ela filha única. Não tinha ele outro filho nem filha.

35 Quando a viu, rasgou as suas vestes e disse: Ah! filha minha! Muito me abateste; és a causa da minha calamidade, porque fiz voto ao Senhor e não tornarei atrás.

36 Respondeu ela: Pai meu, fizeste voto ao Senhor. Faze de mim segundo o teu voto, agora que o Senhor te vingou dos teus inimigos, os filhos de Amom.

37 Disse mais a seu pai: Mas concede-me este único pedido: deixa-me ir por dois meses; que desça pelos montes e chore a minha virgindade, eu e as minhas amigas.

38 Disse ele: Vai. E deixou-a ir por dois meses. Ela foi com as suas amigas e chorou a sua virgindade pelos montes.

39 Ao fim dos dois meses, ela voltou a seu pai, o qual cumpriu nela o voto que tinha feito. E ela jamais teve relação sexual com homem algum. Daí veio o costume em Israel,

40 de as filhas de Israel irem de ano em ano lamentar por quatro dias a filha de Jefté, o gileadita.

### Jefté e Efraim

**12** Então os homens de Efraim se reuniram, passaram para Zafom e disseram a Jefté: Por que passaste a combater contra os filhos de Amom e não nos chamaste para ir contigo? Queimaremos a fogo a ti e a tua casa.

2 Respondeu Jefté: Eu e o meu povo tivemos grande contenda com os filhos de Amom e, embora vos tenha chamado, não me livrastes das suas mãos.

3 Vendo que não me livráveis, arrisquei a minha vida e fui lutar contra os filhos de Amom, e o Senhor os entregou nas minhas mãos. Agora por que subistes hoje para pelejar contra mim?

4 Ajuntou Jefté todos os homens de Gileade e pelejou contra Efraim. Os homens de Gileade feriram Efraim, porque este lhes dissera: Fugitivos sois de Efraim, vós gileaditas que habitais entre Efraim e Manassés.

5 Os gileaditas tomaram os vaus do Jordão que conduzem a Efraim, e, quando os fugitivos de Efraim diziam: Quero passar, então os homens de Gileade lhes perguntavam: És tu efraimita? Dizendo ele: Não,

6 então lhe diziam: Dize Chibolete. Mas ele dizia: Sibolete, porque não o podia pronunciar bem. Então pegavam dele e o degolavam nos vaus do Jordão. Morreram de Efraim naquele tempo quarenta e dois mil.

7 Jefté liderou Israel seis anos. Então faleceu Jefté, o gileadita, e foi sepultado numa das cidades de Gileade.

### Ibsã, Elom e Abdom

8 Depois dele liderou Israel Ibsã, de Belém.

9 Tinha este trinta filhos e trinta filhas. Casou fora as suas trinta filhas e de fora trouxe trinta mulheres para os seus filhos. Liderou Israel sete anos.

10 Então faleceu Ibsã e foi sepultado em Belém.

11 Depois dele Elom, o zebulonita, liderou Israel dez anos.

12 Faleceu Elom, o zebulonita, e foi sepultado em Aijalom, na terra de Zebulom.

13 Depois dele liderou Israel Abdom, filho de Hilel, o piratonita.

14 Tinha este quarenta filhos, e trinta netos, que cavalgavam setenta jumentos. Liderou Israel oito anos.

15 Então faleceu Abdom, filho de Hilel, o piratonita, e foi sepultado em Piratom, na terra de Efraim, na região montanhosa dos amalequitas.

## O nascimento de Sansão

**13** Os filhos de Israel tornaram a fazer o que era mau aos olhos do Senhor, e por isso o Senhor os entregou nas mãos dos filisteus por quarenta anos.

2 Havia um homem de Zorá, da tribo de Dã, cujo nome era Manoá, cuja mulher era estéril e não tinha filhos.

3 O anjo do Senhor apareceu a esta mulher e lhe disse: És estéril e nunca deste à luz, mas conceberás e terás um filho.

4 Agora guarda-te, não bebas vinho nem bebida forte, nem comas coisa imunda,

5 porque conceberás e darás à luz um filho. Sobre a cabeça dele não passará navalha, porque o menino será nazireu, consagrado a Deus desde o ventre de sua mãe, e começará a livrar Israel das mãos dos filisteus.

6 Então a mulher entrou e disse a seu marido: Um homem de Deus, cujo semblante era como o de um anjo de Deus, extremamente impressionante, veio a mim. Não lhe perguntei de onde era, e ele não me disse o seu nome.

7 Ele, contudo, me disse: Tu conceberás e darás à luz um filho. Agora, pois, não bebas vinho nem bebida forte, e não comas coisa imunda, porque o menino será nazireu, consagrado a Deus desde o ventre de sua mãe até o dia da sua morte.

8 Então Manoá orou ao Senhor: Ah! Senhor meu, rogo-te que o homem de Deus que enviaste venha ter conosco outra vez e nos ensine o que devemos fazer ao menino que há de nascer.

9 Deus ouviu Manoá, e o anjo de Deus veio outra vez à mulher estando ela no campo; mas não estava com ela seu marido, Manoá.

10 Apressou-se a mulher e correu para dar a notícia a seu marido e lhe disse: Ele está aqui! O homem que me apareceu outro dia.

11 Então Manoá levantou-se e seguiu a sua mulher, e veio àquele homem e lhe disse: És tu o homem que falou a esta mulher? Ele respondeu: Sou eu.

12 Então disse Manoá: Quando as tuas palavras se cumprirem, qual será o modo de viver do menino e o seu serviço?

13 Respondeu o anjo do Senhor a Manoá: De tudo quanto eu disse à mulher se guardará ela.

14 De tudo o que procede da videira não comerá, nem vinho nem bebida forte beberá, nem coisa imunda comerá. Tudo quanto lhe ordenei guardará.

15 Então Manoá disse ao anjo do Senhor: Fica conosco para que te preparemos um cabrito.

16 O anjo do Senhor, porém, disse a Manoá: Ainda que eu fique, não comerei de teu pão. Mas, se fizeres holocausto, ao Senhor o oferecerás. Manoá não sabia que era o anjo do Senhor.

17 Perguntou Manoá ao anjo do Senhor: Qual é o teu nome, para

que, quando se cumprir a tua palavra, te honremos?
**18** Respondeu ele: Por que perguntas pelo meu nome? Ele é maravilhoso.
**19** Então Manoá tomou um cabrito com a oferta de cereais e os apresentou sobre uma rocha ao Senhor. E o Senhor fez maravilhas, enquanto Manoá e sua mulher o observavam.
**20** Subindo a chama do altar para o céu, o anjo do Senhor subiu nela. Vendo isso, Manoá e sua mulher prostraram-se com o rosto em terra.
**21** Quando o anjo do Senhor não apareceu mais a Manoá e à sua mulher, compreendeu Manoá que era o anjo do Senhor.
**22** Disse ele à sua mulher: Certamente morreremos. Vimos a Deus!
**23** A sua mulher, contudo, respondeu: Se o Senhor nos quisera matar, não teria recebido da nossa mão o holocausto e a oferta de cereais, não nos teria mostrado tudo isso, não nos teria deixado ouvir tais coisas neste tempo.
**24** A mulher deu à luz um filho e pôs-lhe o nome de Sansão. O menino cresceu e o Senhor o abençoou.
**25** E o Espírito do Senhor começou a agir nele em Maané-Dã, entre Zorá e Estaol.

### O casamento de Sansão

**14** Desceu Sansão a Timna e viu ali uma mulher das filhas dos filisteus.
**2** Quando voltou, disse a seu pai e a sua mãe: Vi uma mulher em Timna, das filhas dos filisteus; agora tomai-a para mim por mulher.
**3** Seu pai e sua mãe, porém, responderam: Não há mulher entre as filhas de teus irmãos, ou entre todo o nosso povo? Há motivo para que tu vás tomar mulher dos filisteus, daqueles incircuncisos? Mas Sansão disse a seu pai: Toma-me esta, porque ela muito me agrada.
**4** Seu pai e sua mãe, porém, não sabiam que isso vinha do Senhor, que buscava ocasião contra os filisteus; pois naquele tempo os filisteus dominavam sobre Israel.
**5** Desceu Sansão com seu pai e com sua mãe a Timna. Chegando às vinhas de Timna, de repente um leão novo, rugindo, saiu-lhe ao encontro.
**6** Então o Espírito do Senhor se apossou dele, de tal maneira que ele o rasgou de alto a baixo, como quem rasga um cabrito, sem ter nada na mão. Mas nem a seu pai nem a sua mãe contou o que tinha feito.
**7** Desceu, e falou àquela mulher, e dela se agradou muito.
**8** Depois de alguns dias, quando voltou para casar-se com ela, saiu do caminho para ver o corpo do leão morto. Neste havia um enxame de abelhas com mel.
**9** Tomou o favo nas mãos e se foi, andando e comendo dele. Tendo chegado a seu pai e a sua mãe, deu-lhes dele, e eles comeram; mas não lhes contou que pegara o mel do corpo do leão.
**10** Descendo seu pai à casa daquela mulher, fez Sansão ali um banquete, porque assim costumavam fazer os moços.
**11** Quando os moradores do lugar o viram, trouxeram trinta companheiros para estarem com ele.

### O enigma de Sansão

**12** Disse-lhes Sansão: Eu vos proporei um enigma. Se nos sete dias das bodas me derdes a resposta,

eu vos darei trinta túnicas de linho e trinta mantos.
**13** Se, contudo, não puderdes decifrá-lo, vós me dareis as trinta túnicas de linho e os trinta mantos. Disseram eles: Dá-nos o teu enigma, para que o ouçamos.
**14** Respondeu ele:

Do comedor saiu comida;
do forte saiu doçura.

E em três dias não puderam decifrar o enigma.
**15** No sétimo dia, disseram à mulher de Sansão: Convence teu marido a que nos decifre o enigma, para que não coloquemos fogo em ti e na casa de teu pai. Convidaste-nos aqui para vos apossardes do que é nosso, não é assim?
**16** A mulher de Sansão chorou diante dele e disse: Tu me odeias! Não me amas de verdade. Deste aos filhos de meu povo um enigma a decifrar e ainda não me declaraste a resposta. Respondeu ele: Nem a meu pai nem a minha mãe o declarei, por que devia declará-lo a ti?
**17** Ela chorou diante dele os sete dias em que celebravam as bodas. Assim, ao sétimo dia, ele lhe declarou a resposta, porque ela o importunava. Então ela declarou o enigma aos filhos do seu povo.
**18** Disseram-lhe os homens daquela cidade, ao sétimo dia, antes de se pôr o sol:

Que coisa há mais doce do que o mel?
E que coisa há mais forte do que o leão?

Disse-lhes Sansão:

Se vós não lavrásseis com a minha novilha,
nunca teríeis descoberto o meu enigma.

**19** Então o Espírito do Senhor se apossou dele de tal maneira que desceu aos ascalonitas, matou deles trinta homens, tomou as suas vestes e deu-as aos que declararam o enigma. Ardendo em ira, subiu à casa de seu pai.
**20** E a mulher de Sansão foi dada ao seu companheiro de honra.

### A vingança de Sansão

**15** Depois de alguns dias, durante a colheita do trigo, Sansão, levando um cabrito, foi visitar sua mulher. Dizia ele: Entrarei no quarto de minha mulher. Mas o pai dela não o deixou entrar
**2** e lhe disse: Por certo pensava eu que de todo a odiavas, de modo que a dei ao teu companheiro. Mas não é sua irmã mais nova, mais formosa do que ela? Toma-a em seu lugar.
**3** Disse-lhes Sansão: Desta vez tenho o direito de acertar contas com os filisteus, e de fato lhes farei mal.
**4** Foi Sansão, apanhou trezentas raposas e, tomando tochas, amarrou-as pela cauda, em pares. Então pôs uma tocha entre cada par de caudas,
**5** acendeu as tochas e largou as raposas na plantação dos filisteus. Incendiou assim tanto os feixes como o cereal que iam colher, as vinhas e os olivais.
**6** Perguntaram os filisteus: Quem fez isso? Responderam: Sansão, genro do timnita, porque este lhe tomou a mulher, e a deu a seu companheiro. Então subiram os filisteus e queimaram a fogo ela e seu pai.
**7** Disse-lhes Sansão: Se é assim que fazeis, só cessarei quando me houver vingado de vós.

**8** E os atacou furiosamente, matando muitos deles. Então desceu e habitou na fenda do penhasco de Etã.
**9** Os filisteus subiram, acamparam-se contra Judá e se estenderam por Leí.

### A força de Sansão

**10** Perguntaram-lhes os homens de Judá: Por que subistes contra nós? Responderam eles: Subimos para amarrar Sansão, para fazer com ele como ele conosco fez.
**11** Então três mil homens de Judá desceram até a fenda do penhasco de Etã e disseram a Sansão: Não sabias que os filisteus dominam sobre nós? Por que nos fizeste isto? Ele lhes respondeu: Fiz a eles como fizeram a mim.
**12** Disseram-lhe eles: Descemos para te amarrar, para te entregar nas mãos dos filisteus. Disse-lhes Sansão: Jurai-me que vós mesmos não me acometereis.
**13** Responderam eles: Não, mas somente te amarraremos e te entregaremos nas mãos deles. De maneira nenhuma te mataremos. E o amarraram com duas cordas novas e o fizeram subir do penhasco.
**14** Tendo ele chegado a Leí, os filisteus saíram-lhe ao encontro, jubilando. Mas o Espírito do Senhor se apossou dele de tal maneira que as cordas que ele tinha nos braços se tornaram como fios de linho queimados no fogo, e as suas amarraduras se desfizeram das suas mãos.
**15** Achando uma carcaça fresca de jumento, tomou-a e com ela matou mil homens.
**16** Então disse Sansão:
   Com uma carcaça de
      jumento fiz um montão
         ou dois;

com uma carcaça de jumento
   matei mil homens.
**17** Acabando ele de falar, lançou da sua mão a carcaça; e chamou-se àquele lugar Ramate-Leí.
**18** Então, como tivesse grande sede, clamou ao Senhor, dizendo: Pela mão do teu servo tu deste esta grande salvação. Morrerei eu agora de sede e cairei nas mãos destes incircuncisos?
**19** Então o Senhor abriu a cavidade que estava em Leí, e dela saiu água. Tendo Sansão bebido, recobrou alento e reviveu. Pelo que a fonte ficou sendo chamada En-Hacoré até o dia de hoje.
**20** Sansão liderou Israel durante vinte anos nos dias dos filisteus.

### Sansão e Dalila

**16** Foi-se Sansão a Gaza, onde viu uma prostituta. E passou a noite com ela.
**2** Foi dito aos gazitas: Sansão está aqui! Então o cercaram e toda a noite o esperaram de emboscada à porta da cidade. E toda a noite ficaram em silêncio, dizendo: Esperaremos até o amanhecer. Então o mataremos.
**3** Sansão, porém, deitou-se somente até a meia-noite. Então se levantou, pegou nas portas da cidade, com ambos os umbrais, e, com a tranca, as arrancou. Pondo-as sobre os ombros, levou-as para cima até o cume do monte que está em frente de Hebrom.
**4** Depois disso ele se afeiçoou a uma mulher do vale de Soreque, cujo nome era Dalila.
**5** Os líderes dos filisteus foram dizer a ela: Convença-o, veja se descobre em que consiste a sua grande força e com que poderíamos dominá-lo e amarrá-lo, para

assim o subjugarmos. Cada um de nós te dará mil e cem moedas de prata.

**6** Disse Dalila a Sansão: Declara-me, peço-te, em que consiste a tua grande força e com que poderias ser amarrado para te poderem subjugar.

**7** Respondeu-lhe Sansão: Se me amarrassem com sete cordas de nervos frescos, ainda não secos, então me enfraqueceria e seria como qualquer outro homem.

**8** Então os líderes dos filisteus trouxeram a Dalila sete cordas de nervos frescos, ainda não secos, e com as cordas ela o amarrou.

**9** Os espias estavam assentados com ela no quarto. Então ela disse: Os filisteus vêm sobre ti, Sansão! E ele quebrou as cordas de nervos, como se quebra o fio da estopa ao lhe chegar o fogo. Assim não se soube em que consistia a sua força.

**10** Então disse Dalila a Sansão: Zombaste de mim e me disseste mentiras. Ora, declara-me com que poderias ser amarrado.

**11** Ele disse: Se me amarrassem fortemente com cordas novas, com que não se houvesse feito obra nenhuma, então me enfraqueceria e seria como qualquer outro homem.

**12** Assim Dalila tomou cordas novas e com elas o amarrou, e disse: Os filisteus vêm sobre ti, Sansão! E os espias estavam assentados no quarto. Ele arrebentou as cordas de seus braços como se fossem um fio.

**13** Disse Dalila a Sansão: Até agora zombaste de mim e me disseste mentiras. Declara-me como poderias ser amarrado. Ele respondeu: Se teceres as sete tranças da minha cabeça num pano e as firmares com pino de tear, então me enfraqueceria e seria como qualquer outro homem. De modo que enquanto ele dormia, Dalila tomou as sete tranças da cabeça dele, teceu-as num pano,

**14** firmou-as com o pino de tear e disse: Os filisteus vêm sobre ti, Sansão! Ele despertou do seu sono, arrancou o tear com o pino e os fios.

**15** Então ela lhe disse: Como podes dizer que me amas, não estando comigo o teu coração? Já três vezes zombaste de mim e ainda não me declaraste em que consiste a tua força.

**16** Importunando-o ela todos os dias com as suas palavras e cansando-o, a alma dele se angustiou até a morte.

**17** Assim ele revelou tudo: Nunca se passou navalha em minha cabeça, porque sou nazireu de Deus desde o ventre de minha mãe. Se viesse a ser rapado, sairia de mim a minha força, e me enfraqueceria, e seria como qualquer outro homem.

**18** Vendo Dalila que ele lhe havia revelado seu segredo, mandou chamar os líderes dos filisteus, dizendo: Subi esta vez; ele me revelou todo o segredo. Assim os líderes dos filisteus subiram até ela, trazendo o dinheiro nas mãos.

**19** Então ela o fez dormir sobre os seus joelhos e mandou chamar um homem para lhe rapar as sete tranças de sua cabeça; assim começou a subjugá-lo, e retirou-se dele a sua força.

**20** Então clamou ela: Os filisteus vêm sobre ti, Sansão! Despertando ele do seu sono, disse: Sairei como das outras vezes e me livrarei.

Mas não sabia que o Senhor já se tinha retirado dele.
21 Então os filisteus o pegaram, arrancaram-lhe os olhos e o fizeram descer a Gaza. Amarrando-o com duas cadeias de bronze, puseram-no para girar um moinho na prisão.
22 E o cabelo da sua cabeça começou a crescer de novo.

### Sansão derruba o templo de Dagom

23 Ora, os líderes dos filisteus ajuntaram-se para oferecer um grande sacrifício ao seu deus Dagom e para se alegrarem, dizendo: Nosso deus nos entregou nas mãos o nosso inimigo Sansão.
24 Semelhantemente o povo, vendo-o, louvava ao seu deus, dizendo:
Nosso deus nos entregou
nas mãos o nosso inimigo,
e o que destruía a nossa terra,
e o que multiplicava os
nossos mortos.
25 Com o coração cheio de alegria, disseram: Mandai vir Sansão, para nos divertir. Assim trouxeram Sansão do cárcere, e ele os divertia. Quando o puseram em pé entre as colunas,
26 disse Sansão ao moço que o tinha pela mão: Deixa-me apalpar as colunas que sustentam o templo, para que me encoste nelas.
27 Ora, o templo estava cheio de homens e mulheres; também ali estavam todos os líderes dos filisteus, e sobre o telhado havia uns três mil homens e mulheres vendo Sansão, que os divertia.
28 Então clamou Sansão ao Senhor: Senhor Deus, peço-te que te lembres de mim, e fortalece-me agora só esta vez, ó Deus, para que de uma só vez me vingue dos filisteus pelos meus dois olhos.
29 Então abraçou-se Sansão com as duas colunas centrais sobre os quais o templo estava firmado. Apoiando-se em uma com a mão direita, e na outra, com a esquerda.
30 Disse Sansão: Morra eu com os filisteus! Então se inclinou com força, e o templo caiu sobre os líderes e sobre todo o povo que nele estava. Foram mais os que matou na sua morte do que os que matara na sua vida.
31 Então seus irmãos e toda a família de seu pai desceram, tomaram-no, subiram com ele e o sepultaram entre Zorá e Estaol, no sepulcro de Manoá, seu pai. Ele havia liderado Israel durante vinte anos.

### O santuário de Mica

**17** Ora, certo homem chamado Mica, da região montanhosa de Efraim,
2 disse à sua mãe: As mil e cem moedas de prata que te foram tiradas, e acerca das quais ouvi pronunciares maldições, essa prata está comigo; eu a tomei. Então disse à sua mãe: Bendito do Senhor seja meu filho!
3 Quando ele restituiu as mil e cem moedas de prata a sua mãe, ela lhe disse: Solenemente consagro a minha prata ao Senhor para que meu filho faça uma imagem de escultura e uma de fundição. Eu a devolverei a ti.
4 Assim ele restituiu a prata a sua mãe, e ela tomou duzentos siclos de prata e os deu ao ourives, que os transformou na imagem de escultura e na de fundição. E foram colocadas na casa de Mica.
5 Ora, tinha este homem, Mica, uma casa de deuses. Ele fez uma

estola sacerdotal e ídolos do lar e consagrou um de seus filhos, para que lhe fosse por sacerdote. 6 Naqueles dias, não havia rei em Israel; cada qual fazia o que parecia direito aos seus olhos.

### O levita de Belém

7 Um jovem levita, de Belém de Judá, da tribo de Judá, 8 partiu da cidade em busca de outro lugar para habitar. Seguindo o seu caminho, chegou à região montanhosa de Efraim, à casa de Mica. 9 Perguntou-lhe Mica: De onde vens? Ele lhe respondeu: Sou levita de Belém de Judá e estou procurando um lugar para morar. 10 Então lhe disse Mica: Fica comigo e sê-me por pai e sacerdote; cada ano te darei dez moedas de prata, o vestuário e o teu sustento. 11 Assim o levita concordou em ficar com aquele homem e lhe foi como um de seus filhos. 12 Consagrou Mica o levita, e o moço lhe serviu de sacerdote e ficou morando em sua casa. 13 Então disse Mica: Agora sei que o Senhor me fará bem, visto que tenho um levita por sacerdote.

### Os danitas se estabelecem em Laís

**18** Naqueles dias, não havia rei em Israel. E naqueles dias, a tribo dos danitas buscava para si um lugar onde se estabelecer, porque até aquele dia entre as tribos de Israel não lhe havia caído por sorte a herança. 2 Enviaram os filhos de Dã cinco homens dentre todos os da sua tribo, homens valentes, de Zorá e de Estaol, para espiar e explorar a terra. Disseram-lhes: Ide, explorai a terra. Os homens vieram à região montanhosa de Efraim, à casa de Mica, e passaram ali a noite. 3 Estando eles perto da casa de Mica, reconheceram a voz do moço levita; assim, dirigindo-se para lá, perguntaram-lhe: Quem te trouxe para aqui? O que fazes aqui? E que é o que tens aqui? 4 Ele respondeu: Assim e assim me fez Mica. Ele me assalariou, e eu lhe sirvo de sacerdote. 5 Então lhe disseram: Ora, consulta a Deus, para que saibamos se prosperará o caminho que seguimos. 6 Disse-lhes o sacerdote: Ide em paz. O caminho que seguis está perante o Senhor. 7 Então foram-se aqueles cinco homens, chegaram a Laís e viram que o povo que havia nela estava seguro, conforme o costume dos sidônios, em paz e tranquilo. Não havia naquela terra falta de coisa alguma; era um povo rico e, estando longe dos sidônios, não tinha relações com ninguém. 8 Quando voltaram a Zorá e a Estaol, seus irmãos lhes perguntaram: Que dizeis vós? 9 Responderam: Levantai-vos. Subamos contra eles! Examinamos a terra e vimos que é muito boa. E vós estais aqui tranquilos? Não sejais preguiçosos em sair para ocupardes a terra. 10 Quando lá chegardes, achareis um povo tranquilo e uma terra muito espaçosa que Deus vos entregou nas mãos; uma terra em que não há falta de coisa alguma. 11 Então seiscentos homens da tribo dos danitas, armados para a guerra, partiram de Zorá e de Estaol. 12 Subiram e acamparam-se perto de Quiriate-Jearim, em Judá.

Pelo que o lugar ao ocidente de Quiriate-Jearim é chamado Maané-Dã até o dia de hoje.

13 Dali passaram à região montanhosa de Efraim e chegaram à casa de Mica.

### O roubo dos danitas

14 Então os cinco homens, que foram espiar a terra de Laís, disseram a seus irmãos: Sabeis vós também que naquelas casas há uma estola sacerdotal, e ídolos do lar, e uma imagem de escultura e uma de fundição? Agora sabeis o que haveis de fazer.

15 Então foram para lá e chegaram à casa do moço levita, à casa de Mica, e o saudaram.

16 Os seiscentos homens, de Dã, armados para a guerra, ficaram à entrada da porta.

17 Os cinco homens, que foram espiar a terra, subiram, entraram e tomaram a imagem de escultura, a estola sacerdotal, os ídolos do lar e a imagem de fundição, ficando o sacerdote em pé à entrada da porta, com os seiscentos homens que estavam armados para a guerra.

18 Entrando eles na casa de Mica e tomando a imagem de escultura, a estola sacerdotal, os ídolos do lar e a imagem de fundição, disse-lhes o sacerdote: Que estais fazendo?

19 Responderam-lhe: Cala-te! Não digas uma palavra. Vem conosco e sê-nos por pai e sacerdote. O que te é melhor: ser sacerdote da casa de um só homem ou de uma tribo e de uma geração em Israel?

20 Então o coração do sacerdote se alegrou. Tomou a estola sacerdotal, os ídolos do lar, a imagem de escultura e foi com o povo.

21 Assim, tendo posto os meninos, o gado e a bagagem na frente deles, viraram e partiram.

22 Estando eles já longe da casa de Mica, os homens que estavam nas casas vizinhas à dele se reuniram e alcançaram os filhos de Dã.

23 E clamaram após os filhos de Dã, os quais, virando-se, perguntaram a Mica: O que houve? Por que convocaste esse povo?

24 Respondeu ele: Os meus deuses, que eu fiz, me tomastes, com o sacerdote, e partistes. Agora o que me resta? Como me perguntais: O que houve?

25 Os filhos de Dã, porém, lhe disseram: Não nos faças ouvir a tua voz, para que porventura homens violentos não se lancem sobre ti, e tu percas a tua vida e a da tua família.

26 Assim os filhos de Dã seguiram o seu caminho, e Mica, vendo que eram mais fortes do que ele, virou-se e voltou para sua casa.

27 Então levaram o que Mica havia feito e o sacerdote que tivera, e chegaram a Laís, a um povo pacífico e tranquilo. Mataram-nos a fio de espada e queimaram a cidade.

28 Ninguém houve que os livrasse porque estavam longe de Sidom e não tinham relação com ninguém; e a cidade estava no vale junto a Bete-Reobe. Reedificaram a cidade e habitaram nela.

29 Chamaram-na Dã, segundo o nome de Dã, seu pai, que nascera a Israel; mas anteriormente o nome da cidade era Laís.

30 Os filhos de Dã levantaram para si aquela imagem de escultura, e Jônatas, filho de Gérson, filho de Manassés, ele e seus filhos foram sacerdotes da tribo

dos danitas, até o dia do cativeiro da terra.

31 Continuaram a usar a imagem de escultura, que Mica fizera, todos os dias em que o santuário de Deus esteve em Siló.

### O levita de Efraim

**19** Naqueles dias, não havia rei em Israel. Ora, certo levita, que vivia nas partes remotas da região montanhosa de Efraim, tomou para si uma concubina, de Belém de Judá.

2 A sua concubina, porém, adulterou contra ele. Deixando-o, foi para a casa de seu pai, em Belém de Judá, e esteve ali alguns dias, a saber, quatro meses.

3 Seu marido levantou-se e partiu atrás dela, para lhe falar ao coração e para tornar a trazê-la. Levava consigo o seu moço e um par de jumentos. Ela o levou à casa de seu pai, o qual, vendo-o, saiu alegre a recebê-lo.

4 Seu sogro, o pai da moça, o deteve consigo por três dias; comeram e beberam, e o casal se hospedou ali.

5 No quarto dia, madrugaram, e se prepararam para partir, mas o pai da moça disse a seu genro: Fortalece-te com um bocado de pão, e depois partireis.

6 Assim ambos se assentaram para comer e beber juntos. Então disse o pai da moça ao homem: Peço-te que ainda esta noite fiques aqui e se alegre o teu coração.

7 O homem, porém, levantou-se para partir, mas, como seu sogro insistisse com ele, tornou a passar a noite ali.

8 Madrugando ele, no quinto dia, para partir, disse o pai da moça: Ora, fortalece-te e detém-te até o declinar do dia. E ambos juntos comeram.

9 Então quando o homem se levantou para partir, ele, e a sua concubina, e o seu moço, disse-lhe o seu sogro, o pai da moça: Olha, já declina o dia. A tarde já vem chegando, passa a noite aqui. Passa aqui a noite, e que o teu coração se alegre. Amanhã de madrugada levantai-vos e ide para a vossa casa.

10 O homem, porém, recusou o convite; levantou-se e partiu na direção de Jebus (que é Jerusalém), e com ele os dois jumentos selados, como também a sua concubina.

11 Estando já perto de Jebus e tendo-se já declinado o dia, disse o moço a seu senhor: Vem, peço-te, e paremos nesta cidade dos jebuseus e passemos nela a noite.

12 O seu senhor, porém, lhe disse: Não nos retiraremos a nenhuma cidade estranha, que não seja dos filhos de Israel. Passaremos até Gibeá.

13 Disse mais a seu moço: Vem, cheguemos a Gibeá ou a Ramá e passemos a noite num desses lugares.

14 Então prosseguiram na caminhada, e o sol se pôs estando eles próximos de Gibeá, que pertence a Benjamim.

15 Retiraram-se para Gibeá, a fim de nela passarem a noite. Entrando eles, assentaram-se na praça da cidade, mas não houve quem os convidasse para passar a noite em sua casa.

16 Ao anoitecer, um homem idoso da região montanhosa de Efraim, que morava em Gibeá (os moradores do lugar eram filhos de Benjamim), veio do seu trabalho no campo.

**17** Levantando os olhos, viu o viajante na praça da cidade e lhe perguntou: Para onde vais? De onde vens?
**18** Respondeu ele: Estamos de viagem de Belém de Judá para as partes remotas da região montanhosa de Efraim, de onde sou. Fui a Belém de Judá e, agora, vou à casa do Senhor. Ninguém me recolheu em casa.
**19** Ainda temos palha e pasto para os nossos jumentos, e também pão e vinho para mim, e para a tua serva, e para o moço que vem com os teus servos. De coisa nenhuma temos falta.
**20** Então disse o velho: Paz seja contigo. Tudo o que te faltar fique ao meu cargo. Tão somente não passes a noite na praça.
**21** Levou-o para a sua casa e deu pasto aos jumentos. Tendo eles lavado os pés, comeram e beberam.
**22** Enquanto eles se alegravam, alguns homens daquela cidade, filhos de Belial, cercaram a casa. Batendo à porta, gritaram ao velho, dono da casa: Tira para fora o homem que entrou em tua casa, para que tenhamos relações sexuais com ele.
**23** O dono da casa saiu e lhes disse: Não, irmãos meus, não façais semelhante mal. Já que o homem entrou em minha casa, não façais essa loucura.
**24** Aqui estão minha filha virgem e a concubina do meu hóspede; eu as tirarei para fora. Humilhai-as, e fazei delas o que parecer bem aos vossos olhos. Mas a este homem não façais tal loucura.
**25** Aqueles homens, porém, não o quiseram ouvir. Então aquele homem pegou a concubina do levita, tirou-a para fora, e eles a forçaram e abusaram dela a noite toda até pela manhã, e subindo a alva, a deixaram.
**26** Ao romper do dia, veio a mulher e caiu à porta da casa do homem, onde estava seu senhor, e ficou ali até que se fez claro.
**27** Levantando-se o seu senhor pela manhã, abriu as portas da casa e, saindo para seguir viagem, viu que a mulher, sua concubina, estava caída na entrada da porta da casa, com as mãos sobre a soleira da porta.
**28** Ele lhe disse: Levanta-te; vamo-nos. Mas ela não respondeu. Então ele a colocou sobre o jumento e, partindo dali, foi para o seu lugar.
**29** Chegando à sua casa, tomou um cutelo e, pegando sua concubina, despedaçou-a por seus ossos em doze partes e as enviou por todo o território de Israel.
**30** Cada um que via tal coisa dizia: Nunca tal se fez nem se viu desde o dia em que os filhos de Israel subiram da terra do Egito, até o dia de hoje. Pensai! Reflitam! Digam o que se deve fazer.

### Guerra entre Israel e Benjamim

**20** Então saíram todos os filhos de Israel, e a comunidade se ajuntou perante o Senhor em Mispa, como se fora um só homem, desde Dã até Berseba, como também a terra de Gileade.
**2** Os líderes de todo o povo, de todas as tribos de Israel, se apresentaram na assembleia do povo de Deus em número de quatrocentos mil homens soldados que usavam espada.
**3** Ouviram os filhos de Benjamim que os filhos de Israel haviam

subido a Mispa. Então disseram os filhos de Israel: Dizei-nos como sucedeu esta maldade.

4 Então respondeu o levita, marido da mulher que fora morta: Cheguei com a minha concubina a Gibeá, cidade de Benjamim, para ali passar a noite.

5 Durante a noite, os cidadãos de Gibeá se levantaram contra mim e cercaram a casa, intentando matar-me. Violentaram a minha concubina, e ela morreu.

6 Então peguei na minha concubina e a fiz em pedaços, e os enviei por toda a terra da herança de Israel, porque cometeram tal abominação e loucura em Israel.

7 Ora, todos vós, filhos de Israel, dai a vossa palavra e conselho neste caso.

8 Então todo o povo se levantou como um só homem, dizendo: Nenhum de nós voltará para a sua tenda. Nenhum de nós se retirará para sua casa.

9 Isto, porém, é o que faremos a Gibeá: subiremos contra ela por sorte.

10 Tomaremos dez homens de cem de todas as tribos de Israel, e cem de mil, e mil de dez mil, para providenciarem mantimento para o povo, a fim de que este, vindo a Gibeá de Benjamim, lhe faça conforme toda a loucura que fizeram em Israel.

11 Então ajuntaram-se contra essa cidade todos os homens de Israel, aliados como um só homem.

12 As tribos de Israel enviaram homens por toda a tribo de Benjamim, dizendo: Que maldade é essa que se fez entre vós?

13 Entregai-nos agora os homens, filhos de Belial, que estão em Gibeá, para que os matemos e tiremos de Israel o mal. Mas os filhos de Benjamim não quiseram ouvir seus irmãos, os filhos de Israel.

14 Antes, das suas cidades, os filhos de Benjamim se ajuntaram em Gibeá, para sair a guerrear contra os filhos de Israel.

15 E contaram-se naquele dia os filhos de Benjamim vindos das cidades; eram vinte e seis mil homens que puxavam da espada, sem contar os moradores de Gibeá, que eram setecentos homens escolhidos.

16 Entre todo esse povo havia setecentos homens hábeis, canhotos, os quais atiravam com a funda uma pedra num cabelo e não erravam.

17 Contaram-se dos homens de Israel, fora os de Benjamim, quatrocentos mil homens que puxavam da espada, e todos eles homens de guerra.

18 Levantaram-se os filhos de Israel, subiram a Betel e consultaram a Deus. Disseram: Quem dentre nós subirá primeiro para guerrear contra Benjamim? Respondeu o Senhor: Judá subirá primeiro.

19 Levantaram-se os filhos de Israel pela manhã e acamparam-se contra Gibeá.

20 Saíram os homens de Israel à guerra contra Benjamim e ordenaram a batalha contra eles junto a Gibeá.

21 Os filhos de Benjamim saíram de Gibeá e derrubaram por terra naquele dia vinte e dois mil homens de Israel.

22 Os homens de Israel, porém, esforçaram-se e tornaram a ordenar a peleja no lugar em que no primeiro dia a tinham ordenado.

23 Subiram os filhos de Israel e choraram perante o Senhor até a

tarde, e consultaram o Senhor, dizendo: Tornaremos a pelejar contra os filhos de Benjamim, nosso irmão? Respondeu o Senhor: Subi contra ele.

24 Então chegaram-se os filhos de Israel aos filhos de Benjamim, no dia seguinte.

25 Também os de Benjamim, nesse mesmo dia, saíram de Gibeá ao seu encontro e derrubaram ainda por terra mais dezoito mil homens, todos dos que puxavam da espada.

26 Então todos os filhos de Israel, o exército todo, subiram e, vindo a Betel, choraram, e estiveram ali perante o Senhor. Jejuaram aquele dia até a tarde e ofereceram holocaustos e ofertas pacíficas perante o Senhor.

27 E os filhos de Israel consultaram o Senhor. (A arca da aliança de Deus estava ali naqueles dias, 28 e Fineias, filho de Eleazar, filho de Arão, ministrava perante ela.) Disseram: Tornaremos a sair ainda a pelejar contra os filhos de Benjamim, nosso irmão, ou desistiremos? Respondeu o Senhor: Subi, pois amanhã eu os entregarei nas vossas mãos.

29 Então Israel pôs emboscadas em redor de Gibeá.

30 Ao terceiro dia, subiram os filhos de Israel contra os filhos de Benjamim e ordenaram a batalha perto de Gibeá, como das outras vezes.

31 Os filhos de Benjamim saíram para enfrentá-los e foram atraídos da cidade. Começaram a ferir o povo como das outras vezes, matando uns trinta homens de Israel, pelas estradas, das quais uma sobe para Betel, e a outra, para Gibeá pelo campo.

32 Enquanto os filhos de Benjamim diziam: Vão derrotados diante de nós como antes, os filhos de Israel diziam: Fujamos e atraiamo-los da cidade para as estradas.

33 Todos os homens de Israel se levantaram do seu lugar e ordenaram a batalha em Baal-Tamar, e a emboscada de Israel saiu do seu lugar, a oeste de Geba.

34 Dez mil homens escolhidos de todo o Israel vieram contra Gibeá. A peleja tornou-se tão renhida que os de Gibeá não sabiam que o mal lhes sobrevinha.

35 Feriu o Senhor a Benjamim diante de Israel, e, naquele dia, os filhos de Israel mataram vinte e cinco mil e cem homens de Benjamim, todos dos que puxavam da espada.

36 Então os filhos de Benjamim viram que estavam derrotados. Ora, os homens de Israel haviam cedido terreno aos benjamitas, porque estavam confiados na emboscada que haviam posto contra Gibeá.

37 A emboscada se apressou e acometeu a Gibeá e prosseguiu contra ela e matou a fio de espada toda a cidade.

38 Os homens de Israel tinham um sinal determinado com a emboscada, que era fazerem levantar da cidade uma grande nuvem de fumaça.

39 Então os homens de Israel se virariam na peleja. Benjamim havia começado a atacar os homens de Israel, matando uns trinta deles, pois diziam: Certamente vão sendo derrotados diante de nós, como na peleja anterior.

40 Quando, porém, a coluna de fumaça começou a levantar-se da cidade, virou-se Benjamim e viu

que toda a cidade subia em fumaça ao céu.

**41** Os homens de Israel se viraram contra os de Benjamim, os quais ficaram apavorados, porque viram que o mal lhes sobreviria. **42** Assim, fugiram diante dos homens de Israel; fugiram para a estrada do deserto, mas a peleja os apertou. E os filhos de Israel que saíam das cidades os destruíram no meio deles. **43** Cercaram os benjamitas e os perseguiram, pisando-os desde Noá até a altura de Gibeá, para o nascente do sol. **44** Caíram de Benjamim dezoito mil homens, todos eles homens valentes. **45** Então os restantes viraram as costas e fugiram para o deserto, até a penha de Rimom; mas os filhos de Israel apanharam deles pelas estradas ainda uns cinco mil homens. Continuaram a segui-los de perto até Gidom e mataram deles dois mil homens. **46** Todos os de Benjamim que morreram naquele dia foram vinte e cinco mil homens, que puxavam da espada, todos eles homens valentes. **47** Seiscentos homens, porém, viraram as costas e fugiram para o deserto, até a rocha de Rimom, onde ficaram quatro meses. **48** Os homens de Israel voltaram para os filhos de Benjamim e os mataram a fio de espada, tanto os homens da cidade como os animais, tudo quanto encontraram. Em todas as cidades que encontraram puseram fogo.

### A reabilitação de Benjamim

**21** Os homens de Israel tinham jurado em Mispa: Nenhum de nós dará sua filha por mulher aos benjamitas.

**2** Veio o povo a Betel e ali ficou até a tarde diante de Deus, levantando a voz e pranteando com grande pranto. **3** O povo clamou: Ah! Senhor, Deus de Israel, por que sucedeu isso em Israel? Por que está faltando uma tribo em Israel? **4** Bem cedo, na manhã seguinte, o povo se levantou e edificou ali um altar, e apresentou holocaustos e ofertas pacíficas. **5** Perguntaram os filhos de Israel: Quem de todas as tribos de Israel não subiu à assembleia do Senhor? Pois se tinha feito um juramento solene acerca dos que não subissem ao Senhor a Mispa, dizendo: Certamente será morto. **6** Ora, os filhos de Israel tiveram dó de Benjamim, seu irmão, e disseram: Hoje foi cortada de Israel uma tribo. **7** Como conseguiremos mulheres para os que ficaram de resto, visto que juramos pelo Senhor que nenhuma de nossas filhas lhes daríamos por mulheres? **8** Então perguntaram: Há alguma das tribos de Israel que não tenha subido ao Senhor a Mispa? Descobriram que ninguém de Jabes-Gileade viera ao acampamento, à assembleia. **9** Pois ao contar-se o povo descobriram que nenhum dos moradores de Jabes-Gileade se achou ali. **10** Então a comunidade enviou lá doze mil homens dos mais valentes e lhes ordenou, dizendo: Ide e matai a fio de espada os moradores de Jabes-Gileade, com as mulheres e as crianças. **11** Isto é o que haveis de fazer: Matem todo homem e toda mulher que não for virgem.

**12** Acharam entre os moradores de Jabes-Gileade quatrocentas moças virgens e as trouxeram ao acampamento, em Siló, que está na terra de Canaã.
**13** Então toda a comunidade enviou mensageiros aos filhos de Benjamim, que estavam na rocha de Rimom, e lhes proclamou a paz.
**14** Nesse mesmo tempo, voltaram os benjamitas, e se lhes deram por mulheres de Jabes-Gileade as que haviam sido conservadas com vida. Mas estas não lhes bastaram.
**15** Então o povo teve pena de Benjamim, porque o Senhor tinha aberto uma brecha nas tribos de Israel.
**16** Disseram os líderes da comunidade: As mulheres de Benjamim foram destruídas. Como conseguiremos mulheres para os que sobraram?
**17** Disseram: Benjamim não deve perder a herança dos que sobraram, para que nenhuma tribo de Israel seja destruída.
**18** Nós não lhes poderemos dar mulheres de nossas filhas, porque os filhos de Israel juraram, dizendo: Maldito aquele que der mulher aos benjamitas.
**19** Vede, porém, que anualmente acontece a festa do Senhor em Siló, que se celebra ao norte de Betel, do lado do nascente do sol, pela estrada alta que sobe de Betel a Siquém, e para o sul de Lebona.
**20** Então instruíram os filhos de Benjamim, dizendo: Ide, escondei-vos nas vinhas,
**21** e vigiai. Saindo as filhas de Siló a dançar em rodas, saí vós das vinhas e arrebatai cada um sua mulher das filhas de Siló, e ide-vos para a terra de Benjamim.
**22** Quando seus pais ou seus irmãos vierem queixar-se a nós, lhes diremos: Por amor de nós, tende compaixão deles, pois na guerra contra Jabes-Gileade não conseguimos mulheres para cada um deles, e vós sois inocentes, visto que não destes as vossas filhas a eles.
**23** Assim fizeram os filhos de Benjamim: quando as moças estavam dançando, cada homem pegou uma delas para ser sua mulher conforme o número deles. Então foram-se, voltaram à sua herança, reedificaram as cidades e habitaram nelas.
**24** Naquele tempo, os filhos de Israel partiram dali, e foi cada um para a sua tribo, para a sua família e para a sua herança.
**25** Naqueles dias, não havia rei em Israel; cada um fazia o que lhe parecia certo.

# RUTE

### Rute e Noemi

**1** Nos dias em que os juízes julgavam, houve fome na terra; e um homem de Belém de Judá saiu para habitar no país de Moabe, ele, sua mulher e seus dois filhos.
**2** Chamava-se este homem Elimeleque, e sua mulher, Noemi; os filhos se chamavam Malom e Quiliom, efrateus, de Belém de Judá. Foram a Moabe e ficaram ali.
**3** Morreu Elimeleque, marido de Noemi, e ficou ela só com os seus dois filhos,
**4** que se casaram com mulheres moabitas. O nome de uma era Orfa, e o da outra, Rute. Quando já fazia quase dez anos que moravam ali,
**5** morreram também Malom e Quiliom, ficando assim a mulher desamparada de seus dois filhos e de seu marido.
**6** Então, levantou-se Noemi com as suas noras, para partir do país de Moabe, porque ouviu que o Senhor tinha ajudado o seu povo, dando-lhe alimento.
**7** Pelo que saiu do lugar onde estava, e as suas duas noras com ela. Indo elas caminhando, para voltarem à terra de Judá,
**8** disse Noemi às suas noras: Ide, voltai cada uma para a casa de sua mãe. O Senhor use convosco de benevolência, como vós o fizestes com os falecidos e comigo.
**9** O Senhor vos dê que acheis descanso cada uma em casa de outro marido. Então ela as beijou e elas levantaram a voz e choraram,
**10** dizendo-lhe: Certamente voltaremos contigo para o teu povo.
**11** Noemi, porém, disse: Voltai, minhas filhas; por que iríeis comigo? Tenho eu ainda no ventre mais filhos, para que vos sejam por maridos?
**12** Voltai, minhas filhas, ide-vos embora; eu sou velha demais para ter marido. Ainda que eu dissesse: Tenho esperança, ou ainda que esta noite tivesse marido e ainda tivesse filhos,
**13** esperaríeis até que se tornassem grandes? Permaneceríeis sem se casar por causa deles? Não, minhas filhas. Mais amargo me é a mim do que a vós mesmas, porque a mão do Senhor se descarregou contra mim.
**14** Pelo que levantaram a voz e tornaram a chorar. Então Orfa se despediu da sogra com um beijo, mas Rute se apegou a ela.
**15** Disse Noemi: A tua cunhada voltou para o seu povo e para os seus deuses. Volta também com ela.
**16** Rute, porém, respondeu: Não insistas para que te deixe e me obrigues a não te seguir. Aonde quer que fores, irei e, onde quer que pousares, ali pousarei. O teu povo será o meu povo, e o teu Deus será o meu Deus.
**17** Onde quer que morreres, morrerei eu e ali serei sepultada. Faça-me o Senhor o que bem lhe aprouver, se outra coisa que não seja a morte me separar de ti.
**18** Vendo Noemi que de todo estava resolvida a ir com ela, deixou de lhe falar nisso.
**19** Assim, as duas mulheres seguiram viagem, até que chegaram a Belém. Entrando elas em

Belém, toda a cidade se comoveu por causa delas, e as mulheres perguntavam: Não é esta Noemi? 20 Respondia-lhes ela: Não me chameis Noemi. Chamai-me Mara, porque grande amargura me tem dado o Todo-poderoso.
21 Cheia parti, porém vazia o Senhor me fez voltar. Por que me chamareis Noemi? O Senhor testificou contra mim; o Todo-poderoso me afligiu tanto.
22 E foi assim que voltou Noemi da terra de Moabe, e com ela Rute, sua nora, a moabita; chegaram a Belém no princípio da colheita da cevada.

### Rute encontra-se com Boaz

2 Tinha Noemi um parente de seu marido, homem poderoso e rico, da família de Elimeleque, o qual se chamava Boaz.
2 Rute, a moabita, disse a Noemi: Deixa-me ir ao campo, e apanharei espigas atrás daquele em cujos olhos eu achar graça. E ela lhe disse: Vai, minha filha.
3 Assim ela se foi, chegou ao campo e respigava após os ceifeiros. Por acaso entrou no campo de Boaz, que era da família de Elimeleque.
4 Boaz vinha de Belém e disse aos ceifeiros: O Senhor seja convosco. Responderam-lhe eles: O Senhor te abençoe.
5 Perguntou Boaz ao servo encarregado dos ceifeiros: De quem é esta moça?
6 Respondeu-lhe o servo: Esta é a moça moabita que voltou com Noemi do país de Moabe.
7 Disse-me ela: Deixa-me colher e ajuntar espigas por entre os molhos após os ceifeiros. Ela chegou aqui no início da manhã e está em pé até agora, a não ser por um pequeno descanso no abrigo.

### Boaz fala a Rute benignamente

8 Então disse Boaz a Rute: Ouve, minha filha, não vás colher em outra lavoura, tampouco passes daqui. Ficarás aqui com as minhas servas.
9 Os teus olhos estarão atentos na lavoura que ceifarem e irás atrás delas. Dei ordem aos servos, para que não te toquem. Quando tiveres sede, vai aos vasos e bebe do que os servos tiverem tirado.
10 Então ela, inclinando-se e prostrando-se com o rosto em terra, perguntou-lhe: Por que achei graça aos teus olhos, para que faças caso de mim, sendo eu estrangeira?
11 Respondeu-lhe Boaz: Eu ouvi falar de tudo o que fizeste à tua sogra, depois da morte do teu marido; como deixaste teu pai e tua mãe, a terra onde nasceste e vieste para um povo que antes não conhecias.
12 Que o Senhor recompense o teu feito. Que o Senhor, o Deus de Israel, sob cujas asas vieste buscar refúgio, te recompense ricamente.
13 Disse ela: Ache eu graça aos teus olhos, senhor meu, pois me deste ânimo e encorajaste o coração da tua serva, não sendo eu nem ainda como uma das tuas criadas.
14 Também à hora de comer Boaz lhe disse: Achega-te, come do pão e molha o teu bocado no vinho. E, sentando-se ela ao lado dos ceifeiros, ele lhe deu grão tostado, e ela comeu e se fartou, e ainda lhe sobrou.
15 Levantando-se ela para recolher espigas, Boaz deu ordem aos

seus servos, dizendo: Até entre os molhos deixai-a recolher; não a censureis.

16 Tirai também dos molhos algumas espigas e deixai-as ficar, para que as colha; não a repreendais.

17 Esteve ela respigando naquele campo até a tarde. Então debulhou o que havia apanhado e foi quase um efa de cevada.

18 Levou-o para a cidade, e viu a sua sogra o que havia apanhado. Também Rute tirou e deu-lhe o que lhe sobrara, depois de fartar-se.

19 Perguntou-lhe a sogra: Onde colheste hoje? Onde trabalhaste? Bendito seja aquele que fez caso de ti. Então Rute relatou à sua sogra com quem tinha trabalhado e disse: O nome do homem com quem hoje trabalhei é Boaz.

20 Disse Noemi a sua nora: Bendito seja ele do Senhor, que não tem deixado a sua beneficência nem para com os vivos nem para com os mortos. Acrescentou Noemi: Esse homem é nosso parente chegado e um dos nossos resgatadores.

21 Respondeu Rute, a moabita: Também ainda me disse: Com os meus servos ficarás, até que acabem toda a colheita que tenho.

22 Disse Noemi a sua nora, Rute: Bom será, minha filha, que saias com as servas dele, para que em outra lavoura não te molestem.

23 Então Rute se ajuntou com as servas de Boaz, para recolher espigas até que a colheita de cevada e de trigo se acabou. E ficou morando com a sua sogra.

## Rute encontra-se com Boaz na eira

**3** Certo dia, Noemi, sua sogra, lhe disse: Minha filha, não hei de buscar para ti um lar seguro, onde fiques bem?

2 Ora, não é Boaz, com cujas servas estiveste, de nossa parentela? Esta noite ele limpará a cevada na eira.

3 Lava-te, unge-te, veste os teus vestidos. Então desce à eira, mas não te dês a conhecer ao homem, até que tenha acabado de comer e beber.

4 Quando ele repousar, notarás o lugar em que se deita. Então entrarás, descobrirás os seus pés e te deitarás. Ele te dirá o que deves fazer.

5 Respondeu-lhe ela: Tudo o que me disseres, farei.

6 Então desceu à eira e fez conforme tudo o que sua sogra lhe tinha ordenado.

7 Havendo Boaz comido e bebido, e estando já o seu coração alegre, veio deitar-se ao pé de um monte de grão. Rute veio de mansinho, descobriu-lhe os pés e se deitou.

8 No meio da noite, o homem acordou de repente, sentou e viu uma mulher deitada a seus pés.

9 Perguntou ele: Quem és tu? Disse ela: Sou Rute, tua serva. Estende a tua capa sobre a tua serva, porque tu és o resgatador.

10 Disse ele: Bendita sejas tu do Senhor, minha filha. Melhor fizeste a tua última benevolência do que a primeira, visto que não foste atrás dos jovens, quer pobres quer ricos.

11 E agora, minha filha, não temas. Tudo o que pedires eu te farei. Toda a cidade do meu povo sabe que és mulher virtuosa.

12 Embora seja verdade que eu sou resgatador, há ainda outro resgatador mais chegado do que eu.

13 Fica-te aqui esta noite, e pela manhã, se ele te resgatar, bem está. Mas, se não te quiser resgatar,

tão certo como vive o Senhor, eu te resgatarei. Deita-te aqui até pela manhã.

**14** Assim ela ficou deitada a seus pés até pela manhã, mas levantou-se antes que pudesse ser reconhecida, pois disse Boaz: Não se saiba que uma mulher veio à eira. **15** Disse mais: Dá-me o manto que tens sobre ti e segura-o. Ela o segurou, e ele lhe mediu seis medidas de cevada e as pôs nas costas dela. Então ela entrou na cidade. **16** Quando Rute chegou à sua sogra, Noemi lhe perguntou: Como foram as coisas, minha filha? Então ela lhe contou tudo o que aquele homem lhe tinha feito **17** e acrescentou: Estas seis medidas de cevada me deu, dizendo: Não voltarás vazia para tua sogra. **18** Então disse Noemi: Espera, minha filha, até que saibas como irá terminar o caso. Pois o homem não descansará enquanto não resolver esta questão hoje mesmo.

### Boaz casa-se com Rute

**4** Boaz subiu à porta da cidade, e se assentou ali. Quando o resgatador de que ele havia falado ia passando, disse-lhe Boaz: Meu amigo, vem cá, assenta-te aqui. Ele se virou e se assentou. **2** Então Boaz tomou dez homens dentre os líderes da cidade e lhes disse: Assentai-vos aqui. E eles se assentaram. **3** Disse Boaz ao resgatador: Noemi, que voltou da terra dos moabitas, vendeu a parte da terra que pertencia a Elimeleque, nosso irmão. **4** Resolvi informar-te disso e dizer-te: Compra-a na presença dos que estão assentados aqui, na presença dos anciãos do meu povo. Se hás de resgatá-la, faça isso; se não, dizei-o a mim, para que o saiba, pois outro não há senão tu que tenha esse direito, e eu depois de ti. Então disse ele: Eu a resgatarei. **5** Então disse Boaz: No dia em que comprares a terra da mão de Noemi, também tomarás Rute, a moabita, que foi mulher do falecido, para preservar o nome dele sobre a sua herança. **6** Então disse o resgatador: Não poderei resgatá-la para mim, para que não prejudique a minha própria herança. Exerce tu o que me cumpria exercer. Eu não poderei fazê-lo. **7** Outrora em Israel, para confirmar qualquer negócio relativo a resgate e permuta, o homem descalçava o sapato e o dava a seu próximo. Isso era por testemunho em Israel. **8** Disse, pois, o resgatador a Boaz: Compra-a tu. E descalçou o sapato. **9** Então disse Boaz aos líderes e a todo o povo: Sois hoje testemunhas de que comprei da mão de Noemi tudo o que pertencia a Elimeleque, a Quiliom e a Malom. **10** Também tomo por mulher Rute, a moabita, que foi mulher de Malom, para preservar o nome do falecido sobre a sua herança, para que o nome dele não desapareça entre seus irmãos e dos registros da cidade. Disso sois hoje testemunhas. **11** Todo o povo que estava à porta e os anciãos disseram: Somos testemunhas. Faça o Senhor a esta mulher, que entra na tua casa, como a Raquel e como a Lia, que juntas edificaram as tribos de Israel. E tu, Boaz, torna-te poderoso em Efrata, e famoso em Belém.

**12** Seja a tua casa como a casa de Perez, que Tamar teve de Judá, pela descendência que o Senhor te der desta moça.

### A genealogia de Davi

**13** Assim Boaz casou-se com Rute, e ela se tornou sua mulher. Então ele teve relações sexuais com ela, e o Senhor lhe concedeu que concebesse, e teve um filho.
**14** As mulheres disseram a Noemi: Bendito seja o Senhor, que não te deixou hoje sem resgatador, e seja famoso em Israel o nome dele.
**15** Ele será restaurador da tua vida e consolador da tua velhice. Pois a tua nora, que te ama, e que é melhor do que sete filhos, o deu à luz.
**16** Então Noemi pegou o menino no colo e cuidou dele.
**17** As mulheres que moravam ali disseram: A Noemi nasceu um filho. E lhe chamaram Obede. Este é o pai de Jessé, pai de Davi.
**18** São estas as gerações de Perez: Perez gerou Hezrom,
**19** Herzom gerou Rão, Rão gerou Aminadabe,
**20** Aminadabe gerou Naassom, e Naassom gerou Salmom,
**21** Salmom gerou Boaz, Boaz gerou Obede,
**22** Obede gerou Jessé, e Jessé gerou Davi.

# 1 SAMUEL

### O nascimento de Samuel

**1** Houve um homem de Ramataim-Zofim, da região montanhosa de Efraim, cujo nome era Elcana, filho de Jeroão, filho de Eliú, filho de Toú, filho de Zufe, efraimita.
**2** Tinha ele duas mulheres; o nome de uma era Ana, e o da outra, Penina. Penina tinha filhos, mas Ana não os tinha.
**3** Subia este homem anualmente da sua cidade para adorar e sacrificar ao Senhor dos Exércitos em Siló. Ali eram os sacerdotes do Senhor Hofni e Fineias, os dois filhos de Eli.
**4** No dia em que Elcana sacrificava, dava parte do sacrifício a Penina, sua mulher, e a todos os seus filhos e filhas.
**5** A Ana, porém, dava porção dupla, porque ele a amava, ainda que o Senhor lhe tivesse impedido de ter filhos.
**6** A sua rival a provocava excessivamente para a irritar, porque o Senhor lhe havia impedido de ter filhos.
**7** Assim acontecia anualmente. E todas as vezes que Ana subia à casa do Senhor, Penina a irritava, pelo que chorava e não comia.
**8** Então Elcana, seu marido, lhe perguntou: Ana, por que choras? Por que não comes? Por que está triste o teu coração? Não te sou eu melhor do que dez filhos?
**9** Então Ana se levantou, depois que comeram e beberam em Siló. Ora, Eli, o sacerdote, estava assentado numa cadeira, perto de um pilar do templo do Senhor.
**10** Ela, com amargura de alma, orou ao Senhor, chorou muito
**11** e fez um voto, dizendo: Ó Senhor dos Exércitos, se benignamente atentares para a aflição da tua serva, de mim te lembrares e da tua serva não te esqueceres, mas à tua serva deres um filho, ao Senhor o darei por todos os dias da sua vida, e sobre a sua cabeça não passará navalha.
**12** Demorando-se ela em orar perante o Senhor, Eli prestou atenção à sua boca.
**13** Ana só falava no coração, e os seus lábios se moviam, mas não se ouvia a sua voz. Eli a teve por embriagada
**14** e lhe disse: Até quando estarás tu embriagada? Aparta de ti o vinho.
**15** Ana, porém, respondeu: Não, senhor meu, eu sou uma mulher atribulada de espírito. Não bebi vinho nem bebida forte; mas estava derramando a minha alma perante o Senhor.
**16** Não tenhas a tua serva por filha de Belial; da multidão dos meus cuidados e do meu desgosto tenho falado até agora.
**17** Então lhe respondeu Eli: Vai-te em paz, e o Deus de Israel te conceda a petição que lhe fizeste.
**18** Disse ela: Ache a tua serva graça aos teus olhos. Assim a mulher se foi o seu caminho, e comeu, e o seu semblante já não era triste.
**19** Levantaram-se de madrugada, adoraram perante o Senhor; e então voltaram para casa, a Ramá. Elcana teve relações com

Ana, sua mulher, e o Senhor se lembrou dela.

20 Passado algum tempo, Ana engravidou e deu à luz um filho. Chamou-o Samuel, dizendo: Tenho-o pedido ao Senhor.

21 Quando aquele homem, Elcana, com toda a sua casa, subiu para oferecer ao Senhor o sacrifício anual e para cumprir o seu voto,

22 Ana não subiu. Disse a seu marido: Depois que o menino for desmamado, então o levarei e o apresentarei ao Senhor e ele ali fique para sempre.

23 Elcana, seu marido, lhe disse: Faze o que bem te parecer. Fica até que o desmames; tão somente confirme o Senhor a sua palavra. Assim ficou a mulher e amamentou seu filho, até que o desmamou.

24 Havendo-o desmamado, tomou-o consigo, com um novilho de três anos, um efa de farinha e um odre de vinho, e o levou à casa do Senhor, em Siló. Era o menino ainda muito criança.

25 Degolaram o novilho e trouxeram o menino a Eli.

26 Disse ela: Tão certo como vive a tua alma, meu senhor, eu sou a mulher que aqui esteve contigo, orando ao Senhor.

27 Por este menino orava eu, e o Senhor me concedeu a petição que eu lhe fiz.

28 Pelo que também agora eu o entrego ao Senhor. Por todos os dias que viver pertencerá ao Senhor. E adoraram ali ao Senhor.

### A oração de Ana

**2** Então orou Ana e disse:
O meu coração exulta no Senhor,
a minha força está exaltada no Senhor.
A minha boca dilata-se contra os meus inimigos,
porque me alegro na tua salvação.

2 Não há santo como é o Senhor;
não há outro além de ti;
rocha nenhuma há como o nosso Deus.

3 Não multipliqueis palavras altivas,
nem saiam coisas arrogantes da vossa boca,
pois o Senhor é o Deus da sabedoria
e pesa todas as ações na balança.

4 O arco dos fortes está quebrado,
mas os fracos são cingidos de força.

5 Os que eram fartos se alugam por pão
e deixam de ter fome os que eram famintos.
Até a estéril tem sete filhos,
e a que tinha muitos filhos enfraquece.

6 O Senhor é o que tira a vida e a dá;
faz descer à sepultura e faz subir.

7 O Senhor empobrece e enriquece;
abate e também exalta.

8 Levanta o pobre do pó,
e do monte de cinzas ergue o necessitado,
para o fazer assentar entre os príncipes,
para o fazer herdar um trono de glória.
Pois do Senhor são as colunas da terra;
assentou sobre elas o mundo.

9 Ele guarda os pés dos seus santos,

mas os ímpios emudecem nas trevas.
Não é pela força que prevalece o homem;
10 os que contendem com o Senhor serão quebrantados. Desde os céus trovejará contra eles;
o Senhor julgará as extremidades da terra.
Dará força ao seu rei
e exaltará o poder do seu ungido.
11 Então Elcana foi-se a Ramá, para sua casa, mas o menino ficou servindo ao Senhor, perante o sacerdote Eli.

### A impiedade dos filhos de Eli

12 Eram os filhos de Eli, filhos de Belial; não conheciam ao Senhor. 13 Ora, o costume desses sacerdotes para com o povo era que, oferecendo alguém um sacrifício, estando-se cozinhado a carne, vinha o moço do sacerdote com um garfo de três dentes na mão. 14 Enfiava-o na travessa, ou na panela, ou no caldeirão, ou na marmita, e tudo o que o garfo tirava o sacerdote tomava para si. Assim faziam com todos os israelitas que iam a Siló. 15 Antes mesmo de queimarem a gordura, vinha o moço do sacerdote e dizia ao homem que sacrificava: Dá essa carne para assar ao sacerdote; ele não aceitará de ti carne cozida, senão crua. 16 Se lhe respondia o homem: Queime-se primeiro a gordura, depois tomarás o que quiseres, então ele lhe dizia: Não, hás de dá-la agora; se não, eu a tomarei à força. 17 Era muito grande o pecado destes moços perante o Senhor, pois desprezavam a oferta do Senhor.
18 Samuel, porém, ministrava perante o Senhor, sendo ainda menino, vestido de uma estola sacerdotal de linho.
19 Sua mãe lhe fazia uma túnica pequena e, anualmente, a trazia, quando com seu marido subia para oferecer o sacrifício anual.
20 Eli abençoava Elcana e sua mulher, dizendo: O Senhor te dê descendência desta mulher, em lugar do filho que pediu e entregou ao Senhor. E voltavam para o seu lugar.
21 E o Senhor abençoou Ana; ela engravidou e deu à luz três filhos e duas filhas. E o menino Samuel crescia diante do Senhor.
22 Ora, Eli que já era muito velho, ouvia tudo o que seus filhos faziam a todo o Israel e de como tinham relações com as mulheres que serviam à porta da tenda da congregação.
23 Então ele lhes disse: Por que fazeis tais coisas? Ouço de todo este povo os vossos malefícios.
24 Não, filhos meus, não é boa a fama que ouço entre o povo do Senhor. 25 Pecando o homem contra o próximo, os juízes o julgarão; pecando, porém, o homem contra o Senhor, quem intercederá por ele? Mas não deram ouvidos à voz de seu pai, porque o Senhor os queria matar.
26 E o menino Samuel crescia em estatura e em graça diante do Senhor e dos homens.
27 Veio um homem de Deus a Eli e lhe disse: Assim diz o Senhor: Não me manifestei, na verdade, à família de teu pai, estando eles ainda no Egito, sob domínio de faraó?

28 Eu o escolhi dentre todas as tribos de Israel para sacerdote, para subir ao meu altar, para queimar o incenso e para trazer a estola sacerdotal perante mim. Também dei à família de teu pai todas as ofertas queimadas dos filhos de Israel.
29 Por que pisais aos pés os meus sacrifícios e as minhas ofertas de cereais, que ordenei se fizessem na minha morada? Por que honras teus filhos mais do que a mim, para tu e eles vos engordardes do principal de todas as ofertas do meu povo de Israel?
30 Portanto, diz o Senhor, o Deus de Israel: Na verdade eu tinha dito que a tua família e a linhagem de teu pai andariam diante de mim perpetuamente. Mas agora diz o Senhor: Longe de mim tal coisa, porque aos que me honram, honrarei, mas os que me desprezam serão desprezados.
31 Vêm dias em que acabarei com a tua força e a força da tua família, para que não haja mais velho algum em tua família,
32 e verás o aperto da morada de Deus. Mas o bem será feito a Israel; não haverá por todos os dias velho algum em tua casa.
33 O homem da tua linhagem que eu não desarraigar do meu altar será para te consumir os olhos e para te entristecer a alma; e todos os descendentes da tua casa morrerão na flor da idade.
34 O que sobrevirá a teus dois filhos, a Hofni e a Fineias, te será *por sinal*: ambos morrerão no mesmo dia.
35 Eu suscitarei para mim um sacerdote fiel, que fará segundo o que está no meu coração e na minha mente. Eu lhe edificarei uma casa duradoura, e ele andará sempre diante do meu ungido.
36 Então todo aquele que restar da tua casa virá a inclinar-se diante dele por uma moeda de prata e por um bocado de pão, e implorará: Nomeia-me a algum cargo sacerdotal, para que possa ter alguma coisa para comer.

## O chamado de Samuel

**3** O menino Samuel servia ao Senhor perante Eli. Naqueles dias, a palavra do Senhor era muito rara; as visões não eram frequentes.
2 Certo dia, estando Eli deitado no lugar de costume (os seus olhos já começavam a escurecer-se, de modo que não podia ver),
3 e tendo-se deitado também Samuel, no templo do Senhor, em que estava a arca, antes que a lâmpada de Deus se apagasse,
4 o Senhor chamou: Samuel! Samuel! Ele respondeu: Aqui estou.
5 E correu a Eli e lhe disse: Aqui estou, pois me chamaste. Mas Eli disse: Não te chamei, torna a deitar-te. Assim ele foi e se deitou.
6 Tornou o Senhor a chamar: Samuel! E Samuel se levantou, foi a Eli e disse: Aqui estou, pois me chamaste. Mas ele disse: Não te chamei, meu filho, torna a deitar-te.
7 Ora, Samuel ainda não conhecia o Senhor e ainda não lhe tinha sido manifestada a palavra do Senhor.
8 O Senhor tornou a chamar Samuel pela terceira vez, e Samuel se levantou, foi a Eli e disse: Aqui estou, pois me chamaste. Então entendeu Eli que era o Senhor quem chamava o menino.
9 Pelo que Eli disse a Samuel: Vai deitar-te, e se ele te chamar, dirás:

Fala, Senhor, pois o teu servo ouve. Então Samuel foi e deitou-se no seu lugar.

10 Veio o Senhor e ali esteve, chamando como das outras vezes: Samuel! Samuel! Respondeu Samuel: Fala, pois o teu servo ouve.
11 E disse o Senhor a Samuel: Vê, vou fazer uma coisa em Israel, que todo o que a ouvir lhe tinirão ambos os ouvidos.
12 Naquele dia, suscitarei contra Eli tudo o que tenho falado a respeito da sua casa; começarei e o cumprirei.
13 Pois já lhe disse que julgarei a sua família para sempre, pela iniquidade que ele bem conhecia; seus filhos se fizeram desprezíveis, e ele não os repreendeu.
14 Portanto, jurei à família de Eli que nunca jamais será expiada a sua iniquidade, nem com sacrifícios nem com ofertas de cereais.
15 Samuel ficou deitado até pela manhã e, então, abriu as portas da casa do Senhor. Ele temia relatar a visão a Eli,
16 mas Eli o chamou e disse: Samuel, meu filho. Respondeu Samuel: Aqui estou.
17 Eli perguntou: Que te falou o Senhor? Não o escondas de mim. Assim Deus te faça, e outro tanto, se me esconderes alguma coisa de tudo o que te falou.
18 Então Samuel lhe contou tudo e nada lhe encobriu. Disse Eli: É o Senhor; faça o que bem parecer aos seus olhos.
19 Crescia Samuel, e o Senhor era com ele, fazendo que se cumprissem todas as suas palavras.
20 E todo o Israel, desde Dã até Berseba, conheceu que Samuel estava confirmado como profeta do Senhor.
21 Continuou o Senhor a aparecer em Siló, e ali se manifestava a Samuel pela sua palavra.

## Os filisteus capturam a arca

**4** Veio a palavra de Samuel a todo o Israel. Os filhos de Israel saíram à guerra contra os filisteus e se acamparam junto a Ebenézer, e os filisteus se acamparam junto a Afeque.
2 Os filisteus se dispuseram em ordem de batalha, para sair de encontro a Israel. Travada a peleja, Israel foi derrotado diante dos filisteus, que mataram no campo cerca de quatro mil homens.
3 Tornando o povo ao acampamento, as autoridades de Israel disseram: Por que nos feriu o Senhor hoje diante dos filisteus? Tragamos de Siló a arca da aliança do Senhor, para que vá conosco e nos livre das mãos dos nossos inimigos.
4 Assim o povo enviou homens a Siló, e trouxeram de lá a arca da aliança do Senhor dos Exércitos, que se assenta entre os querubins. E os dois filhos de Eli, Hofni e Fineias, estavam ali com a arca da aliança de Deus.
5 Quando a arca da aliança do Senhor veio ao acampamento, todo o Israel gritou tão alto, de modo que a terra estremeceu.
6 Os filisteus, ouvindo a voz do júbilo, disseram: Que voz de grande júbilo é esta no acampamento dos hebreus? Quando souberam que a arca do Senhor viera ao acampamento,
7 os filisteus se atemorizaram. Disseram: Os deuses vieram ao acampamento. Ai de nós! Jamais aconteceu uma coisa assim antes.

8 Ai de nós! Quem nos livrará da mão destes grandiosos deuses? Estes são os deuses que feriram aos egípcios com toda a sorte de pragas no deserto.
9 Esforçai-vos, ó filisteus! Portai-vos varonilmente, para que não venhais a servir aos hebreus, como eles serviram a vós. Portai-vos varonilmente e pelejai!
10 Então pelejaram os filisteus, e Israel foi derrotado; e fugiu cada um para a sua tenda. Foi grande a derrota, pois morreram de Israel trinta mil homens de infantaria.
11 Foi tomada a arca de Deus, e os dois filhos de Eli, Hofni e Fineias, foram mortos.
12 Então correu do campo de batalha um homem de Benjamim e chegou no mesmo dia a Siló, com as vestes rasgadas e terra sobre a cabeça.
13 Quando ele chegou, Eli estava assentado numa cadeira, ao pé do caminho, vigiando, porque o seu coração estava temeroso pela arca de Deus. Entrou aquele homem na cidade e anunciou tudo que tinha acontecido. Então toda a cidade pôs-se a gritar.
14 Eli, ouvindo os gritos, perguntou: Que voz de alvoroço é esta? O homem, a toda pressa, veio a Eli,
15 que era da idade de noventa e oito anos e cujos olhos estavam tão escurecidos que não podia ver.
16 Disse ele a Eli: Eu sou o que saí do campo de batalha, de onde fugi hoje mesmo. Perguntou Eli: Que foi que aconteceu, meu filho?
17 Respondeu o que trazia as notícias: Israel fugiu dos filisteus e houve grande matança entre o povo. Além disso, também teus dois filhos, Hofni e Fineias, foram mortos, e a arca de Deus foi tomada.
18 Fazendo ele menção da arca de Deus, Eli caiu da cadeira para trás, ao lado da porta, quebrou o pescoço e morreu, pois era homem velho e pesado. Havia ele liderado Israel durante quarenta anos.
19 Estando sua nora, a mulher de Fineias, grávida e próxima ao parto, e ouvindo as novas, de que a arca de Deus era tomada e de que seu sogro e seu marido eram mortos, encurvou-se e deu à luz, mas foi dominada pelas dores de parto.
20 Na hora que ia morrendo, disseram as mulheres que estavam com ela: Não temas; tiveste um filho. Ela, porém, não respondeu, nem fez caso disso.
21 Chamou ao menino Icabode, dizendo: Foi-se a glória de Israel. Isso porque a arca de Deus fora tomada, e por causa de seu sogro e de seu marido.
22 Disse ela: Foi-se a glória de Israel, pois foi tomada a arca de Deus.

### A arca entre os filisteus

**5** Depois que os filisteus tomaram a arca de Deus, levaram-na de Ebenézer a Asdode.
2 Então os filisteus carregaram a arca de Deus, a colocaram na casa de Dagom, perto da sua estátua.
3 Levantando-se, porém, de madrugada os habitantes de Asdode, no dia seguinte, lá estava Dagom, caído, com o rosto em terra, diante da arca do Senhor! Pegaram Dagom e tornaram a pô-lo no seu lugar.
4 No dia seguinte, levantando-se de madrugada, Dagom estava caído, com o rosto em terra, diante da arca do Senhor! A cabeça de Dagom e ambas as suas mãos estavam cortadas

sobre o limiar; somente o tronco ficara a Dagom.
5 Pelo que os sacerdotes de Dagom, e todos os que entram em seu templo, que está em Asdode, não pisam na soleira até o dia de hoje.
6 A mão do Senhor, porém, pesou sobre os de Asdode, e os assolou, e os feriu com tumores, a Asdode e ao seu território.
7 Vendo os homens de Asdode que assim era, disseram: Não fique conosco a arca do Deus de Israel, porque a sua mão é pesada sobre nós e sobre Dagom, nosso deus.
8 Assim enviaram mensageiros, congregaram a si todos os líderes dos filisteus e perguntaram: Que faremos da arca do Deus de Israel? Responderam: Seja levada para Gate. E levaram para lá a arca do Deus de Israel.
9 Desde que a levaram para lá, a mão do Senhor veio contra aquela cidade, com grande terror. Feriu os homens que ali viviam, desde o pequeno até o grande, e nasceram-lhes tumores.
10 Então enviaram a arca de Deus a Ecrom. Chegando lá a arca de Deus, os de Ecrom exclamaram: Transportaram para nós a arca do Deus de Israel, para nos matar, e a nosso povo.
11 Então enviaram mensageiros, congregaram a todos os líderes *dos filisteus e disseram:* Enviai daqui a arca do Deus de Israel; volte ela para o seu lugar, para que não nos mate, nem a nosso povo. Pois havia terror de morte em toda a cidade, e a mão de Deus muito se agravara sobre ela.
12 Os homens que não morriam eram feridos com tumores, e o clamor da cidade subiu até o céu.

## Os filisteus devolvem a arca

6 Havendo ficado a arca do Senhor na terra dos filisteus sete meses, 2 estes chamaram os sacerdotes e os adivinhadores e disseram: Que faremos da arca do Senhor? Dizei-nos como a devolveremos ao seu lugar.
3 Responderam eles: Se devolverdes a arca do Deus de Israel, não a envieis vazia, mas sem falta enviareis uma oferta para a expiação da culpa. Então sereis curados e sabereis por que a sua mão não se retira de vós.
4 Perguntaram os filisteus: Qual é a expiação da culpa que havemos de oferecer? Responderam: Segundo o número dos líderes dos filisteus, cinco tumores de ouro e cinco ratos de ouro, porque a praga é a mesma sobre todos vós e sobre todos os vossos líderes.
5 Fazei imagens dos vossos tumores e dos ratos que andam destruindo a terra, e dai glória ao Deus de Israel. Porventura aliviará a sua mão de sobre vós, de sobre o vosso deus e de sobre a vossa terra.
6 Por que tens um coração obstinado, como os egípcios e faraó tiveram? Porventura depois de Deus os haver tratado tão mal, eles não os deixaram ir?
7 Agora, pois, fazei um carro novo, tomai duas vacas com crias, sobre as quais não tenha vindo o jugo, amarrem-nas à carroça e os seus bezerros ponde-os no curral.
8 Tomai a arca do Senhor e ponde-a sobre a carroça; guardai num cofre, ao seu lado, as figuras de ouro que haveis de apresentar ao Senhor como oferta pela culpa; e deixai-a ir.
9 Reparai então: se ela subir pelo caminho rumo do seu território

a Bete-Semes, foi ele quem nos fez este grande mal. Se não, saberemos que não foi a sua mão que nos tocou e que isto nos sucedeu por acaso.
10 Assim fizeram aqueles homens: tomaram duas vacas com crias e as ataram à carroça, e os seus bezerros prenderam no curral.
11 Puseram a arca do Senhor sobre a carroça, como também o cofre com os ratos de ouro e com as imagens dos tumores.
12 Então as vacas se encaminharam diretamente para Bete-Semes e seguiam sempre por esse mesmo caminho, andando e berrando, sem se desviarem nem para a direita nem para a esquerda. Os líderes dos filisteus foram atrás delas, até o território de Bete-Semes.

### A arca em Bete-Semes

13 Andavam os de Bete-Semes fazendo a colheita do trigo no vale e, levantando os seus olhos, viram a arca e, vendo-a, se alegraram.
14 O carro veio ao campo de Josué, o bete-semita, e parou ali, ao lado de uma grande pedra. Fenderam a madeira da carroça e ofereceram as vacas ao Senhor em holocausto.
15 Os levitas desceram a arca do Senhor, como também o cofre que estava junto a ela, em que estavam as obras de ouro, e puseram-nos sobre a grande pedra. No mesmo dia, os homens de Bete-Semes ofereceram holocaustos e sacrifícios ao Senhor.
16 Vendo isso, os cinco líderes dos filisteus voltaram para Ecrom no mesmo dia.
17 Estes são os tumores de ouro que os filisteus enviaram ao Senhor como oferta pela culpa: por Asdode um, por Gaza outro, por Ascalom outro, por Gate outro, por Ecrom outro.
18 Como também os ratos de ouro, segundo o número de todas as cidades dos filisteus, pertencentes aos cinco líderes, desde as cidades fortes até as aldeias, e até Abel, a grande pedra sobre a qual puseram a arca do Senhor, que ainda está até o dia de hoje no campo de Josué, o bete-semita.
19 O Senhor, porém, feriu os homens de Bete-Semes, porque olharam para dentro da arca do Senhor, sim, matou do povo setenta homens. O povo se entristeceu, porque o Senhor fizera tão grande morticínio entre eles,
20 e os homens de Bete-Semes disseram: Quem poderia estar perante o Senhor, esse Deus santo? Para quem subirá desde nós?
21 Então enviaram mensageiros aos habitantes de Quiriate-Jearim, dizendo: Os filisteus devolveram a arca do Senhor. Descei e fazei-a subir para vós.

### Samuel exorta o povo ao arrependimento

**7** Assim vieram os homens de Quiriate-Jearim: tomaram a arca do Senhor, levaram-na à casa de Abinadabe, no outeiro, e consagraram a Eleazar, seu filho, para que guardasse a arca do Senhor.
2 A arca ficou em Quiriate-Jearim bastante tempo, isto é, mais ou menos vinte anos. E toda a nação de Israel suspirava pelo Senhor.
3 E disse Samuel a toda a nação de Israel: Se de todo o vosso coração vos converteis ao Senhor, tirai dentre vós os deuses estranhos e as astarotes, consagrem-se

ao Senhor e servi a ele só, e ele vos livrará das mãos dos filisteus. 4 Então os filhos de Israel tiraram dentre si os baalins e as astarotes e serviram só ao Senhor. 5 Disse mais Samuel: Congregai todo o Israel em Mispa, e eu orarei por vós ao Senhor. 6 Reuniram-se em Mispa, tiraram água e a derramaram perante o Senhor; jejuaram aquele dia e ali disseram: Pecamos contra o Senhor. E Samuel liderava os filhos de Israel em Mispa.

### Vitória sobre os filisteus

7 Ouvindo os filisteus que os filhos de Israel estavam reunidos em Mispa, subiram os líderes dos filisteus contra Israel. Quando os filhos de Israel ouviram, temeram por causa dos filisteus. 8 Disseram os filhos de Israel a Samuel: Não cesses de clamar ao Senhor, o nosso Deus, por nós, para que nos livre das mãos dos filisteus. 9 Então pegou Samuel um cordeiro que ainda não havia sido desmamado e o sacrificou inteiro em holocausto ao Senhor. Clamou Samuel ao Senhor por Israel, e o Senhor lhe respondeu. 10 Enquanto Samuel oferecia o holocausto, os filisteus chegaram para guerrear contra Israel. Mas trovejou o Senhor aquele dia com *grande trovoada sobre os filisteus* e os aterrorizou de tal modo que foram derrotados diante dos filhos de Israel. 11 Os homens de Israel, saindo de Mispa, perseguiram os filisteus e os feriram até abaixo de Bete-Car. 12 Então tomou Samuel uma pedra e a pôs entre Mispa e Sem, e lhe chamou Ebenézer, dizendo: "Até aqui nos ajudou o Senhor". 13 Assim os filisteus foram abatidos e nunca mais vieram ao território de Israel. Foi a mão do Senhor contra os filisteus todos os dias de Samuel. 14 As cidades que os filisteus haviam tomado de Israel foram-lhe restituídas, desde Ecrom até Gate, e até os territórios delas Israel arrebatou das mãos dos filisteus. E houve paz entre Israel e os amorreus. 15 Samuel liderou Israel todos os dias da sua vida. 16 Anualmente rodeava por Betel, Gilgal e Mispa; e julgava as questões de Israel em todos esses lugares. 17 Voltava, porém, a Ramá, porque a sua casa estava ali, onde liderava a Israel. E edificou ali um altar ao Senhor.

### Israel pede um rei

**8** Tendo Samuel envelhecido, constituiu a seus filhos por juízes sobre Israel. 2 O seu primogênito chamava-se Joel e o segundo, Abias. Eles foram líderes em Berseba. 3 Seus filhos, porém, não andaram nos caminhos dele; antes se inclinaram à avareza, aceitaram subornos e perverteram o juízo. 4 Então as autoridades de Israel se congregaram e vieram ter com Samuel, a Ramá. 5 Disseram-lhe: Estás velho, e teus filhos não andam nos teus caminhos; constitui-nos, agora, um rei sobre nós, para que nos governe, como o têm todas as nações. 6 Essa palavra, porém, não agradou a Samuel, quando disseram: Dá-nos um rei, para que nos governe. Então Samuel orou ao Senhor.

7 E o Senhor lhe disse: Ouve a voz do povo em tudo o que te dizem, pois não rejeitaram a ti, mas a mim, para eu não reinar sobre eles.
8 Conforme todas as obras que fizeram desde o dia em que os tirei do Egito até o dia de hoje, pois a mim me deixaram, e a outros deuses serviram, assim também o fazem a ti.
9 Agora, pois, ouve a sua voz, porém protesta-lhes solenemente e declara-lhes qual será o direito do rei que houver de reinar sobre eles.
10 Referiu Samuel todas as palavras do Senhor ao povo, que lhe pedia um rei.
11 Disse-lhes: Este será o direito do rei que houver de reinar sobre vós: Tomará os vossos filhos e os empregará no serviço dos seus carros e como seus cavaleiros, para que corram à frente deles.
12 Alguns porá por chefes de mil e chefes de cinquenta, para lavrarem os seus campos, fazerem as suas colheitas e fabricarem as suas armas e os equipamentos de seus carros de guerra.
13 Tomará as vossas filhas para perfumistas, cozinheiras e padeiras.
14 Tomará o melhor das vossas terras, das vossas vinhas, dos vossos olivais e os dará aos seus servos.
15 As vossas sementes e as vossas vinhas dizimará, para dar aos seus oficiais e aos seus servos.
16 Também os vossos servos, as *vossas servas, os vossos* melhores jovens e os vossos jumentos tomará e os empregará no seu trabalho.
17 Dizimará o vosso rebanho, e vós lhe sereis por servos.
18 Naquele dia, clamareis por causa do vosso rei, que houverdes escolhido, mas o Senhor não vos ouvirá.
19 O povo, porém, não quis ouvir a voz de Samuel. Disseram: Não, queremos um rei sobre nós.
20 Seremos como todas as outras nações; o nosso rei nos governará, sairá adiante de nós e lutará as nossas guerras.
21 Ouvindo Samuel todas as palavras do povo, repetiu-as perante o Senhor.
22 Disse o Senhor a Samuel: Dá ouvidos à sua voz, constitui-lhes rei. Então Samuel disse aos filhos de Israel: Volte cada um para a sua cidade.

### Saul encontra-se com Samuel

9 Havia um homem de Benjamim, cujo nome era Quis, filho de Abiel, filho de Zeror, filho de Becorate, filho de Afia, benjamita, homem forte e valoroso.
2 Este tinha um filho, chamado Saul, jovem e tão belo que entre os filhos de Israel não havia outro homem mais belo do que ele; desde os ombros para cima sobressaía em altura a todo o povo.
3 Ora, perderam-se as jumentas de Quis, pai de Saul. Disse Quis a Saul, seu filho: Chama um dos moços, levanta-te e vai procurar as jumentas.
4 Passaram pela região montanhosa de Efraim, como também pela terra de Salisa, mas não as acharam. Depois passaram pela terra de Saalim, mas tampouco estavam ali. Então passaram pela terra de Benjamim, todavia não as acharam.
5 Quando vieram à terra de Zufe, disse Saul ao moço que ia com ele:

Vem e voltemos, para que não suceda que meu pai cesse de preocupar-se com as jumentas e se angustie por causa de nós.

**6** O moço, porém, respondeu: Nesta cidade há um homem de Deus; ele é honrado, e tudo o que diz acontece. Vamos até lá agora. Talvez nos mostre o caminho que devemos seguir.

**7** Disse Saul ao seu moço: Se formos, que levaremos ao homem? O pão de nossos alforjes se acabou, e presente algum temos para levar ao homem de Deus. Que temos?

**8** O moço tornou a responder a Saul: Ainda tenho um quarto de siclo de prata. Eu o darei ao homem de Deus, para que nos mostre o caminho.

**9** (Antigamente em Israel, indo alguém consultar a Deus, dizia: Vinde, vamos ter com o vidente, porque ao profeta de hoje antigamente se chamava vidente.)

**10** Disse Saul ao moço: Dizes bem. Vem, vamos! E foram-se à cidade onde estava o homem de Deus.

**11** Subindo eles pela encosta da cidade, encontraram umas moças que saíam a tirar água, e lhes perguntaram: Está aqui o vidente?

**12** Responderam elas: Sim, ali vai ele adiante de ti. Apressa-te; ele veio à cidade hoje porque o povo irá sacrificar no altar que está no monte.

**13** Ao entrarem na cidade, logo o achareis, antes que suba ao alto para comer. O povo não comerá até que ele venha, porque ele é que abençoa o sacrifício; depois os convidados comem. Subi agora; hoje o achareis.

**14** Subiram à cidade; ao entrarem, Samuel lhes saiu ao encontro, a caminho do altar do monte.

**15** Ora, o Senhor revelara isso aos ouvidos de Samuel, um dia antes de Saul chegar, dizendo:

**16** Amanhã a essas horas te enviarei um homem da terra de Benjamim, o qual ungirás por líder sobre o meu povo de Israel; ele livrará o meu povo da mão dos filisteus. Olhei para o meu povo, pois o seu clamor chegou a mim.

**17** Quando Samuel viu Saul, o Senhor lhe disse: Este é o homem de quem te falei. Este dominará sobre o meu povo.

**18** Saul se chegou a Samuel na entrada da cidade e pediu: Mostra-me, por favor, onde é a casa do vidente.

**19** Respondeu Samuel a Saul: Eu sou o vidente. Sobe na minha frente ao altar, pois hoje comerás comigo e, pela manhã, te despedirei, e tudo o que está no teu coração te declararei.

**20** Quanto às jumentas que há três dias foram perdidas, não te preocupes com elas; já foram achadas. Mas para quem é tudo o que é desejável em Israel? Não é para ti, e para toda a família de teu pai?

**21** Respondeu Saul: Mas não sou eu filho de Benjamim, da menor das tribos de Israel? E a minha família a menor de todas as famílias da tribo de Benjamim? Por que me dizes tal coisa?

**22** Então Samuel, levou Saul e o seu moço à sala e deu-lhes o lugar de honra entre os convidados, que eram cerca de trinta homens.

**23** Disse Samuel ao cozinheiro: Traze a porção que te dei e mandei que reservasse.

**24** Assim o cozinheiro levantou a coxa do animal, com o que nela havia, e a pôs diante de Saul. Disse Samuel: Aqui está o que foi reservado. Toma-o e come, pois foi guardado para comeres nessa ocasião, desde o momento que eu disse: Convidei o povo. Assim comeu Saul naquele dia com Samuel.

25 Então desceram do alto para a cidade, e falou Samuel com Saul, no eirado.

26 Levantaram-se de madrugada; e quase ao subir da alva, Samuel chamou Saul ao terraço e disse: Levanta-te para eu te despedir. Levantou-se Saul, e saíram ambos, ele e Samuel.

27 Descendo eles para a extremidade da cidade, Samuel disse a Saul: Dize ao moço que passe adiante de nós (e ele passou); tu, porém, espera aqui, e te farei ouvir a palavra de Deus.

### A unção de Saul

**10** Então tomou Samuel um vaso de azeite e o derramou sobre a cabeça de Saul, o beijou e disse: Não te ungiu o Senhor por líder sobre a sua herança?

2 Quando te afastares hoje de mim, acharás dois homens junto ao sepulcro de Raquel, no território de Benjamim, em Zelza, os quais te dirão: Acharam-se as jumentas que foste procurar, e agora o teu pai já deixou de pensar no negócio das jumentas, e anda aflito por causa de ti, dizendo: Que farei eu por meu filho?

3 Então passarás dali para o carvalho de Tabor. Ali te encontrarão três homens, que vão subindo a Deus, a Betel. Um estará levando três cabritos, outro três bolos de pão e o outro, um odre de vinho.

4 Eles te saudarão e te darão dois pães, os quais aceitarás da sua mão.

5 Então chegarás ao outeiro de Deus, onde está a guarnição dos filisteus. Entrando na cidade, encontrarás um grupo de profetas que descem do altar, tocando saltérios, tambores, flautas e harpas; eles estarão profetizando.

6 O Espírito do Senhor se apoderará de ti, e profetizarás com eles e serás transformado em outro homem.

7 Quando estes sinais se cumprirem, faze o que achar melhor, porque Deus é contigo.

8 Descerás na minha frente até Gilgal. Depois, eu descerei também, para oferecer holocaustos e sacrifícios de ofertas pacíficas, mas sete dias esperarás, até que eu vá ter contigo e te declare o que hás de fazer.

9 Virando Saul as costas para se afastar de Samuel, Deus lhe mudou o coração em outro, e todos aqueles sinais aconteceram naquele mesmo dia.

10 Chegando eles a Gibeá, um grupo de profetas lhes saiu ao encontro; o Espírito do Senhor se apoderou de Saul, e ele profetizou no meio deles.

11 Todos os que dantes o conheciam, ao verem que ele profetizava com os profetas, diziam uns aos outros: Que é que sucedeu ao filho de Quis? Está também Saul entre os profetas?

12 Um homem dali respondeu: E quem é o pai deles? Pelo que se tornou em provérbio: Está também Saul entre os profetas?

13 Tendo ele acabado de profetizar, foi ao altar.

14 Perguntou o tio de Saul, a ele e ao seu moço: Aonde fostes? Respondeu ele: Procurar as jumentas. Mas vendo que não apareciam, fomos a Samuel.

15 Disse o tio de Saul: Declara-me o que vos disse Samuel.
16 Respondeu Saul a seu tio: Declarou-nos, na verdade, que as jumentas foram encontradas. Mas quanto ao assunto do reino, de que Samuel falara, nada lhe declarou.

### O povo escolhe Saul para seu rei

17 Convocou Samuel o povo ao Senhor, em Mispa,
18 e disse aos filhos de Israel: Assim diz o Senhor, o Deus de Israel: Eu fiz subir a Israel do Egito e vos livrei das mãos dos egípcios e das mãos de todos os reinos que vos oprimiam.
19 Vós, porém, hoje rejeitastes o vosso Deus que vos livrou de todos os vossos males e trabalhos e lhe dissestes: Põe um rei sobre nós. Portanto, agora ponde-vos perante o Senhor, pelas vossas tribos e pelos vossos grupos de milhares.
20 Tendo Samuel feito chegar todas as tribos de Israel, foi tomada por sorte a tribo de Benjamim.
21 Tendo feito chegar a tribo de Benjamim, pelas suas famílias, foi tomada a família de Matri, e dela foi tomado Saul, filho de Quis. Mas quando o procuraram, não foi encontrado.
22 Então tornaram a perguntar ao Senhor se aquele homem viera ali. Respondeu o Senhor: Ele se escondeu entre a bagagem.
23 Correram e o trouxeram dali. Estando ele no meio do povo, sobressaía em altura a todo o povo desde os ombros para cima.
24 Disse Samuel a todo o povo: Vedes o homem que o Senhor escolheu? Não há entre o povo nenhum semelhante a ele. Então todo o povo prorrompeu em gritos, exclamando: Viva o rei!
25 Declarou Samuel ao povo o direito do reino, escreveu-o num livro e o pôs perante o Senhor. Então mandou Samuel que todo o povo fosse cada um para sua casa.
26 Foi também Saul para sua casa em Gibeá, e foram com ele homens valentes, aqueles cujo coração Deus tocara.
27 Os filhos de Belial, porém, disseram: Como pode este homem nos livrar? Desprezaram-no e não lhe trouxeram presentes. Mas ele se fez como surdo.

### Saul vence os amonitas

**11** Então subiu Naás, amonita, e sitiou a Jabes-Gileade. E disseram todos os homens de Jabes a Naás: Faze aliança conosco, e te serviremos.
2 Naás, o amonita, porém, respondeu: Com esta condição farei aliança convosco: que a todos vos arranque o olho direito e assim traga vergonha sobre todo o Israel.
3 Disseram-lhe as autoridades de Jabes: Concede-nos sete dias para que enviemos mensageiros por todo o território de Israel; não havendo ninguém que nos livre, então nos entregaremos a ti.
4 Chegando os mensageiros a Gibeá de Saul, falaram essas palavras aos ouvidos do povo. Então todo o povo levantou a voz e chorou.
5 Naquela hora, Saul vinha do campo, trazendo os bois, e perguntou: Que tem o povo, que chora? E contaram-lhe as palavras dos homens de Jabes.
6 Então o Espírito de Deus se apoderou de Saul, ao ouvir ele essas palavras, e acendeu-se sobremodo a sua ira.
7 Tomou uma junta de bois, cortou-os em pedaços e os enviou

por todo o território de Israel por mãos dos mensageiros, dizendo: Qualquer que não sair após Saul e após Samuel, assim se fará aos seus bois. Então o temor do Senhor caiu sobre o povo, e saíram como um só homem.

**8** Contando-os Saul em Bezeque, havia dos filhos de Israel trezentos mil, e dos homens de Judá, trinta mil.

**9** Disseram aos mensageiros de Jabes: Direis aos homens de Jabes-Gileade: Amanhã, na hora mais quente do dia, vos virá livramento. Vindo os mensageiros e anunciando-o aos homens de Jabes, estes se alegraram.

**10** Disseram os homens de Jabes aos amonitas: Amanhã, nós nos entregaremos a vós, e nos fareis conforme tudo o que quiserdes.

**11** No dia seguinte, Saul dividiu o povo em três grupos; durante a última vigília da noite vieram ao acampamento e feriram os amonitas até a hora mais quente do dia. Os sobreviventes se espalharam, e não ficaram dois deles juntos.

**12** Então disse o povo a Samuel: Quem são aqueles que diziam que Saul não reinaria sobre nós? Dai cá esses homens, para que os matemos.

**13** Saul, porém, disse: Hoje ninguém será morto, pois neste dia o Senhor operou um livramento em Israel.

**14** Disse Samuel ao povo: Vinde, vamos a Gilgal e renovemos ali o reino.

**15** Assim todo o povo partiu para Gilgal, onde constituíram rei a Saul perante o Senhor. Ali apresentaram sacrifícios de ofertas pacíficas perante o Senhor; e Saul se alegrou muito com todos os homens de Israel.

### Samuel repreende o povo

**12** Disse Samuel a todo o Israel: Ouvi a vossa voz em tudo o que me dissestes e constituí sobre vós um rei.

**2** Agora tendes um que vai adiante de vós. Quanto a mim, já estou velho, de cabelos brancos, e meus filhos estão convosco. Fui o vosso líder desde a minha juventude até o dia de hoje.

**3** Aqui estou. Testificai contra mim perante o Senhor e perante o seu ungido: De quem tomei o boi? De quem tomei o jumento? A quem explorei? A quem oprimi? Das mãos de quem recebi suborno para encobrir com ele os meus olhos? Se fiz alguma dessas coisas, eu a restituirei.

**4** Responderam: Em nada nos defraudaste nem nos opriміste, coisa alguma tomaste da mão de ninguém.

**5** Disse-lhes Samuel: O Senhor seja testemunha contra vós, e o seu ungido seja hoje testemunha, que nada achaste nas minhas mãos. Respondeu o povo: Ele é testemunha.

**6** Então disse Samuel ao povo: O Senhor é o que escolheu a Moisés e a Arão e tirou a vossos pais da terra do Egito.

**7** Agora, pois, ponde-vos aqui e pleitearei convosco perante o Senhor, no tocante a todos os seus atos de justiça que fez a vós e a vossos pais.

**8** Depois que Jacó entrou no Egito, vossos pais clamaram ao Senhor, e o Senhor enviou Moisés e Arão, que os tiraram do Egito e os fizeram habitar neste lugar.

9 Esqueceram-se, porém, do Senhor, o seu Deus; assim ele os entregou nas mãos de Sísera, chefe do exército de Hazor, e nas mãos dos filisteus, e nas mãos do rei dos moabitas, os quais pelejaram contra eles.
10 Clamaram ao Senhor e disseram: Pecamos; deixamos ao Senhor e servimos aos baalins e às astarotes. Mas agora livra-nos das mãos de nossos inimigos, e te serviremos.
11 Então o Senhor enviou Jerubaal, Baraque, Jefté, Samuel, e vos livrou das mãos de vossos inimigos em redor, e habitastes em segurança.
12 Vendo vós que Naás, rei dos filhos de Amom, vinha contra vós, me dissestes: Não, mas reinará sobre nós um rei — muito embora o Senhor, o vosso Deus, fosse o vosso rei.
13 Agora aqui está o rei que escolhestes e que pedistes; vede, o Senhor pôs sobre vós um rei.
14 Se temerdes ao Senhor, e o servirdes, e derdes ouvidos à sua voz, e não fordes rebeldes às suas ordens, e se tanto vós como o rei que reina sobre vós seguirdes o Senhor, o vosso Deus, bem será.
15 Se, porém, não derdes ouvidos à voz do Senhor e fordes rebeldes às suas ordens, a mão do Senhor será contra vós como foi contra vossos pais.
16 Ponde-vos também agora aqui e vede esta grande coisa que o Senhor vai fazer diante dos vossos olhos.
17 Não é hoje época da colheita do trigo? Clamarei ao Senhor, e ele dará trovões e chuva. E sabereis e vereis que é grande a vossa maldade que praticastes perante o Senhor, pedindo para vós um rei.
18 Então invocou Samuel ao Senhor, e o Senhor deu trovões e chuva naquele mesmo dia. Pelo que todo o povo temeu em grande maneira ao Senhor e a Samuel.
19 Todo o povo disse a Samuel: Roga pelos teus servos ao Senhor, o teu Deus, para que não morramos, pois a todos os nossos pecados acrescentamos o mal de pedirmos para nós um rei.
20 Respondeu Samuel ao povo: Não temais. Vós cometestes todo este mal; contudo, não vos desvieis de seguir ao Senhor, mas servi ao Senhor de todo o vosso coração.
21 Não vos desvieis para seguir ídolos vãos. Para nada vos aproveitam nem poderão livrar-vos, porque são inúteis.
22 O Senhor não desamparará o seu povo, por causa do seu grande nome, porque aprouve ao Senhor fazer-vos o seu povo.
23 Quanto a mim, longe de mim que eu peque contra o Senhor, deixando de orar por vós. E eu vos ensinarei o caminho bom e direito.
24 Tão somente temei ao Senhor e servi-o fielmente de todo o vosso coração; considerai quão grandiosas coisas vos fez.
25 Se, porém, perseverardes em fazer o mal, perecereis, assim vós como o vosso rei.

### Levante contra os filisteus

**13** Um ano reinara Saul em Israel. No segundo ano de seu reinado sobre o povo,
2 escolheu para si três mil homens de Israel; dois mil estavam com Saul em Micmás e na região montanhosa de Betel, e mil estavam com Jônatas em Gibeá de Benjamim. Despediu o resto do povo, cada um para sua casa.

3 Jônatas derrotou a guarnição dos filisteus que estava em Gibeá, e os filisteus ouviram. Pelo que Saul tocou a trombeta por toda a terra, dizendo: Que ouçam os hebreus.
4 Então todo o Israel ouviu dizer: Saul derrotou a guarnição dos filisteus, e também Israel se fez abominável aos filisteus. Então o povo foi convocado após Saul em Gilgal.
5 Os filisteus ajuntaram-se para guerrear contra Israel: trinta mil carros, seis mil cavaleiros e povo em multidão como a areia que está à beira do mar. Subiram e se acamparam em Micmás, ao oriente de Bete-Áven.
6 Vendo os homens de Israel que estavam em aperto (porque o povo estava angustiado), esconderam-se nas cavernas, nos espinhais, nos penhascos, nos túmulos e nas cisternas.
7 Alguns dos hebreus até mesmo passaram o Jordão para a terra de Gade e Gileade. Saul ficou em Gilgal, e todo o povo que permaneceu com ele se encheu de temor.

### O pecado de Saul

8 Esperou Saul sete dias, o tempo que Samuel determinara; não vindo, porém, Samuel a Gilgal, o povo se foi espalhando dali.
9 Portanto disse Saul: Trazei-me aqui o holocausto e as ofertas pacíficas. E ofereceu o holocausto.
10 Mal havia ele acabado de oferecer o holocausto, Samuel chegou, e Saul lhe saiu ao encontro, para o saudar.
11 Perguntou Samuel: Que fizeste? Respondeu Saul: Quando vi que o povo se ia espalhando daqui, e tu não vinhas nos dias aprazados, e os filisteus já se tinham ajuntado em Micmás,
12 pensei: Agora descerão os filisteus sobre mim a Gilgal, e ainda não obtive a benevolência do Senhor. Assim senti-me obrigado a oferecer o holocausto.
13 Disse Samuel a Saul: Procedeste tolamente em não guardar o mandamento que o Senhor, o teu Deus, te ordenou; pois o Senhor teria confirmado o teu reino sobre Israel para sempre.
14 Agora, porém, não subsistirá o teu reino; o Senhor já buscou para si um homem segundo o seu coração e já lhe ordenou que seja líder sobre o seu povo, porque não guardaste o que o Senhor te ordenou.
15 Então se levantou Samuel e subiu de Gilgal a Gibeá de Benjamim. Saul contou o povo que se achava com ele, cerca de seiscentos homens.
16 Saul e Jônatas, seu filho, e o povo que se achava com eles, ficaram em Gibeá de Benjamim, mas os filisteus se acamparam em Micmás.
17 Os saqueadores saíram do campo dos filisteus em três companhias. Uma delas tomou o caminho de Ofra para a terra de Sual,
18 outra tomou o caminho de Bete-Horom, e a terceira tomou o caminho do termo que dá para o vale de Zeboim, na direção do deserto.
19 Em toda a terra de Israel não se achava nem mesmo um único ferreiro, pois os filisteus disseram: Que os hebreus não façam espada nem lança.
20 Pelo que todo o Israel tinha que descer aos filisteus a fim de amolar cada um o seu arado, a sua enxada, o seu machado e a sua foice.

21 O custo era de dois terços de siclo pelos arados e enxadas, e de um terço de siclo para afiar machados e aguilhões.
22 Assim, no dia da peleja não se achou espada nem lança na mão de todo o povo que estava com Saul e com Jônatas; só Saul e seu filho Jônatas as tinham.
23 Ora, uma guarnição dos filisteus tinha saído para o desfiladeiro de Micmás.

## A vitória de Jônatas sobre os filisteus

**14** Certo dia, disse Jônatas, filho de Saul, ao seu escudeiro: Vem, passemos à guarnição dos filisteus, que está do outro lado. Mas não o fez saber a seu pai.
2 Saul estava na extremidade de Gibeá, debaixo da romeira que havia em Migrom. O povo que estava com ele era cerca de seiscentos homens,
3 entre os quais se encontrava Aías, que trazia a estola sacerdotal. Aías era filho de Aitube, irmão de Icabode, filho de Fineias, filho de Eli, sacerdote do Senhor em Siló. O povo não sabia que Jônatas tinha ido.
4 Entre os desfiladeiros pelos quais Jônatas procurava passar à guarnição dos filisteus, deste lado havia um penhasco íngreme, e do outro lado, outro; o nome de um era Bozez, e o nome do outro, Sené.
5 Um deles se erguia para o norte na direção de Micmás; o outro, para o sul na direção de Gibeá.
6 Disse Jônatas ao seu escudeiro: Vem, passemos à guarnição destes incircuncisos. Porventura operará o Senhor por nós, porque para com o Senhor nenhum impedimento há de livrar com muitos ou com poucos.
7 Respondeu-lhe o seu escudeiro: Faze tudo o que tiveres em mente. Segue; estou contigo, a tua disposição será a minha.
8 Disse Jônatas: Passaremos àqueles homens e deixaremos que eles nos vejam.
9 Se nos disserem: Parai até que cheguemos a vós; ficaremos no nosso lugar e não subiremos a eles.
10 Se, porém, disserem: Subi a nós; subiremos, pois o Senhor os entregou em nossas mãos, e isso nos será por sinal.
11 Então ambos se deixaram ver pela guarnição dos filisteus. Disseram os filisteus: Vede, os hebreus já estão saindo das cavernas em que se tinham escondido.
12 Os homens da guarnição gritaram a Jônatas e ao seu escudeiro: Subi a nós, e vos daremos uma lição. Disse Jônatas ao seu escudeiro: Sobe atrás de mim; o Senhor os entregou nas mãos de Israel.
13 Então subiu Jônatas de gatinhas, e o seu escudeiro atrás dele. Os filisteus caíram diante de Jônatas, e o seu escudeiro os matava atrás dele.
14 Aconteceu esta primeira derrota, em que Jônatas e o seu escudeiro mataram uns vinte homens, em uma pequena área de terra.
15 Houve terror no acampamento, no campo e em todo o povo; a guarnição e os saqueadores tremeram de medo. A terra também tremeu, e houve grande pânico.
16 Olharam as sentinelas de Saul, em Gibeá de Benjamim, e viram que a multidão se dispersava, fugindo para cá e para lá.
17 Disse então Saul ao povo que estava com ele: Ora, contai e vede quem

é que saiu dentre nós. Contaram e viram que nem Jônatas nem o seu escudeiro estavam ali.

18 Então Saul disse a Aías: Traze aqui a arca de Deus. (Naquele tempo a arca de Deus estava com os filhos de Israel.)

19 Estando Saul ainda falando com o sacerdote, o alvoroço que havia no acampamento dos filisteus crescia mais e mais, pelo que disse Saul ao sacerdote: Retira a tua mão.

20 Então Saul e todo o povo que estava com ele se ajuntaram e vieram à peleja. Encontraram os filisteus em grande tumulto, uns lutando contra os outros.

21 Os hebreus que se tinham juntado aos filisteus e tinham ido para o acampamento com eles passaram para os israelitas que estavam com Saul e Jônatas.

22 Ouvindo todos os homens de Israel que se haviam escondido na região montanhosa de Efraim que os filisteus fugiam, também os perseguiram de perto na peleja.

23 Assim o Senhor livrou Israel naquele dia, e a batalha passou além de Bete-Áven.

### Acontecimentos após a batalha

24 Ora, os homens de Israel estavam exaustos naquele dia, porque Saul conjurara o povo, dizendo: Maldito o homem que comer pão antes da tarde, antes que eu me vingue de meus inimigos. Pelo que todo o povo se absteve de provar pão.

25 *Todo o povo chegou a um bosque, onde havia mel à flor da terra.*

26 Chegando o povo ao bosque, viram o mel que corria, mas ninguém chegou a mão à boca, porque o povo temia o juramento.

27 Jônatas, porém, não tinha ouvido quando seu pai conjurara o povo, e estendeu a ponta da vara que tinha na mão, e a molhou no favo de mel. Levando a mão à boca, seus olhos brilhavam.

28 Então disse um do povo: Teu pai solenemente fez jurar o povo, dizendo: Maldito o homem que hoje comer pão. É por isso que o povo desfalece.

29 Disse Jônatas: Meu pai turbou a terra. Vede como se me aclararam os olhos por ter provado um pouco deste mel.

30 Quanto mais se o povo hoje tivesse comido livremente do despojo, que achou de seus inimigos. Não teria sido maior a derrota dos filisteus?

31 Naquele dia, depois de os israelitas terem ferido aos filisteus desde Micmás até Aijalom, o povo estava exausto em extremo.

32 O povo lançou-se ao despojo e, tomando ovelhas, bois e bezerros, degolaram-nos no chão, e os comeram com sangue.

33 Então o anunciaram a Saul: Vê, o povo peca contra o Senhor, comendo carne com sangue. Disse ele: Procedestes deslealmente. Rolai para aqui hoje uma grande pedra.

34 Disse mais Saul: Espalhai-vos entre o povo e dizei-lhes: Trazei-me aqui cada um o seu boi ou a sua ovelha; degolai-os aqui e comei. Não pequeis contra o Senhor, comendo com sangue. Assim todo o povo trouxe de noite, cada um o seu boi, e os degolaram ali.

35 Então edificou Saul um altar ao Senhor; este foi o primeiro altar que ele edificou ao Senhor.

36 Depois disse Saul: Desçamos de noite atrás dos filisteus e

despojemo-los, até o amanhecer, e não deixemos de resto um homem sequer deles. Responderam: Faze tudo o que bem te parecer. Disse, porém, o sacerdote: Consultemos aqui a Deus.

37 Então Saul perguntou a Deus: Descerei atrás dos filisteus? Eles serão entregues nas mãos de Israel? Mas, naquele dia, Deus não lhe respondeu.

38 Portanto, disse Saul: Chegai-vos para aqui, todos os chefes do povo, informai-vos e vede que pecado hoje se cometeu.

39 Tão certo como vive o Senhor que salva Israel, ainda que esteja em meu filho Jônatas, será morto. Porém ninguém de todo o povo lhe respondeu.

40 Disse mais a todo o Israel: Vós estareis de um lado; eu e meu filho Jônatas estaremos do outro. Então disse o povo a Saul: Faze o que bem te parecer.

41 Então orou Saul ao Senhor, o Deus de Israel: Mostra o que é justo. E Jônatas e Saul foram tomados por sorte, e o povo saiu livre.

42 Disse Saul: Lançai a sorte entre mim e Jônatas, meu filho. E foi tomado Jônatas.

43 Disse então Saul a Jônatas: Declara-me o que fizeste. E Jônatas lhe disse: Tão somente provei um pouco de mel com a ponta da vara que tinha na mão. E agora devo morrer?

44 Disse Saul: Assim me faça Deus, e outro tanto, que com certeza morrerás, Jônatas.

45 O povo, porém, disse a Saul: Morrerá Jônatas, que operou tão grande salvação em Israel? Tal não suceda. Tão certo como vive o Senhor, não lhe há de cair no chão um só fio de cabelo, pois com Deus fez isso hoje. Assim o povo livrou Jônatas, para que não morresse.

46 Então Saul deixou de perseguir os filisteus, e estes se foram ao seu lugar.

47 Tendo Saul assumido o reinado de Israel, pelejou contra todos os seus inimigos em redor: contra Moabe, contra os filhos de Amom, contra Edom, contra os reis de Zobá e contra os filisteus. Para onde quer que se voltava, saía vitorioso.

48 Lutou bravamente e derrotou os amalequitas, e libertou Israel das mãos dos que o saqueavam.

49 Os filhos de Saul eram Jônatas, Isvi e Malquisua. Os nomes de suas duas filhas eram: o da mais velha Merabe, e o da mais nova, Mical.

50 O nome da mulher de Saul era Ainoã, filha de Aimaás. O nome do general do seu exército era Abner, filho de Ner, tio de Saul.

51 Quis, pai de Saul, e Ner, pai de Abner, eram filhos de Abiel.

52 Houve forte guerra contra os filisteus, todos os dias de Saul; sempre que Saul via algum homem forte e valente, o agregava a si.

**Deus rejeita Saul como rei**

**15** Disse Samuel a Saul: Enviou-me o Senhor a ungir-te rei sobre o seu povo, sobre Israel; portanto ouve agora as palavras do Senhor.

2 Assim diz o Senhor dos Exércitos: Castigarei a Amaleque pelo que fez a Israel quando se lhe opôs no caminho, quando este subia do Egito.

3 Vai agora e fere a Amaleque, e destrói totalmente tudo o que tiver. Nada lhe poupes; matarás homens e mulheres, meninos e crianças de peito, bois e ovelhas, camelos e jumentos.

**4** Pelo que Saul convocou o povo e os contou em Telaim: duzentos mil homens de infantaria e dez mil homens de Judá.

**5** Chegando Saul à cidade de Amaleque, pôs emboscadas no vale.

**6** Então disse aos queneus: Ide-vos, retirai-vos e saí do meio dos amalequitas, para que não vos destrua com eles, porque vós usastes de misericórdia para com todos os filhos de Israel, quando subiram do Egito. Assim os queneus se retiraram do meio dos amalequitas.

**7** Então feriu Saul os amalequitas desde Havilá até Sur, que está a leste do Egito.

**8** Tomou vivo a Agague, rei dos amalequitas, mas a todo o povo destruiu a fio de espada.

**9** Saul e o povo, porém, pouparam Agague, e o melhor das ovelhas e dos bois, e os animais gordos e os cordeiros e o melhor que havia, e não os quiseram destruir totalmente; mas toda coisa vil e desprezível destruíram totalmente.

**10** Então veio a palavra do Senhor a Samuel:

**11** Arrependo-me de haver posto a Saul como rei, porque deixou de me seguir e não executou as minhas palavras. Então Samuel se contristou e clamou ao Senhor a noite toda.

**12** Madrugou Samuel para encontrar Saul pela manhã, mas foi-lhe dito: Saul já chegou ao Carmelo, e aí levantou para si um monumento; e, voltando, passou e desceu a *Gilgal*.

**13** Veio Samuel a Saul, e este lhe disse: Bendito sejas tu do Senhor! Executei a palavra do Senhor.

**14** Samuel, porém, lhe disse: Então que balido de ovelhas é este nos meus ouvidos? Que mugido de bois é este que ouço?

**15** Respondeu Saul: Os soldados os trouxeram de Amaleque; pouparam o melhor das ovelhas e dos bois, para os oferecer ao Senhor, o teu Deus, mas o restante destruímos totalmente.

**16** Então disse Samuel a Saul: Espera, e te declararei o que o Senhor me disse esta noite. Respondeu-lhe Saul: Fala.

**17** Disse Samuel: Porventura, sendo tu pequeno aos teus próprios olhos, não foste feito o líder das tribos de Israel? Não te ungiu o Senhor rei sobre Israel?

**18** Enviou-te o Senhor a este caminho e disse: Vai; destrói totalmente a estes pecadores, os amalequitas, e peleja contra eles, até que sejam aniquilados.

**19** Por que não deste ouvidos à voz do Senhor? Por que antes te lançaste ao despojo e fizeste o que era mal aos olhos do Senhor?

**20** Disse Saul a Samuel: Pelo contrário, dei ouvidos à voz do Senhor e caminhei no caminho pelo qual o Senhor me enviou; e trouxe a Agague, rei de Amaleque, e aos amalequitas destruí totalmente.

**21** Os soldados tomaram do despojo ovelhas e bois, o melhor do destinado à destruição, para oferecer ao Senhor, o teu Deus, em Gilgal.

**22** Samuel, porém, respondeu:
> Tem o Senhor tanto prazer em holocaustos e sacrifícios como em que se obedeça à sua palavra?
> Obedecer é melhor do que sacrificar,
> e atender melhor é do que a gordura de carneiros.

**23** Pois a rebelião é como o pecado de feitiçaria,

e a obstinação é como a iniquidade de idolatria. Visto que rejeitaste a palavra do Senhor, ele também te rejeitou, para que não sejas rei. **24** Então disse Saul a Samuel: Pequei. Violei o mandamento do Senhor e as tuas palavras. Temi ao povo e dei ouvidos à sua voz. **25** Agora, rogo-te, perdoa-me o meu pecado e volta comigo, para que eu adore ao Senhor. **26** Samuel, porém, lhe disse: Não tornarei contigo. Rejeitaste a palavra do Senhor, e ele te rejeitou, para que não sejas rei sobre Israel. **27** Virando-se Samuel para partir, Saul segurou-se à barra do manto, o qual se rasgou. **28** Disse-lhe Samuel: O Senhor rasgou de ti hoje o reino de Israel e o deu ao teu próximo, que é melhor do que tu. **29** Aquele que é a Glória de Israel não mente nem se arrepende; pois não é homem para que se arrependa. **30** Respondeu Saul: Pequei. Mas honra-me diante dos anciãos do meu povo e diante de Israel; volta comigo, para que eu adore ao Senhor, o teu Deus. **31** Assim Samuel voltou com Saul, e Saul adorou ao Senhor.

### A morte de Agague

**32** Então disse Samuel: Trazei-me Agague, rei dos amalequitas. E Agague veio a ele confiante, pensando: Certamente já passou a amargura da morte. **33** Disse, porém, Samuel:
Assim como a tua espada
   desfilhou mulheres,
   assim ficará desfilhada tua
      mãe entre as mulheres.
E Samuel despedaçou Agague perante o Senhor em Gilgal. **34** Então Samuel se foi a Ramá, mas Saul subiu a sua casa, a Gibeá de Saul. **35** Nunca mais viu Samuel a Saul até o dia da sua morte, mas teve muita pena dele. E o Senhor se arrependeu de haver posto Saul como rei sobre Israel.

### Samuel unge Davi

**16** Disse o Senhor a Samuel: Até quando terás pena de Saul, havendo-o eu rejeitado, para que não reine sobre Israel? Enche o teu vaso de azeite e vem; eu te enviarei a Jessé, o belemita. Entre os seus filhos me tenho provido de um rei. **2** Disse, porém, Samuel: Como irei eu? Ouvindo-o Saul, me matará. Disse o Senhor: Toma contigo um novilho e dize: Vim para sacrificar ao Senhor. **3** Convidarás Jessé para o sacrifício, e eu mostrarei o que hás de fazer. Ungirás a quem eu te disser. **4** Fez Samuel o que dissera o Senhor. Quando chegou a Belém, as autoridades da cidade lhe saíram ao encontro, tremendo, e perguntaram: É de paz a tua vinda? **5** Respondeu ele: É de paz; vim sacrificar ao Senhor. Consagrai-vos e vinde comigo ao sacrifício. Então ele consagrou a Jessé e a seus filhos, e os convidou para o sacrifício. **6** Entrando eles, Samuel viu a Eliabe e pensou: Certamente, está perante o Senhor o seu ungido. **7** O Senhor, porém, disse a Samuel: Não atentes para a sua aparência nem para a sua altura, pois eu o rejeitei. O Senhor não vê como vê o homem. O homem olha para o

que está diante dos olhos, mas o Senhor olha para o coração.
8 Então chamou Jessé a Abinadabe e o fez passar diante de Samuel, que disse: Nem a este escolheu o Senhor.
9 Então Jessé fez passar a Samá, mas Samuel disse: Tampouco a este escolheu o Senhor.
10 Assim fez passar Jessé seus sete filhos diante de Samuel, mas Samuel disse a Jessé: O Senhor não escolheu a estes.
11 Assim perguntou Samuel a Jessé: Acabaram-se os teus filhos? Respondeu Jessé: Ainda falta o menor, que está apascentando as ovelhas. Disse Samuel: Manda chamá-lo; não nos assentaremos à mesa até que ele chegue.
12 Então mandou buscá-lo e o fez entrar. Ele era ruivo, de belos olhos e de boa aparência. Disse o Senhor: Levanta-te e unge-o; é este mesmo.
13 Assim tomou Samuel o vaso de azeite e ungiu-o no meio de seus irmãos; e daquele dia em diante, o Espírito do Senhor se apoderou de Davi. Então Samuel se levantou e foi para Ramá.

### Davi a serviço de Saul

14 Ora, o Espírito do Senhor retirou-se de Saul, e um espírito maligno da parte do Senhor o atormentava.
15 Os servos de Saul lhe disseram: Vê, um espírito maligno da parte do Senhor te atormenta.
16 Dize, ó senhor nosso, a teus servos, que estão na tua presença, que busquem um homem que saiba tocar harpa. Quando o espírito maligno da parte do Senhor vier sobre ti, então ele tocará com a sua mão, e te sentirás melhor.
17 Disse Saul aos seus servos: Buscai-me um homem que toque bem e trazei-o a mim.
18 Respondeu um dos moços: Vi um filho de Jessé, o belemita, que sabe tocar bem, é forte e valente, homem de guerra, sabe falar bem e tem boa aparência; e o Senhor é com ele.
19 Saul enviou mensageiros a Jessé, dizendo: Envia-me Davi, teu filho, o que está com as ovelhas.
20 Então tomou Jessé um jumento carregado de pão, um odre de vinho e um cabrito, e os enviou a Saul pela mão de Davi, seu filho.
21 Assim Davi veio a Saul e esteve perante ele. Saul o amou muito e o fez seu escudeiro.
22 Então Saul mandou dizer a Jessé: Deixa estar Davi perante mim, pois achou graça aos meus olhos.
23 Sempre que o espírito maligno da parte de Deus vinha sobre Saul, Davi tomava a harpa e a tocava. Então Saul sentia alívio e se achava melhor, e o espírito maligno se retirava dele.

### Davi e Golias

**17** Ajuntaram os filisteus as suas tropas para a guerra e congregaram-se em Socó, que está em Judá, e acamparam-se entre Socó e Azeca, em Efes-Damim.
2 Saul e os homens de Israel se ajuntaram e se acamparam no vale de Elá, e ali ordenaram a batalha contra os filisteus.
3 Os filisteus estavam num monte de um lado, e os israelitas estavam noutro monte, do outro lado, e entre eles o vale.
4 Saiu do acampamento dos filisteus um homem guerreiro, cujo nome era Golias, de Gate, que

tinha seis côvados e um palmo de altura.

5 Trazia na cabeça um capacete de bronze e vestia uma couraça escameada, de bronze, cujo peso era de cinco mil siclos.
6 Trazia caneleiras de bronze nas pernas e um dardo de bronze entre os ombros.
7 A haste da sua lança era como o eixo de um tear, e a ponta de ferro da sua lança pesava seiscentos siclos; e diante dele ia o escudeiro.
8 Parou, clamou às tropas de Israel e disse-lhes: Por que saístes a ordenar a batalha? Não sou eu filisteu e vós servos de Saul? Escolhei dentre vós um homem que desça a mim.
9 Se ele puder pelejar comigo e me ferir, seremos vossos servos; porém, se eu o vencer e o ferir, então sereis nossos servos e nos servireis.
10 Disse mais o filisteu: Hoje desafio as fileiras de Israel! Dai-me um homem, para que ambos pelejemos.
11 Ouvindo Saul e todo o Israel as palavras do filisteu, espantaram-se e temeram muito.
12 Ora, Davi era filho de um homem efrateu, de Belém de Judá, cujo nome era Jessé. Jessé tinha oito filhos, e, nos dias de Saul, este homem já era velho e avançado em idade.
13 Os três filhos mais velhos de Jessé tinham ido com Saul para a guerra: Eliabe, o primogênito; o segundo, Abinadabe; e o terceiro, Samá.
14 Davi era o mais moço. Os três mais velhos seguiram Saul,
15 mas Davi ia e voltava de Saul, para apascentar as ovelhas de seu pai em Belém.
16 Durante quarenta dias, apresentou-se o filisteu pela manhã e à tarde.

17 Ora, disse Jessé a Davi, seu filho: Toma para teus irmãos um efa deste grão tostado e estes dez pães e corre a levá-los ao acampamento, a teus irmãos.
18 Leva também estes dez queijos ao seu comandante de mil. Visitarás a teus irmãos, para ver se vão bem; e trarás notícias deles.
19 Eles estão com Saul e todos os homens de Israel no vale de Elá, pelejando com os filisteus.
20 No dia seguinte, Davi levantou-se de madrugada, deixou as ovelhas com um guarda, carregou-se e partiu, como Jessé lhe ordenara. Chegou ao acampamento quando o exército estava saindo em ordem de batalha e, a gritos, chamavam à peleja.
21 Os israelitas e os filisteus se puseram em ordem, fileira contra fileira.
22 Davi, deixando a carga que trouxera com o guarda da bagagem, correu para a frente de batalha e, chegando, perguntou a seus irmãos se estavam bem.
23 Estando Davi ainda a falar com eles, veio subindo do exército dos filisteus o homem guerreiro, cujo nome era Golias, o filisteu de Gate, e falou conforme aquelas palavras, e Davi as ouviu.
24 Quando todos os homens de Israel viram aquele homem, fugiram de diante dele e temeram grandemente.
25 Diziam uns aos outros: Vistes aquele homem que subiu? Subiu para afrontar Israel. A quem o matar o rei o cumulará de grandes riquezas, lhe dará a sua filha e fará a casa de seu pai livre de imposto em Israel.
26 Perguntou Davi aos homens que estavam perto dele: Que farão

ao homem que matar a este filisteu e tirar a afronta de sobre Israel? Quem é este incircunciso filisteu, para afrontar os exércitos do Deus vivo?

27 O povo lhe repetiu aquela palavra, dizendo: Assim se fará ao homem que o matar.

28 Quando Eliabe ouviu Davi conversando com aqueles homens, acendeu-se a sua ira contra Davi, e disse: Por que desceste aqui? E com quem deixaste aquelas poucas ovelhas no deserto? Bem conheço a tua presunção e a maldade do teu coração; desceste para ver a peleja.

29 Disse Davi: Que fiz eu agora? Não posso nem fazer uma pergunta?

30 Então se desviou dele para outro e falou a mesma coisa; e o povo lhe tornou a responder como antes.

31 Ouvidas as palavras que Davi falara, anunciaram-nas a Saul, que mandou chamá-lo.

32 Disse Davi a Saul: Não desfaleça o coração de ninguém por causa deste filisteu; o teu servo irá e pelejará contra ele.

33 Respondeu Saul: Contra este filisteu não poderás ir pelejar; tu ainda és moço, e ele homem de guerra desde a sua juventude.

34 Disse, porém, Davi a Saul: Teu servo apascentava as ovelhas de seu pai. Sempre que vinha um leão ou um urso e tomava um cordeiro do rebanho,

35 eu saía após ele, o matava e arrancava o cordeiro da sua boca. Levantando-se ele contra mim, segurava-o pela barba, o feria e o matava.

36 O teu servo matava, assim o leão como o urso; este incircunciso filisteu será como um deles, porque afrontou os exércitos do Deus vivo.

37 O Senhor que me livrou das garras do leão e das garras do urso me livrará da mão deste filisteu. Disse Saul a Davi: Vai-te, e o Senhor seja contigo.

### Davi mata Golias

38 Então Saul vestiu Davi com a sua própria armadura, lhe pôs sobre a cabeça um capacete de bronze e o fez envergar uma couraça.

39 Davi cingiu a espada sobre a armadura e tentou andar, porque não estava acostumado a usar essas coisas. Disse Davi a Saul: Não posso andar com tudo isso, pois não estou acostumado. Assim tirou Davi aquilo de sobre si.

40 Então tomou o seu cajado na mão, escolheu cinco pedras lisas do ribeiro, pô-las na bolsa que trazia e, lançando mão da sua funda, aproximou-se do filisteu.

41 O filisteu também vinha-se aproximando de Davi, e o seu escudeiro ia diante dele.

42 Olhando o filisteu e vendo Davi, o desprezou, porque era moço ruivo e de boa aparência.

43 Disse a Davi: Sou eu algum cão para tu vires a mim com paus? E o filisteu, pelos seus deuses, amaldiçoou Davi.

44 Disse a Davi: Vem a mim, e darei a tua carne às aves do céu e às bestas do campo.

45 Disse Davi ao filisteu: Tu vens a mim com espada, com lança e com escudo, mas eu venho a ti em nome do Senhor dos Exércitos, o Deus dos exércitos de Israel, a quem tens afrontado.

46 Hoje mesmo, o Senhor te entregará na minha mão; te ferirei,

tirarei a tua cabeça, e os cadáveres do acampamento dos filisteus darei, hoje mesmo, às aves do céu e às bestas da terra; e toda a terra saberá que há Deus em Israel.
**47** Saberá toda esta comunidade que o Senhor dá a vitória, não com espada ou com lança; pois do Senhor é a guerra, e ele vos entregará nas nossas mãos.
**48** Levantando-se o filisteu e indo a encontrar-se com Davi, este se apressou e correu ao combate, para lutar contra ele.
**49** Davi meteu a mão na bolsa, pegou uma pedra e, com a funda, a atirou, ferindo o filisteu na testa. A pedra ficou encravada na testa de Golias, que caiu com o rosto no chão.
**50** Assim Davi venceu o filisteu com uma funda e com uma pedra; sem uma espada na mão, feriu-o e o matou.
**51** Correu Davi e, pondo-se de pé sobre o filisteu, tomou-lhe a espada, desembainhou-a, e o matou, cortando-lhe com ela a cabeça. Vendo os filisteus que o seu campeão estava morto, fugiram.
**52** Então os homens de Israel e Judá se levantaram, e jubilaram, e seguiram os filisteus até Gate, e até as portas de Ecrom. E morreram os filisteus. Cadáveres deles ficaram espalhados pelo caminho de Saaraim até Gate e até Ecrom.
**53** Então voltaram os filhos de Israel de perseguir os filisteus e levaram tudo o que encontraram no acampamento deles.
**54** Davi tomou a cabeça do filisteu e a trouxe a Jerusalém; e as armas dele pôs na sua tenda.
**55** Quando Saul viu Davi sair para encontrar-se com o filisteu, perguntou a Abner, o comandante do exército: De quem é filho esse moço, Abner? Respondeu Abner: Vive a tua alma, ó rei, que não sei.
**56** Disse então o rei: Pergunta de quem ele é filho.
**57** Voltando Davi depois de ferir o filisteu, Abner o levou à presença de Saul, trazendo Davi na mão a cabeça do filisteu.
**58** Perguntou-lhe Saul: De quem és filho, jovem? Respondeu Davi: Sou filho do teu servo Jessé, o belemita.

### Jônatas e Davi

**18** Acabando Davi de falar com Saul, a alma de Jônatas ligou-se com a de Davi, e Jônatas o amou como à sua própria alma.
**2** Saul, naquele dia, o tomou e não lhe permitiu que tornasse para a casa de seu pai.
**3** E Jônatas e Davi fizeram aliança, porque Jônatas o amava como à sua própria alma.
**4** Jônatas tirou a capa que vestia e a deu a Davi, como também a sua armadura, inclusive a sua espada, o seu arco e o seu cinto.
**5** Aonde quer que Saul o enviava, Davi saía e se conduzia com prudência; por isso, Saul o pôs sobre a gente de guerra. Ele era benquisto de todo o povo, incluindo os servos de Saul.
**6** Quando os soldados retornavam para casa, depois de Davi ter ferido o filisteu, as mulheres de todas as cidades de Israel saíram ao encontro do rei Saul, cantando e dançando alegremente, com tambores e com instrumentos de música.

### Saul procura matar a Davi

**7** As mulheres, dançando, cantavam umas para as outras, dizendo:

Saul feriu os seus milhares,
mas Davi, os seus dez
milhares.

**8** Então Saul se indignou muito, pois estas palavras lhe desagradaram muito, e pensou: Dez milhares deram a Davi, e a mim somente milhares. Na verdade, o que lhe falta, senão só o reino?

**9** Daquele dia em diante, Saul trazia Davi sob suspeita.

**10** No dia seguinte, um espírito maligno da parte de Deus se apoderou de Saul. Ele começou a profetizar em sua casa, enquanto Davi tocava a harpa como nos outros dias. Saul trazia na mão uma lança,

**11** e a atirou, dizendo para si mesmo: Encravarei Davi na parede. Mas Davi se desviou dele duas vezes.

**12** Saul temia a Davi, porque o Senhor era com este e se tinha retirado de Saul.

**13** Pelo que Saul o afastou de si e o pôs por chefe de mil; e ele saía e entrava diante do povo.

**14** Davi se saía muito bem em todas as suas expedições, porque o Senhor era com ele.

**15** Vendo, então, Saul que ele era sempre bem-sucedido, tinha receio dele.

**16** Todo o Israel e Judá, porém, amavam Davi, porque saía e entrava diante deles.

**17** Disse Saul a Davi: Aqui está Merabe, minha filha mais velha. Eu a darei a ti por mulher; tão somente sê-me filho valente e guerreia as guerras do Senhor. Pois Saul dizia consigo: Não seja contra ele a minha mão, mas sim a dos filisteus.

**18** Respondeu Davi a Saul: Quem sou eu, e qual é a minha vida e a família de meu pai em Israel, para vir a ser genro do rei?

**19** Sucedeu, porém, que chegado o tempo em que Merabe, filha de Saul, devia ser dada a Davi, ela foi dada por mulher a Adriel, o meolatita.

**20** Ora, Mical, a outra filha de Saul, amava a Davi. Sendo isso anunciado a Saul, pareceu bem aos seus olhos.

**21** Disse Saul: Eu a darei a ele, para que lhe sirva de armadilha e para que a mão dos filisteus venha a ser contra ele. Pelo que Saul disse a Davi: Com a outra serás hoje meu genro.

**22** Saul deu ordem aos seus servos: Falai em segredo a Davi, dizendo: Olha, o rei tem afeição por ti, e todos os seus servos te amam; agora consente em ser genro do rei.

**23** Os servos de Saul falaram todas essas palavras aos ouvidos de Davi. Então disse Davi: Parece-vos pouca coisa ser genro do rei, sendo eu homem pobre e de condição humilde?

**24** Quando os servos de Saul lhe anunciaram o que Davi tinha dito,

**25** Saul respondeu: Assim direis a Davi: O rei não deseja dote, mas cem prepúcios de filisteus, para tomar vingança dos inimigos do rei. O plano de Saul era fazer cair a Davi pelas mãos dos filisteus.

**26** Tendo os servos de Saul anunciado essas palavras a Davi, pareceu bem aos olhos deste tornar-se genro do rei. Assim, antes de se cumprirem os dias,

**27** Davi se levantou, partiu com os seus homens e feriu dentre os filisteus duzentos homens. Trouxe os prepúcios deles e os entregou todos ao rei, para que lhe fosse genro. Então Saul lhe deu por mulher a sua filha Mical.

28 Quando Saul percebeu que o Senhor era com Davi e que Mical, filha de Saul, o amava,
29 temeu Saul muito mais a Davi e se tornava cada vez mais seu inimigo.
30 Os comandantes dos filisteus continuaram a sair à batalha, e sempre que saíam, Davi alcançava maior sucesso do que todos os servos de Saul, pelo que o seu nome se tornou muito famoso.

### Jônatas defende a Davi

**19** Falou Saul a Jônatas, seu filho, e a todos os seus servos para que matassem a Davi. Porém Jônatas, filho de Saul, estava muito afeiçoado a Davi,
2 e anunciou a Davi: Saul, meu pai, procura matar-te. Portanto, guarda-te pela manhã, fica num lugar oculto e esconde-te.
3 Eu sairei e estarei ao lado de meu pai no campo em que estiveres. Falarei de ti a meu pai, e verei o que houver, e o anunciarei a ti.
4 Jônatas falou bem de Davi a Saul, seu pai, e lhe disse: Não peque o rei contra seu servo Davi; ele não pecou contra ti, e os seus feitos para contigo têm sido muito bons.
5 Ele expôs a sua vida quando feriu os filisteus, e o Senhor deu um grande livramento a todo o Israel. Tu mesmo o viste e te alegraste. Por que, pois, pecarias contra o sangue inocente, matando sem causa a Davi?
6 Saul deu ouvidos à voz de Jônatas e jurou: Tão certo como vive o Senhor, ele não morrerá.
7 Jônatas chamou a Davi e contou-lhe todas essas palavras. Levou-o a Saul, e Davi o assistia como antes.
8 Tornou a haver guerra, e Davi saiu e pelejou contra os filisteus. Levou-os a uma derrota tão grande que eles fugiram diante dele.
9 O espírito maligno da parte do Senhor, porém, tornou sobre Saul, estando ele assentado em sua casa e tendo na mão a sua lança. Enquanto Davi tocava o seu instrumento de música,
10 Saul procurou encravá-lo na parede, mas Davi se desviou de diante de Saul, que fincou a lança na parede. Então Davi fugiu e escapou naquela mesma noite.
11 Saul mandou mensageiros à casa de Davi, para que o vigiassem e o matassem pela manhã. Mas Mical, mulher de Davi, o avisou, dizendo: Se não salvares a tua vida esta noite, amanhã te matarão.

### Mical salva Davi

12 Então Mical desceu Davi por uma janela; e ele fugiu.
13 Mical tomou uma estátua, deitou-a na cama, pôs-lhe à cabeceira uma pele de cabra, e a cobriu com uma capa.
14 Tendo Saul enviado mensageiros que trouxessem a Davi, ela disse: Está doente.
15 Então Saul mandou mensageiros que vissem Davi, dizendo-lhes: Trazei-o na cama, para que eu o mate.
16 Vindo os mensageiros, a estátua estava na cama, e a pele de cabra à sua cabeceira.
17 Perguntou Saul a Mical: Por que me enganaste e deixaste o meu inimigo fugir? Respondeu-lhe Mical: Porque ele me disse: Deixa-me ir, senão eu te mato.
18 Assim Davi fugiu, e veio a Samuel, em Ramá, e contou-lhe tudo quanto Saul lhe fizera. Então foram, ele e Samuel, e ficaram em Naiote.

19 Foram dizer a Saul: Davi está em Naiote, em Ramá.
20 Então enviou Saul mensageiros para trazerem Davi. Mas quando viram um grupo de profetas profetizando, e Samuel a presidi-los, o Espírito de Deus veio sobre os mensageiros de Saul, e também eles profetizaram.
21 Avisado disso, Saul enviou outros mensageiros, e também estes profetizaram. Enviou Saul ainda uns terceiros mensageiros, os quais também profetizaram.
22 Então foi também ele mesmo a Ramá e, chegando ao poço grande que estava em Seco, perguntou: Onde estão Samuel e Davi? Responderam-lhe: Estão em Naiote, em Ramá.
23 Assim foi para Naiote, em Ramá. Mas o mesmo Espírito de Deus veio sobre ele, e ia caminhando e profetizando, até chegar a Naiote, em Ramá.
24 Ele despiu as suas vestes e profetizou diante de Samuel. Esteve nu por terra todo aquele dia e toda aquela noite. Pelo que se diz: Está também Saul entre os profetas?

### A aliança entre Davi e Jônatas

**20** Então fugiu Davi de Naiote, em Ramá, e veio a Jônatas e perguntou: Que fiz eu? Qual é o meu crime? Qual é o meu pecado diante de teu pai, que procura tirar-me a vida?
2 Ele lhe respondeu: Tal não aconteça. Não serás morto! Meu pai não faz coisa nenhuma, nem grande *nem pequena, sem primeiro me dizer*. Por que meu pai me ocultaria isso? Não é verdade.
3 Davi, porém, respondeu, com juramentos: Teu pai sabe muito bem que achei graça aos teus olhos, e disse a si mesmo: Não saiba disso Jônatas, para que não se magoe. Mas, na verdade, tão certo como vive o Senhor, e tão certo como vive a tua alma, há apenas um passo entre mim e a morte.
4 Disse Jônatas a Davi: O que desejares, eu te farei.
5 Disse Davi a Jônatas: Olha, amanhã é a lua nova, em que costumo assentar-me com o rei para comer; mas deixa-me ir, e me esconderei no campo até a tarde do terceiro dia.
6 Se teu pai notar a minha ausência, dirás: Davi me pediu muito que o deixasse ir correndo a Belém, sua cidade, porque se faz lá o sacrifício anual para toda a família.
7 Se disser: Está bem; então teu servo tem paz. Mas se muito se indignar, sabe que ele já está decidido a praticar o mal.
8 Usa de misericórdia para com o teu servo, porque lhe fizeste entrar contigo em aliança do Senhor. Se há culpa em mim, mata-me tu mesmo. Por que me levarias a teu pai?
9 Disse Jônatas: Longe de ti tal coisa! Se de alguma maneira eu soubesse que já este mal estava de fato determinado por meu pai, para que viesse sobre ti, não o declararia eu a ti?
10 Perguntou Davi: Quem me fará saber isso, se por acaso teu pai te responder asperamente?
11 Disse Jônatas: Vem, e vamos ao campo. E saíram ambos ao campo.
12 Então disse Jônatas a Davi: O Senhor, o Deus de Israel, seja testemunha. Sondando eu a meu pai amanhã, a estas horas, ou depois de amanhã, se houver coisa favorável para Davi, não mandarei avisar-te e não te farei saber?
13 O Senhor faça assim a Jônatas, e outro tanto, se, querendo meu

pai fazer-te mal, eu não te avisar e não te deixar partir, para ires em paz. O Senhor seja contigo, assim como foi com meu pai.
14 Se eu então ainda viver, não usarás comigo da bondade do Senhor, para que não morra?
15 Tampouco deixarás de ser leal com a minha família mesmo quando o Senhor eliminar da terra todos os inimigos de Davi.
16 Assim fez Jônatas aliança com a casa de Davi, dizendo: O Senhor se vingue dos inimigos de Davi.
17 E Jônatas fez Davi jurar de novo, porque o amava com todo o amor da sua alma.
18 Então disse Jônatas a Davi: Amanhã é a lua nova. Notarão a tua ausência, porque o teu lugar estará vazio.
19 Ao terceiro dia, descerás apressadamente e irás àquele lugar onde te escondeste no dia do negócio; e ficarás junto à pedra de Ezel.
20 Eu atirarei três flechas para aquele lado, como se atirasse ao alvo.
21 Então mandarei um moço, dizendo: Anda, busca as flechas. Se eu disser ao moço: Olha que as flechas estão para cá de ti; apanha-as e vem, tão certo como vive o Senhor, há paz para ti; não há nada que temer.
22 Se eu, porém, disser ao moço: Olha que as flechas estão para lá de ti; vai-te embora, porque o Senhor te manda ir.
23 Quanto ao negócio de que eu e tu falamos — lembra-te de que o Senhor é testemunha entre mim e ti para sempre.
24 Assim escondeu-se Davi no campo; e chegando a lua nova, assentou-se o rei para comer pão.
25 Assentando-se o rei, como de costume, no seu assento junto à parede, Jônatas assentou-se em frente dele, e Abner assentou-se ao lado de Saul, mas o lugar de Davi ficou vazio.
26 Naquele dia, Saul não disse nada, pois dizia consigo: Aconteceu-lhe alguma coisa pela qual não está limpo; certamente não está limpo.
27 No dia seguinte, porém, o segundo da lua nova, o lugar de Davi estava vazio de novo. Então disse Saul a Jônatas, seu filho: Por que o filho de Jessé não veio comer nem ontem nem hoje?
28 Respondeu Jônatas: Davi pediu-me encarecidamente que o deixasse ir a Belém,
29 dizendo: Peço-te que me deixes ir, porque a nossa família tem um sacrifício na cidade, e meu irmão ordenou que eu fosse. Se achei graça aos teus olhos, peço-te que me deixes ir, para ver meus irmãos. Por isso não veio à mesa do rei.
30 Então se acendeu a ira de Saul contra Jônatas e disse-lhe: Filho da perversa e rebelde! Não sei eu que elegeste o filho de Jessé para vergonha tua e para vergonha de tua mãe?
31 Enquanto o filho de Jessé viver sobre a terra, nem tu estarás seguro, nem o teu reino. Pelo que manda buscá-lo agora e traze-o a mim, pois é digno de morte.
32 Respondeu Jônatas a Saul, seu pai: Por que há de morrer? Que fez ele?
33 Então Saul atirou-lhe a lança, para o ferir. Assim entendeu Jônatas que seu pai já tinha decidido matar Davi.
34 Pelo que Jônatas, todo encolerizado, levantou-se da mesa; no segundo dia da lua nova, não comeu, porque se magoara por

causa de Davi, pois seu pai o tinha ultrajado.
35 Na manhã seguinte, Jônatas saiu ao campo, no tempo ajustado com Davi, levando consigo um rapaz.
36 Então disse ao seu rapaz: Corre a buscar as flechas que eu atirar. Correu o rapaz, e Jônatas atirou uma flecha, que fez passar além dele.
37 Chegando o rapaz ao lugar da flecha que Jônatas havia atirado, gritou Jônatas atrás dele: Não está a flecha mais para lá?
38 Tornou Jônatas a gritar ao rapaz: Apressa-te, não te demores. O rapaz de Jônatas apanhou as flechas e as trouxe a seu senhor.
39 O rapaz não entendeu coisa alguma; só Jônatas e Davi sabiam deste negócio.
40 Então Jônatas deu as suas armas ao rapaz e disse-lhe: Anda, leva-as à cidade.
41 Indo-se o rapaz, levantou-se Davi, do lado do sul, e prostrou-se com o rosto em terra, e inclinou-se três vezes. Então beijaram-se um ao outro e choraram juntos, mas Davi chorou muito mais.
42 Disse Jônatas a Davi: Vai-te em paz, pois juramos amizade um ao outro no nome do Senhor, dizendo: O Senhor seja testemunha entre mim e ti e entre a minha descendência e a tua descendência perpetuamente.
43 Então Davi se foi, e Jônatas voltou para a cidade.

### Davi em Nobe e em Gate

**21** Então veio Davi a Nobe, ao sacerdote Aimeleque. Aimeleque, tremendo, saiu ao encontro de Davi e perguntou-lhe: Por que vens só, e ninguém contigo?
2 Respondeu Davi ao sacerdote Aimeleque: O rei me encomendou um negócio e me disse: Ninguém saiba deste negócio pelo qual te enviei e o qual te ordenei. Quanto aos moços, apontei-lhes tal e tal lugar.
3 Agora, pois, que tens à mão? Dá-me cinco pães, ou o que se tiver.
4 Respondeu o sacerdote a Davi: Não tenho pão comum à mão; há, porém, pão sagrado, que os moços poderão comer se não tiveram relações com mulheres recentemente.
5 Respondeu Davi: Sim, deveras, as mulheres foram-nos vedadas há três dias, quando eu saí. Os corpos dos moços não estão imundos. Se tal se dá em viagem comum, quanto mais serão santos hoje!
6 Então o sacerdote lhe deu o pão sagrado, porque não havia ali outro senão os pães da proposição, que se tiraram de diante do Senhor, no dia em que eram trocados por pão quente.
7 Ora, achava-se ali, naquele dia, um dos servos de Saul, detido perante o Senhor; o seu nome era Doegue, edomeu, chefe dos pastores de Saul.
8 Perguntou Davi a Aimeleque: Não tens aqui à mão lança ou espada alguma? Não trouxe comigo nem a minha espada nem as minhas armas, porque o negócio do rei era urgente.
9 Respondeu o sacerdote: A espada de Golias, o filisteu, a quem tu feriste no vale de Elá, está aqui, envolta num pano detrás da estola sacerdotal. Se a queres tomar, toma-a; não há outra aqui, senão essa. Disse Davi: Não há outra semelhante; dá-a a mim.
10 Davi levantou-se e fugiu naquele dia de diante de Saul, e foi a Áquis, rei de Gate.

**11** Os servos de Áquis, porém, lhe disseram: Não é este Davi, o rei da sua terra? Não foi dele que cantavam nas danças, dizendo:
  Saul feriu os seus milhares,
    mas Davi os seus dez milhares?
**12** Davi considerou essas palavras no seu coração e teve muito medo de Áquis, rei de Gate.
**13** Pelo que na presença deles fingiu-se doido; enquanto esteve com eles, riscava nas portas da cidade e deixava escorrer a saliva pela barba.
**14** Disse Áquis aos seus servos: Bem vedes que esse homem está louco! Por que o trouxestes a mim?
**15** Faltam-me doidos, para que trouxésseis a esse que fizesse doidices diante de mim? Há de entrar ele na minha casa?

### Davi em Moabe

**22** Davi retirou-se dali e escapou para a caverna de Adulão. Quando os seus irmãos e toda a família de seu pai souberam disso, desceram ali para estar com ele.
**2** Ajuntaram-se a ele todos os homens que se achavam em aperto, todos os endividados e todos os amargurados de espírito, e ele se fez chefe deles. Eram com ele uns quatrocentos homens.
**3** Dali passou Davi a Mispa de Moabe e disse ao rei de Moabe: Deixa estar meu pai e minha mãe convosco até que eu saiba o que Deus há de fazer de mim.
**4** Trouxe-os perante o rei de Moabe, e ficaram com ele por todo o tempo que Davi esteve no lugar forte.
**5** O profeta Gade, porém, disse a Davi: Não fiques neste lugar forte. Vai e entra na terra de Judá. Assim Davi saiu e foi para o bosque de Herete.
**6** Ora, Saul teve notícia de que já se sabia onde estavam Davi e os homens que o acompanhavam. Estava Saul em Gibeá, debaixo de um arvoredo, numa colina, e tinha na mão a sua lança, e todos os seus servos estavam com ele.
**7** Disse Saul a todos os seus servos que estavam com ele: Ouvi, filhos de Benjamim! O filho de Jessé também os dará a todos vós terras e vinhas, e vos fará a todos chefes de milhares e chefes de centenas,
**8** para que todos vós tenhais conspirado contra mim? Ninguém houve que me desse aviso de que meu filho fez aliança com o filho de Jessé; e não há ninguém dentre vós que se preocupe comigo e me conte que meu filho fez acordo com meu servo contra mim, para me armar ciladas, como se vê neste dia?
**9** Respondeu, porém, Doegue, o edomeu, que também estava com os servos de Saul: Vi o filho de Jessé chegar a Nobe, a Aimeleque, filho de Aitube.
**10** Aimeleque consultou por ele ao Senhor, e lhe deu mantimento, e lhe deu também a espada de Golias, o filisteu.
**11** Então o rei mandou chamar Aimeleque, o sacerdote, filho de Aitube, e toda a família de seu pai, e os sacerdotes que estavam em Nobe, e todos eles vieram ao rei.
**12** Disse Saul: Ouve, peço-te, filho de Aitube. Respondeu ele: Sim, meu senhor.
**13** Disse-lhe Saul: Por que conspirastes contra mim, tu e o filho de Jessé? Pois lhe deste pão e espada e consultaste por ele a Deus, para que se levantasse contra mim e

me armasse ciladas, como se vê neste dia?

**14** Respondeu Aimeleque ao rei: Quem, entre todos os teus servos, há tão fiel como Davi, o genro do rei, chefe da tua guarda, e honrado na tua casa?

**15** Comecei hoje a consultar por ele a Deus? Longe de mim tal coisa! Não impute o rei coisa nenhuma a seu servo, nem a toda a família de meu pai, pois o teu servo não soube nada de tudo isso, nem muito nem pouco.

**16** O rei, porém, disse: Aimeleque, certamente morrerás, tu e toda a família de teu pai.

**17** Então o rei ordenou aos da sua guarda, que estavam com ele: Virai-vos e matai os sacerdotes do Senhor, porque também a mão deles está com Davi e porque sabiam que ele fugia e não me fizeram saber. Mas os servos do rei não quiseram estender as suas mãos para arremeter contra os sacerdotes do Senhor.

**18** Então o rei ordenou a Doegue: Vira-te e arremete contra os sacerdotes. Então se virou Doegue, o edomeu, e arremeteu contra os sacerdotes, matando, naquele dia, oitenta e cinco homens que vestiam estola sacerdotal de linho.

**19** Também a Nobe, cidade desses sacerdotes, passou a fio de espada, homens e mulheres, meninos e crianças de peito, e bois, jumentos e ovelhas.

### Abiatar vai ter com Davi

**20** Um dos filhos de Aimeleque, filho de Aitube, cujo nome era Abiatar, porém, escapou e fugiu para Davi,

**21** e lhe anunciou que Saul tinha matado os sacerdotes do Senhor.

**22** Então Davi disse a Abiatar: Bem sabia eu naquele dia que, estando ali Doegue, o edomeu, não deixaria de o denunciar a Saul. Eu sou o responsável pela morte de todas as pessoas da família de teu pai.

**23** Fica comigo, não temas; quem procura a minha morte também procura a tua. Estarás salvo comigo.

### Davi em Queila

**23** Foi anunciado a Davi: Olha, os filisteus pelejam contra Queila e saqueiam as eiras.

**2** Perguntou Davi ao Senhor: Irei eu e ferirei os filisteus? Respondeu-lhe o Senhor: Vai; e ferirás os filisteus e livrarás Queila.

**3** Os homens de Davi, porém, lhe disseram: Tememos aqui em Judá, quanto mais indo a Queila contra os exércitos dos filisteus!

**4** Então Davi tornou a consultar o Senhor, e o Senhor lhe respondeu: Levanta-te, desce a Queila, pois te dou os filisteus nas tuas mãos.

**5** Assim Davi partiu com os seus homens a Queila, pelejou contra os filisteus e levou o gado. Fez grande matança entre eles e livrou os moradores de Queila.

**6** Ora, quando Abiatar, filho de Aimeleque, fugiu para Davi, a Queila, desceu com a estola sacerdotal na mão.

**7** Foi anunciado a Saul que Davi tinha ido a Queila. Disse Saul: Deus o entregou nas minhas mãos; está encerrado, pois entrou numa cidade de portas e ferrolhos.

**8** Então Saul convocou todo o povo à peleja, para que descessem a Queila e cercassem Davi e os seus homens.

**9** Sabendo Davi que Saul maquinava este mal contra ele, disse a

Abiatar, o sacerdote: Traze aqui a estola sacerdotal.

**10** Disse Davi: Ó Senhor, Deus de Israel, teu servo ouviu que Saul procura vir a Queila, a fim de destruir a cidade por minha causa. **11** Será que o povo de Queila me entregará nas mãos dele? Descerá Saul, como o teu servo tem ouvido? Ah! Senhor, Deus de Israel, faze-o saber ao teu servo. Respondeu o Senhor: Descerá. **12** Disse mais Davi: Eles me entregarão, os homens de Queila, a mim e aos meus homens, nas mãos de Saul? Respondeu o Senhor: Entregarão. **13** Então Davi se levantou com os seus homens, cerca de seiscentos, saíram de Queila e foram-se sem destino definido. Sendo anunciado a Saul que Davi escapara de Queila, cessou de sair contra ele.

### Davi no deserto de Zife

**14** Davi permaneceu no deserto, em lugares fortes, e ficou na região montanhosa no deserto de Zife. Saul buscava-o todos os dias, porém Deus não o entregou nas suas mãos. **15** Vendo Davi que Saul saíra para matá-lo, esteve no deserto de Zife, em Horesa. **16** Então se levantou Jônatas, filho de Saul, e foi para Davi em Horesa, e lhe fortaleceu a confiança em Deus. **17** Disse-lhe: Não temas. A mão de Saul, meu pai, não te achará. Tu reinarás sobre Israel, e eu serei contigo o segundo. O que também Saul, meu pai, bem sabe. **18** Ambos fizeram aliança perante o Senhor. Então Jônatas voltou para sua casa, mas Davi ficou em Horesa.

**19** Subiram os zifeus a Saul, em Gibeá e disseram: Não se escondeu Davi entre nós nos lugares fortes em Horesa, no outeiro de Haquilá, que está à mão direita de Jesimom? **20** Agora, ó rei, desce apressadamente, conforme todo o desejo da tua alma; a nós nos toca entregá-lo nas mãos do rei. **21** Respondeu Saul: Benditos sejais vós do Senhor, pois vos compadecestes de mim. **22** Ide, informai-vos ainda melhor, sabei e notai o lugar que frequenta e quem o tenha visto ali. Foi-me dito que é muito astuto. **23** Atentai bem e informai-vos acerca de todos os esconderijos em que ele se oculta; quando estiverdes bem seguros, voltai para mim. Então irei convosco; se ele estiver na terra, eu o buscarei entre todos os milhares de Judá. **24** Assim se levantaram eles e foram a Zife, adiante de Saul. Ora, Davi e os seus homens estavam no deserto de Maom, na campina ao sul de Jesimom. **25** Saul e os seus homens foram-se em busca dele. Sendo isso anunciado a Davi, desceu ele à penha que está no deserto de Maom. Ouvindo-o Saul, perseguiu a Davi no deserto de Maom. **26** Saul ia de um lado do monte, e Davi e os seus homens do outro, apressando-se em fugir para escapar de Saul. Porém, assim que Saul e os seus homens estavam para cercar Davi e os seus homens, para os prender, **27** chegou um mensageiro a Saul, dizendo: Apressa-te, e vem! Os filisteus invadiram a terra. **28** Pelo que Saul desistiu de perseguir Davi e se foi ao encontro dos filisteus. Por esta razão aquele lugar se chamou Selá-Hamalecote. **29** E subiu Davi dali e ficou nos lugares fortes de En-Gedi.

### Davi poupa Saul

**24** Voltando Saul de perseguir os filisteus, foi-lhe dito: Davi está no deserto de En-Gedi. **2** Então tomou Saul três mil homens, escolhidos dentre todo o Israel, e foi em busca de Davi e dos seus homens, perto das rochas das Cabras Selvagens. **3** Chegou a uns currais de ovelhas no caminho, onde havia uma caverna; entrou nela Saul, para fazer suas necessidades. Ora, Davi e os seus homens estavam no mais interior da caverna.
**4** Então os homens de Davi lhe disseram: Este é o dia do qual o Senhor te disse: Eu te dou o teu inimigo nas tuas mãos, e farás com ele o que quiseres. Então Davi levantou-se e, de mansinho, cortou uma ponta do manto de Saul. **5** Depois doeu o coração de Davi, por ter cortado a ponta do manto de Saul.
**6** Disse ele aos seus homens: O Senhor me guarde de que eu faça tal coisa ao meu senhor, ao ungido do Senhor, que eu estenda a minha mão contra ele; pois é o ungido do Senhor.
**7** Com essas palavras Davi conteve os seus homens e não lhes permitiu que se levantassem contra Saul. E Saul se levantou da caverna e prosseguiu o seu caminho.
**8** *Então também Davi se levantou e, saindo da caverna, gritou por detrás de Saul: Ó rei, meu senhor!* Olhando Saul para trás, Davi se inclinou com o rosto em terra e lhe fez reverência.
**9** Disse Davi a Saul: Por que dás ouvidos às palavras dos homens que dizem: Davi procura fazer-te mal?
**10** Este dia os teus olhos viram que o Senhor te pôs em minhas mãos nesta caverna. Alguns disseram que eu te matasse, mas a minha mão te poupou; eu disse: Não estenderei a mão contra o meu senhor, porque é o ungido do Senhor.
**11** Olha, meu pai, vê aqui a ponta do teu manto na minha mão! Eu a cortei do teu manto, mas não te matei. Considera e vê que não há na minha mão nem mal nem rebeldia alguma, e que não pequei contra ti, ainda que andes à minha procura para matar-me.
**12** Julgue o Senhor entre mim e ti. E vingue-me o Senhor de ti, mas a minha mão não será contra ti.
**13** Como diz o provérbio dos antigos: Dos ímpios procede a impiedade. A minha mão, porém, não será contra ti.
**14** Após quem saiu o rei de Israel? A quem persegues? A um cão morto? A uma pulga?
**15** Seja o Senhor juiz e julgue entre mim e ti. E veja e advogue a minha causa, e me livre das tuas mãos.
**16** Acabando Davi de falar a Saul todas essas palavras, disse Saul: É esta a tua voz, meu filho Davi? Então Saul levantou a voz e chorou.
**17** Disse a Davi: Mais justo és do que eu. Tu me recompensaste com bem, e eu te recompensei com mal.
**18** Tu mostraste hoje que procedeste bem para comigo; o Senhor me entregou em tuas mãos, mas não me mataste.
**19** Quem há que, encontrando o seu inimigo, o deixa ir por bom caminho?

O Senhor te pague com bem, pelo que hoje me fizeste.
20 Eu sei que certamente hás de reinar, e que o reino de Israel há de ser firme nas tuas mãos.
21 Agora jura-me pelo Senhor que não desarraigarás a minha descendência depois de mim nem desfarás o meu nome da família de meu pai.
22 Assim jurou Davi a Saul. Então Saul foi para sua casa, mas Davi e os seus homens subiram ao lugar forte.

**A morte de Samuel — Davi e Nabal**

25 Ora, faleceu Samuel, e todo o Israel se ajuntou e o pranteou; e o sepultaram na sua casa, em Ramá. Então Davi se levantou e desceu ao deserto de Parã.
2 Certo homem, em Maom, que tinha muitos bens no Carmelo, era abastado. Tinha mil cabras e três mil ovelhas, as quais estava tosquiando no Carmelo.
3 Chamava-se o homem Nabal, e sua mulher, Abigail. Era a mulher sensata e formosa, mas o homem, descendente de Calebe, era duro e maligno nas suas ações.
4 Ouviu Davi, enquanto estava no deserto, que Nabal tosquiava as suas ovelhas,
5 e lhe enviou dez moços, dizendo-lhes: Subi ao Carmelo e, indo a Nabal, perguntai-lhe, em meu nome, como está.
6 Assim direis a ele: Paz seja contigo, e com a tua família, e com tudo o que tens.
7 Agora, tenho ouvido que tens tosquiadores. Quando os teus pastores estiveram conosco, nenhum agravo lhes fizemos e coisa alguma lhes faltou todos os dias que estiveram no Carmelo.
8 Pergunta aos teus moços, e eles te dirão. Portanto esses moços achem graça aos teus olhos, porque viemos em boa ocasião. Dá a teus servos e a Davi, teu filho, o que puder.
9 Chegando os moços de Davi e tendo falado a Nabal todas essas palavras em nome de Davi, se calaram.
10 Respondeu Nabal aos moços de Davi: Quem é Davi, e quem é o filho de Jessé? Muitos servos há que hoje fogem de seu senhor.
11 Tomaria eu o meu pão, a minha água e a carne do gado que abati para os meus tosquiadores e o daria a homens que não sei de onde vêm?
12 Os moços de Davi puseram-se a caminho e, voltando, vieram anunciar-lhe tudo conforme essas palavras.
13 Disse Davi aos seus homens: Cada um cinja a sua espada. E cada um cingiu a sua espada, e cingiu também Davi a sua. Subiram após Davi uns quatrocentos homens, e duzentos ficaram com a bagagem.
14 Um dos moços, porém, anunciou a Abigail, mulher de Nabal: Davi enviou mensageiros desde o deserto a saudar o nosso amo, mas este os destratou.
15 Todavia, aqueles homens têm-nos sido muito bons; nunca fomos agravados por eles e nada nos faltou em todos os dias que convivemos com eles quando estávamos no campo.
16 De muro em redor nos serviram, tanto de dia como de noite, todos os dias que andamos com eles apascentando as ovelhas.
17 Considera agora o que hás de fazer porque o mal já está de todo determinado contra o nosso amo

e contra toda a sua casa. Ele é filho de Belial, e não há quem lhe possa falar.

### Abigail apazigua a Davi

**18** Abigail se apressou e tomou duzentos pães, dois odres de vinho, cinco ovelhas preparadas, cinco medidas de trigo tostado, cem cachos de passas e duzentas pastas de figos, e os pôs sobre jumentos. **19** E disse aos seus moços: Ide adiante de mim; eu vos seguirei de perto. Mas não declarou nada a seu marido Nabal. **20** Quando ela, montada num jumento, ia descendo pelo encoberto do monte, Davi e os seus homens lhe vinham ao encontro, e ela se encontrou com eles. **21** Davi tinha acabado de dizer: Na verdade que em vão tenho guardado tudo o que este possui no deserto, de modo que nada lhe faltou de tudo o que lhe pertence. Ele me pagou mal por bem. **22** Assim faça Deus aos inimigos de Davi, e outro tanto, se eu deixar até o amanhecer, de tudo o que pertence a Nabal, um só do sexo masculino. **23** Vendo Abigail a Davi, apressou-se, desceu do jumento e prostrou-se diante de Davi, inclinando-se à terra. **24** Lançou-se a seus pés e disse: Ah! Senhor meu, minha seja a culpa. Deixa falar a tua serva aos teus ouvidos, e ouve as palavras da tua serva. *25 Meu senhor, agora não faça este homem de Belial, a saber, Nabal, impressão no seu coração, porque tal é ele qual é o seu nome. Nabal é o seu nome, e a loucura está com ele, e eu, tua serva,* não vi os moços de meu senhor, que enviaste. **26** Agora, meu senhor, tão certo como vive o Senhor e a tua alma, porque o Senhor te impediu de derramares sangue e de te vingares com tua própria mão, sejam agora como Nabal os teus inimigos e os que procuram fazer mal ao meu senhor. **27** Aceita agora este presente que a tua serva trouxe a meu senhor; seja ele dado aos moços que seguem o meu senhor. **28** Perdoa a transgressão da tua serva, porque certamente fará o Senhor reino duradouro a meu senhor, porque meu senhor guerreia as guerras do Senhor. Não se ache mal em ti por todos os teus dias. **29** Se alguém se levantar para te perseguir e para procurar tirar a tua vida, então a vida de meu senhor estará bem segura como os que vivem com o Senhor, o teu Deus. Mas a vida de teus inimigos ele a arrojará ao longe, como do côncavo de uma funda. **30** Quando o Senhor fizer para o meu senhor conforme todo o bem que já tem dito de ti e te houver estabelecido por líder sobre Israel, **31** então, meu senhor, não te será por tropeço, nem por pesar no coração, o sangue que sem causa vieres a derramar, ou de haver feito justiça com as próprias mãos. Quando o Senhor fizer bem a meu senhor, lembra-te da tua serva. **32** Então Davi disse a Abigail: Bendito o Senhor, o Deus de Israel, que hoje te enviou ao meu encontro. **33** Bendito o teu conselho, e bendita sejas tu, que hoje me impediste de derramar sangue e de vingar-me pela minha própria mão.

34 De outra forma, na verdade, tão certo como vive o Senhor, o Deus de Israel, que me impediu de te fazer mal, que se tu não te apressaras e não vieras ao meu encontro, não teria ficado a Nabal até a luz da manhã nem mesmo um menino.
35 Então Davi aceitou das mãos dela o que lhe tinha trazido e lhe disse: Sobe em paz à tua casa. Eu dei ouvidos à tua voz e concedi o teu pedido.
36 Quando Abigail veio a Nabal, ele fazia em casa um banquete, como banquete de rei. E o coração de Nabal estava alegre, pois ele estava muito embriagado. Pelo que ela não lhe deu a entender palavra alguma, nem pouco nem muito, até a luz da manhã.
37 Então, pela manhã, estando Nabal já livre do vinho, sua mulher lhe deu a entender aquelas palavras; se amorteceu nele o coração, e ficou ele como pedra.
38 Aconteceu que passados uns dez dias, feriu o Senhor a Nabal, e este morreu.
39 Ouvindo Davi que Nabal morrera, disse: Bendito seja o Senhor, que pleiteou a causa da afronta que recebi das mãos de Nabal e deteve do mal a seu servo, fazendo o Senhor cair o mal de Nabal sobre a sua cabeça. Mandou Davi falar a Abigail, para tomá-la por mulher.
40 Vindo os servos de Davi a Abigail, no Carmelo, lhe disseram: Davi nos mandou a ti, para te tomar por mulher.
41 Ela se levantou, inclinou-se com o rosto em terra e disse: Aqui está a tua serva, pronta para servir-te e para lavar os pés dos servos do meu senhor.
42 Abigail se apressou, levantou-se e montou num jumento. Acompanhada por suas cinco moças, seguiu os mensageiros de Davi, que a recebeu por mulher.
43 Davi também tinha tomado a Ainoã de Jezreel, e ambas foram suas mulheres,
44 porque Saul dera sua filha Mical, mulher de Davi, a Palti, filho de Laís, o qual era de Galim.

**Davi poupa outra vez a vida de Saul**

**26** Vieram os zifeus a Saul, em Gibeá, e disseram: Não está Davi escondido no outeiro de Haquilá, em frente de Jesimom?
2 Pelo que Saul se levantou, desceu ao deserto de Zife, e com ele três mil homens escolhidos de Israel, para buscar Davi no deserto de Zife.
3 Acampou-se Saul no outeiro de Haquilá, em frente de Jesimom, junto ao caminho, mas Davi ficou no deserto. Vendo Davi que Saul vinha após ele ao deserto,
4 enviou espias e soube que Saul tinha chegado.
5 Levantou-se Davi e foi ao lugar onde Saul se tinha acampado. Viu Davi o lugar onde se tinham deitado Saul e Abner, filho de Ner, chefe do seu exército. Saul estava deitado no acampamento, e o povo estava acampado ao redor dele.
6 Dirigindo-se Davi a Aimeleque, o heteu, e a Abisai, filho de Zeruia, irmão de Joabe, disse: Quem descerá comigo a Saul ao acampamento? Respondeu Abisai: Eu descerei contigo.
7 Assim vieram Davi e Abisai de noite ao povo, e Saul estava deitado, dormindo dentro do acampamento, e a sua lança estava pregada na terra à sua cabeceira. Abner e o povo estavam deitados ao redor dele.

**8** Disse Abisai a Davi: Deus te entregou hoje nas mãos o teu inimigo. Agora deixa-me encravá-lo com a lança, de um só golpe, na terra; não o ferirei segunda vez. **9** Davi, porém, disse a Abisai: Nenhum dano lhe faças! Quem pode estender a mão contra o ungido do Senhor e ficar inocente? **10** Disse mais Davi: Tão certo como vive o Senhor, ou o Senhor o ferirá, ou o seu dia chegará em que morra, ou descerá para a batalha e perecerá. **11** O Senhor me guarde de que eu estenda a mão contra o ungido do Senhor. Agora, porém, toma a lança, que está à sua cabeceira, e o jarro com água, e vamo-nos. **12** Assim tomou Davi a lança e o jarro com água, da cabeceira de Saul, e foram-se. Ninguém houve que o visse, nem que o advertisse, nem que o acordasse. Estavam todos dormindo, porque havia caído sobre eles um profundo sono da parte do Senhor. **13** Então Davi, passando ao outro lado, pôs-se no cume do monte ao longe, de maneira que havia grande distância entre eles. **14** Davi bradou ao povo, e a Abner, filho de Ner: Não responderás, Abner? Respondeu Abner: Quem és tu, que bradas ao rei? **15** Disse Davi: Não és homem? E quem há em Israel como tu? Por que não guardaste o rei, teu senhor? Um do povo veio para destruir o rei, teu senhor. **16** Não é bom isso que fizeste. Tão certo como vive o Senhor, sois dignos de morte, porque não guardastes vosso senhor, o ungido do Senhor. Vede agora onde está a lança do rei e o jarro com água, que tinha à sua cabeceira.

**17** Reconheceu Saul a voz de Davi e disse: Não é esta a tua voz, meu filho Davi? Respondeu Davi: É a minha voz, ó rei, meu senhor. **18** Disse mais: Por que o meu senhor persegue tanto o seu servo? Que fiz eu? E que maldade se acha nas minhas mãos? **19** Ouve agora, rogo-te, ó rei, meu senhor, as palavras de teu servo: Se é o Senhor quem te incita contra mim, aceite ele a oferta de cereais. Mas se são os filhos dos homens, malditos sejam perante o Senhor! Eles me expulsaram hoje para que eu não tenha parte na herança do Senhor, dizendo: Vai, serve a outros deuses. **20** Agora não se derrame o meu sangue na terra, longe da presença do Senhor. O rei de Israel saiu em busca de uma pulga, como quem persegue uma perdiz nos montes. **21** Então disse Saul: Pequei. Volta, meu filho Davi, pois não tornarei a fazer-te mal, porque a minha vida foi hoje preciosa aos teus olhos. Certamente procedi como um louco e errei grandissimamente. **22** Respondeu Davi: Aqui está a lança do rei. Venha cá um dos moços e leve-a. **23** O Senhor, porém, pague a cada um a sua justiça e a sua lealdade. O Senhor te entregou hoje nas minhas mãos, mas eu não quis estendê-las contra o ungido do Senhor. **24** Assim como foi a tua vida hoje preciosa para mim, assim também seja a minha vida aos olhos do Senhor, e ele me livre de toda tribulação. **25** Então disse Saul a Davi: Bendito sejas tu, meu filho Davi; grandes coisas farás e certamente prevalecerás. Então Davi se foi o seu caminho, e Saul voltou para o seu lugar.

### Davi entre os filisteus

**27** Disse, porém, Davi no seu coração: Ora, um dia ainda perecerei pela mão de Saul. Não há coisa melhor para mim do que escapar para a terra dos filisteus. Então Saul cessará de me buscar por todos os termos de Israel, e escaparei da sua mão. **2** Então Davi se levantou e passou, com os seiscentos homens que com ele estavam, a Áquis, filho de Maoque, rei de Gate. **3** Davi ficou com Áquis em Gate, ele e os seus homens, cada um com a sua família, e Davi com as suas duas mulheres, Ainoã, a jezreelita, e Abigail, a que fora mulher de Nabal, o carmelita. **4** Sendo Saul avisado de que Davi tinha fugido para Gate, cessou de persegui-lo. **5** Disse Davi a Áquis: Se achei graça aos teus olhos, dá-me lugar numa das cidades da terra, para que ali habite. Por que razão habitaria o teu servo contigo na cidade real? **6** Então lhe deu Áquis naquele dia a cidade de Ziclague, e Ziclague pertence aos reis de Judá até o dia de hoje. **7** O número dos dias que Davi habitou na terra dos filisteus foi de um ano e quatro meses. **8** Subia Davi com os seus homens, e davam contra os gesuritas, os gersitas e os amalequitas. Eram estes os moradores da terra que se estende na direção de Sur até a terra do Egito. **9** Davi feria aquela terra e não deixava com vida nem homem nem mulher, e tomava as ovelhas, e os bois, e os jumentos, e os camelos e as vestes. Então voltava a Áquis. **10** Quando Áquis perguntava: Contra quem destes hoje? Davi respondia: Contra o sul de Judá; ou: Contra o sul dos jerameelitas; ou: Contra o sul dos queneus. **11** Davi não deixava com vida nem homem nem mulher para trazê-los a Gate, pois pensava: Porventura não nos denunciem, dizendo: Assim fez Davi. Este era o seu costume por todos os dias que habitou na terra dos filisteus. **12** Áquis confiava em Davi, pois pensava: Fez-se ele por certo tão aborrecível para com o seu povo em Israel que me será por servo para sempre.

### Saul e a feiticeira de En-Dor

**28** Naqueles dias, juntando os filisteus os seus exércitos para a peleja, para fazer guerra contra Israel, disse Áquis a Davi: Fica sabendo que comigo sairás ao acampamento, tu e os teus homens. **2** Disse Davi: Então verás o que é capaz de fazer o teu servo. Respondeu Áquis: Por isso, eu te nomeio meu guarda pessoal para sempre. **3** Já Samuel era morto, e todo o Israel o tinha chorado e o tinha sepultado em Ramá, que era a sua cidade. E Saul havia expulsado os necromantes e os adivinhos. **4** Ajuntaram-se os filisteus, vieram e se acamparam em Suném; reuniu Saul a todo o Israel, e se acamparam em Gilboa. **5** Vendo Saul o acampamento dos filisteus, temeu e estremeceu muito o seu coração. **6** Consultou Saul ao Senhor, porém o Senhor não lhe respondeu, nem por sonhos, nem por Urim, nem por profetas.

**7** Então disse Saul aos seus servos: Buscai-me uma necromante, para que vá a ela e a consulte. Disseram-lhe os seus servos: Em En-Dor há uma mulher que é necromante.

**8** Assim disfarçou-se Saul, vestiu outras roupas e foi ele com dois homens, e, de noite, chegaram à mulher. E lhe disse: Peço-te que me adivinhes pela necromancia e me faças subir aquele que eu te disser.

**9** A mulher, porém, lhe disse: Certamente bem sabes o que fez Saul, como exterminou da terra os necromantes e adivinhos. Por que me preparas uma armadilha à minha vida, para me fazeres morrer?

**10** Então Saul lhe jurou pelo Senhor: Tão certo como vive o Senhor, nenhum mal te sobrevirá por isso.

**11** Disse-lhe então a mulher: A quem te farei subir? Respondeu ele: Faze-me subir Samuel.

**12** Quando a mulher viu a Samuel, gritou em alta voz e disse a Saul: Por que me enganaste? Pois tu mesmo és Saul.

**13** Respondeu-lhe o rei: Não temas. O que vês? Disse a mulher: Vejo um deus que sobe da terra.

**14** Perguntou ele: Como é a sua figura? Disse ela: Vem subindo um ancião, e está vestindo uma capa. Entendendo Saul que era Samuel, inclinou-se com o rosto em terra e se prostrou.

**15** Disse Samuel a Saul: Por que me inquietaste, fazendo-me subir? Disse Saul: Estou muito angustiado, porque os filisteus guerreiam contra mim, e Deus se tem desviado de mim e já não me responde, nem por intermédio dos profetas nem por meio de sonhos. Por isso te chamei para que me faças saber o que hei de fazer.

**16** Então disse Samuel: Por que perguntas a mim, visto que o Senhor te desamparou e se fez teu inimigo?

**17** O Senhor fez para contigo como por meu intermédio te disse. Rasgou o reino da tua mão, e o deu ao teu companheiro Davi.

**18** Porque não deste ouvidos à voz do Senhor e não executaste o furor da sua ira contra Amaleque, o Senhor te fez hoje isso.

**19** O Senhor entregará também Israel contigo nas mãos dos filisteus, e amanhã tu e teus filhos estareis comigo. O acampamento de Israel o Senhor também entregará nas mãos dos filisteus.

**20** Imediatamente Saul caiu estendido por terra e grandemente temeu por causa das palavras de Samuel. Não houve força nele, pois não tinha comido todo aquele dia e toda aquela noite.

**21** Aproximando-se a mulher de Saul e, vendo que estava tão perturbado, disse-lhe: Olha, a tua serva deu ouvidos à tua voz, e arrisquei a minha vida, dando ouvidos às palavras que disseste.

**22** Agora ouve também tu as palavras da tua serva e permite que ponha um bocado de pão diante de ti, para que comas e tenhas forças e te ponhas a caminho.

**23** Ele, porém, o recusou e disse: Não comerei. Mas os seus servos e a mulher o constrangeram, e ele deu ouvidos à sua voz. Levantou-se do chão e assentou-se na cama.

**24** Tinha a mulher em casa um bezerro cevado; apressou-se e o degolou.

Tomou farinha, amassou-a e a cozeu em bolos sem fermento. 25 Então os pôs diante de Saul e de seus servos, e eles comeram. Depois levantaram-se e se foram naquela mesma noite.

### Davi volta a Ziclague

**29** Ajuntaram os filisteus todos os seus exércitos em Afeque e acamparam-se os israelitas junto à fonte que está em Jezreel.
2 Os governantes dos filisteus foram-se para lá com centenas e com milhares, mas Davi e os seus homens iam com Áquis na retaguarda.
3 Perguntaram os governantes dos filisteus: Que fazem aqui estes hebreus? Respondeu Áquis: Não é este Davi, o servo de Saul, rei de Israel, que esteve comigo há muitos dias ou anos? Coisa nenhuma achei contra ele desde o dia em que se revoltou, até o dia de hoje.
4 Os governantes dos filisteus, porém, se indignaram muito contra ele e disseram a Áquis: Faze voltar a este homem, e torne ao seu lugar em que tu o puseste. Não desça conosco à batalha, para que não se nos torne na batalha em adversário. Como se tornaria este agradável a seu senhor? Não seria com as cabeças destes nossos homens?
5 Não é este aquele Davi, de quem cantavam nas danças:
Saul feriu os seus milhares, mas Davi os seus dez milhares?
6 Então Áquis chamou Davi e lhe disse: Tão certo como vive o Senhor, tu és reto, e a tua entrada e a tua saída comigo no acampamento são boas aos meus olhos. Nenhum mal achei em ti, desde o dia em que a mim vieste, até o dia de hoje, mas aos governantes não agradas.
7 Volta, agora, e vai em paz; nada faças para desagradar aos governantes dos filisteus.
8 Então Davi disse a Áquis: Mas o que fiz? O que achaste no teu servo, desde o dia em que vim ter contigo, até o dia de hoje, para que eu não vá pelejar contra os inimigos do rei, meu senhor?
9 Respondeu Áquis: Bem sei que aos meus olhos tens sido bom como um anjo de Deus; contudo, os príncipes dos filisteus disseram: Não suba este conosco à batalha.
10 Agora, levanta-te amanhã de madrugada, tu e os servos de teu senhor que vieram contigo, e parti assim que o dia clarear.
11 Assim levantou-se Davi de madrugada, ele e os seus homens, para partirem e voltarem à terra dos filisteus, e os filisteus subiram a Jezreel.

### Davi destrói os amalequitas

**30** Quando Davi e os seus homens chegaram a Ziclague ao terceiro dia, já os amalequitas com ímpeto tinham dado sobre o sul e Ziclague, e tinham ferido a Ziclague e a tinham queimado a fogo;
2 tinham levado cativas as mulheres e todos os que lá se achavam, tanto grandes quanto pequenos. A ninguém mataram, tão somente os levaram consigo e foram o seu caminho.
3 Quando Davi e os seus homens chegaram à cidade, encontraram-na queimada a fogo, e suas

mulheres, seus filhos e suas filhas levados cativos.

4 Então Davi e o povo que se achava com ele alçaram a sua voz e choraram, até que não houve neles mais força para chorar.

5 Também as duas mulheres de Davi tinham sido levadas cativas — Ainoã, a jezreelita, e Abigail, que fora mulher de Nabal, o carmelita.

6 Davi muito se angustiou, porque o povo falava em apedrejá-lo; a alma de todo o povo estava cheia de amargura, por causa dos seus filhos e das suas filhas. Mas Davi se fortaleceu no Senhor, o seu Deus.

7 Então disse Davi a Abiatar, o sacerdote, filho de Aimeleque: Traze-me aqui a estola sacerdotal. Abiatar trouxe a estola sacerdotal a Davi,

8 e consultou Davi ao Senhor: Perseguirei eu a esta tropa? Irei alcançá-la? Respondeu-lhe o Senhor: Persegue-a. De certo a alcançarás e libertarás os prisioneiros.

9 Partiu Davi, ele e os seiscentos homens que com ele se achavam, e chegaram ao ribeiro de Besor, onde alguns ficaram para trás,

10 pois duzentos homens estavam cansados demais para passarem o ribeiro. Mas Davi e quatrocentos homens continuaram a perseguição.

11 Acharam no campo um homem egípcio e o trouxeram a Davi. Deram-lhe pão, e comeu, e deram-lhe água a beber.

12 Deram-lhe também um pedaço de pasta de figos secos e dois cachos de passas. Comeu, e voltou-lhe o ânimo, pois havia três dias e três noites que não tinha comido pão nem bebido água.

13 Então Davi lhe perguntou: De quem és tu e de onde és? Respondeu o moço egípcio: Sou servo de um amalequita, e meu senhor me deixou, porque adoeci há três dias.

14 Nós demos com ímpeto contra o lado do sul dos queretitas, contra o território de Judá e contra o lado do sul de Calebe, e pusemos fogo a Ziclague.

15 Perguntou-lhe Davi: Poderias, descendo, guiar-me a essa tropa? Respondeu ele: Jura-me por Deus que não me matarás nem me entregarás nas mãos de meu senhor, e descerei e te guiarei a essa tropa.

16 Então, descendo, o guiou. Os amalequitas estavam espalhados sobre a face de toda a terra, comendo, bebendo e dançando, por todo aquele grande despojo que haviam tomado da terra dos filisteus e da terra de Judá.

17 Feriu-os Davi, desde o crepúsculo até a tarde do dia seguinte, e nenhum deles escapou, senão quatrocentos moços que, montados em camelos, fugiram.

18 Assim recobrou Davi tudo o que os amalequitas haviam tomado; também libertou as suas duas mulheres.

19 Não lhes faltou coisa alguma, nem pequena nem grande, nem os filhos, nem as filhas, nem o despojo, nada de tudo o que os amalequitas lhes havia tomado. Tudo Davi tornou a trazer.

20 Também tomou Davi todas as ovelhas e os rebanhos, e o levaram diante do outro gado e diziam: Este é o despojo de Davi.

21 Chegando Davi aos duzentos homens que, de cansados que estavam, não o puderam seguir e ficaram no ribeiro de Besor, estes saíram ao encontro de Davi e do povo que com ele vinha. Aproximando-se Davi do povo, os saudou em paz.

**22** Então todos os maus e filhos de Belial, dos homens que tinham ido com Davi, disseram: Visto que não foram conosco, não lhes daremos do despojo que salvamos. Mas que leve cada um sua mulher e seus filhos, e se vá.
**23** Disse, porém, Davi: Não fareis assim, irmãos meus, com o que nos deu o Senhor, que nos guardou e entregou nas nossas mãos a tropa que vinha contra nós.
**24** Quem vos daria ouvidos nisso? Qual é a parte dos que desceram à peleja, tal será também a parte dos que ficaram com a bagagem. Receberão partes iguais.
**25** Assim foi daquele dia em diante, porque o pôs por estatuto e direito em Israel até o dia de hoje.
**26** Chegando Davi a Ziclague, enviou do despojo aos anciãos de Judá, seus amigos, dizendo: Eis para vós um presente do despojo dos inimigos do Senhor.
**27** Enviou-o aos de Betel, aos de Ramote do sul, aos de Jatir,
**28** aos de Aroer, aos de Sifmote, aos de Estemoa,
**29** aos de Racal, aos que estavam nas cidades dos jerameelitas e nas cidades dos queneus,
**30** aos de Hormá, aos de Corasã, aos de Atace,
**31** aos de Hebrom e a todos os lugares em que andara Davi, ele e os seus homens.

### A morte de Saul

**31** Ora, os filisteus pelejaram contra Israel; os homens de Israel fugiram de diante dos filisteus, e caíram feridos no monte Gilboa.
**2** Os filisteus apertaram com Saul e seus filhos e mataram a Jônatas, a Abinadabe e a Malquisua, filhos de Saul.
**3** A peleja agravou-se contra Saul, e os flecheiros o alcançaram, e ele muito temeu por causa dos flecheiros.
**4** Disse Saul ao seu escudeiro: Arranca a tua espada e mata-me com ela, para que não venham estes incircuncisos e me matem e escarneçam de mim. Mas o seu escudeiro não o quis, porque temia muito. Assim Saul tomou a espada e se lançou sobre ela.
**5** Vendo o seu escudeiro que Saul já era morto, também ele se lançou sobre a sua espada e morreu com ele.
**6** Assim Saul, seus três filhos, o seu escudeiro, e todos os seus homens morreram juntos naquele dia.
**7** Vendo os homens de Israel, que estavam do outro lado do vale, e os que estavam a leste do Jordão, que os homens de Israel fugiram, e que Saul e seus filhos estavam mortos, abandonaram as cidades e fugiram. E vieram os filisteus e habitaram nelas.
**8** Vindo os filisteus, no dia seguinte, para saquear os mortos, acharam Saul e seus três filhos estirados no monte Gilboa.
**9** Cortaram a cabeça de Saul e pegaram suas armas; e enviaram mensageiros pela terra dos filisteus, em redor, a anunciá-lo no templo dos seus ídolos e entre o povo.
**10** Puseram as armas de Saul no templo de Astarote, e o seu corpo afixaram no muro de Bete-Seã.
**11** Ouvindo isso os moradores de Jabes-Gileade, o que os filisteus fizeram a Saul,
**12** todos os homens valentes se levantaram e caminharam toda

a noite até Bete-Seã. Tiraram o corpo de Saul e os corpos de seus filhos do muro de Bete-Seã e foram a Jabes, onde os queimaram.

13 Então recolheram os seus ossos, os sepultaram debaixo de um arvoredo em Jabes e jejuaram sete dias.

# 2SAMUEL

### Davi é avisado da morte de Saul

**1** Depois da morte de Saul, voltou Davi da derrota dos amalequitas e permaneceu dois dias em Ziclague.
**2** No terceiro dia, veio um homem do acampamento de Saul com as vestes rasgadas e terra na cabeça. Chegando ele a Davi, lançou-se ao chão e se inclinou.
**3** Perguntou-lhe Davi: De onde vens? Respondeu ele: Escapei do acampamento de Israel.
**4** Disse-lhe Davi: O que aconteceu? Conta-me. Ele lhe respondeu: O povo fugiu da batalha, e muitos do povo caíram e morreram, assim como também Saul e Jônatas, seu filho, foram mortos.
**5** Perguntou Davi ao moço que lhe trazia as novas: Como sabes que Saul e Jônatas, seu filho, são mortos?
**6** Então disse o moço que lhe dava a notícia: Cheguei por acaso ao monte Gilboa, e Saul estava encostado sobre a sua lança, e os carros e a cavalaria apertavam com ele.
**7** Olhando ele para trás, viu-me e chamou-me. Eu disse: Aqui estou.
**8** Ele me perguntou: Quem és tu? E eu lhe respondi: Sou amalequita.
**9** Então ele me disse: Aproxima-te e mata-me, porque estou com muita vertigem, e toda a minha vida está ainda em mim.
**10** Assim me aproximei dele e o matei, porque bem sabia que ele não viveria depois de ter caído. Tomei a coroa que trazia na cabeça e o bracelete que estava no seu braço e os trouxe aqui a meu senhor.
**11** Então Davi apanhou as suas próprias vestes e as rasgou; assim fizeram também todos os homens que estavam com ele.
**12** Prantearam, choraram e jejuaram até a tarde por Saul e por Jônatas, seu filho, pelo exército do Senhor e pelo povo de Israel, porque tinham caído à espada.
**13** Então Davi perguntou ao moço que lhe trouxera a nova: De onde és tu? Respondeu ele: Sou filho de um homem estrangeiro, amalequita.
**14** Disse-lhe Davi: Como não temeste estender a mão para matares ao ungido do Senhor?
**15** Então chamou Davi um dos moços e lhe disse: Chega-te e lança-te sobre ele. E o moço o feriu, de sorte que morreu.
**16** Disse-lhe Davi: O teu sangue seja sobre a tua cabeça, porque a tua própria boca testificou contra ti, dizendo: Eu matei o ungido do Senhor.

### O pranto de Davi por Saul e Jônatas

**17** Lamentou Davi a Saul e a Jônatas, seu filho, com esta lamentação ao Arco,
**18** mandando que fosse ensinada aos filhos de Judá; esta lamentação se encontra registrada no Livro de Jasar:
**19** A tua glória, ó Israel, foi morta sobre os teus altos!
    Como caíram os valentes!
**20** Não o noticieis em Gate,
  nem o publiqueis nas ruas de Ascalom,
  para que não se alegrem as filhas dos filisteus,

para que não saltem de contentamento as filhas dos incircuncisos.

21 Vós, montes de Gilboa,
nem orvalho, nem chuva caia sobre vós,
nem tenhais campos que produzam ofertas.
Pois aí foi profanado o escudo dos valentes,
o escudo de Saul,
que jamais será ungido com óleo.

22 Do sangue dos feridos,
da carne dos valentes,
nunca se retirou o arco de Jônatas,
nem voltou vazia a espada de Saul.

23 Saul e Jônatas,
tão amados e queridos em vida,
também na sua morte não se separaram.
Eram mais ligeiros do que as águias,
mais fortes do que os leões.

24 Vós, filhas de Israel,
chorai por Saul,
que vos vestia de escarlata e de delícias,
que adornava os vossos vestidos com ornamentos de ouro.

25 Como caíram os valentes no meio da peleja!
Jônatas foi morto nos teus montes.

26 Angustiado estou por ti, meu irmão Jônatas;
quão querido me eras!
Maravilhoso me era o teu *amor*,
mais maravilhoso do que o amor das mulheres.

27 Como caíram os valentes,
e pereceram as armas de guerra!

## Davi é ungido rei de Judá

**2** Depois de algum tempo, Davi perguntou ao Senhor: Subirei a alguma das cidades de Judá? Respondeu-lhe o Senhor: Sobe. Perguntou Davi: Para onde subirei? Respondeu o Senhor: Para Hebrom.
2 Subiu Davi para lá, e também as suas duas mulheres, Ainoã, a jezreelita, e Abigail, que fora mulher de Nabal, o carmelita.
3 Fez também Davi subir os homens que estavam com ele, cada um com a sua família, e habitaram nas cidades de Hebrom.
4 Então vieram os homens de Judá e ali ungiram Davi rei sobre a tribo de Judá. E informaram Davi: Foram os homens de Jabes-Gileade que sepultaram Saul.
5 Então Davi enviou mensageiros aos homens de Jabes-Gileade e disse-lhes: Benditos sejais vós do Senhor, que fizestes tal benevolência para com vosso senhor, para com Saul, porque o sepultastes!
6 O Senhor use convosco de benevolência e fidelidade, e eu também vos retribuirei esse bem que fizestes.
7 Esforcem-se agora as vossas mãos e sede homens valentes, pois Saul, vosso senhor, é morto, e os da tribo de Judá me ungiram rei sobre si.

## Abner e Is-Bosete

8 Abner, filho de Ner, capitão do exército de Saul, tomou a Is-Bosete, filho de Saul, e o levou para Maanaim.
9 Constituiu-o rei sobre Gileade, sobre os assuritas, sobre Jezreel, sobre Efraim, sobre Benjamim e sobre todo o Israel.

**10** Da idade de quarenta anos era Is-Bosete, filho de Saul, quando começou a reinar sobre Israel, e reinou dois anos. Mas a tribo de Judá seguia Davi.
**11** Foi o número dos dias que Davi reinou em Hebrom, sobre a casa de Judá, sete anos e seis meses.
**12** Então saiu Abner, filho de Ner, com os servos de Is-Bosete, filho de Saul, de Maanaim a Gibeom.
**13** Saíram também Joabe, filho de Zeruia, e os servos de Davi e se encontraram uns com os outros perto do açude de Gibeom. Pararam estes de um lado do açude, e os outros do outro lado.
**14** Disse Abner a Joabe: Levantem-se os moços e lutem diante de nós. Respondeu Joabe: Levantem-se.
**15** Então se levantaram e, em número de doze por Benjamim e por Is-Bosete, filho de Saul, e doze dos servos de Davi, atravessaram o açude.
**16** Cada um pegou o outro pela cabeça e o feriu à espada, e caíram mortos ambos. Assim se chamou àquele lugar Helcate-Hazurim, que está junto a Gibeom.
**17** Seguiu-se, naquele dia, uma violenta guerra. Abner e os homens de Israel foram derrotados diante dos servos de Davi.
**18** Estavam ali os três filhos de Zeruia: Joabe, Abisai e Asael. Ora, Asael era ligeiro de pés, como as gazelas selvagens.
**19** Asael perseguiu Abner, sem se desviar de suas pegadas, nem para a direita nem para a esquerda.
**20** Abner olhou para trás e perguntou: És tu Asael? Respondeu ele: Sou eu.
**21** Então lhe disse Abner: Desvia-te para a direita, ou para a esquerda, captura um dos soldados e pega as armas dele. Asael, porém, não quis desviar-se de segui-lo.
**22** Abner tornou a dizer a Asael: Desvia-te de detrás de mim! Por que hei de eu matar-te e dar contigo em terra? Como levantaria o meu rosto diante de Joabe, teu irmão?
**23** Ele, porém, recusou-se a se desviar. Então Abner feriu-o no ventre com a extremidade inferior da lança, que lhe saiu por detrás. Ele caiu ali, e morreu ali mesmo. E todos os que chegavam ao lugar onde Asael caíra e morrera, paravam.
**24** Joabe e Abisai, porém, perseguiram Abner; e ao pôr do sol, chegaram eles ao outeiro de Amá, que está diante de Giá, junto ao caminho do deserto de Gibeom.
**25** Então os filhos de Benjamim se ajuntaram atrás de Abner e, formando-se num batalhão, puseram-se no cume de um outeiro.
**26** Abner gritou a Joabe: Continuará a espada a derramar sangue para sempre? Não sabes que por fim haverá amargura? Até quando demorarás para dizer ao povo que deixe de perseguir os seus irmãos?
**27** Respondeu Joabe: Tão certo como vive Deus, se não tivesses falado, só amanhã cedo o povo teria cessado, cada um, de perseguir o seu irmão.
**28** Assim Joabe tocou a trombeta, e todo o povo parou; não perseguiu mais Israel, tampouco guerreou mais.
**29** Caminharam Abner e os seus homens toda aquela noite pela planície. Passando o Jordão, caminharam por todo o Bitrom e chegaram a Maanaim.
**30** Também Joabe deixou de perseguir Abner e, quando ajuntou

todo o povo, faltavam dezenove homens dos servos de Davi, e Asael. **31** Os servos de Davi, porém, tinham ferido, dentre os de Benjamim e os de Abner, trezentos e sessenta homens, que ali ficaram mortos. **32** Levaram Asael e o sepultaram na sepultura de seu pai, que estava em Belém. Então Joabe e seus homens caminharam toda aquela noite, e, quando amanheceu, chegaram a Hebrom.

### Davi firma-se no poder

**3** A guerra entre as famílias de Saul e de Davi durou muito tempo. Davi ia se fortalecendo, mas os da família de Saul iam-se enfraquecendo.
**2** Nasceram filhos a Davi em Hebrom: o seu primogênito foi Amnom, de Ainoã, a jezreelita.
**3** O segundo, Quileabe, de Abigail, que fora mulher de Nabal, o carmelita; o terceiro, Absalão, filho de Maaca, filha de Talmai, rei de Gesur;
**4** o quarto, Adonias, filho de Hagite; o quinto, Sefatias, filho de Abital;
**5** o sexto, Itreão, de Eglá, também mulher de Davi. Estes nasceram a Davi em Hebrom.
**6** Durante a guerra entre as famílias de Saul e de Davi, Abner ia-se tornando poderoso na família de Saul.
**7** Tivera Saul uma concubina, cujo nome era Rispa, filha de Aiá. Perguntou Is-Bosete a Abner: Por que te deitaste com uma concubina de meu pai?
**8** *Então se irou muito Abner pelas palavras de Is-Bosete e disse:* Sou eu cabeça de cão, que pertença a Judá? Ainda hoje faço beneficência à casa de Saul, teu pai, a seus irmãos e a seus amigos e não te entreguei nas mãos de Davi. Contudo, tu hoje buscas motivo para me culpares no tocante a essa mulher.
**9** Assim faça Deus a Abner, e outro tanto, se, como o Senhor jurou a Davi, assim eu não lhe fizer, **10** transferindo o reino da família de Saul e estabelecendo o trono de Davi sobre Israel e sobre Judá, desde Dã até Berseba.
**11** Nenhuma palavra pôde Is-Bosete responder a Abner, porque o temia.
**12** Então ordenou Abner da sua parte mensageiros a Davi, dizendo: De quem é a terra? Faze comigo a tua aliança, e eu te ajudarei a conquistar o apoio de todo o Israel.
**13** Respondeu Davi: Bem, farei contigo aliança, mas uma coisa exijo de ti: Se primeiro não me trouxeres Mical, filha de Saul, não verás a minha face, quando vieres a mim.
**14** Também Davi enviou mensageiros a Is-Bosete, filho de Saul, dizendo: Dá-me de volta a minha mulher Mical, que desposei por cem prepúcios de filisteus.
**15** Is-Bosete mandou tirá-la de seu marido, Paltiel, filho de Laís.
**16** Seu marido partiu com ela e a seguiu chorando até Baurim. Então lhe disse Abner: Vai-te, volta. E ele voltou.
**17** Falou Abner com os anciãos de Israel, dizendo: Já faz muito tempo que procurais fazer que Davi reine sobre vós.
**18** Fazei-o agora, porque o Senhor prometeu a Davi: Por meio de Davi, meu servo, livrarei o meu povo das mãos dos filisteus e das mãos de todos os seus inimigos.
**19** Falou também Abner o mesmo aos ouvidos de Benjamim; e

foi também Abner dizer aos ouvidos de Davi, em Hebrom, tudo o que Israel e a tribo de Benjamim desejavam fazer.

20 Veio Abner e apresentou-se a Davi, em Hebrom, e vinte homens com ele. Davi ofereceu um banquete a Abner e aos homens que com ele estavam.

21 Então disse Abner a Davi: Eu me levantarei e irei ajuntar ao rei, meu senhor, todo o Israel, para fazerem aliança contigo; tu reinarás sobre tudo o que desejar a tua alma. Assim despediu Davi a Abner, e ele se foi em paz.

### Joabe mata Abner à traição

22 Pouco tempo depois, os servos de Davi e Joabe voltaram de uma investida e traziam consigo grande despojo. Abner já não estava com Davi em Hebrom, porque o tinha despedido, e se tinha ido em paz.

23 Chegando Joabe, e todo o exército que vinha com ele, disseram-lhe: Abner, filho de Ner, veio apresentar-se ao rei e o rei o despediu, e ele se foi em paz.

24 Então Joabe foi ao rei e perguntou: Que fizeste? Abner veio ter contigo. Por que o despediste de maneira que se fosse assim livremente?

25 Bem conheces a Abner, filho de Ner, que te veio enganar, observar os teus movimentos e descobrir tudo quanto fazes.

26 Joabe então retirou-se de Davi e enviou mensageiros atrás de Abner, que o fizeram voltar do poço de Sirá, sem que Davi o soubesse.

27 Tornando Abner a Hebrom, Joabe o tomou à parte, à entrada da porta, para lhe falar em segredo, e ali o feriu no ventre, e ele morreu, por causa do sangue de Asael, seu irmão.

28 Mais tarde, quando Davi soube disso, falou: Inocente sou, e o meu reino, para com o Senhor, para sempre, do sangue de Abner, filho de Ner.

29 Caia este sangue sobre a cabeça de Joabe e sobre toda a família de seu pai. Nunca falte entre os seus descendentes quem tenha fluxo, quem seja leproso, quem se apoie em muletas, quem caia à espada, quem necessite de pão.

30 Joabe e Abisai, seu irmão, mataram Abner, por ter ele matado a Asael, seu irmão, na peleja em Gibeom.

### Davi lamenta a morte de Abner

31 Então disse Davi a Joabe e a todo o povo que com ele estava: Rasgai as vossas vestes, vesti-vos de pano de saco e ide pranteando diante de Abner. E o próprio rei Davi ia seguindo o féretro.

32 Sepultaram Abner em Hebrom; o rei levantou a voz e chorou junto da sepultura de Abner. Chorou também todo o povo.

33 O rei, pranteando a Abner, disse:
  Devia Abner morrer como
    morre o vilão?
34 As tuas mãos não estavam
    atadas,
  nem os teus pés carregados
    de grilhões.
  Caíste como os que caem
    diante dos filhos da maldade.
Então todo o povo chorou muito mais por ele.

35 Então todo o povo veio fazer que Davi comesse pão, enquanto ainda era dia; mas Davi jurou, dizendo: Assim me faça Deus, e outro tanto, se, antes que o sol se

ponha, eu provar pão ou qualquer outra coisa.

36 Todo o povo notou isso e pareceu bem aos seus olhos; deveras, tudo o que o rei fez pareceu bem a todo o povo.

37 Todo o povo e todo o Israel entenderam naquele mesmo dia que não procedera do rei que matassem Abner, filho de Ner.

38 Então disse o rei aos seus servos: Não sabeis que hoje caiu em Israel um líder, um grande homem?

39 Eu sou ainda fraco, apesar de ungido rei, e estes homens, filhos de Zeruia, são fortes demais para mim. Retribua o Senhor ao malfeitor, conforme a sua maldade.

### Is-Bosete é assassinado

**4** Ouvindo o filho de Saul que Abner morrera em Hebrom, as mãos se lhe afrouxaram, e todo o Israel pasmou.

2 Ora, o filho de Saul tinha dois homens capitães de tropas. Um deles se chamava Baaná, e o outro, Recabe, filhos de Rimom, o beerotita, dos filhos de Benjamim — também Beerote era considerado de Benjamim,

3 porque os beerotitas fugiram para Gitaim e ali têm morado como estrangeiros até o dia de hoje.

4 Jônatas, filho de Saul, tinha um filho aleijado dos pés. Era este da idade de cinco anos quando as notícias de Saul e Jônatas chegaram de Jezreel. A sua ama o pegou e fugiu, mas apressando-se ela em fugir, ele caiu e ficou coxo. O seu nome era Mefibosete.

5 Foram os filhos de Rimom, o beerotita, Recabe e Baaná, e entraram na casa de Is-Bosete, no maior calor do dia, estando ele deitado a dormir, ao meio-dia.

6 Entraram na casa, como que vindo buscar trigo, e o feriram no ventre. Então Recabe e Baaná, seu irmão, fugiram.

7 Entraram na sua casa, estando ele deitado na cama, no seu quarto de dormir, feriram-no e o mataram. Depois cortaram-lhe a cabeça e, tomando-a, andaram toda a noite pelo caminho da planície.

8 Trouxeram a cabeça de Is-Bosete para Davi, em Hebrom, e disseram ao rei: Aqui está a cabeça de Is-Bosete, filho de Saul, teu inimigo, que procurava a tua morte. Assim o Senhor vingou hoje o rei, meu senhor, de Saul e da sua descendência.

9 Respondeu Davi a Recabe e a Baaná, seu irmão, filhos de Rimom, o beerotita: Tão certo como vive o Senhor que remiu a minha alma de toda a angústia,

10 se àquele que me trouxe notícia, dizendo: Saul é morto, parecendo-lhe aos seus olhos que era como quem trazia boas-novas, eu logo lancei mão dele e o matei em Ziclague, sendo essa a recompensa que lhe dei pela notícia,

11 quanto mais quando homens perversos mataram um homem justo em sua casa, sobre a sua cama, não requererei eu o seu sangue das vossas mãos e não vos exterminarei da terra?

12 Assim Davi deu ordem aos seus moços, e eles os mataram. Cortaram-lhes as mãos e os pés e os penduraram junto ao açude em Hebrom. Mas tomaram a cabeça de Is-Bosete, e a sepultaram na sepultura de Abner, em Hebrom.

### Davi reina sobre todo o Israel

**5** Todas as tribos de Israel vieram a Davi, em Hebrom, e

disseram: Somos teus ossos e tua carne.

**2** Já antes, sendo Saul ainda rei sobre nós, eras tu que saías e entravas com Israel. E também o Senhor te disse: Tu apascentarás o meu povo de Israel e tu serás chefe sobre Israel.

**3** Assim todos os anciãos de Israel vieram ao rei, em Hebrom, e o rei Davi fez com eles aliança em Hebrom, perante o Senhor. E ungiram Davi rei sobre Israel.

**4** Da idade de trinta anos era Davi quando começou a reinar, e reinou quarenta anos.

**5** Em Hebrom reinou sobre Judá sete anos e seis meses, e em Jerusalém, reinou trinta e três anos sobre todo o Israel e Judá.

**6** Partiu o rei com os seus homens para Jerusalém, contra os jebuseus que habitavam naquela terra e que disseram a Davi: Não entrarás aqui; até os cegos e os coxos te repelirão. Pensavam: Davi de maneira nenhuma entrará aqui.

**7** Davi, porém, tomou a fortaleza de Sião, a Cidade de Davi.

**8** Disse Davi naquele dia: Aquele que quiser ferir os jebuseus, esses coxos e cegos a quem a alma de Davi aborrece, terá de subir pelo canal. Por isso se diz: Nem cego nem coxo entrará no palácio.

**9** Assim habitou Davi na fortaleza e lhe chamou a Cidade de Davi. E foi edificando em redor, desde os terraços de apoio para dentro.

**10** Davi ia-se engrandecendo cada vez mais, porque o Senhor, o Deus dos exércitos, era com ele.

**11** Hirão, rei de Tiro, enviou mensageiros a Davi, e madeira de cedro, e carpinteiros, e pedreiros, que edificaram para Davi uma casa.

**12** Entendeu Davi que o Senhor o confirmava rei sobre Israel e que exaltara o seu reino por amor do seu povo.

**13** Tomou Davi mais concubinas e mulheres de Jerusalém, depois que viera de Hebrom, e nasceram-lhe mais filhos e filhas.

**14** São estes os nomes dos que lhe nasceram em Jerusalém: Samua, Sobabe, Natã, Salomão,

**15** Ibar, Elisua, Nefegue, Jafia,

**16** Elisama, Eliada e Elifelete.

**17** Ouvindo os filisteus que haviam ungido Davi rei sobre Israel, subiram todos em busca de Davi. Ouvindo isso, Davi desceu à fortaleza.

**18** Os filisteus vieram e se estenderam pelo vale de Refaim.

**19** Davi consultou o Senhor, dizendo: Subirei contra os filisteus? Tu os entregarás nas minhas mãos? Respondeu o Senhor a Davi: Sobe, pois certamente entregarei os filisteus nas tuas mãos.

**20** Então veio Davi a Baal-Perazim e os derrotou ali, e disse: Destruiu o Senhor os meus inimigos diante de mim, como águas de uma enchente provocam destruição. Por isso deu àquele lugar o nome de Baal-Perazim.

**21** Os filisteus deixaram ali os seus ídolos, e Davi e os seus homens os tomaram.

**22** Os filisteus tornaram a subir e se estenderam pelo vale de Refaim.

**23** Davi consultou o Senhor, que respondeu: Não subirás; rodeia por detrás deles e ataca-os em frente das amoreiras.

**24** Ouvindo tu um estrondo de marcha pelas copas das amoreiras, então te apressarás, porque é o Senhor que saiu diante de ti, a ferir o exército dos filisteus.

25 Fez Davi como o Senhor lhe tinha ordenado; e feriu os filisteus desde Geba até chegar a Gezer.

### Davi leva a arca para Jerusalém

**6** Tornou Davi a ajuntar todos os escolhidos de Israel, em número de trinta mil.

2 Levantou-se Davi e partiu com todo o povo que tinha consigo para Baalim de Judá, a fim de levarem de lá para cima a arca de Deus, sobre a qual se invoca o Nome, o nome do Senhor dos Exércitos, que se assenta entre os querubins.

3 Puseram a arca de Deus em um carro novo e a levaram da casa de Abinadabe, que está no alto da colina. Uzá e Aiô, filhos de Abinadabe, guiavam o carro novo.

4 Levaram-no da casa de Abinadabe, que estava no alto da colina, com a arca de Deus, e Aiô ia adiante da arca.

5 Davi e todos os israelitas alegravam-se perante o Senhor, com todo tipo de instrumentos de pinho: harpas, saltérios, tamboris, pandeiros e címbalos.

6 Quando chegaram à eira de Nacom, estendeu Uzá a mão à arca de Deus e a segurou, porque os bois tropeçaram.

7 Então a ira do Senhor se acendeu contra Uzá, e Deus o feriu ali por essa irreverência; e morreu ali junto à arca de Deus.

8 Davi se enfureceu, porque o Senhor irrompera contra Uzá, e chamou àquele lugar Perez-Uzá, *até o dia de hoje*.

9 Temeu Davi ao Senhor naquele dia e disse: Como virá a mim a arca do Senhor?

10 Não quis Davi levar para si a arca do Senhor, para a Cidade de Davi. Antes, fê-la entrar na casa de Obede-Edom, o geteu.

11 Ficou a arca do Senhor na casa de Obede-Edom, o geteu, três meses, e o Senhor abençoou a Obede-Edom e a toda a sua família.

12 Então disseram a Davi: O Senhor abençoou a família de Obede-Edom e tudo o que tem, por causa da arca de Deus. Assim foi Davi e fez subir a arca de Deus da casa de Obede-Edom para a Cidade de Davi, com alegria.

13 Quando os que levavam a arca do Senhor tinham dado seis passos, ele sacrificava bois e carneiros cevados.

14 Davi dançava com todas as suas forças diante do Senhor, cingido de uma estola sacerdotal de linho.

15 Assim Davi e todos os israelitas subiam, trazendo a arca do Senhor com júbilo e ao som de trombetas.

16 Quando a arca do Senhor entrava na Cidade de Davi, Mical, a filha de Saul, estava olhando pela janela. E vendo o rei Davi, que ia saltando e dançando diante do Senhor, o desprezou no seu coração.

17 Trouxeram a arca do Senhor e a puseram no seu lugar, na tenda que Davi lhe armara, e ofereceu Davi holocaustos e ofertas pacíficas perante o Senhor.

18 Tendo Davi acabado de oferecer os holocaustos e ofertas pacíficas, abençoou o povo em nome do Senhor dos Exércitos.

19 Então repartiu todo o povo e toda a multidão de Israel, tanto homens como mulheres, a cada um, um bolo de pão, um bom pedaço de carne e um bolo de passas. E se retirou todo o povo, cada um para sua casa.

20 Voltando Davi para abençoar a sua casa, Mical, a filha de Saul,

saiu a encontrar-se com ele e lhe disse: Quão honrado foi o rei de Israel, descobrindo-se hoje aos olhos das servas de seus servos, como sem pudor se descobre um qualquer.

21 Disse Davi a Mical: Perante o Senhor, que me escolheu antes do que a teu pai e a toda a sua família, mandando-me que fosse chefe sobre o povo do Senhor, sobre Israel, perante o Senhor me tenho alegrado.

22 Ainda mais do que isso me rebaixarei e me humilharei aos meus olhos. Quanto às servas, de quem falaste, delas serei honrado.

23 E Mical, filha de Saul, não teve filhos, até o dia da sua morte.

### Promessas de Deus a Davi

**7** Estando o rei Davi em seu palácio, e tendo-lhe dado o Senhor descanso de todos os seus inimigos em redor,

2 disse o rei ao profeta Natã: Olha, eu moro em um palácio de cedro, e a arca de Deus dentro de uma tenda.

3 Disse Natã ao rei: Vai, faze tudo quanto está no teu coração, pois o Senhor é contigo.

4 Naquela mesma noite, porém, veio a palavra do Senhor a Natã, dizendo:

5 Vai e dize a meu servo Davi: Assim diz o Senhor: Edificarás tu uma casa para minha habitação?

6 Em casa nenhuma habitei, desde o dia em que fiz subir os filhos de Israel do Egito até o dia de hoje, mas tenho andado em tenda e em tabernáculo.

7 Em todo lugar em que andei com todos os filhos de Israel, falei porventura alguma palavra a qualquer das tribos de Israel, a quem mandei apascentar o meu povo de Israel, dizendo: Por que não me edificais uma casa de cedro?

8 Agora, pois, assim dirás ao meu servo Davi: Assim diz o Senhor dos Exércitos: Eu te tomei da malhada, de detrás das ovelhas, para que fosses o soberano sobre o meu povo, sobre Israel.

9 Fui contigo por onde quer que foste e destruí os teus inimigos diante de ti; fiz para ti um grande nome, como o nome dos grandes que há na terra.

10 Prepararei lugar para o meu povo, para Israel, e o plantarei, para que habite no seu lugar e não mais seja perturbado. Nunca mais os filhos da perversidade o aflijam, como dantes,

11 desde o dia em que mandei que houvesse juízes sobre o meu povo Israel. A ti, porém, darei descanso de todos os teus inimigos. O Senhor te declara que ele te estabelecerá dinastia.

12 Quando os teus dias forem completos, e vieres a dormir com teus pais, então farei levantar depois de ti o teu descendente, que sair das tuas entranhas, e estabelecerei o seu reino.

13 Este edificará uma casa ao meu nome, e estabelecerei o trono do seu reino para sempre.

14 Eu lhe serei por pai, e ele me será por filho. Se vier a fazer o que é errado, eu o castigarei com varas de homens e com açoites de filhos de homens.

15 A minha benignidade, porém, não retirarei dele, como a retirei de Saul, a quem tirei de diante de ti.

16 A tua casa e o teu reino serão firmados para sempre diante de mim; o teu trono será estabelecido para sempre.

17 Conforme todas estas palavras e conforme toda esta visão, assim falou Natã a Davi.

18 Então entrou o rei Davi, sentou-se perante o Senhor e disse: Quem sou eu, Senhor Deus, e qual é a minha casa, para me trazeres até aqui?

19 E isso ainda foi pouco aos teus olhos, Senhor Deus, senão que também falaste da casa de teu servo para tempos distantes. Isto é instrução para todos os homens, Senhor Deus?

20 Que mais ainda te poderá dizer Davi? Pois tu conheces bem teu servo, ó Senhor Deus.

21 Por causa da tua palavra e segundo o teu coração, fizeste toda esta grandeza, dando-a a conhecer a teu servo.

22 Portanto, grandioso és, ó Senhor Deus, porque não há semelhante a ti, e não há outro Deus além de ti, segundo tudo o que temos ouvido com os nossos ouvidos.

23 Quem há como o teu povo, como Israel, gente única na terra, a quem tu, ó Deus, foste resgatar para ser teu povo? E para fazer a ti mesmo um nome e a teu povo estas grandes e terríveis coisas, para a tua terra, diante do teu povo, que tu resgataste do Egito, desterrando as nações e seus deuses?

24 Estabeleceste o teu povo Israel por teu povo para sempre, e tu, ó Senhor, te fizeste o seu Deus.

25 Agora, pois, ó Senhor Deus, quanto a esta palavra que falaste *acerca de teu servo* e acerca da sua descendência, confirma-a para sempre e faze como falaste.

26 E seja para sempre engrandecido o teu nome, e se diga: O Senhor dos Exércitos é Deus sobre Israel! E a casa do teu servo será estabelecida diante de ti.

27 Pois tu, ó Senhor dos Exércitos, Deus de Israel, revelaste aos ouvidos de teu servo, dizendo: Edificarei para ti uma dinastia. Por isso, o teu servo se animou a fazer-te esta oração.

28 Agora, ó Senhor Deus, tu mesmo és Deus, e as tuas palavras são verdade, e tens prometido a teu servo este bem.

29 Sê agora servido de abençoar a família do teu servo, a fim de permanecer para sempre diante de ti, pois tu, ó Senhor Deus, o disseste; e com a tua bênção será para sempre bendita a família do teu servo.

## As guerras de Davi

**8** Depois disso, Davi derrotou os filisteus e os sujeitou; e tomou a Metegue-Amá das mãos dos filisteus.

2 Também derrotou os moabitas; fê-los deitar por terra, mediu-os com uma corda. Mediu dois cordéis para os matar e um cordel inteiro para os deixar com vida. Ficaram assim os moabitas por servos de Davi, pagando-lhe tributos.

3 Davi também derrotou a Hadadezer, filho de Reobe, rei de Zobá, quando este ia estabelecer o seu domínio sobre o rio Eufrates.

4 Tomou-lhe Davi mil e seiscentos cavaleiros e vinte mil homens de pé. Aleijou todos os cavalos dos carros, menos para cem deles.

5 Quando os siros de Damasco vieram para socorrer Hadadezer, rei de Zobá, Davi matou dos siros vinte e dois mil homens.

6 Davi pôs guarnições na Síria de Damasco, e os siros ficaram por

servos de Davi, pagando-lhe tributos. O Senhor dava vitória a Davi por onde quer que ia.

**7** Davi tomou os escudos de ouro que os servos de Hadadezer usavam e os trouxe a Jerusalém.
**8** Tomou mais o rei Davi grande quantidade de bronze de Betá e de Berotai, cidades de Hadadezer.
**9** Ouvindo então Toí, rei de Hamate, que Davi derrotara todo o exército de Hadadezer,
**10** mandou seu filho Jorão ao rei Davi, para o saudar e o felicitar por haver pelejado contra Hadadezer e havê-lo ferido (porque Hadadezer de contínuo fazia guerra a Toí). Jorão trouxe consigo vasos de prata, de ouro e de bronze,
**11** os quais o rei Davi consagrou ao Senhor, com a prata e o ouro que já havia consagrado de todas as nações que sujeitara:
**12** da Síria, de Moabe, dos filhos de Amom, dos filisteus, de Amaleque e dos despojos de Hadadezer, filho de Reobe, rei de Zobá.
**13** Assim Davi aumentou a sua fama, quando, ao voltar de ferir os siros, matou no vale do Sal dezoito mil edomitas.
**14** Pôs guarnições em todo o Edom, e todos os edomitas ficaram por servos de Davi. O Senhor dava vitórias a Davi por onde quer que ia.
**15** Reinou Davi sobre todo o Israel, julgando e fazendo justiça a todo o seu povo.
**16** Joabe, filho de Zeruia, estava sobre o exército; Josafá, filho de Ailude, era cronista.
**17** Zadoque, filho de Aitube, e Aimeleque, filho de Abiatar, eram sacerdotes; Seraías era escrivão.
**18** Benaia, filho de Jeoiada, comandava os quereteus e os peleteus;

e os filhos de Davi eram os seus ministros.

### Davi honra ao filho de Jônatas

**9** Perguntou Davi: Resta ainda alguém da família de Saul, para que eu o trate com bondade por amor de Jônatas?
**2** Havia um servo na casa de Saul cujo nome era Ziba. Chamaram-no que viesse a Davi. Disse-lhe o rei: És tu Ziba? Respondeu ele: Teu servo.
**3** Perguntou o rei: Não há ainda alguém da família de Saul a quem eu possa mostrar a bondade de Deus? Ziba respondeu ao rei: Ainda há um filho de Jônatas, aleijado de ambos os pés.
**4** Perguntou o rei: Onde está? Respondeu Ziba ao rei: Está na casa de Maquir, filho de Amiel, em Lo-Debar.
**5** Assim mandou o rei Davi trazê-lo da casa de Maquir, filho de Amiel, em Lo-Debar.
**6** Vindo Mefibosete, filho de Jônatas, filho de Saul, a Davi, prostrou-se com o rosto em terra e se inclinou. Disse-lhe Davi: Mefibosete! Respondeu ele: Teu servo.
**7** Disse-lhe Davi: Não temas, pois de certo usarei de bondade contigo por amor de Jônatas, teu pai, e te restituirei todas as terras de Saul, teu pai, e tu sempre comerás pão à minha mesa.
**8** Mefibosete se inclinou e disse: Quem é teu servo, para teres olhado para um cão morto tal como eu?
**9** Então o rei chamou Ziba, servo de Saul, e lhe disse: Tudo o que pertencia a Saul e a toda a sua casa, dei ao filho de teu senhor.
**10** Cultivarás a terra, tu e teus filhos, e teus servos, e recolherás os

frutos, para que o filho de teu senhor tenha pão que coma. E Mefibosete, filho de teu senhor, sempre comerá pão à minha mesa. Tinha Ziba quinze filhos e vinte servos.

11 Então disse Ziba ao rei: Conforme tudo o que o meu senhor, o rei, manda a seu servo, assim fará ele. Assim Mefibosete comeu à mesa de Davi como um dos filhos do rei.

12 Tinha Mefibosete um filho pequeno, cujo nome era Mica. Todos os que moravam na casa de Ziba eram servos de Mefibosete.

13 E Mefibosete morava em Jerusalém, porque sempre comia à mesa do rei, e era coxo de ambos os pés.

### Batalhas contra os amonitas e os siros

**10** Depois disto morreu o rei dos filhos de Amom, e seu filho Hanum reinou em seu lugar.

2 Então pensou Davi: Usarei de bondade para com Hanum, filho de Naás, como seu pai usou de bondade para comigo. Enviou Davi os seus servos para o consolar acerca de seu pai. Quando os servos de Davi chegaram à terra dos filhos de Amom,

3 disseram os líderes dos filhos de Amom a seu senhor, Hanum: Pensas que Davi, por te haver mandado consoladores, está honrando a teu pai? Não te enviou ele os seus servos para reconhecerem a cidade e para a espiarem, a fim de destruí-la?

4 *Pelo que Hanum tomou os servos de Davi, rapou-lhes metade da barba, cortou-lhes metade das vestes até as nádegas e os despediu.*

5 Quando Davi teve notícia do ocorrido, enviou mensageiros a encontrá-los, pois estavam estes homens sobremaneira envergonhados. Mandou dizer-lhes o rei: Deixai-vos estar em Jericó, até que vos torne a crescer a barba, e então vinde.

6 Vendo os filhos de Amom que se tinham feito abomináveis para com Davi, mandaram mensageiros alugar dos siros de Bete-Reobe e dos siros de Zobá vinte mil homens de infantaria, e do rei de Maaca mil homens, e dos homens de Tobe doze mil.

7 O que ouvindo Davi, enviou contra eles Joabe com todo o exército dos valentes.

8 Saíram os filhos de Amom e ordenaram a batalha à entrada da porta, e os siros de Zobá e Reobe e os homens de Tobe e Maaca estavam à parte no campo.

9 Vendo Joabe que a batalha estava preparada contra ele pela frente e pela retaguarda, escolheu os melhores de Israel e formou-os em linha contra os siros.

10 O restante do povo entregou a seu irmão Abisai, o qual o formou em linha contra os filhos de Amom.

11 Disse Joabe: Se os siros forem mais fortes do que eu, tu me virás em socorro; mas se os filhos de Amom forem mais fortes do que tu, eu irei em teu socorro.

12 Sê forte e sejamos corajosos pelo nosso povo e pelas cidades de nosso Deus. Faça o Senhor o que bem parecer aos seus olhos.

13 Então avançou Joabe, e o povo que estava com ele, à peleja contra os siros, e estes fugiram de diante deles.

14 Vendo os filhos de Amom que os siros fugiam, também eles fugiram de diante de Abisai e

entraram na cidade. Assim voltou Joabe dos filhos de Amom e tornou a Jerusalém.

15 Vendo os siros que tinham sido derrotados diante de Israel, tornaram a refazer-se.

16 Hadadezer fez sair os siros que estavam do outro lado do rio; vieram a Helã, e Soboque, chefe do exército de Hadadezer, marchava adiante deles.

17 Quando Davi foi informado disso, ajuntou todo Israel, passou o Jordão e foi a Helã. Os siros se puseram em ordem contra Davi e pelejaram com ele.

18 Os siros, porém, fugiram de diante de Israel, e Davi matou dentre os siros os homens de setecentos carros e quarenta mil homens de cavalo. Também feriu Soboque, general do exército, de sorte que morreu ali.

19 Vendo todos os reis, servos de Hadadezer, que estavam derrotados diante de Israel, fizeram paz com Israel e o serviram. Pelo que temeram os siros de ainda socorrer os filhos de Amom.

### Davi e Bate-Seba

**11** Na primavera do ano seguinte, época em que os reis saem à guerra, enviou Davi a Joabe, e a seus servos com ele, e a todo o Israel, que destruíram os filhos de Amom e sitiaram a Rabá. Mas Davi ficou em Jerusalém.

2 Uma tarde, levantou-se Davi do seu leito e andava passeando no terraço do palácio real. Do terraço viu uma mulher que se estava lavando. Era esta mulher mui formosa.

3 Davi mandou tomar informações sobre ela. Disseram-lhe: Não é esta Bate-Seba, filha de Eliã, mulher de Urias, o heteu?

4 Então Davi enviou mensageiros para trazê-la. Ela veio, e ele se deitou com ela. (Ela já se tinha purificado da sua imundície.) Então ela voltou para sua casa.

5 A mulher concebeu e mandou dizer a Davi: Estou grávida.

6 Pelo que Davi enviou esta mensagem a Joabe: Manda-me Urias, o heteu. Joabe enviou Urias a Davi.

7 Vindo Urias a ele, perguntou este como passava Joabe, como estava o povo e como ia a guerra.

8 Depois disse Davi a Urias: Desce à tua casa e lava os teus pés. E, saindo Urias do palácio real, logo recebeu um presente da mesa do rei.

9 Urias, porém, se deitou à porta do palácio real, com todos os servos do seu senhor, e não desceu à sua casa.

10 Fizeram-no saber a Davi, dizendo: Urias não desceu a sua casa. Então perguntou Davi a Urias: Não vens tu de uma jornada? Por que não desceste a tua casa?

11 Respondeu Urias a Davi: A arca, Israel e Judá estão em tendas, e Joabe, meu senhor, e os servos de meu senhor estão acampados ao relento. Como poderia eu entrar na minha casa, para comer e beber e para me deitar com minha mulher? Tão certo como tu vives, não farei tal coisa.

12 Então disse Davi a Urias: Fica ainda hoje aqui, e amanhã te despedirei. Assim Urias ficou em Jerusalém aquele dia e o seguinte.

13 Davi o convidou, e comeu e bebeu diante dele, e o embebedou. Mas à tarde, Urias saiu a deitar-se na sua cama com os servos de seu senhor; não desceu a sua casa.

**14** Pela manhã Davi escreveu uma carta a Joabe e a mandou por mão de Urias. **15** Escreveu na carta: Ponde Urias na frente da maior força da peleja. Então retirai-vos de detrás dele para que seja ferido e morra. **16** Tendo Joabe sitiado a cidade, pôs Urias no lugar onde sabia que estavam homens valentes. **17** Saindo os homens da cidade e pelejando com Joabe, caíram alguns do povo, dos servos de Davi; morreu também Urias, o heteu. **18** Então Joabe mandou dizer a Davi tudo o que acontecera na peleja. **19** Deu ordem ao mensageiro: Acabando tu de contar ao rei todo o sucesso desta peleja, **20** caso o rei se encolerize e te diga: Por que vos chegastes tão perto da cidade a pelejar? Não sabíeis vós que haviam de atirar do muro? **21** Quem feriu Abimeleque, filho de Jerubesete? Não lançou uma mulher sobre ele do muro uma pedra de moinho, de que morreu em Tebes? Por que vos chegastes ao muro? Então dirás: Também morreu teu servo Urias, o heteu. **22** Partiu o mensageiro e, chegando, fez saber a Davi tudo o que Joabe lhe mandara dizer. **23** Disse o mensageiro a Davi: Na verdade que mais poderosos foram aqueles homens do que nós e saíram contra nós ao campo, mas nós fomos contra eles, até a entrada da porta. **24** Então os flecheiros atiraram *contra os teus servos desde* o alto do muro, e morreram alguns dos servos do rei. E também morreu o teu servo Urias, o heteu. **25** Disse Davi ao mensageiro: Assim dirás a Joabe: Não te pareça isso mal aos teus olhos; a espada tanto devora este como aquele. Redobra o ataque contra a cidade e derrota-a. Anima-o tu assim. **26** Ouvindo a mulher de Urias que seu marido era morto, ela o pranteou. **27** Passado o luto, Davi mandou buscá-la e a recolheu em sua casa e ela lhe foi por mulher e lhe deu um filho. Mas o que Davi fizera desagradou ao Senhor.

### O profeta Natã repreende Davi

**12** O Senhor enviou Natã a Davi. Entrando ele na presença de Davi, disse-lhe: Havia numa cidade dois homens, um rico e outro pobre. **2** O rico tinha ovelhas e gado em grande número, **3** mas o pobre não tinha coisa nenhuma, senão uma pequena cordeira que comprara e criara, e que em sua casa crescera, com seus filhos. Do seu bocado comia, do seu copo bebia e dormia em seu regaço. Ele a tinha como filha. **4** Chegando um viajante ao homem rico, não quis este tomar das suas ovelhas e do gado para dar de comer ao viajante que viera a ele. Em vez disso, tomou a cordeira do pobre e a preparou para o homem que lhe havia chegado. **5** Então o furor de Davi se acendeu sobremaneira contra aquele homem, e disse a Natã: Tão certo como vive o Senhor, digno de morte é o homem que fez isso. **6** Pela cordeira restituirá o quádruplo, porque fez tal coisa e não se compadeceu. **7** Então disse Natã a Davi: Tu és esse homem. Assim diz o Senhor, o Deus de Israel: Eu te ungi rei sobre Israel e eu te livrei das mãos de Saul.

8 Dei-te a casa de teu senhor e as mulheres de teu senhor em teus braços. Também te dei a nação de Israel e de Judá, e, se isto fosse pouco, te acrescentaria muito mais.

9 Por que desprezaste a palavra do Senhor, fazendo o mal diante de seus olhos? A Urias, o heteu, mataste à espada, e a sua mulher tomaste por tua mulher. A ele mataste com a espada dos filhos de Amom.

10 Agora, portanto, a espada jamais se apartará da tua família, porque me desprezaste e tomaste a mulher de Urias, o heteu, para ser tua mulher.

11 Assim diz o Senhor: Eu suscitarei da tua própria casa o mal sobre ti, e tomarei tuas mulheres perante os teus olhos, e as darei a teu próximo, o qual se deitará com elas, à plena luz do dia.

12 Tu o fizeste em oculto, mas eu farei este negócio perante todo o Israel e à plena luz do dia.

13 Então disse Davi a Natã: Pequei contra o Senhor. Respondeu Natã: O Senhor perdoou o teu pecado. Não morrerás.

14 Como, porém, com este feito deste lugar a que os inimigos do Senhor blasfemem, o filho que te nasceu morrerá.

15 Depois que Natã foi para sua casa, o Senhor feriu a criança que a mulher de Urias dera a Davi, e ela caiu gravemente enferma.

16 Buscou Davi a Deus pela criança. Jejuou e, recolhendo-se, passava a noite toda prostrado em terra.

17 Os anciãos da sua casa foram ter com ele, para o levantar da terra, mas ele não quis e não comeu com eles.

18 Ao sétimo dia, a criança morreu. Temiam os servos de Davi dizer-lhe que a criança era morta, porque pensavam: Estando a criança ainda viva, lhe falávamos, mas não dava ouvidos à nossa voz. Como lhe diremos que a criança é morta? Ele poderá cometer um desatino.

19 Viu Davi que os seus servos falavam baixo e entendeu que a criança era morta. Perguntou a seus servos: É morta a criança? Eles responderam: É morta.

20 Então Davi se levantou da terra. Depois de ter-se lavado, ungido e trocado de roupa, entrou no templo do Senhor e adorou. Então foi para o seu palácio, e, a seu pedido, serviram-lhe pão, e ele comeu.

21 Perguntaram-lhe seus servos: Que é isso que fizeste? Pela criança viva jejuaste e choraste; mas, depois que a criança morreu, te levantaste e comeste pão.

22 Respondeu ele: Vivendo ainda a criança, jejuei e chorei, porque pensava: Quem sabe se o Senhor se compadecerá de mim, de modo que viva a criança?

23 Agora, porém, que é morta, por que jejuaria eu? Poderei eu fazê-la voltar? Eu irei a ela, mas ela não voltará para mim.

24 Então consolou Davi a Bate-Seba, sua mulher, entrou e se deitou com ela. Ela teve um filho a quem deram o nome de Salomão. E o Senhor o amou;

25 e porque o Senhor o amou, mandou, por intermédio do profeta Natã, dar-lhe o nome de Jedidias.

26 Entretanto pelejou Joabe contra Rabá, dos filhos de Amom, e tomou a cidade real.

27 Então mandou Joabe mensageiros a Davi, dizendo: Pelejei contra

Rabá e também tomei a cidade das águas.

**28** Ajunta agora o resto do povo, cerca a cidade e toma-a, para que eu não a tome e seja o meu nome aclamado sobre ela.

**29** Então ajuntou Davi todo o seu exército, marchou para Rabá, guerreou contra ela e a tomou.

**30** Tirou a coroa da cabeça do seu rei, cujo peso era de um talento de ouro, e havia nela pedras preciosas, e a colocaram na cabeça de Davi. Da cidade levou mui grande despojo.

**31** Trazendo os seus habitantes, colocou-os para trabalhar com serras, picaretas, machados de ferro, e em fornos de tijolos. Assim fez com todas as cidades dos filhos de Amom. Depois voltou Davi e todo o povo para Jerusalém.

### Amnom e Tamar

**13** Depois disto Amnom, filho de Davi, enamorou-se de Tamar, a formosa irmã de Absalão, filho de Davi.

**2** Angustiou-se Amnom, até adoecer, por Tamar, sua irmã, pois era virgem, e lhe parecia impossível fazer coisa alguma com ela.

**3** Ora, Amnom tinha um amigo, cujo nome era Jonadabe, filho de Simeia, irmão de Davi. Era Jonadabe homem muito sagaz.

**4** Este lhe perguntou: Por que tu, filho do rei, cada manhã estás tão abatido? Não me dirás por quê? Disse-lhe Amnom: Amo Tamar, irmã de Absalão, meu irmão.

**5** *Disse-lhe Jonadabe*: Deita-te na tua cama e finge-te doente. Quando teu pai te vier visitar, dize-lhe: Peço-te que minha irmã Tamar venha e me dê de comer pão, preparando a comida diante dos meus olhos, para que eu a veja e coma da sua mão.

**6** Assim deitou-se Amnom e fingiu-se doente. Vindo o rei visitá-lo, disse-lhe Amnom: Peço-te que minha irmã Tamar venha e prepare dois bolos diante dos meus olhos, para que eu coma de sua mão.

**7** Então Davi mandou dizer a Tamar em sua casa: Vai à casa de Amnom, teu irmão, e faze-lhe comida.

**8** Foi Tamar à casa de Amnom, seu irmão, que estava deitado. Ela tomou massa e, amassando-a, fez bolos e os assou diante dos seus olhos.

**9** Então tomou a panela e os tirou diante dele, mas ele recusou comer. Disse Amnom: Fazei retirar a todos da minha presença. E todos se retiraram.

**10** Então disse Amnom a Tamar: Traze a comida ao meu quarto, e comerei da tua mão. Tomou Tamar os bolos que fizera e os levou a Amnom, seu irmão, no quarto.

**11** Quando os ofereceu a Amnom, para que ele comesse, ele a agarrou e disse: Vem, deita-te comigo, minha irmã.

**12** Ela, porém, lhe disse: Não, meu irmão, não me forces. Não se faz assim em Israel. Não faças tal loucura.

**13** Aonde iria eu com a minha vergonha? E tu serias como um dos loucos de Israel. Agora peço-te que fales ao rei; ele não me negará a ti.

**14** Ele, porém, não quis dar ouvidos ao que ela dizia, e sendo mais forte do que ela, forçou-a e se deitou com ela.

**15** Então Amnom sentiu grande aversão por ela. De fato, era a aversão que sentiu por ela maior do que o amor com que a amara.

Disse-lhe Amnom: Levanta-te e vai-te.
**16** Então ela lhe disse: Não há razão de me despedires assim; maior seria este mal do que o outro que já me fizeste. Mas ele não lhe quis dar ouvidos.
**17** Chamou o moço que o servia e disse: Deita fora esta mulher e fecha a porta após ela.
**18** Trazia ela uma túnica ricamente ornamentada, porque assim se vestiam as filhas virgens dos reis. Mesmo assim o servo a colocou para fora, e fechou a porta após ela.
**19** Então Tamar tomou cinza sobre a cabeça, rasgou a túnica ornamentada que trazia, pôs as mãos sobre a cabeça e se foi andando e clamando.
**20** Absalão, seu irmão, perguntou-lhe: Esteve Amnom, teu irmão, contigo? Ora, minha irmã, cala-te; é teu irmão. Não se angustie o teu coração por isso. Assim ficou Tamar, uma mulher desolada, vivendo na casa de Absalão, seu irmão.
**21** Ouvindo o rei Davi todas estas coisas, muito se lhe acendeu a ira.
**22** Absalão não falou com Amnom, nem mal nem bem; ele odiava a Amnom, por ter violentado a Tamar, sua irmã.

### Absalão mata Amnom

**23** Passados dois anos inteiros, tendo Absalão tosquiadores em Baal-Hazor, que está junto a Efraim, convidou todos os filhos do rei.
**24** Foi Absalão até o rei e disse: O teu servo faz a tosquia. Peço que o rei e os seus servos venham com o teu servo.
**25** O rei respondeu a Absalão: Não, meu filho, não vamos todos juntos, para não te sermos pesados. Absalão insistiu com ele, todavia ele não quis ir, mas o abençoou.
**26** Então disse Absalão: Ao menos deixa ir conosco Amnom, meu irmão. Perguntou-lhe o rei: Para que iria ele contigo?
**27** Insistindo Absalão com o rei, este deixou Amnom ir com ele e todos os filhos do rei.
**28** Absalão deu ordem aos seus moços: Ouçam! Quando o coração de Amnom estiver alegre de vinho, e eu vos disser: Feri a Amnom, então o matareis. Não temais. Não sou eu quem vos dá essa ordem? Esforçai-vos e sede valentes.
**29** Os moços de Absalão fizeram a Amnom como Absalão lhes havia ordenado. Então todos os filhos do rei se levantaram e, montando cada um no seu mulo, fugiram.
**30** Iam eles ainda a caminho, quando chegou a notícia a Davi: Absalão matou todos os filhos do rei; não ficando nenhum deles.
**31** O rei se levantou, rasgou as suas vestes e se lançou por terra; e da mesma maneira todos os seus servos que lhe assistiam rasgaram as suas vestes.
**32** Jonadabe, filho de Simeia, irmão de Davi, porém, disse-lhe: Não pense meu senhor que mataram todos os seus filhos; só morreu Amnom. Assim já o tinha resolvido fazer Absalão, desde o dia em que ele violentou a Tamar, sua irmã.
**33** Não ponha o rei meu senhor tal coisa no seu coração, supondo que morreram todos os filhos do rei. Só morreu Amnom.
**34** Enquanto isso, Absalão fugiu. Ora, o moço que estava de guarda, levantando os olhos, viu que vinha muito povo pelo caminho por detrás dele, ao lado do monte.

**35** Disse Jonadabe ao rei: Vê, aí vêm os filhos do rei; conforme a palavra de teu servo, assim sucedeu.
**36** Acabando ele de falar, chegaram os filhos do rei e, levantando a voz, choraram. O rei e todos os seus servos também choraram amargamente.
**37** Absalão fugiu, e se foi a Talmai, filho de Amiur, rei de Gesur. Mas Davi pranteava a seu filho todos os dias.
**38** Absalão fugiu para Gesur e esteve ali três anos.
**39** Então o rei Davi sentiu saudades de Absalão, pois já se tinha consolado acerca da morte de Amnom.

### A volta de Absalão

**14** Conhecendo Joabe, filho de Zeruia, que o coração do rei estava inclinado para Absalão,
**2** mandou trazer de Tecoa uma mulher sábia e lhe disse: Ora, finge que estás de luto. Põe vestidos de luto, não te unjas com óleo e faze-te como uma mulher que há muitos dias está de luto por algum morto.
**3** Vai à presença do rei, e fala-lhe estas palavras. E Joabe lhe pôs as palavras na boca.
**4** A mulher tecoíta apresentou-se ao rei e, prostrando-se com o rosto em terra, fez-lhe uma reverência e disse: Salva-me, ó rei.
**5** Perguntou-lhe o rei: Que tens? Respondeu ela: Na verdade sou viúva; o meu marido morreu.
**6** *Tinha a tua serva dois filhos, os quais brigaram no campo. Não havendo quem os apartasse, um feriu ao outro e o matou.*
**7** Ora, toda a parentela se levantou contra a tua serva, dizendo: Dá-nos aquele que feriu seu irmão, para que o matemos pela vida de seu irmão, a quem ele matou, e para que destruamos também ao herdeiro. Assim apagarão a última brasa que me ficou, de sorte que não deixam a meu marido nome, nem remanescente na terra.
**8** Disse o rei à mulher: Vai para tua casa, e eu darei ordens a teu respeito.
**9** Disse a mulher tecoíta ao rei: A iniquidade, ó rei, meu senhor, venha sobre mim e sobre a casa de meu pai, e seja inculpável o rei e o seu trono.
**10** Respondeu o rei: Quem falar contra ti, traze-o a mim, e nunca mais te incomodará.
**11** Disse ela: Ora, lembre-se o rei do Senhor, o seu Deus, para que os vingadores do sangue não prossigam na destruição e não exterminem o meu filho. Disse ele: Tão certo como vive o Senhor, não há de cair no chão nem um cabelo de teu filho.
**12** Então disse a mulher: Permite que a tua serva fale uma palavra ao rei, meu senhor. Respondeu ele: Fala.
**13** Disse a mulher: Por que, pois, pensas tu tal coisa contra o povo de Deus? Falando o rei esta palavra, fica como culpado, visto que o rei não torna a trazer o seu desterrado.
**14** Certamente morreremos e seremos como águas derramadas na terra, que não podem ajuntar mais; Deus, porém, não tira a vida, mas cogita meios para que não fique banido dele o seu desterrado.
**15** E se agora vim falar esta palavra ao rei, meu senhor, é porque

o povo me atemorizou. Pensava a tua serva: Falarei ao rei; porventura ele fará segundo a palavra da sua serva.

16 Porventura o rei ouvirá, para livrar a sua serva da mão do homem que intenta exterminar da herança de Deus tanto a mim como a meu filho.

17 E agora diz a tua serva: Seja a palavra do rei, meu senhor, para o meu descanso, pois como um anjo de Deus, assim é o rei, meu senhor, para discernir entre o bem e o mal. O Senhor, o teu Deus, seja contigo.

18 Então disse o rei à mulher: Não me encubras o que eu te perguntar. Disse a mulher: Fale o rei, meu senhor.

19 Perguntou o rei: Não é verdade que a mão de Joabe anda contigo em tudo isso? Respondeu a mulher: Tão certo como vive a tua alma, ó rei, meu senhor, que ninguém se poderá desviar, nem para a direita nem para a esquerda, de tudo o que o rei, meu senhor, diz. Sim, Joabe, teu servo, é quem me deu ordem e foi ele quem pôs na boca da tua serva todas estas palavras.

20 Para mudar a feição deste caso foi que o teu servo Joabe fez isso. Mas sábio é meu senhor, conforme a sabedoria de um anjo de Deus, para entender tudo o que se passa na terra.

21 Disse o rei a Joabe: Muito bem, farei o que pedes. Vai e faze voltar o jovem Absalão.

22 Joabe prostrou-se com o rosto em terra e, fazendo uma reverência, abençoou o rei. Disse Joabe: Hoje conhece o teu servo que achei graça aos teus olhos, ó rei, meu senhor, porque o rei fez segundo a palavra do teu servo.

23 Então levantou-se Joabe, foi a Gesur e trouxe Absalão a Jerusalém.

24 Disse, porém, o rei: Torne para a sua casa e não veja a minha face. Tornou Absalão para sua casa e não viu a face do rei.

25 Não havia em todo o Israel homem tão admirado por sua beleza como Absalão. Da planta do pé ao alto da cabeça, não havia nele defeito algum.

26 Ao final de cada ano, Absalão cortava o cabelo, porque muito lhe pesava; o seu peso era de duzentos siclos, segundo o peso real.

27 Nasceram a Absalão três filhos e uma filha. O nome da filha era Tamar, e esta era mulher formosa à vista.

28 Assim ficou Absalão dois anos inteiros em Jerusalém, sem ver a face do rei.

29 Então mandou Absalão chamar Joabe, para o enviar ao rei, mas Joabe não quis vir a ele. Mandou chamá-lo segunda vez, mas ele não quis vir.

30 Então disse aos seus servos: Vede ali o pedaço de campo de Joabe pegado ao meu, e tem cevada nele. Ide e ponde-lhe fogo. E os servos de Absalão puseram fogo ao pedaço de campo.

31 Então Joabe se levantou e foi falar com Absalão, em casa, e lhe perguntou: Por que os teus servos puseram fogo ao pedaço de campo que é meu?

32 Respondeu Absalão a Joabe: Olha, enviei a ti, dizendo: Vem cá, para que te envie ao rei, a dizer-lhe: Para que vim de Gesur? Melhor me fora estar ainda lá. Agora, pois, veja eu a face do rei, e, se há em mim alguma culpa, que me mate.

33 Assim Joabe foi ao rei e disse-lhe essas palavras. Então o rei chamou Absalão, e ele entrou à presença do rei e se prostrou com o rosto em terra diante do rei. E o rei beijou Absalão.

### A revolta de Absalão

**15** Depois disto Absalão fez aparelhar para si um carro e cavalos e cinquenta homens que corressem adiante dele.
2 Levantando-se Absalão pela manhã, parava ao lado do caminho da porta. E todo homem que tinha alguma demanda para vir ao rei a juízo, Absalão o chamava a si e lhe dizia: De que cidade és tu? Respondendo ele: De tal tribo de Israel é teu servo,
3 Absalão lhe dizia: Olha, a tua causa é boa e reta, mas não tens quem te ouça da parte do rei.
4 Dizia mais Absalão: Ah! quem me dera ser juiz na terra para que viesse a mim todo homem que tivesse demanda ou questão, para que lhe fizesse justiça!
5 Também quando alguém se chegava a ele para fazer-lhe reverência, ele estendia a mão, o pegava e o beijava.
6 Desta maneira fazia Absalão a todo o Israel que vinha ao rei para juízo e, assim, furtava Absalão o coração dos homens de Israel.
7 Ao cabo de quatro anos, Absalão disse ao rei: Deixa-me ir pagar em Hebrom o meu voto que fiz ao Senhor.
8 Enquanto morava em Gesur, na Síria, fez o teu servo um voto, dizendo: *Se o Senhor me fizer tornar a Jerusalém, servirei ao Senhor.*
9 Disse-lhe o rei: Vai em paz. E ele levantou-se e foi para Hebrom.
10 Enviou Absalão espias por todas as tribos de Israel, dizendo: Quando ouvirdes o som das trombetas, direis: Absalão reina em Hebrom.
11 De Jerusalém foram com Absalão duzentos homens convidados, porém iam na sua simplicidade, pois nada sabiam daquele negócio.
12 Também Absalão mandou vir Aitofel, o gilonita, do conselho de Davi, à sua cidade de Giló, enquanto ele oferecia os seus sacrifícios. E a conspiração se fortificava, e crescia em número o povo que tomava o partido de Absalão.
13 Veio um mensageiro a Davi e disse: O coração de todo o Israel segue a Absalão.
14 Então disse Davi a todos os seus servos que estavam com ele em Jerusalém: Levantai-vos, e fujamos, porque não poderemos escapar de Absalão. Dai-vos pressa a sair, para que não se apresse ele, e nos alcance, e lance sobre nós algum mal, e fira a cidade a fio de espada.
15 Disseram-lhe os servos do rei: Os teus servos estão prontos para fazer tudo o que determinar o rei, nosso senhor.
16 Saiu o rei, com todos os da sua família, deixando, porém, dez concubinas para guardarem o palácio.
17 Tendo saído o rei com todo o povo, pararam em um lugar distante.
18 Todos os seus servos iam a seu lado, mas todos os quereteus, todos os peleteus e todos os giteus, seiscentos homens que o seguiram de Gate, caminhavam adiante do rei.
19 Disse o rei a Itai, o giteu: Por que irias tu também conosco? Volta e fica-te com o rei Absalão. Tu és estrangeiro e exilado; torna a teu lugar.

**20** Ontem vieste, e te levaria eu hoje conosco a vaguear, quando eu mesmo não sei para onde vou? Volta e leva contigo os teus irmãos. A misericórdia e a fidelidade sejam contigo.
**21** Respondeu, porém, Itai ao rei: Tão certo como vive o Senhor, e como vive o rei meu senhor, no lugar em que estiver o rei meu senhor, seja para morte, seja para vida, aí certamente estará também o teu servo.
**22** Então disse Davi a Itai: Vem e passa adiante. Assim, passou Itai, o giteu, todos os seus homens e todas as crianças que estavam com ele.
**23** Toda a terra chorava em alta voz, enquanto todo o povo passava. O rei atravessou o vale do Cedrom, e todo o povo caminhava na direção do deserto.
**24** Zadoque, o sacerdote, também estava com eles, e todos os levitas que estavam com ele levavam a arca da aliança de Deus. Puseram a arca de Deus no chão, e Abiatar ofereceu sacrifícios até que todo o povo acabou de sair da cidade.
**25** Então disse o rei a Zadoque: Torna a levar a arca de Deus à cidade. Se eu achar graça aos olhos do Senhor, ele me fará voltar para lá, e me deixará ver a arca e a sua habitação.
**26** Se ele, porém, disser: Não tenho prazer em ti, então estou pronto, faça de mim como parecer bem aos seus olhos.
**27** Disse mais o rei a Zadoque, o sacerdote: Não és tu vidente? Torna em paz para a cidade, e contigo também o teu filho Aimaás e Jônatas, filho de Abiatar.
**28** Olhai que me demorarei nos vaus do deserto até que tenha notícias vossas.
**29** Assim Zadoque e Abiatar tornaram a levar para Jerusalém a arca de Deus e ficaram ali.
**30** Davi, porém, seguiu pela encosta das Oliveiras, subindo e chorando; tinha a cabeça coberta e caminhava com os pés descalços. Todo o povo que ia com ele tinha a cabeça coberta e subia chorando sem cessar.
**31** Então fizeram saber a Davi, dizendo: Aitofel está entre os que conspiram com Absalão. Pelo que disse Davi: Ó Senhor, torna o conselho de Aitofel em loucura!
**32** Chegando Davi ao cume, onde se costumava adorar a Deus, Husai, o arquita, veio encontrar-se com ele, com o manto rasgado e terra sobre a cabeça.
**33** Disse-lhe Davi: Se fores comigo, serás para mim um peso.
**34** Se voltares para a cidade, porém, e disseres a Absalão: Eu serei, ó rei, teu servo, como fui antes servo de teu pai, assim agora serei teu servo, me ajudarás, dissipando então o conselho de Aitofel.
**35** Não estão ali contigo os sacerdotes Zadoque e Abiatar? Portanto, tudo o que ouvires do palácio do rei, farás saber a esses sacerdotes.
**36** Estão também ali com eles os seus dois filhos, Aimaás, filho de Zadoque, e Jônatas, filho de Abiatar. Por meio deles me mandareis notícias de todas as coisas que ouvirdes.
**37** Assim Husai, amigo de Davi, veio para a cidade, e Absalão entrou em Jerusalém.

### Ziba e Simei

**16** Tendo Davi passado um pouco além do cume, ali estava Ziba, o moço de Mefibosete, esperando para encontrar-se com ele, com um par de jumentos albardados e sobre eles duzentos pães, cem cachos de passas, cem de frutas de verão e um odre de vinho.

**2** Perguntou o rei a Ziba: Que pretendes com isso? Respondeu Ziba: Os jumentos são para a família do rei, para se montarem neles, e o pão e as frutas de verão para os moços comerem, e o vinho para os cansados no deserto beberem.

**3** Então perguntou o rei: Onde está o filho de teu senhor? Respondeu-lhe Ziba: Ficou em Jerusalém, porque pensa: Hoje os israelitas me restituirão o reino de meu pai.

**4** Então disse o rei a Ziba: Tudo o que pertencia a Mefibosete é teu. Disse Ziba: Inclino-me humildemente e ache mercê aos teus olhos, ó rei, meu senhor.

**5** Tendo o rei Davi chegado a Baurim, dali saiu um homem do clã da família de Saul, cujo nome era Simei, filho de Gera. E, saindo, ia amaldiçoando.

**6** Atirava pedras contra Davi e todos os seus servos, ainda que todo o povo e todos os valentes iam à direita e à esquerda do rei.

**7** Amaldiçoando-o, dizia Simei: Sai, sai, homem de sangue, homem de Belial!

**8** O Senhor te deu agora a paga de todo o sangue derramado da família de Saul, em cujo lugar tens reinado. O Senhor entregou o reino na mão de Absalão, teu filho. Tu estás na desgraça, porque és *homem de sangue*.

**9** Então disse Abisai, filho de Zeruia, ao rei: Por que amaldiçoaria esse cão morto ao rei meu senhor? Deixa-me passar, e lhe tirarei a cabeça.

**10** Respondeu, porém, o rei: Que tenho eu convosco, filhos de Zeruia? Se ele está amaldiçoando porque o Senhor lhe disse: Amaldiçoa a Davi, quem diria: Por que assim fazes?

**11** Disse Davi a Abisai e a todos os seus servos: Meu filho, que saiu das minhas entranhas, procura tirar-me a vida. Quanto mais ainda esse benjamita? Deixai-o; que amaldiçoe, pois o Senhor lhe ordenou.

**12** Porventura o Senhor olhará para a minha aflição e me pagará com bem a maldição deste dia.

**13** Prosseguiam o seu caminho Davi e os seus homens; também Simei ia ao longo do monte, em frente dele, caminhando e amaldiçoando, e atirava pedras contra ele, e levantava poeira.

**14** O rei e todo o povo que ia com ele chegaram cansados ao seu destino e refrescaram-se ali.

**15** Absalão e todos os homens de Israel vieram a Jerusalém, e Aitofel estava com ele.

**16** Chegando Husai, o arquita, amigo de Davi, a Absalão, disse-lhe: Viva o rei, viva o rei!

**17** Absalão perguntou a Husai: É esta a tua benevolência para com o teu amigo? Por que não foste com o teu amigo?

**18** Respondeu Husai a Absalão: Não, mas àquele a quem o Senhor eleger, e todo este povo e todos os homens de Israel, dele serei e com ele ficarei.

**19** Além disto, a quem serviria eu? Não seria a seu filho? Como servi a teu pai, assim servirei a ti.

**20** Disse Absalão a Aitofel: Dai o vosso conselho sobre o que devemos fazer.

**21** Respondeu Aitofel: Entra às concubinas de teu pai, que deixou para guardarem o palácio. Então todo o Israel ouvirá que te fizeste aborrecível para com teu pai, e se fortalecerão as mãos de todos os que estão contigo.

22 Portanto, estenderam para Absalão uma tenda no terraço, e entrou ele às concubinas de seu pai, à vista de todo o Israel.

23 Ora, o conselho que Aitofel dava naqueles dias era como resposta de Deus a uma consulta. Tal era o conselho de Aitofel, assim para Davi como para Absalão.

### Aitofel e Husai

**17** Disse Aitofel a Absalão: Deixa-me escolher doze mil homens, e me levantarei, e perseguirei Davi esta noite.

2 Irei sobre ele, pois está cansado e fraco de mãos. Eu o espantarei e fugirá todo o povo que está com ele. Então ferirei só o rei.

3 Farei tornar a ti todo o povo. Da morte do homem a quem procuras depende a volta de todos; assim todo o povo estará em paz.

4 Esta palavra pareceu boa aos olhos de Absalão e aos olhos de todos os anciãos de Israel.

5 Disse, porém, Absalão: Chamai agora a Husai, o arquita, e ouçamos também o que ele dirá.

6 Chegando Husai a Absalão, este lhe disse: Desta maneira falou Aitofel. Faremos conforme a sua palavra? Se não, fala tu.

7 Então disse Husai a Absalão: O conselho que Aitofel deu desta vez não é bom.

8 Disse mais Husai: Bem conheces o teu pai, e o seus homens, que são valentes e que estão com o espírito amargurado, como a ursa no campo, roubada dos filhotes. Além do mais, teu pai é homem de guerra e não passará a noite com o povo.

9 Agora mesmo está escondido nalguma caverna, ou em qualquer outro lugar. Caindo alguns dos teus homens no primeiro ataque, cada um que o ouvir dirá: Houve derrota no povo que segue a Absalão.

10 Então até o homem valente, cujo coração é como o de leões, sem dúvida temerá, pois todo o Israel sabe que teu pai é valoroso, e que são valentes os que estão com ele.

11 Eu, porém, aconselho que com toda a pressa se ajunte a ti todo o Israel desde Dã até Berseba, em multidão como a areia do mar; e que tu em pessoa vás à peleja.

12 Então iremos a ele, em qualquer lugar em que se achar, e facilmente cairemos sobre ele, como o orvalho cai sobre a terra. Ele não escapará e nenhum dos homens que com ele estão, nem sequer um.

13 Se ele se retirar para alguma cidade, todo o Israel levará cordas para lá, e arrastaremos aquela cidade até o ribeiro, até que não se ache ali nem uma só pedrinha.

14 Então disseram Absalão e todos os homens de Israel: Melhor é o conselho de Husai, o arquita, do que o de Aitofel. Pois assim o Senhor o ordenara, para aniquilar o bom conselho de Aitofel, para trazer o mal sobre Absalão.

15 Disse Husai a Zadoque e a Abiatar, sacerdotes: Assim e assim aconselhou Aitofel a Absalão e aos anciãos de Israel, mas assim e assim aconselhei eu.

16 Agora mandai apressadamente avisar Davi, dizendo: Não passes esta noite nos vaus do deserto,

mas passa sem falta ao outro lado, para que o rei e todo o povo que com ele está não seja destruído. **17** Estavam Jônatas e Aimaás junto à fonte de En-Rogel. Foi uma criada, e lhes avisou, para que fossem e dissessem ao rei Davi, pois não podiam ser vistos entrar na cidade. **18** Viu-os, porém, um moço e avisou a Absalão. Pelo que ambos partiram apressadamente e entraram na casa de um homem, em Baurim, o qual tinha no pátio de sua casa um poço, para o qual desceram. **19** A mulher desse homem tomou a tampa, colocou-a sobre a boca do poço e espalhou grãos triturados sobre ela. Assim nada se soube. **20** Chegando os servos de Absalão àquela casa, perguntaram à mulher: Onde estão Aimaás e Jônatas? Respondeu-lhes a mulher: Já passaram o vau das águas. E, havendo-os procurado, sem os achar, voltaram para Jerusalém. **21** Depois que os homens partiram, os dois saíram do poço e foram anunciá-lo a Davi. Disseram: Levantai-vos e passai depressa as águas; assim e assim aconselhou contra vós Aitofel. **22** Então levantou-se Davi e todo o povo que com ele estava e passaram o Jordão. Ao amanhecer, não faltava nem um só que não tivesse passado o Jordão. **23** Vendo Aitofel que não se havia seguido o seu conselho, selou o jumento e partiu, foi para casa, para a sua cidade. Pôs em *ordem a sua casa e se enforcou.* Morreu e foi sepultado na sepultura do seu pai. **24** Veio Davi a Maanaim, e Absalão passou o Jordão, ele e todos os homens de Israel com ele.

**25** Absalão colocou Amasa em lugar de Joabe sobre o exército. Era Amasa filho de um homem cujo nome era Itra, o ismaelita, que possuíra Abigail, filha de Naás, irmã de Zeruia, mãe de Joabe. **26** Israel e Absalão acamparam-se na terra de Gileade. **27** Tendo Davi chegado a Maanaim, Sobi, filho de Naás, de Rabá, dos filhos de Amom, e Maquir, filho de Amiel, de Lo-Debar, e Barzilai, o gileadita, de Rogelim, **28** tomaram camas, bacias, vasilhas de barro, trigo, cevada, farinha, grão torrado, favas e lentilhas, **29** mel, manteiga, ovelhas e queijos de vacas e os trouxeram a Davi e ao povo que com ele estava, para comerem. Pois disseram: Este povo no deserto está faminto, cansado e sedento.

### Derrota e morte de Absalão

**18** Contou Davi o povo que tinha consigo e pôs sobre eles capitães de mil e capitães de cem. **2** Davi enviou o povo, um terço sob o comando de Joabe, outro terço sob o comando de Abisai, filho de Zeruia, irmão de Joabe, e outro terço sob o comando de Itai, o giteu. Disse o rei ao povo: Eu mesmo sairei convosco. **3** O povo, porém, disse: Não sairás; se formos obrigados a fugir, não se importarão conosco. Ainda que metade de nós morra, não se importarão; mas tu vales por dez mil de nós. Melhor te será que da cidade nos mandes socorro. **4** Respondeu-lhes o rei: O que bem parecer aos vossos olhos, farei. Assim o rei se pôs ao lado da porta, e todo o povo saiu em centenas e em milhares.

5 Deu ordem o rei a Joabe, a Abisai e a Itai: Tratai brandamente, por amor de mim, o jovem Absalão. E todo o povo ouviu quando o rei deu ordem a todos os capitães acerca de Absalão.
6 Saiu o povo ao campo, a encontrar-se com Israel, e deu-se a batalha no bosque de Efraim.
7 Ali foi derrotado o povo de Israel diante dos servos de Davi; e, naquele dia, houve ali um grande morticínio de vinte mil homens.
8 Estendeu-se a batalha por toda aquela região; e o bosque, naquele dia, consumiu mais gente do que a espada.
9 Encontrou-se Absalão por acaso com os servos de Davi. Absalão ia montado num mulo e, entrando o mulo debaixo dos espessos ramos de um grande carvalho, pegou-se a cabeça de Absalão no carvalho. Ele ficou pendurado entre o céu e a terra, e o mulo que estava debaixo dele, passou adiante.
10 Vendo isso um homem, disse a Joabe: Acabo de ver a Absalão pendurado em um carvalho.
11 Então disse Joabe ao homem: O quê? Tu o viste? Por que não o derrubaste logo por terra? Então eu te teria dado dez siclos de prata e um cinto.
12 Respondeu, porém, aquele homem: Ainda que eu pudesse pesar nas minhas mãos mil siclos de prata, não levantaria a minha mão contra o filho do rei. Bem ouvimos que o rei deu ordem a ti, a Abisai e a Itai, dizendo: Guardai-vos, cada um, de tocar no jovem Absalão.
13 Se eu tivesse procedido traiçoeiramente contra a vida dele, nada disso se esconderia ao rei, e tu mesmo te oporias.
14 Disse Joabe: Não vou perder tempo assim contigo. E, tomando três dardos, trespassou com eles o coração de Absalão, estando ele ainda vivo no meio do carvalho.
15 Cercaram-no dez jovens, que levavam as armas de Joabe, feriram a Absalão e o mataram.
16 Então tocou Joabe a trombeta, e o povo voltou de perseguir Israel, pois Joabe deteve o povo.
17 Pegaram Absalão, lançaram-no numa grande cova, no bosque, e levantaram sobre ele um grande montão de pedras. E todo o Israel fugiu, cada um para a sua tenda.
18 Absalão, quando ainda vivia, tinha levantado para si uma coluna, que está no vale do rei, pois pensava: Não tenho nenhum filho para conservar a memória do meu nome. E deu o seu próprio nome à coluna, pelo que até o dia de hoje se chama o Pilar de Absalão.

**Davi é avisado da morte de Absalão**

19 Ora, disse Aimaás, filho de Zadoque: Deixa-me correr e anunciarei ao rei que o Senhor o livrou do poder de seus inimigos.
20 Disse-lhe Joabe: Tu não serás hoje o portador das novas. Outro dia as levarás, mas hoje não darás a nova, porque é morto o filho do rei.
21 Disse Joabe a um etíope: Vai tu e dize ao rei o que viste. O etíope se inclinou diante de Joabe e saiu correndo.
22 Insistiu Aimaás, filho de Zadoque: Seja o que for, deixa-me também correr após o etíope. Mas Joabe respondeu: Por que correrias tu, meu filho? Não receberás nenhuma recompensa pelas notícias?
23 Seja o que for, disse Aimaás, correrei. Disse-lhe Joabe: Corre.

Aimaás correu pelo caminho da planície e passou adiante do etíope. **24** Davi estava assentado entre as duas portas, e a sentinela subiu ao terraço da porta junto ao muro e, levantando os olhos, viu um homem que corria só.

**25** Gritou a sentinela, e o disse ao rei. O rei respondeu: Se vem só, deve trazer boas notícias. E o mensageiro aproximava-se cada vez mais.

**26** Viu a sentinela outro homem que corria; então gritou ao porteiro e disse: Olha, lá vem outro homem correndo só. Disse o rei: Também esse traz boas notícias.

**27** Disse a sentinela: Vejo o correr do primeiro, que parece ser o correr de Aimaás, filho de Zadoque. Disse o rei: Este é homem de bem, e virá com boas-novas.

**28** Então gritou Aimaás e disse ao rei: Paz. Inclinou-se ao rei com o rosto em terra e disse: Bendito seja o Senhor, o teu Deus, que entregou os homens que levantaram a mão contra o rei meu senhor.

**29** Perguntou o rei: Vai bem o jovem Absalão? Respondeu Aimaás: Vi um grande alvoroço, quando Joabe mandou o servo do rei, e a mim, teu servo, porém não sei o que era.

**30** Disse o rei: Põe-te aqui ao lado. Ele se pôs ao lado e esperou.

**31** Nisso chegou o etíope e disse: Ouve, senhor meu rei, a boa notícia. Hoje o Senhor te livrou do poder de todos os que se levantaram contra ti.

**32** *Perguntou o rei ao etíope:* Vai bem o jovem Absalão? Respondeu o etíope: Sejam como aquele jovem os inimigos do rei meu senhor, e todos os que se levantam contra ti para te fazerem mal.

**33** Então o rei, profundamente comovido, subiu à sala que estava por cima da porta e chorou. E andando, dizia: Meu filho Absalão, meu filho, meu filho Absalão! Quem me dera que eu morrera por ti, Absalão, meu filho, meu filho!

### O lamento de Davi e a censura de Joabe

**19** Disseram a Joabe: O rei anda chorando e lastimando-se por Absalão.

**2** E a vitória se tornou naquele mesmo dia em tristeza para todo o povo, porque nesse dia o povo ouviu dizer: O rei está muito triste por causa de seu filho.

**3** Nesse dia, o povo entrou às furtadelas na cidade, como o faz quando, envergonhado, foge da peleja.

**4** Estava o rei com o rosto coberto e clamava em alta voz: Meu filho Absalão, Absalão meu filho, meu filho!

**5** Então entrou Joabe no palácio do rei e disse: Hoje envergonhaste a face de todos os teus servos, que livraram a tua vida, e a vida de teus filhos, e de tuas filhas, e a vida de tuas mulheres, e a vida de tuas concubinas.

**6** Tu amas aos que te aborrecem e aborreces aos que te amam. Hoje dás a entender que nada valem para ti capitães e servos. Entendo que se Absalão vivesse hoje, e todos nós fôssemos mortos, estarias contente.

**7** Levanta-te, agora, sai e fala ao coração de teus servos. Pelo Senhor te juro que se não saíres, nem um só homem ficará contigo esta noite. E maior mal te será isso do que todo o mal que tem vindo sobre ti desde a tua mocidade até agora.

8 Então o rei se levantou, e se assentou à porta, e o fizeram saber a todo o povo: O rei está assentado à porta. Todo o povo veio apresentar-se diante do rei. Ora, Israel havia fugido, cada um para a sua tenda.
9 Todo o povo, em todas as tribos de Israel, andava discutindo entre si, dizendo: O rei nos livrou das mãos de nossos inimigos; foi ele que nos livrou das mãos dos filisteus. Mas agora fugiu da terra por causa de Absalão;
10 e Absalão, a quem ungimos sobre nós, morreu na peleja. Portanto, por que vos calais e não fazeis voltar o rei?

### Davi retorna a Jerusalém

11 Então o rei Davi mandou dizer a Zadoque e a Abiatar, sacerdotes: Dizei às autoridades de Judá: Por que seríeis vós os últimos em tornar a trazer o rei para o seu palácio, visto que as palavras de todo o Israel têm chegado aos ouvidos do rei?
12 Vós sois meus irmãos, meu osso e minha carne. Por que seríeis os últimos em tornar a trazer o rei?
13 A Amasa direis: Não és tu meu osso e minha carne? Assim me faça Deus, e outro tanto, se não fores comandante do exército diante de mim para sempre, em lugar de Joabe.
14 Assim moveu ele o coração de todos os homens de Judá, como se fosse o de um só homem. Mandaram dizer ao rei: Volta, com todos os teus servos.
15 Então o rei voltou e chegou até o Jordão. Ora, Judá veio a Gilgal, para encontrar-se com o rei, a fim de fazê-lo passar o Jordão.

16 Apressou-se Simei, filho de Gera, benjamita, que era de Baurim, e desceu com os homens de Judá a encontrar-se com o rei Davi.
17 Com ele mil homens de Benjamim, como também Ziba, servo da casa de Saul, seus quinze filhos e seus vinte servos com ele. Desceram apressadamente ao Jordão onde estava o rei
18 e atravessaram o rio para ajudar a família do rei na travessia e fazer o que aprouvesse a ele. Então Simei, filho de Gera, prostrou-se diante do rei
19 e lhe disse: Não me imputes, senhor, a minha culpa e não te lembres do que tão perversamente fez teu servo, no dia em que o rei meu senhor saiu de Jerusalém. Não o conserves, ó rei, no coração.
20 Pois eu, teu servo, deveras confesso que pequei, mas hoje sou o primeiro, de toda a tribo de José, a descer ao encontro do rei meu senhor.
21 Então disse Abisai, filho de Zeruia: Não morreria Simei por haver amaldiçoado o ungido do Senhor?
22 Respondeu Davi: Que tenho eu convosco, filhos de Zeruia, para que hoje me sejais adversários? Morreria alguém hoje em Israel? Não sei eu que hoje sou rei sobre Israel?
23 Então disse o rei a Simei: Não morrerás. E o rei o jurou.

### Mefibosete e Barzilai

24 Também Mefibosete, filho de Saul, desceu ao encontro do rei. Não tinha cuidado dos pés nem feito a barba nem lavado as vestes desde o dia em que o rei saíra até o dia em que voltou em paz.
25 Chegando ele a Jerusalém para encontrar-se com o rei, este lhe

perguntou: Por que não foste comigo, Mefibosete?

26 Respondeu ele: Ó rei meu senhor, o meu servo me enganou. O teu servo dizia: Selarei um jumento, montarei nele e irei com o rei; pois o teu servo é coxo.

27 Além disso ele falsamente acusou o teu servo diante do rei meu senhor. Mas o rei meu senhor é como um anjo de Deus; faze, pois, o que bem te parecer.

28 Toda a casa de meu pai não era senão de homens dignos de morte diante do rei meu senhor, mas puseste a teu servo entre os que comem à tua mesa. Portanto, que direito tenho de clamar ao rei?

29 Respondeu-lhe o rei: Por que falas ainda de teus negócios? Já decidi: Tu e Ziba repartireis as terras.

30 Disse Mefibosete ao rei: Que ele fique com tudo, uma vez que o rei meu senhor já voltou em paz a sua casa.

31 Também Barzilai, o gileadita, desceu de Rogelim e passou com o rei o Jordão, para acompanhá-lo ao outro lado do rio.

32 Ora, Barzilai era muito velho, da idade de oitenta anos. Ele tinha sustentado o rei, quando este estava em Maanaim, pois era homem muito rico.

33 Disse o rei a Barzilai: Passa tu comigo e eu te sustentarei em Jerusalém.

34 Barzilai, porém, disse ao rei: Quantos serão os dias dos anos da minha vida, para que suba com *o rei a Jerusalém?*

35 Da idade de oitenta anos sou eu hoje. Poderia eu discernir entre o bom e o mau? Poderia o teu servo ter gosto no que come e no que bebe? Poderia eu ainda ouvir a voz dos cantores e das cantoras? Por que seria o teu servo ainda pesado ao rei meu senhor?

36 Com o rei irá teu servo ainda um pouco mais além do Jordão. Por que o rei me daria tal recompensa?

37 Deixa voltar o teu servo, para que eu morra na minha cidade junto à sepultura de meu pai e de minha mãe. Mas aqui está o teu servo Quimã. Passe ele com o rei meu senhor e faze-lhe o que bem parecer aos teus olhos.

38 Respondeu o rei: Quimã passará comigo, e eu lhe farei como bem parecer aos teus olhos. E tudo o que me pedires te farei.

39 Havendo todo o povo passado o Jordão, e passando também o rei, beijou o rei a Barzilai e o abençoou, e Barzilai voltou para o seu lugar.

40 Dali passou o rei a Gilgal, e Quimã passou com ele. Todo o povo de Judá, com a metade do povo de Israel, conduziu o rei.

41 Logo todos os homens de Israel vieram ao rei e lhe disseram: Por que te furtaram nossos irmãos, os homens de Judá, e conduziram o rei e a sua família através do Jordão, e todos os homens de Davi com eles?

42 Então responderam todos os homens de Judá aos homens de Israel: Porque o rei é nosso parente. Por que vos irais por isso? Porventura comemos à custa do rei ou nos deu algum presente?

43 Responderam os homens de Israel aos homens de Judá: Dez partes temos no rei; e mais temos em Davi do que vós. Portanto, por que fizestes pouca conta de nós? Não foi a nossa palavra a primeira para tornar a trazer o nosso rei?

Mas a palavra dos homens de Judá foi mais forte do que a palavra dos homens de Israel.

## A revolta de Seba

**20** Ora, achou-se ali por acaso um homem de Belial, cujo nome era Seba, filho de Bicri, homem de Benjamim, o qual tocou a trombeta e disse:

Não temos parte em Davi,
nem herança no filho
de Jessé.
Cada um à sua tenda, ó Israel!

2 Então todos os homens de Israel se separaram de Davi e seguiram a Seba, filho de Bicri. Mas os homens de Judá seguiram ao seu rei desde o Jordão até Jerusalém.

3 Vindo Davi para o seu palácio, em Jerusalém, pegou o rei as suas dez concubinas, que deixara para guardar o palácio, e as pôs numa casa, sob guarda. Ele as sustentava, mas não coabitou com elas. E estiveram assim confinadas até o dia da sua morte, vivendo como viúvas.

4 Então disse o rei a Amasa: Convoca-me para dentro de três dias os homens de Judá e apresenta-te aqui.

5 Foi Amasa para convocar Judá, mas demorou-se além do tempo que o rei lhe tinha designado.

6 Disse Davi a Abisai: Mais mal agora nos fará Seba, filho de Bicri, do que Absalão. Toma os servos de teu senhor e persegue-o, para que não ache para si cidades fortificadas e escape de nós.

7 Então saíram atrás dele os homens de Joabe, e os quereteus, e os peleteus, e todos os valentes. Saíram de Jerusalém para perseguirem Seba, filho de Bicri.

8 Chegando eles à pedra grande que está junto a Gibeom, Amasa veio ao seu encontro. Estava Joabe cingido das suas vestes de guerra e sobre ela um cinto com a espada presa aos seus lombos, na sua bainha. Adiantando-se ele, a espada caiu da bainha.

9 Disse Joabe a Amasa: Vais bem, meu irmão? Então Joabe, com a mão direita, pegou da barba de Amasa, para o beijar.

10 Amasa não percebeu a espada que estava na mão de Joabe, de sorte que este o feriu com ela no ventre e lhe derramou por terra as entranhas. Não foi necessário feri-lo uma segunda vez, e morreu. Então Joabe e Abisai, seu irmão, perseguiram a Seba, filho de Bicri.

11 Um, porém, entre os moços de Joabe, parou junto de Amasa e disse: Quem favorece a Joabe, e quem é por Davi, siga a Joabe.

12 Amasa se revolvia no seu sangue no meio do caminho, e viu aquele homem que todo o povo parava. Percebendo que todo aquele que chegava a Amasa parava, removeu-o do caminho para o campo e lançou sobre ele um manto.

13 Uma vez removido Amasa do caminho, todos os homens seguiram a Joabe, para perseguirem a Seba, filho de Bicri.

14 Seba passou por todas as tribos de Israel até Abel-Bete-Maaca, e todos os beritas, ajuntando-se, também o seguiram.

15 Vieram Joabe e os homens, e o cercaram em Abel-Bete-Maaca, e levantaram contra a cidade um montão, que chegava até o muro. E todo o povo que estava com Joabe batia no muro, para derrubá-lo.

16 Então uma mulher sábia gritou de dentro da cidade: Ouvi,

ouvi! Dizei a Joabe: Chega-te cá, para que eu te fale.

**17** Aproximando-se ele, perguntou a mulher: És tu Joabe? Respondeu ele: Eu sou. Ela lhe disse: Ouve as palavras de tua serva. Disse ele: Ouço. **18** Continuou ela: Antigamente costumava-se dizer: Peça-se conselho em Abel; e assim punha-se fim às questões.

**19** Somos os pacíficos e fiéis em Israel. Tu procuras destruir uma cidade que é mãe em Israel. Por que devorarias a herança do Senhor? **20** Respondeu Joabe: Longe, longe de mim que eu tal faça, que eu devore ou arruíne! **21** A coisa não é assim. Um só homem da região montanhosa de Efraim, cujo nome é Seba, filho de Bicri, levantou a mão contra o rei, contra Davi. Entregai-me só este, e me retirarei da cidade. Disse a mulher a Joabe: A cabeça dele te será lançada pelo muro. **22** Então a mulher, na sua sabedoria, foi ter com todo o povo, e cortaram a cabeça de Seba, filho de Bicri, e a lançaram a Joabe. Assim tocou este a trombeta e se retiraram da cidade, cada um para sua tenda. E Joabe voltou a Jerusalém, ao rei. **23** Estava Joabe sobre todo o exército de Israel; Benaia, filho de Joiada, sobre os quereteus e os peleteus; **24** Adorão sobre os que estavam sujeitos a trabalhos forçados; Josafá, filho de Ailude, era o cronista; **25** Seva era o escrivão; Zadoque e Abiatar, os sacerdotes; **26** e Ira, o jairita, era ministro de Davi.

### Fome em Israel

**21** Houve, nos dias de Davi, uma fome de três anos consecutivos. Consultou Davi o Senhor, e o Senhor lhe disse: É por causa de Saul e da sua família sanguinária; porque matou os gibeonitas. **2** Chamou o rei os gibeonitas e lhes falou. Ora, os gibeonitas não eram dos filhos de Israel, mas do restante dos amorreus; os filhos de Israel lhes tinham jurado poupá-los, mas Saul procurou destruí-los no seu zelo pelos filhos de Israel e de Judá.

**3** Perguntou Davi aos gibeonitas: Que quereis que eu vos faça? Como hei de reparar o que sofrestes, para que abençoeis a herança do Senhor? **4** Responderam-lhe os gibeonitas: Não é por prata nem ouro que temos questão com Saul e com a sua família, tampouco pretendemos matar pessoa alguma em Israel. Perguntou Davi: Que quereis que vos faça? **5** Responderam ao rei: Quanto ao homem que nos destruiu e projetou dizimar-nos, para que não pudéssemos subsistir em termo algum de Israel, **6** de seus filhos se nos deem sete homens, para que os enforquemos ao Senhor em Gibeá de Saul, o eleito do Senhor. E o rei disse: Eu os darei.

**7** O rei, porém, poupou a Mefibosete, filho de Jônatas, filho de Saul, por causa do juramento do Senhor, que entre eles houvera, isto é, entre Davi e Jônatas, filho de Saul. **8** Tomou o rei os dois filhos de Rispa, filha de Aiá, que ela tivera de Saul, a saber, a Armoni e a Mefibosete, como também os cinco filhos de Merabe, filha de Saul, que ela tivera de Adriel, filho de Barzilai, meolatita, **9** e os entregou na mão dos gibeonitas, os quais os enforcaram no monte, perante o Senhor. Caíram os sete juntamente; foram mortos nos dias da colheita, nos dias primeiros, no início da colheita de cevada.

**10** Então Rispa, filha de Aiá, tomou um pano de saco, estendeu-o para si sobre uma rocha. Desde o início da colheita, até que a chuva caiu sobre os corpos, não deixou as aves do céu pousar sobre eles de dia, nem os animais do campo de noite.

**11** Foi dito a Davi o que fizera Rispa, filha de Aiá, concubina de Saul.

**12** Então foi Davi e tomou os ossos de Saul e de Jônatas, seu filho, dos moradores de Jabes-Gileade, que os haviam furtado da praça de Bete-Seã, onde os filisteus os tinham pendurado quando feriram Saul em Gilboa.

**13** Davi trouxe dali os ossos de Saul e os de Jônatas, seu filho, e ajuntaram também os ossos dos enforcados.

**14** Enterraram os ossos de Saul e de Jônatas, seu filho, na terra de Benjamim, em Zela, na sepultura de Quis, seu pai, e fizeram tudo o que o rei ordenara. Depois disso Deus se aplacou para com a terra.

### Quatro batalhas contra os filisteus

**15** Uma vez mais houve guerra entre os filisteus e Israel. Desceu Davi, e com ele os seus servos, para pelejarem contra os filisteus; e Davi se cansou.

**16** E Isbi-Benobe, que era dos filhos do gigante, cuja lança de bronze pesava trezentos siclos, e que cingia uma espada nova, intentou matar a Davi.

**17** Abisai, filho de Zeruia, porém, o socorreu, feriu o filisteu e o matou. Então os homens de Davi lhe juraram, dizendo: Nunca mais sairás conosco à peleja, para que não apagues a lâmpada de Israel.

**18** Depois disso, houve em Gobe ainda outra peleja contra os filisteus. Nessa ocasião, Sibecai, o husatita, matou Safe, que era dos filhos do gigante.

**19** Houve ainda outra peleja contra os filisteus em Gobe; e Elanã, filho de Jaaré-Oregim, o belemita, matou Golias, o giteu, cuja lança tinha a haste como o eixo do tear.

**20** Houve ainda outra peleja em Gate, onde estava um homem de alta estatura, que tinha seis dedos em cada mão e seis em cada pé, vinte e quatro ao todo. Também esse era descendente do gigante.

**21** Quando ele injuriava Israel, Jônatas, filho de Simeia, irmão de Davi, o matou.

**22** Estes quatro eram descendentes do gigante em Gate e caíram pela mão de Davi e pela mão de seus homens.

### Cântico de Davi

**22** Cantou Davi ao Senhor as palavras deste cântico, no dia em que o Senhor o livrou das mãos de todos os seus inimigos e das mãos de Saul.

**2** Disse ele:
  O Senhor é a minha rocha,
    a minha fortaleza e o meu
      libertador.

**3** O meu Deus é a minha rocha,
  em quem me refugio;
    o meu escudo, a força da
      minha salvação.
  Ele é o meu alto retiro,
    meu refúgio e meu
      Salvador —
  dos homens violentos
    me salvaste.

## 2Samuel 22

4 Ao Senhor, digno de louvor, invoco,
e de meus inimigos sou salvo.
5 As ondas da morte me cercaram;
as torrentes da destruição me assombraram.
6 As cordas do inferno me cingiram;
laços de morte me envolveram.
7 Na minha angústia invoquei o Senhor;
clamei ao meu Deus.
Do seu templo ouviu ele a minha voz,
e o meu clamor chegou aos seus ouvidos.
8 Então a terra se abalou e tremeu,
os fundamentos dos céus se moveram;
abalaram-se porque ele se irou.
9 Das suas narinas subiu fumaça,
e, da sua boca, um fogo devorador,
que incendiou carvões.
10 Ele abaixou os céus e desceu;
havia escuridão debaixo de seus pés.
11 Ele montou num querubim e voou;
foi visto sobre as asas do vento.
12 E por tendas pôs as trevas ao redor de si,
ajuntamento de águas,
nuvens de chuva dos céus.
13 Pelo resplendor da sua presença acenderam-se brasas de fogo.
14 O Senhor trovejou desde os céus,
e o Altíssimo fez soar a sua voz.
15 Disparou flechas e os dissipou;
raios, e os desbaratou.
16 Então apareceram as profundezas do mar;
os fundamentos do mundo se descobriram,
pela repreensão do Senhor,
pelo sopro do vento das suas narinas.
17 Do alto estendeu a mão e me tomou;
tirou-me das muitas águas.
18 Livrou-me do meu possante inimigo
e daqueles que me odiavam,
porque eram fortes demais para mim.
19 Encontraram-me no dia da minha calamidade,
mas o Senhor se fez o meu amparo.
20 Trouxe-me para um lugar espaçoso;
livrou-me porque se agradou de mim.
21 Recompensou-me o Senhor segundo a minha justiça;
conforme a pureza de minhas mãos me retribuiu.
22 Pois guardei os caminhos do Senhor
e não me apartei impiamente do meu Deus.
23 Todos os seus estatutos estavam diante de mim;
de seus decretos não me desviei.
24 Fui inculpável para com ele e guardei-me do pecado.
25 O Senhor me retribuiu segundo a minha justiça,
conforme a minha pureza diante dos seus olhos.
26 Para com o fiel te mostras fiel;
para com o íntegro te mostras íntegro.
27 Com o puro te mostras puro,
mas com o perverso te mostras sagaz.

**28** Livras o povo humilde, mas teus olhos são contra os orgulhosos, e tu os abates.
**29** Tu, Senhor, és a minha lâmpada; o Senhor ilumina as minhas trevas.
**30** Contigo passo pelo meio de um esquadrão; com o meu Deus salto muralhas.
**31** O caminho de Deus é perfeito; e a palavra do Senhor sem impureza. Ele é o escudo de todos os que nele confiam.
**32** Pois quem é Deus, senão o Senhor? E quem é rocha, senão o nosso Deus?
**33** Deus é a minha fortaleza e a minha força, e ele perfeitamente desembaraça o meu caminho.
**34** Ele faz os meus pés como os das corças e me firma nas alturas.
**35** Ele instrui as minhas mãos para a peleja, de maneira que os meus braços podem vergar um arco de bronze.
**36** Também me deste o escudo da tua salvação; a tua brandura me engrandece.
**37** Alargaste os meus passos debaixo de mim, e não vacilaram os meus tornozelos.
**38** Persegui os meus inimigos e os derrotei; não voltei sem os ter destruído.
**39** Eu os consumi e os atravessei, de modo que nunca mais se levantaram; caíram sob meus pés.
**40** Tu me cingiste de força para a peleja; esmagaste debaixo de mim os meus agressores.
**41** Fizeste que meus inimigos me voltassem as costas, e destruí aqueles que me odiavam.
**42** Clamaram por socorro, mas não houve quem os libertasse; clamaram ao Senhor, mas ele não lhes respondeu.
**43** Então os moí como o pó da terra; como a lama das ruas os amassei e dissipei.
**44** Tu me livraste das contendas do meu povo; guardaste-me para ser o líder das nações. Um povo que eu não conhecia me serviu,
**45** e estrangeiros se me sujeitaram; ouvindo a minha voz, me obedeceram.
**46** Sumiram-se os estrangeiros e dos seus esconderijos saíram debilitados.
**47** Vive o Senhor. Bendita seja a minha Rocha! Exaltado seja Deus, a rocha da minha salvação!
**48** O Deus que me deu vingança e sujeitou os povos debaixo de mim;
**49** O Deus que me tirou dentre os meus inimigos. Tu me exaltaste sobre os meus adversários e me livraste dos homens violentos.

50 Por isso, ó Senhor, eu te louvarei
entre as nações;
entoarei louvores ao teu nome.
51 Ele dá grandes vitórias ao seu rei
e mostra benignidade para com o seu ungido,
para com Davi e a sua descendência para sempre.

### As últimas palavras de Davi

**23** São estas as últimas palavras de Davi:
Diz Davi, filho de Jessé,
diz o homem que foi exaltado,
o ungido do Deus de Jacó,
o suave salmista de Israel.
2 O Espírito do Senhor fala por mim,
e a sua palavra está na minha boca.
3 Disse o Deus de Israel,
a Rocha de Israel me falou:
Quando um justo governa sobre os homens,
quando governa no temor de Deus,
4 é como a luz da manhã
ao sair do sol de uma manhã sem nuvens,
como o esplendor depois da chuva
que faz brotar da terra a erva.
5 Não está assim com Deus a minha dinastia?
Não estabeleceu ele comigo uma aliança eterna,
em tudo bem ordenada e segura?
Não fará ele prosperar toda a minha salvação
e todo o meu desejo?
6 Os filhos de Belial, porém, serão todos lançados fora como os espinhos,
pois não se pode tocar neles.
7 Todo aquele, porém, que os tocar
deve usar uma ferramenta de ferro ou a haste de uma lança;
a fogo serão totalmente queimados no mesmo lugar.

### Os valentes de Davi

8 São estes os nomes dos valentes de Davi: Josebe-Bassebete, filho de Taquemoni, o principal de três; foi este que, com a sua lança, matou oitocentos de uma vez. 9 Depois dele Eleazar, filho de Dodô, filho de Aoí, entre os três valentes que estavam com Davi, quando desafiaram os filisteus ali reunidos para a peleja, enquanto os homens de Israel se retiravam. 10 Este se levantou e feriu os filisteus, até lhe cansar a mão e ficar pegada à espada. Naquele dia o Senhor realizou um grande livramento. O povo voltou para junto de Eleazar, somente para tomar o despojo. 11 Depois dele Samá, filho de Agé, o hararita. Quando os filisteus se ajuntaram em Leí, onde havia um pedaço de terra cheio de lentilhas, o povo fugiu de diante dos filisteus. 12 Samá pôs-se no meio daquele terreno, e o defendeu, e matou os filisteus; e o Senhor realizou um grande livramento. 13 Também três dos trinta chefes desceram, no tempo da colheita, e foram encontrar Davi, na caverna de Adulão, enquanto a tropa dos filisteus estava acampada no vale de Refaim.

**14** Nessa ocasião, Davi estava no lugar forte, e a guarnição dos filisteus, em Belém.
**15** Davi suspirou por água e disse: Quem me dera beber da água da cisterna que está junto à porta de Belém!
**16** Então aqueles três valentes atravessaram o acampamento dos filisteus, tiraram água da cisterna que está junto à porta de Belém, e a trouxeram a Davi. Mas ele não quis bebê-la; em vez disso, derramou-a perante o Senhor.
**17** Disse ele: Longe de mim, ó Senhor, que eu tal faça! Beberia eu o sangue dos homens que foram com risco da sua vida? De maneira que não a quis beber. Isto fizeram aqueles três valentes.
**18** Abisai, irmão de Joabe, filho de Zeruia, era chefe de três. Este alçou a sua lança contra trezentos e os matou; assim teve nome entre os três.
**19** Não era este o mais nobre entre os três? Ele se tornou o chefe deles, embora não fosse contado entre eles.
**20** Benaia, filho de Joiada, filho de um homem de Cabzeel, valente e de grandes feitos, matou os dois filhos de Ariel de Moabe. Depois desceu e matou um leão numa cova, no tempo da neve.
**21** Matou também um egípcio, homem de grande estatura. Embora o egípcio tivesse uma lança na mão, Benaia o atacou com um cajado, arrancou-lhe da mão a lança e com ela o matou.
**22** Essas coisas fez Benaia, filho de Joiada, pelo que teve nome entre os três valentes.
**23** Entre os trinta ele era o mais nobre, mas não foi contado entre os três. E Davi o pôs sobre a sua guarda.
**24** Entre os trinta estavam: Asael, irmão de Joabe; Elanã, filho de Dodô, de Belém;
**25** Samá, harodita; Elica, harodita;
**26** Helez, paltita; Ira, filho de Iques, tecoíta;
**27** Abiezer, anatotita; Mebunai, husatita;
**28** Zalmom, aoíta; Maarai, netofatita;
**29** Helebe, filho de Baaná, netofatita; Itai, filho de Ribai, de Gibeá, dos filhos de Benjamim;
**30** Benaia, piratonita; Hidai, do ribeiro de Gaás;
**31** Abi-Albom, arbatita; Azmavete, barumita;
**32** Eliaba, saalbonita; Bene-Jásen; Jônatas;
**33** Samá, hararita; Aião, filho de Sarar, ararita;
**34** Elifelete, filho de Aasbai, filho dum maacatita; Eliã, filho de Aitofel, gilonita;
**35** Hezrai, carmelita; Paarai, arbita;
**36** Igal, filho de Natã, de Zobá; Bani, gadita;
**37** Zeleque, amonita; Naarai, beerotita, o que trazia as armas de Joabe, filho de Zeruia;
**38** Ira, itrita; Garebe, itrita;
**39** Urias, heteu. Eram trinta e sete ao todo.

## Davi levanta o censo

**24** A ira do Senhor tornou a acender-se contra Israel, e ele incitou Davi contra eles, dizendo: Vai, levanta o censo de Israel e de Judá.
**2** Pelo que disse o rei a Joabe e aos chefes do exército que estavam com ele: Percorre todas as tribos

de Israel, de Dã até Berseba, e levanta o censo do povo, para que eu saiba o seu número.

3 Joabe, porém, respondeu ao rei: Ora, multiplique o Senhor, o teu Deus, este povo cem vezes tanto quanto agora é, e os olhos do rei meu senhor o vejam. Mas por que o rei meu senhor teria tal desejo?

4 Todavia, a palavra do rei prevaleceu contra Joabe, e contra os chefes do exército; assim Joabe saiu da presença do rei, com os chefes do exército, para levantar o censo do povo de Israel.

5 Tendo eles passado o Jordão, acamparam-se em Aroer, à direita da cidade que está no meio do vale de Gade, e foram a Jazer.

6 Foram a Gileade, e à região de Tatim-Hódsi; dali foram a Dã-Jaã e viraram-se para Sidom.

7 Foram à fortaleza de Tiro e a todas as cidades dos heveus e dos cananeus. Finalmente foram a Berseba, no Neguebe de Judá.

8 Assim percorreram toda a terra e, ao cabo de nove meses e vinte dias, voltaram a Jerusalém.

9 Joabe entregou ao rei o resultado do recenseamento do povo: Havia em Israel oitocentos mil homens de guerra, que puxavam da espada, e os homens de Judá eram quinhentos mil.

10 O coração de Davi, porém, o acusou depois de haver ele feito o censo do povo, e disse ao Senhor: Muito pequei no que fiz. Agora, porém, ó Senhor, peço-te que perdoes a iniquidade do teu servo. *Procedi mui loucamente.*

11 Levantando-se Davi pela manhã, veio a palavra do Senhor ao profeta Gade, vidente de Davi, dizendo:

12 Vai e dize a Davi: Assim diz o Senhor: Três coisas te ofereço. Escolhe uma delas, para que a execute contra ti.

13 Assim veio Gade a Davi e lhe disse: Queres que sete anos de fome te venham à tua terra? Ou que por três meses fujas diante de teus inimigos, e eles te persigam? Ou que por três dias haja peste na tua terra? Delibera, agora, e vê que resposta hei de dar ao que me enviou.

14 Disse Davi a Gade: Estou em grande angústia. Mas caiamos nas mãos do Senhor, porque muitas são as suas misericórdias; mas nas mãos dos homens não caia eu.

15 Então enviou o Senhor a peste a Israel, desde pela manhã até o tempo determinado, e de Dã até Berseba morreram setenta mil homens do povo.

16 Estendendo o anjo a sua mão sobre Jerusalém, para a destruir, o Senhor se arrependeu daquele mal e disse ao anjo que fazia a destruição entre o povo: Basta, agora retira a tua mão. O anjo do Senhor estava junto à eira de Araúna, o jebuseu.

17 Vendo Davi ao anjo que feria o povo, disse ao Senhor: Eu é que pequei e procedi iniquamente. Mas estas ovelhas, que fizeram? Seja a tua mão contra mim e contra a casa de meu pai.

18 Naquele mesmo dia, veio Gade a Davi e lhe disse: Sobe, levanta ao Senhor um altar na eira de Araúna, o jebuseu.

19 Subiu Davi conforme a palavra de Gade, como o Senhor lhe tinha ordenado.

20 Olhou Araúna e, vendo que vinham para ele o rei e os seus homens, saiu e se inclinou diante do rei com o rosto em terra.

21 Perguntou Araúna: Por que

vem o rei meu Senhor ao seu servo? Respondeu Davi: Para comprar de ti esta eira, a fim de edificar nela um altar ao Senhor, para que esta praga cesse de sobre o povo.

22 Disse Araúna a Davi: Tome e ofereça o rei meu senhor o que bem lhe parecer. Aqui estão os bois para o holocausto, e os trilhos, e os aparelhos dos bois para lenha.

23 Tudo isso, ó rei, Araúna oferece ao rei. Disse mais Araúna ao rei: O Senhor, o teu Deus, aceite a tua oferta.

24 O rei, porém, respondeu a Araúna: Não, antes quero comprá-la pelo preço devido. Não oferecerei ao Senhor, o meu Deus, holocaustos que não me custem nada. Assim Davi comprou a eira e os bois por cinquenta siclos de prata.

25 Edificou Davi ali um altar ao Senhor e ofereceu holocaustos e ofertas pacíficas. Assim o Senhor teve piedade da terra, e aquela praga cessou de sobre Israel.

# 1 REIS

### A velhice de Davi e a pretensão de Adonias

**1** O rei Davi era já velho, de idade avançada, e por mais que o envolvessem com cobertas, não conseguia se aquecer.
**2** Então lhe disseram os seus servos: Busque-se para o rei meu senhor uma jovem virgem, que esteja perante o rei e tenha cuidado dele. Durma ela no seu seio, para que o rei meu senhor se aqueça.
**3** Assim procuraram por todo o território de Israel uma jovem formosa, e acharam a Abisague, sunamita, e a trouxeram ao rei.
**4** Era a jovem sobremaneira formosa; cuidava do rei e o servia, mas o rei não teve relações com ela.
**5** Então Adonias, filho de Hagite, se exaltou, dizendo: Eu reinarei. Preparou carros e cavaleiros e cinquenta homens que corressem diante dele.
**6** Seu pai jamais o havia contrariado, dizendo: Por que fizeste assim? Além disso, era ele muito formoso de parecer, e sua mãe o havia gerado depois de Absalão.
**7** Teve Adonias entendimento com Joabe, filho de Zeruia, e com Abiatar, o sacerdote, que lhe deram o seu apoio.
**8** No entanto, Zadoque, o sacerdote, e Benaia, filho de Joiada, e Natã, o profeta, e Simei, e Reí, os valentes que Davi tinha, não eram por Adonias.
**9** Matou Adonias ovelhas, bois e animais cevados, junto à pedra de Zoelete, que está perto da fonte de Rogel, e convidou todos os seus irmãos, os filhos do rei, e todos os homens de Judá, servos do rei.
**10** A Natã, profeta, a Benaia, e os valentes e a Salomão, seu irmão, porém, não convidou.
**11** Então disse Natã a Bate-Seba, mãe de Salomão: Não ouviste que Adonias, filho de Hagite, reina e que nosso senhor Davi não o sabe?
**12** Agora vem, deixa-me dar-te um conselho, para que salves a tua vida e a de Salomão, teu filho.
**13** Vai à presença do rei Davi e dize-lhe: Não juraste, ó rei meu senhor, à tua serva, dizendo: Certamente teu filho Salomão reinará depois de mim e se assentará no meu trono? Por que, pois, reina Adonias?
**14** Estando tu ainda a falar com o rei, eu entrarei depois de ti e confirmarei as tuas palavras.
**15** Foi Bate-Seba à presença do rei no seu quarto; o rei era muito velho, e Abisague, a sunamita, o servia.
**16** Bate-Seba inclinou a cabeça e prostrou-se perante o rei, que lhe perguntou: Que queres?
**17** Respondeu ela: Senhor meu, tu juraste à tua serva pelo Senhor, o teu Deus, dizendo: Salomão, teu filho, reinará depois de mim e se assentará no meu trono.
**18** Agora, porém, reina Adonias, e tu, ó rei meu senhor, não o sabes.
**19** Ele matou bois, animais cevados e ovelhas em abundância, e convidou todos os filhos do rei, Abiatar, o sacerdote, e Joabe, general do exército, mas a teu servo Salomão não convidou.
**20** Os olhos de todo o Israel, porém, ó rei, meu Senhor, estão

sobre ti, para que lhes declares quem se assentará sobre o trono do rei meu senhor, depois dele.
21 Doutro modo, quando o rei meu senhor dormir com seus pais, eu e Salomão meu filho seremos tidos por culpados.
22 Estando ela ainda a falar com o rei, entrou o profeta Natã.
23 E fizeram saber ao rei: Está aqui o profeta Natã. Entrou Natã à presença do rei, prostrou-se perante ele com o rosto em terra
24 e disse: Ó rei meu senhor, acaso disseste: Adonias reinará depois de mim e se assentará no meu trono?
25 Hoje ele desceu, matou bois, animais cevados e ovelhas em abundância. Convidou todos os filhos do rei, os chefes do exército e Abiatar, o sacerdote. Estão comendo e bebendo perante ele e dizendo: Viva o rei Adonias!
26 A mim, porém, sendo eu teu servo, Zadoque, o sacerdote, Benaia, filho de Joiada e Salomão, teu servo, não convidou.

### Salomão é ungido rei

27 Foi feito isto da parte do rei meu senhor e não fizeste saber a teu servo quem se assentaria no trono do rei meu senhor depois dele?
28 Respondeu o rei Davi: Chamai-me a Bate-Seba. E ela entrou à presença do rei e ficou de pé diante dele.
29 Então jurou o rei: Tão certo como vive o Senhor, que remiu a minha alma de toda a angústia,
30 que, assim como te jurei pelo Senhor, o Deus de Israel, dizendo: Teu filho Salomão reinará depois de mim e se assentará no meu trono, em meu lugar, assim mesmo o cumprirei hoje.
31 Então Bate-Seba se inclinou com o rosto em terra, prostrou-se diante do rei e disse: Viva o rei Davi meu senhor para sempre!
32 Disse o rei Davi: Chamai-me Zadoque, o sacerdote, Natã, o profeta, e Benaia, filho de Joiada. E eles entraram à presença do rei.
33 Disse-lhes o rei: Tomai convosco os servos de vosso senhor e fazei montar a meu filho Salomão na minha mula e levai-o a Giom.
34 Zadoque, o sacerdote, com Natã, o profeta, ali o ungirão rei sobre Israel. Tocareis a trombeta e direis: Viva o rei Salomão!
35 Subireis após ele, e ele virá e se assentará no meu trono e reinará em meu lugar. Ordenei que ele seja príncipe sobre Israel e sobre Judá.
36 Benaia, filho de Joiada, respondeu ao rei: Amém! Assim o diga o Senhor Deus do rei meu senhor.
37 Como o Senhor foi com o rei meu senhor, assim seja ele com Salomão e faça que o seu trono seja maior do que o trono do rei Davi meu senhor.
38 Então desceu Zadoque, o sacerdote, Natã, o profeta, Benaia, filho de Joiada, os quereteus e os peleteus e fizeram montar Salomão na mula que era do rei Davi e o levaram a Giom.
39 Zadoque, o sacerdote, tomou do tabernáculo o vaso do azeite e ungiu Salomão. Então tocaram a trombeta, e todo o povo disse: Viva o rei Salomão!
40 E todo o povo subiu após ele, tocando flauta e alegrando-se com grande alegria, de maneira que a terra tremeu com o seu clamor.
41 Adonias e todos os convidados que estavam com ele o ouviram, ao acabarem de comer.

Joabe ouviu o sonido das trombetas e disse: Que quer dizer este alvoroço na cidade?

**42** Estava ele ainda a falar, quando chegou Jônatas, filho de Abiatar, o sacerdote. Disse Adonias: Entra, porque és de bem e trazes boas-novas.

**43** Respondeu Jônatas a Adonias: Deveras! O rei Davi, nosso senhor, constituiu rei a Salomão.

**44** E Davi enviou com ele Zadoque, o sacerdote, Natã, o profeta, Benaia, filho de Joiada, os quereteus e os peleteus, e eles o fizeram montar na mula do rei.

**45** Zadoque, o sacerdote, e Natã, o profeta, o ungiram rei em Giom. Dali subiram alegres, e a cidade estava alvoroçada. Este é o clamor que ouviste.

**46** Também Salomão está assentado no trono do reino.

**47** Além disso, os servos do rei vieram abençoar o nosso senhor, o rei Davi, dizendo: Faça teu Deus que o nome de Salomão seja mais célebre do que o teu nome e faça que o seu trono seja maior do que o teu trono. E o rei se inclinou no leito

**48** e disse: Bendito o Senhor, o Deus de Israel, que hoje deu quem se assente no meu trono e permitiu que os meus olhos o vissem.

**49** Então estremeceram e se levantaram todos os convidados que estavam com Adonias, e cada qual se foi o seu caminho.

**50** Adonias, porém, temeu Salomão e, levantando-se, foi apegar-se às pontas do altar.

**51** Foi dito a Salomão: Adonias teme ao rei Salomão e se apegou às pontas do altar, dizendo: Jure-me hoje o rei Salomão que não matará a seu servo à espada.

**52** Disse Salomão: Se ele for homem de bem, nem um de seus cabelos cairá em terra; mas, caso se achar nele maldade, morrerá.

**53** Enviou o rei Salomão mensageiros, e o fizeram descer do altar. Então veio e se prostrou perante o rei Salomão, e este lhe disse: Vai para tua casa.

### Últimas instruções de Davi

**2** Aproximando-se o dia da morte de Davi, deu ele ordem a Salomão, seu filho, dizendo:

**2** Eu vou pelo caminho de toda a terra. Esforça-te, pois, e sê homem.

**3** Guarda as ordenanças do Senhor, o teu Deus, para andares nos seus caminhos, para guardares os seus estatutos e os seus mandamentos, os seus juízos e os seus testemunhos, como está escrito na Lei de Moisés, para que prosperes em tudo o que fizeres e por onde quer que fores;

**4** e que o Senhor confirme a palavra que falou de mim, dizendo: Se teus filhos guardarem o seu caminho, para andarem perante a minha face fielmente, de todo o seu coração e de toda a sua alma, nunca te faltará sucessor ao trono de Israel.

**5** Ora, tu sabes o que me fez Joabe, filho de Zeruia, e o que fez aos dois comandantes do exército de Israel, a Abner, filho de Ner, e a Amasa, filho de Jéter, os quais matou, e em tempo de paz vingou o sangue derramado em guerra, manchando com ele o cinto que tinha nos lombos e os sapatos que trazia nos pés.

**6** Faze com ele segundo a tua sabedoria e não permitas que suas cãs desçam à sepultura em paz.

**7** Com os filhos de Barzilai, o gileadita, usarás de benevolência, porém, e estarão entre os que comem à tua mesa, porque assim agiram comigo quando eu fugia por causa de teu irmão Absalão.

8 E lembra-te, contigo está Simei, filho de Gera, filho de Benjamim, de Baurim, que me maldisse com maldição atroz, no dia em que eu ia a Maanaim. Quando ele saiu para encontrar-se comigo junto ao Jordão, eu pelo Senhor lhe jurei, dizendo que não o mataria à espada.

9 Agora, porém, não o tenhas por inocente. És homem sábio e bem saberás o que lhe hás de fazer para que apesar de sua idade avançada desça à sepultura com sangue.

10 Davi descansou com seus pais e foi sepultado na Cidade de Davi.

11 Foi o tempo que Davi reinou sobre Israel quarenta anos: sete anos reinou em Hebrom e em Jerusalém reinou trinta e três anos.

12 Salomão assentou-se no trono de Davi, seu pai, e o seu reino se fortificou sobremaneira.

13 Então veio Adonias, filho de Hagite a Bate-Seba, mãe de Salomão. Perguntou ela: De paz é a tua vinda? Respondeu ele: É de paz.

14 E acrescentou: Uma palavra tenho que dizer-te. Disse ela: Fala.

15 Disse ele: Bem sabes que o reino era meu; todo o Israel tinha posto a vista em mim para que eu viesse a reinar, ainda que o reino se transferiu e veio a ser de meu irmão; pois foi feito seu pelo Senhor.

16 Agora um só pedido te faço; não o rejeites. Ela lhe disse: Fala.

17 Ele disse: Peço-te que fales ao rei Salomão (pois não te recusará), que me dê por mulher a Abisague, a sunamita.

18 Respondeu Bate-Seba: Muito bem, eu falarei por ti ao rei.

19 Quando Bate-Seba foi ter com o rei Salomão, para falar-lhe por Adonias, o rei se levantou para encontrar-se com ela, inclinou-se diante dela e se assentou no seu trono. Mandou que pusessem um trono para a sua mãe, e ela se assentou à sua mão direita.

20 Disse ela: Só um pequeno pedido te faço, não o rejeites. E o rei lhe disse: Pede, minha mãe, porque não to recusarei.

21 Disse ela: Dê-se Abisague, a sunamita, por mulher a Adonias, teu irmão.

22 Respondeu o rei Salomão a sua mãe: Por que pedes Abisague, a sunamita, para Adonias? Pede também para ele o reino (porque é meu irmão mais velho); para ele, sim, e também para Abiatar, o sacerdote, e para Joabe, filho de Zeruia.

23 E jurou o rei Salomão pelo Senhor: Assim Deus me faça, e outro tanto, se não falou Adonias esta palavra contra a sua vida.

24 E agora, tão certo como vive o Senhor, que me estabeleceu e me fez assentar no trono de Davi, meu pai, e que me fundou dinastia, como tinha dito, Adonias morrerá hoje.

25 Enviou o rei Salomão a Benaia, filho de Joiada, o qual feriu Adonias, de modo que morreu.

26 A Abiatar, o sacerdote, disse o rei: Vai para Anatote, para teus campos. És homem digno de morte, mas hoje não te matarei, porque levaste a arca do Senhor Deus diante de Davi meu pai e te afligiste com todas as aflições de meu pai.

27 Assim expulsou Salomão a Abiatar, para que não fosse

sacerdote do Senhor, cumprindo a palavra que o Senhor tinha dito a respeito da família de Eli em Siló.

**28** Quando essa notícia chegou a Joabe (que tinha apoiado Adonias, embora não tivesse apoiado Absalão), ele fugiu para o tabernáculo do Senhor e pegou nas pontas do altar.

**29** Foi dito ao rei Salomão que Joabe tinha fugido para o tabernáculo do Senhor e estava junto ao altar. Então Salomão enviou Benaia, filho de Joiada, dizendo: Vai, mate-o.

**30** Portanto, Benaia foi ao tabernáculo do Senhor e disse a Joabe: Assim diz o rei: Sai daí. Respondeu Joabe: Não, mas aqui morrerei. Benaia tornou com a resposta ao rei: Assim falou Joabe e assim me respondeu.

**31** Disse-lhe o rei: Faze como ele disse. Mate-o e sepulta-o, para que tires de mim e da família de meu pai o sangue que Joabe sem causa derramou.

**32** Assim o Senhor fará recair o sangue dele sobre a sua cabeça, porque deu sobre dois homens mais justos e melhores do que ele e os matou à espada, sem que Davi, meu pai, o soubesse, a saber: Abner, filho de Ner, chefe do exército de Israel, e Amasa, filho de Jéter, chefe do exército de Judá.

**33** Assim recairá o sangue destes sobre a cabeça de Joabe e sobre a cabeça da sua descendência para sempre. Mas a Davi e à *sua descendência*, à sua dinastia e ao seu trono, o Senhor dará paz para todo o sempre.

**34** Subiu Benaia, filho de Joiada, atacou Joabe e o matou; e ele foi sepultado em sua casa, no deserto.

**35** Em lugar dele o rei pôs Benaia, filho de Joiada, sobre o exército, e Zadoque, o sacerdote, pôs em lugar de Abiatar.

**36** Depois o rei mandou chamar a Simei e lhe disse: Edifica para ti uma casa em Jerusalém e habita aí, e daí não saias, nem para uma nem para outra parte.

**37** No dia em que saíres e passares o vale do Cedrom, fica sabendo que certamente serás morto; o teu sangue será sobre a tua cabeça.

**38** Simei disse ao rei: Boa é essa palavra. Como tem dito o rei meu senhor, assim fará o teu servo. E Simei habitou em Jerusalém muitos dias.

**39** Ao cabo de três anos, porém, dois servos de Simei fugiram para Áquis, filho de Maaca, rei de Gate. Contaram a Simei, dizendo: Os teus servos estão em Gate.

**40** Então Simei se levantou, selou o seu jumento e foi para Gate ter com Áquis, em busca de seus servos. Assim foi Simei e os trouxe de Gate.

**41** Disseram a Salomão que Simei fora de Jerusalém a Gate e já havia voltado.

**42** Então o rei mandou chamar Simei e lhe disse: Não te fiz jurar pelo Senhor e não te adverti, dizendo: No dia em que saíres para uma ou outra parte, fica sabendo de certo que serás morto? E me disseste: Boa é essa palavra que ouvi.

**43** Por que, pois, não guardaste o juramento do Senhor, nem a ordem que te dei?

**44** Disse mais o rei a Simei: Bem sabes toda a maldade que o teu coração reconhece que fizeste a Davi, meu pai. Agora o Senhor fará recair a tua maldade sobre a tua cabeça.

45 O rei Salomão, porém, será abençoado, e o trono de Davi será confirmado perante o Senhor para sempre.
46 O rei deu ordem a Benaia, filho de Joiada, o qual saiu e arremeteu contra ele, de modo que morreu. Assim foi confirmado o reino nas mãos de Salomão.

### Salomão pede sabedoria

**3** Salomão fez aliança com faraó, rei do Egito, e tomou sua filha por mulher. Trouxe-a à Cidade de Davi, até que acabasse de edificar o seu palácio, o templo do Senhor e a muralha de Jerusalém em redor.
2 Entretanto o povo oferecia sacrifícios sobre os altos, porque até aqueles dias ainda não se tinha edificado um templo ao nome do Senhor.
3 Salomão amava o Senhor e andava nos estatutos de Davi, seu pai, mas nos altos oferecia sacrifícios e queimava incenso.
4 Foi o rei a Gibeom para lá sacrificar, pois aquele era o alto principal, e mil holocaustos sacrificou Salomão naquele altar.
5 Em Gibeom apareceu o Senhor a Salomão de noite, em sonhos, e lhe disse: Pede o que queres que te dê.
6 Respondeu Salomão: De grande benevolência usaste com teu servo Davi, meu pai, porque ele andou contigo em verdade, em justiça e em *retidão de coração*, perante a tua face. Guardaste-lhe esta grande benevolência e lhe deste um filho que se assentasse no seu trono, como se vê neste dia.
7 Agora, ó Senhor, meu Deus, tu fizeste reinar teu servo em lugar de Davi, meu pai. Mas eu sou apenas um menino pequeno e não sei como sair, nem como entrar.
8 Teu servo está no meio do teu povo que elegeste, povo grande, que nem se pode contar, nem numerar, pela sua multidão.
9 Portanto, dá ao teu servo um coração entendido para julgar o teu povo, para prudentemente discernir entre o bem e o mal. Pois quem poderia julgar este teu grande povo?
10 Esta palavra pareceu boa aos olhos do Senhor, por haver Salomão pedido tal coisa.
11 Disse-lhe Deus: Visto que pediste esta coisa e não pediste para ti muitos dias, nem riquezas, nem a vida de teus inimigos, mas pediste entendimento, para discernires o que é justo,
12 farei segundo as tuas palavras. Eu te darei um coração tão sábio e entendido que antes de ti igual não houve e depois de ti igual não se levantará.
13 Também até o que não pediste te darei, assim riquezas como glória, para que não haja teu igual entre os reis, durante todos os teus dias.
14 E se andares nos meus caminhos e guardares os meus estatutos e mandamentos, como andou Davi, teu pai, eu prolongarei os teus dias.
15 Acordou Salomão e percebeu que era sonho. Veio a Jerusalém, pôs-se perante a arca da aliança do Senhor, ofereceu holocaustos, preparou sacrifícios pacíficos e deu um banquete a todos os seus servos.
16 Ora, vieram duas prostitutas ao rei e se puseram perante ele.
17 Disse-lhe uma das mulheres: Ah! senhor meu, eu e esta mulher moramos na mesma casa. Eu tive um filho, estando com ela naquela casa.

**18** No terceiro dia, depois do meu parto, também esta mulher teve um filho. Estávamos juntas; nenhuma pessoa estranha estava conosco na casa, somente nós duas estávamos ali.
**19** De noite, morreu o filho desta mulher, porque se deitou sobre ele.
**20** Assim ela se levantou no meio da noite e, enquanto dormia a tua serva, tirou do meu lado o meu filho e deitou-o no seu seio, e a seu filho morto deitou no meu seio.
**21** Levantando-me pela manhã, para dar de mamar a meu filho, vi que estava morto. Mas atentando eu para ele à luz do dia, percebi que não era o filho que eu dera à luz.
**22** Então disse a outra mulher: Não, mas o vivo é meu filho, o teu é o morto. Mas esta disse: Não, o morto é teu filho, o meu é o vivo. Assim falaram perante o rei.
**23** Disse o rei: Esta diz: Este que vive é meu filho, e teu filho o morto; e esta outra diz: Não, o morto é teu filho, e meu filho o vivo.
**24** Disse mais o rei: Trazei-me uma espada. E trouxeram uma espada diante dele.
**25** Ordenou o rei: Dividi em duas partes o menino vivo e dai metade a uma e metade a outra.
**26** Então a mulher, cujo filho era o vivo, disse ao rei (pois as suas entranhas se lhe enterneceram por seu filho): Ah, senhor meu! Dai-lhe o menino vivo e de modo nenhum o mateis. A outra, porém, dizia: *Nem meu nem teu. Seja dividido.*
**27** Então respondeu o rei: Dai à primeira o menino vivo. De modo nenhum o mateis; esta é sua mãe.
**28** Quando todo o Israel ouviu a sentença que o rei proferira, temeu ao rei, porque viu que havia nele a sabedoria de Deus para fazer justiça.

## Fama e sabedoria de Salomão

**4** Assim foi Salomão rei sobre todo o Israel.
**2** E estes eram os príncipes que tinha: Azarias, filho de Zadoque, o sacerdote;
**3** Eliorefe e Aías, filhos de Sisa, secretários; Josafá, filho de Ailude, cronista;
**4** Benaia, filho de Joiada, comandante do exército; Zadoque e Abiatar, sacerdotes.
**5** Azarias, filho de Natã, chefe dos intendentes; Zabude, filho de Natã, ministro, amigo do rei;
**6** Aisar, mordomo; Adonirão, filho de Abda, chefe dos que trabalhavam forçados.
**7** Tinha Salomão doze governantes sobre todo o Israel, que proviam de mantimento ao rei e à sua casa. Cada um tinha de prover durante um mês do ano.
**8** São estes os seus nomes: Ben-Hur, na região montanhosa de Efraim;
**9** Ben-Dequer em Macaz, Saalbim, Bete-Semes, Elom e Bete-Hanã;
**10** Ben-Hesede em Arubote; também este tinha Socó e toda a terra de Hefer;
**11** Ben-Abinadabe, em Nafate-Dor; tinha este por mulher a Tafate, filha de Salomão.
**12** Baaná, filho de Ailude, tinha Taanaque, Megido, e toda a Bete-Seã, que está junto a Zaretã, abaixo de Jezreel, desde Bete-Seã até Abel-Meolá, para além de Jocmeão.
**13** Ben-Geber em Ramote-Gileade; tinha este as aldeias de Jair, filho de Manassés, as quais estão em Gileade; também tinha a região

de Argobe, que está em Basã, sessenta grandes cidades muradas com ferrolhos de bronze;
14 Ainadabe, filho de Ido, em Maanaim;
15 Aimaás em Naftali; também este tomou a Basemate, filha de Salomão, por mulher;
16 Baaná, filho de Husai, em Aser e Alote;
17 Josafá, filho de Paruá, em Issacar;
18 Simei, filho de Elá, em Benjamim;
19 Geber, filho de Uri, na terra de Gileade, a terra de Siom, rei dos amorreus, e de Ogue, rei de Basã. Ele era o único intendente naquela terra.
20 Eram os filhos de Judá e Israel tão numerosos quanto a areia que está à beira do mar; comiam, bebiam e se alegravam.
21 Dominava Salomão sobre todos os reinos desde o rio até a terra dos filisteus e até o termo do Egito. Estes reinos pagavam tributo e serviram a Salomão todos os dias da sua vida.
22 Era o provimento diário de Salomão trinta coros de flor de farinha e sessenta coros de farinha,
23 dez bois cevados, vinte bois de pasto e cem carneiros, fora os veados, as gazelas, os corços e as aves cevadas.
24 Pois dominava sobre toda a região e sobre todos os reis daquém do rio, desde Tifsa até Gaza, e tinha paz por todos os lados em redor.
25 Judá e Israel habitavam seguros, cada um debaixo da sua videira e debaixo da sua figueira, desde Dã até Berseba, todos os dias de Salomão.
26 Tinha também Salomão quarenta mil cavalos em estábulos para os seus carros, e doze mil cavaleiros.
27 Proviam os governantes mantimento, cada um no seu mês, ao rei Salomão e a todos quantos lhe chegavam à mesa. Coisa nenhuma deixavam faltar.
28 Também traziam a cevada e a palha para os cavalos e para os ginetes, ao lugar apropriado, cada um segundo seu cargo.
29 Deus deu a Salomão sabedoria, muitíssimo entendimento e larga inteligência como a areia que está na praia do mar.
30 Era a sabedoria de Salomão maior do que a de todos os do Oriente e do que toda a sabedoria dos egípcios.
31 Era ele ainda mais sábio do que todos os homens, mais sábio do que Etã, ezraíta, e do que Hemã, Calcol e Darda, filhos de Maol. E correu a sua fama por todas as nações em redor.
32 Proferiu ele três mil provérbios, e foram os seus cânticos mil e cinco.
33 Discorreu acerca das plantas, desde o cedro que está no Líbano até o hissopo que brota da parede. Também falou dos animais e das aves, dos répteis e dos peixes.
34 De todos os povos vinha gente ouvir a sabedoria de Salomão, e da parte de todos os reis da terra que tinham ouvido da sua sabedoria.

**Preparativos para a construção do templo**

5 Quando Hirão, rei de Tiro, ouviu que haviam ungido a Salomão rei em lugar de seu pai, enviou os seus servos a Salomão, porque Hirão sempre fora muito amigo de Davi.
2 Então enviou Salomão mensageiros a Hirão, dizendo:

**3** Bem sabes que Davi, meu pai, não pôde construir um templo ao nome do Senhor, o seu Deus, por causa das guerras com que o cercaram, até que o Senhor lhe pôs os inimigos debaixo dos pés. **4** Agora, porém, o Senhor, o meu Deus, me deu descanso de todos os lados, e não há adversário, nem calamidade alguma. **5** Portanto, pretendo construir um templo ao nome do Senhor meu Deus, como falou o Senhor a Davi, meu pai, dizendo: Teu filho, que porei em teu lugar no teu trono, ele edificará um templo ao meu nome. **6** Assim, dá ordem que do Líbano me cortem cedros. Os meus servos estarão com os teus servos, e eu te pagarei o salário dos teus servos, conforme tudo o que disseres. Bem sabes que entre nós ninguém há que saiba cortar a madeira como os sidônios. **7** Ouvindo Hirão as palavras de Salomão, muito se alegrou e disse: Bendito seja hoje o Senhor, que deu a Davi um filho sábio sobre este tão grande povo. **8** Enviou Hirão mensageiros a Salomão, dizendo: Ouvi o que mandaste dizer. Farei toda a tua vontade acerca dos cedros e dos ciprestes. **9** Os meus servos os levarão do Líbano até o mar, e eu os farei conduzir em jangadas pelo mar até o lugar que me designares. Ali os desamarrarei, e tu os receberás. Tu também farás a minha *vontade, dando* sustento à minha casa. **10** Assim deu Hirão a Salomão madeira de cedro e madeira de cipreste, conforme todo o seu desejo, **11** e Salomão dava a Hirão vinte mil coros de trigo, para sustento da sua casa, e vinte coros de azeite batido. Isso fazia de ano em ano. **12** Deu o Senhor a Salomão sabedoria como lhe tinha prometido. Houve paz entre Hirão e Salomão, e fizeram aliança. **13** O rei Salomão recrutou uma leva de trabalhadores em todo o Israel, e se compunha a leva de trinta mil homens. **14** E os enviava ao Líbano em turnos de dez mil por mês, de modo que passavam um mês no Líbano, e dois meses em casa. Adonirão dirigia a leva. **15** Salomão tinha setenta mil que levavam as cargas e oitenta mil que talhavam pedras nas montanhas, **16** fora os mestres de obra que estavam sobre aquele serviço, três mil e trezentos, os quais davam as ordens ao povo que o executava. **17** Mandou o rei que trouxessem grandes blocos de pedra escolhida e lavrada, para servirem de alicerce para o templo. **18** Lavravam-nas os edificadores de Salomão e os de Hirão, e os gebalitas preparavam a madeira e as pedras para edificar a casa.

## A construção do templo

**6** No ano quatrocentos e oitenta, depois de os filhos de Israel terem saído do Egito, no quarto ano do reinado de Salomão sobre Israel, no mês de zive (este é o segundo mês), começou-se a edificar o templo do Senhor. **2** O templo que o rei Salomão edificou ao Senhor era de sessenta côvados de comprimento, vinte de largura e trinta de altura. **3** O pórtico na frente do recinto principal do templo era de vinte côvados de comprimento, segundo a largura da casa, e de dez côvados de largura.

4 E fez para o templo janelas estreitas com grades.

5 Edificou andares contra a parede do templo, tanto do santuário como do Santo dos Santos, e fez salas laterais ao redor.

6 O andar de baixo era de cinco côvados de largura, o do meio de seis côvados, e o terceiro de sete côvados de largura. E do lado de fora do templo, em redor, fez pilastras de reforço, para que as vigas não se apoiassem nas paredes do templo.

7 O templo era edificado com pedras lavradas na pedreira, de maneira que nem martelo, nem machado, nem instrumento algum de ferro se ouviu no templo quando o edificavam.

8 A porta do andar inferior ficava no lado sul do templo, e por meio de escadas em caracol subia-se ao andar intermediário e, deste, ao terceiro.

9 Assim edificou o templo, e o acabou cobrindo com vigas e tábuas de cedro.

10 Também edificou os andares, contra todo o templo, de cinco côvados de altura, e os ligou ao templo com madeira de cedro.

11 Veio a palavra do Senhor a Salomão:

12 Quanto a este templo que tu edificas, se andares nos meus estatutos, executares os meus juízos e guardares todos os meus mandamentos, andando neles, confirmarei para contigo a minha palavra, que falei a Davi, teu pai.

13 E habitarei no meio dos filhos de Israel e não desampararei o meu povo de Israel.

14 Assim concluiu Salomão aquele templo.

15 Cobriu as paredes do templo por dentro com tábuas de cedro, desde o soalho do templo até o teto, tudo cobriu com madeira por dentro; e cobriu o soalho do templo com tábuas de cipreste.

16 A vinte côvados do fundo da casa fez de tábuas de cedro uma divisão, de altura igual ao teto; e por dentro a preparou para o oráculo, a saber, o Santo dos Santos.

17 Era o recinto principal do templo de quarenta côvados.

18 O cedro do interior do templo era lavrado de botões e flores abertas. Tudo era cedro; pedra nenhuma se via.

19 Na parte mais interior do templo, preparou o oráculo, para pôr ali a arca da aliança do Senhor.

20 Era o Santo dos Santos de vinte côvados de comprimento, vinte de largura e vinte de altura. Cobriu-o de ouro puro, e também cobriu de cedro o altar.

21 Salomão cobriu o interior do templo de ouro puro e estendeu cadeias de ouro diante do Santo dos Santos, que também cobriu de ouro.

22 Assim cobriu inteiramente de ouro todo o templo. Também cobriu de ouro todo o altar que estava diante do Santo dos Santos.

23 No Santo dos Santos fez dois querubins de madeira de oliveira, cada um com dez côvados de altura.

24 Uma asa do primeiro querubim era de cinco côvados, e a outra asa de cinco côvados — dez côvados havia desde a extremidade de uma asa até a extremidade da outra.

25 Assim era também o outro querubim, pois ambos os querubins

eram da mesma medida e do mesmo talhe.

26 A altura de cada querubim era de dez côvados.

27 Pôs os querubins na parte mais interior da casa, com as asas estendidas. A asa de um tocava numa parede, e a asa do outro na outra parede, e as suas asas no meio do templo tocavam uma na outra.

28 Cobriu de ouro os querubins.

29 Nas paredes do templo em redor, tanto na parte mais interior como na mais exterior, entalhou querubins, palmeiras e flores abertas.

30 Também cobriu de ouro o soalho do templo, tanto na parte mais interior como na mais exterior.

31 Para a entrada do Santo dos Santos fez portas de madeira de oliveira; a viga com os batentes formavam a quinta parte da parede.

32 Assim fez as duas portas de madeira de oliveira, as quais entalhou de querubins, de palmeiras e de flores abertas, e recobriu os querubins e as palmeiras de ouro batido.

33 Assim também fez para a porta do templo umbrais de madeira de oliveira, que constituíam a quarta parte da parede.

34 Eram as duas portas de madeira de cipreste; e as duas folhas de uma porta eram dobradiças, como também as duas folhas entalhadas da outra porta.

35 E as lavrou de querubins, de palmeiras e de flores abertas e as cobriu de ouro acomodado ao lavor.

36 Também edificou o átrio interior de três ordens de pedras lavradas e de uma ordem de vigas de cedro.

37 No quarto ano, lançou-se o alicerce do templo do Senhor, no mês de zive.

38 No décimo primeiro ano, no mês de bul, que é o oitavo, acabou-se a construção do templo com todas as suas dependências, e com tudo o que lhe convinha. Salomão levou sete anos para edificá-la.

## A construção do palácio

**7** Construiu Salomão os seus palácios e levou treze anos para acabá-los.

2 Edificou ainda o Palácio do Bosque do Líbano, de cem côvados de comprimento, cinquenta de largura e trinta de altura, sobre quatro ordens de colunas de cedro e vigas de cedro sobre as colunas.

3 Era coberto de cedro acima das vigas que se apoiavam sobre as colunas, quarenta e cinco vigas, quinze em cada ordem.

4 Havia três ordens de janelas, e uma janela estava em frente da outra, em três fileiras.

5 Todas as portas e janelas eram quadradas; e uma janela estava em frente da outra, em três fileiras.

6 Depois fez um pórtico de colunas, de cinquenta côvados de comprimento e trinta de largura. Em frente dele outro pórtico, com as suas colunas e degraus.

7 Também fez o pórtico para o trono onde julgava, isto é, o pórtico do juízo, que era coberto de cedro desde o soalho até o teto.

8 E no palácio, em que morava, havia outro átrio por dentro do pórtico, de obra semelhante à deste. Também para a filha de faraó, que tomara por mulher, Salomão fez um palácio semelhante àquele pórtico.

**9** Todas estas estruturas eram de pedras escolhidas, talhadas sob medida, serradas por dentro e por fora; e isso desde o fundamento até as beiras do teto, e por fora até o grande pátio.
**10** Os fundamentos eram de grandes pedras selecionadas, de dez e de oito côvados.
**11** Por cima delas havia pedras de grande preço, lavradas sob medida, e madeira de cedro.
**12** Tinha o átrio grande em redor três ordens de pedras lavradas, com uma ordem de vigas de cedro; assim era também o átrio interior da casa do Senhor e o pórtico da casa.

### Utensílios do templo

**13** Enviou o rei Salomão mensageiros que de Tiro trouxessem Hirão.
**14** Era este filho de uma mulher viúva, da tribo de Naftali, e fora seu pai um homem de Tiro que trabalhava em bronze. Era cheio de sabedoria, de entendimento e de ciência para fazer toda sorte de obras de bronze. Veio este ter com o rei Salomão e fez todas as suas obras.
**15** Formou as duas colunas de bronze, cada uma de dezoito côvados de altura, e um fio de doze côvados era a medida da sua circunferência.
**16** Também fez dois capitéis de fundição de bronze para pôr sobre o alto das colunas; cada capitel era de cinco côvados de altura.
**17** Havia redes de malha e grinaldas entrelaçadas, para os capitéis que estavam no alto das colunas, sete para cada capitel.
**18** Fez duas fileiras de romãs em redor sobre uma rede, para cobrir os capitéis no alto das colunas; assim fez com um e outro capitel.
**19** Os capitéis que estavam no alto das colunas, no pórtico, eram de obra de lírios, de quatro côvados.
**20** Nos capitéis, no alto das duas colunas, acima do bojo, próximo à obra de rede, estavam as duzentas romãs dispostas em fileiras em redor.
**21** Levantou as colunas no pórtico do templo. Levantando a coluna direita, chamou-lhe Jaquim, e levantando a coluna esquerda, chamou-lhe Boaz.
**22** No alto das colunas estava a obra de lírios. E assim se acabou a obra das colunas.
**23** Fez o mar de fundição, redondo, de dez côvados de uma borda à outra, cinco de altura e trinta de circunferência.
**24** Por baixo da sua borda em redor havia botões que o cingiam, dez em cada côvado, cercando aquele mar em redor. Duas eram as fileiras destes botões, fundidas com o mar.
**25** Firmava-se o mar sobre doze bois, três que olhavam para o norte, três para o ocidente, três para o sul e três para o oriente. O mar apoiava-se sobre eles, e as partes posteriores deles convergiam para dentro.
**26** A espessura dele era de quatro dedos, e a borda era como a de um copo, como flor de lírio. Ele levava dois mil batos.
**27** Fez também as dez bases de bronze; cada uma tinha quatro côvados de comprimento, quatro de largura e três de altura.
**28** Foram feitas do seguinte modo: tinham painéis, que estavam entre molduras,
**29** sobre os quais havia leões, bois e querubins; nas molduras

de cima e nas de baixo dos leões e dos bois havia grinaldas pendentes.

30 Cada base tinha quatro rodas de bronze, com eixos de bronze, e cada base tinha uma pia sobre quatro suportes, fundidos com grinaldas de cada lado.

31 A sua boca estava dentro da coroa, e em cima era de um côvado. E era redonda como a obra de um pedestal, de côvado e meio. Também sobre a sua boca havia entalhes, e os seus painéis eram quadrados, não redondos.

32 As quatro rodas estavam debaixo dos painéis, e os eixos das rodas estavam na base. Era a altura de cada roda de côvado e meio.

33 O feitio das rodas era como o de uma roda de carro; seus eixos, suas cambas, seus raios e seus cubos, todos eram fundidos.

34 Havia quatro suportes nos quatro cantos de cada base, os quais faziam parte da própria base.

35 No alto de cada base havia um cinto redondo de meio côvado de altura. Também no topo de cada base havia apoios e painéis, que faziam parte dela.

36 Nas placas de seus apoios e dos seus painéis lavrou querubins, leões e palmeiras, segundo o espaço de cada uma com grinaldas em redor.

37 Conforme esta fez as dez bases: todas tinham a mesma fundição, a mesma medida e o mesmo entalhe.

38 Também fez dez pias de bronze; em cada uma cabiam quarenta batos, e cada pia era de quatro côvados. Sobre cada uma das dez bases estava uma pia.

39 Pôs cinco bases à direita do templo e cinco, à esquerda. Pôs o mar ao lado direito do templo para a banda do sudeste.

40 Depois fez Hirão as caldeiras, as pás e as bacias. Assim acabou Hirão de fazer toda a obra que executou para o rei Salomão, para o templo do Senhor,

41 a saber, as duas colunas, os dois globos dos capitéis que estavam no alto das duas colunas; as duas redes, para cobrir os dois globos dos capitéis que estavam no alto das colunas;

42 as quatrocentas romãs para as duas redes, a saber, duas carreiras de romãs para cada rede, para cobrirem os dois globos dos capitéis que estavam no alto das colunas;

43 as dez bases e as dez pias sobre as bases;

44 o mar e os doze bois debaixo dele;

45 as caldeiras, as pás e as bacias. Todos esses utensílios que fez Hirão para o rei Salomão e para o templo do Senhor eram de bronze polido.

46 Na planície do Jordão, o rei os mandou fundir em terra barrenta, entre Sucote e Zaretã.

47 Deixou Salomão de pesar todos os utensílios por causa do seu excessivo número; não se averiguou o peso do bronze.

48 Também fez Salomão todos os utensílios para a casa do Senhor: o altar de ouro e a mesa de ouro, sobre a qual estavam os pães da proposição;

49 os castiçais, de ouro puro, cinco à direita e cinco à esquerda, diante do Santo dos Santos; as flores, as lâmpadas e as espevitadeiras, também de ouro;

50 fez também as taças, as espevitadeiras, as bacias, os recipientes para incenso e os braseiros, de ouro finíssimo; as dobradiças para

as portas da sala interior para o Santo dos Santos, e as das portas do átrio principal, isto é, do templo, também de ouro.

51 Assim se concluiu toda a obra que fez o rei Salomão para o templo do Senhor; então trouxe Salomão as coisas que seu pai Davi havia consagrado, a prata, o ouro, os utensílios e os pôs entre os tesouros do templo do Senhor.

### A transferência da arca

8 Então congregou Salomão as autoridades de Israel, e todos os chefes das tribos, os chefes das famílias paternas, dentre os filhos de Israel, diante de si em Jerusalém, para fazerem subir a arca da aliança do Senhor da Cidade de Davi, que é Sião.

2 Todos os homens de Israel se congregaram ao rei Salomão, na ocasião da festa, no mês de etanim, que é o sétimo mês.

3 Vieram todas as autoridades de Israel, e os sacerdotes alçaram a arca do Senhor

4 e a levaram para cima, e a tenda da congregação, com todos os utensílios sagrados que nela havia. Os sacerdotes e os levitas trouxeram-nos para cima,

5 e o rei Salomão, e toda a congregação de Israel, que se ajuntara a ele, estavam todos diante da arca, sacrificando ovelhas e bois, que não se podiam contar nem numerar, pela sua multidão.

6 Os sacerdotes levaram a arca da aliança do Senhor para o seu lugar, no santuário mais interior do templo, no Santo dos Santos, debaixo das asas dos querubins.

7 Os querubins estendiam as asas sobre o lugar da arca e cobriam por cima a arca e as suas varas.

8 As varas sobressaíam tanto que as suas pontas se viam desde o santuário, diante do Santo dos Santos, mas de fora não se viam. Ali estão até o dia de hoje.

9 Na arca nada havia, senão as duas tábuas de pedra, que Moisés ali pusera, junto a Horebe, quando o Senhor fez aliança com os filhos de Israel, ao saírem eles da terra do Egito.

10 Saindo os sacerdotes do santuário, uma nuvem encheu o templo do Senhor,

11 de modo que os sacerdotes não podiam ter-se em pé para ministrar, por causa da nuvem, pois a glória do Senhor enchera o templo do Senhor.

12 Então disse Salomão: O Senhor declarou que habitaria numa nuvem escura.

13 Certamente te edifiquei um templo para morada, lugar para a tua eterna habitação.

14 Então o rei virou o rosto e abençoou toda a congregação de Israel, enquanto se mantinha em pé.

15 E disse: Bendito seja o Senhor, o Deus de Israel, que falou pela sua boca a Davi, meu pai, e pela sua mão o cumpriu, dizendo:

16 Desde o dia em que eu tirei o meu povo Israel do Egito, não escolhi cidade alguma de todas as tribos de Israel, para edificar uma casa a fim de ali estabelecer o meu nome; mas escolhi Davi, para que presidisse sobre o meu povo Israel.

17 Ora, Davi, meu pai, propusera em seu coração construir um templo ao nome do Senhor, o Deus de Israel.

18 O Senhor, porém, disse a Davi, meu pai: Porque propuseste no teu coração construir um templo ao meu nome, bem fizeste em o propor no teu coração.

19 Todavia, tu não o construirás, mas teu filho, que sair de teus lombos, construirá o templo ao meu nome.

20 Assim confirmou o Senhor a sua palavra que tinha dito, pois me levantei em lugar de Davi, meu pai, e me assentei no trono de Israel, como falou o Senhor, e construí um templo ao nome do Senhor, o Deus de Israel.

21 Ali constituí lugar para a arca em que está a aliança que o Senhor fez com nossos pais, quando os tirou da terra do Egito.

22 Pôs-se Salomão diante do altar do Senhor, em frente de toda a congregação de Israel, estendeu as mãos para os céus

23 e disse: Ó Senhor, Deus de Israel, não há Deus como tu, em cima nos céus nem embaixo na terra, que guardas a aliança e a benevolência para com teus servos que de todo o coração andam diante de ti.

24 Cumpriste com teu servo Davi, meu pai, o que prometeste; com a tua boca o declaraste e com a tua mão o cumpriste, como neste dia se vê.

25 Agora, ó Senhor, Deus de Israel, faze a teu servo Davi, meu pai, o que lhe prometeste, dizendo: Não te faltará sucessor diante de mim, que se assente no trono de Israel, contanto que teus filhos guardem o seu caminho, para andarem diante de mim como tu andaste.

26 Agora também, ó Deus de Israel, cumpra-se a tua palavra, que disseste a teu servo Davi, meu pai.

27 Na verdade, porém, habitaria Deus na terra? Os céus, e até o céu dos céus não te podem conter, quanto menos este templo que eu construí.

28 Atenta, pois, para a oração de teu servo e para a sua súplica, ó Senhor meu Deus, para ouvires o clamor e a oração que o teu servo hoje faz diante de ti.

29 Que os teus olhos estejam abertos noite e dia sobre este templo, sobre este lugar, do qual disseste: O meu nome estará ali; para ouvires a oração que o teu servo fizer neste lugar.

30 Ouve a súplica do teu servo e do teu povo Israel, quando orarem neste lugar. Sim, ouve tu no lugar da tua habitação nos céus; ouve e perdoa.

31 Se alguém pecar contra o seu próximo e lhe for exigido que jure, e ele vier jurar diante do teu altar neste templo,

32 ouve tu dos céus e age. Julga a teus servos, condenando o culpado, fazendo recair o seu proceder sobre a sua cabeça e justificando ao justo, retribuindo-lhe segundo a sua justiça.

33 Quando o teu povo Israel for ferido diante do inimigo, por ter pecado contra ti, e se converter a ti e confessar o teu nome e orar e suplicar a ti neste templo,

34 ouve tu nos céus e perdoa o pecado do teu povo Israel; e faze-o voltar à terra que deste a seus pais.

35 Quando os céus se fecharem, e não houver chuva, por ter o povo pecado contra ti, e orar neste lugar, confessar o teu nome e se converter dos seus pecados, havendo-o tu afligido,

36 ouve tu nos céus e perdoa o pecado de teus servos e do teu povo Israel, ensinando-lhes o bom caminho em que andem, e dá chuva na tua terra que deste em herança ao teu povo.

**37** Quando houver fome na terra, quando houver peste, quando houver crestamento ou ferrugem, gafanhotos ou lagarta, quando o seu inimigo o cercar na terra das suas cidades, ou houver alguma praga ou doença,
**38** toda oração, toda súplica, que qualquer homem de todo o teu povo Israel fizer, conhecendo cada um a chaga do seu coração e estendendo as mãos para este templo,
**39** ouve tu nos céus, lugar da tua habitação, perdoa, age e dá a cada um conforme todos os seus caminhos, segundo vires o seu coração, porque só tu conheces o coração de todos os filhos dos homens;
**40** para que te temam todos os dias que viverem na terra que deste a nossos pais.
**41** Também ao estrangeiro, que não for do teu povo Israel, que vier de terras remotas, por amor do teu nome
**42** (pois ouvirão do teu grande nome, da tua forte mão e do teu braço estendido) e orar voltado para este templo,
**43** ouve tu nos céus, lugar da tua habitação, e faze conforme tudo o que o estrangeiro a ti clamar, a fim de que todos os povos da terra conheçam o teu nome, para te temerem como o teu povo Israel e para saberem que pelo teu nome é chamado este templo que construí.
**44** Quando o teu povo sair à guerra contra o seu inimigo, pelo caminho por que o enviares, e orar ao Senhor, voltado para esta cidade, que tu elegeste, e para este templo, que construí ao teu nome,
**45** ouve então nos céus a sua oração e a sua súplica, e faze-lhes justiça.
**46** Quando os teus servos pecarem contra ti (pois não há homem que não peque), e tu te indignares contra eles e os entregares às mãos do inimigo, a fim de os levarem cativos à terra do inimigo, distante ou perto;
**47** e na terra para onde forem levados cativos caírem em si e se converterem, e na terra do seu cativeiro te suplicarem, dizendo: Pecamos, perversamente procedemos e cometemos iniquidade;
**48** e se converterem a ti de todo o seu coração e de toda a sua alma, na terra de seus inimigos que os levaram cativos, e orarem a ti, voltados para a sua terra que deste a seus pais, para esta cidade que elegeste, e para este templo que construí ao teu nome;
**49** ouve então nos céus, lugar da tua habitação, a sua oração e a sua súplica e faze-lhes justiça;
**50** perdoa o teu povo, que houver pecado contra ti; todas as suas transgressões que houver cometido contra ti, e dá-lhe misericórdia da parte dos que os levarem cativos, para que se compadeçam deles.
**51** Pois são o teu povo e a tua herança que tiraste da terra do Egito, do meio do forno de ferro;
**52** para que teus olhos estejam abertos à súplica dos teus servos e à súplica do teu povo Israel, a fim de os ouvires em tudo quanto clamarem a ti.
**53** Pois tu, ó Senhor Deus, os separaste dentre todos os povos da terra, para serem a tua herança, como disseste por intermédio de Moisés, teu servo, quando tiraste nossos pais do Egito.
**54** Acabando Salomão de fazer ao Senhor esta oração e esta súplica, estando de joelhos e com as mãos estendidas para os céus,

levantou-se de diante do altar do Senhor,

**55** pôs-se em pé e abençoou toda a congregação de Israel em alta voz, dizendo:

**56** Bendito seja o Senhor, que deu repouso ao seu povo Israel, segundo tudo o que disse; nem uma só palavra falhou de todas as boas palavras que falou por intermédio de Moisés, seu servo.

**57** O Senhor, o nosso Deus, seja conosco, como foi com nossos pais; não nos desampare, e não nos deixe,

**58** mas incline a si o nosso coração, a fim de andarmos em todos os seus caminhos, guardarmos os seus mandamentos, os seus estatutos e os seus juízos, que ordenou a nossos pais.

**59** Que estas minhas palavras, com que supliquei perante o Senhor, estejam perto, diante do Senhor, o nosso Deus, de dia e de noite, para que faça ele justiça ao seu servo e ao seu povo Israel, como cada dia o exigir,

**60** para que todos os povos da terra saibam que o Senhor é Deus, e que não há outro.

**61** Seja o vosso coração completamente leal para com o Senhor, o nosso Deus, para andardes nos seus estatutos e guardardes os seus mandamentos como hoje o fazeis.

**62** Então o rei e todo o Israel com ele ofereceram sacrifícios perante a face do Senhor.

**63** Ofereceu Salomão em sacrifício pacífico o que apresentou ao Senhor, vinte e dois mil bois e cento e vinte mil ovelhas. Assim o rei e todos os filhos de Israel consagraram o templo do Senhor.

**64** No mesmo dia, o rei consagrou a parte central do átrio que estava diante do templo do Senhor, e ali preparou os holocaustos e as ofertas com a gordura das ofertas pacíficas, porque o altar de bronze que estava diante do Senhor era muito pequeno para nele caberem os holocaustos, as ofertas de cereais e a gordura das ofertas pacíficas.

**65** No mesmo tempo, celebrou Salomão a festa e todo o Israel com ele, uma grande congregação, vinda desde a entrada de Hamate e desde o rio do Egito, perante a face do Senhor, o nosso Deus, por sete dias, e mais sete dias, catorze dias ao todo.

**66** No oitavo dia, despediu o povo. Eles abençoaram o rei e então se foram às suas tendas, alegres e de coração contente, por causa de todo o bem que o Senhor fizera a Davi, seu servo, e a Israel, seu povo.

## O Senhor aparece a Salomão

**9** Tendo Salomão acabado de construir o templo do Senhor e o palácio do rei, e tudo o que desejou construir,

**2** o Senhor tornou a aparecer a Salomão, como lhe tinha aparecido em Gibeom,

**3** e lhe disse: Ouvi a tua oração e a tua súplica que fizeste perante mim; consagrei o templo que construíste, a fim de pôr ali o meu nome para sempre. Os meus olhos e o meu coração estarão ali todos os dias.

**4** Ora, se andares perante mim como andou Davi, teu pai, com inteireza de coração e com sinceridade, para fazeres segundo tudo o que te mandei, guardando os meus estatutos e os meus juízos,

**5** então confirmarei o trono de teu reino sobre Israel para sempre,

como prometi a Davi, teu pai, dizendo: Não te faltará sucessor sobre o trono de Israel.
**6** Se vós e vossos filhos, porém, de qualquer maneira vos apartardes de mim e não guardardes os meus mandamentos e os meus estatutos, que vos tenho proposto, mas fordes, e servirdes a outros deuses, e vos curvardes perante eles,
**7** então exterminarei Israel da terra que lhe dei, e a este templo, que consagrei a meu nome, lançarei longe da minha presença. Israel será objeto de zombaria entre todos os povos.
**8** E deste templo, que é tão exaltado, todo aquele que por ele passar pasmará, assobiará e dirá: Por que fez o Senhor assim a esta terra e a este templo?
**9** E lhe responderão: Porque deixaram ao Senhor, o seu Deus, que tirou da terra do Egito os seus antepassados, e se apegaram a deuses alheios; e se encurvaram perante eles, e os serviram; por isso trouxe o Senhor sobre eles todo este mal.
**10** Ao fim de vinte anos, concluiu Salomão as duas construções: o templo do Senhor e o palácio do rei.
**11** Como Hirão, rei de Tiro, trouxera a Salomão madeira de cedro e de cipreste e ouro, segundo todo o seu desejo, deu o rei Salomão a Hirão vinte cidades na terra da Galileia.
**12** Saiu Hirão de Tiro a ver as cidades que Salomão lhe dera, mas não lhe agradaram.
**13** Pelo que disse: Que cidades são estas que me deste, irmão meu? E lhes chamaram: Terra de Cabul, até hoje.
**14** Ora, Hirão enviara ao rei cento e vinte talentos de ouro.
**15** Este é o relato do trabalho forçado que o rei Salomão impôs para edificar o templo do Senhor e o seu próprio palácio, os terraços de apoio, o muro de Jerusalém, como também Hazor, Megido e Gezer.
**16** Faraó, rei do Egito, subira e tomara a Gezer, e a queimara e matara os cananeus que moravam nela, e a dera em dote a sua filha, mulher de Salomão.
**17** Assim reconstruiu Salomão Gezer, Bete-Horom, a baixa,
**18** Baalate, Tadmor, no deserto daquela terra,
**19** e a todas as cidades-armazéns que Salomão tinha, as cidades dos carros, as cidades dos cavaleiros, e o que desejou construir em Jerusalém, no Líbano e em toda a terra do seu domínio.
**20** Quanto a todo o povo que restou dos amorreus, heteus, ferezeus, heveus e jebuseus, e que não eram dos filhos de Israel,
**21** a seus filhos, que restaram depois deles na terra, os quais os filhos de Israel não puderam destruir totalmente, Salomão os reduziu a trabalhos forçados, até hoje.
**22** Dos filhos de Israel, porém, não fez Salomão escravo algum; eram homens de guerra, seus servos, seus príncipes, seus capitães e chefes dos seus carros e dos seus cavaleiros.
**23** Eram estes os chefes dos oficiais que estavam sobre a obra de Salomão, quinhentos e cinquenta, que davam ordens ao povo que trabalhava na obra.
**24** Logo que a filha de faraó subiu da Cidade de Davi para o palácio que Salomão lhe havia construído, edificou ele os terraços de apoio.
**25** Oferecia Salomão três vezes por ano holocaustos e ofertas

pacíficas sobre o altar que edificara ao Senhor e queimava incenso sobre o altar perante o Senhor. Assim terminou ele a construção do templo.

**26** Também o rei Salomão fez naus em Eziom-Geber, que está junto a Elate, na praia do mar Vermelho, na terra de Edom.
**27** Mandou Hirão com aquelas naus os seus servos, marinheiros que conheciam o mar, com os servos de Salomão.
**28** Chegaram a Ofir e tomaram de lá quatrocentos e vinte talentos de ouro, que trouxeram ao rei Salomão.

### A rainha de Sabá visita Salomão

**10** Quando a rainha de Sabá ouviu a respeito da fama de Salomão, no que se refere ao nome do Senhor, veio prová-lo por enigmas.
**2** Chegou a Jerusalém com uma grande comitiva, com camelos carregados de especiarias e muitíssimo ouro e pedras preciosas. Apresentou-se a Salomão e lhe disse tudo o que lhe ia no coração.
**3** Salomão respondeu a todas as suas perguntas; nada houve difícil demais que o rei não pudesse explicar.
**4** Vendo a rainha de Sabá toda a sabedoria de Salomão, o palácio que edificara,
**5** a comida da sua mesa, o assentar dos seus oficiais, o serviço de seus criados e os trajes deles, seus copeiros e os holocaustos que *ele oferecia no templo do Senhor*, ficou fora de si
**6** e disse ao rei: Foi verdade a palavra que ouvi na minha terra, acerca dos teus feitos e da tua sabedoria.
**7** Eu, porém, não acreditava naquelas palavras, até que vim e vi com os meus olhos. Deveras, não me disseram metade; sobrepujaste em sabedoria e bens a fama que ouvi.
**8** Bem-aventurados os teus homens, bem-aventurados estes teus servos, que estão sempre diante de ti, que ouvem a tua sabedoria!
**9** Bendito seja o Senhor, o teu Deus, que se agradou de ti, para te pôr no trono de Israel. Porque o Senhor ama Israel para sempre, constituiu-te rei, para executares juízo e justiça.
**10** E deu ela ao rei cento e vinte talentos de ouro, muitíssimas especiarias e pedras preciosas. Nunca mais vieram especiarias em tanta abundância, como as que a rainha de Sabá deu ao rei Salomão.
**11** Também as naus de Hirão, que de Ofir traziam ouro, trouxeram de lá grande quantidade de madeira de sândalo e pedras preciosas.
**12** Dessa madeira de sândalo fez o rei balaústres para o templo do Senhor e para o palácio do rei, como também harpas e alaúdes para os cantores. Tanta madeira de sândalo nunca mais se trouxe nem se viu, até o dia de hoje.
**13** O rei Salomão deu à rainha de Sabá tudo o que ela desejou e pediu, além do que já lhe tinha dado da sua generosidade real. Então ela voltou e foi para a sua terra, ela e a sua comitiva.

### O esplendor de Salomão

**14** Era o peso do ouro que se trazia a Salomão cada ano seiscentos e sessenta e seis talentos,
**15** além do que vinha dos vendedores e negociantes, de todos os

reis da Arábia e dos governadores do país.

**16** Também o rei Salomão fez duzentos escudos grandes de ouro batido; seiscentos siclos de ouro mandou pesar para cada um.

**17** Fez também trezentos escudos de ouro batido; três arráteis de ouro mandou pesar para cada escudo. Então o rei os pôs no Palácio do Bosque do Líbano.

**18** Fez mais o rei um grande trono de marfim e o cobriu de ouro puríssimo.

**19** Tinha o trono seis degraus, e o alto do espaldar do trono era redondo. De ambos os lados tinha braços junto ao assento, e dois leões em pé junto aos braços.

**20** Também doze leões estavam ali sobre os seis degraus de ambos os lados. Nunca se fizera obra semelhante em nenhum dos reinos.

**21** Também todos os vasos de beber do rei Salomão eram de ouro, e todos os vasos do Palácio do Bosque do Líbano eram de ouro puro. Não havia neles prata, porque nos dias de Salomão a prata não tinha estimação alguma.

**22** O rei tinha no mar uma frota de Társis, com as naus de Hirão. De três em três anos voltava a frota de Társis, trazendo ouro, prata, marfim, bugios e pavões.

**23** Assim o rei Salomão excedeu a todos os reis da terra, tanto em riquezas como em sabedoria.

**24** Toda a terra buscava a presença de Salomão, para ouvir a sabedoria que Deus lhe havia posto no coração.

**25** Ano após ano, cada um trazia o seu presente, vasos de prata, vasos de ouro, roupas, armaduras, especiarias, cavalos e mulas.

**26** Ajuntou Salomão carros e cavaleiros, de sorte que tinha mil e quatrocentos carros e doze mil cavaleiros, e os distribuiu pelas cidades dos carros, e junto ao rei em Jerusalém.

**27** Fez o rei que em Jerusalém houvesse prata como pedras e cedros em abundância como as figueiras bravas que estão nas planícies.

**28** Os cavalos que Salomão tinha eram trazidos do Egito e de Cue; os comerciantes do rei os compravam de Cue.

**29** Importavam um carro do Egito por seiscentos siclos de prata e um cavalo por cento e cinquenta. Também os exportavam para todos os reis dos heteus e para os reis da Síria.

### Os pecados de Salomão

**11** Além da filha de faraó, o rei Salomão amou muitas mulheres estrangeiras: moabitas, amonitas, edomitas, sidônias e heteias,

**2** das nações de que o Senhor tinha dito aos filhos de Israel: Não entrareis em contato com eles, e eles não entrarão em contato convosco, porque perverterão o vosso coração para seguirdes os seus deuses. A estas se apegou Salomão pelo amor.

**3** Tinha setecentas mulheres princesas e trezentas concubinas. Suas mulheres lhe perverteram o seu coração.

**4** No tempo da velhice de Salomão, suas mulheres lhe perverteram o coração para seguir a outros deuses, e o seu coração não era completamente leal para com o Senhor o seu Deus, como fora o de Davi, seu pai.

**5** Salomão seguiu Astarote, deusa dos sidônios, e Milcom, abominação dos amonitas.
**6** Assim fez Salomão o que era mau aos olhos do Senhor e não perseverou em seguir ao Senhor, como Davi seu pai.
**7** Nesse tempo, edificou Salomão um alto a Quemós, abominação dos moabitas, sobre o monte que está diante de Jerusalém, e a Moloque, abominação dos filhos de Amom.
**8** Assim fez para com todas as suas mulheres estrangeiras, as quais queimavam incenso e sacrificavam a seus deuses.
**9** O Senhor se indignou contra Salomão, porque desviara o seu coração do Senhor, o Deus de Israel, que duas vezes lhe aparecera.
**10** Embora acerca deste negócio lhe tivesse dado ordem que não seguisse outros deuses, ele não guardou o que o Senhor lhe ordenara.
**11** Assim disse o Senhor a Salomão: Já que houve isso em ti, que não guardaste a minha aliança e os meus estatutos que te ordenei, certamente rasgarei de ti este reino e o darei a teu servo.
**12** Todavia, não o farei nos teus dias, por amor de Davi, teu pai. Da mão de teu filho o rasgarei.
**13** Contudo, não rasgarei todo o reino, mas uma tribo darei a teu filho, por amor de meu servo Davi e por amor de Jerusalém, que escolhi.
**14** Levantou o Senhor contra *Salomão um adversário, a Hadade, o edomita, da estirpe real de Edom.*
**15** Estando Davi em Edom, e subindo Joabe, comandante do exército, para enterrar os mortos, feriu todos os homens em Edom.
**16** (Joabe ficou ali seis meses com todo o Israel, até que destruiu a todos os homens em Edom.)
**17** Hadade, porém, ainda menino, fugiu com alguns homens edomitas, dos servos de seu pai, e foram ao Egito.
**18** Levantaram-se de Midiã e foram a Parã. Então tomaram consigo homens de Parã, foram ao Egito ter com faraó, rei do Egito, o qual lhe deu uma casa, forneceu-lhe sustento e lhe deu terras.
**19** Hadade de tal maneira ganhou a simpatia de faraó que este lhe deu por mulher a irmã de sua mulher, a irmã da rainha Tafnes.
**20** A irmã de Tafnes deu-lhe um filho, Genubate, o qual Tafnes criou no palácio real, onde Genubate esteve entre os filhos de faraó.
**21** Ouvindo Hadade no Egito que Davi adormecera com seus pais e que Joabe, comandante do exército, era morto, disse a faraó: Deixa-me ir, para que eu volte à minha terra.
**22** Faraó, porém, lhe disse: O que te falta comigo, que procuras partir para a tua terra? Disse ele: Nada; mas deixa-me ir.
**23** E Deus lhe levantou outro adversário, Rezom, filho de Eliada, que havia fugido de seu senhor Hadadezer, rei de Zobá.
**24** Ajuntou ele homens e se fez comandante de um esquadrão; quando Davi destruiu os de Zobá, os rebeldes foram para Damasco, onde habitaram e fizeram rei a Rezom.
**25** Rezom foi adversário de Israel por todos os dias de Salomão, acrescentando ao mal que Hadade fazia. Assim Rezom reinou sobre a Síria e foi inimigo de Israel.
**26 T**ambém Jeroboão, filho de Nebate, efraimita de Zeredá, servo

de Salomão, cuja mãe era viúva, por nome Zerua, rebelou-se contra o rei.

27 Esta é a história da revolta de Jeroboão contra o rei: Salomão tinha edificado os terraços de apoio e fechado as brechas da Cidade de Davi, seu pai.

28 Ora, Jeroboão era homem valente e capaz, e vendo Salomão que o jovem era trabalhador, colocou-o sobre toda a carga da tribo de José.

29 Por esse tempo, saindo Jeroboão de Jerusalém, encontrou-o o profeta Aías, o silonita, no caminho; este usava uma capa nova. Os dois estavam sós no campo,

30 e Aías pegou na capa nova que tinha sobre si e a rasgou em doze pedaços.

31 E disse a Jeroboão: Toma para ti os dez pedaços, pois assim diz o Senhor, o Deus de Israel: Vê, rasgarei o reino da mão de Salomão, e a ti darei as dez tribos.

32 Ele, porém, terá uma tribo, por amor de Davi, meu servo, e por amor de Jerusalém, a cidade que escolhi dentre todas as tribos de Israel.

33 Farei isso porque me deixaram e se encurvaram a Astarote, deusa dos sidônios, a Quemós, deus dos moabitas, e a Milcom, deus dos filhos de Amom; não andaram nos meus caminhos, para fazerem o que é reto aos meus olhos, nem guardaram os meus estatutos e os meus juízos, como fez Davi, seu pai.

34 Não tomarei, porém, da sua mão o reino todo; eu o deixarei governar durante todos os dias da sua vida, por amor de Davi, meu servo, a quem escolhi, o qual guardou os meus mandamentos e os meus estatutos.

35 Da mão de seu filho, contudo, tomarei o reino, a saber, as dez tribos, e as darei a ti.

36 A seu filho darei uma tribo para que Davi, meu servo, sempre tenha uma lâmpada diante de mim em Jerusalém, a cidade que escolhi para ali pôr o meu nome.

37 Todavia, quanto a ti, eu te tomarei, e reinarás sobre tudo o que desejar a tua alma; serás rei sobre Israel.

38 Se ouvires tudo o que eu te ordenar e andares nos meus caminhos e fizeres o que é reto aos meus olhos, guardando os meus estatutos e os meus mandamentos, como fez Davi, meu servo, eu serei contigo e te edificarei uma dinastia firme, como edifiquei Davi, e te darei Israel.

39 Afligirei a descendência de Davi por causa disso, mas não para sempre.

40 Salomão procurou matar a Jeroboão, mas este se levantou e fugiu para o Egito, para com o rei Sisaque, e ali permaneceu até que Salomão morreu.

### A morte de Salomão

41 Quanto aos mais atos de Salomão, a tudo quanto fez e à sua sabedoria, porventura não está escrito no livro dos atos de Salomão?

42 O tempo que Salomão reinou em Jerusalém sobre todo o Israel foi quarenta anos.

43 Então dormiu Salomão com os seus pais e foi sepultado na Cidade de Davi, seu pai. E Roboão, seu filho, reinou em seu lugar.

### A divisão do reino

**12** Foi Roboão a Siquém, pois todo o Israel se reunira ali para fazê-lo rei.

**2** Ouvindo isso, Jeroboão, filho de Nebate, que ainda estava no Egito, para onde fugira de diante do rei Salomão, voltou do Egito.
**3** Assim mandaram chamá-lo, e Jeroboão e toda a congregação de Israel vieram a Roboão e lhe disseram:
**4** Teu pai agravou o nosso jugo, mas agora alivia a dura cerviz de teu pai e o seu pesado jugo que nos impôs, e nós te serviremos.
**5** Respondeu Roboão: Ide-vos até o terceiro dia e então voltai a mim. E o povo se foi.
**6** Teve o rei Roboão conselho com os que estiveram na presença de Salomão, seu pai, quando este ainda vivia: Como aconselhais vós que se responda a este povo?
**7** Responderam eles: Se hoje te tornares servo deste povo e o servires e, respondendo-lhe, disseres boas palavras, serão teus servos para sempre.
**8** Ele, porém, deixou o conselho que os anciãos lhe deram e teve conselho com os jovens que haviam crescido com ele e que assistiam diante dele.
**9** E lhes perguntou: Que aconselhais vós que respondamos a este povo, que me disse: Alivia o jugo que teu pai nos impôs?
**10** Os jovens que haviam crescido com ele lhe disseram: Assim falarás a este povo que disse: Teu pai fez pesado o nosso jugo, mas tu o alivia de sobre nós; assim lhe falarás: Meu dedo mínimo é mais grosso do que os lombos de meu pai.
**11** Assim que, se meu pai vos impôs jugo pesado, ainda eu aumentarei o vosso jugo. Meu pai vos castigou com açoites; eu vos castigarei com escorpiões.
**12** Veio Jeroboão e todo o povo, ao terceiro dia a Roboão, como o rei havia ordenado, dizendo: Voltai a mim ao terceiro dia.
**13** Respondeu o rei ao povo asperamente. Deixando o conselho que os anciãos lhe deram,
**14** falou-lhes conforme o conselho dos jovens, dizendo: Meu pai agravou o vosso jugo; eu ainda o aumentarei. Meu pai vos castigou com açoites; eu vos castigarei com escorpiões.
**15** Assim o rei não deu ouvidos ao povo, pois esta mudança vinha do Senhor, para confirmar a palavra que o Senhor tinha dito por intermédio de Aías, o silonita, a Jeroboão, filho de Nebate.
**16** Vendo todo o Israel que o rei não lhe dava ouvidos, respondeu-lhe:

Que parte temos nós com
  Davi?
Não há para nós herança no
  filho de Jessé.
Às tuas tendas, ó Israel!
  Cuida agora da tua casa, ó
  Davi.
Então Israel se foi às suas
  tendas.

**17** Quanto aos filhos de Israel, porém, que habitavam nas cidades de Judá, sobre eles reinou Roboão.
**18** O rei Roboão enviou Adorão, que estava sobre os que trabalhavam forçados, mas todo o Israel o apedrejou, e ele morreu. O rei Roboão, contudo, conseguiu subir em seu carro e fugir para Jerusalém.
**19** Assim se rebelou Israel contra a casa de Davi até o dia de hoje.
**20** Ouvindo todo o Israel que Jeroboão tinha voltado, mandaram chamá-lo para a congregação e o fizeram rei sobre todo o Israel.

Ninguém seguiu a dinastia de Davi senão somente a tribo de Judá.

21 Vindo Roboão a Jerusalém, reuniu toda a tribo de Judá e a tribo de Benjamim, cento e oitenta mil escolhidos, destros para a guerra, a fim de pelejar contra a casa de Israel, para restituir o reino a Roboão, filho de Salomão.

22 Porém veio a palavra de Deus a Semaías, homem de Deus:

23 Dize a Roboão, filho de Salomão, rei de Judá, a toda a tribo de Judá, a Benjamim e ao restante do povo:

24 Assim diz o Senhor: Não subireis, nem pelejareis contra vossos irmãos, os filhos de Israel. Volte cada um para a sua casa, pois eu é que fiz esta obra. Ouviram a palavra do Senhor e voltaram segundo o seu mandado.

25 Jeroboão edificou Siquém, na região montanhosa de Efraim, e habitou ali. Dali saiu e edificou Penuel.

26 Disse Jeroboão consigo: Agora tornará o reino para a dinastia de Davi.

27 Se este povo subir para fazer sacrifícios no templo do Senhor, em Jerusalém, o seu coração se tornará para o seu senhor, Roboão, rei de Judá. Eles me matarão e tornarão ao rei Roboão.

28 Pelo que o rei, tendo tomado conselho, fez dois bezerros de ouro. E disse ao povo: É muito trabalho para vós o subir a Jerusalém. Vês aqui teus deuses, ó Israel, que te fizeram subir da terra do Egito.

29 Pôs um em Betel, e o outro, em Dã.

30 E isso se tornou em pecado; o povo ia até Dã para adorar o bezerro de lá.

31 Jeroboão fez casa nos altos e constituiu sacerdotes de todo tipo de gente, embora não fossem dos filhos de Levi.

32 Instituiu uma festa no oitavo mês, no décimo quinto dia do mês, como a que se celebrava em Judá, e sacrificou no altar. Semelhantemente fez em Betel, sacrificando aos bezerros que tinha feito. E em Betel estabeleceu sacerdotes nos altos que levantara.

33 Sacrificou no altar que fizera em Betel, no décimo quinto dia do oitavo mês, mês que ele tinha escolhido a seu bel-prazer. Assim ordenou uma festa aos filhos de Israel e sacrificou no altar, queimando incenso.

## O homem de Deus que veio de Judá

**13** Por ordem do Senhor um homem de Deus veio de Judá a Betel, quando Jeroboão estava junto ao altar, para queimar incenso.

2 Clamou o homem contra o altar, por ordem do Senhor: Altar, altar! Assim diz o Senhor: Um filho nascerá na família de Davi, cujo nome será Josias, o qual sacrificará sobre ti os sacerdotes dos altos que queimam sobre ti incenso e ossos humanos se queimarão sobre ti.

3 Deu naquele mesmo dia um sinal: Este é o sinal de que o Senhor falou: O altar se fenderá, e a cinza que está sobre ele se derramará.

4 Tendo o rei Jeroboão ouvido a palavra do homem de Deus, que clamara contra o altar de Betel, estendeu a mão de sobre o altar, dizendo: Pegai-o! Mas a mão que estendera contra ele se secou e não voltava ao normal.

5 O altar se fendeu, e a cinza se derramou do altar, segundo o sinal

que o homem de Deus apontara, por ordem do Senhor.

**6** Então respondeu o rei ao homem de Deus: Ora ao Senhor, o teu Deus, e roga por mim, para que se me restitua a mão. Pelo que o homem de Deus orou ao Senhor, e a mão do rei lhe foi restituída e ficou como antes.

**7** Disse o rei ao homem de Deus: Vem comigo a minha casa e come alguma coisa; e eu te recompensarei.

**8** O homem de Deus, porém, disse ao rei: Ainda que me desses metade dos teus bens, eu não iria contigo, nem comeria pão, nem beberia água neste lugar.

**9** Pois assim me ordenou o Senhor pela sua palavra: Não comerás pão, nem beberás água, nem voltarás pelo caminho por onde foste.

**10** Assim, foi-se por outro caminho, e não voltou pelo caminho por onde viera a Betel.

**11** Morava em Betel um profeta velho, cujos filhos vieram e lhe contaram tudo o que o homem de Deus fizera aquele dia em Betel. Contaram também a seu pai as palavras que dissera ao rei.

**12** Perguntou-lhes o pai: Por que caminho se foi? Mostraram os filhos o caminho por onde se fora o homem de Deus que viera de Judá.

**13** Então disse a seus filhos: Selai-me um jumento. Selaram-lhe o jumento, ele montou e

**14** foi após o homem de Deus. Encontrou-o assentado debaixo de um carvalho e perguntou: És tu o homem de Deus que vieste de Judá? Respondeu ele: Sou.

**15** Então lhe disse: Vem comigo a minha casa e come pão.

**16** Disse o homem de Deus: Não posso voltar contigo, nem entrar contigo, tampouco comer pão, nem beber água contigo neste lugar.

**17** Foi-me mandado pela palavra do Senhor: Ali não comerás pão, nem beberás água, nem voltarás pelo caminho por que foste.

**18** Respondeu-lhe ele: Também eu sou profeta como tu, e um anjo me disse por ordem do Senhor: Faze-o voltar contigo a tua casa, para que coma pão e beba água. Mas ele estava mentindo.

**19** Então ele voltou, comeu pão em sua casa e bebeu água.

**20** Estando eles à mesa, veio a palavra do Senhor ao profeta que o tinha feito voltar.

**21** E clamou ao homem de Deus, que viera de Judá: Assim diz o Senhor: Porque foste rebelde à palavra do Senhor e não guardaste o mandamento que o Senhor, o teu Deus, te mandara,

**22** antes voltaste, comeste pão e bebeste água no lugar de que te dissera: Não comerás pão nem beberás água; o teu cadáver não entrará no sepulcro de teus pais.

**23** Depois de o homem de Deus ter comido pão e bebido água, o profeta que o fizera voltar selou para ele o jumento.

**24** Este se foi; e um leão o encontrou no caminho e o matou. O cadáver do profeta ficou estendido no caminho, e o jumento e o leão estavam parados ali perto dele.

**25** Os homens passaram e viram o corpo estendido no caminho, como também o leão parado junto ao corpo, e foram e o disseram na cidade onde o profeta velho habitava.

**26** Ouvindo-o o profeta que o fizera voltar do caminho, disse: É o homem de Deus, que foi rebelde à palavra do Senhor. O Senhor

o entregou ao leão, que o despedaçou e matou, segundo a palavra que o Senhor lhe havia dito.
27 Disse a seus filhos: Selai-me o jumento. Eles o selaram.
28 Ele se foi e achou o cadáver estendido no caminho, e o jumento e o leão, parados perto do cadáver. O leão não tinha devorado o corpo, nem despedaçado o jumento.
29 Assim o profeta levantou o cadáver do homem de Deus, colocou-o em cima do jumento e o levou de volta à cidade para o chorar e enterrar.
30 Então depositou o cadáver no seu próprio sepulcro e o prantearam, dizendo: Ah! irmão meu!
31 Depois de o haver sepultado, disse a seus filhos: Quando eu morrer, sepultai-me no sepulcro em que o homem de Deus está sepultado; ponde os meus ossos junto aos ossos dele.
32 Pois certamente se cumprirá o que, por ordem do Senhor, clamou contra o altar que está em Betel, como também contra todas as casas dos altos que estão nas cidades de Samaria.
33 Nem depois destas coisas deixou Jeroboão o seu mau caminho; antes, de entre o povo tornou a fazer sacerdotes dos lugares altos. Qualquer que o queria, consagrava sacerdote dos lugares altos.
34 Esse foi o pecado da família de Jeroboão, que levou à sua destruição e extinção da face da terra.

### Aías prediz a ruína de Jeroboão

**14** Naquele tempo, adoeceu Abias, filho de Jeroboão.
2 Disse Jeroboão a sua mulher: Levanta-te e disfarça-te, para que não conheçam que és mulher de Jeroboão, e vai a Siló. Lá está o profeta Aías, aquele que falou acerca de mim, que eu seria rei sobre este povo.
3 Leva contigo dez pães, bolos e uma botija de mel e vai ter com ele. Ele te declarará o que há de acontecer a este menino.
4 A mulher de Jeroboão fez o que ele mandou; e foi à casa de Aías em Siló. Ora, Aías já não podia ver; os seus olhos já se tinham escurecido por causa da sua idade.
5 O Senhor, porém, disse a Aías: A mulher de Jeroboão vem consultar-te sobre seu filho, que está doente. Assim e assim lhe falarás. Ao entrar, ela fingirá ser outra.
6 Assim, ouvindo Aías o ruído de seus pés, ao entrar ela pela porta, disse: Entra, mulher de Jeroboão. Por que te disfarças? Eu sou enviado a ti com duras novas.
7 Vai e dize a Jeroboão: Assim diz o Senhor, o Deus de Israel: Eu te exaltei do meio do povo e te constituí líder sobre o meu povo Israel.
8 Eu rasguei o reino da família de Davi, e o dei a ti, mas tu não foste como o meu servo Davi, que guardou os meus mandamentos e que andou após mim de todo o seu coração para fazer somente o que era reto aos meus olhos.
9 Tu fizeste o mal, pior do que todos os que foram antes de ti. Foste e fizeste outros deuses e imagens de fundição; provocaste-me à ira e me lançaste para trás das tuas costas.
10 Por causa disso, trarei o mal sobre a família de Jeroboão e exterminarei de Jeroboão todo homem, escravo ou livre, em Israel. Lançarei fora os descendentes da família de Jeroboão, como se lança fora o esterco, até que de todo se acabe.

11 Quem morrer de Jeroboão na cidade, os cães o comerão, e o que morrer no campo, as aves do céu o comerão. O Senhor o disse.
12 Quanto a ti, levanta-te e vai para tua casa. Ao entrarem os teus pés na cidade, o menino morrerá.
13 Todo o Israel o pranteará e o sepultará. De Jeroboão só este entrará em sepultura, porque foi o único da família de Jeroboão em que se achou coisa boa para com o Senhor, o Deus de Israel.
14 O Senhor levantará para si um rei sobre Israel, que destruirá a casa de Jeroboão. Este é o dia! Sim, desde agora.
15 E o Senhor ferirá Israel para que seja como a cana que se agita nas águas. Arrancará Israel desta boa terra que tinha dado a seus pais e o espalhará para além do rio, porque fizeram os seus bosques, provocando o Senhor à ira.
16 E abandonará Israel por causa dos pecados de Jeroboão, que pecou e fez pecar Israel.
17 Então a mulher de Jeroboão se levantou e foi para Tirza. Chegando ela ao limiar da porta, o menino morreu.
18 Sepultaram-no, e todo o Israel o pranteou, conforme a palavra do Senhor, por intermédio de seu servo, o profeta Aías.
19 Quanto ao restante dos atos de Jeroboão, como guerreou e como reinou, está escrito no livro das crônicas dos reis de Israel.
20 O tempo que Jeroboão reinou foi de vinte e dois anos; e dormiu com seus pais. E Nadabe, seu filho, reinou em seu lugar.
21 Roboão, filho de Salomão, reinou em Judá. Tinha quarenta e um anos de idade quando começou a reinar, e dezessete anos reinou em Jerusalém, na cidade que o Senhor escolhera dentre todas as tribos de Israel para pôr ali o seu nome. O nome de sua mãe era Naamá, amonita.
22 Fez Judá o que era mau aos olhos do Senhor. Com os seus pecados que cometeu, o provocou a zelo, mais do que o fizeram os seus pais.
23 Também os de Judá edificaram altos, estátuas, colunas e postes sagrados sobre todo alto outeiro e debaixo de toda árvore frondosa.
24 Havia também prostitutos cultuais na terra; fizeram conforme todas as abominações das nações que o Senhor tinha expulsado de diante dos filhos de Israel.
25 No quinto ano do rei Roboão, Sisaque, rei do Egito, subiu contra Jerusalém.
26 Tomou os tesouros do templo do Senhor e os tesouros do palácio do rei. Tomou tudo, inclusive todos os escudos de ouro que Salomão tinha feito.
27 Em lugar deles fez o rei Roboão escudos de cobre e os entregou nas mãos dos capitães da guarda, que guardavam a porta do palácio real.
28 Quando o rei entrava no templo do Senhor, os da guarda os usavam e tornavam a trazê-los para a sala da guarda.
29 Quanto ao restante dos atos de Roboão e a tudo quanto fez, porventura não está escrito no livro das crônicas dos reis de Judá?
30 Houve guerra entre Roboão e Jeroboão todos os seus dias.
31 Roboão dormiu com seus pais e foi sepultado com seus pais na Cidade de Davi. Era o nome da sua mãe Naamá, amonita. E Abias, seu filho, reinou em seu lugar.

## Abias, rei de Judá

**15** No décimo oitavo ano do rei Jeroboão, filho de Nebate, Abias começou a reinar sobre Judá. **2** Três anos reinou em Jerusalém. E era o nome da sua mãe Maaca, filha de Absalão.
**3** Andou em todos os pecados que seu pai tinha cometido antes dele; o seu coração não foi completamente leal para com o Senhor, o seu Deus, como o coração de Davi, seu pai.
**4** Por amor de Davi, porém, o Senhor lhe deu uma lâmpada em Jerusalém, levantando seu filho depois dele e fortalecendo Jerusalém.
**5** Pois Davi tinha feito o que era reto aos olhos do Senhor e não se tinha desviado de tudo o que lhe ordenara em todos os dias da sua vida, senão só no caso de Urias, o heteu.
**6** Houve guerra entre Roboão e Jeroboão todos os dias da sua vida.
**7** Quanto ao restante dos atos de Abias e a tudo quanto fez, porventura não está escrito no livro das crônicas dos reis de Judá? Também houve guerra entre Abias e Jeroboão.
**8** Abias dormiu com seus pais e foi sepultado na Cidade de Davi. E Asa, seu filho, reinou em seu lugar.

## Asa, rei de Judá

**9** No vigésimo ano de Jeroboão, rei de Israel, começou Asa a reinar em Judá.
**10** Quarenta e um anos reinou em Jerusalém. E era o nome de sua mãe Maaca, filha de Absalão.
**11** Fez Asa o que era reto aos olhos do Senhor, como Davi, seu pai.
**12** Expulsou da terra os prostitutos cultuais e removeu todos os ídolos que seus pais fizeram.
**13** Até a Maaca, sua avó, depôs da dignidade de rainha-mãe, porque tinha feito uma abominável imagem ao poste sagrado. Asa derrubou esse ídolo e o queimou no vale do Cedrom.
**14** Embora ele não tenha tirado os altos, o coração de Asa foi reto para com o Senhor todos os seus dias.
**15** Trouxe para o templo do Senhor as coisas consagradas por seu pai e as coisas que ele mesmo consagrara: prata, ouro e vasos.
**16** Houve guerra entre Asa e Baasa, rei de Israel, todos os seus dias.
**17** Baasa, rei de Israel, subiu contra Judá e edificou Ramá, para que a ninguém fosse permitido entrar no território de Asa, rei de Judá, nem dele sair.
**18** Então Asa tomou toda a prata e o ouro que ficara nos tesouros do templo do Senhor e os tesouros do palácio real e os entregou nas mãos de seus servos. E o rei Asa os enviou a Ben-Hadade, filho de Tabrimom, filho de Heziom, rei da Síria, que habitava em Damasco, dizendo:
**19** Haja aliança entre mim e ti, entre meu pai e teu pai. Vê, mando um presente para ti, prata e ouro. Vai e anula a tua aliança com Baasa, rei de Israel, para que se retire de sobre mim.
**20** Ben-Hadade deu ouvidos ao rei Asa e enviou os capitães dos seus exércitos contra as cidades de Israel. Feriu Ijom, Dã, Abel-Bete-Maaca e todo o distrito de Quinerote, com toda a terra de Naftali.
**21** Ouvindo-o Baasa, deixou de edificar Ramá e ficou em Tirza.
**22** Então o rei Asa fez apregoar por toda a região de Judá que todos, sem exceção, trouxessem

as pedras de Ramá e a madeira com que Baasa edificara. Com elas o rei Asa edificou Geba de Benjamim e Mispa.

**23** Quanto ao restante de todos os atos de Asa, todo o seu poder, tudo quanto fez e as cidades que edificou, porventura não está escrito no livro das crônicas dos reis de Judá? Porém, na sua velhice, padeceu dos pés.

**24** Asa dormiu com seus pais e foi sepultado com eles na Cidade de Davi, seu pai. E Josafá, seu filho, reinou em seu lugar.

### Nadabe, rei de Israel

**25** Nadabe, filho de Jeroboão, começou a reinar sobre Israel no segundo ano de Asa, rei de Judá, e reinou sobre Israel dois anos. **26** Fez o que era mau aos olhos do Senhor, andou nos caminhos de seu pai e no seu pecado com que tinha feito Israel pecar.

**27** Conspirou contra ele Baasa, filho de Aías, da tribo de Issacar, e o feriu em Gibetom, que era dos filisteus, quando Nadabe e todo o Israel cercavam Gibetom. **28** Matou-o Baasa no terceiro ano de Asa, rei de Judá, e reinou em seu lugar.

**29** Logo que começou a reinar, matou toda a família de Jeroboão. A ninguém de Jeroboão que tivesse fôlego deixou de destruir, conforme a palavra do Senhor dada por intermédio de seu servo Aías, o silonita; **30** por causa dos pecados que Jeroboão cometera, pelos que fizera Israel cometer e por causa da provocação com que provocara à ira o Senhor, o Deus de Israel.

**31** Quanto ao restante dos atos de Nadabe e a tudo quanto fez, porventura não está escrito no livro das crônicas dos reis de Israel? **32** Houve guerra entre Asa e Baasa, rei de Israel, todos os seus dias.

**33** No terceiro ano de Asa, rei de Judá, Baasa, filho de Aías, começou a reinar sobre todo o Israel em Tirza e reinou vinte e quatro anos. **34** Fez o que era mau aos olhos do Senhor e andou no caminho de Jeroboão e no seu pecado com que tinha feito Israel pecar.

### Jeú profetiza contra Baasa

**16** Então veio a palavra do Senhor a Jeú, filho de Hanani, contra Baasa, dizendo: **2** Eu te levantei do pó e te pus por líder sobre o meu povo Israel, mas andaste no caminho de Jeroboão e fizeste pecar o meu povo Israel, irritando-me com os seus pecados. **3** Por isso, exterminarei a ti, Baasa, e os teus descendentes e farei à tua família como à de Jeroboão, filho de Nebate.

**4** Quem morrer de Baasa na cidade, os cães o comerão, e o que dele morrer no campo, as aves do céu o comerão.

**5** Quanto ao restante dos atos de Baasa, o que fez e o seu poder, porventura não está escrito no livro das crônicas dos reis de Israel? **6** Baasa dormiu com seus pais e foi sepultado em Tirza. E Elá, seu filho, reinou em seu lugar.

**7** Veio também a palavra do Senhor, por intermédio do profeta Jeú, filho de Hanani, contra Baasa e contra a sua família, por causa de todo o mal que fizeram aos olhos do Senhor, provocando-o à ira com as suas obras e tornando-se como a família de Jeroboão — e também porque Baasa destruiu a família de Jeroboão.

## Elá e Zinri, reis de Israel

**8** No ano vinte e seis de Asa, rei de Judá, Elá, filho de Baasa, começou a reinar em Tirza sobre Israel, e reinou dois anos. **9** Zinri, seu servo, chefe de metade dos carros, conspirou contra ele. Elá estava em Tirza bebendo e embriagando-se na casa de Arsa, seu mordomo em Tirza. **10** Entrou Zinri, o feriu e o matou, no vigésimo sétimo ano de Asa, rei de Judá. Então reinou em seu lugar. **11** Quando começou a reinar, logo que se assentou no seu trono, destruiu toda a família de Baasa. Não lhe deixou homem algum, parentes ou amigos. **12** Assim destruiu Zinri toda a família de Baasa conforme a palavra do Senhor, falada contra Baasa por intermédio do profeta Jeú, **13** por causa de todos os pecados de Baasa e dos pecados de Elá, seu filho, com que pecaram e com que fizeram Israel pecar, provocando à ira o Senhor, o Deus de Israel, com os seus ídolos vãos. **14** Quanto ao restante dos atos de Elá e a tudo quanto fez, porventura não está escrito no livro das crônicas dos reis de Israel? **15** No vigésimo sétimo ano de Asa, rei de Judá, reinou Zinri sete dias em Tirza. O povo estava acampado contra Gibetom, que era dos filisteus. **16** Quando o povo que estava acampado ouviu dizer: Zinri conspirou contra o rei e o matou, todo o Israel, no mesmo dia, no acampamento, constituiu rei sobre si a Onri, chefe do exército. **17** Subiu Onri de Gibetom, e todo o Israel com ele, e cercaram Tirza. **18** Vendo Zinri que a cidade era tomada, foi-se ao castelo do palácio do rei e o queimou sobre si. Assim morreu, **19** por causa dos seus pecados que cometera, fazendo o que era mau aos olhos do Senhor, andando no caminho de Jeroboão e no seu pecado que cometera, fazendo Israel pecar. **20** Quanto ao restante dos atos de Zinri e à conspiração que fez, porventura não está escrito no livro das crônicas dos reis de Israel?

## Onri, rei de Israel

**21** Então o povo de Israel se dividiu em dois partidos: metade do povo seguia Tibni, filho de Ginate, para fazê-lo rei, e a outra metade seguia Onri. **22** O povo, porém, que seguia a Onri prevaleceu contra o que seguia a Tibni, filho de Ginate. De sorte que Tibni morreu e Onri reinou. **23** No trigésimo primeiro ano de Asa, rei de Judá, Onri começou a reinar sobre Israel e reinou doze anos. Em Tirza reinou seis anos. **24** De Semer comprou o monte de Samaria por dois talentos de prata e edificou uma cidade sobre o monte, chamando-a Samaria, do nome de Semer, dono do monte. **25** Onri, porém, fez o que era mau aos olhos do Senhor; fez pior do que todos quantos foram antes dele. **26** Andou em todos os caminhos de Jeroboão, filho de Nebate, como também nos seus pecados com que este fizera Israel pecar, provocando à ira o Senhor, o Deus de Israel, com os seus ídolos vãos. **27** Quanto ao restante dos atos de Onri, ao que fez e ao poder que manifestou, porventura não está escrito no livro das crônicas dos reis de Israel?

28 Onri dormiu com seus pais e foi sepultado em Samaria. E Acabe, seu filho, reinou em seu lugar.

### Acabe, rei de Israel

29 Acabe, filho de Onri, começou a reinar sobre Israel no trigésimo oitavo ano de Asa, rei de Judá, e reinou Acabe, filho de Onri, sobre Israel em Samaria, vinte e dois anos.
30 Fez Acabe, filho de Onri, o que era mau aos olhos do Senhor, mais do que todos os que foram antes dele.
31 Como se fosse pouco andar nos pecados de Jeroboão, filho de Nebate, ainda tomou por mulher a Jezabel, filha de Etbaal, rei dos sidônios, serviu a Baal e o adorou.
32 Levantou um altar a Baal, na casa de Baal que edificara em Samaria.
33 Também Acabe fez um poste sagrado. De maneira que Acabe fez muito mais para provocar à ira o Senhor, o Deus de Israel, do que todos os reis de Israel que foram antes dele.
34 Em seus dias Hiel, o betelita, reconstruiu Jericó. Pelo preço de Abirão, seu primogênito, lançou-lhe os fundamentos e pelo preço de seu último filho, Segube, assentou-lhe as suas portas, conforme a palavra do Senhor, falada por intermédio de Josué, filho de Num.

### Elias é alimentado pelos corvos

**17** Ora, Elias, o tisbita, dos moradores de Gileade, disse a Acabe: Tão certo como vive o Senhor, Deus de Israel, perante cuja face estou, nem orvalho nem chuva haverá nestes anos senão segundo a minha palavra.
2 Depois veio a palavra do Senhor a Elias:
3 Retira-te daqui, vai para o oriente e esconde-te junto ao ribeiro de Querite, que está a leste do Jordão.
4 Beberás do ribeiro, e eu ordenei aos corvos que ali te sustentem.
5 Assim foi Elias e fez conforme a palavra do Senhor. Foi e habitou junto ao ribeiro de Querite, a leste do Jordão.
6 Os corvos lhe traziam pão e carne pela manhã, como também pão e carne ao anoitecer; e bebia do ribeiro.
7 Passados alguns dias, porém, o ribeiro secou, porque não tinha havido chuva na terra.

### A viúva de Sarepta

8 Então veio a ele a palavra do Senhor, dizendo:
9 Levanta-te, vai a Sarepta, que pertence a Sidom, e habita ali. Ordenei a uma mulher viúva ali que te sustente.
10 Então ele se levantou e foi a Sarepta. Chegando à porta da cidade, estava ali uma viúva apanhando lenha. Ele a chamou e lhe disse: Traze-me, peço-te, num vaso um pouco de água, para eu beber.
11 Indo ela a buscá-la, ele a chamou e lhe disse: Traze-me também um pedaço de pão.
12 Respondeu ela: Tão certo como vive o Senhor, o teu Deus, não tenho nem um bolo, senão somente um punhado de farinha numa panela e um pouco de azeite numa botija. E vês aqui, apanhei dois cavacos e vou prepará-lo para mim e para o meu filho, a fim de que o comamos e morramos.
13 Elias lhe disse: Não temas. Vai, faze como disseste. Mas faze disso primeiro para mim um bolo

pequeno e traze-o aqui fora, depois o farás para ti e para teu filho.
14 Pois assim diz o Senhor, o Deus de Israel: A farinha da panela não se acabará, e o azeite da botija não faltará, até o dia em que o Senhor dê chuva sobre a terra.
15 Foi ela e fez conforme a palavra de Elias. Assim comeu ele, ela e a sua casa muitos dias.
16 Da panela a farinha não se acabou, e da botija o azeite não faltou, conforme a palavra do Senhor, falada por intermédio de Elias.
17 Depois dessas coisas adoeceu o filho da mulher, da dona da casa. A sua doença se agravou tanto que ele morreu.
18 Disse ela a Elias: Que tens contra mim, homem de Deus? Vieste a mim para trazeres à memória a minha iniquidade e matares meu filho?
19 Respondeu-lhe ele: Dá-me o teu filho. Ele o tomou dos seus braços, o levou para cima, ao quarto onde ele mesmo habitava, e o deitou em sua cama.
20 Então clamou ao Senhor: Ó Senhor, meu Deus, também até a esta viúva, com quem me hospedo, afligiste, matando-lhe o filho?
21 Estendeu-se sobre o menino três vezes e clamou ao Senhor: Ó Senhor, meu Deus, rogo-te que a alma deste menino torne a entrar nele.
22 O Senhor ouviu o clamor de Elias, e a vida do menino tornou a entrar nele, e reviveu.
23 Elias tomou o menino, trouxe-o do quarto à casa e o entregou a sua mãe, dizendo: Vês aí, teu filho vive.
24 Então a mulher disse a Elias: Agora sei que tu és homem de Deus e que a palavra do Senhor na tua boca é verdade.

## Elias e os profetas de Baal

**18** Depois de muitos dias, no terceiro ano, veio a palavra do Senhor a Elias: Vai, apresenta-te a Acabe, e darei chuva sobre a terra.
2 Assim foi Elias apresentar-se a Acabe. Ora, a fome era extrema em Samaria.
3 Acabe chamou a Obadias, o mordomo. Obadias temia muito ao Senhor,
4 porque, quando Jezabel destruiu os profetas do Senhor, Obadias tomou cem profetas e, de cinquenta em cinquenta, os escondeu numa caverna, sustentando-os com pão e água.
5 Disse Acabe a Obadias: Vai pela terra a todas as fontes de água e a todos os vales. Pode ser que achemos erva, para que em vida conservemos os cavalos e mulas, de modo que não percamos todos os animais.
6 Repartiram entre si a terra que deviam percorrer. Acabe seguiu por um caminho e Obadias por outro.
7 Estando Obadias já a caminho, Elias se encontrou com ele. Obadias o reconheceu e prostrou-se com o rosto em terra e disse: És tu meu senhor Elias?
8 Respondeu-lhe ele: Sou eu; vai e dize a teu senhor: Elias está aqui.
9 Ele, porém, disse: Em que pequei, para que entregues teu servo na mão de Acabe, para ser morto?
10 Tão certo como vive o Senhor, o teu Deus, não houve nação nem reino aonde o meu senhor não tenha mandado à tua procura. E dizendo eles: Não está aqui, fazia-os jurar que não te haviam achado.
11 Agora dizes: Vai e dize a teu senhor: Elias está aqui.

12 Poderá ser que, apartando-me de ti, o Espírito do Senhor te leve não sei para onde e, vindo eu dar as novas a Acabe, e não te achando ele, me matará. Mas eu, teu servo, temo ao Senhor desde a minha juventude.

13 Porventura não disseram a meu senhor o que fiz, quando Jezabel matava os profetas do Senhor, como escondi cem homens dos profetas do Senhor, de cinquenta em cinquenta, numas cavernas e os sustentei com pão e água?

14 E agora tu dizes: Vai e dize a teu senhor: Elias está aqui. Ele me matará.

15 Disse Elias: Tão certo como vive o Senhor dos Exércitos, perante cuja face estou, deveras hoje me apresentarei a ele.

16 Então foi Obadias encontrar-se com Acabe, anunciou-lhe o acontecido, e foi Acabe ter com Elias.

17 Vendo Acabe a Elias, disse-lhe: És tu, perturbador de Israel?

18 Respondeu Elias: Eu não tenho perturbado Israel, mas tu e a família de teu pai. Deixastes os mandamentos do Senhor e seguistes os baalins.

19 Agora manda reunir-se a mim todo o Israel no monte Carmelo. E traze os quatrocentos e cinquenta profetas de Baal e os quatrocentos profetas do poste sagrado, que comem da mesa de Jezabel.

20 Então Acabe convocou todos os filhos de Israel e reuniu os profetas no monte Carmelo.

21 Elias se chegou a todo o povo e disse: *Até quando vacilareis entre dois pensamentos? Se o Senhor é Deus, segui-o; mas se Baal, segui-o.* Mas o povo não lhe respondeu nada.

22 Então Elias disse ao povo: Só eu fiquei dos profetas do Senhor, mas os profetas de Baal são quatrocentos e cinquenta homens.

23 Tragam-nos dois novilhos. Escolham eles para si um dos novilhos, dividam-no em pedaços e o ponham sobre a lenha, mas não lhe acendam fogo. Eu prepararei o outro novilho e o porei sobre a lenha, mas não lhe acenderei fogo.

24 Então invocai o nome do vosso deus, e eu invocarei o nome do Senhor. O deus que responder por meio do fogo, esse é que é Deus. E todo o povo respondeu: É boa esta palavra.

25 Disse Elias aos profetas de Baal: Escolhei para vós um dos novilhos e preparai-o primeiro, porque sois muitos. Invocai o nome do vosso deus, mas não lhe acendais fogo.

26 Tomaram o novilho que lhes fora dado e o prepararam. Então invocaram o nome de Baal, desde a manhã até o meio-dia, dizendo: Ah! Baal, responde-nos! Mas não houve resposta; ninguém respondeu. E saltavam ao redor do altar que tinham feito.

27 Ao meio-dia, Elias começou a zombar deles, dizendo: Clamai em alta voz! Pois ele é deus! Talvez esteja pensando, ou tenha alguma coisa que fazer, ou que planeje alguma viagem. Talvez esteja dormindo e necessite de que o desperte.

28 Assim eles clamavam em alta voz, se retalhavam com facas e com lancetas, conforme o seu costume, até derramarem sangue.

29 Passou o meio-dia e continuaram a profetizar até a hora da oferta de cereais. Mas não houve voz, nem resposta, nem atenção alguma.

30 Então Elias disse a todo o povo: Chegai-vos a mim. Todo o povo

se chegou a ele. E Elias reparou o altar do Senhor, que estava em ruínas.

31 Tomou Elias doze pedras, segundo o número das tribos dos filhos de Jacó, ao qual viera a palavra do Senhor, dizendo: Israel será o teu nome.

32 Com as pedras edificou um altar em nome do Senhor e fez uma valeta em redor do altar, grande o suficiente para caber duas medidas de semente.

33 Armou a lenha, dividiu o novilho em pedaços e o colocou sobre a lenha.

34 Então disse: Enchei de água quatro cântaros e derramai-a sobre o holocausto e sobre a lenha. Disse mais: Fazei-o segunda vez; e o fizeram segunda vez. Disse ainda: Fazei-o terceira vez; e o fizeram terceira vez.

35 A água correu ao redor do altar e encheu também a valeta.

36 Quando chegou a hora da oferta de cereais, o profeta Elias aproximou-se e disse: Ó Senhor, Deus de Abraão, de Isaque e de Israel, manifeste-se hoje que tu és Deus em Israel e que sou teu servo, e que segundo a tua palavra fiz todas estas coisas.

37 Responde-me, Senhor, responde-me, para que este povo conheça que tu, Senhor, és Deus, e que fizeste retroceder o seu coração.

38 Então caiu fogo do Senhor e consumiu o holocausto, a lenha, as pedras e o pó, e ainda lambeu a água que estava na valeta.

39 O que vendo todo o povo, caiu com o rosto em terra e disse: O Senhor é Deus! O Senhor é Deus!

40 Disse Elias ao povo: Agarrai os profetas de Baal. Que nem um deles escape! E assim foi feito, e Elias os fez descer ao ribeiro de Quisom, e ali os matou.

41 E disse Elias a Acabe: Sobe, come e bebe, pois há ruído de abundante chuva.

42 Subiu Acabe a comer e a beber, mas Elias subiu ao cume do Carmelo e, inclinando-se por terra, pôs o rosto entre os joelhos.

43 Disse ao seu moço: Sobe e olha para a banda do mar. E ele subiu, olhou e disse: Não há nada. Então disse Elias: Volta lá sete vezes.

44 À sétima vez, disse: Levanta-se do mar uma nuvem, do tamanho da mão de um homem. Então disse Elias: Sobe e dize a Acabe: Prepara o teu carro e desce, para que a chuva não te apanhe.

45 Em pouco tempo, os céus se enegreceram de nuvens e vento, e caiu uma grande chuva. Acabe subiu ao carro e foi para Jezreel.

46 O poder do Senhor veio sobre Elias e, cingindo ele os lombos, correu adiante de Acabe, até a entrada de Jezreel.

### Elias foge de Jezabel

**19** Ora, Acabe fez saber a Jezabel tudo o que Elias havia feito e como matara à espada todos os profetas.

2 Então Jezabel mandou um mensageiro a Elias, a dizer-lhe: Assim me façam os deuses, e outro tanto, se até amanhã a estas horas eu não fizer com a tua vida como a de um deles.

3 Elias teve medo e correu para salvar a sua vida. Quando chegou a Berseba, que pertence a Judá, deixou ali o seu moço.

4 Ele mesmo, porém, foi ao deserto, caminho de um dia. Chegou, assentou-se debaixo de um zimbro e pediu para si a morte, dizendo:

Já basta, ó Senhor. Toma agora a minha vida, pois não sou melhor do que meus pais.

5 E deitando-se, dormiu debaixo do zimbro. De súbito um anjo o tocou e lhe disse: Levanta-te e come.

6 Ele olhou e viu que à sua cabeceira estava um pão cozido sobre brasas e uma botija de água. Tendo comido e bebido, tornou a deitar-se.

7 O anjo do Senhor voltou segunda vez, tocou-o e lhe disse: Levanta-te e come, pois muito longo te será o caminho.

8 Levantou-se, comeu e bebeu. Com a força daquela comida caminhou quarenta dias e quarenta noites até Horebe, o monte de Deus.

9 Ali entrou numa caverna, onde passou a noite. E lhe veio a palavra do Senhor, dizendo: Que fazes aqui, Elias?

10 Respondeu ele: Tenho sido muito zeloso pelo Senhor, o Deus dos Exércitos. Os filhos de Israel deixaram a tua aliança, derrubaram os teus altares e mataram os teus profetas à espada. Só eu fiquei, e agora estão tentando matar-me também.

11 Disse-lhe Deus: Vem para fora e põe-te neste monte perante a face do Senhor, pois ele vai passar. Então um grande e forte vento fendeu os montes e despedaçou as penhas diante do Senhor, mas o Senhor não estava no vento. Depois do vento um terremoto, mas o Senhor não estava no terremoto.

12 Depois do terremoto um fogo, *mas o Senhor não estava no fogo*. Depois do fogo uma voz calma e suave.

13 Ouvindo-a Elias, envolveu o rosto na capa e, saindo, pôs-se à entrada da caverna. Então lhe veio uma voz, que dizia: Que fazes aqui, Elias?

14 Respondeu ele: Eu tenho sido em extremo zeloso pelo Senhor Deus dos exércitos. Os filhos de Israel deixaram a tua aliança, derrubaram os teus altares e mataram os teus profetas à espada. Só eu fiquei, e agora estão tentando matar-me também.

15 Disse-lhe o Senhor: Vai, volta pelo teu caminho para o deserto de Damasco. Quando lá chegares, unge Hazael rei sobre a Síria.

16 E Jeú, filho de Ninsi, ungirás como rei de Israel, e também Eliseu, filho de Safate de Abel-Meolá, ungirás profeta em teu lugar.

17 Quem escapar da espada de Hazael, Jeú o matará, e quem escapar da espada de Jeú, Eliseu o matará.

18 Também conservei em Israel sete mil; todos os joelhos que não se dobraram a Baal, e toda boca que não o beijou.

19 Assim partiu Elias dali e achou Eliseu, filho de Safate, que andava lavrando com doze juntas de bois adiante dele; ele estava com a décima segunda. Elias passou por ele e lançou a sua capa sobre ele.

20 Então deixou Eliseu os bois, correu após Elias e disse: Deixa-me beijar a meu pai e a minha mãe, e então te seguirei. Respondeu-lhe Elias: Vai e volta; o que te fiz eu?

21 Assim Eliseu o deixou e voltou. Tomou a junta de bois e os matou. Queimou o equipamento de arar e nele cozinhou a carne, e a deu ao povo, e comeram. Então se levantou e seguiu Elias, e o servia.

**Ben-Hadade ataca Samaria**

**20** Ora, Ben-Hadade, rei da Síria, reuniu todo o seu exército.

Acompanhado por trinta e dois reis, com seus cavalos e carros, subiu, cercou Samaria e pelejou contra ela.
2 Enviou mensageiros à cidade, a Acabe, rei de Israel,
3 a dizer-lhe: Assim diz Ben-Hadade: A tua prata e o teu ouro são meus; os mais fortes dentre tuas mulheres e teus filhos são meus.
4 Respondeu o rei de Israel: Conforme a tua palavra, ó rei meu senhor, eu sou teu, e tudo quanto tenho.
5 Tornaram a vir os mensageiros e disseram: Assim diz Ben-Hadade: Enviei-te, na verdade, mensageiros que dissessem: Tu me hás de entregar a tua prata e o teu ouro, as tuas mulheres e os teus filhos.
6 Todavia, amanhã a estas horas enviarei os meus servos a ti, os quais vasculharão a tua casa e as casas dos teus servos. Tudo o que for agradável aos teus olhos, tomarão consigo e o levarão.
7 Então o rei de Israel chamou todas as autoridades da terra e disse: Notai e vede como esse homem procura o mal! Mandou exigir minhas mulheres, meus filhos, minha prata e meu ouro, e não lhe neguei.
8 As autoridades e todo o povo lhe disseram: Não lhe dês ouvidos nem o consintas.
9 Pelo que disse aos mensageiros de Ben-Hadade: Dizei ao rei, meu senhor: Tudo o que primeiro mandaste pedir a teu servo, farei, mas isso não posso fazer. Foram-se os mensageiros e lhe levaram esta resposta.
10 Ben-Hadade tornou a enviar mensageiros, dizendo: Assim me façam os deuses, e outro tanto, se o pó de Samaria bastar para encher as mãos de todo o povo que me segue.
11 O rei de Israel, porém, respondeu: Dizei-lhe: Não se gabe quem se cinge das armas, como aquele que as depõe.
12 Ouvindo ele esta palavra, estando a beber com os reis nas tendas, disse aos seus servos: Ponde-vos em ordem. Assim se puseram em ordem contra a cidade.
13 Enquanto isso, veio um profeta ter com Acabe, rei de Israel, e lhe disse: Assim diz o Senhor: Viste toda esta grande multidão? Hoje a entregarei nas tuas mãos, para que saibas que eu sou o Senhor.
14 Perguntou Acabe: Por quem? Respondeu ele: Assim diz o Senhor: Pelos jovens dos líderes das províncias. Perguntou ele: Quem começará a peleja? Respondeu o profeta: Tu.
15 Assim Acabe convocou os jovens dos líderes das províncias, duzentos e trinta e dois. Depois reuniu todo o povo, todos os filhos de Israel, sete mil.
16 Saíram ao meio-dia. Ben-Hadade estava bebendo e se embriagando nas tendas, com os reis, os trinta e dois reis que o ajudavam.
17 Os jovens dos líderes das províncias saíram primeiro. Ora, Ben-Hadade enviou espias, que lhe deram aviso, dizendo: Saíram de Samaria uns homens.
18 Disse ele: Quer venham eles tratar de paz, quer venham à peleja, tomai-os vivos.
19 Saíram da cidade os jovens dos líderes das províncias, e o exército que os seguia,
20 e feriram, cada um, ao seu adversário. Os siros fugiram, e Israel os perseguiu. Mas Ben-Hadade, rei da Síria, escapou a cavalo, com alguns cavaleiros.

**21** Saiu o rei de Israel, destruiu os cavalos e os carros e feriu os siros com grande estrago.

**22** Então o profeta chegou-se ao rei de Israel e lhe disse: Vai, fortalece-te e atenta bem para o que hás de fazer, porque decorrido um ano o rei da Síria subirá contra ti.

**23** Os servos do rei da Síria lhe disseram: Seus deuses são deuses dos montes; por isso, foram mais fortes do que nós. Mas, se guerrearmos contra eles na planície, por certo seremos mais fortes do que eles!

**24** Faze isto: Tira os reis, cada um do seu lugar, e substitui-os por capitães.

**25** Arregimenta outro exército, como o que perdeste, com outros tantos cavalos e outros tantos carros, e pelejemos com eles na planície. Então por certo seremos mais fortes do que eles. Deu ele ouvidos ao que disseram e assim fez.

**26** Decorrido um ano, Ben-Hadade passou revista aos siros e subiu a Afeque, para pelejar contra Israel.

**27** Também aos filhos de Israel se passou revista e, providos de víveres, marcharam contra eles. Os filhos de Israel acamparam-se em frente deles, como dois pequenos rebanhos de cabras, enquanto os siros enchiam a terra.

**28** Chegou o homem de Deus e disse ao rei de Israel: Assim diz o Senhor: Porque os siros disseram: O Senhor é Deus dos montes, e não Deus dos vales, toda *esta grande multidão* entregarei nas tuas mãos, para que saibas que eu sou o Senhor.

**29** Estiveram acampados sete dias um em frente do outro. No sétimo dia, a peleja começou, e num só dia os filhos de Israel mataram dos siros cem mil homens da infantaria.

**30** Os restantes fugiram para a cidade de Afeque, e caiu o muro sobre vinte e sete mil homens. Ben-Hadade fugiu e veio à cidade, onde se escondeu numa câmara interior.

**31** Disseram-lhe os seus servos: Ouvimos dizer que os reis da casa de Israel são clementes. Ponhamos sacos aos lombos e cordas ao redor da cabeça e saiamos ao rei de Israel. Pode ser que ele te poupe a vida.

**32** Então cingiram sacos aos lombos e cordas ao redor da cabeça, vieram ao rei de Israel e disseram: Diz o teu servo Ben-Hadade: Deixa-me viver. Ao que disse Acabe: Pois ainda vive? É meu irmão.

**33** Aqueles homens tomaram isso por bom sinal, apressaram-se em apanhar a sua palavra e disseram: Sim, teu irmão Ben-Hadade! Respondeu-lhes ele: Trazei Ben-Hadade aqui para mim. Quando Ben-Hadade chegou, Acabe o fez subir no carro.

**34** Disse Ben-Hadade: Eu te restituirei as cidades que meu pai tomou de teu pai. Faze para ti praças em Damasco, como meu pai as fez em Samaria. E eu, respondeu Acabe, te deixarei ir com esta aliança. Assim fez com ele aliança e o deixou ir.

**35** Então um dos homens dos filhos dos profetas disse ao seu companheiro, pela palavra do Senhor: Fere-me, peço-te. Mas o homem recusou feri-lo.

**36** Ele lhe disse: Visto que não obedeceste à voz do Senhor, logo que te apartares de mim, um leão te matará. E assim que se apartou dele, um leão o encontrou e o matou.

37 Depois o profeta encontrou outro homem e disse-lhe: Fere-me, peço-te. Aquele homem o atingiu e o feriu.
38 Então foi o profeta, pôs-se a esperar o rei no caminho e disfarçou-se, cobrindo os olhos com o seu turbante.
39 Passando o rei, clamou o profeta: Teu servo estava no meio da peleja, e um homem, voltando-se, me trouxe outro homem e disse: Guarda-me este homem. Se vier a faltar, a tua vida responderá pela dele, ou pagarás um talento de prata.
40 Estando o teu servo ocupado de uma e de outra parte, o homem desapareceu. Então o rei de Israel lhe disse: Essa é a tua sentença. Tu mesmo a pronunciaste.
41 Então o profeta se apressou, tirou o turbante de sobre seus olhos, e o rei de Israel reconheceu que era um dos profetas.
42 Disse ele ao rei: Assim diz o Senhor: Libertaste o homem que eu havia ordenado que fosse morto. Portanto, a tua vida responderá pela vida dele, e o teu povo, pelo povo dele.
43 Foi-se o rei de Israel para seu palácio, desgostoso e indignado, e chegou a Samaria.

### A vinha de Nabote

**21** Depois destas coisas, tendo Nabote, o jezreelita, uma vinha em Jezreel, junto ao palácio de Acabe, rei de Samaria,
2 disse este a Nabote: Dá-me a tua vinha, para que me sirva de horta, porque está vizinha, ao lado do meu palácio. E te darei por ela outra vinha melhor, ou, se for do teu agrado, te darei o seu valor em dinheiro.
3 Nabote, porém, disse a Acabe: Guarde-me o Senhor de que eu te dê a herança de meus pais.
4 Então Acabe veio desgostoso e indignado ao seu palácio, por causa da palavra que Nabote, o jezreelita, lhe falara: Não te darei a herança de meus pais. Deitou-se na sua cama, virou o rosto e não comeu pão.
5 Veio falar com ele Jezabel, sua mulher, e lhe perguntou: Por que está o teu espírito tão desgostoso, e não comes pão?
6 Respondeu-lhe ele: Porque disse a Nabote, o jezreelita: Dá-me a tua vinha por dinheiro, ou, se preferir, te darei outra em seu lugar. Mas ele disse: Não te darei a minha vinha.
7 Então Jezabel, sua mulher, lhe disse: Governas tu, com efeito, no reino de Israel? Levanta-te e come! Alegre-se o teu coração. Eu te darei a vinha de Nabote, o jezreelita.
8 Então escreveu cartas em nome de Acabe, selou-as com o sinete dele e mandou as cartas às autoridades e aos nobres que havia na sua cidade e habitavam com Nabote.
9 Escreveu nas cartas: Apregoai um jejum e ponde a Nabote diante do povo.
10 Ponde em frente dele dois homens, filhos de Belial, que testemunhem contra ele, dizendo: Blasfemaste contra Deus e contra o rei. Depois levai-o para fora e apedrejai-o, para que morra.
11 Os homens da sua cidade, as autoridades e os nobres que habitavam na sua cidade, fizeram como Jezabel lhes ordenara, conforme estava escrito nas cartas que lhes mandara.

12 Apregoaram um jejum e puseram Nabote diante do povo.
13 Então vieram dois homens, filhos de Belial, e sentaram-se em frente dele, e testemunharam contra Nabote, perante o povo, dizendo: Nabote blasfemou contra Deus e contra o rei. Assim o levaram para fora da cidade e o apedrejaram, e morreu.
14 Então mandaram dizer a Jezabel: Nabote foi apedrejado e morreu.
15 Ouvindo Jezabel que Nabote fora apedrejado e morrera, disse a Acabe: Levanta-te e possui a vinha de Nabote, o jezreelita, a qual ele te recusou dar por dinheiro. Nabote já não vive, mas é morto.
16 Ouvindo Acabe que Nabote era morto, levantou-se para descer à vinha de Nabote, o jezreelita, a fim de tomar posse dela.
17 Então veio a palavra do Senhor a Elias, o tisbita:
18 Levanta-te, desce para encontrar-te com Acabe, rei de Israel, que está em Samaria. Ele está na vinha de Nabote, desceu até lá para tomar posse dela.
19 Dirás a ele: Assim diz o Senhor: Não mataste e tomaste a herança? Então lhe dirás: Assim diz o Senhor: No lugar em que os cães lamberam o sangue de Nabote, lamberão o teu sangue, o teu mesmo.
20 Disse Acabe a Elias: Já me achaste, ó inimigo meu? Respondeu ele: Achei-te, porque te vendeste para fazer o que é mau aos olhos do Senhor.
21 Trarei o mal sobre ti, lançarei *fora a tua posteridade e arrancarei* de Acabe todo homem, escravo ou livre, em Israel.
22 Farei com a tua família como fiz com a de Jeroboão, filho de Nebate, e a de Baasa, filho de Aías, por causa da provocação com que me provocaste à ira, fazendo Israel pecar.
23 Também acerca de Jezabel disse o Senhor: Os cães comerão Jezabel junto ao antemuro de Jezreel.
24 Quem morrer de Acabe na cidade, os cães o comerão, e o que morrer no campo, as aves do céu o comerão.
25 Não houve ninguém como Acabe, que se vendeu para fazer o que era mau aos olhos do Senhor, porque Jezabel, sua mulher, o instigava.
26 Fez grandes abominações, seguindo os ídolos, conforme tudo o que fizeram os amorreus, os quais o Senhor lançou fora da sua possessão, de diante dos filhos de Israel.
27 Quando Acabe ouviu estas palavras, rasgou as suas vestes, cobriu-se de pano de saco e jejuou. Dormia em sacos e andava humildemente.
28 Então veio a palavra do Senhor a Elias, o tisbita:
29 Não viste que Acabe se humilha perante mim? Portanto, visto que se humilha perante mim, não trarei este mal nos seus dias, mas nos dias de seu filho.

### Micaías profetiza contra Acabe

**22** Passaram-se três anos sem haver guerra entre a Síria e Israel.
2 No terceiro ano, porém, Josafá, rei de Judá, desceu para avistar-se com o rei de Israel.
3 Disse o rei de Israel aos seus servos: Não sabeis vós que Ramote-Gileade é nossa, e nós estamos quietos, sem a tomar do rei da Síria?
4 Então perguntou a Josafá: Irás tu comigo à peleja, a Ramote-Gileade? Respondeu Josafá ao

rei de Israel: Serei como tu és, e o meu povo como o teu povo, e os meus cavalos como os teus cavalos.

5 Josafá, porém, disse ao rei de Israel: Consulta primeiro a palavra do Senhor.

6 Assim o rei de Israel reuniu os profetas, cerca de quatrocentos homens, e lhes perguntou: Irei à peleja contra Ramote-Gileade, ou deixarei de ir? Responderam eles: Sobe, pois o Senhor a entregará nas mãos do rei.

7 Disse, porém, Josafá: Não há aqui ainda algum profeta do Senhor, ao qual possamos consultar?

8 Respondeu o rei de Israel a Josafá: Ainda há um homem por quem podemos consultar ao Senhor, mas eu o odeio, porque nunca profetiza o bem a meu respeito, mas somente o mal. Este é Micaías, filho de Inlá. Disse Josafá: Não fale o rei assim.

9 Então o rei de Israel chamou um oficial e disse: Traze-me depressa a Micaías, filho de Inlá.

10 O rei de Israel e Josafá, rei de Judá, estavam assentados cada um no seu trono, vestidos de trajes reais, na praça, à entrada da porta de Samaria, e todos os profetas profetizavam diante deles.

11 Zedequias, filho de Quenaaná, fez para si uns chifres de ferro e disse: Assim diz o Senhor: Com estes ferirás os siros, até de todo os consumir.

12 Todos os profetas profetizaram do mesmo modo, dizendo: Sobe a Ramote-Gileade e triunfarás, pois o Senhor a entregará nas mãos do rei.

13 O mensageiro que fora chamar Micaías disse-lhe: As palavras dos profetas a uma voz predizem coisas boas para o rei. Seja a tua palavra como a palavra de um deles e fala o que é bom.

14 Micaías, porém, disse: Tão certo como vive o Senhor, o que o Senhor me disser, isso falarei.

15 Vindo ele à presença do rei, este lhe disse: Micaías, iremos a Ramote-Gileade à peleja, ou deixaremos de ir? Respondeu-lhe ele: Sobe e triunfarás, porque o Senhor a entregará nas mãos do rei.

16 Disse-lhe o rei: Quantas vezes te farei jurar, que não me fales senão a verdade em nome do Senhor?

17 Então disse ele: Vi todo o Israel disperso pelos montes, como ovelhas que não têm pastor, e disse o Senhor: Estes não têm senhor. Torne cada um em paz para sua casa.

18 Então disse o rei de Israel a Josafá: Não te disse eu que ele nunca profetiza o bem a meu respeito, mas somente o mal?

19 Continuou Micaías: Ouve, portanto, a palavra do Senhor: Vi o Senhor assentado sobre o seu trono, e todo o exército do céu estava ao redor dele, à sua mão direita e à sua esquerda.

20 Perguntou o Senhor: Quem induzirá Acabe a subir, para que caia em Ramote-Gileade? Um dizia desta maneira, e outro de outra.

21 Então saiu um espírito e se apresentou diante do Senhor, e disse: Eu o induzirei. E o Senhor lhe perguntou: De que modo?

22 Respondeu ele: Eu sairei e serei um espírito mentiroso na boca de todos os seus profetas. Disse o Senhor: Tu o induzirás e ainda prevalecerás. Sai e faze assim.

23 Assim, agora o Senhor pôs o espírito mentiroso na boca de todos

estes teus profetas, e o Senhor falou o que é mau contra ti.

**24** Então Zedequias, filho de Quenaaná, chegou, feriu Micaías na face e disse: Por onde passou de mim o espírito do Senhor para falar a ti?

**25** Respondeu Micaías: Tu o verás naquele dia, quando entrares num quarto, para te esconderes.

**26** Então disse o rei de Israel: Tomai a Micaías e tornai a levá-lo a Amom, governador da cidade, e a Joás, filho do rei,

**27** dizendo-lhes: Assim diz o rei: Prendei este homem e sustentai-o com pão e água, até que eu volte em paz.

**28** Disse Micaías: Se voltares em paz, o Senhor não falou por mim. Disse mais: Ouvi, todos os povos!

### A morte de Acabe

**29** Assim o rei de Israel e Josafá, rei de Judá, subiram a Ramote-Gileade.

**30** Disse o rei de Israel a Josafá: Eu me disfarçarei e entrarei na peleja, mas tu veste os teus trajes reais. Assim se disfarçou o rei de Israel e entrou na peleja.

**31** Ora, o rei da Síria deu ordem aos seus trinta e dois capitães dos carros: Não pelejareis nem contra pequeno nem contra grande, mas somente contra o rei de Israel.

**32** Vendo os capitães dos carros a Josafá, disseram: Certamente este é o rei de Israel. Dirigiram-se a ele, para o atacar. Mas Josafá *gritou*.

**33** Vendo os capitães dos carros que não era o rei de Israel, deixaram de persegui-lo.

**34** Então um homem entesou o arco e, atirando ao acaso, feriu o rei de Israel por entre as juntas da sua armadura. Disse o rei ao condutor do seu carro: Vira e tira-me do exército. Estou gravemente ferido.

**35** A peleja tornou-se violenta naquele dia, e o rei foi sustentado no seu carro contra os siros. O sangue escorria do seu ferimento para o fundo do carro, e à tarde ele morreu.

**36** Ao pôr do sol passou pelo exército o pregão: Cada um para a sua cidade, e cada um para a sua terra!

**37** Assim morreu o rei; o levaram para Samaria e ali o sepultaram.

**38** Lavaram o seu carro junto ao tanque de Samaria, e os cães lamberam-lhe o sangue (ora, as prostitutas se banhavam ali), conforme a palavra que o Senhor tinha dito.

**39** Quanto ao restante dos atos de Acabe, a tudo quanto fez, à casa de marfim que construiu e a todas as cidades que edificou, porventura não está escrito no livro das crônicas dos reis de Israel?

**40** Dormiu Acabe com seus pais. E Acazias, seu filho, reinou em seu lugar.

### Josafá e Acazias

**41** Josafá, filho de Asa, começou a reinar sobre Judá no quarto ano de Acabe, rei de Israel.

**42** Era Josafá da idade de trinta e cinco anos quando começou a reinar, e vinte e cinco anos reinou em Jerusalém. Era o nome de sua mãe Azuba, filha de Sili.

**43** Andou em todos os caminhos de seu pai Asa e não se desviou deles; fez o que era reto aos olhos do Senhor.

**44** Todavia, os altos não se tiraram, e o povo ainda sacrificava e queimava incenso nos altos.

**45** Josafá teve paz com o rei de Israel.
**46** Quanto ao restante dos atos de Josafá, ao poder que mostrou e como guerreou, porventura não está escrito no livro das crônicas dos reis de Judá?
**47** Também expulsou da terra o restante dos prostitutos cultuais que ficaram nos dias de seu pai Asa.
**48** Não havia rei em Edom; governava um vice-rei.
**49** Ora, fez Josafá navios de Társis, para irem a Ofir em busca de ouro, mas não foram, porque os navios se quebraram em Eziom-Geber.
**50** Então Acazias, filho de Acabe, disse a Josafá: Vão os meus servos com os teus servos nos navios. Mas Josafá não quis.
**51** Josafá dormiu com seus pais e foi sepultado junto a eles na Cidade de Davi, seu pai. E Jorão, seu filho, reinou em seu lugar.
**52** Acazias, filho de Acabe, começou a reinar em Samaria no ano dezessete de Josafá, rei de Judá, e reinou dois anos sobre Israel.
**53** Fez o que era mau aos olhos do Senhor, porque andou nos caminhos de seu pai, como também nos caminhos de sua mãe, e nos caminhos de Jeroboão, filho de Nebate, que fez Israel pecar.
**54** Serviu a Baal, o adorou e provocou à ira o Senhor, o Deus de Israel, conforme tudo quanto seu pai fizera.

# 2REIS

### Elias e a morte de Acazias

**1** Depois da morte de Acabe, revoltou-se Moabe contra Israel. **2** Acazias caiu da sacada de um quarto alto, em Samaria, e ficou muito ferido. Enviou mensageiros, dizendo-lhes: Ide e perguntai a Baal-Zebube, deus de Ecrom, se me recuperarei desse acidente. **3** O anjo do Senhor, porém, disse a Elias, o tisbita: Levanta-te e sobe para te encontrares com os mensageiros do rei de Samaria e dize-lhes: Não há Deus em Israel, para irdes consultar a Baal-Zebube, deus de Ecrom? **4** Por isso, assim diz o Senhor: Da cama em que estás não sairás, mas certamente nela morrerás. Então Elias foi embora.
**5** E os mensageiros voltaram para o rei, que lhes perguntou: O que aconteceu, que voltastes? **6** Responderam eles: Um homem nos saiu ao encontro e nos disse: Ide, voltai para o rei que vos mandou, e dizei-lhe: Assim diz o Senhor: Não há Deus em Israel, para que mandes consultar a Baal-Zebube, deus de Ecrom? Portanto, da cama, em que estás não sairás, mas certamente nela morrerás. **7** Ele lhes perguntou: Como era o homem que vos foi ao encontro e vos falou estas palavras? **8** Responderam: Era um homem com vestimenta de pelos, com os *lombos cingidos de um cinto de couro*. Então disse ele: É Elias, o tisbita.
**9** Então o rei lhe enviou um capitão de cinquenta, com os seus cinquenta homens. Este foi ao encontro de Elias, que estava assentado no cume do monte, e lhe disse: Homem de Deus, o rei diz: Desce.
**10** Elias, porém, respondeu ao capitão de cinquenta: Se eu sou homem de Deus, que desça fogo do céu e consuma a ti e aos teus cinquenta. Então desceu fogo do céu e consumiu ele e os seus cinquenta. **11** Tornou o rei a enviar-lhe outro capitão de cinquenta, com os seus cinquenta homens. Esse lhe disse: Homem de Deus, assim diz o rei: Desce imediatamente. **12** Respondeu Elias ao capitão: Se eu sou homem de Deus, que desça fogo do céu e consuma tu e os teus cinquenta. Então o fogo de Deus desceu do céu e consumiu a ele e aos seus cinquenta. **13** Tornou o rei a enviar pela terceira vez outro capitão de cinquenta, com os seus cinquenta homens. Este terceiro capitão de cinquenta subiu, pôs-se de joelhos diante de Elias e implorou-lhe: Homem de Deus, seja, peço-te, preciosa aos teus olhos a minha vida e a vida destes cinquenta soldados teus servos. **14** Desceu fogo do céu e consumiu aqueles dois primeiros capitães de cinquenta, com os seus cinquenta homens. Agora, porém, seja preciosa aos teus olhos a minha vida. **15** Então o anjo do Senhor disse a Elias: Desce com esse, não temas. Levantou-se e desceu com ele e foi falar com o rei. **16** Disse ao rei: Assim diz o Senhor: Por que enviaste mensageiros a

consultar a Baal-Zebube, deus de Ecrom? É por que não há Deus em Israel, para consultares a sua palavra? Portanto desta cama em que estás não sairás, mas certamente nela morrerás.

17 Assim morreu, conforme a palavra do Senhor, que Elias falara. E Jorão começou a reinar no seu lugar no segundo ano de Jeorão, filho de Josafá, rei de Judá, porque Acazias não tinha filho.

18 Quanto aos demais atos de Acazias, acaso não estão escritos no livro das crônicas dos reis de Israel?

### Elias é levado para o céu

2 Quando o Senhor estava para levar Elias ao céu num redemoinho, Elias partiu de Gilgal com Eliseu.

2 Disse Elias a Eliseu: Fica-te aqui; o Senhor me enviou a Betel. Eliseu, porém, disse: Tão certo como vive o Senhor e vive a tua alma, não te deixarei. Assim foram para Betel.

3 Os discípulos dos profetas que estavam em Betel saíram ao encontro de Eliseu e perguntaram: Sabes que o Senhor hoje levará o teu mestre por sobre a tua cabeça? Respondeu ele: Sim, eu sei, mas calai-vos.

4 Então Elias lhe disse: Eliseu, fica-te aqui; o Senhor me enviou a Jericó. Ele, porém, disse: Tão certo como vive o Senhor e vive a tua alma, não te deixarei. Assim foram para Jericó.

5 Os discípulos dos profetas que estavam em Jericó se aproximaram de Eliseu e perguntaram: Sabes que o Senhor hoje levará o teu mestre diante de ti? Respondeu ele: Sim, eu sei, mas calai-vos.

6 Então Elias lhe disse: Fica-te aqui; o Senhor me enviou ao Jordão. Ele, porém, disse: Tão certo como vive o Senhor e vive a tua alma, não te deixarei. Assim ambos foram juntos.

7 Cinquenta homens dos discípulos dos profetas os acompanharam e pararam a certa distância, em frente do lugar em que ambos haviam parado à margem do Jordão.

8 Então Elias pegou a sua capa e, dobrando-a, bateu com elas nas águas, as quais se dividiram para os dois lados; os dois passaram em seco.

9 Havendo eles atravessado, Elias disse a Eliseu: Pede-me o que queres que te faça, antes que seja levado para longe de ti. Disse Eliseu: Peço-te que haja porção dobrada de teu espírito sobre mim.

10 Respondeu Elias: Coisa difícil pediste. Se me vires quando for separado de ti, assim se te fará; porém, se não me vires, não se fará.

11 Indo eles andando e falando, de repente, um carro de fogo, com cavalos de fogo, os separou um do outro; e Elias subiu ao céu num redemoinho.

### Eliseu, o sucessor de Elias

12 O que vendo Eliseu, clamou: Meu pai, meu pai, carros de Israel e seus cavaleiros! E Eliseu nunca mais o viu. Pegando as suas próprias vestes, rasgou-as em duas partes.

13 Apanhou a capa que caíra de Elias e voltou e parou à margem do Jordão.

14 Então tomou a capa que caíra de Elias, bateu com ela nas águas e disse: Onde está agora o Senhor, Deus de Elias? Quando bateu nas

águas, elas se dividiram para um e outro lado, e Eliseu atravessou.

15 Vendo-o os discípulos dos profetas que estavam em Jericó, disseram: O espírito de Elias repousa sobre Eliseu. E vieram-lhe ao encontro e se prostraram diante dele em terra.

16 Disseram-lhe: Com teus servos há cinquenta homens valentes. Deixa-os ir em busca do teu senhor. Pode ser que o Espírito do Senhor o tenha arrebatado e lançado em algum monte, ou em algum vale. Respondeu Eliseu: Não os envieis.

17 Eles, porém, insistiram com ele a ponto de aborrecê-lo. Assim lhes disse: Enviai. E enviaram cinquenta homens, que o procuraram durante três dias, mas não o acharam.

18 Quando voltaram para Eliseu, que havia ficado em Jericó, ele lhes disse: Não vos disse que não fôsseis?

19 Os homens da cidade disseram a Eliseu: Como o meu senhor vê, esta cidade é bem situada, mas as águas são ruins, e a terra é estéril.

20 Disse ele: Trazei-me uma tigela nova e ponde nela sal. E eles a trouxeram.

21 Então foi ele até o manancial das águas e despejou sal nele, dizendo: Assim diz o Senhor: Sarei estas águas. Jamais causarão morte nem esterilidade.

22 Ficaram puras aquelas águas até o dia de hoje, conforme a palavra que Eliseu tinha dito.

23 Então subiu dali a Betel. Indo ele pelo caminho, alguns meninos saíram da cidade e zombavam dele, dizendo: Sobe, careca! Sobe, careca!

24 Virando-se ele para trás, viu-os e os amaldiçoou em nome do Senhor. Então duas ursas saíram do bosque e despedaçaram quarenta e dois daqueles meninos.

25 E dali foi para o monte Carmelo, de onde voltou para Samaria.

### A revolta de Moabe

**3** Jorão, filho de Acabe, começou a reinar sobre Israel, em Samaria, no décimo oitavo ano de Josafá, rei de Judá, e reinou doze anos.

2 Fez o que era mau aos olhos do Senhor, mas não como seu pai, nem como sua mãe. Derrubou a coluna de Baal, que seu pai fizera.

3 Contudo, persistiu nos pecados de Jeroboão, filho de Nebate, que fizera pecar Israel, e deles não se afastou.

4 Ora, Mesa, rei dos moabitas, era criador de ovelhas e pagava imposto ao rei de Israel de cem mil cordeiros, e cem mil carneiros com a sua lã.

5 Tendo, pois, morrido Acabe, revoltou-se o rei dos moabitas contra o rei de Israel.

6 Assim, nesse tempo, saiu Jorão de Samaria e fez revista de todo o Israel.

7 Mandou dizer a Josafá, rei de Judá: O rei dos moabitas se revoltou contra mim. Irás tu comigo à guerra contra os moabitas? Respondeu ele: Irei. Serei como tu és, o meu povo como o teu povo, e os meus cavalos como os teus cavalos.

8 Perguntou ele: Por que caminho subiremos? Respondeu-lhe Jorão: Pelo caminho do deserto de Edom.

9 Assim partiu o rei de Israel com o rei de Judá e o rei de Edom.

Após marcharem durante sete dias, não havia mais água para o exército, nem para os animais que os acompanhavam.

**10** Então disse o rei de Israel: Ah! O Senhor reuniu três reis para entregá-los nas mãos dos moabitas.

**11** Josafá, porém, perguntou: Não há aqui algum profeta do Senhor, para que consultemos ao Senhor por meio dele? Então respondeu um dos servos do rei de Israel: Aqui está Eliseu, filho de Safate, que auxiliava Elias.

**12** Disse Josafá: Está com ele a palavra do Senhor. Então o rei de Israel, Josafá e o rei de Edom desceram ao encontro dele.

**13** Eliseu, porém, disse ao rei de Israel: Que tenho eu contigo? Vai aos profetas de teu pai e aos profetas de tua mãe. O rei de Israel, porém, lhe disse: Não, porque o Senhor reuniu estes três reis para entregá-los nas mãos dos moabitas.

**14** Disse Eliseu: Tão certo como vive o Senhor dos Exércitos, em cuja presença estou, se eu não respeitasse a presença de Josafá, rei de Judá, não olharia para ti, nem daria atenção.

**15** Agora, porém, trazei-me um harpista. Enquanto o harpista tocava, veio sobre Eliseu a mão do Senhor,

**16** e disse: Assim diz o Senhor: cavai neste vale muitas covas,

**17** *porque assim diz o Senhor*: Não vereis vento, nem vereis chuva, contudo este vale se encherá de água, e bebereis vós, o vosso gado e os vossos animais.

**18** Ainda isso é pouco aos olhos do Senhor; também entregará ele os moabitas nas vossas mãos.

**19** Destruireis todas as cidades fortificadas e todas as cidades principais. Destruireis todas as boas árvores, tapareis todas as fontes de água e danificareis com pedras todos os bons campos.

**20** Na manhã seguinte, na hora da oferta de cereais, vieram as águas pelo caminho de Edom, e a terra se encheu de água.

**21** Ouvindo todos os moabitas que os reis tinham subido para guerrear contra eles, convocaram-se todos os que podiam empunhar armas desde o mais novo até o mais velho, e posicionaram-se nas fronteiras.

**22** Levantaram-se os moabitas cedo de manhã e, brilhando o sol sobre as águas, viram diante de si as águas vermelhas como sangue,

**23** e disseram: Isto é sangue! Certamente os reis se destruíram e se mataram um ao outro! Agora, ao saque, moabitas!

**24** Chegando, porém, eles ao acampamento de Israel, os israelitas se levantaram e atacaram os moabitas, os quais fugiram diante deles. E ainda entraram na terra, destruindo ali também os moabitas.

**25** Arrasaram as cidades, e cada um deles lançou pedras em todos os bons campos e os entulharam. Taparam todas as fontes de águas e derrubaram todas as boas árvores. Somente Quir-Haresete ficou com as pedras no lugar; contudo, os homens armados de fundas a cercaram e a feriram.

**26** Vendo o rei dos moabitas que a batalha prevalecia contra ele, levou consigo setecentos homens armados de espada, para romperem contra o rei de Edom, mas fracassaram.

**27** Então tomou a seu filho primogênito, que havia de reinar em seu lugar, e o ofereceu em sacrifício sobre o muro, pelo que houve grande indignação em Israel. Por isso, retiraram-se dali e voltaram para a sua terra.

### O azeite da viúva

**4** A mulher de um dos discípulos dos profetas clamou a Eliseu: Meu marido, teu servo, morreu, e tu sabes que o teu servo temia ao Senhor. Agora o seu credor vem levar-me os meus dois filhos para serem escravos.
2 Respondeu-lhe Eliseu: Como poderei ajudar-te? Dize-me, o que tens em casa? Disse ela: Tua serva não tem nada em casa, além de uma vasilha de azeite.
3 Disse Eliseu: Vai, pede emprestadas vasilhas a todos os teus vizinhos, vasilhas vazias, peça muitas.
4 Depois entra, fecha a porta sobre ti e sobre teus filhos, derrama o azeite em todas aquelas vasilhas e separe as que estiverem cheias.
5 Foi embora e fechou a porta sobre si e sobre seus filhos. Esses lhe traziam as vasilhas, e ela as enchia.
6 Quando todas as vasilhas estavam cheias, disse ela a seu filho: Traze-me mais uma vasilha. Ele, porém, respondeu: Não há mais vasilha nenhuma. Então o azeite parou.
7 Foi ela e fez saber ao homem de Deus, e ele disse: Vai, vende o azeite e paga a tua dívida. Tu e teus filhos vivei do que sobrar.

### A sunamita e o seu filho

8 Certo dia Eliseu foi a Suném, onde havia uma mulher rica, que *o convidou para comer*. Depois disso, todas as vezes que passava por lá, entrava para comer.
9 Disse ela a seu marido: Vejo que esse que passa sempre por nós é santo homem de Deus.
10 Façamos-lhe um pequeno quarto no terraço e ali lhe ponhamos uma cama, uma mesa, uma cadeira e uma lamparina. Quando ele vier a nós, ali repousará.
11 Certo dia chegou Eliseu, recolheu-se àquele quarto e se deitou.
12 Disse ele ao seu moço Geazi: Chama a sunamita. Chamando-a ele, ela se apresentou perante o profeta.
13 Disse Eliseu a Geazi: Dize-lhe: Tu nos tens tratado com todo o cuidado. Agora, o que se há de fazer por ti? Haverá alguma coisa de que se fale por ti ao rei, ou ao chefe do exército? Ela respondeu: Eu habito no meio do meu povo.
14 Então disse o profeta: Que se há de fazer por ela? Disse Geazi: Ora, ela não tem filho, e seu marido é velho.
15 Então disse Eliseu: Chama-a. E, chamando-a ele, ela se pôs à porta.
16 Disse Eliseu: Por este tempo, daqui a um ano abraçarás um filho. Respondeu ela: Não, meu senhor, homem de Deus, não iludas a tua serva.
17 A mulher, porém, engravidou e deu à luz um filho, no tempo determinado, no ano seguinte, como Eliseu lhe dissera.
18 Tendo o filho crescido, certo dia saiu a ter com seu pai, que estava com os ceifeiros.
19 Disse a seu pai: Ai, minha cabeça! Ai, minha cabeça! Disse o pai dele a um moço: Leva-o para sua mãe.
20 Ele o pegou e o levou para sua mãe; o menino esteve no colo dela até o meio-dia e, então, morreu.
21 Subiu ela e o deitou sobre a cama do homem de Deus, então fechou a porta e saiu.

**22** Então chamou seu marido e disse: Manda-me um dos moços e uma das jumentas, para que eu corra até o homem de Deus e volte. **23** Perguntou ele: Por que vais a ele hoje? Não é lua nova nem sábado. Disse ela: Não se preocupe. **24** Então ela selou a jumenta e disse ao seu moço: Vai depressa; não para no caminhar, senão quando eu mandar. **25** Partiu ela e veio encontrar o homem de Deus, no monte Carmelo. Vendo-a o homem de Deus de longe, disse a Geazi, seu moço: Olha! Aí está a sunamita. **26** Corre-lhe ao encontro e dize-lhe: Vai bem contigo? Vai bem com teu marido? Vai bem com teu filho? Respondeu ela: Vai bem. **27** Chegando ela ao homem de Deus, no monte, abraçou os pés dele. Geazi chegou para a tirar, mas o homem de Deus disse: Deixa-a! A sua alma está em amargura, e o Senhor o escondeu de mim e nada me revelou. **28** Disse ela: Pedi eu a meu senhor algum filho? Não disse eu: Não me iludas? **29** Disse Eliseu a Geazi: Cinge os teus lombos, toma o meu cajado contigo e vai. Se encontrares alguém, não o saúdes, e se alguém te saudar, não lhe respondas. Põe o meu cajado sobre o rosto do menino. **30** Disse, porém, a mãe do menino: Tão certo como vive o Senhor, e vive a tua alma, não te deixarei. Então ele se levantou e a acompanhou. **31** Geazi passou na frente deles e colocou o cajado sobre o rosto do menino, mas não houve nele voz nem reação. Pelo que voltou a encontrar-se com Eliseu e lhe disse: O menino não despertou.

**32** Chegando Eliseu àquela casa, viu que o menino estava morto sobre a sua cama. **33** Entrou e, fechando a porta sobre eles, orou ao Senhor. **34** Então subiu na cama, deitou-se sobre o menino e, colocando a boca sobre a boca dele, os olhos sobre os olhos dele e as mãos sobre as mãos dele, debruçou-se sobre ele; e a carne do menino aqueceu. **35** Depois desceu, andou pelo quarto de uma parte para outra, tornou a subir e se debruçou sobre ele. O menino espirrou sete vezes e abriu os olhos. **36** Eliseu chamou Geazi e disse: Chama a sunamita. Ele a chamou. Quando ela se apresentou diante dele, disse ele: Pega o teu filho. **37** Ela entrou, prostrou-se a seus pés e inclinou-se à terra. Então pegou o seu filho e saiu.

### A morte na panela

**38** Eliseu voltou para Gilgal, e havia fome na terra. Enquanto os discípulos dos profetas estavam assentados na sua presença, disse ao seu moço: Põe a panela grande no fogo e faze ensopado para os discípulos dos profetas. **39** Então um saiu ao campo a apanhar ervas e achou uma videira brava. Colheu dela a sua capa cheia, veio e cortou-as na panela do caldo, embora ninguém soubesse o que eram. **40** Assim serviram os homens. Quando começaram a comer do ensopado, gritaram: Homem de Deus, há morte na panela. E não puderam comer. **41** Disse Eliseu: Trazei farinha. Ele a colocou na panela e disse: Servi o povo. E já então não havia mal nenhum na panela.

**42** Um homem veio de Baal-Salisa, trazendo ao homem de Deus pães das primícias, vinte pães de cevada e grãos novos de trigo. Disse Eliseu: Dá ao povo, para que coma.
**43** Seu servo, porém, disse: Como servirei cem homens? Respondeu Eliseu: Dá-o ao povo, para que coma. Pois assim diz o Senhor: Comerão e ainda sobrará.
**44** Então ele lhes serviu, comeram, e ainda sobrou, conforme a palavra do Senhor.

### A cura de Naamã

**5** Ora, Naamã, comandante do exército do rei da Síria, era honrado homem diante do seu senhor e de muito respeito, porque por meio dele o Senhor dera livramento aos siros. Era esse homem valente, mas estava leproso.
**2** Saíram tropas da Síria e da terra de Israel e levaram presa uma menina que ficou ao serviço da mulher de Naamã.
**3** Disse esta à sua senhora: Quem dera o meu senhor estivesse diante do profeta que está em Samaria! Ele o curaria da sua lepra.
**4** Naamã foi ao seu senhor e lhe disse o que a menina da terra de Israel havia falado.
**5** Respondeu o rei da Síria: Vai, anda, e enviarei uma carta ao rei de Israel. Assim, Naamã partiu, levando consigo dez talentos de prata, seis mil siclos de ouro e dez mudas de roupas finas.
**6** Entregou a carta ao rei de Israel, que dizia: Logo que chegar a ti esta carta, saberás que eu te enviei Naamã, meu servo, para que o cures da sua lepra.
**7** Tendo o rei de Israel lido a carta, rasgou as suas vestes e disse: Sou eu Deus? Posso matar e fazer viver? Por que este envia alguém a mim para ser curado da sua lepra? Percebam como busca ocasião contra mim.
**8** Quando Eliseu, homem de Deus, ouviu que o rei de Israel rasgara as suas vestes, mandou dizer ao rei: Por que rasgaste as tuas vestes? Deixa-o vir a mim e saberá que há profeta em Israel.
**9** Assim, veio Naamã com os seus cavalos, e com o seu carro, e parou na porta da casa de Eliseu.
**10** Eliseu mandou-lhe um mensageiro, dizendo: Vai e lava-te sete vezes no Jordão, e a tua carne te será restaurada, e serás purificado.
**11** Naamã, porém, indignou-se muito e se foi, dizendo: Eu pensava que ele certamente sairia, se poria em pé, invocaria o nome do Senhor seu Deus, moveria a mão sobre o lugar infectado e me curaria da lepra.
**12** Não são Abana e Farfar, rios de Damasco, melhores do que todas as águas de Israel? Não poderia eu lavar-me neles e ser purificado? E foi embora indignado.
**13** Chegaram-se a ele os seus servos e lhe disseram: Meu pai, se o profeta te houvesse pedido alguma coisa difícil, não a terias feito? Quanto mais, dizendo-te ele: Lava-te e serás purificado.
**14** Pelo que ele desceu, mergulhou no Jordão sete vezes, conforme a palavra do homem de Deus, e a sua carne foi restaurada, e se tornou como a pele de um menino, e ficou purificado.
**15** Então voltou Naamã ao homem de Deus, ele e toda a sua comitiva. Veio, pôs-se diante dele e disse: Agora reconheço que em toda a terra não há Deus, senão em Israel.

Agora peço-te que aceites um presente do teu servo.

**16** Respondeu o profeta: Tão certo como vive o Senhor em cuja presença estou, não o aceitarei. Insistiu Naamã com ele para que o aceitasse, mas ele recusou.

**17** Disse Naamã: Se não queres, contudo dê-se ao teu servo uma quantidade de terra que duas mulas possam transportar, pois nunca mais oferecerá este teu servo holocausto nem sacrifício a outros deuses, senão ao Senhor.

**18** Nisto perdoe o Senhor ao teu servo: Quando meu senhor entrar no templo de Rimom para ali adorar, e se encostar na minha mão, e eu também tiver de me prostrar no templo de Rimom; quando assim me prostrar no templo de Rimom, nisso perdoe o Senhor ao teu servo.

**19** Disse-lhe Eliseu: Vai-te em paz. Depois que Naamã se tinha afastado a uma pequena distância, **20** Geazi, moço de Eliseu, homem de Deus, disse: Meu senhor poupou a este siro Naamã, não aceitando o que ele trouxe. Tão certo como vive o Senhor, hei de correr atrás dele e obter alguma coisa.

**21** Assim foi Geazi para alcançar Naamã. Vendo Naamã que alguém corria atrás dele, desceu do carro para encontrá-lo e perguntou: Vai tudo bem?

**22** Respondeu ele: Tudo vai bem. Meu senhor me mandou dizer: Agora mesmo vieram a mim dois jovens dos discípulos dos profetas da região montanhosa de Efraim. Dá-lhes um talento de prata e duas mudas de roupa fina.

**23** Disse Naamã: Toma dois talentos. Insistiu com ele e amarrou dois talentos de prata em dois sacos, com duas mudas de roupa fina. Colocou-os sobre dois dos seus moços, os quais os levaram à frente de Geazi.

**24** Quando ele chegou à colina, tomou as coisas das mãos dos moços e as guardou em casa. Mandou embora aqueles homens, e eles se foram.

**25** Então entrou e pôs-se diante de seu senhor. Perguntou-lhe Eliseu: De onde vens, Geazi? Respondeu ele: Teu servo não foi a lugar algum.

**26** Eliseu, porém, lhe disse: Não foi contigo o meu coração, quando aquele homem voltou do seu carro a encontrar-te? Era essa ocasião para tomares prata, vestes, olivais, vinhas, ovelhas, bois e servos e servas?

**27** A lepra de Naamã se pegará a ti e à tua descendência para sempre. Então Geazi saiu da presença de Eliseu leproso, branco como a neve.

### Eliseu faz flutuar um machado

**6** Disseram os discípulos dos profetas a Eliseu: O lugar em que nos reunimos contigo é pequeno demais para nós.

**2** Vamos até o Jordão e tomemos de lá, cada um de nós, um tronco e construamos ali um lugar, para nos reunir. Disse ele: Ide.

**3** Então um deles disse: Queres ir com os teus servos? Respondeu Eliseu: Eu irei.

**4** E foi com eles. Tendo eles chegado ao Jordão, cortaram madeira.

**5** Enquanto um deles estava derrubando um tronco, o ferro do machado caiu na água. Gritou ele: Ai, meu senhor! Era emprestado.

**6** Perguntou o homem de Deus: Onde caiu? Mostrando-lhe ele o

lugar, Eliseu cortou um galho, lançou-o ali e fez flutuar o ferro.
**7** E disse: Pegue-o. Então o homem estendeu a mão e o pegou.

### Eliseu e os siros

**8** Ora, o rei da Síria fazia guerra contra Israel. Depois de se reunir com os seus oficiais, disse: Em tal e em tal lugar estará o meu acampamento.
**9** O homem de Deus, porém, mandou dizer ao rei de Israel: Não passes por tal lugar, porque os siros estão descendo ali.
**10** Pelo que o rei de Israel enviou homens àquele lugar de que o homem de Deus lhe falara, e de que o tinha avisado, e assim se salvou, não uma nem duas vezes.
**11** Esse incidente perturbou o coração do rei da Síria, que chamou os seus oficiais e lhes disse: Não me fareis saber quem dos nossos é pelo rei de Israel?
**12** Disse um dos seus oficiais: Ninguém de nós, ó rei meu senhor, mas o profeta Eliseu, que está em Israel, faz saber ao rei de Israel até as palavras que tu falas no teu quarto.
**13** Disse o rei: Ide e vede onde ele está, para que envie homens e mande trazê-lo. Deram-lhe aviso, dizendo: Está em Dotã.
**14** Então enviou para lá cavalos, carros e um grande exército, os quais vieram de noite e cercaram a cidade.
**15** Quando o moço do homem de Deus se levantou muito cedo e saiu, viu que um exército com cavalos e carros tinha cercado a cidade. Então o seu moço lhe perguntou: Ai, meu senhor, o que faremos?
**16** Ele respondeu: Não temas. Mais são os que estão conosco do que os que estão com eles.
**17** E orou Eliseu: Ó Senhor, peço-te que lhe abras os olhos, para que veja. E o Senhor abriu os olhos do moço, e ele olhou e viu que o monte estava cheio de cavalos e carros de fogo, ao redor de Eliseu.
**18** Enquanto o inimigo descia contra ele, Eliseu orou ao Senhor: Fere, peço-te, de cegueira esta gente. E feriu-a de cegueira, conforme a palavra de Eliseu.
**19** Disse-lhes Eliseu: Não é este o caminho, nem é esta a cidade. Segui-me e vos guiarei ao homem que buscais. E os guiou a Samaria.
**20** Tendo eles chegado a Samaria, disse Eliseu: Ó Senhor, abre a estes os olhos, para que vejam. O Senhor lhes abriu os olhos, e olharam e viram que estavam dentro de Samaria.
**21** Quando o rei de Israel os viu, perguntou a Eliseu: Devo matá-los, devo matá-los, meu pai?
**22** Respondeu ele: Não os matarás. Matarias tu os que tomasses prisioneiros com a tua espada e com o teu arco? Põe diante deles pão e água, para que comam e bebam, e voltem a seu senhor.
**23** Assim, preparou-lhes um grande banquete e, depois que comeram e beberam, despediu-os e voltaram a seu senhor. Assim, não entraram mais tropas de siros na terra de Israel.

### Cerco e fome em Samaria

**24** Depois disto Ben-Hadade, rei da Síria, ajuntou todo o seu exército, subiu e cercou Samaria.
**25** Houve grande fome em Samaria, porque a cercaram até que se vendeu a cabeça de um jumento por oitenta siclos de prata, e a quarta parte de um cabo de cebola selvagem por cinco siclos de prata.

**26** Passando o rei de Israel pelo muro, uma mulher lhe clamou: Ajuda-me, ó rei meu senhor.
**27** Respondeu o rei: Se o Senhor não te ajudar, quem sou eu para te ajudar? Da eira ou do lagar?
**28** Disse-lhe mais o rei: Que tens? Respondeu ela: Esta mulher me disse: Dá cá o teu filho, para que hoje o comamos, e amanhã comeremos o meu filho.
**29** Então cozinhamos o meu filho e o comemos. Mas dizendo-lhe eu no dia seguinte: Dá cá o teu filho para que o comamos, ela o escondeu.
**30** Ouvindo o rei as palavras dessa mulher, rasgou as suas vestes. Enquanto ia passando pelo muro, o povo olhou e viu que trazia pano de saco por dentro, sobre o corpo.
**31** Disse o rei: Assim me castigue Deus severamente se a cabeça de Eliseu, filho de Safate, lhe ficar hoje sobre os ombros.
**32** Ora, Eliseu estava sentado em sua casa, e também as autoridades de Israel estavam assentadas com ele. Enviou o rei um homem à frente de si, mas antes que chegasse a Eliseu, disse este às autoridades: Vedes como o filho do homicida mandou tirar-me a cabeça? Olhai, quando vier o mensageiro, fechai a porta e empurrai-o para fora com ela. Não vem após ele o som dos pés de seu senhor?
**33** Estando ele ainda a falar com eles, o mensageiro chegou. Disse o rei: Este mal vem do Senhor. Por que esperaria eu mais pelo Senhor?

### Eliseu prediz o fim do cerco

**7** Disse Eliseu: Ouvi a palavra do Senhor. Assim diz o Senhor: Amanhã, por estas horas, haverá uma medida de farinha por um siclo, e duas medidas de cevada por um siclo, na porta de Samaria.
**2** O capitão, em cujo braço o rei se apoiava, porém, respondeu ao homem de Deus: Ainda que o Senhor fizesse janelas no céu, poderia acontecer isso? Respondeu Eliseu: Tu o verás com os teus olhos, porém não comerás.
**3** Quatro homens leprosos estavam na entrada da porta, os quais disseram uns aos outros: Para que estaremos nós aqui sentados até morrermos?
**4** Se dissermos: Entremos na cidade, há fome na cidade, e morreremos aí. Se ficarmos aqui, também morreremos. Portanto, vamo-nos ao acampamento siro e nos rendamos. Se nos deixarem viver, viveremos; se nos matarem, morreremos.
**5** Levantaram-se ao anoitecer, para irem ao acampamento dos siros. Chegando eles à entrada do acampamento, não havia ali ninguém,
**6** pois o Senhor fizera ouvir no acampamento dos siros um barulho de carros e de cavalos, como o som de um grande exército, de maneira que disseram uns aos outros: Vede, o rei de Israel alugou os reis dos heteus e os reis dos egípcios, para virem contra nós.
**7** Por isso, levantaram-se e fugiram, ao anoitecer, abandonando as suas barracas, os seus cavalos e os seus jumentos. Deixaram o acampamento como estava e fugiram para salvar a sua vida.
**8** Chegando estes leprosos à entrada do acampamento, entraram numa barraca. Comeram e beberam e, tomando dali prata, ouro e vestes, foram-se e esconderam tudo. Voltaram, entraram

em outra barraca, e dali também pegaram alguma coisa, e esconderam tudo.

**9** Então disseram uns para os outros: Não fazemos certo. Este dia é dia de boas notícias, e nos calamos. Se esperarmos até a luz da manhã, algum castigo nos sobrevirá. Então vamos e o anunciemos no palácio do rei.

**10** Assim, vieram e gritaram aos porteiros da cidade e lhes anunciaram: Fomos ao acampamento dos siros e lá não havia ninguém, nem voz de homem, porém só os cavalos e os jumentos atados, e as barracas abandonadas.

**11** Os porteiros gritaram a notícia e a anunciaram dentro do palácio do rei.

**12** O rei se levantou de noite e disse a seus servos: Agora vos direi o que os siros nos fizeram. Sabem muito bem que estamos passando fome, de modo que saíram do acampamento, a esconder-se pelo campo, pensando: Quando saírem da cidade, então os pegaremos vivos e entraremos nela.

**13** Um dos seus servos respondeu: Tomem-se cinco dos cavalos do restante que ficou aqui dentro (a sua sorte será como a de todos os israelitas que ficaram aqui de resto, sim, serão como todos os israelitas que já sofreram). Enviemo-los e vejamos.

**14** Assim, tomaram dois carros com cavalos, e o rei os enviou após o exército dos siros, dizendo: Ide, e vede.

**15** Foram após eles até o Jordão, e todo o caminho estava cheio de roupas e de objetos que os siros, apressando-se, lançaram fora. Voltaram os mensageiros e o anunciaram ao rei.

**16** Então saiu o povo e saqueou o acampamento dos siros. Assim, houve uma medida de farinha por um siclo, e duas medidas de cevada por um siclo, conforme a palavra do Senhor.

**17** Ora, o rei havia colocado na porta o capitão em cujo braço se apoiava, e o povo o atropelou na porta e ele morreu, como dissera o homem de Deus, o que falou quando o rei descera a ele.

**18** Aconteceu como o homem de Deus dissera ao rei: Amanhã, a estas horas, haverá duas medidas de cevada por um siclo, e uma medida de farinha por um siclo, na porta de Samaria.

**19** Aquele capitão respondera ao homem de Deus: Ainda que o Senhor fizesse janelas no céu, poderia isso acontecer? E ele dissera: Tu o verás com os teus olhos, porém não comerás.

**20** Assim lhe aconteceu, pois o povo o atropelou na porta e ele morreu.

### A sunamita recupera seus bens

**8** Ora, Eliseu havia dito à mulher cujo filho ele tinha ressuscitado: Levanta-te e vai, tu e a tua família, e mora onde puderes, porque o Senhor decretou a fome, a qual virá à terra por sete anos.

**2** Levantou-se a mulher e fez conforme a palavra do homem de Deus. Foi com a sua família e habitou na terra dos filisteus durante sete anos.

**3** Ao final dos sete anos, a mulher voltou da terra dos filisteus e saiu para pedir ao rei que lhe devolvesse a sua casa e as suas terras.

**4** Ora, o rei conversava com Geazi, moço do homem de Deus, dizendo: Conta-me, peço-te, todas as grandes obras que Eliseu tem feito.

**5** Contando ele ao rei como Eliseu ressuscitava um morto, a mulher cujo filho ele havia ressuscitado pediu ao rei que lhe devolvesse a sua casa e as suas terras. Disse Geazi: Ó rei, meu senhor, esta é a mulher, e este o seu filho a quem Eliseu ressuscitou. **6** O rei perguntou à mulher, e ela lhe contou a história. Então o rei lhe designou um oficial, dizendo: Devolva-lhe tudo o que era seu e todas as rendas das colheitas desde o dia em que deixou a terra até agora.
**7** Eliseu foi a Damasco, e Ben-Hadade, rei da Síria, estava doente. Quando anunciaram ao rei: O homem de Deus chegou aqui, **8** disse ele a Hazael: Leva um presente contigo e vai encontrar-te com o homem de Deus. Por intermédio dele pergunta ao Senhor: Sararei eu desta doença? **9** Foi Hazael a encontrar-se com ele e levou um presente consigo, a saber, quarenta camelos carregados de tudo o que era bom de Damasco. Veio, pôs-se diante dele e disse: Teu filho Ben-Hadade, rei da Síria, me enviou a ti para perguntar: Sararei eu desta doença? **10** Respondeu-lhe Eliseu: Vai e dize-lhe: Certamente sararás. Mas o Senhor me mostrou que ele morrerá. **11** E olhou para Hazael, fitando em seus olhos até que esse se sentiu envergonhado. Então o homem de Deus chorou. **12** Perguntou Hazael: Por que chora o meu senhor? Respondeu ele: Porque sei o mal que hás de fazer aos filhos de Israel. Porás fogo às suas fortalezas, os seus jovens matarás à espada, os seus meninos esmagarás e às suas mulheres grávidas rasgarás o ventre. **13** Disse Hazael: Como é que teu servo, que não passa de um cão, poderia fazer tão grande coisa? Respondeu Eliseu: O Senhor me mostrou que tu hás de ser rei da Síria. **14** Então foi embora e voltou a seu senhor, o qual lhe perguntou: Que te disse Eliseu? Respondeu ele: Disse-me que certamente sararás. **15** No dia seguinte, Hazael tomou um cobertor, molhou-o na água e o colocou sobre o rosto do rei, de modo que este morreu. E Hazael reinou em seu lugar.

### Jeorão e Acazias, reis de Judá

**16** No quinto ano de Jorão, filho de Acabe, rei de Israel, reinando ainda Josafá em Judá, começou a reinar Jeorão, filho de Josafá, rei de Judá. **17** Era ele da idade de trinta e dois anos quando começou a reinar e oito anos reinou em Jerusalém. **18** Andou no caminho dos reis de Israel, como também fizeram os da família de Acabe, porque tinha por mulher a filha de Acabe. Fez o que era mau aos olhos do Senhor. **19** O Senhor, porém, não quis destruir a Judá por amor de Davi, seu servo, porque havia prometido dar-lhe para sempre um descendente entre seus filhos. **20** Nos seus dias, os edomitas se revoltaram contra o domínio de Judá e levantaram para si um rei. **21** Pelo que Jeorão foi a Zair, e todos os carros com ele. Ele se levantou de noite, com os capitães dos carros, e atacou os edomitas que o haviam cercado; mas o povo foi para as suas barracas. **22** Até o dia de hoje os edomitas ficaram independentes do domínio de Judá. Libna tornou-se independente no mesmo tempo.

23 O restante dos atos de Jeorão e tudo o que fez, porventura não está escrito no livro das crônicas de Judá?
24 Descansou Jeorão com seus pais e foi sepultado com eles na Cidade de Davi. E Acazias, seu filho, reinou em seu lugar.
25 No décimo segundo ano de Jorão, filho de Acabe, rei de Israel, começou a reinar Acazias, filho de Jeorão, rei de Judá.
26 Era Acazias de vinte e dois anos de idade quando começou a reinar e um ano reinou em Jerusalém. O nome de sua mãe era Atalia, filha de Onri, rei de Israel.
27 Andou nos caminhos da família de Acabe e fez o que era mau aos olhos do Senhor, como a família de Acabe, porque era genro da família de Acabe.
28 Foi com Jorão, filho de Acabe, a Ramote-Gileade, na batalha contra Hazael, rei da Síria. Os siros feriram a Jorão;
29 assim voltou o rei Jorão para se curar em Jezreel das feridas que os siros lhe fizeram em Ramá, quando lutou contra Hazael, rei da Síria. Então desceu Acazias, filho de Jeorão, rei de Judá, para ver Jorão, filho de Acabe, em Jezreel, porque estava ferido.

### Jeú mata a Jorão e a Jezabel

**9** O profeta Eliseu chamou um dos discípulos dos profetas e lhe disse: Veste a tua capa, vai para Ramote-Gileade e leva este vaso de azeite contigo.
2 Chegando lá, vê onde está Jeú, filho de Josafá, filho de Ninsi. Entra, faze que ele se levante do meio de seus irmãos e leva-o para uma sala reservada.
3 Pega o vaso de azeite, derrama-o sobre a sua cabeça e dize: Assim diz o Senhor: Ungi-te rei sobre Israel. Então abre a porta, foge e não te demores.
4 Portanto, foi o jovem profeta a Ramote-Gileade.
5 Entrando ele, viu que os capitães do exército estavam reunidos ali. Disse ele: Capitão, tenho uma palavra para te dizer. Respondeu Jeú: A qual de todos nós? Disse ele: A ti, capitão!
6 Então se levantou, entrou na casa e derramou o azeite sobre a sua cabeça, e lhe disse: Assim diz o Senhor Deus de Israel: Ungi-te rei sobre o povo do Senhor, sobre Israel.
7 Destruirás a família de Acabe, teu senhor, para que eu vingue da mão de Jezabel o sangue de meus servos, os profetas, e o sangue de todos os servos do Senhor.
8 Toda a família de Acabe perecerá. Destruirei de Acabe todos do sexo masculino, tanto o escravo como o livre em Israel.
9 À família de Acabe hei de fazer como à família de Jeroboão, filho de Nebate, e como à família de Baasa, filho de Aías.
10 Os cães comerão a Jezabel no campo de Jezreel, e não haverá quem a enterre. Então abriu a porta, e fugiu.
11 Saindo Jeú aos servos de seu senhor, perguntaram-lhe: Vai tudo bem? Por que veio a ti esse louco? Respondeu Jeú: Bem conheceis esse tipo de homem e o seu falar.
12 Eles, porém, disseram: Isso não é verdade! Conta-nos o que ele disse. Disse Jeú: Eis o que ele me falou: Assim diz o Senhor: Ungi-te rei sobre Israel.
13 Apressaram-se e, pegando cada um a sua capa, estendeu-a debaixo

dele, no mais alto degrau. Então tocaram a buzina e disseram: Jeú reina.

14 Assim Jeú, filho de Josafá, filho de Ninsi, conspirou contra Jorão. Jorão, porém, tinha cercado a Ramote-Gileade, ele e todo o Israel, por causa de Hazael, rei da Síria.

15 O rei Jorão, porém, voltara para se curar em Jezreel das feridas que os siros lhe fizeram, quando lutou contra Hazael, rei da Síria. Disse Jeú: Se é isso que desejais, ninguém saia da cidade, nem escape, para ir anunciar isso em Jezreel.

16 Então Jeú subiu a um carro e foi a Jezreel, porque Jorão estava se recuperando ali, e também Acazias, rei de Judá, descera para ver Jorão.

17 Quando a sentinela que estava na torre de Jezreel viu a tropa de Jeú, que vinha, disse: Vejo uma tropa. Então disse Jorão: Toma um cavaleiro, envia-o ao seu encontro e pergunte: Há paz?

18 O cavaleiro foi-lhe ao encontro e disse: Assim diz o rei: Há paz? Respondeu Jeú: Que tens tu com a paz? Saia da minha frente. E a sentinela anunciou: Chegou a eles o mensageiro, porém não volta.

19 Então enviou o rei outro cavaleiro. Chegando esse a eles, *disse: Assim diz o rei:* Há paz? Respondeu Jeú: Que tens com a paz? Saia da minha frente.

20 O atalaia anunciou: Também esse chegou a eles, porém não volta. O guiar do carro de guerra se parece com o de Jeú, filho de Ninsi, pois guia como um louco.

21 Ordenou Jorão: Prepara o carro. E prepararam o seu carro. Saiu Jorão, rei de Israel, e Acazias, rei de Judá, cada um em seu carro, e foram ao encontro de Jeú, e o encontraram no campo de Nabote, o jezreelita.

22 Vendo Jorão a Jeú, perguntou: Há paz, Jeú? Respondeu ele: Que paz, enquanto as prostituições da tua mãe Jezabel e as suas feitiçarias são tantas?

23 Voltou-se Jorão e fugiu, gritando para Acazias: Há traição, Acazias!

24 Então Jeú disparou o seu arco com toda a força e feriu a Jorão nas costas. A flecha lhe atravessou pelo coração, e ele caiu no seu carro.

25 Disse Jeú a Bidcar, seu capitão: Toma-o e lança-o no campo de Nabote, o jezreelita. Lembra-te de que, indo eu e tu juntos a cavalo após seu pai Acabe, o Senhor pôs sobre ele esta sentença:

26 Ontem eu vi o sangue de Nabote e o sangue de seus filhos, diz o Senhor, e certamente te farei pagar por ele neste campo, diz o Senhor. Agora, pois, toma-o e lança-o neste campo, conforme a palavra do Senhor.

27 Quando Acazias, rei de Judá, viu o que tinha acontecido, fugiu pelo caminho a Bete-Hagã. Perseguiu-o Jeú, gritando: Matai a este também! Atingiram-no no carro na subida de Gur, que está perto de Ibleão, mas fugiu ele para Megido, onde morreu.

28 Seus servos o levaram num carro para Jerusalém e o sepultaram na sua sepultura, junto a seus pais, na Cidade de Davi.

29 (No décimo primeiro ano de Jorão, filho de Acabe, Acazias havia começado a reinar sobre Judá.)

30 Então Jeú foi a Jezreel. Quando Jezabel o soube, pintou em volta

dos olhos, enfeitou a cabeça e olhou pela janela.

31 Entrando Jeú pelo portão, perguntou ela: Teve paz Zinri, que matou a seu senhor?

32 Ergueu ele o rosto para a janela e gritou: Quem é comigo? Quem? Dois ou três eunucos olharam para ele.

33 Disse Jeú: Jogai-a daí para baixo. Jogaram-na para baixo, e foram salpicados com o seu sangue a parede e os cavalos, e esses a pisotearam.

34 Entrou Jeú, comeu e bebeu. Disse ele: Pegai aquela maldita e sepultai-a, pois é filha de rei.

35 Quando, porém, foram para a sepultar, não acharam dela senão somente o crânio, os pés e as palmas das mãos.

36 Voltaram e comunicaram-no a Jeú, que disse: Esta é a palavra do Senhor, a qual falou por intermédio de Elias, o tisbita, seu servo: No campo de Jezreel os cães comerão a carne de Jezabel.

37 O cadáver de Jezabel será como esterco sobre o campo, num terreno de Jezreel, de modo que não se poderá dizer: Esta é Jezabel.

### Jeú massacra a família de Acabe

**10** Ora, Acabe tinha setenta filhos em Samaria. Jeú escreveu cartas e as enviou a Samaria, aos líderes da cidade de Jezreel, às autoridades e aos tutores dos filhos de Acabe, dizendo:

2 Logo que esta carta chegar a vós, visto que estão convosco os filhos de vosso senhor, como também carros, cavalos, uma cidade fortificada, e armas,

3 escolhei o melhor e mais digno dos filhos de vosso senhor e ponde-o sobre o trono de seu pai. Então lutai pela dinastia de vosso senhor.

4 Eles, porém, temeram muitíssimo e disseram: Se dois reis não lhe puderam enfrentar, como poderemos nós?

5 Então o oficial responsável pelo palácio, o governador da cidade, as autoridades e os tutores enviaram esta mensagem a Jeú: Teus servos somos; e tudo o que nos disseres faremos. A ninguém constituiremos rei; faze o que parecer bem aos teus olhos.

6 Então Jeú escreveu-lhes outra carta, dizendo: Se estais do meu lado e obedeceis às minhas ordens, tomai as cabeças dos homens, filhos de vosso senhor, e amanhã a estas horas vinde a mim a Jezreel. Ora, os filhos do rei, que eram setenta, estavam com os grandes da cidade, que os criavam.

7 Chegada a eles a carta, pegaram os setenta filhos do rei e os mataram. Colocaram as suas cabeças em cestos e enviaram-nas a Jeú em Jezreel.

8 Quando o mensageiro chegou, anunciou a Jeú: Trouxeram as cabeças dos filhos do rei. Disse ele: Colocai-as em dois montões na entrada da porta, até amanhã.

9 Saindo Jeú na manhã seguinte, parou e disse a todo o povo: Vós sois inocentes. Eu conspirei contra o meu senhor e o matei, mas quem feriu todos estes?

10 Sabei, pois, que da palavra do Senhor, que o Senhor falou contra a família de Acabe, nada cairá em terra. O Senhor fez o que falou por intermédio de seu servo Elias.

11 Assim, Jeú feriu todos os que sobraram da família de Acabe em Jezreel, como também a todos os seus grandes, os seus conhecidos

e os seus sacerdotes, até que nem um lhe deixou viver.

12 Então Jeú se levantou e partiu; e foi a Samaria. Estando no caminho, em Bete-Equede dos pastores, 13 encontrou os irmãos de Acazias, rei de Judá, e perguntou: Quem sois vós? Responderam eles: Somos irmãos de Acazias e descemos a saudar os filhos do rei e os filhos da rainha. 14 Ordenou ele: Apanhai-os vivos. Apanharam-nos vivos e os mataram junto ao poço de Bete-Equede, quarenta e dois homens. A nem um deles deixou viver.

### Jeú ordena a morte dos ministros de Baal

15 Partindo dali, encontrou-se com Jonadabe, filho de Recabe, que lhe vinha ao encontro. Saudou-o Jeú e lhe perguntou: Reto é o teu coração, como o meu coração é com o teu coração? Respondeu Jonadabe: É. Então, se é, dá-me a tua mão. Ele lhe deu a mão, e Jeú o fez subir consigo ao carro. 16 Disse Jeú: Vem comigo e vê o meu zelo pelo Senhor. Então o fez sentar consigo no carro. 17 Quando chegou a Samaria, Jeú matou todos os que ficaram da família de Acabe; destruiu-os conforme a palavra do Senhor, falada a Elias. 18 Então ajuntou Jeú todo o povo e disse-lhe: Acabe serviu pouco a Baal; Jeú muito o servirá. 19 Pelo que me chamai agora todos os profetas de Baal, todos os seus servos e todos os seus sacerdotes. Não falte nenhum, porque tenho um grande sacrifício a oferecer a Baal. Todo aquele que faltar não viverá. Jeú, porém, fazia isso com astúcia, para destruir os servos de Baal.

20 Disse mais Jeú: Consagrai a Baal uma assembleia solene. E eles a apregoaram. 21 Também Jeú mandou dizer a todo o Israel, e vieram todos os servos de Baal; nenhum deles ficou que não viesse. Entraram no templo de Baal, e ele se encheu, de um lado a outro. 22 Então disse Jeú ao que tinha o cargo das vestes cultuais: Tira vestes para todos os servos de Baal. E ele lhes tirou as vestes. 23 Entrou Jeú com Jonadabe, filho de Recabe, no templo de Baal, e disse aos servos de Baal: Examinai e vede bem, que nenhum dos servos do Senhor aqui haja convosco, senão somente os servos de Baal. 24 E, entrando eles para oferecer sacrifícios e holocaustos, Jeú preparou da parte de fora oitenta homens e disse-lhes: Se escapar algum dos homens que eu entregar em vossas mãos, será a vossa vida pela vida dele. 25 Acabando Jeú de oferecer o holocausto, ordenou aos da sua guarda e aos capitães: Entrai e matai-os, não escape nenhum. Assim os mataram a fio de espada. Os da guarda e os capitães lançaram-nos fora e entraram no mais interior do templo de Baal, 26 tiraram as colunas que nela estavam e as queimaram. 27 Também quebraram a coluna de Baal e derrubaram o templo de Baal, transformando-o em latrinas, até o dia de hoje. 28 Assim Jeú acabou com o culto a Baal em Israel. 29 Jeú, porém, não deixou de seguir os pecados de Jeroboão, filho de Nebate, que fez pecar Israel, a saber, dos bezerros de ouro, que estavam em Betel e em Dã.

30 Pelo que disse o Senhor a Jeú: Porque fizeste bem em executar o que é reto aos meus olhos e, conforme tudo o que eu tinha no meu coração, fizeste à família de Acabe, teus filhos até a quarta geração se assentarão no trono de Israel.
31 Jeú, contudo, não se preocupou em andar de todo o seu coração na lei do Senhor Deus de Israel, nem se afastou dos pecados de Jeroboão, que fez pecar Israel.
32 Naqueles dias, começou o Senhor a diminuir o tamanho de Israel. Hazael conquistou-o em todas as fronteiras,
33 desde o Jordão para o leste, toda a terra de Gileade; os gaditas, os rubenitas e os manassitas, desde Aroer, que está perto do vale de Arnom, a saber, Gileade e Basã.
34 Ora, o restante dos atos de Jeú, tudo o que fez e todo o seu poder, porventura não está escrito no livro das crônicas de Israel?
35 Descansou Jeú com seus pais e o sepultaram em Samaria. E Joacaz, seu filho, reinou em seu lugar.
36 Os dias que Jeú reinou sobre Israel em Samaria foram vinte e oito anos.

### Atalia e Joás

**11** Vendo Atalia, mãe de Acazias, que seu filho era morto, levantou-se e destruiu toda a família real.
2 Jeoseba, filha do rei Jorão, irmã de Acazias, porém, pegou Joás, filho de Acazias, e o furtou dentre os filhos do rei, aos quais matavam, *e o levou com sua ama para um quarto*, e o escondeu de Atalia, de modo que não foi morto.
3 Esteve com ela escondido na casa do Senhor seis anos, enquanto Atalia reinava sobre a terra.
4 No sétimo ano, Jeoiada mandou chamar os comandantes dos caritas e os da guarda, fê-los entrar consigo no templo do Senhor, fez com eles uma aliança com juramento, no templo do Senhor, e lhes mostrou o filho do rei.
5 Então lhes ordenou: Este é o serviço que vós haveis de fazer: Uma terça parte de vós, os que entrais no sábado, fará a guarda do palácio do rei,
6 outra terça parte estará à porta Sur, e a outra terça parte à porta detrás dos da guarda. Assim fareis a guarda deste templo, afastando a todos.
7 Os dois grupos, a saber, todos os que saem no sábado, farão a guarda do templo do Senhor junto ao rei.
8 Cercareis o rei, cada um com as suas armas nas mãos. Todo aquele que se aproximar das fileiras será morto. Estareis com o rei quando sair e quando entrar.
9 Fizeram os comandantes conforme tudo o que ordenara o sacerdote Jeoiada. Levou cada um os seus homens, tanto os que entravam no sábado como os que saíam no sábado, e vieram ao sacerdote Jeoiada.
10 Então deu o sacerdote aos comandantes as lanças e os escudos que haviam sido do rei Davi, que estavam no templo do Senhor.
11 Os da guarda se posicionaram ao redor do rei, cada um com as armas na mão, desde o lado direito do templo até o esquerdo, ao longo do altar e do templo.
12 Jeoiada trouxe para fora o filho do rei e colocou-lhe a coroa; deu-lhe o testemunho e o fizeram rei. Ungiram-no e, batendo palmas, clamaram: Viva o rei!

**13** Atalia, ouvindo o clamor dos da guarda e do povo, foi ter com o povo no templo do Senhor.
**14** Olhou e viu o rei que estava junto à coluna, como de costume. Os capitães e os trombeteiros estavam ao lado do rei, e todo o povo da terra estava alegre e tocava trombetas. Então Atalia rasgou suas vestes, e gritou: Traição! Traição!
**15** O sacerdote Jeoiada, porém, ordenou aos centuriões que comandavam as tropas: Levai-a para fora das fileiras, e quem a seguir matai-o à espada. Pois o sacerdote havia dito: Não a matem no templo do Senhor.
**16** Agarraram-na quando ela chegava ao palácio real, na entrada da porta dos cavalos, e ali a mataram.
**17** Então Jeoiada fez aliança entre o Senhor, o rei e o povo, que seriam o povo do Senhor. Fez também aliança entre o rei e o povo.
**18** Todo o povo da terra entrou no templo de Baal e o derrubaram. Também os seus altares e as suas imagens totalmente quebraram, e a Matã, sacerdote de Baal, mataram diante dos altares. Então o sacerdote Jeoiada pôs guardas sobre a casa do Senhor.
**19** Tomou consigo os comandantes, os caritas, os da guarda e todo o povo da terra, e juntos conduziram do templo do Senhor o rei, e vieram pelo caminho da porta da guarda, do palácio do rei. O rei se assentou no trono real,
**20** e todo o povo da terra se alegrou. E a cidade ficou tranquila, depois que mataram a Atalia à espada junto do palácio do rei.
**21** Era Joás da idade de sete anos quando começou a reinar.

## Joás repara o templo

**12** No sétimo ano de Jeú, começou Joás a reinar, e quarenta anos reinou em Jerusalém. Era o nome de sua mãe Zibia, de Berseba.
**2** Fez Joás o que era reto aos olhos do Senhor todos os dias em que o sacerdote Jeoiada o orientara.
**3** Contudo não tiraram os altares idólatras; o povo ainda sacrificava e queimava incenso nos altares idólatras.
**4** Disse Joás aos sacerdotes: Todo o dinheiro das coisas santas, que se trouxer ao templo do Senhor, a saber, o dinheiro recolhido do censo pessoal, o dinheiro recebido de votos pessoais e todo o dinheiro que cada um trouxer voluntariamente para o templo do Senhor,
**5** os sacerdotes o recebam, cada um dos seus conhecidos, e consertem todos os estragos que se acharem no templo do Senhor.
**6** No vigésimo terceiro ano do rei Joás, porém, os sacerdotes ainda não tinham consertado os estragos do templo.
**7** Então o rei Joás chamou o sacerdote Jeoiada e os demais sacerdotes e lhes perguntou: Por que não consertais os estragos do templo? Não recebais mais dinheiro de vossos conhecidos, mas entregai-o para o conserto dos estragos do templo.
**8** Concordaram os sacerdotes em não receber mais dinheiro do povo e em não consertarem eles próprios os estragos do templo.
**9** O sacerdote Jeoiada pegou um cofre, fez um buraco na tampa e o colocou ao pé do altar, à direita dos que entravam no templo do Senhor. E os sacerdotes que guardavam a entrada da porta

colocaram ali todo o dinheiro que se trazia do templo do Senhor.
10 Vendo eles que já havia muito dinheiro no cofre, o escrivão do rei subia com o sumo sacerdote, e contavam e ensacavam o dinheiro que se achava no templo do Senhor.
11 O dinheiro, depois de pesado, davam nas mãos dos que faziam a obra, que tinham a seu cargo o templo do Senhor. Eles o distribuíam aos carpinteiros e aos construtores que reformavam o templo do Senhor,
12 como também aos pedreiros e aos escultores. Compravam madeira e pedras lavradas a fim de consertarem os estragos do templo do Senhor e custeavam as demais despesas do conserto do templo.
13 Todavia, do dinheiro que se trazia ao templo do Senhor não se faziam nem taças de prata, nem garfos, nem bacias, nem trombetas, nem vaso algum de ouro ou de prata para o templo do Senhor;
14 era dado aos que faziam a obra, e consertavam com ele o templo do Senhor.
15 Não pediam contas aos homens em cujas mãos entregavam aquele dinheiro, para o dar aos que faziam a obra, porque agiam com honestidade.
16 O dinheiro das ofertas pela culpa e o dinheiro das ofertas pelo pecado não se traziam ao templo do Senhor; eram para os sacerdotes.
17 Nessa época, subiu Hazael, rei da Síria, guerreou contra Gate e a conquistou. Então Hazael decidiu marchar contra Jerusalém.
18 Joás, rei de Judá, porém, pegou todas as coisas santas que Josafá, Jorão e Acazias, seus pais, reis de Judá, haviam consagrado, como também todo o ouro que se achava nos tesouros do templo do Senhor e no palácio do rei, e o mandou a Hazael, rei da Síria, que então se retirou de Jerusalém.
19 Quanto ao restante dos atos de Joás e a tudo o que fez, porventura não está escrito no livro das crônicas dos reis de Judá?
20 Levantaram-se os seus oficiais, conspiraram contra ele e o mataram em Bete-Milo, que está no caminho que desce para Sila.
21 Os oficiais que o mataram foram Jozacar, filho de Simeate, e Jozabade, filho de Somer. Morreu Joás, e o sepultaram com seus pais na Cidade de Davi. E Amazias, seu filho, reinou em seu lugar.

### Jeoacaz e Jeoás, reis de Israel

**13** No vigésimo terceiro ano de Joás, filho de Acazias, rei de Judá, começou a reinar Jeoacaz, filho de Jeú, sobre Israel, em Samaria, e reinou dezessete anos.
2 Fez o que era mau aos olhos do Senhor, seguindo os pecados de Jeroboão, filho de Nebate, que fez pecar Israel, e não se afastou deles.
3 Por isso, a ira do Senhor se acendeu contra Israel, e os entregou nas mãos de Hazael, rei da Síria, e nas mãos de Ben-Hadade, filho de Hazael, todos aqueles dias.
4 Então Jeoacaz suplicou diante da face do Senhor, e o Senhor o ouviu, pois viu quanto o rei da Síria oprimia Israel.
5 O Senhor deu um salvador a Israel, e saíram de debaixo das mãos dos siros. Assim os filhos de Israel habitaram nas suas casas, como antes.
6 (Contudo, não se afastaram dos pecados da dinastia de Jeroboão, que fez pecar Israel; continuaram

neles. Também o poste sagrado ficou em pé em Samaria.)

**7** Nada havia ficado do exército de Jeoacaz, senão cinquenta cavaleiros, dez carros e dez mil homens de infantaria, pois o rei da Síria os tinha destruído e os tinha reduzido a pó.

**8** Quanto ao restante dos atos de Jeoacaz, tudo o que fez e o seu poder, porventura não estão escritos no livro das crônicas dos reis de Israel?

**9** Descansou Jeoacaz com seus pais, e o sepultaram em Samaria. E Jeoás, seu filho, reinou em seu lugar.

**10** No trigésimo sétimo ano de Joás, rei de Judá, começou a reinar Jeoás, filho de Jeoacaz, sobre Israel, em Samaria, e reinou dezesseis anos.

**11** Fez o que era mau aos olhos do Senhor e não se afastou de nenhum dos pecados de Jeroboão, filho de Nebate, que fez pecar Israel; continuou neles.

**12** Quanto ao restante dos atos de Jeoás, tudo o que fez, e o seu poder, com que guerreou contra Amazias, rei de Judá, porventura não estão escritos no livro das crônicas dos reis de Israel?

**13** Descansou Jeoás com seus pais, e Jeroboão se assentou no seu trono. E Jeoás foi sepultado em Samaria, junto aos reis de Israel.

### A morte de Eliseu

**14** Ora, Eliseu estava sofrendo da doença de que morreu. Jeoás, rei de Israel, desceu a vê-lo, chorou sobre ele e disse: Meu pai, meu pai, carros de Israel e seus cavaleiros!

**15** Disse-lhe Eliseu: Pega um arco e flechas. E ele pegou um arco e flechas.

**16** Então disse Eliseu ao rei de Israel: Põe a mão sobre o arco. Pegando ele o arco, Eliseu pôs as suas mãos sobre as mãos do rei

**17** e disse: Abre a janela para o leste, e ele a abriu. Disse mais Eliseu: Atira! E ele atirou. Prosseguiu Eliseu: A flecha do livramento do Senhor é a flecha do livramento contra os siros! Tu enfrentarás os siros em Afeque, até os destruir.

**18** Disse mais: Pega as flechas. E o rei as pegou. Então disse ao rei de Israel: Atira no chão. E ele atirou três vezes e parou.

**19** O homem de Deus se indignou muito contra ele e disse: Cinco ou seis vezes deverias ter atirado; então terias derrotado os siros até os destruir. Agora, porém, só três vezes vencerás os siros.

**20** Morreu Eliseu, e o sepultaram. Ora, as tropas dos moabitas invadiram a terra no começo do ano.

**21** Enquanto alguns enterravam um homem, de repente viram um bando de invasores; então, jogaram o homem na sepultura de Eliseu. Quando o cadáver encostou nos ossos de Eliseu, o homem ressuscitou, e se levantou.

**22** Hazael, rei da Síria, oprimiu a Israel todos os dias de Jeoacaz.

**23** O Senhor, porém, teve misericórdia deles, e se compadeceu deles, e tornou para eles, por amor da sua aliança com Abraão, Isaque e Jacó. Até hoje não os quis destruir, nem tirá-los da sua presença.

**24** Morreu Hazael, rei da Síria, e Ben-Hadade, seu filho, reinou em seu lugar.

**25** Jeoás, filho de Jeoacaz, retomou de Ben-Hadade, filho de Hazael, as cidades que ele tinha tomado, das mãos de Jeoacaz, seu pai. Três vezes Jeoás o derrotou e recuperou as cidades de Israel.

### Amazias, rei de Judá

**14** No segundo ano de Jeoás, filho de Jeoacaz, rei de Israel, começou a reinar Amazias, filho de Joás, rei de Judá. **2** Tinha vinte e cinco anos quando começou a reinar e vinte e nove anos reinou em Jerusalém. Era o nome de sua mãe Joadã, de Jerusalém. **3** Fez o que era reto aos olhos do Senhor, ainda que não como seu pai Davi. Em tudo seguiu o exemplo de Joás, seu pai. **4** Os altares, porém, não foram derrubados; o povo ainda sacrificava e queimava incenso neles. **5** Logo que o reino foi confirmado em suas mãos, matou os seus servos que tinham matado o rei, seu pai. **6** Os filhos dos assassinos, porém, não matou, como está escrito no livro da lei de Moisés, no qual o Senhor deu ordem, dizendo: Não serão mortos os pais por causa dos filhos, e os filhos não serão mortos por causa dos pais; cada um será morto pelo seu pecado. **7** Foi ele que derrotou a dez mil edomitas no vale do Sal e capturou Sela na guerra, e chamou o seu nome Jocteel, até o dia de hoje. **8** Então Amazias enviou mensageiros a Jeoás, filho de Jeoacaz, filho de Jeú, rei de Israel, dizendo: Vem, enfrentemo-nos. **9** Jeoás, rei de Israel, porém, mandou dizer a Amazias, rei de Judá: Um espinheiro do Líbano enviou uma mensagem a um cedro do Líbano, dizendo: Dá tua filha por mulher a meu filho. Então um animal selvagem do Líbano veio e pisou o espinheiro. **10** Na verdade, derrotaste os edomitas, e o teu coração se envaideceu. Gloria-te disso, mas fica em tua casa! Por que provocarias o mal, para caíres tu, e Judá, contigo? **11** Amazias, contudo, não o quis ouvir, de modo que Jeoás, rei de Israel, atacou. Ele e Amazias, rei de Judá, enfrentaram-se em Bete-Semes, que está em Judá. **12** Judá foi derrotado diante de Israel, e fugiu cada um para a sua casa. **13** Jeoás, rei de Israel, capturou a Amazias, rei de Judá, filho de Joás, filho de Acazias, em Bete-Semes. Jeoás foi a Jerusalém e quebrou o muro de Jerusalém, desde a Porta de Efraim até a Porta da Esquina, quatrocentos côvados. **14** Ele se apoderou de todo o ouro e prata, e de todos os vasos que se achavam no templo do Senhor e de tesouros do palácio do rei, como também dos reféns, e voltou para Samaria. **15** Ora, quanto ao restante dos atos de Jeoás, ao que fez, ao seu poder, e como guerreou contra Amazias, rei de Judá, porventura não estão escritos no livro das crônicas dos reis de Israel? **16** Descansou Jeoás com seus pais, e foi sepultado em Samaria, junto aos reis de Israel. E Jeroboão, seu filho, reinou em seu lugar. **17** Viveu Amazias, filho de Jeoás, rei de Judá, depois da morte de Jeoás, filho de Jeoacaz, rei de Israel, quinze anos. **18** Quanto ao restante dos atos de Amazias, porventura não está escrito no livro das crônicas dos reis de Judá? **19** Conspiraram contra ele em Jerusalém, e ele fugiu para Laquis, porém enviaram atrás dele homens até Laquis, e ali o mataram. **20** Trouxeram-no sobre cavalos e o sepultaram em Jerusalém, junto a seus pais, na Cidade de Davi. **21** Todo o povo de Judá proclamou Azarias, que era de dezesseis anos, e o constituíram rei em lugar de Amazias, seu pai. **22** Foi ele que construiu Elate e a devolveu a Judá, depois que Amazias descansou com seus pais.

### Jeroboão II, rei de Israel

**23** No décimo quinto ano de Amazias, filho de Joás, rei de Judá, começou a reinar em Samaria Jeroboão, filho de Jeoás, rei de Israel, e reinou quarenta e um anos. **24** Fez o que era mau aos olhos do Senhor, e não se afastou de nenhum dos pecados de Jeroboão, filho de Nebate, que fez pecar Israel. **25** Foi ele que restabeleceu as fronteiras de Israel, desde a entrada de Hamate até o mar da planície, conforme a palavra do Senhor, Deus de Israel, a qual falara por intermédio de seu servo Jonas, filho do profeta Amitai, o qual era de Gate-Hefer. **26** Viu o Senhor que a miséria de Israel era muito amarga, tanto para o escravo quanto para o livre. Não havia ninguém que ajudasse Israel. **27** Ainda não falara o Senhor em *apagar o nome de Israel de debaixo do céu*, porém o livrou por intermédio de Jeroboão, filho de Joás. **28** Quanto ao restante dos atos de Jeroboão, tudo o que fez, o seu poder, como guerreou e como reconquistou Damasco e Hamate, pertencentes a Judá, para Israel, porventura não estão escritos no livro das crônicas de Israel? **29** Descansou Jeroboão com seus pais, com os reis de Israel. E Zacarias, seu filho, reinou em seu lugar.

### Azarias, rei de Judá

**15** No vigésimo sétimo ano de Jeroboão, rei de Israel, começou a reinar Azarias, filho de Amazias, rei de Judá. **2** Tinha dezesseis anos quando começou a reinar e cinquenta e dois anos reinou em Jerusalém. Era o nome de sua mãe Jecolias, de Jerusalém. **3** Fez o que era reto aos olhos do Senhor, conforme tudo o que fizera Amazias, seu pai. **4** Contudo, não tiraram os altares idólatras; o povo ainda sacrificava e queimava incenso neles. **5** O Senhor feriu o rei, e este ficou leproso até o dia da sua morte e habitou numa casa separada. Jotão, filho do rei, era responsável pelo palácio e governava o povo da terra. **6** Quanto ao restante dos atos de Azarias e tudo o que fez, porventura não estão escritos no livro das crônicas dos reis de Judá? **7** Descansou Azarias com seus pais, e o sepultaram junto a seus pais, na Cidade de Davi. E Jotão, seu filho, reinou em seu lugar.

### Zacarias e Salum, reis de Israel

**8** No trigésimo oitavo ano de Azarias, rei de Judá, reinou Zacarias, filho de Jeroboão, sobre Israel, em Samaria, seis meses. **9** Fez o que era mau aos olhos do Senhor, como tinham feito seus pais, e não se afastou dos pecados de Jeroboão, filho de Nebate, que fez pecar Israel. **10** Salum, filho de Jabes, conspirou contra Zacarias. Atacou-o diante do povo, matou-o e reinou em seu lugar.

11 Quanto ao restante dos atos de Zacarias, está escrito no livro das crônicas dos reis de Israel.

12 Esta foi a palavra do Senhor, que ele falara a Jeú: Teus filhos, até a quarta geração, se assentarão sobre o trono de Israel. E assim foi.

13 Salum, filho de Jabes, começou a reinar no trigésimo nono ano de Uzias, rei de Judá, e reinou um mês inteiro em Samaria.

14 Então Menaém, filho de Gadi, subiu de Tirza e veio a Samaria. Atacou ali a Salum, filho de Jabes, matou-o e reinou em seu lugar.

15 Quanto ao restante dos atos de Salum e a conspiração que fez, estão escritos no livro das crônicas dos reis de Israel.

16 Nessa época Menaém, começando em Tirza, atacou a Tifsa e a todos os que nela havia, como também a seu território, porque se recusaram a abrir as suas portas. Saqueou a Tifsa, e a todas as mulheres grávidas rasgou ao meio.

### Menaém e Pecaías, reis de Israel

17 Desde o trigésimo nono ano de Azarias, rei de Judá, Menaém, filho de Gadi, começou a reinar sobre Israel e reinou dez anos em Samaria.

18 Fez o que era mau aos olhos do Senhor. Durante todos os seus dias não se afastou dos pecados de Jeroboão, filho de Nebate, que fez pecar Israel.

19 Então veio Pul, rei da Assíria, *invadir a terra*, e Menaém deu a Pul mil talentos de prata, para que este o ajudasse a manter o reino na sua mão.

20 Menaém arrecadou este dinheiro de Israel, de todos os poderosos e ricos, para o dar ao rei da Assíria, de cada homem cinquenta siclos de prata. Assim, voltou o rei da Assíria e não se demorou ali na terra.

21 Quanto ao restante dos atos de Menaém e tudo o que fez, porventura não estão escritos no livro das crônicas dos reis de Israel?

22 Descansou Menaém com seus pais. E Pecaías, seu filho, reinou em seu lugar.

23 No quinquagésimo ano de Azarias, rei de Judá, começou a reinar Pecaías, filho de Menaém, e dois anos reinou sobre Israel, em Samaria.

24 Fez o que era mau aos olhos do Senhor e não se afastou dos pecados de Jeroboão, filho de Nebate, que fez pecar Israel.

25 Peca, filho de Remalias, seu capitão, conspirou contra ele. Levando consigo cinquenta homens dos filhos dos gileaditas, feriu Pecaías, Argobe e Arié, na fortaleza do palácio do rei, em Samaria. Assim Peca matou Pecaías, e reinou em seu lugar.

26 Quanto ao restante dos atos de Pecaías, e tudo o que fez, estão escritos no livro das crônicas dos reis de Israel.

27 No quinquagésimo segundo ano de Azarias, rei de Judá, começou a reinar Peca, filho de Remalias, e reinou sobre Israel, em Samaria, vinte anos.

28 Fez o que era mau aos olhos do Senhor e não se afastou dos pecados de Jeroboão, filho de Nebate, que fez pecar Israel.

29 Nos dias de Peca, rei de Israel, veio Tiglate-Pileser, rei da Assíria, conquistou Ijom, Abel-Bete-Maaca, Janoa, Quedes, Hazor, Gileade, Galileia, toda a terra de Naftali, e deportou o povo para a Assíria.

30 Então Oseias, filho de Elá, conspirou contra Peca, filho de Remalias. Atacou-o e o matou, e então reinou em seu lugar, no vigésimo ano de Jotão, filho de Uzias.
31 Quanto ao restante dos atos de Peca e tudo o que fez, estão escritos no livro das crônicas dos reis de Israel.

### Jotão, rei de Judá

32 No segundo ano de Peca, filho de Remalias, rei de Israel, começou a reinar Jotão, filho de Uzias, rei de Judá.
33 Tinha vinte e cinco anos de idade quando começou a reinar e dezesseis anos reinou em Jerusalém. Era o nome de sua mãe Jerusa, filha de Zadoque.
34 Fez o que era reto aos olhos do Senhor, conforme tudo o que fizera seu pai Uzias.
35 Contudo os altares idólatras não se tiraram; o povo ainda sacrificava e queimava incenso neles. Jotão reconstruiu a porta alta do templo do Senhor.
36 Os demais atos de Jotão e tudo o que fez, porventura não estão escritos no livro das crônicas dos reis de Judá?
37 Naqueles dias, começou o Senhor a enviar Rezim, rei da Síria, e Peca, filho de Remalias contra Judá.
38 Descansou Jotão com seus pais, e foi sepultado junto a seus pais na Cidade de Davi, seu pai. E Acaz, seu filho, reinou em seu lugar.

### Acaz, rei de Judá

**16** No décimo sétimo ano de Peca, filho de Remalias, começou a reinar Acaz, filho de Jotão, rei de Judá.
2 Tinha Acaz vinte anos de idade quando começou a reinar e dezesseis anos reinou em Jerusalém. Não fez o que era reto aos olhos do Senhor seu Deus, como Davi, seu pai.
3 Andou no caminho dos reis de Israel e até a seu filho fez passar pelo fogo, segundo os costumes abomináveis dos gentios que o Senhor lançara fora de diante dos filhos de Israel.
4 Também sacrificou e queimou incenso nos altares idólatras e nas colinas, como também debaixo de toda árvore frondosa.
5 Então subiu Rezim, rei da Síria, com Peca, filho de Remalias, rei de Israel, contra Jerusalém, para lhe fazer guerra, e sitiaram a Acaz, porém não puderam vencê-lo.
6 Nesse mesmo tempo, Rezim, rei da Síria, devolveu Elate à Síria e lançou fora dela os judeus. Os siros então vieram a Elate e ficaram habitando ali até o dia de hoje.
7 Acaz enviou mensageiros a Tiglate-Pileser, rei da Assíria, dizendo: Eu sou teu servo e teu filho. Sobe e livra-me das mãos do rei da Síria e das mãos do rei de Israel, que se levantam contra mim.
8 Tomou Acaz a prata e o ouro que se achou no templo do Senhor e nos tesouros do palácio do rei e mandou de presente ao rei da Assíria.
9 O rei da Assíria lhe deu ouvidos e, subindo contra Damasco, tomou-a, levou o povo para Quir e matou Rezim.
10 Então o rei Acaz foi a Damasco, encontrar-se com Tiglate-Pileser, rei da Assíria. Viu um altar que estava em Damasco e enviou ao sacerdote Urias a figura do altar e o modelo, conforme toda a sua obra.

11 Urias, o sacerdote, construiu um altar conforme tudo o que o rei Acaz tinha ordenado de Damasco e o acabou antes que o rei Acaz voltasse.
12 Quando o rei voltou de Damasco e viu o altar, chegou-se a ele e nele sacrificou.
13 Queimou o seu holocausto e a sua oferta de cereais, derramou a sua libação e espargiu o sangue das suas ofertas pacíficas naquele altar.
14 O altar de bronze, porém, que estava perante o Senhor, tirou de diante do templo, de entre o seu altar e o templo do Senhor, e o pôs ao lado do seu altar, da banda do norte.
15 O rei Acaz ordenou a Urias, o sacerdote: No grande altar queima o holocausto da manhã, como também a oferta de cereais da tarde, e o holocausto do rei, e a sua oferta de cereais, e o holocausto de todo o povo da terra, e a sua oferta de cereais, e as suas ofertas de bebida. Todo o sangue dos holocaustos e todo o sangue dos sacrifícios espargirás nele. Porém o altar de bronze será para mim, para buscar orientação.
16 Fez Urias, o sacerdote, conforme tudo o que o rei Acaz lhe ordenara.
17 O rei Acaz cortou os painéis laterais, e de cima deles tirou as pias. Tirou o mar de sobre os bois de bronze, que estavam debaixo dele, e o pôs sobre uma base de pedra.
18 Também a cobertura do sábado, *que construíram* no templo, e a entrada real do lado de fora retirou do templo do Senhor, por causa do rei da Assíria.
19 Os demais atos de Acaz e o que fez, porventura não estão escritos no livro das crônicas dos reis de Judá?
20 Descansou Acaz com seus pais e foi sepultado junto a seus pais, na Cidade de Davi. E Ezequias, seu filho, reinou em seu lugar.

### Oseias, rei de Israel

**17** No décimo segundo ano de Acaz, rei de Judá, começou a reinar Oseias, filho de Elá, e nove anos reinou sobre Israel, em Samaria.
2 Fez o que era mau aos olhos do Senhor, contudo não como os reis de Israel que foram antes dele.
3 Contra ele subiu Salmaneser, rei da Assíria, e Oseias ficou sendo servo dele e lhe pagava tributo.
4 O rei da Assíria, porém, achou em Oseias traição, pois enviara mensageiros a Sô, rei do Egito, e não pagava o tributo anual ao rei da Assíria, como antes. Portanto Salmaneser o lançou na prisão.
5 O rei da Assíria invadiu toda a terra e, chegando a Samaria, sitiou-a por três anos.
6 No nono ano de Oseias, o rei da Assíria tomou Samaria e deportou Israel para a Assíria. Ele os fez habitar em Hala, em Gozã, junto ao rio Habor, e nas cidades dos medos.
7 Tudo isso aconteceu porque os filhos de Israel haviam pecado contra o Senhor, o seu Deus, que os fizera subir da terra do Egito, de debaixo do poder de faraó, rei do Egito. Eles temeram a outros deuses,
8 andaram nos costumes das nações que o Senhor expulsara de diante deles e nos que os reis de Israel haviam tomado para si.
9 Os filhos de Israel fizeram secretamente o que não era reto, contra

o Senhor, o seu Deus. Construíram para si altares idólatras em todas as suas cidades, desde a torre dos atalaias até a cidade fortificada.
**10** Levantaram para si colunas e postes sagrados em todos os montes altos e debaixo de todas as árvores frondosas.
**11** Queimaram incenso em todos os altares idólatras, como as nações que o Senhor expulsara de diante deles. Cometeram o mal que provocou à ira o Senhor.
**12** Serviram os ídolos, dos quais o Senhor lhes dissera: Não fareis estas coisas.
**13** O Senhor advertiu Israel e Judá, por intermédio de todos os profetas e de todos os videntes: Convertei-vos de vossos maus caminhos e guardai os meus mandamentos e os meus estatutos, conforme toda a lei que ordenei a vossos pais e que vos enviei por intermédio de meus servos, os profetas.
**14** Os filhos de Israel, porém, não deram ouvidos, antes se tornaram obstinados, como fizeram seus pais, que não creram no Senhor, o seu Deus.
**15** Rejeitaram os seus estatutos e a sua aliança, que fizera com seus pais, como também as suas advertências, com que protestara contra eles. Seguiram a vaidade e se tornaram inúteis, como também seguiram após as nações que estavam ao redor deles, das quais o Senhor lhes havia ordenado que não as imitassem.
**16** Deixaram todos os mandamentos do Senhor, o seu Deus, e fizeram para si duas imagens de metal em forma de bezerros e um poste sagrado. Adoraram todo o exército do céu e serviram Baal.
**17** Também fizeram passar pelo fogo a seus filhos e suas filhas. Deram-se a adivinhações, criam em agouros e venderam-se para fazer o que era mau aos olhos do Senhor, provocando-o à ira.
**18** Pelo que o Senhor muito se indignou contra Israel e os tirou de diante da sua presença. Nada mais ficou, somente a tribo de Judá,
**19** e até mesmo Judá não guardou os mandamentos do Senhor, seu Deus. Andaram nos costumes que Israel tomou para si.
**20** Pelo que o Senhor rejeitou toda a descendência de Israel; ele os oprimiu e os entregou nas mãos dos despojadores, até que os expulsou de diante da sua presença.
**21** Quando separou Israel da dinastia de Davi, fizeram rei a Jeroboão, filho de Nebate, o qual afastou Israel de seguir o Senhor e o fez cometer grande pecado.
**22** Assim andaram os filhos de Israel em todos os pecados que Jeroboão tinha cometido, não se afastaram deles,
**23** até que o Senhor tirou Israel da sua presença, como falara por intermédio de todos os seus servos, os profetas. Assim foi Israel deportado da sua terra para a Assíria, onde está até o dia de hoje.

### A origem dos samaritanos

**24** O rei da Assíria trouxe gente de Babilônia, de Cuta, de Ava, de Hamate e de Sefarvaim e a fez habitar nas cidades de Samaria, em lugar dos filhos de Israel. Tomaram Samaria em herança e habitaram nas suas cidades.
**25** No princípio da sua habitação ali, não temeram ao Senhor; assim mandou o Senhor entre eles leões, que mataram alguns deles.

26 Pelo que se disse ao rei da Assíria: A gente que deportaste e fizeste habitar nas cidades de Samaria não sabe o que exige o Deus da terra. Ele mandou entre ela leões que a matam, porque não sabe o que exige o Deus da terra.

27 Então o rei da Assíria mandou dizer: Levai para lá um dos sacerdotes que de lá trouxestes cativos; que ele vá, e lá habite, e lhes ensine o que exige o Deus da terra.

28 Veio um dos sacerdotes que haviam trazido de Samaria; ele habitou em Betel e lhes ensinou como deviam temer ao Senhor.

29 Os grupos que habitavam nas diversas cidades, porém, faziam os seus deuses e os punham nas casas dos altares idólatras que os samaritanos tinham feito, cada grupo nas cidades em que habitavam.

30 Os de Babilônia fizeram Sucote-Benote, os de Cuta fizeram Nergal e os de Hamate fizeram Asima;

31 os aveus fizeram Nibaz e Tartaque, e os sefarvitas queimavam seus filhos no fogo a Adrameleque e a Anameleque, deuses de Sefarvaim.

32 Temiam ao Senhor, mas entre os do povo nomearam sacerdotes dos altares idólatras, os quais exerciam o ministério nos santuários dos altares idólatras.

33 Temiam ao Senhor, mas também serviam a seus próprios deuses, segundo o costume das nações dentre as quais tinham sido trazidos.

34 Até o dia de hoje fazem segundo *os antigos costumes*. Não temem ao Senhor, nem agem segundo os seus estatutos e ordenanças, as leis e os mandamentos que o Senhor ordenou aos filhos de Jacó, a quem deu o nome de Israel.

35 Quando o Senhor fez uma aliança com eles, lhes ordenou: Não temereis outros deuses, nem vos inclinareis diante deles, nem os servireis, nem lhes oferecereis sacrifícios.

36 Ao Senhor, porém, que vos fez subir da terra do Egito com grande força e com braço estendido, a ele temereis, e a ele vos inclinareis, e a ele oferecereis sacrifícios.

37 Os estatutos e as ordenanças, as leis e os mandamentos que ele vos escreveu, tereis cuidado de obedecer todos os dias. Não temereis a outros deuses.

38 Da aliança que fiz convosco não vos esquecereis e não temereis a outros deuses.

39 Antes, ao Senhor, o vosso Deus, temereis; é ele que vos livrará das mãos de todos os vossos inimigos.

40 Eles, porém, não deram ouvidos, mas fizeram segundo o seu antigo costume.

41 Assim, essas nações temiam o Senhor, mas serviam às suas próprias imagens de escultura. Também seus filhos e os filhos de seus filhos fazem até o dia de hoje como fizeram seus pais.

### Ezequias, rei de Judá

**18** No terceiro ano de Oseias, filho de Elá, rei de Israel, começou a reinar Ezequias, filho de Acaz, rei de Judá.

2 Tinha vinte e cinco anos de idade quando começou a reinar e vinte e nove anos reinou em Jerusalém. Era o nome de sua mãe Abi, filha de Zacarias.

3 Fez o que era reto aos olhos do Senhor, conforme tudo o que fizera Davi, seu pai.

4 Removeu os altares idólatras, quebrou as colunas sagradas, derrubou

os postes sagrados. Despedaçou a serpente de bronze que Moisés fizera, pois até aquele dia os filhos de Israel lhe queimavam incenso, e lhe chamaram Neustã.

5 Ezequias confiou no Senhor, o Deus de Israel, de maneira que depois dele não houve seu semelhante entre todos os reis de Judá, nem entre os que foram antes dele. 6 Ele se aproximou do Senhor e não deixou de segui-lo; obedeceu aos mandamentos que o Senhor tinha dado a Moisés.

7 E o Senhor foi com ele; por onde quer que fosse prosperava. Rebelou-se contra o rei da Assíria e não o serviu.

8 Derrotou os filisteus até Gaza e os seus territórios, desde a torre das sentinelas até a cidade fortificada. 9 No quarto ano do rei Ezequias (que era o sétimo ano de Oseias, filho de Elá, rei de Israel), Salmaneser, rei da Assíria, subiu contra Samaria e a cercou.

10 No fim de três anos, os assírios a conquistaram. Assim Samaria foi capturada no sexto ano de Ezequias, que era o nono de Oseias, rei de Israel.

11 O rei da Assíria deportou Israel para a Assíria, e os fez habitar em Hala, em Gozã, junto ao rio Habor, e nas cidades dos medos. 12 Isso aconteceu porque não obedeceram ao Senhor, o seu Deus, mas quebraram a sua aliança, e tudo o que Moisés, servo do Senhor, tinha ordenado. Não deram ouvidos aos seus mandamentos nem os praticaram.

### Senaqueribe ameaça Jerusalém

13 No décimo quarto ano do rei Ezequias, subiu Senaqueribe, rei da Assíria, contra todas as cidades fortificadas de Judá e as conquistou.

14 Então Ezequias, rei de Judá, enviou esta mensagem ao rei da Assíria, em Laquis: Errei. Pare de atacar-me e tudo o que exigires de mim pagarei. O rei da Assíria impôs a Ezequias, rei de Judá, trezentos talentos de prata e trinta talentos de ouro.

15 Assim deu Ezequias toda a prata que se achou no templo do Senhor e nos tesouros no palácio do rei.

16 Nesse tempo, Ezequias arrancou o ouro das portas do palácio do Senhor e dos batentes, o ouro de que ele mesmo os cobrira, e o deu ao rei da Assíria.

17 O rei da Assíria enviou de Laquis Tartã, Rabe-Saris e Rabsaqué, com um grande exército, ao rei Ezequias, em Jerusalém. Subiram a Jerusalém e pararam ao pé do aqueduto do açude superior, que está junto ao caminho do campo do Lavandeiro.

18 Chamaram o rei; e Eliaquim, filho de Hilquias, o mordomo, Sebna, o escrivão, e Joá, filho de Asafe, o cronista, saíram-lhes ao encontro.

19 Rabsaqué lhes disse: Dizei a Ezequias: Assim diz o grande rei, o rei da Assíria: Que confiança é esta que tens em tuas palavras? 20 Dizes que tens estratégia e poder para a guerra, mas são, porém, palavras vãs. Em quem confias, que contra mim te revoltas?

21 Confias nesse bordão de cana quebrada, que é o Egito, no qual, se alguém se encostar, lhe perfurará a mão e a trespassará! Assim é faraó, rei do Egito, para com todos os que nele confiam.

22 Se, porém, me disserdes: No Senhor nosso Deus confiamos, não é este aquele cujos santuários e cujos altares Ezequias tirou, dizendo a Judá e a Jerusalém: Perante este altar adorareis em Jerusalém?
23 Ora, aceita um desafio de meu senhor, o rei da Assíria: Darei a ti dois mil cavalos, se puderes dar cavaleiros para eles.
24 Como poderias derrotar um só oficial dos menores servos de meu senhor, quando estás confiando no Egito, por causa dos carros e cavaleiros?
25 Além do mais, subi eu sem o Senhor contra este lugar, para o destruir? Foi o Senhor que me disse: Sobe contra esta terra e a destrói.
26 Então disseram Eliaquim, filho de Hilquias, Sebna e Joá a Rabsaqué: Pedimos-te que fales aos teus servos em aramaico, porque o entendemos, e não nos fales em judaico, aos ouvidos do povo que está em cima do muro.
27 Rabsaqué, porém, lhes respondeu: Mandou-me meu senhor só a teu senhor e a ti, para falar essas palavras, e não, antes, aos homens, que estão assentados em cima do muro, para que convosco comam as suas fezes e bebam a sua urina?
28 Então Rabsaqué se pôs em pé e clamou em alta voz em judaico: Ouvi a palavra do grande rei, do rei da Assíria.
29 Assim diz o rei: Não vos engane Ezequias. Ele não vos poderá livrar da minha mão.
30 Tampouco vos faça Ezequias confiar no Senhor, dizendo: Certamente nos livrará o Senhor, e esta cidade não será entregue nas mãos do rei da Assíria.
31 Não deis ouvidos a Ezequias. Assim diz o rei da Assíria: Fazei as pazes comigo e vinde a mim, e coma cada um da sua vide e da sua figueira, e beba cada um a água da sua cisterna,
32 até que eu venha, e vos leve para uma terra como a vossa, terra de trigo e de cereal, terra de pão e de vinhas, terra de oliveiras, de azeite e de mel. Escolhei a vida, e não a morte! Não deis ouvidos a Ezequias, pois vos engana, dizendo: O Senhor nos livrará.
33 Porventura os deuses das nações puderam livrar, cada um a sua terra, das mãos do rei da Assíria?
34 Que é feito dos deuses de Hamate e de Arpade? Que é feito dos deuses de Sefarvaim, Hena e Iva? Livraram Samaria das minhas mãos?
35 Quais, entre todos os deuses das terras, são os que livraram a sua terra das minhas mãos, para que o Senhor livre Jerusalém das minhas mãos?
36 O povo, porém, ficou calado e não lhe respondeu uma só palavra, porque o rei havia ordenado: Não lhe respondereis.
37 Então Eliaquim, filho de Hilquias, o mordomo, Sebna, o escrivão, e Joá, filho de Asafe, o cronista, vieram a Ezequias com as vestes rasgadas e lhe fizeram saber as palavras de Rabsaqué.

### Ezequias recorre a Isaías

**19** Quando o rei Ezequias ouviu isso, rasgou as suas vestes, cobriu-se de saco e entrou no templo do Senhor.
2 Enviou Eliaquim, o mordomo, Sebna, o escrivão, e os principais

dos sacerdotes cobertos de sacos, ao profeta Isaías, filho de Amoz.
**3** Disseram-lhe: Assim diz Ezequias: Este dia é dia de angústia, de humilhação e de blasfêmia, porque os filhos chegaram ao parto e não há força para os dar à luz.
**4** Bem pode ser que o Senhor, o teu Deus, tenha ouvido todas as palavras de Rabsaqué, a quem enviou o seu senhor, o rei da Assíria, para afrontar o Deus vivo, e repreenda as palavras que o Senhor, o teu Deus, ouviu. Portanto, faze oração pelos que ainda sobrevivem.
**5** Quando os servos do rei Ezequias foram ter com Isaías,
**6** Isaías lhes disse: Assim direis a vosso senhor: Assim diz o Senhor: Não temas as palavras que ouviste, com as quais os servos do rei da Assíria me afrontaram.
**7** Colocarei nele um espírito tal que, quando ele ouvir certa notícia, voltará para a sua terra; e nela o farei cair morto à espada.
**8** Voltou Rabsaqué e achou o rei da Assíria na batalha contra Libna, porque tinha ouvido que o rei havia partido de Laquis.
**9** E o rei, ouvindo dizer de Tiraca, rei da Etiópia: Saiu para te fazer guerra, tornou a enviar mensageiros a Ezequias, dizendo:
**10** Assim direis a Ezequias, rei de Judá: Não te engane o teu Deus, em quem confias, dizendo: Jerusalém não será entregue nas mãos do rei da Assíria.
**11** Certamente já tens ouvido o que os reis da Assíria fizeram a todas as terras, destruindo-as totalmente. E tu te livrarias?
**12** Porventura as livraram os deuses das nações, a quem meus pais destruíram, a saber, Gozã, Harã, Rezefe e os filhos de Éden que estavam em Telassar?
**13** Que é feito do rei de Hamate, do rei de Arpade, do rei da cidade de Sefarvaim, de Hena e de Iva?
**14** Recebendo Ezequias a carta das mãos dos mensageiros e lendo-a, subiu ao templo do Senhor e a estendeu perante o Senhor.
**15** E orou Ezequias perante o Senhor: Ó Senhor Deus de Israel, que habitas entre os querubins, tu mesmo, só tu és Deus de todos os reinos da terra. Tu fizeste os céus e a terra.
**16** Inclina, Senhor, o teu ouvido e ouve; abre, Senhor, os teus olhos e vê; ouve as palavras que Senaqueribe enviou para afrontar o Deus vivo.
**17** Verdade é, ó Senhor, que os reis da Assíria assolaram essas nações e as suas terras.
**18** Lançaram os seus deuses no fogo e os destruíram, pois não eram deuses, mas obra de mãos de homens, madeira e pedra.
**19** Agora, ó Senhor nosso Deus, livra-nos das suas mãos, para que todos os reinos da terra saibam que só tu és o Senhor Deus.

### Isaías conforta a Ezequias

**20** Então Isaías, filho de Amoz, mandou dizer a Ezequias: Assim diz o Senhor Deus de Israel: O que me pediste acerca de Senaqueribe, rei da Assíria, eu te ouvi.
**21** Esta é a palavra que o Senhor falou a respeito dele:
   A virgem, a filha de Sião,
     te despreza e zomba de ti.
   A filha de Jerusalém
     meneia a cabeça por detrás de ti.
**22** A quem afrontaste e blasfemaste?

E contra quem levantaste a voz
e ergueste os olhos soberbos?
Contra o Santo de Israel!
23 Por meio de teus mensageiros
afrontaste o Senhor
e disseste:
Com a multidão de meus carros
subi ao alto dos montes,
aos lados do Líbano.
Cortei os seus altos cedros
e os seus mais formosos pinheiros,
e entrei nas suas regiões mais remotas,
no melhor das suas florestas.
24 Eu cavei, e bebi águas estrangeiras.
Com as plantas de meus pés
sequei todos os rios do Egito.
25 Não ouviste que já
há muito tempo planejei isso,
já desde os dias da antiguidade
o tinha planejado?
Agora, porém, faço acontecer;
eu quis que tu reduzisses as cidades fortificadas
a montões de ruínas.
26 Por isso, os moradores delas,
sem forças, ficaram
pasmados e confundidos.
Eram como a erva do campo,
e a erva verde,
e o capim dos telhados,
e o trigo queimado,
antes de crescer.
27 Eu, porém, conheço o teu assentar,
e o teu sair, o teu entrar,
e o teu furor contra mim.
28 Por causa do teu furor contra mim,
e porque a tua revolta
subiu até os meus ouvidos,
porei o meu anzol no teu nariz
e o meu freio na tua boca;
te farei voltar pelo caminho
por onde vieste.
29 Isto te será por sinal:
Este ano se comerá o que
nascer por si mesmo
e, no ano seguinte, o que daí proceder.
Mas no terceiro ano plantai e colhei,
plantai vinhas e comei os seus frutos.
30 O que escapou da tribo de Judá e ficou de resto
tornará a lançar raízes para baixo
e dará fruto para cima.
31 Pois de Jerusalém sairá o remanescente,
e do monte de Sião, o que sobreviveu.
O zelo do Senhor fará isso.
32 Portanto, assim diz o Senhor acerca do rei da Assíria:
Não entrará nesta cidade,
nem lançará nela flecha alguma.
Tampouco virá perante ela com escudo,
nem levantará rampas de cerco contra ela.
33 Pelo caminho por onde vier,
por esse voltará;
nesta cidade não entrará, diz o Senhor.
34 Eu defenderei esta cidade,
para a livrar,
por amor de mim
e por amor do meu servo Davi.

### Derrota e morte de Senaqueribe

35 Naquela mesma noite, saiu o anjo do Senhor e feriu, no acampamento dos assírios, cento e oitenta e cinco mil deles. Levantando-se

os assírios pela manhã cedo, viram que todos esses eram cadáveres.

**36** Assim Senaqueribe, rei da Assíria, levantou acampamento e partiu. Voltou e ficou em Nínive. **37** Certo dia, quando ele estava adorando no templo de Nisroque, seu deus, Adrameleque e Sarezer, seus filhos, o mataram à espada e escaparam para a terra de Arará. E Esar-Hadom, seu filho, reinou em seu lugar.

### Doença e cura de Ezequias

**20** Naqueles dias, Ezequias adoeceu e estava perto da morte. O profeta Isaías, filho de Amoz, veio falar com ele e lhe disse: Assim diz o Senhor: Põe a tua casa em ordem, porque morrerás e não viverás. **2** Então virou Ezequias o rosto para a parede e orou ao Senhor: **3** Ah! Senhor! Lembra-te de que andei diante de ti com fidelidade e integridade de coração, e fiz o que era reto aos teus olhos. E Ezequias chorou muitíssimo. **4** Não havendo Isaías ainda saído do meio do pátio, veio a ele a palavra do Senhor: **5** Volta e dize a Ezequias, príncipe do meu povo: Assim diz o Senhor, o Deus de teu pai Davi: Ouvi a tua oração e vi as tuas lágrimas; eu te curarei. Ao terceiro dia, subirás ao templo do Senhor. **6** Acrescentarei à tua vida quinze anos. E das mãos do rei da Assíria livrarei a ti e a esta cidade. Defenderei esta cidade por amor de mim, e por amor de Davi, meu servo. **7** Disse mais Isaías: Fazei uma pasta de figos. Fizeram-na e a puseram sobre o tumor, e o rei ficou curado.

**8** Perguntou Ezequias a Isaías: Qual é o sinal de que o Senhor me curará e de que, ao terceiro dia, subirei ao templo do Senhor? **9** Respondeu Isaías: Isto te será sinal, da parte do Senhor, de que o Senhor cumprirá a palavra que disse: Avançará a sombra dez graus, ou recuará dez graus? **10** Então disse Ezequias: É fácil que a sombra avance dez graus. Antes, que ela recue dez graus. **11** Então o profeta Isaías clamou ao Senhor, e o Senhor fez a sombra recuar dez graus, pelos graus que já tinha declinado no relógio de sol de Acaz.

### A embaixada de Merodaque-Baladã

**12** Nesse tempo, enviou Merodaque-Baladã, filho de Baladã, rei da Babilônia, cartas e um presente a Ezequias, porque ouvira que Ezequias estivera doente. **13** Ezequias recebeu os mensageiros e lhes mostrou toda a casa de seu tesouro, a prata, o ouro, as especiarias, e os melhores azeites, seu palácio de armas e tudo o que havia nos seus tesouros; coisa alguma houve que não lhes mostrasse, nem em seu palácio, nem em todo o seu domínio. **14** Então o profeta Isaías veio ao rei Ezequias e lhe perguntou: Que disseram aqueles homens e de onde vieram a ti? Respondeu Ezequias: De um país muito distante vieram, da Babilônia. **15** Perguntou o profeta: Que viram em teu palácio? Respondeu Ezequias: Tudo o que há em meu palácio viram. Coisa nenhuma há nos meus tesouros que eu não lhes mostrasse. **16** Então disse Isaías a Ezequias: Ouve a palavra do Senhor:

**17** Vêm dias em que tudo o que houver em teu palácio, com o que teus pais entesouraram até o dia de hoje, será levado para Babilônia. Não ficará coisa alguma, disse o Senhor.
**18** E até mesmo teus filhos, que descenderem de ti e que tu gerares, tomarão, para que sejam eunucos no palácio do rei da Babilônia.
**19** Então disse Ezequias a Isaías: Boa é a palavra do Senhor que disseste. Pois pensava: Não haverá paz e segurança nos meus dias?
**20** Ora, o restante dos atos de Ezequias e todo o seu poder, como fez o açude e o aqueduto e como fez vir a água à cidade, porventura não estão escritos no livro das crônicas dos reis de Judá?
**21** Descansou Ezequias com seus pais. E Manassés, seu filho, reinou em seu lugar.

### Manassés, rei de Judá

**21** Tinha Manassés doze anos de idade quando começou a reinar e cinquenta e cinco anos reinou em Jerusalém. Era o nome de sua mãe Hefzibá.
**2** Fez o que era mau aos olhos do Senhor, conforme as práticas dos gentios que o Senhor expulsara de suas possessões de diante dos filhos de Israel.
**3** Tornou a construir os altares idólatras que Ezequias, seu pai, tinha destruído; também levantou altares a Baal, fez um poste sagrado como o que fizera Acabe, *rei de Israel*. Adorou a todo o exército dos céus e os serviu.
**4** Construiu altares no templo do Senhor, do qual o Senhor tinha dito: Em Jerusalém porei o meu nome.
**5** Também construiu altares a todo o exército dos céus em ambos os átrios do templo do Senhor.
**6** Fez passar a seu próprio filho pelo fogo, praticou encantamentos e adivinhação, consultou médiuns e feiticeiros. Prosseguiu em fazer o que era mau aos olhos do Senhor, provocando-o à ira.
**7** Também colocou uma imagem de escultura do poste sagrado que tinha feito, no templo de que o Senhor dissera a Davi e a Salomão, seu filho: Nesta casa e em Jerusalém, que escolhi dentre todas as tribos de Israel, porei o meu nome para sempre.
**8** Não mais farei andar errantes os pés de Israel da terra que dei a seus pais, contanto que somente tenham cuidado de fazer conforme tudo o que lhes tenho ordenado e conforme toda a Lei que Moisés, meu servo, lhes ordenou.
**9** Eles, porém, não deram ouvidos. Manassés de tal modo os fez errar, que fizeram pior do que as nações que o Senhor tinha destruído de diante dos filhos de Israel.
**10** Disse o Senhor por intermédio de seus servos, os profetas:
**11** Manassés, rei de Judá, cometeu essas abominações. Fez pior do que tudo o que fizeram os amorreus, que foram antes dele, e também a Judá fez pecar com os ídolos dele.
**12** Por isso, assim diz o Senhor, o Deus de Israel: Hei de trazer tal desastre sobre Jerusalém e Judá que ambos os ouvidos de qualquer que o ouvir lhe ficarão zumbindo.
**13** Estenderei sobre Jerusalém o fio de medir utilizado contra Samaria e o prumo da família de Acabe. Limparei Jerusalém, como quem limpa um prato e o

vira para baixo depois de haver limpado.

14 Abandonarei o restante da minha herança, o entregarei na mão de seus inimigos. Eles se tornarão presa e despojo para todos os seus inimigos,

15 porque fizeram o que era mau aos meus olhos e me provocaram à ira, desde o dia em que seus pais saíram do Egito até hoje.

16 Além disso, também Manassés derramou muitíssimo sangue inocente, até que encheu Jerusalém de um ao outro extremo, além de seu pecado com que fez pecar Judá, fazendo o que era mau aos olhos do Senhor.

17 Quanto ao restante dos atos de Manassés, a tudo o que fez e ao seu pecado, que pecou, porventura não estão escritos no livro das crônicas dos reis de Judá?

18 Descansou Manassés com seus pais e foi sepultado no jardim do seu palácio, no jardim de Uzá. E Amom, seu filho, reinou em seu lugar.

### Amom, rei de Judá

19 Tinha Amom vinte e dois anos de idade quando começou a reinar e dois anos reinou em Jerusalém. Era o nome de sua mãe Mesulemete, filha de Haruz, de Jotbá.

20 Fez o que era mau aos olhos do Senhor, como fizera Manassés, seu pai.

21 Andou em todo o caminho em que andara seu pai e serviu os ídolos que ele tinha servido, e os adorou.

22 Assim deixou ao Senhor, Deus de seus pais, e não andou no caminho do Senhor.

23 Os servos de Amom conspiraram contra ele e o mataram em sua casa.

24 O povo da terra, porém, feriu todos os que conspiraram contra o rei Amom e constituiu a Josias, seu filho, rei em seu lugar.

25 Quanto ao restante dos atos de Amom, e a tudo o que fez, porventura não estão escritos no livro das crônicas dos reis de Judá?

26 Sepultaram-no na sua sepultura, no jardim de Uzá. E Josias, seu filho, reinou em seu lugar.

### A descoberta do Livro da Lei

**22** Tinha Josias oito anos de idade quando começou a reinar e trinta e um anos reinou em Jerusalém. Era o nome de sua mãe Jedida, filha de Adaías, de Bozcate.

2 Fez o que era reto aos olhos do Senhor e andou em todo o caminho de Davi, seu pai, e não se desviou dele nem para a direita nem para a esquerda.

3 No décimo oitavo ano do rei Josias, o rei mandou o escrivão Safã, filho de Azalias, filho de Mesulão, ao templo do Senhor. Disse ele:

4 Sobe a Hilquias, o sumo sacerdote, para que ajunte o dinheiro que se tem trazido ao templo do Senhor, o qual os guardas da porta receberam do povo.

5 Que o entreguem nas mãos dos homens encarregados para supervisionar a obra da casa do Senhor, para que paguem àqueles que fazem a obra que há no templo do Senhor, para consertarem os estragos da casa:

6 aos carpinteiros, aos construtores e aos pedreiros. Comprem madeira e pedras lavradas, para consertarem os estragos do templo.

7 Não precisam, porém, prestar contas do dinheiro que lhes for

confiado, porque procedem com honestidade.

**8** Disse o sumo sacerdote Hilquias ao escrivão Safã: Achei o Livro da Lei na casa do Senhor. Hilquias o entregou a Safã, que o leu.

**9** Então o escrivão Safã veio ter com o rei e deu-lhe relatório, dizendo: Teus servos ajuntaram o dinheiro que se recebeu no templo e o entregaram nas mãos dos homens encarregados de supervisionar a obra do templo do Senhor.

**10** Então o escrivão Safã informou o rei: O sacerdote Hilquias me entregou um livro. E Safã o leu diante do rei.

**11** Ouvindo o rei as palavras do Livro da Lei, rasgou as suas vestes.

**12** Ordenou o rei a Hilquias, o sacerdote, a Aicão, filho de Safã, a Acbor, filho de Micaías, a Safã, o escrivão, e a Asaías, servo do rei:

**13** Ide e consultai ao Senhor por mim, e pelo povo e por todo o Judá, acerca das palavras desse livro que se achou. Grande é o furor do Senhor, que se acendeu contra nós, porque nossos pais não deram ouvidos às palavras desse livro; não fizeram conforme tudo o que de nós está escrito.

**14** O sacerdote Hilquias, Aicão, Acbor, Safã e Asaías foram falar com a profetisa Hulda, mulher de Salum, filho de Ticvá, filho de Harás, o guarda das roupas. Ela habitava em Jerusalém, na segunda parte.

**15** Disse-lhes ela: Assim diz o Senhor, o Deus de Israel: Dizei ao homem que vos enviou a mim:

**16** Assim diz o Senhor: Trarei desastre sobre este lugar e sobre os seus moradores, a saber, todas as palavras do livro que leu o rei de Judá.

**17** Porque me deixaram e queimaram incenso a outros deuses, para me provocarem à ira por todas as obras das suas mãos, o meu furor se acendeu contra este lugar e não se apagará.

**18** Ao rei de Judá, porém, que vos enviou para consultar o Senhor, direis: Assim diz o Senhor, o Deus de Israel, acerca das palavras que ouviste:

**19** Visto que o teu coração se abriu, e te humilhaste perante o Senhor, quando ouviste o que falei contra este lugar e contra os seus moradores, que seriam para assolação e para maldição, e rasgaste as tuas vestes, e choraste perante mim, também eu te ouvi, diz o Senhor.

**20** Pelo que eu te recolherei a teus pais, e tu serás recolhido em paz à tua sepultura. Os teus olhos não verão todo o mal que hei de trazer sobre este lugar. Então levaram ao rei a resposta.

## A renovação da aliança

**23** Então o rei deu ordem, e todas as autoridades de Judá e de Jerusalém se ajuntaram a ele.

**2** O rei subiu ao templo do Senhor, e com ele todos os homens de Judá, e todos os moradores de Jerusalém, os sacerdotes, os profetas, e todo o povo, desde o menor até o maior. Leu aos ouvidos deles todas as palavras do Livro da Aliança, que se achou no templo do Senhor.

**3** O rei se pôs em pé junto à coluna e renovou a aliança perante o Senhor, para o seguirem, obedecerem os seus mandamentos, os seus testemunhos e os seus estatutos, de todo o coração e de toda a alma, confirmando as palavras da aliança, escritas naquele livro. Então todo o povo firmou a aliança.

**4** O rei ordenou ao sumo sacerdote Hilquias, e aos sacerdotes auxiliares, e aos guardas da porta, que se tirassem do templo do Senhor todos os vasos que tinham sido feitos para Baal, e para o poste sagrado, e para todo o exército dos céus. Queimou-os fora de Jerusalém, nos campos de Cedrom, e levou as cinzas deles a Betel.

**5** Eliminou os sacerdotes que os reis de Judá estabeleceram para queimarem incenso sobre os altares idólatras nas cidades de Judá e ao redor de Jerusalém, como também os que queimavam incenso a Baal, ao sol, à lua, aos demais planetas e a todo o exército dos céus.

**6** Tirou do templo do Senhor o poste sagrado, que levou para fora de Jerusalém até o vale do Cedrom, onde o queimou e o reduziu a pó, e lançou o pó sobre as sepulturas dos filhos do povo.

**7** Também derrubou as casas dos prostitutos cultuais que estavam no templo do Senhor, onde as mulheres teciam cortinas para o poste sagrado.

**8** A todos os sacerdotes trouxe das cidades de Judá e profanou os altares em que os sacerdotes queimavam incenso, desde Geba até Berseba. Derrubou os altares das portas, que estavam à entrada da porta de Josué, o chefe da cidade, à esquerda daquele que entrava pela porta da cidade.

**9** Embora os sacerdotes dos altares não sacrificassem sobre o altar do Senhor em Jerusalém, comiam pães sem fermento no meio de seus irmãos.

**10** Profanou a Tofete, que está no vale dos filhos de Hinom, para que ninguém fizesse passar seu filho, ou sua filha, pelo fogo a Moloque.

**11** Tirou os cavalos que os reis de Judá tinham dedicado ao sol, à entrada do templo do Senhor, perto da sala de Natã-Meleque, o camareiro, a qual estava no recinto. Josias então queimou a fogo os carros dedicados ao sol.

**12** Derrubou os altares que estavam sobre o terraço do cenáculo de Acaz, os quais foram feitos pelos reis de Judá, como também os altares que fizera Manassés nos dois pátios do templo do Senhor. Tirou-os dali, despedaçou-os e lançou o seu pó no vale do Cedrom.

**13** O rei profanou também os altares que estavam em frente de Jerusalém, à direita do monte da Corrupção, os quais construíra Salomão, rei de Israel, para Astarote, abominação dos sidônios, e para Camos, abominação dos moabitas, e para Milcom, abominação dos filhos de Amom.

**14** Josias quebrou as colunas, cortou os postes sagrados e encheu o seu lugar de ossos de homens.

**15** Até o altar que estava em Betel e o santuário que fez Jeroboão, filho de Nebate, que tinha feito pecar a Israel, esse altar e o santuário ele os derrubou. Queimou o santuário, e o reduziu a pó, e queimou o poste sagrado.

**16** Então Josias, virando-se, viu as sepulturas que estavam ali no monte; mandou tirar delas os ossos, e os queimou sobre aquele altar, e assim o profanou, conforme a palavra do Senhor, que apregoara o homem de Deus, quando anunciou estas palavras.

17 Então perguntou: Que monumento é este que vejo? Responderam os homens da cidade: É a sepultura do homem de Deus que veio de Judá, e predisse estas coisas que fizeste contra o altar de Betel.
18 Disse Josias: Deixai-o como está. Ninguém mexa nos seus ossos. Assim deixaram estar os seus ossos com os ossos do profeta que viera de Samaria.
19 Conforme todos os atos que tinha praticado em Betel, Josias também tirou todos os santuários que havia nas cidades de Samaria, e que os reis de Israel tinham feito, provocando o Senhor à ira.
20 Matou todos os sacerdotes dos altares idólatras, que havia ali, sobre os altares, e queimou ossos humanos sobre eles. Então voltou para Jerusalém.
21 Deu ordem o rei a todo o povo: Celebrai a Páscoa ao Senhor, o vosso Deus, como está escrito no Livro da Aliança.
22 Nunca se havia celebrado tal Páscoa desde os dias dos juízes que julgaram Israel, nem em todos os dias dos reis de Israel, tampouco nos dias dos reis de Judá.
23 No décimo oitavo ano do rei Josias, celebrou-se esta Páscoa ao Senhor em Jerusalém.
24 Josias também eliminou os adivinhos, os feiticeiros, os terafins, os ídolos e todas as abominações que se viam na terra de Judá e em Jerusalém. Isso fez ele para confirmar as palavras da Lei, que estavam escritas no livro *que o sacerdote* Hilquias achara no templo do Senhor.
25 Nem antes nem depois dele houve rei que lhe fosse semelhante, que se convertesse ao Senhor de todo o coração, de toda a alma e de todas as forças, conforme toda a Lei de Moisés.
26 Todavia manteve o Senhor ardor da sua grande ira, com que ardia contra Judá, por causa de todas as provocações com que Manassés o tinha provocado.
27 Disse o Senhor: Também a Judá hei de tirar de diante da minha presença, como tirei Israel, e rejeitarei esta cidade de Jerusalém que escolhi, como também o templo de que disse: Estará ali o meu nome.
28 Ora, o restante dos atos de Josias e tudo o que fez, porventura não estão escritos no livro das crônicas dos reis de Judá?
29 Nos seus dias subiu faraó Neco, rei do Egito, contra o rei da Assíria, ao rio Eufrates. O rei Josias marchou para enfrentá-lo em batalha, mas, vendo-o, faraó Neco o matou em Megido.
30 De Megido os servos de Josias o levaram morto num carro; trouxeram-no a Jerusalém e o sepultaram na sua sepultura. E o povo da terra tomou a Jeoacaz, filho de Josias, o ungiu e o constituiu rei em lugar de seu pai.

### Jeoacaz e Jeoiaquim, reis de Judá

31 Tinha Jeoacaz vinte e três anos de idade quando começou a reinar e três meses reinou em Jerusalém. Era o nome de sua mãe Hamutal, filha de Jeremias, de Libna.
32 Fez o que era mau aos olhos do Senhor, conforme tudo o que fizeram seus pais.
33 Faraó Neco mandou prendê-lo em Ribla, na terra de Hamate, para que não reinasse em Jerusalém, e à terra impôs o tributo de cem talentos de prata e um talento de ouro.
34 Faraó Neco constituiu rei a Eliaquim, filho de Josias, em lugar

de seu pai Josias, e lhe mudou o nome para Jeoiaquim. No entanto, levou consigo Jeoacaz ao Egito, onde ele morreu.

**35** Jeoiaquim deu aquela prata e aquele ouro a faraó. Porém, para dar esse dinheiro conforme o mandado de faraó, teve de criar imposto no país; de cada um segundo a sua avaliação exigiu a prata e o ouro do povo da terra, para o dar a faraó Neco.

**36** Tinha Jeoiaquim vinte e cinco anos de idade quando começou a reinar e onze anos reinou em Jerusalém. Era o nome de sua mãe Zebida, filha de Pedaías, de Ruma.

**37** Fez ele o que era mau aos olhos do Senhor, conforme tudo o que fizeram seus pais.

### Nabucodonosor invade Judá

**24** Nos dias de Jeoiaquim subiu Nabucodonosor, rei da Babilônia, e invadiu a terra, e Jeoiaquim ficou sendo seu servo por três anos. Depois, porém, mudou de ideia, e se revoltou contra Nabucodonosor.

**2** O Senhor enviou contra Jeoiaquim as tropas dos caldeus, as tropas dos siros, as tropas dos moabitas e as tropas dos filhos de Amom. Enviou-as contra Judá, para o destruir, conforme a palavra do Senhor, que falara por intermédio de seus servos, os profetas.

**3** Na verdade, estas coisas aconteceram a Jeoiaquim conforme o mandado do Senhor, que o tirou de diante de sua presença, por causa dos pecados de Manassés, conforme tudo o que fizera.

**4** Como também por causa do sangue inocente que ele derramou. Pois ele havia enchido Jerusalém de sangue inocente, e o Senhor não quis perdoar.

**5** Ora, o restante dos atos de Jeoiaquim e tudo o que fez, porventura não estão escritos no livro das crônicas dos reis de Judá?

**6** Descansou Jeoiaquim com seus pais. E Joaquim, seu filho, reinou em seu lugar.

**7** O rei do Egito nunca mais saiu da sua terra, porque o rei da Babilônia havia ocupado todo o seu território, desde o rio do Egito até o rio Eufrates.

### Joaquim e Zedequias, reis de Judá

**8** Tinha Joaquim dezoito anos de idade quando começou a reinar e três meses reinou em Jerusalém. Era o nome de sua mãe Neusta, filha de Elnatã, de Jerusalém.

**9** Fez o que era mau aos olhos do Senhor, conforme tudo o que fizera seu pai.

**10** Nesse tempo, subiram os servos de Nabucodonosor, rei da Babilônia, contra Jerusalém e a cercaram.

**11** Nabucodonosor, rei da Babilônia, veio contra a cidade, enquanto os seus servos a estavam cercando.

**12** Então saiu Joaquim, rei de Judá, ao rei da Babilônia, ele, sua mãe, seus servos, seus príncipes e seus oficiais. No oitavo ano do reinado do rei da Babilônia, ele levou Joaquim preso.

**13** Tirou dali todos os tesouros do palácio do rei e despedaçou todos os vasos de ouro que fizera Salomão, rei de Israel, no templo do Senhor, como o Senhor havia dito.

**14** Deportou toda a Jerusalém, como também todos os príncipes e todos os homens valentes; dez mil presos ao todo; ninguém ficou senão o povo pobre da terra.

15 Assim Nabucodonosor deportou Joaquim para Babilônia. E também a mãe do rei, as mulheres do rei, os seus oficiais e os poderosos da terra, ele os levou presos de Jerusalém para Babilônia.
16 Todos os homens valentes, em número de sete mil, e os artesãos e ferreiros, em número de mil, todos eles hábeis na guerra, levou-os o rei da Babilônia presos para Babilônia.
17 O rei da Babilônia estabeleceu rei em lugar de Joaquim a Matanias, seu tio paterno, e lhe mudou o nome para Zedequias.
18 Tinha Zedequias vinte e um anos de idade quando começou a reinar e onze anos reinou em Jerusalém. Era o nome de sua mãe Hamutal, filha de Jeremias, de Libna.
19 Fez o que era mau aos olhos do Senhor, conforme tudo o que fizera Joaquim.
20 Assim aconteceu por causa da ira do Senhor contra Jerusalém e contra Judá, a ponto de os lançar da sua presença. Ora, Zedequias rebelou-se contra o rei da Babilônia.

### A queda de Jerusalém

**25** No nono ano do reinado de Zedequias, no décimo mês, aos dez do mês, Nabucodonosor, rei da Babilônia, marchou contra Jerusalém, ele e todo o seu exército. Acamparam-se diante da cidade e levantaram contra ela trincheiras em redor.
2 A cidade ficou cercada até o décimo primeiro ano do rei Zedequias.
3 Aos nove dias do quarto mês, a cidade se via passando fome, e não havia pão para o povo da terra.
4 Então o muro da cidade foi derrubado e todos os homens de guerra fugiram de noite pelo caminho da porta entre os dois muros que estavam junto ao jardim do rei (embora os caldeus estivessem cercando a cidade), e o rei se foi pelo caminho da Arabá.
5 O exército dos caldeus, porém, perseguiu o rei e o alcançou nas campinas de Jericó. Todo o seu exército se dispersou e o abandonou.
6 Então prenderam o rei e o fizeram subir ao rei da Babilônia, a Ribla, onde se pronunciou a sentença contra ele.
7 Aos filhos de Zedequias degolaram na presença dele e a ele lhe furaram os olhos, amarraram-no com duas cadeias de bronze e o levaram para Babilônia.
8 No quinto mês, no sétimo dia do mês (este era o décimo nono ano de Nabucodonosor, rei da Babilônia), veio Nebuzaradã, capitão da guarda, servo do rei da Babilônia, a Jerusalém.
9 Queimou o templo do Senhor e o palácio do rei, como também a todas as casas de Jerusalém. A todas as casas importantes ele queimou.
10 Todo o exército dos caldeus que estava com o capitão da guarda derrubou os muros ao redor de Jerusalém.
11 O restante do povo que havia ficado na cidade, os que se haviam rendido ao rei da Babilônia e os demais da multidão, Nebuzaradã, o capitão da guarda, levou presos.
12 Dos mais pobres da terra, porém, deixou o capitão da guarda ficar alguns para vinheiros e para lavradores.
13 Despedaçaram os caldeus as colunas de bronze que estavam no templo do Senhor, como também as bases e o mar de bronze que

estavam no templo do Senhor, e levaram o seu bronze para Babilônia.
14 Levaram também as panelas, as pás, as espevitadeiras, os recipientes de incenso e todos os utensílios de bronze, com que se ministrava.
15 Tomou também o capitão da guarda os braseiros, as bacias, tudo o que era de ouro e tudo o que era de prata.
16 O bronze das duas colunas, do mar e das bases, que Salomão fizera para o templo do Senhor, era incalculável.
17 A altura de uma coluna era de dezoito côvados, e sobre ela havia um capitel de bronze de três côvados de altura e era decorado com uma rede e romãs de bronze ao redor. A outra coluna, com a sua rede, era semelhante a esta.
18 Também o capitão da guarda levou Seraías, primeiro sacerdote, Sofonias, segundo sacerdote, e os três guardas da porta.
19 Da cidade levou a um oficial que era encarregado da gente de guerra, e cinco homens dos que viam a face do rei e se acharam na cidade, como também o secretário principal do exército, que registrava o povo da terra, e sessenta homens do povo da terra que se achavam na cidade.
20 Tomando-os Nebuzaradã, capitão da guarda, levou-os ao rei da Babilônia, a Ribla.
21 O rei da Babilônia os feriu e os matou em Ribla, na terra de Hamate. Assim Judá foi levado preso para fora da sua terra.
22 Quanto, porém, ao povo que ficara na terra de Judá, Nabucodonosor, rei da Babilônia, que o deixara ficar, nomeou sobre ele governador Gedalias, filho de Aicão, filho de Safã.
23 Ouvindo os capitães dos exércitos, eles e os seus homens, que o rei da Babilônia nomeara Gedalias governador, vieram ter com Gedalias, em Mispa, a saber: Ismael, filho de Netanias, Joanã, filho de Careá, Seraías, filho de Tanumete, o netofatita, e Jazanias, filho do maacatita, eles e os seus homens.
24 Gedalias jurou a eles e aos seus homens: Não temais os oficiais dos caldeus. Ficai na terra, servi ao rei da Babilônia e bem vos irá.
25 No sétimo mês, porém, veio Ismael, filho de Netanias, filho de Elisama, da descendência real, e dez homens com ele, e feriram Gedalias, e ele morreu, como também os judeus, e os caldeus que estavam com ele em Mispa.
26 Então todo o povo se levantou, desde o menor até o maior, como também os capitães dos exércitos, e foram para o Egito, pois temiam os caldeus.
27 No trigésimo sétimo ano do exílio de Joaquim, rei de Judá, no ano em que Evil-Merodaque começou a reinar na Babilônia, no dia vinte e sete do décimo segundo mês, libertou da prisão Joaquim, rei de Judá.
28 Falou-lhe com bondade e pôs o seu trono acima do trono dos reis que estavam com ele na Babilônia.
29 Mudou-lhe as roupas de prisão, e ele passou a comer pão na presença do rei todos os dias da sua vida.
30 E o rei garantiu a sua sobrevivência de contínuo, dia após dia, todos os dias da sua vida.

# 1 CRÔNICAS

## Genealogia de Adão a Abraão

**1** Adão, Sete, Enos, 2 Quenã, Maalalel, Jarede, 3 Enoque, Matusalém, Lameque, 4 Noé, Sem, Cão e Jafé.
5 Os filhos de Jafé foram: Gômer, Magogue, Madai, Javã, Tubal, Meseque e Tiras.
6 Os filhos de Gômer: Asquenaz, Rifate e Togarma.
7 Os filhos de Javã: Elisá, Társis, Quitim e Rodanim.
8 Os filhos de Cão: Cuxe, Mizraim, Pute e Canaã.
9 Os filhos de Cuxe: Sebá, Havilá, Sabtá, Raamá e Sabtecá; e os filhos de Raamá: Sebá e Dedã.
10 Cuxe gerou Ninrode. O primeiro a ser poderoso na terra.
11 Mizraim gerou os ludeus, os anameus, os leabeus, os naftueus, 12 os patruseus, os caslueus (dos quais procederam os filisteus) e os caftoreus.
13 Canaã gerou Sidom, seu primogênito, depois Hete, 14 os jebuseus, os amorreus, os girgaseus, 15 os heveus, os arqueus, os sineus, 16 os arvadeus, os zemareus e os hamateus.
17 Os filhos de Sem foram: Elão, Assur, Arfaxade, Lude, Arã, Uz, Hul, Géter e Meseque.
18 Arfaxade gerou Selá, e Selá gerou Eber.
19 A Eber nasceram dois filhos: o nome de um foi Pelegue, porque nos seus dias se dividiu a terra, e o nome de seu irmão foi Joctã.
20 Joctã, gerou Almodá, Selefe, Hazarmavé, Jerá, 21 Hadorão, Huzal, Diclá, 22 Ebal, Abimael, Seba, 23 Ofir, Havilá e Jobabe. Todos estes foram filhos de Joctã.
24 Sem, Arfaxade, Selá, 25 Eber, Pelegue, Reú, 26 Serugue, Naor, Terá, 27 Abrão, que é Abraão.
28 Os filhos de Abraão: Isaque e Ismael.
29 São estas as suas gerações: o primogênito de Ismael foi Nebaiote, depois Quedar, Adbeel, Mibsão, 30 Misma, Dumá, Massa, Hadade, Tema, 31 Jetur, Nafis e Quedemá. Estes foram os filhos de Ismael.
32 Quanto aos filhos de Quetura, concubina de Abraão, esta deu à luz a Zinrã, a Jocsã, a Medã, a Midiã, a Jisbaque e a Suá. Os filhos de Jocsã foram Sebá e Dedã.
33 Os filhos de Midiã: Efá, Efer, Enoque, Abida e Elda. Todos estes foram filhos de Quetura.
34 Abraão gerou Isaque. Os filhos de Isaque foram Esaú e Israel.
35 Os filhos de Esaú: Elifaz, Reuel, Jeús, Jalão e Corá.
36 Os filhos de Elifaz: Temã, Omar, Zefi, Gaetã, Quenaz, Timna e Amaleque.
37 Os filhos de Reuel: Naate, Zerá, Samá e Mizá.
38 Os filhos de Seir: Lotã, Sobal, Zibeão, Aná, Disom, Eser e Disã.
39 Os filhos de Lotã: Hori e Homã. Timna foi a irmã de Lotã.
40 Os filhos de Sobal foram: Aliã, Manaate, Ebal, Sefi e Onã. Os filhos de Zibeão foram Aiá e Aná.
41 O filho de Aná: Disom. Os filhos de Disom: Hanrão, Esbã, Itrã e Querã.

42 Os filhos de Ezer: Bilã, Zaavã e Jacã. Os filhos de Disã: Uz e Arã.
43 Foram estes os reis que reinaram na terra de Edom, antes que houvesse rei sobre os filhos de Israel: Belá, filho de Beor, cuja cidade se chamava Dinabá.
44 Morreu Belá, e reinou em seu lugar Jobabe, filho de Zerá, de Bozra.
45 Morreu Jobabe, e reinou em seu lugar Husão, da terra dos temanitas.
46 Morreu Husão, e reinou em seu lugar Hadade, filho de Bedade, que feriu os midianitas no campo de Moabe. Era o nome da sua cidade Avite.
47 Morreu Hadade, e reinou em seu lugar Samlá, de Masreca.
48 Morreu Samlá, e reinou em seu lugar Saul, de Reobote junto ao rio.
49 Morreu Saul, e reinou em seu lugar Baal-Hanã, filho de Acbor.
50 Morreu Baal-Hanã, e Hadade reinou em seu lugar. Era o nome da sua cidade Paí, e o de sua mulher era Meetabel, filha de Matrede, a filha de Me-Zaabe.
51 Morreu também Hadade. Estes foram os príncipes de Edom: o príncipe Timna, o príncipe Alvá, o príncipe Jetete,
52 o príncipe Aolíbama, o príncipe Elá, o príncipe Pinom,
53 o príncipe Quenaz, o príncipe Temã, o príncipe Mibzar,
54 o príncipe Magdiel e o príncipe Irã. Esses foram os príncipes de Edom.

### Os filhos de Jacó

2 São estes os filhos de Israel: Rúben, Simeão, Levi, Judá, Issacar, Zebulom,
2 Dã, José, Benjamim, Naftali, Gade e Aser.

3 Os filhos de Judá foram: Er, Onã e Selá. Esses três lhe nasceram da filha de Sua, a cananeia. Er, o primogênito de Judá, foi mau aos olhos do Senhor, por isso o matou.
4 Tamar, nora de Judá, lhe deu à luz a Perez e a Zerá. Judá teve ao todo cinco filhos.
5 Os filhos de Perez foram Hezrom e Hamul.
6 Os filhos de Zerá: Zinri, Etã, Hemã, Calcol e Dara, cinco ao todo.
7 O filho de Carmi foi Acar, que trouxe desgraça a Israel, porque se apossou das coisas sagradas.
8 O filho de Etã: Azarias.
9 Os filhos que nasceram a Hezrom foram: Jerameel, Rão e Quelubai.
10 Rão gerou Aminadabe, e Aminadabe gerou Naassom, príncipe dos filhos de Judá.
11 Naassom gerou Salmom, e Salmom gerou Boaz.
12 Boaz gerou Obede, e Obede gerou Jessé.
13 Jessé gerou Eliabe, seu primogênito, Abinadabe, o segundo, Simeia, o terceiro,
14 Natanael, o quarto, Radai, o quinto,
15 Ozém, o sexto, e Davi, o sétimo.
16 Foram suas irmãs Zeruia e Abigail. Os filhos de Zeruia foram três: Abisai, Joabe e Asael.
17 Abigail teve Amasa, cujo pai foi Jéter, o ismaelita.
18 Calebe, filho de Hezrom, gerou filhos de Azuba, sua mulher, e de Jeriote. Foram estes os filhos dela: Jeser, Sobabe e Ardom.
19 Quando Azuba morreu, Calebe tomou para si Efrate, a qual teve Hur.
20 Hur gerou Uri, e Uri gerou Bezaleel.
21 Mais tarde, Hezrom tomou por mulher a filha de Maquir, pai de Gileade, sendo ele de sessenta

anos, e teve relações com ela, e ela engravidou e deu à luz Segube.

22 Segube gerou Jair, que controlou vinte e três cidades na terra de Gileade.

23 Gesur e Arã tomaram dele Havote-Jair, e Quenate e suas aldeias, sessenta cidades. Todos estes foram filhos de Maquir, pai de Gileade.

24 Depois da morte de Hezrom, em Calebe-Efrata, Abia, mulher de Hezrom, deu-lhe Asur, pai de Tecoa.

25 Os filhos de Jerameel, primogênito de Hezrom, foram: Rão, o primogênito, Buna, Orém, Ozém e Aías.

26 Jerameel teve outra mulher, cujo nome era Atara; esta foi a mãe de Onã.

27 Foram os filhos de Rão, primogênito de Jerameel: Maaz, Jamim e Equer.

28 Foram os filhos de Onã: Samai e Jada. Os filhos de Samai: Nadabe e Abisur.

29 O nome da mulher de Abisur era Abiail, que lhe deu a Abã e a Molide.

30 Foram os filhos de Nadabe: Selede e Apaim. Selede morreu sem filhos.

31 O filho de Apaim: Isi, que foi o pai de Sesã. Sesã foi o pai de Alai.

32 Os filhos de Jada, irmão de Samai, foram: Jeter e Jônatas. Jeter morreu sem filhos.

33 Os filhos de Jônatas foram: Pelete e Zaza. Estes foram os filhos de Jerameel.

34 Sesã não teve filhos, somente filhas. Tinha Sesã um servo egípcio cujo nome era Jará.

35 Deu Sesã sua filha por mulher a Jará, seu servo, e ela lhe deu Atai.

36 Atai gerou Natã, e Natã gerou Zabade.

37 Zabade gerou Eflal, e Eflal gerou Obede.

38 Obede gerou Jeú, e Jeú gerou Azarias.

39 Azarias gerou Helez, e Helez gerou Eleasá.

40 Eleasá gerou Sismai, e Sismai gerou Salum.

41 Salum gerou Jecamias, e Jecamias gerou Elisama.

42 Os filhos de Calebe, irmão de Jerameel, foram: Messa, seu primogênito, que foi o pai de Zife, e os filhos de Maressa, pai de Hebrom.

43 Os filhos de Hebrom foram: Corá, Tapua, Requém e Sema.

44 Sema gerou Raão, pai de Jorqueão. Requém gerou Samai.

45 O filho de Samai foi Maom, e Maom foi o pai de Bete-Zur.

46 Efá, a concubina de Calebe, teve Harã, Moza e Gazez. Harã gerou Gazez.

47 Os filhos de Jodai foram: Regem, Jotão, Gesã, Pelete, Efá e Saafe.

48 De Maaca, sua concubina, gerou Calebe, Séber e Tiraná.

49 A mulher de Saafe, pai de Madmana, teve Seva, pai de Macbena e pai de Gibeá. A filha de Calebe foi Acsa.

50 Estes foram os filhos de Calebe, filho de Ur, o primogênito de Efrata: Sobal, pai de Quiriate-Jearim,

51 Salma, pai dos belemitas e Harefe, pai de Bete-Gader.

52 Os filhos de Sobal, pai de Quiriate-Jearim, foram: Haroé e metade dos manaatitas.

53 As famílias de Quiriate-Jearim foram: os itritas, os puteus, os sumateus e os misraeus. Destes saíram os zorateus e os estaoleus.

**54** Os filhos de Salma foram: Belém e os netofatitas, Atrote-Bete-Joabe, metade dos manaatitas e os zoritas.
**55** As famílias dos mestres da lei que habitavam em Jabez foram os tiratitas, os simeatitas e os sucatitas. Estes são os queneus, que vieram de Hamate, pai da casa de Recabe.

### Os descendentes de Davi

**3** Estes foram os filhos de Davi, que lhe nasceram em Hebrom: o primogênito, Amnom, de Abinoã, a jezreelita; o segundo Daniel, de Abigail, a carmelita;
**2** o terceiro, Absalão, filho de Maaca, filha de Talmai, rei de Gesur; o quarto, Adonias, filho de Hagite;
**3** o quinto, Sefatias, de Abital; o sexto, Itreão, de Eglá, sua mulher.
**4** Seis filhos lhe nasceram em Hebrom, onde reinou sete anos e seis meses. Trinta e três anos reinou Davi em Jerusalém,
**5** onde lhe nasceram: Simeia, Sobabe, Natã e Salomão. Os quatro lhe nasceram de Bate-Seba, filha de Amiel.
**6** Nasceram-lhe mais: Ibar, Elisama, Elifelete,
**7** Nogá, Nefegue, Jafia,
**8** Elisama, Eliada e Elifelete, nove ao todo.
**9** Todos esses foram filhos de Davi, além dos filhos das concubinas. E Tamar era irmã deles.
**10** O filho de Salomão foi Roboão, de quem foi filho Abias, de quem foi filho Asa, de quem foi filho Josafá;
**11** de quem foi filho Jorão, de quem foi filho Acazias, de quem foi filho Joás;
**12** de quem foi filho Amasias, de quem foi filho Jotão;
**13** de quem foi filho Acaz, de quem foi filho Ezequias, de quem foi filho Manassés;
**14** de quem foi filho Amom, de quem foi filho Josias.
**15** Os filhos de Josias foram: o primogênito, Joanã; o segundo, Jeoiaquim; o terceiro, Zedequias; o quarto, Salum.
**16** Os filhos de Jeoiaquim: Jeconias e Zedequias.
**17** Os filhos de Jeconias, o cativo: Sealtiel,
**18** Malquirão, Pedaías, Senazar, Jecamias, Hosama e Nedabias.
**19** Os filhos de Pedaías: Zorobabel e Simei. Os filhos de Zorobabel: Mesulão e Hananias, e Selomite, sua irmã,
**20** e Hasubá, Oel, Berequias, Hasadias e Jusabe-Hesede, cinco ao todo.
**21** Os filhos de Hananias: Pelatias e Jesaías; e os filhos de Refaías, de Arnã, de Obadias e de Secanias.
**22** Os filhos de Secanias foram: Semaías e seus filhos: Hatus, Igal, Bariá, Nearias e Safate, seis.
**23** Os filhos de Nearias: Elioenai, Ezequias e Azricão, três ao todo.
**24** Os filhos de Elioenai: Hodavias, Eliasibe, Pelaías, Acube, Joanã, Delaías e Anani, sete ao todo.

### Os descendentes de Judá

**4** Os filhos de Judá foram: Perez, Hezrom, Carmi, Hur e Sobal.
**2** Reaías, filho de Sobal, gerou Jaate, e Jaate gerou Aumai e Laade. Essas foram as famílias dos zoritas.
**3** Estes foram os filhos do pai de Etã: Jezreel, Isma e Idbas. Era o nome de sua irmã Hazelelponi.
**4** Penuel foi pai de Gedor, e Ezer, pai de Husá. Estes foram os filhos de Hur, o primogênito de Efrata, pai de Belém.

5 Tinha Asur, pai de Tecoa, duas mulheres: Hela e Naará.
6 Naará deu à luz a Auzão, a Hefer, a Temeni e a Haastari. Esses foram os filhos de Naará.
7 Os filhos de Hela: Zerete, Zoar, Etnã
8 e Coz, que gerou Anube e Zobeba, e foi pai das famílias de Aarel, filho de Harum.
9 Foi Jabez mais honrado do que seus irmãos. A sua mãe lhe dera o nome de Jabez, dizendo: Com dores o dei à luz.
10 Jabez clamou ao Deus de Israel: que tu me abençoes e amplies o meu território! Seja a tua mão comigo e me guardes do mal, de modo que eu seja livre da dor. E Deus lhe concedeu o que lhe tinha pedido.
11 Quelube, irmão de Suá, gerou Meir, que foi o pai de Estom.
12 Estom gerou Bete-Rafa, Paseá e Teína, pai de Ir-Naás. Estes foram os homens de Recá.
13 Os filhos de Quenaz foram: Otniel e Seraías. Os filhos de Otniel: Hatate e Meonotai.
14 Meonotai gerou Ofra, e Seraías gerou Joabe, pai de Ge-Harasim, cujos habitantes foram artesãos.
15 Os filhos de Calebe, filho de Jefoné, foram: Iru, Elá e Naã. O filho de Elá: Quenaz.
16 Os filhos de Jealelel: Zife, Zifa, Tiria e Asareel.
17 Os filhos de Ezra: Jéter, Merede, Efer e Jalom. Uma das mulheres de Merede teve Miriã, Samai e Isbá, pai de Estemoa.
18 *Sua mulher judia gerou Jerede, pai de Gedor, Héber, pai de Socó, e Jecutiel, pai de Zanoa.* Estes foram os filhos de Bitia, filha de faraó, que Merede tomou por mulher.
19 Os filhos da mulher de Hodias, irmã de Naã, foram: Abiqueila, o garmita, e Estemoa, o maacatita.
20 Os filhos de Simeão: Amnom, Rina, Ben-Hanã e Tilom. Os filhos de Isi: Zoete e Ben-Zoete.
21 Os filhos de Selá, filho de Judá: Er, pai de Leca, e Lada, antepassado de Maressa e das famílias da casa dos fabricantes de linho, em Bete-Asbeia.
22 Como também Joquim, e os homens de Cozeba, de Joás, de Sarafe, os quais governaram em Moabe e em Jasubi-Leém. (Estes registros são antigos.)
23 Estes foram os oleiros, que habitavam em Netaim e em Gedera; ficaram ali com o rei para o seu serviço.
24 Os filhos de Simeão foram: Nemuel, Jamim, Jaribe, Zerá e Saul;
25 de quem foi filho Salum, de quem foi filho Mibsão, de quem foi filho Misma.
26 Os filhos de Misma foram: Hamuel seu filho, Zacur seu filho e Simei seu filho.
27 Simei teve dezesseis filhos e seis filhas, porém seus irmãos não tiveram muitos filhos; de modo que a sua descendência não se multiplicou tanto como as da tribo de Judá.
28 Habitaram em Berseba, em Moladá, em Hazar-Sual,
29 em Bila, em Ezém, em Tolade,
30 em Betuel, em Hormá, em Ziclague,
31 em Bete-Marcabote, em Hazar-Susim, em Bete-Biri e em Saaraim. Essas foram as suas cidades até o reinado de Davi.
32 As suas aldeias foram: Etã, Aim, Rimom, Toquém e Asã; cinco cidades,

33 e todas as suas aldeias, que estavam em redor dessas cidades, até Baal. Essas foram as suas habitações. E tinham um registro genealógico.

34 Mesobabe, Janleque, Josa, filho de Amazias,
35 Joel, Jeú, filho de Josibias, filho de Seraías, filho de Asiel,
36 Elioenai, Jaacobá, Jesoaías, Asaías, Adiel, Jesimiel, Benaia,
37 Ziza, filho de Sifi, filho de Alom, filho de Jedaías, filho de Sinri, filho de Semaías:
38 esses, registrados por seus nomes, foram chefes de suas famílias. As famílias de seus pais se multiplicaram abundantemente,
39 e chegaram até a entrada de Gedor, a leste do vale, em busca de pasto para os seus rebanhos.
40 Encontraram pasto bom e em grande quantidade, e a terra era espaçosa, quieta e pacífica. Os que habitaram ali antes eram descendentes de Cão.
41 Esses, que estão registrados por seus nomes, vieram nos dias de Ezequias, rei de Judá. Ocuparam-se das tendas e atacaram os meunitas que se acharam ali, e os destruíram totalmente como se vê até o dia de hoje. Então habitaram em lugar deles, porque ali havia pasto para os seus rebanhos.
42 Também deles, dos filhos de Simeão, quinhentos homens, tendo por capitães Pelatias, Nearias, Refaías e Uziel, filhos de Isi, invadiram a região montanhosa de Seir.
43 Mataram o restante dos que escaparam dos amalequitas, e ficaram habitando ali até o dia de hoje.

### Os descendentes de Rúben

**5** Os filhos de Rúben, o primogênito de Israel (era ele o primogênito, mas, quando desonrou a cama de seu pai, a sua primogenitura foi dada aos filhos de José, filho de Israel; de modo que na genealogia não pôde ser contado como primogênito,
2 e embora Judá fosse o mais poderoso entre seus irmãos, e dele tenha saído um líder, a primogenitura foi de José),
3 foram: Enoque, Palu, Hezrom e Carmi.
4 Os filhos de Joel: Semaías seu filho, Gogue seu filho, Simei seu filho,
5 Mica seu filho, Reaías seu filho, Baal seu filho,
6 Beera seu filho, o qual Tiglate-Pileser, rei da Assíria, levou para o exílio. Beera foi líder dos rubenitas.
7 Seus irmãos, pelas suas famílias, quando se fez a genealogia das suas gerações, foram: Jeiel, o chefe, Zacarias,
8 Bela, filho de Azaz, filho de Sema, filho de Joel, que habitou em Aroer, até Nebo e Baal-Meom.
9 Também habitou a leste, até a entrada do deserto, desde o rio Eufrates, porque o seu gado se tinha multiplicado na terra de Gileade.
10 Nos dias de Saul fizeram guerra aos hagarenos, que foram derrotados pela sua mão; habitaram nas tendas dos hagarenos por toda a região leste de Gileade.
11 Os filhos de Gade habitaram ao lado deles, na terra de Basã, até Salcá.
12 Joel foi chefe, e Safã o segundo, Jaanai e Safate em Basã.
13 Seus irmãos, segundo as suas famílias paternas, foram: Micael, Mesulão, Seba, Jorai, Jacã, Zia e Héber, sete.
14 Esses foram os filhos de Abiail, filho de Huri, filho de Jaroa, filho

de Gileade, filho de Micael, filho de Jesisai, filho de Jado, filho de Buz.

15 Aí, filho de Abdiel, filho de Guni, foi chefe da sua família.

16 Os gaditas habitaram em Gileade, em Basã, e nas suas aldeias, como também em toda a extensão de Sarom, até os seus limites extremos.

17 Todos esses foram registrados, segundo as suas genealogias, nos dias de Jotão, rei de Judá, e nos dias de Jeroboão, rei de Israel.

18 Dos filhos de Rúben, dos gaditas e da meia tribo de Manassés, alguns dos seus guerreiros, que traziam escudo e espada, atiravam com arco, e eram treinados para a guerra, houve quarenta e quatro mil setecentos e sessenta, que saíam para a guerra.

19 Fizeram guerra aos hagarenos, bem como a Jetur, a Nafis e a Nodabe.

20 Foram ajudados na guerra contra eles, e os hagarenos e todos os que estavam com eles foram entregues nas suas mãos, porque clamaram a Deus na guerra. Ele lhes atendeu, porque confiaram nele.

21 Tomaram o seu gado: cinquenta mil camelos, duzentas e cinquenta mil ovelhas e dois mil jumentos. Levaram também cem mil prisioneiros,

22 e muitos outros caíram mortos, porque de Deus era a guerra. E habitaram no lugar deles, até o exílio.

23 Os filhos da meia tribo de Manassés eram numerosos; habitaram na terra desde Basã até Baal-Hermom, isto é, até Senir (o monte Hermom).

24 Estes foram os chefes de suas famílias: Efer, Isi, Eliel, Azriel, Jeremias, Hodavias e Jadiel, guerreiros valentes, homens famosos, e chefes das suas famílias.

25 Foram, porém, infiéis ao Deus de seus pais e se prostituíram, seguindo os deuses dos povos da terra, os quais Deus destruíra de diante deles.

26 Por isso, o Deus de Israel encorajou o espírito de Pul, rei da Assíria (isto é, Tiglate-Pileser, rei da Assíria), que levou os rubenitas, os gaditas e a meia tribo de Manassés ao exílio. Levou-os para Hala, Habor e Hara, e para o rio Gozã, onde estão até o dia de hoje.

## Os descendentes de Levi

**6** Os filhos de Levi foram: Gérson, Coate e Merari.

2 Os filhos de Coate: Anrão, Izar, Hebrom e Uziel.

3 Os filhos de Anrão: Arão, Moisés e Miriã. Os filhos de Arão: Nadabe, Abiú, Eleazar e Itamar.

4 Eleazar gerou Fineias, Fineias gerou Abisua,

5 Abisua gerou Buqui, Buqui gerou Uzi,

6 Uzi gerou Zeraías, Zeraías gerou Meraiote,

7 Meraiote gerou Amarias, Amarias gerou Aitube,

8 Aitube gerou Zadoque, Zadoque gerou Aimaás,

9 Aimaás gerou Azarias, Azarias gerou Joanã,

10 Joanã gerou Azarias. Este é o que serviu como sacerdote no templo que Salomão construiu em Jerusalém.

11 Azarias gerou Amarias, Amarias gerou Aitube,

12 Aitube gerou Zadoque, Zadoque gerou Salum,

13 Salum gerou Hilquias, Hilquias gerou Azarias,

**14** Azarias gerou Seraías, e Seraías gerou Jeozadaque.
**15** Jeozadaque foi levado cativo quando o Senhor levou para o exílio Judá e Jerusalém pela mão de Nabucodonosor.
**16** Os filhos de Levi foram: Gérson, Coate e Merari.
**17** Estes são os nomes dos filhos de Gérson: Libni e Simei.
**18** Os filhos de Coate: Anrão, Izar, Hebrom e Uziel.
**19** Os filhos de Merari: Mali e Mus. Essas são as famílias dos levitas, segundo os seus pais.
**20** De Gérson: Libni seu filho, Jaate seu filho, Zima seu filho,
**21** Joá seu filho, Ido seu filho, Zerá seu filho, Jeaterai seu filho.
**22** Os filhos de Coate foram: Aminadabe seu filho, Corá seu filho, Assir seu filho,
**23** Elcana seu filho, Ebiasafe seu filho, Assir seu filho,
**24** Taate seu filho, Uriel seu filho, Uzias seu filho, e Saul seu filho.
**25** Os filhos de Elcana: Amasai, Aimote,
**26** Elcana seu filho, Zofai seu filho, Naate seu filho,
**27** Eliabe seu filho, Jeroão seu filho, Elcana seu filho e Samuel seu filho.
**28** Os filhos de Samuel: Joel, seu primogênito, e Abias, o segundo.
**29** Os filhos de Merari: Mali seu filho, Libni seu filho, Simei seu filho, Uzá seu filho,
**30** Simeia seu filho, Hagias seu filho, Asaías seu filho.
**31** Esses são os que Davi encarregou sobre o serviço de canto na casa do Senhor, depois que a arca foi levada para lá.
**32** Ministravam diante do tabernáculo, da Tenda da Congregação com cânticos, até que Salomão construiu o templo do Senhor em Jerusalém. Exerciam o seu ministério segundo as normas.
**33** Estes são os que ali serviam com seus filhos: dos filhos dos coatitas, Hemã, o cantor, filho de Joel, filho de Samuel,
**34** filho de Elcana, filho de Jeroão, filho de Eliel, filho de Toá,
**35** filho de Zufe, filho de Elcana, filho de Maate, filho de Amasai,
**36** filho de Elcana, filho de Joel, filho de Azarias, filho de Sofonias,
**37** filho de Taate, filho de Assir, filho de Ebiasafe, filho de Corá,
**38** filho de Izar, filho de Coate, filho de Levi, filho de Israel.
**39** Seu irmão Asafe ficara à sua direita. Era Asafe filho de Berequias, filho de Simeia,
**40** filho de Micael, filho de Baeseias, filho de Malquias,
**41** filho de Etni, filho de Zerá, filho de Adaías,
**42** filho de Etã, filho de Zima, filho de Simei,
**43** filho de Jaate, filho de Gérson, filho de Levi.
**44** Seus irmãos, os filhos de Merari, estavam à sua esquerda: Etã, filho de Quisi, filho de Abdi, filho de Maluque,
**45** filho de Hasabias, filho de Amazias, filho de Hilquias,
**46** filho de Anzi, filho de Bani, filho de Semer,
**47** filho de Mali, filho de Musi, filho de Merari, filho de Levi.
**48** Seus irmãos, os levitas, foram encarregados de todo o serviço do tabernáculo do templo de Deus.
**49** Arão e seus filhos, porém, eram os que apresentavam as ofertas sobre o altar do holocausto e sobre o altar do incenso, para todo o serviço do Santíssimo Lugar, e para fazer expiação por Israel,

conforme tudo o que Moisés, servo de Deus, tinha ordenado.
50 Estes foram os filhos de Arão: Eleazar seu filho, Fineias seu filho, Abisua seu filho,
51 Buqui seu filho, Uzi seu filho, Seraías seu filho,
52 Meraiote seu filho, Amarias seu filho, Aitube seu filho,
53 Zadoque seu filho, Aimaás seu filho.
54 Estas foram as suas habitações, segundo os seus acampamentos, dentro dos seus territórios, a saber: aos filhos de Arão, das famílias dos coatitas, porque lhes caiu a primeira sorte,
55 deram-lhes Hebrom, na terra de Judá, com as pastagens que a rodeiam.
56 Os campos da cidade e as suas aldeias, porém, foram dados a Calebe, filho de Jefoné.
57 Aos filhos de Arão deram-se as cidades de refúgio: Hebrom, Libna, Jatir, Estemoa,
58 Hilém, Debir,
59 Asã e Bete-Semes com as suas pastagens.
60 E da tribo de Benjamim, foram dadas Geba, Alemete e Anatote com as suas pastagens. Todas as cidades, distribuídas aos coatitas, segundo as suas famílias, foram treze ao todo.
61 Ao restante dos filhos de Coate caíram por sorte dez cidades das famílias da meia tribo de Manassés.
62 Aos filhos de Gérson, segundo as suas famílias, caíram por sorte treze cidades das tribos de Issacar, Aser e Naftali, e da tribo de Manassés, em Basã.
63 Aos filhos de Merari, segundo as suas famílias, caíram por sorte doze cidades das tribos de Rúben, Gade e Zebulom.
64 Assim deram os filhos de Israel aos levitas essas cidades e as suas pastagens.
65 Deram-lhes por sorte das tribos de Judá, Simeão e Benjamim, essas cidades que são mencionadas pelo nome.
66 Algumas das famílias dos filhos de Coate receberam como seu território cidades da tribo de Efraim.
67 Pois lhes foram dadas as cidades de refúgio, Siquém com as suas pastagens, na região montanhosa de Efraim, como também Gezer com as suas pastagens,
68 Jocmeão com as suas pastagens, Bete-Horom com as suas pastagens,
69 Aijalom com as suas pastagens e Gate-Rimom com as suas pastagens.
70 E da meia tribo de Manassés, deram os filhos de Israel Aner, com as suas pastagens e Bileã com as suas pastagens, ao restante da família dos filhos de Coate.
71 Aos filhos de Gérson, da família da meia tribo de Manassés, deram Golã, em Basã, e Astarote com as suas pastagens;
72 da tribo de Issacar: Quedes, Daberate,
73 Ramote e Aném com as suas pastagens;
74 da tribo de Aser: Masal, Abdom,
75 Hucoque e Reobe com as suas pastagens;
76 e da tribo de Naftali: Quedes, em Galileia, Hamom, e Quiriataim com as suas pastagens.
77 Os restantes dos filhos de Merari receberam, da tribo de Zebulom, Rimono e Tabor com as suas pastagens;
78 da tribo de Rúben, do outro lado do Jordão, a leste de Jericó, receberam Bezer, Jaza,

79 Quedemote, e Mefaate com as suas pastagens;
80 e da tribo de Gade receberam Ramote, em Gileade, Maanaim,
81 Hesbom e Jazer com as suas pastagens.

## Os descendentes de Issacar e Benjamim

**7** Os filhos de Issacar foram: Tola, Puá, Jasube e Sinrom, quatro.
2 Os filhos de Tola: Uzi, Refaías, Jeriel, Jamai, Ibsão e Semuel, chefes das suas famílias. Nos dias de Davi o número dos descendentes de Tola alistados como homens de guerra em sua genealogia foi de vinte e dois mil e seiscentos.
3 O filho de Uzi: Izraías. Os filhos de Izraías: Micael, Obadias, Joel e Issias, cinco, todos eles chefes.
4 Houve com eles, nas suas gerações, segundo as suas famílias, em tropas de guerra, trinta e seis mil homens, pois tiveram muitas mulheres e filhos.
5 Seus irmãos, em todas as famílias de Issacar, homens valentes, foram oitenta e sete mil, todos registrados pelas suas genealogias.
6 Os filhos de Benjamim: Belá, Bequer e Jediael, três.
7 Os filhos de Belá: Esbom, Uzi, Uziel, Jerimote e Iri, chefes de famílias, cinco ao todo, homens valentes, foram vinte e dois mil e trinta e quatro registrados pelas suas genealogias.
8 Os filhos de Bequer: Zemira, Joás, Eliezer, Elioenai, Onri, Jeremote, Abias, Anatote e Alemete. Todos esses foram filhos de Bequer.
9 Foram contados pelas suas genealogias, segundo as suas gerações, chefes das suas famílias, homens valentes, vinte mil e duzentos.
10 O filho de Jediael: Bilã. Os filhos de Bilã: Jeús, Benjamim, Eúde, Quenaaná, Zetã, Társis e Aisaar.
11 Todos estes filhos de Jediael foram chefes das suas famílias, homens valentes, dezessete mil e duzentos, que podiam sair no exército para a guerra.
12 Supim e Hupim foram filhos de Ir, e Husim filho de Aer.
13 Os filhos de Naftali: Jasiel, Guni, Jezer e Salum, filhos de Bila.

## Os descendentes de Manassés e Aser

14 Os filhos de Manassés: Asriel, que lhe deu a sua concubina síria. Ela também deu à luz a Maquir, pai de Gileade.
15 Maquir tomou a irmã de Hupim e Supim por mulher. Era o seu nome Maaca. O nome de outro filho foi Zelofade, que teve somente filhas.
16 Maaca, mulher de Maquir, teve um filho e deu-lhe o nome de Perez. Seu irmão foi chamado Seres. Os filhos de Perez foram Ulão e Requém.
17 O filho de Ulão: Bedã. Estes foram os filhos de Gileade, filho de Maquir, filho de Manassés.
18 Sua irmã Hamolequete teve Is-Dode, Abiezer e Maalá.
19 Os filhos de Semida foram: Aiã, Siquém, Liqui e Anião.
20 Os filhos de Efraim: Sutelá, de quem foi filho Berede, de quem foi filho Taate, de quem foi filho Eleadá, de quem foi filho Taate,
21 de quem foi filho Zabade, de quem foi filho Sutelá. Ezer e Elade foram mortos pelos homens naturais de Gate, quando desceram para roubar o seu gado.
22 Pelo que Efraim, seu pai, chorou-os por muitos dias, e vieram seus irmãos para o consolar.

23 Depois juntou-se com a sua mulher, e ela engravidou e teve um filho.
Ele o chamou Berias, porque as coisas iam mal na sua casa.
24 Sua filha foi Seerá, que construiu Bete-Horom, a baixa e a alta, como também a Uzém-Seerá.
25 Refá foi seu filho, Resefe seu filho, Telá seu filho, Taã seu filho,
26 Ladã seu filho, Amiúde seu filho, Elisama seu filho,
27 Num seu filho, e Josué seu filho.
28 Foi a sua possessão e habitação: Betel e as suas aldeias, a leste Naarã, e a oeste Gezer e suas aldeias, Siquém e suas aldeias, até Aia e suas aldeias.
29 Da região dos filhos de Manassés, Bete-Seã e as suas aldeias, Taanaque e as suas aldeias, Megido e as suas aldeias, Dor e as suas aldeias. Nessas habitaram os filhos de José, filho de Israel.
30 Os filhos de Aser foram: Imná, Isvá, Isvi, Berias e Sera, sua irmã.
31 Os filhos de Berias: Héber e Malquiel, que foi o pai de Birzavite.
32 Héber gerou Jaflete, Somer, Hotão e Suá, irmã deles.
33 Os filhos de Jaflete: Pasaque, Bimal e Asvate. Estes foram os filhos de Jaflete.
34 Os filhos de Semer: Aí, Roga, Jeubá e Arã.
35 Os filhos de seu irmão Helém: Zofá, Imna, Seles e Amal.
36 Os filhos de Zofá: Suá, Harnefer, Sual, Beri, Inra,
37 Bezer, Hode, Samá, Silsa, Itrã e Beera.
38 *Os filhos de Jéter:* Jefoné, Pispa e Ara.
39 Os filhos de Ula: Ará, Haniel e Rízia.
40 Todos estes foram filhos de Aser, chefes das suas famílias, escolhidos, homens valentes, chefes de líderes de destaque, registrados nas suas genealogias para o serviço de guerra. Foi o seu número de vinte e seis mil homens.

## Os descendentes de Saul

**8** Benjamim gerou Bela, seu primogênito, Asbel o segundo, Aará o terceiro,
2 Noá o quarto, Rafa o quinto.
3 Bela teve estes filhos: Adar, Gera, Abiúde,
4 Abisua, Naamã, Aoá,
5 Gera, Sefufã e Hurão.
6 Estes foram os filhos de Eúde, que foram chefes das famílias dos moradores de Geba, e que foram levados cativos para Manaate:
7 Naamã, Aías e Gera, que os levou cativos e foi o pai de Uzá e de Aiúde.
8 Saaraim, depois de ter-se divorciado de suas mulheres Husim e Baara, gerou filhos na terra de Moabe.
9 De Hodes, sua mulher, gerou Jobabe, Zíbia, Messa, Malcã,
10 Jeuz, Saquias e Mirma. Estes foram seus filhos, chefes das famílias.
11 De Husim gerou Abitude e a Elpaal.
12 Os filhos de Elpaal: Eber, Misã e Semede, que construiu Ono, Lode e suas aldeias.
13 Berias e Sema foram chefes das famílias dos moradores de Aijalom, que expulsaram os moradores de Gate.
14 Aiô, Sasaque, Jerimote,
15 Zebadias, Arade, Eder,
16 Micael, Ispa, Joa, foram filhos de Berias.
17 Zebadias, Mesulão, Hizqui, Héber,
18 Ismerai, Izlias e Jobabe, filhos de Elpaal.

19 Jaquim, Zicri, Zabdi,
20 Elienai, Ziletai, Eliel,
21 Adaías, Beraías e Sinrate, filhos de Simei.
22 Ispã, Eber, Eliel,
23 Abdom, Zicri, Hanã,
24 Hananias, Elão, Antotias,
25 Ifdeias e Penuel, filhos de Sasaque.
26 Sanserai, Searias, Atalias,
27 Jaaresias, Elias e Zicri, filhos de Jeroão.
28 Estes foram chefes das famílias, segundo as suas gerações, e habitaram em Jerusalém.
29 Em Gibeom habitou o pai de Gibeom. Era o nome de sua mulher Maaca,
30 e também seu filho primogênito Abdom, depois Zur, Quis, Baal, Nadabe,
31 Gedor, Aiô e Zequer.
32 Miclote gerou Simeia. Também estes habitaram perto de seus irmãos, em Jerusalém.
33 Ner gerou Quis, Quis gerou Saul, Saul gerou Jônatas, Malquisua, Abinadabe e Esbaal.
34 O filho de Jônatas: Meribe-Baal, que gerou Mica.
35 Os filhos de Mica: Pitom, Meleque, Tareia e Acaz.
36 Acaz gerou Jeoada, Jeoada gerou Alemete, Azmavete e Zinri, e Zinri gerou Moza.
37 Moza gerou Bineá, cujo filho foi Rafa, cujo filho foi Eleasá, cujo filho foi Azel.
38 Azel teve seis filhos, e estes foram os seus nomes: Azricão, Bocru, Ismael, Searias, Obadias e Hanã. Todos estes foram filhos de Azel.
39 Os filhos de Eseque, seu irmão: Ulão, seu primogênito, Jeús o segundo, e Elifelete o terceiro.
40 Os filhos de Ulão foram homens valentes, flecheiros. Tiveram muitos filhos e netos, cento e cinquenta. Todos estes foram os filhos de Benjamim.

## O povo de Jerusalém

**9** Todo o Israel foi alistado por genealogias, que estão registradas no livro dos reis de Israel. Judá foi levado cativo para Babilônia, por causa da sua infidelidade.
2 Os primeiros a se restabelecerem nas suas propriedades e nas suas cidades foram alguns israelitas, os sacerdotes, os levitas e os servidores do templo.
3 Dos filhos de Judá, dos filhos de Benjamim, e dos filhos de Efraim e Manassés, que habitaram em Jerusalém foram:
4 Utai, filho de Amiúde, filho de Onri, filho de Inri, filho de Bani, dos filhos de Perez, filho de Judá.
5 Dos silonitas: Asaías o primogênito, e seus filhos.
6 Dos filhos de Zerá: Jeuel e seus irmãos, seiscentos e noventa.
7 Dos filhos de Benjamim: Salu, filho de Mesulão, filho de Hodavias, filho de Hassenuá;
8 Ibineias, filho de Jeroão, Elá, filho de Uzi, filho de Micri, e Mesulão, filho de Sefatias, filho de Reuel, filho de Ibnias.
9 Seus irmãos, segundo as suas gerações, foram novecentos e cinquenta e seis. Todos esses homens foram chefes de suas famílias.
10 Dos sacerdotes: Jedaías, Jeoiaribe, Jaquim,
11 Azarias, filho de Hilquias, filho de Mesulão, filho de Zadoque, filho de Meraiote, filho de Aitube, líder no templo de Deus;
12 Adaías, filho de Jeroão, filho de Pasur, filho de Malquias, e Masai, filho de Adiel, filho de Jazera, filho

de Mesulão, filho de Mesilemite, filho de Imer.

**13** Também seus irmãos, chefes das suas famílias, mil setecentos e sessenta, homens capacitados para o serviço do templo de Deus.

**14** Dos levitas: Semaías, filho de Hassube, filho de Azricão, filho de Hasabias dos filhos de Merari;

**15** Baquebacar, Heres, Galal e Matanias, filho de Mica, filho de Zicri, filho de Asafe;

**16** Obadias, filho de Semaías, filho de Galal, filho de Jedutum; e Berequias, filho de Asa, filho de Elcana, morador das aldeias dos netofatitas.

**17** Foram porteiros: Salum, Acube, Talmom e Aimã, seus irmãos, cujo chefe era Salum.

**18** Até o dia de hoje estavam de guarda à porta do rei, que ficava a leste. Esses foram os porteiros dos acampamentos dos filhos de Levi.

**19** Salum, filho de Coré, filho de Ebiasafe, filho de Corá, e seus irmãos da casa de seu pai, os coraítas, tinham cargo da obra do ministério e eram guardas das portas do tabernáculo; seus pais tinham sido responsáveis por guardar a entrada da habitação do Senhor.

**20** Fineias, filho de Eleazar, antes era guia entre eles, e o Senhor era com ele.

**21** Zacarias, filho de Meselemias, era o porteiro da entrada da Tenda da Congregação.

**22** Todos esses, escolhidos para serem guardas das portas, foram *duzentos e doze*. Foram registrados segundo as suas genealogias nas suas aldeias. Davi e Samuel, o vidente, os encarregaram.

**23** Tinham eles e seus filhos a responsabilidade das portas do templo do Senhor, o templo da tenda, como guardas.

**24** Os porteiros estavam aos quatro lados: a leste, a oeste, ao norte e ao sul.

**25** Seus irmãos, que moravam nas suas aldeias, tinham de vir, de tempo em tempo, para trabalhar com eles durante sete dias.

**26** Os quatro porteiros principais, porém, que eram levitas, tinham sob sua responsabilidade as salas e os tesouros do templo de Deus.

**27** Passavam a noite alojados ao redor do templo de Deus, porque a sua guarda lhes estava entregue, e tinham a responsabilidade de abri-la cada manhã.

**28** Alguns deles estavam encarregados dos utensílios do templo; contavam-nos quando eram trazidos e contavam-nos quando eram tirados.

**29** Outros estavam encarregados dos móveis e de todos os outros utensílios sagrados, como também da farinha, do vinho, do azeite, do incenso e das especiarias.

**30** Alguns dos filhos dos sacerdotes, porém, preparavam as especiarias.

**31** Matitias, entre os levitas, o primogênito de Salum, o coraíta, tinha a responsabilidade pelo pão para oferta.

**32** Alguns dos filhos dos coatitas, seus irmãos, tinham a responsabilidade de preparar os pães da proposição para todos os sábados.

**33** Aqueles que eram cantores, chefes das famílias dos levitas, moravam nas salas do templo e estavam isentos de outros serviços, porque de dia e de noite se ocupavam nesse serviço.

**34** Todos esses foram chefes das famílias dos levitas, chefes em suas gerações, e moravam em Jerusalém.

**35** Em Gibeom habitou Jeiel, pai de Gibeom. O nome de sua mulher era Maaca, **36** e seu filho primogênito Abdom, seguido de Zur, Quis, Baal, Ner, Nadabe, **37** Gedor, Aiô, Zacarias e Miclote. **38** Miclote gerou Simeão. Também estes habitaram perto de seus irmãos, em Jerusalém.

**39** Ner gerou Quis, Quis gerou Saul, Saul gerou Jônatas, Malquisua, Abinadabe e Esbaal. **40** O filho de Jônatas: Meribe-Baal, que gerou Mica. **41** Os filhos de Mica: Pitom, Meleque e Tareia. **42** Acaz gerou Jaerá, Jaerá gerou Alemete, Azmavete e Zinri, e Zinri gerou Moza. **43** Moza gerou Bineá, cujo filho foi Refaías, cujo filho foi Eleasá, cujo filho foi Azel. **44** Azel teve seis filhos, cujos nomes foram: Azricão, Bocru, Ismael, Seraías, Obadias e Hanã. Estes foram os filhos de Azel.

### A morte de Saul

**10** Ora, os filisteus guerrearam contra Israel; os homens de Israel fugiram de diante dos filisteus, e muitos caíram feridos no monte Gilboa. **2** Os filisteus perseguiram Saul e seus filhos e mataram Jônatas, Abinadabe e Malquisua, filhos de Saul. **3** A guerra agravou-se contra Saul, e, quando os flecheiros o acharam, eles o feriram. **4** Disse Saul ao seu escudeiro: Arranca a tua espada e mata-me com ela, para que não venham estes incircuncisos e zombem de mim. O seu escudeiro, porém, não o quis, porque estava apavorado; então Saul pegou a espada e se lançou sobre ela. **5** Vendo o escudeiro que Saul estava morto, também ele se lançou sobre a sua espada, e morreu. **6** Assim morreram Saul e seus três filhos, e toda a sua casa morreu juntamente com ele.

**7** Vendo os homens de Israel que estavam no vale, que Israel havia fugido e que Saul e seus filhos eram mortos, abandonaram as suas cidades e fugiram. Então vieram os filisteus e habitaram nelas.

**8** No dia seguinte, vindo os filisteus a saquear os mortos, acharam Saul e seus filhos estirados no monte Gilboa. **9** Saquearam-no, tomaram a sua cabeça e as suas armas e as enviaram por toda a terra dos filisteus ao redor, para anunciarem a notícia a seus ídolos e ao povo. **10** Colocaram as armas de Saul no templo de seus deuses, e a sua cabeça afixaram no templo de Dagom.

**11** Ouvindo toda a Jabes-Gileade tudo o que os filisteus fizeram a Saul, **12** todos os homens valentes se levantaram, pegaram o corpo de Saul e os corpos de seus filhos e os trouxeram a Jabes. Então sepultaram os seus ossos debaixo de uma grande árvore, em Jabes, e jejuaram sete dias.

**13** Assim morreu Saul por causa da sua infidelidade ao Senhor; não obedeceu à palavra do Senhor, e até consultou uma adivinhadora, **14** e não buscou ao Senhor. Por isso, ele o matou e deu o reino a Davi, filho de Jessé.

## Davi, rei de Israel

**11** Todo o Israel se ajuntou a Davi em Hebrom e disse: Somos sangue do teu sangue. **2** No passado, sendo Saul ainda rei, eras tu que conduzias Israel na guerra. E o Senhor, o teu Deus, te disse: Tu apascentarás o meu povo Israel e serás governante sobre o meu povo, Israel. **3** Quando todos os anciãos de Israel vieram até o rei, a Hebrom, Davi fez uma aliança com eles em Hebrom, perante o Senhor, e ungiram Davi rei sobre Israel, conforme a palavra do Senhor por intermédio de Samuel. **4** Partiu Davi e todo o Israel para Jerusalém, que é Jebus, porque ali estavam os jebuseus, habitantes da terra. **5** Disseram os habitantes de Jebus a Davi: Tu não entrarás aqui. Davi, porém, tomou a fortaleza de Sião, a Cidade de Davi. **6** Davi havia dito: Aquele que conduzir o ataque contra os jebuseus será chefe e comandante. Joabe, filho de Zeruia, subiu primeiro, de modo que foi feito chefe. **7** Então Davi habitou na fortaleza, pelo que foi chamada a Cidade de Davi. **8** Edificou a cidade em redor, desde os terraços de apoio até as muralhas circundantes, e Joabe reformou o restante da cidade. **9** Tornava-se Davi cada vez mais poderoso, porque o Senhor dos Exércitos era com ele.

## Os heróis de Davi

**10** Estes foram os capitães dos guerreiros que Davi tinha, que o apoiaram fortemente no seu reino, com todo o Israel, para o fazerem rei, conforme a promessa do Senhor, em relação a Israel. **11** Esta é a lista dos guerreiros deles: Jasobeão, hacmonita, o chefe dos oficiais, o qual, empunhando a sua lança contra trezentos, matou-os de uma só vez. **12** Depois dele, Eleazar, filho de Dodai, o aoíta; um dos três principais guerreiros. **13** Esse esteve com Davi em Pas-Damim, quando os filisteus ali se ajuntaram para a guerra, no lugar em que havia um pedaço de campo cheio de cevada; o povo fugiu da guerra dos filisteus. **14** Se puseram, porém, no meio daquele campo, defenderam-no e mataram os filisteus; e deu o Senhor um grande livramento. **15** Três dos trinta chefes desceram ao penhasco para encontrar Davi, na caverna de Adulão, enquanto o acampamento dos filisteus estava montado no vale de Refaim. **16** Davi estava então no lugar seguro, e a guarnição dos filisteus em Belém. **17** Davi desejou água, e disse: Quem me dera beber da água do poço de Belém, que está junto à porta! **18** Assim aqueles três entraram no acampamento dos filisteus, tiraram água do poço de Belém, que está junto à porta, tomaram-na e levaram a Davi. Ele, porém, não a quis beber; antes, derramou-a como oferta perante o Senhor, **19** e disse: Não permita meu Deus que eu faça isso! Beberia eu o sangue da vida destes homens? Pois arriscando suas vidas a trouxeram. De modo que não a quis beber. Isso fizeram esses três guerreiros. **20** Abisai, irmão de Joabe, foi chefe dos três. Empunhou sua lança contra trezentos homens e os matou; por isso adquiriu nome entre os três.

**21** Ele foi duplamente honrado acima dos três e tornou-se seu chefe, porém não se igualou aos primeiros três.

**22** Benaia, filho de Jeoiada, foi um guerreiro valente de Cabzeel e realizou grandes obras. Matou dois dos melhores guerreiros de Moabe. Também desceu e matou um leão dentro de uma cova, no tempo da neve.

**23** Matou também um egípcio, homem de grande altura, de cinco côvados. Embora o egípcio tivesse na mão uma lança como uma lançadeira de tecelão, Benaia foi contra ele com um cajado. Arrancou a lança da mão do egípcio e o matou com a sua própria lança.

**24** Essas coisas fez Benaia, filho de Jeoiada; fez também nome entre aqueles três guerreiros.

**25** Dos trinta foi ele o mais ilustre, contudo não se igualou como comandante aos primeiros três. E Davi o pôs como chefe sobre os da sua guarda.

**26** Os guerreiros dos exércitos foram: Asael, irmão de Joabe; Elanã, filho de Dodai, de Belém;

**27** Samote, harodita; Helez, pelonita;

**28** Ira, filho de Iques, tecoíta; Abiezer, anatotita;

**29** Sibecai, husatita; Ilai, aoíta;

**30** Maarai, netofatita; Helede, filho de Baaná, netofatita;

**31** Itai, filho de Ribai, de Gibeá, dos filhos de Benjamim; Benaia, piratonita;

**32** Hurai, do ribeiro de Gaás; Abiel, arbatita;

**33** Azmavete, baarumita; Eliaba, saalbonita;

**34** Ben-Hasém, gizonita; Jônatas, filho de Sage, hararita;

**35** Aião, filho de Sacar, hararita; Elifal, filho de Ur,

**36** Hefer, mequeratita; Aías, pelonita;

**37** Hezro, carmelita; Naari, filho de Ezbai;

**38** Joel, irmão de Natã; Mibar, filho de Hagri;

**39** Zeleque, amonita; Narai, beerotita, escudeiro de Joabe, filho de Zeruia;

**40** Ira, itrita; Garebe, itrita;

**41** Urias, heteu; Zabade, filho de Alai;

**42** Adina, filho de Siza, rubenita, chefe dos rubenitas, e com ele havia trinta;

**43** Hanã, filho de Maaca; Josafá, mitnita;

**44** Uzias, asteratita; Sama e Jeiel, filhos de Hotão, aroerita;

**45** Jediael, filho de Sinri; Joá, seu irmão, tizita;

**46** Eliel, maavita; Jeribai e Josavias, filhos de Elnaão; Itma, moabita;

**47** Eliel, Obede e Jaasiel, mezobaíta.

## Outros guerreiros de Davi

**12** Estes foram os homens que vieram a Davi, em Ziclague, estando ele ainda escondido da presença de Saul, filho de Quis; eram dos valentes que o ajudaram na guerra.

**2** Estavam armados de arco e usavam tanto a mão direita como a esquerda para atirar pedras com fundas e disparar flechas com o arco; eram dos irmãos de Saul, benjamitas.

**3** Aiezer, o chefe, e Joás, filhos de Semaá, o gibeatita; Jeziel e Pelete, filhos de Azmavete; Beraca, e Jeú, o anatotita;

4 Ismaías, o gibeonita, valente entre os trinta, e chefe deles; Jeremias, Jaaziel, Joanã, e Jozabade, o gederatita;
5 Eluzai, Jerimote, Bealias, Semarias e Sefatias, o harufita;
6 Elcana, Issias, Azareel, Joezer e Jasobeão, os coraítas;
7 Joela e Zabadias, filhos de Jeroão de Gedor.
8 Dos gaditas apoiaram Davi, na fortaleza do deserto, homens valentes, homens de guerra para lutar, armados de escudo e lança. Seus rostos eram como rosto de leão; eles eram ligeiros como corças sobre os montes.
9 Ezer foi o cabeça; Obadias, o segundo; Eliabe, o terceiro;
10 Mismana, o quarto; Jeremias, o quinto;
11 Atai, o sexto; Eliel, o sétimo;
12 Joanã, o oitavo; Elzabade, o nono;
13 Jeremias, o décimo; e Macbanai, o décimo primeiro.
14 Esses, dos filhos de Gade, foram os comandantes do exército; o menor valia por cem, e o maior por mil.
15 Esses são os que atravessaram o Jordão no primeiro mês, quando ele transbordava por todas as suas margens, e fizeram fugir todos os que habitavam nos vales, para o leste e para o oeste.
16 Também vieram alguns dos filhos de Benjamim e de Judá apoiar Davi, na fortaleza.
17 Davi saiu-lhes ao encontro e lhes disse: Se vindes a mim pacificamente e para me ajudar, o meu coração se unirá convosco. Todavia se é para me entregardes aos meus inimigos, sem que haja violência nas minhas mãos, o Deus de nossos pais o veja e o repreenda.
18 Então veio o Espírito sobre Amasai, chefe dos trinta, e disse:
Nós somos teus, ó Davi!
Contigo estamos,
  ó filho de Jessé!
Paz, paz contigo!
  E paz com quem te ajuda,
pois o teu Deus te ajuda.
E Davi os recebeu e os fez chefes de tropas.
19 Também de Manassés alguns passaram a seguir Davi, quando veio com os filisteus para a batalha contra Saul. Ele e seus homens não ajudaram os filisteus, porque, depois de se aconselharem, os seus chefes os mandaram embora. Disseram: Ele poderia passar para Saul, seu senhor, com risco para as nossas vidas.
20 Voltando ele a Ziclague, foram com ele, de Manassés, Adna, Jozabade, Jediael, Micael, Jozabade, Eliú, Ziletai, chefes de milhares dos de Manassés.
21 Esses ajudaram Davi contra aquela tropa, porque todos eles eram guerreiros valentes e chefes no exército.
22 Dia a dia chegavam soldados até Davi para o ajudar, até que se fez um grande exército, como o exército de Deus.
23 Ora, estes são os números dos soldados armados para a guerra, que se juntaram a Davi em Hebrom, para entregar a ele o reino de Saul, conforme a palavra do Senhor.
24 Dos filhos de Judá, que traziam escudo e lança, seis mil e oitocentos, armados para a guerra;
25 dos filhos de Simeão, guerreiros valentes para a guerra, sete mil e cem;
26 dos filhos de Levi, quatro mil e seiscentos.

27 Joiada era o chefe dos da família de Arão, e com ele vieram três mil e setecentos.
28 Zadoque, sendo ainda jovem, homem valente, trouxe da casa de seu pai vinte e dois príncipes;
29 dos filhos de Benjamim, irmãos de Saul, três mil, porque até então muitos deles ainda eram fiéis à família de Saul;
30 dos filhos de Efraim, vinte mil e oitocentos guerreiros valentes, homens de nome em suas famílias;
31 da meia tribo de Manassés, dezoito mil, que foram escolhidos por nome para virem fazer rei a Davi;
32 dos filhos de Issacar, conhecedores na ciência dos tempos, para saberem o que Israel devia fazer, duzentos de seus chefes, e todos os seus irmãos sob suas ordens;
33 de Zebulom, soldados experientes, preparados para a guerra com todo o tipo de armas de guerra, para ajudar Davi totalmente encorajados, cinquenta mil;
34 de Naftali, mil chefes, e com eles trinta e sete mil com escudo e lança;
35 dos danitas, preparados para a guerra, vinte e oito mil e seiscentos;
36 de Aser, soldados experientes, preparados para a guerra, quarenta mil;
37 do leste do Jordão, dos rubenitas, dos gaditas e da meia tribo de Manassés, fazendo todo tipo de armas de guerra, cento e vinte mil.
38 Todos esses eram homens de combate, que sabiam lutar na batalha, e que voluntariamente vieram a Hebrom para constituir Davi rei sobre todo o Israel. Também todo o resto de Israel era unânime no propósito de constituir a Davi rei.
39 Estiveram três dias ali com Davi, comendo e bebendo, porque seus irmãos lhes tinham preparado as coisas necessárias.
40 Também seus vizinhos de mais perto, até Issacar, Zebulom e Naftali, trouxeram pão sobre jumentos, sobre camelos, sobre mulos e sobre bois, provisões de farinha, pastas de figos e cachos de passas, e vinho, azeite, bois e gado miúdo em grande quantidade, pois havia alegria em Israel.

**A arca na casa de Obede-Edom**

**13** Davi consultou os capitães dos milhares, e das centenas, e todos os oficiais.
2 Então disse Davi a toda a congregação de Israel: Se estais de acordo, e se vem do Senhor, o nosso Deus, enviemos mensageiros a todos os nossos outros irmãos em todas as terras de Israel, e aos sacerdotes e aos levitas com eles nas cidades e nos seus arredores, para que se reúnam conosco.
3 Voltemos a trazer para nós a arca do nosso Deus, pois não a buscamos nos dias de Saul.
4 Então disse toda a congregação que assim se fizesse, porque este negócio pareceu bom aos olhos de todo o povo.
5 Assim ajuntou Davi a todo o Israel desde Sior no Egito até a entrada de Hamate, para trazer a arca de Deus de Quiriate-Jearim.
6 Davi, com todo o Israel, subiu a Baalá, isto é, a Quiriate-Jearim, que está em Judá, para buscar a arca de Deus, o Senhor que habita entre os querubins, diante da qual é invocado o seu nome.

**7** Levaram a arca de Deus sobre um carro novo, tirando-a da casa de Abinadabe. Uzá e Aiô conduziam o carro.

**8** Davi e todo o Israel alegravam-se perante Deus, com todas as suas forças, com cânticos, com harpas, com alaúdes, com tamborins, com címbalos e com trombetas.

**9** Chegando à eira de Quidom, estendeu Uzá a mão para segurar a arca, porque os bois tropeçaram.

**10** Acendeu-se a ira do Senhor contra Uzá, e o feriu por ter estendido a mão à arca. Por isso, morreu ali diante de Deus.

**11** Então Davi irou-se porque o Senhor havia ferido Uzá; por isso, chamou aquele lugar Perez-Uzá, até o dia de hoje.

**12** Davi temeu a Deus naquele dia, e perguntou: Como levarei a arca de Deus?

**13** Não trouxe a arca para si, para a Cidade de Davi. Antes, a fez levar à casa de Obede-Edom, o geteu.

**14** Assim permaneceu a arca de Deus com a família de Obede-Edom, três meses, e o Senhor abençoou a família de Obede-Edom e tudo o que ele tinha.

### O palácio e a família de Davi

**14** Ora, Hirão, rei de Tiro, mandou mensageiros a Davi, e madeira de cedro, e pedreiros e carpinteiros, para lhe construírem uma casa.

**2** Entendeu Davi que o Senhor o tinha confirmado rei sobre Israel e que o seu reino se tinha prosperado muito por amor do seu povo, Israel.

**3** Davi tomou ainda mais mulheres, em Jerusalém, e gerou ainda mais filhos e filhas.

**4** São estes os nomes dos filhos que teve em Jerusalém: Samua, Sobabe, Natã, Salomão,

**5** Ibar, Elisua, Elpelete,

**6** Nogá, Nefegue, Jafia,

**7** Elisama, Beeliada e Elifelete.

**8** Ouvindo os filisteus que Davi havia sido ungido rei sobre todo o Israel, subiram todos em busca dele; quando soube disso, Davi logo saiu contra eles.

**9** Ora, os filisteus tinham vindo e invadido o vale de Refaim;

**10** de modo que Davi consultou a Deus: Subirei contra os filisteus, e os entregarás nas minhas mãos? Respondeu-lhe o Senhor: Sobe, eu os entregarei nas tuas mãos.

**11** Então subiram Davi e seus homens a Baal-Perazim, e ali os derrotou. Disse Davi: Por minhas mãos Deus destruiu as tropas dos meus inimigos, como uma brecha feita pelas águas. Pelo que chamaram aquele lugar Baal-Perazim.

**12** Os filisteus haviam deixado ali os seus deuses, e Davi ordenou que fossem queimados.

**13** Uma vez mais os filisteus atacaram o vale.

**14** Voltou Davi a consultar a Deus, que lhe disse: Não subirás atrás deles, mas os rodearás e os atacarás em frente das amoreiras.

**15** Ouvindo tu um barulho de marcha pelas copas das amoreiras, então sairás ao combate, porque Deus terá saído à tua frente para ferir o exército dos filisteus.

**16** Fez Davi como Deus lhe ordenara, e feriram o exército dos filisteus desde Gibeom até Gezer.

**17** Assim se espalhou a fama de Davi por todas aquelas terras, e o Senhor pôs o temor dele sobre todas aquelas nações.

## A arca é levada para Jerusalém

**15** Depois de Davi ter construído casas para si mesmo na Cidade de Davi, ele preparou um lugar para a arca de Deus e armou-lhe uma tenda. **2** Então disse Davi: Ninguém pode levar a arca de Deus, senão os levitas, porque o Senhor os escolheu para levarem a arca de Deus e para o servirem eternamente. **3** Ajuntou Davi a todo o Israel em Jerusalém, para fazer entrar a arca do Senhor ao seu lugar, que lhe tinha preparado. **4** Reuniu os filhos de Arão e os levitas: **5** dos filhos de Coate: Uriel, o chefe, e seus irmãos, cento e vinte; **6** dos filhos de Merari: Asaías, o chefe, e seus irmãos, duzentos e vinte; **7** dos filhos de Gérson: Joel, o chefe, e seus irmãos, cento e trinta; **8** dos filhos de Elisafã: Semaías, o chefe, e seus irmãos, duzentos; **9** dos filhos de Hebrom: Eliel, o chefe, e seus irmãos, oitenta; **10** dos filhos de Uziel: Aminadabe, o chefe, e seus irmãos, cento e doze. **11** Chamou Davi os sacerdotes Zadoque e Abiatar, e os levitas, Uriel, Asaías, Joel, Semaías, Eliel e Aminadabe **12** e lhes disse: Vós sois os chefes das famílias dos levitas; santificai-vos, vós e vossos irmãos, para que façais subir a arca do Senhor, Deus de Israel, ao lugar que lhe tenho preparado. **13** Visto que não a levastes da primeira vez, o Senhor irou-se contra nós, porque não o buscamos da forma correta. **14** Assim, santificaram-se os sacerdotes e os levitas, para fazerem subir a arca do Senhor, o Deus de Israel. **15** E os levitas trouxeram a arca de Deus nos ombros, pelas varas que nela havia, como Moisés tinha ordenado, conforme a palavra do Senhor. **16** Disse Davi aos chefes dos levitas que encarregassem seus irmãos, cantores, para que, com instrumentos de música, com alaúdes, harpas e címbalos, se fizessem ouvir e levantassem a voz com alegria. **17** Portanto, escolheram os levitas Hemã, filho de Joel; dos seus irmãos, Asafe, filho de Berequias; e dos filhos de Merari, seus irmãos, Etã, filho de Cusaías; **18** e com eles seus irmãos da segunda ordem: Zacarias, Bene, Jaaziel, Semiramote, Jeiel, Uni, Eliabe, Benaia, Maaseias, Matitias, Elifeleu, Micneias, e os porteiros Obede-Edom e Jeiel. **19** Os cantores Hemã, Asafe e Etã se faziam ouvir com címbalos de bronze; **20** Zacarias, Aziel, Semiramote, Jeiel, Uni, Eliabe, Maaseias e Benaia, com alaúdes de tonalidade alta, **21** e Matitias, Elifeleu, Micneias, Obede-Edom, Jeiel e Azazias, com harpas de tonalidade baixa, para conduzir o canto. **22** Quenanias, chefe dos levitas, ficava encarregado do canto; era essa a sua responsabilidade porque era excelente nisso. **23** Berequias e Elcana eram porteiros da arca. **24** Sebanias, Josafá, Netaneel, Amasai, Zacarias, Benaia e Eliezer, os sacerdotes, tocavam as trombetas diante da arca de Deus. Obede-Edom e Jeías eram porteiros da arca.

25 Assim, Davi, as autoridades de Israel e os capitães de milhares foram, com alegria, para fazer subir a arca da aliança do Senhor, da casa de Obede-Edom.
26 Havendo Deus ajudado os levitas que levavam a arca da aliança do Senhor, sacrificaram sete novilhos e sete carneiros.
27 Davi ia vestido de um manto de linho fino, como também todos os levitas que levavam a arca, e os cantores, e Quenanias, chefe dos que levavam a arca e dos cantores. Davi levava também sobre si uma estola sacerdotal de linho.
28 E todo o Israel acompanhou com júbilo a arca da aliança do Senhor ao som de clarins, de trombetas e de címbalos, juntamente com alaúdes e harpas.
29 Entrando a arca da aliança do Senhor na Cidade de Davi, Mical, filha de Saul, observava por uma janela. E, vendo Davi dançar e tocar, desprezou-o no seu coração.

## Ação de graças e cântico de Davi

**16** Trouxeram a arca de Deus e a colocaram no meio da tenda que Davi lhe tinha armado; e ofereceram holocaustos e sacrifícios pacíficos perante Deus.
2 Tendo Davi acabado de oferecer os holocaustos e os sacrifícios pacíficos, abençoou o povo em nome do Senhor.
3 Então repartiu a todos em Israel, tanto homens como mulheres, a cada um, um pedaço de pão, um bom pedaço de carne e um bolo de passas.
4 Escolheu alguns dos levitas para ministrarem perante a arca do Senhor, para fazerem petições, para louvarem e exaltarem ao Senhor Deus de Israel:

5 Asafe era o chefe, Zacarias o segundo, e depois Jeiel, Semiramote, Jeiel, Matitias, Eliabe, Banaia, Obede-Edom e Jeiel. Eles deviam tocar os alaúdes e as harpas, e Asafe devia fazer ressoar os címbalos.
6 Benaia e Jaaziel, os sacerdotes, deviam tocar trombetas continuamente perante a arca da aliança de Deus.
7 Nesse mesmo dia, Davi entregou a Asafe e seus irmãos, pela primeira vez, o seguinte salmo de ações de graças ao Senhor:
8 Louvai ao Senhor, invocai o seu nome,
   fazei conhecidos entre os povos os seus feitos.
9 Cantai-lhe, salmodiai-lhe,
   atentamente falai de todas as suas maravilhas.
10 Gloriai-vos no seu santo nome;
   alegre-se o coração dos que buscam ao Senhor.
11 Buscai o Senhor
   e o seu poder;
   buscai a sua face continuamente.
12 Lembrai-vos das maravilhas que fez,
   dos seus milagres e dos juízos da sua boca.
13 Vós, descendentes de Israel, seus servos,
   vós, filhos de Jacó, seus eleitos.
14 Ele é o Senhor, o nosso Deus;
   em toda a terra estão os seus juízos.
15 Lembrai-vos para sempre da sua aliança e da palavra
   que ordenou para mil gerações,
16 da aliança que fez com Abraão,
   e do seu juramento a Isaque,

17 o qual também a Jacó
confirmou
por decreto,
e a Israel por aliança
eterna,
18 dizendo: A ti darei a terra de
Canaã,
porção da vossa herança.
19 Sendo vós em pequeno
número,
poucos homens e
estrangeiros nela,
20 andando de nação em nação,
e de um reino para outro
povo,
21 a ninguém permitiu que os
oprimisse,
e por amor deles
repreendeu reis, dizendo:
22 Não toqueis os meus
ungidos,
e aos meus profetas não
façais mal.
23 Cantai ao Senhor em toda a
terra;
anunciai dia após dia a sua
salvação.
24 Proclamai entre as nações a
sua glória,
entre todos os povos as suas
maravilhas.
25 Pois grande é o Senhor e
muitíssimo digno de louvor, e
mais temível do que todos os
deuses.
26 Pois todos os deuses das
nações são ídolos,
porém o Senhor fez os céus.
27 Majestade e esplendor há
diante dele,
força e alegria no lugar da
sua habitação.
28 Tributai ao Senhor,
ó famílias das nações,
dai ao Senhor glória e força.
29 Tributai ao Senhor a glória
de seu nome.
Trazei ofertas e vinde
perante ele;
adorai ao Senhor na beleza
da sua santidade.
30 Trema perante ele
toda a terra!
O mundo se acha firmemente
estabelecido;
não pode ser abalado.
31 Alegrem-se os céus, e
regozije-se a terra;
diga-se entre as nações:
O Senhor reina.
32 Ruja o mar e a sua plenitude;
exulte o campo com tudo o
que nele há.
33 Então cantarão as árvores
dos bosques,
cantarão de júbilo perante
o Senhor,
pois ele vem a julgar
a terra.
34 Rendei graças ao Senhor,
pois ele é bom;
o seu amor dura
para sempre.
35 Clamai: Salva-nos, ó Deus da
nossa salvação;
ajunta-nos e livra-nos
das nações,
para que louvemos o teu
santo nome
e nos gloriemos no teu
louvor.
36 Louvado seja o Senhor Deus
de Israel,
de eternidade a eternidade.
E todo o povo disse: Amém! E
louvou ao Senhor.
37 Davi deixou Asafe e seus irmãos diante da arca da aliança
do Senhor para ministrarem ali
continuamente, conforme se ordenara para cada dia.
38 Também deixou Obede-Edom
e seus sessenta e oito irmãos para
ministrarem com ele. Obede-Edom,

filho de Jedutum, e também Hosa eram porteiros.

**39** Davi deixou Zadoque, o sacerdote, e os sacerdotes, seus irmãos, diante do tabernáculo do Senhor, santuário que estava em Gibeom,

**40** para oferecerem ao Senhor os holocaustos sobre o altar dos holocaustos continuamente pela manhã e à tarde, conforme tudo o que está escrito na Lei que o Senhor tinha dado a Israel.

**41** Com eles estavam Hemã e Jedutum, e os demais escolhidos, que foram escolhidos pelo nome, para louvarem ao Senhor, pois o seu amor dura para sempre.

**42** Com eles estavam Hemã e Jedutum, que eram responsáveis por fazer ressoar as trombetas e os címbalos e os outros instrumentos de música sagrada. Os filhos de Jedutum estavam à porta.

**43** Então se retirou todo o povo, cada um para a sua casa, e Davi voltou para abençoar a sua família.

## A promessa de Deus a Davi

**17** Depois que Davi se instalou em seu palácio, disse ao profeta Natã: Eu moro num palácio de cedros, mas a arca da aliança do Senhor está debaixo de uma tenda.

**2** Respondeu Natã a Davi: Tudo o que tens no teu coração faze, pois Deus é contigo.

**3** Nessa mesma noite, veio a palavra do Senhor a Natã, dizendo:

**4** *Vai e dize a Davi*, meu servo: Assim diz o Senhor: Tu não construirás casa para eu morar,

**5** porque em casa nenhuma morei, desde o dia em que fiz subir a Israel, até o dia de hoje, mas fui de tenda em tenda, e de tabernáculo em tabernáculo.

**6** Por todas as partes por onde tenho andado com todo o Israel, porventura disse a algum dos juízes de Israel, a quem ordenei que apascentasse o meu povo: Por que não me construís um templo de cedros?

**7** Agora, pois, assim dirás a meu servo Davi: Assim diz o Senhor dos Exércitos: Eu te tirei do curral, de detrás das ovelhas, para que fosses chefe do meu povo Israel.

**8** Estive contigo por onde quer que andaste e, de diante de ti, exterminei todos os teus inimigos. Agora te darei um nome como o nome dos grandes que estão na terra.

**9** Prepararei um lugar para o meu povo Israel e o plantarei, para que habite no seu lugar e nunca mais seja retirado de uma parte para outra. Nunca mais os oprimirão os filhos da perversidade, como antes,

**10** e como desde os dias em que ordenei juízes sobre o meu povo Israel. Eu também subjugarei a todos os teus inimigos. Também te declaro que o Senhor te estabelecerá uma dinastia.

**11** Quando se completarem os teus dias, para te juntares a teus pais, levantarei a tua semente depois de ti, um dos teus filhos, e confirmarei o seu reino.

**12** Este me construirá um templo, e eu estabelecerei o seu trono para sempre.

**13** Eu lhe serei por pai, e ele me será por filho. O meu amor jamais retirarei dele, como o retirei daquele que foi antes de ti.

**14** O estabelecerei, porém, na minha casa e no meu reino para sempre; o seu trono será firme para sempre.

15 Conforme todas estas palavras e conforme toda esta visão, assim falou Natã a Davi.

### A oração de Davi

16 Então entrou o rei Davi no tabernáculo, sentou-se perante o Senhor e disse: Quem sou eu, Senhor Deus, e que é a minha família, para que me trouxeste até aqui?
17 E ainda isso, ó Deus, foi pouco aos teus olhos, pelo que falaste da família de teu servo para tempos futuros e proveste-me, segundo o costume dos homens, com esta exaltação, ó Senhor Deus.
18 Que mais te dirá Davi acerca da honra feita a teu servo? Tu, porém, bem conheces teu servo.
19 Ó Senhor, por amor de teu servo e segundo a tua vontade, fizeste todas estas grandezas, para fazer conhecidas todas estas grandes coisas.
20 Senhor, ninguém há como tu, e não há Deus fora de ti, conforme tudo o que ouvimos com os nossos ouvidos.
21 Quem há como o teu povo Israel, gente única na terra, a quem Deus resgatou para seu povo, exaltando-te o nome com coisas grandes e tremendas, expulsando as nações de diante do teu povo, que libertaste do Egito?
22 Escolheste o teu povo Israel para ser teu povo para sempre, e tu, Senhor, lhe foste por Deus.
23 Agora, ó Senhor, a palavra que falaste acerca de teu servo e acerca de sua descendência seja estabelecida para sempre. Faze como falaste,
24 para que se confirme e para que o teu nome se engrandeça para sempre. Então se diga: O Senhor dos Exércitos é o Deus de Israel, é Deus para Israel! E seja estabelecida diante de ti a descendência de Davi, teu servo.
25 Meu Deus, tu revelaste a teu servo que lhe faria uma dinastia. Por isso, teu servo achou confiança para orar em tua presença.
26 Ó Senhor, tu és Deus e falaste esse bem acerca de teu servo.
27 Agora, que seja tua vontade abençoares a família de teu servo, para que esteja perpetuamente diante de ti; pois tu, ó Senhor, a abençoaste, e ficará abençoada para sempre.

### As vitórias de Davi

18 Depois disto, Davi derrotou os filisteus e os subjugou, e reconquistou Gate e suas aldeias das mãos dos filisteus.
2 Também derrotou os moabitas, e eles ficaram sujeitos a Davi, e lhe pagavam imposto.
3 Também Davi derrotou a Hadadezer, rei de Zobá, até a Hamate, quando foi estabelecer os seus domínios pelo Eufrates.
4 Davi capturou mil carros, sete mil cavaleiros e vinte mil homens de pé; aleijou todos os cavalos dos carros, reservando apenas cem deles.
5 Quando os siros de Damasco vieram ajudar a Hadadezer, rei de Zobá, Davi matou vinte e dois mil homens.
6 Davi pôs guarnições na Síria de Damasco, e os siros ficaram sujeitos a Davi, pagando-lhe impostos. O Senhor dava vitória a Davi, por onde quer que ia.
7 Davi tomou os escudos de ouro que os servos de Hadadezer usavam e os trouxe a Jerusalém.

**8** Também de Tibate, e de Cum, cidades de Hadadezer, trouxe Davi muitíssimo bronze, de que Salomão fez o mar de bronze, as colunas e os utensílios de bronze.
**9** Ouvindo Toú, rei de Hamate, que Davi derrotara todo o exército de Hadadezer, rei de Zobá,
**10** mandou seu filho Hadorão a Davi, para o saudar e para o parabenizar por haver guerreado contra Hadadezer e por tê-lo destruído (pois Hadadezer fazia guerra a Toú). Enviou-lhe também todo tipo de utensílios de ouro, de prata e de bronze.
**11** O rei Davi consagrou esses utensílios ao Senhor, com a prata e o ouro que trouxera de todas as nações: dos edomeus, dos moabitas, dos amonitas, dos filisteus e dos amalequitas.
**12** Também Abisai, filho de Zeruia, matou dezoito mil edomeus no vale do Sal.
**13** Pôs guarnição em Edom, e todos os edomeus ficaram sujeitos a Davi. O Senhor dava vitória a Davi, por onde quer que ia.
**14** Reinou Davi sobre todo o Israel, fazendo juízo e justiça a todo o seu povo.
**15** Joabe, filho de Zeruia, era comandante do exército; Jeosafá, filho de Ailude, era cronista;
**16** Zadoque, filho de Aitube, e Abimeleque, filho de Abiatar, eram sacerdotes; Sausa era escrivão;
**17** Benaia, filho de Jeoiada, liderava os quereteus e peleteus; e os filhos de Davi eram os principais *oficiais do rei.*

## A batalha contra os amonitas

**19** Depois disto, morreu Naás, rei dos filhos de Amom, e seu filho reinou em seu lugar.
**2** Então disse Davi: Serei bondoso com Hanum, filho de Naás, porque seu pai foi bondoso comigo. Então Davi enviou mensageiros para o consolarem acerca de seu pai. Quando os servos de Davi chegaram à terra dos filhos de Amom, a Hanum, para o consolarem,
**3** disseram os líderes dos filhos de Amom a Hanum: Pensas que Davi está honrando a teu pai ao enviar-te consoladores? Não vieram os servos dele a ti para observar, para confundir e para espiar a terra?
**4** Por isso Hanum prendeu os servos de Davi, rapou-lhes a barba, cortou-lhes as roupas pelo meio até o alto das coxas, e os mandou embora.
**5** Quando alguns foram e avisaram Davi acerca destes homens, ele mandou mensageiros ao encontro deles, porque aqueles homens estavam sobremaneira envergonhados. Disse o rei: Deixai-vos ficar em Jericó, até que vos torne a crescer a barba e, então, voltai.
**6** Vendo os filhos de Amom que se tinham feito odiosos para com Davi, Hanum e os filhos de Amom enviaram mil talentos de prata, para alugarem para si carros e cavaleiros da Mesopotâmia, de Arã-Maaca e de Zobá.
**7** Alugaram para si trinta e dois mil carros, e o rei de Maaca com sua tropa, que vieram e se acamparam em Medeba, enquanto os filhos de Amom se ajuntaram das suas cidades e vieram para a guerra.
**8** Sabendo disso, Davi enviou Joabe e todo o exército dos guerreiros valentes.
**9** Os filhos de Amom saíram e se posicionaram para a batalha à

porta da cidade, mas os reis que tinham vindo estavam separados no campo.

**10** Joabe viu que a batalha estava ordenada contra ele pela frente e pela retaguarda; assim escolheu os melhores dos guerreiros de Israel e os posicionou em ordem de batalha contra os siros.

**11** O restante do povo entregou a Abisai, seu irmão, e posicionaram-se em ordem de batalha contra os filhos de Amom.

**12** Disse Joabe: Se os siros forem mais fortes do que eu, tu virás socorrer-me; mas se os filhos de Amom forem mais fortes do que tu, então eu te socorrerei.

**13** Sê forte. Lutemos pelo nosso povo e pelas cidades do nosso Deus. Faça o Senhor o que parecer bem aos seus olhos.

**14** Então se chegou Joabe, e a tropa que tinha com ele, diante dos siros, para a batalha, e esses fugiram de diante dele.

**15** Vendo os filhos de Amom que os siros fugiram, também eles fugiram de diante de Abisai, irmão de Joabe, e entraram na cidade. Assim Joabe voltou para Jerusalém.

**16** Vendo os siros que haviam sido derrotados diante de Israel, enviaram mensageiros e fizeram sair os siros que habitavam do outro lado do rio; Sofaque, capitão do exército de Hadadezer, marchava diante deles.

**17** Avisado disso, Davi ajuntou a todo o Israel, atravessou o Jordão e, indo até eles, ordenou contra eles a batalha. Davi ordenou contra os siros a batalha, e estes lutaram contra ele.

**18** Os siros, porém, fugiram de diante de Israel, e Davi matou os homens de sete mil carros e quarenta mil homens da infantaria. Também matou Sofaque, capitão do exército.

**19** Vendo os servos de Hadadezer que tinham sido derrotados diante de Israel, fizeram paz com Davi e o serviram. Assim, os siros nunca mais quiseram socorrer os filhos de Amom.

### Novas vitórias de Davi

**20** Na primavera, no tempo em que os reis costumam sair para a guerra, Joabe levou o exército e destruiu a terra dos filhos de Amom, e foi, e cercou Rabá, mas Davi ficou em Jerusalém. Joabe atacou Rabá e a destruiu.

**2** Davi tirou a coroa da cabeça do rei deles, achou nela o peso de um talento de ouro e havia nela pedras preciosas; e foi colocada sobre a cabeça de Davi. Ele levou da cidade grande quantidade de despojo,

**3** e fez sair o povo que estava nela, e o fez trabalhar com serras, com picaretas de ferro e com machados. Assim fez Davi com todas as cidades dos filhos de Amom. Então Davi voltou, com todo o seu exército, para Jerusalém.

**4** Depois disso, houve guerra em Gezer com os filisteus. Nesse tempo Sibecai, o husatita, matou Sipai, que era descendente dos refains, e os filisteus foram subjugados.

**5** Voltou a haver guerra com os filisteus; Elanã, filho de Jair, matou a Lami, irmão de Golias, o geteu, que tinha uma lança cuja haste parecia uma lançadeira de tecelão.

**6** Voltou a haver guerra em Gate, onde havia um homem de grande estatura, que tinha vinte e quatro dedos, seis em cada mão e seis em cada pé. Também esse era descendente dos refains.

7 Quando ele insultou Israel, Jônatas, filho de Simeia, irmão de Davi, o matou.

8 Esses foram descendentes de Rafa, em Gate, e morreram pela mão de Davi e pelas mãos dos seus servos.

### Davi numera os homens de guerra

**21** Então Satanás se levantou contra Israel e levou Davi a numerar Israel.

2 Disse Davi a Joabe e aos comandantes do povo: Ide, contai a Israel desde Berseba até Dã. Então trazei-me o relatório, para que eu saiba quantos são.

3 Joabe, porém, respondeu: O Senhor acrescente ao seu povo cem vezes tanto como ele é. O rei, meu senhor, não são todos servos de meu senhor? Por que deseja isso o meu senhor? Por que traria ele culpa sobre Israel?

4 A palavra do rei, porém, prevaleceu contra Joabe; de modo que saiu Joabe, passou por todo o Israel, e então voltou para Jerusalém.

5 Deu Joabe a Davi a soma do número dos homens de guerra: Em todo o Israel havia um milhão e cem mil homens que manejavam espada; e em Judá, quatrocentos e setenta mil em Judá.

6 Joabe, porém, não contou entre eles os de Levi e Benjamim, porque a palavra do rei lhe foi absurda.

7 Esta ordem também desagradou a Deus, por isso ele puniu Israel.

8 Então disse Davi a Deus: Gravemente pequei em fazer tal coisa. Agora, peço-te, perdoa o pecado de teu servo. Fiz uma grande loucura.

9 Disse o Senhor a Gade, o vidente de Davi:

10 Vai e dize a Davi: Assim diz o Senhor: Três coisas te proponho. Escolhe uma delas, para que eu a faça contra ti.

11 Gade veio a Davi e lhe disse: Assim diz o Senhor: Faze a tua escolha:

12 ou três anos de fome, ou que por três meses estejas fugindo diante de teus adversários, e a espada de teus inimigos em teu encalço, ou que por três dias a espada do Senhor, isto é, a peste na terra, e o anjo do Senhor façam destruição em todas as regiões de Israel. Vê agora que resposta hei de levar a quem me enviou.

13 Disse Davi a Gade: Estou em grande angústia. Caia eu nas mãos do Senhor, porque são muitíssimas as suas misericórdias; mas que eu não caia nas mãos dos homens.

14 Mandou o Senhor a peste a Israel, e morreram em Israel setenta mil homens.

15 E Deus mandou um anjo para destruir Jerusalém. Ao destruí-la, porém, o Senhor olhou, e se arrependeu do mal, e disse ao anjo destruidor: Basta, agora retira a tua mão. O anjo do Senhor estava perto da eira de Araúna, o jebuseu.

16 Levantando Davi os seus olhos, viu o anjo do Senhor, que estava entre a terra e o céu, com a espada desembainhada na mão estendida contra Jerusalém. Então Davi e autoridades de Israel, cobertos de pano de saco, prostraram-se com o rosto em terra.

17 Disse Davi a Deus: Não fui eu que ordenei que se contasse o povo? Fui eu que pequei e fiz muito mal.

Mas estas ovelhas que fizeram? Ah! Senhor, meu Deus, seja a tua mão contra mim e contra a minha família, não contra teu povo.
**18** Então o anjo do Senhor ordenou a Gade que dissesse a Davi que subisse para levantar um altar ao Senhor na eira de Araúna, o jebuseu.
**19** Subiu Davi, conforme a palavra de Gade, que falara em nome do Senhor.
**20** Enquanto Araúna estava debulhando o trigo, voltou-se e viu o anjo; os seus quatro filhos que estavam com ele se esconderam.
**21** Então Davi se aproximou e, quando Araúna olhou e o viu, saiu da eira e se prostrou perante Davi com o rosto em terra.
**22** Disse Davi a Araúna: Dá-me o lugar da eira pelo seu valor, para eu construir nele um altar ao Senhor, para que pare esta praga de sobre o povo.
**23** Disse Araúna a Davi: Toma-o para ti, e faça o rei, meu Senhor, dela o que desejar. Olha, dou os bois para holocaustos, os trilhos para lenha e o trigo para oferta de cereais. Tudo dou.
**24** O rei Davi, porém, respondeu a Araúna: Não, antes pelo seu valor a quero comprar. Não darei ao Senhor o que é teu, nem oferecerei holocausto que não me custe nada.
**25** Davi deu a Araúna por aquele lugar o peso de seiscentos siclos de ouro.
**26** Davi construiu ali um altar ao Senhor e ofereceu nele holocaustos e ofertas pacíficas. Invocou o Senhor, o qual lhe respondeu com fogo do céu sobre o altar do holocausto.
**27** O Senhor deu ordem ao anjo, que colocasse a sua espada na bainha.
**28** Vendo Davi, nesse momento, que o Senhor lhe respondera na eira de Araúna, o jebuseu, sacrificou ali.
**29** O tabernáculo do Senhor, que Moisés fizera no deserto, e o altar do holocausto, estavam naquele tempo no altar de Gibeom.
**30** Davi, contudo, não podia ir até lá para consultar ao Senhor, porque estava aterrorizado por causa da espada do anjo do Senhor.

### Preparativos para a construção do templo

**22** Então disse Davi: Esta é a casa do Senhor Deus, e este é o altar do holocausto para Israel.
**2** Davi deu ordem para que se ajuntassem os estrangeiros que estavam na terra de Israel e encarregou pedreiros que lavrassem pedras de cantaria para construir o templo de Deus.
**3** Providenciou Davi ferro em abundância, para os pregos das portas das entradas e para as dobradiças, como também mais bronze do que podia ser pesado.
**4** Madeira de cedro sem conta, porque os sidônios e tírios traziam a Davi cedro em grande quantidade.
**5** Dizia Davi: Salomão, meu filho, ainda é moço e inexperiente, e o templo que se há de construir para o Senhor deve ser magnífico em excelência, de renome e glória em todas as terras. Portanto, eu lhe farei os preparativos. Assim, Davi fez grandes preparativos antes da sua morte.
**6** Então chamou Salomão, seu filho, e lhe ordenou que construísse

um templo ao Senhor, o Deus de Israel.

7 Disse Davi a Salomão: Filho meu, quanto a mim, tive em meu coração o propósito de construir um templo ao nome do Senhor, o meu Deus.

8 Veio, porém, a mim esta palavra do Senhor: Tu derramaste muito sangue, e fizeste grandes guerras. Não construirás templo ao meu nome, porque muito sangue derramaste na terra, perante a minha face.

9 Terás, porém, um filho, que será homem de paz e repouso, e lhe darei repouso de todos os seus inimigos ao redor. Salomão será o seu nome, e eu darei paz e descanso a Israel nos seus dias.

10 Este construirá templo ao meu nome. Ele me será por filho, e eu lhe serei por pai. E estabelecerei o trono de seu reino sobre Israel, para sempre.

11 Agora meu filho, o Senhor seja contigo; prospera e constrói o templo do Senhor, o teu Deus, como ele disse a teu respeito.

12 O Senhor te dê prudência e entendimento, quando te colocar sobre Israel, a fim de que guardes a Lei do Senhor, o teu Deus.

13 Então prosperarás, se tiveres cuidado de guardar os estatutos e os juízos que o Senhor mandou a Moisés acerca de Israel. Sê forte e corajoso. Não temas nem te desanimes.

14 Com muito esforço preparei para o templo do Senhor cem mil *talentos de ouro, e um milhão de talentos de prata*, e bronze e ferro em quantidades grandes demais para serem pesados, e madeira e pedras. E podes conseguir o que faltar.

15 Tens muitos trabalhadores: cortadores de pedras, canteiros, carpinteiros, e todo tipo de especialistas em toda obra

16 de ouro, de prata, de bronze e de ferro que não se pode contar. Levanta-te, pois, e faze a obra, e o Senhor seja contigo.

17 Davi deu ordem a todos os líderes de Israel que ajudassem Salomão, seu filho.

18 Disse-lhes: Não está convosco o Senhor, o vosso Deus, e não vos deu repouso ao redor? Pois entregou em minhas mãos os moradores da terra, e a terra foi subjugada diante do Senhor e diante do seu povo.

19 Consagre agora o vosso coração e a vossa alma para buscardes ao Senhor, o vosso Deus. Levantai-vos e começai a construir o santuário do Senhor Deus, para que a arca da aliança do Senhor e os utensílios sagrados de Deus sejam trazidos para o templo que será construído ao nome do Senhor.

### Os levitas

**23** Sendo Davi já velho e cheio de dias, fez a Salomão, seu filho, rei sobre Israel.

2 Ajuntou todos os líderes de Israel, como também os sacerdotes e os levitas.

3 Foram contados os levitas de trinta anos para cima, e foi o número de homens trinta e oito mil.

4 Disse Davi: Destes, vinte e quatro mil promoverão a obra do templo do Senhor e seis mil serão oficiais e juízes.

5 Quatro mil serão porteiros, e quatro mil deverão louvar ao Senhor com os instrumentos musicais que eu fiz para o louvar.

6 Davi os repartiu por turmas, correspondentes aos filhos de Levi: Gérson, Coate e Merari.
7 Dos gersonitas: Ladã e Simei.
8 Os filhos de Ladã: Jeiel, o chefe, Zetão e Joel, três.
9 Os filhos de Simei: Selomote, Haziel e Harã, três. Esses foram os chefes das famílias de Ladã.
10 Os filhos de Simei: Jaate, Ziza, Jeús e Berias. Estes foram os filhos de Simei, quatro.
11 Jaate era o primeiro, Ziza, o segundo, mas Jeús e Berias não tiveram muitos filhos, de modo que foram contados como uma só família.
12 Os filhos de Coate: Anrão, Izar, Hebrom e Uziel, quatro.
13 Os filhos de Anrão: Arão e Moisés. Arão foi separado para consagrar as coisas santíssimas, ele e seus filhos, eternamente, para oferecerem sacrifícios diante do Senhor, para o servirem e pronunciarem a bênção em seu nome para sempre.
14 Quanto a Moisés, homem de Deus, seus filhos foram contados entre a tribo de Levi.
15 Foram os filhos de Moisés: Gérson e Eliezer.
16 De Gérson: Sebuel, o primeiro.
17 Os filhos de Eliezer: Reabias, o primeiro. Não teve outros filhos, porém os filhos de Reabias se multiplicaram grandemente.
18 Os filhos de Izar: Selomote, o *primeiro*.
19 Os filhos de Hebrom: Jerias, o primeiro; Amarias, o segundo; Jaaziel, o terceiro; e Jecameão, o quarto.
20 Os filhos de Uziel: Mica, o primeiro; e Issias, o segundo.
21 Os filhos de Merari: Mali e Musi. Os filhos de Mali: Eleazar e Quis.
22 Morreu Eleazar sem ter filhos: teve somente filhas. Os filhos de Quis, seus irmãos, as tomaram por mulheres.
23 Os filhos de Musi: Mali, Eder e Jerimote, três.
24 Esses foram os filhos de Levi, segundo as suas famílias e chefes delas, segundo o número dos que foram contados pelo nome, os que faziam a obra do ministério da casa do Senhor, da idade de vinte anos para cima.
25 Pois dissera Davi: Visto que o Senhor, o Deus de Israel, deu descanso ao seu povo e veio habitar em Jerusalém para sempre,
26 os levitas já não terão de carregar o tabernáculo nem algum de seus objetos pertencentes a ele.
27 Segundo as últimas palavras de Davi, foram contados os filhos de Levi da idade de vinte anos para cima.
28 A sua responsabilidade era auxiliar os filhos de Arão no ministério do templo do Senhor, nos pátios, nas salas, na purificação de todas as coisas sagradas e na obra do ministério do templo de Deus.
29 Tinham a responsabilidade de cuidar dos pães da proposição, da flor de farinha para a oferta de cereais, dos bolos sem fermento, das assadeiras, do tostado e de toda sorte de peso e medida.
30 Deviam se apresentar cada manhã para louvarem e celebrarem ao Senhor, e igualmente à tarde,
31 e para oferecerem os holocaustos ao Senhor, nos sábados, nas luas novas e nas festas fixas, segundo o seu costume, continuamente perante o Senhor.
32 E assim os levitas cumpriram com suas responsabilidades para

com a Tenda da Congregação, para com a guarda do santuário e, sob seus irmãos, os filhos de Arão, para com o serviço do templo do Senhor.

## As divisões dos sacerdotes

**24** Quanto aos filhos de Arão, foram estas as suas divisões: Os filhos de Arão foram: Nadabe, Abiú, Eleazar e Itamar. **2** Nadabe e Abiú morreram antes de seu pai e não tiveram filhos; assim Eleazar e Itamar exerciam o sacerdócio. **3** Com a ajuda de Zadoque, dos filhos de Eleazar, e de Aimeleque, dos filhos de Itamar, Davi os dividiu em grupos, segundo suas responsabilidades no ministério. **4** Achou-se que os filhos de Eleazar entre os chefes de famílias eram mais do que os de Itamar, e foram divididos respectivamente: dezesseis chefes de famílias dos filhos de Eleazar, e oito chefes de famílias dos filhos de Itamar. **5** Foram repartidos por sorteio, tanto uns como os outros, porque havia líderes do santuário e líderes do templo de Deus, assim dos filhos de Eleazar, como dos filhos de Itamar. **6** O escrivão Semaías, filho de Natanael, levita, registrou-os perante o rei e os líderes: Zadoque, o sacerdote, Aimeleque, filho de Abiatar, os chefes de famílias dos sacerdotes e dos levitas, tomando-se uma família de Eleazar, e uma de Itamar.

**7** Saiu a primeira sorte a Jeoiaribe; a segunda, a Jedaías; **8** a terceira, a Harim; a quarta, a Seorim; **9** a quinta, a Malquias; a sexta, a Miamim; **10** a sétima, a Hacoz; a oitava, a Abias; **11** a nona, a Jesua; a décima, a Secanias, **12** a décima primeira, a Eliasibe; a décima segunda, a Jaquim; **13** a décima terceira, a Hupá; a décima quarta, a Jesebeabe; **14** a décima quinta, a Bilga; a décima sexta, a Imer; **15** a décima sétima, a Hezir; a décima oitava, a Hapisez; **16** a décima nona, a Petaías; a vigésima, a Jeezquel, **17** a vigésima primeira, a Jaquim; a vigésima segunda, a Gamul; **18** a vigésima terceira, a Delaías; e a vigésima quarta, a Maazias. **19** O dever desses no seu ministério era entrar no templo do Senhor, segundo lhes fora ordenado por Arão, seu pai, como o Senhor, o Deus de Israel, lhe tinha ordenado.

**20** Do restante dos filhos de Levi: dos filhos de Anrão, Subael; dos filhos de Subael, Jedeías. **21** Quanto a Reabias, dos seus filhos: Issias, o primeiro; **22** dos izaritas, Selomote; dos filhos de Selomote, Jaate; **23** dos filhos de Hebrom, Jerias, o primeiro; Amarias, o segundo; Jaaziel, o terceiro; Jecameão, o quarto; **24** dos filhos de Uziel, Mica; dos filhos de Mica, Samir. **25** O irmão de Mica, Issias; dos filhos de Issias, Zacarias. **26** Dos filhos de Merari, Mali e Musi; dos filhos de Jaazias, Beno; **27** dos filhos de Merari: de Jaazias: Beno, Soão, Zacur e Ibri. **28** De Mali: Eleazar, que não teve filhos. **29** De Quis: o filho de Quis: Jerameel. **30** E os filhos de Musi: Mali, Eder e Jerimote. Esses foram os filhos dos levitas, segundo as suas famílias.

31 Também esses, como seus irmãos, os filhos de Arão, lançaram sortes diante do rei Davi, de Zadoque, de Aimeleque, e dos chefes de famílias dos sacerdotes e dos levitas. Assim fizeram, tanto para o chefe de família, como para o seu irmão menor.

### Os cantores

**25** Davi, juntamente com os capitães do exército, separou para o ministério alguns dos filhos de Asafe, de Hemã e de Jedutum, para profetizarem com harpas, alaúdes e saltérios. Este foi o número dos homens que realizaram esse serviço:
2 dos filhos de Asafe: Zacur, José, Netanias e Asarela. Os filhos de Asafe estavam sob a supervisão de Asafe, que profetizava sob a supervisão do rei.
3 Quanto a Jedutum, dos seus filhos: Gedalias, Zeri, Jesaías, Hasabias, Matitias, seis, sob a supervisão de seu pai Jedutum, que profetizava com harpas, em ações de graças e louvores ao Senhor.
4 Quanto a Hemã, dos seus filhos: Buquias, Matanias, Uziel, Sebuel, Jerimote, Hananias, Hanani, Eliata, Gidalti, Romanti-Ezer, Josbecasa, Maloti, Hotir e Maaziote.
5 Todos estes foram filhos de Hemã, o vidente do rei, os quais lhe foram dados segundo as promessas de Deus de exaltá-lo. Deus deu a Hemã catorze filhos e três filhas.
6 Todos estes estavam sob a supervisão de seus pais para a música da casa do Senhor, com címbalos, alaúdes e harpas para o serviço da casa de Deus. Asafe, Jedutum e Hemã estavam sob a supervisão do rei.
7 Era o número deles, juntamente com seus irmãos instruídos em cantar ao Senhor, todos eles mestres, duzentos e oitenta e oito.
8 Lançaram sortes a fim de determinar os seus cargos, todos igualmente, tanto o pequeno como o grande, tanto o mestre como o discípulo.
9 A primeira sorte, que era de Asafe, saiu a José, seus filhos e parentes; a segunda, a Gedalias, que com seus irmãos e filhos eram doze ao todo;
10 a terceira, a Zacur, seus filhos e irmãos, doze ao todo;
11 a quarta, a Izri, seus filhos e irmãos, doze ao todo;
12 a quinta, a Netanias, seus filhos e irmãos, doze ao todo;
13 a sexta, a Buquias, seus filhos e irmãos, doze ao todo;
14 a sétima, a Jesarela, seus filhos e irmãos, doze ao todo;
15 a oitava a Jesaías, seus filhos e irmãos, doze ao todo;
16 a nona, a Matanias, seus filhos e irmãos, doze ao todo;
17 a décima, a Simei, seus filhos e irmãos, doze ao todo;
18 a décima primeira, a Azarel, seus filhos e irmãos, doze ao todo;
19 a décima segunda, a Hasabias, seus filhos e irmãos, doze ao todo;
20 a décima terceira, a Subael, seus filhos e irmãos, doze ao todo;
21 a décima quarta, a Matitias, seus filhos e irmãos, doze ao todo;
22 a décima quinta, a Jerimote, seus filhos e irmãos, doze ao todo;
23 a décima sexta, a Hananias, seus filhos e irmãos, doze ao todo;
24 a décima sétima, a Josbecasa, seus filhos e irmãos, doze ao todo;
25 a décima oitava a Hanani, seus filhos e irmãos, doze ao todo;

26 a décima nona, a Maloti, seus filhos e irmãos, doze ao todo;
27 a vigésima a Eliata, seus filhos e irmãos, doze ao todo;
28 a vigésima primeira, a Hotir, seus filhos e irmãos, doze ao todo;
29 a vigésima segunda, a Gidalti, seus filhos e irmãos, doze ao todo;
30 a vigésima terceira, a Maaziote, seus filhos e irmãos, doze ao todo;
31 a vigésima quarta, a Romanti-Ezer, seus filhos e irmãos, doze ao todo.

### Os porteiros

**26** Quanto às divisões dos porteiros: Dos coraítas: Meselemias, filho de Coré, dos filhos de Asafe.
2 Os filhos de Meselemias: Zacarias, o primogênito; Jediael, o segundo; Zebedias, o terceiro; Jatniel, o quarto;
3 Elão, o quinto; Joanã, o sexto; e Elioenai, o sétimo.
4 Os filhos de Obede-Edom: Semaías, o primogênito; Jeozabade, o segundo; Joá, o terceiro; Sacar, o quarto; Natanael, o quinto;
5 Amiel, o sexto; Issacar, o sétimo; e Peuletai, o oitavo. Pois Deus o tinha abençoado.
6 Também a seu filho Semaías nasceram filhos, que foram líderes da família de seu pai, porque foram homens valentes.
7 Os filhos de Semaías: Otni, Rafael, Obede e Elzabade, com seus irmãos, homens valentes, Eliú e Semaquias.
8 Todos esses foram filhos de Obede-Edom; eles, seus filhos e seus irmãos, *homens capazes e de força para o serviço*, ao todo sessenta e dois, de Obede-Edom.
9 Os filhos e os irmãos de Meselemias, homens valentes, foram dezoito.
10 De Hosa, dos filhos de Merari, foram filhos: Sinri, o primeiro (ainda que não fosse o primogênito, seu pai o constituiu o primeiro);
11 Hilquias, o segundo; Tebalias, o terceiro; Zacarias, o quarto. Os filhos e irmãos de Hosa foram treze.
12 Desses se fizeram as turmas dos porteiros, isto é, dos chefes deles, tendo deveres como seus irmãos, para ministrarem na casa do Senhor.
13 Lançaram sortes para cada porta para determinar os deveres tanto dos pequenos como dos grandes, segundo as suas famílias.
14 Caiu a sorte da porta do leste a Selemias. Depois lançaram sortes por seu filho Zacarias, conselheiro prudente, e saiu-lhe a porta do norte.
15 A Obede-Edom, a do sul; a seus filhos, a casa dos depósitos.
16 A Supim e Hosa, a porta do oeste, perto da porta Salequete, junto ao caminho da subida, uma guarda em frente a outra guarda.
17 A leste, estavam seis levitas; ao norte, quatro por dia; ao sul, quatro por dia; porém, para a casa dos depósitos, de dois em dois.
18 No átrio a oeste, quatro junto ao caminho, dois junto ao átrio.
19 Essas foram as turmas dos porteiros entre os filhos dos coraítas e entre os filhos de Merari.

### Outras funções dos levitas

20 Quanto aos levitas, Aías tinha a responsabilidade dos tesouros do templo de Deus e dos tesouros das coisas consagradas.
21 Os filhos de Ladã, que eram gersonitas através de Ladã e que eram chefes de famílias de Ladã, o gersonita, foram Jeieli;

22 os filhos de Jeieli, Zetão e Joel, seu irmão. Esses estavam encarregados dos tesouros do templo do Senhor.
23 Dos anramitas, dos izaritas, dos hebronitas e dos uzielitas:
24 Sebuel, filho de Gérson, filho de Moisés, era o chefe encarregado dos tesouros.
25 Seus irmãos através de Eliezer: Reabias, seu filho; Jesaías, seu filho; Jorão, seu filho; Zicri, seu filho; e Selomite, seu filho.
26 Selomite e seus irmãos eram encarregados de todos os tesouros das coisas consagradas que o rei Davi e os chefes de famílias, que eram capitães de milhares, de centenas, e outros capitães do exército haviam consagrado.
27 Dos despojos das guerras consagraram para a manutenção do templo do Senhor.
28 Também tudo o que havia sido consagrado por Samuel, o vidente, Saul, filho de Quis, e Abner, filho, de Ner, e Joabe, filho de Zeruia, isto é, tudo o que qualquer pessoa havia consagrado estava sob a guarda de Selomite e seus irmãos.
29 Dos izaritas: Quenanias e seus filhos foram encarregados sobre Israel para os negócios de fora, como oficiais e juízes.
30 Dos hebronitas: Hasabias e seus irmãos, mil e setecentos homens valentes, tinham sob sua *responsabilidade* Israel a oeste do Jordão, em todos os negócios do Senhor e no serviço do rei.
31 Quanto aos hebronitas, Jerias era o chefe, segundo as suas genealogias e famílias. No quadragésimo ano do reinado de Davi, fizeram-se buscas e se acharam entre eles homens valentes em Jazer de Gileade.
32 Jerias tinha dois mil e setecentos irmãos, homens valentes, chefes de famílias de seus pais, e o rei Davi os encarregou sobre os rubenitas e os gaditas, e a meia tribo dos manassitas, para todos os serviços de Deus e para todos os negócios do rei.

### As divisões do exército

27 São estes os filhos de Israel segundo o seu número, os chefes de famílias e os capitães dos milhares e das centenas com os seus oficiais, que serviam ao rei em todos os negócios das turmas que entravam e saíam de mês em mês durante o ano, cada turma de vinte e quatro mil.
2 Sobre a primeira turma do primeiro mês estava Jasobeão, filho de Zabdiel. Em sua turma havia vinte e quatro mil.
3 Era esse dos filhos de Perez, chefe de todos os capitães dos exércitos para o primeiro mês.
4 Sobre a turma do segundo mês era Dodai, o aoíta, com a sua turma, cujo chefe era Miclote. Em sua turma havia vinte e quatro mil.
5 O terceiro capitão do exército para o terceiro mês era Benaia, filho do sacerdote Jeoiada. Em sua turma havia vinte e quatro mil.
6 Esse era Benaia, homem poderoso entre os trinta e chefe deles. Sobre a sua turma estava Amizabade, seu filho.
7 O quarto, para o quarto mês, Asael, irmão de Joabe, e depois dele Zebadias, seu filho. Em sua turma havia vinte e quatro mil.
8 O quinto, para o quinto mês, era o chefe Samute, o izraíta. Em sua turma havia vinte e quatro mil.

**9** O sexto, para o sexto mês era Ira, filho de Iques, o tecoíta. Em sua turma havia vinte e quatro mil.
**10** O sétimo, para o sétimo mês era Helez, o pelonita, dos filhos de Efraim. Em sua turma havia vinte e quatro mil.
**11** O oitavo, para o oitavo mês era Sebecai, o husatita, dos zeraítas. Em sua turma havia vinte e quatro mil.
**12** O nono, para o nono mês era Abiezer, o anatotita, dos benjamitas. Em sua turma havia vinte e quatro mil.
**13** O décimo, para o décimo mês era Maarai, o netofatita, dos zeraítas. Em sua turma havia vinte e quatro mil.
**14** O décimo primeiro, para o décimo primeiro mês era Benaia, o piratonita, dos filhos de Efraim. Em sua turma havia vinte e quatro mil.
**15** O décimo segundo, para o décimo segundo mês, era Heldai, o netofatita, de Otniel. Em sua turma havia vinte e quatro mil.
**16** Sobre as tribos de Israel eram estes: sobre os rubenitas era chefe Eliezer, filho de Zicri; sobre os simeonitas, Sefatias, filho de Maaca;
**17** sobre os levitas, Hasabias, filho de Quemuel; sobre os aronitas, Zadoque;
**18** sobre Judá, Eliú, dos irmãos de Davi; sobre Issacar, Onri, filho de Micael;
**19** sobre Zebulom, Ismaías, filho de Obadias; sobre Naftali, Jerimote, filho de Azriel;
**20** *sobre os filhos de Efraim*, Oseias, filho de Azazias; sobre a meia tribo de Manassés, Joel, filho de Pedaías;
**21** sobre a outra meia tribo de Manassés em Gileade, Ido, filho de Zacarias; sobre Benjamim, Jaasiel, filho de Abner;
**22** sobre Dã, Azarel, filho de Jeroão. Esses eram os capitães das tribos de Israel.
**23** Davi não contou os de vinte anos para baixo, porque o Senhor tinha dito que havia de multiplicar Israel como as estrelas do céu.
**24** Joabe, filho de Zeruia, tinha começado a contá-los, porém não acabou, porque viera por isso grande ira sobre Israel, pelo que o número não foi escrito no livro das crônicas do rei Davi.
**25** Sobre os tesouros do rei estava Azmavete, filho de Adiel. Sobre os tesouros dos campos, das cidades, das aldeias e das torres, Jônatas, filho de Uzias.
**26** Sobre os que faziam a obra do campo, na lavoura da terra, Ezri, filho de Quelube.
**27** Sobre as vinhas, Simei, o ramatita. Sobre o que das vides entrava para as adegas do vinho, Zabdi, o sifmita.
**28** Sobre os olivais e as figueiras bravas que havia nas campinas, Baal-Hanã, o gederita. Joás sobre os depósitos do azeite.
**29** Sobre os gados que pastavam em Sarom, Sitrai, o saronita. Sobre os gados dos vales, Safate, filho de Adlai.
**30** Sobre os camelos, Obil, o ismaelita. Sobre as jumentas, Jedias, o meronotita.
**31** Sobre o gado miúdo, Jaziz, o hagrita. Todos esses eram os administradores dos bens do rei Davi.
**32** Jônatas, tio de Davi, era do conselho, homem sábio e mestre da lei. Jeiel, filho de Hacmoni, cuidava dos filhos do rei.
**33** Aitofel era conselheiro do rei. Husai, o arquita, amigo do rei.

34 Depois de Aitofel, Jeoiada, filho de Benaia, e Abiatar. Joabe era comandante do exército do rei.

### Os planos de Davi para o templo

**28** Davi convocou em Jerusalém todos os líderes de Israel, os líderes das tribos, os capitães das turmas, que serviam o rei, os capitães dos milhares, os capitães das centenas, os encarregados de toda a fazenda e possessão do rei e de seus filhos, como também os oficiais, os poderosos e todo guerreiro valente. 2 Pôs-se o rei Davi em pé e disse: Ouvi-me, irmãos meus, e povo meu: Em meu coração propus construir um templo de descanso para a arca da aliança do Senhor e para o estrado dos pés do nosso Deus, e fiz planos para a construir. 3 Deus, porém, me disse: Não edificarás templo ao meu nome, porque és homem de guerra e derramaste muito sangue. 4 O Senhor Deus de Israel escolheu-me de toda a família de meu pai, para que eternamente fosse eu rei sobre Israel. A Judá escolheu por líder, e a tribo de Judá, na família de meu pai; e entre os filhos de meu pai se agradou de mim para me fazer rei sobre todo o Israel. 5 De todos os meus filhos (e muitos filhos me deu o Senhor), escolheu ele *o meu filho Salomão* para se assentar no trono do reino do Senhor sobre Israel. 6 E me disse: Teu filho Salomão é quem construirá o meu templo e os meus átrios, pois o escolhi para filho, e lhe serei por pai. 7 Estabelecerei o seu reino para sempre, se ele perseverar em cumprir os meus mandamentos e os meus juízos, como o faz até o dia de hoje. 8 Agora, perante os olhos de todo o Israel, a congregação do Senhor, e perante os ouvidos do nosso Deus, guardai e buscai todos os mandamentos do Senhor, o vosso Deus, para que possuais esta boa terra e a deixeis como herança a vossos filhos depois de vós, para sempre. 9 E tu, meu filho Salomão, conhece o Deus de teu pai e serve-o com um coração íntegro e alma voluntária, pois o Senhor observa todos os corações e conhece todos os desígnios e pensamentos. Se o buscares, será achado de ti; mas, se o deixares, te rejeitará para sempre. 10 Olha, agora, pois o Senhor te escolheu para construíres um templo para o santuário. Sê forte e faze a obra. 11 Deu Davi a Salomão, seu filho, a planta do pórtico com as suas casas, as suas tesourarias, os seus aposentos superiores, as suas salas interiores, como também da casa do propiciatório. 12 Também a planta de tudo o que tinha em mente, a saber: dos átrios do templo do Senhor, de todas as salas em redor, para os tesouros do templo de Deus e para os tesouros das coisas consagradas. 13 Deu-lhe instruções para as turmas dos sacerdotes e dos levitas, e para toda a obra do ministério do templo do Senhor, e de todos os utensílios para o serviço do templo do Senhor. 14 Especificou o peso do ouro para todos os vasos de cada serviço, e o peso da prata para todos os utensílios de prata para cada serviço;

**15** o peso do ouro para os castiçais de ouro e suas lâmpadas, com o peso do ouro para cada castiçal e as suas lâmpadas; e o peso da prata para os castiçais de prata, para cada castiçal e as suas lâmpadas, segundo o uso de cada castiçal;
**16** o peso do ouro para cada mesa da proposição; o peso da prata para as mesas de prata;
**17** o peso de ouro puro para os garfos, para as bacias e para os copos; o peso do ouro para cada taça de ouro; o peso da prata para cada taça de prata;
**18** e o peso do ouro refinado para o altar do incenso. Deu-lhe também o modelo do carro, a saber, os querubins de ouro que haviam de estender as asas e cobrir a arca da aliança do Senhor.
**19** Tudo isto, disse Davi, foi-me dado por escrito da mão do Senhor, e ele me fez compreender todos os detalhes desta planta.
**20** Disse Davi a Salomão, seu filho: Sê forte e corajoso. Faze a obra. Não temas nem te desanimes, pois o Senhor Deus, o meu Deus, é contigo. Ele não te deixará nem te desamparará até que acabes toda a obra para o serviço do templo do Senhor.
**21** Aí tens as turmas dos sacerdotes e dos levitas para todo o serviço do templo de Deus e estará contigo para toda a obra todo homem bem-disposto e especialista em qualquer tipo de serviço. Os chefes e todo o povo estarão inteiramente às tuas ordens.

### As ofertas para a construção do templo

**29** Disse mais o rei Davi a toda a congregação: Salomão, meu filho, o único a quem Deus escolheu, ainda é moço e inexperiente. Essa obra é grande, pois o palácio não é para homem, mas para o Senhor Deus.
**2** Eu com todas as minhas forças já preparei para a casa do meu Deus ouro para as obras de ouro, prata para as de prata, bronze para as de bronze, ferro para as de ferro, madeira para as de madeira, pedras de ônix, pedras de engaste, pedras de ornato, pedras de várias cores, todo tipo de pedras preciosas e mármore, tudo em grande quantidade.
**3** Além disso, pelo amor ao templo do meu Deus, agora dou dos meus tesouros particulares o ouro e a prata; eu o dou para o templo do meu Deus, além de tudo o que preparei para o santuário:
**4** três mil talentos de ouro, do ouro de Ofir, e sete mil talentos de prata refinada, para cobrir as paredes das casas,
**5** para as obras de ouro e para as de prata, e para todas as obras dos artesãos. Quem está disposto a consagrar-se hoje ao Senhor?
**6** Então os chefes de famílias, os líderes das tribos de Israel, os capitães dos milhares e das centenas e até os capitães da obra do rei, voluntariamente contribuíram.
**7** Deram para o serviço da casa de Deus cinco mil talentos de ouro, dez mil dracmas de ouro, dez mil talentos de prata, dezoito mil talentos de bronze e cem mil talentos de ferro.
**8** Os que tinham pedras preciosas, deram-nas para o tesouro do templo do Senhor, sob a liderança de Jeiel, o gersonita.
**9** O povo se alegrou com as ofertas voluntárias que seus chefes

fizeram, pois de coração íntegro deram eles ao Senhor. Também o rei Davi se alegrou com grande júbilo.

10 Louvou Davi ao Senhor perante toda a congregação, dizendo: Bendito és tu, Senhor, Deus de nosso pai Israel, de eternidade em eternidade.

11 Tua é, Senhor, a grandeza, o poder, a honra, a vitória e a majestade, pois teu é tudo o que há nos céus e na terra. Teu é, Senhor, o reino, e tu estás acima de todos.

12 Riquezas e glória vêm de ti; tu governas sobre tudo. Nas tuas mãos há força e poder para engrandecer e dar força a tudo.

13 Agora, ó nosso Deus, graças te damos e louvamos o nome da tua glória.

14 Quem, porém, sou eu, e quem é o meu povo, para que pudéssemos dar voluntariamente estas coisas? Tudo vem de ti, e somente devolvemos o que veio das tuas mãos.

15 Somos estranhos diante de ti e peregrinos como todos os nossos pais. Como sombra são os nossos dias sobre a terra, e não há esperança.

16 Senhor nosso Deus, toda essa riqueza que preparamos, para construir um templo ao teu santo nome, vem da tua mão, e é toda tua.

17 Bem sei eu, meu Deus, que tu *sondas os corações, e que te agradas da integridade*. Eu também, na integridade de meu coração, voluntariamente dei todas essas coisas. E agora vi com alegria que o teu povo, que se acha aqui, ofereceu voluntariamente.

18 Senhor, Deus de nossos pais Abraão, Isaque e Israel, conserva para sempre no coração do teu povo essa disposição e esses pensamentos, e encaminha o seu coração para ti.

19 A Salomão, meu filho, dá um coração íntegro para guardar os teus mandamentos, os teus testemunhos e os teus estatutos, e para fazer todas estas coisas, e para construir o palácio para o qual tudo preparei.

20 Então disse Davi a toda a congregação: Louvai ao Senhor, o vosso Deus. Assim toda a congregação louvou ao Senhor, o Deus de seus pais, e inclinaram-se e prostraram-se perante o Senhor, e perante o rei.

21 No dia seguinte, ofereceram sacrifícios ao Senhor e lhe apresentaram holocaustos de mil bezerros, mil carneiros, mil cordeiros, com as suas libações, e sacrifícios em grande quantidade a favor de todo o Israel.

22 Comeram e beberam naquele dia perante o Senhor, com grande alegria. E, pela segunda vez, fizeram rei a Salomão, filho de Davi, e o ungiram ao Senhor para ser soberano, e a Zadoque para ser sacerdote.

23 Assim Salomão assentou-se no trono do Senhor, como rei em lugar de Davi, seu pai. Prosperou, e todo o Israel lhe obedeceu.

24 Todos os líderes e os poderosos, como também todos os filhos do rei Davi, se submeteram ao rei Salomão.

25 O Senhor engrandeceu muito a Salomão perante todo o Israel e deu-lhe majestade real, qual antes dele não teve nenhum rei em Israel.

26 Assim Davi, filho de Jessé, reinou sobre todo o Israel.

27 Foi o tempo que reinou sobre Israel quarenta anos; em Hebrom

reinou sete anos e, em Jerusalém, trinta e três.
**28** Morreu numa boa velhice, cheio de dias, riquezas e honra. Salomão, seu filho, reinou em seu lugar.
**29** Os atos do rei Davi, assim os primeiros como os últimos, estão escritos nas crônicas de Samuel, o vidente, nas crônicas do profeta Natã e nas crônicas de Gade, o vidente, **30** com os detalhes do seu reinado e poder, e as circunstâncias que o cercaram, a Israel e aos reinos das outras terras.

# 2CRÔNICAS

### Salomão pede sabedoria

**1** Salomão, filho de Davi, fortaleceu-se no seu reino, pois o Senhor seu Deus era com ele e muito o engrandeceu.
**2** Falou Salomão a todo o Israel, aos capitães dos milhares e das centenas, aos juízes e a todos os líderes em todo o Israel, cabeças de famílias.
**3** Foi Salomão e toda a congregação com ele ao alto que estava em Gibeom, pois ali estava a tenda da congregação de Deus, que Moisés, servo do Senhor, tinha feito no deserto.
**4** Ora, Davi tinha feito subir a arca de Deus de Quiriate-Jearim ao lugar que lhe havia preparado, porque lhe tinha armado uma tenda em Jerusalém.
**5** O altar de bronze feito por Bezalel, filho de Uri, filho de Hur, porém, estava em Gibeom diante do tabernáculo do Senhor; assim Salomão e a congregação o consultavam ali.
**6** Salomão subiu ao altar de bronze, perante o Senhor, na tenda da congregação, e sobre ele ofereceu mil holocaustos.
**7** Naquela mesma noite, Deus apareceu a Salomão e lhe disse: *Pede o que queres que eu te dê.*
**8** Respondeu Salomão a Deus: Tu usaste de grande benevolência para com meu pai Davi e a mim me fizeste rei em seu lugar.
**9** Agora, ó Senhor Deus, confirme-se a tua palavra, dada a meu pai Davi, pois me fizeste rei sobre um povo numeroso como o pó da terra.
**10** Dá-me agora sabedoria e conhecimento, para que possa sair e entrar perante este povo, pois quem poderia julgar a este teu povo, que é tão grande?
**11** Disse Deus a Salomão: Visto que houve isso no teu coração, e não pediste riquezas, bens ou honra, nem a morte dos que te odeiam, tampouco pediste muitos dias de vida, mas pediste para ti sabedoria e conhecimento para poderes julgar a meu povo, sobre o qual te constituí rei,
**12** sabedoria e conhecimento te são dados; e te darei riquezas, bens e honra, quais não teve nenhum rei antes de ti, e nenhum depois de ti terá.
**13** Assim Salomão veio a Jerusalém, do alto que estava em Gibeom, de diante da tenda da congregação. E reinou sobre Israel.
**14** Salomão ajuntou carros e cavaleiros; tinha mil e quatrocentos carros e doze mil cavaleiros, que colocou nas cidades para os carros e junto ao rei, em Jerusalém.
**15** Fez o rei que em Jerusalém houvesse ouro e prata como pedras e cedros em abundância como figueiras bravas que há nas baixadas.
**16** Os cavalos que Salomão tinha eram trazidos do Egito e de Coa; os mercadores do rei os recebiam de Coa por determinado preço.
**17** Importavam do Egito cada carro por seiscentos siclos de prata e cada cavalo, por cento e cinquenta. Também os exportavam para todos os reis dos heteus e para os reis da Síria.

## Preparativos para a construção do templo

**2** Salomão deu ordens para edificar um templo ao nome do Senhor, como também um palácio para o seu reino. **2** Designou Salomão setenta mil homens como carregadores, oitenta mil cortadores de pedras na montanha e três mil e seiscentos inspetores sobre eles.
**3** Salomão mandou dizer a Hirão, rei de Tiro: Como fizeste com Davi, meu pai, mandando-lhe cedros para edificar um palácio em que morasse, assim também faze comigo. **4** Ora, estou para edificar um templo ao nome do Senhor meu Deus e consagrá-lo a ele, para queimar perante ele incenso aromático, para apresentar o pão contínuo da proposição e os holocaustos da manhã e da tarde, nos sábados, nas luas novas e nas festividades do Senhor nosso Deus. Esta é uma obrigação perpétua de Israel. **5** O templo que vou edificar há de ser grande, porque o nosso Deus é maior do que todos os deuses. **6** Quem, porém, seria capaz de lhe edificar um templo, visto que os céus e até os céus dos céus não o podem conter? E quem sou eu para lhe edificar um templo, a não ser para queimar incenso perante ele? **7** Portanto, manda-me um homem habilidoso para trabalhar em ouro, prata, bronze, ferro, púrpura, carmesim e azul, e que saiba lavrar ao buril, com os peritos que estão comigo em Judá e em Jerusalém, os quais Davi meu pai preparou. **8** Manda-me também madeira de cedros, ciprestes e sândalo do Líbano, pois bem sei que os teus servos sabem cortar madeira no Líbano. Os meus servos estarão com os teus servos, **9** a fim de prepararem muita madeira, porque o templo que vou edificar há de ser grande e maravilhoso. **10** Aos teus servos, os cortadores da madeira, darei vinte mil coros de trigo batido, vinte mil coros de cevada, vinte mil batos de vinho e vinte mil batos de azeite.
**11** Hirão, rei de Tiro, respondeu por meio de uma carta que enviou a Salomão: Porque o Senhor ama o seu povo, te constituiu rei sobre ele. **12** E acrescentou Hirão: Bendito seja o Senhor, Deus de Israel, que fez os céus e a terra! Deu ao rei Davi um filho sábio, de grande prudência e entendimento, que edifique templo ao Senhor e para o seu próprio reino. **13** Envio um homem habilidoso, de entendimento, a saber, Hirão-Abi, **14** filho de uma mulher das filhas de Dã, e cujo pai foi homem de Tiro. Este sabe lavrar em ouro, em prata, em bronze, em ferro, em pedras, em madeira, em púrpura, em azul, em linho fino e em carmesim; é perito em toda a obra de buril e para toda espécie de engenhosas invenções. Ele trabalhará com os teus peritos e com os peritos de Davi, meu senhor, teu pai. **15** Agora mande o meu senhor para os seus servos o trigo, a cevada, o azeite e o vinho, de que falou, **16** e nós cortaremos tanta madeira no Líbano quanta precisares e a levaremos em jangadas pelo mar até Jope. Então tu a farás subir a Jerusalém.
**17** Contou Salomão todos os homens estrangeiros que havia na

terra de Israel, conforme o censo que fizera Davi, seu pai; e acharam-se cento e cinquenta e três mil e seiscentos.
18 Deles separou setenta mil para servirem de carreteiros, oitenta mil para cortadores de madeira na montanha, como também três mil e seiscentos inspetores para fazerem trabalhar o povo.

### A construção do templo

**3** Então Salomão começou a edificar o templo do Senhor em Jerusalém, no monte Moriá, onde o Senhor aparecera a Davi, seu pai, no lugar que Davi havia preparado na eira de Araúna, o jebuseu.
2 Começou a edificar no segundo mês, no segundo dia, no quarto ano do seu reinado.
3 Estas foram as medidas do alicerce que Salomão lançou para edificar o templo de Deus: o comprimento em côvados, segundo a primitiva medida, era de sessenta côvados, e a largura de vinte côvados.
4 O pórtico que estava na frente tinha vinte côvados de comprimento, correspondendo à largura do templo, e a altura era de cento e vinte. Dentro, ele cobriu de ouro puro.
5 O átrio principal forrou com madeira de cipreste e o cobriu de ouro fino, e gravou nele palmas e cadeias.
6 Adornou o templo de pedras preciosas. E o ouro era ouro de Parvaim.
7 Cobriu de ouro as traves e os umbrais, bem como as paredes e as suas portas, e lavrou querubins nas paredes.
8 Fez o Santíssimo Lugar, cujo comprimento era de vinte côvados, correspondendo à largura da casa, e a sua largura era de vinte côvados. Cobriu-o de ouro puro do peso de seiscentos talentos.
9 Os pregos eram de ouro e pesavam cinquenta siclos. Também cobriu de ouro os cenáculos.
10 Fez no Santíssimo Lugar dois querubins de madeira e os cobriu de ouro.
11 As asas dos querubins tinham vinte côvados de comprimento. A asa de um deles, de cinco côvados, tocava na parede do templo, e a outra asa, de cinco côvados, tocava na asa do outro querubim.
12 Da mesma forma, a asa do segundo querubim era de cinco côvados e tocava na parede do templo, e a sua outra asa, igualmente de cinco côvados, estava unida à asa do primeiro querubim.
13 As asas desses querubins se estendiam por vinte côvados. Eles estavam postos em pé, os seus rostos virados para o átrio principal.
14 Fez o véu de azul, púrpura, carmesim e linho fino, e fez bordar nele querubins.
15 Fez na frente do templo duas colunas de trinta e cinco côvados de altura; e o capitel que estava sobre cada uma era de cinco côvados.
16 Fez cadeias, como no Santo dos Santos, e as pôs no alto das colunas. Fez também cem romãs, que pôs nas cadeias.
17 Levantou as colunas diante do templo, uma à direita e outra à esquerda. Chamou o nome da que estava à direita Jaquim, e o nome da que estava à esquerda Boaz.

### Acessórios do templo

**4** Fez um altar de bronze de vinte côvados de comprimento, vinte de largura e dez de altura.

## 2Crônicas 4

**2** Fez o tanque de fundição, de dez côvados de uma borda até a outra, redondo, e de cinco côvados de altura. Um fio de trinta côvados era a medida da sua circunferência.
**3** Por baixo da sua borda havia figuras de bois que o cingiam ao redor, dez em cada côvado, contornando-o todo. Os bois estavam em duas fileiras, fundidas com o tanque.
**4** O tanque estava sobre doze bois; três olhavam para o norte, três para o ocidente, três para o sul e três para o oriente. Ele estava posto sobre os bois, cujas partes posteriores estavam para a banda de dentro.
**5** Tinha quatro dedos de espessura, e a sua borda foi feita como a borda de um copo, ou como a flor de um lírio, e sua capacidade era de três mil batos.
**6** Fez dez pias, e pôs cinco à direita e cinco à esquerda, para lavarem nelas o que pertencia ao holocausto, porém o tanque era para que os sacerdotes se lavassem nele.
**7** Fez dez castiçais de ouro, segundo fora ordenado, e os pôs no templo, cinco à direita e cinco à esquerda.
**8** Fez dez mesas e as pôs no templo, cinco à direita e cinco à esquerda. Também fez cem bacias de ouro.
**9** Fez o átrio dos sacerdotes e o átrio grande, como também as suas portas, as quais cobriu de bronze.
**10** Pôs o tanque ao lado direito da casa, para a banda do oriente, para o sul.
**11** Também fez as caldeiras, as pás e as bacias. Assim acabou Hirão de fazer a obra para o rei Salomão, no templo de Deus:
**12** as duas colunas; os dois capitéis em forma de globo no alto das colunas; as duas redes para cobrir os dois capitéis em forma de globo que estavam no alto das colunas;
**13** as quatrocentas romãs para as duas redes, duas fileiras de romãs para cada rede, para cobrirem os dois capitéis em forma de globo que estavam no alto das colunas;
**14** as bases, e as pias sobre as bases;
**15** o tanque, e os doze bois debaixo dele;
**16** as caldeiras, as pás, os garfos e todos os utensílios. Todos os objetos que fez Hirão-Abi para o rei Salomão, para o templo do Senhor, eram de bronze purificado.
**17** Na planície do Jordão os fundiu o rei, na terra argilosa entre Sucote e Zeredá.
**18** Fez Salomão todos estes utensílios em grande abundância, de maneira que não se podia determinar o peso do bronze.
**19** Fez também Salomão todos os utensílios que eram para o templo de Deus: o altar de ouro, as mesas, sobre as quais estavam os pães da proposição,
**20** os castiçais com as suas lâmpadas de ouro puro, para as acenderem segundo o costume, perante o Santo dos Santos;
**21** as flores, as lâmpadas e as tenazes eram de ouro, do mais puro ouro;
**22** como também os garfos, as bacias, as taças, os incensários, de ouro finíssimo; quanto à entrada do templo, as suas portas de dentro do Santíssimo Lugar e as portas do templo, isto é, do santuário, eram de ouro.

## A arca é levada para o templo

**5** Assim se acabou toda a obra que Salomão fez para o templo do Senhor. Então trouxe Salomão as coisas consagradas de seu pai Davi, a prata, o ouro, todos os utensílios e os pôs nos tesouros do templo de Deus.

**2** Convocou Salomão a Jerusalém os anciãos de Israel e todos os cabeças das tribos, os cabeças de famílias dos filhos de Israel, para fazerem subir a arca da aliança do Senhor, da Cidade de Davi, que é Sião.

**3** Todos os homens de Israel se congregaram ao rei na festa, no sétimo mês.

**4** Vieram todos os anciãos de Israel. Os levitas levantaram a arca

**5** e a fizeram subir, com a tenda da congregação, e também todos os utensílios sagrados que nela estavam. Os sacerdotes levitas os fizeram subir.

**6** Então o rei Salomão e toda a congregação de Israel, que se tinha congregado a ele, diante da arca, sacrificavam carneiros e bois, que não se podiam contar nem numerar por causa da sua multidão.

**7** Assim puseram os sacerdotes a arca da aliança do Senhor no seu lugar, no santuário mais interior, no Santo dos Santos, debaixo das asas dos querubins.

**8** Os querubins estendiam as asas sobre o lugar da arca e cobriam a arca e os seus varais.

**9** Os varais eram tão compridos que as suas pontas, sobressaindo da arca, eram vistas do Santo Lugar, mas não se viam de fora; e ali estão até o dia de hoje.

**10** Nada havia na arca senão as duas tábuas que Moisés ali tinha posto junto a Horebe, quando o Senhor fez aliança com os filhos de Israel, ao saírem eles do Egito.

**11** Então os sacerdotes se retiraram do santuário. Todos os sacerdotes que se achavam presentes se tinham consagrado, sem observarem a ordem das suas turmas.

**12** Todos os levitas que eram músicos — Asafe, Hemã, Jedutum, seus filhos e seus irmãos — vestidos de linho fino, com címbalos, com alaúdes e com harpas, estavam em pé ao oriente do altar, e com eles cento e vinte sacerdotes, que tocavam as trombetas.

**13** Os trombeteiros e os cantores juntaram-se em uníssono, como uma só voz, para louvar ao Senhor e render-lhe graças. Acompanhados de trombetas, címbalos e outros instrumentos, ergueram a voz em louvor ao Senhor e cantaram: Ele é bom, o seu amor dura para sempre. Então o templo do Senhor se encheu de uma nuvem,

**14** e os sacerdotes não podiam ter-se em pé, para ministrar, por causa da nuvem, pois a glória do Senhor encheu o templo de Deus.

## Salomão dedica o templo

**6** Então disse Salomão: O Senhor declarou que habitaria em uma nuvem escura;

**2** eu te edifiquei um templo para morada, um lugar para a tua eterna habitação.

**3** Enquanto toda a congregação se mantinha em pé, voltou o rei o rosto e abençoou a toda a congregação de Israel.

**4** Então disse: Bendito seja o Senhor, Deus de Israel, que com as suas mãos cumpriu o que prometeu pela sua boca a Davi, meu pai. Pois disse:

5 Desde o dia em que tirei o meu povo da terra do Egito, não escolhi cidade alguma de todas as tribos de Israel, para edificar nela um templo em que estivesse o meu nome, nem escolhi homem algum para ser chefe do meu povo Israel.

6 Agora, porém, escolhi Jerusalém para que ali estivesse o meu nome, e escolhi Davi para que estivesse sobre o meu povo Israel.

7 Davi, meu pai, teve no seu coração o propósito de edificar um templo ao nome do Senhor, Deus de Israel.

8 O Senhor, contudo, disse a Davi, meu pai: Porque tiveste no teu coração o propósito de edificar um templo ao meu nome, fizeste bem em ter isso no teu coração.

9 Contudo, tu não edificarás a casa, mas teu filho, que há de proceder de teus lombos, esse edificará o templo ao meu nome.

10 Cumpriu o Senhor a promessa que fez. Eu me levantei em lugar de Davi, meu pai, e me assentei sobre o trono de Israel, como o Senhor prometeu; e edifiquei o templo ao nome do Senhor, Deus de Israel.

11 Pus nela a arca, em que está a aliança que o Senhor fez com os filhos de Israel.

12 Salomão pôs-se em pé perante o altar do Senhor, diante de toda a congregação de Israel, e estendeu as mãos.

13 Ora, Salomão tinha feito uma plataforma de bronze, de cinco côvados de comprimento, cinco de largura e três de altura, e a tinha posto no meio do pátio. Pôs-se em pé sobre ela, então se ajoelhou na presença de toda a congregação de Israel, estendeu as mãos para o céu

14 e disse: Ó Senhor, Deus de Israel, não há Deus semelhante a ti, nem no céu nem na terra, que guardas a aliança e a beneficência aos teus servos que caminham perante ti de todo o seu coração.

15 Cumpriste em favor de teu servo Davi, meu pai, o que lhe prometeste; com a tua boca o disseste e com a tua mão o cumpriste, como se vê neste dia.

16 Agora, Senhor, Deus de Israel, cumpre ao teu servo Davi, meu pai, o que prometeste, dizendo: Nunca te faltará homem diante de mim, que se assente sobre o trono de Israel, se tão somente os teus filhos guardarem os seus caminhos, para andarem na minha lei, como tu andaste diante de mim.

17 E agora, ó Senhor Deus de Israel, confirme-se a tua palavra, que prometeste ao teu servo, a Davi.

18 Verdadeiramente, porém, habitará Deus com os homens na terra? O céu e o céu dos céus não te podem conter, quanto menos este templo que edifiquei!

19 Todavia, atende à oração do teu servo e à sua súplica, ó Senhor, meu Deus, para ouvires o clamor e a oração, que o teu servo faz perante ti.

20 Que os teus olhos estejam dia e noite abertos sobre este lugar, do qual disseste que ali porias o teu nome. Que ouças a oração que o teu servo fizer neste lugar.

21 Ouve as súplicas do teu servo e do teu povo Israel, que fizerem neste lugar. Ouve tu do

lugar da tua habitação, do céu; ouve e perdoa.

**22** Quando alguém pecar contra o seu próximo, e lhe for exigido que jure, e ele vier a jurar diante do teu altar, neste templo,
**23** ouve tu dos céus, age e julga a teus servos, pagando ao ímpio, lançando o seu proceder sobre a sua cabeça e justificando ao justo, dando-lhe segundo a sua justiça.
**24** Quando também o teu povo Israel for ferido diante do inimigo, por ter pecado contra ti, e eles se converterem, confessarem o teu nome e orarem e suplicarem perante ti neste templo,
**25** ouve tu dos céus e perdoa os pecados de teu povo Israel, faze-os tornar à terra que lhe deste e a seus pais.
**26** Quando os céus se cerrarem, e não houver chuva, por terem pecado contra ti, e orarem neste lugar, confessarem teu nome e se converterem dos seus pecados, quando tu os afligires,
**27** ouve tu dos céus, perdoa o pecado de teus servos e do teu povo Israel. Ensina-lhes o bom caminho, em que devem andar e dá chuva sobre a terra que deste ao teu povo em herança.
**28** Quando houver fome na terra ou peste, quando houver praga ou ferrugem, gafanhotos ou lagarta, quando o seu inimigo o *cercar em qualquer das suas cidades*, ou houver alguma praga ou doença,
**29** toda oração e súplica que qualquer homem ou todo o teu povo Israel fizer, conhecendo cada um a sua praga e a sua dor, e estendendo as mãos para este templo,
**30** ouve tu dos céus, do assento da tua habitação. Perdoa e dá a cada um conforme a todos os seus caminhos, segundo vires o seu coração (pois só tu conheces o coração dos filhos dos homens),
**31** a fim de que te temam e andem nos teus caminhos, todos os dias que viverem na terra que deste a nossos pais.
**32** Assim também ao estrangeiro, que não é do teu povo Israel, mas vier de terras remotas por amor do teu grande nome, da tua poderosa mão e do teu braço estendido, vindo ele e orando neste templo,
**33** ouve tu dos céus, do assento da tua habitação, e faze conforme tudo o que o estrangeiro te suplicar, a fim de que todos os povos da terra conheçam o teu nome e te temam, como o teu povo Israel, e saibam que pelo teu nome é chamado este templo que edifiquei.
**34** Quando o teu povo sair à guerra contra os seus inimigos, pelo caminho que os enviares, e orarem a ti, voltados para esta cidade que escolheste e para este templo que edifiquei ao teu nome,
**35** ouve tu dos céus a sua oração e a sua súplica e executa o seu direito.
**36** Quando pecarem contra ti (pois não há homem que não peque), e tu te indignares contra eles e os entregares diante do inimigo, para que os levem cativos a uma terra, longe ou perto,
**37** e na terra para onde forem levados em cativeiro caírem em si e se converterem, e na terra do seu cativeiro a ti suplicarem, dizendo: Pecamos, perversamente procedemos e cometemos iniquidade;
**38** se eles se converterem a ti de todo o seu coração e de toda a

sua alma, na terra do seu cativeiro para onde os levaram presos, e orarem voltados para a sua terra, que deste a seus pais, para esta cidade que escolheste e para este templo que edifiquei ao teu nome,

39 ouve tu dos céus, do assento da tua habitação, a sua oração e as suas súplicas e executa o seu direito. Perdoa ao teu povo que houver pecado contra ti.

40 Agora, ó meu Deus, estejam os teus olhos abertos e os teus ouvidos atentos à oração que se fizer neste lugar.

41 Levanta-te, agora, Senhor Deus, e vem para o teu repouso, tu e a arca da tua fortaleza.
Os teus sacerdotes,
 ó Senhor Deus,
sejam vestidos de salvação,
 e os teus santos se
 regozijem no bem.

42 Ah! Senhor Deus,
 não rejeites o teu ungido.
Lembra-te do grande amor
 que prometeste a teu servo
 Davi.

### A dedicação do templo

**7** Quando Salomão acabou de orar, desceu fogo do céu e consumiu o holocausto e os sacrifícios; e a glória do Senhor encheu o templo.

2 Os sacerdotes não podiam entrar no templo do Senhor, porque a glória do Senhor tinha enchido o seu templo.

3 Todos os filhos de Israel, vendo *descer o fogo e a glória do* Senhor sobre o templo, ajoelharam-se com o rosto em terra sobre o pavimento e adoraram e louvaram ao Senhor, dizendo: Ele é bom; o seu amor dura para sempre.

4 Então o rei e todo o povo ofereceram sacrifícios perante o Senhor.

5 E o rei Salomão ofereceu em sacrifício vinte e dois mil bois e cento e vinte mil ovelhas. Assim o rei e todo o povo dedicaram o templo de Deus.

6 Os sacerdotes estavam em pé nos seus postos, como também os levitas com os instrumentos de música, que o rei Davi tinha feito para louvar ao Senhor e que eram usados quando ele rendia graças ao Senhor, dizendo: O seu amor dura para sempre. Os sacerdotes que tocavam as trombetas estavam diante deles, e todo o Israel estava em pé.

7 Salomão consagrou o meio do átrio, que estava diante do templo do Senhor, e ali ofereceu os holocaustos e a gordura das ofertas pacíficas, porque no altar de bronze, que Salomão tinha feito, não podiam caber os holocaustos, as ofertas de manjares e a gordura.

8 Assim, naquele tempo, celebrou Salomão a festa por sete dias, e todo o Israel com ele, uma grande congregação, desde a entrada de Hamate até o rio do Egito.

9 No oitavo dia, celebraram uma assembleia solene, pois por sete dias haviam celebrado a consagração do altar, e por sete dias, a festa.

10 No vigésimo terceiro dia do sétimo mês, despediu o povo para as suas tendas, alegre e de bom ânimo pelo bem que o Senhor tinha feito a Davi e a Salomão, e a seu povo Israel.

11 Quando Salomão acabou a casa do Senhor e a casa do rei, e prosperamente efetuou tudo o que intentou fazer no templo do Senhor e no seu palácio,

12 o Senhor lhe apareceu de noite e lhe disse: Ouvi a tua oração e escolhi para mim este lugar para templo de sacrifício.
13 Quando eu fechar os céus para que não chova, ou ordenar aos gafanhotos que consumam a terra, ou enviar a peste entre o meu povo,
14 se o meu povo, que se chama pelo meu nome, se humilhar, e orar e buscar a minha face, e se converter dos seus maus caminhos, então eu ouvirei dos céus, perdoarei os seus pecados e sararei a sua terra.
15 Agora estarão abertos os meus olhos e atentos os meus ouvidos à oração que se fizer neste lugar.
16 Escolhi e consagrei este templo, para que o meu nome esteja nele perpetuamente. Nele estarão fixos os meus olhos e o meu coração todos os dias.
17 Quanto a ti, se andares diante de mim, como andou Davi, teu pai, e fizeres conforme tudo o que te ordenei, e guardares os meus estatutos e os meus juízos,
18 também confirmarei o trono do teu reino, conforme a aliança que fiz com Davi, teu pai, dizendo: Não te faltará homem que governe em Israel.
19 Se, porém, vos desviardes e deixardes os meus estatutos e os meus mandamentos, que vos tenho proposto, e fordes e servirdes a outros deuses e vos prostrardes a eles,
20 então arrancarei a Israel da minha terra que lhes dei e lançarei da minha presença este templo que consagrei ao meu nome; farei com que seja por provérbio e motivo de zombaria entre todos os povos.
21 E deste templo, que é tão exaltado, qualquer que passar por ele se espantará e perguntará: Por que fez o Senhor assim com esta terra e com este templo?
22 E lhe responderão: Porque abandonaram o Senhor Deus de seus pais, que os tirou da terra do Egito, e se apegaram a outros deuses, e se prostraram a eles, e os serviram; por isso ele trouxe sobre eles todo este mal.

## Outras atividades de Salomão

**8** Ao fim de vinte anos, nos quais Salomão edificou o templo do Senhor, e a seu próprio palácio,
2 edificou Salomão as cidades que Hirão lhe tinha dado e fez habitar nelas os filhos de Israel.
3 Depois foi Salomão a Hamate-Zobá e a tomou.
4 Também edificou a Tadmor no deserto, e a todas as cidades-armazéns em Hamate.
5 Edificou também a alta Bete-Horom e a baixa Bete-Horom, cidades fortificadas com muros, portas e trancas;
6 como também a Baalate e todas as cidades-armazéns que Salomão tinha, e todas as cidades para os carros e os cavaleiros, e tudo o que, conforme o seu desejo, quis edificar em Jerusalém, no Líbano e em toda a terra do seu domínio.
7 Todo o povo que tinha ficado dos heteus, amorreus, ferezeus, heveus e jebuseus, que não eram de Israel,
8 isto é, seus filhos, que restaram depois deles na terra, os quais os filhos de Israel não destruíram, Salomão os fez tributários, até o dia de hoje.
9 Dos filhos de Israel, porém, Salomão não fez escravo algum para a sua obra; eram os homens de guerra, chefes dos seus capitães,

chefes dos seus carros e dos seus cavaleiros.

10 Eram também os chefes dos oficiais que o rei Salomão tinha, duzentos e cinquenta, que presidiam sobre o povo.

11 Salomão fez subir a filha de faraó da Cidade de Davi para o palácio que lhe tinha edificado, pois disse: Minha mulher não morará no palácio de Davi, rei de Israel, porque santos são os lugares nos quais entrou a arca do Senhor.

12 Ofereceu Salomão holocaustos ao Senhor, sobre o altar que tinha edificado diante do pórtico,

13 segundo o dever de cada dia, fazendo ofertas segundo o preceito de Moisés, nos sábados, nas luas novas e nas três festas anuais, a saber, na festa dos pães sem fermento, na festa das semanas e na festa dos tabernáculos.

14 Conforme a ordem de Davi, seu pai, designou as turmas dos sacerdotes nos seus ministérios, como também as dos levitas para os seus cargos, para louvarem a Deus e servirem diante dos sacerdotes, segundo exigia o dever de cada dia. Designou também os porteiros, pelas suas turmas, a cada porta, porque assim havia mandado Davi, o homem de Deus.

15 Não se desviaram os sacerdotes e levitas do mandado do rei, em coisa alguma, nem acerca dos tesouros.

16 Assim se executou toda a obra de Salomão, desde o dia da fundação do templo do Senhor até se acabar. Assim se concluiu o templo do Senhor.

17 Então foi Salomão a Eziom-Geber e a Elote, à praia do mar, na terra de Edom.

18 E Hirão enviou-lhe navios comandados por seus oficiais, que eram marinheiros experimentados. Estes foram a Ofir com os servos de Salomão e de lá trouxeram quatrocentos e cinquenta talentos de ouro, os quais entregaram ao rei Salomão.

### A rainha de Sabá e Salomão

**9** Quando a rainha de Sabá ouviu falar da fama de Salomão, veio a Jerusalém para testá-lo com enigmas. Chegando com uma grande comitiva, camelos carregados de especiarias, ouro em abundância e pedras preciosas, veio ter com Salomão e falou-lhe de tudo o que tinha no seu coração.

2 Salomão lhe respondeu a todas as suas perguntas; nada lhe houve difícil demais que não lhe soubesse explicar.

3 Vendo a rainha de Sabá a sabedoria de Salomão, o palácio que edificara,

4 as iguarias da sua mesa, o assentar dos seus oficiais, o serviço dos seus criados e os trajes deles, seus copeiros e os seus trajes, e os holocaustos que ele oferecia na casa do Senhor, ficou como fora de si.

5 E disse ao rei: Era verdade a palavra que ouvi na minha terra acerca dos teus feitos e da tua sabedoria.

6 Eu não cria, porém, no que se falava, até que vim e vi com os meus próprios olhos. Deveras, não me disseram a metade da grandeza da tua sabedoria; ultrapassaste a fama que ouvi.

7 Bem-aventurados os teus homens e estes teus servos, que estão sempre diante de ti e ouvem a tua sabedoria!

**8** Bendito seja o Senhor, o teu Deus, que se agradou de ti para te pôr como rei sobre o seu trono, para ser rei pelo Senhor teu Deus. Porque o teu Deus ama a Israel para o estabelecer perpetuamente; por isso constituiu-te rei sobre ele, para executares juízo e justiça.

**9** Deu ao rei cento e vinte talentos de ouro, especiarias em grande abundância e pedras preciosas. Nunca houve tais especiarias quais a rainha de Sabá deu ao rei Salomão.

**10** Também os servos de Hirão e os servos de Salomão, que de Ofir tinham trazido ouro, trouxeram madeira de sândalo e pedras preciosas.

**11** Fez o rei, da madeira de sândalo, escadarias para o templo do Senhor e para a casa do rei, como também harpas e alaúdes para os músicos, quais nunca dantes se viram na terra de Judá.

**12** O rei Salomão deu à rainha de Sabá tudo o que ela desejou e pediu; deu-lhe mais do que ela trouxera ao rei. Assim voltou e foi para a sua terra, ela e os seus servos.

### O esplendor de Salomão

**13** O peso do ouro que se trazia cada ano a Salomão era de seiscentos e sessenta e seis talentos, **14** fora o que os negociantes e mercadores traziam. Também todos os reis da Arábia e os governadores do país traziam a Salomão ouro e prata.

**15** Fez Salomão duzentos escudos de ouro batido; para cada escudo mandou pesar seiscentos siclos de ouro batido.

**16** Fez também trezentos escudos de ouro batido; para cada escudo mandou pesar trezentos siclos de ouro. Colocou-os o rei no Palácio do bosque do Líbano.

**17** Fez o rei um grande trono de marfim, e o cobriu de ouro puro.

**18** O trono tinha seis degraus e um estrado de ouro, que eram ligados ao trono; de ambos os lados tinha braços junto ao lugar do assento e dois leões em pé junto aos braços.

**19** Havia doze leões em pé de um e outro lado sobre os seis degraus. Outro tal não se fizera em nenhum reino.

**20** Todas as taças do rei Salomão eram de ouro; todos os objetos do palácio do bosque do Líbano, de ouro puro. Nada era feito de prata, porque considerava-se a prata de pouco valor nos dias de Salomão.

**21** Tinha o rei navios que iam a Társis com os servos de Hirão. De três em três anos os navios voltavam de Társis, trazendo ouro, prata, marfim, macacos e pavões.

**22** Excedeu o rei Salomão a todos os reis da terra em riqueza e em sabedoria.

**23** Todos os reis da terra procuravam ver o rosto de Salomão para ouvirem a sabedoria que Deus lhe pusera no coração.

**24** Cada um trazia o seu presente: artigos de prata e de ouro, roupas, armaduras, especiarias, cavalos e mulas, ano após ano.

**25** Teve também Salomão quatro mil manjedouras para os cavalos de seus carros e doze mil cavaleiros, os quais mantinha nas cidades dos carros, e com o rei em Jerusalém.

**26** Dominava Salomão sobre todos os reis, desde o Rio até a terra dos filisteus, e até a fronteira do Egito.

**2Crônicas 10**

**27** Fez o rei que, em Jerusalém, houvesse prata como pedras e cedros em tanta abundância como as figueiras bravas que há nas baixadas.
**28** Do Egito e de todas aquelas terras traziam cavalos a Salomão.

### A morte de Salomão

**29** Quanto ao restante dos atos de Salomão, desde os primeiros até os últimos, porventura não estão escritos no livro da história de Natã, o profeta, e na profecia de Aías, o silonita, e nas visões de Ido, o vidente, acerca de Jeroboão, filho de Nebate?
**30** Reinou Salomão em Jerusalém quarenta anos sobre todo o Israel.
**31** Descansou com seus pais e foi sepultado na Cidade de Davi, seu pai. E Roboão, seu filho, reinou em seu lugar.

### A divisão do reino

**10** Foi Roboão a Siquém, pois todo o Israel tinha-se reunido ali para fazê-lo rei.
**2** Ouvindo isso Jeroboão, filho de Nebate (o qual estava então no Egito, para onde fugira da presença do rei Salomão), voltou do Egito.
**3** De modo que mandaram chamá-lo, e veio Jeroboão com todo o Israel a Roboão e lhe disseram:
**4** Teu pai fez duro o nosso jugo, mas alivia tu agora a dura servidão de teu pai e o pesado jugo que nos impôs, e nós te serviremos.
**5** Respondeu Roboão: Daqui a *três dias voltai a mim*. Pelo que o povo se foi.
**6** O rei Roboão tomou conselho com os anciãos que estiveram perante Salomão seu pai, quando este ainda vivia. Perguntou-lhes: Como aconselhais vós que se responda a este povo?
**7** Responderam eles: Se te fizeres benigno para com este povo e lhes falares boas palavras, eles sempre serão teus servos.
**8** Ele, porém, deixou o conselho que os anciãos lhe deram e tomou conselho com os jovens que haviam crescido com ele e estavam perante ele.
**9** Perguntou-lhes: Que aconselhais vós? Que responderemos a este povo, que me diz: Alivia o jugo que teu pai nos impôs?
**10** Os jovens que com ele haviam crescido lhe responderam: Assim dirás a este povo, que te disse: Teu pai agravou o nosso jugo, tu porém alivia-nos. Assim lhe falarás: O meu dedo mínimo é mais grosso do que a cintura de meu pai.
**11** O meu pai vos impôs jugo pesado; eu ainda o aumentarei. Ele vos castigou com açoites; eu vos castigarei com escorpiões.
**12** Veio Jeroboão e todo o povo a Roboão, ao terceiro dia, como o rei tinha dito: Voltai a mim ao terceiro dia.
**13** O rei lhes respondeu asperamente e, deixando o conselho dos anciãos,
**14** seguiu o conselho dos jovens e disse: Meu pai agravou o vosso jugo; eu lhes acrescentarei ainda mais. Meu pai vos castigou com açoites; eu vos castigarei com escorpiões.
**15** Assim o rei não deu ouvidos ao povo, pois esta mudança vinha de Deus, para que o Senhor confirmasse a sua palavra, a qual falara por intermédio de Aías, o silonita, a Jeroboão, filho de Nebate.
**16** Vendo todo o Israel que o rei não lhe dava ouvidos, respondeu-lhe:

Que parte temos nós com Davi? Não temos herança no filho de Jessé. Cada um às suas tendas, ó Israel! Cuida agora da tua casa, ó Davi.
Assim todo o Israel se foi para as suas tendas.
17 Quanto, porém, aos filhos de Israel que habitavam nas cidades de Judá, sobre eles reinou Roboão.
18 Então o rei Roboão enviou a Adorão, que estava sobre os que trabalhavam forçados, porém os filhos de Israel o apedrejaram, e ele morreu. Porém o rei Roboão conseguiu tomar o seu carro e fugir para Jerusalém.
19 Assim os israelitas se mantêm rebelados contra a dinastia de Davi até o dia de hoje.

### Roboão, rei de Judá

**11** Vindo Roboão a Jerusalém, convocou das tribos de Judá e de Benjamim cento e oitenta mil escolhidos, destros na guerra, para pelejar contra Israel a fim de restituírem o reino a Roboão.
2 Veio, porém, a palavra do Senhor a Semaías, homem de Deus:
3 Dize a Roboão, filho de Salomão, rei de Judá, e a todo o Israel, em Judá e Benjamim:
4 Assim diz o Senhor: Não subireis, nem pelejareis contra os vossos irmãos. Volte cada um para sua casa, pois de mim proveio isto. Pelo que ouviram as palavras do Senhor e desistiram de ir contra Jeroboão.
5 Habitou Roboão em Jerusalém e edificou cidades para fortalezas, em Judá.
6 Edificou Belém, Etã, Tecoa,
7 Bete-Zur, Socó, Adulão,
8 Gate, Maressa, Zife,
9 Adoraim, Laquis, Azeca,
10 Zorá, Aijalom e Hebrom, que estão em Judá e em Benjamim, cidades fortes.
11 Fortificou estas cidades e pôs nelas comandantes, e armazéns de víveres, de azeite e de vinho.
12 Pôs em cada cidade escudos e lanças; fortificou-as grandemente. Judá e Benjamim ficaram-lhe sujeitas.
13 Também os sacerdotes e os levitas, que havia em todo o Israel, se ajuntaram a ele de todos os seus termos.
14 Os levitas até abandonaram os seus arrabaldes e os seus bens e vieram para Judá e para Jerusalém, porque Jeroboão e seus filhos os lançaram fora, para que não ministrassem ao Senhor.
15 E constituiu Jeroboão para si sacerdotes para os altos, para os demônios e para os bezerros que fizera.
16 Além desses, de todas as tribos de Israel, os que determinaram no coração buscar ao Senhor, o Deus de Israel, também vieram a Jerusalém, para oferecer sacrifícios ao Senhor Deus de seus pais.
17 Assim fortaleceram o reino de Judá e apoiaram a Roboão, filho de Salomão, por três anos, andando no caminho de Davi e Salomão durante esse tempo.
18 Roboão tomou por mulher a Maalate, filha de Jerimote, filho de Davi, e a Abiail, filha de Eliabe, filho de Jessé.
19 Ela lhe deu filhos: Jeús, Semarias e Zaã.
20 Depois dela tomou a Maaca, filha de Absalão, que lhe deu Abias, Atai, Ziza e Selomite.

21 Roboão amava mais Maaca, filha de Absalão, do que a todas as suas outras mulheres e concubinas. Ao todo teve ele dezoito mulheres e sessenta concubinas, vinte e oito filhos e sessenta filhas.
22 Roboão designou Abias, filho de Maaca, chefe entre seus irmãos, a fim de fazê-lo rei.
23 Usou de prudência, distribuindo todos os seus filhos por entre todas as terras de Judá e Benjamim, por todas as cidades fortificadas. Deu-lhes provisões em abundância e lhes conseguiu muitas mulheres.

## Sisaque ataca Jerusalém

**12** Havendo Roboão confirmado o reino e havendo-se fortalecido, deixou a lei do Senhor, e com ele todo o Israel.
2 Pelo que, no ano quinto do rei Roboão, Sisaque, rei do Egito, subiu contra Jerusalém (porque tinham sido infiéis ao Senhor),
3 com mil e duzentos carros e sessenta mil cavaleiros; era inumerável a gente que vinha com ele do Egito, de líbios, suquitas e etíopes.
4 Tomou as cidades fortificadas de Judá e veio a Jerusalém.
5 Então veio Semaías, o profeta, a Roboão e aos líderes de Judá que se reuniram em Jerusalém por causa de Sisaque e lhes disse: Assim diz o Senhor: Vós me deixastes a mim, pelo que agora eu vos abandono nas mãos de Sisaque.
6 *Então se humilharam os líderes de Israel e o rei e disseram: O Senhor é justo.*
7 Vendo o Senhor que se humilhavam, veio a palavra do Senhor a Semaías: Humilharam-se, não os destruirei, mas em breve lhes darei socorro, para que o meu furor não se derrame sobre Jerusalém, por intermédio de Sisaque.
8 Serão, porém, seus servos, para que conheçam a diferença da minha servidão e da servidão dos reinos da terra.
9 Subiu Sisaque, rei do Egito, contra Jerusalém e tomou os tesouros do templo do Senhor e os tesouros do palácio do rei. Levou tudo, inclusive os escudos de ouro que Salomão fizera.
10 Por isso fez o rei Roboão para substituí-lo escudos de bronze e os entregou aos capitães da guarda, que guardavam a porta da casa do rei.
11 Sempre que o rei ia ao templo do Senhor, os da guarda iam com ele, levando os escudos, e depois os tornavam a pôr na câmara da guarda.
12 E humilhando-se ele, a ira do Senhor se desviou dele para que não o destruísse de todo. Deveras, em Judá ainda havia boas coisas.
13 Fortificou-se o rei Roboão em Jerusalém e continuou reinando. Roboão era da idade de quarenta e um anos quando começou a reinar e dezessete anos reinou em Jerusalém, a cidade que o Senhor escolheu dentre todas as tribos de Israel para pôr ali o seu nome. Era o nome de sua mãe Naamá, amonita.
14 Fez o que era mau, porque não preparou o seu coração para buscar ao Senhor.
15 Quanto aos mais atos de Roboão, assim os primeiros como os últimos, porventura não estão escritos nos livros de Semaías, o profeta, e de Ido, o vidente, na relação das genealogias? Houve guerra

entre Roboão e Jeroboão todos os seus dias.

**16** Descansou Roboão com seus pais e foi sepultado na Cidade de Davi. E Abias, seu filho, reinou em seu lugar.

### Abias, rei de Judá

**13** No décimo oitavo ano do rei Jeroboão, Abias começou a reinar sobre Judá. **2** Três anos reinou em Jerusalém. Era o nome de sua mãe Micaía, filha de Uriel de Gibeá. Houve guerra entre Abias e Jeroboão. **3** Abias ordenou a peleja com um exército de homens valentes, quatrocentos mil homens escolhidos, e Jeroboão dispôs contra ele a batalha com oitocentos mil homens escolhidos, todos homens valentes.

**4** Pôs-se Abias em pé no alto do monte Zemaraim, que está nas montanhas de Efraim, e disse: Ouvi-me, Jeroboão e todo o Israel: **5** Não vos convém saber que o Senhor Deus de Israel deu para sempre a Davi a soberania sobre Israel, a ele e a seus filhos, por uma aliança de sal? **6** Contudo levantou-se Jeroboão, filho de Nebate, servo de Salomão, filho de Davi, e se rebelou contra seu senhor. **7** Ajuntaram-se a ele homens vadios, filhos de Belial, e fortificaram-se contra Roboão, filho de Salomão; sendo Roboão ainda jovem e indeciso de coração, não lhes podia resistir.

**8** Agora pretendeis resistir ao reino do Senhor, que está nas mãos dos filhos de Davi. Sois deveras uma grande multidão e tendes convosco os bezerros de ouro que Jeroboão vos fez para deuses. **9** Não lançastes fora os sacerdotes do Senhor, os filhos de Arão e os levitas? Não fizestes para vós sacerdotes, como as gentes das outras terras? Qualquer que vem a consagrar-se com um novilho e sete carneiros logo se faz sacerdote daqueles que não são deuses. **10** Quanto, porém, a nós, o Senhor é nosso Deus, e nunca o deixamos. Os sacerdotes, que ministram ao Senhor, são filhos de Arão e os levitas na sua obra. **11** Queimam perante o Senhor cada manhã e cada tarde holocausto e incenso aromático, dispondo os pães da proposição sobre a mesa pura e o castiçal de ouro e as suas lâmpadas para se acenderem cada tarde, porque nós temos guardado os preceitos do Senhor, o nosso Deus. Porém vós o deixastes. **12** Deus está conosco, à nossa frente, como também os seus sacerdotes, com as trombetas, para dar alarme contra vós. Ó filhos de Israel, não pelejeis contra o Senhor Deus de vossos pais, porque não prosperareis.

**13** Ora, Jeroboão havia armado uma emboscada, para atacar Judá pela retaguarda, de maneira que as suas forças estavam em frente de Judá e a emboscada por detrás. **14** Judá voltou-se e viu que tinham de pelejar por diante e por detrás. Então clamaram ao Senhor. Os sacerdotes tocaram as trombetas, **15** e os homens de Judá gritaram. Gritando os homens de Judá, Deus feriu Jeroboão e todo o Israel diante de Abias e de Judá. **16** Os filhos de Israel fugiram de diante de Judá, mas Deus os entregou nas suas mãos. **17** Abias e o seu povo fizeram grande matança entre eles, de maneira que caíram feridos de Israel quinhentos mil homens escolhidos.

**18** Assim foram humilhados os filhos de Israel naquele tempo, e os filhos de Judá prevaleceram, porque confiaram no Senhor Deus de seus pais.

**19** Abias perseguiu a Jeroboão e tomou as cidades de Betel, Jesana e Efrom, com seus arrabaldes.

**20** Jeroboão não recobrou mais a sua força nos dias de Abias. E o Senhor o feriu, e ele morreu.

**21** Abias, porém, se fortificou e tomou para si catorze mulheres, e teve vinte e dois filhos e dezesseis filhas.

**22** Quanto ao restante dos atos de Abias, tanto os seus caminhos como as suas palavras, estão escritos na história do profeta Ido.

### Asa, rei de Judá

**14** E descansou Abias com seus pais e foi sepultado na Cidade de Davi. E Asa, seu filho, reinou em seu lugar. Nos seus dias houve paz na terra durante dez anos.

**2** Asa fez o que era bom e reto aos olhos do Senhor seu Deus.

**3** Tirou os altares dos deuses estranhos e os altos, e quebrou as colunas e cortou os postes sagrados.

**4** Mandou a Judá que buscasse ao Senhor Deus de seus pais e que observasse a lei e o mandamento.

**5** Tirou de todas as cidades de Judá os altos e os altares do incenso, e o reino esteve em paz sob *seu governo*.

**6** Edificou cidades fortificadas em Judá, pois a terra estava em paz. Não havia guerra contra ele naqueles anos, pois o Senhor lhe dera repouso.

**7** Disse a Judá: Edifiquemos estas cidades e cerquemo-las de muros e torres, portas e ferrolhos. A terra ainda está em paz diante de nós, porque buscamos ao Senhor nosso Deus; buscamo-lo, e ele nos deu repouso em redor. Portanto, edificaram e prosperaram.

**8** Tinha Asa um exército de trezentos mil homens de Judá, que traziam escudos e lanças, e duzentos e oitenta mil de Benjamim, que traziam escudo e atiravam de arco. Todos esses eram homens valentes.

**9** Zerá, o etíope, saiu contra eles, com um exército de um milhão de homens e trezentos carros, e chegou até Maressa.

**10** Saiu Asa contra ele e ordenaram a batalha no vale de Zefatá, junto a Maressa.

**11** Asa clamou ao Senhor seu Deus e disse: Senhor, não há ninguém como tu que possa ajudar o fraco contra o poderoso. Ajuda-nos, ó Senhor nosso Deus, pois em ti confiamos e no teu nome viemos contra esta multidão. Senhor, tu és nosso Deus; não prevaleça contra ti o homem.

**12** Feriu o Senhor os etíopes diante de Asa e diante de Judá. Os etíopes fugiram,

**13** e Asa e o povo que estava com ele os perseguiram até Gerar. Caíram tantos dos etíopes que já não havia neles resistência alguma; foram destroçados diante do Senhor e diante do seu exército. Os homens de Judá levaram dali grande despojo.

**14** Destruíram todas as cidades nos arredores de Gerar, pois o terror do Senhor tinha vindo sobre eles. Saquearam todas as cidades, visto que nelas havia muita presa.

15 Feriram também os acampamentos dos pastores e levaram muitas ovelhas, bodes e camelos. Então voltaram para Jerusalém.

## A reforma de Asa

**15** Veio o Espírito de Deus sobre Azarias, filho de Obede. 2 Ele saiu ao encontro de Asa e lhe disse: Ouvi-me, Asa, e todo o Judá, e Benjamim. O Senhor está convosco, quando vós estais com ele. Se o buscardes, o achareis; porém, se o deixardes, ele vos deixará. 3 Israel esteve por muito tempo sem o verdadeiro Deus, sem sacerdote que o ensinasse e sem lei. 4 Na sua angústia, porém, se converteram ao Senhor, Deus de Israel, e o buscaram, e o acharam. 5 Naqueles tempos, não havia paz nem para os que saíam nem para os que entravam, mas muitas perturbações sobre todos os habitantes daquelas terras. 6 Uma nação despedaçava a outra nação, e uma cidade a outra cidade, porque Deus as conturbava com todo tipo de angústia. 7 Quanto a vós, porém, esforçai-vos, e não desfaleçam as vossas mãos, pois a vossa obra terá uma recompensa. 8 Ouvindo Asa estas palavras e a profecia do profeta, filho de Obede, esforçou-se. Tirou as abominações de toda a terra de Judá e de Benjamim, como também das cidades que tomara na região montanhosa de Efraim. Renovou o altar do Senhor, que estava diante do pórtico do Senhor. 9 Congregou todo o Judá e Benjamim, e com eles os estrangeiros de Efraim e Manassés, e de Simeão, pois de Israel vinham a ele em grande número, quando viram que o Senhor seu Deus era com ele. 10 Ajuntaram-se em Jerusalém no terceiro mês, no décimo quinto ano do reinado de Asa. 11 Nesse tempo, ofereceram em sacrifício ao Senhor, do despojo que trouxeram, seiscentos bois e seis mil ovelhas. 12 Entraram em aliança de buscarem o Senhor, Deus de seus pais, de todo o seu coração, e de toda a sua alma. 13 Todo aquele que não buscasse ao Senhor, Deus de Israel, seria morto, tanto pequeno como grande, homem ou mulher. 14 Juraram ao Senhor, em alta voz, com júbilo, com trombetas e buzinas. 15 Todo o Judá se alegrou deste juramento, porque de todo o seu coração juraram. De toda a boa vontade buscaram ao Senhor e o acharam. Pelo que o Senhor lhes deu repouso em redor. 16 O rei Asa também depôs Maaca, sua mãe, para que não fosse mais rainha-mãe, porque ela fizera um abominável ídolo Aserá. Asa destruiu o seu horrível ídolo, o despedaçou e o queimou junto ao vale do Cedrom. 17 Embora não tenha tirado os altos de Israel, o coração de Asa foi perfeito todos os seus dias. 18 Trouxe as coisas que seu pai tinha consagrado e as coisas que ele mesmo tinha consagrado à casa de Deus: prata, ouro e utensílios. 19 Não houve guerra até o trigésimo quinto ano do reinado de Asa.

## Os últimos anos de Asa

**16** No trigésimo sexto ano do reinado de Asa, Baasa, rei de Israel, subiu contra Judá

e edificou a Ramá, para não deixar ninguém sair do território de Asa, rei de Judá, nem entrar nele.
**2** Então tirou Asa a prata e o ouro dos tesouros do templo de Deus e da casa do rei e enviou mensageiros a Ben-Hadade, rei da Síria, que habitava em Damasco, dizendo:
**3** Haja aliança entre mim e ti, como houve entre o meu pai e o teu. Vê, eu te envio prata e ouro. Agora anula a tua aliança com Baasa, rei de Israel, para que se retire de mim.
**4** Ben-Hadade deu ouvidos ao rei Asa e enviou os comandantes dos seus exércitos contra as cidades de Israel. Feriram Ijom, Dã, Abel-Maim e todas as cidades-armazéns de Naftali.
**5** Ouvindo-o Baasa, deixou de edificar Ramá e não continuou a sua obra.
**6** Então o rei Asa reuniu todos os homens de Judá, e eles levaram as pedras de Ramá e a sua madeira, com que Baasa edificara. Com elas edificou Geba e Mispa.
**7** Nesse tempo, veio Hanani, o vidente, ter com Asa, rei de Judá, e lhe disse: Porque confiaste no rei da Síria e não confiaste no Senhor teu Deus, o exército do rei da Síria escapou das tuas mãos.
**8** Não foram os etíopes e os líbios um grande exército, com muitíssimos carros e cavaleiros? Confiando tu, porém, no Senhor, ele os entregou nas tuas mãos.
**9** Pois os olhos do Senhor passam por toda a terra, para mostrar-se *forte para com aqueles cujo coração é perfeito para com ele.* Procedeste loucamente; desde agora haverá guerras contra ti.
**10** Por causa disso, Asa se indignou contra o vidente; ficou tão enfurecido que o lançou na casa do tronco. Nesse mesmo tempo, Asa oprimiu a alguns do povo.
**11** Quanto aos atos de Asa, tanto os primeiros como os últimos, estão escritos no livro dos reis de Judá e Israel.
**12** No trigésimo nono ano de seu reinado, Asa caiu doente dos pés. Embora a sua enfermidade fosse muito grave, contudo até mesmo na sua doença não buscou ao Senhor, mas aos médicos.
**13** No quadragésimo primeiro ano do seu reinado, morreu Asa e descansou com seus pais.
**14** Sepultaram-no no seu sepulcro, que tinha cavado para si na Cidade de Davi. Deitaram-no num leito repleto de especiarias e diversos perfumes; fizeram em sua honra um grande fogo.

### Jeosafá, rei de Judá

**17** Jeosafá, seu filho, reinou em seu lugar e fortificou-se contra Israel.
**2** Pôs tropas em todas as cidades fortificadas de Judá e guarnições na terra de Judá, como também nas cidades de Efraim, que Asa seu pai tinha tomado.
**3** O Senhor foi com Jeosafá, porque nos primeiros anos andou nos caminhos de Davi, seu pai, e não buscou aos baalins.
**4** Antes buscou ao Deus de seu pai e andou nos seus mandamentos, e não segundo as obras de Israel.
**5** O Senhor confirmou o reino nas suas mãos, e todo o Judá trouxe presentes a Jeosafá, o qual teve riquezas e glória em abundância.
**6** Encorajou-se o seu coração nos caminhos do Senhor; além disso, tirou os altos e os postes sagrados de Judá.

**7** No terceiro ano do seu reinado, enviou os seus oficiais Ben-Hail, Obadias, Zacarias, Natanael e Micaías, para ensinarem nas cidades de Judá.
**8** Com eles estavam os levitas Semaías, Netanias, Zebadias, Asael, Semiramote, Jônatas, Adonias, Tobias, Tobe-Adonias, e os sacerdotes Elisama e Jorão.
**9** Ensinaram em Judá, e tinham consigo o livro da lei do Senhor; percorreram todas as cidades de Judá, ensinando entre o povo.
**10** Veio o temor do Senhor sobre todos os reinos das terras que estavam em roda de Judá, e não guerrearam contra Jeosafá.
**11** Alguns entre os filisteus traziam presentes a Jeosafá, e prata como tributo, e os árabes lhe traziam rebanhos: sete mil e setecentos carneiros e sete mil e setecentos bodes.
**12** Cresceu Jeosafá e se engrandeceu sobremaneira; edificou fortalezas e cidades-armazéns em Judá.
**13** Teve também grande quantidade de suprimentos nas cidades de Judá e soldados, homens valorosos, em Jerusalém.
**14** Este é o número deles segundo as suas famílias: em Judá eram comandantes de mil: o chefe Adná, e com ele trezentos mil homens valentes;
**15** depois dele o chefe Joanã, e com ele duzentos e oitenta mil;
**16** depois dele Amazias, filho de Zicri, que voluntariamente se ofereceu, e com ele duzentos mil homens valentes.
**17** De Benjamim, Eliada, homem valente, e com ele duzentos mil, armados de arco e de escudo;
**18** depois dele Jeozabade, e com ele cento e oitenta mil homens armados para a guerra.
**19** Estes estavam no serviço do rei, fora os que o rei tinha posto nas cidades fortificadas por todo o Judá.

### Micaías profetiza contra Acabe

**18** Ora, tinha Jeosafá riquezas e glória em abundância, e aparentou-se com Acabe.
**2** Ao fim de alguns anos Acabe foi ter com ele em Samaria. Acabe matou ovelhas e bois em abundância, para ele e para o povo que vinha com ele, e o persuadiu a subir com ele a Ramote-Gileade.
**3** Acabe, rei de Israel, perguntou a Jeosafá, rei de Judá: Irás tu comigo a Ramote-Gileade? Respondeu Jeosafá: Como tu és, sou eu, e o meu povo como o teu povo; iremos contigo à guerra.
**4** Disse mais Jeosafá ao rei de Israel: Consulta hoje a palavra do Senhor.
**5** Então o rei de Israel reuniu os profetas, quatrocentos homens, e lhes perguntou: Iremos à guerra contra Ramote-Gileade, ou deixarei de ir? Responderam eles: Sobe, pois Deus o entregará nas mãos do rei.
**6** Perguntou, porém, Jeosafá: Não há ainda aqui profeta algum do Senhor, para que o consultemos?
**7** Respondeu o rei de Israel a Jeosafá: Ainda há um homem por quem podemos consultar ao Senhor, porém eu o aborreço, porque nunca profetiza coisa boa de mim, mas sempre má. É Micaías, filho de Inlá. Mas Jeosafá disse: Não fale o rei assim.
**8** Então o rei de Israel chamou um oficial e disse: Traze aqui depressa a Micaías, filho de Inlá.
**9** O rei de Israel e Jeosafá, rei de Judá, estavam assentados cada

um no seu trono, vestidos de seus trajes reais, na praça à entrada da porta de Samaria, e todos os profetas profetizavam na sua presença.

10 Zedequias, filho de Quenaaná, fez para si uns chifres de ferro e disse: Assim diz o Senhor: Com estes ferirás os sírios, até de todo os consumir.

11 Todos os profetas profetizavam o mesmo: Sobe a Ramote-Gileade e prosperarás, pois o Senhor a entregará nas mãos do rei.

12 O mensageiro, que fora chamar a Micaías, lhe disse: Olha, a uma voz os outros profetas predizem êxito para o rei. Seja também a tua palavra como a de um deles, e fala o que é bom.

13 Respondeu, porém, Micaías: Tão certo como vive o Senhor, o que o meu Deus me disser, isso falarei.

14 Vindo ao rei, o rei lhe perguntou: Micaías, iremos a Ramote-Gileade à guerra, ou deixarei de ir? Respondeu ele: Subi e prosperareis, pois serão entregues nas vossas mãos.

15 O rei lhe disse: Quantas vezes te conjurarei, para que não me fales senão a verdade no nome do Senhor?

16 Então respondeu Micaías: Vi a todo o Israel disperso pelos montes, como ovelhas que não têm pastor, e disse o Senhor: Estes não têm dono. Torne cada um em paz para sua casa.

17 Então o rei de Israel disse a Jeosafá: Não te disse que este não profetizaria coisa boa de mim, porém má?

18 Disse mais Micaías: Portanto, ouvi a palavra do Senhor: Vi o Senhor assentado no seu trono e todo o exército celestial em pé à sua direita e à sua esquerda.

19 Disse o Senhor: Quem persuadirá Acabe, rei de Israel, a que suba e caia em Ramote-Gileade? Um dizia desta maneira, e outro de outra.

20 Então saiu um espírito, se apresentou diante do Senhor e disse: Eu o persuadirei. E o Senhor lhe perguntou: De que modo?

21 Respondeu ele: Sairei e serei um espírito de mentira na boca de todos os seus profetas. Disse o Senhor: Tu o persuadirás e prevalecerás. Sai e faze assim.

22 Pelo que agora o Senhor pôs um espírito de mentira na boca destes teus profetas. O Senhor é quem falou o que é mau a teu respeito.

23 Então Zedequias, filho de Quenaaná, feriu Micaías, no queixo, e disse: Por que caminho passou de mim o Espírito do Senhor para falar a ti?

24 Respondeu Micaías: Descobrirás no dia que andares de quarto em quarto, para te esconderes.

25 Então ordenou o rei de Israel: Tomai a Micaías e tornai a levá-lo a Amom, o governador da cidade, e a Joás, filho do rei,

26 e direis: Assim diz o rei: Metei este homem no cárcere e sustentai-o a pão e água, até que eu volte em paz.

27 Disse Micaías: Se tornares em paz, não falou o Senhor por mim. Disse mais: Ouvi, povos todos!

### Acabe é morto em Ramote-Gileade

28 Assim subiram o rei de Israel e Jeosafá, rei de Judá, a Ramote-Gileade.

29 Disse o rei de Israel a Jeosafá: Eu me disfarçarei e entrarei na

peleja, mas tu veste os teus trajes reais. Portanto, disfarçou-se o rei de Israel, e entraram na peleja.
30 Ora, o rei da Síria dera ordem aos capitães dos seus carros: Não pelejareis nem contra pequeno nem contra grande, mas só contra o rei de Israel.
31 Vendo os capitães dos carros a Jeosafá, pensaram: Este é o rei de Israel. Pelo que se voltaram para atacá-lo, mas Jeosafá clamou, e o Senhor o ajudou. Deus os desviou dele,
32 pois vendo os capitães dos carros que não era o rei de Israel, deixaram de persegui-lo.
33 Um homem, porém, entesou o arco e, atirando ao acaso, feriu o rei de Israel entre as juntas da sua armadura. Disse o rei ao seu carreteiro: Vira e tira-me para fora do combate. Estou gravemente ferido.
34 Naquele dia, a guerra cresceu, mas o rei de Israel sustentou-se em pé no carro em frente dos sírios até a tarde. Então, ao pôr do sol, morreu.

### Jeú repreende a Jeosafá

**19** Jeosafá, rei de Judá, voltou em paz à sua casa em Jerusalém.
2 O vidente Jeú, filho de Hanani, saiu ao encontro do rei Jeosafá e lhe disse: Devias tu ajudar o ímpio e amar aqueles que odeiam ao Senhor? Por isso virá sobre ti grande ira da parte do Senhor.
3 Boas coisas contudo se acharam em ti, pois tiraste os postes sagrados da terra e dispuseste o coração para buscar a Deus.
4 Habitou Jeosafá em Jerusalém e tornou a passar pelo povo desde Berseba até a região montanhosa de Efraim, fazendo que voltasse ao Senhor, Deus de seus pais.
5 Estabeleceu juízes na terra, em todas as cidades fortificadas, de cidade em cidade.
6 E disse aos juízes: Vede o que fazeis, porque não julgais da parte do homem, mas da parte do Senhor, que está convosco no julgamento.
7 Agora seja o temor do Senhor convosco. Julgai com cuidado, pois não há no Senhor, o nosso Deus, iniquidade, nem acepção de pessoas, nem aceitação de presentes.
8 Também estabeleceu Jeosafá em Jerusalém alguns dos levitas e dos sacerdotes e dos cabeças das famílias de Israel para julgarem questões da lei do Senhor e sobre as causas civis. E viveram em Jerusalém.
9 Deu-lhes estas ordens: Assim andai no temor do Senhor com fidelidade e inteireza de coração.
10 Em toda controvérsia que vier a vós da parte de vossos irmãos, que habitam nas suas cidades, entre sangue e sangue, entre lei e mandamento, entre estatutos e juízos, admoestai-os a que não se façam culpados para com o Senhor, e não venha grande ira sobre vós e sobre vossos irmãos. Fazei assim e não vos tornareis culpados.
11 Amarias, o sumo sacerdote, presidirá sobre vós em todos os negócios do Senhor, e Zebadias, filho de Ismael, líder da tribo de Judá, em todos os negócios do rei, e os levitas serão oficiais perante vós. Esforçai-vos, e o Senhor seja com os bons.

### Jeosafá vence a seus inimigos

**20** Depois disso, os filhos de Moabe e os filhos de Amom,

e com eles alguns dos meunitas, vieram à peleja contra Jeosafá.
2 Então vieram alguns e disseram a Jeosafá: Vem contra ti uma grande multidão do outro lado do mar e da Síria. Já estão em Hazazom-Tamar, que é En-Gedi.
3 Temeu Jeosafá e pôs-se a buscar o Senhor; e apregoou jejum em todo o Judá.
4 Judá se ajuntou para pedir socorro ao Senhor; também de todas as cidades de Judá o povo veio para buscar ao Senhor.
5 Pôs-se Jeosafá em pé na congregação de Judá e de Jerusalém, na casa do Senhor, diante do átrio novo,
6 e disse: Ó Senhor, Deus de nossos pais, não és tu Deus nos céus? Tu dominas sobre todos os reinos dos povos; na tua mão há força e poder, e não há quem te possa resistir.
7 Ó nosso Deus, não lançaste fora os moradores desta terra, de diante do teu povo Israel, e não a deste à semente de Abraão, teu amigo, para sempre?
8 Habitaram nela e nela edificaram um santuário ao teu nome, dizendo:
9 Se algum mal nos sobrevier, espada, juízo, peste, ou fome, nós nos apresentaremos na tua presença, diante deste templo que leva o teu nome, e clamaremos a ti na nossa angústia, e tu nos ouvirás e livrarás.
10 Agora, porém, aqui estão os homens de Amom, de Moabe e *do monte Seir, por cujo* território não permitiste que os filhos de Israel passassem, quando vinham da terra do Egito; de modo que dele se desviaram e não o destruíram.
11 Vê como nos dão o pago, vindo para lançar-nos fora da tua herança, que nos fizeste herdar.
12 Ó nosso Deus, não os julgarás? Pois em nós não há força perante essa grande multidão que vem contra nós. Não sabemos o que fazer, mas os nossos olhos estão postos em ti.
13 Todo o Judá estava em pé perante o Senhor, como também as suas crianças, as suas mulheres e os seus filhos.
14 Então veio o Espírito do Senhor no meio da congregação, sobre Jaaziel, filho de Zacarias, filho de Benaia, filho de Jeiel, filho de Matanias, levita, dos filhos de Asafe.
15 Disse ele: Dai ouvidos todo o Judá, e vós, moradores de Jerusalém, e tu, ó rei Jeosafá. Assim vos diz o Senhor: Não temais nem vos assusteis por causa dessa grande multidão. Pois a peleja não é vossa, mas de Deus.
16 Amanhã descereis contra eles. Eles subirão pela ladeira de Ziz, e os achareis no fim do vale, em frente do deserto de Jeruel.
17 Nessa batalha não tereis de pelejar. Parai, estai em pé e vede a salvação do Senhor para convosco, ó Judá e Jerusalém. Não temais nem vos assusteis. Amanhã saí-lhes ao encontro, e o Senhor será convosco.
18 Jeosafá prostrou-se com o rosto em terra, e todo o Judá e os moradores de Jerusalém lançaram-se perante o Senhor e o adoraram.
19 Levantaram-se os levitas dos filhos dos coatitas e dos filhos dos coreítas, para louvarem ao Senhor Deus de Israel, em alta voz.
20 Pela manhã cedo levantaram-se e saíram ao deserto de Tecoa.

Saindo eles, Jeosafá pôs-se em pé e disse: Ouvi-me, ó Judá, e vós, moradores de Jerusalém. Crede no Senhor, o vosso Deus, e estareis seguros; crede nos seus profetas e prosperareis.

21 Tendo ele tomado conselho com o povo, ordenou cantores para cantarem ao Senhor e o louvarem por causa do esplendor da sua santidade, enquanto saíam na frente do exército, dizendo: Rendei graças ao Senhor, pois o seu amor dura para sempre.

22 Quando começaram a cantar e dar louvores, o Senhor pôs emboscadas contra os homens de Amom, de Moabe e do monte Seir, que tinham vindo contra Judá, e foram desbaratados.

23 Os filhos de Amom e de Moabe se levantaram contra os moradores do monte Seir, para os destruir e exterminar. Acabando eles com os moradores de Seir, ajudaram uns aos outros a destruir-se.

24 Quando Judá chegou ao alto que olha para o deserto e olharam para a multidão, viram somente corpos mortos, que jaziam em terra; nenhum tinha escapado.

25 Vieram Jeosafá e o seu povo para saquear os despojos e acharam neles bens e cadáveres em abundância, assim como objetos preciosos; tomaram para si tanto que não podiam levar mais. Por três dias saquearam o despojo, porque era muito.

26 Ao quarto dia, eles se ajuntaram no vale de Beraca, onde louvaram ao Senhor. Por isso chamaram àquele lugar vale de Beraca, até o dia de hoje.

27 Então voltaram todos os homens de Judá e de Jerusalém, e Jeosafá à frente deles, e tornaram para Jerusalém com alegria, pois o Senhor os alegrara sobre os seus inimigos.

28 Vieram a Jerusalém com alaúdes, com harpas e com trombetas, para o templo do Senhor.

29 Veio o temor de Deus sobre todos os reinos daquelas terras, quando ouviram que o Senhor havia pelejado contra os inimigos de Israel.

30 E o reino de Jeosafá teve paz, pois o seu Deus lhe deu repouso em redor.

## O fim do reino de Jeosafá

31 Assim reinou Jeosafá sobre Judá. Era da idade de trinta e cinco anos quando começou a reinar e vinte e cinco anos reinou em Jerusalém. Era o nome de sua mãe Azuba, filha de Sili.

32 Andou no caminho de Asa, seu pai, e não se desviou dele, fazendo o que era reto aos olhos do Senhor.

33 Contudo, os altos não se tiraram, e o povo ainda não tinha disposto o coração para com o Deus de seus pais.

34 Ora, quanto aos demais atos de Jeosafá, assim os primeiros como os últimos, estão escritos nas notas de Jeú, filho de Hanani, que as inseriu no livro dos reis de Israel.

35 Depois disso Jeosafá, rei de Judá, se aliou com Acazias, rei de Israel, que procedeu impiamente.

36 Aliou-se com ele para fazerem navios que fossem a Társis. Depois que fizeram os navios em Eziom-Geber,

37 Eliezer, filho de Dodava, de Maressa, profetizou contra Jeosafá, dizendo: Porque te aliaste com Acazias, o Senhor destruiu as

tuas obras. Os navios se despedaçaram e não puderam ir a Társis.

### Jeorão, rei de Judá

**21** Então descansou Jeosafá com seus pais e com eles foi sepultado na Cidade de Davi. E Jeorão, seu filho, reinou em seu lugar.
**2** Teve este irmãos, filhos de Jeosafá: Azarias, Jeiel, Zacarias, Asarias, Micael e Sefatias. Todos esses foram filhos de Jeosafá rei de Judá.
**3** Seu pai lhes deu muitas dádivas de prata, ouro e coisas preciosas, com cidades fortificadas em Judá, mas o reino deu a Jeorão, porque era o primogênito.
**4** Subindo Jeorão ao reino de seu pai, e havendo-se fortificado, matou todos os seus irmãos à espada, como também a alguns dos líderes de Israel.
**5** Da idade de trinta e dois anos era Jeorão quando começou a reinar e oito anos reinou em Jerusalém.
**6** Andou no caminho dos reis de Israel, como fizera a família de Acabe, pois tinha a filha de Acabe por mulher. Fez o que era mau aos olhos do Senhor.
**7** O Senhor, porém, não quis destruir a dinastia de Davi, em atenção à aliança que tinha feito com Davi. Porque tinha prometido que lhe daria por todos os dias um descendente no trono.
**8** Nos dias de Jeorão, os edomitas se revoltaram contra o domínio de Judá e constituíram para si um rei.
**9** *Pelo que Jeorão passou adiante com os seus chefes, e todos os carros com ele. Levantou-se de noite e feriu os edomitas, que o tinham cercado, a ele e aos capitães dos carros.*
**10** Todavia os edomitas ficaram revoltados contra o domínio de Judá até o dia de hoje. Nesse mesmo tempo Libna se revoltou contra o seu domínio, porque ele deixara ao Senhor, Deus de seus pais.
**11** Fez também altos nos montes de Judá e induziu os moradores de Jerusalém à prostituição fazendo Judá se extraviar.
**12** Veio-lhe uma carta da parte de Elias, o profeta, que dizia: Assim diz o Senhor, Deus de Davi teu pai: Não andaste nos caminhos de Jeosafá, teu pai, e nos caminhos de Asa, rei de Judá.
**13** Andaste, porém, no caminho dos reis de Israel e induziste à prostituição a Judá e aos moradores de Jerusalém, segundo a prostituição da casa de Acabe. Também mataste a teus irmãos, membros da família de teu pai, melhores do que tu.
**14** Portanto o Senhor ferirá com uma grande praga o teu povo, os teus filhos, as tuas mulheres e a todas as tuas posses.
**15** Tu terás grande enfermidade, a saber, um mal nas tuas entranhas, que se agravará até que o seu intestino saia, por causa do tumor.
**16** Despertou o Senhor contra Jeorão o espírito dos filisteus e dos árabes que viviam perto dos etíopes.
**17** Estes subiram a Judá, a atacaram e levaram todos os bens que se acharam no palácio do rei, como também a seus filhos e a suas mulheres. De modo que não lhe deixaram filho algum, senão a Jeoacaz, o mais moço deles.
**18** Depois de tudo isso, o Senhor o feriu nas suas entranhas com uma enfermidade incurável.

19 No decorrer do tempo, no fim do segundo ano, saiu-lhe o intestino por causa da doença, e ele morreu em grandes agonias. Seu povo não lhe queimou aromas como queimara a seus pais.
20 Jeorão era da idade de trinta e dois anos quando começou a reinar e oito anos reinou em Jerusalém. Foi-se sem deixar de si saudades, e o sepultaram na Cidade de Davi, porém não nos sepulcros dos reis.

### Acazias, rei de Judá

**22** Os moradores de Jerusalém fizeram a Acazias, filho mais moço de Jeorão, rei em seu lugar, porque a tropa que viera com os árabes ao arraial tinha matado a todos os mais velhos. Assim reinou Acazias, filho de Jeorão, rei de Judá.
2 Acazias era da idade de vinte e dois anos quando começou a reinar e um ano reinou em Jerusalém. Era o nome de sua mãe Atalia, filha de Onri.
3 Ele também andou nos caminhos da família de Acabe, pois sua mãe era sua conselheira, para proceder impiamente.
4 Fez o que era mau aos olhos do Senhor, como fizera os membros da família de Acabe, pois eram seus conselheiros depois da morte de seu pai, para sua perdição.
5 Também andou nos conselhos *deles e foi com Jorão*, filho de Acabe, rei de Israel, à peleja contra Hazael, rei da Síria, em Ramote-Gileade. Os sírios feriram Jorão,
6 de modo que ele voltou para Jezreel a fim de se curar das feridas que lhe fizeram em Ramá, quando pelejava contra Hazael, rei da Síria. Então desceu Acazias, filho de Jeorão, rei de Judá, para visitar Jorão, filho de Acabe, em Jezreel, por estar ele doente.
7 Por intermédio da visita de Acazias a Jorão, Deus trouxe a ruína de Acazias. Quando Acazias chegou, saiu com Jorão contra Jeú, filho de Ninsi, a quem o Senhor tinha ungido para destruir a família de Acabe.
8 Executando Jeú juízo contra a casa de Acabe, achou os líderes de Judá e os filhos dos irmãos de Acazias, que o serviam, e os matou.
9 Depois buscou Acazias, e seus homens o capturaram quando se escondia em Samaria. Trouxeram-no a Jeú e o mataram. Sepultaram-no, pois diziam: É filho de Jeosafá, que buscou ao Senhor de todo o seu coração. E já não tinha a família de Acazias ninguém que fosse capaz de reinar.

### Atalia e Joás

10 Vendo Atalia, mãe de Acazias, que seu filho era morto, levantou-se e destruiu toda a descendência real da família de Judá.
11 Jeosebeate, filha do rei, porém, tomou a Joás, filho de Acazias, e tirou-o dentre os filhos do rei, aos quais matavam, e o escondeu com a sua ama num quarto. Assim Jeosebeate, filha do rei Jeorão, mulher do sacerdote Jeoiada e irmã de Acazias, o escondeu de Atalia, de modo que ela não o matou.
12 Ele esteve escondido com eles seis anos no templo de Deus, enquanto Atalia reinava sobre a terra.

### Joás, rei de Judá

**23** No sétimo ano, Jeoiada se esforçou e tomou consigo em aliança os capitães de cem, Azarias, filho de Jeroão, Ismael, filho de Jeoanã, Azarias, filho de

Obede, Maaseias, filho de Adaías, e Elisafate, filho de Sicri.

**2** Estes percorreram a Judá e ajuntaram os levitas e os cabeças das famílias de Israel de todas as cidades. Quando vieram para Jerusalém,

**3** toda a congregação fez aliança com o rei no templo de Deus. Jeoiada lhes disse: O filho do rei reinará, como o Senhor falou a respeito dos filhos de Davi.

**4** Isto é o que haveis de fazer: uma terça parte de vós sacerdotes e levitas que entrais no sábado servirá de guardas das portas,

**5** outra terça parte estará no palácio do rei e a outra terça parte à porta do Fundamento, e todo o povo estará nos átrios do templo do Senhor.

**6** Ninguém entre no templo do Senhor, senão os sacerdotes e os levitas que ministram; estes entrarão porque são santos, mas todo o povo guardará a ordenança do Senhor.

**7** Os levitas rodearão o rei, cada um com as suas armas na mão. Qualquer que entrar no templo morrerá. Vós estareis com o rei quando entrar e quando sair.

**8** Fizeram os levitas e todo o Judá conforme tudo o que ordenara o sacerdote Jeoiada. Tomou cada um os seus homens, tanto os que entravam como os que saíam no sábado; pois o sacerdote Jeoiada não despediu as turmas.

**9** Também o sacerdote Jeoiada entregou aos capitães de cem *as lanças, e os escudos* grandes e pequenos que haviam sido do rei Davi, e que estavam no templo de Deus.

**10** Dispôs todo o povo, cada um com as suas armas na mão, desde o lado direito até o lado esquerdo do templo, por entre o altar e o templo, ao redor do rei.

**11** Então levaram para fora o filho do rei, puseram-lhe a coroa, entregaram-lhe o testemunho e o fizeram rei. Jeoiada e seus filhos o ungiram e disseram: Viva o rei!

**12** Ouvindo Atalia a voz do povo que corria e louvava o rei, veio ao povo ao templo do Senhor.

**13** Olhou, e lá estava o rei perto da sua coluna, à entrada. Os capitães e os trombeteiros estavam junto ao rei, e todo o povo da terra se alegrava e tocava trombetas; e os músicos tocavam instrumentos musicais e dirigiam os cânticos de louvor. Então Atalia rasgou os seus vestidos e clamou: Traição! Traição!

**14** O sacerdote Jeoiada trouxe para fora os capitães de cem, que comandavam o exército, e disse-lhes: Trazei-a para fora entre as fileiras, e o que a seguir morrerá à espada. Pois dissera o sacerdote: Não a matareis no templo do Senhor.

**15** Pelo que lançaram mão dela quando ela chegava à entrada da porta dos cavalos, que dá para o palácio do rei, e ali a mataram.

**16** Jeoiada fez aliança entre si, o povo e o rei, pela qual seriam o povo do Senhor.

**17** Depois todo o povo entrou na casa de Baal e a derrubou; quebraram os seus altares e as suas imagens, e a Matã, sacerdote de Baal, mataram perante os altares.

**18** Jeoiada entregou os ofícios do templo do Senhor nas mãos dos sacerdotes levitas, a quem Davi designara no templo do Senhor para oferecerem os holocaustos do Senhor, como está escrito na lei

de Moisés, com alegria e com cânticos, conforme a ordem de Davi.
19 Pôs porteiros às portas do templo do Senhor, para que não entrasse nela ninguém que de alguma forma fosse imundo.
20 Tomou os capitães de cem, os nobres, os governadores do povo e todo o povo da terra e trouxeram o rei do templo do Senhor. Entraram no palácio do rei pela porta superior e assentaram o rei no trono do reino.
21 Todo o povo da terra se alegrou. A cidade ficou em paz, depois que mataram a Atalia à espada.

### Joás repara o templo

**24** Tinha Joás sete anos de idade quando começou a reinar e quarenta anos reinou em Jerusalém. Era o nome de sua mãe Zibiá, de Berseba.
2 Fez Joás o que era reto aos olhos do Senhor, todos os dias do sacerdote Jeoiada.
3 Tomou-lhe Jeoiada duas mulheres, e ele gerou filhos e filhas.
4 Depois disto veio ao coração de Joás renovar o templo do Senhor.
5 Reuniu os sacerdotes e os levitas e lhes disse: Saí pelas cidades de Judá e recolham o imposto anual de todo o Israel, para reformar o templo do vosso Deus. Apressai-vos nesse negócio. Porém os levitas não se apressaram.
6 Portanto, o rei mandou chamar a Jeoiada, o chefe, e lhe perguntou: Por que não requereste que os levitas trouxessem de Judá e Jerusalém o imposto ordenado por Moisés, servo do Senhor, e pela congregação de Israel, para a tenda do testemunho?
7 Ora, os filhos da perversa Atalia haviam arruinado o templo de Deus e empregado até mesmo todas as coisas sagradas do templo do Senhor no serviço dos baalins.
8 Deu o rei ordem e fizeram uma arca e a puseram fora, à porta do templo do Senhor.
9 Publicou-se em Judá e em Jerusalém que trouxessem ao Senhor o imposto que Moisés, servo do Senhor, havia ordenado a Israel no deserto.
10 Todos os príncipes e todo o povo se alegraram e trouxeram o imposto e o depositaram na arca, até que ficou cheia.
11 Sempre que a arca era levada pelas mãos dos levitas aos oficiais do rei, e viam que já havia muito dinheiro, vinha o escrivão do rei e o oficial do sumo sacerdote, esvaziavam-na e, tomando-a, tornavam a levá-la ao seu lugar. Assim faziam dia após dia e ajuntaram prata em abundância.
12 O rei e Jeoiada deram o dinheiro aos encarregados da obra do templo do Senhor. Contrataram pedreiros e carpinteiros, como também os que trabalhavam em ferro e em bronze, para repararem o templo do Senhor.
13 Os encarregados da obra eram diligentes, e os reparos progrediam nas suas mãos. Restauraram a casa de Deus ao seu estado original e a reforçaram.
14 Tendo acabado a obra, trouxeram o resto da prata ao rei e a Jeoiada, e dela se fizeram utensílios para o templo do Senhor, para serem usados no ministério e nos holocaustos, taças e outros objetos de ouro e de prata. E continuamente ofereceram holocaustos no templo do Senhor, todos os dias de Jeoiada.
15 Ora, Jeoiada envelheceu e morreu em idade avançada. Tinha cento

e trinta anos de idade quando morreu.

**16** Sepultaram-no na Cidade de Davi com os reis, porque tinha feito o bem em Israel e para com Deus e a sua casa.

### A impiedade de Joás

**17** Depois da morte de Jeoiada vieram os líderes de Judá e prostraram-se perante o rei, e o rei os ouviu.

**18** Deixaram a casa do Senhor, Deus de seus pais, e serviram aos postes sagrados. Então veio grande ira sobre Judá e Jerusalém por causa desta sua culpa.

**19** Embora Deus lhes tenha enviado profetas, para os fazer tornar ao Senhor, e embora tenham protestado contra eles, não deram ouvidos.

**20** Então o Espírito de Deus revestiu a Zacarias, filho do sacerdote Jeoiada. Ele se pôs em pé diante do povo e lhes disse: Assim diz Deus: Por que desobedeceis aos mandamentos do Senhor? Não prosperareis. Porque deixastes o Senhor, também ele vos deixou.

**21** Conspiraram, porém, contra ele e o apedrejaram, por mandado do rei, no átrio do templo do Senhor.

**22** O rei Joás não se lembrou da bondade que lhe manifestara Jeoiada, pai de Zacarias, porém matou-lhe o filho, o qual, morrendo, disse: O Senhor o verá e o requererá.

**23** Decorrido um ano, o exército da Síria subiu contra Joás; vieram *a Judá e a Jerusalém* e destruíram todos os líderes do povo. E todo o seu despojo enviaram ao rei de Damasco.

**24** Embora o exército dos sírios tivesse vindo com poucos homens, o Senhor entregou nas suas mãos um exército muito grande, porque Judá havia deixado o Senhor, Deus de seus pais. Assim executaram os sírios os juízos de Deus contra Joás.

**25** Quando os sírios se retiraram, deixaram a Joás gravemente ferido. Os seus servos conspiraram contra ele, por causa do sangue do filho do sacerdote Jeoiada, e o mataram na sua cama. Assim ele morreu e o sepultaram na Cidade de Davi, porém não o sepultaram nos sepulcros dos reis.

**26** Estes foram os que conspiraram contra ele: Zabade, filho de Simeate, a amonita, e Jeozabade, filho de Sinrite, a moabita.

**27** O relato dos seus filhos, as muitas sentenças proferidas contra ele e o registro da restauração do templo de Deus estão escritos no comentário do livro dos reis. E Amazias, seu filho, reinou em seu lugar.

### Amazias, rei de Judá

**25** Era Amazias da idade de vinte e cinco anos quando começou a reinar e vinte e nove anos reinou em Jerusalém. O nome de sua mãe era Jeoadã, de Jerusalém.

**2** Fez o que era reto aos olhos do Senhor, porém não com inteireza de coração.

**3** Sendo-lhe o reino já confirmado, matou os servos que tinham assassinado o rei, seu pai.

**4** Contudo, não matou os filhos deles, mas fez como na lei está escrito, no livro de Moisés, como o Senhor ordenou: Não morrerão os pais pelos filhos, nem os filhos pelos pais; cada qual morrerá pelo seu pecado.

**5** Amazias congregou Judá e o pôs segundo as suas famílias sob chefes de mil e chefes de cem, por todo o Judá e Benjamim. Então os numerou, de vinte anos para cima, e achou trezentos mil escolhidos que podiam ir à guerra e sabiam manejar lança e escudo.
**6** Também de Israel contratou cem mil homens valentes por cem talentos de prata.
**7** Certo homem de Deus, porém, veio a ele e disse: Ó rei, não deixes ir contigo o exército de Israel, pois o Senhor não é com Israel, a saber, com os filhos de Efraim.
**8** Ainda que vás e lutes valentemente na batalha, Deus te fará cair diante do inimigo, pois Deus tem o poder para ajudar e para fazer cair.
**9** Perguntou Amazias ao homem de Deus: O que se fará dos cem talentos de prata que dei às tropas de Israel? Respondeu o homem de Deus: O Senhor te dará mais do que isso.
**10** Então separou Amazias as tropas que lhe tinham vindo de Efraim, para que se fossem ao seu lugar. Pelo que se acendeu a ira deles contra Judá e voltaram para o seu lugar ardendo em ira.
**11** Amazias encheu-se de coragem e conduziu o seu povo; foi ao vale do Sal, onde feriu dez mil dos filhos de Seir.
**12** *Também os filhos de Judá* prenderam vivos dez mil e os trouxeram ao cume de um penhasco, de onde os lançaram abaixo, e todos se arrebentaram.
**13** Enquanto isso, os homens das tropas que Amazias despedira, para que não fossem com ele à guerra, atacaram as cidades de Judá, desde Samaria até Bete-Horom; feriram deles três mil e saquearam grande despojo.
**14** Quando Amazias voltou da matança dos edomitas, trouxe consigo os deuses dos filhos de Seir. Tomou-os por seus deuses, prostrou-se diante deles e queimou-lhes incenso.
**15** A ira do Senhor se acendeu contra Amazias, e mandou-lhe um profeta que lhe disse: Por que buscaste deuses que a seu povo não livraram das tuas mãos?
**16** Enquanto ele ainda falava, o rei lhe respondeu: Acaso foste nomeado conselheiro do rei? Para com isso! Por que haverias de ser morto? Então o profeta parou, mas disse: Sei que já o Senhor deliberou destruir-te, porque fizeste isso e não deste ouvidos ao meu conselho.
**17** Depois de ter consultado seus conselheiros, Amazias, rei de Judá, enviou mensageiros a Jeoás, filho de Jeoacaz, filho de Jeú, rei de Israel, dizendo: Vem, encontremo-nos face a face.
**18** Jeoás, rei de Israel, porém, mandou dizer a Amazias, rei de Judá: O espinheiro que estava no Líbano mandou dizer ao cedro que estava no Líbano: Dá tua filha a meu filho por mulher. Então os animais do campo que estão no Líbano passaram e pisaram o espinheiro.
**19** Tu dizes: Feri os edomitas; e elevou-se o teu coração, para te gloriares. Mas fica em tua casa! Por que te meterias no mal, para caíres tu e Judá contigo?
**20** Amazias, contudo, não lhe deu ouvidos, pois isso vinha de Deus, para entregá-los nas mãos dos seus inimigos, porque buscaram os deuses dos edomitas.
**21** Assim Jeoás, rei de Israel, subiu. Ele e Amazias, rei de Judá,

se encontraram face a face em Bete-Semes, que está em Judá. **22** Judá foi derrotado diante de Israel, e fugiu cada um para a sua tenda. **23** Jeoás, rei de Israel, prendeu a Amazias, rei de Judá, filho de Joás, filho de Jeoacaz, em Bete-Semes. Então Jeoás o trouxe a Jerusalém e derrubou o muro de Jerusalém, desde a porta de Efraim até a porta da Esquina, quatrocentos côvados. **24** Tomou todo o ouro, a prata e todos os utensílios que se acharam no templo de Deus sob os cuidados de Obede-Edom, com os tesouros do palácio do rei, e os reféns, e voltou para Samaria. **25** Viveu Amazias, filho de Joás, rei de Judá, depois da morte de Jeoás, filho de Jeoacaz, rei de Israel, quinze anos. **26** Quanto ao restante dos atos de Amazias, tanto os primeiros como os últimos, estão escritos no livro dos reis de Judá e de Israel. **27** Desde o tempo em que Amazias se desviou do Senhor, conspiraram contra ele em Jerusalém, e ele fugiu para Laquis, mas o perseguiram até lá, e o mataram. **28** Trouxeram-no sobre cavalos e o sepultaram com seus pais na cidade de Judá.

### Uzias, rei de Judá

**26** Então todo o povo tomou a Uzias, que era da idade de dezesseis anos, e o fizeram rei em lugar de seu pai Amazias. **2** Ele edificou a Elote e a restituiu a Judá, depois que Amazias descansou com seus pais. **3** Era Uzias da idade de dezesseis anos quando começou a reinar e cinquenta e cinco anos reinou em Jerusalém. Era o nome de sua mãe Jecolia, de Jerusalém. **4** Fez o que era reto aos olhos do Senhor, conforme tudo o que fizera Amazias, seu pai. **5** Buscou a Deus nos dias de Zacarias, que o instruiu no temor de Deus. Enquanto buscou ao Senhor, Deus o fez prosperar. **6** Saiu, guerreou contra os filisteus, e quebrou o muro de Gate, o muro de Jabne e o de Asdode. Edificou cidades perto de Asdode e entre os filisteus. **7** Deus o ajudou contra os filisteus, contra os árabes que habitavam em Gur-Baal e contra os meunitas. **8** Os amonitas pagaram tributos a Uzias, e a sua fama se espalhou até a entrada do Egito, porque se tornou muito poderoso. **9** Uzias edificou torres em Jerusalém, à porta da Esquina, à porta do Vale e ao ângulo do muro, e as fortificou. **10** Também edificou torres no deserto e cavou muitos poços, porque tinha muito gado, tanto nos vales como nas campinas. Tinha lavradores e vinhateiros nos montes e nos campos férteis, pois gostava da agricultura. **11** Tinha Uzias um exército de homens bem preparados, que saíam à guerra em tropas, segundo a lista feita pelo escrivão Jeiel, e Maaseias, oficial, sob a direção de Hananias, um dos oficiais do rei. **12** O número total dos chefes de famílias, homens valentes, era de dois mil e seiscentos. **13** Debaixo das suas ordens havia um exército guerreiro de trezentos e sete mil e quinhentos homens, que faziam a guerra com grande poder, para ajudarem o rei contra os inimigos.

14 Preparou-lhes Uzias, para todo o exército, escudos, lanças, capacetes, couraças e arcos, e até fundas para atirar pedras.

15 Fez em Jerusalém máquinas inventadas por peritos, para que fossem colocadas nas torres e nos cantos das muralhas, para atirarem flechas e grandes pedras. Correu a sua fama até muito longe, pois foi maravilhosamente ajudado até que se tornou poderoso.

16 Havendo-se, porém, fortificado, exaltou-se o seu coração até se corromper. Foi infiel ao Senhor, seu Deus, e entrou no templo do Senhor para queimar incenso no altar do incenso.

17 O sacerdote Azarias, porém, entrou após ele, e com ele oitenta sacerdotes do Senhor, homens corajosos.

18 Resistiram ao rei Uzias e lhe disseram: A ti, Uzias, não compete queimar incenso perante o Senhor, mas aos sacerdotes, filhos de Arão, que são consagrados para queimar incenso. Sai do santuário, pois foste infiel; nem será isso para honra tua da parte do Senhor Deus.

19 Então Uzias, que tinha o incensário na mão para queimar incenso, se indignou. Indignando-se ele contra os sacerdotes, a lepra lhe saiu à testa perante os sacerdotes, na casa do Senhor, junto ao altar do incenso.

20 Quando o sumo sacerdote Azarias olhou para ele, como também todos os sacerdotes, e viram que estava leproso na testa, apressadamente o lançaram fora. Até ele mesmo se deu pressa em sair, visto que o Senhor o ferira.

21 Assim ficou leproso o rei Uzias até o dia da sua morte. E morou, por ser leproso, numa casa separada, porque foi excluído do templo do Senhor. Jotão, seu filho, tinha o cargo do palácio real, julgando o povo da terra.

22 Quanto ao restante dos atos de Uzias, tanto os primeiros como os últimos, o profeta Isaías, filho de Amoz, o escreveu.

23 Descansou Uzias com seus pais e com eles foi sepultado no campo do sepulcro que era dos reis, porque disseram: Ele é leproso. E Jotão, seu filho, reinou em seu lugar.

### Jotão, rei de Judá

**27** Tinha Jotão vinte e cinco anos de idade quando começou a reinar e dezesseis anos reinou em Jerusalém. Era o nome de sua mãe Jerusa, filha de Zadoque.

2 Fez o que era reto aos olhos do Senhor, conforme tudo o que fizera Uzias, seu pai, exceto que não entrou no templo do Senhor. Mas o povo ainda se corrompia.

3 Jotão edificou a porta superior do templo do Senhor e também edificou muitas obras sobre o muro de Ofel.

4 Edificou cidades na região montanhosa de Judá e nos bosques, castelos e torres.

5 Jotão guerreou contra o rei dos filhos de Amom e o venceu, de modo que os filhos de Amom naquele ano lhe deram cem talentos de prata, dez mil coros de trigo e dez mil de cevada. A mesma quantia lhe trouxeram os filhos de Amom também no segundo e no terceiro anos.

6 Jotão se tornou poderoso, porque dirigiu os seus caminhos na presença do Senhor, o seu Deus.

7 Quanto ao restante dos atos de Jotão, todas as suas guerras e os seus caminhos, estão escritos no livro dos reis de Israel e de Judá.
8 Tinha vinte e cinco anos de idade quando começou a reinar e dezesseis anos reinou em Jerusalém.
9 Descansou Jotão com seus pais e foi sepultado na Cidade de Davi. E Acaz, seu filho, reinou em seu lugar.

### Acaz, rei de Judá

**28** Tinha Acaz vinte anos de idade quando começou a reinar e dezesseis anos reinou em Jerusalém. Não fez o que era reto aos olhos do Senhor, como Davi seu pai.
2 Andou nos caminhos dos reis de Israel e até fez imagens de fundição para os baalins.
3 Queimou incenso no vale do filho de Hinom e queimou a seus filhos no fogo, conforme as abominações dos gentios que o Senhor expulsara de diante dos filhos de Israel.
4 Sacrificou e queimou incenso nos altos e nos outeiros, como também debaixo de toda árvore frondosa.
5 Pelo que o Senhor seu Deus o entregou nas mãos do rei dos sírios, os quais o derrotaram e levaram dele em cativeiro uma grande multidão de presos, que trouxeram a Damasco. Também foi entregue nas mãos do rei de Israel, que lhe impôs grande derrota.
6 Peca, filho de Remalias, matou num dia em Judá cento e vinte mil, todos homens valentes, por*que haviam deixado o Senhor*, Deus de seus pais.
7 Zicri, homem poderoso de Efraim, matou Maaseias, filho do rei, Azricão, o mordomo, e Elcana, o segundo depois do rei.

8 Os filhos de Israel levaram presos de seus irmãos duzentos mil: mulheres, filhos e filhas. Também saquearam deles grande despojo e trouxeram o despojo para Samaria.
9 Estava, porém, ali um profeta do Senhor, cujo nome era Odede, que saiu ao encontro do exército que vinha para Samaria e lhe disse: Porque o Senhor, o Deus de vossos pais, se irou contra Judá, ele os entregou nas vossas mãos, e vós os matastes com uma raiva tal que chegou até os céus.
10 E agora quereis fazer escravos os filhos de Judá e de Jerusalém. Mas não sois vós mesmos culpados para com o Senhor, o vosso Deus?
11 Agora ouvi-me e tornai a enviar os prisioneiros que trouxestes presos de vossos irmãos, pois o ardor da ira do Senhor está sobre vós.
12 Então se levantaram alguns homens dentre os chefes dos filhos de Efraim: Azarias, filho de Joanã, Berequias, filho de Mesilemote, Jeizquias, filho de Salum, e Amasa, filho de Hadlai, contra os que voltavam da batalha
13 e lhes disseram: Não fareis entrar aqui estes presos, porque, em relação à nossa culpa contra o Senhor, intentais acrescentar mais a nossos pecados e a nossas culpas, mas já temos grande culpa, e já o ardor da ira do Senhor está sobre Israel.
14 Então os homens armados deixaram os presos e o despojo diante dos líderes e de toda a congregação.
15 Os homens que foram designados nominalmente se levantaram, tomaram os presos e vestiram do despojo a todos os que

entre eles estavam nus, e lhes deram comida e bebida. A todos os que estavam fracos levaram, sobre jumentos, e os trouxeram a Jericó, a cidade das palmeiras, a seus irmãos. Depois voltaram para Samaria.

**16** Naquele tempo, o rei Acaz mandou pedir socorro ao rei da Assíria.

**17** Os edomitas tinham vindo de novo, derrotado a Judá e levado presos em cativeiro,

**18** enquanto os filisteus tinham invadido as cidades da campina e do sul de Judá. Tomaram e ocuparam Bete-Semes, Aijalom, Gederote, Socó e suas aldeias, e Timna e suas aldeias.

**19** O Senhor havia humilhado a Judá por causa de Acaz, rei de Israel, pois este promovera a impiedade em Judá e tinha sido totalmente infiel ao Senhor.

**20** Veio a ele Tiglate-Pileser, rei da Assíria, porém lhe causou mais problemas em vez de ajudá-lo.

**21** Tomou Acaz algumas das coisas do templo do Senhor, do palácio do rei, e dos líderes, e as deu ao rei da Assíria, mas isso não o ajudou.

**22** No seu tempo de dificuldades, o rei Acaz tornou-se ainda mais infiel ao Senhor.

**23** Sacrificou aos deuses de Damasco, que o feriram, e disse: *Visto que os deuses dos reis da Síria os ajudam, eu lhes sacrificarei, para que me ajudem.* Porém eles foram a sua ruína, e de todo o Israel.

**24** Ajuntou Acaz os utensílios do templo do Senhor e fê-los em pedaços. Fechou as portas do templo do Senhor e fez para si altares em todos os cantos de Jerusalém.

**25** Também em cada cidade de Judá fez altos para queimar incenso a outros deuses e assim provocou à ira o Senhor, Deus de seus pais.

**26** O restante de seus atos e de todos os seus caminhos, tanto os primeiros como os últimos, estão escritos no livro dos reis de Judá e de Israel.

**27** Descansou Acaz com seus pais e foi sepultado na cidade de Jerusalém, mas não o puseram nos sepulcros dos reis de Israel. E Ezequias, seu filho, reinou em seu lugar.

### Ezequias restabelece o culto

**29** Tinha Ezequias vinte e cinco anos de idade quando começou a reinar e vinte e nove anos reinou em Jerusalém. Era o nome de sua mãe Abia, filha de Zacarias.

**2** Fez o que era reto aos olhos do Senhor, conforme tudo o que fizera Davi seu pai.

**3** Ele, no primeiro ano do seu reinado, no primeiro mês, abriu as portas do templo do Senhor e as reparou.

**4** Trouxe os sacerdotes e os levitas, ajuntou-os na praça oriental

**5** e lhes disse: Ouvi-me, ó levitas, consagrai-vos agora e consagrai o templo do Senhor, Deus de vossos pais, e tirai do santuário a imundícia.

**6** Nossos pais foram infiéis; fizeram o que era mau aos olhos do Senhor, o nosso Deus, e o deixaram. Desviaram os seus rostos do tabernáculo do Senhor e lhe voltaram as costas.

**7** Também fecharam as portas do alpendre e apagaram as lâmpadas; e não queimaram incenso nem ofereceram holocaustos no santuário ao Deus de Israel.

**8** Pelo que veio grande ira do Senhor sobre Judá e Jerusalém, e ele os fez objetos de terror, espanto e zombaria, como vós o estais vendo com os vossos próprios olhos.

**9** É por isso que nossos pais caíram à espada e nossos filhos, nossas filhas e nossas mulheres estão em cativeiro.

**10** Agora tenho o propósito de fazer uma aliança com o Senhor, Deus de Israel, para que se desvie de nós o ardor da sua ira.

**11** Agora, filhos meus, não sejais negligentes, pois o Senhor vos escolheu para estardes diante dele e para o servirdes, para serdes seus ministros e queimardes incenso.

**12** Então se levantaram estes levitas: Maate, filho de Amasai, e Joel, filho de Azarias, dos filhos dos coatitas; dos filhos de Merari, Quis, filho de Abdi, e Azarias, filho de Jealelel; dos geronitas, Joá, filho de Zima, e Éden, filho de Joá;

**13** dos filhos de Elisafã, Sinri e Jeiel; dos filhos de Asafe, Zacarias e Matanias;

**14** dos filhos de Hemã, Jeíel e Simei; dos filhos de Jedutum, Semaías e Uziel.

**15** Ajuntaram seus irmãos, consagraram-se e vieram conforme a ordem do rei, segundo as palavras do Senhor, a fim de purificarem o templo do Senhor.

**16** Os sacerdotes entraram no templo do Senhor para purificar e *levaram para o pátio* do templo do Senhor toda a imundícia que acharam no templo do Senhor. Os levitas a tomaram e a levaram para fora, ao vale do Cedrom.

**17** Começaram a consagração no primeiro dia do primeiro mês, e no oitavo dia do mês chegaram ao alpendre do Senhor. Consagraram a casa do Senhor em oito dias, e no décimo sexto dia do primeiro mês acabaram.

**18** Então foram ter com o rei Ezequias e disseram: Já purificamos todo o templo do Senhor, como também o altar do holocausto com todos os seus utensílios, e a mesa da proposição com todos os seus utensílios.

**19** Também todos os utensílios que o rei Acaz, no seu reinado, lançou fora, na sua infidelidade, já os preparamos e consagramos. Agora estão diante do altar do Senhor.

**20** O rei Ezequias se levantou de madrugada, reuniu os líderes da cidade e subiu à casa do Senhor.

**21** Trouxeram sete novilhos, sete carneiros, sete cordeiros e sete bodes, como oferta pelo pecado em favor do reino, do santuário e de Judá. Ordenou o rei aos filhos de Arão, os sacerdotes, que os oferecessem sobre o altar do Senhor.

**22** Assim mataram os bois, e os sacerdotes tomaram o sangue e o espargiram sobre o altar; a seguir mataram os carneiros e espargiram o sangue sobre o altar; então mataram os cordeiros e espargiram o sangue sobre o altar.

**23** Trouxeram os bodes, como oferta pelo pecado, perante o rei e a congregação, e lhes impuseram as suas mãos.

**24** Os sacerdotes os mataram e com o seu sangue fizeram expiação do pecado sobre o altar, para reconciliar a todo o Israel, porque o rei tinha ordenado que se fizesse aquele holocausto e aquela oferta pelo pecado por todo o Israel.

25 Pôs os levitas no templo do Senhor com címbalos, alaúdes e harpas, conforme a ordem de Davi e de Gade, o vidente do rei, e do profeta Natã; esta ordem viera do Senhor, por meio de seus profetas.
26 Assim, estavam os levitas em pé com os instrumentos de Davi, e os sacerdotes com as trombetas.
27 Deu ordem Ezequias que oferecessem o holocausto sobre o altar. Quando o holocausto começou, começou também o cântico ao Senhor com as trombetas e os instrumentos de Davi, rei de Israel.
28 Toda a congregação se prostrou, enquanto se entoava o cântico e as trombetas soavam. Tudo isso até se acabar o holocausto.
29 Tendo-se acabado de oferecer o sacrifício, o rei e todos quantos com ele se achavam, prostraram-se e adoraram.
30 Ordenou o rei Ezequias e os oficiais aos levitas que louvassem ao Senhor com as palavras de Davi e de Asafe, o vidente. Pelo que eles cantaram louvores com alegria e se inclinaram e adoraram.
31 Então disse Ezequias: Agora que vos consagrastes a vós mesmos ao Senhor, chegai-vos e trazei sacrifícios e ofertas de louvor ao templo do Senhor. Assim, a congregação trouxe sacrifícios e ofertas de louvor, e todos os que *estavam dispostos de coração* trouxeram holocaustos.
32 O número dos holocaustos que a congregação trouxe foi de setenta bois, cem carneiros e duzentos cordeiros; tudo isso em holocausto para o Senhor.
33 Houve também, de coisas consagradas, seiscentos bois e três mil ovelhas.
34 Os sacerdotes, porém, eram muito poucos e não podiam esfolar a todos os holocaustos; pelo que seus irmãos, os levitas, os ajudaram até se acabar a obra e até que os outros sacerdotes se consagrassem, pois os levitas foram mais retos de coração, para se consagrarem, do que os sacerdotes.
35 Houve holocaustos em abundância, com a gordura das ofertas pacíficas e com as ofertas de libação para cada holocausto. Assim se estabeleceu o ministério do templo do Senhor.
36 Ezequias e todo o povo se alegraram por causa do que Deus tinha preparado em favor do povo, porque apressadamente se fez esta obra.

### Ezequias celebra a Páscoa

**30** Depois disso enviou Ezequias mensageiros por todo o Israel e Judá e escreveu cartas a Efraim e a Manassés, para que viessem ao templo do Senhor, a Jerusalém, a fim de celebrarem a Páscoa ao Senhor, o Deus de Israel.
2 O rei e os seus oficiais e toda a congregação em Jerusalém decidiram celebrar a Páscoa no segundo mês.
3 Não a puderam celebrar no tempo próprio, porque não se tinham consagrado sacerdotes em número suficiente, e o povo não se tinha reunido em Jerusalém.
4 Isso pareceu bem aos olhos do rei e aos olhos de toda a congregação.
5 Ordenaram que se fizesse pregão por todo o Israel, desde Berseba até Dã, para que viessem celebrar a Páscoa ao Senhor, Deus de Israel, em Jerusalém. Muitos não

a tinham celebrado como está escrito.

6 Foram os mensageiros com as cartas do rei e de seus oficiais, por todo o Israel e Judá, segundo a ordem do rei, dizendo: Filhos de Israel, voltai-vos ao Senhor, Deus de Abraão, de Isaque e de Israel, para que ele se volte para o restante de vós que escaparam das mãos dos reis da Assíria.

7 Não sejais como vossos pais e como vossos irmãos, que foram infiéis para com o Senhor, Deus de seus pais, pelo que os entregou à desolação como estais vendo.

8 Não endureçais a vossa cerviz, como vossos pais; submetei-vos ao Senhor e vinde ao santuário que ele consagrou para sempre, e servi ao Senhor, o vosso Deus, para que o ardor da sua ira se desvie de vós.

9 Se vos converterdes ao Senhor, então vossos irmãos e vossos filhos acharão misericórdia perante os que os levaram cativos e voltarão a esta terra, pois o Senhor, o vosso Deus, é piedoso e misericordioso. Não desviará de vós o seu rosto, se vos voltardes a ele.

10 Os mensageiros foram passando de cidade em cidade, pela terra de Efraim e Manassés até Zebulom, mas riram-se e zombaram deles.

11 Todavia, alguns de Aser, de Manassés e de Zebulom se humilharam e vieram a Jerusalém.

12 Também em Judá a mão de Deus esteve com o povo, dando-lhes um só coração, para cumprirem *a ordem do rei e dos* oficiais, conforme a palavra do Senhor.

13 Ajuntou-se em Jerusalém uma congregação muito grande, para celebrar a festa dos pães sem fermento, no segundo mês.

14 Tiraram os altares que havia em Jerusalém e todos os altares de incenso e os lançaram no vale do Cedrom.

15 Imolaram o cordeiro da Páscoa no décimo quarto dia do segundo mês. Os sacerdotes e levitas, envergonhados, consagraram-se e trouxeram holocaustos ao templo do Senhor.

16 Então tomaram os seus lugares, segundo a sua ordem, conforme a lei de Moisés, o homem de Deus. Os sacerdotes espargiam o sangue, tomando-o da mão dos levitas.

17 Visto que havia muitos na congregação que não se tinham consagrado, os levitas tiveram de imolar os cordeiros da Páscoa por todo aquele que não estava limpo, para o consagrarem ao Senhor.

18 Embora a maioria do povo, muitos de Efraim, Manassés, Issacar e Zebulom, não se tinham purificado, contudo comeram a Páscoa, contrário ao que está escrito. Ezequias, porém, orou por eles, dizendo: O Senhor, que é bom, perdoe a todo aquele

19 que dispôs o coração para buscar o Senhor Deus, o Deus de seus pais, ainda que não esteja purificado de acordo com a purificação do santuário.

20 E ouviu o Senhor a Ezequias e sarou o povo.

21 Os filhos de Israel que se acharam em Jerusalém celebraram a festa dos pães sem fermento por sete dias com grande alegria, enquanto os levitas e os sacerdotes louvaram ao Senhor de dia em dia, com instrumentos de louvor ao Senhor.

22 Ezequias dirigiu palavras de encorajamento a todos os levitas

que demonstravam bom entendimento do serviço do Senhor. Comeram as ofertas da solenidade por sete dias, apresentando ofertas pacíficas e rendendo graças ao Senhor, Deus de seus pais.

23 Toda a congregação, então, decidiu celebrar outros sete dias; assim, por outros sete dias celebraram com grande alegria.

24 Ezequias, rei de Judá, providenciou para a congregação mil novilhos e dez mil ovelhas, e os líderes providenciaram-lhes mil novilhos e dez mil ovelhas. Um grande número dos sacerdotes se consagrou.

25 Alegraram-se toda a congregação de Judá, os sacerdotes, os levitas e toda a congregação de todos os que vieram de Israel, como também os estrangeiros que vieram da terra de Israel e os que habitavam em Judá.

26 Houve grande alegria em Jerusalém, pois desde os dias de Salomão, filho de Davi, rei de Israel, não tinha havido coisa semelhante em Jerusalém.

27 Os sacerdotes e os levitas se levantaram e abençoaram o povo; a sua oração foi ouvida, pois chegou até a santa habitação de Deus, até os céus.

### Contribuições ao culto

**31** Acabado tudo isto, os israelitas que ali se achavam saíram às cidades de Judá e quebraram as estátuas, cortaram os postes sagrados, e derrubaram os altos e altares por todo o Judá e Benjamim, como também em Efraim e Manassés, até que tudo destruíram. Então voltaram os filhos de Israel, cada um para sua possessão, para as cidades deles.

2 Estabeleceu Ezequias as turmas dos sacerdotes e levitas, turma após turma, segundo o seu serviço: os sacerdotes e levitas para o holocausto e para as ofertas pacíficas, para ministrarem, renderem graças e cantarem louvores nas portas da habitação do Senhor.

3 O rei contribuiu de seu próprio tesouro para os holocaustos da manhã e da tarde e para os holocaustos dos sábados, para as luas novas e para as festividades, como está escrito na lei do Senhor.

4 Além disso ordenou ao povo de Jerusalém que desse a parte dos sacerdotes e dos levitas, para que pudessem dedicar-se à lei do Senhor.

5 Logo que essa ordem foi promulgada, os filhos de Israel trouxeram em abundância as primícias de trigo, mosto, azeite, mel e todo produto do campo. Trouxeram também em abundância o dízimo de tudo.

6 Os filhos de Israel e de Judá, que habitavam nas cidades de Judá, também trouxeram o dízimo das vacas, das ovelhas e das coisas consagradas ao Senhor seu Deus, e fizeram muitos montões.

7 No terceiro mês, começaram a fazer os primeiros montões e no sétimo acabaram.

8 Vindo Ezequias e os oficiais, e vendo aqueles montões, bendisseram ao Senhor e ao seu povo Israel.

9 Perguntou Ezequias aos sacerdotes e aos levitas acerca daqueles montões;

10 e Azarias, o sumo sacerdote da casa de Zadoque, respondeu-lhe: Desde que o povo começou a trazer suas ofertas ao templo do Senhor, tem havido o que comer e

de que se fartar, e ainda há sobra em abundância, porque o Senhor abençoou ao seu povo, e sobrou esta grande quantidade.

**11** Então Ezequias deu ordens para que se preparassem despensas na casa do Senhor, e as prepararam.

**12** Ali recolheram fielmente as ofertas, os dízimos e as coisas consagradas. Conanias, o levita, ficou encarregado disso, e Simei, seu irmão, era o segundo.

**13** Jeíel, Azazias, Naate, Asael, Jerimote, Jozabade, Eliel, Ismaquias, Maate e Benaia eram superiores sob a direção de Conanias e Simei, seu irmão, por ordem do rei Ezequias e de Azarias, chefe do templo de Deus.

**14** Coré, filho de Imna, levita, guarda da porta oriental, tinha o cargo das ofertas voluntárias que se faziam a Deus, para distribuir as ofertas do Senhor e as coisas santíssimas.

**15** Debaixo das suas ordens estavam Éden, Miniamim, Jesua, Semaías, Amarias e Secanias, nas cidades dos sacerdotes, para distribuírem com fidelidade a seus irmãos, segundo as suas turmas, tanto aos pequenos como aos grandes.

**16** Além disso distribuíram aos que estavam contados pelas genealogias, homens da idade de três anos para cima, e que entravam no templo do Senhor, para a obra de cada dia, no seu dia para o serviço nos seus cargos segundo as suas turmas.

**17** E distribuíam aos sacerdotes registrados segundo as suas famílias, e aos levitas de vinte anos para cima, segundo os seus cargos e as suas turmas.

**18** Estes incluíam as crianças, as mulheres, os filhos e as filhas de toda a congregação arrolada nestes registros genealógicos. Pois foram fiéis em se consagrarem.

**19** Quanto aos sacerdotes, os filhos de Arão, que moravam nos campos ao redor das suas cidades, ou em qualquer outra cidade, designaram-se homens por nome para distribuir as porções a todo homem entre os sacerdotes e a todos os arrolados nas genealogias dos levitas.

**20** Assim fez Ezequias em todo o Judá, fazendo o que era bom, reto e verdadeiro perante o Senhor, o seu Deus.

**21** Em toda a obra que começou no serviço do templo de Deus, na lei e nos mandamentos, para buscar a seu Deus, de todo o coração o fez. E assim ele prosperou.

### Senaqueribe ameaça Judá

**32** Depois de tudo o que Ezequias havia feito com tanta fidelidade, veio Senaqueribe, rei da Assíria, e invadiu a Judá. Acampou-se contra as cidades fortes com a intenção de se apoderar delas.

**2** Vendo Ezequias que Senaqueribe vinha, e que pretendia guerrear contra Jerusalém,

**3** consultou com os seus oficiais e os seus comandantes do exército, para que se tapassem as fontes das águas que havia fora da cidade, e eles o ajudaram.

**4** Assim muito povo se ajuntou e tapou todas as fontes, como também o ribeiro que corria pelo meio da terra. Diziam: Por que viriam os reis da Assíria e achariam tantas águas?

**5** Então ele se fortificou, reparou todo o muro quebrado e levantou torres sobre ele. Fez outro muro por fora, fortificou os terraços de apoio na Cidade de Davi e fez armas e escudos em abundância.

**6** Pôs oficiais de guerra sobre o povo, ajuntou-os a si na praça da porta da cidade e disse-lhes ao coração:

**7** Esforçai-vos e tende bom ânimo. Não temais nem vos espanteis, por causa do rei da Assíria, nem por causa de toda a multidão que está com ele, pois conosco há um maior do que o que está com ele.

**8** Com ele está o braço de carne, mas conosco o Senhor, o nosso Deus, para nos ajudar e guerrear as nossas guerras. E o povo recuperou o ânimo com as palavras de Ezequias, rei de Judá.

**9** Mais tarde, quando Senaqueribe, rei da Assíria, e todas as suas forças, estavam sitiando a Laquis, enviou os seus oficiais a Jerusalém com esta mensagem:

**10** Assim diz Senaqueribe, rei da Assíria: Em que confiais vós, que vos deixais sitiar em Jerusalém?

**11** Não vos incita Ezequias, para morrerdes à fome e à sede, quando diz: O Senhor, o nosso Deus, nos livrará das mãos do rei da Assíria?

**12** Não é Ezequias o mesmo que tirou os seus altos e os seus altares, e disse a Judá e a Jerusalém: Diante de um só altar vos prostrareis e sobre ele queimareis incenso?

**13** Não sabeis vós o que eu e meus pais fizemos a todos os povos das outras terras? Acaso puderam de qualquer maneira os deuses das nações dessas terras livrar a sua terra das minhas mãos?

**14** Qual foi, de todos os deuses dessas nações que meus pais destruíram, o que pôde livrar o seu povo do meu poder? Como, pois, poderá o vosso Deus vos livrar das minhas mãos?

**15** Agora não vos engane Ezequias nem vos incite assim. Não lhe deis crédito, pois nenhum deus de nação alguma, nem de reino algum, pôde livrar o seu povo das minhas mãos nem das mãos de meus pais. Quanto menos o vosso Deus vos poderá livrar das minhas mãos!

**16** Os oficiais de Senaqueribe falaram ainda mais contra o Senhor Deus e contra Ezequias, seu servo.

**17** O rei também escreveu cartas, blasfemando do Senhor, o Deus de Israel, e dizendo contra ele: Assim como os deuses das nações das outras terras não livraram o seu povo das minhas mãos, assim também o Deus de Ezequias não livrará o seu povo das minhas mãos.

**18** Então clamaram em alta voz em judaico contra o povo de Jerusalém, que estava sobre o muro, para os atemorizar e os perturbar, a fim de tomar a cidade.

**19** Falaram do Deus de Jerusalém, como dos deuses dos povos das outras terras, obras das mãos dos homens.

**20** O rei Ezequias e o profeta Isaías, filho de Amoz, porém, oraram por causa disso e clamaram ao céu.

**21** E o Senhor enviou um anjo que destruiu a todos os homens de guerra, os chefes e os oficiais no acampamento do rei da Assíria. Pelo que este voltou à sua terra com o rosto coberto de vergonha. E, entrando no templo de seu deus, os seus próprios filhos o mataram à espada.

**22** Assim livrou o Senhor a Ezequias, e aos moradores de Jerusalém, das mãos de Senaqueribe, rei da Assíria, e das mãos de todos os outros. De todos os lados lhes deu descanso.

**23** Muitos traziam ofertas a Jerusalém, ao Senhor, e coisas preciosíssimas a Ezequias, rei de Judá. De modo que depois disso foi exaltado perante os olhos de todas as nações.

### Orgulho, sucesso e morte de Ezequias

**24** Naqueles dias, adoeceu Ezequias e estava à morte. Orou ao Senhor, que lhe respondeu e lhe deu um sinal.
**25** Ezequias, porém, não correspondeu ao benefício que lhe foi feito, pois o seu coração se exaltou; pelo que veio grande ira sobre ele e sobre Judá e Jerusalém.
**26** Então Ezequias se humilhou pela soberba do seu coração, ele e os habitantes de Jerusalém; por isso, a grande ira do Senhor não veio sobre eles, nos dias de Ezequias.
**27** Teve Ezequias riquezas e glória em grande abundância; e fez tesourarias para prata, ouro, pedras preciosas, especiarias, escudos, e toda espécie de objetos desejáveis.
**28** Também construiu celeiros para a colheita de cereal, de vinho e de azeite; e estrebarias para toda espécie de animais, e currais para os rebanhos.
**29** Edificou cidades e possuiu ovelhas e vacas em abundância, pois Deus lhe tinha dado muitíssimas riquezas.
**30** Foi Ezequias quem tapou o manancial superior das águas de Giom e as canalizou para o ocidente da Cidade de Davi. Ezequias prosperou em tudo o que se propôs a fazer.

**31** Contudo, no negócio dos embaixadores dos governantes de Babilônia, que lhe foram enviados a perguntar acerca do prodígio que se fizera naquela terra, Deus o desamparou, para testá-lo, a fim de saber tudo o que havia no seu coração.
**32** O restante dos atos de Ezequias e seus atos de devoção estão escritos na visão do profeta Isaías, filho de Amoz, no livro dos reis de Judá e de Israel.
**33** Descansou Ezequias com seus pais e foi sepultado no mais alto dos sepulcros dos filhos de Davi. Todo o Judá e os habitantes de Jerusalém lhe prestaram honras na sua morte. E Manassés, seu filho, reinou em seu lugar.

### Manassés, rei de Judá

**33** Tinha Manassés doze anos de idade quando começou a reinar e cinquenta e cinco anos reinou em Jerusalém.
**2** Fez o que era mau aos olhos do Senhor, conforme as abominações dos gentios que o Senhor expulsara de diante dos filhos de Israel.
**3** Tornou a edificar os altos que Ezequias, seu pai, tinha derrubado, levantou altares aos baalins, fez postes sagrados e se prostrou diante de todo o exército dos céus e o serviu.
**4** Edificou altares na casa do Senhor, da qual o Senhor tinha dito: Em Jerusalém estará o meu nome eternamente.
**5** Em ambos os átrios do templo do Senhor edificou altares a todo o exército dos céus.
**6** Sacrificou seus filhos, passando-os pelo fogo no vale do filho de Hinom, praticou feitiçaria, adivinhações

e bruxaria, e consultou médiuns e adivinhos. Fez muito mal aos olhos do Senhor, provocando-o à ira.

**7** Pôs a imagem de escultura do ídolo que tinha feito, no templo de Deus, da qual Deus tinha dito a Davi e a Salomão, seu filho: Neste templo e em Jerusalém, que escolhi de todas as tribos de Israel, porei eu o meu nome para sempre. **8** Nunca mais removerei o pé de Israel da terra que destinei a vossos pais, se tão somente tiverem o cuidado de fazer tudo o que eu lhes ordenei, toda a lei, os estatutos e os juízos, dados por intermédio de Moisés.

**9** Manassés, porém, fez errar Judá e os moradores de Jerusalém, de modo que fizeram pior do que as nações que o Senhor tinha destruído de diante dos filhos de Israel. **10** Falou o Senhor a Manassés e ao seu povo, porém não deram ouvidos. **11** Pelo que o Senhor trouxe sobre eles os comandantes do exército do rei da Assíria, os quais prenderam a Manassés, colocaram um gancho no seu nariz, amarraram-no com cadeias de bronze e o levaram para Babilônia. **12** Em sua angústia, ele suplicou ao Senhor, o seu Deus, e humilhou-se muito perante o Deus de seus pais. **13** Depois que ele orou, Deus o ouviu e atendeu a sua súplica; tornou a trazê-lo a Jerusalém, ao seu reino. Então conheceu Manassés que o Senhor era Deus. **14** Depois disso reedificou o muro de fora da Cidade de Davi, ao ocidente de Giom, no vale, até a entrada da Porta do Peixe, e rodeando até Ofel; também o levantou muito alto. Pôs comandantes militares em todas as cidades fortificadas de Judá.

**15** Tirou do templo do Senhor os deuses estranhos e o ídolo, como também todos os altares que tinha edificado no monte do templo do Senhor e em Jerusalém, e os lançou fora da cidade. **16** Então reparou o altar do Senhor e ofereceu sobre ele sacrifícios de ofertas pacíficas e de ações de graças; ordenou a Judá que servisse ao Senhor Deus de Israel. **17** Contudo, o povo ainda sacrificava nos altos, mas somente ao Senhor, o seu Deus.

**18** Quanto ao restante dos atos de Manassés, à sua oração ao seu Deus e às palavras que os videntes lhe falaram no nome do Senhor, Deus de Israel, estão nas crônicas dos reis de Israel. **19** A sua oração, e como Deus foi favorável para com ele, como também todo o seu pecado e infidelidade, os lugares onde edificou altos e pôs postes sagrados e imagens de escultura, antes que se humilhasse, tudo está escrito nas crônicas dos videntes. **20** Descansou Manassés com seus pais e foi sepultado em sua propriedade. E Amom, seu filho, reinou em seu lugar.

### Amom, rei de Judá

**21** Era Amom da idade de vinte e dois anos quando começou a reinar e dois anos reinou em Jerusalém. **22** Fez o que era mau aos olhos do Senhor, como havia feito Manassés, seu pai. Sacrificou Amom a todas as imagens de escultura que Manassés, seu pai, tinha feito, e as serviu.

23 Ele, porém, não se humilhou perante o Senhor, como Manassés, seu pai, se humilhara; pelo contrário, multiplicou Amom os seus delitos.

24 Conspiraram contra ele os seus oficiais e o mataram em seu palácio.

25 Então o povo da terra matou todos os que conspiraram contra o rei Amom e fizeram reinar em seu lugar a Josias, seu filho.

### As reformas de Josias

**34** Tinha Josias oito anos quando começou a reinar e trinta e um anos reinou em Jerusalém.

2 Fez o que era reto aos olhos do Senhor, andou nos caminhos de Davi, seu pai, sem se desviar deles nem para a direita nem para a esquerda.

3 No oitavo ano do seu reinado, sendo ainda moço, começou a buscar o Deus de Davi, seu pai. No décimo segundo ano, começou a purificar a Judá e a Jerusalém, dos altos, dos postes sagrados, das imagens de escultura e de fundição.

4 Sob sua direção foram derrubados os altares dos baalins; fez em pedaços os altares do incenso, que estavam acima deles, quebrou e reduziu a pó os postes sagrados, as imagens de escultura e de fundição, e o espargiu sobre as sepulturas dos que lhes tinham sacrificado.

5 Queimou os ossos dos sacerdotes sobre os seus altares e purificou a Judá e a Jerusalém.

6 Nas cidades de Manassés, de Efraim, de Simeão e até Naftali, em suas ruínas, ao redor,

7 derrubou os altares, os postes sagrados, as imagens de escultura, e os reduziu a pó, e fez em pedaços todos os altares do incenso em toda a terra de Israel. Então voltou para Jerusalém.

8 No décimo oitavo ano do seu reinado, havendo purificado a terra e o palácio, enviou a Safã, filho de Azalias, a Maaseias, governador da cidade, e a Joá, filho de Joacaz, cronista, para repararem o templo do Senhor, o seu Deus.

9 Foram a Hilquias, sumo sacerdote, e entregaram a prata que se tinha trazido ao templo do Senhor e que os levitas, guardas da porta, haviam recolhido das mãos de Manassés, de Efraim e de todo o restante de Israel, como também de todo o Judá e Benjamim, e dos moradores de Jerusalém.

10 Então a entregaram aos que dirigiam a obra e eram supervisores do templo do Senhor. Estes a entregaram aos que faziam a obra e trabalhavam no templo do Senhor, para consertá-lo e fazer os reparos.

11 Deram-na aos carpinteiros e aos edificadores para comprarem pedras lavradas e madeiras para as junturas e para servirem de vigas para as casas que os reis de Judá tinham destruído.

12 Os homens trabalharam fielmente na obra. Os supervisores sobre eles eram Joate e Obadias, levitas, dos filhos de Merari, como também Zacarias e Mesulão, dos filhos dos coatitas, para adiantarem a obra. Os levitas, todos que eram entendidos em instrumentos de música,

13 estavam sobre os carregadores e os inspetores de todos os que trabalhavam em alguma obra. Alguns dos levitas eram escrivães, oficiais e porteiros.

14 Quando estavam tirando a prata que se tinha trazido ao templo do Senhor, Hilquias, o sacerdote, achou o livro da lei do Senhor, dada por intermédio de Moisés.
15 Disse Hilquias a Safã, o escrivão: Achei o livro da lei no templo do Senhor. Hilquias entregou o livro a Safã.
16 Então Safã levou o livro ao rei e lhe deu relatório: Teus servos fazem tudo o que se lhes encomendou.
17 Contaram a prata que se achou no templo do Senhor e a entregaram aos supervisores e aos que faziam a obra.
18 Então Safã, o escrivão, informou ao rei: O sacerdote Hilquias me entregou um livro. E leu Safã nele perante o rei.
19 Ouvindo o rei as palavras da lei, rasgou as suas vestes.
20 O rei deu estas ordens a Hilquias, a Aicão, filho de Safã, a Abdom, filho de Mica, a Safã, o escrivão, e a Asaías, servo do rei:
21 Ide, consultai ao Senhor por mim e pelos que restam em Israel e em Judá, sobre as palavras deste livro que se achou. Grande é o furor do Senhor, que se derramou sobre nós, porque nossos pais não guardaram a palavra do Senhor, para fazerem conforme tudo o que está escrito neste livro.
22 Hilquias e os enviados do rei foram falar com a profetisa Hulda, mulher de Salum, filho de Tocate, filho de Hasrás, guarda das vestimentas. Ela habitava em Jerusalém, no segundo distrito.
23 Ela lhes disse: Assim diz o Senhor, Deus de Israel: Dizei ao homem que vos enviou a mim:
24 Assim diz o Senhor: Trarei mal sobre este lugar e sobre os seus habitantes, a saber, todas as maldições que estão escritas no livro que se leu perante o rei de Judá.
25 Porque me deixaram, queimaram incenso perante outros deuses e me provocaram à ira com toda a obra das suas mãos, o meu furor se derramará sobre este lugar e não se apagará.
26 Ao rei de Judá, que vos enviou a consultar ao Senhor, assim direis: Assim diz o Senhor, o Deus de Israel, quanto às palavras que ouviste:
27 Como o teu coração se enterneceu, e te humilhaste perante Deus, ouvindo as suas palavras contra este lugar e contra os seus habitantes, e te humilhaste perante mim, e rasgaste as tuas vestes, e choraste perante mim, também eu te ouvi, diz o Senhor.
28 Agora te ajuntarei a teus pais, e tu serás recolhido ao teu sepulcro em paz, e os teus olhos não verão todo o mal que hei de trazer sobre este lugar e sobre os seus habitantes. Voltaram com esta resposta ao rei.
29 Então o rei mandou reunir todos os anciãos de Judá e Jerusalém.
30 Subiu o rei ao templo do Senhor, com os homens de Judá, os habitantes de Jerusalém, os sacerdotes, os levitas e todo o povo, desde o maior até o menor. Leu aos ouvidos deles todas as palavras do livro da aliança, que se tinha achado no templo do Senhor.
31 O rei pôs-se em pé em seu lugar e fez uma aliança perante o Senhor, para andar após o Senhor e para guardar os seus mandamentos, e os seus testemunhos, e os seus estatutos, de todo o seu coração e de toda a sua alma, cumprindo as palavras da aliança, que estavam escritas naquele livro.

**32** Então fez que todos os que se acharam em Jerusalém e em Benjamim aderissem a essa aliança; os habitantes de Jerusalém fizeram conforme a aliança de Deus, do Deus de seus pais.
**33** Josias tirou todas as abominações de todas as terras que eram dos filhos de Israel, e a todos os que se acharam em Israel obrigou a servirem ao Senhor, o seu Deus. Enquanto ele viveu, não se desviaram de após o Senhor, Deus de seus pais.

### Josias celebra a Páscoa

**35** Josias celebrou a Páscoa ao Senhor em Jerusalém, e mataram o cordeiro da Páscoa no décimo quarto dia do primeiro mês.
**2** Designou os sacerdotes para seus cargos e os encorajou no ministério do templo do Senhor.
**3** Disse aos levitas que ensinavam a todo o Israel e estavam consagrados ao Senhor: Ponde a arca sagrada no templo que Salomão, filho de Davi, rei de Israel, edificou. Não tereis mais essa carga sobre os vossos ombros. Agora servi ao Senhor, o vosso Deus, e ao seu povo Israel.
**4** Preparai-vos segundo as vossas famílias, segundo as vossas turmas, conforme o preceito de Davi, rei de Israel, e o de Salomão, seu filho.
**5** Estai no lugar santo segundo as divisões das famílias de vossos irmãos, os filhos do povo, e haja para cada um uma porção *das famílias dos levitas*.
**6** Imolai a Páscoa, e consagrai-vos e preparai-a para vossos irmãos, fazendo conforme a palavra do Senhor, dada por intermédio de Moisés.
**7** Josias ofereceu aos filhos do povo cordeiros e cabritos do rebanho, todos para os sacrifícios da Páscoa, em número de trinta mil, por todos os que ali se achavam, e três mil novilhos; tudo isso dos bens do rei.
**8** Fizeram os seus oficiais ofertas voluntárias ao povo, aos sacerdotes e aos levitas. Hilquias, Zacarias e Jeiel, chefes do templo de Deus, deram aos sacerdotes, para os sacrifícios da Páscoa, dois mil e seiscentos cordeiros e cabritos e trezentos novilhos.
**9** Também Conanias, Semaías e Natanael, seus irmãos, e Hasabias, Jeiel e Jozabade, chefes dos levitas, apresentaram aos levitas, para os sacrifícios da Páscoa, cinco mil cordeiros e cabritos e quinhentos novilhos.
**10** Assim se preparou o serviço e puseram-se os sacerdotes nos seus postos, e os levitas nas suas turmas, conforme o mandado do rei.
**11** Imolaram a Páscoa, e os sacerdotes espargiam o sangue que lhes era dado, enquanto os levitas esfolavam os animais.
**12** Puseram à parte os holocaustos para os distribuir aos filhos do povo, segundo as divisões das famílias, a fim de que estes os oferecessem ao Senhor, como está escrito no livro de Moisés. Do mesmo modo fizeram com os novilhos.
**13** Assaram a Páscoa no fogo, segundo o rito, e as ofertas sagradas cozeram em panelas, em caldeirões, em tachos, e rapidamente as repartiram entre todo o povo.
**14** Depois prepararam o que era preciso para si e para os sacerdotes, porque os sacerdotes, filhos

de Arão, se ocuparam até a noite com o sacrifício dos holocaustos e da gordura. Pelo que os levitas fizeram preparação para si e para os sacerdotes, filhos de Arão.

**15** Os cantores, filhos de Asafe, estavam no seu posto, segundo o mandado de Davi, de Asafe, de Hemã e de Jedutum, vidente do rei. Os porteiros em cada porta não necessitaram de se desviar do seu serviço, porque seus irmãos, os levitas, prepararam o necessário para eles.

**16** Assim se estabeleceu todo o serviço do Senhor naquele dia, para celebrar a Páscoa e oferecer holocaustos sobre o altar do Senhor, segundo o mandado do rei Josias.

**17** Os filhos de Israel que ali se acharam celebraram a Páscoa naquele tempo e a festa dos pães sem fermento, durante sete dias.

**18** Nunca se celebrara em Israel uma Páscoa como essa, desde os dias do profeta Samuel; e nenhum dos reis de Israel celebrou tal Páscoa como a que celebrou Josias com os sacerdotes e levitas, e todo o Judá e Israel que ali se acharam, e os habitantes de Jerusalém.

**19** Foi no décimo oitavo ano do reinado de Josias que se celebrou esta Páscoa.

### A morte de Josias

**20** Depois de tudo isto, havendo Josias posto em ordem o templo do Senhor, subiu Neco, rei do Egito, para guerrear contra Carquemis, junto ao Eufrates, e Josias lhe saiu ao encontro.

**21** Neco, porém, mandou-lhe mensageiros, dizendo: Que tenho eu contigo, rei de Judá? Não é contra ti que venho hoje, mas contra o reino que me faz guerra. Disse Deus que me apressasse; portanto guarda-te de te opores a Deus, que é comigo, ou ele te destruirá.

**22** Josias, porém, não voltou atrás, pelo contrário se disfarçou, para pelejar contra ele. Não dando ouvidos às palavras de Neco, que saíram da boca de Deus, veio pelejar no vale de Megido.

**23** Os flecheiros atiraram contra o rei Josias, e disse o rei a seus oficiais: Tirai-me daqui; estou gravemente ferido.

**24** Seus oficiais o tiraram do carro, o colocaram no seu segundo carro e o trouxeram a Jerusalém, onde ele morreu. Sepultaram-no nos sepulcros de seus pais, e todo o Judá e Jerusalém prantearam a Josias.

**25** Jeremias compôs uma lamentação sobre Josias e, até o dia de hoje, todos os cantores e cantoras têm falado de Josias nas suas lamentações. Estas se tornaram tradição em Israel e estão escritas nas Lamentações.

**26** Quanto ao restante dos atos de Josias e aos seus atos de devoção, conforme o que está escrito na lei do Senhor,

**27** e aos seus sucessos, tanto os primeiros como os últimos, estão escritos no livro dos reis de Israel e de Judá.

### Jeoacaz, rei de Judá

**36** E o povo da terra tomou a Jeoacaz, filho de Josias, e o fez rei em Jerusalém, em lugar de seu pai.

**2** Era Jeoacaz da idade de vinte e três anos quando começou a reinar e três meses reinou em Jerusalém.

3 O rei do Egito o depôs em Jerusalém e condenou a terra a pagar um tributo de cem talentos de prata e um talento de ouro.
4 O rei do Egito constituiu a Eliaquim, irmão de Jeoacaz, rei sobre Judá e Jerusalém, e mudou-lhe o nome em Jeoiaquim. Mas Neco tomou a Jeoacaz, irmão de Eliaquim, e o levou para o Egito.

### Jeoiaquim, rei de Judá

5 Era Jeoiaquim da idade de vinte e cinco anos quando começou a reinar e onze anos reinou em Jerusalém. Fez o que era mau aos olhos do Senhor seu Deus.
6 Subiu contra ele Nabucodonosor, rei de Babilônia, e o amarrou com cadeias de bronze, a fim de levá-lo para Babilônia.
7 Nabucodonosor também levou alguns dos utensílios do templo do Senhor para Babilônia e os colocou no seu templo em Babilônia.
8 Quanto ao restante dos atos de Jeoiaquim e às abominações que cometeu, e ao mais que se achou nele, estão escritos no livro dos reis de Israel e de Judá. E Joaquim, seu filho, reinou em seu lugar.

### Joaquim e Zedequias, rei de Judá

9 Era Joaquim da idade de dezoito anos quando começou a reinar e três meses e dez dias reinou em Jerusalém. Fez o que era mau aos olhos do Senhor.
10 Na primavera, o rei Nabucodonosor mandou que o levassem para Babilônia, com os *mais preciosos utensílios* do templo do Senhor, e constituiu a Zedequias, seu irmão, rei sobre Judá e Jerusalém.
11 Era Zedequias da idade de vinte e cinco anos quando começou a reinar e onze anos reinou em Jerusalém.
12 Fez o que era mau aos olhos do Senhor, o seu Deus, e não se humilhou perante o profeta Jeremias, que falava da parte do Senhor.
13 Também se rebelou contra o rei Nabucodonosor, que o tinha feito jurar por Deus. Endureceu a sua cerviz, e tanto se obstinou no seu coração que não voltou ao Senhor, Deus de Israel.
14 Além disso, todos os chefes dos sacerdotes e o povo se tornavam cada vez mais infiéis, seguindo as abominações dos gentios e contaminando o templo do Senhor, que ele tinha consagrado em Jerusalém.
15 O Senhor, Deus de seus pais, enviou-lhes a sua palavra, sem cessar, por meio dos seus mensageiros, porque se compadeceu do seu povo e da sua habitação.
16 Eles, porém, zombaram dos mensageiros de Deus, desprezaram as suas palavras e escarneceram dos seus profetas até que a ira do Senhor subiu tanto contra o seu povo que não houve mais nenhum remédio.
17 Fez subir contra eles o rei dos caldeus, que matou os seus jovens à espada, no seu santuário, e não teve piedade nem dos jovens nem das donzelas nem dos velhos. Deus entregou a todos nas mãos de Nabucodonosor.
18 Todos os utensílios do templo de Deus, grandes e pequenos, os tesouros da casa do Senhor, os tesouros do rei e dos seus oficiais, levou para Babilônia.
19 Queimaram o templo do Senhor e derrubaram os muros de Jerusalém; todos os seus palácios queimaram a fogo e

destruíram todos os seus objetos preciosos.

**20** Os que escaparam da espada, levou para Babilônia, e se tornaram servos dele e de seus filhos, até o tempo do reino da Pérsia.

**21** A terra desfrutou dos seus sábados; todos os dias da sua desolação ela descansou, até que se completaram os setenta anos, em cumprimento da palavra que o Senhor falara por intermédio de Jeremias.

**22** No primeiro ano de Ciro, rei da Pérsia, para que se cumprisse a palavra do Senhor falada por intermédio de Jeremias, despertou o Senhor o espírito de Ciro, rei da Pérsia, de modo que ele fez passar pregão por todo o seu reino, como também por escrito, dizendo:

**23** Assim diz Ciro, rei da Pérsia: O Senhor, Deus dos céus, deu-me todos os reinos da terra e me encarregou de lhe edificar um templo em Jerusalém, que está em Judá. Quem há entre vós, de todo o seu povo, o Senhor, o seu Deus, seja com ele, e suba.

# ESDRAS

## O decreto de Ciro

**1** No primeiro ano de Ciro, rei da Pérsia, para que se cumprisse a palavra do Senhor, falada por intermédio de Jeremias, despertou o Senhor o espírito de Ciro, rei da Pérsia, o qual proclamou por todo o seu reino, como também por escrito, dizendo:
**2** Assim diz Ciro, rei da Pérsia: O Senhor Deus dos céus me deu todos os reinos da terra e me encarregou de lhe edificar uma casa em Jerusalém de Judá.
**3** Quem há entre vós, de todo o seu povo, que o seu Deus seja com ele, e vá a Jerusalém de Judá e edifique a casa do Senhor, Deus de Israel, o Deus que habita em Jerusalém.
**4** Todo sobrevivente, onde quer que seja peregrino, os homens do seu lugar o ajudarão com prata e com ouro, com bens e com gados, fora as dádivas voluntárias para a casa do Senhor, que habita em Jerusalém.
**5** Então se levantaram os cabeças das famílias de Judá e Benjamim, e os sacerdotes e os levitas, com todos aqueles cujo espírito Deus despertou, para subir e edificar a casa do Senhor, que está em Jerusalém.
**6** Todos os seus vizinhos os ajudaram com utensílios de prata, com ouro, com bens, com gados e com coisas preciosas, fora tudo o que *voluntariamente* se deu.
**7** Além disso, tirou o rei Ciro os utensílios da casa do Senhor, os quais Nabucodonosor tinha trazido de Jerusalém e posto na casa de seus deuses.
**8** Ciro, rei da Pérsia, tirou-os por intermédio de Mitredate, o tesoureiro, que os entregou contados a Sesbazar, príncipe de Judá.
**9** Este é o número deles: trinta bacias de ouro, mil bacias de prata, vinte e nove facas,
**10** trinta taças de ouro, quatrocentas e dez taças de prata e mil outros utensílios.
**11** Todos os utensílios de ouro e de prata foram cinco mil e quatrocentos. A todos esses levou Sesbazar, quando os exilados subiram de Babilônia para Jerusalém.

## A lista dos que voltaram

**2** São estes os filhos da província que subiram do cativeiro, entre os exilados, que Nabucodonosor, rei de Babilônia, tinha levado para Babilônia, e voltaram para Jerusalém e para Judá, cada um para a sua cidade,
**2** os quais vieram com Zorobabel, Jesua, Neemias, Seraías, Reelaías, Mordecai, Bilsã, Mispar, Bigvai, Reum e Baaná. A lista dos homens do povo de Israel:
**3** Os filhos de Parós, dois mil cento e setenta e dois.
**4** Os filhos de Sefatias, trezentos e setenta e dois.
**5** Os filhos de Ara, setecentos e setenta e cinco.
**6** Os filhos de Paate-Moabe, dos filhos de Jesua-Joabe, dois mil oitocentos e doze.
**7** Os filhos de Elão, mil duzentos e cinquenta e quatro.
**8** Os filhos de Zatu, novecentos e quarenta e cinco.

**9** Os filhos de Zacai, setecentos e sessenta.
**10** Os filhos de Bani, seiscentos e quarenta e dois.
**11** Os filhos de Bebai, seiscentos e vinte e três.
**12** Os filhos de Azgade, mil duzentos e vinte e dois.
**13** Os filhos de Adonicão, seiscentos e sessenta e seis.
**14** Os filhos de Bigvai, dois mil e cinquenta e seis.
**15** Os filhos de Adim, quatrocentos e quatro.
**16** Os filhos de Ater, da família de Ezequias, noventa e oito.
**17** Os filhos de Bezai, trezentos e vinte e três.
**18** Os filhos de Jora, cento e doze.
**19** Os filhos de Hasum, duzentos e vinte e três.
**20** Os filhos de Gibar, noventa e cinco.
**21** Os homens de Belém, cento e vinte e três.
**22** Os homens de Netofa, cinquenta e seis.
**23** Os homens de Anatote, cento e vinte e oito.
**24** Os homens de Azmavete, quarenta e dois.
**25** Os homens de Quiriate-Arim, Quefira e Beerote, setecentos e quarenta e três.
**26** Os homens de Ramá e de Giba, seiscentos e vinte e um.
**27** Os homens de Micmás, cento e vinte e dois.
**28** Os homens de Betel e Ai, duzentos e vinte e três.
**29** Os homens de Nebo, cinquenta e dois.
**30** Os homens de Magbis, cento e cinquenta e seis.
**31** Os homens do outro Elão, mil duzentos e cinquenta e quatro.
**32** Os homens de Harim, trezentos e vinte.
**33** Os homens de Lode, Hadide e Ono, setecentos e vinte e cinco.
**34** Os homens de Jericó, trezentos e quarenta e cinco.
**35** Os homens de Senaá, três mil seiscentos e trinta.
**36** Os sacerdotes: os filhos de Jedaías, da casa de Jesua, novecentos e setenta e três.
**37** Os filhos de Imer, mil e cinquenta e dois.
**38** Os filhos de Pasur, mil duzentos e quarenta e sete.
**39** Os filhos de Harim, mil e dezessete.
**40** Os levitas: os filhos de Jesua e Cadmiel, dos filhos de Hodavias, setenta e quatro.
**41** Os cantores: os filhos de Asafe, cento e vinte e oito.
**42** Os filhos dos porteiros: os filhos de Salum, os filhos de Ater, os filhos de Talmom, os filhos de Acube, os filhos de Hatita, os filhos de Sobai, ao todo, cento e trinta e nove.
**43** Os servidores do templo: os filhos de Zia, os filhos de Hasufa, os filhos de Tabaote,
**44** os filhos de Queros, os filhos de Sia, os filhos de Padom,
**45** os filhos de Lebaná, os filhos de Hagabá, os filhos de Acube,
**46** os filhos de Hagabe, os filhos de Sanlai, os filhos de Hanã,
**47** os filhos de Gidel, os filhos de Gaar, os filhos de Reaías,
**48** os filhos de Rezim, os filhos de Necoda, os filhos de Gazão,
**49** os filhos de Uza, os filhos de Paseá, os filhos de Besai,
**50** os filhos de Asná, os filhos de Meunim, os filhos de Nefusim,
**51** os filhos de Bacbuque, os filhos de Hacufa, os filhos de Harur,

52 os filhos de Bazlute, os filhos de Meída, os filhos de Harsa,
53 os filhos de Barcos, os filhos de Sísera, os filhos de Temá,
54 os filhos de Neziá, os filhos de Hatifa.
55 Os filhos dos servos de Salomão, os filhos de Sotai, os filhos de Soferete, os filhos de Peruda,
56 os filhos de Jaala, os filhos de Darcom, os filhos de Gidel,
57 os filhos de Sefatias, os filhos de Hatil, os filhos de Poquerete-Hazebaim e os filhos de Ami.
58 Os servidores do templo e os filhos dos servos de Salomão, trezentos e noventa e dois.
59 Também estes subiram de Tel--Mela, Tel-Harsa, Querube, Adã e Imer, porém não puderam provar que suas famílias eram da linhagem de Israel.
60 Os filhos de Delaías, os filhos de Tobias, os filhos de Necoda, seiscentos e cinquenta e dois.
61 E dos filhos dos sacerdotes: os filhos de Habaías, os filhos de Hacoz, os filhos de Barzilai, que tomou mulher das filhas de Barzilai, o gileadita, e foi chamado por esse nome.
62 Estes buscaram o registro de suas famílias, mas não puderam encontrá-los, pelo que foram excluídos do sacerdócio como imundos.
63 Ordenou-lhes o governador que não comessem das coisas santíssimas até que se levantasse um sacerdote com Urim e Tumim.
64 Toda esta congregação junta foi de quarenta e dois mil trezentos e sessenta,
65 afora os seus servos e as suas servas, que foram sete mil trezentos e trinta e sete; também havia duzentos cantores e cantoras.
66 Os seus cavalos, setecentos e trinta e seis; os seus mulos, duzentos e quarenta e cinco;
67 os seus camelos, quatrocentos e trinta e cinco; os seus jumentos, seis mil setecentos e vinte.
68 Alguns dos cabeças das famílias, vindo à casa do Senhor, que habita em Jerusalém, deram ofertas voluntárias para a casa de Deus, para a restaurarem no seu lugar.
69 Conforme os seus recursos, deram para a tesouraria da obra, em ouro, sessenta e uma mil dracmas, e, em prata, cinco mil arráteis e cem vestes sacerdotais.
70 Os sacerdotes, os levitas, os cantores, os porteiros e os servidores do templo habitaram nas suas cidades, como também todo o Israel nas suas cidades.

## A reconstrução do altar

3 Quando chegou o sétimo mês, estando os filhos de Israel já nas cidades, ajuntou-se o povo, como um só homem, em Jerusalém.
2 Então Jesua, filho de Jozadaque, e seus irmãos, os sacerdotes, e Zorobabel, filho de Sealtiel, e seus irmãos, começaram a edificar o altar do Deus de Israel, para oferecerem sobre ele holocaustos, como está escrito na lei de Moisés, o homem de Deus.
3 Apesar do terror que estava sobre eles por causa dos povos das outras terras, firmaram o altar sobre as suas bases e ofereceram sobre ele holocaustos ao Senhor, de manhã e à tarde.
4 Então, segundo o que está escrito, celebraram a festa dos tabernáculos e ofereceram holocaustos diários conforme o número ordenado para cada dia.

5 Depois disto, apresentaram o holocausto regular e os das luas novas e de todas as festas fixas do Senhor, como também os dos que traziam ofertas voluntárias ao Senhor.

6 Desde o primeiro dia do sétimo mês começaram a oferecer holocaustos ao Senhor, porém ainda não estavam postos os fundamentos do templo do Senhor.

7 Deram o dinheiro aos pedreiros e aos carpinteiros, como também comida, bebida e azeite aos sidônios e aos tírios, para trazerem do Líbano madeira de cedro ao mar, para Jope, segundo a permissão que lhes tinha dado Ciro, rei da Pérsia.

8 No segundo ano da sua vinda à casa de Deus em Jerusalém, no segundo mês, Zorobabel, filho de Sealtiel, e Jesua, filho de Jozadaque, e os seus outros irmãos, os sacerdotes e os levitas, e todos os que vieram do exílio a Jerusalém iniciaram a obra e constituíram os levitas da idade de vinte anos para cima para superintenderem a obra da casa do Senhor.

9 Levantaram-se Jesua com seus filhos e seus irmãos, Cadmiel e seus filhos, os filhos de Judá, como também os filhos de Henadade, seus filhos e seus irmãos, todos levitas, para juntamente vigiarem os que faziam a obra na casa de Deus.

10 Quando os edificadores lançaram os alicerces do templo do Senhor, apresentaram-se os sacerdotes, trajando suas vestes e com trombetas, e os levitas, filhos de Asafe, com címbalos, para louvarem ao Senhor, conforme a ordem de Davi, rei de Israel.

11 Cantavam alternadamente, louvando e rendendo graças ao Senhor:
Ele é bom;
o seu amor dura para sempre sobre Israel.

E todo o povo levantou grande brado, quando louvaram ao Senhor, por se terem lançado os alicerces da casa do Senhor.

12 Muitos, porém, dos sacerdotes e levitas e cabeças de famílias mais idosos, que tinham visto a primeira casa, choraram em alta voz quando viram o fundamento desta casa sendo lançado, mas muitos levantaram a voz com gritos de alegria.

13 De maneira que não se podia distinguir as vozes de alegria das vozes do choro do povo, porque o povo bradava em tão alta voz. E o som se ouviu de muito longe.

### Oposição à reconstrução

4 Quando os adversários de Judá e Benjamim ouviram que os que voltaram do exílio estavam edificando o templo ao Senhor Deus de Israel,

2 chegaram-se a Zorobabel e aos cabeças de famílias e lhes disseram: Deixai-nos edificar convosco, porque, como vós, buscamos a vosso Deus, como também lhe sacrificamos desde os dias de Esar-Hadom, rei da Assíria, que nos trouxe para aqui.

3 Zorobabel, Jesua e os outros cabeças de famílias de Israel, porém, lhes responderam: Não convém que vós e nós edifiquemos casa a nosso Deus. Nós sozinhos a edificaremos ao Senhor, Deus de Israel, como nos ordenou Ciro, rei da Pérsia.

4 Então o povo da terra pôs-se a desanimar o povo de Judá e a

atemorizá-lo para que não continuasse a construir.

5 Alugaram contra eles conselheiros para frustrarem o seu plano, durante todos os dias de Ciro, rei da Pérsia, até o reinado de Dario, rei da Pérsia.

6 No princípio do reinado de Assuero, escreveram uma acusação contra os habitantes de Judá e de Jerusalém.

7 E nos dias de Artaxerxes, rei da Pérsia, Bislão, Mitredate, Tabeel e os seus companheiros escreveram uma carta a Artaxerxes, rei da Pérsia. A carta foi escrita em caracteres aramaicos e na língua siríaca.

8 Reum, o comandante, e Sinsai, o escrivão, escreveram uma carta contra Jerusalém, ao rei Artaxerxes, do seguinte teor:

9 Reum, o comandante, e Sinsai, o escrivão, e os seus companheiros, os juízes e os oficiais sobre os homens de Trípoli, da Pérsia, de Ereque e de Babilônia, os elamitas de Susã,

10 e outros povos que o grande e famoso Assurbanípal transportou e que fez habitar na cidade de Samaria, e os outros aquém do Eufrates.

11 Esta é uma cópia da carta que enviaram ao rei Artaxerxes: Teus servos, os homens daquém do Eufrates.

12 Saiba o rei que os judeus que subiram de ti vieram a nós a Jerusalém. Eles estão edificando aquela rebelde e malvada cidade, restaurando os seus muros e reparando os seus fundamentos.

13 Saiba ainda o rei que, se aquela cidade se reedificar, e os muros se restaurarem, eles não pagarão os direitos, os impostos e os pedágios e assim causarão prejuízos ao rei.

14 Agora, visto que somos assalariados do rei e não nos convém ver a desonra dele, mandamos dar-lhe aviso,

15 para que se busque no livro das crônicas de teus pais. Descobrirás no livro das crônicas que aquela foi uma cidade rebelde e danosa aos reis e às províncias e que nela houve rebelião em tempos antigos. É por isso que ela foi destruída.

16 Nós alertamos ao rei que, se aquela cidade se reedificar e os seus muros se restaurarem, não terá o rei porção alguma deste lado do Eufrates.

17 O rei enviou esta resposta: A Reum, o comandante, e a Sinsai, o escrivão, e aos seus companheiros, que habitam em Samaria, como também ao restante dos que estão além do Eufrates: Saudações!

18 A carta que nos enviastes foi lida e traduzida na minha presença.

19 Ordenando-o eu, buscaram e acharam que de tempos antigos aquela cidade se levantou contra os reis, e nela se têm feito rebelião e revolta.

20 Também houve reis poderosos sobre Jerusalém, que a oeste do Eufrates dominaram em todo lugar, e se lhes pagaram direitos, impostos e pedágios.

21 Agora dai ordem para que aqueles homens parem, a fim de que não seja edificada aquela cidade, até que eu ordene outra coisa.

22 Guardai-vos de serdes remissos nisso. Por que haveria de crescer esta ameaça, para prejuízo dos reis?

23 Logo que a cópia da carta do rei Artaxerxes foi lida perante Reum,

Sinsai, o escrivão, e seus companheiros foram apressadamente a Jerusalém, aos judeus, e os impediram à força e com violência. 24 Então cessou a obra da casa de Deus, que estava em Jerusalém, até o segundo ano do reinado de Dario, rei da Pérsia.

## A carta de Tatenai a Dario

5 Ora, o profeta Ageu e o profeta Zacarias, filho de Ido, profetizaram aos judeus que estavam em Judá e em Jerusalém, em nome do Deus de Israel, que estava sobre eles. 2 Então se levantaram Zorobabel, filho de Sealtiel, e Jesua, filho de Jozadaque, e começaram a edificar a casa de Deus, que está em Jerusalém. E com eles estavam os profetas de Deus, que os ajudavam. 3 Naquele tempo, vieram ter com eles Tatenai, o governador da região a oeste do Eufrates, Setar-Bozenai e seus companheiros e lhes perguntaram: Quem vos deu ordem para edificardes esta casa e restaurardes este muro? 4 Também lhes perguntaram: Quais são os nomes dos homens que constroem este edifício? 5 Os olhos de Deus, porém, estavam sobre os anciãos dos judeus, de modo que eles não os impediram, até que o negócio chegasse a Dario e viesse resposta por carta sobre isso. 6 Esta é uma cópia da carta que Tatenai, o governador da região a oeste do Eufrates, com Setar-Bozenai e os seus companheiros, os governadores que estavam deste lado do Rio, enviaram ao rei Dario. 7 O relatório que lhe enviaram dizia o seguinte: Ao rei Dario: Saudações cordiais.

8 Saiba o rei que nós fomos à província de Judá, à casa do grande Deus, que se edifica com grandes pedras, e já a madeira está sendo posta sobre as paredes; a obra apressadamente se faz e se adianta em suas mãos. 9 Perguntamos aos anciãos e assim lhes dissemos: Quem vos deu ordem para edificardes esta casa e restaurardes este muro? 10 Perguntamos-lhes também pelos seus nomes, para que pudéssemos escrever os nomes dos seus chefes para tua informação. 11 Esta é a resposta que nos deram: Nós somos servos do Deus dos céus e da terra e reedificamos a casa que há muitos anos foi construída e acabada por um grande rei de Israel. 12 Depois, porém, que nossos pais provocaram à ira o Deus dos céus, ele os entregou nas mãos de Nabucodonosor, rei de Babilônia, o caldeu, que destruiu esta casa e transportou o seu povo para Babilônia. 13 No primeiro ano de Ciro, rei de Babilônia, porém, o rei Ciro deu ordem para que esta casa de Deus fosse reedificada. 14 Ele até removeu do templo de Babilônia os utensílios de ouro e de prata da casa de Deus, que Nabucodonosor tinha tomado do templo que estava em Jerusalém e levado ao templo de Babilônia. Então o rei Ciro os deu a um homem cujo nome era Sesbazar, a quem havia nomeado governador, 15 e lhe disse: Toma estes utensílios, vai, leva-os ao templo que está em Jerusalém e reedifique a casa de Deus, no seu lugar. 16 Assim, veio Sesbazar e lançou os fundamentos da casa de Deus,

que está em Jerusalém. Daí para cá se está edificando, e ainda não está acabada.

**17** Agora, se parece bem ao rei, busque-se nos arquivos reais, em Babilônia, se é verdade haver uma ordem do rei Ciro para edificar esta casa de Deus em Jerusalém. Então sobre isso nos faça o rei saber a sua vontade.

### O decreto de Dario

**6** O rei Dario deu ordem, e buscaram nos arquivos onde se guardavam os tesouros em Babilônia. **2** Em Acbátana, fortaleza situada na província da Média, achou-se um rolo e nele estava escrito um memorial:
**3** No primeiro ano do rei Ciro, o rei deu esta ordem: Com respeito à casa de Deus em Jerusalém, seja edificada a casa para lugar em que se ofereçam sacrifícios e sejam lançados os seus fundamentos. A sua altura será de sessenta côvados, e a sua largura, de sessenta côvados,
**4** com três carreiras de grandes pedras e uma carreira de madeira nova. A despesa se fará da casa do rei.
**5** Além disso, os utensílios de ouro e de prata da casa de Deus, que Nabucodonosor transportou do templo que estava em Jerusalém e levou para Babilônia, sejam restituídos, para que vão ao seu lugar, ao templo que está em Jerusalém; serão depositados na casa de Deus.
**6** Agora, pois, Tatenai, governador da região a oeste do Eufrates, Setar-Bozenai, e os vossos companheiros, os governadores, que estais a oeste do Rio, permanecei longe dali.
**7** Não impeçais a obra desta casa de Deus, para que o governador dos judeus e os seus anciãos reedifiquem esta casa de Deus no seu lugar.
**8** Também por mim se decreta o que haveis de fazer para com os anciãos dos judeus, para que edifiquem esta casa de Deus, a saber, que da tesouraria real, dos tributos recolhidos a oeste do Rio, se pague prontamente a despesa a estes homens, para que a obra não seja interrompida.
**9** Tudo o que for necessário, como novilhos, carneiros e cordeiros, para holocaustos ao Deus dos céus, e trigo, sal, vinho e azeite, segundo a requisição dos sacerdotes que estão em Jerusalém, deve ser entregue a eles diariamente, sem falta,
**10** para que ofereçam sacrifícios de cheiro suave ao Deus dos céus e orem pela vida do rei e de seus filhos.
**11** Também por mim se decreta que, se alguém alterar este decreto, arranque-se uma viga da sua casa e seja levantado e pendurado nela; e da sua casa se faça um monte de entulho.
**12** O Deus que fez habitar ali o seu nome derrube todos os reis e povos que estenderem a mão para alterar o decreto e para destruir esta casa de Deus, que está em Jerusalém. Eu, Dario, baixei o decreto. Com diligência se execute.

### Término e consagração do templo

**13** Então Tatenai, governador da região a oeste do Eufrates, Setar-Bozenai e os seus companheiros assim fizeram com toda a diligência, conforme o que decretara o rei Dario.

**14** De modo que os anciãos dos judeus iam edificando e prosperando sob a pregação do profeta Ageu e de Zacarias, filho de Ido. Edificaram a casa e a acabaram conforme o mandado do Deus de Israel e conforme o decreto de Ciro, de Dario e de Artaxerxes, rei da Pérsia.
**15** Acabou-se esta casa no terceiro dia do mês de adar, no sexto ano do reinado do rei Dario.
**16** Os filhos de Israel, os sacerdotes, os levitas e o restante dos exilados fizeram a dedicação desta casa de Deus com alegria.
**17** Ofereceram para a dedicação desta casa de Deus cem novilhos, duzentos carneiros, quatrocentos cordeiros e, como oferta pelo pecado de todo o Israel, doze cabritos, segundo o número das tribos de Israel.
**18** E instalaram os sacerdotes nas suas turmas e os levitas nas suas divisões, para o serviço de Deus em Jerusalém, conforme está escrito no livro de Moisés.

### A Páscoa

**19** Os que vieram do exílio celebraram a Páscoa no dia catorze do primeiro mês.
**20** Os sacerdotes e os levitas tinham-se purificado como se fossem um só homem; todos estavam limpos. Mataram o cordeiro da Páscoa para todos os exilados e para seus irmãos, os sacerdotes, e para si mesmos.
**21** Assim comeram a Páscoa os filhos de Israel que tinham voltado do exílio, com todos os que, juntando-se a eles, se haviam apartado da imundícia das nações da terra para buscarem ao Senhor, Deus de Israel.
**22** Celebraram a festa dos pães sem fermento por sete dias com alegria, porque o Senhor os tinha alegrado, mudando o coração do rei da Assíria em favor deles, para ajudá-los na obra da casa de Deus, o Deus de Israel.

### Esdras vem a Jerusalém

**7** Passadas estas coisas, no reinado de Artaxerxes, rei da Pérsia, Esdras, filho de Seraías, filho de Azarias, filho de Hilquias,
**2** filho de Salum, filho de Zadoque, filho de Aitube,
**3** filho de Amarias, filho de Azarias, filho de Meraiote,
**4** filho de Zeraías, filho de Uzi, filho de Buqui,
**5** filho de Abisua, filho de Fineias, filho de Eleazar, filho de Arão, o sumo sacerdote,
**6** este Esdras subiu de Babilônia. Ele era escriba hábil na lei de Moisés, dada pelo Senhor Deus de Israel. O rei lhe deu tudo o que ele lhe pedira, segundo a boa mão do Senhor seu Deus, que estava sobre ele.
**7** Também subiram a Jerusalém alguns dos filhos de Israel, dos sacerdotes, dos levitas, dos cantores, dos porteiros e dos servidores do templo, no sétimo ano do rei Artaxerxes.
**8** No quinto mês, Esdras chegou a Jerusalém, no sétimo ano deste rei.
**9** Começou a sua jornada no primeiro dia do primeiro mês e chegou a Jerusalém no primeiro dia do quinto mês, segundo a boa mão do seu Deus sobre ele.
**10** Pois Esdras tinha disposto o seu coração para buscar ao Senhor e cumprir a sua lei, e para ensinar em Israel os seus decretos e as suas leis.

11 Esta é uma cópia da carta que o rei Artaxerxes deu ao sacerdote Esdras, o escriba instruído nas palavras dos mandamentos e dos decretos do Senhor para Israel:
12 Artaxerxes, rei dos reis, ao sacerdote Esdras, escriba da lei do Deus do céu: Saudações.
13 Por mim se decreta que, no meu reino, todo aquele do povo de Israel, dos seus sacerdotes e levitas que quiser ir contigo a Jerusalém, vá.
14 És enviado da parte do rei e dos seus sete conselheiros, para fazeres inquirição acerca de Judá e de Jerusalém, conforme a lei do teu Deus, que está nas tuas mãos.
15 Além disso, levarás a prata e o ouro que o rei e os seus conselheiros voluntariamente deram ao Deus de Israel, cuja habitação está em Jerusalém,
16 além de toda a prata e o ouro que achares em toda a província de Babilônia, como também as ofertas voluntárias do povo e dos sacerdotes, que voluntariamente as ofereceram para a casa de seu Deus, que está em Jerusalém.
17 Portanto, compres com esse dinheiro novilhos, carneiros, cordeiros e o que for necessário para as suas ofertas de cereais e as suas libações, e oferece-as sobre o altar da casa do teu Deus, que está em Jerusalém.
18 Também o que a ti e a teus irmãos bem parecer fazerdes do resto da prata e do ouro, fazei-o conforme a vontade do vosso Deus.
19 *Os utensílios que te foram dados para o serviço da casa de teu Deus, restitui-os perante o Deus de Jerusalém.*
20 E tudo o mais que for necessário para a casa de teu Deus, que te convenha dar, tu o darás dos tesouros da casa do rei.
21 Agora eu, o rei Artaxerxes, decreto a todos os tesoureiros que estão a oeste do Eufrates: Tudo o que vos pedir o sacerdote Esdras, escriba da lei do Deus dos céus, apressadamente se faça.
22 Até cem talentos de prata, cem coros de trigo, cem batos de vinho, cem batos de azeite, e sal à vontade.
23 Tudo o que se ordenar, segundo o mandado do Deus do céu, prontamente se faça para a casa do Deus do céu. Por que haveria grande ira sobre o reino do rei e de seus filhos?
24 Também vos fazemos saber acerca de todos os sacerdotes e levitas, cantores, porteiros, servidores do templo e outros servos desta casa de Deus, que não será lícito impor-lhes nem tributo, nem imposto, nem pedágio.
25 E tu, Esdras, conforme a sabedoria do teu Deus, que possuis, constitui magistrados e juízes que julguem a todo o povo que está a oeste do Eufrates, a todos os que sabem as leis de teu Deus, e aos que não as sabem, que as façam saber.
26 Todo aquele que não observar a lei do teu Deus e a lei do rei, certamente deve ser condenado ou à morte, ou ao desterro, ou à confiscação de bens, ou à prisão.
27 Bendito seja o Senhor Deus de nossos pais, que pôs no coração do rei o desejo de honrar a casa do Senhor, que está em Jerusalém,
28 e que estendeu para mim a sua misericórdia perante o rei, os seus conselheiros e todos os seus príncipes poderosos. Visto que a boa

mão do Senhor, meu Deus, estava sobre mim, animei-me e reuni alguns dos chefes de Israel para subirem comigo.

### A lista dos cabeças de famílias que voltaram com Esdras

**8** Estes são os cabeças de famílias, com as suas genealogias, que subiram comigo de Babilônia no reinado do rei Artaxerxes:
**2** Dos filhos de Fineias, Gérson; dos filhos de Itamar, Daniel; dos filhos de Davi, Hatus;
**3** dos filhos de Secanias, dos filhos de Parós, Zacarias, e com ele foram registrados cento e cinquenta homens;
**4** dos filhos de Paate-Moabe, Elioenai, filho de Zeraías, e com ele duzentos homens;
**5** dos filhos de Secanias, o filho de Jaaziel, e com ele trezentos homens;
**6** dos filhos de Adim, Ebede, filho de Jônatas, e com ele cinquenta homens;
**7** dos filhos de Elão, Jesaías, filho de Atalias, e com ele setenta homens;
**8** dos filhos de Sefatias, Zebadias, filho de Micael, e com ele oitenta homens;
**9** dos filhos de Joabe, Obadias, filho de Jeiel, e com ele duzentos e dezoito homens;
**10** dos filhos de Bani, Selomite, filho de Josifias, e com ele cento e sessenta homens;
**11** dos filhos de Bebai, Zacarias, filho de Bebai, e com ele vinte e oito homens;
**12** dos filhos de Azgade, Joanã, filho de Catã, e com ele cento e dez homens;
**13** dos últimos filhos de Adonicão, cujos nomes eram Elifelete, Jeiel e Semaías, e com eles sessenta homens;
**14** dos filhos de Bigvai, Utai e Zabude, e com eles setenta homens.
**15** Ajuntei-os perto do rio que corre para Aava, onde ficamos acampados três dias. Quando passei em revista ao povo e aos sacerdotes, não achei ali nenhum dos filhos de Levi.
**16** Assim, convoquei a Eliezer, a Ariel, a Semaías, a Elnatã, a Natã, a Zacarias e a Mesulão, os chefes, como também a Joiaribe e a Elnatã, que eram sábios,
**17** e os enviei a Ido, chefe em Casifia. Dei-lhes as palavras que deveriam dizer a Ido e a seus irmãos, os servidores do templo, em Casifia, para que nos trouxessem ministros para a casa do nosso Deus.
**18** Trouxeram-nos, segundo a boa mão de Deus sobre nós, um homem entendido, dos filhos de Mali, filho de Levi, filho de Israel, a saber, Serebias, com os seus filhos e irmãos, dezoito;
**19** e a Hasabias, e com ele Jesaías, dos filhos de Merari, com seus irmãos e os filhos deles, vinte;
**20** e dos servidores do templo, que Davi e os príncipes deram para o ministério dos levitas, duzentos e vinte, todos eles mencionados por nome.
**21** Apregoei ali um jejum, junto ao rio Aava, para nos humilharmos diante da face de nosso Deus, a fim de lhe pedirmos jornada segura para nós, para nossos filhos e para todas as nossas posses.
**22** Tive vergonha de pedir ao rei soldados e cavaleiros para nos defenderem do inimigo no caminho, porque tínhamos dito ao rei: A mão do nosso Deus é sobre todos os que o buscam para o bem,

mas a sua força e a sua ira sobre todos os que o deixam.

23 Assim jejuamos e pedimos isso ao nosso Deus, e ele atendeu à nossa oração.

24 Depois separei doze dos principais entre os sacerdotes: Serebias, Hasabias, e com eles dez dos seus irmãos,

25 e pesei-lhes a prata e o ouro e os utensílios, a oferta para a casa de nosso Deus, a qual ofereceram o rei, os seus conselheiros, os seus príncipes e todo o Israel que estava ali.

26 Entreguei-lhes nas mãos seiscentos e cinquenta talentos de prata e, em objetos de prata cem talentos, cem talentos de ouro,

27 vinte taças de ouro de mil dracmas e dois objetos de bronze lustroso, tão precioso como o ouro.

28 Disse-lhes: Vós e estes objetos sois consagrados ao Senhor. Esta prata e este ouro são ofertas voluntárias, oferecidas ao Senhor Deus de vossos pais.

29 Vigiai e guardai-os até que os peseis na presença dos principais sacerdotes e dos levitas e dos cabeças das famílias de Israel, em Jerusalém, nas câmaras da casa do Senhor.

30 Então os sacerdotes e os levitas receberam o peso da prata, do ouro e dos objetos, a fim de os trazerem a Jerusalém, à casa de nosso Deus.

31 Partimos do rio Aava no dia doze do primeiro mês, a fim de irmos para Jerusalém. A boa mão do nosso Deus estava sobre nós, e ele nos livrou dos inimigos e dos que nos armavam ciladas pelo caminho.

32 Assim, chegamos a Jerusalém, onde repousamos três dias.

33 No quarto dia, foram pesados a prata, o ouro e os objetos, na casa do nosso Deus, e foram entregues nas mãos de Meremote, filho do sacerdote Urias. Com ele estava Eleazar, filho de Fineias, e com eles Jozabade, filho de Jesua, e Noadias, filho de Binui, levitas.

34 Tudo foi contado conforme o número e o peso, e o peso total foi registrado.

35 Os exilados que vieram do cativeiro ofereceram holocaustos ao Deus de Israel: doze novilhos por todo o Israel, noventa e seis carneiros, setenta e sete cordeiros e doze bodes como oferta pelo pecado. Tudo em holocausto ao Senhor.

36 Também deram as ordens do rei aos seus sátrapas e aos governadores deste lado do Eufrates; e estes ajudaram o povo e a casa de Deus.

### A oração de Esdras

**9** Acabadas essas coisas, vieram ter comigo os príncipes e disseram: O povo de Israel, os sacerdotes e os levitas não se têm separado dos povos destas terras, das abominações dos cananeus, dos heteus, dos ferezeus, dos jebuseus, dos amonitas, dos moabitas, dos egípcios e dos amorreus.

2 Tomaram das suas filhas para si e para seus filhos, e assim se misturou a descendência santa com os povos dessas terras. E os príncipes e os magistrados foram os primeiros nessa infidelidade.

3 Quando ouvi isso, rasguei a minha túnica e o meu manto, arranquei os cabelos da cabeça e da barba e me assentei atônito.

4 Então se ajuntaram a mim todos os que tremiam diante das

palavras do Deus de Israel por causa da infidelidade dos exilados. E permaneci assentado atônito até o sacrifício da tarde.

5 Na hora do sacrifício da tarde, levantei-me da minha aflição, havendo já rasgado a minha túnica e o meu manto, e me pus de joelhos, estendi as mãos para o Senhor, meu Deus,
6 e disse: Meu Deus! Estou confuso e envergonhado demais para levantar a ti a minha face, meu Deus, porque as nossas iniquidades se multiplicaram sobre a nossa cabeça e a nossa culpa cresceu até os céus.
7 Desde os dias de nossos pais até o dia de hoje estamos em grande culpa. Por causa das nossas iniquidades fomos entregues, nós, os nossos reis e os nossos sacerdotes, nas mãos dos reis das terras, à espada, ao exílio, ao roubo e à confusão de rosto, como hoje se vê.
8 Agora, por breve momento, se nos manifestou a graça da parte do Senhor, nosso Deus, para nos deixar alguns que escapem, para dar-nos estabilidade no seu santo lugar, para nos iluminar os olhos, ó nosso Deus, e para nos dar um pouco de alívio em nossa servidão.
9 Embora sejamos servos, não nos desamparou o nosso Deus na nossa servidão. Antes estendeu sobre nós a sua misericórdia perante os reis da Pérsia, para nos reviver, para levantar a casa do nosso Deus, para restaurar as suas ruínas e para nos dar um muro em Judá e em Jerusalém.
10 Agora, ó nosso Deus, que diremos depois disto? Pois deixamos os teus mandamentos,
11 os quais ordenaste por intermédio de teus servos, os profetas, quando disseste: A terra em que entrais para a possuir está contaminada pelas imundícias dos seus povos, pelas abominações com que, na sua corrupção, a encheram, de uma extremidade à outra.
12 Portanto, as vossas filhas não dareis a seus filhos, e as suas filhas não tomareis para os vossos filhos. Jamais procurareis a sua paz e o seu bem, para que sejais fortes e comais o bem da terra, e a deixeis por herança a vossos filhos para sempre.
13 Depois de tudo o que nos tem sucedido por causa das nossas más obras e da nossa grande culpa, ainda assim tu, ó nosso Deus, nos castigaste menos do que os nossos pecados merecem e nos deste um remanescente como este.
14 Voltaremos agora a violar os teus mandamentos e a aparentar-nos com os povos que cometem estas abominações? Não te indignarias tu assim contra nós até de todo nos consumires, até não ficar restante nem sobrevivente?
15 Ah! Senhor Deus de Israel, justo és! Ficamos qual um restante que escapou, como hoje se vê. Aqui estamos diante de ti em nossa culpa, embora por causa disso não haja ninguém que possa estar na tua presença.

### Os israelitas confessam os seus pecados

**10** Enquanto Esdras orava e confessava, chorando prostrado diante da casa de Deus, ajuntou-se a ele, de Israel, uma grande congregação de homens, mulheres e crianças; pois o povo chorava com grande choro.

**2** Então Secanias, filho de Jeiel, um dos filhos de Elão, tomou a palavra e disse a Esdras: Nós temos sido infiéis ao nosso Deus, casando com mulheres estrangeiras dos povos da terra, mas, no tocante a isso, ainda há esperança para Israel.

**3** Agora façamos aliança com o nosso Deus de que despediremos todas as mulheres e os que delas são nascidos, conforme o conselho do Senhor e dos que temem ao mandamento do nosso Deus. Faça-se conforme a lei.

**4** Levanta-te; a ti pertence este negócio. Nós seremos contigo; portanto sê forte e age.

**5** Assim Esdras se levantou e fez jurar os principais sacerdotes, os levitas e todo o Israel que fariam conforme esta palavra. E eles juraram.

**6** Então se levantou Esdras de diante da casa de Deus e entrou na câmara de Joanã, filho de Eliasibe. E lá não comeu pão nem bebeu água, porque continuava a prantear pela infidelidade dos exilados.

**7** Proclamaram por todo o Judá e por toda a Jerusalém, a todos os que vieram do exílio, para que se ajuntassem em Jerusalém.

**8** Todo aquele que em três dias não viesse, segundo a decisão dos príncipes e dos anciãos, teria os seus bens confiscados e seria excluído da congregação dos que voltaram do exílio.

**9** Dentro dos três dias, todos os homens de Judá e Benjamim se ajuntaram em Jerusalém. E, no vigésimo dia do nono mês, todo o povo se assentou na praça da casa de Deus, tremendo por esse negócio e por causa das grandes chuvas.

**10** Então se levantou Esdras, o sacerdote, e lhes disse: Vós fostes infiéis e casastes com mulheres estrangeiras, multiplicando a culpa de Israel.

**11** Agora confessai os vossos pecados ao Senhor Deus de vossos pais e fazei a sua vontade. Separai-vos dos povos das terras e das mulheres estrangeiras.

**12** Respondeu toda a congregação em alta voz: Assim seja; conforme as tuas palavras nos convém fazer.

**13** O povo, porém, é muito e é tempo de grandes chuvas; não se pode estar aqui fora. Isso não é obra de um dia nem de dois, porque somos muitos os que fomos infiéis neste negócio.

**14** Decidam os nossos príncipes por toda a congregação. Então que todos os que em nossas cidades casaram com mulheres estrangeiras venham em tempos apontados, e com eles os anciãos e os juízes de cada cidade, até que desvie de nós o ardor da ira do nosso Deus por esta coisa.

**15** Somente Jônatas, filho de Asael, e Jaseías, filho de Ticvá, apoiados por Mesulão e Sabetai, levita, se opuseram a isso.

**16** Assim fizeram os que voltaram do exílio. Esdras, o sacerdote, escolheu homens cabeças de famílias, segundo a casa de seus pais, e todos designados por nome. No primeiro dia do décimo mês, assentaram-se para averiguar esse negócio;

**17** no primeiro dia do primeiro mês, acabaram de tratar de todos os homens que haviam casado com mulheres estrangeiras.

**18** Entre os filhos dos sacerdotes acharam-se estes que haviam casado com mulheres estrangeiras: dos filhos de Jesua, filho de Jozadaque, e seus irmãos, Maaseias, Eliezer, Jaribe e Gedalias.
**19** Deram a sua mão, comprometendo-se a despedir suas mulheres e, pela sua culpa, ofereceram um carneiro do rebanho.
**20** Dos filhos de Imer: Hanani e Zebadias.
**21** Dos filhos de Harim: Maaseias, Elias, Semaías, Jeiel e Uzias.
**22** Dos filhos de Pasur: Elioenai, Maseias, Ismael, Natanael, Jozabade e Elasa.
**23** Dos levitas: Jozabade, Simei, Quelaías (este é Quelita), Petaías, Judá e Eliezer.
**24** Dos cantores: Eliasibe; dos porteiros: Salum, Telém e Uri.
**25** E de Israel, dos filhos de Parós: Ramias, Izias, Malquias, Miamim, Eleazar, Malquias e Benaia.
**26** Dos filhos de Elão: Matanias, Zacarias, Jeiel, Abdi, Jeremote e Elias.
**27** Dos filhos de Zatu: Elioenai, Eliasibe, Matanias, Jeremote, Zabade e Aziza.
**28** Dos filhos de Bebai: Joanã, Hananias, Zabai e Atlai.
**29** Dos filhos de Bani: Mesulão, Maluque, Adaías, Jasube, Seal e Jeremote.
**30** Dos filhos de Paate-Moabe: Adna, Quelal, Benaia, Maaseias, Matanias, Bezalel, Binui e Manassés.
**31** Dos filhos de Harim: Eliezer, Issias, Malquias, Semaías, Simeão,
**32** Benjamim, Maluque e Semarias.
**33** Dos filhos de Hasum: Matnai, Matatá, Zabade, Elifelete, Jeremai, Manassés e Simei.
**34** Dos filhos de Bani: Maadai, Anrão, Uel,
**35** Benaia, Bedias, Queluí,
**36** Vanias, Meremote, Eliasibe,
**37** Matanias, Matenai, Jaasai,
**38** Bani, Binui, Simei,
**39** Selemias, Natã, Adaías,
**40** Macnadbai, Sasai, Sarai,
**41** Azareel, Selemias, Semarias,
**42** Salum, Amarias e José.
**43** Dos filhos de Nebo: Jeiel, Matitias, Zabade, Zebina, Jadai, Joel e Benaia.
**44** Todos eles tinham tomado mulheres estrangeiras; alguns deles tinham filhos dessas mulheres.

# NEEMIAS

### A oração de Neemias

**1** As palavras de Neemias, filho de Hacalias: No mês de quisleu, no vigésimo ano, estando eu na fortaleza de Susã,
2 veio Hanani, um de meus irmãos, com alguns de Judá, e lhes perguntei pelos judeus que tinham escapado ao exílio e a respeito de Jerusalém.
3 Eles me disseram: Os que sobreviveram ao exílio e estão de volta na província encontram-se em grande aflição e humilhação. Os muros de Jerusalém foram derrubados, e as suas portas, queimadas a fogo.
4 Quando ouvi estas palavras, assentei-me e chorei. Lamentei por alguns dias, e estive jejuando e orando perante o Deus dos céus.
5 Então eu disse: Ah! Senhor, Deus dos céus, Deus grande e temível, que guardas a aliança e a benignidade para com aqueles que te amam e obedecem aos teus mandamentos,
6 estejam atentos os teus ouvidos e os teus olhos abertos para ouvires a oração do teu servo, que hoje faço perante ti de dia e de noite, pelos filhos de Israel, teus servos. Faço confissão pelos pecados dos filhos de Israel, que temos cometido contra ti: também eu e o povo de meu pai pecamos.
7 Temos procedido perversamente contra ti e não temos obedecido aos mandamentos, nem aos estatutos, nem aos juízos, que ordenaste a teu servo Moisés.
8 Lembra-te da palavra que ordenaste a teu servo Moisés, dizendo: Se fordes infiéis, eu vos espalharei entre os povos,
9 mas, se voltardes para mim, obedecerdes aos meus mandamentos e os cumprirdes, ainda que os vossos exilados estejam na extremidade do céu, de lá os ajuntarei e os trarei ao lugar que escolhi para ali fazer habitar o meu nome.
10 Estes ainda são os teus servos e o teu povo que resgataste com o teu grande poder e com a tua poderosa mão.
11 Ah! Senhor, estejam atentos os teus ouvidos à oração do teu servo e à dos teus servos que se deleitam em reverenciar o teu nome. Dá êxito a teu servo, concedendo-lhe favor perante este homem. Nessa época, eu era copeiro do rei.

### Artaxerxes envia Neemias a Jerusalém

**2** No mês de nisã, no vigésimo ano do rei Artaxerxes, quando lhe trouxeram o vinho, eu o tomei e o dei ao rei. Nunca antes eu estivera triste na presença dele;
2 assim o rei me perguntou: Por que está triste o teu rosto, se não estás doente? Não é isso senão tristeza de coração. Temi sobremaneira,
3 mas disse ao rei: Viva o rei para sempre! Como não estaria triste o meu rosto, estando a cidade, o lugar dos sepulcros de meus pais, assolada e tendo sido consumidas as suas portas pelo fogo?
4 Disse-me o rei: O que me pedes agora? Então orei ao Deus do céu
5 e respondi ao rei: Se é do agrado do rei, e se o teu servo achou

favor em tua presença, peço-te que me envies a Judá, à cidade dos sepulcros de meus pais, para que eu a reedifique.

**6** Então o rei, estando a rainha assentada junto a ele, me disse: Quanto tempo durará a tua viagem? Quando voltarás? Aprouve ao rei enviar-me; de sorte que marquei certo tempo.

**7** Disse mais ao rei: Se for do agrado do rei, que eu leve cartas para os governadores do território a oeste do Eufrates, para que me permitam passar até que chegue a Judá; **8** como também uma carta para Asafe, guarda da floresta do rei, para que me dê madeira para as vigas das portas da cidadela do templo, para os muros da cidade e para a casa que eu houver de ocupar. Graças às graciosas mãos de Deus sobre mim, o rei atendeu aos meus pedidos.

**9** Então fui aos governadores do território a oeste do Eufrates e entreguei-lhes as cartas do rei. O rei também tinha enviado comigo oficiais do exército e cavaleiros.

**10** Quando Sambalate, o horonita, e Tobias, o oficial amonita, ouviram isso, ficaram extremamente perturbados que alguém viesse a promover o bem dos filhos de Israel.

**11** Cheguei a Jerusalém e, depois de três dias ali, **12** parti de noite, eu e uns poucos homens comigo. Não declarei a ninguém o que o meu Deus me tinha posto no coração para fazer em Jerusalém. Não havia comigo animal algum, senão o que eu montava.

**13** Saí de noite pela Porta do Vale, na direção da Fonte do Dragão e da Porta do Monturo, e contemplei os muros de Jerusalém, que estavam derrubados, e as suas portas, que tinham sido consumidas pelo fogo.

**14** Então passei à Porta da Fonte e à piscina do rei, mas não havia espaço suficiente para passar o animal que eu montava;

**15** de maneira que de noite subi pelo vale e contemplei os muros. Finalmente voltei e entrei pela Porta do Vale.

**16** Não souberam os magistrados aonde eu tinha ido nem o que eu fazia, porque até então eu não havia declarado coisa alguma, nem aos judeus nem aos nobres, nem aos magistrados nem aos demais que faziam a obra.

**17** Então eu lhes disse: Bem vedes vós a aflição em que estamos: Jerusalém está em ruínas, e as suas portas foram queimadas pelo fogo. Vinde, reedifiquemos os muros de Jerusalém para que não estejamos mais nesta situação humilhante.

**18** Também lhes declarei como a mão do meu Deus me fora favorável e as palavras que o rei me tinha dito. Responderam eles: Levantemo-nos, e edifiquemos. De maneira que deram início a esta boa obra.

**19** Quando, porém, Sambalate, o horonita, e Tobias, o oficial amonita, e Gesém, o árabe, ouviram a respeito disso, zombaram de nós, desprezaram-nos e perguntaram: O que é isso que fazeis? Quereis rebelar-vos contra o rei?

**20** Respondi-lhes: O Deus do céu é quem nos fará prosperar. Nós, seus servos, nos levantaremos e reedificaremos, mas vós não tendes parte, nem direito, nem lembrança em Jerusalém.

## Os construtores dos muros

**3** Levantou-se Eliasibe, o sumo sacerdote, com os seus irmãos, os sacerdotes, e edificaram a Porta das Ovelhas. Consagraram-na, assentaram as suas portas e continuaram até a Torre dos Cem, até a Torre de Hananel.
2 Junto a ele edificaram os homens de Jericó, e ao seu lado edificou Zacur, filho de Inri.
3 Os filhos de Hassenaá edificaram a Porta do Peixe. Colocaram-lhe as vigas e lhe assentaram as portas com seus ferrolhos e trancas.
4 Ao seu lado reparou Meremote, filho de Urias, filho de Hacoz; ao seu lado reparou Mesulão, filho de Berequias, filho de Mesezabel; ao seu lado reparou Zadoque, filho de Baaná.
5 Ao seu lado repararam os tecoítas, mas os seus nobres não se sujeitaram ao serviço de seu senhor.
6 Joiada, filho de Paseá, e Mesulão, filho de Besodeias, repararam a Porta Velha. Colocaram-lhe as vigas, assentaram-lhe as portas com seus ferrolhos e trancas.
7 Ao seu lado repararam Melatias, o gibeonita, e Jadom, o meronotita, homens de Gibeom e de Mispa, que pertenciam ao domínio do governador do território a oeste do Eufrates.
8 Ao seu lado reparou Uziel, filho de Haraías, um dos ourives; ao lado dele Hananias, um dos perfumistas. Fortificaram Jerusalém até o Muro Largo.
9 Ao seu lado reparou Refaías, filho de Hur, maioral da metade de Jerusalém.
10 Ao seu lado reparou Jedaías, filho de Harumafe, em frente da sua casa; ao seu lado reparou Hatus, filho de Hasabneias.
11 A outra parte repararam Malquias, filho de Harim, e Hassube, filho de Paate-Moabe, como também a Torre dos Fornos.
12 Ao seu lado reparou Salum, filho de Haloés, maioral da outra metade de Jerusalém, ele e suas filhas.
13 A Porta do Vale reparou-a Hanum e os moradores de Zanoa. Estes a edificaram e lhe assentaram as portas, com seus ferrolhos e trancas, como também mil côvados do muro até a Porta do Monturo.
14 A Porta do Monturo reparou-a Malquias, filho de Recabe, maioral do distrito de Bete-Haquerém. Este a edificou e lhe assentou as portas com os seus ferrolhos e trancas.
15 A Porta da Fonte reparou-a Salum, filho de Col-Hozé, maioral do distrito de Mispa. Este a edificou, a cobriu e lhe assentou as portas com os seus ferrolhos e trancas, como também o muro do tanque de Siloé, junto ao jardim do rei, até os degraus que descem da Cidade de Davi.
16 Depois dele reparou Neemias, filho de Azbuque, maioral da metade do distrito de Bete-Zur, até em frente dos sepulcros de Davi, até a piscina artificial e a casa dos soldados.
17 Depois dele repararam os levitas: Reum, filho de Bani, ao seu lado Hasabias, maioral da metade do distrito de Queila.
18 Depois dele repararam seus irmãos: Bavai, filho de Henadade, maioral da outra metade do distrito de Queila.
19 Ao seu lado reparou Ezer, filho de Jesua, maioral de Mispa, outra parte em frente da subida

para a casa das armas, na esquina do muro.
20 Depois dele, reparou com grande zelo Baruque, filho de Zabai, outra parte, desde a esquina do muro até a porta da casa de Eliasibe, o sumo sacerdote.
21 Depois dele, reparou Meremote, filho de Urias, filho de Hacoz, outra parte, desde a porta da casa de Eliasibe, até o fim dela.
22 Depois dele, repararam os sacerdotes que habitavam nos arredores.
23 Depois repararam Benjamim e Hassube, em frente da sua casa; depois dele reparou Azarias, filho de Maaseias, filho de Ananias, junto à sua casa.
24 Depois dele, reparou Binui, filho de Henadade, outra parte, desde a casa de Azarias até a esquina do muro.
25 Palal, filho de Uzai, reparou em frente da esquina da torre que sai do palácio real superior, que está junto ao pátio do cárcere; depois dele reparou Pedaías, filho de Parós.
26 Ora, os servos do templo, que habitavam em Ofel, fizeram os reparos até em frente da Porta das Águas, para o oriente, e até a torre alta.
27 Depois repararam os tecoítas outra parte, em frente da torre grande e alta, e até o muro de Ofel.
28 Para cima da Porta dos Cavalos repararam os sacerdotes, cada um em frente da sua casa.
29 Depois deles, reparou Zadoque, filho de Imer, em frente da sua casa, e depois dele Semaías, filho de Secanias, guarda da Porta Oriental.
30 Depois dele, reparou Hananias, filho de Selemias, e Hanum, o sexto filho de Zalafe, outra parte; depois dele, reparou Mesulão, filho de Berequias, em frente da sua morada.
31 Depois dele, reparou Malquias, filho de um ourives, até a casa dos servos do templo e dos comerciantes, em frente da Porta da Guarda, e até a câmara superior da esquina;
32 e entre a câmara superior da esquina e a Porta das Ovelhas repararam os ourives e os comerciantes.

### Oposição à reconstrução

**4** Quando Sambalate ouviu que reedificávamos o muro, ficou furioso, se indignou muito e zombou dos judeus.
2 Disse na presença de seus irmãos e do exército de Samaria: Que fazem estes fracos judeus? Será que vão reedificar o muro? Irão eles sacrificar? Acabarão a obra num só dia? Conseguirão vivificar as pedras que foram queimadas?
3 Tobias, o amonita, que estava ao seu lado, disse: Ainda que reedifiquem, vindo uma raposa derrubará o seu muro de pedra.
4 Ouve, ó nosso Deus, pois somos desprezados. Faze cair a vergonha deles sobre a sua cabeça e faze com que sejam um despojo numa terra de cativeiro.
5 Não cubras a sua iniquidade nem se risque de diante de ti o seu pecado, pois te provocaram à ira na presença dos edificadores.
6 Assim reedificamos o muro até a metade de sua altura, em toda a sua extensão, pois o povo se dedicou ao trabalho.
7 Quando, porém, Sambalate, Tobias, os árabes, os amonitas

e os asdoditas ouviram que ia avante a reparação dos muros de Jerusalém e que já as brechas se começavam a tapar, iraram-se muito.

**8** Uniram-se todos para virem atacar Jerusalém e criar confusão contra ela.

**9** Nós, porém, oramos ao nosso Deus e, por causa dessa ameaça, pusemos guarda contra eles, de dia e de noite.

**10** Então disse Judá: Desfalecem as forças dos carregadores, e os escombros são tantos que não poderemos edificar o muro.

**11** Os nossos inimigos também disseram: Antes que saibam ou vejam qualquer coisa, entraremos no meio deles, os mataremos e poremos fim à obra.

**12** Então os judeus que habitavam perto deles vieram e dez vezes nos disseram: Eles nos atacarão de todos os lugares onde moram.

**13** Pelo que pus guardas atrás dos pontos mais baixos do muro; nos lugares abertos, dispus o povo segundo as suas famílias, com as suas espadas, com as suas lanças e com os seus arcos.

**14** Depois de inspecionar a situação, levantei-me e disse aos nobres, aos magistrados e ao resto do povo: Não os temais. Lembrai-vos do Senhor, grande e temível, e pelejai por vossos irmãos, vossos filhos, vossas mulheres e vossas casas.

**15** Ouvindo os nossos inimigos que estávamos informados e que Deus tinha frustrado os desígnios deles, voltamos todos ao muro, cada um à sua obra.

**16** Daquele dia em diante, metade dos meus homens trabalhava na obra, enquanto a outra metade empunhava lanças, escudos, arcos e couraças. Os chefes apoiavam todo o povo de Judá

**17** que edificava o muro. Os que transportavam material, com uma das mãos realizam o trabalho e com a outra seguravam uma arma.

**18** E os edificadores, cada um trazia a sua espada à cinta, e assim edificavam. Mas o que tocava a trombeta estava junto de mim.

**19** Então eu disse aos nobres, aos magistrados e ao resto do povo: A obra é grande e extensa, e nós estamos separados uns dos outros ao longo do muro.

**20** No lugar em que ouvirdes o som da trombeta, ali vos ajuntareis conosco. O nosso Deus pelejará por nós.

**21** Assim trabalhávamos na obra; metade deles empunhava as lanças desde a subida da alva até o sair das estrelas.

**22** Também nesse tempo eu disse ao povo: Cada um com o seu ajudante fique em Jerusalém, para que de noite nos sirvam de guarda e de dia trabalhem.

**23** Eu, meus irmãos, meus homens e os guardas que me seguiam não largávamos as nossas vestes; cada um levava as suas armas, mesmo quando ia às águas.

### Neemias ajuda os pobres

**5** Ora, os homens e as suas mulheres levantaram um grande clamor contra os judeus, seus irmãos.

**2** Alguns diziam: Nós, nossos filhos e nossas filhas somos muitos; que se nos dê trigo, para que comamos e vivamos.

**3** Outros diziam: Estamos empenhando as nossas terras, as nossas vinhas e as nossas casas, para conseguirmos trigo durante a fome.

4 Ainda outros diziam: Tomamos dinheiro emprestado até para o tributo do rei, sobre as nossas terras e as nossas vinhas.

5 Embora tenhamos o mesmo sangue que nossos irmãos, e nossos filhos sejam tão bons como os deles, contudo temos de sujeitar nossos filhos e nossas filhas para serem servos. Algumas de nossas filhas já foram reduzidas à escravidão, o que não podemos evitar, porque os nossos campos e as nossas vinhas pertencem a outros.

6 Ouvindo eu o seu clamor e essas palavras, fiquei muito irado.

7 Considerei-as comigo mesmo e então acusei os nobres e os magistrados e lhes disse: Sois usurários dos vossos próprios irmãos. Assim convoquei contra eles uma grande assembleia,

8 e lhes disse: Nós resgatamos os judeus, nossos irmãos, que foram vendidos às nações, segundo as nossas posses. Agora vós negociaríeis os vossos irmãos, para que sejam vendidos a nós? Eles se calaram, porque não acharam o que responder.

9 Pelo que continuei: Não é bom o que fazeis. Não devíeis andar no temor do nosso Deus, para evitar a zombaria dos gentios, os nossos inimigos?

10 Também eu, meus irmãos e meus homens lhes temos emprestado dinheiro e trigo. Deixemos de cobrar juros.

11 Restituí-lhes hoje as suas terras, as suas vinhas, os seus olivais e as suas casas, como também a centésima parte do dinheiro, do trigo, do vinho e do azeite, que tendes exigido deles.

12 Disseram eles: Nós restituiremos tudo isso; nada lhes pediremos. Faremos assim como dizes. Então convoquei os sacerdotes e os fiz jurar que fariam conforme haviam prometido.

13 Também sacudi as dobras do meu manto e disse: Assim sacuda Deus da sua casa e do seu trabalho todo aquele que não cumprir essa promessa. Assim seja ele sacudido e esvaziado. E todo o povo respondeu: Amém! E louvaram ao Senhor. E fez conforme a sua promessa.

14 Além disso, desde o dia em que fui nomeado seu governador na terra de Judá, desde o vigésimo ano até o ano trigésimo segundo do rei Artaxerxes, durante doze anos, nem eu nem meus irmãos comemos o pão devido ao governador.

15 Os primeiros governadores, porém, que foram antes de mim, oprimiram o povo e lhe tomaram pão e vinho, além de quarenta siclos de prata. Os seus assistentes dominavam sobre o povo. Mas eu não fiz assim, por causa do temor de Deus.

16 Em vez disso, devotei-me à obra do muro. Todos os meus homens se ajuntaram ali à obra; terra nenhuma compramos.

17 Além do mais, cento e cinquenta judeus e seus oficiais, e os que vinham a nós, das nações vizinhas, comiam à minha mesa.

18 O que se preparava para cada dia era um boi e seis ovelhas escolhidas, também se me preparavam aves e, de dez em dez dias, um abundante suprimento de vinho de todas as espécies. Apesar de tudo isso, não exigi o pão devido

ao governador, porque a servidão deste povo era grande.

19 Lembra-te de mim para bem, ó meu Deus, e de tudo o que fiz a este povo.

## Mais oposição à reconstrução

**6** Ouvindo Sambalate, Tobias, Gesém, o árabe, e o resto dos nossos inimigos que eu tinha reedificado o muro e que nele já não havia brecha alguma, embora até esse tempo não tivesse posto as portas nos portais,

2 Sambalate e Gesém mandaram dizer-me: Vem, encontremo-nos numa das aldeias, na planície de Ono. Porém planejavam fazer-me mal,

3 de modo que lhes enviei mensageiros com esta resposta: Estou fazendo uma grande obra e não poderei descer. Por que cessaria a obra, enquanto eu a deixasse e fosse ter convosco?

4 Quatro vezes me enviaram a mesma mensagem, e cada vez dei-lhes a mesma resposta.

5 Então Sambalate, pela quinta vez, enviou-me o seu moço com uma carta aberta na sua mão,

6 na qual estava escrito: Entre as gentes se ouviu, e Gesém diz, que tu e os judeus intentais revoltar-vos, por isso edificais o muro. Além do mais, segundo se diz, queres ser o rei deles,

7 e que nomeaste profetas para proclamarem a teu respeito em Jerusalém, dizendo: Há rei em Judá. Ora, essas coisas chegarão aos ouvidos do rei; portanto, vem e consultemos juntamente.

8 Mandei-lhe esta resposta: De tudo o que dizes coisa alguma aconteceu; tu, do teu coração, é que o inventas.

9 Todos eles procuravam atemorizar-nos, pensando: As suas mãos ficarão fracas demais para a obra, e não a concluirão. Agora, ó Deus, fortalece as minhas mãos.

10 Certo dia fui à casa de Semaías, filho de Delaías, filho de Meetabel, que estava encerrado. Disse-me ele: Encontremo-nos na casa de Deus, dentro do templo, a portas fechadas, porque virão matar-te; esta noite virão.

11 Eu, porém, disse: Um homem como eu fugiria? E quem há, como eu, que entre no templo para salvar a vida? De maneira nenhuma entrarei.

12 Então percebi que não era Deus quem o enviara, mas que ele tinha profetizado contra mim porque Tobias e Sambalate o haviam subornado.

13 Ele tinha sido subornado para me intimidar, a fim de que eu assim fizesse e pecasse, para que tivessem de que me difamar e desacreditar.

14 Lembra-te, ó meu Deus, de Tobias e de Sambalate, conforme estas suas obras e também da profetisa Noadia e dos demais profetas que têm procurado intimidar-me.

15 Assim, acabou-se o muro aos vinte e cinco dias do mês de elul, em cinquenta e dois dias.

16 Quando todos os nossos inimigos ouviram isso, todos os gentios que havia em redor de nós temeram e ficaram com o orgulho ferido, porque reconheceram que tínhamos feito esta obra com a ajuda do nosso Deus.

17 Também, naqueles dias, alguns nobres de Judá escreveram muitas cartas, que iam para Tobias, e as cartas de Tobias vinham para eles.

**18** Pois muitos em Judá estavam ligados a ele por juramento, por ser ele genro de Secanias, filho de Ará, e por haver seu filho Joanã casado com a filha de Mesulão, filho de Berequias.
**19** Também as boas ações dele contavam perante mim, e as minhas palavras levavam a ele. E Tobias escrevia cartas para me intimidar.

### Lista dos que voltaram do cativeiro

**7** Depois que o muro foi reedificado, tendo eu assentado as portas, estabelecido os porteiros, os cantores e os levitas,
**2** nomeei a Hanani, meu irmão, e a Hananias, maioral da cidadela, sobre Jerusalém, porque ele era homem fiel e temente a Deus, mais do que muitos.
**3** Disse-lhes: Não se abram as portas de Jerusalém até que o sol aqueça. Enquanto os guardas ainda estão ali, que se fechem as portas e se tranquem. Também ponham guardas dos moradores de Jerusalém, cada um no seu turno diante da sua casa.
**4** Ora, a cidade era grande e espaçosa, mas havia pouca gente nela, e as casas ainda não estavam edificadas.
**5** Então o meu Deus me pôs no coração que reunisse os nobres, os magistrados e o povo, para registrar as genealogias. E achei o livro da genealogia dos que subiram primeiro e achei escrito nele o seguinte:
**6** São estes os filhos da província que subiram do cativeiro, entre os exilados, que transportara Nabucodonosor, rei de Babilônia, e que voltaram para Jerusalém e para Judá, cada um para a sua cidade,
**7** os quais vieram com Zorobabel, Jesua, Neemias, Azarias, Raamias, Naamani, Mordecai, Bilsã, Misperete, Bigvai, Neum e Baaná. Este é o número dos homens do povo de Israel:
**8** Foram os filhos de Parós, dois mil cento e setenta e dois;
**9** os filhos de Sefatias, trezentos e setenta e dois;
**10** os filhos de Ará, seiscentos e cinquenta e dois;
**11** os filhos de Paate-Moabe, dos filhos de Jesua e de Joabe, dois mil oitocentos e dezoito;
**12** os filhos de Elão, mil duzentos e cinquenta e quatro;
**13** os filhos de Zatu, oitocentos e quarenta e cinco;
**14** os filhos de Zacai, setecentos e sessenta;
**15** os filhos de Binui, seiscentos e quarenta e oito;
**16** os filhos de Bebai, seiscentos e vinte e oito;
**17** os filhos de Azgade, dois mil trezentos e vinte e dois;
**18** os filhos de Adonicão, seiscentos e sessenta e sete;
**19** os filhos de Bigvai, dois mil e sessenta e sete;
**20** os filhos de Adim, seiscentos e cinquenta e cinco;
**21** os filhos de Ater, de Ezequias, noventa e oito;
**22** os filhos de Hasum, trezentos e vinte e oito;
**23** Os filhos de Besai, trezentos e vinte e quatro;
**24** os filhos de Harife, cento e doze;
**25** os filhos de Gibeom, noventa e cinco;
**26** os homens de Belém e de Netofá, cento e oitenta e oito;
**27** os homens de Anatote, cento e vinte e oito;
**28** os homens de Bete-Azmavete, quarenta e dois;

**29** os homens de Quiriate-Jearim, Quefira e Beerote, setecentos e quarenta e três;
**30** os homens de Ramá e Geba, seiscentos e vinte e um;
**31** os homens de Micmás, cento e vinte e dois;
**32** os homens de Betel e Ai, cento e vinte e três;
**33** os homens do outro Nebo, cinquenta e dois;
**34** os homens do outro Elão, mil duzentos e cinquenta e quatro;
**35** os homens de Harim, trezentos e vinte;
**36** os homens de Jericó, trezentos e quarenta e cinco;
**37** os homens de Lode, Hadide e Ono, setecentos e vinte e um;
**38** os homens de Senaá, três mil novecentos e trinta.
**39** Os sacerdotes: os filhos de Jedaías, da família de Jesua, novecentos e setenta e três;
**40** os filhos de Imer, mil e cinquenta e dois;
**41** os filhos de Pasur, mil duzentos e quarenta e sete;
**42** os filhos de Harim, mil e dezessete.
**43** Os levitas: os filhos de Jesua, de Cadmiel, dos filhos de Hodeviá, setenta e quatro.
**44** Os cantores: os filhos de Asafe, cento e quarenta e oito.
**45** Os porteiros: os filhos de Salum, os filhos de Ater, os filhos de Talmom, os filhos de Acube, os filhos de Hatita, os filhos de Sobai, cento e trinta e oito.
**46** Os servos do templo: os filhos de Zia, os filhos de Hasufa, os filhos de Tabaote,
**47** os filhos de Queros, os filhos de Sia, os filhos de Padom,
**48** os filhos de Lebana, os filhos de Hagaba, os filhos de Salmai,
**49** os filhos de Hanã, os filhos de Gidel, os filhos de Gaar,
**50** os filhos de Reaías, os filhos de Rezim, os filhos de Necoda,
**51** os filhos de Gazão, os filhos de Uzá, os filhos de Paseá,
**52** os filhos de Besai, os filhos de Meunim, os filhos de Nefussim,
**53** os filhos de Bacbuque, os filhos de Hacufa, os filhos de Harur,
**54** os filhos de Bazlite, os filhos de Meída, os filhos de Harsa,
**55** os filhos de Barcos, os filhos de Sísera, os filhos de Temá,
**56** os filhos de Nesias e os filhos de Hatifa.
**57** Os filhos dos servos de Salomão: os filhos de Sotai, os filhos de Soferete, os filhos de Perida,
**58** os filhos de Jaala, os filhos de Darcom, os filhos de Gidel,
**59** os filhos de Sefatias, os filhos de Hatil, os filhos de Poquerete-Hazebaim e os filhos de Amom.
**60** Todos os servos do templo e os filhos dos servos de Salomão, trezentos e noventa e dois.
**61** Os seguintes subiram de Tel-Melá, Tel-Harsa, Querube, Adom e Imer, porém não puderam provar que suas famílias e a sua linhagem eram de Israel:
**62** os filhos de Delaías, os filhos de Tobias, os filhos de Necoda, seiscentos e quarenta e dois.
**63** Dos sacerdotes: os filhos de Habaías, os filhos de Hacoz, os filhos de Barzilai, que tomara por mulher uma das filhas de Barzilai, o gileadita, e que foi chamado do nome dele.
**64** Estes procuraram o seu registro, mas não puderam encontrá-lo e assim foram excluídos do sacerdócio como imundos.
**65** O governador, portanto, ordenou-lhes que não comessem das coisas

sagradas, até que se levantasse um sacerdote com Urim e Tumim.
66 Toda esta congregação junta foi de quarenta e dois mil trezentos e sessenta,
67 afora os seus servos e as suas servas, que foram sete mil trezentos e trinta e sete; e também tinham duzentos e quarenta e cinco cantores e cantoras.
68 Os seus cavalos, setecentos e trinta e seis; os seus mulos, duzentos e quarenta e cinco.
69 Camelos, quatrocentos e trinta e cinco; jumentos, seis mil setecentos e vinte.
70 Alguns dos líderes de famílias contribuíram para a obra. O governador deu para a tesouraria, em ouro, mil dracmas, cinquenta bacias e quinhentas e trinta vestes sacerdotais.
71 Alguns dos líderes de famílias deram para a tesouraria da obra, em ouro, vinte mil dracmas, e em prata, dois mil e duzentos arráteis.
72 O que deu o resto do povo foi, em ouro, vinte mil dracmas, em prata, dois mil arráteis e sessenta e sete vestes sacerdotais.
73 Os sacerdotes, os levitas, os porteiros, os cantores, alguns do povo, os servidores do templo e todo o Israel habitavam nas suas cidades.

### Esdras lê a lei

**8** Chegado o sétimo mês, e estando os filhos de Israel nas suas cidades, todo o povo se ajuntou como um só homem, na praça, diante da Porta das Águas e disseram a Esdras, o escriba, que trouxesse o livro da lei de Moisés, que o Senhor tinha ordenado a Israel.
2 Assim Esdras, o sacerdote, trouxe a lei perante a congregação, tanto de homens como de mulheres, e perante todos os que podiam entender o que ouviam, no primeiro dia do sétimo mês.
3 Leu nela de frente para a praça que está diante da Porta das Águas, desde o início da manhã até o meio-dia, perante homens e mulheres, e os que podiam entender. E os ouvidos de todo o povo estavam atentos ao livro da lei.
4 Esdras, o escriba, estava num púlpito de madeira, que tinha sido feito para esse fim. Estavam em pé junto a ele, à sua direita, Matitias, Sema, Anaías, Urias, Hilquias e Maaseias; e à sua esquerda, Pedaías, Misael, Melquias, Hasum, Hasbadana, Zacarias e Mesulão.
5 Abriu Esdras o livro à vista de todo o povo, porque estava acima de todo o povo; e, abrindo-o ele, todo o povo se pôs em pé.
6 Esdras louvou ao Senhor, o grande Deus; e todo o povo respondeu: Amém! Amém! levantando as mãos. Então se inclinaram e adoraram ao Senhor, com o rosto em terra.
7 Os levitas Jesua, Bani, Serebias, Jamim, Acube, Sabetai, Hodias, Maaseias, Quelita, Azarias, Jozabade, Hanã e Pelaías ensinavam a lei ao povo, e o povo estava no seu posto.
8 Leram no livro da lei de Deus, esclarecendo-a e explicando o sentido, de modo que o povo pudesse entender o que se lia.
9 Então Neemias, que era o governador, e Esdras, sacerdote e escriba, e os levitas que ensinavam o povo disseram a todo o povo: Este dia é consagrado ao

Senhor, o vosso Deus, pelo que não vos lamenteis nem choreis. Pois todo o povo chorava, ouvindo as palavras da lei.

**10** Disse-lhes mais: Ide, comei as gorduras, bebei as doçuras e enviai porções aos que não têm nada preparado para si. Este dia é consagrado ao nosso Senhor. Não vos entristeçais, pois a alegria do Senhor é a vossa força.

**11** Os levitas fizeram calar a todo o povo, dizendo: Calai-vos, pois este dia é sagrado. Não vos entristeçais.

**12** Então todo o povo se foi a comer, a beber, a enviar porções e a celebrar com grande alegria, porque agora entendiam as palavras que lhes foram comunicadas.

**13** No dia seguinte, ajuntaram-se os líderes de famílias de todo o povo, os sacerdotes e os levitas, na presença de Esdras, o escriba, para estudar as palavras da lei.

**14** Acharam escrito na lei que o Senhor ordenara, por intermédio de Moisés, que os filhos de Israel habitassem em cabanas, durante a festa do sétimo mês

**15** e que publicassem e fizessem passar pregão por todas as suas cidades, e em Jerusalém, dizendo: Saí à região montanhosa e trazei ramos de oliveiras, ramos de zambujeiros, ramos de murtas, ramos de palmeiras e ramos de árvores frondosas, para fazer cabanas, como está escrito.

**16** Saíram, pois, e trouxeram os ramos e fizeram para si cabanas, cada um no terraço da sua casa, nos seus pátios, nos átrios do templo de Deus, na praça da Porta das Águas e na praça da Porta de Efraim.

**17** Toda a congregação dos que tinham voltado do cativeiro fizeram cabanas e nelas habitaram. Nunca tinham feito assim os filhos de Israel desde os dias de Josué, filho de Num, até aquele dia. E seu regozijo foi muito grande.

**18** Dia após dia, do primeiro ao último dia, Esdras leu o livro da lei de Deus. Celebraram a festa por sete dias e, no oitavo dia, segundo o prescrito, houve uma assembleia solene.

### O povo confessa o seu pecado

**9** No vigésimo quarto dia desse mês, ajuntaram-se os filhos de Israel com jejum e pano de saco e traziam terra sobre si.

**2** Os da linhagem de Israel apartaram-se de todos os estrangeiros, puseram-se em pé e confessaram os seus pecados e as iniquidades de seus pais.

**3** Levantando-se no seu lugar, leram no livro da lei do Senhor, o seu Deus, uma quarta parte do dia; em outra quarta parte, confessaram os seus pecados e adoraram ao Senhor seu Deus.

**4** Em pé nos degraus estavam os levitas Jesua, Bani, Cadmiel, Sebanias, Buni, Serebias, Bani e Quenani, os quais clamaram em alta voz ao Senhor seu Deus.

**5** E os levitas Jesua, Cadmiel, Bani, Hasabneias, Serebias, Hodias, Sebanias e Petaquias disseram: Levantai-vos, bendizei ao Senhor, o vosso Deus, de eternidade em eternidade. Bendito seja o teu nome glorioso. Seja ele exaltado sobre toda a bênção e louvor.

**6** Só tu és Senhor. Fizeste o céu, o céu dos céus e todo o seu exército, a terra e tudo o que nela há, os mares e tudo o que neles há. Tu os conservas com vida a todos, e o exército dos céus te adora.

**7** Tu és o Senhor, o Deus que elegeste a Abrão, e o tiraste de Ur dos caldeus, e lhe deste o nome de Abraão.
**8** Achaste o seu coração fiel na tua presença e fizeste com ele a aliança de que darias à sua descendência a terra dos cananeus, dos heteus, dos amorreus, dos ferezeus, dos jebuseus e dos girgaseus. Cumpriste as tuas promessas porque és justo.
**9** Viste a aflição de nossos pais no Egito e ouviste o seu clamor junto ao mar Vermelho.
**10** Enviaste sinais e prodígios contra faraó, contra todos os seus oficiais e contra todo o povo da sua terra, pois soubeste que os trataram com soberba. Adquiriste renome, como hoje se vê.
**11** Dividiste o mar perante eles, de maneira que passaram pelo meio do mar, em seco, mas lançaste os seus perseguidores nas profundezas, como uma pedra nas águas impetuosas.
**12** De dia os guiaste por uma coluna de nuvem e de noite por uma coluna de fogo, para os iluminares no caminho por onde haviam de ir.
**13** Desceste sobre o monte Sinai; falaste com eles desde os céus. Deste-lhes juízos retos, leis verdadeiras, estatutos e mandamentos bons.
**14** *Fizeste-lhes conhecer o teu santo sábado* e lhes deste preceitos, estatutos e lei por intermédio de Moisés, teu servo.
**15** Pão dos céus lhes deste na sua fome e água da rocha lhes fizeste brotar na sua sede; disseste-lhes que entrassem para possuir a terra que, com mão levantada, lhes juraste dar.
**16** Os nossos antepassados, porém, tornaram-se arrogantes, obstinados e não deram ouvidos aos teus mandamentos.
**17** Recusaram ouvir-te e não se lembraram das tuas maravilhas, que fizeste entre eles. Fizeram-se obstinados e, na sua rebelião, levantaram um chefe, a fim de voltarem para a sua servidão. Mas tu, ó Deus perdoador, clemente e misericordioso, tardio em irar-te e grande em bondade, não os desamparaste,
**18** ainda quando fizeram para si um bezerro de fundição e disseram: Este é o teu Deus, que te tirou do Egito, ou quando cometeram grandes blasfêmias.
**19** Pela multidão das tuas misericórdias, não os abandonaste no deserto. A coluna de nuvem nunca se afastou deles de dia, para os guiar pelo caminho, nem a coluna de fogo de noite, para lhes iluminares o caminho por onde haviam de ir.
**20** Deste o teu bom Espírito para os ensinar; o teu maná não retiraste da sua boca e água lhes deste na sua sede.
**21** Por quarenta anos os sustentaste no deserto; não lhes faltou coisa alguma; as suas vestes não se envelheceram nem se incharam os seus pés.
**22** Deste-lhes reinos e povos, que lhes repartiste em porções. Eles possuíram a terra de Seom, a saber, a terra do rei de Hesbom, e a terra de Ogue, rei de Basã.
**23** Multiplicaste o número dos seus filhos como as estrelas do céu e os introduziste à terra de que tinhas dito a seus pais que nela entrariam para a possuírem.
**24** Entraram nela os seus filhos e tomaram aquela terra. Subjugaste

diante deles os moradores da terra, os cananeus, e os entregaste nas suas mãos, como também os reis e os povos da terra, para fazerem deles segundo a sua vontade.

25 Tomaram cidades fortificadas e terra fértil e possuíram casas cheias de toda sorte de coisas boas, poços já cavados, vinhas e olivais e árvores frutíferas em abundância. Comeram, se fartaram, engordaram e desfrutaram da tua grande bondade.

26 Ainda assim foram desobedientes e se revoltaram contra ti; lançaram a tua lei para trás das costas. Mataram os teus profetas, que protestavam contra eles para que voltassem a ti; cometeram horríveis blasfêmias.

27 Pelo que os entregaste nas mãos dos seus adversários, que os oprimiram. Mas no tempo da sua angústia, clamando eles a ti, desde os céus os ouviste; e segundo a tua grande misericórdia lhes deste libertadores que os salvaram das mãos dos seus inimigos.

28 Logo, porém, que se viam em descanso, tornavam a fazer o mal diante de ti. Então os deixavas nas mãos dos seus inimigos, para que dominassem sobre eles. E, convertendo-se eles, e clamando a ti, tu os ouvias desde os céus e, segundo a tua misericórdia, os livraste muitas vezes.

29 Testemunhaste contra eles, para que voltassem à tua lei, porém eles procederam soberbamente e não deram ouvidos aos teus mandamentos. Pecaram contra os teus juízos, pelos quais o homem que os cumprir viverá. Viraram os ombros, tornaram-se obstinados e se recusaram a ouvir.

30 Por muitos anos foste paciente com eles e testemunhaste contra eles pelo teu Espírito, por intermédio dos teus profetas. Porém eles não deram ouvidos, pelo que os entregaste nas mãos dos povos das terras.

31 Pela tua grande misericórdia, porém, não os destruíste nem desamparaste, pois és um Deus clemente e misericordioso.

32 Portanto, agora, ó nosso Deus, ó Deus grande, poderoso e temível, que guardas a aliança e a misericórdia, não desconsidere toda a aflição que nos sobreveio, a nós, a nossos reis, a nossos príncipes, a nossos sacerdotes, a nossos profetas, a nossos pais e a todo o teu povo, desde os dias dos reis da Assíria até o dia de hoje.

33 Em tudo o que nos aconteceu, tens sido justo; fielmente procedeste, e nós impiamente.

34 Os nossos reis, os nossos príncipes, os nossos sacerdotes e os nossos pais não guardaram a tua lei nem deram ouvidos aos teus mandamentos e aos teus testemunhos, que testificaste contra eles.

35 Pois eles no seu reino, na muita abundância de bens que lhes deste, na terra espaçosa e fértil que puseste diante deles, não te serviram nem se converteram das suas más obras.

36 Vê, porém, que hoje somos escravos na própria terra que deste a nossos pais, para comerem o seu fruto e o seu bem.

37 Por causa dos nossos pecados, ela multiplica os seus produtos para os reis que puseste sobre nós. Segundo a sua vontade dominam sobre os nossos corpos e sobre o nosso gado. Estamos em grande angústia.

38 Por causa de tudo isso fizemos uma firme aliança e a escrevemos; e selaram-na os nossos príncipes, os nossos levitas e os nossos sacerdotes.

## A aliança do povo

**10** Os que a selaram foram: Neemias, o governador, filho de Hacalias, e Zedequias, 2 Seraías, Azarias, Jeremias, 3 Pasur, Amarias, Malquias, 4 Hatus, Sebanias, Maluque, 5 Harim, Meremote, Obadias, 6 Daniel, Ginetom, Baruque, 7 Mesulão, Abias, Miamim, 8 Maazias, Bilgai, Semaías. Esses eram os sacerdotes.
9 Os levitas: Jesua, filho de Azanias, Binui, dos filhos de Henadade, Cadmiel, 10 e seus irmãos: Sebanias, Hodias, Quelita, Pelaías, Hanã, 11 Mica, Reobe, Hasabias, 12 Zacur, Serebias, Sebanias, 13 Hodias, Bani e Beninu.
14 Os chefes do povo: Parós, Paate-Moabe, Elão, Zatu, Bani, 15 Buni, Azgade, Bebai, 16 Adonias, Bigvai, Adim, 17 Ater, Ezequias, Azur, 18 Hodias, Hasum, Bezai, 19 Harife, Anatote, Nebai, 20 Magpias, Mesulão, Hezir, 21 Mesezabel, Zadoque, Jadua, 22 Pelatias, Hanã, Anaías, 23 Oseias, Hananias, Hassube, 24 Haloés, Pilha, Sobeque, 25 Reum, Hassabná, Maaseias, 26 Aías, Hanã, Anã, 27 Maluque, Harime e Baaná.
28 O resto do povo, os sacerdotes, os levitas, os porteiros, os cantores, os servos do templo e todos os que se tinham separado dos povos de outras terras para a lei de Deus, suas mulheres, seus filhos e suas filhas, todos os que tinham capacidade para entender, 29 firmemente aderiram a seus irmãos, os nobres, e se comprometeram sob pena de maldição e sob juramento de que andariam na lei de Deus, que foi dada por intermédio de Moisés, servo de Deus, e de que guardariam e cumpririam todos os mandamentos do Senhor, o nosso Senhor, os seus juízos e os seus estatutos; 30 de que não daríamos as nossas filhas aos povos da terra nem tomaríamos as filhas deles para os nossos filhos; 31 de que, trazendo os povos da terra no dia de sábado alguma mercadoria e algum cereal para venderem, nada compraríamos deles no sábado nem no dia santificado; e de que abriríamos mão do produto do sétimo ano e de toda e qualquer cobrança.
32 Também sobre nós pusemos preceitos, impondo-nos cada ano a terça parte de um siclo, para o serviço do templo do nosso Deus; 33 para os pães da proposição, para a oferta regular de cereais, e para o holocausto regular dos sábados, das luas novas, para as festas fixas, para as coisas sagradas e para as ofertas pelo pecado a fim de fazer expiação por Israel, e para toda a obra do templo do nosso Deus. 34 Nós, os sacerdotes, os levitas e o povo lançamos as sortes acerca da oferta da lenha que se havia de trazer ao templo do nosso Deus, segundo as nossas famílias, em tempos determinados, de ano em ano, para se queimar sobre o altar do Senhor, o nosso Deus, como está escrito na lei.
35 Também assumimos a responsabilidade de trazer de ano

em ano ao templo do Senhor as primícias de nossas colheitas e as primícias de todas as árvores frutíferas.

36 Como está escrito na lei, traremos os primogênitos dos nossos filhos, do nosso gado, das nossas manadas e dos nossos rebanhos ao templo do nosso Deus, aos sacerdotes que ali ministram.

37 Além disso, traremos aos depósitos do templo do nosso Deus, aos sacerdotes, as primícias da nossa massa, as nossas ofertas alçadas e o fruto de todas as nossas árvores, do nosso vinho e do nosso azeite; traremos o dízimo da nossa terra aos levitas, pois são eles que recebem os dízimos em todas as cidades onde trabalhamos.

38 Um sacerdote, filho de Arão, deve estar com os levitas quando estes receberem os dízimos, e os levitas devem trazer o dízimo dos dízimos ao templo do nosso Deus, aos depósitos do templo.

39 Aos depósitos os filhos de Israel e os filhos de Levi devem trazer ofertas alçadas dos cereais, do vinho e do azeite, porque se encontram ali os utensílios do santuário, como também os sacerdotes que ministram, os porteiros e os cantores. Não negligenciaremos o templo do nosso Deus.

## Os novos moradores de Jerusalém

**11** Os líderes do povo habitaram em Jerusalém, e o restante do povo lançou sortes para tirar um de cada dez que habitasse na santa cidade de Jerusalém, permanecendo nove nas outras cidades.

2 O povo abençoou a todos os homens que voluntariamente se ofereceram para habitar em Jerusalém.

3 São estes os chefes da província que habitaram em Jerusalém; porém nas cidades de Judá habitou cada um na sua possessão, nas suas cidades, a saber, Israel, os sacerdotes, os levitas, os servos do templo e os filhos dos servos de Salomão.

4 Habitaram em Jerusalém alguns dos filhos de Judá e dos filhos de Benjamim. Dos filhos de Judá: Ataías, filho de Uzias, filho de Zacarias, filho de Amarias, filho de Sefatias, filho de Maalalel, dos filhos de Perez;

5 e Maaseias, filho de Baruque, filho de Col-Hozé, filho de Hazaías, filho de Adaías, filho de Joiaribe, filho de Zacarias, filho de Selá.

6 Todos os filhos de Perez que habitaram em Jerusalém foram quatrocentos e sessenta e oito homens valentes.

7 São estes os filhos de Benjamim: Salu, filho de Mesulão, filho de Joede, filho de Pedaías, filho de Colaías, filho de Maaseias, filho de Itiel, filho de Jesaías.

8 Depois dele Gabai e Salai, novecentos e vinte e oito.

9 Joel, filho de Zicri, supervisor sobre eles, e Judá, filho de Senua, segundo sobre a cidade.

10 Dos sacerdotes: Jedaías, filho de Joiaribe, Jaquim,

11 Seraías, filho de Hilquias, filho de Mesulão, filho de Zadoque, filho de Meraiote, filho de Aitube, supervisor do templo de Deus,

12 e seus irmãos que faziam a obra do templo, oitocentos e vinte e dois; e Adaías, filho de Jeroão, filho de Pelalias, filho de Anzi, filho de Zacarias, filho de Pasur, filho de Malquias,

13 e seus irmãos, chefes de famílias, duzentos e quarenta e dois; Amassai, filho de Azarel, filho de Azai, filho de Mesilemote, filho de Imer,
14 e os irmãos deles, homens valentes, cento e vinte e oito; e supervisionava sobre eles Zabdiel, filho de Gedolim.
15 Dos levitas: Semaías, filho de Hassube, filho de Azricão, filho de Hasabias, filho de Buni.
16 Sabetai e Jozabade, dos líderes dos levitas, encarregados da obra externa do templo de Deus.
17 Matanias, filho de Mica, filho de Zabdi, filho de Asafe, o chefe que dirigia os louvores nas orações, e Bacbuquias, o segundo de seus irmãos; depois Abda, filho de Samua, filho de Galal, filho de Jedutum.
18 Todos os levitas na santa cidade foram duzentos e oitenta e quatro.
19 Os porteiros: Acube, Talmom, e seus irmãos, os guardas das portas, cento e setenta e dois.
20 O restante de Israel, dos sacerdotes e levitas, habitou em todas as cidades de Judá, cada um na sua herança.
21 Os servos do templo habitaram em Ofel, e Zia e Gispa presidiam sobre eles.
22 O supervisor dos levitas em Jerusalém era Uzi, filho de Bani, filho de Hasabias, filho de Matanias, filho de Mica, dos filhos de Asafe, cantores, ao serviço do templo de Deus.
23 Havia uma ordem do rei a respeito deles, que regulava a sua atividade diária.
24 Petaías, filho de Mesezabel, dos filhos de Zerá, filho de Judá, estava à disposição do rei, em todos os negócios do povo.
25 Quanto às aldeias, com os seus campos, alguns dos filhos de Judá habitaram em Quiriate-Arba e seus arrabaldes, em Dibom e seus arrabaldes, em Jecabzeel e suas aldeias,
26 em Jesua, em Moladá, em Bete-Pelete,
27 em Hasar-Sual, em Berseba e em seus povoados,
28 em Ziclague, em Meconá e em seus povoados,
29 em En-Rimom, em Zorá, em Jarmute,
30 em Zanoá, em Adulão e suas aldeias, em Laquis e seus campos, e em Azeca e em seus povoados. Acamparam-se desde Berseba até o vale de Hinom.
31 Os filhos de Benjamim, de Geba, habitaram em Micmás, Aía, Betel e em seus povoados,
32 em Anatote, em Nobe, em Ananiá,
33 em Hazor, em Ramá, em Gitaim,
34 em Hadide, em Zeboim, em Nebalate,
35 em Lode e em Ono, no vale dos Artífices.
36 Algumas das turmas dos levitas de Judá habitaram em Benjamim.

## Os sacerdotes e os levitas

**12** São estes os sacerdotes e os levitas que subiram com Zorobabel, filho de Sealtiel, e com Jesua: Seraías, Jeremias, Esdras,
2 Amarias, Maluque, Hatus,
3 Secanias, Reum, Meremote,
4 Ido, Ginetom, Abias,
5 Miamim, Maadias, Bilga,
6 Semaías, Joiaribe, Jedaías,
7 Salu, Amoque, Hilquias, Jedaías. Estes foram os chefes dos sacerdotes e de seus irmãos, nos dias de Jesua.
8 Os levitas foram Jesua, Binui, Cadmiel, Serebias, Judá, Matanias,

que, com os seus irmãos, dirigia os louvores.

9 Bacbuquias e Uni, seus irmãos, estavam em frente dele, nos serviços.

10 Jesua foi pai de Joiaquim, Joiaquim foi pai de Eliasibe, Eliasibe foi pai de Joiada,

11 Joiada foi pai de Jônatas, e Jônatas foi pai de Jadua.

12 Nos dias de Joiaquim foram sacerdotes, chefes de famílias: de Seraías, Meraías; de Jeremias, Hananias;

13 de Esdras, Mesulão; de Amarias, Joanã;

14 de Maluque, Jônatas; de Sebanias, José;

15 de Harim, Adna; de Meraiote, Helcai;

16 de Ido, Zacarias; de Ginetom, Mesulão;

17 de Abias, Zicri; de Miniamim e de Moadias, Piltai;

18 de Bilga, Samua; de Semaías, Jônatas;

19 de Joiaribe, Matenai; de Jedaías, Uzi;

20 de Salai, Calai; de Amoque, Eber;

21 de Hilquias, Hasabias; de Jedaías, Netanel.

22 Dos levitas, nos dias de Eliasibe, foram inscritos como chefes de famílias, Joiada, Joanã e Jadua, como também os sacerdotes, até o reinado de Dario, o persa.

23 Os filhos de Levi foram inscritos como chefes de famílias no livro das crônicas, até os dias de Joanã, filho de Eliasibe.

24 Foram os líderes dos levitas: Hasabias, Serabias e Jesua, filho de Cadmiel, os seus irmãos; estavam em frente deles para louvarem e darem graças, segundo o mandado de Davi, homem de Deus.

25 Matanias, Bacbuquias, Obadias, Mesulão, Talmom e Acube eram porteiros, que guardavam os depósitos que ficavam junto às portas.

26 Eles serviram nos dias de Joiaquim, filho de Jesua, filho de Jozadaque, e nos dias de Neemias, o governador, e de Esdras, o sacerdote e escriba.

## A dedicação do muro de Jerusalém

27 Na dedicação do muro de Jerusalém, buscaram os levitas de todos os seus lugares, para os trazerem, a fim de fazerem a dedicação com alegria, louvores, canto, címbalos, alaúdes e harpas.

28 Reuniram os filhos dos cantores, tanto dos arredores de Jerusalém como das aldeias dos netofatitas,

29 bem como de Bete-Gilgal e dos campos de Gibeá e de Azmavete, pois os cantores tinham edificado para si aldeias nos arredores de Jerusalém.

30 Purificaram-se os sacerdotes e os levitas, que purificaram o povo, as portas e o muro.

31 Então fiz subir os líderes de Judá sobre o muro e formei dois grandes coros em procissão, sendo um à mão direita sobre a muralha para a banda da Porta do Monturo.

32 Após ele ia Hosaías e a metade dos líderes de Judá,

33 Azarias, Esdras, Mesulão,

34 Judá, Benjamim, Semaías, Jeremias,

35 e também alguns sacerdotes com trombetas: Zacarias, filho de Jônatas, filho de Semaías, filho de Matanias, filho de Micaías, filho de Zacur, filho de Asafe,

36 e seus irmãos, Semaías, Azarel, Milalai, Gilalai, Maai, Netanel, Judá e Hanani, com os instrumentos de

música de Davi, homem de Deus. Esdras, o escriba, ia adiante deles.

37 À entrada da Porta da Fonte subiram diretamente as escadas da Cidade de Davi, onde começa a subida do muro, acima da casa de Davi, até a Porta das Águas, ao oriente.

38 O segundo coro ia em frente, e eu após ele. Metade do povo ia sobre o muro, desde a Torre dos Fornos até o Muro Largo;

39 e desde a Porta de Efraim, passando por cima da Porta Velha e da Porta do Peixe, e pela Torre de Hananeel e pela Torre dos Cem, até a Porta das Ovelhas. Pararam à Porta da Guarda.

40 Então ambos os coros que davam graças tomaram o seu lugar no templo de Deus; como também eu e a metade dos oficiais comigo.

41 Os sacerdotes Eliaquim, Maaseias, Miniamim, Micaías, Elioenai, Zacarias e Hananias iam com trombetas,

42 como também Maaseias, Semaías, Eleazar, Uzi, Joanã, Malquias, Elão e Ezer. Faziam-se ouvir os coros sob a direção de Jezraías.

43 No mesmo dia, ofereceram grandes sacrifícios, e se alegraram, pois Deus os alegrara com grande alegria. Também as mulheres e os meninos se alegraram, de modo que a alegria de Jerusalém se ouviu até de longe.

44 Ainda no mesmo dia foram nomeados homens sobre as câmaras dos tesouros para as ofertas alçadas, as primícias e os dízimos, para ajuntarem nelas, das cidades, as porções designadas pela lei para os sacerdotes e para os levitas, pois Judá estava alegre com os sacerdotes e os levitas que ministravam ali.

45 Eles executavam o serviço do seu Deus e o da purificação, como também os cantores e os porteiros, segundo o mandado de Davi e de seu filho Salomão.

46 Pois desde a antiguidade, já nos dias de Davi e de Asafe, havia dirigentes dos cantores, cânticos de louvor e de ação de graças a Deus.

47 Pelo que todo o Israel, nos dias de Zorobabel e nos dias de Neemias, dava aos cantores e aos porteiros as porções de cada dia. Separava também as porções destinadas aos levitas, e os levitas separavam as porções destinadas aos filhos de Arão.

## As últimas reformas de Neemias

**13** Naquele dia, leu-se no livro de Moisés, na presença do povo, e achou-se escrito nele que os amonitas e os moabitas não entrassem jamais na congregação de Deus,

2 porque não deram pão e água aos filhos de Israel, mas tinham contratado contra eles a Balaão para os amaldiçoar. Contudo, o nosso Deus converteu a maldição em bênção.

3 Ouvindo eles esta lei, excluíram de Israel todos os de descendência estrangeira.

4 Antes disso, Eliasibe, sacerdote, fora encarregado dos depósitos do templo do nosso Deus. Sendo parente próximo de Tobias,

5 fizera-lhe uma sala grande, onde antes se depositavam as ofertas de cereais, o incenso, os utensílios e os dízimos do grão, do vinho e do azeite, que se ordenaram para os levitas, cantores e porteiros, como também as ofertas alçadas para os sacerdotes.

6 Enquanto, porém, tudo isto acontecia eu não estava em Jerusalém, pois no trigésimo segundo ano de Artaxerxes, rei de Babilônia, voltei ao rei. Ao final de alguns dias, pedi licença ao rei

7 e voltei para Jerusalém. Aqui soube do mal que Eliasibe cometera para beneficiar a Tobias, cedendo-lhe uma sala nos átrios do templo de Deus,

8 o que muito me desagradou. De sorte que lancei fora da sala todos os móveis da casa de Tobias.

9 Então ordenei que se purificassem as câmaras e tornei a trazer para ali os utensílios do templo de Deus com as ofertas de cereais e o incenso.

10 Também soube que as porções dos levitas não lhes foram dadas, de maneira que os levitas e os cantores que faziam o serviço tinham retornado cada um para as suas terras.

11 Assim repreendi os magistrados e lhes perguntei: Por que se negligenciou o templo de Deus? Então eu os ajuntei e os reintegrei nos seus postos.

12 Todo o Judá trouxe os dízimos do grão, do vinho e do azeite aos celeiros.

13 Por tesoureiros dos depósitos pus a Selemias, o sacerdote, a Zadoque, o escrivão, e a Pedaías, entre os levitas; como assistente deles a Hanã, filho de Zacur, filho de Metanias, pois foram achados fiéis, e se lhes encarregou a responsabilidade de distribuírem as porções a seus irmãos.

14 *Por isso, Deus meu, lembra-te de mim e não apagues as beneficências que fiz ao templo do meu Deus e para o seu serviço.*

15 Naqueles dias, vi em Judá homens trabalhando em tanques de prensar uvas no sábado e trazendo trigo que colocavam sobre jumentos, como também vinho, uvas e figos e toda sorte de cargas, que traziam a Jerusalém no dia de sábado. Portanto os adverti contra a venda de mantimentos nesse dia.

16 Também habitavam em Jerusalém alguns da cidade de Tiro que traziam peixe e toda sorte de mercadorias, que no sábado vendiam aos filhos de Judá, e em Jerusalém.

17 Repreendi os nobres de Judá e lhes disse: Que mal é este que fazeis, profanando o dia de sábado?

18 Não fizeram assim vossos pais, e não trouxe o nosso Deus todo este mal sobre nós e sobre esta cidade? E vós ainda acrescentais mais ira sobre Israel, profanando o sábado.

19 Caindo as sombras da tarde sobre as portas de Jerusalém antes do sábado, ordenei que elas fossem fechadas; mandei que não as abrissem até passar o sábado. Pus às portas alguns dos meus homens, para que nenhuma carga entrasse no dia de sábado.

20 Uma ou duas vezes, os negociantes e os vendedores de mercadorias passaram a noite fora de Jerusalém.

21 Eu os repreendi e lhes disse: Por que passais a noite em frente do muro? Se outra vez o fizerdes, lançarei mão sobre vós. Daquele tempo em diante não vieram mais no sábado.

22 Também ordenei aos levitas que se purificassem e viessem guardar as portas, para santificar o dia de sábado. Nisso também, Deus meu, lembra-te de mim e perdoa-me segundo o teu grande amor.

**23** Vi também, naqueles dias, judeus que tinham casado com mulheres asdoditas, amonitas e moabitas. **24** Metade de seus filhos falava a língua de Azdode ou a língua de um dos outros povos e não podia falar a língua de Judá. **25** Repreendi-os e os amaldiçoei; e espanquei alguns deles, lhes arranquei os cabelos e os fiz jurar por Deus, dizendo: Não dareis mais as vossas filhas aos filhos deles e não tomareis mais as filhas deles, nem para os vossos filhos nem para vós mesmos. **26** Não foi por causa de casamentos como estes que pecou Salomão, rei de Israel? Entre as muitas nações não houve rei semelhante a ele. Ele foi amado de seu Deus, e Deus o constituiu rei sobre todo o Israel. Contudo as mulheres estrangeiras o fizeram pecar. **27** Quereis que se diga de vós que cometeis toda essa terrível maldade, sendo infiéis ao nosso Deus, casando com mulheres estrangeiras? **28** Um dos filhos de Joiada, filho do sumo sacerdote Eliasibe, era genro de Sambalate, o horonita, pelo que o expulsei para longe de mim. **29** Lembra-te deles, Deus meu, pois contaminaram o sacerdócio, como também a aliança sacerdotal e levítica. **30** Assim os purifiquei de todos os estrangeiros e designei os deveres dos sacerdotes e dos levitas, cada um na sua função. **31** Também restabeleci o fornecimento da madeira e das primícias em tempos determinados. Lembra-te de mim, Deus meu, para o meu bem.

# ESTER

## A rainha Vasti é deposta

**1** Foi isto o que aconteceu nos dias de Assuero, que reinou desde a Índia até a Etiópia, sobre cento e vinte e sete províncias.
**2** Nesse tempo, assentando-se o rei Assuero no trono do seu reino, que está na fortaleza de Susã,
**3** no terceiro ano de seu reinado, deu um banquete a todos os seus príncipes e oficiais. Estavam perante ele os chefes do exército da Pérsia e Média, os nobres e os governadores das províncias.
**4** Por cento e oitenta dias mostrou ele as grandes riquezas do seu reino e o esplendor e glória da sua majestade.
**5** Acabados aqueles dias, deu o rei um banquete a todo o povo que se achava na fortaleza de Susã, desde o maior até o menor, por sete dias, no pátio do jardim do palácio real.
**6** As cortinas eram de pano branco, verde e azul-celeste, atadas com cordões de linho fino e de púrpura a argolas de prata e as colunas de mármore. Os leitos eram de ouro e de prata, sobre um pavimento de pórfiro, de mármore, de alabastro e de pedras preciosas.
**7** Dava-se de beber em copos de ouro, os quais eram diferentes uns dos outros, e havia muito vinho real, segundo a generosidade do rei.
**8** *Segundo a ordem do rei*, a cada convidado era permitido beber conforme o seu costume, pois o rei tinha ordenado a todos os oficiais da sua casa que fizessem segundo a vontade de cada um.
**9** Também a rainha Vasti deu um banquete às mulheres no palácio do rei Assuero.
**10** Ao sétimo dia, o rei, estando já alegre do vinho o seu coração, mandou que Meumã, Bizta, Harbona, Bigtá, Abagtá, Zetar e Carcas, os sete eunucos que serviam na presença do rei Assuero,
**11** introduzissem na presença do rei a rainha Vasti, com a coroa real, para mostrar aos povos e aos príncipes a formosura dela, pois era extremamente formosa à vista.
**12** A rainha Vasti, porém, recusou atender à ordem do rei dada por intermédio dos eunucos. Pelo que o rei muito se enfureceu e se inflamou de ira.
**13** Então perguntou o rei aos sábios que entendiam dos tempos, porque assim se tratavam os negócios do rei, na presença de todos os que sabiam a lei e o direito,
**14** e os mais chegados a ele eram: Carsena, Setar, Admata, Társis, Meres, Marsena e Memucã, os sete príncipes dos persas e dos medos, que viam o rosto do rei e ocupavam os primeiros assentos no reino.
**15** O que se deve fazer, segundo a lei, à rainha Vasti? Ela não cumpriu a ordem do rei Assuero, dada por intermédio dos eunucos.
**16** Respondeu Memucã na presença do rei e dos príncipes: A rainha Vasti pecou não somente contra o rei, mas também contra todos os príncipes e contra todos os povos que há em todas as províncias do rei Assuero.

17 Pois a notícia do que a rainha fez chegará a todas as mulheres, de modo que desprezarão a seus maridos, quando ouvirem dizer: Mandou o rei Assuero que introduzissem à sua presença a rainha Vasti, mas ela não veio.
18 Nesse mesmo dia, as princesas da Pérsia e da Média, sabendo o que fez a rainha, dirão o mesmo a todos os príncipes do rei. Assim haverá muito desprezo e indignação.
19 Se bem parecer ao rei, saia da sua parte um edito real, e escreva-se nas leis dos persas e dos medos, e não se revogue, que Vasti não entre jamais na presença do rei Assuero. E também o rei dê o reino dela a outra que seja melhor do que ela.
20 Então quando o edito do rei for proclamado por todo o seu vasto reino, todas as mulheres darão honra a seus maridos, desde a maior até a menor.
21 Pareceu bem esse conselho ao rei e aos príncipes, e o rei fez conforme a palavra de Memucã.
22 Enviou cartas a todas as províncias do rei, a cada província segundo o seu modo de escrever, e a cada povo segundo a sua língua, proclamando, na linguagem de cada povo, que todo homem fosse senhor em sua própria casa.

### Ester torna-se rainha

2 Passadas essas coisas, e apaziguado o furor do rei Assuero, lembrou-se ele de Vasti, e do que fizera, e do que se tinha decretado a seu respeito.
2 Então disseram os jovens do rei, que lhe serviam: Busquem-se para o rei moças virgens e formosas.
3 Ponha o rei comissários em todas as províncias do seu reino, que reúnam na fortaleza de Susã todas as moças virgens e formosas, na casa das mulheres, sob o cuidado de Hegai, eunuco do rei, guarda das mulheres, e recebam elas tratamentos de beleza.
4 A moça que agradar ao rei, reine em lugar de Vasti. Isso pareceu bem ao rei, e assim se fez.
5 Ora, havia na fortaleza de Susã certo judeu, benjamita, cujo nome era Mordecai, filho de Jair, filho de Simei, filho de Quis,
6 que fora transportado de Jerusalém, com os cativos que foram deportados com Jeconias, rei de Judá, o qual Nabucodonosor, rei de Babilônia, transportara.
7 Mordecai tinha uma prima chamada Hadassa, a quem criara porque ela não tinha nem pai nem mãe. Essa moça, que também era conhecida por Ester, era esbelta e formosa; morrendo seu pai e sua mãe, Mordecai a tomara por sua filha.
8 Tendo-se divulgado a ordem do rei e o seu edito, e ajuntando-se muitas moças na fortaleza de Susã, sob os cuidados de Hegai, também levaram Ester à casa do rei, sob os cuidados de Hegai, guarda das mulheres.
9 A moça agradou-lhe e alcançou favor perante ele. Pelo que se apressou em dar-lhe o tratamento de beleza e os alimentos especiais, como também sete jovens escolhidas do palácio e a fez passar com as suas jovens para o melhor lugar da casa das mulheres.
10 Ester, porém, não tinha declarado o seu povo nem a sua parentela, pois Mordecai lhe havia ordenado que não o declarasse.

**11** Passeava Mordecai cada dia diante do pátio da casa das mulheres, a fim de se informar de como Ester passava e do que lhe aconteceria.

**12** Antes que chegasse a vez de cada moça vir ao rei Assuero, tinha ela de completar doze meses de tratamentos de beleza, segundo as prescrições para as mulheres, seis meses com óleo de mirra e seis meses com especiarias e com perfumes.

**13** Dessa maneira vinha a jovem ao rei: tudo o que ela desejasse levar consigo da casa das mulheres para o palácio do rei lhe era dado.

**14** À tarde, entrava e, pela manhã, voltava para a segunda casa das mulheres, sob os cuidados de Saasgaz, eunuco do rei, guarda das concubinas. Não tornava mais ao rei, salvo se o rei a desejasse, e ela fosse chamada pelo nome.

**15** Chegando a vez de Ester, filha de Abiail, tio de Mordecai, que a tomara por sua filha, para ir ao rei, coisa nenhuma pediu, senão o que disse Hegai, eunuco do rei, guarda das mulheres. E Ester alcançava favor aos olhos de todos os que a viam.

**16** Ester foi levada ao rei Assuero, à casa real, no décimo mês, que é o mês de tebete, no sétimo ano do seu reinado.

**17** Ora, o rei amou a Ester mais do que a todas as mulheres, e ela alcançou perante ele favor e aprovação mais do que as outras virgens. De modo que lhe pôs sobre a cabeça a coroa real e a fez rainha em lugar de Vasti.

**18** Então deu o rei um grande banquete, em honra de Ester, a todos os seus príncipes e aos seus servos. Proclamou feriado por todas as províncias e distribuiu presentes segundo a generosidade real.

**19** Reunindo-se as virgens pela segunda vez, Mordecai estava assentado à porta do rei.

**20** Ester, porém, não tinha declarado a sua parentela e o seu povo, como Mordecai lhe ordenara, pois obedecia às ordens de Mordecai como quando a criava.

**21** Durante os dias que Mordecai estava assentado à porta do rei, dois oficiais do rei, que guardavam a porta, Bigtã e Teres, se indignaram e conspiraram para assassinar o rei Assuero.

**22** Veio isso, porém, ao conhecimento de Mordecai, que o revelou à rainha Ester, e Ester o disse ao rei, em nome de Mordecai.

**23** Quando se investigou o caso e se achou ser verdade, os dois oficiais foram enforcados. Tudo isso foi escrito no livro das crônicas perante o rei.

### A trama de Hamã para destruir os judeus

**3** Depois dessas coisas, o rei Assuero engrandeceu a Hamã, filho de Hamedata, o agagita, e o exaltou, dando-lhe um assento de honra acima de todos os príncipes que estavam com ele.

**2** Todos os oficiais do rei que estavam à porta do rei se inclinavam e se prostravam perante Hamã, pois assim tinha ordenado o rei a respeito dele. Mordecai, porém, não se inclinava nem se prostrava.

**3** Então os oficiais do rei que estavam à porta do rei perguntaram a Mordecai: Por que desobedeces ao mandado do rei?

**4** Dia após dia, diziam-lhe isso, mas ele não lhes dava ouvidos. De sorte que o fizeram saber a

Hamã, para ver se o procedimento de Mordecai seria tolerado, pois ele lhes tinha declarado que era judeu.

**5** Vendo Hamã que Mordecai não se inclinava nem se prostrava diante dele, encheu-se de furor. **6** Tendo, porém, descoberto o povo de Mordecai, Hamã achou pouco tirar somente a vida de Mordecai. Por isso procurou um modo de destruir a todos os judeus, o povo de Mordecai, que havia em todo o reino de Assuero.

**7** No primeiro mês, que é o mês de nisã, no décimo segundo ano do rei Assuero, lançou-se o pur, isto é, a sorte, perante Hamã, para escolher um dia e um mês. E a sorte caiu no décimo segundo mês, que é o mês de adar.

**8** Então disse Hamã ao rei Assuero: Existe espalhado e disperso entre os povos em todas as províncias do teu reino um povo cujas leis são diferentes das leis de todos os povos e que não cumpre as leis do rei; não convém ao rei tolerá-lo.

**9** Se agradar ao rei, decrete-se que sejam mortos, e eu porei nos tesouros do rei dez mil talentos de prata para os homens que executarem esse negócio.

**10** Assim tirou o rei o anel da mão e o deu a Hamã, filho de Hamedata, o agagita, adversário dos judeus, **11** e lhe disse: Essa prata te é dada, como também esse povo, para fazeres dele o que bem te parecer.

**12** No décimo terceiro dia do primeiro mês, foram chamados os secretários do rei. Conforme tudo o que Hamã ordenou, escreveu-se aos sátrapas do rei e aos governadores que havia sobre todas as províncias, aos príncipes de todos os povos, a cada província segundo o seu modo de escrever e a cada povo segundo a sua língua. Em nome do rei Assuero se escreveu, e com o anel do rei se selou.

**13** Enviaram-se as cartas por intermédio dos correios a todas as províncias do rei, para que destruíssem, matassem e aniquilassem todos os judeus, moços e velhos, crianças e mulheres, em um mesmo dia, no dia treze do décimo segundo mês, que é o mês de adar, e para que lhes saqueassem os bens.

**14** Uma cópia do documento havia de ser publicada como lei em cada província e enviada a todos os povos, para que estivessem preparados para aquele dia.

**15** Os correios, impelidos pela ordem do rei, saíram, e a lei se proclamou na fortaleza de Susã. O rei e Hamã se assentaram a beber, mas a cidade de Susã estava perplexa.

### Mordecai consegue a ajuda de Ester

**4** Quando soube de tudo o que se havia passado, Mordecai rasgou as suas vestes, cobriu-se de pano de saco e de cinza e saiu pela cidade, clamando com grande e amargo clamor.

**2** E chegou só até diante da porta do rei, pois ninguém vestido de saco podia entrar pelas portas do rei.

**3** Em todas as províncias aonde a palavra do rei e o seu decreto chegavam, havia entre os judeus grande luto, com jejum, choro e lamentação. Muitos estavam deitados em saco e em cinza.

**4** Então vieram as jovens de Ester e os seus eunucos e fizeram-na saber, motivo pelo qual a rainha muito se angustiou. Ela mandou roupas para vestir Mordecai e tirar-lhe o pano de saco, mas ele não as aceitou.

5 Então Ester mandou chamar a Hatá, um dos eunucos do rei, designado para a servir, e lhe ordenou que fosse ter com Mordecai, para saber o que era aquilo e qual o seu motivo.

6 Saindo Hatá a ter com Mordecai, à praça da cidade que estava diante da porta do rei,

7 Mordecai lhe fez saber tudo o que lhe tinha sucedido, inclusive a oferta da prata, que Hamã dissera que daria para os tesouros do rei, pela destruição dos judeus.

8 Também lhe deu uma cópia do decreto escrito que se publicara em Susã para os destruir, para que a mostrasse a Ester e a fizesse saber, a fim de que fosse ter com o rei e lhe pedisse misericórdia e lhe suplicasse pelo povo dela.

9 Veio Hatá e fez saber a Ester as palavras de Mordecai.

10 Então Ester instruiu Hatá a dizer a Mordecai:

11 Todos os servos do rei e o povo das províncias do rei sabem que para todo homem ou mulher que entrar ao rei, no pátio interior, sem ser chamado, não há senão uma sentença, a de morte, salvo se o rei estender para ele o cetro de ouro, para que viva. Mas eu nestes trinta dias não fui chamada para ir ao rei.

12 Quando as palavras de Ester foram relatadas a Mordecai,

13 mandou ele de volta esta resposta: Não imagines que, por estares no palácio, tu somente escaparás entre todos os judeus.

14 Pois se de todo te calares agora, socorro e livramento de outra parte virá para os judeus, mas tu e a casa de teu pai perecereis. E quem sabe se não foi para tal tempo como este que chegaste ao reino?

15 Então mandou Ester que tornassem a dizer a Mordecai:

16 Vai e reúne todos os judeus que se acharem em Susã, e jejuai por mim. Não comais nem bebais durante três dias, nem de dia nem de noite; e eu e as minhas moças também assim jejuaremos. Depois irei ter com o rei, ainda que seja contra a lei. E, se eu perecer, pereci.

17 Assim Mordecai se foi e fez conforme tudo o que Ester lhe tinha ordenado.

### O pedido que Ester faz ao rei

5 No terceiro dia, vestiu-se Ester com seus trajes reais e se pôs no pátio interior da casa do rei, em frente da sala do rei. O rei estava assentado no seu trono real, na sala real, de frente para a entrada.

2 Quando o rei viu a rainha Ester, que estava em pé no pátio, agradou-se dela e estendeu o cetro de ouro que tinha na mão. Assim, Ester chegou-se e tocou a ponta do cetro.

3 Então o rei lhe perguntou: Que é o que tens, rainha Ester, ou qual é a tua petição? Até metade do reino se te dará.

4 Respondeu Ester: Se bem parecer ao rei, venha o rei e Hamã hoje ao banquete que lhe preparei.

5 Disse o rei: Fazei apressar a Hamã, para que cumpramos a vontade de Ester. Vindo o rei e Hamã ao banquete que Ester havia preparado,

6 perguntou o rei a Ester, no banquete do vinho: Qual é a tua petição?

Ela te será concedida. E qual é o teu rogo? Ele te será dado, ainda que seja metade do reino.
7 Respondeu Ester: Minha petição e desejo é:
8 Se achei favor perante o rei e se parecer bem ao rei conceder-me a minha petição e cumprir o meu desejo, venha o rei com Hamã amanhã ao banquete que lhes hei de preparar; então responderei à pergunta do rei.
9 Saiu Hamã naquele dia alegre e de bom ânimo. Mas vendo a Mordecai à porta do rei, e que não se levantava nem mostrava temor diante dele, Hamã encheu-se de furor contra Mordecai.
10 Hamã, porém, se conteve e foi para casa. Mandando chamar os seus amigos e Zeres, sua mulher,
11 gabava-se Hamã da glória das suas riquezas, da multidão de seus filhos, de tudo em que o rei o tinha engrandecido e de como o tinha exaltado sobre os príncipes e servos do rei.
12 Disse mais Hamã: A própria rainha Ester a ninguém fez vir com o rei ao banquete que preparou, senão a mim. E também para amanhã estou convidado por ela juntamente com o rei.
13 Tudo isso, porém, não me satisfaz, enquanto vir o judeu Mordecai assentado à porta do rei.
14 *Disseram-lhe Zeres, sua mulher, e todos os seus amigos*: Faça-se uma forca de cinquenta côvados de altura, e, pela manhã, peça ao rei que nela enforquem Mordecai. Então vai alegre com o rei ao banquete. Essa sugestão agradou a Hamã, que mandou construir a forca.

## Mordecai é honrado

**6** Naquela noite, o rei não pôde dormir; de sorte que mandou trazer o livro das crônicas, os registros do seu reino, as quais se leram diante dele.
2 Achou-se escrito que Mordecai tinha denunciado a Bigtã e a Teres, os dois oficiais do rei, guardas da porta, que tinham conspirado para assassinar o rei Assuero.
3 Perguntou o rei: Que honra e reconhecimento se deu por isso a Mordecai? Os moços do rei, seus servos, responderam: Coisa nenhuma se lhe fez.
4 Disse o rei: Quem está no pátio? Ora, Hamã tinha acabado de entrar no pátio exterior do palácio do rei, para dizer ao rei que se enforcasse a Mordecai na forca que lhe tinha preparado.
5 Os servos do rei lhe responderam: Hamã está no pátio. O rei ordenou que entrasse.
6 Quando Hamã entrou, perguntou-lhe o rei: O que se fará ao homem a quem o rei se agrada honrar? Ora, Hamã disse consigo mesmo: A quem se agradaria o rei honrar mais do que a mim?
7 Pelo que respondeu Hamã ao rei: Ao homem a quem o rei se agrada honrar,
8 sejam trazidos trajes reais que o rei tenha usado e um cavalo em que o rei costuma andar, e que se coloque sobre a sua cabeça a coroa real.
9 Então entreguem-se os trajes reais e o cavalo às mãos de um dos mais nobres príncipes do rei, e vistam deles aquele a quem o rei deseja honrar. Levem-no a cavalo pelas ruas da cidade e proclamem diante dele: Assim se faz ao homem a quem o rei se agrada honrar!

10 Ordenou o rei a Hamã: Apressa-te, toma os trajes e o cavalo, como disseste, e faze assim para com o judeu Mordecai, que está assentado à porta do rei. Coisa nenhuma omitas de tudo o que disseste.
11 Hamã apanhou o cavalo, vestiu Mordecai com trajes reais e o levou a cavalo pelas ruas da cidade, apregoando diante dele: Assim se faz ao homem a quem o rei se agrada honrar!
12 Depois disso, Mordecai voltou para a porta do rei. Mas Hamã se retirou correndo para casa, com a cabeça coberta de pesar,
13 e contou a Zeres, sua mulher, e a todos os seus amigos, tudo o que lhe tinha acontecido. Os seus sábios e Zeres, sua mulher, lhe disseram: Se Mordecai, diante de quem já começaste a cair, é da semente dos judeus, não prevalecerás contra ele, antes certamente cairás perante ele.
14 Estando eles ainda falando, chegaram os eunucos do rei e se apressaram a levar Hamã ao banquete que Ester preparara.

### Hamã é enforcado

**7** De sorte que o rei, com Hamã, foram-se banquetear com a rainha Ester.
2 Enquanto bebiam vinho, no segundo dia, perguntou o rei: Qual é a tua petição, rainha Ester? E te será dada. E qual é o teu rogo? Até metade do reino te será concedido.
3 Então respondeu a rainha Ester: Ó rei, se achei favor aos teus olhos, e se bem parecer ao rei, que a minha vida e a vida do meu povo sejam poupadas; eis a minha petição.
4 Pois fomos vendidos, eu e o meu povo, para nos destruírem, matarem e aniquilarem. Se ainda por servos e por servas nos vendessem, eu teria me calado, porque o adversário não é digno de incomodar o rei.
5 Perguntou o rei Assuero à rainha Ester: Quem é e onde está esse, cujo coração o instigou a fazer assim?
6 Respondeu Ester: O adversário e inimigo é este perverso Hamã. Então Hamã ficou aterrorizado perante o rei e a rainha.
7 O rei, no seu furor, levantou-se do banquete do vinho e saiu para o jardim do palácio. Mas Hamã, percebendo que o rei já havia determinado o mal contra ele, ficou a fim de rogar à rainha Ester por sua vida.
8 Assim que o rei voltou do jardim do palácio à sala do banquete, Hamã estava caído sobre o divã em que se achava Ester. Então exclamou o rei: Quereria ele também violentar a rainha na minha presença nesta casa? Assim que essa palavra saiu da boca do rei, cobriram o rosto de Hamã.
9 Então Harbona, um dos eunucos que serviam diante do rei, disse: A forca de cinquenta côvados de altura que Hamã fez para Mordecai, que falou em defesa do rei, está junto à casa de Hamã. Disse o rei: Enforcai-o nela.
10 Assim, enforcaram a Hamã na forca que ele tinha preparado para Mordecai. Então o furor do rei se aplacou.

### O edito do rei em favor de judeus

**8** Naquele mesmo dia, o rei Assuero deu à rainha Ester a casa de Hamã, inimigo dos judeus. E Mordecai veio perante o rei, pois Ester tinha declarado que era seu parente.

2 O rei tirou o anel, que tinha tomado a Hamã, e o deu a Mordecai. E Ester nomeou a Mordecai como administrador da casa de Hamã.

3 Suplicou mais Ester perante o rei, caindo-lhe aos pés e chorando. Implorou-lhe que revogasse a maldade de Hamã, o agagita, e o plano que este tinha intentado contra os judeus.

4 Estendeu o rei para Ester o cetro de ouro. Ester levantou-se; pôs-se em pé perante o rei

5 e disse: Se bem parecer ao rei, e se achei favor perante ele, e se este negócio é reto diante do rei, e se lhe agrado, escreva-se que se revoguem os decretos concebidos por Hamã, filho de Hamedata, o agagita, os quais ele escreveu para aniquilar os judeus em todas as províncias do rei.

6 Pois como poderei ver o mal que sobrevirá ao meu povo? E como poderei ver a destruição da minha parentela?

7 Respondeu o rei Assuero à rainha Ester e ao judeu Mordecai: Dei a Ester a casa de Hamã, e a ele enforcaram, porque intentara atacar os judeus.

8 Escrevei, agora, aos judeus, como bem vos parecer, e em nome do rei, e selai-o com o anel do rei; pois um documento escrito em nome do rei e selado com o seu anel não se pode revogar.

9 Foram chamados os secretários do rei, sem detença, no terceiro mês, que é o mês de sivã, no vigésimo terceiro dia do mês. Escreveu-se conforme tudo o que ordenou Mordecai aos judeus, como também aos sátrapas, aos governadores, aos príncipes das províncias, que se estendem da Índia até a Etiópia, cento e vinte e sete províncias. A cada província segundo a sua escritura, e a cada povo segundo a sua língua, como também aos judeus segundo a sua escritura e segundo a sua língua.

10 Escreveu-se em nome do rei Assuero e se selou com o anel do rei; as cartas foram enviadas por intermédio de correios montados em ginetes criados especialmente para o rei.

11 Nelas o rei concedia aos judeus que havia em cada cidade que se reunissem e se dispusessem para defender as suas vidas, para destruir, matar e aniquilar todas as forças do povo e província que os quisessem assaltar, com as suas crianças e suas mulheres, e que saqueassem os seus bens,

12 num mesmo dia, em todas as províncias do rei Assuero, no dia treze do décimo segundo mês, que é o mês de adar.

13 Uma cópia da carta, que seria divulgada como decreto em todas as províncias, foi enviada a todos os povos, a fim de que os judeus estivessem preparados para aquele dia, para se vingarem dos seus inimigos.

14 Os correios, montados em cavalos que se usavam no serviço do rei, saíram apressadamente, impelidos pela palavra do rei. E o edito foi publicado na fortaleza de Susã.

15 Saiu Mordecai da presença do rei com um traje real azul-celeste e branco, uma grande coroa de ouro, e um manto de linho fino e de púrpura. E a cidade de Susã exultou e se alegrou.

**16** Para os judeus foi uma época de felicidade e alegria, júbilo e honra.

**17** Em todas as províncias e em todas as cidades a que chegavam a palavra do rei e o seu edito, havia entre os judeus júbilo e alegria, banquetes e festas. E muitos, entre os povos da terra, se fizeram judeus, porque o temor dos judeus tinha caído sobre eles.

### O triunfo dos judeus

**9** No décimo segundo mês, que é o mês de adar, no dia treze do mês em que a palavra do rei e o seu edito deveriam ser executados, no dia em que os inimigos dos judeus esperavam assenhorear-se deles, aconteceu o contrário, pois foram os judeus os que se assenhorearam dos que os odiavam.

**2** Os judeus nas suas cidades, em todas as províncias do rei Assuero, ajuntaram-se para atacar aqueles que procuravam o seu mal. Ninguém podia resistir-lhes, porque o seu terror tinha caído sobre todos aqueles povos.

**3** Todos os príncipes das províncias, os sátrapas, os governadores e os que faziam os negócios do rei auxiliavam os judeus, porque tinha caído sobre eles o temor de Mordecai.

**4** Mordecai era grande na casa do rei; a sua fama se espalhava por todas as províncias, e o homem Mordecai ia-se tornando cada vez mais poderoso.

**5** Os judeus feriram todos os seus inimigos a golpes de espada com matança e destruição; fizeram dos que os odiavam o que bem quiseram.

**6** Na fortaleza de Susã, os judeus mataram e destruíram quinhentos homens.

**7** Mataram também Parsandata, Dalfom, Aspata,

**8** Porata, Adalia, Aridata,

**9** Farmasta, Arisai, Aridai e Vaizata,

**10** os dez filhos de Hamã, filho de Hamedata, inimigo dos judeus. Mas ao despojo não estenderam a mão.

**11** No mesmo dia, veio ao conhecimento do rei o número dos mortos na fortaleza de Susã.

**12** Disse o rei à rainha Ester: Na fortaleza de Susã os judeus mataram e destruíram quinhentos homens e os dez filhos de Hamã. Nas demais províncias do rei, que terão feito? Ora, qual é a tua petição? E te será feito. Ou qual é ainda o teu rogo? E será atendido.

**13** Respondeu Ester: Se agradar ao rei, conceda-se também amanhã aos judeus que se acham em Susã que façam conforme o mandado de hoje e dependurem numa forca os dez filhos de Hamã.

**14** O rei ordenou que assim se fizesse. Publicou-se um edito em Susã, e enforcaram os dez filhos de Hamã.

**15** Reuniram-se os judeus que se achavam em Susã também no dia catorze do mês de adar e mataram em Susã trezentos homens, mas ao despojo não estenderam a mão.

**16** Também os demais judeus que se achavam nas províncias do rei se reuniram para defender a vida e tiveram repouso dos seus inimigos. Mataram dos que os odiavam setenta e cinco mil, mas ao despojo não estenderam a mão.

**17** Aconteceu isso no dia treze do mês de adar, e no dia catorze repousaram e o fizeram dia de banquetes e de alegria.

## A festa de Purim

18 Os judeus, porém, que se achavam em Susã ajuntaram-se nos dias treze e catorze e então repousaram no dia quinze e o fizeram dia de banquetes e de alegria.
19 Também os judeus das aldeias, que habitavam nas vilas, fizeram do dia catorze do mês de adar dia de alegria e de banquetes, dia de festa e de envio de presentes uns aos outros.
20 Mordecai escreveu essas coisas e enviou cartas a todos os judeus que se achavam em todas as províncias do rei Assuero, aos de perto e aos de longe,
21 ordenando-lhes que guardassem os dias catorze e quinze do mês de adar todos os anos,
22 como os dias em que os judeus tiveram repouso dos seus inimigos e o mês que se lhes mudou de tristeza em alegria, e de luto em dia de festa. Escreveu-lhes que os fizessem dias de banquetes e de alegria, e de enviarem presentes uns aos outros e dádivas aos pobres.
23 Assim os judeus concordaram em continuar a celebração que já haviam começado, fazendo o que Mordecai lhes tinha escrito.
24 Pois Hamã, filho de Hamedata, o agagita, inimigo de todos os judeus, tinha intentado destruir os judeus e lançado pur, isto é, a sorte, para os assolar e destruir.
25 Vindo, porém, isso perante o rei, ordenou ele por cartas que o mau intento que Hamã planejara contra os judeus recaísse sobre a sua própria cabeça e que ele e os seus filhos fossem enforcados.
26 Por isso àqueles dias chamam Purim, do nome pur. Por causa de todas as palavras daquela carta, do que tinham visto e do que lhes havia acontecido,
27 os judeus tomaram sobre si, sobre a sua descendência e sobre todos os que se achegassem a eles estabelecer o costume de que não deixariam de comemorar estes dois dias todos os anos, conforme o que se prescrevera, segundo o seu tempo determinado.
28 Estes dias seriam lembrados e comemorados geração após geração, por todas as famílias, em todas as províncias e em todas as cidades, e os judeus jamais deixariam de celebrar estes dias de Purim, e a memória deles jamais morreria entre a sua descendência.
29 Assim a rainha Ester, filha de Abiail, e o judeu Mordecai escreveram cartas com toda a autoridade para confirmar esta segunda carta a respeito de Purim.
30 E Mordecai expediu cartas a todos os judeus nas cento e vinte e sete províncias do reino de Assuero, com palavras de paz e fidelidade,
31 para confirmar estes dias de Purim nos seus tempos determinados, como Mordecai, o judeu, e a rainha Ester lhes tinham estabelecido, e como eles mesmos já o tinham estabelecido para si e para a sua descendência, com respeito ao jejum e à sua lamentação.
32 O mandado de Ester confirmou o que dizia respeito ao Purim, e se escreveu num livro.

## A grandeza de Mordecai

**10** O rei Assuero impôs tributo aos moradores do seu reino, tanto aos do continente como aos das ilhas do mar.

**Ester 10**

**2** Quanto ao restante dos atos do seu poder e do seu valor e à declaração da grandeza de Mordecai, a quem o rei engrandeceu, não estão escritos no livro das crônicas dos reis da Média e da Pérsia?

**3** O judeu Mordecai foi o segundo depois do rei Assuero, grande entre os judeus e estimado pela multidão de seus irmãos, porque trabalhou pelo bem-estar do seu povo e procurou a prosperidade de todos os judeus.

# JÓ

### Prólogo

**1** Havia um homem na terra de Uz, cujo nome era Jó. Este homem era íntegro e reto; temia a Deus e se desviava do mal.
**2** Nasceram-lhe sete filhos e três filhas.
**3** Possuía ele sete mil ovelhas, três mil camelos, quinhentas juntas de bois e quinhentas jumentas, e tinha também grande número de servos. Este homem era maior do que todos os do Oriente.
**4** Iam seus filhos à casa uns dos outros e faziam banquetes, cada um por sua vez, e mandavam convidar as suas três irmãs para comerem e beberem com eles.
**5** Terminados os dias de seus banquetes, Jó os chamava e os santificava. Levantando-se de madrugada, oferecia holocaustos segundo o número de todos eles, pensando: Talvez os meus filhos tenham pecado e blasfemado contra Deus no seu coração. Assim fazia Jó continuamente.

### A primeira prova de Jó

**6** Certo dia, os filhos de Deus vieram apresentar-se perante o Senhor, e veio também Satanás entre eles.
**7** Disse o Senhor a Satanás: De onde vens? Respondeu Satanás ao Senhor: De rodear a terra e passear por ela.
**8** Então disse o Senhor a Satanás: Observaste a meu servo Jó? Não há ninguém na terra semelhante a ele, homem íntegro e reto, que teme a Deus e se desvia do mal.
**9** Respondeu Satanás ao Senhor: Teme Jó a Deus sem motivo?
**10** Acaso não o tens protegido de todos os lados a ele, a sua casa e a tudo o que tem? A obra das suas mãos abençoaste, e os seus bens se multiplicam na terra.
**11** Estende, porém, a tua mão e toca-lhe em tudo o que tem, e ele certamente blasfemará de ti na tua face!
**12** Disse o Senhor a Satanás: Muito bem, tudo o que ele tem está no teu poder, mas somente contra ele não estendas a mão. Então Satanás saiu da presença do Senhor.
**13** Certo dia, quando os filhos e as filhas de Jó comiam e bebiam vinho na casa do irmão mais velho,
**14** veio um mensageiro a Jó e lhe disse: Os bois lavravam e as jumentas pastavam perto deles;
**15** então deram sobre eles os sabeus e os tomaram. Aos servos mataram a fio de espada; só eu escapei para te trazer a notícia.
**16** Estando este ainda falando, veio outro e disse: Fogo de Deus caiu do céu e queimou as ovelhas e os servos, e os consumiu; só eu escapei para te trazer a notícia.
**17** Estando ainda este falando, veio outro e disse: Dividindo-se os caldeus em três bandos, deram sobre os camelos e os tomaram; aos servos mataram a fio de espada; só eu escapei para te trazer a notícia.
**18** Estando ainda este falando veio outro e disse: Teus filhos e tuas filhas estavam comendo e bebendo vinho em casa do irmão mais velho,
**19** quando, de repente, sobreveio um grande vento da banda

do deserto, deu nos quatro cantos da casa, que caiu sobre eles, e morreram; só eu escapei para te trazer a notícia.

**20** Então Jó se levantou, rasgou o seu manto, rapou a cabeça e, lançando-se em terra, adorou

**21** e disse:

Nu saí do ventre de
    minha mãe
  e nu tornarei para lá.
O Senhor o deu
  e o Senhor o tomou;
bendito seja o nome
    do Senhor.

**22** Em tudo isso Jó não pecou nem atribuiu a Deus falta alguma.

### A segunda prova de Jó

**2** Em outro dia vieram os filhos de Deus apresentar-se perante o Senhor, e veio também Satanás entre eles. **2** E disse o Senhor a Satanás: De onde vens? Respondeu Satanás ao Senhor: De rodear a terra e passear por ela. **3** Então o Senhor disse a Satanás: Observaste o meu servo Jó? Não há ninguém na terra semelhante a ele, homem íntegro e reto, que teme a Deus e se desvia do mal. Ele ainda conserva a sua integridade, embora me instigasses contra ele, para o consumir sem motivo. **4** Respondeu Satanás ao Senhor: Pele por pele! Tudo o que o homem tem ele dará por sua vida. **5** Estende a tua mão e toca-lhe nos ossos e na carne, e ele certamente *blasfemará de ti na tua face!* **6** Disse o Senhor a Satanás: Pois bem. Ele está em teu poder; mas poupa-lhe a vida. **7** Então saiu Satanás da presença do Senhor e feriu Jó de chagas malignas, desde a planta do pé até o alto da cabeça. **8** Então Jó, tomando um caco de telha para com ele se rapar, assentou-se no meio da cinza. **9** Sua mulher lhe disse: Ainda conservas a tua integridade? Amaldiçoa a Deus e morre. **10** Respondeu-lhe ele: Como fala qualquer doida, assim falas tu. Receberemos o bem de Deus e não receberemos o mal? Em tudo isso não pecou Jó com os seus lábios. **11** Ouvindo três amigos de Jó todo esse mal que lhe sobreviera, vieram, cada um do seu lugar: Elifaz, o temanita, Bildade, o suíta, e Zofar, o naamatita, combinaram de, juntos, irem demonstrar solidariedade a Jó e consolá-lo. **12** Quando o avistaram de longe, não o reconheceram; erguendo a voz, choraram, rasgaram o seu manto e lançaram pó ao ar sobre a cabeça. **13** Então se assentaram com ele na terra, sete dias e sete noites. Nenhum lhe disse palavra alguma, pois viram que a dor era muito grande.

### Jó se pronuncia

**3** Depois disso abriu Jó a boca e amaldiçoou o seu dia. **2** Disse ele:

**3** Pereça o dia em que nasci
  e a noite em que se disse:
    Nasceu um homem!
**4** Converta-se aquele dia em trevas;
  que Deus, lá de cima,
    não tenha consideração por
      ele,
    nem resplandeça sobre ele a
      luz.
**5** Chamem-no as trevas
  e a sombra da morte;

habitem sobre ele nuvens;
as trevas dominem a sua luz!
6 Aquela noite — que a
escuridão dela se apodere;
não se inclua ela entre
os dias do ano
nem entre no número
dos meses.
7 Seja estéril aquela noite,
e não se ouça nela gritos
de alegria.
8 Amaldiçoem-na aqueles
que amaldiçoam os dias,
que estão prontos para
provocar o leviatã.
9 Escureçam-lhe as estrelas
da alva;
que ela espere a luz, e ela não
venha;
que não veja as pálpebras
dos olhos da alva,
10 pois não fechou as portas
do ventre de minha mãe
sobre mim
nem escondeu dos meus
olhos a aflição.
11 Por que não morri ao
nascer?
Por que não expirei ao sair
do ventre?
12 Por que houve joelhos que
me recebessem
e peitos que me
amamentassem?
13 Pois agora eu estaria deitado
em paz;
estaria dormindo
e em repouso
14 com os reis e conselheiros
da terra
que para si edificavam
lugares
que agora estão em ruínas,
15 com os príncipes que
tinham ouro,
que enchiam de prata
as suas casas.

16 Ou por que não fui sepultado
no chão como o aborto,
como a criança que nunca
viu a luz?
17 Ali os ímpios cessam de
perturbar,
e, ali, repousam os
cansados.
18 Ali os presos juntamente
repousam
e não ouvem a voz do
opressor.
19 Ali estão o pequeno e o
grande,
e o servo está livre de
seu senhor.
20 Por que se concede luz
ao aflito
e vida aos amargurados
de alma,
21 aos que anelam pela morte,
mas ela não vem,
cavam em busca dela
mais do que de tesouros
ocultos,
22 que se enchem de alegria
e se regozijam quando
acham a sepultura?
23 Por que se concede vida
ao homem
cujo caminho está oculto,
a quem Deus cercou de
todos os lados?
24 Pois me vem o suspiro em
vez de alimento;
os meus gemidos se
transbordam como água.
25 O que eu temia
me sobreveio;
o que receava me aconteceu.
26 Não tenho paz nem sossego;
não tenho descanso,
mas somente perturbação.

### Elifaz

**4** Então Elifaz, o temanita, respondeu:

2 Se intentar alguém falar-te,
ficarás impaciente?
  Mas quem poderá conter
  as palavras?
3 Pense em como tens ensinado
a muitos
  e fortalecido as mãos
  fracas.
4 As tuas palavras têm
sustentado
  aos que tropeçavam,
  e os joelhos vacilantes tens
  fortificado.
5 Agora, porém, que a aflição
vem a ti,
tu te desanimas;
  sendo tu tocado, te
  perturbas.
6 Não é o teu temor de Deus a
tua confiança,
  e a tua esperança a
  integridade dos teus
  caminhos?
7 Lembra-te: Quem, sendo
inocente,
alguma vez pereceu?
  Onde foram os retos
  destruídos?
8 Segundo tenho visto,
os que cultivam a
  iniquidade
e semeiam o mal,
  isso mesmo colhem.
9 Com o hálito de Deus perecem;
com o sopro da sua ira se
  consomem.
10 Os leões podem bramir e
rugir, contudo,
  quebram-se os dentes dos
  grandes leões.
11 Perece o leão por falta de presa,
  e *os filhos da leoa são*
  *dispersos.*
12 Uma palavra se me disse
em segredo,
  e os meus ouvidos captaram
  um sussurro dela.
13 Entre os sonhos
desordenados da noite,
quando cai sobre os homens
o sono profundo,
14 sobrevieram-me o espanto
e o tremor,
  que fizeram tremer todos os
  meus ossos.
15 Um espírito passou diante
de mim
  e fez arrepiar os pelos do
  meu corpo.
16 Parou ele,
mas não consegui discernir a
  sua aparência.
Um vulto estava diante dos
  meus olhos,
  e ouvi uma voz abafada:
17 Pode o homem mortal ser
mais justo do que Deus?
Pode o homem ser mais puro
do que o seu Criador?
18 Se Deus não confia nos
seus servos
  e aos seus anjos atribui
  loucura,
19 quanto mais aos que
habitam em casas de barro,
cujo alicerce está no pó,
que são facilmente
  esmagados como a traça!
20 Entre a manhã e a tarde
são despedaçados;
  despercebidos, perecem
  para sempre.
21 Não são arrancadas as
cordas da sua tenda,
  de modo que morrem sem
  sabedoria?

# 5
Clama agora!
Haverá alguém que
te responda?
  E para qual dos seres
  celestes te virarás?
2 O ressentimento destrói
o louco,
e a inveja mata o tolo.

3 Bem vi eu o tolo lançar raízes,
mas de repente a sua casa foi
amaldiçoada.
4 Os seus filhos estão longe de
desfrutar segurança,
esmagados no tribunal,
e não há quem os livre.
5 O faminto devora a sua
colheita,
até do meio dos espinhos a tira,
e o sedento suspira por sua
riqueza.
6 Pois a aflição não procede do pó,
nem da terra brota o
trabalho.
7 O homem, porém, nasce para
o trabalho,
como as faíscas voam para
cima.
8 Quanto a mim, eu buscaria a
Deus
e a ele entregaria a minha
causa.
9 Ele faz coisas grandiosas,
que não se podem sondar;
milagres que não se podem
contar.
10 Ele dá a chuva sobre a terra
e envia as águas sobre os
campos.
11 Ele põe os humildes num
lugar alto;
os que choram são levados
para um lugar seguro.
12 Ele frustra os planos dos
astutos,
de modo que as obras de
suas mãos fracassam.
13 Ele apanha os sábios na sua
própria astúcia;
e o conselho dos perversos
fracassam.
14 As trevas os cobrem de dia;
ao meio-dia andam como de
noite, tateando.
15 Ele livra da espada da sua
boca o necessitado,
e o pobre das garras dos
poderosos.
16 Assim há esperança para
o pobre;
a injustiça tapa a sua
própria boca.
17 Bem-aventurado é o homem
a quem Deus corrige;
portanto, não desprezes a
disciplina
do Todo-poderoso.
18 Pois ele faz a chaga e ele
mesmo a trata;
ele fere, mas as suas mãos
também curam.
19 De seis calamidades te livrará;
na sétima o mal não te
tocará.
20 Na fome te livrará da morte,
e na guerra, do poder da
espada.
21 Do açoite da língua estarás
protegido
e não temerás a destruição,
quando vier.
22 Da assolação e da fome te
rirás,
e as feras da terra não
temerás.
23 Pois terás uma aliança com
as pedras do campo,
e os animais selvagens
viverão em paz contigo.
24 Saberás que a tua tenda está
segura;
visitarás as tuas possessões,
e nada te faltará.
25 Saberás que se multiplicará
a tua descendência,
e a tua posteridade, como a
erva da terra.
26 Com todo o vigor virás à
sepultura,
como se recolhe o feixe de
trigo a seu tempo.
27 Já examinamos isso, e assim é.
Ouve-o e aplica-o para teu bem.

## Jó

**6** Então Jó respondeu:
2 Oh! Se a minha angústia
retamente se pesasse,
e toda a minha miséria
se pusesse numa balança!
3 Na verdade seria mais pesada
do que a areia dos mares;
por isso é que as minhas
palavras
têm sido precipitadas.
4 As flechas do Todo-poderoso
se cravam em mim,
e o meu espírito suga o
veneno delas;
os terrores de Deus se
arregimentam
contra mim.
5 Zurrará o jumento montês
junto à relva,
ou mugirá o boi junto ao
seu pasto?
6 Alguém comerá sem sal o que
é insípido,
ou haverá sabor na
clara do ovo?
7 Recuso-me a tocá-lo;
tal comida me causa
repugnância.
8 Quem dera que se cumprisse
o meu pedido,
e que Deus me desse o que
desejo!
9 Que fosse do agrado de Deus
esmagar-me,
que soltasse a sua mão e
acabasse comigo!
10 Isto ainda seria a minha
consolação,
a minha alegria na dor
implacável,
de não ter negado as
palavras do Santo.
11 Qual é a minha força, para
que eu espere?
Qual é o meu fim, para que
eu seja paciente?
12 É a minha força a força
da pedra?
Ou é de bronze a minha carne?
13 Está em mim a minha ajuda,
agora que me desamparou
todo o auxílio eficaz?
14 Ao que está aflito
devia o amigo mostrar
compaixão,
ainda ao que deixasse
o temor do Todo-poderoso.
15 Meus irmãos enganaram-me,
como um ribeiro,
como a torrente dos
ribeiros que passam,
16 os quais se turvam com
o degelo,
e neles se esconde a neve,
17 mas que cessam de fluir no
tempo da seca,
e no tempo do calor se
desfazem,
desaparecendo do seu
lugar.
18 As caravanas desviam-se das
suas rotas;
sobem aos lugares
desolados e perecem.
19 As caravanas de Temá
procuram água,
os viajantes de Seba olham
com esperança.
20 Ficam envergonhados por
estarem confiantes;
em chegando ali, se
decepcionaram.
21 Agora vos tornastes sem
valor para mim;
vistes o terror e temestes.
22 Acaso disse eu: Dai-me um
presente?
23 Ou: Livrai-me das mãos do
adversário?
Ou: Resgatai-me das mãos
dos tiranos?
24 Ensinai-me, e eu me calarei;
dai-me a entender em que errei.

25 Oh! Quão dolorosas são as palavras honestas!
Mas o que é que o vosso argumento prova?
26 Acaso pretendeis corrigir o que digo e tratar como vento as palavras de um desesperado?
27 Até sobre o órfão lançaríeis sortes
e venderíeis um amigo por uma quantia insignificante.
28 Agora, porém, olhem para mim,
e vede se minto em vossa presença.
29 Reconsiderai, não sejais injustos;
mudai de parecer, pois a minha causa é justa.
30 Há iniquidade na minha língua?
Ou não poderia o meu paladar discernir a malícia?

**7** Não tem o homem duro serviço sobre a terra?
E não são os seus dias como os do assalariado?
2 Como o escravo que suspira pela sombra
e como o assalariado que espera por seu pagamento,
3 assim me deram por herança meses de futilidade,
e noites de aflição ordenaram-me.
4 Ao deitar-me, penso: Quando me levantarei?
Mas comprida é a noite, e viro-me na cama até o amanhecer.
5 O meu corpo se vestiu de vermes e de cascas de feridas,
a minha pele está quebrada e verte pus.
6 Os meus dias são mais velozes do que a lançadeira do tecelão
e terminam sem esperança.
7 Lembra-te, ó Deus, de que a minha vida é um sopro;
os meus olhos jamais tornarão a ver a felicidade.
8 Os olhos dos que agora me veem não me verão mais;
tu me procurarás, mas já não serei.
9 Tal como a nuvem se desfaz e passa,
assim aquele que desce à sepultura jamais tornará a subir.
10 Nunca mais tornará à sua casa;
o seu lugar jamais o conhecerá.
11 Por isso não reprimirei a minha boca,
falarei na angústia do meu espírito,
eu me queixarei na amargura da minha alma.
12 Sou eu o mar, ou o monstro marinho,
para que me ponhas guarda?
13 Quando penso que a minha cama me consolará
e o meu leito aliviará a minha queixa,
14 então me espantas com sonhos
e com visões me assombras;
15 pelo que a minha alma escolheria antes ser estrangulada,
antes a morte do que este meu corpo.

16 Aborreço a minha vida;
não quero viver para sempre.
   Retira-te de mim; os meus
   dias são inúteis.
17 Que é o homem, para que
tanto o estimes,
   e ponhas nele a tua atenção,
18 e cada manhã o visites,
   e cada momento o proves?
19 Até quando não apartará de
mim a tua vista?
   Até quando não me
   deixarás a sós até mesmo
   por um instante?
20 Se pequei, que mal te fiz,
ó vigia dos homens?
   Por que me fizeste alvo dos
   teus dardos,
   para que a mim mesmo me
   seja pesado?
21 Por que não me perdoas
as ofensas
   e não tiras o meu pecado?
   Pois logo me deitarei no pó;
   tu me buscarás, mas já não
   serei.

### Bildade

**8** Então Bildade, o suíta, respondeu:
2 Até quando falarás tais coisas,
   e as razões da tua boca serão
   qual vento impetuoso?
3 Perverteria Deus o direito?
   Perverteria o Todo-
   -poderoso a justiça?
4 Quando os teus filhos
pecaram contra ele,
   ele os lançou no poder do seu
   pecado.
5 Se tu, porém, de madrugada
*buscares a Deus*
   e ao Todo-poderoso pedires
   misericórdia;
6 se fores puro e reto,
   certamente logo despertará
   em teu favor

e te restaurará à tua justa
morada.
7 O teu princípio, na verdade,
terá sido pequeno,
   mas o teu último estado
   aumentará sobremaneira.
8 Pergunta às gerações
passadas
   e considera a inquirição de
   seus pais,
9 pois nós somos de ontem e
nada sabemos;
   nossos dias sobre a terra
   são como a sombra.
10 Não te ensinarão eles e não
te falarão?
   Do próprio entendimento
   não proferirão palavras?
11 Pode o papiro crescer fora do
pântano?
   Ou pode o junco crescer
   sem água?
12 Estando ainda na sua
verdura,
   e ainda não cortado,
   seca-se antes de qualquer
   outra erva.
13 Assim são as veredas de todos
os que se esquecem de
Deus;
   assim perece a esperança
   do ímpio.
14 A sua esperança fica
frustrada;
   a sua confiança é como a
   teia de aranha.
15 Encosta-se à sua casa, mas
ela não subsiste;
   apega-se a ela, mas ela não
   fica em pé.
16 É como planta bem regada
sob o sol,
   e os seus renovos
estendem-se sobre o seu
jardim;
17 as suas raízes se entrelaçam
junto ao monte de pedras

e procuram um lugar entre as rochas.
18 Quando, porém, é arrancado do seu lugar,
então este a rejeita, dizendo: Nunca te vi.
19 Certamente a sua alegria se acaba,
e da terra outros brotam.
20 Certamente Deus não rejeita ao reto
nem toma pela mão os malfeitores.
21 Ele ainda encherá de riso a tua boca
e os teus lábios de alegria.
22 Os teus aborrecedores se vestirão de confusão,
e a tenda dos ímpios não subsistirá.

## Jó

**9** Então Jó respondeu:
2 Na verdade sei que assim é. Mas como se justificaria o homem para com Deus?
3 Se quiser argumentar com ele, nem a uma de mil coisas lhe poderá responder.
4 Ele é sábio de coração e poderoso em forças.
Quem se endureceu contra ele e teve paz?
5 Ele é o que transporta as montanhas,
sem que o sintam,
e o que as transtorna no seu furor.
6 Ele remove a terra do seu lugar, e as suas colunas estremecem.
7 Ele fala ao sol, e ele não sai; sela a luz das estrelas.
8 Ele sozinho estende os céus, e anda sobre as ondas do mar.
9 Ele fez a Ursa, o Órion, o Sete-estrelo e as constelações do sul.
10 Ele faz coisas grandes que não se podem sondar,
e maravilhas tais que não se podem contar.
11 Quando ele passa por mim, não o vejo;
quando ele torna a passar, não o percebo.
12 Se ele arrebatar a presa, quem o fará restituí-la?
Quem lhe dirá: Que fazes?
13 Deus não restringe a sua ira; debaixo dele se encurvam os aliados de Raabe.
14 Quanto menos lhe poderei eu responder,
ou escolher diante dele as minhas palavras!
15 A ele, ainda que eu fosse justo, não responderia;
antes ao meu Juiz pediria misericórdia.
16 Ainda que chamasse, e ele me respondesse,
nem por isso creria que desse ouvidos à minha voz.
17 Ele me quebranta com uma tempestade
e multiplica as minhas chagas sem causa.
18 Não me permite respirar, antes me farta de amarguras.
19 Se fosse uma questão de forças, ele é poderoso!
Se fosse uma questão de justiça,
quem o citaria?
20 Se eu me justificar, a minha boca me condenará;
se reto me disser, então ele me declarará perverso.
21 Embora eu seja inocente, não levo em conta a minha alma;
desprezo a minha vida.
22 Tudo é o mesmo; portanto digo: Ele consome ao reto
e ao ímpio.

23 Quando o açoite mata de repente,
ele se ri do desespero dos inocentes.
24 Quando a terra está entregue nas mãos do ímpio,
ele cobre o rosto dos juízes.
Se não é ele, quem é, então?
25 Os meus dias são mais velozes do que um atleta;
fogem e não veem a alegria.
26 Passam como barcos de papiro;
como águia que se lança sobre a presa.
27 Se eu disser: Eu me esquecerei da minha queixa,
mudarei o meu aspecto e tomarei alento,
28 ainda receio todas as minhas dores,
pois bem sei que não me terás por inocente.
29 Visto que já estou condenado,
por que lutar em vão?
30 Ainda que me lave com água de neve
e purifique as mãos com sabão,
31 mesmo assim me submergirás no fosso,
e as minhas próprias vestes me abominarão.
32 Ele não é homem, como eu, a quem eu responda,
vindo juntamente a juízo.
33 Não existe árbitro entre nós
que ponha a mão sobre nós ambos,
34 alguém que tire a sua vara *de cima de mim*,
para que não me amedronte o seu terror.
35 Então falarei e não o temerei,
mas como sou agora, não posso.

**10** A minha alma tem tédio à vida;
por isso darei vazão à minha queixa,
falarei na amargura da minha alma.
2 Direi a Deus: Não me condenes,
mas faze-me saber por que contendes comigo.
3 Parece-te bem que me oprimas,
que rejeites o trabalho das tuas mãos
e favoreças o conselho dos ímpios?
4 Tens tu olhos de carne?
Vês tu como vê o homem?
5 São os teus dias como os dias do homem?
Ou são os teus anos como os anos de um homem,
6 para te informares da minha iniquidade
e averiguares o meu pecado?
7 Bem sabes que não sou ímpio,
todavia ninguém há que me livre da tua mão.
8 As tuas mãos me fizeram e me entreteceram.
Agora te voltas e me consomes?
9 Peço-te que te lembres de que como barro me formaste,
e de que ao pó me farás tornar.
10 Não me vazaste como leite,
e como queijo não me coalhaste?
11 De pele e carne me vestiste
e de ossos e nervos me entreteceste.
12 Vida e beneficência me concedeste,
e o teu cuidado guardou o meu espírito.
13 Estas coisas, porém, ocultaste no teu coração,
e sei que isto esteve na tua mente.

14 Se eu pecasse, tu me observarias e da minha iniquidade não me inocentarias.
15 Se eu for ímpio, ai de mim! E, se for justo, não levantarei a minha cabeça, pois estou coberto de vergonha e afogo-me na minha aflição.
16 Se me exalto, tu me caças como a um leão feroz e de novo revelas o teu poder maravilhoso contra mim.
17 Tu renovas contra mim as tuas testemunhas e multiplicas contra mim a tua ira; as tuas forças vêm contra mim em ondas após ondas.
18 Por que, pois, me tiraste da madre? Ah! se eu tivesse morrido antes que olho algum me visse!
19 Seria como se nunca houvera sido, e desde o ventre teria sido levado à sepultura.
20 Não são poucos os meus dias? Cessa, pois, e deixa-me, para que por um pouco eu tome alento,
21 antes que me vá para o lugar de onde não voltarei, para a terra da escuridão e da sombra da morte;
22 para a terra escuríssima, como a própria escuridão, terra da sombra da morte e desordem, onde a própria luz é como a escuridão.

## Zofar

**11** Então Zofar, o naamatita, respondeu:
2 Não se dará resposta à multidão de palavras? Será justificado este tagarela?
3 As tuas mentiras hão de fazer calar os homens? Zombarás tu sem que ninguém te envergonhe?
4 Tu dizes a Deus: A minha doutrina é pura, e limpo sou aos teus olhos.
5 Oh! Falasse Deus e abrisse os seus lábios contra ti,
6 e te fizesse saber os segredos da sabedoria, pois a verdadeira sabedoria é multiforme. Sabe isto: Deus exige de ti menos do que merece a tua iniquidade.
7 Alcançarás os caminhos de Deus? Chegarás à perfeição do Todo-poderoso?
8 Como as alturas dos céus é a sua sabedoria; que poderás tu fazer? Mais profunda é ela do que o inferno; que poderás tu saber?
9 Mais comprida é a sua medida do que a terra e mais larga do que o mar.
10 Se ele passar e prender a alguém, e chamar a juízo, quem o impedirá?
11 Certamente ele conhece os homens vãos; e, quando vê a iniquidade, não a terá em consideração?
12 O homem vão, porém, não tem entendimento;

sim, o homem nasce como a
cria do jumento montês.
13 Se devotares o teu coração
e estenderes as mãos para ele,
14 se lançares para longe de
ti o pecado
e não deixares habitar a
injustiça nas tuas tendas,
15 então levantarás o teu rosto
sem mácula,
e estarás firme, e não
temerás.
16 Certamente te esquecerás da
tua aflição
e te lembrarás dela como das
águas que já passaram.
17 A tua vida será mais clara
do que o meio-dia,
e as trevas se tornarão como
a manhã.
18 Serás confiante, porque
há esperança;
olharás em volta e
repousarás seguro.
19 Tu te deitarás, e ninguém te
espantará;
muitos procurarão obter o
teu favor.
20 Os olhos dos ímpios, porém,
desfalecerão;
o seu refúgio perecerá;
a sua esperança será
a morte.

## Jó

**12** Então Jó respondeu:
2 Sem dúvida vós
sois o povo,
e convosco morrerá a
sabedoria!
3 Tenho tanto entendimento
*como vós*;
não sou inferior.
Quem não sabe coisas como
essas?
4 Eu sou motivo de riso para os
meus amigos —
eu, que invocava a Deus, e
ele me respondia;
eu, justo e reto, sou seu
motivo de riso.
5 No pensamento de quem
está seguro
há desprezo para o
infortúnio,
como o destino daqueles
cujos pés já escorregam.
6 As tendas dos assoladores
têm descanso,
e os que provocam a Deus
estão seguros,
aqueles que trazem o seu
deus na mão!
7 Pergunta, porém, aos animais,
e cada um deles te ensinará;
e às aves dos céus, e elas te
farão saber;
8 ou fala com a terra, e ela te
instruirá,
até os peixes do mar te
informarão.
9 Qual entre todas essas coisas
não sabe
que a mão do Senhor
fez isto?
10 Que está na sua mão a vida
de todo o ser vivente
e o espírito de todo o gênero
humano?
11 Não prova o ouvido as
palavras,
e o paladar o alimento?
12 Com os idosos está a
sabedoria,
e na abundância de dias o
entendimento.
13 Com Deus está a sabedoria e
a força;
ele tem conselho e
entendimento.
14 O que ele derruba não se
pode reedificar;
quem ele encerra na prisão
não pode ser solto.

15 Ele retém as águas,
e elas secam;
solta-as, e devastam
a terra.
16 Com ele está a força e a
sabedoria;
seu é o que erra e o que
faz errar.
17 Aos conselheiros leva-os
despojados
e aos juízes faz de tolos.
18 Solta as algemas dos reis
e ata um cinto nos seus
lombos.
19 Aos sacerdotes leva
despojados
e transtorna os poderosos.
20 Aos conselheiros de
confiança faz emudecer
e tira o entendimento aos
velhos.
21 Derrama desprezo sobre
os príncipes
e afrouxa o cinto dos fortes.
22 Revela as profundezas
das trevas
e traz à luz a sombra da
morte.
23 Engrandece as nações e as
faz perecer;
alarga as fronteiras das
nações e as dispersa.
24 Tira o entendimento aos
chefes do povo da terra
e os faz vaguear pelos
desertos, sem caminho.
25 Nas trevas andam tateando
sem luz;
ele os faz cambalear como
bêbados.

**13** Tudo isso viram os
meus olhos,
e os meus ouvidos o ouviram
e entenderam.
2 Como vós o sabeis,
eu o sei também;
não sou inferior.
3 Eu, porém, desejo falar ao
Todo-poderoso
e quero defender-me
perante Deus.
4 Vós, porém, sois inventores
de mentiras,
e vós todos, médicos que
não valem nada.
5 Oxalá vos calásseis de todo!
Isso seria a vossa sabedoria.
6 Ouvi, agora, a minha defesa
e escutai os argumentos dos
meus lábios.
7 Por Deus falareis perversidade?
Em nome dele falareis
mentiras?
8 Sereis parciais por ele?
Contendereis por Deus?
9 Vos seria bom se ele vos
examinasse?
Ou zombareis dele, como
se zomba de qualquer
homem?
10 Certamente vos
repreenderá,
se em oculto fizerdes
acepção de pessoas.
11 Não vos amedrontará a sua
dignidade?
Não cairá sobre vós o seu
temor?
12 As vossas máximas são
provérbios de cinza;
as vossas defesas são
defesas de barro.
13 Calai-vos na minha
presença, e falarei;
venha sobre mim o que
vier.
14 Por que razão tomo a minha
carne entre os dentes
e ponho a minha vida na
minha mão?
15 Ainda que ele me mate,
contudo nele esperarei;
os meus caminhos
defenderei diante dele.

16 Também isso será a
minha salvação,
   pois o ímpio não virá
   perante ele.
17 Ouvi com atenção
as minhas razões
   e dai ouvidos à minha
   declaração.
18 Já pus em ordem
a minha causa
   e sei que serei achado justo.
19 Poderá alguém contender
comigo?
   Nesse caso, eu me calarei,
   renderei o espírito.
20 Concede-me somente duas
coisas, ó Deus,
   então me esconderei do teu
   rosto:
21 desvia a tua mão para longe
de mim,
   e não me amedronte
   o teu terror.
22 Então chama e te
responderei,
   ou falarei eu, e tu me
   responderás.
23 Quantos erros e pecados
tenho eu?
   Notifica-me a minha
   transgressão e o meu
   pecado.
24 Por que escondes o teu rosto
e me tens por teu inimigo?
25 Quebrantarás a folha
arrebatada pelo vento?
   Perseguirás o restolho seco?
26 Por que escreves contra mim
coisas amargas
   e me fazes herdar os
   pecados da minha
   *juventude?*
27 Pões os meus pés no tronco
   e observas todos os
   meus caminhos,
   marcando a sola dos
   meus pés.
28 De sorte que o homem
se consome como uma
coisa podre,
   como uma roupa roída
   pela traça.

## 14

O homem, nascido da
mulher,
é de bem poucos dias e cheio
de dificuldade.
2 Nasce como a flor e murcha;
   como uma sombra
   passageira, não permanece.
3 Sobre esse tal abres
os teus olhos
   e a mim me fazes entrar em
   juízo contigo.
4 Quem do imundo tirará o puro?
Ninguém!
5 Os dias do homem estão
determinados,
   contigo está o número dos
   seus meses;
   puseste-lhe limites, além dos
   quais não passará.
6 Desvia-te dele o teu rosto,
para que tenha repouso,
   até que, como o assalariado,
   tenha contentamento
   no seu dia.
7 Pelo menos há esperança para
a árvore:
   se for cortada ainda
   se renovará,
   e não cessarão os seus
   renovos.
8 Se envelhecer na terra
a sua raiz
   e morrer o seu tronco
   no pó,
9 ao cheiro das águas brotará
   e dará ramos como
   planta nova.
10 Morto o homem, assim
permanece;
   sim, rendendo o homem
   o espírito,
então onde está?

11 Como as águas se evaporam
de um lago
e o rio se esgota e seca,
12 assim o homem se deita e
não se levanta;
até que não haja mais céus
não acordará nem despertará
do seu sono.
13 Oxalá me escondesses
na sepultura
e me ocultasses até que a tua
ira se desviasse,
e me pusesses um prazo,
e te lembrasses de mim!
14 Morrendo o homem,
tornará a viver?
Todos os dias da minha lida
esperaria,
até que viesse a minha
mudança.
15 Tu me chamarias, e eu te
responderia;
terias saudades da obra das
tuas mãos.
16 Então contarias os meus
passos,
mas não estarias a vigiar
sobre o meu pecado.
17 A minha transgressão
estaria selada num saco,
e ocultarias as minhas
iniquidades.
18 Como, porém, a montanha
sofre erosão e se desfaz,
e como a rocha se remove do
seu lugar,
19 como a água gasta as pedras,
e as cheias arrebatam o pó
da terra,
assim destróis a esperança
do homem.
20 Prevaleces para sempre
contra ele, e ele passa;
mudas o seu rosto e o
despedes.
21 Os seus filhos recebem
honra, sem que ele o saiba;
são humilhados, sem que
ele o perceba.
22 Ele sente a dor do seu
próprio corpo
e chora somente por sua alma.

### Elifaz

**15** Então Elifaz, o temanita,
respondeu:
2 Dará o sábio em resposta
noções vazias,
ou encherá o seu ventre
de vento oriental?
3 Arguirá com palavras que
de nada servem,
e com razões que não têm
valor?
4 Tu, porém, até destróis
a reverência
e impedes a devoção a Deus.
5 O teu pecado ensina
à tua boca;
adotas a língua dos astutos.
6 A tua própria boca te
condena, não eu;
os teus lábios testificam
contra ti.
7 És tu o primeiro homem
que nasceu?
Foste criado antes dos
outeiros?
8 Ouves o secreto conselho
de Deus?
A ti só limitas a sabedoria?
9 Que sabes tu, que nós não
saibamos?
Que entendes, que não haja
em nós?
10 Também há entre nós idosos,
mais velhos do que o teu pai.
11 Não te são suficientes as
consolações de Deus,
palavras que te são
benignamente proferidas?
12 Por que te deixas levar
pelo coração
e brilham os teus olhos,

13 para voltares contra Deus o teu espírito
e deixares sair tais palavras da tua boca?
14 Que é o homem, para que seja puro?
E o que nasce da mulher, para que seja justo?
15 Se Deus não confia nem nos seus santos,
se nem os céus são puros aos seus olhos,
16 quanto menos o homem abominável e corrupto,
que bebe a iniquidade como a água?
17 Escuta-me, e te mostrarei; o que vi, te contarei,
18 o que os sábios anunciaram, o que ouviram de seus pais e não o ocultaram
19 (aos quais somente foi dada a terra,
e nenhum estrangeiro passou por entre eles).
20 Todos os dias o ímpio sofre tormentos,
no curto número de anos que se reservam para o opressor.
21 O som dos horrores está nos seus ouvidos;
até na paz lhe sobrevém o assolador.
22 Não crê que voltará das trevas, mas que o espera a espada.
23 Anda vagueando, como pão dos abutres;
sabe que está próximo o dia das trevas.
24 Assombram-no a angústia e a *tribulação;*
prevalecem contra ele, como o rei preparado para a peleja,
25 porque estende a mão contra Deus
e contra o Todo-poderoso se embraveça;
26 desafiadoramente arremete contra ele,
com um escudo grosso e forte.
27 Embora o seu rosto esteja coberto de gordura
e aumente a carne da sua cintura,
28 habitará em cidades assoladas,
em casas em que ninguém deveria morar,
que estavam prestes a tornar-se montões de ruínas.
29 Não mais se enriquecerá nem subsistirá a sua riqueza,
nem se estenderão pela terra as suas possessões.
30 Não escapará das trevas;
à chama do fogo secará os seus renovos,
e ao sopro da boca de Deus, desaparecerá.
31 Não confie na vaidade, enganando-se a si mesmo,
pois a vaidade será a sua recompensa.
32 Antes do seu dia se cumprirá,
e o seu ramo não reverdecerá.
33 Sacudirá as suas uvas verdes, como a vide,
e deixará cair a sua flor, como a oliveira.
34 Pois o ajuntamento dos hipócritas se fará estéril,
e o fogo consumirá as tendas dos que subornam.
35 Concebem a malícia e dão à luz a iniquidade;
o seu ventre prepara enganos.

## Jó

**16** Então respondeu Jó:
2 Tenho ouvido muitas coisas como essas;
todos vós sois consoladores lastimáveis.
3 Não terão fim as vossas palavras inúteis?
Ou o que é que vos irrita para responderdes assim?
4 Falaria eu também como vós falais,
se a vossa alma estivesse em lugar da minha?
Ou amontoaria palavras contra vós
e menearia contra vós a minha cabeça?
5 Antes vos fortaleceria com a minha boca,
e a consolação dos meus lábios
abrandaria a vossa dor.
6 Se eu falar, a minha dor não cessa e,
se eu me calar, qual é o meu alívio?
7 Na verdade, ó Deus, exauriste as minhas forças;
assolaste toda a minha família.
8 Testemunha disso é que já me tornaste enrugado;
a minha magreza se levanta e testifica contra mim.
9 Na sua ira ele me despedaça, me persegue
e range os dentes contra mim;
o meu adversário aguça os olhos contra mim.
10 Os homens abrem a boca contra mim;
com desprezo me ferem no rosto,
e contra mim se unem.
11 Deus me entrega ao perverso
e nas mãos dos ímpios me faz cair.
12 Descansado estava eu, porém ele me quebrantou;
pegou-me pelo pescoço e me despedaçou.
Colocou-me por seu alvo;
13 cercam-me os seus flecheiros.
Atravessa-me os rins e não me poupa;
o meu fel derrama pela terra.
14 Quebranta-me com golpe sobre golpe;
arremete contra mim como um guerreiro.
15 Costurei sobre a minha pele o pano de saco
e revolvi a minha cabeça no pó.
16 O meu rosto está vermelho de chorar,
e há sombras escuras em redor dos meus olhos;
17 contudo, as minhas mãos estão
livres de violência e a minha oração é pura.
18 Ó terra, não cubras o meu sangue;
não haja descanso para o meu clamor!
19 Agora mesmo está a minha testemunha no céu,
e o meu fiador nas alturas.
20 Os meus amigos zombam de mim;
os meus olhos se desfazem em lágrimas diante de Deus,
21 para que ele defenda o direito que o homem tem diante de Deus,
e que o filho do homem tem perante o seu próximo.

22 Decorridos poucos anos,
seguirei o caminho por onde
não tornarei.

# 17
O meu espírito está
quebrantado,
os meus dias estão se findando,
e só tenho perante mim a
sepultura.
2 Não estão zombadores comigo?
Não contemplam os meus
olhos as suas amarguras?
3 Dá-me, ó Deus, o penhor
que exiges.
   Quem mais há de ser meu
fiador?
4 Aos seus corações encobriste
o entendimento,
   pelo que não os exaltarás.
5 Se alguém denuncia
os seus amigos
por recompensa,
   os olhos de seus filhos
desfalecerão.
6 A mim, porém, me pôs por
provérbio dos povos,
   de modo que me tornei um
homem em cujo rosto se
cospe.
7 Os meus olhos se
escureceram de mágoa;
   o meu corpo é como a
sombra.
8 Os retos pasmarão disso;
o inocente se levantará
contra o ímpio.
9 O justo segue o seu caminho,
e o puro de mãos vai
crescendo em força.
10 Tornai-vos, porém, todos
vós, e vinde cá,
   pois sábio nenhum acho
*entre vós.*
11 Os meus dias passaram;
fracassaram os meus
propósitos,
   e as aspirações do meu
coração.
12 Trocam a noite em dia;
dizem que a luz está perto
das trevas.
13 Se a única casa pela qual
espero for a sepultura,
se nas trevas estender a
minha cama,
14 se à corrupção clamar:
Tu és meu pai;
e aos vermes: Vós sois
minha mãe e minha irmã,
15 onde estará, então, a minha
esperança?
   Sim, a minha esperança,
quem a poderá ver?
16 Descerá ela até as portas
da morte?
   Descansaremos juntos no pó?

**Bildade**

# 18
Então Bildade, o suíta, respondeu:
2 Até quando andarás à
procura de palavras?
   Considera bem, e então
falaremos.
3 Por que somos tratados como
animais
e como imundos aos teus
olhos?
4 Ó tu que despedaças a tua
alma na tua ira,
   será a terra abandonada
por tua causa?
   Serão removidas as rochas do
seu lugar?
5 A luz dos ímpios se apaga;
a faísca do seu lar não
resplandece.
6 A luz se escurece nas suas
tendas;
   a sua lâmpada ao lado dele
se apaga.
7 Os seus passos fortes se
enfraquecem;
   o seu próprio conselho o
derruba.

8 Por seus próprios pés é
lançado na rede
e anda nos fios enredados.
9 A armadilha o apanha pelo
calcanhar;
o laço o prende.
10 Uma corda está escondida,
para ele na terra,
e uma armadilha na vereda.
11 Os assombros o espantam de
todos os lados
e o fazem correr de uma
parte para outra,
por onde quer que apresse
os passos.
12 A calamidade vem faminta
sobre ele;
o desastre está pronto para
ele quando cair.
13 Ele devora os membros do
seu corpo;
sim, o primogênito da
morte devora os membros
do seu corpo.
14 É arrancado da segurança
da sua tenda
e é levado ao rei dos terrores.
15 Mora na sua tenda aquele
que nada lhe era;
espalha-se enxofre sobre a
sua habitação.
16 Por baixo secam as
suas raízes,
e por cima são cortados os
seus ramos.
17 A sua memória perece na terra;
pelas praças não tem nome.
18 Da luz o lançam nas trevas;
é afugentado do mundo.
19 Não tem filho nem neto
entre o seu povo;
descendente nenhum dele
fica nas suas moradas.
20 Do seu dia se espantarão os
do Ocidente;
os do Oriente são tomados
de horror.
21 Tais são, na verdade,
as moradas do perverso;
tal é o lugar do que não
conhece a Deus.

## Jó

**19** Então respondeu Jó:
2 Até quando
atormentareis a minha
alma e me quebrantareis
com palavras?
3 Já dez vezes me humilhastes;
vergonha não tendes
de me atacar.
4 Embora tenha eu, na verdade,
errado,
comigo ficará o meu erro.
5 Se quereis vos engrandecer
contra mim
e me incriminar pela minha
humilhação,
6 sabei que Deus é que me
oprimiu e com
a sua rede me cercou.
7 Embora eu clame: Violência!,
não sou ouvido;
embora grite por socorro,
não há justiça.
8 O meu caminho ele bloqueou,
e não posso passar;
nas minhas veredas
pôs trevas.
9 Da minha honra me despiu
e tirou-me da cabeça a coroa.
10 Quebra-me de todos os lados,
e eu me vou;
arranca a minha esperança,
como a uma árvore.
11 Faz inflamar contra
mim a sua ira
e me considera um de seus
inimigos.
12 Juntas vêm as suas tropas;
preparam contra mim
o seu caminho
e se acampam ao redor da
minha tenda.

13 Pôs longe de mim
a meus irmãos;
os que me conhecem
tornaram-se estranhos
para mim.
14 Os meus parentes me
abandonaram;
os meus conhecidos se
esqueceram de mim.
15 Os meus hóspedes e as
minhas servas
me consideram um estranho;
vim a ser um estrangeiro aos
seus olhos.
16 Chamo a meu criado, e ele
não me responde;
tenho de suplicar-lhe com a
minha boca.
17 O meu hálito é intolerável à
minha mulher;
sou repugnante a meus
próprios irmãos.
18 Até os pequeninos me
desprezam;
levantando-me eu, falam
contra mim.
19 Todos os meus amigos
íntimos me abominam;
até os que eu amava se
tornaram contra mim.
20 Os meus ossos se apegaram
à minha pele e à minha carne;
escapei só com a pele dos
meus dentes.
21 Compadecei-vos de mim,
amigos meus,
compadecei-vos, pois a mão
de Deus me atingiu.
22 Por que me perseguis como
Deus me persegue?
Da minha carne não vos
*fartareis?*
23 Quem me dera fossem
registradas as minhas
palavras,
que fossem gravadas
num livro
24 com pena de ferro
e com chumbo
e que para sempre fossem
esculpidas na rocha!
25 Eu sei que o meu
Redentor vive
e que por fim se levantará
sobre a terra.
26 E depois que o meu corpo
estiver consumido
e sem carne, verei a Deus.
27 Eu o verei por mim
mesmo,
com meus próprios olhos,
eu, não outros.
Como o meu coração anseia
dentro em mim!
28 Se disserdes: Como o
perseguiremos,
visto que a raiz da aflição se
acha nele,
29 temei vós mesmos a espada;
pois o furor traz os castigos
da espada,
e então sabereis que
há um juízo.

### Zofar

## 20

Então Zofar, o naamatita,
respondeu:
2 Os meus pensamentos
me levam a responder,
pois estou grandemente
perturbado.
3 Ouvi uma repreensão que me
envergonha,
e o meu espírito me inspira
a responder.
4 Não sabes que desde a
antiguidade,
desde que o homem foi
posto sobre a terra,
5 o júbilo dos ímpios é breve,
e a alegria dos ímpios dura
apenas um momento?
6 Ainda que o seu orgulho
suba até o céu

e a sua cabeça chegue
até as nuvens,
7 como o seu próprio esterco
apodrecerá para sempre;
os que o viram
perguntarão: Onde está?
8 Como um sonho voa, e não
será achado;
será afugentado como uma
visão da noite.
9 Os olhos que o viram jamais
o verão;
o seu lugar não mais o
contemplará.
10 Os seus filhos terão de fazer
restituição aos pobres;
as suas próprias mãos terão
de restituir a sua riqueza.
11 O vigor da juventude,
que lhe enche os ossos, se
deitará no pó.
12 Ainda que o mal lhe seja
doce na boca,
e ele o esconda debaixo da
língua,
13 e o guarde, e não o deixe,
antes o retenha no seu paladar,
14 contudo a sua comida se
tornará amarga nas suas
entranhas;
em veneno de cobras se
transformará no seu
interior.
15 Engoliu riquezas, mas as
vomitará;
do seu ventre Deus as
lançará.
16 Veneno de cobras sorveu;
língua de víbora o matará.
17 Não verá as correntes,
os rios e os ribeiros de mel e
manteiga.
18 O que adquiriu pelo trabalho,
deverá restituir, e não
desfrutará dele;
do lucro do seu comércio
não terá alegria alguma.

19 Pois oprimiu e desamparou
os pobres;
roubou a casa que não
edificou.
20 Certamente não terá
descanso da sua cobiça;
não poderá salvar a si mesmo
por aquilo em que se deleita.
21 Nada lhe sobrou para
devorar;
a sua prosperidade não
perdurará.
22 Apesar da sua fartura,
estará angustiado;
toda a força da miséria virá
sobre ele.
23 Tendo ele terminado de
encher o seu ventre,
Deus mandará sobre ele o
ardor da sua ira,
que fará chover sobre ele.
24 Ainda que fuja das armas
de ferro,
o arco de bronze o
atravessará.
25 Arranca a flecha do seu corpo
e o dardo resplandecente do
seu fígado.
Haverá sobre ele terrores;
26 total escuridão espreita os
seus tesouros.
Um fogo não assoprado o
consumirá
e devorará o que ficar na
sua tenda.
27 Os céus manifestarão a sua
iniquidade;
a terra se levantará contra
ele.
28 Os rendimentos de sua casa
serão transportados;
no dia da ira de Deus todos
se derramarão.
29 Este, da parte de Deus, é o
destino do ímpio,
a herança que Deus
reservou para ele.

## Jó

**21** Então Jó respondeu:
2 Ouvi atentamente as minhas razões;
seja-me isso a vossa consolação.
3 Suportai-me, e falarei;
havendo eu falado, zombai.
4 É a algum homem que me queixo?
Ainda que assim fosse, por que não se angustiaria o meu espírito?
5 Olhai para mim e pasmai;
ponde a mão sobre a boca.
6 Quando me lembro disso, me perturbo,
e a minha carne estremece de horror.
7 Por que razão vivem os ímpios,
envelhecem e ainda se tornam mais poderosos?
8 A sua descendência se estabelece
na sua presença
e os seus renovos perante os seus olhos.
9 As suas casas têm paz, sem temor;
o castigo de Deus não está sobre eles.
10 O seu touro gera, não falha;
sua vaca tem a cria, não aborta.
11 Enviam os seus filhos como a um rebanho;
seus pequeninos andam saltando.
12 Levantam a voz, ao som do tamborim e da harpa;
*alegram-se ao som da* flauta.
13 Na prosperidade passam seus anos
e descem à sepultura em paz.
14 Todavia, dizem a Deus:
Retira-te de nós!
Não desejamos ter conhecimento dos teus caminhos.
15 Quem é o Todo-poderoso para que o sirvamos?
E que nos aproveitará que lhe façamos orações?
16 A sua prosperidade, contudo, não está nas mãos deles,
longe de mim o conselho dos ímpios!
17 Quantas vezes se apaga a lâmpada dos ímpios?
Quantas vezes lhes sobrevém a destruição,
o destino que Deus reparte em sua ira?
18 Quantas vezes são como a palha
diante do vento,
como a moinha arrebatada pelo redemoinho?
19 Dizem que Deus reserva aos filhos o castigo do pai.
A ele, porém, é que deveria Deus dar a punição, para que o conheça!
20 Que os seus próprios olhos vejam a sua ruína;
que ele beba do furor do Todo-poderoso.
21 Pois o que lhe importa a sua família
depois de morto,
quando chegarem ao fim o número dos seus meses?
22 Pode alguém ensinar conhecimento a Deus,
visto que ele julga até os excelsos?
23 Um morre em pleno vigor, completamente
despreocupado e tranquilo,
24 os seus baldes estão cheios de leite,

e os seus ossos
cheios de tutano.
25 Outro morre, ao contrário,
na amargura do
seu coração,
não havendo provado
do bem.
26 Juntamente jazem no pó,
e os vermes os cobrem.
27 Conheço bem os vossos
pensamentos
e os maus intentos com que
injustamente
me tratais.
28 Vós dizeis: Onde está a
casa do príncipe
e onde está a tenda em que
morava o ímpio?
29 Não perguntastes aos
que viajam?
Não considerastes os
seus relatos?
30 Eles dizem que os maus
são poupados no dia da
calamidade,
e socorridos no dia do furor.
31 Quem denunciará diante
dele a sua conduta?
Quem lhe retribuirá pelo
que faz?
32 Ele é levado à sepultura,
e vigiam-lhe o túmulo.
33 O solo do vale lhe é doce;
todos os homens o seguem,
e são inumeráveis os que o
precederam.
34 Portanto, como podeis
*consolar-me*
com as vossas vaidades?
Das vossas respostas só
resta falsidade.

### Elifaz

**22** Então Elifaz, o temanita,
respondeu:
2 Pode o homem ser de algum
proveito a Deus?
Pode até mesmo o sábio lhe
ser proveitoso?
3 Ou tem o Todo-poderoso
prazer em que tu sejas justo,
ou lucro algum em que tu
faças perfeitos
os teus caminhos?
4 Ou te repreende pelo temor
que tem de ti,
ou entra contigo em juízo?
5 Não é grande a tua malícia
e sem limites as tuas
iniquidades?
6 Penhoraste a teus irmãos sem
motivo algum;
aos nus despojaste das suas
roupas.
7 Não deste ao cansado
água a beber
e ao faminto retiveste o pão.
8 Ao poderoso, porém,
pertencia a terra,
e o homem favorecido
habitava nela.
9 As viúvas despediste vazias
e quebraste os braços
dos órfãos.
10 Por isso é que estás cercado
de laços
e te perturba um pavor
repentino;
11 e está tão escuro que
nada vês,
e uma inundação de águas
te cobre.
12 Não está Deus na altura
dos céus?
Olha para a altura das
estrelas,
quão elevadas estão!
13 Contudo tu dizes:
Que sabe Deus?
Julga ele através de
escuridão tão densa?
14 Grossas nuvens o encobrem,
de modo que não nos
pode ver

enquanto passeia pela abóbada do céu.
15 Queres seguir a vereda antiga,
que pisaram os homens iníquos?
16 Eles foram arrebatados antes do seu tempo,
o seu fundamento foi levado por um dilúvio.
17 Diziam a Deus: Retira-te de nós.
O que pode o Todo-poderoso nos fazer?
18 Contudo, foi ele que encheu de bens as suas casas,
por isso fico longe do conselho dos ímpios!
19 Os justos o viram e se alegraram;
o inocente escarneceu deles,
20 dizendo: Certamente o nosso adversário é destruído;
e o fogo consome a sua riqueza.
21 Apega-te a Deus, e tem paz com ele;
assim te sobrevirá o bem.
22 Aceita a lei da sua boca
e põe as suas palavras no teu coração.
23 Se te converteres ao Todo-poderoso,
serás restaurados;
se afastares a iniquidade da tua tenda
24 e deitares o teu ouro no pó,
o teu ouro de Ofir entre as pedras dos ribeiros,
25 então, o Todo-poderoso te será por ouro
e por prata escolhida.
26 Certamente então te deleitarás no Todo-poderoso
e levantarás o teu rosto para Deus.
27 Orarás a ele, e ele te ouvirá,
e pagarás os teus votos.
28 Determinando tu algum negócio,
assim será feito,
e a luz brilhará em teus caminhos.
29 Quando se abaterem, dirás: Haja exaltação!
E Deus salvará o humilde.
30 Livrará até o que não é inocente,
que será liberto pela pureza das tuas mãos.

## Jó

**23** Então Jó respondeu:
2 Ainda hoje a minha queixa está em amargura;
o peso da mão dele é maior do que o meu gemido.
3 Ah! se eu soubesse onde encontrá-lo!
Então me chegaria ao seu tribunal.
4 Exporia ante ele a minha causa
e encheria a minha boca de argumentos.
5 Saberia as palavras com que ele me responderia
e entenderia o que me dissesse.
6 Contenderia ele comigo segundo a grandeza de seu poder?
Não, antes me atenderia.
7 Ali o reto pleitearia com ele,
e eu me livraria para sempre do meu Juiz.
8 Se me adianto, ali não está;
se torno para trás, não o percebo.
9 Se opera à esquerda, não o vejo;
encobre-se à direita, e não o diviso.

10 Ele, contudo, conhece
o meu caminho;
se ele me provasse, eu
sairia como o ouro.
11 Nas suas pisadas os meus
pés se firmaram;
guardei o seu caminho e
não me desviei dele.
12 Do preceito de seus lábios
nunca me apartei;
as palavras da sua boca
prezei mais do que o meu
alimento.
13 Se, contudo, ele resolveu
alguma coisa,
quem o pode dissuadir?
O que a sua alma quiser
isso fará.
14 Cumprirá o que está
ordenado a meu respeito,
e muitas coisas como estas
ainda tem consigo.
15 É por isso que me perturbo
perante ele;
quando isso considero,
temo diante dele.
16 Deus fez desmaiar
o meu coração;
o Todo-poderoso me
perturbou.
17 Contudo, não fui silenciado
pelas trevas,
pelas densas trevas
que me cobrem o rosto.

## 24

Por que o Todo-poderoso
não designa tempos
para o juízo?
Por que os que o conhecem
procuram tais dias em vão?
2 Há os que removem
os limites,
roubam os rebanhos
e os apascentam.
3 Levam o jumento do órfão
e tomam em penhor o boi
da viúva.
4 Desviam do caminho os
necessitados
e obrigam a todos os pobres
da terra
a se esconderem.
5 Como jumentos selvagens
no deserto,
os pobres saem
ao seu trabalho,
à procura de presa no campo
aberto,
como pão para eles
e seus filhos.
6 No campo segam o seu pasto
e colhem na vinha do ímpio.
7 Por falta de roupa, passam a
noite nus;
não têm cobertas contra
o frio.
8 Pelas chuvas das montanhas
são molhados
e se abraçam com as rochas
por falta de abrigo.
9 O órfão é arrancado do peito;
aceitam o filho do pobre
como penhor.
10 Tendo falta de roupa,
andam nus;
carregam as espigas,
mas ainda têm fome.
11 Dentro dos seus muros
fazem o azeite;
pisam os lagares,
e ainda têm sede.
12 Desde as cidades gemem
os homens,
e os feridos clamam
por socorro.
Deus, porém, a ninguém
acusa de maldade.
13 Estão entre os que se
opõem à luz,
que não conhecem os
seus caminhos
nem permanecem nas
suas veredas.

14 De madrugada se levanta
o homicida,
mata o pobre e o necessitado;
de noite torna-se ladrão.
15 Os olhos do adúltero
aguardam o crepúsculo,
dizendo: Não me verá olho
nenhum,
e disfarça o rosto.
16 Nas trevas arrombam
as casas,
mas de dia se conservam
encerrados;
nada querem com a luz.
17 Para eles a profunda
escuridão é a sua manhã;
são amigos dos terrores das
trevas.
18 São, porém, espuma na face
das águas;
maldita é a sua porção
sobre a terra,
de modo que ninguém vai
às vinhas.
19 Como a secura e o calor
desfazem as águas da neve,
assim faz a sepultura aos que
pecaram.
20 A madre se esquecerá dele,
os vermes o comerão
avidamente;
nunca mais haverá
lembrança dele,
e a iniquidade se quebrará
como árvore.
21 Aflige a estéril que não
dá à luz
e não faz bem à viúva.
22 Deus, porém, arrasta os
poderosos com a sua força;
embora se levantem, não
têm vida segura.
23 Ele pode deixar que
descansem
sentindo-se seguros,
mas seus olhos estão nos
caminhos deles.
24 Por um pouco são exaltados,
e logo desaparecem;
são abatidos e encerrados
como todos os outros;
são cortados como as
pontas das espigas.
25 Se não é assim, quem
me desmentirá
e reduzirá a nada as
minhas palavras?

### Bildade

**25** Então Bildade, o suíta, respondeu:
2 Com Deus estão domínio
e temor; ele faz reinar a paz
nas suas alturas.
3 Têm número os seus
exércitos?
Sobre quem não se levanta a
sua luz?
4 Portanto, como seria justo o
homem perante Deus?
Como seria puro aquele que
nasce de mulher?
5 Se até a lua não resplandece,
e as estrelas não são puras
aos seus olhos,
6 quanto menos o homem, que
é uma larva,
e o filho do homem, que é
um verme!

### Jó

**26** Então Jó respondeu:
2 Como ajudaste aquele
que não tinha força
e sustentaste o braço que não
tinha vigor!
3 Como aconselhaste aquele
que não tinha sabedoria,
e plenamente lhe fizeste saber
o verdadeiro conhecimento!
4 Para quem proferiste
palavras?
E de quem é o espírito que
saiu de ti?

5 Os mortos tremem debaixo
das águas,
com os seus moradores.
6 A morte está nua perante Deus,
e não há coberta para a
perdição.
7 Ele estende o norte sobre
o vazio;
suspende a terra
sobre o nada.
8 Prende as águas em
densas nuvens,
contudo as nuvens não
se rasgam sob o seu peso.
9 Encobre a face da lua cheia
e sobre ela estende a sua
nuvem.
10 Marca o horizonte na
superfície das águas,
como um limite entre a luz
e as trevas.
11 As colunas do céu tremem
e se espantam da sua
ameaça.
12 Com a sua força fendeu o mar;
com o seu entendimento
abateu a Raabe.
13 Pelo seu sopro os céus se
aclararam;
a sua mão trespassou a
serpente veloz.
14 E isso são apenas as orlas
dos seus caminhos;
quão pouco é o que temos
ouvido dele!
Quem, pois, entenderia o
trovão do seu poder?

**27** Prosseguiu Jó em seu discurso:
2 Tão certo como vive o Senhor,
que me negou justiça, e o
Todo-poderoso,
que amargurou a minha
alma,
3 enquanto eu tiver vida,
e o sopro de Deus no
meu nariz,

4 não falarão os meus lábios
iniquidade
nem a minha língua
pronunciará engano.
5 Jamais admitirei que
tendes razão;
até que eu expire,
não negarei a minha
integridade.
6 À minha justiça me apegarei,
e não a largarei;
não me reprovará
a minha consciência
enquanto eu viver.
7 Seja como o ímpio o
meu inimigo,
e o que se levantar contra
mim como o perverso.
8 Pois que esperança tem o
ímpio quando é cortado,
quando Deus lhe arranca
a vida?
9 Ouve Deus o seu clamor,
quando lhe sobrevém a
tribulação?
10 Se deleitará o ímpio no
Todo-poderoso,
ou invocará a Deus em todo
o tempo?
11 Eu vos ensinarei acerca
do poder de Deus;
não vos encobrirei os
caminhos do
Todo-poderoso.
12 Todos vós já vistes isso.
Por que, pois, proferis
palavras vãs?
13 Eis da parte de Deus a
porção do ímpio,
a herança que os tiranos
recebem do Todo-
-poderoso:
14 Se os seus filhos se
multiplicarem,
será para a espada;
a sua prole não se fartará
de pão.

15 Os que ficarem dela, a praga
os enterrará,
e as suas viúvas não
chorarão.
16 Embora amontoe prata
como pó
e vestes como barro,
17 o que ele acumular,
o justo vestirá,
e o inocente repartirá
a sua prata.
18 A casa que ele edifica é como
o casulo da traça,
como a cabana feita pelo
vigia.
19 Rico se deita, mas não
o fará mais!
Quando abre os olhos, tudo
desapareceu.
20 Pavores se apoderam dele
como águas;
de noite o arrebatará a
tempestade.
21 O vento oriental o leva,
e ele se vai;
arranca-o com ímpeto do
seu lugar.
22 Atira-se contra ele sem
misericórdia,
enquanto ele foge
precipitadamente
do seu poder.
23 Bate palmas contra ele e,
com assobios, o tiram do
seu lugar.

# 28

Há minas de onde se
extrai a prata,
e um lugar onde se refina
o ouro.
2 O ferro é tirado da terra,
e da pedra se funde o cobre.
3 *O homem põe fim às trevas;*
até nos últimos confins
procura pedras
na mais densa escuridão.
4 Longe da habitação dos homens,
em lugares esquecidos dos
pés do homem,
abre um poço;
longe dos homens fica
pendente e oscila.
5 A terra, de onde procede o pão,
é revolvida como por fogo;
6 safiras procedem das
suas rochas,
e seu pó contém pepitas
de ouro.
7 Essa vereda, a ave de
rapina ignora,
e os olhos do falcão jamais
a viram.
8 Nunca a pisaram feras altivas
nem o feroz leão passou
por ela.
9 O homem estende a mão
contra a dura rocha
e revolve os montes desde
as suas raízes.
10 Abre túneis através da rocha;
seus olhos veem todos os
seus tesouros.
11 Procura as fontes dos rios,
e traz para a luz o que estava
escondido.
12 Onde, porém, se achará a
sabedoria?
Onde habita o
entendimento?
13 O homem não lhe
compreende o valor;
não se pode encontrar na
terra dos viventes.
14 O abismo diz:
Não está em mim;
o mar diz: Ela não está
comigo.
15 Não pode ser comprada
com o ouro fino,
nem a peso de prata se
trocará.
16 Não pode ser comprada com
o ouro fino de Ofir
nem com o precioso ônix
nem com a safira.

17 Com ela não se pode
comparar o ouro ou o cristal
nem pode ser trocada por
joias de ouro.
18 Não se fará menção do coral
nem do cristal;
o preço da sabedoria está
além dos rubis.
19 Não se lhe igualará o topázio
da Etiópia;
nem se pode comprar por
ouro puro.
20 De onde, pois, vem a
sabedoria?
Onde habita o
entendimento?
21 Está encoberta aos olhos de
todo vivente,
oculta até das aves do céu.
22 A destruição e a morte dizem:
Ouvimos um rumor dela.
23 Deus entende o seu caminho
e sabe o seu lugar,
24 pois ele vê as extremidades
da terra
e vê tudo o que há debaixo
dos céus.
25 Quando estabeleceu a força
do vento
e tomou a medida das
águas,
26 quando decretou uma lei
para a chuva
e um caminho para a
tempestade
acompanhada de relâmpago
e trovões,
27 então a viu e a manifestou;
confirmou-a e também a
testou.
28 E disse ao homem:
O temor do Senhor é a
sabedoria,
e apartar-se do mal é o
entendimento.

## 29
Prosseguiu Jó em seu discurso:

2 Quem me dera ser como
fui nos meses passados,
como nos dias em que Deus
me guardava,
3 quando fazia resplandecer
a sua lâmpada sobre a minha
cabeça,
e eu com a sua luz caminhava
pelas trevas!
4 Ah! quem me dera voltar
aos dias da minha juventude,
quando a amizade de Deus
estava sobre a minha tenda,
5 quando o Todo-poderoso
ainda estava comigo
e os meus filhos em redor
de mim;
6 quando o meu caminho era
regado com leite,
e da rocha me corriam
ribeiros de azeite!
7 Quando eu saía para a porta
da cidade
e na praça preparava a
minha cadeira,
8 os moços me viam e se
retiravam,
e os idosos se punham
em pé;
9 os príncipes continham as
suas palavras
e punham a mão
sobre a boca;
10 a voz dos nobres emudecia,
e a sua língua se pegava ao
paladar.
11 Ouvindo-me algum ouvido,
tinha-me por
bem-aventurado;
vendo-me algum olho,
dava testemunho de mim,
12 porque eu livrava os pobres
que clamavam
e o órfão que não tinha
quem o socorresse.
13 A bênção do que ia
perecendo vinha sobre mim;

eu fazia rejubilar-se o coração
da viúva.
14 Cobria-me de retidão, e ela
me servia de veste;
como manto e diadema era
a minha justiça.
15 Eu era o olho do cego e os
pés do coxo.
16 Eu era pai dos necessitados;
examinava com diligência as
causas dos estrangeiros.
17 Eu quebrava os queixos
do perverso e dos seus
dentes tirava a presa.
18 Eu dizia: No meu ninho
expirarei
e multiplicarei os meus dias
como a areia.
19 A minha raiz se estenderá
até as águas,
e o orvalho ficará a noite toda
sobre os meus ramos.
20 A minha honra se renovará
em mim,
e o meu arco se reforçará na
minha mão.
21 Os homens me ouviam
com esperança,
e em silêncio aguardavam o
meu conselho.
22 Havendo eu falado, não
replicavam;
as minhas palavras caíam
suavemente sobre eles.
23 Esperavam-me como à chuva,
abriam a sua boca como à
chuva tardia.
24 Quando eu sorria para eles,
quase não acreditavam;
a luz do meu rosto lhes era
preciosa.
25 *Eu escolhia o seu caminho,*
assentava-me como chefe;
habitava como rei entre as
suas tropas,
como quem consola os que
pranteiam.

**30** Agora, porém, zombam
de mim
os de menos idade do que eu,
cujos pais eu teria
desdenhado de pôr
com os cães do meu rebanho.
2 De que me serviria a força das
suas mãos,
visto que o seu vigor já
pereceu?
3 Debilitados pela necessidade
e pela fome,
andavam vagando pelos
lugares secos,
lugares de ruínas e
desolação.
4 Apanhavam malvas junto
aos arbustos
e se sustentavam de raízes
de zimbros.
5 Do meio dos homens eram
expulsos;
gritava-se contra eles,
como se grita atrás de um
ladrão.
6 Eram forçados a habitar nos
leitos secos dos rios,
entre as rochas e nas
cavernas da terra.
7 Bramavam entre os arbustos
e se ajuntavam debaixo das
urtigas.
8 Eram filhos de doidos,
filhos de gente sem nome,
e da terra eram expulsos.
9 E agora sou a sua canção de
zombaria;
sirvo-lhes de provérbio.
10 Abominam-me, fogem para
longe de mim;
não hesitam em cuspir no
meu rosto.
11 Agora que Deus afrouxou
a corda
do meu arco e me oprimiu,
eles sacudiram de si o freio
perante o meu rosto.

12 À direita se levantam os moços; empurram os meus pés e preparam contra mim os seus caminhos de destruição.
13 Arruínam o meu caminho, promovem a minha calamidade; gente para quem não há socorro.
14 Vêm contra mim como por uma grande brecha; por entre as ruínas se precipitam.
15 Sobrevieram-me pavores; como pelo vento é varrida a minha honra; como nuvem passa a minha segurança.
16 Agora a minha alma se esvai; dias de sofrimento se apoderam de mim.
17 A noite trespassa os meus ossos; o mal que me corrói jamais descansa.
18 Em seu grande poder Deus desfigura a minha veste; ele me amarra como a gola da minha túnica.
19 Ele me lança na lama, e sou reduzido a pó e cinza.
20 Clamo a ti, ó Deus, mas não me respondes; ponho-me de pé, mas para mim não atentas.
21 Tornas-te cruel para comigo; com a força da tua mão me atacas.
22 Levantas-me sobre o vento e fazes-me cavalgá-lo; dissolves-me na tempestade.
23 Eu sei que me levarás à morte, ao lugar destinado a todos os viventes.

24 Certamente ninguém estende a mão para o homem arruinado quando clama por ajuda em sua aflição.
25 Não chorei pelos aflitos? Não se angustiou a minha alma pelos pobres?
26 Contudo, aguardando eu o bem, me sobreveio o mal; esperando eu a luz, veio a escuridão.
27 A agitação das minhas entranhas não cessa; os dias da aflição me sobrevêm.
28 Denegrido ando, mas não do sol; levanto-me na congregação e clamo por socorro.
29 Irmão me fiz dos chacais e companheiro das corujas.
30 A minha pele enegrece e cai; o meu corpo queima de febre.
31 Pelo que a minha harpa se tornou em pranto de luto, e a minha flauta em voz dos que choram.

**31** Fiz aliança com meus olhos; portanto, como os fixaria numa jovem?
2 Pois que porção tem o homem da parte de Deus lá de cima? Qual a sua herança do Todo-poderoso lá das alturas?
3 Não é a ruína para os perversos, e o desastre para os que praticam a iniquidade?
4 Não vê ele os meus caminhos, e não conta os meus passos?
5 Se andei com falsidade e se o meu pé se apressou para o engano
6 (pese-me Deus em balanças fiéis, e conhecerá a minha integridade),

## Jó 31

7 se os meus passos se desviaram do caminho,
    se o meu coração seguiu os meus olhos
    e se as minhas mãos se tornaram imundas,
8 então, semeie eu e outro coma;
    seja o produto das minhas colheitas arrancado.
9 Se o meu coração se deixou seduzir por uma mulher,
    ou se andei rondando à porta do meu próximo,
10 então, que a minha mulher moa cereal para outro,
    e outros se encurvem sobre ela.
11 Pois isso seria uma vergonha, um pecado para ser punido pelos juízes.
12 É fogo que devora até a destruição;
    desarraigaria toda a minha renda.
13 Se desprezei o direito do meu servo
    ou da minha serva, quando contendiam comigo,
14 que faria eu quando Deus se levantasse?
    E, inquirindo ele a causa, que lhe responderia?
15 Aquele que me formou no ventre,
    não fez também a meu servo?
    Ou não nos formou do mesmo modo na madre?
16 Se retive o desejo dos pobres,
    ou fiz desfalecer os olhos da viúva,
17 se sozinho comi o meu pão, sem dividi-lo com o órfão
18 (desde a minha juventude criei o órfão como se lhe fora pai
    e guiei a viúva desde o ventre da minha mãe),
19 se a alguém vi perecer por falta de roupa
    e ao necessitado falta coberta,
20 se os seus lombos não me abençoaram,
    se ele não se aquentava com a lã dos meus cordeiros,
21 se levantei a mão contra o órfão,
    sabendo ter o apoio dos juízes na porta,
22 então caia do ombro o meu braço e seja arrancado da articulação.
23 Pois a destruição vinda de Deus seria para mim um horror,
    e por causa do temor do seu resplendor
    eu não poderia fazer tais coisas.
24 Se no ouro pus a minha esperança,
    ou disse ao ouro fino: Tu és a minha segurança;
25 se me alegrei por ser grande a minha riqueza
    e por ter a minha mão alcançado muito;
26 se olhei para o sol, quando resplandecia,
    ou para a lua, quando se movia gloriosa,
27 e o meu coração se deixou enganar em oculto,
    e com a mão lhes ofereci beijos de homenagem,
28 também isto seria pecado para ser punido pelos juízes,
    pois eu teria sido infiel a Deus que está lá em cima.

29 Se me alegrei com o infortúnio
do que me tem ódio
e se exultei
quando o mal lhe sobreveio,
30 (não deixei pecar a minha boca
invocando uma maldição
sobre a sua vida),
31 se as pessoas da minha tenda não disseram:
Quem não se fartou de
carne provida por Jó?
32 O estrangeiro não passava a noite na rua,
pois as minhas portas
estavam abertas
ao viajante;
33 se, como os homens, encobri
o meu pecado,
ocultando a minha culpa no
coração,
34 porque temia a multidão,
e tinha tanto pavor do
desprezo das famílias
que me calei e não saí da
porta.
35 (Ah! quem me dera alguém
que me ouvisse!
Agora assino a minha
defesa.
Que o Todo-poderoso me
responda;
que o meu adversário escreva
a sua acusação.
36 Por certo que a levaria sobre
o meu ombro,
sobre mim a ataria como
coroa.
37 Eu lhe daria conta dos meus
passos;
como príncipe me chegaria
a ele.)
38 Se a minha terra clamar
contra mim
e se os seus sulcos se
molharem de lágrimas,
39 se comi os seus produtos
sem pagar
e quebrantei o espírito dos
seus donos,
40 por trigo me produza
espinhos, e por cevada, joio.
Acabaram-se as palavras
de Jó.

### Eliú

**32** Então aqueles três homens cessaram de responder a Jó, porque era justo aos seus próprios olhos. 2 Acendeu-se, porém, a ira de Eliú, filho de Baraquel, o buzita, da família de Rão; acendeu-se a sua ira contra Jó, porque este se justificava a si mesmo, mais do que a Deus. 3 Também a sua ira se acendeu contra os seus três amigos porque, não achando o que responder, todavia condenavam a Jó. 4 Eliú esperou para falar a Jó, pois eram mais velhos do que ele. 5 Vendo Eliú que já não havia resposta na boca daqueles três homens, a sua ira se acendeu. 6 Então disse Eliú, filho de Baraquel, o buzita:

Eu sou de menos idade,
e vós sois idosos;
tive receio e temi de vos
declarar a minha opinião.
7 Pensava eu: Falem os dias;
a multidão dos anos ensine a
sabedoria.
8 É o espírito do homem que lhe
dá entendimento;
o sopro do Todo-poderoso.
9 Não são apenas os velhos que
são sábios,
nem apenas os idosos
que entendem o que é reto.
10 Pelo que digo: Ouçam-me;
também eu declararei a
minha opinião.

11 Aguardei as vossas palavras e dei ouvidos às vossas considerações, enquanto buscáveis o que dizer.
12 Atentando para vós, nenhum de vós houve que convencesse a Jó nem que respondesse às suas palavras.
13 Por isso, não faleis: Achamos a sabedoria; que Deus o refute, não homem algum.
14 Ora, ele não dirigiu contra mim palavra alguma, nem lhe responderei com as vossas palavras.
15 Estão pasmados, já não respondem, faltam-lhes as palavras.
16 Acaso devo esperar, agora que não falam, agora que estão calados e nada mais respondem?
17 Também eu responderei pela minha parte; também eu declararei a minha opinião.
18 Pois estou cheio de palavras, e o meu espírito me constrange;
19 dentro em mim sou como o vinho sem respiradouro, como odres novos, prestes a arrebentar-se.
20 Falarei, para que encontre alívio; abrirei os lábios e responderei.
21 Não farei acepção de pessoas nem usarei de bajulação com o homem;
22 pois, se eu soubesse bajular, em breve me levaria o meu Criador.

**33** Agora, pois, ó Jó, ouve as minhas palavras; dá ouvidos a tudo o que eu disser.
2 Estou prestes a abrir a minha boca; as minhas palavras estão na ponta da minha língua.
3 As minhas palavras saem da sinceridade do meu coração; os meus lábios falam com sinceridade do que sei.
4 O Espírito de Deus me fez; o sopro do Todo-poderoso me dá vida.
5 Se podes, responde-me; prepara-te para confrontar-me.
6 Diante de Deus sou como tu; do barro também fui formado.
7 Não te perturbará o medo de mim nem será pesada sobre ti a minha mão.
8 Disseste, porém, em meus ouvidos; eu ouvi bem as tuas palavras:
9 Estou limpo, sem pecado; sou puro e livre de culpa.
10 Contudo, Deus encontrou pretextos contra mim; ele me considera seu inimigo.
11 Põe no tronco os meus pés e observa todas as minhas veredas.
12 Eu, porém, te respondo, que nisso não tens razão, pois Deus é maior do que o homem.
13 Por que razão contendes com ele, dizendo que ele não responde às palavras dos homens?

14 Pois Deus fala, ora de um modo, ora de outro,
  embora o homem possa não atentar para isso.
15 Em sonho ou em visão de noite,
  quando cai sono profundo sobre os homens,
  enquanto dormem na cama,
16 ele pode falar-lhes aos ouvidos
  e atemorizá-los com avisos,
17 para apartar o homem do seu desígnio
  e livrá-lo do seu orgulho;
18 para preservar a sua alma da cova
  e a sua vida de perecer pela espada.
19 Também na sua cama é com dores castigado,
  com incessante agonia nos seus ossos,
20 de modo que a sua vida abomina o pão;
  a sua alma, a comida preferida.
21 Desaparece a sua carne a olhos vistos,
  e os seus ossos, que não se viam,
    agora se descobrem.
22 A sua alma vai-se chegando à cova,
  e a sua vida, aos que trazem a morte.
23 Se com ele houver um anjo mediador,
  um entre milhares,
  para declarar ao homem o que lhe é justo,
24 então terá compaixão dele e lhe dirá:
  Livra-o, que não desça à cova;
  já achei resgate.
25 A sua carne se reverdece como a de uma criança;
  é restaurada como nos dias da sua juventude.
26 Ele ora a Deus, que lhe é favorável;
  vê a face de Deus e clama de júbilo;
  Deus o restaura à sua justiça.
27 Então ele vem aos homens e diz:
  Pequei e perverti o direito,
  mas não fui punido como merecia.
28 Deus livrou a minha alma de ir para a cova
  e viverei para desfrutar a luz.
29 Tudo isso é obra de Deus, duas a três vezes para com o homem,
30 para desviar a sua alma da perdição,
  para que a luz da vida brilhe sobre ele.
31 Escuta, ó Jó, e ouve-me; cala-te, e eu falarei.
32 Se tens alguma coisa que dizer, responde-me;
  fala, pois desejo justificar-te.
33 Se não, escuta-me tu; cala-te, e te ensinarei a sabedoria.

# 34
2 Ouvi, vós, sábios, as minhas palavras;
  vós, entendidos, inclinai a mim os ouvidos.
3 Pois o ouvido prova as palavras como o paladar prova a comida.
4 O que é direito escolhamos para nós;
  conheçamos entre nós o que é bom.
5 Diz Jó: Sou justo,
  e Deus tirou o meu direito.

Então disse Eliú:

6 Apesar do meu direito,
sou considerado mentiroso;
a minha ferida é incurável
embora eu esteja sem transgressão.
7 Que homem há como Jó,
que bebe a zombaria como água?
8 Anda na companhia dos que praticam a iniquidade;
caminha com os ímpios.
9 Pois diz: De nada aproveita ao homem
comprazer-se em Deus.
10 Por isso, vós homens de entendimento, escutai-me:
Longe de Deus esteja praticar impiedade,
e do Todo-poderoso praticar a iniquidade!
11 Segundo a obra do homem, ele lhe paga,
e faz a cada um segundo o seu caminho.
12 Na verdade, Deus não procede impiamente
nem o Todo-poderoso perverte o juízo.
13 Quem lhe entregou o governo da terra?
Quem lhe deu autoridade sobre todo o mundo?
14 Se Deus quisesse,
e retirasse o seu espírito e fôlego,
15 toda a carne juntamente expiraria,
e o homem voltaria ao pó.
16 Se há em ti entendimento, ouve isto;
*inclina os ouvidos à voz do meu discurso.*
17 Pode governar o que aborrece o direito?
Condenarás aquele que é justo e poderoso?
18 Não é ele que diz aos reis: Sois ímpios,
e aos príncipes: Sois perversos;
19 que não faz discriminação em favor dos príncipes
nem estima ao rico mais do que ao pobre,
pois todos são obra de suas mãos?
20 Eles num momento morrem, no meio da noite;
os povos são perturbados e passam;
os poderosos são removidos sem auxílio
de mão humana.
21 Os seus olhos estão sobre os caminhos dos homens;
ele vê a todos os seus passos.
22 Não há trevas nem sombra de morte
nas quais se escondam
os que praticam a iniquidade.
23 Deus não precisa observar por muito tempo o homem,
para o fazer ir a juízo diante dele.
24 Quebranta os fortes, sem depender de investigação,
e põe outros em seu lugar.
25 Porque conhece as suas obras,
de noite os transtorna, e ficam moídos.
26 Ele os castiga por causa da sua impiedade à vista de todos,
27 porque se desviaram dele
e não compreenderam nenhum de seus caminhos.
28 Fizeram que o clamor do pobre subisse até ele,
de sorte que ouviu o clamor dos aflitos.

29 Se, porém, permanecer quieto,
quem poderá condená-lo?
Se encobrir o rosto, quem
poderá contemplá-lo?
Contudo ele domina as
nações e os indivíduos,
30 para que o ímpio não reine
e não haja quem iluda o
povo.
31 Se alguém disser a Deus: Sou
culpado,
mas não pecarei mais.
32 O que não vejo, ensina-o tu
a mim,
se cometi maldade, nunca
mais tornarei a praticá-la.
33 Deve Deus recompensar-te
como tu queres,
se não te arrependeres?
Pois tu deves fazer a escolha,
não eu;
assim, dize-me o que sabes.
34 Os homens de entendimento
declaram,
os sábios que me ouvem
dizem-me:
35 Jó fala sem conhecimento;
às suas palavras falta
sabedoria.
36 Oxalá fosse Jó provado
até o fim por responder
como os ímpios!
37 Ao seu pecado acrescenta a
rebelião;
entre nós bate palmas com
desprezo
e multiplica contra Deus as
suas palavras.

# 35

Então disse Eliú:
2 Achas que é justo
dizeres:
Maior é a minha justiça do
que a de Deus?
3 Pois dizes: De que me
serviria ela?
Que proveito tiraria dela
mais do que do meu pecado?
4 Eu te darei resposta,
a ti e aos teus amigos
contigo.
5 Atenta para os céus e vê;
contempla as mais altas
nuvens,
que estão mais altas
do que tu.
6 Se pecas, em que isso pode
te afetar?
Se os teus pecados são
muitos, que lhe fazes?
7 Se és justo, que lhe dás,
ou que recebe ele das tuas
mãos?
8 A tua impiedade fará mal
apenas a outro homem
como tu,
e a tua justiça só aproveitará
aos filhos dos homens.
9 Por causa das muitas
opressões,
os homens clamam;
clamam por socorro por
causa do braço
dos poderosos.
10 Ninguém, porém, diz:
Onde está Deus que me fez,
que inspira cânticos durante
a noite,
11 que ensina mais a nós do
que aos animais da terra
e nos faz mais sábios do que
as aves dos céus?
12 Ele não responde quando os
homens clamam,
por causa da arrogância
dos maus.
13 Certo é que Deus não ouve a
gritos vazios;
nem atenta para eles o
Todo-poderoso.
14 Quanto menos ouvirá ele
quando dizes que não o vês,
que a tua causa está
perante ele,
e que esperas nele;

15 ainda mais, que a sua ira
jamais castiga,
   e ele não faz o mínimo caso
   da impiedade.
16 Assim Jó abre em vão
a sua boca;
   sem conhecimento
   multiplica palavras.

## 36
Continuou Eliú:
2 Espera um pouco mais;
eu te mostrarei que ainda há
argumentos a favor de Deus.
3 De longe trago o meu
conhecimento;
   ao meu Criador atribuirei a
   justiça.
4 Na verdade, as minhas
palavras não são falsas;
contigo está alguém cujo
conhecimento é perfeito.
5 Deus é muito poderoso, mas a
ninguém despreza;
   ele é poderoso e firme em
   seu propósito.
6 Não deixa viver o ímpio,
   mas faz justiça aos aflitos.
7 Dos justos não tira os seus olhos;
antes, com os reis no trono
os faz
assentar para sempre,
e assim são exaltados.
8 Se, porém, estão presos em
grilhões
   e amarrados com cordas de
   aflição,
9 ele lhes faz saber a obra e as
transgressões deles,
   porque se têm portado com
   soberba.
10 Abre-lhes os ouvidos para a
instrução
   e ordena-lhes que se
   arrependam da maldade.
11 Se o ouvirem e o servirem,
acabarão os seus dias em
prosperidade
e os seus anos em delícias.
12 Se não o ouvirem, à espada
serão traspassados
   e expirarão sem
   conhecimento.
13 Os ímpios de coração
amontoam para si a ira;
ainda quando Deus os
põe em grilhões,
não clamam por socorro.
14 Morrem na juventude
   e perecem entre os
   prostitutos dos santuários.
15 Ao aflito, porém, livra
no seu sofrimento;
   na sua aflição se revela aos
   seus ouvidos.
16 Assim também quer atrair-
-te para longe da angústia
   para um lugar espaçoso,
   em que não há aperto,
   e para as iguarias da tua
   mesa cheias de gordura.
17 Tu, porém, estás cheio de
juízo devido ao ímpio;
   o juízo e a justiça tomaram
   conta de ti.
18 Cuida para que ninguém te
seduza com riquezas;
   não permitas que o valor do
   suborno te desvie.
19 As tuas riquezas,
ou até mesmo todos os teus
grandes esforços,
te sustentariam para que não
estivesses em aperto?
20 Não suspires pela noite,
   para arrastar os povos do
   seu lugar.
21 Cuida-te, não te inclines
para a iniquidade,
   que pareces preferir à aflição.
22 Deus é exaltado em seu poder.
Quem é mestre como ele?
23 Quem lhe prescreveu o seu
caminho,
   ou quem lhe disse:
   Tu cometeste maldade?

24 Lembra-te de engrandecer
a sua obra,
que os homens têm
celebrado.
25 Toda a humanidade
a tem visto;
os homens a contemplam
de longe.
26 Quão grande é Deus, e nós
não o compreendemos!
O número dos seus anos
não se pode calcular.
27 Ele reúne as gotas das águas
e do seu vapor as destila em
chuva,
28 que as nuvens derramam
e gotejam abundantemente
sobre o homem.
29 Quem pode entender como
ele espalha as nuvens,
como troveja da sua tenda?
30 Ao redor de si estende o seu
relâmpago,
banhando as profundezas
do mar.
31 Por essas coisas governa
os povos
e lhes dá mantimento
em abundância.
32 Enche as mãos de
relâmpagos
e ordena que atinjam o alvo.
33 Seu trovão anuncia a
tempestade que se aproxima;
até o gado pressente a sua
aproximação.

# 37

Sobre isso também treme
o meu coração
e salta do seu lugar.
2 Atentamente ouvi o estrondo
da voz de Deus
e o sonido que sai da
sua boca.
3 Ele solta o seu relâmpago
por debaixo de todos
os céus,
e o envia aos confins da terra.
4 Depois disso vem o seu
bramido;
troveja com a sua voz
majestosa.
Quando a sua voz ressoa, ele
nada retém.
5 A voz de Deus troveja
maravilhosamente;
faz grandes coisas que nós
não compreendemos.
6 À neve ele diz:
Cai sobre a terra;
como também à chuva e ao
aguaceiro:
Sede copiosos.
7 Paralisa as mãos de
todo homem,
para que todos conheçam a
sua obra.
8 Os animais entram nos seus
esconderijos
e ficam nas suas cavernas.
9 Das suas recâmaras
sai o tufão,
o frio dos fortes ventos.
10 O sopro de Deus
produz a geada,
e as grandes águas são
congeladas.
11 De umidade ele carrega as
grossas nuvens;
esparge entre elas os seus
relâmpagos.
12 Então elas, segundo
o rumo que ele dá,
espalham-se em redor, sobre
a face de toda a terra,
para fazer tudo o que ele
lhes ordena.
13 Ele traz as nuvens para
punir os homens,
ou para regar a sua terra,
e mostrar o seu amor.
14 A isto, ó Jó, inclina os
teus ouvidos;
atende e considera as
maravilhas de Deus.

15 Sabes tu como Deus
controla as nuvens
   e faz resplandecer o
   relâmpago?
16 Sabes como as grossas
nuvens se equilibram,
   essas maravilhas daquele
   que é perfeito em
   conhecimento?
17 Tu, cujas roupas se aquecem
quando há calma sobre a terra
por causa do vento sul,
18 podes com ele estender
os céus,
   que são sólidos como um
   espelho fundido?
19 Ensina-nos o que lhe
diremos;
   nada podemos elaborar
   para a nossa defesa, por
   causa das trevas.
20 Alguém lhe contaria o que
tenho dito?
   Desejaria o homem ser
   devorado?
21 Ora, ninguém pode olhar
para o sol,
   que resplandece no céu,
   depois que o vento o deixou
   limpo.
22 Do norte ele vem em
esplendor de ouro;
   Deus vem em tremenda
   majestade.
23 O Todo-poderoso está além
do nosso alcance;
   ele é exaltado em poder,
   em sua justiça e grande
   retidão
   ele a ninguém oprime.
24 Por isso, os homens o temem;
*ele não respeita os sábios*
   *de coração.*

## O Senhor responde

**38** Depois disto o Senhor respondeu a Jó de um redemoinho:

2 Quem é este que escurece o
meu conselho
   com palavras sem
   conhecimento?
3 Agora cinge os teus lombos,
como homem;
   eu te perguntarei, e tu me
   responderás.
4 Onde estavas tu,
quando eu lançava os
fundamentos da terra?
Dize-me, se tens inteligência.
5 Quem lhe pôs as medidas, se é
que o sabes?
   Ou quem estendeu sobre
   ela o cordel?
6 Sobre o que estão fundadas as
suas bases?
   Quem assentou a sua pedra
   de esquina,
7 quando as estrelas da alva
juntas alegremente
cantavam,
   e todos os filhos de Deus
   rejubilavam?
8 Quem encerrou o mar
com portas,
   quando irrompeu
   e saiu da madre,
9 quando eu lhe vesti
de nuvens
   e lhe envolvi com a
   escuridão?
10 Quando fixei limites para ele,
pondo-lhe portas e
ferrolhos,
11 quando eu disse:
   Até aqui virás e não mais
   adiante;
   aqui se quebrarão as tuas
   orgulhosas ondas?
12 Já deste ordens à manhã,
ou mostraste à alva
o seu lugar,
13 para que ela agarrasse as
extremidades da terra
e sacudisse dela os ímpios?

14 A terra se transforma como
o barro sob o sinete;
suas feições sobressaem
como vestidos.
15 Aos ímpios se nega a sua luz,
e o seu braço altivo é
quebrantado.
16 Entraste nos mananciais
do mar,
ou passeaste pelas obscuras
profundezas do abismo?
17 Foram-te reveladas as portas
da morte?
Viste as portas da sombra
da morte?
18 Compreendeste a largura
da terra?
Dize-me, se sabes tudo isto.
19 Onde está o caminho para a
morada da luz?
E onde residem as trevas?
20 Podes levá-las aos seus
limites?
Conheces as veredas
da sua casa?
21 De certo tu o conheces, pois
já eras nascido
e porque grande é o número
dos teus dias!
22 Entraste nos depósitos
da neve,
ou viste os depósitos da
saraiva,
23 que eu reservo para tempos
de angústia,
para dias de peleja e de
guerra?
24 Qual é o caminho para o lugar
onde se dispersa o relâmpago,
ou o lugar onde o vento
oriental é espalhado sobre
a terra?
25 Quem abriu canais para o
aguaceiro
e um caminho para a
tempestade
com relâmpagos e trovões,
26 para chover sobre a terra,
onde não há ninguém,
e no deserto, em que não
há gente;
27 para fartar a terra deserta
e assolada
e para fazer crescer os
renovos da erva?
28 A chuva tem pai?
Quem gera as gotas do
orvalho?
29 De que ventre procede o gelo?
Quem gera a geada do céu
30 quando as águas se
endurecem como pedras,
quando a superfície das
profundezas se congela?
31 Podes atar as cadeias do
Sete-estrelo?
Podes soltar os laços do Órion?
32 Podes produzir as
constelações
a seu tempo e guiar a Ursa
com os seus filhos?
33 Sabes as ordenanças
dos céus?
Podes estabelecer o domínio
de Deus sobre a terra?
34 Podes erguer a tua voz
às nuvens
e cobrir-te com a
abundância das águas?
35 Ordenas aos relâmpagos
que saiam
e te digam: Aqui estamos?
36 Quem pôs a sabedoria
no íntimo,
ou deu entendimento
à mente?
37 Quem tem sabedoria para
numerar as nuvens?
Quem pode despejar os
odres dos céus
38 quando o pó se transforma
em massa sólida,
e os torrões se apegam uns
aos outros?

39 Caças a presa para a leoa
e satisfazes a fome dos
filhos dos leões
40 quando se agacham nos covis,
ou estão à espreita nas
covas?
41 Quem prepara aos corvos o
seu alimento,
quando os seus filhotes
gritam a Deus e
andam vagueando, por não
terem o que comer?

## 39

Sabes o tempo em que as cabras-monteses dão cria?
Observas quando as corças têm os seus filhotes?
2 Podes contar os meses que cumprem?
Sabes o tempo do seu parto?
3 Elas se encurvam e dão à luz suas crias;
as suas dores de parto terminam.
4 Seus filhos se robustecem, crescem no campo aberto;
saem e nunca mais tornam para elas.
5 Quem despediu livre o jumento selvagem?
Quem soltou as suas prisões?
6 Dei-lhe o deserto por casa e a terra salgada por morada.
7 Ri-se do tumulto da cidade; não ouve os gritos do condutor.
8 Percorre os montes procurando
pasto e anda à busca de toda erva verde.
9 *Consentirá o boi selvagem* em te servir?
Ficará de noite junto à tua manjedoura?
10 Podes prendê-lo ao arado com cordas?
Gradará ele os vales após ti?
11 Confiarás nele, por ser grande a sua força?
Deixarás a seu cargo o teu trabalho?
12 Confiarás que ele te traga o que semeaste e o recolha na tua eira?
13 Movem-se alegremente as asas da avestruz,
mas não se podem comparar com as penas da cegonha.
14 Ela põe os seus ovos na terra e deixa que ela os aqueça,
15 esquecida de que algum pé os pode esmagar,
ou de que os animais selvagens podem pisoteá-los.
16 Endurece-se para com os seus filhos,
como se não lhe pertencessem;
não se importa que o seu trabalho tenha
sido em vão,
17 pois Deus a privou de sabedoria
e não lhe deu entendimento.
18 Quando, porém, espalha as penas para correr,
ri-se do cavalo e do cavaleiro.
19 Dás força ao cavalo
ou revestes o seu pescoço de crinas?
20 Tu o fazes pular como o gafanhoto,
lançando terror com o respirar das suas ventas?
21 Escava a terra, folgando na sua força,
e sai ao encontro dos armados.
22 Ri-se do temor e não tem medo de nada;
não torna atrás por causa da espada.

23 A aljava range contra
o seu lado,
com a lança cintilante e o
dardo.
24 Tremendo e enfurecido
devora a terra;
não pode permanecer quieto
ao som da trombeta.
25 Ao soar a trombeta, ele diz:
Eia!
E de longe cheira a batalha,
o alarido dos príncipes, e o
grito de guerra.
26 Voa o gavião pela tua
inteligência,
e estende as suas asas para
o sul?
27 Remonta a águia pelo teu
mandado
e constrói no alto o seu
ninho?
28 Mora no penhasco
e aí permanece durante a
noite;
o cume das penhas é o seu
lugar seguro.
29 Dali descobre a presa;
seus olhos a avistam de
longe.
30 Seus filhos chupam sangue,
e onde há mortos, ela aí está.

# 40
Disse mais o Senhor a Jó:
2 Quem contende com o
Todo-poderoso,
o ensinará?
Quem assim argui a Deus,
responda a estas coisas.
3 Então Jó respondeu ao
Senhor:
4 Eu sou indigno; que te
responderia eu?
Ponho a mão na minha
boca.
5 Uma vez falei, mas não
replicarei;
duas vezes, porém não
prosseguirei.
6 Então o Senhor falou a Jó do
meio da tempestade:
7 Cinge agora os teus lombos
como homem;
eu te perguntarei, e tu me
responderás.
8 Farás tu vã a minha justiça?
Ou me condenarás para te
justificares?
9 Tens braço como Deus,
ou podes trovejar com voz
como a dele?
10 Então adorna-te de glória
e esplendor,
e veste-te de honra e
majestade.
11 Derrama a fúria da tua ira,
atenta para todo o soberbo
e abate-o.
12 Olha para todo soberbo e
humilha-o;
esmaga os ímpios no seu
lugar.
13 Enterra-os juntamente no pó;
ata-lhes o rosto na sepultura.
14 Então também eu de ti
confessarei
que a tua mão direita te
poderá salvar.
15 Contempla agora o
hipopótamo,
que eu criei contigo,
que come a erva como o boi.
16 A sua força está nos
seus lombos,
e o seu poder nos músculos
do seu ventre.
17 Endurece a sua cauda como
o cedro;
os nervos das suas coxas
são entretecidos.
18 Os seus ossos são como
tubos de bronze;
os seus membros, como
barras de ferro.
19 Ele é obra-prima dos
feitos de Deus;

aquele que o fez o proveu da sua espada.
20 Os montes lhe produzem pasto, onde todos os animais do campo folgam.
21 Deita-se debaixo dos lotos, oculto entre os juncos do pântano.
22 Os lotos o escondem com a sua sombra;
os salgueiros do ribeiro o cercam.
23 Quando um rio transborda, ele não se alarma;
está seguro, embora o Jordão se levante
até a sua borda.
24 Pode alguém capturá-lo pelos olhos,
ou apanhá-lo em armadilha e lhe furar o nariz?

# 41

Podes pescar com anzol o leviatã
ou ligar a sua língua com uma corda?
2 Podes pôr uma corda no seu nariz
ou furar a sua queixada com um gancho?
3 Ele te fará muitas súplicas? Ou te falará com palavras brandas?
4 Fará ele um acordo contigo, para que o tomes
por escravo para sempre?
5 Brincarás com ele, como se fora um passarinho,
ou o prenderás para tuas meninas?
6 Os teus sócios negociarão com ele?
*Ou o repartirão entre os negociantes?*
7 Podes encher-lhe a pele de arpões
ou a cabeça de lanças de pesca?

8 Se puseres a mão sobre ele, te lembrarás da peleja, e nunca mais o intentarás.
9 Toda esperança de apanhá-lo é vã;
o homem será derrubado só em vê-lo.
10 Ninguém há tão feroz que se atreva a despertá-lo.
Quem, pois, é capaz de erguer-se contra mim?
11 Quem primeiro me deu, para que eu deva retribuir-lhe?
Tudo o que está debaixo do céu é meu.
12 Não me calarei a respeito dos seus membros,
nem da sua força nem da graça da sua estrutura.
13 Quem lhe pode tirar a vestimenta externa?
Quem se aproximaria dele com um cabresto?
14 Quem ousa abrir-lhe as portas da boca?
Em roda dos seus dentes está o terror.
15 As suas costas possuem fileiras de escamas,
cada uma fechada como por um selo apertado.
16 Umas às outras se chegam tão perto
que nem o ar passa por entre elas.
17 Umas às outras se ligam, aderem entre si
e não se podem separar.
18 Cada um dos seus espirros faz resplandecer a luz;
os seus olhos são como os raios da alva.
19 Da sua boca saem tochas; faíscas de fogo saltam dela.
20 Das suas narinas procede fumaça,

como de uma panela
que ferve,
ou de juncos que ardem.
21 O seu hálito faz acender
os carvões,
e chamas lhe saltam
da boca.
22 No seu pescoço reside a força;
perante ele vai o desespero.
23 As dobras da sua carne estão
pegadas entre si;
são firmes e imóveis.
24 O seu peito é duro como
uma pedra,
duro como a pedra inferior
do moinho.
25 Levantando-se ele, tremem
os valentes;
debandam-se ante a sua
destruição.
26 A espada que o tocar
não poderá penetrar,
tampouco a lança, nem o
dardo, nem o arpão.
27 Ele trata o ferro como palha,
e o bronze como pau podre.
28 A seta não o fará fugir;
as pedras das fundas são
como palha para ele.
29 Os bastões atirados são para
ele como palha;
ri-se do brandir da lança.
30 Debaixo do seu ventre há
pontas agudas,
que deixam rastos na lama
como um instrumento de
debulhar.
31 As profundezas faz ferver
como panela;
torna o mar como caldeira
de unguento.
32 Após si deixa uma vereda
luminosa;
pode-se pensar que o
abismo se tornou branco.
33 Na terra ele não tem igual;
é uma criatura sem medo.
34 Ele olha com desprezo tudo
o que é altivo;
é rei sobre todos os
orgulhosos.

## Jó

**42** Então respondeu Jó ao Senhor:
2 Eu sei que tudo podes;
nenhum dos teus planos pode
ser impedido.
3 Quem é aquele, perguntaste,
que sem conhecimento
encobre o conselho?
Certamente falei do que
não entendia,
coisas maravilhosas demais
para mim,
e que eu não compreendia.
4 Escuta-me, disseste, e eu falarei;
eu te perguntarei,
e tu me responderás.
5 Com os ouvidos eu ouvira
falar de ti,
mas agora te veem os
meus olhos.
6 Por isso me abomino
e me arrependo no pó
e na cinza.

### Epílogo

7 Acabando o Senhor de dizer a Jó essas coisas, disse a Elifaz, o temanita: A minha ira se acendeu contra ti e contra os teus dois amigos, porque não dissestes de mim o que era reto, como o meu servo Jó. 8 Portanto, tomai sete novilhos e sete carneiros, e ide ao meu servo Jó, e oferecei holocaustos por vós. O meu servo Jó orará por vós; eu aceitarei a sua oração e não vos tratarei conforme a vossa loucura. Vós não falastes de mim o que era reto, como o meu servo Jó. 9 Então foram Elifaz, o temanita, Bildade, o suíta, e Zofar,

o naamatita, e fizeram como o Senhor lhes ordenara; e o Senhor aceitou a oração de Jó.

10 Mudou o Senhor a sorte de Jó, quando este orava pelos seus amigos; deu o Senhor a Jó o dobro de tudo o que antes possuíra.

11 Vieram a ele todos os seus irmãos e todas as suas irmãs, e todos os que antes o conheceram, e comeram com ele em sua casa, e se condoeram dele, e o consolaram de todo o mal que o Senhor lhe havia enviado; cada um lhe deu uma peça de prata e um anel de ouro.

12 Assim abençoou o Senhor o último estado de Jó mais do que o primeiro. Jó veio a ter catorze mil ovelhas, seis mil camelos, mil juntas de bois e mil jumentas.

13 Também teve sete filhos e três filhas.

14 Chamou o nome da primeira Jemima, o da outra Quezia, e o da terceira Quéren-Hapuque.

15 Em toda a terra não se acharam mulheres tão formosas como as filhas de Jó, e o seu pai lhes deu herança entre os seus irmãos.

16 Depois disso viveu Jó cento e quarenta anos; viu a seus filhos, e aos filhos de seus filhos, até a quarta geração.

17 Então morreu Jó, velho e farto de dias.

# SALMOS

## PRIMEIRO LIVRO
*(Salmos 1-41)*

**1** Bem-aventurado o homem que não anda segundo o conselho dos ímpios,
nem se detém no caminho dos pecadores
nem se assenta na roda dos zombadores.
**2** Antes tem a sua satisfação na lei do Senhor,
e na sua lei medita de dia e de noite.
**3** Será como a árvore plantada junto a correntes de águas,
que dá o seu fruto na estação própria,
e cujas folhas não caem. Tudo o que fizer prosperará.
**4** Os ímpios não são assim, mas são como a palha que o vento espalha.
**5** Pelo que os ímpios não subsistirão no juízo,
nem os pecadores na congregação dos justos.
**6** Pois o Senhor conhece o caminho dos justos,
mas o caminho dos ímpios perecerá.

**2** Por que conspiram as nações, *e os povos tramam em vão?*
**2** Os reis da terra se levantam,
e os governantes se reúnem contra o Senhor
e contra o seu Ungido, dizendo:
**3** Rompamos as suas cadeias,
e sacudamos de nós as suas algemas.
**4** Aquele que está entronizado nos céus se ri;
o Senhor zomba deles.
**5** Então lhes fala na sua ira,
e no seu furor os confunde, dizendo:
**6** Eu ungi o meu Rei sobre o meu santo monte Sião.
**7** Proclamarei o decreto do Senhor:
Ele me disse: Tu és meu Filho, eu hoje te gerei.
**8** Pede-me, e eu te darei as nações por herança,
e os fins da terra por tua propriedade.
**9** Tu os regerás com vara de ferro;
tu os despedaçarás como a um vaso de oleiro.
**10** Portanto, ó reis, sede prudentes;
deixai-vos instruir, juízes da terra.
**11** Servi ao Senhor com temor; alegrai-vos com tremor.
**12** Beijai o Filho, para que não se ire
e pereçais no vosso caminho,
pois em breve se inflamará a sua ira.
Bem-aventurados todos aqueles que nele se refugiam.

**Salmo de Davi. Quando fugia de seu filho Absalão.**

**3** Senhor, como se têm multiplicado os meus adversários!

São muitos os que se
  levantam contra mim.
2 Muitos dizem de mim:
Não há salvação para ele em
  Deus. (Selá)
3 Mas tu, Senhor, és o meu
  escudo,
a minha glória,
e o que exaltas a minha
  cabeça.
4 Com a minha voz clamo ao
  Senhor,
e ele me responde do seu
  santo monte. (Selá)
5 Eu me deito e durmo;
  acordo,
porque o Senhor me
  sustenta.
6 Não terei medo de dez
  milhares de pessoas
que se puserem contra mim
  ao meu redor.
7 Levanta-te, ó Senhor!
Salva-me, ó meu Deus!
Fere no queixo a todos os
  meus inimigos;
quebra os dentes aos
  ímpios.
8 A salvação vem do Senhor.
Sobre o teu povo seja a tua
  bênção. (Selá)

**Ao diretor de música.
Com instrumentos de corda.**

**4** Responde-me quando clamo,
ó Deus da minha retidão.
Na angústia dá-me alívio;
tem misericórdia de mim e
  ouve a minha oração.
2 Ó poderosos, até quando
  convertereis
a minha glória em vexame?
Até quando amareis a
  futilidade e buscareis a
  mentira? (Selá)
3 Sabei que o Senhor separou
  para si aquele que é piedoso;

o Senhor ouvirá quando eu
  clamar a ele.
4 Irai-vos e não pequeis;
reflitam nisso na vossa
  cama, e calai-vos. (Selá)
5 Oferecei sacrifícios justos,
e confiai no Senhor.
6 Muitos perguntam:
Quem nos mostrará o bem?
Ó Senhor, faze a luz do teu
  rosto brilhar sobre nós.
7 Puseste no meu coração
  mais alegria
do que a deles no tempo em
  que se lhes
multiplicam o seu trigo e o
  seu vinho.
8 Em paz me deitarei e
  dormirei,
pois só tu, ó Senhor,
me fazes viver em
  segurança.

**Ao diretor de música.
Para flautas. Salmo de Davi.**

**5** Dá ouvidos às minhas
palavras, ó Senhor,
atende aos meus gemidos.
2 Atende à voz do meu clamor,
Rei meu e Deus meu,
pois é a ti que oro.
3 Pela manhã, ó Senhor,
ouve a minha voz;
pela manhã apresento a ti a
  minha oração
e aguardo com esperança.
4 Tu não és um Deus
que tenha alegria na
  iniquidade;
nem contigo habitará o mal.
5 Os arrogantes não
  permanecerão na tua
  presença;
abominas a todos os que
  praticam a maldade.
6 Destróis aqueles que
  proferem a mentira;

o Senhor abomina o
traiçoeiro e assassino.
7 Eu, porém, pela grandeza
da tua misericórdia,
entrarei na tua casa;
em teu temor me inclinarei
para o teu santo templo.
8 Guia-me, ó Senhor,
na tua retidão,
por causa dos meus inimigos;
aplaina diante de mim o teu
caminho.
9 Não há fidelidade na
boca deles;
o seu coração está cheio de
destruição.
A sua garganta é um
sepulcro aberto;
com a sua língua proferem
enganos.
10 Declara-os culpados, ó Deus!
Caiam por suas próprias
tramas.
Lança-os fora por causa da
multidão dos
seus pecados,
pois se rebelaram contra ti.
11 Alegrem-se, porém,
todos os que em ti confiam;
cantem de alegria
eternamente,
porque tu os defendes.
Em ti exultem os que amam o
teu nome.
12 Pois certamente tu, ó
Senhor,
abençoas o justo;
*tu o proteges com o teu favor
como um escudo.*

**Ao diretor de música.
Com instrumentos de cordas.
Segundo seminite.
Salmo de Davi.**

**6** Ó Senhor, não me repreendas
na tua ira,
nem me castigues no teu furor.

2 Tem misericórdia de mim,
Senhor, pois sou fraco;
sara-me, ó Senhor,
pois os meus ossos estão
em agonia.
3 A minha alma está em agonia.
Até quando, ó Senhor,
até quando?
4 Volta-te, ó Senhor, livra a
minha alma;
salva-me por teu constante
amor.
5 Na morte não há lembrança
de ti.
No sepulcro, quem te
louvará?
6 Estou cansado de gemer;
toda a noite faço nadar a
minha cama no choro,
e molho o meu leito com
lágrimas.
7 Os meus olhos vão-se
consumindo pela mágoa;
têm envelhecido por causa
de todos os meus inimigos.
8 Afastai-vos de mim todos
os que praticais a
iniquidade,
pois o Senhor ouviu a voz do
meu choro.
9 O Senhor ouviu a minha
súplica por misericórdia;
o Senhor aceita a minha
oração.
10 Todos os meus inimigos
se envergonharão e se
perturbarão;
retornarão frustrados em
repentina vergonha.

**Sigaiom de Davi,
que ele cantou ao Senhor,
a respeito de Cuxe, benjamita.**

**7** Ó Senhor, meu Deus,
em ti me refugio;
salva-me de todos os que me
perseguem e livra-me,

2 para que não arrebatem
  a minha alma,
  como leão, despedaçando-a,
  sem que haja quem a livre.
3 Ó Senhor, meu Deus,
  se agi assim,
  e se há culpa nas minhas
    mãos,
4 se paguei com o mal a quem
    tinha paz comigo,
  ou sem causa despojei o
    meu inimigo,
5 então persiga o inimigo a
    minha alma e alcance-a;
  pisoteie a minha vida sobre
    a terra,
e reduza a pó a minha honra.
  (Selá)
6 Levanta-te, ó Senhor, na
    tua ira;
  levanta-te contra o furor
dos meus adversários.
  Desperta-te, ó meu Deus;
decreta a justiça.
7 Reúna-se ao redor de ti a
    assembleia dos povos.
  Governa-os das alturas;
8 julgue o Senhor os povos.
Julga-me, ó Senhor,
  conforme a minha retidão,
  e conforme a integridade que
    há em mim.
9 Tenha fim a malícia dos
    ímpios,
  mas estabeleça-se o justo.
Pois tu, ó justo Deus,
  sondas as mentes e os
    corações.
10 O meu escudo está com Deus,
  que salva os retos de coração.
11 Deus é um juiz justo,
  *um Deus que expressa* a
    sua ira todos os dias.
12 Se o homem não se converter,
Deus afiará a sua espada;
  armado e pronto está
    o seu arco.
13 Ele preparou as suas
    armas mortais;
  porá em ação as suas setas
inflamadas contra os
    perseguidores.
14 Aquele que gera a
    perversidade,
  concebe a malícia e dá à luz
    a falsidade.
15 Aquele que cava um
  buraco, e o faz fundo,
  cai na cova que faz.
16 A sua malícia recai sobre
    a sua cabeça;
  a sua violência desce sobre
    o seu crânio.
17 Eu renderei graças
  ao Senhor
  por causa da sua retidão;
cantarei louvores ao nome do
  Senhor Altíssimo.

**Ao diretor de música.
Segundo gitite. Salmo de Davi.**

8 Ó Senhor, Senhor nosso,
  quão admirável é o teu nome
  em toda a terra!
Puseste a tua glória sobre
  os céus.
2 Da boca das crianças e dos
    que mamam
  tu fizeste brotar força,
por causa dos teus adversários,
  para fazeres calar o inimigo
    e vingativo.
3 Quando vejo os teus céus,
obra dos teus dedos,
  a lua e as estrelas que
    estabeleceste,
4 pergunto: Que é o homem
    mortal
  para que te lembres dele?
E o filho do homem,
  para que com ele te
    preocupes?
5 Contudo, pouco menor do
  que os anjos o fizeste;

de glória e de honra o
coroaste.
6 Fazes com que ele tenha domínio
sobre as obras das tuas mãos;
tudo puseste debaixo de seus pés:
7 todas as ovelhas e bois,
assim como os animais do campo,
8 as aves do céu e os peixes do mar,
e tudo o que passa pelas veredas dos mares.
9 Ó Senhor, Senhor nosso,
quão admirável é o teu nome sobre toda a terra!

**Ao diretor de música.
Segundo a melodia: A morte do filho. Salmo de Davi.**

**9** Eu te louvarei, ó Senhor, de todo o meu coração;
contarei todas as tuas maravilhas.
2 Em ti me alegrarei e saltarei de prazer;
cantarei louvores ao teu nome, ó Altíssimo.
3 Os meus inimigos retrocedem;
tropeçam e perecem diante da tua face.
4 Pois tu tens sustentado o meu direito
e a minha causa;
tu te assentaste no tribunal, julgando justamente.
5 Repreendeste as nações e destruíste os ímpios;
apagaste o seu nome para sempre e eternamente.
6 Os inimigos arrasados estão,
as suas ruínas são perpétuas;
arrasaste as suas cidades;
ninguém se lembra delas.
7 O Senhor reina perpetuamente;
já preparou o seu tribunal para julgar.
8 Ele mesmo julgará o mundo com retidão;
governará os povos com justiça.
9 O Senhor é um alto refúgio para o oprimido,
uma fortaleza em tempos de angústia.
10 Em ti confiarão os que conhecem o teu nome,
pois tu, ó Senhor, nunca desamparaste os que te buscam.
11 Cantai louvores ao Senhor, que habita em Sião;
anunciai entre os povos os seus feitos.
12 Pois o que pede do sangue derramado
se lembra dele;
não se esquece do clamor dos aflitos.
13 Ó Senhor, vê como me fazem sofrer
aqueles que me aborrecem!
Tem misericórdia de mim,
e me levanta das portas da morte,
14 para que eu proclame todos os teus louvores
às portas da cidade de Sião,
e me alegre na tua salvação.
15 As nações caíram na cova que abriram;
na rede que ocultaram ficou preso o seu pé.
16 O Senhor é conhecido pela sua justiça;
enlaçado ficou o ímpio nos seus próprios feitos.
(Higaiom. Selá)
17 Os ímpios serão lançados no inferno,

Salmos 10

e todas as nações que se esquecem de Deus.
18 O necessitado, porém, não será esquecido para sempre,
nem a esperança dos pobres frustrada perpetuamente.
19 Levanta-te, ó Senhor, não prevaleça o homem;
sejam julgadas as nações perante a tua face.
20 Incute-lhes medo, ó Senhor; que as nações saibam que são constituídas
por seres mortais. (Selá)

# 10

Por que te conservas longe, ó Senhor?
Por que te escondes nos tempos de angústia?
2 Os ímpios, na sua arrogância, perseguem furiosamente o pobre.
Sejam apanhados nas ciladas que armaram.
3 O ímpio gaba-se da sua própria cobiça;
o avarento amaldiçoa e insulta o Senhor.
4 Por causa do seu orgulho, o ímpio não o busca;
não há lugar para Deus em nenhum dos seus planos.
5 Os seus caminhos são sempre prósperos;
as tuas leis estão acima dele, fora da sua vista;
trata com desprezo os seus adversários.
6 Diz em seu coração:
Não serei abalado;
nunca me alcançará a *adversidade*.
7 A sua boca está cheia de maldições,
de enganos e de ameaças;
debaixo da sua língua há malícia e maldade.
8 Põe-se de tocaia nas aldeias;
nos lugares ocultos mata o inocente,
os seus olhos espreitam o desamparado.
9 Está de emboscada como o leão no seu covil;
arma ciladas para roubar o pobre;
rouba-o colhendo-o na sua rede.
10 Encolhe-se e fica de tocaia para que os pobres caiam em suas fortes garras.
11 Diz em seu coração: Deus se esqueceu;
cobriu o seu rosto e nunca verá isto.
12 Levanta-te, Senhor!
Ó Deus, levanta a tua mão.
Não te esqueças dos necessitados.
13 Por que blasfema de Deus o ímpio,
dizendo no seu coração que tu não pedirás conta?
14 Tu o viste, pois atentas ao trabalho e à dor,
para os tomares sob as tuas mãos.
A ti se entrega o pobre;
tu és o auxílio do órfão.
15 Quebranta o braço do ímpio e do malvado;
busca a sua impiedade,
até nada mais achares dela.
16 O Senhor é rei eterno;
da sua terra serão exterminadas as nações.
17 Ó Senhor, tu ouves os desejos dos aflitos;
confortas os seus corações
e ouves o seu clamor,
18 para fazeres justiça ao órfão e ao oprimido,
a fim de que o homem, que é da terra,
não mais inspire terror.

**Ao diretor de música.
Salmo de Davi.**

# 11
No Senhor me refugio.
Como, pois, dizeis à
minha alma:
Fugi para a vossa
montanha como pássaro?
2 Pois os ímpios armam o arco;
põem as flechas na corda,
para com elas atirar,
às ocultas, aos retos de
coração.
3 Na verdade, quando já os
fundamentos
estão destruídos,
o que pode fazer o justo?
4 O Senhor está no seu
santo templo;
o trono do Senhor está
nos céus.
Os seus olhos estão atentos,
e as suas pálpebras provam
os filhos dos homens.
5 O Senhor prova o justo,
mas a sua alma odeia o ímpio
e o que ama a violência.
6 Sobre os ímpios fará chover
brasas de fogo e enxofre;
um vento escaldante será a
sua herança.
7 Pois o Senhor é justo e ama
a justiça;
o seu rosto está voltado
para os retos.

**Ao diretor de música. Segundo
seminite. Salmo de Davi.**

# 12
Salva-nos, Senhor,
pois já não há homens
piedosos;
são poucos os fiéis entre os
filhos dos homens.
2 Cada um fala com falsidade
ao seu próximo;
falam com lábios
bajuladores
e coração fingido.
3 O Senhor cortará todos os
lábios bajuladores
e a língua que fala
soberbamente.
4 Pois dizem: Com a língua
prevaleceremos;
os lábios são nossos.
Quem é senhor sobre nós?
5 Por causa da opressão
dos pobres
e do gemido dos necessitados,
eu me levantarei agora,
diz o Senhor.
Porei em segurança quem por
ela anseia.
6 As palavras do Senhor
são puras,
como prata refinada em forno
de barro,
purificada sete vezes.
7 Tu os guardarás, ó Senhor;
desta geração os livrarás
para sempre.
8 Os ímpios circulam
por toda parte,
quando o que é vil
é honrado
entre os filhos dos homens.

**Ao diretor de música.
Salmo de Davi.**

# 13
Até quando, ó Senhor?
Tu te esquecerás de mim
para sempre?
Até quando esconderás de
mim o teu rosto?
2 Até quando estarei
inquieto,
tendo tristeza no meu
coração cada dia?
Até quando se exaltará sobre
mim o meu inimigo?
3 Atenta para mim e ouve-me,
ó Senhor, meu Deus.
Ilumina-me os olhos para que
eu não durma o sono
da morte;

4 para que o meu inimigo
   não diga:
   Prevaleci contra ele;
e os meus adversários não se
   alegrem,
   vindo eu a fracassar.
5 Eu, porém, confio no teu
   constante amor;
   na tua salvação meu
   coração se alegra.
6 Cantarei ao Senhor,
   pois me tem feito muito bem.

**Ao diretor de música.
Salmo de Davi.**

**14** Diz o tolo no seu coração:
Não há Deus.
Têm-se corrompido,
   fazem-se abomináveis em
   suas obras;
não há ninguém que faça o bem.
2 O Senhor olha dos céus
para os filhos dos homens,
   para ver se há alguém que
   tenha entendimento e
   busque a Deus.
3 Desviaram-se todos e
   juntamente
   se fizeram imundos;
não há quem faça o bem, não
   há sequer um.
4 Acaso não têm conhecimento
   os malfeitores,
   que comem o meu povo
como se comessem pão
   e não invocam o Senhor?
5 Ali estão, em grande pavor,
pois Deus está no meio
   dos justos.
6 Vós, malfeitores, frustrais o
   conselho dos pobres,
   *mas o Senhor é o seu*
   refúgio.
7 Oh, que de Sião viesse a
   salvação de Israel!
   Quando o Senhor fizer
voltar os cativos do seu povo,
então se regozijará Jacó e
   se alegrará Israel.

**Salmo de Davi.**

**15** Senhor, quem habitará no
teu tabernáculo?
Quem morará no teu santo
   monte?
2 Aquele que anda em
   sinceridade
e pratica a justiça,
   que de coração fala a verdade;
3 aquele que não difama com
   a língua,
   nem faz mal ao seu próximo
nem contra ele aceita
   nenhuma afronta;
4 aquele cujos olhos rejeitam
   o desprezível,
   mas que honra os que
   temem ao Senhor;
aquele que, mesmo que jure
   com prejuízo seu,
   não muda;
5 aquele que não empresta o
   seu dinheiro
   visando ao lucro,
nem aceita suborno contra o
   inocente.
Quem faz essas coisas nunca
   será abalado.

**Mictã de Davi.**

**16** Guarda-me, ó Deus, pois
em ti me refugio.
2 A minha alma disse ao Senhor:
Tu és o meu Senhor;
   não tenho outro bem além
   de ti.
3 Quanto aos santos que
   estão na terra,
   são eles os ilustres em
   quem está todo
   o meu deleite.
4 As dores daqueles
que correm após outros
   deuses se multiplicarão.

Não oferecerei os seus
   sacrifícios de sangue,
nem tomarei os seus nomes
   nos meus lábios.
5 O Senhor é a porção da
   minha herança e do meu
   cálice;
   tu és o que garante o meu
   futuro.
6 O meu quinhão caiu em
   lugares agradáveis;
   certamente me coube uma
   bela herança.
7 Louvarei ao Senhor que me
   aconselha;
   até de noite o meu coração
   me ensina.
8 Tenho posto o Senhor
continuamente diante de mim.
   Porque ele está à minha
   direita,
não serei abalado.
9 Portanto está alegre o meu
   coração
e se regozija a minha língua;
   também a minha carne
   repousará segura,
10 porque não deixarás a
   minha alma no inferno,
   nem permitirás que o teu
   santo veja corrupção.
11 Tu me farás ver a vereda
   da vida;
   na tua presença me
   encherás de alegria,
com delícias perpétuas à tua
   direita.

**Oração de Davi.**

**17** Ouve, ó Senhor, a minha
causa justa;
atende ao meu clamor.
   Dá ouvidos à minha oração,
   que não é feita com lábios
   enganosos.
2 Saia a minha sentença de
   diante do teu rosto;
   atendam os teus olhos
   à justiça.
3 Sondaste o meu coração,
e me visitaste de noite;
   examinaste-me, e nada
   achaste.
A minha boca não transgredirá.
4 Quanto ao trato dos homens,
pela palavra dos teus lábios
   me guardei das veredas do
   destruidor.
5 Dirige os meus passos nos
   teus caminhos,
   para que os meus pés não
   vacilem.
6 Eu te invoco, ó Deus,
   pois me queres ouvir;
inclina para mim os teus
   ouvidos
   e escuta a minha oração.
7 Mostra a maravilha do teu
   amor,
tu que livras aqueles que em
   ti confiam
   dos que se levantam contra
   eles.
8 Guarda-me como à menina
   do olho;
   esconde-me à sombra das
   tuas asas,
9 dos ímpios que me oprimem,
dos meus inimigos mortais
   que me andam cercando.
10 Eles endurecem o coração;
   com a boca falam
   soberbamente.
11 Andam agora espiando os
   nossos passos;
   e fixam seus olhos em nós
para nos derrubarem por terra.
12 Parecem-se com o leão
   que deseja arrebatar a
   sua presa,
   e com o leãozinho que
   espreita escondido.
13 Levanta-te, ó Senhor,
detém-no, derruba-o;

livra a minha alma do ímpio, pela tua espada.
14 Ó Senhor, com a tua mão, livra-me dos homens mundanos,
cuja herança está nesta vida. Enche-lhes o ventre da tua ira entesourada.
Fartem-se delas os seus filhos,
e deem o que sobrar aos seus pequeninos.
15 Quanto a mim, em retidão contemplarei a tua face;
quando acordar,
eu me satisfarei com a tua semelhança.

**Ao diretor de música. De Davi, servo do Senhor. Ele cantou ao Senhor a letra deste cântico no dia em que o Senhor o livrou das mãos de todos os seus inimigos e das mãos de Saul. Ele disse:**

**18** Eu te amo, ó Senhor, força minha.
2 O Senhor é o meu rochedo, o meu lugar forte e o meu libertador;
o meu Deus, a minha fortaleza,
em quem me refugio.
Ele é o meu escudo,
a força da minha salvação, o meu baluarte.
3 Invocarei o nome do Senhor, que é digno de louvor,
e ficarei livre dos meus inimigos.
4 Cordas de morte me cercaram;
*torrentes de impiedade me* assombraram.
5 Cordas do inferno me cingiram;
laços de morte me surpreenderam.
6 Na minha angústia invoquei o Senhor;
clamei ao meu Deus.
Do seu templo ele ouviu a minha voz;
aos seus ouvidos chegou o meu clamor perante a sua face.
7 A terra se abalou e tremeu, e os fundamentos dos montes também se moveram e se abalaram;
tremeram porque ele se indignou.
8 Das suas narinas subiu fumaça;
da sua boca saiu fogo devorador,
carvões se acenderam dele.
9 Ele abaixou os céus e desceu;
a escuridão estava debaixo de seus pés.
10 Montou num querubim e voou;
voou sobre as asas do vento.
11 Fez das trevas o seu lugar oculto;
o abrigo que o cercava era a escuridão das águas
e as nuvens dos céus.
12 Ao resplendor da sua presença
as nuvens se desfizeram em granizo e raios.
13 O Senhor trovejou dos céus;
o Altíssimo levantou a sua voz.
14 Atirou as suas setas e espalhou os meus inimigos;
multiplicou os seus raios, e os derrotou.
15 Foram vistas as profundezas das águas,
e foram descobertos os fundamentos do mundo

pela tua repreensão,
ó Senhor,
ao soprar das tuas narinas.
16 Estendeu do alto as mãos e
me segurou;
tirou-me das muitas águas.
17 Livrou-me do forte
inimigo
e dos que me aborreciam,
pois eram mais poderosos
do que eu.
18 Surpreenderam-me no dia
da minha calamidade,
mas o Senhor foi o meu
amparo.
19 Trouxe-me para um lugar
espaçoso;
livrou-me, porque se
agradou de mim.
20 Recompensou-me o
Senhor
conforme a minha retidão;
retribuiu-me conforme a
pureza
das minhas mãos.
21 Pois guardei os caminhos
do Senhor;
não me apartei impiamente
do meu Deus.
22 Todas as suas leis estão
diante de mim;
não rejeitei os seus
decretos.
23 Também fui sincero
perante ele,
e me guardei da
iniquidade.
24 *Pelo que me retribuiu o
Senhor*
*conforme a minha retidão,*
*conforme a pureza de*
*minhas mãos*
*perante os seus olhos.*
25 Com o benigno te
mostrarás benigno,
e com o homem sincero te
mostrarás sincero.
26 Com o puro te mostrarás
puro,
e com o perverso te
mostrarás indomável.
27 Tu salvas os humildes,
mas abates os de olhos altivos.
28 Tu, ó Senhor, manténs
acesa a minha lâmpada;
o Senhor meu Deus
transforma as minhas
trevas em luz.
29 Com a tua ajuda passo
pelo meio dum esquadrão;
com o meu Deus posso
escalar uma muralha.
30 O caminho de Deus é
perfeito.
A palavra do Senhor é pura.
Ele é um escudo para todos
os que nele se refugiam.
31 Pois quem é Deus senão
o Senhor?
E quem é rochedo senão o
nosso Deus?
32 É Deus que me arma
de força,
e aperfeiçoa o meu caminho.
33 Faz os meus pés como os
das corças;
coloca-me em segurança
nos lugares altos.
34 Adestra as minhas mãos
para o combate;
os meus braços quebram
um arco de bronze.
35 Também me dás o escudo
da vitória,
e a tua mão direita me
sustém;
a tua clemência me
engrandece.
36 Alargas sob meus
passos o caminho,
de modo que os meus
tornozelos não vacilam.
37 Persegui os meus inimigos
e os alcancei;

não voltei senão depois de os ter destruído.

38 Massacrei-os de tal maneira
que não se puderam levantar;
caíram debaixo dos meus pés.

39 Tu me deste força para a peleja;
fizeste abater debaixo de mim aqueles que contra mim se levantaram.

40 Deste-me também o pescoço dos meus inimigos,
para que eu pudesse destruir os que me aborrecem.

41 Clamaram, mas não houve quem os livrasse;
clamaram ao Senhor, mas ele não lhes respondeu.

42 Eu os esmiucei como o pó levado pelo vento;
deitei-os fora como a lama das ruas.

43 Livraste-me dos ataques do povo;
fizeste-me cabeça das nações;
povos que não conheci me servem.

44 Em ouvindo a minha voz, me obedecem;
os estrangeiros se submetem a mim.

45 Os estrangeiros desfalecem;
tremendo, vêm das suas fortificações.

46 O Senhor vive! Bendito *seja o meu rochedo,*
e exaltado seja o Deus da minha salvação!

47 Ele é o Deus que me vinga,
que sujeita os povos debaixo de mim,

48 que me livra dos meus inimigos.
Sim, tu me exaltas sobre os que se levantam contra mim;
tu me livras do homem violento.

49 Pelo que, ó Senhor, eu te louvarei entre as nações;
cantarei louvores ao teu nome.

50 Ele dá grandes vitórias ao seu rei;
ele usa de benignidade para com o seu ungido,
com Davi e seus descendentes para sempre.

**Ao diretor de música.
Salmo de Davi.**

**19** Os céus declaram a glória de Deus;
o firmamento proclama a obra das suas mãos.

2 Um dia faz declaração a outro dia,
e uma noite mostra sabedoria a outra noite.

3 Sem linguagem, sem fala,
ouvem-se as suas vozes.

4 Em toda a extensão da terra estende-se a sua voz,
e as suas palavras até o fim do mundo.
Nos céus pôs uma tenda para o sol,

5 que é qual noivo que sai do seu aposento,
e se alegra, como um herói,
a percorrer o seu caminho.

6 Vai de uma extremidade dos céus até a outra;
nada se furta ao seu calor.

7 A lei do Senhor é perfeita, e refrigera a alma;

o testemunho do Senhor é fiel,
e dá sabedoria aos simples.
**8** Os preceitos do Senhor são
retos,
e alegram o coração;
o mandamento do Senhor
é puro,
e ilumina os olhos.
**9** O temor do Senhor é limpo,
e permanece para sempre;
as ordenanças do Senhor são
verdadeiras,
e inteiramente justas.
**10** Mais desejáveis são do que
o ouro,
sim, do que muito ouro fino;
mais doces são do que o mel,
do que o mel que goteja
dos favos.
**11** Por eles é advertido o teu
servo;
em os guardar há grande
recompensa.
**12** Quem pode entender os
próprios erros?
Absolve-me tu dos que me
são ocultos.
**13** Também da soberba
guarda o teu servo,
para que não se
assenhoreie de mim;
então serei sincero,
e ficarei limpo de grande
transgressão.
**14** Sejam agradáveis as
palavras da minha boca
e a meditação do meu coração
perante a tua presença
ó Senhor, Rocha minha e
Redentor meu!

**Ao diretor de música.
Salmo de Davi.**

**20** Que o Senhor te ouça no
dia da angústia;
e o nome do Deus de Jacó te
proteja.

**2** Envie-te socorro do seu
santuário
e te sustenha de Sião.
**3** Lembre-se de todas as tuas
ofertas,
e aceite os teus holocaustos.
(Selá)
**4** Conceda-te conforme o teu
coração
e cumpra todo o teu desígnio.
**5** Nós nos alegraremos pela
tua vitória
e em nome do nosso Deus
arvoraremos pendões.
Satisfaça o Senhor a todas as
tuas petições.
**6** Agora sei que o Senhor
salva o seu ungido;
ele o ouve do seu santo céu,
com a força salvadora da sua
destra.
**7** Uns confiam em carros e
outros em cavalos,
mas nós confiamos no nome
do Senhor,
o nosso Deus.
**8** Eles se encurvam e caem,
mas nós nos levantamos e
estamos de pé.
**9** Ó Senhor, salva o rei!
Ouça-nos quando clamarmos.

**Ao diretor de música.
Salmo de Davi.**

**21** O rei se alegra na tua
força, ó Senhor,
e na tua salvação
grandemente se regozija.
**2** Cumpriste-lhe o desejo do
seu coração
e não lhe negaste as
súplicas dos seus lábios.
(Selá)
**3** Tu o proveste das bênçãos
de bondade;
puseste-lhe na cabeça uma
coroa de ouro fino.

4 Vida te pediu, e tu lhe deste;
vida longa para sempre.
5 Grande é a sua glória pela
tua vitória;
de honra e de majestade
o revestiste.
6 Certamente o abençoaste
para sempre
e o encheste com a alegria
da tua presença.
7 Pois o rei confia no Senhor;
pelo constante amor do
Altíssimo nunca vacilará.
8 A tua mão alcançará a
todos os teus inimigos;
a tua mão direita alcançará
aqueles que te aborrecem.
9 Tu os farás como um
forno aceso,
quando te manifestares.
O Senhor os devorará na sua
indignação,
e o fogo os consumirá.
10 A sua geração destruirás
da terra,
e a sua descendência dentre
os filhos dos homens.
11 Embora intentem o mal
contra ti
e tramem perversidade,
não podem prevalecer;
12 pois tu os farás fugir,
quando para os seus rostos
apontares o teu arco.
13 Exalta-te, ó Senhor,
na tua força;
cantaremos e louvaremos o
teu poder.

**Ao diretor de música.**
**Segunda melodia:**
**Corça da manhã.**

## 22

Deus meu, Deus meu,
por que me
desamparaste?
Por que estás tão longe de me
salvar,
tão longe das palavras do
meu clamor?
2 Deus meu, eu clamo de dia,
mas tu não me ouves;
de noite, e não tenho sossego.
3 Contudo, tu és o Santo,
entronizado entre os louvores
de Israel.
4 Em ti confiaram nossos pais;
confiaram, e tu os livraste.
5 A ti clamaram e foram
salvos;
em ti confiaram,
e não foram confundidos.
6 Eu, porém, sou verme,
não homem,
vergonha dos homens e
desprezado do povo.
7 Todos os que me veem
zombam de mim;
estendem os lábios e
balançam a cabeça,
dizendo:
8 Confiou no Senhor,
que o livre.
Livre-o, já que o quer bem.
9 Contudo, tu me tiraste do
ventre;
tu me preservaste,
estando eu ainda aos seios de
minha mãe.
10 Sobre ti fui lançado desde
a madre;
tu és o meu Deus desde o
ventre de minha mãe.
11 Não te distancies de mim,
pois a angústia está perto,
e não há quem ajude.
12 Muitos touros me cercam;
fortes touros de Basã me
rodeiam.
13 Abrem contra mim a boca,
como um leão que despedaça
e que ruge.
14 Como água me derramei,
e todos os meus ossos se
desconjuntaram.

O meu coração é como cera;
derreteu-se no meu íntimo.
15 A minha força secou-se
como um caco,
e a língua se me apega ao
paladar;
tu me puseste no pó da morte.
16 Cães me rodearam;
o ajuntamento de malfeitores
me cercou,
trespassaram-me as mãos e
os pés.
17 Posso contar todos os
meus ossos;
eles veem e me
contemplam.
18 Repartem entre si as
minhas vestes
e lançam sortes sobre a
minha túnica.
19 Tu, porém, ó Senhor,
não te distancies de mim;
ó força minha, apressa-te
em socorrer-me.
20 Livra a minha alma da
espada,
a minha vida do poder do cão.
21 Salva-me da boca dos
leões;
livra-me dos chifres dos bois
selvagens.
22 Declararei o teu nome aos
meus irmãos;
eu te louvarei na
congregação.
23 Vós, que temeis ao Senhor,
louvai-o!
Todos vós, descendência de
Jacó, glorificai-o!
Temei-o, todos vós,
descendência de Israel!
24 Pois não desprezou nem
abominou
a aflição do aflito;
não escondeu dele o seu rosto,
mas, quando ele clamou, o
ouviu.

25 De ti vem o tema do meu
louvor
na grande congregação;
cumprirei os meus votos
perante os que o temem.
26 Os pobres comerão e se
fartarão;
louvarão o Senhor os que o
buscam.
Viva para sempre o vosso
coração!
27 Todos os confins da terra
se lembrarão
e se converterão ao Senhor;
todas as famílias das nações
adorarão perante ele,
28 pois o reino é do Senhor,
e ele domina entre as nações.
29 Todos os poderosos da terra
comerão e adorarão;
todos os que descem ao pó
se prostrarão perante ele,
como também os que não
podem reter
a própria vida.
30 A posteridade o servirá;
falará do Senhor às gerações
futuras.
31 Proclamarão a sua retidão
ao povo
que ainda há de nascer, pois
ele o fez.

**Salmo de Davi.**

**23** O Senhor é o meu pastor;
nada me faltará.
2 Deitar-me faz em verdes
pastos,
conduz-me mansamente a
águas tranquilas,
3 refrigera a minha alma.
Guia-me pelas veredas da
justiça,
por amor do seu nome.
4 Ainda que eu andasse
pelo vale da sombra da morte,
não temeria mal algum,

porque tu estás comigo;
   a tua vara e o teu cajado me
      consolam.
5 Preparas uma mesa
      perante mim
   na presença dos meus
      inimigos.
Unges a minha cabeça
   com óleo;
   o meu cálice transborda.
6 Certamente que a bondade
   e o amor me seguirão
   todos os dias da minha vida,
e habitarei na casa do Senhor
   para sempre.

**Um salmo de Davi.**

**24** Do Senhor é a terra e a sua plenitude,
   o mundo e todos os que nele
      habitam;
2 pois ele a fundou sobre
      os mares
   e a firmou sobre as águas.
3 Quem subirá ao monte do
      Senhor?
   Quem estará no seu lugar
      santo?
4 Aquele que é limpo de mãos
   e puro de coração,
   que não entrega a sua alma
      à vaidade,
nem jura enganosamente.
5 Este receberá do Senhor a
      bênção
   e a justiça do Deus da sua
      salvação.
6 Tal é a geração daqueles
      que o buscam,
daqueles que buscam a tua
      face, ó Deus de Jacó.
      (Selá)
7 Levantai, ó portas, as
      vossas cabeças;
   levantai-vos, ó entradas
      eternas,
e entrará o Rei da Glória.

8 Quem é esse Rei da Glória?
O Senhor forte e poderoso,
   o Senhor poderoso na
      guerra.
9 Levantai, ó portas, as
      vossas cabeças;
   levantai-vos, ó entradas
      eternas,
   e entrará o Rei da Glória.
10 Quem é esse Rei da Glória?
O Senhor dos Exércitos,
   ele é o Rei da Glória. (Selá)

**De Davi.**

**25** A ti, Senhor, elevo a minha alma.
2 Deus meu, em ti confio;
não deixes que eu seja
      envergonhado,
   nem deixes que triunfem
      sobre mim os meus
      inimigos.
3 Na verdade, não serão
      envergonhados
   os que esperam em ti,
mas envergonhados ficarão
   os que procedem
      traiçoeiramente sem causa.
4 Faze-me saber os teus
      caminhos, ó Senhor;
   ensina-me as tuas veredas.
5 Guia-me na tua verdade, e
      ensina-me,
   pois tu és o Deus da minha
      salvação,
e por ti espero o dia todo.
6 Lembra-te, ó Senhor,
da tua grande misericórdia
      e amor,
   pois são desde a eternidade.
7 Não te lembres dos pecados
      da minha mocidade,
   nem das minhas
      transgressões;
segundo o teu amor,
   lembra-te de mim,
por tua bondade, ó Senhor.

**8** Bom e reto é o Senhor;
portanto ele ensina o
caminho aos pecadores.
**9** Guia os humildes no que
é reto
e lhes ensina o seu caminho.
**10** Todos os caminhos do
Senhor são amorosos
e fiéis para aqueles que
guardam a sua aliança e os
seus testemunhos.
**11** Por amor do teu nome, ó
Senhor,
perdoa a minha iniquidade,
pois é grande.
**12** Qual é o homem que teme
ao Senhor?
Este lhe ensinará o
caminho que deve
escolher.
**13** A sua alma repousará na
prosperidade,
e a sua descendência
herdará a terra.
**14** O segredo do Senhor é
para os que o temem;
ele lhes fará saber a sua
aliança.
**15** Os meus olhos estão postos
continuamente no Senhor,
pois ele tirará os meus pés
da rede.
**16** Olha para mim e tem
piedade de mim,
pois estou solitário e aflito.
**17** As ânsias do meu coração
têm-se multiplicado;
tira-me dos meus apertos.
**18** Olha para a minha aflição
e para a minha dor,
e perdoa todos os meus
pecados.
**19** Olha para os meus
inimigos,
pois vão-se multiplicando
e me aborrecem com
ódio cruel.
**20** Guarda a minha alma
e livra-me;
não me deixes
decepcionado,
pois me refugio em ti.
**21** Guardem-me a integridade
e a retidão,
porque espero em ti.
**22** Redime, ó Deus,
a Israel de todas as suas
angústias.

### De Davi.

**26** Julga-me, ó Senhor,
pois tenho andado na
minha integridade;
tenho confiado também
no Senhor
sem vacilar.
**2** Examina-me, ó Senhor,
e prova-me, sonda-me a
mente e o coração;
**3** pois o teu amor
está sempre diante dos
meus olhos,
e tenho andado na tua
verdade.
**4** Não me assento com
homens falsos,
nem me associo com os
hipócritas.
**5** Aborreço a congregação de
malfeitores;
recuso-me a assentar-me
com os ímpios.
**6** Lavo as mãos na
inocência,
e assim ando, ó Senhor,
próximo ao teu altar,
**7** proclamando em voz alta o
teu louvor
e falando de todas as tuas
maravilhas.
**8** Senhor, eu amo a habitação
da tua casa
e o lugar onde permanece a
tua glória.

9 Não me dês o destino
dos pecadores,
nem o fim dos homens
sanguinários,
10 em cujas mãos há
malefício,
e cuja destra está cheia de
subornos.
11 Eu, porém, ando na minha
integridade;
livra-me e tem compaixão
de mim.
12 O meu pé está firme em
terreno plano;
na grande congregação
eu louvarei o Senhor.

**De Davi.**

**27** O Senhor é a minha luz e
a minha salvação;
a quem temerei?
O Senhor é a força da
minha vida;
de quem me recearei?
2 Quando os malvados,
meus adversários e meus
inimigos,
avançam contra mim,
para comerem as minhas carnes,
tropeçam e caem.
3 Ainda que um exército me
cerque,
o meu coração não temerá;
ainda que a guerra se levante
contra mim,
nele confiarei.
4 Uma coisa pedi ao Senhor, e
a buscarei:
que possa morar na casa do
Senhor
todos os dias da minha vida,
para contemplar a
formosura do Senhor
e aprender no seu templo.
5 Pois no dia da adversidade
ele me esconderá no seu
pavilhão;
no oculto do seu tabernáculo
me esconderá
e me colocará sobre uma rocha.
6 Então triunfarei sobre os
meus inimigos
que estão ao redor de mim;
pelo que oferecerei sacrifício
de júbilo
no seu tabernáculo;
cantarei, sim, cantarei
louvores ao Senhor.
7 Ouve, ó Senhor,
a minha voz
quando clamo;
tem compaixão de mim e
responde-me.
8 Quando disseste: Buscai o
meu rosto;
o meu coração te disse:
O teu rosto, Senhor, buscarei.
9 Não escondas de mim
a tua face;
não rejeites o teu servo
com ira;
tu és a minha ajuda.
Não me deixes nem me
desampares,
ó Deus da minha salvação.
10 Ainda que meu pai e
minha mãe
me desamparassem,
o Senhor me recolheria.
11 Ensina-me, ó Senhor, o teu
caminho;
guia-me pela vereda direita,
por causa dos que me andam
espiando.
12 Não me entregues à
vontade
dos meus adversários,
pois contra mim
se levantaram falsas
testemunhas,
respirando violência.
13 Creio que ainda verei
a bondade do Senhor
na terra dos viventes.

14 Espera no Senhor.
Sê forte! Anima-te!
Espera no Senhor.

### De Davi.

**28** A ti clamo, ó Senhor,
Rocha minha;
não emudeças para comigo.
  Pois, se te calares a meu
    respeito,
serei semelhante aos que
  descem à cova.
2 Ouve a voz das minhas
  súplicas
  quando a ti clamar,
quando levantar as
  minhas mãos
  para o teu santo templo.
3 Não me arrastes com os
  ímpios
e com os que praticam a
  iniquidade,
que falam de paz ao seu
  próximo,
mas têm o mal no seu
  coração.
4 Retribui-lhes segundo as
  suas obras
e segundo a malícia dos
  seus esforços;
retribuí-lhes conforme a obra
  das suas mãos
e envia-lhes a sua
  recompensa.
5 Visto que não atentam para
  as obras do Senhor,
nem para o que as suas
  *mãos têm feito*,
ele os derrubará e não os
  reedificará.
6 Bendito seja o Senhor,
  pois ouviu a voz das minhas
    súplicas.
7 O Senhor é a minha força e
  o meu escudo;
nele confiou o meu coração,
  e fui socorrido.

O meu coração salta
  de alegria;
com o meu canto o louvarei.
8 O Senhor é a força
  do seu povo,
a fortaleza salvadora do seu
  ungido.
9 Salva o teu povo e abençoa
  a tua herança;
apascenta-os e exalta-os
  para sempre.

### Salmo de Davi.

**29** Dai ao Senhor, ó filhos dos
poderosos,
dai ao Senhor glória e força.
2 Dai ao Senhor a glória
  devida ao seu nome;
  adorai o Senhor na beleza
  da sua santidade.
3 A voz do Senhor ouve-se
  sobre as águas;
  o Deus da glória troveja,
  o Senhor está sobre as muitas
  águas.
4 A voz do Senhor é poderosa;
  a voz do Senhor é cheia de
  majestade.
5 A voz do Senhor quebra
  os cedros;
  o Senhor quebra os cedros
  do Líbano.
6 Ele faz o Líbano saltar
  como um bezerro,
  e a Siriom como um filhote
  de boi selvagem.
7 A voz do Senhor separa as
  labaredas do fogo.
8 A voz do Senhor faz tremer
  o deserto;
  o Senhor faz tremer o
  deserto de Cades.
9 A voz do Senhor faz parir
  as corças,
  e despe as florestas.
E no seu templo todos dizem:
  Glória!

10 O Senhor se assentou
 sobre o Dilúvio;
o Senhor se assenta como rei,
 perpetuamente.
11 O Senhor dá força ao
 seu povo;
o Senhor abençoa o seu
 povo com paz.

**Salmo. Cântico. Para a dedicação do templo. De Davi.**

**30** Eu te exaltarei, ó Senhor,
 pois tu me
levantaste e não permitiste
 que os meus inimigos
 se alegrassem sobre mim.
2 Senhor, meu Deus, clamei a
 ti por socorro,
 e tu me curaste.
3 Senhor, fizeste subir a
 minha alma da sepultura;
 conservaste-me a vida para
 que não descesse à cova.
4 Cantai ao Senhor, vós que
 sois seus santos;
 louvai o seu santo nome.
5 Pois a sua ira dura só um
 momento,
mas no seu favor está a vida;
o choro pode durar uma noite,
 mas a alegria vem pela
 manhã.
6 Eu dizia na minha
 prosperidade:
 Jamais serei abalado.
7 Tu, ó Senhor, pelo teu favor
 fizeste permanecer forte a
 minha montanha;
mas, quando encobriste o teu
 rosto,
 fiquei perturbado.
8 A ti, Senhor, clamei;
ao Senhor supliquei.
9 Que proveito haverá se eu
 descer à cova?
 Acaso te louvará o pó?
Anunciará ele a tua verdade?
10 Ouve, ó Senhor, e tem
 piedade de mim!
O Senhor, sê o meu auxílio.
11 Tornaste o meu pranto
 em dança;
 tiraste o meu lamento e me
 cingiste de alegria,
12 para que a minha alma te
 cante louvores,
 e não se cale.
Senhor, Deus meu,
 eu te louvarei para sempre.

**Ao diretor de música. Salmo de Davi.**

**31** Em ti, ó Senhor, me refugio;
 nunca seja eu
 envergonhado;
 livra-me pela tua retidão.
2 Inclina para mim os teus
 ouvidos,
 livra-me depressa;
sê a minha firme rocha,
 uma casa fortíssima que
 me salve.
3 Visto que tu és a minha rocha
 e a minha fortaleza,
por amor do teu nome,
 guia-me e encaminha-me.
4 Tira-me do laço que me
 armaram,
 pois tu és a minha força.
5 Nas tuas mãos encomendo
 o meu espírito;
 tu me remiste, ó Senhor,
Deus da verdade.
6 Odeio aqueles que se
 entregam a ídolos inúteis;
 eu confio no Senhor.
7 Eu me alegrarei e
 regozijarei no teu amor,
 pois consideraste a minha
 aflição
e conheceste as angústias da
 minha alma.
8 Não me entregaste nas
 mãos do inimigo,

mas puseste os meus pés
    num lugar espaçoso.
9 Tem misericórdia de mim,
ó Senhor, pois estou angustiado;
consumidos de tristeza estão
    os meus olhos,
    a minha alma e o meu
    corpo.
10 A minha vida está gasta de
    tristeza,
    e os meus anos de suspiros;
a minha força esgota-se
    por causa da minha
    iniquidade,
e os meus ossos se
    consomem.
11 Por causa de todos os
    meus inimigos,
    fui a vergonha dos meus
    vizinhos
e um horror para os meus
    conhecidos;
    os que me viam na rua
    fugiam de mim.
12 Estou esquecido no
    coração deles,
    como um morto;
sou como um vaso quebrado.
13 Pois ouço a murmuração
    de muitos,
    há terror por todos os
    lados;
conspiram contra mim
    e intentam tirar-me a vida.
14 Eu, porém, confio em ti, ó
    Senhor; digo:
    Tu és o meu Deus.
15 *Os meus dias estão nas
    tuas mãos;*
livra-me das mãos dos meus
    inimigos
    e dos que me perseguem.
16 Faze resplandecer
    o teu rosto
sobre o teu servo;
    salva-me por teu constante
    amor.

17 Não deixes que eu seja
    humilhado,
ó Senhor,
    pois te tenho invocado;
deixa humilhados
    os ímpios,
    e calados fiquem
    na sepultura.
18 Emudeçam os lábios
    mentirosos
    que dizem coisas más
    com arrogância
e desprezo contra o justo.
19 Oh! quão grande é a tua
    bondade,
    que guardaste para os que
    te temem,
e que mostraste àqueles que
    em ti confiam,
    na presença dos filhos dos
    homens!
20 Tu os esconderás, no
    secreto da tua presença,
    das intrigas dos homens;
na tua habitação
    os ocultarás das
    línguas acusadoras.
21 Bendito seja o Senhor,
pois mostrou o seu
    maravilhoso amor
    para comigo numa cidade
    sitiada.
22 Dizia eu na minha pressa:
Estou cortado de diante dos
    teus olhos;
    não obstante, tu ouviste a
    voz das minhas súplicas,
    quando eu a ti clamei.
23 Amai o Senhor, vós todos
    que sois seus santos!
    O Senhor guarda os fiéis
e retribui com abundância
    aos soberbos.
24 Esforçai-vos; e fortaleça-se
    o vosso coração,
    vós todos os que esperais
    no Senhor.

## Um masquil de Davi.

**32** Bem-aventurado aquele cuja transgressão é perdoada, e cujo pecado é coberto.
2 Bem-aventurado o homem a quem o Senhor não atribui pecado, e em quem não há engano.
3 Enquanto me calei, envelheceram os meus ossos pelo meu bramido o dia todo.
4 Pois de dia e de noite a tua mão pesava sobre mim; o meu vigor se esgotou como em tempo de seca. (Selá)
5 Confessei-te o meu pecado, e a minha maldade não encobri.
Disse: Confessarei ao Senhor as minhas transgressões; e tu, Senhor, perdoaste a culpa do meu pecado. (Selá)
6 Pelo que todo aquele que é fiel orará a ti a tempo de te poder achar; até quando transbordarem as muitas águas, elas não o atingirão.
7 Tu és o lugar em que me escondo; tu me preservas da angústia e me cercas com alegres cantos de livramento. (Selá)
8 Eu te instruirei e te ensinarei o caminho que deves seguir; eu te guiarei com os *meus olhos*.
9 Não sejais como o cavalo ou a mula, que não têm entendimento, cuja boca precisa de cabresto e freio, caso contrário não se sujeitam a ti.
10 Muitas são as dores do ímpio, mas o constante amor do Senhor protegerá aquele que nele confia.
11 Alegrai-vos no Senhor, e regozijai-vos, vós, os justos; cantai alegremente todos vós que sois retos de coração.

**33** Regozijai-vos no Senhor, vós, os justos; aos retos convém o louvor.
2 Louvai ao Senhor com a harpa; cantai a ele com o saltério de dez cordas.
3 Cantai-lhe um cântico novo; tocai bem e com júbilo.
4 Pois a palavra do Senhor é reta e verdadeira; todas as suas obras são fiéis.
5 O Senhor ama a retidão e a justiça; a terra está cheia do seu constante amor.
6 Pela palavra do Senhor foram feitos os céus, e todo o exército deles pelo sopro da sua boca.
7 Ele ajunta as águas do mar como num montão; põe os abismos em depósitos.
8 Tema toda a terra ao Senhor; temam-no todos os moradores do mundo.
9 Pois ele falou, e tudo se fez; mandou, e logo tudo apareceu.
10 O Senhor desfaz o conselho das nações; quebranta os intentos dos povos.

11 O conselho do Senhor,
porém,
permanece para sempre,
e os intentos do seu coração
de geração
em geração.
12 Bem-aventurada é a nação
cujo Deus é o Senhor,
e o povo que ele escolheu
para sua herança.
13 O Senhor olha desde os céus
e vê todos os filhos dos
homens;
14 da sua morada contempla
todos os moradores da terra,
15 ele que forma o coração de
todos eles,
que contempla todas as
suas obras.
16 Não há rei que se salve
com a grandeza de um
exército;
não há valente que se livre
pela muita força.
17 O cavalo é vão para a
segurança;
não livra a ninguém com a
sua grande força.
18 Os olhos do Senhor, porém,
estão sobre os que o temem;
sobre os que esperam no seu
constante amor,
19 para livrá-los da morte e
para os conservar vivos
na fome.
20 A nossa alma espera no
Senhor;
ele é o nosso auxílio e o
nosso escudo.
21 Nele se alegra o nosso
coração,
pois confiamos no seu santo
nome.
22 Seja o teu constante amor,
ó Senhor, sobre nós;
assim como a nossa
esperança está em ti.

De Davi. Quando se fingiu de
doido na presença de Abimeleque,
que o expulsou, e ele partiu

## 34

Louvarei ao Senhor em
todo o tempo;
o seu louvor estará
continuamente
na minha boca.
2 A minha alma se gloriará
no Senhor;
os aflitos o ouvirão e se
alegrarão.
3 Engrandecei ao Senhor
comigo;
juntos exaltemos o seu nome.
4 Busquei ao Senhor, e ele me
respondeu;
livrou-me de todos os meus
temores.
5 Olhai para ele, e sede
iluminados;
os vossos rostos não ficarão
decepcionados.
6 Clamou este pobre, e o
Senhor o ouviu;
salvou-o de todas as suas
angústias.
7 O anjo do Senhor acampa-se
ao redor dos que o temem, e
os livra.
8 Provai e vede que o Senhor
é bom;
bem-aventurado o homem
que nele se refugia.
9 Temei ao Senhor, vós, os
seus santos,
pois não têm falta alguma
aqueles
que o temem.
10 Os filhos dos leões
necessitam e sofrem fome,
mas aqueles que buscam
ao Senhor
de nada têm falta.
11 Vinde, meninos, ouvi-me;
eu vos ensinarei o temor do
Senhor.

12 Quem é o homem que ama
a sua vida,
que deseja viver muito para
ver o bem?
13 Guarda a tua língua do mal,
e os teus lábios de falarem
enganosamente.
14 Aparta-te do mal e faze o bem;
procura a paz e segue-a.
15 Os olhos do Senhor estão
sobre os justos,
e os seus ouvidos estão
atentos ao seu clamor.
16 A face do Senhor
está contra os que fazem o
mal,
para apagar da terra a
memória deles.
17 Os justos clamam,
e o Senhor os ouve;
livra-os de todas as suas
angústias.
18 Perto está o Senhor dos
que têm o coração
quebrantado;
ele salva os contritos de
espírito.
19 Muitas são as aflições
do justo,
mas o Senhor o livra de todas.
20 Ele lhe preserva todos os
seus ossos;
nenhum deles será
quebrado.
21 A malícia matará o ímpio;
os que aborrecem o justo
serão punidos.
22 O Senhor resgata a vida
dos seus servos;
nenhum dos que nele
confiam
*será condenado.*

**De Davi.**

**35** Pleiteia, ó Senhor,
com aqueles que
pleiteiam comigo;
peleja contra os que
pelejam contra mim.
2 Pega os escudos, o pequeno
e o grande;
levanta-te para me
socorrer.
3 Empunha a lança
e obstrui o caminho dos que
me perseguem;
dize à minha alma:
Eu sou a tua salvação.
4 Sejam humilhados e
envergonhados
os que buscam a minha vida;
voltem atrás e
envergonhem-se
os que contra mim tramam
o mal.
5 Sejam como a palha diante
do vento,
o anjo do Senhor os faça
fugir.
6 Seja o seu caminho
tenebroso e escorregadio,
e o anjo do Senhor os
persiga.
7 Visto que sem causa
me armaram ocultamente
laços,
e sem razão fizeram uma cova
para a minha alma,
8 sobrevenha-lhes destruição
repentina;
prendam-nos a rede que
ocultaram,
e caiam eles nessa mesma
destruição.
9 Então a minha alma se
alegrará no Senhor
e se alegrará na sua
salvação.
10 Todos os meus ossos dirão:
Senhor, quem é como tu?
Tu livras o pobre daquele
que é mais forte do que ele,
o pobre e o necessitado
daquele que o rouba.

11 Falsas testemunhas se levantam;
depõem contra mim coisas que eu não sei.
12 Tornam-me o mal pelo bem, e roubam a minha alma.
13 Contudo, quando estavam enfermos,
as minhas vestes eram o pano de saco,
e humilhava a minha alma com o jejum.
Quando a minha oração não era respondida,
14 andei enlutado como se fosse
por um irmão ou um amigo.
Curvei a cabeça, de pesar, como quem chora por sua mãe.
15 Quando, porém, eu tropecei,
eles se reuniram com alegria;
os homens miseráveis se congregaram contra mim,
e eu não o sabia.
Dilaceraram-me sem tréguas.
16 Como hipócritas zombadores nas festas,
rangeram os dentes contra mim.
17 Senhor, até quando verás isso?
Livra-me das suas violências, livra a minha vida desses leões.
18 Eu te louvarei na grande assembleia;
entre muitíssimo povo te celebrarei.
19 Não se alegrem de mim os meus inimigos sem razão;
não pisquem os olhos aqueles
que me aborrecem sem causa.
20 Não falam de paz, mas tramam enganos
contra os pacíficos da terra.
21 Escancaram a boca contra mim e dizem:
Ah! Ah! os nossos próprios olhos o viram.
22 Tu, Senhor, o viste; não te cales.
Senhor, não te afastes de mim.
23 Acorda e desperta para o meu julgamento,
para a minha causa, Deus meu e Senhor meu.
24 Julga-me segundo a tua retidão,
ó Senhor Deus meu;
não deixes que se regozijem sobre mim.
25 Não digam em seus corações: Agora sim! Cumpriu-se o nosso desejo!
Não digam: Nós o devoramos.
26 Envergonhem-se e frustrem-se todos
os que se alegram com o meu mal;
vistam-se de vergonha e de confusão
todos os que se engrandecem contra mim.
27 Cantem e alegrem-se os que amam a minha justiça;
digam continuamente:
O Senhor, que se deleita na prosperidade do seu servo, seja engrandecido.
28 A minha língua falará da tua retidão
e do teu louvor o dia todo.

**Ao diretor de música.
Salmo de Davi, servo do Senhor.**

**36** A transgressão fala ao ímpio no íntimo do seu coração:
Não há temor de Deus perante os seus olhos.

2 Pois ele se julga tão importante
e diz que a sua iniquidade
não há de ser descoberta nem detestada.
3 As palavras da sua boca são malícia e engano;
deixou de entender e de fazer o bem.
4 Maquina o mal na sua cama;
detém-se em caminho que não é bom e não odeia o mal.
5 O teu amor, ó Senhor, alcança os céus,
e a tua fidelidade chega até as nuvens.
6 A tua retidão é como as grandes montanhas,
e a tua justiça como um grande abismo.
Ó Senhor, tu preservas os homens e os animais.
7 Quão precioso é, ó Deus, o teu constante amor!
Os filhos dos homens se refugiam à sombra das tuas asas.
8 Eles se fartam da gordura da tua casa;
tu lhes dá de beber da corrente das tuas delícias.
9 Pois em ti está o manancial da vida;
na tua luz veremos a luz.
10 Estende o teu amor aos que te conhecem,
a tua retidão, aos retos de coração.
11 Que eu não seja pisoteado pelos soberbos,
e que não me faça recuar a mão dos ímpios.
12 Caídos estão os que praticam a iniquidade;
estão derrubados, não se podem levantar.

### De Davi.

**37** Não te indignes por causa dos malfeitores,
nem tenhas inveja dos que praticam a iniquidade;
2 pois cedo serão ceifados como a erva,
murcharão como a verdura.
3 Confia no Senhor e faze o bem;
habita na terra e vive tranquilo.
4 Deleita-te no Senhor,
e ele te concederá os desejos do teu coração.
5 Entrega o teu caminho ao Senhor;
confia nele, e ele tudo fará.
6 Fará sobressair a tua retidão como a luz,
e a tua justiça como o meio-dia.
7 Descansa no Senhor e espera nele;
não te indignes por causa daquele que prospera em seu caminho,
por causa do homem que executa astutos intentos.
8 Deixa a ira e abandona o furor;
não te indignes para fazer o mal.
9 Pois os malfeitores serão exterminados,
mas aqueles que esperam no Senhor herdarão a terra.
10 Ainda um pouco, e o ímpio não existirá;
olharás para o seu lugar, e não aparecerá.
11 Os mansos, porém, herdarão a terra,
e se deleitarão na abundância de paz.
12 O ímpio maquina contra o justo e contra ele range os dentes;

**13** mas o Senhor se ri dele,
pois vê que vem chegando
o seu dia.
**14** Os ímpios puxam da
espada e preparam o arco,
para derrubar o pobre e
necessitado
e matar os de reto caminho.
**15** A sua espada, porém, lhes
entrará no coração,
e os seus arcos se quebrarão.
**16** Vale mais o pouco que tem
o justo
do que as riquezas de
muitos ímpios.
**17** Pois os braços dos ímpios
se quebrarão,
mas o Senhor sustém os
justos.
**18** O Senhor conhece os dias
dos retos,
e a sua herança
permanecerá para
sempre.
**19** Não ficarão decepcionados
nos dias maus;
nos dias de fome se fartarão.
**20** Os ímpios, porém,
perecerão,
e os inimigos do Senhor
serão como a gordura dos
cordeiros;
desaparecerão, e em fumaça
se desfarão.
**21** O ímpio toma emprestado
e não paga,
mas o justo se compadece
e dá;
**22** aqueles que ele abençoa
herdarão a terra,
e aqueles que forem por ele
amaldiçoados
serão exterminados.
**23** Os passos do homem bom
são confirmados pelo
Senhor,
e ele se deleita no seu caminho.
**24** Ainda que caia, não ficará
prostrado,
pois o Senhor o sustém
com a sua mão.
**25** Fui moço, e agora
sou velho;
contudo, nunca vi
desamparado o justo,
nem a sua descendência a
mendigar o pão.
**26** Compadece-se sempre e
empresta;
a sua descendência será
abençoada.
**27** Aparta-te do mal
e faze o bem;
então terás morada par
sempre.
**28** Pois o Senhor ama os
justos
e não desampara os seus
santos.
Eles serão preservados para
sempre,
mas a descendência dos
ímpios será exterminada;
**29** os justos herdarão a terra
e habitarão nela para sempre.
**30** A boca do justo profere
sabedoria,
e a sua língua fala do
que é reto.
**31** A lei do seu Deus está em
seu coração;
os seus passos não vacilam.
**32** O ímpio espreita o justo
e procura matá-lo;
**33** mas o Senhor não o
deixará em suas mãos,
nem o condenará quando
for julgado.
**34** Espera no Senhor e
guarda o seu caminho.
Ele te exaltará para
herdares a terra;
tu verás quando os ímpios
forem exterminados.

35 Vi o ímpio, cheio de prepotência,
a espalhar-se como a árvore verde na terra natal,
36 mas logo passou e já não é;
procurei-o, mas não se pôde encontrar.
37 Nota o homem sincero e considera o que é reto;
o futuro desse homem será de paz.
38 Todos os transgressores, porém, serão destruídos;
a posteridade dos ímpios perecerá.
39 A salvação dos justos vem do Senhor;
ele é a sua fortaleza no tempo da angústia.
40 O Senhor os ajuda e os livra;
ele os livra dos ímpios e os salva, porque nele se refugiam.

**Salmo de Davi. Uma petição.**

**38** Ó Senhor, não me repreendas na tua ira,
nem me castigues no teu furor.
2 Pois as tuas flechas se cravaram em mim
e a tua mão sobre mim desceu.
3 Não há coisa sã na minha carne, por causa da tua cólera;
nem há paz em meus ossos, por causa do meu pecado.
4 As minhas iniquidades já ultrapassam a minha cabeça,
como carga pesada
são demais para as minhas forças.
5 As minhas chagas cheiram mal,
e estão purulentas, por causa da minha loucura.
6 Estou encurvado e muito abatido;
ando lamentando o dia todo.
7 O meu corpo está cheio de dores;
não há coisa sã na minha carne.
8 Estou fraco e totalmente esmagado;
dou gemidos por causa da angústia
do meu coração.
9 Senhor, diante de ti está todo o meu desejo;
o meu gemido não te é oculto.
10 O meu coração está agitado, a minha força me falta;
até a luz dos meus olhos me deixou.
11 Os meus amigos e os meus companheiros me evitam,
por causa da minha chaga;
os meus parentes põem-se a distância.
12 Os que buscam a minha vida me armam laços,
e os que procuram o meu mal falam
da minha ruína;
imaginam engano o dia todo.
13 Eu sou como surdo, que não ouve,
e como mudo, que não abre a boca;
14 sou como um homem que não ouve,
e em cuja boca não há resposta.
15 Em ti, ó Senhor, espero;
tu, ó Senhor meu Deus, me ouvirás.
16 Pois eu disse: Não permitas que se alegrem de mim,

e se engrandeçam quando resvala o meu pé.
17 Pois estou prestes a cair; a minha dor está constantemente perante mim.
18 Confesso a minha iniquidade;
entristeço-me por causa do meu pecado.
19 Os meus inimigos estão vivos e são fortes; aumentam os que sem causa me odeiam.
20 Os que pagam mal pelo bem me caluniam, porque eu sigo o que é bom.
21 Não me desampares, ó Senhor; ó meu Deus, não te distancies de mim.
22 Apressa-te em meu auxílio, ó Senhor, minha salvação.

**Ao diretor de música Jedutum. Salmo de Davi.**

# 39

Eu disse: Guardarei os meus caminhos,
e não pecarei com a minha língua;
refrearei a minha boca
enquanto o ímpio estiver na minha presença.
2 Quando, porém, fiquei em silêncio,
como mudo, sem dizer uma palavra,
nem mesmo acerca do bem, a minha dor se agravou.
3 Ardia dentro de mim o meu coração e,
enquanto eu meditava, aumentava o fogo;
então falei com a minha língua:
4 Faze-me conhecer, ó Senhor, o meu fim e a medida dos meus dias;
faze-me conhecer a minha fragilidade.
5 Mediste os meus dias como a palmos;
o tempo da minha vida é como nada diante de ti.
Todo homem é como um sopro. (Selá)
6 Todo homem anda como uma sombra:
em vão se inquieta;
amontoa riquezas, sem saber quem as levará.
7 Agora, porém, Senhor, o que espero?
A minha esperança está em ti.
8 Livra-me de todas as minhas transgressões;
não me faças objeto de zombaria dos tolos.
9 Emudecido fiquei; não abri a boca,
pois tu fizeste isso.
10 Tira de sobre mim o teu flagelo;
estou desfalecido pelo golpe da tua mão.
11 Quando com repreensões castigas a alguém,
por causa da iniquidade, destróis nele,
como traça,
o que tem de precioso;
todo homem é como um sopro. (Selá)
12 Ouve, ó Senhor, a minha oração
e inclina os teus ouvidos ao meu clamor;
não te cales perante as minhas lágrimas.
Pois habito contigo como um estrangeiro,
um peregrino,
como o foram todos os meus pais.

13 Desvia de mim o teu olhar,
para que eu torne a ter alegria,
antes que me vá e não
    exista mais.

**Ao diretor de música.
Salmo de Davi.**

**40** Esperei com paciência
pelo Senhor;
ele se inclinou para mim
e ouviu o meu clamor.
2 Tirou-me de um lago
    horrível,
de um charco de lodo;
pôs os meus pés sobre uma
    rocha,
firmou os meus passos.
3 Pôs um novo cântico na
    minha boca,
um hino de louvor ao nosso
    Deus.
Muitos o verão e temerão,
e confiarão no Senhor.
4 Bem-aventurado o homem
que põe no Senhor a sua
    confiança,
que não atenta para os
    soberbos
nem para os que se desviam
    para a mentira.
5 Muitas são, ó Senhor
    meu Deus,
as maravilhas que tens
    operado para conosco.
Os teus pensamentos
não se podem contar diante
    de ti;
eu quisera anunciá-los e
    manifestá-los,
mas são mais do que se
    podem contar.
6 Sacrifício e oferta não
    quiseste,
mas as minhas orelhas
    furaste;
holocausto e expiação pelo
pecado não reclamaste.

7 Então eu disse:
Aqui estou, cheguei;
no livro está escrito a meu
    respeito.
8 Deleito-me em fazer a tua
    vontade, ó Deus meu;
a tua lei está dentro do meu
    coração.
9 Prego retidão na grande
    assembleia;
não fecho os meus lábios,
Senhor, tu o sabes.
10 Não escondo a tua retidão
dentro do meu coração;
proclamo a tua fidelidade e
    a tua salvação.
Não escondo da grande
    assembleia
o teu amor e a tua verdade.
11 Não retenhas de mim,
ó Senhor, a tua misericórdia;
protejam-me
    continuamente o teu
    amor e a tua verdade.
12 Pois males sem número
    me rodeiam;
as minhas iniquidades me
    prenderam
e não posso ver.
São mais numerosas do que
    os cabelos da minha
    cabeça,
e o meu coração desfalece.
13 Agrada-te, ó Senhor, em
    livrar-me;
ó Senhor, apressa-te em
    meu auxílio.
14 Sejam à uma humilhados
e envergonhados os que
    buscam a minha
    vida para destruí-la;
tornem atrás e confundam-se
os que me desejam o mal.
15 Confundidos sejam por
causa da sua afronta os que
    me dizem:
Bem feito! Bem feito!

16 Folguem e alegrem-se
em ti os que te buscam;
digam constantemente os
que amam a tua salvação:
Engrandecido seja o Senhor!
17 Contudo, eu sou pobre e
necessitado;
mas tu, ó Senhor, cuidas de mim.
Tu és o meu auxílio e o meu
libertador;
não te detenhas, ó Deus meu.

**Ao diretor de música.
Salmo de Davi.**

**41** Bem-aventurado é aquele
que atende ao pobre;
o Senhor o livra no
dia do mal.
2 O Senhor o livra e o
conserva em vida;
será abençoado na terra,
e tu não o entregarás ao
desejo de seus inimigos.
3 O Senhor o sustentará no
leito da enfermidade
e o restaurará da sua doença.
4 Eu disse: Senhor, tem
compaixão de mim;
sara a minha alma, pois
pequei contra ti.
5 Os meus inimigos falam
mal de mim, dizendo:
Quando morrerá ele?
Quando perecerá o nome dele?
6 Se algum deles vem ver-me,
diz falsidade,
enquanto no coração
amontoa a maldade;
então sai, e disso fala aos outros.
7 Todos os que me odeiam
murmuram unânimes
contra mim;
contra mim imaginam o
mal, dizendo:
8 Uma má doença se lhe pegou;
está deitado, não se levantará
mais.

9 Até o meu melhor amigo,
em quem eu confiava,
que comia do meu pão,
voltou-se contra mim.
10 Mas tu, ó Senhor, tem
piedade de mim;
levanta-me,
para que eu lhes retribua.
11 Sei que te agradas de mim,
pois o meu inimigo não
triunfa sobre mim.
12 Tu me sustentas na minha
integridade
e me colocas diante da tua
face para sempre.
13 Bendito seja o Senhor, o
Deus de Israel,
de eternidade a eternidade.
Amém e amém.

**SEGUNDO LIVRO**
*(Salmos 42-72)*
**Ao diretor de música.
Masquil dos filhos de Coré.**

**42** Como o cervo anseia pelas
correntes das águas,
assim suspira a minha
alma por ti, ó Deus.
2 A minha alma tem sede
de Deus,
do Deus vivo.
Quando entrarei e me
apresentarei ante a face
de Deus?
3 As minhas lágrimas
servem-me de alimento
de dia e de noite,
enquanto me dizem
constantemente:
Onde está o teu Deus?
4 Lembro-me destas coisas
enquanto dentro em mim
derramo a minha alma:
de como eu ia com a
multidão,
guiando a procissão à casa
de Deus,

com gritos de alegria e
  louvor entre
  a multidão festiva.
5 Por que estás abatida, ó
  minha alma?
  Por que te perturbas em
    mim?
Espera em Deus, pois ainda o
  louvarei,
  meu Salvador e meu Deus.
6 Ó meu Deus, dentro em mim
  a minha alma está abatida;
portanto, de ti me lembro
  desde a terra do Jordão,
  e desde as alturas do
    Hermom,
desde o monte de Mizar.
7 Um abismo chama outro
  abismo,
  ao ruído das tuas cataratas;
todas as tuas ondas e
  vagalhões
  têm passado sobre mim.
8 De dia o Senhor concede-me
  o seu amor;
  de noite a sua canção está
    comigo,
uma oração ao Deus da
  minha vida.
9 Digo a Deus, a minha Rocha:
Por que te esqueceste de mim?
  Por que ando em pranto
    por causa da opressão do
      inimigo?
10 Os meus ossos sofrem
  agonia mortal,
  quando os meus
    adversários me afrontam,
dizendo-me o dia todo:
  Onde está o teu Deus?
11 Por que estás abatida, ó
  minha alma?
  Por que te perturbas dentro
    em mim?
Espera em Deus, pois ainda o
  louvarei,
  meu Salvador e Deus meu.

**43** Faze-me justiça, ó Deus, e
  pleiteia a minha
causa contra uma nação ímpia;
  livra-me do homem
    enganador e iníquo.
2 Tu és o Deus da minha
  fortaleza.
  Por que me rejeitaste?
Por que me visto de luto
  por causa da opressão do
    inimigo?
3 Envia a tua luz e a tua
  verdade,
  para que me guiem;
levem-me ao teu santo monte,
  ao lugar da tua habitação.
4 Então irei ao altar de Deus,
  do Deus que é a minha
    grande alegria.
Com harpa te louvarei, ó
  Deus, Deus meu.
5 Por que estás abatida, ó
  minha alma?
  Por que te perturbas dentro
    em mim?
Espera em Deus, pois ainda o
  louvarei,
  meu Salvador e Deus meu.

**Ao diretor de música. Dos
filhos de Coré. Um masquil.**

**44** Ó Deus, nós ouvimos com
  os nossos ouvidos;
nossos pais nos contaram
  os feitos
  que realizaste em seus dias,
nos tempos da antiguidade.
2 Expulsaste as nações com a
  tua mão
  e os nossos antepassados
    plantaste;
esmagaste os povos,
  mas a nossos pais fizeste
    prosperar.
3 Não conquistaram a terra
  pela sua espada,
  nem o seu braço os salvou;

foi a tua destra e o teu braço,
e a luz da tua face, pois os
  amaste.
**4** Tu és o meu rei e o meu Deus,
que ordena vitórias para Jacó.
**5** Por meio de ti vencemos os nossos inimigos;
pelo teu nome pisamos os que se levantam contra nós.
**6** Não confio no meu arco,
nem a minha espada me traz vitória;
**7** mas tu nos dás vitória sobre os nossos inimigos,
tu humilhas os que nos odeiam.
**8** Em Deus nos gloriamos o dia todo,
e louvaremos o teu nome para sempre. (Selá)
**9** Agora, porém, tu nos rejeitaste
e nos humilhaste;
já não sais com os nossos exércitos.
**10** Tu nos fizeste retroceder diante do inimigo,
e aqueles que nos odeiam nos despojaram.
**11** Tu nos entregaste como ovelhas
para sermos devorados
e nos espalhaste entre as nações.
**12** Tu vendeste por um nada *o teu povo;*
não lucraste com o seu preço.
**13** Tu nos humilhaste diante dos nossos vizinhos,
fizeste de nós objeto de zombaria dos que nos rodeiam.
**14** Tu nos puseste por provérbio entre as nações;
quando me veem, os povos balançam a cabeça.
**15** A minha humilhação está diante de mim o dia todo,
e o meu rosto está coberto de vergonha,
**16** à voz daquele que me afronta e blasfema,
à vista do inimigo e vingador.
**17** Tudo isso nos sobreveio,
embora não nos tivéssemos esquecido de ti,
nem sido falsos à tua aliança.
**18** O nosso coração não voltou atrás;
os nossos passos não se desviaram das tuas veredas.
**19** Contudo, tu nos quebrantaste e nos
tornaste em lugar onde vivem chacais,
e nos cobriste com as sombras da morte.
**20** Se nos tivéssemos esquecido do nome do nosso Deus,
ou estendido as mãos para um deus estranho,
**21** não o teria descoberto Deus,
visto que ele conhece os segredos do coração?
**22** Contudo, por amor de ti deparamos com a morte o dia todo;
somos considerados como ovelhas para o matadouro.
**23** Desperta, ó Senhor! Por que dormes?
Acorda! Não nos rejeites para sempre.
**24** Por que escondes a tua face
e te esqueces da nossa miséria
e da nossa opressão?

25 A nossa alma está abatida
    até o pó;
  o nosso corpo se apega
    ao chão.
26 Levanta-te em nosso auxílio;
resgata-nos por causa do teu
  constante amor.

**Ao diretor de música. Segundo a melodia: Os Lírios. Dos filhos de Coré. Um masquil. Cântico de casamento.**

**45** O meu coração transborda
    com um nobre tema,
  enquanto recito os meus
    versos ao rei;
a minha língua é a pena de
um habilidoso escritor.
2 Tu és o mais formoso dos
    filhos dos homens;
  os teus lábios foram
    ungidos com a graça,
por isso Deus te abençoou
  para sempre.
3 Prende a tua espada à coxa,
    ó valente;
  cobre-te de glória e majestade.
4 Nessa majestade cavalga
    vitoriosamente,
pela causa da verdade, da
  humildade e da retidão;
  que a tua destra realize
    coisas grandiosas.
5 As tuas flechas são agudas
no coração dos inimigos do rei;
  por meio delas os povos
    caem debaixo de ti.
6 O teu trono, ó Deus, é
    eterno e perpétuo;
  o cetro do teu reino é um
    cetro de equidade.
7 Tu amas a retidão e odeias
    a impiedade;
  portanto Deus, o teu Deus
te ungiu com o óleo de alegria,
  mais do que a teus
    companheiros.

8 Todas as tuas vestes
    cheiram a mirra,
  a aloés e a cássia;
    dos palácios de marfim a
      música
  dos instrumentos de corda te
    alegra.
9 Filhas de reis estão entre
    as tuas
  ilustres donzelas;
  à tua direita está a rainha,
    ornada de finíssimo ouro
      de Ofir.
10 Ouve, filha, e olha, inclina
  os teus ouvidos:
    Esquece-te do teu povo e da
      casa de teu pai.
11 O rei está cativado por tua
    formosura;
  honra-o, pois ele é teu
    Senhor.
12 A cidade de Tiro estará ali
    com presentes;
  os ricos do povo suplicarão
    o teu favor.
13 A filha do rei está toda
    formosa no seu palácio;
  as suas vestes são
    entretecidas de ouro.
14 Em vestidos bordados é
    levada ao rei;
  as virgens, suas
    companheiras,
a seguem e são trazidas à tua
  presença.
15 Com alegria e regozijo são
    conduzidas;
  entram no palácio do rei.
16 Teus filhos tomarão o
    lugar de teus pais;
  tu os farás príncipes sobre
    toda a terra.
17 Perpetuarei a tua
    memória de geração
      em geração;
  pelo que os povos te
    louvarão para sempre.

**Ao diretor de música. Dos filhos de Coré. Segundo alamote. Uma canção.**

**46** Deus é o nosso refúgio e fortaleza,
socorro bem presente na angústia.
2 Pelo que não temeremos, ainda que a terra se mude e os montes se transportem para o meio dos mares;
3 ainda que as águas rujam e se perturbem,
ainda que os montes se abalem
pela sua braveza. (Selá)
4 Há um rio cujas correntes alegram
a cidade de Deus,
o santuário das moradas do Altíssimo.
5 Deus está no meio dela, não será abalada;
Deus a ajudará ao romper da manhã.
6 As nações se embravecem, os reinos se movem;
ele levanta a sua voz,
e a terra se derrete.
7 O Senhor dos Exércitos está conosco;
o Deus de Jacó é o nosso refúgio. (Selá)
8 Vinde, contemplai as obras do Senhor,
as desolações que ele tem *feito na terra*.
9 Ele faz cessar as guerras até o fim da terra;
quebra o arco e corta a lança, queima os carros no fogo.
10 Aquietai-vos e sabei que eu sou Deus;
serei exaltado entre as nações,
serei exaltado sobre a terra.
11 O Senhor dos Exércitos está conosco;
o Deus de Jacó é o nosso refúgio. (Selá)

**Ao diretor de música. Filhos de Coré. Um salmo.**

**47** Aplaudi com as mãos, todos os povos;
cantai a Deus com voz de triunfo.
2 O Senhor Altíssimo é tremendo,
é o grande rei sobre toda a terra.
3 Ele nos submeteu os povos,
e pôs as nações debaixo dos nossos pés.
4 Escolheu para nós a nossa herança,
a glória de Jacó, a quem amou. (Selá)
5 Deus subiu com júbilo,
o Senhor subiu ao som da trombeta.
6 Cantai louvores a Deus, cantai louvores;
cantai louvores ao nosso Rei, cantai louvores.
7 Pois Deus é o Rei de toda a terra;
cantai-lhe salmos de louvor.
8 Deus reina sobre as nações;
Deus se assenta no seu santo trono.
9 Os soberanos dos povos se reúnem como o povo do Deus de Abraão,
pois os reis da terra pertencem a Deus;
ele é grandemente exaltado.

**Um cântico.
Um salmo dos filhos de Coré.**

**48** Grande é o Senhor e mui digno de louvor,
na cidade do nosso Deus,
no seu monte santo.

2 Belo e majestoso é o
  monte Sião,
a alegria de toda a terra,
  a cidade do grande Rei.
3 Deus está nos palácios dela;
  ele se fez conhecer como
  alto refúgio.
4 Quando os reis se
  ajuntaram,
quando juntos avançaram,
5 viram-na e ficaram
  maravilhados;
  fugiram aterrorizados.
6 Tremor ali se apoderou
  deles,
dores como as de uma
  parturiente.
7 Foste como um vento
  oriental de Társis,
  quando destruiu os navios.
8 Como temos ouvido, agora
  também temos visto
  na cidade do Senhor dos
    Exércitos,
na cidade do nosso Deus:
  Deus a confirma para
  sempre. (Selá)
9 Lembramo-nos, ó Deus,
do teu constante amor no
  meio do teu templo.
10 Assim, como é o teu nome,
  ó Deus,
  é também o teu louvor,
até os confins da terra;
  a tua destra está cheia de
  retidão.
11 Alegre-se o monte de Sião,
alegrem-se as filhas de
  Judá por causa dos teus
  juízos.
12 Dai voltas a Sião, rodeai-a,
  contai as suas torres,
13 notai bem as suas
  muralhas,
observai os seus palácios,
  para narrardes à geração
  seguinte.

14 Pois este Deus é o nosso Deus
  para todo o sempre;
ele será nosso guia até
  a morte.

Ao diretor de música. Dos filhos de Coré. Um salmo.

## 49

Ouvi isto, todos os povos;
inclinai os ouvidos,
todos os moradores do
  mundo,
2 quer humildes, quer
  grandes,
  tanto ricos como pobres.
3 A minha boca falará a
  sabedoria;
a meditação do meu coração
  será de entendimento.
4 Inclinarei os meus ouvidos
  a uma parábola;
decifrarei o meu enigma
  na harpa:
5 Por que temeria eu nos
  dias maus,
  quando me cercar a
  iniquidade
dos que me armam ciladas,
6 dos que confiam nos seus
  bens,
e se gloriam na multidão das
  suas riquezas?
7 Ninguém pode remir a seu
  irmão,
ou dar a Deus o resgate dele
8 (pois a redenção da sua
  alma é caríssima,
  e seus recursos se
  esgotariam antes),
9 para que vivesse para
  sempre,
e não visse a decomposição.
10 Pois todos podem ver que
  os sábios morrem;
que perecem igualmente o
  tolo e o insensato,
  e deixam a outros os seus
  bens.

11 O seu pensamento íntimo
é que as suas casas serão
perpétuas
e as suas habitações de
geração em geração;
dão às suas terras os seus
próprios nomes.
12 Todavia, o homem, apesar
das suas riquezas,
não permanece;
antes, é como os animais que
perecem.
13 Este é caminho daqueles
que confiam
em si mesmos,
e dos seus seguidores,
que aprovam
as suas palavras. (Selá)
14 Como ovelhas são
destinados à sepultura;
a morte se alimentará deles.
Os retos terão domínio
sobre eles
ao romper da manhã;
a sua formosura na
sepultura se consumirá,
longe de suas mansões.
15 Deus, porém, remirá a minha
vida do poder da morte;
certamente me receberá.
(Selá)
16 Não temas quando alguém
se enriquece,
quando a glória da sua casa
aumenta;
17 pois, quando morrer, nada
levará consigo,
nem a sua glória o
acompanhará.
18 Ainda que durante a vida
ele se tenha considerado feliz,
e os homens o louvem
quando prospera,
19 ele se juntará com a
geração de seus pais,
que jamais verá a luz
da vida.
20 O homem que possui
riquezas sem entendimento
é semelhante aos animais
que perecem.

**Um salmo de Asafe.**

**50** O Deus poderoso, o Senhor,
fala e chama a terra
do nascer do sol até o
seu ocaso.
2 De Sião, perfeita em
formosura,
resplandece Deus.
3 O nosso Deus vem,
e não se calará;
adiante dele um fogo consome,
e há grande tormenta
ao redor dele.
4 Chama os altos céus e a terra,
para julgar o seu povo.
5 Congregai os meus santos,
aqueles que fizeram
comigo uma aliança com
sacrifícios.
6 E os céus anunciam
a sua retidão,
pois Deus mesmo é o Juiz. (Selá)
7 Ouve, povo meu, e eu
falarei, ó Israel,
e eu, Deus, o teu Deus,
testemunharei contra ti.
8 Não te repreendo pelos teus
sacrifícios,
ou holocaustos,
que estão de contínuo perante
mim.
9 Da tua casa não aceitarei
novilhos,
nem bodes dos teus currais,
10 pois meu é todo animal
da selva,
e o gado sobre milhares
de colinas.
11 Conheço todas as aves
dos montes,
e é meu tudo o que se move
no campo.

12 Se eu tivesse fome,
não te diria,
pois meu é o mundo e
tudo o que nele há.
13 Como carne de touros,
ou bebo sangue de bodes?
14 Oferece a Deus sacrifícios
de louvor,
paga ao Altíssimo os teus
votos,
15 e invoca-me no dia da
angústia;
eu te livrarei, e tu me
glorificarás.
16 Ao ímpio, porém, diz Deus:
Que direito tens de recitar
as minhas leis,
ou de tomar a minha aliança
na tua boca?
17 Tu odeias a correção,
e lanças as minhas palavras
para detrás de ti.
18 Quando vês um ladrão,
consentes com ele;
tens parte com os adúlteros.
19 Usas a tua boca para o mal,
a tua língua trama enganos.
20 Assentas-te a falar contra
o teu irmão,
e falas mal contra o filho da
tua mãe.
21 Essas coisas tens feito, e
eu me calei;
pensavas que eu era como tu.
Eu, porém, te repreenderei,
e tudo porei à tua vista.
22 Ouvi isto, vós que vos
esqueceis de Deus,
para que não vos faça em
pedaços, sem haver quem
vos livre:
23 *Aquele que oferece
sacrifício de louvor me glorifica,
e àquele que bem ordena o
seu caminho*
eu mostrarei a salvação
de Deus.

**Ao diretor de música. Salmo de Davi. Quando o profeta Natã veio a ele, depois de Davi haver cometido adultério com Bate-Seba.**

**51** Tem misericórdia de mim,
ó Deus,
segundo o teu constante
amor;
segundo a tua grande
compaixão,
apaga as minhas
transgressões.
2 Lava-me completamente
da minha iniquidade,
e purifica-me do meu
pecado.
3 Pois eu conheço as minhas
transgressões,
e o meu pecado está sempre
diante de mim.
4 Contra ti, contra ti somente
pequei;
fiz o que é mau diante de
teus olhos,
de modo que és justo quando
falas
e puro quando julgas.
5 Certamente em iniquidade
fui formado,
e em pecado me concebeu a
minha mãe.
6 Certamente tu amas a
verdade no íntimo;
no oculto me fazes conhecer
a sabedoria.
7 Purifica-me com hissopo, e
ficarei puro;
lava-me, e ficarei mais alvo
do que a neve.
8 Faze-me ouvir júbilo e
alegria;
regozijem-se os ossos que tu
quebraste.
9 Esconde a tua face dos
meus pecados
e apaga todas as minhas
iniquidades.

10 Cria em mim, ó Deus,
um coração puro
e renova em mim um
espírito reto.
11 Não me lances fora da tua
presença
e não retires de mim o teu
Espírito Santo.
12 Torna a dar-me a alegria
da tua salvação
e sustém-me com um espírito
disposto a obedecer.
13 Então ensinarei aos
transgressores os teus
caminhos, e os pecadores a
ti se converterão.
14 Livra-me dos crimes de
sangue, ó Deus,
Deus da minha salvação,
e a minha língua cantará a
tua retidão.
15 Abre, ó Senhor,
os meus lábios,
e a minha boca entoará
o teu louvor.
16 Não te comprazes
em sacrifícios,
senão eu os traria;
não te deleitas em
holocaustos.
17 Os sacrifícios para Deus
são o espírito quebrantado;
a um coração
quebrantado
e contrito não desprezarás,
ó Deus.
18 Abençoa a Sião,
segundo a tua boa
vontade;
edifica os muros de
Jerusalém.
19 Então te agradarás dos
sacrifícios de retidão,
dos holocaustos e das
ofertas queimadas;
então sobre o teu altar se
oferecerão novilhos.

Ao diretor de música.
Um masquil de Davi. Quando
Dogue, edomita, anunciou a Saul:
Davi foi à casa de Abimeleque.

**52** Por que te glorias
na maldade,
ó homem poderoso?
Por que te glorias o dia todo,
tu que és uma vergonha aos
olhos de Deus?
2 A tua língua intenta o mal,
como uma navalha afiada,
traçando enganos.
3 Tu amas mais o mal do que
o bem,
e mais a mentira do que a
verdade. (Selá)
4 Amas todas as palavras
devoradoras,
ó língua mentirosa!
5 Certamente Deus te
destruirá para sempre;
ele te arrebatará, te
arrancará da tua
habitação e te extirpará da
terra dos viventes. (Selá)
6 Os justos o verão e temerão;
rirão dele, dizendo:
7 Aqui está o homem que
rejeitou a Deus como
sua fortaleza,
mas confiou na abundância
das suas riquezas
e se fortaleceu na sua
perversidade.
8 Eu, porém, sou como uma
oliveira
que floresce na casa de Deus;
confio no constante amor
de Deus
para sempre e eternamente.
9 Para sempre te louvarei
pelo que fizeste;
esperarei no teu nome, pois
o teu nome é bom.
Eu te louvarei na presença
dos teus santos.

**Ao diretor de música. Segundo maalate. Um masquil de Davi.**

**53** Diz o néscio no seu coração:
Não há Deus.
Têm-se corrompido,
e têm cometido abominável
iniquidade;
não há ninguém que
faça o bem.
2 Deus olha dos céus para os
filhos dos homens,
para ver se há algum que
tem entendimento e
busca a Deus.
3 Desviaram-se todos, e
juntamente
se fizeram imundos;
não há quem faça o bem,
não há sequer um.
4 Acaso não têm
conhecimento
estes obreiros da iniquidade,
os quais comem o meu
povo como se comessem pão?
Eles não invocam a Deus.
5 Achavam-se em grande
pavor onde não havia
motivo de pavor.
Deus espalhou os ossos
daquele que te atacou;
tu os envergonhaste, pois
Deus os rejeitou.
6 Oxalá que de Sião viesse a
salvação de Israel!
Quando Deus fizer voltar os
cativos do seu povo,
então se regozijará Jacó e
se alegrará Israel.

**Ao diretor de música.
Com instrumentos de cordas.
Um masquil de Davi.
Quando os zifeus vieram e
disseram a Saul: Não está
Davi escondido entre nós?**

**54** Salva-me, ó Deus,
pelo teu nome;
faze-me justiça pelo
teu poder.
2 Ó Deus, ouve a minha
oração;
inclina os teus ouvidos às
palavras da minha boca.
3 Estrangeiros se levantam
contra mim;
tiranos procuram a minha
vida —
homens que não têm Deus
diante de si. (Selá)
4 Certamente Deus é o meu
ajudador;
o Senhor é quem sustenta a
minha vida.
5 Que o mal recaia sobre os
que me caluniam;
destrói-os por tua
fidelidade.
6 Eu te oferecerei
voluntariamente
sacrifícios;
louvarei o teu nome, ó
Senhor, pois é bom.
7 Pois me livraste de toda a
angústia,
e os meus olhos viram a
ruína dos meus inimigos.

**Ao diretor de música.
Com instrumentos de cordas.
Um masquil de Davi.**

**55** Inclina, ó Deus,
os teus ouvidos à minha
oração;
não te escondas da minha
súplica,
2 atende-me e ouve-me.
Estou agitado e ando
perplexo,
3 por causa do clamor
do inimigo e da opressão
do ímpio,
pois lançam sobre mim
iniquidade,
e com furor me hostilizam.

4 O meu coração está
angustiado dentro em mim;
os terrores da morte me
sobrevêm.
5 Temor e tremor me
apertaram;
o horror me cobriu.
6 Eu disse: Ah! quem me dera
asas como de pomba!
Voaria, e estaria em descanso.
7 Fugiria para longe,
e pernoitaria no deserto.
(Selá)
8 Eu me apressaria em
encontrar refúgio,
longe da fúria do vento
e da tempestade.
9 Despedaça os ímpios,
ó Senhor, e divide as suas línguas,
pois vejo violência e
contenda na cidade.
10 De dia e de noite andam
ao redor sobre os seus muros;
iniquidade e malícia estão
no meio dela.
11 Maldade há lá dentro;
astúcia e engano não se
apartam das suas ruas.
12 Se fosse um inimigo que
me afrontava,
eu o teria suportado;
se fosse um adversário que se
engrandecia contra mim,
dele me teria escondido.
13 Eras, porém, tu, homem
como eu,
meu guia e meu íntimo
amigo.
14 Conversávamos juntos
suavemente
e íamos com a multidão à
casa de Deus.
15 A morte os acolha de súbito;
vivos os engula a terra,
pois há maldade nas suas
habitações
e no seu íntimo.
16 Eu, porém, invoco a Deus,
e o Senhor me salva.
17 De tarde, de manhã
e ao meio-dia oro e clamo,
e ele ouve a minha voz.
18 Livra-me a alma,
sem danos,
da guerra que movem
contra mim,
embora sejam muitos os
que me perseguem.
19 Deus ouvirá; ele lhes
responderá,
aquele que está entronizado
desde a antiguidade (Selá),
pois não há neles nenhuma
mudança;
tampouco temem a Deus.
20 O meu companheiro ataca
os seus amigos;
viola a sua aliança.
21 A sua boca é mais macia
do que a manteiga,
mas no seu coração há
guerra;
as suas palavras são mais
brandas do que o azeite,
todavia são espadas
desembainhadas.
22 Lança o teu fardo
sobre o Senhor,
e ele te susterá;
jamais permitirá que o
justo seja abalado.
23 Tu, porém, ó Deus, os
farás descer ao poço da
perdição;
assassinos e traidores
não viverão metade
dos seus dias.
Eu, porém, em ti confio.

**Ao diretor de música.
Segundo a melodia: Uma pomba nos carvalhos distantes. De Davi. Um mictã. Quando os filisteus o prenderam em Gate.**

**56** Tem misericórdia de mim, ó Deus,
pois os homens procuram devorar-me;
todo o dia estão sempre me oprimindo.
2 Os que me caluniam me perseguem o dia todo;
muitos são os que pelejam contra mim,
ó Altíssimo.
3 No dia em que eu temer,
hei de confiar em ti.
4 Em Deus, cuja palavra eu louvo,
em Deus pus a minha confiança; não temerei.
Que me pode fazer o homem mortal?
5 Todos os dias torcem as minhas palavras;
todos os seus pensamentos são contra mim para o mal.
6 Ajuntam-se, escondem-se, espiam os meus passos,
como aguardando a minha morte.
7 Rejeita-os por causa da iniquidade;
ó Deus, derruba os povos na tua ira.
8 Registra as minhas aflições;
põe as minhas lágrimas no teu odre
— não estão elas no teu livro?
9 Quando eu a ti clamar, os meus inimigos retrocederão.
Por meio disso saberei que Deus está comigo.
10 Em Deus, cuja palavra eu louvo,
no Senhor, cuja palavra eu louvo,
11 em Deus ponho a minha confiança;
não temerei.
Que me pode fazer o homem?
12 Estou sob os votos que fiz, ó Deus;
eu te oferecerei ações de graças.
13 Pois tu livraste a minha alma da morte,
como também os meus pés de tropeçarem,
para que eu ande diante de Deus na luz da vida.

**Ao diretor de música.
Segundo a melodia: Não destruas.
De Davi. Um mictã.
Quando fugia de Saul,
na caverna.**

**57** Tem misericórdia de mim, ó Deus,
tem misericórdia de mim,
pois a minha alma em ti se refugia.
À sombra das tuas asas me abrigo,
até que passem as calamidades.
2 Clamo ao Deus Altíssimo,
ao Deus que por mim tudo executa.
3 Ele dos céus envia o seu auxílio e me salva;
repreende os que procuram devorar-me (Selá).
Deus envia o seu amor e a sua fidelidade.
4 A minha alma está entre leões;
estou deitado entre bestas famintas,
homens cujos dentes são lanças e flechas,
e cuja língua é espada afiada.

5 Sê exaltado, ó Deus, acima
dos céus;
seja a tua glória sobre toda
a terra.
6 Armaram uma rede aos
meus passos,
a minha alma ficou abatida;
cavaram uma cova diante
de mim,
mas foram eles que nela
caíram. (Selá)
7 Preparado está o meu
coração, ó Deus,
preparado está o meu coração;
cantarei e salmodiarei.
8 Desperta, minha alma!
Despertai, lira e harpa!
Eu despertarei a alva.
9 Eu te louvarei, ó Senhor,
entre os povos; e te cantarei
louvores entre as nações.
10 Pois grande é o teu amor,
e alcança até os céus;
a tua verdade alcança até as
nuvens.
11 Sê exaltado, ó Deus, acima
dos céus;
seja a tua glória sobre toda
a terra.

**Ao diretor de música.
Segundo a melodia: Não
destruas. De Davi. Um mictã.**

**58** Falais deveras o que é justo, ó poderosos?
Julgais retamente, filhos dos
homens?
2 Não, antes no coração
tramais iniquidades;
sobre a terra fazeis pesar a
violência
das vossas mãos.
3 Desviam-se os ímpios desde
a madre;
andam errados desde que
nascem,
proferindo mentiras.
4 Têm veneno semelhante ao
veneno da serpente;
são como a víbora surda,
que tapa os ouvidos
5 para não ouvir a voz dos
encantadores,
nem mesmo do encantador
perito em encantamentos.
6 Ó Deus, quebra-lhes os
dentes nas suas bocas;
arranca, ó Senhor, as
presas dos leões.
7 Desapareçam como águas
que se escorrem;
quando armarem as suas
flechas,
sejam elas feitas em pedaços.
8 Como a lesma que se
derrete, assim sejam eles;
como o aborto de uma
mulher, nunca vejam o sol.
9 Antes que as vossas panelas
possam sentir o calor dos
espinheiros,
assim os verdes como
os secos,
os ímpios serão arrebatados
como por um redemoinho.
10 O justo se alegrará quando
vir a vingança,
quando lavar os pés no
sangue do ímpio.
11 Então se dirá: Deveras há
uma recompensa para o justo;
deveras há um Deus que
julga na terra.

**Ao diretor de música.
Segundo a melodia: Não destruas.
De Davi. Um mictã.
Quando Saul mandou que lhe
vigiassem a casa, para o matar.**

**59** Livra-me, ó Deus, dos meus
inimigos;
defende-me daqueles que se
levantam
contra mim.

2 Livra-me dos que praticam
a iniquidade e salva-me dos
assassinos.
3 Vê como armam ciladas à
minha alma!
Os fortes se ajuntam
contra mim,
sem transgressão minha ou
pecado meu, ó Senhor.
4 Correm e se preparam, sem
culpa minha.
Desperta para me ajudares,
e olha.
5 Ó Senhor Deus dos
Exércitos, Deus de Israel,
desperta para visitares
todas as nações;
não tenhas misericórdia
de nenhum dos pérfidos
que praticam a iniquidade.
(Selá)
6 Voltam à tarde;
dão ganidos como cães,
rodeando a cidade.
7 Soltam gritos; espadas
estão nos seus lábios, e dizem:
Quem ouve?
8 No entanto, ó Senhor,
te ris deles;
zombas de todas as nações.
9 Em ti, ó força minha,
aguardo;
tu, ó Deus, és a minha
alta defesa,
10 meu Deus de amor.
Deus me fará ver o meu
desejo sobre os meus
inimigos.
11 Não os mates, ó Senhor,
nosso escudo,
para que o meu povo não se
esqueça.
Espalha-os pelo teu poder, e
abate-os.
12 Pelo pecado da sua boca
e pelas palavras dos seus
lábios
fiquem presos na
sua soberba.
Pelas maldições e pelas
mentiras que proferem,
13 consome-os na tua
indignação;
consome-os, de modo que não
existam mais.
Então saberão que Deus
reina
em Jacó até os fins da terra.
(Selá)
14 Voltam à tarde, e dão
ganidos como cães,
e rodeiam a cidade.
15 Vagueiam buscando
o que comer;
passam a noite sem
se fartarem.
16 Eu, porém, cantarei a tua
força,
e pela manhã cantarei
o teu amor;
pois tu és o meu alto
refúgio
e proteção no dia da angústia.
17 A ti, ó Força minha,
cantarei louvores;
tu, ó Deus, és o meu alto
refúgio, o meu Deus de amor.

**Ao diretor de música.
Segundo a melodia: O lírio da
aliança. Um mictã de Davi.
De doutrina. Quando pelejou
com os sírios da Mesopotâmia
e os sírios de Zobá e quando
Joabe voltou e feriu no vale
do Sal doze mil edomitas.**

**60** Ó Deus, tu nos rejeitaste,
tu nos espalhaste,
tu tens estado indignado;
oh! restabelece-nos.
2 Abalaste a terra e a
fendeste;
repara as suas brechas,
pois ela treme.

3 Fizeste passar o teu povo
por tempos difíceis;
deste-nos a beber o vinho
da perturbação.
4 Deste um estandarte aos
que te temem,
para ser desfraldado ante o
arco. (Selá)
5 Para que os teus amados
sejam livres,
salva-nos com a tua destra
e ouve-nos.
6 Disse Deus do seu
santuário:
Eu me regozijarei, repartirei
Siquém
e medirei o vale de Sucote.
7 Meus são Gileade e
Manassés;
Efraim é a força da minha
cabeça,
e Judá o meu cetro.
8 Moabe é a minha bacia
de lavar,
sobre Edom lanço o meu
sapato;
sobre a Filístia dou o brado
de triunfo.
9 Quem me conduzirá à
cidade forte?
Quem me guiará até Edom?
10 Não és tu, ó Deus, que nos
rejeitaste
e já não sais com os nossos
exércitos?
11 Dá-nos auxílio contra o
inimigo,
pois vão é o socorro do
homem.
12 Em Deus faremos proezas;
e ele pisará os nossos
inimigos.

**Ao diretor de música. Com
instrumentos de cordas. De Davi.**

**61** Ouve, ó Deus, o meu clamor;
atende à minha oração.
2 Desde o fim da terra
clamo a ti,
por estar abatido o meu
coração;
leva-me para a rocha que é
mais alta do que eu.
3 Pois tens sido o meu
refúgio,
uma torre forte contra o
inimigo.
4 Anseio habitar no teu
tabernáculo para sempre
e me abrigar no oculto das
tuas asas. (Selá)
5 Pois tu, ó Deus, ouviste os
meus votos;
deste-me a herança dos que
temem o teu nome.
6 Prolonga os dias do rei,
os seus anos por muitas
gerações.
7 Permaneça ele diante de
Deus para sempre;
envia-lhe amor e fidelidade
para preservá-lo.
8 Então cantarei louvores ao
teu nome perpetuamente
e pagarei os meus votos de
dia em dia.

**Ao diretor de
música Jedutum.
Um salmo de Davi.**

**62** A minha alma encontra
descanso
somente em Deus;
dele vem a minha salvação.
2 Só ele é a minha rocha e a
minha salvação;
é ele a minha defesa, jamais
serei abalado.
3 Até quando maquinareis
o mal contra um homem?
Sereis mortos todos vós,
sereis como uma parede
encurvada
e uma cerca pouco segura.

**Salmos 63**

4 Consultam como o hão de derrubar da sua excelência; deleitam-se em mentiras.
Com a boca bendizem, mas no íntimo maldizem. (Selá)
5 Ó minha alma, espera somente em Deus; dele vem a minha esperança.
6 Só ele é a minha rocha e a minha salvação; é ele a minha defesa, não serei abalado.
7 Em Deus está a minha salvação e a minha glória; a rocha da minha fortaleza e o meu refúgio estão em Deus.
8 Confiai nele, ó povo, em todo o tempo; derramai perante ele o vosso coração, pois Deus é o nosso refúgio. (Selá)
9 Os homens de origem humilde são como um sopro, e os nobres são mentira; se pesados em balanças, juntos são mais leves do que um sopro.
10 Não confieis na extorsão, nem vos glorieis em coisas roubadas; ainda que as vossas riquezas aumentem, não ponhais nelas o coração.
11 Uma coisa disse Deus, duas vezes a ouvi: que o poder pertence a Deus,
12 e a ti, Senhor, pertence o amor.
Certamente retribuirás a cada um segundo a sua obra.

**Um salmo de Davi. Quando estava no deserto de Judá.**

**63** Ó Deus, tu és o meu Deus, eu te busco ansiosamente; a minha alma tem sede de ti, o meu corpo te deseja muito em uma terra seca e cansada, onde não há água.
2 Contemplei-te no teu santuário, e vi o teu poder e a tua glória.
3 Porque o teu amor é melhor do que a vida, os meus lábios te louvarão.
4 Eu te louvarei enquanto viver, e em teu nome levantarei as minhas mãos.
5 A minha alma se fartará, como de tutano e de gordura; a minha boca te louvará com alegres lábios.
6 Na minha cama, lembro-me de ti; medito em ti nas vigílias da noite.
7 Porque tu tens sido o meu auxílio, canto nas sombras das tuas asas.
8 A minha alma te segue de perto; a tua destra me sustenta.
9 Aqueles que procuram a minha vida serão destruídos; irão para as profundezas da terra.
10 Cairão à espada e servirão de pasto aos chacais.
11 O rei, porém, se regozijará em Deus; todo o que jura pelo nome de Deus o louvará, enquanto serão tapadas as bocas dos mentirosos.

Ao diretor de música.
Um salmo de Davi.

## 64

Ouve, ó Deus, a voz do meu lamento;
livra a minha vida do horror do inimigo.
2 Esconde-me do secreto conselho dos maus
e do tumulto dos que praticam a iniquidade.
3 Afiam as suas línguas como espadas,
e apontam, como flechas, palavras amargas.
4 De lugares ocultos atiram sobre o inocente;
disparam sobre ele repentinamente,
e não temem.
5 Firmam-se em mau intento,
falam de armar laços secretamente;
dizem: Quem nos verá?
6 Projetam injustiça e dizem:
Temos planos bem traçados!
Certamente a mente e o coração do homem são sagazes.
7 Deus, porém, atirará contra eles uma seta;
de repente ficarão feridos.
8 Ele fará com que as suas línguas
se voltem contra si mesmos,
e serão levados a tropeçar;
todos os que os virem, fugirão.
9 Todos os homens temerão;
proclamarão a obra de Deus
e considerarão prudentemente os seus feitos.
10 O justo se alegra no Senhor e nele se refugia;
cantem louvores todos os retos de coração!

Ao diretor de música. Um salmo de Davi. Um cântico.

## 65

A ti, ó Deus, espera o louvor em Sião;
a ti se pagará o voto.
2 Ó tu que ouves as orações,
a ti virão todos os homens.
3 Prevalecem as iniquidades contra mim,
mas tu perdoas as nossas transgressões.
4 Bem-aventurado aquele a quem tu escolhes
e fazes chegar a ti,
para que habite em teus átrios!
Somos satisfeitos com a bondade da tua casa,
do teu santo templo.
5 Com feitos tremendos nos respondes em retidão,
ó Deus da nossa salvação, a esperança de todas as
extremidades da terra e do mais longínquo mar;
6 que pela tua força consolidaste os montes,
cingido de poder;
7 que aplacaste o ruído dos mares,
o ruído das suas ondas e o tumulto das gentes.
8 Os que habitam nos confins da terra temem os teus sinais;
tu fazes exultar de júbilo
as saídas da manhã e da tarde.
9 Tu visitas a terra e a refrescas;
tu a enriqueces grandemente.
O rio de Deus está cheio de água,
para dar cereal ao povo, pois assim a tens preparado.
10 Enches de água os seus sulcos
e lhe aplaina as leivas;

tu a amoleces com a chuva
e abençoas as suas
novidades.
11 Coroas o ano com a tua
bondade;
as tuas veredas destilam
gordura.
12 Destilam sobre as
pastagens do deserto;
os outeiros vestem-se de
alegria.
13 Os campos cobrem-se
de rebanhos,
e os vales vestem-se de
espigas;
regozijam-se e cantam.

**Ao diretor de música.
Um cântico. Um salmo.**

# 66
Louvai a Deus com brados
de júbilo,
toda a terra!
2 Cantai a glória do seu nome,
dai glória ao seu louvor.
3 Dizei a Deus: Quão temíveis
são os teus feitos!
Pela grandeza do teu poder
se submeterão a ti os teus
inimigos.
4 Toda a terra te adora e te
canta louvores;
canta louvores ao teu nome.
(Selá)
5 Vinde e vede as obras
de Deus;
quão tremendo é ele
nos seus feitos
para com os filhos dos
homens.
6 Converteu o mar em terra
seca,
e passaram o rio a pé;
vinde, alegremo-nos nele.
7 Ele governa eternamente
pelo seu poder,
os seus olhos estão sobre
as nações;

não se exaltem os
rebeldes. (Selá)
8 Bendizei, povos,
ao nosso Deus,
fazei ouvir a voz do seu
louvor;
9 ao que nos conserva em
vida
e não permite que os nossos
pés resvalem.
10 Pois tu, ó Deus, nos
provaste;
tu nos refinaste como se
refina a prata.
11 Tu nos deixaste cair no laço
e cargas pesadas nos
colocaste nas costas.
12 Fizeste com que os
homens cavalgassem
sobre as nossas cabeças;
passamos pelo fogo e pela água,
mas nos trouxeste a um
lugar de abundância.
13 Entrarei em tua casa com
holocaustos e cumprirei os
meus votos;
14 votos que haviam
pronunciado os meus lábios
e dito a minha boca, quando
eu estava
na angústia.
15 Eu te oferecerei holocaustos
de animais gordos,
e incenso de carneiros;
oferecerei novilhos e cabritos.
(Selá)
16 Vinde, ouvi, todos vós os
que temeis a Deus;
eu contarei o que ele tem
feito à minha alma.
17 A ele clamei com a boca;
ele foi exaltado pela minha
língua.
18 Se eu no coração
contemplara o pecado,
o Senhor não me teria
ouvido;

19 mas, na verdade, Deus me
ouviu e atendeu
à voz da minha oração.
20 Bendito seja Deus,
que não rejeitou a minha
oração
nem desviou de mim o seu
amor!

**Ao diretor de música.
Com instrumentos de cordas.
Um salmo. Um cântico.**

# 67
Que Deus tenha compaixão de nós
e nos abençoe, e faça
resplandecer
o seu rosto sobre nós, (Selá)
2 para que se conheça na
terra os teus caminhos,
e em todas as nações a tua
salvação.
3 Louvem-te, ó Deus, os povos;
louvem-te os povos todos.
4 Alegrem-se e regozijem-se
as nações,
pois julgas os povos com
equidade
e governas as nações sobre a
terra. (Selá)
5 Louvem-te, ó Deus, os
povos;
louvem-te os povos todos.
6 Então a terra dará o seu
fruto,
e Deus, o nosso Deus, nos
abençoará.
7 Abençoe-nos Deus,
e *todas as extremidades da
terra o temerão.*

**Ao diretor de música. De Davi.
Um salmo. Um cântico.**

# 68
Levante-se Deus,
sejam dissipados os seus
inimigos;
fujam de diante dele os que
o odeiam.
2 Como se dissipa a fumaça,
assim tu os dissipas;
como se derrete a cera
diante do fogo,
assim pereçam os ímpios
diante de Deus.
3 Alegrem-se, porém, os
justos!
Regozijem-se na presença
de Deus.
Folguem de alegria.
4 Cantai a Deus, cantai
louvores ao seu nome,
louvai aquele que cavalga
sobre as nuvens;
o seu nome é Senhor, exultai
diante dele.
5 Pai de órfãos e juiz de
viúvas
é Deus no seu santo lugar.
6 Deus faz que o solitário viva
em família
e liberta aqueles que estão
presos em grilhões;
mas os rebeldes habitam
em terra seca.
7 Ó Deus, quando saías
adiante do teu povo,
quando caminhavas pelo
deserto, (Selá)
8 a terra tremia, e os céus
destilavam chuva
perante a face de Deus, o
Deus do Sinai;
na presença de Deus, o
Deus de Israel.
9 Tu, ó Deus, mandaste a
chuva em abundância;
refrescaste a tua herança,
quando estava cansada.
10 Nela habitava o teu
rebanho,
e tu, ó Deus, da tua bondade
proveste o pobre.
11 O Senhor deu a palavra,
e grande foi a companhia dos
que a proclamaram.

**12** Reis e exércitos fogem sem parar;
nos acampamentos os homens dividem os despojos.
**13** Mesmo quando dormis entre as fogueiras,
as asas da pomba estão cobertas de prata,
com as penas de ouro brilhante.
**14** Quando o Onipotente espalhou os reis pela terra,
foi como quando cai a neve em Zalmom.
**15** As montanhas de Basã são majestosas;
de cimos numerosos são as montanhas de Basã.
**16** Por que olhais com inveja,
ó montanhas escarpadas, para o monte que Deus desejou
para a sua habitação, onde o próprio Senhor habitará eternamente?
**17** Os carros de Deus são dezenas de milhares,
e milhares de milhares.
O Senhor está entre eles no Sinai, no seu santuário.
**18** Quando subiste ao alto, levaste cativo o cativeiro;
recebeste dons dos homens, e até dos rebeldes,
para que o Senhor Deus habitasse entre eles.
**19** Bendito seja o Senhor,
que dia a dia leva a nossa carga,
o Deus que é a nossa *salvação. (Selá)*
**20** O nosso Deus é o Deus da salvação;
a Deus, o Senhor, pertence o livramento da morte.
**21** Certamente Deus esmagará a cabeça de seus inimigos,
o crânio do que anda em pecados.
**22** Disse o Senhor: Eu os farei voltar de Basã;
farei voltar o meu povo das profundezas do mar,
**23** para que banhes o teu pé no sangue de teus inimigos,
e a língua dos teus cães tenha a sua porção.
**24** Ó Deus, viu-se a tua procissão,
a procissão do meu Deus, meu Rei, no santuário.
**25** Os cantores vão na frente,
os tocadores de instrumentos atrás;
entre eles vão as virgens tocando tamborins.
**26** Celebrai a Deus na grande congregação;
celebrai ao Senhor na congregação de Israel.
**27** Ali está a pequena tribo de Benjamim,
que os conduz, os príncipes de Judá
com o seu ajuntamento,
e os príncipes de Zebulom e de Naftali.
**28** Convoca, ó Deus, a tua força;
confirma, ó Deus, o que já realizaste por nós.
**29** Por amor do teu templo em Jerusalém,
os reis te trarão presentes.
**30** Repreende a fera dos juncos,
a manada de touros entre os novilhos dos povos.
Humilhada traga barras de prata.
Espalha os povos que se comprazem na guerra.

31 Embaixadores virão
   do Egito;
a Etiópia cedo estenderá para
   Deus as suas mãos.
32 Ó reinos da terra,
   cantai a Deus,
   cantai louvores ao Senhor,
   (Selá)
33 àquele que vai montado
   sobre os céus dos céus,
   desde a antiguidade,
e que troveja com poderosa
   voz.
34 Proclamai o poder de
   Deus,
cuja majestade está sobre
   Israel,
cujo poder está nos céus.
35 Ó Deus, tu és tremendo no
   teu santuário;
o Deus de Israel dá força e
   poder ao seu povo.
Bendito seja Deus!

**Ao diretor de música.
Segundo a melodia:
Os lírios. De Davi.**

**69** Livra-me, ó Deus, pois as
águas me
sobem até o pescoço.
2 Atolei-me em profundo
   lamaçal,
   e não tenho onde firmar os
   pés.
Entrei na profundeza das
   águas;
   a corrente me leva.
3 Estou cansado de clamar;
   secou-se a minha garganta.
Os meus olhos desfalecem de
   esperar por meu Deus.
4 Aqueles que me odeiam
sem causa são mais do que os
   cabelos
   da minha cabeça;
aqueles que procuram
   destruir-me,

que me atacam com
   mentiras, são poderosos.
Tenho de restituir o que
   não furtei.
5 Tu, ó Deus, bem conheces a
   minha insensatez;
os meus pecados não te são
   encobertos.
6 Não sejam envergonhados
   por minha causa
aqueles que esperam em ti,
   ó Senhor, Senhor dos
   Exércitos;
não sejam confundidos por
   minha causa
aqueles que te buscam, ó
   Deus de Israel.
7 Pois por amor de ti suporto
   afronta,
   e a confusão cobre o meu
   rosto.
8 Sou como um estranho para
   com os meus irmãos,
   e um desconhecido para com
   os filhos da minha mãe;
9 pois o zelo pela tua casa me
   consome,
   e os insultos dos que te
   afrontam
   caem sobre mim.
10 Quando choro e castigo
   com jejum
a minha alma,
   suporto afrontas;
11 quando me visto de pano
   de saco,
   torno-me um provérbio
   para eles.
12 Aqueles que se assentam
   à porta
   falam contra mim,
e sou a canção dos bêbados.
13 Eu, porém, faço a minha
   oração a ti, ó Senhor,
   em tempo aceitável;
ó Deus, ouve-me segundo
   a grandeza do teu amor,

## Salmos 69

segundo a fidelidade
da tua salvação.
14 Tira-me do lamaçal, não
me deixes atolar;
seja eu livre dos que me
aborrecem,
das profundezas das águas.
15 Não me leve a corrente das
águas
e não me engula o abismo,
nem o poço feche a sua boca
sobre mim.
16 Ouve-me, ó Senhor, pois
grande é o teu amor;
olha para mim segundo a
tua grande misericórdia.
17 Não escondas o teu rosto
do teu servo;
ouve-me depressa, pois
estou angustiado.
18 Aproxima-te da minha
alma e resgata-a;
livra-me por causa dos
meus inimigos.
19 Bem conheces a minha
afronta,
a minha vergonha e a
minha confusão;
diante de ti estão todos os
meus adversários.
20 Afrontas me
quebrantaram
o coração e me deixaram
desfalecido;
esperei por alguém que
tivesse
compaixão, mas não houve
nenhum,
por consoladores, mas não
os achei.
21 Deram-me fel por alimento,
e na minha sede me deram
a beber vinagre.
22 Torne-se a sua mesa
diante deles em laço;
torne-se em retribuição e
ruína.

23 Escureçam-se os seus
olhos,
para que não vejam;
faze com que os seus
lombos tremam
constantemente.
24 Derrama sobre eles a tua
indignação;
prenda-os o ardor da tua ira.
25 Fique desolado o seu lugar;
não haja quem habite nas
suas tendas.
26 Pois perseguem a quem
afligiste e falam sobre a dor
daqueles a quem feriste.
27 Acrescenta iniquidade à
iniquidade deles;
não partilhem da tua
salvação.
28 Sejam riscados do livro
da vida,
e não sejam inscritos com
os justos.
29 Estou aflito e triste;
proteja-me, ó Deus, a tua
salvação.
30 Louvarei o nome de Deus
com cântico,
e o engrandecerei com
ações de graças.
31 Isso será mais agradável
ao Senhor
do que um boi,
ou um novilho que tem
chifres e unhas.
32 Os pobres verão isso e se
agradarão;
vós, que buscais a Deus,
reviva o vosso coração.
33 O Senhor ouve os
necessitados
e não despreza os seus
cativos.
34 Louvem-no os céus
e a terra,
os mares e tudo o que neles
se move,

35 pois Deus salvará a Sião e
reedificará as cidades de
Judá.
Ali habitarão os seus servos e
a possuirão;
36 os filhos dos seus servos a
herdarão,
e os que amam o seu nome
nela habitarão.

**Ao diretor de música.
De Davi. Uma petição.**

**70** Apressa-te, ó Deus, em me
livrar;
Senhor, apressa-te em
ajudar-me.
2 Fiquem envergonhados e
confundidos
os que procuram a minha
alma;
retrocedam e confundam-se
os que
me desejam mal.
3 Retrocedam cobertos de
vergonha
os que dizem: Bem feito!
Bem feito!
4 Folguem e alegrem-se
em ti
todos os que te buscam;
aqueles que amam a
tua salvação digam
continuamente:
Engrandecido seja Deus.
5 Eu, porém, estou aflito e
necessitado;
apressa-te por mim, ó Deus.
Tu és o meu auxílio e o meu
libertador;
ó Senhor, não te detenhas.

**71** Em ti, Senhor, me refugiei;
nunca seja eu
envergonhado.
2 Livra-me na tua retidão
e faze que eu escape;
inclina os teus ouvidos para
mim e salva-me.
3 Sê tu para mim uma rocha
de refúgio,
à qual possa recorrer
continuamente;
dá um mandamento
que me salve,
pois tu és a minha rocha e a
minha fortaleza.
4 Livra-me, meu Deus, das
mãos do ímpio,
das mãos do homem injusto
e cruel.
5 Pois tu és a minha
esperança, ó Senhor Deus,
a minha confiança desde a
minha mocidade.
6 Desde o ventre tenho
confiado em ti;
tu me tiraste das entranhas
da minha mãe.
O meu louvor será para ti
constantemente.
7 Sou como um testemunho
para muitos,
pois tu és o meu forte refúgio.
8 Encha-se a minha boca do
teu louvor
e da tua glória o dia todo.
9 Não me rejeites no tempo
da velhice;
não me desampares,
quando se for acabando a
minha força.
10 Pois os meus inimigos
falam contra mim;
os que espiam a minha alma
consultam juntos,
11 dizendo: Deus o
desamparou;
persegui-o e prendei-o, pois
não há quem o livre.
12 Ó Deus, não te distancies
de mim;
ó meu Deus, apressa-te em
ajudar-me.
13 Sejam confundidos e
consumidos

os adversários da minha alma;
cubram-se de vergonha
e de confusão
aqueles que procuram
o meu mal.
**14** Eu, porém, esperarei sempre
e te louvarei mais e mais.
**15** A minha boca relatará as bênçãos
da tua retidão e da tua salvação o dia todo,
ainda que eu não conheça o seu número.
**16** Sairei na força do Senhor Deus;
farei menção da tua retidão, a tua somente.
**17** Ensinaste-me, ó Deus, desde a minha mocidade,
e até aqui tenho anunciado as tuas maravilhas.
**18** Mesmo quando eu estiver velho
e de cabelos brancos,
não me desampares, ó Deus,
até que tenha anunciado a tua força a esta geração,
e o teu poder às futuras gerações.
**19** A tua retidão, ó Deus, se eleva até os céus,
fizeste grandes coisas.
Ó Deus, quem é semelhante a ti?
**20** Tu, que me tens feito ver muitos
males e angústias,
me darás ainda a vida,
e me tirarás dos abismos da terra.
**21** Aumentarás a minha grandeza
e de novo me consolarás.
**22** Eu te louvarei com a lira, celebrarei a tua verdade, ó meu Deus;
cantarei os teus louvores com a harpa,
ó Santo de Israel.
**23** Os meus lábios exultarão quando eu cantar os teus louvores,
assim como a minha alma, que tu remiste.
**24** A minha língua falará dos teus feitos
justos o dia todo,
pois estão confundidos e envergonhados
aqueles que procuram o meu mal.

### Salmo de Salomão.

**72** Ó Deus, dá ao rei a tua justiça,
e a tua retidão ao filho do rei.
**2** Ele julgará o teu povo com retidão e os teus pobres com justiça.
**3** Os montes trarão prosperidade ao povo,
e os outeiros o fruto da retidão.
**4** Defenderá os aflitos do povo,
salvará os filhos do necessitado
e quebrantará o opressor.
**5** Ele permanecerá enquanto durar o sol e a lua,
de geração em geração.
**6** Ele será como a chuva sobre a erva ceifada,
como os aguaceiros que umedecem a terra.
**7** Nos seus dias florescerá o justo;
abundância de paz haverá enquanto durar a lua.
**8** Dominará de mar a mar, e desde o Rio até as extremidades da terra.
**9** Aqueles que habitam no deserto
se inclinarão ante ele,

e os seus inimigos
lamberão o pó.
10 Os reis de Társis e das
ilhas trarão tributo;
os reis de Sabá e de Seba
oferecerão presentes.
11 Todos os reis se prostrarão
perante ele,
e todas as nações o
servirão.
12 Pois ele livrará ao
necessitado que clamar,
como também ao aflito e
ao que não tem quem o
ajude.
13 Ele se compadecerá do
pobre e do aflito,
e salvará os necessitados.
14 Eles os libertará do
engano e da violência,
pois precioso é o seu sangue
aos olhos dele.
15 Tenha ele longa vida!
E se lhe dê do ouro de Sabá.
Continuamente se faça por
ele oração,
e todos os dias o bendigam.
16 Haja abundância de cereal
na terra;
ondule sobre os cumes dos
montes.
Como o Líbano, floresça
o seu fruto;
floresça como a erva
do campo.
17 Permaneça o seu nome
eternamente;
que ele continue enquanto
o sol durar.
Todas as nações serão
abençoadas nele,
e lhe chamarão
bem-aventurado.
18 Bendito seja o Senhor
Deus,
o Deus de Israel, o único
que faz maravilhas.
19 Bendito para sempre seja
o seu glorioso nome;
encha-se toda a terra
da sua glória.
Amém e amém.
20 Findam aqui as orações
de Davi,
filho de Jessé.

## TERCEIRO LIVRO
(Salmos 73-89)

### Salmo de Asafe.

**73** Verdadeiramente bom é
Deus para com Israel,
para com os limpos de
coração.
2 Quanto a mim, os meus pés
quase
se desviaram;
pouco faltou para que
escorregassem
os meus passos.
3 Pois eu tive inveja dos
soberbos,
ao ver a prosperidade dos
ímpios.
4 Não há apertos na sua
morte;
o seu corpo é forte e sadio.
5 São livres das tribulações
dos mortais;
não são afligidos pelos
males humanos.
6 Portanto, a soberba lhes
serve de colar;
vestem-se de violência
como de um adorno.
7 Os olhos deles estão
inchados de gordura;
não têm limite as
imaginações do seu
coração.
8 Zombam e falam com
malícia;
na sua arrogância
ameaçam com opressão.

9 Erguem a boca contra
os céus,
e a sua língua percorre
a terra.
10 Pelo que o seu povo volta
a eles,
e bebe águas em
abundância.
11 Dizem: Como o sabe Deus?
Ou há conhecimento no
Altíssimo?
12 São assim os ímpios;
sempre em segurança,
e as suas riquezas
aumentam.
13 Na verdade que em vão
purifiquei o meu coração;
em vão lavei as minhas
mãos na inocência.
14 O dia todo sou afligido;
sou castigado cada manhã.
15 Se eu tivesse dito: Falarei
assim;
teria traído a geração de teus
filhos.
16 Quando tentei
compreender isso,
fiquei sobremodo perturbado,
17 até que entrei no
santuário de Deus;
então entendi o fim deles.
18 Certamente tu os pões
em lugares escorregadios;
tu os lanças em destruição.
19 Quão repentinamente são
destruídos,
totalmente consumidos de
terrores!
20 Como faz com um sonho o
que acorda,
assim, ó Senhor, quando
*acordares os*
desprezarás como fantasias.
21 Quando o meu coração se
amargurou,
e senti picadas nos
meus rins,

22 estava embrutecido, e
nada sabia;
era como um animal
perante ti.
23 Todavia estou de contínuo
contigo;
tu me seguras pela minha
mão direita.
24 Guias-me com o teu
conselho,
e depois me receberás na
glória.
25 A quem tenho eu no céu
senão a ti?
E na terra não há quem eu
deseje além de ti.
26 A minha carne e o meu
coração desfalecem,
mas Deus é a fortaleza do
meu coração
e a minha porção para
sempre.
27 Os que se distanciam de ti
perecerão;
tu destróis todos aqueles
que te são infiéis.
28 Mas, para mim, bom é
aproximar-me de Deus.
Pus o meu refúgio no
Senhor Deus;
anunciarei todas as tuas
obras.

**Um masquil de Asafe.**

**74** Ó Deus, por que nos rejeitaste para sempre?
Por que se acende a tua ira
contra as ovelhas do teu
pasto?
2 Lembra-te da tua
congregação,
que compraste desde a
antiguidade,
que remiste para ser a tribo
da tua herança;
do monte Sião, onde
habitaste.

**3** Dirige os teus passos para
as perpétuas ruínas,
toda a destruição que o
inimigo tem feito no
santuário.
**4** Os teus inimigos rugiram
no meio da
tua assembleia;
puseram nela as suas
bandeiras
como sinal de vitória.
**5** Comportaram-se como
homens que brandem
o machado no espesso da
floresta.
**6** Toda obra entalhada
quebraram com machados
e martelos.
**7** Lançaram fogo ao teu
santuário;
profanaram a morada do
teu nome,
derrubando-a até o chão.
**8** Disseram no seu coração:
Nós o esmagaremos de uma
vez.
Queimaram todos os lugares
santos de Deus
na terra.
**9** Já não vemos os sinais
miraculosos;
já não há profeta,
nem há entre nós alguém que
saiba
até quando isso durará.
**10** Até quando, ó Deus,
nos afrontará o adversário?
Blasfemará o inimigo o teu
nome para sempre?
**11** Por que retiras a tua mão,
a tua mão direita?
Descruze os braços e
consome-os.
**12** Todavia, Deus é o meu Rei
desde a antiguidade,
operando a salvação no
meio da terra.
**13** Tu dividiste o mar pela
tua força;
quebraste as cabeças dos
monstros nas águas.
**14** Fizeste em pedaços as
cabeças do leviatã,
e o deste por alimento aos
animais do deserto.
**15** Abriste as fontes e os
ribeiros;
secaste os rios impetuosos.
**16** Teu é o dia e tua
é a noite;
preparaste a lua e o sol.
**17** Estabeleceste todos os
limites da terra;
verão e inverno tu os
formaste.
**18** Lembra-te de como o
inimigo te afrontou,
ó Senhor,
e de como um povo louco
blasfemou
o teu nome.
**19** Não entregues às feras a
vida da tua pomba;
não te esqueças para sempre
da vida
dos teus aflitos.
**20** Atenta para a tua aliança,
porque os lugares tenebrosos
da terra
estão cheios de moradas de
violência.
**21** Não volte envergonhado o
oprimido;
louvem o teu nome o aflito e
o necessitado.
**22** Levanta-te, ó Deus, pleiteia
a tua própria causa;
lembra-te da afronta que o
louco te faz cada dia.
**23** Não te esqueças da
gritaria dos teus inimigos;
o tumulto daqueles que se
levantam contra ti
aumenta continuamente.

Ao diretor de música.
Segundo a melodia:
Não destruas.
Um salmo de Asafe.
Um cântico.

## 75

A ti, ó Deus, glorificamos,
a ti damos louvor,
pois o teu nome está perto;
os homens falam dos teus
maravilhosos feitos.
2 Dizes: Eu escolho o tempo
determinado;
sou eu quem julga
retamente.
3 Dissolve-se a terra e todos
os seus moradores,
mas eu fortaleço as suas
colunas. (Selá)
4 Digo aos soberbos:
Não sejais arrogantes;
e aos ímpios:
Não levanteis a fronte.
5 Não levanteis a vossa
fronte altiva,
nem faleis com arrogância;
6 porque não é do Oriente,
nem do Ocidente
nem do deserto que vem a
exaltação.
7 Deus é o juiz;
a um humilha e a outro
exalta.
8 Na mão do Senhor
há um cálice cujo vinho ferve,
cheio de mistura, e dá
a beber dele;
todos os ímpios da terra
o sugarão e beberão até o fim.
9 Quanto a mim, anunciarei
isso para sempre;
cantarei louvores ao Deus
de Jacó.
10 Quebrarei as forças de
todos os ímpios,
mas as forças dos justos
serão exaltadas.

Ao diretor de música.
Com instrumentos de cordas.
Salmo de Asafe. Um cântico.

## 76

Conhecido é Deus em Judá;
grande é o seu
nome em Israel.
2 Em Salém está o seu
tabernáculo,
e a sua morada em Sião.
3 Ali quebrou as flechas
flamejantes,
os escudos e as espadas,
as armas de guerra. (Selá)
4 Tu és mais ilustre e glorioso
do que os montes ricos de caça.
5 Os ousados de coração
estão despojados
e dormem o seu último sono;
nenhum dos homens de força
pode usar as mãos.
6 A tua repreensão,
ó Deus de Jacó,
carros e cavalos são
lançados num
sono profundo.
7 Tu, somente, és temível.
Quem subsistirá à tua vista,
se te irares?
8 Dos céus fizeste ouvir
o teu juízo;
a terra tremeu e se
aquietou,
9 quando tu, ó Deus, te
levantaste para julgar,
para livrar a todos os
mansos da terra. (Selá)
10 Certamente a ira do
homem
redunda em teu louvor,
e com o restante da ira te
cinges.
11 Fazei votos e pagai-os ao
Senhor, vosso Deus;
tragam presentes,
os que estão em redor dele,
àquele que é tremendo.

12 Ele quebranta o espírito
dos governantes;
é temido pelos reis da terra.

**Ao diretor de música Jedutum.
De Asafe. Um salmo.**

# 77

Clamei ao Senhor com a
minha voz;
a Deus levantei a voz,
e ele inclinou para mim os
ouvidos.
2 No dia da minha angústia
busquei o Senhor;
a minha mão se estendeu
de noite,
sem descanso,
e a minha alma recusou ser
consolada.
3 Lembrei-me de ti, ó Deus, e
comecei a gemer;
queixei-me, e o meu espírito
desfaleceu. (Selá)
4 Mantiveste os meus olhos
vigilantes;
eu estava tão perturbado
que não podia falar.
5 Considerei os dias da
antiguidade,
os anos dos tempos passados.
6 De noite chamei à
lembrança o meu cântico;
meditei em meu coração,
e o meu espírito investigou.
7 Rejeitará o Senhor para
sempre
e não tornará a ser
favorável?
8 Cessou para sempre o seu
constante amor?
Acabou-se a promessa
que veio de geração em
geração?
9 Esqueceu-se Deus de ter
misericórdia?
Ou encerrou ele a sua
compaixão na sua ira?
(Selá)

10 Então pensei:
A isto apelarei:
aos anos da destra do
Altíssimo.
11 Eu me lembrarei das obras
do Senhor;
certamente que me
lembrarei das tuas
maravilhas da antiguidade.
12 Meditarei também em
todas as tuas obras
e falarei dos teus feitos.
13 Os teus caminhos, ó Deus,
são santos.
Que Deus é tão grande como
o nosso Deus?
14 Tu és o Deus que fazes
maravilhas;
fizeste notória a tua força
entre os povos.
15 Com o teu braço
remiste o teu povo,
os filhos de Jacó e de José.
(Selá)
16 As águas te viram, ó Deus,
as águas te viram e
tremeram;
os abismos se abalaram.
17 Grossas nuvens se
desfizeram em água,
e os céus retumbaram;
as tuas flechas correram de
uma parte para outra.
18 A voz do teu trovão
repercutiu-se
no redemoinho,
e o teu relâmpago iluminou o
mundo;
a terra se abalou e tremeu.
19 Pelo mar foi o teu caminho,
e as tuas veredas pelas
grandes águas;
as tuas pegadas não foram
conhecidas.
20 Guiaste o teu povo como a
um rebanho
pela mão de Moisés e de Arão.

# Salmos 78

**Um masquil de Asafe.**

**78** Escutai a minha lei, ó povo meu;
inclinai os vossos ouvidos
às palavras da minha boca.
2 Abrirei a minha boca em parábolas,
proporei enigmas da antiguidade,
3 o que ouvimos e aprendemos,
e os nossos pais nos contaram.
4 Não o esconderemos aos seus filhos;
mostraremos à geração futura
os louvores do Senhor,
assim como a sua força
e as maravilhas que fez.
5 Ele estabeleceu um testemunho em Jacó,
e pôs uma lei em Israel,
a qual ordenou aos nossos pais
que a fizessem conhecer a seus filhos,
6 para que a geração vindoura a soubesse;
até os filhos que ainda haveriam de nascer,
e eles, por sua vez, a contassem a seus filhos.
7 Então poriam em Deus a sua esperança,
e não se esqueceriam das obras de Deus
e guardariam os seus mandamentos.
8 Não seriam como os seus pais,
geração obstinada e rebelde,
geração de coração instável,
*e cujo espírito não foi fiel para com Deus.*
9 Os filhos de Efraim,
armados e trazendo arcos,
retrocederam no dia da peleja;
10 não guardaram a aliança de Deus
e recusaram-se a andar na sua lei.
11 Esqueceram-se das suas obras,
das maravilhas que lhes fizera ver.
12 Fez maravilhas à vista de seus pais
na terra do Egito, no campo de Zoã.
13 Dividiu o mar e os fez passar por ele;
fez com que as águas parassem como num montão.
14 De dia os guiou com uma nuvem
e durante a noite com um clarão de fogo.
15 Fendeu as penhas no deserto
e deu-lhes de beber abundantemente
como de grandes abismos;
16 fez sair fontes da rocha
e correr as águas como rios.
17 Contudo, prosseguiram em pecar contra ele,
rebelando-se contra o Altíssimo no deserto.
18 Tentaram a Deus nos seus corações,
pedindo carne para satisfazerem o seu apetite.
19 Falaram contra Deus, dizendo:
Pode Deus preparar-nos uma mesa no deserto?
20 Quando feriu a penha,
águas correram dela,
e rebentaram ribeiros em abundância.
Mas pode ele também dar-nos pão,
ou preparar carne para o seu povo?

**21** Quando o Senhor os
ouviu, se indignou;
acendeu um fogo contra
Jacó,
e também furor subiu contra
Israel,
**22** pois não creram em Deus
nem confiaram na sua
salvação.
**23** Contudo, ordenou ele às
altas nuvens
e abriu as portas dos céus;
**24** fez chover sobre eles o
maná para comerem,
lhes deu cereal do céu.
**25** Cada um comeu o pão
dos anjos;
mandou-lhes comida com
abundância.
**26** Fez soprar no céu o vento
do oriente
e trouxe o vento sul com a
sua força.
**27** Fez chover sobre eles
carne como pó
e aves de asas como a areia
do mar.
**28** Fê-las cair no meio do seu
arraial,
ao redor das suas tendas.
**29** Comeram e se fartaram,
pois lhes satisfez o desejo.
**30** Não refrearam o seu
apetite.
Ainda lhes estava a comida
na boca,
**31** quando a ira de Deus
desceu sobre eles,
matou os mais fortes deles
e feriu os escolhidos de Israel.
**32** Apesar de tudo isso, ainda
pecaram; não deram crédito
às suas maravilhas.
**33** Pelo que consumiu os seus
dias como um sopro,
e os seus anos, na angústia.
**34** Quando Deus os castigava
com a morte,
então o procuravam;
voltavam-se, e de madrugada
buscavam a Deus.
**35** Lembravam-se de que
Deus era a sua rocha,
de que o Deus Altíssimo era
o seu Redentor.
**36** Todavia, bajulavam-no
com a boca,
e com a língua lhe mentiam;
**37** o seu coração não era reto
para com ele,
não foram fiéis à sua aliança.
**38** Ele, porém, foi
misericordioso;
perdoou a sua iniquidade e
não os destruiu.
Muitas vezes desviou deles a
sua cólera;
não deixou despertar toda a
sua ira.
**39** Ele se lembrou de que
eram apenas carne,
uma brisa que passa e não
volta.
**40** Quantas vezes o
provocaram no deserto,
e o ofenderam no deserto!
**41** Voltaram atrás e tentaram
a Deus;
duvidaram do Santo de
Israel.
**42** Não se lembraram do
poder da sua mão,
do dia em que os livrou do
adversário,
**43** do dia em que operou os
seus sinais no Egito,
as suas maravilhas no
campo de Zoã.
**44** Converteu em sangue os
seus rios;
não puderam beber das
suas correntes.

45 Mandou-lhes enxames de moscas
que os consumiram, e rãs que os destruíram.
46 Deu às larvas as suas colheitas,
e o fruto do seu trabalho aos gafanhotos.
47 Destruiu as suas vinhas com saraiva e os seus sicômoros com geada.
48 Entregou o seu gado à saraiva,
e aos raios os seus rebanhos.
49 Atirou para o meio deles,
quais mensageiros de males,
o ardor da sua ira, furor, indignação e angústia.
50 Abriu caminho à sua ira;
não poupou da morte a alma deles,
mas os entregou à peste.
51 Feriu todo primogênito no Egito,
as primícias da sua força nas tendas de Cão.
52 Fez, porém, com que o seu povo saísse como ovelhas;
guiou-os pelo deserto como a um rebanho.
53 Guiou-os com segurança, de sorte que não temeram;
mas o mar cobriu os seus inimigos.
54 Assim os conduziu ao limite da sua terra santa,
a este monte que a sua mão direita adquiriu.
55 Expulsou as nações de diante deles
e delimitou-lhes uma *herança*;
fez habitar em suas tendas as tribos de Israel.
56 Eles, porém, tentaram e provocaram o Deus Altíssimo;
não guardaram os seus testemunhos.
57 Tornaram atrás e portaram-se
infielmente como os seus pais,
desviaram-se como um arco traiçoeiro.
58 Provocaram-no à ira com os seus
altares idólatras;
incitaram-no a zelos com as suas imagens
de escultura.
59 Quando Deus ouviu isso, se indignou;
rejeitou completamente a Israel.
60 Abandonou o tabernáculo de Siló,
a tenda que estabelecera como a sua morada entre os homens.
61 Enviou a arca da sua força ao exílio,
e a sua glória, à mão do inimigo.
62 Entregou o seu povo à espada;
encolerizou-se contra a sua herança.
63 Os seus jovens consumiu-os o fogo,
e as suas donzelas não tiveram canto nupcial;
64 os seus sacerdotes caíram à espada,
e as suas viúvas não prantearam.
65 Então o Senhor despertou como de um sono,
como um valente que o vinho excitasse.
66 Fez recuar os seus adversários;
para sempre os entregou à vergonha.

**67** Então rejeitou as tendas
de José e não escolheu a tribo
de Efraim.
**68** Antes escolheu a tribo de
Judá,
o monte Sião, que ele amava.
**69** Edificou o seu santuário
como os lugares elevados,
como a terra que fundou
para sempre.
**70** Escolheu a Davi, seu servo,
e o tirou dos apriscos das
ovelhas;
**71** do cuidado das ovelhas
pejadas o trouxe para ser o
pastor
de Jacó, o seu povo,
e de Israel, a sua herança.
**72** E Davi os apascentou
segundo a integridade do seu
coração;
guiou-os com a perícia das
suas mãos.

**Um salmo de Asafe.**

# 79

Ó Deus, as nações
invadiram
a tua herança;
contaminaram o teu santo
templo,
reduziram Jerusalém a
montões de pedras.
**2** Deram os cadáveres dos
teus servos
por alimento às aves dos
céus,
e a carne dos teus fiéis, às
feras da terra.
**3** Derramaram o sangue deles
como água ao redor de
Jerusalém,
e não houve quem os
sepultasse.
**4** Somos a vergonha dos
nossos vizinhos,
o riso e a zombaria dos que
estão à roda de nós.

**5** Até quando, Senhor?
Ficarás indignado para
sempre?
Até quando arderá o teu
zelo como fogo?
**6** Derrama o teu furor
sobre as nações que não te
conhecem
e sobre os reinos que não
invocam o teu nome;
**7** pois devoraram a Jacó
e assolaram as suas moradas.
**8** Não cobres de nós as
iniquidades dos nossos pais;
apresse ao nosso encontro a
tua misericórdia,
pois estamos muito
abatidos.
**9** Ajuda-nos, ó Deus da nossa
salvação,
pela glória do teu nome;
livra-nos e perdoa os nossos
pecados
por amor do teu nome.
**10** Por que diriam as nações:
Onde está o seu Deus?
Seja manifesta à nossa
vista, entre as nações,
a vingança do sangue
derramado dos teus servos.
**11** Chegue à tua presença o
gemido dos presos;
segundo a grandeza
do teu braço,
preserva aqueles que estão
sentenciados à morte.
**12** Aos nossos vizinhos,
retribui,
sete vezes mais,
a sua ofensa com que te
ofenderam, ó Senhor.
**13** Então nós, teu povo e
ovelhas de teu pasto,
te louvaremos eternamente;
de geração em geração
proclamaremos os teus
louvores.

> Ao diretor de música.
> Segundo a melodia:
> Os lírios da aliança.
> De Asafe. Um salmo.

## 80

Ó Pastor de Israel,
dá ouvidos;
tu, que guias a José como a
um rebanho,
que te assentas entre os
querubins,
resplandece
2 perante Efraim, Benjamim
e Manassés.
Desperta o teu poder, e vem
salvar-nos.
3 Faze-nos voltar, ó Deus;
faze resplandecer o teu
rosto, e seremos salvos.
4 Ó Senhor Deus dos
Exércitos,
até quando te indignarás
contra a oração do teu
povo?
5 Tu os sustentas com pão de
lágrimas;
dá-lhes a beber lágrimas
em abundância.
6 Tu nos pões por objeto de
zombaria
entre os nossos vizinhos,
e os nossos inimigos caçoam
de nós.
7 Faze-nos voltar, ó Deus dos
Exércitos;
faze resplandecer o teu
rosto, e seremos salvos.
8 Trouxeste uma vinha do
Egito;
lançaste fora as nações e a
plantaste.
9 Preparaste-lhe lugar,
e ela *deitou* profundas raízes
e encheu a terra.
10 Os montes cobriram-se
com a sua sombra,
e os cedros de Deus com os
seus ramos.
11 Estendeu a sua ramagem
até o mar,
os seus ramos até o rio.
12 Por que quebraste as
suas cercas,
de modo que todos os que
passam por ela
colham uvas?
13 O javali da selva a devasta,
e as feras do campo a devoram.
14 Ó Deus dos Exércitos,
volta-te,
nós te rogamos!
Atende dos céus, e vê!
Visita esta vinha,
15 a videira que a tua mão
direita plantou,
o ramo que para ti
fortificaste.
16 A tua vinha queimada
pelo fogo está cortada;
pereceu pela repreensão da
tua face.
17 Seja a tua mão sobre o
povo da tua mão direita,
sobre o filho do homem, que
fortaleceste para ti.
18 Então não nos
apartaremos de ti;
vivifica-nos, e invocaremos o
teu nome.
19 Faze-nos voltar, ó Senhor
Deus dos Exércitos;
faze resplandecer o teu
rosto, e seremos salvos.

> Ao diretor de música.
> Segundo gitite. De Asafe.

## 81

Cantai alegremente a Deus,
a nossa fortaleza;
celebrai o Deus de Jacó.
2 Entoai um salmo e fazei
soar o adufe,
a suave harpa e o alaúde.
3 Tocai a trombeta na lua
nova, na lua cheia,
no dia da nossa festa;

4 isso é um preceito para
Israel,
e uma ordenança do Deus
de Jacó.
5 Ordenou-o como estatuto
para José,
quando saiu contra a terra
do Egito,
onde ouvimos uma língua
que não entendíamos.
6 Diz ele: Tirei de seus
ombros a carga;
as suas mãos foram livres
dos cestos de carga.
7 Clamaste na angústia, e te
livrei,
respondi-te do lugar oculto
dos trovões;
provei-te nas águas de
Meribá. (Selá)
8 Ouve-me, ó povo meu, e eu
te admoestarei;
ó Israel, se tão somente me
ouvisses!
9 Não haverá entre ti deus
estrangeiro;
não te prostrarás ante um
deus estranho.
10 Eu sou o Senhor teu Deus,
que te tirei da terra do Egito;
abre bem a tua boca, e eu a
encherei.
11 O meu povo, porém,
não quis ouvir a minha voz;
Israel não me quis.
12 Pelo que eu os entreguei
aos desejos do seu coração,
e andaram segundo os seus
próprios conselhos.
13 Se o meu povo tão somente
me ouvisse,
se Israel andasse nos meus
caminhos,
14 de pronto eu abateria os
seus inimigos
e voltaria a minha mão
contra os seus adversários!

15 Os que odeiam ao Senhor
se lhe submeteriam,
e o seu castigo seria eterno.
16 Eu, porém, te sustentaria
com o trigo mais fino;
com o mel saído da rocha
te saciaria.

**Um salmo de Asafe.**

**82** Deus preside a grande
congregação;
julga no meio dos deuses.
2 Até quando defendereis
os injustos e tomareis partido
ao lado dos ímpios? (Selá)
3 Defendei a causa do fraco
e do órfão; protegei os direitos
do pobre e do oprimido.
4 Livrai o fraco e o
necessitado;
tirai-os das mãos dos ímpios.
5 Eles nada sabem, nada
entendem.
Andam em trevas;
todos os fundamentos da
terra vacilam.
6 Eu disse: Vós sois deuses;
vós sois todos filhos do
Altíssimo.
7 Todavia, morrereis
como homens;
caireis como qualquer
governante.
8 Levanta-te, ó Deus,
julga a terra,
pois todas as nações são a tua
herança.

**Um cântico. Um salmo de Asafe.**

**83** Ó Deus, não guardes
silêncio;
não te cales, nem fiques
impassível, ó Deus.
2 Vê como os teus inimigos se
alvoroçam;
os que te odeiam levantam
a cabeça.

3 Astutamente formam conselho
contra o teu povo;
conspiram contra os teus protegidos.
4 Dizem: Vinde, ponhamos fim à nação,
para que não haja mais memória
do nome de Israel.
5 Eles tramam juntos;
aliam-se contra ti
6 as tendas de Edom e os ismaelitas,
Moabe e os hagarenos,
7 Gebal, Amom e Amaleque,
e a Filístia com os moradores de Tiro.
8 Até a Assíria se ligou a eles
para dar força ao braço dos filhos de Ló. (Selá)
9 Faze-lhes como fizeste a Midiã,
como a Sísera, como a Jabim junto ao rio Quisom,
10 os quais foram destruídos em En-Dor,
e se tornaram esterco para a terra.
11 Faze aos seus nobres como a Orebe e a Zeebe,
e a todos os seus príncipes
como a Zeba e como a Zalmuna,
12 que disseram:
Conquistemos para nós as famosas habitações de Deus.
13 Deus meu, faze-os como folhas secas levadas pelo redemoinho,
*como a palha diante do vento.*
14 Como o fogo que queima um bosque,
e como a chama que incendeia as montanhas,
15 assim persegue-os com a tua tempestade
e assombra-os com o teu redemoinho.
16 Encha-se de vergonha o rosto,
para que busquem o teu nome, ó Senhor.
17 Confundam-se e assombrem-se perpetuamente;
envergonhem-se, e pereçam.
18 Para que saibam que tu, a quem só pertence
o nome de Senhor,
és o Altíssimo sobre toda a terra.

**Ao diretor de música.
Segundo gitite. Dos filhos
de Coré. Um salmo.**

# 84
Quão amáveis são os teus tabernáculos,
ó Senhor dos Exércitos!
2 A minha alma suspira e desfalece pelos átrios do Senhor;
o meu coração e a minha carne clamam pelo Deus vivo.
3 Até o pardal encontrou casa,
e a andorinha, ninho para si e a sua prole,
junto aos teus altares,
ó Senhor dos Exércitos, Rei meu e Deus meu.
4 Bem-aventurados os que habitam em tua casa;
te louvarão continuamente. (Selá)
5 Bem-aventurado o homem cuja força está em ti,
em cujo coração estão os caminhos aplanados.
6 Ao passar pelo vale de Baca,
faz dele um lugar de fontes;

a chuva do outono o cobre
de poços.
7 Vão indo de força em força,
até cada um deles aparecer
em Sião,
perante Deus.
8 Ó Senhor Deus dos Exércitos,
ouve a minha oração;
inclina os teus ouvidos, ó
Deus de Jacó! (Selá)
9 Olha, ó Deus, escudo nosso,
e contempla o rosto do teu
ungido.
10 Vale mais um dia nos
teus átrios
do que em outra parte mil;
preferiria estar à porta da
casa do meu Deus
a habitar nas tendas da
impiedade.
11 Pois o Senhor Deus é sol e
escudo;
o Senhor dá graça e glória;
não nega bem algum aos que
andam na retidão.
12 Ó Senhor dos Exércitos,
bem-aventurado o homem
que em ti confia.

**Ao diretor de música.**
**Dos filhos de Coré. Um salmo.**

## 85

Abençoaste, ó Senhor, a
tua terra;
fizeste regressar os cativos de
Jacó.
2 Perdoaste a iniquidade do
teu povo
e *cobriste todos os seus
pecados*. (Selá)
3 Fizeste cessar toda a tua
indignação,
e te desviaste do ardor da
tua ira.
4 Restaura-nos, ó Deus da
nossa salvação,
e retira de sobre nós
a tua ira.
5 Estarás para sempre irado
contra nós?
Estenderás a tua ira a todas
as gerações?
6 Não tornarás a vivificar-nos,
para que o teu povo se alegre
em ti?
7 Mostra-nos, ó Senhor, o teu
constante amor
e concede-nos a tua
salvação.
8 Escutarei o que Deus, o
Senhor, disser;
falará de paz ao seu povo e
aos seus santos;
que não voltem eles à
loucura.
9 Certamente que a salvação
está perto daqueles que o
temem,
para que a sua glória
habite em nossa terra.
10 O amor e a verdade se
encontram;
a retidão e a paz se beijam.
11 A fidelidade brota da
terra,
e a retidão olha dos céus.
12 O Senhor deveras dará o
que é bom,
e a nossa terra produzirá o
seu fruto.
13 A justiça vai adiante dele,
e prepara o caminho para
os seus passos.

**Uma oração de Davi.**

## 86

Inclina, ó Senhor,
os teus ouvidos
e ouve-me,
pois sou pobre e
necessitado.
2 Guarda a minha alma,
pois sou fiel a ti.
Tu és o meu Deus;
salva o teu servo,
que em ti confia.

3 Tem misericórdia de mim,
ó Senhor,
pois a ti clamo o dia todo.
4 Alegra a alma do teu servo,
pois a ti, Senhor, elevo a
minha alma.
5 Tu, ó Senhor, és bom e
pronto a perdoar,
abundante em amor para
com todos os que
te invocam.
6 Dá ouvidos, ó Senhor, à
minha oração;
atende à voz das minhas
súplicas.
7 No dia da minha angústia
clamarei a ti,
pois me responderás.
8 Entre os deuses não há
semelhante a ti, ó Senhor;
não há obras como as tuas.
9 Todas as nações que
fizeste virão
e se prostrarão perante a
tua face, ó Senhor;
glorificarão o teu nome.
10 Pois tu és grande e operas
maravilhas;
só tu és Deus.
11 Ensina-me, ó Senhor,
o teu caminho,
e andarei na tua verdade;
unifica o meu coração para
temer o teu nome.
12 Eu te louvarei, ó Senhor,
Deus meu, de todo o coração;
glorificarei o teu nome para
sempre.
13 Pois grande é o teu amor
para comigo;
livraste a minha alma das
*profundezas*
da sepultura.
14 Ó Deus, os soberbos se
levantam contra mim;
as assembleias dos tiranos
procuram a minha vida,
homens que não têm
consideração para contigo.
15 No entanto, tu, ó Senhor,
és Deus compassivo e
gracioso,
lento para irar-se e
abundante em amor e
fidelidade.
16 Volta-te para mim
e tem misericórdia de mim;
concede a tua força
ao teu servo
e salva o filho da tua serva.
17 Mostra-me um sinal da tua
bondade,
para que o vejam aqueles
que me odeiam e sejam
humilhados,
pois tu, ó Senhor,
me ajudaste e consolaste.

**Dos filhos de Coré.**
**Um salmo.**
**Um cântico.**

**87** O seu fundamento está nos
montes santos;
2 o Senhor ama as portas
de Sião
mais do que todas as
habitações de Jacó.
3 Coisas gloriosas se
dizem de ti,
ó cidade de Deus. (Selá)
4 Dentre os que me
conhecem,
farei menção de Raabe e de
Babilônia;
da Filístia, e de Tiro, e de
Cuxe, se dirá:
Este nasceu em Sião.
5 Sim, de Sião se dirá:
Este e aquele nasceram ali,
e o próprio Altíssimo a
estabelecerá.
6 O Senhor, ao registrar os
povos, dirá:
Este nasceu em Sião. (Selá)

7 Os cantores e os tocadores
de instrumentos cantarão:
Todas as minhas fontes estão
em ti.

**Um cântico. Um salmo dos filhos de Coré. Ao diretor de música. Segundo maalate-leanote. Um masquil de Hemã, ezraíta.**

## 88

Ó Senhor, Deus da minha salvação,
diante de ti clamo de dia
e de noite.
2 Chegue a minha oração
perante a tua face;
inclina os teus ouvidos ao
meu clamor.
3 Pois a minha alma está
cheia de angústias,
e a minha vida se aproxima
da sepultura.
4 Estou contado com os que
descem à cova;
estou como um homem
sem forças.
5 Fui atirado entre os mortos,
como os feridos de morte que
jazem na sepultura,
dos quais não te lembras mais,
os quais os exclui a tua mão.
6 Puseste-me na cova mais
profunda,
em trevas, nas profundezas.
7 Sobre mim pesa a tua
cólera;
tu me abateste com todas as
tuas ondas. (Selá)
8 Apartaste de mim os meus
conhecidos
e me fizeste em extremo
abominável para eles.
Estou preso e não posso sair;
9 as minhas vistas estão fracas
por causa da aflição.
Ó Senhor, a ti clamo o dia todo;
estendo para ti as minhas
mãos.
10 Mostras tu maravilhas
aos mortos?
Levantam-se os mortos
e te louvam? (Selá)
11 É anunciado o teu amor na
sepultura,
ou a tua fidelidade no
abismo?
12 Sabem-se as tuas
maravilhas nas trevas,
e os feitos justos, na terra
do esquecimento?
13 Eu, porém, Senhor,
clamo a ti;
de madrugada te envio a
minha oração.
14 Ó Senhor, por que rejeitas
a minha alma
e escondes de mim a
tua face?
15 Estou aflito e prestes a
morrer
desde a minha mocidade;
sofro os teus terrores e
estou desesperado.
16 A tua ardente indignação
me cobriu;
os teus terrores me
destruíram.
17 Como águas me rodeiam o
dia todo;
cercaram-me completamente.
18 Afastaste para longe
de mim
amigos e companheiros;
o meu amigo mais íntimo
agora são as trevas.

**Um masquil de Etã, ezraíta.**

## 89

O grande amor do Senhor cantarei
perpetuamente;
com a minha boca
manifestarei a tua fidelidade
de geração em geração.
2 Direi que o teu amor
permanece para sempre,

e que estabeleceste a tua
fidelidade nos céus.
3 Disseste: Fiz aliança com o
meu escolhido,
jurei ao meu servo Davi,
4 estabelecerei a tua
descendência para sempre
e edificarei o teu trono de
geração em geração. (Selá)
5 Os céus louvam as tuas
maravilhas, ó Senhor,
e também a tua fidelidade
na assembleia dos santos.
6 Pois quem no céu se pode
igualar ao Senhor?
Quem é semelhante ao Senhor
entre os filhos dos poderosos?
7 Deus é tremendamente
temido na assembleia dos
santos;
grandemente reverenciado
por todos os que o cercam.
8 Ó Senhor, Deus dos
Exércitos,
quem é forte como tu?
Tu és poderoso, ó Senhor,
e a tua fidelidade está ao
redor de ti.
9 Tu dominas o ímpeto do mar;
quando as suas ondas se
levantam, tu as fazes
aquietar.
10 Tu quebrantaste a Raabe
como um ferido de morte;
espalhaste os teus inimigos
com o teu poderoso braço.
11 Teus são os céus, e tua é a
terra;
o mundo e a sua plenitude tu
os fundaste.
12 O norte e o sul tu os criaste;
o *Tabor* e o *Hermom*
regozijam-se em teu nome.
13 Tu tens um braço
poderoso;
forte é a tua mão, e elevada a
tua mão direita.

14 Retidão e justiça são a
base do teu trono;
amor e fidelidade vão à tua
frente.
15 Bem-aventurado o povo
que aprendeu a aclamar-te,
que anda à luz da tua
presença, ó Senhor.
16 Em teu nome se alegrará o
dia todo;
na tua retidão se exaltará.
17 Pois tu és a sua glória e
força,
e pelo teu favor será exaltado
o nosso poder.
18 Certamente o Senhor é a
nossa defesa,
e o Santo de Israel o nosso
Rei.
19 Uma vez falaste em visão,
ao teu povo fiel disseste:
Dei força a um guerreiro;
exaltei a um jovem dentre o
povo.
20 Achei a Davi, meu servo;
com o meu santo óleo o
ungi.
21 A minha mão será firme
com ele;
o meu braço o fortalecerá.
22 O inimigo não o
importunará;
não o afligirá o filho da
perversidade.
23 Eu esmagarei os seus
inimigos perante a sua face
e ferirei os que o odeiam.
24 O meu amor fiel estará
com ele,
e em meu nome será
exaltado o seu poder.
25 Porei a sua mão
sobre o mar,
e a sua direita sobre os rios.
26 Ele me invocará, dizendo:
Tu és meu pai, meu Deus,
a rocha da minha salvação.

**27** Também lhe darei o lugar de primogênito, o mais elevado dos reis da terra.
**28** O meu amor lhe manterei para sempre, e a minha aliança lhe será firme.
**29** Conservarei para sempre a sua descendência, e o seu trono enquanto existir céu.
**30** Se os seus filhos deixarem a minha lei e não andarem nos meus estatutos,
**31** se profanarem os meus preceitos e não guardarem os meus mandamentos,
**32** punirei a sua transgressão com a vara, e a sua iniquidade com açoites.
**33** Contudo, não retirarei totalmente dele o meu amor, jamais faltarei à minha fidelidade.
**34** Não quebrarei a minha aliança, não alterarei o que saiu dos meus lábios.
**35** Uma vez para sempre jurei por minha santidade; não mentirei a Davi.
**36** A sua descendência durará para sempre, e o seu trono será como o sol perante mim.
**37** Será estabelecido para sempre como a lua, a fiel testemunha no céu. (Selá)
**38** No entanto, tu o rejeitaste, repudiaste-o, e te indignaste contra o teu ungido.
**39** Desprezaste a aliança com o teu servo e profanaste a sua coroa, lançando-a por terra.
**40** Derrubaste todos os seus muros e arruinaste as suas fortalezas.
**41** Todos os que passam pelo caminho o despojaram; tornou-se objeto de zombaria dos seus vizinhos.
**42** Exaltaste a mão direita dos seus adversários; fizeste com que todos os seus inimigos se regozijassem.
**43** Tiraste o fio da sua espada e não o sustentaste na peleja.
**44** Fizeste cessar o seu esplendor e deitaste por terra o seu trono.
**45** Abreviaste os dias da sua mocidade; cobriste-o de vergonha. (Selá)
**46** Até quando, ó Senhor? Acaso te esconderás para sempre? Até quando arderá a tua ira como fogo?
**47** Lembra-te de quão breves são os meus dias. Por que criarias em vão todos os filhos dos homens?
**48** Que homem há que viva e não veja a morte, ou que se livre do poder da sepultura? (Selá)
**49** Ó Senhor, onde está o teu antigo grande amor, jurado a Davi pela tua fidelidade?
**50** Lembra-te, Senhor, da afronta dos teus servos, e de como trago no peito a zombaria de todas as nações,

51 com a qual, ó Senhor,
os teus inimigos têm difamado,
com a qual têm difamado os passos do teu ungido.
52 Bendito seja o Senhor para sempre!
Amém e amém.

## QUARTO LIVRO
(Salmo 90-106)

### Uma oração de Moisés, homem de Deus.

**90** Senhor, tu tens sido o nosso refúgio
de geração em geração.
2 Antes que os montes nascessem,
ou que formasses a terra e o mundo,
de eternidade a eternidade, tu és Deus.
3 Tu reduzes o homem ao pó, dizendo:
Voltai ao pó, ó filhos dos homens.
4 Pois mil anos aos teus olhos são como o dia de ontem que passou,
como a vigília da noite.
5 Tu os arrebatas no sono da morte;
são como a erva que cresce de madrugada;
6 de madrugada cresce e floresce,
e à tarde corta-se e seca.
7 Somos consumidos pela tua ira
e pelo teu furor somos *angustiados.*
8 Diante de ti puseste as nossas iniquidades;
os nossos pecados ocultos, à luz do teu rosto.
9 Todos os nossos dias vão passando na tua indignação;
acabam-se os nossos anos como um conto ligeiro.
10 A duração da nossa vida é de setenta anos,
e, se alguns, pela sua robustez,
chegam a oitenta anos,
o melhor deles é canseira e enfado,
pois passam rapidamente, e nós voamos.
11 Quem conhece o poder da tua ira?
Pois a tua cólera é tão grande quanto o temor que te é devido.
12 Ensina-nos a contar os nossos dias
de tal maneira que alcancemos coração sábio.
13 Volta-te para nós, ó Senhor!
Até quando? Tem compaixão dos teus servos.
14 Sacia-nos de manhã com o teu constante amor,
para que nos regozijemos e nos alegremos todos os nossos dias.
15 Alegra-nos pelos dias que nos afligiste
e pelos anos em que vimos o mal.
16 Apareça a tua obra aos teus servos,
e a tua glória sobre seus filhos.
17 Seja sobre nós a graça do Senhor, nosso Deus;
confirma sobre nós a obra das nossas mãos.
Sim, confirma a obra das nossas mãos.

**91** Aquele que habita no esconderijo do Altíssimo,
à sombra do Onipotente descansará.
2 Direi do Senhor:
Ele é o meu refúgio e a minha fortaleza,
o meu Deus, em quem confio.
3 Certamente ele te livrará do laço do passarinheiro e da peste perniciosa.
4 Ele te cobrirá com as suas penas,
e debaixo das suas asas estarás seguro;
a sua fidelidade será teu escudo protetor.
5 Não temerás o terror noturno,
nem a seta que voa de dia
6 nem peste que anda na escuridão
nem a praga que destrói ao meio-dia.
7 Mil cairão ao teu lado,
dez mil à tua direita,
mas tu não serás atingido.
8 Somente com os teus olhos olharás,
e verás a recompensa dos ímpios.
9 Se fizeres do Senhor o teu refúgio
e do Altíssimo a tua habitação,
10 nenhum mal te sucederá,
nem praga alguma chegará à tua tenda.
11 Pois aos seus anjos dará ordem a teu respeito,
para te guardarem em todos os teus caminhos;
12 eles te sustentarão nas suas mãos,
para que não tropeces em alguma pedra.
13 Pisarás o leão e a cobra;
pisotearás o grande leão e a serpente.
14 Porque ele me ama, diz o Senhor, eu o livrarei;
eu o porei num alto retiro, pois conhece o meu nome.
15 Ele me invocará, e eu lhe responderei;
estarei com ele na angústia,
o livrarei e o glorificarei.
16 Eu lhe darei abundância de dias,
e lhe mostrarei a minha salvação.

**Um salmo. Um cântico para o dia de sábado.**

**92** Bom é render graças ao Senhor
e cantar louvores ao teu nome, ó Altíssimo;
2 de manhã anunciar o teu amor e todas as noites a tua fidelidade,
3 sobre um instrumento de dez cordas
e sobre o saltério, ao som solene da harpa.
4 Pois tu, ó Senhor, me alegras com os teus feitos;
exulto nas obras das tuas mãos.
5 Quão grandes são, ó Senhor, as tuas obras,
quão profundos os teus pensamentos!
6 O homem insensato não sabe,
os tolos não entendem,
7 que, embora os ímpios brotem como a erva
e floresçam todos os que praticam
a iniquidade,
serão destruídos para sempre.

**8** No entanto, tu, ó Senhor,
és exaltado para sempre.
**9** Pois certamente os teus
inimigos, ó Senhor,
certamente os teus inimigos
perecerão;
serão dispersos todos os
que praticam
a iniquidade.
**10** Tu exaltaste o meu poder,
como o do boi selvagem;
fui ungido com óleo fresco.
**11** Os meus olhos viram
cumprida
a derrota dos meus inimigos;
os meus ouvidos ouviram o
que aconteceu
aos malfeitores que se
levantam contra mim.
**12** O justo florescerá como a
palmeira,
crescerá como o cedro no
Líbano;
**13** plantados na casa do
Senhor,
florescerão nos átrios do
nosso Deus.
**14** Na velhice ainda darão
frutos,
serão viçosos e florescentes,
**15** proclamando:
O Senhor é reto;
ele é a minha rocha, e nele
não há impiedade.

# 93

O Senhor reina; está
vestido de majestade.
O Senhor está vestido
de majestade e envolto em força.
O mundo está estabelecido;
não pode ser abalado.
**2** O teu trono está firme desde
*a antiguidade*;
tu existes desde a
eternidade.
**3** Os mares levantaram, ó Deus,
os mares levantaram
a sua voz;
os mares levantaram
as suas ondas.
**4** O Senhor nas alturas
é mais poderoso
do que o ruído das grandes
águas,
mais poderoso do que as
grandes ondas do mar.
**5** Firmes são os teus
estatutos;
a santidade adorna
a tua casa,
ó Senhor, para sempre.

# 94

Ó Senhor, Deus da vingança,
ó Deus da vingança,
resplandece!
**2** Exalta-te, ó juiz da terra;
retribua aos arrogantes.
**3** Até quando os ímpios, ó
Senhor,
até quando os ímpios
saltarão de prazer?
**4** Dizem coisas arrogantes;
gloriam-se todos os que
praticam a iniquidade.
**5** Reduzem a pedaços o teu
povo;
afligem a tua herança.
**6** Matam a viúva e o
estrangeiro;
ao órfão tiram a vida.
**7** Dizem: O Senhor não o vê;
nem para isso atenta o Deus
de Jacó.
**8** Atendei, ó insensatos,
dentre o povo;
vós, tolos, quando sereis
sábios?
**9** Aquele que fez o ouvido,
não ouvirá?
E o que formou o olho, não
verá?
**10** Aquele que repreende as
nações, não castigará?
E o que dá ao homem o
conhecimento,
não saberá?

11 O Senhor conhece os
   pensamentos do homem;
   sabe que são vaidade.
12 Bem-aventurado o homem
   a quem repreendes,
   ó Senhor,
e a quem ensinas a tua lei;
13 tu lhe dás descanso dos
   dias maus,
   até que se abra a cova
   para o ímpio.
14 Pois o Senhor não
   rejeitará o seu povo;
   jamais desamparará a sua
   herança.
15 O julgamento voltará a ser
   firmado na justiça,
   e hão de segui-lo todos os
   retos de coração.
16 Quem será por mim
   contra os malfeitores?
   Quem se porá ao meu lado
contra os que praticam a
   iniquidade?
17 Se o Senhor não fora o
   meu auxílio,
   eu já habitaria no lugar do
   silêncio.
18 Quando eu disse:
   O meu pé vacila,
   o teu amor, ó Senhor,
   me susteve.
19 Multiplicando-se dentro
   em mim a minha
ansiedade, as tuas
   consolações
   alegraram a minha
   alma.
20 Pode acaso associar-se
   contigo
   o trono de iniquidade,
que forja o mal tendo por
   pretexto uma lei?
21 Ajuntam-se contra a vida
   do justo
   e condenam o sangue
   inocente.
22 O Senhor, porém, é o meu
   alto retiro;
   o meu Deus é a rocha em
   que me refugio.
23 Ele fará recair sobre eles
   a sua própria iniquidade,
e os destruirá na sua própria
   malícia;
   o Senhor, o nosso Deus, os
   destruirá.

## 95

Vinde, cantemos ao Senhor;
cantemos com júbilo
   à rocha
da nossa salvação.
2 Apresentemo-nos diante
   dele com louvores,
   e celebremo-lo com salmos.
3 Porque o Senhor é o grande
   Deus,
   grande Rei acima de todos
   os deuses.
4 Nas suas mãos estão as
   profundezas da terra,
   as alturas dos montes
   são suas.
5 Seu é o mar, pois ele o fez;
   as suas mãos formaram a
   terra seca.
6 Oh, vinde, adoremos e
   prostremo-nos,
   ajoelhemos diante do
   Senhor que nos criou;
7 pois ele é o nosso Deus, e
   nós povo do seu pasto
   e ovelhas da sua mão.
Se hoje ouvirdes a sua voz,
8 não endureçais o coração
   como em Meribá,
   como no dia da tentação no
   deserto,
9 quando vossos pais me
   tentaram,
   me provaram e viram a
   minha obra.
10 Durante quarenta anos
   estive irritado
com aquela geração e disse:

É um povo ingrato de coração,
e não conheceu os meus
caminhos.
11 Por isso jurei na
minha ira:
Jamais entrarão no
meu descanso.

## 96

Cantai ao Senhor um
cântico novo,
cantai ao Senhor,
todos os moradores da terra.
2 Cantai ao Senhor, bendizei
o seu nome;
anunciai a sua salvação dia
após dia.
3 Anunciai entre as nações a
sua glória,
entre todos os povos as suas
maravilhas.
4 Pois grande é o Senhor e
digno de louvor;
é mais temível do que todos
os deuses.
5 Pois todos os deuses dos
povos são coisas vãs,
mas o Senhor fez os céus.
6 Glória e majestade estão
diante dele;
força e formosura no seu
santuário.
7 Dai ao Senhor, ó famílias
dos povos,
dai ao Senhor glória e força.
8 Dai ao Senhor a glória
devida ao seu nome;
trazei ofertas,
e entrai nos seus átrios.
9 Adorai ao Senhor na beleza
da sua santidade;
tremei diante dele todos os
moradores da terra.
10 Dizei entre as nações:
O Senhor reina.
Ele firmou o mundo para
que não se abale;
ele julgará os povos com
equidade.
11 Alegrem-se os céus,
regozije-se a terra;
ruja o mar e a sua
plenitude.
12 Alegre-se o campo com
tudo o que há nele;
então se regozijarão todas as
árvores do bosque,
13 diante do Senhor, pois ele
vem,
ele vem julgar a terra.
Julgará o mundo com retidão,
e os povos com a sua
verdade.

## 97

O Senhor reina.
Regozije-se a terra,
alegrem-se as muitas ilhas.
2 Nuvens e escuridão estão
ao redor dele;
retidão e justiça são a base
do seu trono.
3 Adiante dele vai um fogo
que abrasa os seus inimigos
em redor.
4 Os seus relâmpagos
iluminam o mundo;
a terra vê e treme.
5 Os montes se derretem
como cera
na presença do Senhor,
na presença do Senhor de
toda a terra.
6 Os céus anunciam a sua
retidão,
e todos os povos veem a sua
glória.
7 Confundidos sejam todos
os que adoram imagens de
escultura,
que se gloriam de ídolos
inúteis;
prostrai-vos diante dele,
todos os deuses.
8 Sião ouve e se alegra, e as
vilas de Judá se
alegram por causa dos teus
juízos, ó Senhor.

9 Pois tu, ó Senhor, és o
  Altíssimo sobre toda a terra;
  muito mais elevado que
    todos os deuses.
10 Vós, que amais o Senhor,
   detestai o mal,
   pois ele guarda a vida dos
     seus santos
e os livra das mãos dos ímpios.
11 A luz semeia-se para o justo,
e a alegria para os retos de
    coração.
12 Alegrai-vos no Senhor,
   ó justos,
   e louvai o seu santo nome.

### Um salmo.

**98** Cantai ao Senhor um
       cântico novo,
pois ele fez maravilhas;
  a sua mão direita e o seu
    braço santo
lhe alcançaram a vitória.
2 O Senhor fez notória a sua
    salvação
e manifestou a sua retidão
    perante
  os olhos das nações.
3 Lembrou-se do seu amor e
    da sua fidelidade
  para com a casa de Israel;
todas as extremidades da terra
  viram a salvação do nosso
    Deus.
4 Celebrai com júbilo ao
    Senhor,
  todos os moradores da terra!
Dai brados de alegria,
  regozijai-vos e cantai
    louvores;
5 cantai louvores ao Senhor
    com a harpa,
  com harpa e voz de canto;
6 com trombetas, e ao som de
    buzinas,
  exultai perante a face do
    Senhor, do Rei.

7 Ruja o mar, tudo o que nele há,
  o mundo, e todos os que
    nele habitam.
8 Os rios batam palmas,
  regozijem-se todas as
    montanhas
9 na presença do Senhor,
  pois ele vem julgar a terra.
Com justiça julgará o mundo,
  e os povos com retidão.

**99** O Senhor reina!
       Tremam as nações!
Ele está entronizado entre os
    querubins.
  Trema a terra.
2 O Senhor é grande em Sião;
  exaltado acima de todas as
    nações.
3 Louvem o teu nome, grande
    e tremendo,
  pois é santo.
4 O rei é poderoso, e ama a
    justiça;
  tu firmaste a equidade,
fizeste o que é justo e correto
    em Jacó.
5 Exaltai ao Senhor, o nosso
    Deus,
  e prostrai-vos diante do
    estrado de seus pés;
ele é santo.
6 Moisés e Arão estavam
    entre os seus sacerdotes,
  Samuel entre os que
    invocavam o seu nome;
  clamavam ao Senhor, e ele
    os ouvia.
7 Na coluna de nuvem lhes
    falava;
  guardavam os seus estatutos
e os decretos que lhes dera.
8 E tu lhes respondeste, ó
    Senhor, o nosso Deus;
  tu foste um Deus que lhes
    perdoaste,
ainda que os vingasse por
    seus feitos.

9 Exaltai ao Senhor,
o nosso Deus,
e adorai-o no seu santo
monte,
pois o Senhor, o nosso Deus,
é santo.

**Um salmo de ação de graças.**

**100** Celebrai com júbilo ao Senhor,
todos os moradores da terra.
2 Servi ao Senhor com alegria;
apresentai-vos a ele com
canto.
3 Sabei que o Senhor é Deus.
Foi ele, não nós, que nos fez
povo seu
e ovelhas do seu pasto.
4 Entrai pelas portas dele
com ações de graças,
e em seus átrios, com louvor;
rendei-lhe graças e louvai o
seu nome.
5 Porque o Senhor é bom
e o seu amor dura para
sempre;
a sua fidelidade estende-se de
geração a geração.

**Salmo de Davi.**

**101** Cantarei do teu amor
e da justiça;
a ti, ó Senhor, cantarei
louvores.
2 Seguirei com inteligência
no caminho reto.
Quando virás a mim?
Andarei em minha casa
com um coração sincero.
3 Não porei coisa má diante
dos meus olhos.
*Aborreço as ações daqueles
que se desviam;*
nada disso se me pegará.
4 Longe de mim o coração
perverso;
não conhecerei o mal.
5 Aquele que difama o seu
próximo às escondidas,
eu o destruirei;
aquele que tem olhar altivo e
coração soberbo,
não o tolerarei.
6 Os meus olhos procurarão
os fiéis da terra,
para que estejam comigo;
o que anda em caminho reto,
esse me servirá.
7 O que usa de engano
não ficará dentro da minha casa;
o que profere mentiras
não estará firme perante os
meus olhos.
8 Pela manhã destruirei
todos os ímpios da terra;
extirparei da cidade do
Senhor
todos os que praticam a
iniquidade.

**Oração do aflito que, ao
desfalecer, derrama o seu
lamento perante o Senhor.**

**102** Ó Senhor, ouve
a minha oração;
chegue a ti o meu clamor.
2 Não escondas de mim
o teu rosto
no dia da minha angústia.
Inclina para mim os teus
ouvidos;
no dia em que eu clamar,
ouve-me depressa.
3 Porque os meus dias se
desvanecem
como a fumaça;
os meus ossos queimam como
brasa.
4 O meu coração está ferido e
seco como a erva;
até me esqueço de comer o
meu pão.
5 Os meus ossos se pegam à
minha pele,

em virtude do meu gemer doloroso.
6 Sou semelhante à coruja do deserto,
como uma coruja entre as ruínas.
7 Velo, e sou como o pardal solitário no telhado.
8 Os meus inimigos me afrontam o dia todo;
os que contra mim se enfurecem,
me amaldiçoam.
9 Em vez de pão como cinza,
e misturo com lágrimas a minha bebida,
10 por causa da tua ira e da tua indignação,
pois me levantaste e me expulsaste
para longe de ti.
11 Os meus dias são como a sombra que declina;
como a erva me vou secando.
12 Contudo, ó Senhor, tu permaneces para sempre;
a tua memória de geração em geração.
13 Tu te levantarás e terás piedade de Sião,
pois o tempo de te compadeceres dela,
o tempo determinado, já chegou.
14 Porque os teus servos têm prazer nas suas pedras;
compadecem-se do seu pó.
15 As nações temerão o nome do Senhor,
e todos os reis da terra a sua glória.
16 Pois o Senhor edificará a Sião,
e na sua glória se manifestará.
17 Atenderá à oração do desamparado;
não desprezará a sua petição.
18 Escreva-se isto para a geração futura,
e o povo que está por vir louve ao Senhor.
19 O Senhor olhou do alto do seu santuário,
dos céus observou a terra,
20 para ouvir o gemido dos presos,
para soltar os sentenciados à morte.
21 De sorte que o nome do Senhor
será anunciado em Sião,
e o seu louvor em Jerusalém,
22 quando os povos nos reinos se congregarem para servir ao Senhor.
23 Ele abateu a minha força no caminho;
abreviou os meus dias.
24 Disse eu:
Ó Deus meu, não me leves no meio dos meus dias;
os teus anos alcançam todas as gerações.
25 Desde a antiguidade fundaste a terra,
e os céus são obra das tuas mãos.
26 Eles perecerão, mas tu permanecerás;
todos eles, como um vestido, envelhecerão.
Como roupa os mudarás, e os jogarás fora.
27 No entanto, tu és o mesmo, os teus anos jamais terão fim.
28 Os filhos dos teus servos habitarão na tua presença;
a sua descendência será estabelecida diante de ti.

## Salmos 103

**Salmo de Davi.**

**103** Bendize, ó minha alma, ao Senhor;
tudo o que há em mim
bendiga o seu santo nome.
2 Bendize, ó minha alma, ao Senhor,
e não te esqueças de nenhum dos
seus benefícios.
3 É ele quem perdoa todas as
tuas iniquidades
e sara todas as tuas
enfermidades,
4 quem redime a tua vida da
perdição
e te coroa de amor e de
compaixão;
5 quem enche a tua boca de
bens,
de sorte que a tua mocidade
se renova
como a da águia.
6 O Senhor faz retidão
e justiça a todos os
oprimidos.
7 Fez notórios os seus
caminhos a Moisés,
e os seus feitos aos filhos de
Israel.
8 Compassivo e piedoso é o
Senhor,
lento para a cólera e
abundante em amor.
9 Não repreenderá
perpetuamente,
nem para sempre
conservará a sua ira.
10 Não nos tratou segundo os
nossos pecados,
nem nos retribuiu segundo
as nossas iniquidades.
11 Pois quanto o céu está
elevado
acima da terra,
assim é grande o seu amor
para com os que o temem.
12 Quanto está longe o
Oriente do Ocidente,
assim afasta de nós as
nossas transgressões.
13 Como um pai se
compadece de seus filhos,
assim o Senhor se
compadece
daqueles que o temem;
14 pois ele conhece a nossa
estrutura
e se lembra de que
somos pó.
15 Quanto ao homem,
os seus dias são como a erva;
como a flor do campo,
assim floresce;
16 passando por ela o vento,
logo se vai,
e o seu lugar não se
conhece mais.
17 O amor do Senhor, porém,
é de eternidade a eternidade
sobre aqueles que o temem,
e a sua retidão sobre os filhos
dos filhos;
18 sobre aqueles que
guardam a sua aliança
e sobre os que se lembram
dos seus mandamentos
para os cumprirem.
19 O Senhor estabeleceu
o seu trono nos céus,
e o seu reino domina
sobre tudo.
20 Bendizei ao Senhor,
anjos seus,
magníficos em poder,
que cumpris as suas ordens,
que obedeceis à sua voz.
21 Bendizei ao Senhor,
todos os seus exércitos
celestiais,
vós, ministros seus,
que executais a sua vontade.
22 Bendizei ao Senhor
todas as suas obras,

## 104

Bendize, ó minha alma ao Senhor.
Ó Senhor, Deus meu,
tu és magnificentíssimo!
Estás vestido de glória e de majestade.
2 Ele se cobre de luz como de um vestido,
estende os céus como uma cortina,
3 e põe nas águas os vigamentos
dos seus aposentos.
Faz das nuvens o seu carro,
e anda sobre as asas do vento.
4 Faz dos ventos os seus mensageiros,
dos seus ministros um fogo abrasador.
5 Ele lançou os fundamentos da terra,
para que não se abale em tempo algum.
6 Tu a cobriste com o abismo, como com um vestido;
as águas estavam acima dos montes.
7 À tua repreensão fugiram,
à voz do teu trovão se apressaram;
8 correram por sobre os montes,
desceram aos vales,
até o lugar que para elas fundaste.
9 Limite lhes traçaste
que não podem ultrapassar;
jamais tornarão a cobrir a terra.
10 Ele faz rebentar nascentes nos vales;
as suas águas correm entre os montes.
11 Dão de beber a todos os animais do campo;
os jumentos selvagens matam com ela a sua sede.
12 Junto delas habitam as aves do céu,
cantando entre os ramos.
13 Ele rega os montes desde os seus aposentos;
a terra farta-se do fruto das suas obras.
14 Faz crescer a erva para os animais,
e as plantas para o serviço do homem,
de sorte que da terra tire o seu alimento:
15 o vinho, que alegra o coração do homem;
o azeite, que faz reluzir o seu rosto;
e o pão, que fortalece o seu coração.
16 Saciam-se as árvores do Senhor,
os cedros do Líbano que ele plantou.
17 Aí as aves se aninham;
a cegonha faz a sua casa nos ciprestes.
18 Os altos montes pertencem às cabras selvagens;
as rochas são um refúgio para os coelhos.
19 A lua demarca as estações,
e o sol conhece quando deve se pôr.
20 Trazes a escuridão,
e faz-se noite,
e todos os animais da selva vagueiam.
21 Os leõezinhos rugem pela presa,
e de Deus buscam o seu sustento.

em todos os lugares do seu domínio.
Bendize, ó minha alma, ao Senhor.

22 Nasce o sol e logo se recolhem,
e se deitam nos seus covis.
23 Então sai o homem para a sua lida
e para o seu trabalho até a tarde.
24 Ó Senhor, quão variadas são as tuas obras!
Todas as coisas fizeste com sabedoria;
cheia está a terra das tuas riquezas.
25 Há o mar, vasto e espaçoso,
onde se movem seres inumeráveis,
animais pequenos e grandes.
26 Ali passam os navios, e o leviatã,
que formaste para nele folgar.
27 Todos esperam de ti que lhes dê o seu sustento em tempo oportuno.
28 Quando lhes dás o alimento, eles o recolhem;
quando abres a tua mão, enchem-se de bens.
29 Quando escondes o teu rosto, ficam perturbados;
quando lhes tiras a respiração,
morrem, e voltam para o pó.
30 Quando envias o teu Espírito, são criados,
e renovas a face da terra.
31 A glória do Senhor seja para sempre;
alegre-se o Senhor em suas obras!
32 Olhando ele para a terra, ela treme;
tocando nos montes, logo fumegam.
33 Cantarei ao Senhor enquanto eu viver;
cantarei louvores ao meu Deus, enquanto eu existir.
34 A minha meditação lhe seja agradável,
enquanto me alegro no Senhor.
35 Desapareçam da terra os pecadores,
e os ímpios não sejam mais.
Bendize, ó minha alma, ao Senhor. Louvai ao Senhor.

**105** Dai graças ao Senhor, e invocai o seu nome;
fazei conhecidas as suas obras entre os povos.
2 Cantai-lhe, cantai-lhe louvores;
falai de todas as suas maravilhas.
3 Gloriai-vos no seu santo nome;
alegre-se o coração daqueles que buscam o Senhor.
4 Buscai o Senhor e a sua força;
buscai a sua face continuamente.
5 Lembrai-vos das maravilhas que ele fez,
dos seus prodígios e dos juízos da sua boca,
6 ó descendência de Abraão, seu servo,
ó filhos de Jacó, seus escolhidos.
7 Ele é o Senhor, o nosso Deus;
os seus juízos estão em toda a terra.
8 Lembra-se perpetuamente da sua aliança,
da palavra que ordenou até milhares de gerações;
9 da aliança que fez com Abraão
e do juramento que fez a Isaque.

**10** Ele o confirmou a Jacó
por decreto,
e a Israel por aliança
eterna,
**11** dizendo: A ti darei a terra
de Canaã,
como porção da vossa
herança.
**12** Quando ainda eram
poucos homens,
sim, muito poucos, e
estrangeiros nela,
**13** andaram de nação em
nação
e de um reino para outro.
**14** Ele não permitiu a
ninguém que os oprimisse;
por amor deles repreendeu
reis, dizendo:
**15** Não toqueis nos meus
ungidos;
não maltrateis os meus
profetas.
**16** Chamou a fome sobre
a terra
e destruiu todo o seu
suprimento de pão.
**17** Mandou adiante deles um
homem,
que foi vendido como
escravo: José,
**18** cujos pés foram presos
com correntes
e a quem puseram em
ferros,
**19** até que se cumpriu a sua
profecia,
e a palavra do Senhor o
justificou.
**20** O rei mandou soltá-lo,
o dominador dos povos o
libertou.
**21** Fê-lo senhor da sua casa
e governador de todos
os seus bens,
**22** para, a seu gosto, instruir
os seus oficiais,
e ensinar sabedoria aos
seus anciãos.
**23** Então Israel entrou no
Egito;
Jacó peregrinou na terra
de Cão.
**24** Ele multiplicou
sobremodo o seu povo;
fê-lo mais poderoso do que
os seus inimigos,
**25** cujo coração mudou
para que odiassem o seu povo,
para que conspirassem
contra os seus servos.
**26** Enviou Moisés, seu servo,
e Arão,
a quem escolhera.
**27** Fizeram entre eles os seus
sinais e prodígios,
na terra de Cão.
**28** Mandou às trevas que a
escurecessem,
pois haviam sido rebeldes à
sua palavra.
**29** Converteu as suas águas
em sangue,
fazendo morrer os peixes.
**30** A sua terra produziu rãs
em abundância,
até nos aposentos dos seus
reis.
**31** Falou ele, e vieram
enxames de moscas
e piolhos em todo o seu
território.
**32** Converteu as suas chuvas
em saraiva,
e fogo abrasador na sua
terra.
**33** Feriu as suas vinhas e os
seus figueirais,
e quebrou as árvores da sua
terra.
**34** Falou ele, e vieram
gafanhotos,
e pulgões em quantidade
inumerável.

35 Comeram toda a erva da
sua terra,
e devoraram o fruto dos
seus campos.
36 Então feriu todos os
primogênitos da sua terra,
as primícias de todas as
suas forças.
37 Ao seu povo fez sair com
prata e ouro,
e entre as suas tribos não
houve um só enfermo.
38 O Egito alegrou-se quando
eles saíram,
porque o seu temor caíra
sobre eles.
39 Estendeu uma nuvem para
os cobrir,
e um fogo para os iluminar
de noite.
40 Oraram, e ele fez vir
codornizes,
e os saciou com pão
do céu.
41 Fendeu a rocha, e dela
brotaram águas;
correram no deserto como
um rio.
42 Pois se lembrou da sua
santa promessa
feita a Abraão, seu servo.
43 Tirou dali o seu povo com
alegria,
os seus escolhidos com
regozijo;
44 deu-lhes as terras das
nações,
e herdaram o trabalho dos
povos,
45 para que guardassem os
seus preceitos
*e observassem as suas leis.*
Louvai ao Senhor.

# 106
Louvai ao Senhor.
Dai graças ao Senhor,
pois ele é bom;
o seu amor dura para sempre.

2 Quem pode descrever
as obras poderosas do
Senhor?
Quem anunciará os seus
louvores?
3 Bem-aventurados os que
observam a justiça,
que praticam o que é
correto
em todos os tempos.
4 Lembra-te de mim, ó
Senhor,
segundo a tua boa vontade
para com o teu povo;
visita-me com a tua
salvação,
5 para que eu veja a
prosperidade de teus
escolhidos,
me alegre com a alegria do
teu povo
e me regozije com a tua
herança.
6 Nós pecamos, como os
nossos pais;
cometemos iniquidade,
andamos perversamente.
7 Nossos pais não atentaram
para as tuas maravilhas no
Egito;
não se lembraram do seu
grande amor
e foram rebeldes junto ao
mar, o mar Vermelho.
8 Contudo, ele os salvou por
amor do seu nome,
para fazer conhecido o seu
poder.
9 Repreendeu o mar
Vermelho, e este se secou;
conduziu-os pelas
profundezas
como por um deserto.
10 Livrou-os das mãos
daquele que os odiava;
remiu-os das mãos do
inimigo.

## Salmos 106

11 As águas cobriram os seus
adversários;
nem um só deles
sobreviveu.
12 Então creram nas suas
promessas
e cantaram os seus
louvores.
13 Cedo, porém, se
esqueceram das suas obras
e não esperaram o seu
conselho.
14 Deixaram-se levar pela
cobiça no deserto;
tentaram a Deus na região
árida.
15 De sorte que lhes satisfez
o desejo,
mas fez definhar as suas
almas.
16 Tiveram inveja de Moisés
no acampamento,
e de Arão, o santo do Senhor.
17 Abriu-se a terra e engoliu
Datã;
cobriu a companhia de
Abirão.
18 Ateou-se um fogo na sua
gente;
a chama destruiu os ímpios.
19 Fizeram um bezerro em
Horebe
e adoraram a imagem de
fundição.
20 Converteram a sua glória
na figura de um boi,
que come erva.
21 Esqueceram-se de Deus,
seu Salvador,
que fizera grandes coisas
no Egito,
22 maravilhas na terra de Cão,
coisas tremendas no mar
Vermelho.
23 Ele os teria exterminado,
como dissera,
se Moisés, seu escolhido,
não tivesse intercedido
diante dele
para desviar a sua
indignação,
a fim de que não os
destruísse.
24 Então desprezaram
a terra aprazível;
não creram na sua promessa.
25 Murmuraram nas
suas tendas
e não deram ouvidos à voz
do Senhor.
26 Pelo que levantou a mão
contra eles,
afirmando que os faria cair
no deserto;
27 que humilharia a sua
descendência
entre as nações, e os
espalharia pelas terras.
28 Juntaram-se a Baal-Peor
e comeram os sacrifícios dos
ídolos mortos;
29 provocaram o Senhor à ira
com as suas ações,
e uma praga rebentou
entre eles.
30 Levantou-se, porém,
Fineias e executou o juízo,
e cessou aquela praga.
31 Isso lhe foi imputado
por retidão,
de geração em geração,
para sempre.
32 Indignaram-no também
junto às águas de Meribá,
de sorte que sucedeu mal a
Moisés,
por causa deles;
33 pois se rebelaram contra o
Espírito de Deus,
de modo que Moisés falou
sem refletir.
34 Não destruíram os povos,
como o Senhor lhes
ordenara,

35 mas se misturaram
com as nações
e adotaram os seus
costumes.
36 Serviram os seus ídolos,
que vieram a ser-lhes um laço.
37 Sacrificaram seus filhos
e suas filhas aos demônios.
38 Derramaram sangue
inocente,
o sangue de seus filhos e de
suas filhas,
que sacrificaram aos ídolos
de Canaã,
e a terra foi manchada com
sangue.
39 Contaminaram-se com as
suas obras;
corromperam-se com os
seus feitos.
40 Pelo que se acendeu a ira
do Senhor
contra o seu povo, e
abominou a sua herança.
41 Entregou-os nas mãos das
nações,
e aqueles que os odiavam se
apoderaram deles.
42 Os seus inimigos os
oprimiram,
humilhando-os debaixo das
suas mãos.
43 Muitas vezes os livrou,
mas eles o provocaram
com seus planos rebeldes,
e foram abatidos pela sua
iniquidade.
44 Contudo, Deus atentou
para a sua aflição
e ouviu o seu clamor.
45 Lembrou-se da sua
aliança, e compadeceu-se,
segundo a grandeza do seu
amor.
46 Fez com que deles
tivessem compaixão os que os
levaram cativos.

47 Salva-nos, ó Senhor,
nosso Deus,
e congrega-nos dentre
as nações,
para que rendamos graças ao
teu nome santo
e nos gloriemos no teu
louvor.
48 Bendito seja o Senhor,
Deus de Israel,
de eternidade em
eternidade.
Todo o povo diga: Amém.
Louvai ao Senhor.

## QUINTO LIVRO
*(Salmos 107-150)*

**107** Dai graças ao Senhor, ele é bom;
o seu amor dura para sempre.
2 Digam-no os remidos do
Senhor,
os que remiu da mão do
inimigo,
3 e os que congregou de
outras terras,
do Oriente e do Ocidente,
do Norte e do Sul.
4 Alguns andaram
desgarrados pelo deserto,
por caminhos solitários;
não acharam cidade em que
habitassem.
5 Famintos e sedentos, a sua
alma neles desfalecia.
6 Então clamaram ao Senhor
na sua angústia,
e ele os livrou das suas
necessidades.
7 Levou-os por caminho
seguro à cidade que
deviam habitar.
8 Deem graças ao Senhor
pelo seu constante amor
e pelas suas maravilhas
para com os filhos dos
homens,

9 pois satisfez a alma sedenta
e encheu de bens a alma
faminta.
10 Alguns se assentaram
nas trevas e nas sombras
da morte,
presos de aflição
e em ferro,
11 por se haverem rebelado
contra as palavras de Deus
e desprezado o conselho do
Altíssimo.
12 De modo que lhes abateu
o coração com trabalho;
tropeçaram, e não houve
quem os ajudasse.
13 Então clamaram ao
Senhor na sua angústia,
e ele os livrou das suas
aflições.
14 Tirou-os das trevas e das
sombras da morte
e quebrou as suas cadeias.
15 Deem graças ao Senhor
pelo seu constante amor
e pelas suas maravilhas
para com os filhos dos
homens,
16 pois quebra as portas de
bronze e despedaça os
ferrolhos de ferro.
17 Loucos, por causa do seu
caminho de rebeldia,
e por causa das suas
iniquidades,
foram afligidos.
18 A sua alma aborreceu toda
a *comida*,
e já chegavam às portas da
morte.
19 Então clamaram ao
Senhor na sua angústia,
e ele os livrou das suas
aflições.
20 Enviou a sua palavra
e os sarou;
livrou-os da destruição.
21 Deem graças ao Senhor
pelo seu constante amor
e pelas suas maravilhas
para com os filhos dos
homens.
22 Ofereçam sacrifícios
de louvor
e relatem as suas obras
com regozijo.
23 Outros desceram ao mar
em navios;
comerciaram nas grandes
águas.
24 Viram as obras do Senhor,
as suas maravilhas nas
profundezas.
25 Pois ele falou e se levantou
um vento tempestuoso,
que elevou as ondas.
26 Subiram aos céus e
desceram aos abismos;
a sua alma se derreteu em
angústias.
27 Andaram e cambalearam
como bêbados;
inútil foi toda a sua sabedoria.
28 Então clamaram ao
Senhor na sua tribulação,
e ele os livrou das suas
angústias.
29 Fez cessar a tormenta;
acalmaram-se as ondas.
30 Alegraram-se com a
bonança,
e os levou ao porto
desejado.
31 Deem graças ao Senhor
pelo seu constante amor
e pelas suas maravilhas
para com os filhos dos homens.
32 Exaltem-no na
congregação do povo
e louvem-no na assembleia
dos anciãos.
33 Ele converteu rios em
desertos,
nascentes em terra sedenta,

34 terra frutífera em
  terreno salgado,
  pela maldade dos que nela
  habitavam.
35 Converteu o deserto
  em lagos
  e a terra seca, em
  nascentes;
36 fez habitar ali os famintos,
e edificaram cidade para sua
  residência.
37 Semearam campos e
  plantaram vinhas,
  que produziram fruto
  abundante;
38 ele os abençoou,
de modo que se
  multiplicaram muito,
  e o seu gado não diminuiu.
39 Então decresceram e
  foram abatidos
pela opressão, aflição e
  tristeza;
40 derramou o desprezo
  sobre os nobres,
e os fez andar desgarrados
  pelo deserto,
  onde não há caminho.
41 Ele, porém, levantou da
  opressão os necessitados,
  para um alto retiro,
e multiplicou as suas famílias
  como rebanhos.
42 Os retos veem isso e se
  alegram,
  mas todos os iníquos
  fecham a boca.
43 Quem é sábio observe
  essas coisas
  e considere atentamente
o grande amor do Senhor.

**Cântico e salmo de Davi.**

# 108
Preparado está o meu
  coração, ó Deus;
cantarei e salmodiarei de
  toda a minha alma.
2 Despertai, saltério e harpa!
Eu despertarei a alvorada.
3 Eu te louvarei entre os povos,
ó Senhor; de ti cantarei entre
  as nações.
4 Porque o teu amor se eleva
  acima dos céus;
  a tua fidelidade ultrapassa
  as mais altas nuvens.
5 Exalta-te sobre os céus,
  ó Deus,
  e a tua glória sobre
  toda a terra.
6 Salva-nos com a tua mão
  direita,
e ajuda-nos, para que sejam
  livres os teus amados.
7 Deus falou do seu
  santuário:
Em triunfo repartirei a
  Siquém
  e medirei o vale de Sucote.
8 Meu é Gileade, meu é
  Manassés;
  Efraim é a força da minha
  cabeça,
Judá o meu legislador.
9 Moabe é a minha bacia de
  lavar,
  sobre Edom lançarei o meu
  sapato;
sobre a Filístia jubilarei.
10 Quem me levará à cidade
  fortificada?
  Quem me guiará até Edom?
11 Não és tu, ó Deus, que nos
  rejeitaste
  e já não sais com os nossos
  exércitos?
12 Dá-nos auxílio contra o
  inimigo,
  pois vão é o socorro da
  parte do homem.
13 Em Deus alcançaremos a
  vitória,
  e ele pisará os nossos
  inimigos.

**Ao diretor de música.
Salmo de Davi.**

**109** Ó Deus do meu louvor,
não te cales,
2 pois a boca do ímpio e a
boca fraudulenta
estão abertas contra mim;
têm falado contra mim
com uma língua mentirosa.
3 Cercam-me com palavras
odiosas e pelejam contra mim
sem causa.
4 Em paga da minha amizade
me acusam,
mas eu sou um homem de
oração.
5 Dão-me mal pelo bem,
e ódio pela minha amizade.
6 Suscita contra ele um ímpio;
um acusador esteja à sua
direita.
7 Quando for julgado, saia
condenado,
e em pecado se lhe torne a
sua oração.
8 Sejam poucos os seus dias;
outro tome o seu ofício.
9 Sejam órfãos os seus filhos,
e viúva a sua mulher.
10 Sejam vagabundos e
mendigos os seus filhos;
sejam expulsos das suas
habitações assoladas.
11 Tome o credor tudo o que
ele tenha;
despojem-no os estranhos
do fruto do seu trabalho.
12 Não haja ninguém que se
compadeça dele,
nem haja quem favoreça os
seus órfãos.
13 Desapareça a sua
posteridade,
o seu nome seja apagado na
geração seguinte.
14 Esteja na memória do Senhor
a iniquidade de seus pais;
não se apague o pecado de
sua mãe.
15 Estejam os seus pecados
sempre perante o Senhor,
para que faça desaparecer da
terra
a sua memória.
16 Pois não se lembrou de
usar de misericórdia,
mas perseguiu o aflito e o
necessitado,
como também o quebrantado
de coração,
para o matar.
17 Visto que amou a maldição,
que ela lhe sobrevenha;
não desejou a bênção,
que ela se afaste dele.
18 Vestiu-se de maldição,
como de um vestido;
penetrou nas suas entranhas
como água,
e em seus ossos como azeite.
19 Seja para ele como o
vestido que o cobre
e como o cinto com que
sempre anda cingido.
20 Seja este da parte do
Senhor
o galardão dos meus
adversários
e dos que falam mal contra a
minha alma.
21 No entanto, tu, ó Senhor
Deus,
sê comigo por amor do teu
nome;
por causa da bondade do
teu amor, livra-me.
22 Pois estou aflito e
necessitado e,
dentro em mim, está aflito o
meu coração.
23 Vou passando como a
sombra que declina;
sou sacudido como o
gafanhoto.

24 De jejuar estão
enfraquecidos os meus
joelhos;
a minha carne emagrece.
25 Eu sou para eles objeto de
zombaria;
quando me veem, balançam
a cabeça.
26 Ajuda-me, ó Senhor,
Deus meu;
salva-me segundo o teu amor.
27 Saibam que nisso está a
tua mão,
e que tu, Senhor, o fizeste.
28 Amaldiçoem eles, mas
abençoa tu;
levantem-se, mas fiquem
confundidos,
e alegre-se o teu servo.
29 Vistam-se os meus
adversários de vexame,
e cubra-os a sua vergonha
como uma capa.
30 Louvarei grandemente
ao Senhor
com a minha boca;
eu o louvarei na grande
multidão.
31 Pois ele está à direita do
necessitado,
para livrar a sua alma dos
que o condenam.

**Salmo de Davi.**

## 110
Disse o Senhor ao meu Senhor:
Assenta-te à minha mão direita,
até que ponha os teus
inimigos
por estrado dos teus pés.
2 O Senhor enviará de Sião o
*cetro do teu poder;*
dominarás no meio dos teus
inimigos.
3 O teu povo se apresentará
voluntariamente
no dia da tua batalha.
Ornado com santa majestade,
do seio da alva receberás
o orvalho da tua mocidade.
4 Jurou o Senhor, e não se
arrependerá:
Tu és sacerdote eterno,
segundo a ordem de
Melquisedeque.
5 O Senhor está à tua direita;
ferirá os reis no dia da sua ira.
6 Julgará as nações,
ele as encherá de cadáveres
e ferirá os governantes de
toda a terra.
7 Pelo caminho beberá do
ribeiro;
e então prosseguirá de
cabeça erguida.

## 111
Louvai ao Senhor.
Louvarei ao Senhor
de todo o coração,
na assembleia dos justos e
na congregação.
2 Grandes são as obras do
Senhor;
consideradas por todos os
que nelas têm prazer.
3 Glória e majestade há em
sua obra,
e a sua retidão permanece
para sempre.
4 Fez lembradas as suas
maravilhas;
piedoso e compassivo é o
Senhor.
5 Dá mantimento aos que o
temem;
lembra-se da sua aliança
para sempre.
6 Mostrou ao seu povo o
poder das suas obras,
dando-lhe a herança das
nações.
7 As obras das suas mãos são
verdadeiras e justas;
fiéis são todos os seus
preceitos.

8 Permanecem firmes para
todo o sempre,
são feitos em fidelidade e
retidão.
9 Enviou redenção ao seu povo;
ordenou a sua aliança para
sempre,
santo e temível é o seu nome.
10 O temor do Senhor é o
princípio da sabedoria;
bom entendimento têm
todos os que obedecem aos
seus preceitos.
O seu louvor permanece
para sempre.

**112** Louvai ao Senhor.
Bem-aventurado o
homem que
teme ao Senhor,
que em seus mandamentos
tem grande prazer.
2 A sua descendência será
poderosa na terra;
a geração dos justos será
abençoada.
3 Prosperidade e riquezas há
na sua casa,
e a sua retidão permanece
para sempre.
4 Aos retos até das trevas
nasce a luz,
pois é misericordioso,
compassivo e justo.
5 Feliz é o que se compadece e
empresta,
que conduz os seus
negócios com justiça.
6 Certamente jamais será
abalado;
o justo ficará em memória
eterna.
7 Não temerá maus rumores;
o seu coração está firme,
confiando no Senhor.
8 O seu coração está bem
firmado,
não temerá;
no final verá cumprido
o seu desejo
sobre os seus inimigos.
9 É generoso, dá aos pobres;
a sua retidão permanece
para sempre;
a sua força se exaltará em
honra.
10 O ímpio verá isso e se
enraivecerá,
rangerá os dentes e se
consumirá;
o desejo dos ímpios perecerá.

**113** Louvai ao Senhor.
Louvai, ó servos do
Senhor,
louvai o nome do Senhor.
2 Bendito seja o nome do
Senhor
desde agora e para sempre.
3 Desde o nascer do sol até o
poente,
louvado seja o nome do
Senhor.
4 Exaltado está o Senhor
acima de todas as nações;
a sua glória acima dos céus.
5 Quem é como o Senhor
nosso Deus,
que habita nas alturas,
6 que se curva para ver os
céus e a terra?
7 Do pó ele levanta o pequeno
e do monturo ergue o
necessitado;
8 ele os faz assentar com os
príncipes,
com os príncipes do seu
povo.
9 Ele faz que a mulher estéril
viva em família
e seja alegre mãe de filhos.
Louvai ao Senhor.

**114** Quando Israel saiu do
Egito,
e a casa de Jacó de um povo
de língua estrangeira,

2 Judá ficou sendo o
santuário de Deus,
e Israel, o seu domínio.
3 O mar viu isso e fugiu;
o Jordão recuou.
4 Os montes saltaram
como carneiros,
e os outeiros como cordeiros.
5 Que tiveste, ó mar, que
fugiste,
e tu, ó Jordão, que tornaste
atrás?
6 E vós, montes, que saltastes
como carneiros,
e vós outeiros, como
cordeiros?
7 Treme, ó terra, na presença
do Senhor,
na presença do Deus de Jacó,
8 o qual converteu a rocha
em lagoa,
o rochedo em manancial.

# 115
Não a nós, Senhor, não
a nós,
mas ao teu nome dá glória,
por causa do teu amor e da
tua fidelidade.
2 Por que dizem as nações:
Onde está o seu Deus?
3 O nosso Deus está nos céus;
ele faz tudo o que lhe agrada.
4 Os ídolos deles são prata e
ouro,
obra das mãos do homem.
5 Têm boca, mas não falam,
têm olhos, mas não veem;
6 têm ouvidos, mas não
ouvem,
têm nariz, mas não cheiram;
7 têm mãos, mas não
apalpam,
têm pés, mas não andam;
som algum sai da sua
garganta.
8 Tornem-se semelhantes a eles
os que os fazem
e todos os que neles confiam.

9 Confia, ó casa de Israel,
no Senhor,
ele é o seu auxílio e o seu
escudo.
10 Casa de Arão, confia no
Senhor;
ele é o seu auxílio e o seu
escudo.
11 Vós, os que temeis ao
Senhor,
confiai no Senhor;
ele é o seu auxílio e o seu
escudo.
12 O Senhor se lembra de nós
e nos abençoará:
Ele abençoará a casa de Israel,
abençoará a casa de Arão,
13 abençoará os que temem
ao Senhor,
tanto pequenos como
grandes.
14 O Senhor vos aumente
cada vez mais,
a vós e a vossos filhos.
15 Sede benditos do Senhor,
que fez os céus e a terra.
16 Os mais altos céus são do
Senhor,
mas a terra deu-a ele aos
filhos dos homens.
17 Os mortos não louvam ao
Senhor,
nem os que descem ao
Silêncio;
18 mas nós bendiremos
ao Senhor,
desde agora e para sempre.
Louvai ao Senhor.

# 116
Amo ao Senhor,
pois ele ouviu a
minha voz;
ouviu o meu clamor por
misericórdia.
2 Porque inclinou para mim
os seus ouvidos,
eu o invocarei enquanto
viver.

3 As cordas da morte me cercaram,
as angústias do inferno se apoderaram de mim;
sofri tribulação e tristeza.
4 Então invoquei o nome do Senhor, dizendo:
Ó Senhor, livra a minha alma.
5 Piedoso e justo é o Senhor;
o nosso Deus é cheio de compaixão.
6 O Senhor protege os simples;
quando eu estava abatido, ele me livrou.
7 Volta, ó minha alma, ao teu repouso,
pois o Senhor te fez bem.
8 Pois tu, ó Senhor, livraste a minha alma da morte,
os meus olhos das lágrimas,
e os meus pés da queda,
9 para que eu ande perante a face do Senhor,
na terra dos viventes.
10 Cri, por isso falei:
Estou muito aflito.
11 E na minha perturbação disse:
Todos os homens são mentirosos.
12 Que darei eu ao Senhor, por todos os benefícios que me tem feito?
13 Tomarei o cálice da salvação,
e invocarei o nome do Senhor.
14 Pagarei os meus votos ao Senhor,
na presença de todo o seu povo.
15 Preciosa é à vista do Senhor
a morte dos seus santos.
16 Ó Senhor, deveras sou teu servo;
sou teu servo, filho da tua serva;
soltaste as minhas ataduras.
17 Oferecerei a ti sacrifícios de louvor
e invocarei o nome do Senhor.
18 Pagarei os meus votos ao Senhor,
na presença de todo o seu povo,
19 nos átrios da casa do Senhor,
no seu interior, ó Jerusalém.
Louvai ao Senhor.

## 117
Louvai ao Senhor, todas as nações;
glorificai-o todos os povos.
2 Pois grande é o seu amor para conosco,
e a fidelidade do Senhor dura para sempre.
Louvai ao Senhor.

## 118
Rendei graças ao Senhor, pois ele é bom;
o seu amor dura para sempre.
2 Diga Israel:
O seu amor dura para sempre.
3 Diga a casa de Arão:
O seu amor dura para sempre.
4 Digam os que temem ao Senhor:
O seu amor dura para sempre.
5 Na minha angústia invoquei o Senhor,
e ele me ouviu, e me libertou.
6 O Senhor está comigo; não temerei.
O que me pode fazer o homem?
7 O Senhor está comigo;
é ele quem me ajuda.

Verei cumprido o meu desejo
sobre os que me odeiam.
**8** É melhor refugiar-se no
Senhor
do que confiar no homem.
**9** É melhor refugiar-se no
Senhor
do que confiar nos príncipes.
**10** Todas as nações me
cercaram,
mas no nome do Senhor as
exterminei.
**11** Cercaram-me, e tornaram
a cercar-me,
mas no nome do Senhor eu
as exterminei.
**12** Cercaram-me como
abelhas,
mas apagaram-se como fogo
de espinhos;
no nome do Senhor as
exterminei.
**13** Com força me impeliste
para me fazeres cair,
mas o Senhor me ajudou.
**14** O Senhor é a minha força
e o meu cântico;
ele me salvou.
**15** Nas tendas dos justos há
voz de júbilo
e de salvação;
a mão direita do Senhor faz
proezas.
**16** A mão direita do Senhor
se exalta;
a mão direita do Senhor faz
proezas.
**17** Não morrerei, mas viverei,
e contarei as obras do
Senhor.
**18** O Senhor castigou-me
muito,
mas não me entregou à
morte.
**19** Abri-me as portas da retidão;
entrarei por elas e renderei
graças ao Senhor.
**20** Esta é a porta do Senhor
pela qual os justos
entrarão.
**21** Renderei graças, pois me
ouviste
e me salvaste.
**22** A pedra que os
edificadores rejeitaram
tornou-se a pedra angular;
**23** foi o Senhor que fez isso,
e é maravilhoso aos
nossos olhos.
**24** Este é o dia que o
Senhor fez;
regozijemo-nos e
alegremo-nos nele.
**25** Ó Senhor, salva-nos;
ó Senhor, concede-nos
prosperidade.
**26** Bendito aquele que vem
em nome do Senhor.
Da casa do Senhor vos
bendizemos.
**27** Deus é o Senhor,
e fez que a sua luz brilhasse
sobre nós.
Atai a vítima da festa
com cordas
às pontas do altar.
**28** Tu és o meu Deus, e eu te
renderei graças;
tu és o meu Deus, e eu te
exaltarei.
**29** Rendei graças ao Senhor,
pois ele é bom;
o seu amor dura para
sempre.

# 119

Bem-aventurados os
que trilham
caminhos retos e andam na
lei do Senhor.
**2** Bem-aventurados os que
guardam
os seus estatutos
e o buscam de todo o coração.
**3** Não praticam iniquidade;
andam em seus caminhos.

**4** Tu ordenaste os teus preceitos,
para que diligentemente os observássemos.
**5** Quem dera os meus caminhos fossem dirigidos de maneira que eu pudesse observar os teus decretos!
**6** Então não ficaria envergonhado,
atentando para todos os teus mandamentos.
**7** Eu te louvarei com um coração reto,
enquanto aprender as tuas justas leis.
**8** Observarei os teus decretos;
não me desampares totalmente.
**9** Como purificará o jovem o seu caminho?
Observando-o segundo a tua palavra.
**10** De todo o meu coração te busco;
não me deixes desviar dos teus mandamentos.
**11** Escondi a tua palavra no meu coração,
para eu não pecar contra ti.
**12** Bendito és tu, ó Senhor;
ensina-me os teus decretos.
**13** Com os meus lábios declaro todas as leis da tua boca.
**14** Folgo mais com o caminho dos teus estatutos
do que com todas as riquezas.
**15** Em teus preceitos meditarei
e olharei para os teus caminhos.
**16** Deleito-me nos teus decretos;
não me esquecerei da tua palavra.

**17** Faze bem ao teu servo, e viverei;
guardarei a tua palavra.
**18** Desvenda os meus olhos,
para que veja as maravilhas da tua lei.
**19** Sou peregrino na terra;
não escondas de mim os teus mandamentos.
**20** A minha alma está consumida de anelos pelas tuas leis em todo o tempo.
**21** Tu repreendes asperamente os soberbos,
os malditos, que se desviam dos teus mandamentos.
**22** Tira de sobre mim a afronta e o desprezo,
pois guardo os teus estatutos.
**23** Embora os príncipes se reúnam e me caluniem,
o teu servo meditará nos teus decretos.
**24** Os teus estatutos são o meu prazer;
são os meus conselheiros.
**25** A minha alma está pegada ao pó;
preserva a minha vida segundo a tua palavra.
**26** Meus caminhos te descrevi, e tu me ouviste;
ensina-me os teus decretos.
**27** Faze-me entender o ensino dos teus preceitos;
assim meditarei nas tuas maravilhas.
**28** A minha alma consome-se de tristeza;
fortalece-me segundo a tua palavra.
**29** Desvia de mim o caminho da falsidade;
concede-me graça mediante a tua lei.

30 Escolhi o caminho da verdade;
decidi seguir as tuas leis.
31 Apego-me aos teus estatutos, ó Senhor;
não permitas que eu seja decepcionado.
32 Percorro o caminho dos teus mandamentos,
pois libertaste o meu coração.

33 Ensina-me, ó Senhor,
o caminho dos teus decretos;
então os guardarei até o fim.
34 Dá-me entendimento, e guardarei a tua lei,
e a observarei de todo o meu coração.
35 Faze-me andar na vereda dos teus mandamentos,
pois neles encontro satisfação.
36 Inclina o meu coração para os teus estatutos,
não à cobiça.
37 Desvia os meus olhos de contemplarem a vaidade;
preserva a minha vida segundo a tua palavra.
38 Confirma a tua promessa ao teu servo,
que se inclina ao teu temor.
39 Desvia de mim a humilhação que temo,
pois as tuas leis são boas.
40 Como anseio pelos teus preceitos!
Preserva a minha vida na tua retidão.

41 Venha sobre mim o teu *constante amor*,
ó Senhor, e a tua salvação segundo a tua promessa.
42 Então responderei ao que me afronta,
pois confio na tua palavra.
43 Da minha boca não tires a palavra de verdade,
pois espero nas tuas leis.
44 Observarei de contínuo a tua lei,
para sempre e eternamente.
45 Andarei em liberdade,
pois busquei os teus preceitos.
46 Falarei dos teus estatutos perante os reis e não me envergonharei.
47 Tenho prazer nos teus mandamentos,
porque os amo.
48 Levanto as mãos para os teus mandamentos,
que amo, e medito nos teus decretos.

49 Lembra-te da palavra dada ao teu servo,
pois me deste esperança.
50 Esta é a minha consolação na angústia:
A tua promessa preserva a minha vida.
51 Os soberbos zombam continuamente de mim,
mas não me desvio da tua lei.
52 Lembro-me das tuas leis antigas, ó Senhor,
e nelas encontro consolo.
53 Grande indignação se apodera de mim
por causa dos ímpios, que abandonam a tua lei.
54 Os teus decretos são o tema dos meus cânticos,
no lugar das minhas peregrinações.
55 De noite me lembro do teu nome, ó Senhor,
e observarei a tua lei.
56 Isto tem sido o que faço:
obedeço aos teus preceitos.

**Salmos 119**

57 O Senhor é a minha herança;
eu disse que observaria as tuas palavras.
58 Implorei deveras o teu favor
de todo o meu coração;
tem piedade de mim, segundo a tua promessa.
59 Considerei os meus caminhos
e voltei os meus passos para os teus estatutos.
60 Eu me apressarei, e não hesitarei,
em obedecer aos teus mandamentos.
61 Embora os ímpios me prendam com laços,
não me esquecerei da tua lei.
62 À meia-noite me levanto para te dar graças,
por causa das tuas justas leis.
63 Companheiro sou de todos os que te temem
e dos que guardam os teus preceitos.
64 A terra, ó Senhor, está cheia do teu amor;
ensina-me os teus decretos.
65 Faze bem ao teu servo, ó Senhor,
segundo a tua palavra.
66 Ensina-me bom juízo e conhecimento,
pois creio nos teus mandamentos.
67 Antes de ser afligido andava errado,
mas agora guardo a tua palavra.
68 Tu és bom e fazes o bem;
ensina-me os teus decretos.
69 Embora os soberbos tenham forjado mentiras contra mim,
de todo o coração guardo os teus preceitos.
70 Seus corações são insensíveis,
como se fossem de sebo,
mas eu me deleito na tua lei.
71 Foi-me bom ter sido afligido,
para que aprendesse os teus decretos.
72 Mais preciosa é para mim a lei da tua boca
do que milhares de moedas de ouro ou de prata.
73 As tuas mãos me fizeram e me formaram;
dá-me inteligência para aprender os teus mandamentos.
74 Os que te temem alegram-se quando me veem,
pois espero na tua palavra.
75 Bem sei, ó Senhor, que as tuas leis são justas,
e que em tua fidelidade me afligiste.
76 Sirva o teu constante amor para me consolar,
segundo a promessa que deste ao teu servo.
77 Venham sobre mim a tua compaixão,
para que viva, pois a tua lei é o meu deleite.
78 Confundam-se os soberbos por me tratarem
de maneira perversa e sem motivo;
mas eu meditarei nos teus preceitos.
79 Voltem-se para mim os que te temem,
os que conhecem os teus estatutos.
80 Seja reto o meu coração para com os teus decretos,

para que eu não seja envergonhado.

81 Desfalece a minha alma, aguardando a tua salvação, mas espero na tua palavra.
82 Os meus olhos desfalecem, esperando por tua promessa;
eu digo: Quando me consolarás?
83 Embora eu seja como um odre na fumaça, não me esqueço dos teus decretos.
84 Quantos dias deve esperar o teu servo?
Quando punirás os que me perseguem?
85 Os soberbos abrem covas para mim, contrários à tua lei.
86 Todos os teus mandamentos são fiéis; ajuda-me, pois sou perseguido sem motivo.
87 Quase me exterminaram de sobre a terra, mas não deixei os teus preceitos.
88 Preserva a minha vida segundo o teu amor, e guardarei os estatutos da tua boca.
89 Ó Senhor, a tua palavra é eterna; ela está firmada no céu.
90 A tua fidelidade estende-se de geração em geração; tu firmaste a terra, e firme permanece.
91 *Conforme o que ordenaste*, tudo se mantém até hoje, pois todas as coisas te obedecem.
92 Se a tua lei não fora o meu deleite, há muito que teria perecido na minha angústia.
93 Jamais me esquecerei dos teus preceitos, pois por eles me tens preservado a vida.
94 Sou teu, salva-me; busquei os teus preceitos.
95 Os ímpios me esperam para me destruírem, mas atentarei para os teus estatutos.
96 A toda perfeição vejo limite; mas os teus mandamentos são ilimitados.
97 Quanto amo a tua lei! Nela medito o dia todo.
98 Os teus mandamentos me fazem mais sábio do que os meus inimigos, pois estão sempre comigo.
99 Tenho mais entendimento do que todos os meus mestres, pois medito nos teus estatutos.
100 Sou mais prudente do que os velhos, pois guardo os teus preceitos.
101 Desviei os meus pés de todo o caminho mau, para observar a tua palavra.
102 Não me apartei das tuas leis, pois tu mesmo me ensinaste.
103 Quão doces são as tuas palavras ao meu paladar, mais doces do que o mel à minha boca!
104 Por meio dos teus preceitos alcanço entendimento; pelo que aborreço todo caminho errado.

**Salmos 119**

**105** Lâmpada para os meus pés
é a tua palavra,
e luz para o meu caminho.
**106** Fiz um juramento
e o confirmei,
que hei de guardar as tuas
justas leis.
**107** Estou aflitíssimo;
preserva a minha vida,
ó Senhor, segundo a tua
palavra.
**108** Aceita, ó Senhor,
as ofertas voluntárias da
minha boca
e ensina-me as tuas leis.
**109** Embora constantemente
corra perigo a minha alma,
não me esquecerei da tua lei.
**110** Os ímpios me armaram laço,
mas não me desviei dos teus
preceitos.
**111** Os teus estatutos são
a minha herança para
sempre;
são a alegria do meu
coração.
**112** Inclino o coração a
guardar os teus decretos,
para sempre, até o fim.
**113** Odeio os inconstantes,
mas amo a tua lei.
**114** Tu és o meu refúgio e o
meu escudo;
espero na tua palavra.
**115** Apartai-vos de mim,
malfeitores,
para que eu guarde
os mandamentos do meu
Deus.
**116** Sustenta-me conforme a
tua promessa,
para que eu viva;
não me deixes envergonhado
da minha esperança.
**117** Sustenta-me, e serei salvo;
sempre terei respeito aos teus
decretos.
**118** Rejeitas a todos os que
se desviam dos teus decretos,
pois o engano deles é falsidade.
**119** Tiras da terra, como escória,
a todos os ímpios;
pelo que amo os teus estatutos.
**120** A minha carne se arrepia
com temor de ti;
tenho medo das tuas leis.
**121** Fiz o que é certo e justo;
não me entregues aos meus
opressores.
**122** Fica por fiador do teu
servo para o bem;
não deixes que os soberbos
me oprimam.
**123** Os meus olhos
desfalecem
esperando por tua salvação,
esperando a tua justa
promessa.
**124** Trata com o teu servo
segundo o teu amor e
ensina-me os teus decretos.
**125** Sou teu servo; dá-me
inteligência
para entender os teus
estatutos.
**126** Já é tempo de operares, ó
Senhor,
pois têm quebrado a tua lei.
**127** Porque amo os teus
mandamentos
mais do que o ouro,
e ainda mais do que o ouro fino,
**128** e porque tenho como retos
todos os teus preceitos,
odeio todo caminho de
falsidade.
**129** Maravilhosos são os teus
estatutos;
por isso a minha alma os
guarda.
**130** A exposição das tuas
palavras dá luz;
dá entendimento aos
simples.

## Salmos 119

131 Abro a minha boca e suspiro,
desejando os teus mandamentos.
132 Olha para mim e tem piedade de mim,
segundo sempre fazes aos que amam o teu nome.
133 Dirige os meus passos segundo a tua palavra;
não se apodere de mim iniquidade alguma.
134 Livra-me da opressão do homem,
para que eu guarde os teus preceitos.
135 Faze resplandecer o teu rosto sobre o teu servo,
e ensina-me os teus decretos.
136 Rios de águas correm dos meus olhos,
pois os homens não guardam a tua lei.
137 Justo és, ó Senhor, e retas são as tuas leis.
138 Os teus estatutos que ordenaste
são retos e muito fiéis.
139 O meu zelo me consome,
pois os meus inimigos se esquecem
das tuas palavras.
140 As tuas promessas foram completamente testadas,
por isso o teu servo as ama.
141 Embora eu seja pequeno e desprezado,
não me esqueço dos teus preceitos.
142 *A tua retidão é eterna,*
e a tua lei é a verdade.
143 Aperto e angústia se apoderaram de mim,
mas os teus mandamentos são o meu deleite.
144 Os teus estatutos são justos para sempre;
dá-me inteligência, para que eu viva.
145 Clamo de todo o meu coração;
ouve-me, ó Senhor, e guardarei os teus decretos.
146 A ti invoco; salva-me,
e guardarei os teus estatutos.
147 Levanto-me antes da alva e clamo por socorro;
aguardo com esperança a tua palavra.
148 Os meus olhos permanecem abertos
durante as vigílias da noite,
para que eu medite nas tuas promessas.
149 Ouve a minha voz, segundo o teu amor;
preserva-me a vida,
ó Senhor, segundo as tuas leis.
150 Aproximam-se de mim os que andam após a maldade,
mas se afastam da tua lei.
151 Tu estás perto, ó Senhor,
e todos os teus mandamentos são verdade.
152 Há muito aprendi acerca dos teus estatutos,
que estabeleceste para sempre.
153 Olha para a minha aflição e livra-me,
pois não me esqueci da tua lei.
154 Pleiteia a minha causa e livra-me;
preserva-me a vida segundo a tua promessa.
155 A salvação está longe dos ímpios,
pois não buscam os teus decretos.

**156** Grande é, ó Senhor,
a tua compaixão;
preserva-me a vida segundo
as tuas leis.
**157** Muitos são os meus
perseguidores
e os meus inimigos,
mas não me desviei dos teus
estatutos.
**158** Vejo os transgressores e
me aflijo,
pois não observam a tua
palavra.
**159** Considera como amo os
teus preceitos;
preserva-me a vida,
ó Senhor, segundo o
teu amor.
**160** Todas as tuas palavras
são verdadeiras;
todas as tuas justas leis
são eternas.
**161** Os poderosos me
perseguem sem causa,
mas o meu coração teme a
tua palavra.
**162** Alegro-me nas tuas
promessas,
como aquele que acha
grande despojo.
**163** Odeio e abomino a
falsidade,
mas amo a tua lei.
**164** Sete vezes no dia
te louvo pelas tuas justas leis.
**165** Muita paz têm os que
amam a tua lei,
e para eles não há tropeço.
**166** Ó Senhor, espero na tua
salvação
e sigo os teus
mandamentos.
**167** A minha alma observa os
teus estatutos,
pois os amo extremamente.
**168** Observo os teus preceitos
e os teus estatutos,
pois todos os meus caminhos
estão diante de ti.
**169** Chegue a ti o meu
clamor, ó Senhor;
dá-me entendimento
conforme a tua palavra.
**170** Chegue a minha súplica
perante a tua face;
livra-me segundo a tua
promessa.
**171** Proclamem louvor os
meus lábios,
pois me ensinas os teus
decretos.
**172** A minha língua cante a
tua palavra,
pois todos os teus
mandamentos são justos.
**173** Venha a tua mão
socorrer-me,
pois escolhi os teus preceitos.
**174** Anelo por tua salvação, ó
Senhor,
e a tua lei é todo o meu
prazer.
**175** Viva a minha alma, para
que te louve,
e sustenham-me as tuas leis.
**176** Desgarrei-me como a
ovelha perdida.
Busca o teu servo,
pois não me esqueci dos teus
mandamentos.

### Cântico de degraus.

**120** Na minha angústia
clamo ao Senhor,
e ele me ouve.
**2** Ó Senhor, livra a minha alma
dos lábios mentirosos e da
língua enganadora.
**3** O que te fará ele, ou o que te
acrescentará,
ó língua enganadora?
**4** Ele a castigará com flechas
agudas do valente,
com brasas vivas de zimbro.

5 Ai de mim, que peregrino
em Meseque
e habito entre as tendas
de Quedar!
6 Já há tempo demais que a
minha alma
habita entre os que odeiam
a paz.
7 Sou homem de paz, mas
quando falo,
eles são pela guerra.

### Cântico de degraus.

**121** Elevo os olhos para os montes;
de onde me virá o socorro?
2 O meu socorro vem do Senhor,
que fez o céu e a terra.
3 Não deixará vacilar o teu pé;
aquele que te guarda não
dormirá.
4 Certamente não dormitará
nem dormirá o guarda de
Israel.
5 O Senhor é quem te guarda;
o Senhor é a tua sombra à
tua direita.
6 O sol não te importunará
de dia,
nem a lua de noite.
7 O Senhor te guardará de
todo o mal;
ele guardará a tua alma.
8 O Senhor guardará
a tua entrada e a tua saída,
desde agora e para sempre.

### Cântico de degraus. De Davi.

**122** Alegrei-me quando me disseram:
Vamos à casa do Senhor.
2 *Os nossos pés estão dentro
das tuas portas,
ó Jerusalém.*
3 Jerusalém está edificada
como uma cidade bem
estabelecida,
4 para onde sobem as tribos,
as tribos do Senhor, como
estatuto de Israel,
para darem graças ao nome
do Senhor.
5 Pois ali estão os tronos
do juízo,
os tronos da casa de Davi.
6 Orai pela paz de
Jerusalém.
Prosperem aqueles que te
amam.
7 Haja paz dentro de teus
muros,
e prosperidade dentro dos
teus palácios.
8 Por causa dos meus irmãos
e amigos, direi:
Haja paz em ti.
9 Por causa da casa do
Senhor,
nosso Deus, buscarei
o teu bem.

### Cântico de degraus.

**123** A ti, que habitas nos céus,
levanto os olhos.
2 Como os olhos dos servos
atentam para as mãos dos
seus senhores,
e os olhos da serva
para as mãos da sua senhora,
assim os nossos olhos
atentam para o Senhor, o
nosso Deus,
até que tenha piedade de
nós.
3 Tem piedade de nós, ó
Senhor,
tem piedade de nós,
pois estamos sobremodo
fartos de desprezo.
4 A nossa alma está cansada
da zombaria dos soberbos,
do desprezo dos
arrogantes.

**Cântico de degraus.
De Davi.**

**124** Se não fora o Senhor, que esteve ao nosso lado, ora diga Israel:
2 Se não fora o Senhor, que esteve ao nosso lado, quando os homens se levantaram contra nós,
3 eles então nos teriam engolido vivos, quando a sua ira se acendeu contra nós;
4 as águas teriam transbordado sobre nós, e a corrente nos teria afogado;
5 sim, as águas impetuosas nos teriam afogado.
6 Bendito seja o Senhor, que não nos deu por presa aos dentes deles.
7 A nossa alma escapou, como um pássaro do laço dos passarinheiros; o laço quebrou-se, e nós escapamos.
8 O nosso socorro está no nome do Senhor, criador do céu e da terra.

**Cântico de degraus.**

**125** Os que confiam no Senhor são como o monte de Sião, que não se abala, mas permanece para sempre.
2 Como os montes em volta de Jerusalém, assim o Senhor está em volta do seu povo, desde agora e para sempre.
3 O cetro dos ímpios não permanecerá sobre a terra destinada aos justos, para que o justo não estenda a mão à iniquidade.
4 Faze bem, ó Senhor, aos bons e aos retos de coração.
5 Quanto aos que se desviam para caminhos tortuosos, o Senhor os castigará com os malfeitores. Haja paz sobre Israel.

**Cântico de degraus.**

**126** Quando o Senhor trouxe os cativos de volta a Sião, estávamos como os que sonham.
2 A nossa boca se encheu de riso, e a nossa língua de cânticos de alegria. Então se dizia entre as nações: Grandes coisas fez o Senhor por eles.
3 Grandes coisas fez o Senhor por nós, e por isso estamos cheios de alegria.
4 Restaura a nossa sorte, ó Senhor, como as correntes do Neguebe.
5 Os que semeiam com lágrimas, colherão com cânticos de alegria.
6 Aquele que leva a preciosa semente, andando e chorando, voltará com cânticos de alegria, trazendo consigo os seus feixes.

**Cântico de degraus.
De Salomão.**

**127** Se o Senhor não edificar a casa, em vão trabalham os que a edificam.

Se o Senhor não guardar
    a cidade,
em vão vigia a sentinela.
2 Inútil vos será levantar de
    madrugada,
    repousar tarde, comer o pão
    de dores;
pois ele dá aos seus amados o
    sono.
3 Os filhos são herança do
    Senhor,
e o fruto do ventre, o seu
    galardão.
4 Como flechas na mão do
    valente,
    assim são os filhos da
    juventude.
5 Bem-aventurado o homem
    que enche deles a sua
    aljava.
Não serão envergonhados
    quando enfrentarem
os seus inimigos no tribunal.

### Cântico de degraus.

**128** Bem-aventurado
aquele que teme
    ao Senhor
e anda nos seus caminhos.
2 Comerás do trabalho das
    tuas mãos;
    feliz serás, e te irá bem.
3 A tua mulher será como a
    videira frutífera
    aos lados da tua casa;
os teus filhos como plantas de
    oliveira
    à roda da tua mesa.
4 Assim é abençoado
    o homem que teme ao Senhor.
5 O Senhor te abençoe de Sião
    *todos os dias da tua vida,*
para que vejas a prosperidade
    de Jerusalém
6 e vivas para ver os filhos de
    teus filhos.
    Paz seja sobre Israel.

### Cântico de degraus.

**129** Muitas vezes me
angustiaram
desde a minha juventude,
    diga agora Israel.
2 Muitas vezes me angustiaram
    desde a minha juventude,
mas não prevaleceram
    contra mim.
3 Os lavradores araram sobre
    as minhas costas,
e compridos fizeram
    os seus sulcos.
4 O Senhor, porém, é justo;
cortou as cordas dos ímpios.
5 Sejam envergonhados e
    retrocedam
todos os que odeiam Sião.
6 Sejam como a grama nos
    telhados,
    que se seca antes que possa
    crescer;
7 com ela o segador não
    enche a mão
nem o que ata os feixes
    enche o braço.
8 Não digam os que passam:
A bênção do Senhor seja
    sobre vós;
    nós vos abençoamos em
    nome do Senhor.

### Cântico de degraus.

**130** Das profundezas a ti
clamo, ó Senhor.
2 Ó Senhor, ouve a minha voz.
Estejam os teus ouvidos
    atentos ao meu clamor por
    misericórdia.
3 Se tu, ó Senhor, observares
    as iniquidades,
    ó Senhor, quem subsistirá?
4 Contigo, porém, há perdão;
    portanto és temido.
5 Aguardo ao Senhor, a
    minha alma o aguarda,
    e espero na sua palavra.

6 A minha alma anseia
 pelo Senhor,
 mais do que os guardas pela
  manhã, sim,
 mais do que os guardas
  pela manhã.
7 Espera, ó Israel, no Senhor,
 pois no Senhor há constante
  amor,
 e nele há plena redenção.
8 Ele remirá Israel
 de todas as suas
  iniquidades.

**Cântico de degraus. De Davi.**

**131** Ó Senhor, o meu
 coração não é orgulhoso
 nem os meus olhos altivos;
não me ocupo de grandes
  questões
 nem de coisas maravilhosas
  demais para mim.
2 Contudo, fiz calar e
  sossegar a minha alma;
como uma criança
  desmamada com a sua mãe,
 como uma criança
  desmamada
é a minha alma para comigo.
3 Espera, ó Israel, no Senhor,
 desde agora e para sempre.

**Cântico de degraus.**

**132** Lembra-te, ó Senhor,
 de Davi
e de todas as suas aflições.
2 Ele jurou ao Senhor
 e *fez votos ao Poderoso de
  Jacó*, dizendo:
3 Não entrarei na casa em
  que habito
 nem subirei ao leito em que
  durmo,
4 não darei sono aos
  meus olhos
 nem repouso às minhas
  pálpebras,
5 enquanto não achar lugar
  para o Senhor,
 uma morada para o
  Poderoso de Jacó.
6 Ouvimos falar dela em
  Efrata,
 e a achamos nos campos
  de Jaar.
7 Entremos na sua morada;
 prostremo-nos ante o estrado
  dos seus pés.
8 Levanta-te, ó Senhor,
 e vem para o teu repouso,
  tu e a arca da tua força.
9 Vistam-se os teus
  sacerdotes de retidão;
 alegrem-se os teus santos.
10 Por amor de Davi, teu
  servo,
 não faças virar o rosto do teu
  ungido.
11 O Senhor jurou a Davi
  com verdade,
 e não se revogará seu
  juramento:
Do fruto das tuas entranhas
 porei sobre o teu trono.
12 Se os teus filhos
 guardarem a minha aliança
 e os meus estatutos, que eu
  lhes hei de ensinar,
 também os seus filhos se
  assentarão
perpetuamente no teu trono.
13 Porque o Senhor escolheu
  a Sião,
 e escolheu-a para sua
  habitação, dizendo:
14 Este é o lugar do meu
  repouso para sempre;
 aqui habitarei, pois o
  desejei.
15 Abençoarei
  abundantemente o seu
  mantimento;
 fartarei de pão os seus
  pobres.

16 Vestirei de salvação os
seus sacerdotes,
e os seus santos exultarão.
17 Ali farei brotar a força de Davi
e farei brilhar a luz do meu ungido.
18 Vestirei os seus inimigos de confusão,
mas a coroa sobre a cabeça dele resplandecerá.

**Cântico de degraus. De Davi.**

**133** Quão bom e quão suave é
que os irmãos vivam em união!
2 É como o óleo precioso sobre a cabeça,
que desce sobre a barba, a barba de Arão,
e que desce à orla das suas vestes.
3 É como o orvalho de Hermom,
que desce sobre os montes de Sião.
Porque ali o Senhor ordena a bênção
e a vida para sempre.

**Cântico de degraus.**

**134** Bendizei ao Senhor, todos vós,
servos do Senhor que assistis de noite
na casa do Senhor.
2 Erguei as mãos no santuário
e bendizei ao Senhor.
3 O Senhor, criador do céu e da terra,
te abençoe de Sião.

**Hino de louvor.**

**135** Louvai ao Senhor.
Louvai o nome do Senhor;
louvai-o, servos do Senhor,
2 vós que assistis na casa do Senhor,
nos átrios da casa do nosso Deus.
3 Louvai ao Senhor, pois o Senhor é bom;
cantai louvores ao seu nome, pois é agradável.
4 Porque o Senhor escolheu para si a Jacó,
e a Israel, para seu tesouro peculiar.
5 Eu sei que o Senhor é grande
e que o nosso Deus está acima de todos os deuses.
6 Tudo o que o Senhor desejou, ele o fez,
nos céus e na terra,
nos mares e em todas as suas profundezas.
7 Faz subir as nuvens das extremidades da terra;
envia relâmpagos com a chuva
e tira os ventos dos seus depósitos.
8 Foi ele que feriu os primogênitos do Egito,
desde os homens até os animais.
9 Foi ele que operou sinais
e prodígios no meio de ti,
ó Egito, contra faraó e contra os seus servos.
10 Foi ele que feriu muitas nações e matou poderosos reis:
11 Seom, rei dos amorreus,
e Ogue, rei de Basã,
e todos os reinos de Canaã;
12 e deu a sua terra em herança,
em herança a Israel, seu povo.
13 O teu nome, ó Senhor, permanece perpetuamente,
e a tua memória, ó Senhor, de geração em geração.

14 Pois o Senhor vindicará o
seu povo
e terá compaixão dos seus
servos.
15 Os ídolos das nações são
prata e ouro,
obra das mãos dos homens.
16 Têm boca, mas não falam;
têm olhos, mas não veem;
17 têm ouvidos, mas não
ouvem;
não há fôlego algum na
sua boca.
18 Semelhantes a eles se
tornem os que os fazem,
e todos os que neles
confiam.
19 Ó casa de Israel, bendizei
ao Senhor;
ó casa de Arão, bendizei ao
Senhor.
20 Ó casa de Levi, bendizei ao
Senhor;
vós, os que temeis ao
Senhor, louvai ao Senhor.
21 Desde Sião seja bendito o
Senhor,
que habita em Jerusalém.
Louvai ao Senhor.

**Hino de gratidão.**

# 136
Dai graças ao Senhor,
pois ele é bom,
porque o seu amor dura
para sempre.
2 Dai graças ao Deus dos
deuses,
porque o seu amor dura
para sempre.
3 Dai graças ao Senhor dos
senhores,
porque o seu amor dura
para sempre;
4 àquele que só faz
maravilhas,
porque o seu amor dura
para sempre;
5 àquele que, com
entendimento, fez os céus,
porque o seu amor dura
para sempre;
6 àquele que estendeu a terra
sobre as águas,
porque o seu amor dura
para sempre;
7 àquele que fez os grandes
luminares,
porque o seu amor dura
para sempre;
8 o sol para governar de dia,
porque o seu amor dura
para sempre;
9 a lua e as estrelas para
presidirem à noite,
porque o seu amor dura
para sempre;
10 àquele que feriu os
primogênitos do Egito,
porque o seu amor dura
para sempre;
11 que tirou Israel do meio deles,
porque o seu amor dura
para sempre;
12 com mão forte e com braço
estendido,
porque o seu amor dura
para sempre;
13 àquele que dividiu o mar
Vermelho em duas partes,
porque o seu amor dura
para sempre;
14 e fez passar Israel pelo
meio dele,
porque o seu amor dura
para sempre;
15 mas derrubou faraó
com o seu exército no mar
Vermelho,
porque o seu amor dura
para sempre;
16 àquele que guiou o seu
povo pelo deserto,
porque o seu amor dura
para sempre;

17 àquele que feriu os grandes reis,
   porque o seu amor dura para sempre;
18 e deu a morte a reis famosos,
   porque o seu amor dura para sempre:
19 Seom, rei dos amorreus,
   porque o seu amor dura para sempre;
20 e Ogue, rei de Basã,
   porque o seu amor dura para sempre;
21 e deu a terra deles em herança,
   porque o seu amor dura para sempre;
22 em herança a Israel, seu servo,
   porque o seu amor dura para sempre;
23 que se lembrou de nós em nossa humilhação,
   porque o seu amor dura para sempre;
24 e nos libertou dos nossos inimigos,
   porque o seu amor dura para sempre;
25 que dá mantimento a toda criatura,
   porque o seu amor dura para sempre.
26 Dai graças ao Deus dos céus,
   porque o seu amor dura para sempre.

### Canto do exilado.

**137** Junto aos rios de Babilônia
*nos assentamos e* choramos, lembrando-nos de Sião.
2 Nos salgueiros que há no meio dela,
penduramos as nossas harpas,
3 pois aqueles que nos levaram cativos
nos pediam canções,
e os que nos atormentavam, que os alegrássemos, dizendo:
Cantai-nos um dos cânticos de Sião.
4 Como, porém, entoaremos o cântico do Senhor em terra estranha?
5 Se eu me esquecer de ti, ó Jerusalém,
que a minha mão direita perca a destreza.
6 Que se me apegue a língua ao paladar,
se não me lembrar de ti,
se não preferir Jerusalém à minha maior alegria.
7 Lembra-te, ó Senhor,
do que fizeram os filhos de Edom
no dia da queda de Jerusalém.
Diziam: Arrasai-a, arrasai-a até os seus alicerces.
8 Ó filha de Babilônia, condenada à destruição,
feliz aquele que te retribuir pelo que nos fizeste;
9 feliz aquele que pegar em teus filhos
e despedaçar nas pedras.

### Salmo de Davi.

**138** Eu te louvarei, ó Senhor, de todo o meu coração;
na presença dos deuses a ti cantarei louvores.
2 Eu me inclinarei para o teu santo templo
e louvarei o teu nome, por causa do teu amor,
e por causa da tua fidelidade,
pois engrandeceste acima de todas as coisas
o teu nome e a tua palavra.

3 No dia em que eu clamei, tu me ouviste;
alentaste-me e fortaleceste a minha alma.
4 Todos os reis da terra te louvem, ó Senhor,
quando ouvirem as palavras da tua boca;
5 cantem os caminhos do Senhor,
pois grande é a glória do Senhor.
6 Embora o Senhor seja excelso,
atenta para o humilde,
mas ao soberbo conhece de longe.
7 Ainda que eu ande no meio da angústia,
tu preservarás a minha vida;
estenderás a tua mão contra a ira dos meus inimigos,
e a tua mão direita me salvará.
8 O Senhor cumprirá o que me diz respeito;
o teu amor, ó Senhor, dura para sempre!
Não desampares as obras das tuas mãos.

**Ao diretor de música.
Salmo de Davi.**

# 139
Ó Senhor, tu me sondaste e me conheces.
2 Tu conheces o meu assentar e o meu levantar;
de longe entendes o meu pensamento.
3 Esquadrinhas o meu andar e o meu deitar;
conheces todos os meus caminhos.
4 Sem que haja uma palavra na minha língua,
ó Senhor, tudo conheces.
5 Tu me cercaste em volta;
puseste sobre mim a tua mão.
6 Tal conhecimento é maravilhoso demais para mim;
elevado demais para que possa atingir.
7 Para onde me irei do teu Espírito?
Para onde fugirei da tua face?
8 Se subir ao céu, tu aí estás;
se fizer nas profundezas a minha cama,
tu ali também estás.
9 Se tomar as asas da alva,
se habitar nas extremidades do mar,
10 ainda ali a tua mão direita me guiará
e me susterá.
11 Se eu disser: As trevas me encobrirão
e a noite será luz à roda de mim,
12 nem ainda as trevas são escuras para ti;
a noite resplandece como o dia,
pois as trevas e a luz são para ti a mesma coisa.
13 Pois criaste o meu interior;
entreteceste-me no ventre da minha mãe.
14 Eu te louvo porque de um modo terrível
e maravilhoso fui formado;
maravilhosas são as tuas obras,
e a minha alma o sabe muito bem.
15 Os meus ossos não te foram encobertos,
quando no oculto fui formado.
Quando fui entretecido nas profundezas da terra,

16 os teus olhos viram o meu corpo ainda informe.
Todos os dias que foram ordenados para mim,
no teu livro foram escritos quando nenhum deles havia ainda.
17 Quão preciosos me são, ó Deus,
os teus pensamentos!
Quão vasta é a soma deles!
18 Se os contasse,
seriam em maior número do que a areia.
Quando acordo ainda estou contigo.
19 Se tão somente matasses o ímpio, ó Deus!
Apartai-vos de mim, homens de sangue.
20 Eles falam contra ti com intenção maligna;
os teus inimigos tomam o teu nome em vão.
21 Não odeio eu, ó Senhor, e abomino
aqueles que se levantam contra ti?
22 Odeio-os com ódio completo; tenho-os por inimigos.
23 Sonda-me, ó Deus, e conhece o meu coração;
prova-me e conhece os meus pensamentos.
24 Vê se há em mim algum caminho mau
e guia-me pelo caminho eterno.

**Ao diretor de música. Salmo de Davi.**

# 140

Livra-me, ó Senhor, dos homens maus;
protege-me dos homens violentos,
2 que maquinam maldades no coração
e vivem projetando guerras.
3 Aguçam a língua como a serpente;
o veneno das víboras está debaixo dos seus lábios. (Selá)
4 Guarda-me, ó Senhor, das mãos dos ímpios,
guarda-me do homem violento,
os quais se propuseram desviar os meus passos.
5 Os soberbos armaram-me laços e cordas;
estenderam uma rede à beira do caminho,
prepararam-me armadilhas. (Selá)
6 Eu digo ao Senhor: Tu és o meu Deus.
Ouve, ó Deus, o meu clamor por misericórdia.
7 Ó Senhor Deus, fortaleza da minha salvação,
que cobres a minha cabeça no dia da batalha;
8 não concedas, ó Senhor, ao ímpio os seus desejos;
não deixes ir avante o seu mau propósito,
para que não se orgulhe. (Selá.)
9 Quanto aos que me cercam,
cubra-lhes a cabeça a maldade que os seus lábios têm causado.
10 Caiam sobre eles brasas vivas;
sejam lançados no fogo, em covas profundas,
para que não se tornem a levantar.
11 Não se estabeleça na terra o caluniador;
o desastre persiga o homem violento.
12 Sei que o Senhor concede justiça ao pobre

e sustenta a causa do necessitado.
13 Certamente os justos louvarão o teu nome, e os retos habitarão na tua presença.

**Salmo de Davi.**

**141** Ó Senhor, a ti clamo; dá-te pressa em me acudir.
Ouve a minha voz quando a ti clamar.
2 Suba a minha oração perante a tua face como incenso,
e seja o levantar das minhas mãos como o sacrifício da tarde.
3 Põe, ó Senhor, uma guarda à minha boca; guarda a porta dos meus lábios.
4 Não inclines o meu coração para o mal,
nem para se ocupar de coisas más,
com aqueles que praticam a iniquidade;
não coma eu das suas iguarias.
5 Fira-me o justo, será isso sinal de bondade; repreenda-me,
será um excelente óleo sobre a minha cabeça, que não o rejeitará.
Contudo, a minha oração será sempre contra os feitos dos ímpios;
6 os seus juízes serão precipitados penha abaixo,
e os ímpios saberão que as minhas palavras são verdadeiras.
7 Como quando alguém lavra e sulca a terra,

são os nossos ossos espalhados à boca da sepultura.
8 Os meus olhos, porém, te contemplam, ó Senhor Deus;
em ti me refugio.
Não desampares a minha alma.
9 Guarda-me dos laços que me armaram,
das armadilhas dos que praticam a iniquidade.
10 Caiam os ímpios nas suas próprias redes,
enquanto eu escape ileso.

**Masquil de Davi.**
**Oração que fez quando estava na caverna.**

**142** Com a minha voz clamo ao Senhor;
com a minha voz ao Senhor suplico.
2 Derramo a minha queixa perante a sua face;
exponho-lhe a minha angústia.
3 Quando dentro em mim desfalece o meu espírito,
és tu quem conheces a minha vereda;
no caminho em que eu ando ocultaram-me um laço.
4 Olha para a minha direita e vê;
ninguém há que se preocupe comigo.
Refúgio me falta; ninguém cuida da minha alma.
5 A ti, ó Senhor, clamo; eu digo: Tu és o meu refúgio,
a minha herança na terra dos viventes.
6 Atende ao meu clamor, pois estou muito abatido;

livra-me dos meus
  perseguidores,
pois são mais fortes do que eu.
7 Tira a minha alma da prisão,
  para que eu louve o teu nome.
Então os justos me rodearão,
  por causa da tua bondade
    para comigo.

**Salmo de Davi.**

# 143
Ó Senhor, ouve a minha oração,
inclina os ouvidos ao meu
  clamor
    por misericórdia;
escuta-me segundo a tua
  fidelidade
  e segundo a tua retidão.
2 Não entres em juízo com o
  teu servo,
pois à tua vista não se achará
  justo nenhum vivente.
3 O inimigo persegue a
  minha alma,
  abate-me até o chão;
faz-me habitar na escuridão,
  como aqueles que
    morreram há muito.
4 Pelo que o meu espírito se
desanima dentro em mim;
  o meu coração está desolado.
5 Lembro-me dos dias antigos;
medito em todos os teus feitos
  e considero a obra das
    tuas mãos.
6 Estendo para ti as
  minhas mãos;
a minha alma tem sede de ti
  como terra sedenta. (Selá)
7 Apressa-te em ouvir-me,
  ó Senhor;
  o meu espírito desfalece.
Não escondas de mim
  a tua face,
  para que não me torne
semelhante aos que descem
  à cova.

8 Faze-me ouvir do teu
  constante amor
  pela manhã, pois em ti
    confio.
Faze-me saber o caminho que
  devo seguir,
  pois a ti levanto a minha
    alma.
9 Livra-me, ó Senhor, dos
  meus inimigos,
  pois em ti é que eu me
    refugio.
10 Ensina-me a fazer a tua
  vontade,
  pois és o meu Deus;
guie-me o teu bom Espírito
  por terra plana.
11 Preserva-me a vida,
  ó Senhor,
  por amor do teu nome;
por amor da tua retidão,
  tira a minha alma da
    angústia.
12 Por teu constante amor,
silencia os meus inimigos;
  destrói todos os meus
    adversários,
pois eu sou teu servo.

**Salmo de Davi.**

# 144
Bendito seja o Senhor,
minha rocha,
que adestra as minhas mãos
  para a peleja
e os meus dedos para a guerra.
2 Ele é o meu Deus
  misericordioso
e a minha fortaleza,
  o meu alto retiro e o meu
    libertador,
o meu escudo, em quem me
  refugio,
  que me sujeita o meu povo.
3 Ó Senhor, que é o homem,
para que o conheças,
  e o filho do homem,
para que o estimes?

4 O homem é semelhante a
um sopro;
os seus dias são como a
sombra que passa.
5 Abaixa, ó Senhor, os teus
céus e desce;
toca os montes, para que
fumeguem.
6 Envia os teus raios e dissipa
os inimigos;
envia as tuas flechas e
desbarata-os.
7 Estende as tuas mãos
desde o alto;
livra-me e salva-me das
muitas águas
e das mãos dos estranhos,
8 cuja boca fala vaidade
e cuja mão direita é a destra
da falsidade.
9 A ti, ó Deus, cantarei um
cântico novo;
com o saltério e com o
instrumento de dez cordas
te cantarei louvores.
10 É ele que dá vitória aos reis,
que livra Davi, seu servo, da
espada maligna.
11 Livra-me; tira-me das
mãos dos estranhos,
cuja boca fala vaidade e cuja
mão direita
é a destra da falsidade.
12 Que os nossos filhos sejam
como plantas,
bem desenvolvidos na sua
juventude,
e as nossas filhas sejam como
pedras angulares,
lavradas como colunas de
um palácio.
13 Que os nossos celeiros
estejam repletos;
as nossas ovelhas produzam
milhares
e dezenas de milhares em
nossos campos;

14 e os nossos bois levem
cargas pesadas,
e não haja assaltos,
nem ataques,
nem clamores em
nossas ruas!
15 Bem-aventurado o povo a
quem assim sucede!
Bem-aventurado é o povo
cujo Deus é o Senhor.

**Um salmo de louvor. De Davi.**

**145** Eu te exaltarei, ó Deus,
rei meu;
bendirei o teu nome
pelos séculos dos séculos.
2 Cada dia te bendirei e
louvarei o teu nome
pelos séculos dos séculos.
3 Grande é o Senhor e muito
digno de louvor;
a sua grandeza é
insondável.
4 Uma geração contará as
tuas obras
a outra geração;
anunciarão as tuas proezas.
5 Falarão do glorioso
esplendor da tua majestade,
e meditarei nas tuas obras
maravilhosas.
6 Falarão da força dos teus
feitos tremendos,
e proclamarei a tua
grandeza.
7 Publicarão
abundantemente
a memória da tua grande
bondade
e cantarão a tua retidão.
8 Piedoso e benigno é o
Senhor,
tardio em irar-se e grande em
amor.
9 O Senhor é bom para todos;
tem compaixão de todas as
suas obras.

10 Todas as tuas obras te
louvarão, ó Senhor;
os teus santos te bendirão.
11 Falarão da glória do teu
reino
e relatarão o teu poder,
12 para que façam saber aos
filhos dos homens
as tuas proezas e o glorioso
esplendor do teu reino.
13 O teu reino é um reino
eterno;
e o teu domínio estende-se a
todas as gerações.
14 O Senhor sustenta todos
os que caem
e levanta todos os
abatidos.
15 Os olhos de todos esperam
em ti,
e tu lhes dás o seu
mantimento a seu tempo.
16 Abres a tua mão e
satisfazes
os anseios de todos os
viventes.
17 Justo é o Senhor em todos
os seus caminhos
e bondoso em todas as suas
obras.
18 Perto está o Senhor de
todos os que o invocam,
de todos os que o invocam
em verdade.
19 Ele realiza o anseio dos
que o temem;
ouve o seu clamor, e os
salva.
20 O Senhor guarda todos os
que o amam,
mas todos os ímpios serão
*destruídos*.
21 A minha boca entoará o
louvor do Senhor.
Toda criatura louve o seu
santo nome
para todo o sempre.

**146** Louvai ao Senhor.
Ó minha alma, louva
ao Senhor.
2 Louvarei ao Senhor
durante a minha vida;
cantarei louvores ao meu
Deus enquanto viver.
3 Não confieis em príncipes
nem nos filhos dos homens,
em quem não há salvação.
4 Sai-lhes o espírito e eles
tornam ao pó;
nesse mesmo dia perecem
todos os seus planos.
5 Bem-aventurado aquele que
tem o Deus de Jacó por seu
auxílio,
cuja esperança está no
Senhor, o seu Deus,
6 criador dos céus e da terra,
do mar e de tudo o que neles há,
o Senhor que permanece
fiel para sempre.
7 Ele sustenta a causa dos
oprimidos
e dá pão aos famintos.
O Senhor liberta os
encarcerados,
8 o Senhor abre os olhos
aos cegos,
o Senhor levanta os abatidos,
o Senhor ama os justos.
9 O Senhor guarda os
estrangeiros
e ampara o órfão e a viúva,
mas frustra os propósitos dos
ímpios.
10 O Senhor reina
eternamente.
O teu Deus, ó Sião, reina de
geração em geração.
Louvai ao Senhor.

**Hino ao Onipotente.**

**147** Louvai ao Senhor.
Quão bom é cantar
louvores ao nosso Deus,

quão agradável e decoroso é
o louvor!
2 O Senhor edifica Jerusalém;
congrega os dispersos de Israel.
3 Sara os quebrantados de
coração
e cura-lhes as feridas.
4 Conta o número das estrelas,
chamando-as todas pelos
seus nomes.
5 Grande é o nosso Senhor e
de grande poder;
o seu entendimento não
tem limite.
6 O Senhor eleva os
humildes,
mas abate os ímpios até a
terra.
7 Cantai ao Senhor em ação
de graças;
cantai louvores, ao som da
harpa, ao nosso Deus.
8 Ele é que cobre o céu de
nuvens,
que prepara a chuva para
a terra
e faz produzir erva
sobre os montes.
9 Ele dá aos animais o seu
sustento,
e aos filhos dos corvos,
quando clamam famintos.
10 Não se deleita na força
do cavalo
nem se agrada na agilidade
do homem.
11 O Senhor se agrada dos
que o temem
e dos que esperam no seu
constante amor.
12 Louva, ó Jerusalém, ao
Senhor;
louva, ó Sião, ao teu Deus,
13 pois ele fortalece as
trancas das tuas portas
e abençoa os teus filhos que
lá habitam.
14 Ele concede paz aos teus
termos
e te farta com o melhor
do trigo.
15 Envia o seu mandamento
à terra;
a sua palavra corre
velozmente.
16 Ele espalha a neve como lã
e esparge a geada como cinza.
17 Ele lança o seu gelo em
pedaços.
Quem pode resistir ao
seu frio?
18 Manda a sua palavra,
e o gelo derrete;
faz soprar o vento, e correm
as águas.
19 Mostrou a sua palavra a Jacó,
as suas leis e decretos a Israel.
20 Não fez assim a nenhuma
outra nação;
elas não conhecem as
suas leis.
Louvai ao Senhor.

**Louvor universal.**

# 148
Louvai ao Senhor.
Louvai ao Senhor
desde os céus,
louvai-o nas alturas.
2 Louvai-o, todos os seus anjos;
louvai-o, todos os seus
exércitos celestiais.
3 Louvai-o, sol e lua;
louvai-o, todas as estrelas
luzentes.
4 Louvai-o, céus dos céus,
e as águas que estão sobre
os céus.
5 Louvem o nome do Senhor,
pois mandou ele, e logo foram
criados.
6 Ele os estabeleceu para
sempre;
e lhes deu uma lei que não
mudará.

**7** Louvai ao Senhor desde a terra,
vós, monstros marinhos,
e todas as profundezas dos oceanos,
**8** relâmpago e saraiva, neve e nuvens,
ventos tempestuosos que executam
a sua vontade;
**9** montes e todos os outeiros,
árvores frutíferas e todos os cedros;
**10** feras e todos os gados,
répteis e aves voadoras;
**11** reis da terra e todos os povos,
governantes e todos os juízes da terra;
**12** jovens e donzelas, velhos e crianças,
**13** louvai o nome do Senhor,
pois só o seu nome é exaltado;
a sua glória está sobre a terra e o céu.
**14** Ele também exaltou o poder do seu povo,
o louvor de todos os seus santos,
dos filhos de Israel,
um povo que lhe é chegado.
Louvai ao Senhor.

### Hino de triunfo.

**149** Louvai ao Senhor.
Cantai ao Senhor um cântico novo,
e o seu louvor na assembleia dos santos.
**2** Alegre-se Israel naquele que o fez,
*regozijem-se os filhos de* Sião no seu Rei.
**3** Louvem o seu nome com danças;
e lhe cantem louvores com adufe e harpa.
**4** Porque o Senhor se agrada do seu povo;
ele coroa os humildes com a salvação.
**5** Exultem os santos de glória
e cantem de alegria nos seus leitos.
**6** Estejam na sua garganta
os altos louvores de Deus
e espada de dois gumes nas suas mãos,
**7** para tomarem vingança
das nações e punirem os povos,
**8** para prenderem os seus reis com cadeias
e os seus nobres com algemas de ferro,
**9** para executarem contra eles o juízo escrito.
Essa é a glória de todos os santos.
Louvai ao Senhor.

### Doxologia final.

**150** Louvai ao Senhor.
Louvai a Deus no seu santuário;
louvai-o no firmamento do seu poder.
**2** Louvai-o pelos seus atos poderosos,
louvai-o conforme a excelência da sua grandeza.
**3** Louvai-o com o som da trombeta,
louvai-o com saltério e com harpa,
**4** louvai-o com adufes e danças,
louvai-o com instrumentos de cordas e com flauta,
**5** louvai-o com címbalos sonoros,
louvai-o com címbalos ressonantes.
**6** Tudo o que tem fôlego louve ao Senhor.
Louvai ao Senhor.

# PROVÉRBIOS

**Prólogo: Tema e Propósito**

**1** Provérbios de Salomão, filho de Davi, rei de Israel,
**2** para se conhecer a sabedoria e a instrução;
para se entenderem as palavras da prudência;
**3** para se instruir em sábio procedimento,
em retidão, justiça e equidade;
**4** para se dar aos simples prudência
e aos jovens conhecimento e bom siso.
**5** Ouça o sábio e cresça em sabedoria,
e o entendido adquira habilidade
**6** para entender provérbios e parábolas;
os ditados e os enigmas dos sábios.
**7** O temor do Senhor é o princípio do conhecimento,
mas os loucos desprezam a sabedoria e a instrução.
**8** Filho meu, ouve a instrução de teu pai
e não deixes a doutrina de tua mãe.
**9** Diadema de graça serão para a tua cabeça
e colares para o teu pescoço.
**10** Filho meu, se os pecadores te quiserem seduzir,
não o consintas.
**11** Se disserem: Vem conosco; armemos uma emboscada para matar,
espreitemos sem razão os inocentes,
**12** traguemo-los vivos, como a sepultura,
e inteiros, como os que descem à cova;
**13** acharemos todo tipo de bens preciosos,
encheremos as nossas casas de despojos;
**14** lança a tua sorte entre nós, teremos todos uma só bolsa.
**15** Filho meu, não te ponhas a caminho com eles,
desvia o teu pé das suas veredas,
**16** pois os pés deles correm para o mal
e se apressam para matar.
**17** Na verdade, em vão se estenderia
a rede à vista de qualquer ave.
**18** Esses armam ciladas contra o próprio sangue
e espreitam a própria vida.
**19** Tais são as veredas de todo aquele
que se entrega à cobiça;
ela prende a alma dos que a possuem.
**20** A suprema sabedoria faz soar alto a sua voz e clama nas praças,
pelas ruas levanta a sua voz;
**21** nas encruzilhadas, no meio dos tumultos clama,
às entradas das portas e na cidade
profere as suas palavras:
**22** Até quando, ó tolos, amareis a tolice?
Até quando os zombadores desejarão a zombaria
e os loucos odiarão o conhecimento?

**23** Convertei-vos pela minha repreensão; abundantemente derramarei sobre vós o meu espírito e vos farei saber as minhas palavras.
**24** Mas porque clamei e vós recusastes; porque estendi a mão e não houve quem desse atenção;
**25** antes rejeitastes todo o meu conselho e não quisestes a minha repreensão;
**26** também eu me rirei no dia da vossa desgraça e zombarei, vindo o vosso temor.
**27** Vindo como tempestade o vosso temor e vindo a vossa perdição como tormenta, sobrevindo-vos aperto e angústia,
**28** então a mim clamarão, mas eu não responderei; de madrugada me buscarão, mas não me acharão.
**29** Visto que aborreceram o conhecimento e não preferiram o temor do Senhor;
**30** visto que não quiseram o meu conselho e desprezaram toda a minha repreensão,
**31** comerão do fruto do seu caminho e se fartarão dos seus próprios conselhos.
**32** Porque *o desvio dos tolos os matará* e a prosperidade dos loucos os destruirá.
**33** O que, porém, me der ouvidos habitará seguro e estará descansado do temor do mal.

### Benefícios morais da sabedoria

**2** Filho meu, se aceitares as minhas palavras e esconderes contigo os meus mandamentos,
**2** para fazeres atento à sabedoria o teu ouvido e para inclinares o teu coração ao entendimento;
**3** se clamares por entendimento e por inteligência ergueres a tua voz;
**4** se como a prata a buscares e como a tesouros escondidos a procurares,
**5** então entenderás o temor do Senhor e acharás o conhecimento de Deus.
**6** Porque o Senhor dá a sabedoria; da sua boca vêm o conhecimento e o entendimento.
**7** Ele reserva a verdadeira sabedoria para os retos; escudo é para os que caminham na sinceridade,
**8** pois guarda as veredas do justo e protege o caminho dos seus santos.
**9** Então entenderás a justiça, o juízo, a equidade e todas as boas veredas.
**10** Porque a sabedoria entrará no teu coração e o conhecimento será suave à tua alma.
**11** O bom siso te guardará e a inteligência te protegerá.

12 A sabedoria te livrará do
mau caminho
   e dos homens que dizem
   coisas perversas,
13 que deixam as veredas
da retidão,
   para andar pelos caminhos
   das trevas,
14 que se deleitam em fazer o mal
e folgam com as
   perversidades dos maus,
15 cujas veredas são tortuosas
e cujos caminhos são iníquos.
16 Também te livrará da
mulher adúltera
   e da estrangeira, que seduz
   com suas palavras;
17 que deixou o companheiro
da sua mocidade
   e se esqueceu da aliança do
   seu Deus.
18 Porque a sua casa se inclina
para a morte
   e as suas veredas para os
   espíritos dos mortos;
19 todos os que se dirigem a ela
não voltarão
   e não atinarão com as
   veredas da vida.
20 Assim andarás pelo caminho
dos bons
   e guardarás as veredas dos
   justos.
21 Porque os justos habitarão
a terra
   e os íntegros permanecerão
   nela.
22 Os ímpios, porém, serão
exterminados da terra
   e os infiéis dela serão
   eliminados.

### Mais benefícios da sabedoria

**3** Filho meu, não te esqueças do
meu ensino,
e o teu coração guarde os
   meus mandamentos,
2 pois eles aumentarão
os teus dias
e te acrescentarão anos de vida
   e prosperidade.
3 Não te deixem o amor e a
fidelidade;
   ata-os ao teu pescoço
   e escreve-os na tábua do teu
   coração.
4 Então acharás graça e boa
reputação
   aos olhos de Deus e dos
   homens.
5 Confia no Senhor de todo o
teu coração
   e não te firmes no teu
   próprio entendimento;
6 reconhece-o em todos os teus
caminhos,
   e ele endireitará as tuas
   veredas.
7 Não sejas sábio a teus
próprios olhos;
   teme ao Senhor e aparta-te
   do mal.
8 Isto será saúde para o teu corpo
e refrigério para os teus
   ossos.
9 Honra ao Senhor com
os teus bens
   e com as primícias de toda a
   tua renda;
10 então se encherão
os teus celeiros
abundantemente,
   e transbordarão de vinho os
   teus lagares.
11 Filho meu, não rejeites a
disciplina do Senhor
   nem te enojes da sua
   repreensão,
12 porque o Senhor corrige
aquele a quem ama,
   assim como o pai ao filho, a
   quem quer bem.
13 Bem-aventurado o homem
que encontra sabedoria,

e o homem que adquire conhecimento,
14 pois ela é mais proveitosa do que a prata
e dá mais lucro do que o ouro.
15 Mais preciosa é do que os rubis;
tudo o que podes desejar não se compara a ela.
16 Longura de dias há na sua mão direita;
na sua esquerda, riquezas e honra.
17 Os seus caminhos são caminhos de delícias,
e todas as suas veredas são paz.
18 É árvore da vida para os que a abraçam;
bem-aventurados são os que a retêm.
19 O Senhor com sabedoria fundou a terra e com inteligência preparou os céus;
20 pelo seu conhecimento se fenderam os abismos,
e as nuvens destilaram o orvalho.
21 Filho meu, não se apartem essas coisas dos teus olhos,
guarda a verdadeira sabedoria e o bom senso;
22 serão vida para a tua alma e graça para o teu pescoço.
23 Então andarás seguro pelo teu caminho,
e não tropeçará o teu pé;
24 quando te deitares, não temerás;
quando te deitares, o teu sono será suave.
25 Não temas o pavor repentino nem a assolação dos ímpios quando vier,
26 pois o Senhor será a tua esperança
e guardará os teus pés de serem presos.
27 Não retenhas o bem de quem o merece,
estando na tua mão poder fazê-lo.
28 Não digas ao teu próximo: Vai, volta mais tarde;
te darei algo amanhã, tendo-o hoje tu contigo.
29 Não planejes o mal contra o teu próximo,
que habita contigo confiadamente.
30 Não contendas com alguém sem razão,
se não te houver feito mal.
31 Não tenhas inveja do homem violento
nem escolhas nenhum de seus caminhos,
32 pois o perverso é abominação para o Senhor,
mas com os sinceros está o seu segredo.
33 A maldição do Senhor habita na casa do ímpio,
mas a morada dos justos ele abençoa.
34 Ele zomba dos zombadores, mas dá graça aos humildes.
35 Os sábios herdam honra, mas os loucos tomam sobre si a vergonha.

## A sabedoria é suprema

**4** Ouvi, filhos, a instrução do pai; estai atentos para conhecerdes a prudência.
2 Dou-vos boa doutrina, portanto não deixeis o meu ensino.
3 Quando eu era menino na casa de meu pai,

tenro e filho único de
minha mãe,
4 ele me ensinava e me dizia:
Retenha as minhas palavras
de todo o teu coração;
guarda os meus
mandamentos e vive.
5 Adquire a sabedoria e a
compreensão;
não te esqueças das
palavras da minha boca nem
delas te apartes.
6 Não abandones a sabedoria,
e ela te protegerá;
ama-a, e ela te guardará.
7 A sabedoria é suprema;
portanto, adquire a sabedoria.
Sim, com tudo o que
possuis adquire
o entendimento.
8 Estima-a, e ela te exaltará;
abraça-a, e ela te honrará.
9 Ela dará à tua cabeça uma
grinalda de graça
e uma coroa de glória te
entregará.
10 Ouve, filho meu, aceita as
minhas palavras,
e serão multiplicados os teus
anos de vida.
11 No caminho da sabedoria te
ensino
e pelas veredas da justiça te
faço andar.
12 Quando andares,
não se embaraçarão
os teus passos;
quando correres, não
tropeçarás.
13 Apega-te à instrução
e não a largues;
guarda-a, pois ela
é a tua vida.
14 Não entres na vereda dos
ímpios
nem andes pelo caminho
dos maus.

15 Evita-o, não passes por ele;
desvia-te dele e passa de
largo.
16 Pois não dormem, se não
praticarem o mal;
foge deles o sono,
se não fizerem tropeçar
alguém.
17 Comem o pão da impiedade
e bebem o vinho da
violência.
18 A vereda dos justos é como a
luz da aurora,
que vai brilhando mais e
mais até ser dia perfeito.
19 O caminho dos ímpios,
porém, é como a escuridão;
não conhecem aquilo em
que tropeçam.
20 Filho meu, atenta para as
minhas palavras;
às minhas instruções
inclina o teu ouvido.
21 Não as deixes apartar-se dos
teus olhos,
guarda-as dentro do teu
coração;
22 pois são vida para os que as
acham
e saúde para o seu corpo.
23 Sobre tudo o que se deve
guardar,
guarda o teu coração,
pois dele procedem as saídas
da vida.
24 Desvia de ti a perversidade
da boca;
afasta de ti a corrupção dos
lábios.
25 Os teus olhos olhem sempre
para a frente,
e o teu olhar esteja fixo no
que está diante de ti.
26 Observa a vereda por onde
andas,
e todos os teus caminhos
sejam retos.

27 Não te desvies nem
para a direita
nem para a esquerda;
retira o teu pé do mal.

### Advertência contra o adultério

**5** Filho meu, atende à minha sabedoria;
às minhas palavras de
discernimento
inclina o teu ouvido,
2 para que conserves o bom senso,
e os teus lábios preservem o
conhecimento.
3 Porque os lábios da mulher
adúltera destilam favos de mel
e as suas palavras são mais
suaves do que o azeite;
4 mas no fim ela é amarga como
o absinto,
aguda como a espada de
dois gumes.
5 Os seus pés descem à morte;
os seus passos levam ao
inferno.
6 Ela não pondera a
vereda da vida;
os seus caminhos são incertos,
mas ela não o sabe.
7 Agora, pois, filho, dá-me
ouvidos;
não te desvies das palavras
da minha boca.
8 Afasta para longe dela o teu
caminho
e não te aproximes da porta
da sua casa,
9 para que não dês a outros
a tua força nem os teus anos
a cruéis;
10 para que não se fartem os
*estranhos do teu poder*
e todos os teus trabalhos
enriqueçam a casa alheia.
11 No fim da tua vida gemerás,
quando se consumirem a tua
carne e o teu corpo.
12 Dirás: Como odiei a disciplina!
Como o meu coração
desprezou a correção!
13 Não escutei a voz dos que
me ensinavam
nem aos que instruíam
inclinei o ouvido.
14 Quase cheguei à ruína
completa
no meio de toda a
assembleia.
15 Bebe a água da tua própria
cisterna
e das correntes do teu poço.
16 Acaso se derramariam nas
ruas as tuas fontes,
e pelas praças, os teus
ribeiros de águas?
17 Sejam para ti só,
não para os estranhos
contigo.
18 Seja bendito o teu manancial;
alegra-te com a mulher da
tua mocidade.
19 Como corça amorosa e
gazela graciosa,
saciem-te os seus seios em
todo o tempo,
e pelo seu amor sejas sempre
cativado.
20 Por que, filho meu, ser
cativado pela adúltera?
Por que abraçar o seio da
mulher alheia?
21 Porque os caminhos do homem
estão perante os olhos do
Senhor;
ele examina todas as suas
veredas.
22 Quanto ao ímpio, as suas
iniquidades o prendem;
com as cordas do seu
pecado é detido.
23 Ele morrerá por falta de
disciplina
e, pelo excesso da sua
loucura, anda errado.

## Advertência contra a insensatez

**6** Filho meu, se ficaste por fiador do teu companheiro, se deste a tua mão ao estranho,
2 se te enredaste com as palavras dos teus lábios, se te prendeste com as palavras da tua boca,
3 então faze isto, filho meu, para livrar-te, pois caíste nas mãos do teu companheiro: Vai, humilha-te e importuna o teu companheiro.
4 Não dês sono aos teus olhos nem repouso às tuas pálpebras.
5 Livra-te como uma gazela da mão do caçador, como uma ave da mão do passarinheiro.
6 Vai ter com a formiga, ó preguiçoso; olha para os seus caminhos e sê sábio!
7 Ela não tem superior, nem oficial, nem dominador,
8 contudo, no verão prepara o seu pão e no tempo da colheita junta o seu mantimento.
9 Ó preguiçoso, até quando ficarás deitado? Quando te levantarás do teu sono?
10 *Um pouco para dormir, um pouco para cochilar, um pouco para cruzar as mãos em repouso.*
11 Assim te sobrevirá a tua pobreza como um ladrão; a tua necessidade, como um homem armado.
12 O homem de Belial, o homem vil, anda com perversidade na boca,
13 pisca com os olhos, faz sinais com os pés, e acena com os dedos.
14 Perversidade há no seu coração, todo o tempo maquina o mal; anda semeando contendas.
15 Pelo que a sua destruição virá repentinamente; subitamente será destruído, sem que haja remédio.
16 Há seis coisas que o Senhor odeia, sete que a sua alma abomina:
17 Olhos arrogantes, língua mentirosa, mãos que derramam sangue inocente,
18 coração que elabora projetos iníquos, pés que se apressam a correr para o mal;
19 testemunha falsa que profere mentiras e o que semeia contendas entre irmãos.

## Advertência contra o adultério

20 Filho meu, guarda os mandamentos de teu pai e não deixes o ensino de tua mãe.
21 Ata-os perpetuamente ao teu coração; pendura-os ao teu pescoço.
22 Quando caminhares, te guiarão; quando te deitares, te guardarão; quando acordares, falarão contigo.
23 Porque estes mandamentos são lâmpada,

este ensino é luz e as correções da disciplina são o caminho da vida,

24 para te guardarem da mulher imoral
e da sedução da língua da adúltera.

25 Não cobices no teu coração a sua formosura
nem te deixes prender pelos seus olhos,

26 pois a prostituta te reduz a um bocado de pão
e a adúltera anda à caça da tua própria vida.

27 Tomará alguém fogo no seu seio
sem que as suas vestes se queimem?

28 Ou andará alguém sobre as brasas
sem que se queimem os seus pés?

29 Assim é o que dorme com a mulher do seu próximo;
não ficará inocente todo aquele que a tocar.

30 Não é desprezado o ladrão que furta para saciar a sua alma,
quando está morrendo de fome.

31 Contudo, se for apanhado, pagará sete vezes mais,
ainda que lhe custe todos os seus bens e a sua casa.

32 O que, porém, adultera com uma mulher
tem falta de entendimento;
o que tal coisa faz destrói a sua alma.

33 Açoites e vexame encontrará,
e a sua vergonha nunca se apagará;

34 pois o ciúme desperta a fúria do marido
e ele não terá compaixão no dia da vingança.

35 Não aceitará compensação alguma;
rejeitará o suborno, por maior que seja.

### Advertência contra a mulher adúltera

**7** Filho meu, guarda as minhas palavras
e esconde dentro de ti os meus mandamentos.

2 Guarda os meus mandamentos e viverás;
guarda os meus ensinos como a menina dos teus olhos.

3 Ata-os aos teus dedos, escreve-os na tábua do teu coração.

4 Dize à sabedoria: Tu és minha irmã,
e ao entendimento chama teu parente;

5 eles te guardarão da adúltera, da estranha, que seduz com as suas palavras.

6 Da janela da minha casa olhei por minhas grades.

7 Vi entre os simples, descobri entre os jovens, um moço sem juízo.

8 Ele passava pela rua junto à esquina da mulher
e seguia o caminho da sua casa,

9 à tarde, no crepúsculo; na escuridão e trevas da noite.

10 Então uma mulher lhe saiu ao encontro,
com vestes de prostituta e astúcia no coração.

11 É turbulenta e contenciosa; os seus pés não param em casa;

12 ora está nas ruas,
ora está nas praças,
espreitando por todos
os cantos.
13 Aproximou-se dele,
beijou-o e com atrevimento
lhe disse:
14 Sacrifícios pacíficos tenho
comigo;
hoje paguei os meus votos.
15 Por isso, saí ao teu encontro
a buscar-te e te achei.
16 Já cobri a minha cama de
cobertas,
de colchas de linho fino do
Egito.
17 Já perfumei o meu leito
com mirra, aloés e canela.
18 Vem, saciemo-nos de amores
até pela manhã;
alegremo-nos com amores.
19 Meu marido não está em
casa;
foi fazer uma longa jornada.
20 Uma bolsa de dinheiro levou
na mão
e só voltará para casa no
dia da lua cheia.
21 Seduziu-o com palavras
persuasivas;
com os elogios dos seus
lábios o persuadiu.
22 Ele imediatamente a seguiu,
como o boi que vai para o
matadouro
e como o cervo que corre
para a rede,
23 até que uma flecha lhe
atravesse o fígado,
como a ave que se apressa
para o laço
e não sabe que ele está ali
contra a sua vida.
24 Agora, pois, filho meu,
dá-me ouvidos;
sê atento às palavras da
minha boca.
25 Não se desvie o teu coração
para os caminhos
dela nem andes perdido nas
suas veredas.
26 Muitas são as vítimas que
ela derrubou;
são muitos os que por ela
foram mortos.
27 Caminho de sepultura é a
sua casa,
o qual desce às profundezas
da morte.

### O chamado da sabedoria

8 Não clama a sabedoria, e o
entendimento não
faz soar a sua voz?
2 No cume das alturas, junto ao
caminho,
nas encruzilhadas das
veredas ela se apresenta;
3 ao lado das portas, à entrada
da cidade,
à entrada das portas está
clamando:
4 A vós, ó homens, clamo;
a minha voz se dirige aos
filhos dos homens.
5 Entendei, ó simples, a
prudência;
vós, loucos, entendei a
compreensão.
6 Ouvi, pois proferirei coisas
excelentes;
os meus lábios se abrirão
para a equidade.
7 A minha boca proferirá a
verdade,
pois os meus lábios
abominam a impiedade.
8 Justas são todas as palavras
da minha boca;
não há nelas nenhuma coisa
tortuosa
nem perversa.
9 Todas são retas para quem
bem as entende,

e justas para os que acham o conhecimento.
10 Aceitai a minha instrução, não a prata;
e o conhecimento, em vez do ouro puro,
11 pois melhor é a sabedoria do que os rubis;
de tudo o que se deseja nada se pode
comparar a ela.
12 Eu, a sabedoria, habito com a prudência;
eu possuo conhecimento e discrição.
13 O temor do Senhor é odiar o mal;
odeio o orgulho, a arrogância, o mau caminho e a boca perversa.
14 Conselho e verdadeira sabedoria são meus;
eu tenho entendimento e poder.
15 Por mim reinam os reis, e os príncipes ordenam justiça.
16 Por mim governam os príncipes e os nobres;
sim, todos os juízes da terra.
17 Eu amo os que me amam;
os que de madrugada me buscam me encontram.
18 Riquezas e honra estão comigo,
riquezas duráveis e justiça.
19 Melhor é o meu fruto do que o ouro refinado;
as minhas novidades melhores do que a prata escolhida.
20 Ando no caminho da retidão, junto às veredas da justiça,
21 para conceder bens permanentes
aos que me amam e encher os seus tesouros.
22 O Senhor me possuiu no princípio de seus caminhos,
antes de suas obras mais antigas.
23 Desde a eternidade fui ungida, desde o princípio, antes do começo da terra.
24 Antes de haver oceanos, fui gerada,
e antes ainda de haver fontes carregadas de águas;
25 antes que os montes fossem firmados,
antes de haver outeiros, eu nasci;
26 antes que ele fizesse a terra, ou os campos,
ou mesmo o princípio do pó do mundo.
27 Eu estava lá quando ele preparou os céus;
quando traçou o horizonte sobre a face do abismo,
28 quando firmou as nuvens acima,
quando fortificou as fontes do abismo,
29 quando pôs ao mar o seu termo,
para que as águas não desobedecessem à sua ordem,
quando marcou os fundamentos da terra;
30 eu estava com ele e era seu arquiteto.
Eu era cada dia as suas delícias,
folgando perante ele em todo o tempo,
31 folgando no seu mundo habitável
e achando as minhas delícias com os filhos dos homens.
32 Agora, pois, filhos, ouvi-me; bem-aventurados são os

que guardam os meus caminhos.

33 Ouvi a minha instrução e sede sábios; não a rejeiteis.

34 Bem-aventurado o homem que me dá ouvidos,
velando diariamente às minhas portas,
esperando no limiar da minha entrada.

35 Porque o que me acha acha a vida e alcança o favor do Senhor.

36 O que, porém, não consegue me encontrar
faz mal à sua própria alma;
todos os que me odeiam amam a morte.

### Convites da sabedoria e da insensatez

**9** A sabedoria edificou a sua casa; lavrou as suas sete colunas.

2 Sacrificou as suas vítimas, misturou o seu vinho;
já preparou a sua mesa.

3 Deu ordens às suas criadas e anda convidando desde o ponto mais alto da cidade, dizendo:

4 Quem é simples entre aqui. Aos faltos de entendimento, diz:

5 Vinde, comei do meu pão e bebei do vinho que misturei.

6 Deixai *os insensatos* e vivei; andai pelo caminho do entendimento.

7 O que repreende o zombador, afronta toma para si;
o que censura o ímpio, sua reputação mancha.

8 Não repreendas o escarnecedor, para que não te odeie;

repreende o sábio, e ele te amará.

9 Dá instrução ao sábio, e ele se fará mais sábio;
ensina ao justo, e ele crescerá em entendimento.

10 O temor do Senhor é o princípio da sabedoria;
o conhecimento do Santo é prudência.

11 Porque por mim se multiplicam os teus dias e anos de vida se te acrescentarão.

12 Se fores sábio, para ti sábio serás;
se fores zombador, tu só o suportarás.

13 A mulher tola é alvoroçadora;
é indisciplinada e sem conhecimento.

14 Assenta-se à porta da sua casa, numa cadeira no ponto mais alto da cidade,

15 para chamar os que passam e seguem reto o seu caminho.

16 Quem é simples entre aqui, diz ela aos faltos de entendimento.

17 As águas roubadas são doces,
e o pão comido às ocultas é delicioso.

18 Eles não sabem que ali estão os mortos,
que os seus convidados estão nas profundezas do inferno.

### Provérbios de Salomão

**10** O filho sábio alegra a seu pai,
mas o filho louco é a tristeza de sua mãe.

2 Os tesouros da impiedade
para nada aproveitam,
   mas a justiça livra da
   morte.
3 O Senhor não deixa ter fome a
alma do justo,
   mas o desejo dos ímpios ele
   rechaça.
4 O que trabalha com mão
enganosa empobrece,
   mas a mão dos diligentes
   enriquece.
5 O que ajunta no verão é filho
entendido,
   mas o que dorme durante a
   colheita
é filho que envergonha.
6 Bênçãos há sobre a cabeça do
justo,
   mas a violência cobre a
   boca dos ímpios.
7 A memória do justo é
abençoada,
   mas o nome dos ímpios
   apodrecerá.
8 O sábio de coração aceita os
mandamentos,
   mas o insensato de lábios
   será transtornado.
9 O homem de integridade anda
seguro,
   mas o que perverte os seus
   caminhos
será descoberto.
10 O que pisca com malícia
causa dores,
   e o tolo de lábios será
   transtornado.
11 A boca do justo é manancial
de vida,
   mas a violência cobre a
   *boca dos ímpios*.
12 O ódio excita contendas,
   mas o amor cobre todas as
   transgressões.
13 Nos lábios do entendido
acha-se a sabedoria,
   mas a vara é para as
   costas dos que não têm
   entendimento.
14 Os sábios conservam o
conhecimento,
   mas a boca do tolo convida
   a ruína.
15 Os bens do rico são a sua
cidade fortificada,
   mas a pobreza é a ruína dos
   pobres.
16 A obra do justo conduz à
vida,
   mas o ganho do ímpio leva ao
   pecado.
17 O caminho para a vida
é de quem guarda a
   disciplina,
   mas o que abandona a
   correção erra.
18 O que encobre o ódio tem
lábios falsos,
   e o que difama é insensato.
19 Na multidão de palavras não
falta transgressão,
   mas o que modera os lábios
   é prudente.
20 Prata escolhida é a língua do
justo,
   mas o coração dos ímpios é
   de pouco valor.
21 Os lábios do justo
apascentam a muitos,
   mas por falta de
   entendimento morrem os
   tolos.
22 A bênção do Senhor
enriquece
   e não acrescenta dores.
23 Um divertimento é para o
tolo praticar a iniquidade,
   mas para o homem
   entendido é ser sábio.
24 O temor do ímpio virá
sobre ele,
   mas o desejo dos justos
   Deus o cumprirá.

25 Como passa a tempestade,
assim desaparece o ímpio,
mas o justo tem perpétuo
fundamento.
26 Como vinagre para os dentes
e fumo para os olhos,
assim é o preguiçoso para
aqueles que o enviam.
27 O temor do Senhor aumenta
os dias,
mas os anos dos ímpios
serão abreviados.
28 A esperança dos justos é
alegria,
mas a expectação dos
ímpios perecerá.
29 O caminho do Senhor é
refúgio para os retos,
mas é ruína para os que
praticam a iniquidade.
30 O justo nunca será abalado,
mas o ímpio não habitará
a terra.
31 A boca do justo produz
sabedoria em abundância,
mas a língua perversa será
exterminada.
32 Os lábios do justo sabem o
que é bom,
mas a boca dos ímpios só
conhece o que é perverso.

# 11

Balança enganosa é
abominação para o
Senhor,
mas o peso justo é o seu
prazer.
2 Vindo a soberba, virá também
a afronta,
mas com os humildes está a
sabedoria.
3 A integridade dos sinceros os
encaminhará,
mas a perversidade dos
desleais os destruirá.
4 A riqueza nada vale no
dia da ira,
mas a justiça livra da morte.
5 A justiça do sincero
endireitará o seu caminho,
mas o ímpio pela sua
impiedade cairá.
6 A justiça dos virtuosos
os livrará,
mas na sua perversidade
serão apanhados
os iníquos.
7 Morrendo o homem ímpio,
perece a sua esperança;
a expectativa da iniquidade
se perde.
8 O justo é liberto da angústia,
e o ímpio a recebe em
seu lugar.
9 O hipócrita com a boca
danifica o seu próximo,
mas os justos são libertos
pelo conhecimento.
10 Na prosperidade dos justos
exulta a cidade;
perecendo os ímpios,
há júbilo.
11 Pela bênção dos retos se
exalta a cidade,
mas pela boca dos ímpios é
destruída.
12 O que despreza o seu
próximo é sem juízo,
mas o homem de
entendimento cala-se.
13 O que anda mexericando
descobre o segredo,
mas o fiel de espírito o
encobre.
14 Não havendo sábia direção,
o povo cai,
mas na multidão de
conselheiros há
segurança.
15 Quem fica por fiador
certamente sofrerá,
mas o que aborrece a fiança
estará seguro.
16 A mulher aprazível
obtém respeito,

mas os homens violentos só obtêm riquezas.

17 O homem bondoso faz bem à sua própria alma,
    mas o cruel perturba a sua própria carne.

18 O ímpio recebe salário ilusório,
    mas para o que semeia justiça haverá galardão seguro.

19 Como a justiça encaminha para a vida,
    assim o que segue o mal para sua morte o faz.

20 Abominação para o Senhor são os perversos de coração,
    mas os que são perfeitos em seu caminho são o seu deleite.

21 É certo que o homem mau não ficará sem castigo,
    mas os justos escaparão.

22 Como joia de ouro em focinho de porca,
    assim é a mulher formosa que se aparta da discrição.

23 O desejo dos justos acaba somente em bem,
    mas a esperança dos ímpios somente em ira.

24 Um homem dá liberalmente e enriquece;
    outro retém mais do que é justo e empobrece.

25 A alma generosa prosperará;
    o que regar também será regado.

26 Ao que retém o trigo o povo o amaldiçoa,
    mas bênção haverá sobre a cabeça do que se dispõe a vendê-lo.

27 O que busca o bem encontra favor,
    mas ao que procura o mal, este lhe sobrevirá.

28 Aquele que confia nas suas riquezas cairá,
    mas os justos reverdecerão como a folhagem.

29 O que perturba a sua casa herdará o vento,
    e o tolo será servo do entendido de coração.

30 O fruto do justo é árvore de vida,
    e o que ganha almas sábio é.

31 Se o justo é punido na terra, quanto mais o ímpio e o pecador!

## 12

O que ama a disciplina ama o conhecimento,
    mas o que odeia a repreensão é estúpido.

2 O homem de bem alcança o favor do Senhor,
    mas ao homem de perversos desígnios ele condena.

3 O homem não se estabelecerá pela impiedade,
    mas a raiz dos justos não será removida.

4 A mulher virtuosa é a coroa do seu marido,
    mas a que procede vergonhosamente é como apodrecimento nos seus ossos.

5 Os pensamentos do justo são retos,
    mas o conselho do ímpio é enganoso.

6 As palavras dos ímpios são emboscadas para derramar sangue,
    mas a boca dos retos os livra.

7 Destruídos são os ímpios e já não existem mais;
    mas a casa dos justos permanece firme.

8 Segundo o seu entendimento, será louvado o homem,

mas o perverso de coração
estará em desprezo.
9 Melhor é o que se estima em
pouco e tem servos
do que o que se honra a si
mesmo e tem falta de pão.
10 O justo olha pela vida dos
seus animais,
mas as misericórdias dos
ímpios são cruéis.
11 O que lavra a sua terra se
fartará de pão,
mas o que segue os ociosos
não tem juízo.
12 Deseja o ímpio o despojo
dos maus,
mas a raiz dos justos
produz
o seu próprio fruto.
13 O laço do ímpio está na
transgressão dos lábios,
mas o justo escapa da
angústia.
14 Cada um se farta de bem
pelo fruto da sua boca,
e o que as mãos do homem
fizerem, isso ele receberá.
15 O caminho do tolo é reto aos
seus próprios olhos,
mas o que dá ouvidos ao
conselho é sábio.
16 A ira do louco se conhece
de imediato,
mas o prudente encobre a
afronta.
17 O que diz a verdade
manifesta a justiça,
mas a testemunha falsa
engana.
18 Há alguns cujas palavras
são como pontas de espada,
mas a língua dos sábios é
saúde.
19 Os lábios que dizem a verdade
permanecem para sempre,
mas a língua mentirosa dura
só um momento.
20 Engano há no coração dos
que maquinam o mal,
mas alegria têm os que
aconselham a paz.
21 Nenhum dano sobrevém
ao justo,
mas os ímpios estão cheios
de males.
22 Os lábios mentirosos são
abomináveis ao Senhor,
mas os que praticam a
verdade são o seu deleite.
23 O homem prudente oculta o
conhecimento,
mas o coração dos tolos
proclama a insensatez.
24 A mão diligente dominará,
mas o preguiçoso acaba em
trabalhos forçados.
25 A ansiedade do coração do
homem o abate,
mas uma boa palavra o
alegra.
26 O justo é cauteloso na
amizade,
mas o caminho dos ímpios os
faz errar.
27 O preguiçoso não assa
a sua caça,
mas o bem precioso do
homem é ser
ele diligente.
28 Na vereda da retidão há vida;
nesse caminho há
imortalidade.

**13** O filho sábio ouve a
instrução do pai,
mas o escarnecedor não
escuta a repreensão.
2 Do fruto da boca o homem
come o bem,
mas o desejo dos infiéis é a
violência.
3 O que guarda a sua boca
preserva a sua vida,
mas o que muito fala tem
perturbação.

4 O preguiçoso deseja
 e nada alcança,
  mas os diligentes têm
   satisfeitos
   os seus desejos.
5 O justo odeia a palavra de
 mentira,
  mas o ímpio é causa de
   vergonha e desgraça.
6 A justiça guarda ao que é
 sincero no seu caminho,
  mas a impiedade
   transtorna o pecador.
7 Uns se dizem ricos sem
 ter nada;
  outros se dizem pobres,
   tendo grandes riquezas.
8 O resgate da vida do
 homem rico são as suas
  riquezas,
   mas o pobre não recebe
    ameaças.
9 A luz dos justos brilha
 intensamente,
  mas a lâmpada dos ímpios
   se apagará.
10 Da soberba só provém
 contenda,
  mas com os que se
   aconselham se acha a
    sabedoria.
11 A riqueza adquirida às
 pressas diminuirá,
  mas quem a ajunta pouco a
   pouco
   terá aumento.
12 A esperança adiada faz
 adoecer o coração,
  mas o desejo cumprido é
   árvore de vida.
13 O que despreza a instrução
 perecerá,
  mas o que respeita ao
   mandamento
   será recompensado.
14 O ensino do sábio é uma
 fonte de vida
   para desviar dos laços
    da morte.
15 O bom entendimento
 alcança favor,
  mas o caminho dos infiéis
   é áspero.
16 Todo prudente procede com
 conhecimento,
  mas o tolo expõe a sua
   loucura.
17 O mau mensageiro cai em
 dificuldades,
  mas o embaixador fiel é
   saúde.
18 Pobreza e vergonha virão
 ao que rejeita a disciplina,
  mas o que dá ouvidos à
   correção é honrado.
19 O desejo cumprido deleita
 a alma,
  mas apartar-se do mal
   é abominação para os loucos.
20 Anda com os sábios e serás
 sábio,
  mas o companheiro dos
   tolos sofre aflição.
21 O mal perseguirá os
 pecadores,
  mas os justos serão
   recompensados com o bem.
22 O homem de bem deixa
 uma herança aos filhos de
  seus filhos,
  mas a riqueza do pecador é
   depositada para o justo.
23 Abundância de mantimento
 pode haver na lavoura do
  pobre,
  mas a injustiça a dissipa.
24 O que retém a vara odeia a
 seu filho,
  mas o que o ama,
   a seu tempo o disciplina.
25 O justo come até ficar
 satisfeito,
  mas o estômago dos ímpios
   passa fome.

**14** A mulher sábia edifica a sua casa,
mas a tola, com as próprias mãos a derruba.
2 O que anda na retidão teme ao Senhor,
mas o que se desvia de seus caminhos o despreza.
3 Na boca do tolo está a vara da soberba,
mas os lábios do sábio o preservarão.
4 Não havendo bois, a manjedoura fica limpa,
mas pela força do boi há abundância de colheitas.
5 A testemunha verdadeira não mente,
mas a testemunha falsa se desboca em mentiras.
6 O zombador busca sabedoria e não a encontra,
mas para o prudente o conhecimento é fácil.
7 Afaste-se do homem insensato,
pois nele não acharás palavras de conhecimento.
8 A sabedoria do prudente é entender o seu próprio caminho,
mas a insensatez dos tolos é enganosa.
9 Os loucos zombam do pecado,
mas entre os retos há boa vontade.
10 O coração conhece a sua própria amargura,
e o estranho não participa da sua alegria.
11 A casa dos ímpios se desfará,
mas a tenda dos justos florescerá.
12 Há um caminho que ao homem parece correto,
mas o fim dele conduz à morte.
13 Até no riso tem dor o coração,
e o fim da alegria é tristeza.
14 Dos seus próprios caminhos se fartará o infiel de coração,
e o homem bom será recompensado pelos seus.
15 O simples dá crédito a toda palavra,
mas o prudente atenta para os seus passos.
16 O sábio teme ao Senhor e se desvia do mal,
mas o tolo se ira e dá-se por seguro.
17 O que facilmente se irrita faz doidices,
e o homem de maus desígnios é odiado.
18 Os simples herdam a insensatez,
mas os prudentes são coroados de conhecimento.
19 Os maus se inclinarão na presença dos bons,
e os ímpios nas portas do justo.
20 O pobre é odiado até pelos seus vizinhos,
mas os amigos dos ricos são muitos.
21 O que despreza o seu vizinho peca,
mas o que se compadece dos humildes é bem-aventurado.
22 Não erram os que praticam o mal?
Mas amor e fidelidade haverá para os que praticam o bem.
23 Em todo trabalho há proveito,
mas meras palavras só conduzem à pobreza.

## Provérbios 15

24 A coroa dos sábios é a sua riqueza,
  mas a insensatez dos tolos só
gera mais insensatez.
25 A testemunha verdadeira livra pessoas,
  mas o que fala mentiras é enganador.
26 No temor do Senhor há firme confiança,
  e será um refúgio seguro para os seus filhos.
27 O temor do Senhor é uma fonte de vida;
  ele desvia o homem dos laços da morte.
28 Na multidão do povo está a glória do rei,
  mas na falta de povo a ruína do príncipe.
29 O homem paciente é grande em entendimento,
  mas o precipitado demonstra loucura.
30 O coração tranquilo é a vida do corpo,
  mas a inveja é a podridão dos ossos.
31 O que oprime ao pobre insulta àquele que o criou,
  mas honra-o aquele que se compadece do necessitado.
32 Pela sua malícia será lançado fora o ímpio,
  mas o justo até na sua morte tem esperança.
33 No coração do prudente repousa a sabedoria,
  mas no coração dos tolos não é conhecida.
34 A justiça exalta as nações,
  mas o pecado é a vergonha dos povos.
35 O rei tem deleite no servo prudente,
  mas sobre o que procede indignamente cairá o seu furor.

**15** A resposta branda desvia o furor,
mas a palavra dura desperta ira.
2 A língua dos sábios adorna o conhecimento,
  mas a boca dos tolos derrama insensatez.
3 Os olhos do Senhor estão em todo lugar,
  contemplando os maus e os bons.
4 Uma língua saudável é árvore de vida,
  mas a língua enganosa esmaga o espírito.
5 O tolo despreza a disciplina de seu pai,
  mas o que atende à correção mostra prudência.
6 Na casa do justo há grande tesouro,
  mas nos frutos do ímpio há perturbação.
7 Os lábios dos sábios espalham o conhecimento,
  mas o coração dos tolos não é assim.
8 O sacrifício dos ímpios é abominável ao Senhor,
  mas a oração dos retos é o seu contentamento.
9 O caminho do ímpio é abominável ao Senhor,
  mas ele ama o que segue a justiça.
10 Disciplina severa há para o que deixa a vereda;
  o que odeia a correção morrerá.
11 Morte e Destruição estão perante o Senhor,
  quanto mais o coração dos filhos dos homens!

12 O zombador não ama aquele que o repreende; ele não consultará os sábios.
13 O coração alegre aformoseia o rosto, mas pela dor do coração o espírito se abate.
14 O coração entendido busca o conhecimento, mas a boca dos tolos se alimenta de insensatez.
15 Todos os dias do oprimido são maus, mas o coração alegre tem um banquete contínuo.
16 Melhor é o pouco, com o temor do Senhor, do que um grande tesouro, com a inquietação.
17 Melhor é um prato de hortaliças onde há amor do que o boi gordo e com ele o ódio.
18 O homem iracundo causa contendas, mas o longânimo acalma a discussão.
19 O caminho do preguiçoso é cercado de espinhos, mas a vereda dos retos é uma estrada real.
20 O filho sábio alegra o seu pai, mas o homem insensato despreza a sua mãe.
21 A insensatez é alegria para o que carece de *entendimento*, mas o homem entendido anda retamente.
22 Onde não há conselho frustram-se os projetos, mas com a multidão de conselheiros eles se estabelecem.
23 O homem se alegra em dar resposta adequada, e a palavra dita a seu tempo quão boa é!
24 Para o sábio o caminho da vida conduz para cima, a fim de evitar que ele desça à sepultura.
25 O Senhor destrói a casa dos soberbos, mas firma a herança da viúva.
26 Abomináveis são para o Senhor os pensamentos do mau, mas as palavras dos puros lhe são agradáveis.
27 O que se dá à cobiça perturba a sua própria casa, mas o que odeia o suborno viverá.
28 O coração do justo medita o que há de responder, mas a boca dos ímpios derrama coisas más.
29 O Senhor está longe dos ímpios, mas escuta a oração dos justos.
30 O parecer alegre traz alegria ao coração, e as boas-novas dão saúde aos ossos.
31 O que dá ouvidos à repreensão construtiva, no meio dos sábios fará a sua morada.
32 O que rejeita a disciplina menospreza a sua alma, mas o que dá ouvidos à correção adquire entendimento.
33 O temor do Senhor é a instrução da sabedoria, e a humildade precede a honra.

**16** Ao homem pertencem os planos do coração, mas do Senhor procede a resposta da língua.

2 Todos os caminhos do homem
são inocentes aos
seus olhos,
mas o Senhor pesa
os motivos.
3 Confia ao Senhor as
tuas obras,
e os teus planos serão
estabelecidos.
4 O Senhor faz todas as coisas
com um objetivo,
até o ímpio para o dia
do mal.
5 Abominação é para o Senhor
todo altivo
de coração;
certamente não ficará sem
castigo.
6 Pelo amor e pela fidelidade
expia-se a iniquidade;
pelo temor do Senhor o
homem se desvia do mal.
7 Sendo os caminhos do homem
agradáveis
ao Senhor,
até a seus inimigos faz que
tenham paz com ele.
8 Melhor é o pouco com justiça
do que grandes rendas com
injustiça.
9 O coração do homem propõe o
seu caminho,
mas o Senhor lhe dirige os
passos.
10 Os lábios do rei falam com
autoridade,
e a sua boca não deve trair
a justiça.
11 O peso e a balança justos são
do Senhor;
obra sua são todos os pesos
da bolsa.
12 Abominação é para os reis o
praticarem
a impiedade,
pois com justiça se estabelece
o trono.
13 Lábios honestos são o
contentamento dos reis;
eles dão valor ao que fala
coisas retas.
14 O furor do rei é mensageiro
da morte,
mas o homem sábio o
aplacará.
15 Na luz do rosto do rei
está a vida;
seu favor é como a nuvem
de chuva na primavera.
16 Melhor é adquirir a
sabedoria do que o ouro!
É mais excelente adquirir a
prudência do que a prata!
17 A estrada dos retos é
desviar-se do mal;
o que guarda o seu caminho
preserva a sua vida.
18 A soberba precede a ruína;
e a altivez do espírito, a queda.
19 Melhor é ser humilde de
espírito com os mansos
do que repartir o despojo
com os soberbos.
20 O que atenta prudentemente
para a instrução prospera;
o que confia no Senhor é
bem-aventurado.
21 O sábio de coração é
chamado prudente;
a doçura dos lábios
promove o ensino.
22 O entendimento,
para aquele que o possui, é
fonte de vida,
mas a insensatez traz
castigo aos tolos.
23 O coração do sábio instrui a
sua boca,
e os seus lábios promovem
a instrução.
24 Favo de mel são as palavras
agradáveis,
doçura para a alma e saúde
para os ossos.

25 Há um caminho que parece correto ao homem,
mas o seu fim conduz à morte.
26 O apetite do trabalhador trabalha por ele;
a sua boca o impulsiona.
27 O homem vil trama o mal,
e nos seus lábios se acha algo como que um fogo ardente.
28 O homem perverso causa contendas,
e o difamador separa os maiores amigos.
29 O homem violento alicia o seu vizinho
e o conduz por um caminho que não é bom.
30 O que pisca os olhos maquina perversidade;
o que morde os lábios a executa.
31 Coroa de honra são os cabelos brancos;
são obtidos por uma vida justa.
32 Melhor é o homem paciente do que o valente,
e o que tem domínio próprio do que o que toma uma cidade.
33 A sorte é lançada no colo,
mas do Senhor procede toda decisão.

# 17

Melhor é um pedaço de pão seco
e com ele a tranquilidade do que a casa cheia de sacrifícios com contenda.
2 O servo prudente dominará sobre o filho que procede indignamente
e partilhará da herança dos irmãos.
3 O crisol é para a prata, e o forno para o ouro,
mas o Senhor prova os corações.
4 O ímpio atenta para os lábios iníquos;
o mentiroso inclina os ouvidos à língua maligna.
5 O que zomba do pobre insulta ao que o criou;
o que se alegra da calamidade não ficará impune.
6 Coroa dos velhos são os filhos dos filhos,
e a glória dos filhos são seus pais.
7 Não convém ao tolo a fala excelente,
quanto menos ao príncipe o lábio mentiroso!
8 Pedra mágica é o suborno aos olhos de quem o dá;
para onde quer que se volte, terá êxito.
9 O que encobre a transgressão promove o amor,
mas o que renova a questão separa os maiores amigos.
10 Mais profundamente entra a repreensão no prudente
do que cem açoites no tolo.
11 O rebelde não busca senão o mal;
um mensageiro cruel será enviado contra ele.
12 Melhor é para o homem encontrar-se com a ursa da qual roubaram os filhos
do que com o louco na sua insensatez.
13 Quanto àquele que paga o bem com o mal,
não se apartará o mal da sua casa.
14 Como o abrir-se da represa, assim é o princípio da contenda;
deixa a questão antes que haja rixas.

**15** O que justifica o ímpio e o que condena o justo
são abomináveis ao Senhor, tanto um como o outro.
**16** De que serviria o dinheiro na mão do tolo para comprar a sabedoria,
visto que não tem entendimento?
**17** Em todo o tempo ama o amigo,
e na angústia nasce o irmão.
**18** O homem sem entendimento compromete-se, ficando por fiador
do seu companheiro.
**19** O que ama a contenda ama a transgressão;
o que faz alta a sua porta busca a ruína.
**20** O perverso de coração não prospera;
o que tem língua enganosa virá a cair no mal.
**21** O que gera um tolo, para sua tristeza o faz;
não há alegria para o pai do insensato.
**22** O coração alegre é bom remédio,
mas o espírito abatido faz secar os ossos.
**23** O ímpio aceita o suborno em secreto,
para perverter as veredas da justiça.
**24** O inteligente mantém a sabedoria à vista,
mas os olhos do louco vagam pelas extremidades da terra.
**25** O filho insensato é tristeza para seu pai
e amargura para sua mãe.
**26** Não é bom punir o justo, nem ferir os oficiais por causa da sua integridade.
**27** Aquele que possui conhecimento
controla as suas palavras, e o homem de entendimento é de espírito sereno.
**28** Até o tolo, quando se cala, é tido por sábio;
o que fecha os lábios, por entendido.

## 18

**1** O que vive isolado busca seu próprio desejo;
insurge-se contra a verdadeira sabedoria.
**2** O tolo não tem prazer no entendimento,
mas somente em revelar o seu coração.
**3** Vindo o ímpio, vem também o desprezo,
e com a vergonha vem a desgraça.
**4** Águas profundas são as palavras da boca do homem,
mas ribeiro transbordante é a fonte da sabedoria.
**5** Não é bom ter respeito à pessoa do ímpio
nem privar da justiça o inocente.
**6** Os lábios do tolo entram em contenda,
e a sua boca clama por açoites.
**7** A boca do tolo é a sua própria destruição,
e os seus lábios um laço para a sua vida.
**8** As palavras do difamador são como doces bocados
que penetram até o íntimo do homem.
**9** O negligente na sua obra é irmão do destruidor.
**10** Torre forte é o nome do Senhor;
para ela corre o justo e fica seguro.

11 Os bens do rico são a sua
cidade fortificada;
como uma muralha na
sua imaginação.
12 Antes da queda eleva-se o
coração do homem,
mas a humildade
precede a honra.
13 Responder antes de ouvir
é insensatez e vergonha.
14 O espírito do homem o
sustenta na enfermidade,
mas quem levantará o
espírito abatido?
15 O coração do entendido
adquire o conhecimento,
e o ouvido do sábio
o busca.
16 O presente alarga o caminho
de quem o dá
e leva-o à presença dos
grandes.
17 O que primeiro apresenta
o seu caso parece justo,
até que vem outro e o
examina.
18 A sorte lançada faz cessar as
desavenças,
e faz separação entre fortes
oponentes.
19 O irmão ofendido é mais
difícil de conquistar
do que uma cidade
fortificada,
e as contendas são como os
ferrolhos de um castelo.
20 Do fruto da boca do homem
se farta o seu ventre;
da colheita dos seus lábios
ele se satisfaz.
21 A morte e a vida estão no
poder da língua,
e aqueles que a amam
comerão do seu fruto.
22 O que acha uma esposa
acha uma coisa boa
e recebe favor do Senhor.
23 O pobre implora misericórdia,
mas o rico responde
com dureza.
24 O homem que tem muitos
amigos pode vir à ruína,
mas há um amigo mais
chegado do que um irmão.

# 19

Melhor é o pobre que
anda na sua integridade
do que o perverso de
lábios e tolo.
2 Não é bom ter zelo sem
conhecimento
nem se apressar e errar
o caminho.
3 A insensatez do próprio
homem arruína a sua vida,
contudo o seu coração se
ira contra o Senhor.
4 As riquezas conquistam
muitos amigos;
quanto ao pobre, o seu
próprio amigo o deixa.
5 A falsa testemunha não
ficará impune;
o que profere mentiras
não escapará.
6 Muitos procuram o favor
do príncipe,
e todo mundo é amigo
daquele que dá presentes.
7 Todos os irmãos do pobre
o aborrecem,
quanto mais o evitam os
seus amigos!
Persegue-os com súplicas,
mas eles já se foram.
8 O que adquire sabedoria ama
a sua própria alma;
o que conserva o
entendimento prospera.
9 A falsa testemunha não
ficará impune,
e o que profere mentiras
perecerá.
10 Ao tolo não fica bem
o luxo;

## Provérbios 20

quanto menos ao servo dominar os príncipes.

11 A sabedoria do homem lhe dá paciência; a sua glória está em esquecer ofensas.

12 Como o bramido do filho do leão é a indignação do rei, mas como o orvalho sobre a erva é o seu favor.

13 Ruína é para o pai o filho insensato, e um gotejar contínuo a mulher briguenta.

14 Casas e bens são a herança dos pais, mas do Senhor vem a mulher prudente.

15 A preguiça faz cair em profundo sono, e o ocioso vem a padecer fome.

16 O que guarda o mandamento guarda a sua vida, mas o que despreza os seus caminhos morrerá.

17 O que se compadece do pobre empresta ao Senhor, e ele lhe recompensará o benefício.

18 Corrige teu filho enquanto há esperança, mas não a ponto de matá-lo.

19 O homem de grande ira tem de sofrer a penalidade; se tu o livrares, virás ainda a fazê-lo de novo.

20 Ouve o conselho e recebe a instrução, *para que sejas sábio nos* teus últimos dias.

21 Muitos são os planos do coração do homem, mas é o propósito do Senhor que permanecerá.

22 O desejo do homem é constante amor; melhor é ser pobre do que mentiroso.

23 O temor do Senhor conduz à vida; aquele que o tem ficará satisfeito; mal nenhum o atingirá.

24 O preguiçoso esconde a mão no prato; nem mesmo a leva de volta à boca.

25 Fere ao zombador, e o simples aprenderá a prudência; repreende o entendido, e ele ganhará conhecimento.

26 O que rouba o seu pai e afugenta a sua mãe é filho que envergonha e desonra.

27 Cessa, filho meu, de dar ouvidos à instrução e te desviarás das palavras do conhecimento.

28 A testemunha corrupta zomba da justiça, e a boca dos ímpios engole a iniquidade.

29 Preparados estão os juízos para os zombadores e os açoites para as costas dos tolos.

**20** O vinho é escarnecedor e a bebida forte alvoroçadora; todo aquele que por eles é desviado não é sábio.

2 A ira do rei é como o bramido do leão; o que provoca a sua ira peca contra a sua própria vida.

3 Honroso é para o homem o desviar-se de questões, mas todo tolo se mete em rixas.

4 O preguiçoso não cultiva na
estação própria;
por isso, na colheita
ele busca,
mas nada encontra.
5 Como águas profundas
são os propósitos do
coração do homem,
mas o homem de
entendimento os traz
à tona.
6 Muitos há que proclamam
ter constante amor,
mas o homem fiel
quem o achará?
7 O justo anda na sua
integridade;
bem-aventurados são os
seus filhos depois dele.
8 Assentando-se o rei no trono
do juízo,
com os seus olhos faz
desaparecer todo mal.
9 Quem pode dizer:
Purifiquei o meu coração,
estou limpo do meu pecado?
10 Duas espécies de peso e duas
espécies de medida
são abominação para
o Senhor,
tanto uma coisa como a
outra.
11 Até a criança se dará a
conhecer pelas suas ações,
se a sua conduta é pura
e reta.
12 O ouvido que ouve e o olho
que vê —
o Senhor fez ambos.
13 Não ames o sono, para que
não empobreças;
abre os olhos e te fartarás
de pão.
14 Nada vale, não vale nada,
diz o comprador;
depois que sai, gaba-se do
negócio.
15 Há ouro e abundância
de rubis,
mas os lábios do conhecimento
são joia preciosa.
16 Tira a roupa àquele que fica
por fiador do estranho;
toma-a por penhor daquele
que dá garantia a uma
mulher adúltera.
17 Suave é ao homem o pão
da mentira,
mas depois a sua boca se
enche de pedrinhas
de areia.
18 Os projetos se firmam
pelos conselhos;
faze a guerra com
prudência.
19 O difamador trai a confiança;
portanto, evita o que fala
demais.
20 Quem a seu pai ou a sua
mãe amaldiçoa,
terá apagada a sua lâmpada
nas mais
densas trevas.
21 A herança adquirida às
pressas
no princípio não será
abençoada no fim.
22 Não digas:
Eu me vingarei do mal;
espera pelo Senhor, e ele te
livrará.
23 Duas espécies de peso são
abomináveis ao Senhor,
e balanças enganosas não
são boas.
24 Os passos do homem são
dirigidos pelo Senhor.
Como, pois, pode o homem
entender o seu próprio
caminho?
25 Laço é para o homem o dizer
precipitadamente:
É santo, e só refletir depois
de fazer o voto.

26 O rei sábio abana os ímpios;
   faz girar sobre eles a roda.
27 O espírito do homem é a
   lâmpada do Senhor;
      ela esquadrinha o mais
         íntimo do ser.
28 Amor e fidelidade
   guardam o rei;
      com amor sustém ele
         o seu trono.
29 A glória dos jovens
   é a sua força,
      e a beleza dos velhos são os
         cabelos brancos.
30 Os açoites e as feridas
   purificam o mal,
      e as pancadas penetram até
         o mais íntimo do ser.

# 21

Como ribeiros de águas
é o coração do rei na mão
   do Senhor;
      para onde quer o inclina.
2 Todo caminho do homem é
   reto aos seus olhos,
      mas o Senhor sonda o
         coração.
3 Fazer justiça e julgar
   com retidão
      é mais aceitável ao
         Senhor do que
      oferecer-lhe sacrifício.
4 Olhar altivo e coração
   orgulhoso
      revelam a vida de pecado
         dos ímpios.
5 Os pensamentos do
   diligente tendem
      à abundância,
      tão certamente quanto a
         pressa leva à pobreza.
6 Trabalhar para juntar
   *tesouro*
      com língua falsa
         é vaidade,
      e aqueles que a isso são
         impelidos
      buscam a morte.
7 A violência dos ímpios virá a
   destruí-los,
      pois eles se recusam a
         praticar a justiça.
8 O caminho do homem
   perverso é
      inteiramente tortuoso,
      mas a obra do puro é reta.
9 Melhor é morar num
   canto do eirado,
      do que com a mulher briguenta
         numa casa ampla.
10 A alma do ímpio deseja
   o mal;
      o seu vizinho não recebe
         dele compaixão.
11 Quando o zombador é
   castigado,
      o simples torna-se sábio;
      quando o sábio é instruído,
         recebe o conhecimento.
12 Prudentemente observa o
   justo a casa do ímpio,
      e o conduz para a desgraça.
13 O que tapa o seu ouvido ao
   clamor do pobre
      também clamará e não
         será ouvido.
14 O presente dado em segredo
   abate a ira,
      e o suborno às escondidas
         aplaca a indignação.
15 A execução da justiça é
   alegria para o justo,
      mas espanto para os que
         praticam a iniquidade.
16 O homem que anda desviado
   do caminho
      do entendimento,
      na congregação dos mortos
         repousará.
17 Necessidade padecerá o que
   ama os prazeres;
      o que ama o vinho e o azeite
         nunca enriquecerá.
18 O resgate do justo é o ímpio;
   o do reto, o iníquo.

19 Melhor é morar numa
terra deserta
do que com a mulher
briguenta e colérica.
20 Há tesouro desejável e azeite
na casa do sábio,
mas o homem insensato
os devora.
21 O que segue a justiça e o
amor acha vida,
prosperidade e honra.
22 Contra a cidade dos fortes
sobe o sábio
e derruba a fortaleza
em que confiaram.
23 O que guarda a sua boca
e a sua língua
livra das angústias
a sua alma.
24 Quanto ao soberbo
e arrogante,
zombador é o seu nome;
procede com indignação
e soberba.
25 O desejo do preguiçoso o mata,
porque as suas mãos
recusam-se a trabalhar.
26 Todo o dia ele deseja mais,
mas o justo dá e nada retém.
27 O sacrifício dos ímpios
é abominação;
tanto mais quando
oferecido com
intenção maligna!
28 A testemunha falsa
perecerá,
mas o homem que a ouve
será destruído
para sempre.
29 O homem ímpio mostra
arrogância no seu rosto,
mas o reto considera o seu
caminho.
30 Não há sabedoria, nem
entendimento
nem conselho contra o
Senhor.
31 O cavalo prepara-se para o
dia da batalha,
mas do Senhor vem a vitória.

## 22

Mais digno de ser
escolhido é o bom
nome do que as muitas
riquezas;
ser estimado é melhor
do que a riqueza e o ouro.
2 O rico e o pobre se
encontraram;
a ambos fez o Senhor.
3 O prudente vê o mal
e se esconde,
mas os simples prosseguem
e sofrem as consequências.
4 O galardão da humildade
e do temor do Senhor
são riquezas, honra e vida.
5 Espinhos e laços há no
caminho do perverso;
o que guarda a sua alma
retira-se para
longe dele.
6 Instrui o menino no caminho
em que deve andar,
e, mesmo quando
envelhecer,
não se desviará dele.
7 O rico domina sobre
os pobres;
o que toma emprestado é
servo do que empresta.
8 O que semeia a perversidade
colhe males,
o castigo da sua indignação
será completo.
9 O generoso será abençoado,
pois dá do seu pão ao pobre.
10 Lança fora o zombador, e se
vai a contenda;
cessam a questão e a
vergonha.
11 O que ama a pureza do
coração e tem graça
no falar
terá por seu amigo o rei.

12 Os olhos do Senhor
protegem o que tem
conhecimento,
mas as palavras do iníquo
ele transtorna.
13 Diz o preguiçoso: Um leão
está lá fora;
serei morto no meio das
ruas.
14 Cova profunda é a boca da
adúltera;
aquele contra quem o
Senhor se irar
cairá nela.
15 A insensatez está ligada ao
coração do menino,
mas a vara da disciplina a
afastará dele.
16 O que oprime ao pobre para
aumentar o seu lucro,
ou o que dá ao rico,
certamente empobrecerá.

### Discursos morais do sábio

17 Inclina o teu ouvido e ouve
as palavras dos sábios;
aplica o teu coração ao meu
conhecimento,
18 pois te será agradável
guardá-los no teu coração,
se aplicares todas as
minhas palavras
aos teus lábios.
19 Para que a tua confiança
esteja no Senhor,
ensino-as a ti hoje.
20 Não te escrevi excelentes
coisas
acerca de todo o conselho e
conhecimento,
21 *para te fazer saber a certeza*
das palavras
da verdade,
para que possas responder
com palavras de
verdade aos que te enviarem?
22 Não roubes ao pobre,
porque é pobre;
nem oprimas ao aflito
em juízo;
23 pois o Senhor defenderá a
sua causa em juízo
e aos que os roubam lhes
tirará a vida.
24 Não faças amizade
com o irascível
nem andes com o homem
colérico,
25 para que não aprendas
as suas veredas e caias em
laço mortal.
26 Não estejas entre os que se
comprometem e
ficam por fiadores de dívidas.
27 Se não tens com que pagar,
por que tirariam a tua cama
de debaixo de ti?
28 Não removas os limites
antigos
que fixaram teus pais.
29 Viste um homem diligente
na sua obra?
Perante reis será posto;
não será posto perante
homens comuns.

**23** Quando te assentares
para comer com
um governador,
preste atenção ao que se
pôs diante de ti
2 e põe uma faca à tua
garganta,
se és homem glutão.
3 Não cobices os seus pratos
saborosos,
pois é comida enganadora.
4 Não te canses tentando
enriquecer;
seja sábio.
5 Fixarás os olhos naquilo que
não é nada?
Porque certamente as
riquezas criam

para si asas e voarão ao céu como a águia.
6 Não comas o pão daquele que tem olhos malignos,
nem cobices os seus pratos saborosos,
7 pois como imaginou na sua alma, assim é;
ele te diz: Come e bebe, mas o seu coração não está contigo.
8 Vomitarias o bocado que comeste
e perderias as tuas suaves palavras.
9 Não fales ao tolo,
pois desprezará a sabedoria das tuas palavras.
10 Não removas os limites antigos nem entres nos campos dos órfãos,
11 pois o seu defensor é forte; ele pleiteará a causa deles contra ti.
12 Aplica à disciplina o teu coração
e os teus ouvidos às palavras do conhecimento.
13 Não retires a disciplina da criança;
porque, se a castigares com a vara,
nem por isso morrerá.
14 Tu a castigarás com a vara e livrarás a sua alma do inferno.
15 Filho meu, se o teu coração for sábio,
então se alegrará o meu coração;
16 exultará o meu íntimo, quando os teus lábios falarem coisas retas.
17 Não tenha o teu coração inveja dos pecadores,
antes conserva-te sempre no temor do Senhor.
18 Certamente há esperança para ti;
e a tua esperança não será aniquilada.
19 Ouve tu, filho meu, e sê sábio;
conduze no caminho certo o teu coração.
20 Não estejas entres os beberrões de vinho
nem entre os comilões de carne,
21 pois o beberrão e o comilão cairão em pobreza;
a sonolência cobrirá de trapos o homem.
22 Ouve a teu pai, que te gerou, e não desprezes a tua mãe, quando vier a envelhecer.
23 Compra a verdade e não a vendas;
adquire a sabedoria, a disciplina e o entendimento.
24 Grandemente se regozija o pai do justo;
quem gera um sábio se deleita nele.
25 Alegrem-se teu pai e tua mãe;
regozije-se a que te gerou.
26 Dá-me, filho meu, o teu coração,
e os teus olhos observem os meus caminhos,
27 pois cova profunda é a prostituta;
poço estreito é a adúltera.
28 Ela, como um assaltante, põe-se a espreitar
e multiplica entre os homens os iníquos.
29 Para quem são os ais?
Para quem os pesares?
Para quem as pelejas?
Para quem as queixas?
Para quem as feridas sem causa?

Para quem os olhos
vermelhos?
30 Para os que se demoram
bebendo vinho,
para os que andam
buscando bebida
misturada.
31 Não olhes para o vinho
quando se mostra vermelho,
quando resplandece
no copo
e se escoa suavemente.
32 No seu fim, ele morderá
como a cobra
e como víbora picará.
33 Os teus olhos verão coisas
estranhas,
e tu falarás perversidades.
34 Serás como o que dorme no
meio do mar,
como o que dorme no
topo do mastro.
35 Dirás: Espancaram-me,
mas não me doeu!
Bateram-me, mas não
o senti!
Quando virei a despertar
para tornar a beber?

# 24

Não tenhas inveja dos
homens malignos,
nem desejes estar com eles,
2 pois o seu coração medita
a violência
e os seus lábios falam
maliciosamente.
3 Com a sabedoria se
edifica a casa
e com o entendimento
ela se firma;
4 pelo conhecimento se enchem
as câmaras
*de tudo que é precioso e*
agradável.
5 O homem sábio é forte,
e o homem de conhecimento
aumenta a força;
6 pois com conselhos prudentes
farás a guerra;
na multidão dos
conselheiros há vitória.
7 A sabedoria é
demasiadamente alta
para o tolo;
na porta ele não abre
a sua boca.
8 Àquele que cuida em fazer
o mal,
mestre de maus intentos o
chamarão.
9 Os propósitos do tolo
são pecado;
o zombador é abominável
aos homens.
10 Se te mostras fraco
no dia da angústia,
quão pequena é a tua força!
11 Livra os que estão
destinados à morte
e salva os que cambaleiam
para a matança.
12 Se disseres:
Não o soubemos,
acaso não perceberá aquele
que pondera os corações?
Não saberá aquele que atenta
para a tua alma?
Não pagará ele ao homem
conforme a sua obra?
13 Come mel, filho meu,
pois é bom;
o mel do favo é doce ao
teu paladar.
14 Sabe também que a
sabedoria é doce à tua alma;
se a achares, haverá para ti
recompensa,
e não será frustrada
a tua esperança.
15 Não espies a habitação
do justo,
ó ímpio, nem assoles a sua
pousada,

**16** pois sete vezes cairá o justo
e se levantará,
mas os ímpios são
derrubados pela
calamidade.
**17** Quando o teu inimigo cair,
não te alegres,
nem quando ele tropeçar se
regozije o teu coração,
**18** para que o Senhor não o
veja,
e isso seja mau aos seus
olhos,
e dele desvie a sua ira.
**19** Não te aflijas por causa dos
malfeitores,
nem tenhas inveja dos
ímpios,
**20** pois o maligno não tem
esperança futura;
a lâmpada dos ímpios se
apagará.
**21** Teme ao Senhor e ao rei,
filho meu,
e não te associes com os
rebeldes,
**22** pois de repente se levantará
a sua perdição.
Quem conhecerá a ruína
que virá sobre eles?

### Mais provérbios do sábio

**23** Também estes são
provérbios do sábio:
Mostrar parcialidade ao
julgar não é bom.
**24** O que disser ao ímpio:
Justo és, será amaldiçoado
pelos povos
e detestado pelas nações.
**25** Para os que o repreenderem,
porém, haverá satisfação,
e sobre eles virá abundante
bênção.
**26** Como beijo nos lábios é uma
resposta honesta.
**27** Termina os teus trabalhos
de fora,
apronta os teus campos e,
depois disso, edifica a tua
casa.
**28** Não sejas testemunha sem
causa contra o teu próximo
nem uses os teus lábios para
enganar.
**29** Não digas: Como ele me
fez a mim,
assim lhe farei a ele;
pagarei a cada um segundo
a sua obra.
**30** Passei pelo campo do
preguiçoso
e junto à vinha do homem
sem entendimento;
**31** tudo estava cheio de espinhos,
a superfície coberta de
urtigas
e o seu muro de pedra em
ruínas.
**32** Apliquei o coração ao que vi
e aprendi uma lição do que
observei:
**33** Um pouco para dormir, um
pouco para cochilar,
um pouco para cruzar os
braços em repouso;
**34** assim sobrevirá a tua
pobreza como um assaltante;
a tua necessidade, como um
homem armado.

### Outros provérbios de Salomão

**25** Também estes são
provérbios de Salomão,
os quais transcreveram os
homens de Ezequias,
rei de Judá:
**2** A glória de Deus é encobrir
o negócio;
a glória dos reis é tudo
investigar.
**3** A altura dos céus, a
profundeza da terra

e o coração dos reis são insondáveis.
4 Tira da prata a escória, e sairá vaso para o ourives.
5 Tira o ímpio da presença do rei, e o seu trono se firmará na justiça.
6 Não te glories na presença do rei nem te ponhas no lugar dos grandes;
7 é melhor que te digam: Sobe para aqui do que seres humilhado diante do príncipe a quem já os teus olhos viram.
8 Não vás apressadamente ao tribunal, para depois, ao fim, não saberes o que hás de fazer, podendo-te confundir o teu próximo.
9 Pleiteia a tua causa com o teu próximo mesmo e não descubras o segredo de outro,
10 para que não te desonre o que o ouvir, não se apartando de ti a infâmia.
11 Como maçãs de ouro em salvas de prata, assim é a palavra dita a seu tempo.
12 Como pendentes de ouro e gargantilhas de ouro puro, assim é a repreensão do sábio ao ouvido atento.
13 Como o frescor da neve no tempo da colheita, assim é o mensageiro fiel para com os que o enviam; *recreia o espírito dos seus senhores.*
14 Como nuvens e ventos que não trazem chuva, assim é o homem que se gaba de dádivas que não dá.
15 Pela paciência se persuade o príncipe; a língua branda quebranta os ossos.
16 Se achares mel, come o que te basta, para que não te fartes dele e o venhas a vomitar.
17 Retira o pé da casa do teu vizinho, para que não se enfade de ti e te odeie.
18 Malho, espada e flecha aguda é o homem que levanta falso testemunho contra o seu próximo.
19 Como dente quebrado e pé deslocado é a confiança no desleal no tempo da angústia.
20 O que entoa canções junto ao coração aflito é como aquele que se despe num dia de frio; como vinagre sobre a ferida.
21 Se o teu inimigo tiver fome, dá-lhe pão para comer; se tiver sede, dá-lhe água para beber.
22 Assim fazendo, amontoarás brasas vivas sobre a cabeça dele, e o Senhor te recompensará.
23 O vento norte traz chuva; mas a língua fingida, o rosto irado.
24 Melhor é morar no canto do eirado do que com a mulher briguenta numa casa ampla.
25 Como água fria para a alma cansada, tais são as boas-novas de terra remota.
26 Como fonte turva e manancial poluído,

assim é o justo que cai
diante do ímpio.
27 Comer muito mel não é bom;
nem é honroso procurar a
própria honra.
28 Como cidade derrubada, que
não tem muros,
assim é o homem que não
tem domínio próprio.

## 26

Como a neve no verão ou
como a chuva na colheita,
assim não convém ao
tolo a honra.
2 Como o pássaro no seu vaguear,
como a andorinha
no seu voo,
assim a maldição sem causa
não se cumpre.
3 O açoite é para o cavalo, o
freio para o jumento
e a vara para as costas
dos tolos.
4 Não respondas ao tolo com
semelhante insensatez,
para que também não te faças
semelhante a ele.
5 Responde ao tolo conforme
merece sua insensatez,
para que não seja ele sábio
aos seus próprios olhos.
6 Como quem os pés corta e o
dano sofre,
assim é quem manda
mensagens pela mão
de um tolo.
7 Como pendem frouxas as
pernas do coxo,
assim é o provérbio na boca
dos tolos.
8 Como o que ata a pedra
numa funda,
assim é aquele que dá
honra ao tolo.
9 Como o espinho que entra na
mão do bêbado,
assim é o provérbio na boca
dos tolos.

10 Como o flecheiro que a
todos espanta,
assim é o que contrata
o tolo
e o primeiro que vê pelo
caminho.
11 Como o cão que torna
ao seu vômito,
assim é o tolo que insiste na
sua insensatez.
12 Tens visto a um homem
que é sábio
a seus próprios olhos?
Maior esperança há no tolo
do que nele.
13 Diz o preguiçoso:
Um leão está no caminho;
um leão está nas ruas.
14 Como a porta gira nas suas
dobradiças,
assim o preguiçoso na
sua cama.
15 O preguiçoso coloca a sua
mão no prato,
mas não quer ter o trabalho
de a levar à boca.
16 Mais sábio é o preguiçoso a
seus próprios olhos
do que sete homens que
sabem responder bem.
17 O que, passando, se mete em
questão alheia,
é como aquele que toma um
cão pelas orelhas.
18 Como o louco que lança de si
faíscas,
flechas e mortandades,
19 assim é o homem que
engana o seu próximo
e diz: Fiz isso por
brincadeira.
20 Sem lenha o fogo se apaga;
não havendo difamador, cessa
a contenda.
21 Como o carvão é para a
brasa
e a lenha para o fogo,

assim é o homem briguento
para provocar rixas.
22 As palavras do difamador
são como deliciosos bocados;
descem ao mais interior
do estômago.
23 Como o vaso coberto
de escória de prata,
assim são os lábios afáveis
com um coração maligno.
24 Aquele que odeia disfarça
suas verdadeiras
intenções com os lábios,
mas no íntimo abriga
o engano.
25 Quando te suplicar com
a voz suave,
não confies nele,
pois sete abominações
há no seu coração.
26 Ainda que o seu ódio se
encubra com engano,
a sua malícia será revelada
na congregação.
27 O que faz uma cova
nela cairá;
o que revolve a pedra,
esta sobre ele rolará.
28 A língua falsa odeia
a quem fere,
e a boca bajuladora
causa ruína.

## 27

Não te vanglories do dia
de amanhã,
pois não sabes o que
produzirá o dia.
2 Louve-te o estranho,
mas não a tua boca;
o estrangeiro, mas não
os teus lábios.
3 Pesada é a pedra, e a areia
*também,*
mas a provocação do
insensato é mais pesada
do que ambas.
4 Cruel é o furor e impetuosa
a ira,
mas quem pode parar na
presença da inveja?
5 Melhor é a repreensão aberta
do que o amor encoberto.
6 Fiéis são as feridas feitas
pelo que ama,
mas os beijos de quem
odeia são enganosos.
7 A alma farta pisa o favo de mel,
mas à alma faminta todo
amargo é doce.
8 Como a ave que vagueia longe
do seu ninho,
assim é o homem que anda
vagueando longe do
seu lugar.
9 O óleo e o perfume alegram
o coração;
a doçura do amigo vem
do seu conselho.
10 Não abandones o teu amigo
nem o amigo
do teu pai;
e não entres na casa do
teu irmão
no dia da tua adversidade.
Mais vale o vizinho perto do
que o irmão longe.
11 Sê sábio, filho meu, e alegra
o meu coração,
para que tenha alguma
coisa que responder
àquele que me afronta.
12 O prudente vê o mal
e se esconde,
mas o simples prossegue e
sofre as consequências.
13 Tira a roupa àquele que
fica por fiador do estranho;
toma-a por penhor daquele
que dá garantia a uma
mulher adúltera.
14 Se alguém bendisser
ao seu vizinho
em alta voz de madrugada,
por maldição isso lhe será
contado.

15 O gotejar contínuo no dia
de grande chuva
e a mulher briguenta são
semelhantes;
16 contê-la é como conter o vento,
ou segurar o óleo com a mão.
17 Como o ferro com o
ferro se afia,
assim faz o homem ao
seu amigo.
18 O que cuida da figueira
comerá do seu fruto;
o que zela pelo seu senhor
será honrado.
19 Como a água reflete o rosto,
assim o coração do homem
reflete quem ele é.
20 O inferno e a perdição
nunca se fartam;
os olhos do homem nunca
se satisfazem.
21 O crisol é para a prata;
o forno, para o ouro, mas o
homem é provado
pelos louvores que recebe.
22 Ainda que pisasses o tolo
como grãos no pilão,
não se iria dele a sua
insensatez.
23 Procura conhecer o estado
das tuas ovelhas
e cuida bem dos teus rebanhos,
24 pois as riquezas não duram
para sempre
nem a coroa de geração em
geração.
25 Quando o feno for removido,
aparecerem os renovos
e se recolherem as ervas
dos montes,
26 então os cordeiros te
proverão vestes;
e os bodes, o preço do
campo.
27 Haverá bastante leite
de cabras
para o teu sustento,
para o sustento da tua casa
e para o sustento das
tuas criadas.

## 28

Fogem os ímpios sem que
ninguém os persiga,
mas os justos são ousados
como o leão.
2 Por causa da transgressão
da terra,
muitos são os seus
príncipes,
mas, pela virtude de homens
prudentes e entendidos,
ela continuará.
3 O homem pobre que oprime
aos pobres
é como chuva impetuosa,
que não deixa nenhum trigo.
4 Os que abandonam a lei
louvam os ímpios,
mas os que guardam a lei
pelejam contra eles.
5 Os homens maus não
entendem a justiça,
mas os que buscam ao
Senhor entendem tudo.
6 Melhor é o pobre que anda na
sua integridade
do que o de caminhos
perversos,
ainda que seja rico.
7 O que guarda a lei é filho
entendido,
mas o companheiro dos
comilões envergonha a
seu pai.
8 O que aumenta os seus bens
com juros altos,
ajunta-os para o que se
compadece do pobre.
9 O que desvia os seus ouvidos
de ouvir a lei,
até a sua oração será
abominável.
10 O que faz que os retos se
desviem para
um mau caminho,

ele mesmo cairá na cova que abriu;
mas os íntegros herdarão o bem.

11 O homem rico é sábio aos seus próprios olhos,
mas o pobre que é entendido o esquadrinha.

12 Quando os justos triunfam, há grande alegria, mas, quando os ímpios sobem, escondem-se os homens.

13 O que encobre as suas transgressões nunca prosperará,
mas o que as confessa e deixa alcançará misericórdia.

14 Bem-aventurado o homem que continuamente teme ao Senhor,
mas o que endurece o seu coração virá a cair no mal.

15 Como leão que ruge, ou urso que ataca, assim é o ímpio que domina sobre um povo pobre.

16 O príncipe que tem falta de entendimento multiplica as opressões,
mas o que odeia a avareza prolongará os seus dias.

17 O homem carregado do sangue de qualquer pessoa, fugirá até a cova; ninguém o detenha.

18 O que anda retamente se salvará,
*mas o perverso em seus caminhos cairá logo.*

19 O que lavra a sua terra virá a fartar-se de pão,
mas o que segue a ociosos se fartará de pobreza.

20 O homem fiel será cumulado de bênçãos,
mas o que se apressa a enriquecer não ficará sem castigo.

21 Fazer acepção de pessoas não é bom,
contudo até por um bocado de pão o homem transgredirá.

22 Aquele que tem olhos invejosos corre atrás das riquezas,
mas não sabe que a pobreza o aguarda.

23 O que repreende ao homem achará depois mais favor do que aquele que bajula com a língua.

24 O que rouba a seu pai, ou a sua mãe,
e diz: Não é errado, companheiro é do destruidor.

25 O cobiçoso levanta contendas,
mas o que confia no Senhor prosperará.

26 O que confia no seu próprio coração é insensato,
mas o que anda sabiamente será livre.

27 O que dá ao pobre não terá necessidade,
mas o que dele esconde os olhos terá muitas maldições.

28 Quando os ímpios sobem ao poder, os homens se escondem,
mas, quando eles perecem, os justos se multiplicam.

**29** Quem insiste no erro, depois de repreendido muitas vezes, será destruído de repente,
sem que haja cura.

2 Quando os justos governam,
o povo se alegra,
mas, quando o ímpio
domina, o povo geme.
3 O homem que ama a
sabedoria alegra a seu pai,
mas o companheiro de
prostitutas desperdiça
os bens.
4 Pela justiça o rei estabelece
a terra,
mas o amigo de subornos
a transtorna.
5 O homem que bajula o
seu próximo
arma uma rede aos
seus passos.
6 Na transgressão do homem
mau há laço,
mas o justo canta e
se regozija.
7 Informa-se o justo da causa
dos pobres,
mas o ímpio não quer
saber disso.
8 Os homens zombadores
tumultuam a cidade,
mas os sábios desviam a ira.
9 O homem sábio que pleiteia
com o tolo,
quer se perturbe, quer se ria,
não terá descanso.
10 Os homens sanguinários
odeiam o íntegro,
mas os retos procuram o
seu bem.
11 O tolo expande toda a sua ira,
mas o sábio a encobre e
reprime.
12 O governador que dá atenção
às palavras mentirosas
descobrirá que todos os seus
servos são ímpios.
13 O pobre e o opressor têm
isto em comum:
o Senhor ilumina os olhos
de ambos.

14 O rei que julga os pobres
conforme a verdade firmará
o seu trono
para sempre.
15 A vara da correção
dá sabedoria,
mas a criança entregue a si
mesma envergonha a
sua mãe.
16 Quando os ímpios
se multiplicam,
multiplicam-se as
transgressões,
mas os justos verão a sua
queda.
17 Disciplina o teu filho, e ele te
dará descanso;
dará delícias à tua alma.
18 Não havendo profecia, o
povo se corrompe;
mas bem-aventurado é o
que guarda a lei.
19 O servo não se corrigirá
com meras palavras;
ainda que entenda,
não obedecerá.
20 Tens visto um homem
precipitado
nas suas palavras?
Maior esperança há para o
tolo do que para ele.
21 Aquele que adula o seu
servo desde a meninice,
no fim o terá por filho.
22 O homem iracundo
levanta contendas,
e o furioso multiplica as
transgressões.
23 A soberba do homem
o abaterá,
mas o humilde de espírito
obterá honra.
24 O que tem parte com
o ladrão
é o seu próprio inimigo;
mesmo sob juramento,
nada denuncia.

25 O temor do homem virá a ser laços,
mas o que confia no Senhor está seguro.
26 Muitos buscam o favor do príncipe,
mas é do Senhor que o homem recebe justiça.
27 O ímpio é abominação para os justos,
e o reto é abominação para os ímpios.

### Palavras de Agur

**30** Palavras de Agur, filho de Jaqué de Massá. Este homem disse a Itiel e a Ucal:
2 Na verdade que eu sou mais bruto que todos;
não tenho o entendimento do homem.
3 Não aprendi a sabedoria
nem tenho o conhecimento do santo.
4 Quem subiu ao céu e desceu?
Quem encerrou os ventos nos seus punhos?
Quem amarrou as águas na sua roupa?
Quem estabeleceu todas as extremidades da terra?
Qual é o seu nome e qual é o nome de seu filho?
Conte-me, se é que o sabes.
5 Toda palavra de Deus é perfeita;
escudo ele é para os que nele confiam.
6 Nada acrescentes às suas palavras,
para que não te repreenda e *sejas achado mentiroso*.
7 Duas coisas te peço, ó Senhor;
não as negues a mim, antes que eu morra:
8 Afasta de mim a vaidade e a palavra mentirosa;
não me dês nem a pobreza nem a riqueza;
mas dá-me só o pão que me é necessário,
9 para que de farto eu não te negue e diga:
Quem é o Senhor?
Ou, empobrecendo, não venha a furtar
e profane o nome de Deus.
10 Não calunies o servo diante de seu senhor,
para que não te amaldiçoe e fiques culpado.
11 Há gente que amaldiçoa o seu pai
e que não bendiz a sua mãe.
12 Há gente que é pura aos seus próprios olhos
e que nunca foi lavada da sua imundícia.
13 Há gente cujos olhos são altivos
e cujas pálpebras são levantadas para cima.
14 Há gente cujos dentes são espadas
e cujo queixo é como faca,
para consumirem na terra os aflitos
e os necessitados entre os homens.
15 A sanguessuga tem duas filhas, a saber: Dá, Dá.
Há três coisas que nunca se fartam,
quatro que nunca dizem: Basta.
16 A sepultura, o ventre estéril,
a terra que não se farta de água,
e o fogo, que nunca diz: Basta.
17 Corvos do vale arrancarão os olhos
que zombam do pai ou desprezam a obediência da mãe;
filhotes da águia os comerão.

**18** Há três coisas que são maravilhosas demais para mim,
há quatro que não conheço:
**19** O caminho da águia no céu,
o caminho da cobra no penhasco,
o caminho do navio no meio do mar
e o caminho do homem com uma virgem.
**20** Tal é o caminho da mulher adúltera:
come, limpa a boca e diz: Não cometi maldade.
**21** Por três coisas se tumultua a terra,
e a quarta não a pode suportar:
**22** O escravo quando reina,
o tolo quando anda farto de pão,
**23** a mulher desdenhada quando se casa
e a serva quando fica herdeira da sua senhora.
**24** Há quatro coisas na terra que, embora pequenas,
são extremamente sábias:
**25** As formigas, criaturas sem força,
que, todavia, no verão preparam a sua comida;
**26** os coelhos, criaturas de pequeno poder, que,
contudo, fazem a sua casa nas rochas;
**27** os gafanhotos, que mesmo não tendo rei,
saem todos e em bandos se repartem;
**28** a lagartixa, que se apanha com as mãos,
e que, contudo, anda nos palácios dos reis.
**29** Há três coisas que têm passo elegante,
quatro que se movem com imponência:
**30** O leão, o mais forte entre os animais,
que não torna atrás por ninguém;
**31** o galo emproado, o bode
e o rei à frente do seu exército.
**32** Se procedeste loucamente, exaltando-te,
ou se planejaste o mal, põe a mão na boca.
**33** Como o espremer do leite produz manteiga,
e o espremer do nariz produz sangue,
assim o espremer da ira produz contendas.

### Provérbios do rei Lemuel

**31** Palavras do rei Lemuel, rei de Massá.
A exortação que lhe deu a sua mãe:
**2** Que te direi, filho meu?
Que te direi, ó filho do meu ventre?
Que te direi, ó filho dos meus votos?
**3** Não dês às mulheres a tua força
nem os teus caminhos às que destroem os reis.
**4** Não é próprio dos reis, ó Lemuel,
não é próprio dos reis beber vinho
nem dos príncipes desejar bebida forte,
**5** para que não bebam e se esqueçam da lei,
e privem todos os aflitos dos seus direitos.
**6** Dai bebida forte aos que perecem
e vinho aos de espírito amargo,

# Provérbios 31

7 para que bebam e se
esqueçam da sua pobreza,
e do seu trabalho não se
lembrem mais.
8 Abre a tua boca a favor do mudo,
pelo direito de todos os que
se acham desamparados.
9 Abre a tua boca, julga
retamente;
defende os direitos dos
pobres e necessitados.

### Epílogo: a mulher virtuosa

10 Mulher virtuosa, quem a
achará?
O seu valor muito excede o
de rubis.
11 O coração do seu marido
confia nela,
e a ele não faltam riquezas.
12 Ela lhe faz bem, não mal,
todos os dias da sua vida.
13 Busca lã e linho e trabalha
com mãos hábeis.
14 Como os navios mercantes,
ela de longe traz o seu pão.
15 Ainda de noite se levanta;
dá mantimento à sua casa
e tarefa às suas servas.
16 Examina uma propriedade
e a adquire;
planta uma vinha com o
fruto das suas mãos.
17 Cinge os seus lombos de força
e fortalece os seus braços.
18 Prova e vê que é boa a sua
mercadoria;
a sua lâmpada não se apaga
de noite.
19 Estende as mãos ao fuso,
e as palmas das suas mãos
pegam na roca.
20 Abre os braços aos pobres
e estende as mãos aos
necessitados.
21 Não teme por causa da neve,
pois toda a sua casa anda
vestida de lã escarlate.
22 Faz para si cobertas;
de linho fino e de púrpura é o
seu vestido.
23 Seu marido é respeitado nas
portas da cidade
quando se assenta com os
anciãos da terra.
24 Faz roupas de linho fino
e as vende,
e fornece cintas aos
mercadores.
25 Força e dignidade são os
seus vestidos;
ri-se do dia futuro.
26 Abre a boca com sabedoria;
a instrução fiel está na sua
língua.
27 Administra bem a sua casa
e não dá lugar à preguiça.
28 Levantam-se os seus filhos e
chamam-lhe
bem-aventurada;
o seu marido também a
louva, dizendo:
29 Muitas mulheres procedem
virtuosamente,
mas tu a todas és
superior.
30 Enganosa é a beleza, e
passageira é a formosura,
mas a mulher que teme ao
Senhor será louvada.
31 Que ela receba do fruto das
suas mãos
e seja elogiada nas portas da
cidade por suas obras.

# ECLESIASTES

## Tudo é vaidade

**1** Palavras do pregador, filho de Davi, rei em Jerusalém:
**2** Vaidade de vaidades, diz o pregador, vaidade de vaidades, tudo é vaidade!
**3** Que proveito tem o homem de todo o seu trabalho que faz debaixo do sol?
**4** Uma geração vai e outra geração vem, mas a terra permanece para sempre.
**5** Nasce o sol e põe-se o sol, e volta ao lugar de onde nasceu.
**6** O vento vai para o sul e faz o seu giro para o norte; continuamente vai girando o vento e volta fazendo os seus circuitos.
**7** Todos os ribeiros vão para o mar; contudo, o mar não se enche. Ao lugar para onde os ribeiros correm, para ali tornam a ir.
**8** Todas as coisas são canseira, mais do que ninguém o pode declarar.
Os olhos não se fartam de ver nem os ouvidos de ouvir.
**9** O que foi, isso é o que há de ser, e o que se fez, isso se tornará a fazer; nada há novo debaixo do sol.
**10** Há alguma coisa de que se possa dizer: Vê, isto é novo? Já foi nos séculos passados, que foram antes de nós.
**11** Não há lembrança das coisas que precederam, e das coisas que hão de ser também não haverá lembrança entre os que hão de vir depois delas.
**12** Eu, o pregador, fui rei sobre Israel em Jerusalém.
**13** Apliquei o meu coração a examinar, e a informar-me com sabedoria de tudo o que acontece debaixo do céu. Que enfadonha ocupação deu Deus aos filhos dos homens, para nela os afligir!
**14** Atentei para todas as obras que se fazem debaixo do sol; tudo era vaidade e aflição de espírito.
**15** O que é torto não se pode endireitar; o que falta não se pode calcular.
**16** Falei eu com o meu coração: Olha, eu me engrandeci e sobrepujei em sabedoria a todos os que houve antes de mim em Jerusalém; o meu coração alcançou muita sabedoria e conhecimento.
**17** Apliquei o meu coração a conhecer a sabedoria e a conhecer os desvarios e as loucuras, mas vim a saber que também isso era aflição de espírito.
**18** Porque na muita sabedoria há muito enfado; o que aumenta o conhecimento aumenta a tristeza.

## Os prazeres são vaidade

**2** Disse eu no meu coração: Ora vem, eu te provarei com

# Eclesiastes 2

a alegria; portanto desfruta o prazer, mas também isto era vaidade.
**2** Do riso disse: Está doido, e da alegria: De que serve esta?
**3** Busquei no meu coração como estimular com o vinho a minha carne, regendo-me, porém, pela sabedoria, e como me apoderar da loucura, até ver o que seria melhor que os filhos dos homens fizessem debaixo do céu, durante o número dos dias da sua vida.
**4** Fiz para mim obras magníficas: edifiquei casas, plantei vinhas;
**5** fiz hortas e jardins e plantei neles árvores de toda espécie de fruto.
**6** Fiz tanques de águas para com eles regar o bosque em que reverdeciam as árvores.
**7** Adquiri servos e servas e tive servos nascidos em casa. Também tive grandes manadas de vacas e ovelhas, mais do que todos os que houve antes de mim em Jerusalém.
**8** Amontoei prata e ouro, joias de reis e das províncias; provi-me de cantores e cantoras, e das delícias dos filhos dos homens, e de instrumentos de música de toda sorte.
**9** Engrandeci-me e sobrepujei a todos os que houve antes de mim em Jerusalém. Em tudo isso perseverou comigo a minha sabedoria.
**10** Tudo o que desejaram os meus olhos não lhes neguei
>nem privei o meu coração
>>de alegria alguma.
>O meu coração se alegrou por toda a minha obra,
>e essa foi a minha
>>recompensa de todo o
>>meu trabalho.

**11** Olhei para todas as obras
>que as minhas mãos
>>fizeram,
>como também para o trabalho
>>que eu, trabalhando,
tinha feito e vi que tudo era vaidade
>e aflição de espírito,
>e que proveito nenhum havia debaixo do sol.

**12** Então passei à contemplação da sabedoria,
>e da loucura e da
>>insensatez.
>Pois que mais fará o homem
>>que seguir ao rei?
>O mesmo que outros já
>>fizeram.

**13** Então vi que a sabedoria
>é mais excelente do que a
>>insensatez,
>quanto a luz é mais excelente
>>do que as trevas.

**14** Os olhos do sábio estão na sua cabeça,
>mas o louco anda em trevas.
>Então entendi que o mesmo
>>sucede a ambos.

**15** Pelo que eu disse no meu coração:
>Como acontece ao tolo, assim
>>sucederá a mim.
>>Por que, pois, busquei mais
>>>a sabedoria?
>Então disse no meu coração
>>que também isso era
>>vaidade.

**16** Porque não haverá mais lembrança
>do sábio do que do tolo;
>de tudo nos dias futuros
>>total esquecimento haverá.
>Como morre o sábio, assim
>>morre o tolo!

**17** Assim, odiei esta vida, porque a obra que se faz debaixo do sol me era penosa. Tudo é vaidade e aflição de espírito.
**18** Odiei todo o meu trabalho, em que trabalhei debaixo do sol, visto que eu havia de deixá-lo ao homem que viesse depois de mim.

**19** Quem sabe se será ele sábio ou tolo? Contudo, ele se apossará de todo o trabalho em que trabalhei e de tudo o que realizei com sabedoria debaixo do sol. Isso também é vaidade.
**20** De sorte que me apliquei a fazer que o meu coração perdesse a esperança de todo o trabalho em que trabalhei debaixo do sol.
**21** Porque há homem cujo trabalho é feito com sabedoria, e conhecimento, e habilidade; contudo ele o deixará como herança a um homem que não trabalhou nele. Isso também é vaidade e grande enfado.
**22** O que mais tem o homem de todo o seu trabalho e da fadiga do seu coração, em que ele anda trabalhando debaixo do sol?
**23** Todos os seus dias são dores, e a sua ocupação é desgosto; até de noite não descansa o seu coração. Isso também é vaidade.
**24** Nada há melhor para o homem do que comer, beber e fazer que a sua alma se alegre com o bem do seu trabalho. Vi que isso também vem da mão de Deus,
**25** pois sem ele quem pode comer ou quem pode alegrar-se?
**26** Ao homem que é bom diante dele, Deus dá sabedoria, conhecimento e alegria, mas ao pecador dá trabalho, para que ajunte e amontoe, a fim de dá-lo àquele que agrada a Deus. Isso também é vaidade e aflição de espírito.

### Tempo para tudo

**3** Tudo tem o seu tempo determinado, e há tempo para todo propósito debaixo do céu:
**2** Há tempo de nascer e tempo de morrer;
tempo de plantar e tempo de arrancar o que se plantou;
**3** tempo de matar e tempo de curar;
tempo de derrubar e tempo de edificar;
**4** tempo de chorar e tempo de rir;
tempo de prantear e tempo de dançar;
**5** tempo de espalhar pedras e tempo de ajuntar pedras;
tempo de abraçar e tempo de afastar-se de abraçar;
**6** tempo de buscar tudo e tempo de perder;
tempo de guardar e tempo de deitar fora;
**7** tempo de rasgar e tempo de coser;
tempo de estar calado e tempo de falar;
**8** tempo de amar e tempo de odiar;
tempo de guerra e tempo de paz.
**9** Que proveito tem o trabalhador naquilo em que trabalha?
**10** Tenho visto o trabalho que Deus deu aos filhos dos homens, para com ele os afligir.
**11** Tudo fez formoso em seu tempo. Também pôs a eternidade no coração dos homens; contudo, não podem descobrir a obra que Deus fez desde o princípio até o fim.
**12** Sei que não há coisa melhor para eles do que se alegrarem e fazerem o bem na sua vida,
**13** e também que todo homem coma e beba, e desfrute o bem de todo o seu trabalho; isso é dom de Deus.
**14** Sei que tudo o que Deus faz durará eternamente; nada se deve

acrescentar a isso e nada se deve tirar disso. Isso faz Deus para que haja temor diante dele.

**15** O que é já foi,
e o que há de ser também já foi,
 e Deus pede conta do que passou.
**16** Vi mais debaixo do sol:
No lugar do juízo, havia impiedade;
 no lugar da justiça, mais impiedade ainda.
**17** Eu disse no meu coração:
Deus julgará o justo e o ímpio,
 pois há um tempo para todo intento e para toda obra.
**18** Disse eu no meu coração: Isso é por causa dos filhos dos homens, para que Deus possa prová-los, e eles possam ver que são em si mesmos como os animais.
**19** Porque o que acontece aos filhos dos homens também acontece aos animais; a mesma coisa lhes acontece. Como morre um, assim morre o outro. Todos têm o mesmo fôlego, e nenhuma vantagem têm os homens sobre os animais. Tudo é vaidade.
**20** Todos vão para o mesmo lugar; todos são pó e todos ao pó tornarão.
**21** Quem sabe se o espírito dos filhos dos homens vai para cima, e se o espírito dos animais desce para a terra?
**22** Pelo que vi que não há coisa melhor do que alegrar-se o homem nas suas obras, porque essa é a sua recompensa. Pois quem o fará voltar para ver o que será depois dele?

### Opressão, trabalho, tribulações

**4** De novo voltei-me e atentei para todas as opressões que se fazem debaixo do sol:
Vi as lágrimas dos oprimidos,
 e eles não têm consolador;
 o poder estava do lado dos seus opressores,
 mas eles não tinham nenhum consolador.
**2** Pelo que julguei mais felizes os que já morreram
 do que os que ainda vivem.
**3** Melhor que uns e outros
é aquele que ainda não é,
 que não viu as más obras que se fazem debaixo do sol.
**4** Também vi que todo trabalho e toda destreza em obras trazem ao homem a inveja do seu próximo. Isso também é vaidade e aflição de espírito.
**5** O tolo cruza os braços
 e come a sua própria carne.
**6** Melhor é um punhado com descanso
 do que ambas as mãos cheias com trabalho e aflição de espírito.
**7** Outra vez me voltei e vi vaidade debaixo do sol.
**8** Há um que é só, não tendo parente;
 não tem filho nem irmão.
Contudo, de todo o seu trabalho não há fim,
 nem os seus olhos se fartam de riquezas.
Ele pergunta:
Para quem trabalho eu,
 privando a minha alma do bem?
Isso também é vaidade e enfadonha ocupação.
**9** Melhor é serem dois do que um,
 porque têm melhor paga do seu trabalho:
**10** Se um cair, o outro levanta o seu companheiro.
Mas ai do que estiver só,
 pois, caindo, não haverá quem o levante.

11 Além disso, se dois dormirem juntos, eles se aquentarão. Mas como um só se aquentará?
12 Se alguém quiser prevalecer contra um, os dois lhe resistirão. O cordão de três dobras não se rompe tão depressa.
13 Melhor é o jovem pobre e sábio do que o rei velho e insensato, que já não se deixa admoestar.
14 O jovem pode ter saído do cárcere para reinar, ou pode ter nascido pobre no seu reino.
15 Vi que todos os que viviam e andavam debaixo do sol seguiam o jovem, o sucessor do rei.
16 Todo o povo que ele dominava era sem conta. Mas os que lhe sucederam não se agradaram do sucessor. Isso também é vaidade e aflição de espírito.

### Vários conselhos práticos

**5** Guarda o teu pé quando entrares na casa de Deus. Inclina-te mais a ouvir do que a oferecer sacrifícios de tolos, pois não sabem que procedem mal.
2 Não te precipites com a tua boca
   nem o teu coração se apresse
   a pronunciar
   palavra alguma diante de
   Deus.
Deus está nos céus, e tu estás
   na terra,
   pelo que sejam poucas as
   tuas palavras.
3 Porque da muita ocupação
   vêm os sonhos;
   a voz do tolo vem da
   multidão das palavras.
4 Quando a Deus fizeres algum voto, não tardes em cumpri-lo. Ele não se agrada de tolos; o que votares, paga-o.
5 Melhor é que não votes do que votes e não pagues.
6 Não consintas que a tua boca faça pecar a tua carne nem digas diante do anjo que foi erro. Por que razão se iraria Deus contra a tua voz e destruiria a obra das tuas mãos?
7 Na multidão dos sonhos há vaidade, assim também nas muitas palavras. Portanto, teme a Deus.
8 Se vires em alguma província a opressão de pobres e a violência em lugar do juízo e da justiça, não te maravilhes de semelhante caso. Pois quem é mais alto do que os altos para isso atenta, e sobre eles há ainda outros mais elevados.
9 O proveito da terra é para todos; até o rei se serve do campo.
10 O que ama o dinheiro nunca se fartará dele;
   quem ama a abundância
      nunca se farta da renda.
   Isso também é vaidade.
11 Onde os bens se multiplicam,
   também se multiplicam os
   que deles comem.
   Que mais proveito têm os
      seus donos
   do que os ver com os seus olhos?
12 Doce é o sono do trabalhador,
   quer coma pouco quer muito,
   mas a fartura do rico não o
   deixa dormir.
13 Há um grave mal que vi debaixo do sol:
   as riquezas que os seus
      donos guardam
   para o seu próprio dano,
14 ou as mesmas riquezas que
   se perdem
   por qualquer má aventura,
   de modo que ao filho
      que gerou
   nada lhe fica na mão.

15 Como saiu do ventre
da sua mãe,
assim nu voltará,
exatamente como veio.
Nada tomará do seu trabalho,
que possa levar na sua mão.
16 Também isto é um
grave mal:
Justamente como veio,
assim ele vai e que proveito
lhe vem
de trabalhar para o vento?
17 Todos os seus dias ele come
nas trevas,
com grande enfado, aflição
e furor.
18 Então percebi uma boa e bela
coisa: alguém comer e beber, e
desfrutar cada um do bem de todo
o trabalho, com que se afadigou
debaixo do sol, todos os dias da
sua vida que Deus lhe deu; essa
é a sua recompensa.
19 Quanto ao homem a quem Deus
deu riquezas e bens e poder para
delas comer, toma a sua parte, e
alegre-se com o seu trabalho: isso
é dom de Deus.
20 Não se lembrará muito dos dias
da sua vida, porque Deus lhe enche de alegria o coração.

**6** Há um mal que vi debaixo do sol e que pesa muito sobre o homem:
2 Um homem a quem Deus deu riquezas, bens e honra e nada lhe falta de tudo o que a sua alma deseja, mas Deus não lhe dá poder para disso comer; antes o estranho o come. Isso também é vaidade e grave mal.
3 Se *o homem gerar cem filhos*, e viver muitos anos, e os dias dos seus anos forem muitos, e se a sua alma não se fartar do bem, e além disso não tiver sepultura, digo que um aborto é melhor do que ele.

4 Inutilmente vem o aborto, e em
trevas se vai, e de trevas se cobre
o seu nome.
5 Ainda que nunca tenha visto o
sol nem o conhecido, mais descanso tem do que esse homem;
6 ainda que vivesse duas vezes mil
anos, mas não desfrutasse o bem.
Não vão todos para o
mesmo lugar?
7 Todo o trabalho do homem é
para a sua boca,
contudo sua cobiça nunca
se satisfaz.
8 Que vantagem tem o sábio
sobre o tolo?
ou o pobre que sabe andar
perante os vivos?
9 Melhor é o que os olhos veem
do que ir atrás da cobiça.
Isso também é vaidade e
aflição de espírito.
10 Tudo o que existe já há muito
foi chamado pelo nome,
e sabe-se o que é o homem;
ninguém pode contender com
o que é
mais forte do que ele.
11 É certo que há muitas coisas
que aumentam a vaidade,
mas que proveito há nisso
para o homem?
12 Pois quem sabe o que é bom
nesta vida para o homem, durante os poucos dias da sua vaidade, os quais gasta como sombra?
Quem declarará ao homem o que
será depois dele debaixo do sol?

**Sabedoria**

**7** Melhor é a boa fama do que o precioso unguento,
e o dia da morte do que o dia
do nascimento.
2 Melhor é ir à casa onde há luto
do que ir à casa onde há
banquete,

pois ali se vê o fim de todos
os homens,
e os vivos o aplicam ao
coração.
3 Melhor é a tristeza
do que o riso,
porque com a tristeza
do rosto
se faz melhor o coração.
4 O coração dos sábios está na
casa do luto,
mas o coração dos tolos na
casa da alegria.
5 Melhor é ouvir a repreensão
do sábio
do que ouvir a canção do
tolo.
6 Qual o crepitar dos espinhos
debaixo de uma panela,
tal é o riso do tolo.
Isso também é vaidade.
7 Verdadeiramente a opressão
faz endoidecer até o sábio,
e o suborno corrompe o
coração.
8 Melhor é o fim das coisas do
que o princípio delas,
e melhor é o paciente do
que o orgulhoso.
9 Não te apresses no teu
espírito a irar-te,
pois a ira abriga-se no seio
dos tolos.
10 Não digas: Por que foram os
dias passados
melhores que os de hoje?
Pois nunca com sabedoria
isso perguntarias.
11 Tão boa é a sabedoria como
a herança,
e dela tiram proveito os que
veem o sol.
12 A sabedoria serve de sombra,
como de sombra serve o
dinheiro,
mas a excelência da
sabedoria

é que dá vida ao seu
possuidor.
13 Atenta para a obra de Deus:
Quem poderá endireitar o
que ele fez torto?
14 No dia da prosperidade
alegra-te do bem,
mas no dia da adversidade
considera:
Deus fez a este em oposição
àquele,
para que o homem nada
descubra
do que há de vir depois dele.
15 Tudo isto vi nos dias da
minha vaidade:
há justo que perece na sua
justiça
e há ímpio que prolonga os
dias na sua maldade.
16 Não sejas demasiadamente
justo
nem demasiadamente
sábio;
por que te destruirias a ti
mesmo?
17 Não sejas demasiadamente
ímpio e não sejas louco;
por que morrerias antes do
tempo?
18 Bom é que retenhas isto,
e daquilo não retires
a tua mão.
O homem que teme a Deus
escapa de tudo isso.
19 A sabedoria fortalece o sábio,
mais do que dez governadores
que haja na cidade.
20 Não há homem justo
sobre a terra
que faça o bem e nunca
peque.
21 Não apliques o teu coração
a todas as palavras que se
disserem,
para que não venhas a ouvir
que o teu servo te critica.

22 Pois sabes no teu coração que muitas vezes tu mesmo criticaste outros.
23 Tudo isso examinei com sabedoria e disse: Sabedoria adquirirei — mas ela ainda estava longe de mim.
24 Longe está o que já se foi, e muito profundo; quem o achará?
25 Assim, determinei em meu coração saber, examinar e buscar a sabedoria e a razão, e conhecer que a perversidade é insensatez, e a insensatez é loucura.
26 Achei uma coisa mais amarga do que a morte, a mulher cujo coração são redes e laços e cujas mãos são grilhões. Quem for bom diante de Deus escapará dela, mas o pecador virá a ser preso por ela.
27 Vedes aqui, isto achei, diz o pregador: Conferindo uma coisa com a outra para achar a causa;
28 causa que a minha alma ainda busca, mas não a achei; um homem entre mil achei, mas uma mulher entre todas não achei.
29 Isto tão somente achei: Deus fez o homem reto, mas os homens buscaram muitas *astúcias*.

# 8

Quem é como o sábio? Quem sabe a interpretação das coisas? A sabedoria do homem faz brilhar o seu rosto, e muda-se a dureza do seu rosto.
2 Eu digo: Observa o mandamento do rei, e isso em consideração para com o juramento de Deus.
3 Não te apresses a sair da presença dele nem persistas em alguma coisa má, pois ele faz tudo o que quer.
4 Visto que a palavra do rei tem poder, quem lhe dirá: Que fazes?
5 Quem guardar o mandamento não experimentará nenhum mal, e o coração do sábio discernirá o tempo e o modo.
6 Porque para todo propósito há tempo e modo, embora o mal do homem seja grande sobre ele.
7 Visto que não sabe o que há de acontecer, quem lhe dará a entender o que haja de acontecer?
8 Ninguém há que tenha domínio sobre o vento, para o reter; assim também ninguém tem poder sobre o dia da sua morte. Como não há altas em época de guerra, tampouco a impiedade libertará os que a praticam.
9 Tudo isso vi quando apliquei o coração a toda obra que se faz debaixo do sol. Tempo há em que um homem tem domínio sobre outro homem, para o seu próprio dano.
10 Vi também os ímpios sepultados, os que antes entravam no lugar santo e dele saíam; e foram esquecidos na cidade onde assim procederam. Isso também é vaidade.
11 Visto que não se executa logo o juízo sobre a má obra, o coração

dos filhos dos homens está inteiramente disposto à prática do mal. **12** Ainda que o pecador faça o mal cem vezes e os seus dias sejam prolongados, sei com certeza que bem sucede aos que temem a Deus, aos que são reverentes diante dele. **13** Mas ao ímpio nada irá bem, e ele não prolongará os seus dias; será como a sombra, visto que não teme a Deus. **14** Ainda há outra vaidade sobre a terra: há justos aos quais acontece segundo as obras dos ímpios e há ímpios aos quais acontece segundo as obras dos justos. Digo que também isso é vaidade. **15** Então exaltei a alegria, porque não há nada melhor para o homem debaixo do sol do que comer, beber e alegrar-se. Então a alegria o acompanhará no seu trabalho nos dias da sua vida que Deus lhe dá debaixo do sol. **16** Aplicando-me a conhecer a sabedoria e a ver o trabalho que há sobre a terra, pois nem de dia nem de noite vê o homem sono nos seus olhos, **17** então vi toda a obra de Deus e que o homem não pode entender a obra que se faz debaixo do sol. Por mais que trabalhe o homem para a buscar, não a achará, e, ainda que diga o sábio que a virá a conhecer, nem por isso *a poderá compreender*.

**9** Deveras revolvi todas essas coisas no meu coração, para claramente entender tudo isto: que os justos, os sábios, e as suas obras, estão nas mãos de Deus, e também que o homem não conhece nem o amor nem o ódio; tudo passa perante a sua face. **2** Tudo sucede igualmente a todos; o mesmo sucede ao justo e ao ímpio, ao bom e ao mau, ao puro e ao impuro. Assim ao que sacrifica como ao que não sacrifica;
   assim ao bom como
     ao pecador,
   ao que jura como ao que
     teme o juramento.

**3** Este é o mal que há em tudo o que se faz debaixo do sol: que a todos sucede o mesmo. Também o coração dos filhos dos homens está cheio de maldade; há desvarios no seu coração, na sua vida. Depois se juntam aos mortos. **4** Ora, para aquele que está na companhia dos vivos há esperança, pois melhor é o cão vivo do que o leão morto. **5** Porque os vivos sabem que hão de morrer,
   mas os mortos não sabem
     coisa nenhuma;
   não têm jamais recompensa,
     mas a sua memória
     ficou entregue ao
     esquecimento.

**6** O seu amor, o seu ódio e a sua inveja já pereceram;
   já não têm parte em coisa
     alguma
   do que se faz debaixo do sol.

**7** Vai, come com alegria o teu pão e bebe com bom coração o teu vinho, pois já Deus se agrada das tuas obras. **8** Em todo o tempo sejam alvas as tuas vestes, e nunca falte óleo sobre a tua cabeça. **9** Desfruta a vida com a mulher que amas, todos os dias de vida da tua vaidade, os quais Deus te deu debaixo do sol, todos os dias da tua vaidade. Porque essa é a tua recompensa nesta vida e do teu trabalho, que tu fazes debaixo do sol.

**10** Tudo o que te vier à mão para fazer, faze-o conforme as tuas forças, pois na sepultura, para onde vais, não há obra, nem projetos, nem conhecimento, nem sabedoria alguma.

**11** Vi algo mais debaixo do sol:
Não é dos ligeiros o prêmio,
   nem dos valentes a vitória,
tampouco dos sábios o pão,
   nem ainda dos prudentes
      a riqueza,
nem dos entendidos o favor;
   todos, no entanto, do tempo
      e da sorte dependem.

**12** Além do mais o homem não sabe a sua hora:
Como os peixes que se
   pescam com a rede cruel
e como os passarinhos que
   se prendem com o laço,
assim se enlaçam também os
   filhos dos homens
   no mau tempo,
quando este cai de repente
   sobre eles.

**13** Também vi este exemplo de sabedoria debaixo do sol, que me pareceu grande:

**14** Havia uma pequena cidade com poucos homens; veio contra ela um grande rei que a cercou e levantou contra ela grandes dispositivos de guerra.

**15** Ora, vivia nela um sábio pobre, que livrou aquela cidade pela sua sabedoria. Contudo ninguém mais se lembrou daquele pobre homem.

**16** Então disse eu: Melhor é a sabedoria do que a força. Mas a sabedoria do pobre foi desprezada e as *suas palavras não foram ouvidas*.

**17** As palavras dos sábios devem em silêncio
   ser ouvidas,
   mais do que o clamor
      do que domina sobre os tolos.

**18** Melhor é a sabedoria do que as armas de guerra,
   mas um só pecador destrói
      muitos bens.

**10** Assim como a mosca morta faz que o unguento do perfumista exale mau cheiro,
da mesma forma um pouco de insensatez
   pesa mais do que a sabedoria e a honra.

**2** O coração do sábio se inclina para a direita,
   mas o coração do tolo para
      a esquerda.

**3** Até quando o tolo vai pelo caminho,
   falta-lhe entendimento e diz
      a todos que é tolo.

**4** Levantando-se contra ti o espírito do governador,
   não deixes o teu lugar;
a calma desfaz grandes erros.

**5** Ainda há um mal que vi debaixo do sol,
   erro que procede do
      governador:

**6** O tolo posto em grandes alturas,
   mas os ricos assentados em
      lugar baixo.

**7** Vi os servos a cavalo
   e os príncipes andando a pé
      como servos sobre a terra.

**8** Quem fizer uma cova cairá nela;
   quem romper um muro
      será mordido por uma
         cobra.

**9** Quem tirar pedras será maltratado por elas;
   o que rachar lenha expõe-se
      ao perigo.

**10** Se estiver embotado o ferro, e não se afiar o corte,
   então se deve pôr mais
      força;

a habilidade, porém, trará
sucesso.
11 Se a cobra morder antes de
estar encantada,
não há proveito para o
encantador.
12 Nas palavras da boca do
sábio há favor,
mas os lábios do tolo o
devoram.
13 O princípio das palavras da
sua boca é insensatez;
o fim do seu discurso é
loucura perversa;
14 o tolo multiplica palavras.
Ninguém sabe o que será;
quem lhe fará saber o que
acontecerá depois dele?
15 O trabalho do tolo o fatiga;
ele não sabe como ir à
cidade.
16 Ai de ti, ó terra, cujo rei é
criança
e cujos príncipes
banqueteiam de manhã!
17 Bem-aventurada tu, ó terra,
cujo rei é filho dos nobres
e cujos príncipes comem a
tempo,
para refazerem as forças, não
para bebedice!
18 Pela preguiça se enfraquece
o teto e pela frouxidão das
mãos a casa tem goteiras.
19 Para rir é que dão
banquetes,
e o vinho alegra a vida,
mas o dinheiro é resposta
para tudo.
20 Nem mesmo no teu
pensamento
amaldiçoes o rei,
nem no mais interior dos teus
aposentos
amaldiçoes o rico,
porque as aves dos céus
levariam a tua voz,
e o que tem asas daria
notícias das tuas palavras.

**Pão sobre as águas**

**11** Lança o teu pão sobre as
águas,
porque depois de muitos dias
o acharás.
2 Reparte com sete e ainda até
com oito,
porque não sabes que mal
haverá sobre a terra.
3 Estando as nuvens cheias,
derramam a chuva sobre a
terra.
Caindo a árvore para o sul ou
para o norte,
no lugar em que cair ali
ficará.
4 Quem observa o vento, nunca
semeará;
o que olha para as nuvens,
nunca segará.
5 Assim como não sabes qual o
caminho do vento
nem como se formam os
ossos
no ventre da que está grávida,
também não sabes as obras
de Deus,
que faz todas as coisas.
6 Pela manhã semeia a tua
semente
e à tarde não retires a tua mão,
pois não sabes qual
prosperará:
se esta, se aquela,
ou se ambas igualmente
serão boas.
7 A luz é suave,
e agradável é ver o sol.
8 Ainda que o homem viva
muitos anos,
regozije-se em todos eles.
Mas deve lembrar-se dos dias
das trevas,
pois serão muitos.

Tudo o que sucede é vaidade.
9 Alegra-te, jovem, na tua juventude,
e recreie-se o teu coração nos dias da tua mocidade.
Anda pelos caminhos do teu coração
e pela vista dos teus olhos,
mas sabe que por todas essas coisas
te trará Deus a juízo.
10 Afasta, pois, a ira do teu coração e remove da tua carne o mal,
pois a juventude e o vigor são vaidade.

### Lembra-te do teu Criador

**12** Lembra-te do teu Criador nos dias da tua mocidade,
antes que venham os maus dias
e cheguem os anos dos quais venhas a dizer:
Não tenho neles contentamento;
2 antes que se escureçam o sol, a luz, a lua e as estrelas,
e tornem a vir as nuvens depois da chuva;
3 no dia em que tremerem os guardas da casa,
e se curvarem os homens fortes,
e cessarem os moedores, por já serem poucos,
e se escurecerem os que olham pelas janelas;
4 e as portas da rua se fecharem,
e for baixo o ruído da moedura;
no dia em que os homens se levantarem à voz das aves
e todos os seus cânticos diminuírem;
5 quando temerem o que é alto
e houver espantos no caminho;
quando florescer a amendoeira,
o gafanhoto for um peso, e falhar o desejo.
Então o homem se vai à sua casa eterna,
e os pranteadores andarão rodeando pela praça.
6 Lembra-te dele antes que se rompa a cadeia de prata,
e se despedace o copo de ouro,
e se quebre o cântaro junto à fonte,
e se desfaça a roda junto ao poço,
7 e o pó volte à terra, como o era,
e o espírito volte a Deus, que o deu.
8 Vaidade de vaidade, diz o pregador,
tudo é vaidade.

### Resumo da matéria

9 Quanto mais sábio foi o pregador, tanto mais sabedoria ensinou ao povo. Estudou, inventou e compôs muitos provérbios.
10 Procurou o pregador achar palavras certas, e o que escreveu é reto e verdadeiro.
11 As palavras dos sábios são como aguilhões, e como pregos bem fixados são as palavras coligidas dos mestres, as quais nos foram dadas pelo único Pastor.
12 Demais disto, filho meu, atenta: Não há limite para fazer livros, e o muito estudar é enfado da carne.
13 De tudo o que se tem ouvido, a conclusão é:
Teme a Deus e guarda os seus mandamentos,
pois esse é todo o dever do homem.
14 Porque Deus há de trazer a juízo toda obra,
até mesmo tudo o que está encoberto,
quer seja bom, quer seja mau.

# CÂNTICO DOS CÂNTICOS

**1** Cântico dos cânticos de Salomão.
² Beije-me ele com os beijos
da sua boca;
pois melhor é o seu amor do
que o vinho.
³ Para cheirar são bons
os teus perfumes;
como perfume derramado é
o teu nome.
Não admira que as donzelas
te amem!
⁴ Leva-me tu, correremos após ti.
O rei me levou para os seus
aposentos.
Em ti nos regozijaremos e nos
alegraremos;
do teu amor nos
lembraremos,
mais do que do vinho.
Com razão te amam!
⁵ Eu sou morena, mas agradável,
ó filhas de Jerusalém,
como as tendas de Quedar,
como as cortinas de Salomão.
⁶ Não olheis para o fato de eu
ser morena,
porque o sol resplandeceu
sobre mim.
Os filhos da minha mãe
se indignaram contra mim,
e me puseram por guarda de
vinhas;
a vinha que me pertence
não guardei.
⁷ Dize-me, ó tu, a quem ama a
minha alma:
Onde apascentas o teu
rebanho,
onde o recolhes pelo meio-dia?
Por que razão seria eu
como a que anda errante
pelos rebanhos
dos teus companheiros?

⁸ Se tu não o sabes, ó mais
formosa entre as mulheres,
segue pelas pisadas das
ovelhas
e apascenta as tuas cabras
junto às moradas dos
pastores.
⁹ Às éguas dos carros de faraó
te comparo,
ó amiga minha.
¹⁰ Formosas são as tuas faces
entre os teus enfeites,
o teu pescoço com os colares.
¹¹ Enfeites de ouro te faremos,
cravejados de prata.
¹² Enquanto o rei está
assentado à sua mesa,
exala o meu nardo o seu
perfume.
¹³ O meu amado é para mim
um ramalhete de mirra;
morará entre os meus seios.
¹⁴ Como um ramalhete de
flores aromáticas
nas vinhas de En-Gedi,
é para mim o meu amado.
¹⁵ Como és formosa,
ó amiga minha!
Como és formosa!
Os teus olhos são como os
das pombas.
¹⁶ Quão formoso és, ó amado meu!
Quão amável és!
O nosso leito é viçoso.
¹⁷ As traves da nossa casa são
de cedro;
as nossas varandas de
cipreste.

**2** Eu sou a rosa de Sarom,
o lírio dos vales.
² Qual o lírio entre os espinhos,
tal é a minha amada
entre as donzelas.

3 Qual a macieira entre as árvores do bosque,
tal é o meu amado entre os jovens.
Desejo muito a sua sombra e debaixo dela me assento.
O seu fruto é doce ao meu paladar.
4 Levou-me à sala do banquete,
e o seu estandarte sobre mim é o amor.
5 Sustentai-me com passas, confortai-me com maçãs,
pois desfaleço de amor.
6 A sua mão esquerda esteja debaixo da minha cabeça,
e a sua mão direita me abrace.
7 Eu vos faço jurar, ó filhas de Jerusalém,
pelas gazelas e corças do campo,
que não acordeis nem desperteis o meu amor,
até que ele o queira.
8 Ouço a voz do meu amado; eis que ele vem saltando sobre os montes,
pulando sobre os outeiros.
9 O meu amado é semelhante ao gamo
ou ao filho da gazela.
Olhai, ele está detrás da nossa parede,
olhando pelas janelas, lançando os olhos pelas grades.
10 O meu amado fala e me diz:
Levanta-te, amada minha, formosa minha, e vem.
11 Vê! Já passou o inverno;
as chuvas cessaram e se foram.
12 Aparecem as flores na terra;
o tempo de cantar chegou,
e a voz das rolas ouve-se em nossa terra.
13 A figueira já deu os seus figos,
e as vides em flor exalam o seu aroma.
Levanta-te, amada minha, formosa minha, e vem.
14 Pomba minha, que andas pelas fendas das penhas,
no oculto das ladeiras,
mostra-me a tua face, faze-me ouvir a tua voz,
pois a tua voz é doce e o teu rosto formoso.
15 Apanhai-me as raposas, as raposinhas,
que fazem mal às vinhas, as nossas vinhas que estão em flor.
16 O meu amado é meu, e eu sou dele.
Ele apascenta o seu rebanho entre os lírios.
17 Antes que refresque o dia, e caiam as sombras,
volta, amado meu,
e faze-te semelhante ao gamo ou ao filho das gazelas
sobre os montes escabrosos.

**3** De noite busquei em minha cama
aquele a quem ama a minha alma;
busquei-o, mas não o achei.
2 Levantar-me-ei agora e rodearei a cidade;
pelas ruas e pelas praças, buscarei aquele a quem ama a minha alma.
Busquei-o, mas não o achei.
3 Acharam-me os guardas que rondavam pela cidade.
Eu lhes perguntei:
Vistes aquele a quem ama a minha alma?
4 Apartando-me eu um pouco deles,
logo achei aquele a quem ama a minha alma.

## Cântico dos Cânticos 4

Detive-o, até que o levei para
a casa da minha mãe,
nos aposentos daquela que
me gerou.
5 Eu vos faço jurar, ó filhas de
Jerusalém,
pelas gazelas e corças do
campo,
que não acordeis nem
desperteis o meu amor,
até que ele o queira.
6 Quem é esta que sobe do
deserto,
como colunas de fumaça,
perfumada de mirra,
de incenso e de toda sorte
de pós aromáticos do
mercador?
7 Olhai! É a liteira de Salomão;
sessenta valentes, dos
valentes de Israel,
estão ao redor dela,
8 todos armados de espadas,
destros na guerra,
cada um com a sua espada
à cinta,
por causa dos temores
noturnos.
9 O rei Salomão fez para si
uma liteira de madeira do
Líbano.
10 Fez-lhe as colunas de prata,
o estrado de ouro,
o assento de púrpura,
o interior revestido com
amor,
pelas filhas de Jerusalém.
11 Saí, ó filhas de Sião,
e contemplai o rei Salomão
com a coroa com que o
coroou a sua mãe
no dia do seu casamento,
no dia do júbilo do seu
coração.

**4** Como és formosa,
amada minha!
Como és formosa!
Os teus olhos são como os
das pombas,
e brilham através do teu véu.
O teu cabelo é como o
rebanho de cabras
que pastam no monte
de Gileade.
2 Os teus dentes são como o
rebanho das
ovelhas tosquiadas,
que sobem do lavadouro;
todas produzem gêmeos;
nenhuma estéril há
entre elas.
3 Os teus lábios são como
um fio de escarlate,
a tua boca é doce.
A tua fronte é qual pedaço de
romã
por detrás do teu véu.
4 O teu pescoço é como a
torre de Davi,
edificada para pendurar
armas.
Mil escudos pendem dela,
todos broquéis de
valorosos.
5 Os teus dois seios são
como dois filhos gêmeos da
gazela,
que se apascentam entre
os lírios.
6 Antes que refresque o dia e
caiam as sombras,
irei ao monte da mirra e ao
outeiro do incenso.
7 Tu és toda formosa,
amada minha;
em ti não há defeito.
8 Vem comigo do Líbano,
noiva minha, vem comigo
do Líbano.
Olha desde o cume de Amana,
desde o cume de Senir e de
Hermom,
desde as moradas dos leões,
desde os montes dos leopardos.

**9** Tiraste-me o coração,
minha irmã, noiva minha;
tiraste-me o coração com
um dos teus olhos,
com um colar do teu pescoço.
**10** Que belos são os teus amores,
ó minha irmã, noiva minha!
Quão melhores são os teus
amores do que o vinho;
o aroma dos teus bálsamos
supera todas as
especiarias!
**11** Favos de mel manam dos
teus lábios,
noiva minha!
Mel e leite estão debaixo da
tua língua,
e o perfume dos teus
vestidos
é como a fragrância do
Líbano.
**12** Jardim fechado és tu,
minha irmã, noiva minha,
manancial fechado,
fonte selada.
**13** Os teus renovos são um
pomar de romãs,
com frutos excelentes,
com a hena e com o nardo;
**14** o nardo, o açafrão, o cálamo
e a canela,
com toda sorte de árvores
de incenso;
a mirra e o aloés,
com todas as principais
especiarias.
**15** És a fonte dos jardins, poço
das águas vivas,
ribeiros que correm do
Líbano.
**16** Levanta-te, vento norte;
vem tu, vento sul!
Assopra no meu jardim,
para que se derramem os
seus aromas.
Ah! se viesse o meu amado
para o seu jardim,
e comesse os seus frutos
excelentes!

**5** Já vim para o meu jardim,
minha irmã, noiva minha;
colhi a minha mirra com a
minha especiaria,
comi o meu favo com o meu
mel,
bebi o meu vinho com o
meu leite.
Comei, amigos, e bebei;
bebei fartamente, ó amados.
**2** Eu dormia, mas o meu
coração velava.
Ouvi! A voz do meu amado,
que está batendo:
Abre-me, minha irmã, amada
minha,
pomba minha, minha
imaculada.
A minha cabeça está cheia de
orvalho,
os meus cabelos das gotas
da noite.
**3** Já despi a minha túnica;
como a tornarei a vestir?
Já lavei os meus pés;
como os tornarei a sujar?
**4** O meu amado meteu a sua
mão pela fresta da porta,
e as minhas entranhas
estremeceram por amor a ele.
**5** Eu me levantei para abrir a
porta ao meu amado,
e as minhas mãos
destilavam mirra,
os meus dedos gotejavam mirra
sobre a maçaneta da
fechadura.
**6** Eu abri a porta ao meu amado,
mas já o meu amado se tinha
retirado e ido;
a minha alma se derreteu
quando antes ele me falou;
busquei-o e não o achei.
Chamei-o, mas ele não me
respondeu.

**7** Acharam-me os guardas que rondavam pela cidade. Espancaram-me e me feriram; tiraram-me o manto os guardas dos muros.
**8** Eu vos faço jurar, ó filhas de Jerusalém, se achardes o meu amado, dizei-lhe que estou enferma de amor.
**9** Que é o teu amado mais do que outro amado, ó tu, a mais formosa entre as mulheres? Que é o teu amado mais do que outro amado, que tanto nos conjuraste?
**10** O meu amado é alvo e rosado, o primeiro entre dez mil.
**11** A sua cabeça é como o ouro mais apurado, os seus cabelos são crespos, pretos como o corvo.
**12** Os seus olhos são como os das pombas junto às correntes das águas, lavados em leite, postos em engaste.
**13** As suas faces são como um canteiro de bálsamo, como colinas de ervas aromáticas. Os seus lábios são como lírios que gotejam mirra.
**14** As suas mãos são como anéis de ouro que têm engastadas as turquesas. O seu ventre é como alvo marfim, coberto de safiras.
**15** As suas pernas são como colunas de mármore, fundadas sobre bases de ouro puro. O seu parecer é como o Líbano, excelente como os cedros.
**16** A sua boca é muitíssimo doce; ele é totalmente desejável. Tal é o meu amado, tal o meu amigo, ó filhas de Jerusalém.

# 6

Para onde foi o teu amado, ó mais formosa entre as mulheres? Que direção tomou o teu amado, e o buscaremos contigo?
**2** O meu amado desceu ao seu jardim, aos canteiros de bálsamo, para se alimentar nos jardins e para colher os lírios.
**3** Eu sou do meu amado, e o meu amado é meu; ele se alimenta entre os lírios.
**4** Formosa és, amada minha, como Tirza, adorável como Jerusalém, imponente como um exército com bandeiras.
**5** Desvia de mim os teus olhos; eles me perturbam. O teu cabelo é como o rebanho das cabras que pastam em Gileade.
**6** Os teus dentes são como o rebanho de ovelhas tosquiadas que sobem do lavadouro; todas produzem gêmeos; nenhuma estéril há entre elas.
**7** Como um pedaço de romã, assim são as tuas faces por detrás do teu véu.
**8** Sessenta são as rainhas; oitenta, as concubinas; as virgens são incontáveis,

**9** mas uma é a minha pomba,
a minha imaculada,
a única de sua mãe,
e a mais querida da que a
deu à luz.
Vendo-a, as filhas lhe
chamarão
bem-aventurada;
as rainhas e as concubinas
a louvarão.
**10** Quem é esta que aparece
como a alva do dia,
formosa como a lua,
brilhante como o sol,
imponente como um
exército com bandeiras?
**11** Desci ao jardim das
nogueiras para ver os
renovos do vale,
para ver se floresciam
as vides,
e brotavam as romeiras.
**12** Antes de eu o sentir,
pôs-me o meu desejo entre
os carros reais do povo.
**13** Volta, volta, ó sulamita;
volta para que nós te
vejamos.
Por que quereis olhar para
a sulamita como para a dança
de Maanaim?

# 7
Quão formosos são os teus pés
nos sapatos,
ó filha do príncipe!
As voltas das tuas coxas são
como joias,
trabalhadas por mãos de
artista.
**2** O teu umbigo é como taça
redonda
em que não falta bebida.
O teu ventre é como monte
de trigo,
cercado de lírios.
**3** Os teus dois seios são
como dois filhos gêmeos da
gazela.
**4** O teu pescoço é como a torre
de marfim.
Os teus olhos são como
as piscinas de Hesbom,
junto à porta de
Bate-Rabim.
O teu nariz é como a torre
do Líbano,
que olha para Damasco.
**5** A tua cabeça é como o monte
Carmelo.
Os cabelos da tua cabeça são
como a púrpura;
o rei está preso pelas suas
tranças.
**6** Quão formosa e quão
adorável és,
ó amor em delícias!
**7** A tua estatura é semelhante à
palmeira;
os teus seios, aos cachos
de uvas.
**8** Dizia eu:
Subirei à palmeira;
pegarei em seus frutos.
Sejam os teus seios como os
cachos da vide
e o aroma da tua respiração
como o das maçãs;
**9** os teus beijos como o bom
vinho para o meu amado,
que se bebe suavemente,
e faz com que falem os
lábios dos que dormem.
**10** Eu sou do meu amado,
e ele me tem afeição.
**11** Vem, ó meu amado,
saiamos ao campo,
passemos as noites nas
aldeias.
**12** Levantemo-nos de manhã
para ir às vinhas,
vejamos se florescem as
vides,
se abre a flor,
se já brotam as romeiras;
ali te darei o meu amor.

**13** As mandrágoras
exalam perfume,
e às nossas portas há toda
sorte de excelentes frutos,
novos e velhos,
que guardei para ti, ó amado
meu.

**8** Ah! quem me dera que foras
como meu irmão,
e que te tivesses
amamentado aos seios da
minha mãe!
Quando eu te encontrasse
na rua
eu te beijaria e não me
desprezariam!
**2** Eu te levaria para a casa da
minha mãe,
e tu me ensinarias.
Eu te daria a beber vinho
aromático,
o mosto das minhas romãs.
**3** A sua mão esquerda esteja
debaixo da minha cabeça,
e a sua mão direita me abrace.
**4** Eu vos faço jurar, ó filhas de
Jerusalém,
que não acordeis nem
desperteis o meu amor,
até que ele queira.
**5** Quem é esta que sobe do
deserto
e vem encostada ao seu
amado?
Debaixo de uma macieira te
despertei;
ali esteve a tua mãe com
dores;
ali esteve com dores aquela
que te deu à luz.
**6** Põe-me como selo sobre o teu
coração,
como selo sobre o teu braço,
porque o amor é forte como
a morte,
e duro como a sepultura
é o ciúme.

As suas brasas são brasas
de fogo,
como as labaredas do
Senhor.
**7** As muitas águas não poderiam
apagar este amor,
nem os rios afogá-lo.
Ainda que alguém desse
todos os bens
da sua casa por este amor,
seria de todo desprezado.
**8** Temos uma irmã pequena,
que ainda não tem seios.
O que faremos a essa
nossa irmã,
no dia em que for pedida em
casamento?
**9** Se ela for um muro,
edificaremos sobre ela um
palácio de prata.
Se ela for uma porta,
nós a cercaremos com tábuas
de cedro.
**10** Eu sou um muro,
e os meus seios como as
suas torres.
Assim tornei-me aos olhos dele
como aquela que traz prazer.
**11** Teve Salomão uma vinha em
Baal-Hamom;
entregou-a a uns guardas,
e cada um lhe trazia pelo seu
fruto mil peças de prata.
**12** Mas a vinha que tenho está a
meu dispor;
as mil peças de prata são para
ti, ó Salomão,
e duzentas para os guardas
do seu fruto.
**13** Ó tu, que habitas nos jardins,
meus companheiros
te ouvem atentos;
faze-me ouvir a tua voz!
**14** Vem depressa, amado meu,
e faze-te semelhante ao gamo
ou ao filho das gazelas
sobre os montes dos aromas.

# ISAÍAS

### A nação rebelde

**1** Visão de Isaías, filho de Amoz, a qual ele viu a respeito de Judá e Jerusalém, nos dias de Uzias, Jotão, Acaz e Ezequias, reis de Judá.

**2** Ouvi, ó céus, e dá ouvidos, ó terra,
  pois falou o Senhor:
Criei filhos e os engrandeci,
  mas eles estão revoltados contra mim.

**3** O boi conhece o seu possuidor,
  e o jumento a manjedoura do seu dono,
  mas Israel não tem conhecimento,
o meu povo não entende.

**4** Ai da nação pecadora,
  do povo carregado de iniquidade,
  da descendência de malignos,
  dos filhos corruptores!
  Deixaram o Senhor,
  blasfemaram do Santo de Israel,
  voltaram para trás.

**5** Por que seríeis ainda castigados,
  se mais vos rebelaríeis?
Toda a cabeça está enferma,
  e todo o coração fraco.

**6** Desde a planta do pé até a cabeça
  não há nele coisa sã,
  senão feridas,
  contusões e chagas podres,
  *não espremidas,*
  nem atadas,
nem amolecidas com óleo.

**7** A vossa terra está assolada;
  as vossas cidades estão abrasadas pelo fogo;
os campos os estranhos devoram na vossa presença,
  os quais se acham devastados,
  como numa subversão de estranhos.

**8** A filha de Sião é deixada
  como um abrigo na vinha,
  como uma choupana no pepinal,
como uma cidade sitiada.

**9** Se o Senhor dos Exércitos não nos tivesse deixado algum remanescente,
  já seríamos como Sodoma,
  e semelhantes a Gomorra.

**10** Ouvi a palavra do Senhor,
  vós governantes de Sodoma;
  dai ouvidos à lei de nosso Deus,
vós, ó povo de Gomorra.

**11** De que me serve a multidão dos vossos sacrifícios,
  diz o Senhor?
Já estou farto dos holocaustos de carneiros
  e da gordura de animais cevados;
  não folgo com o sangue de bezerros,
nem de cordeiros,
  nem de bodes.

**12** Quando vindes à minha presença,
  quem requereu isso das vossas mãos,
que viésseis pisar os meus átrios?

**13** Não continueis a trazer ofertas vãs!
  O incenso é para mim abominação,
como também são as luas novas,

os sábados, e a convocação
   das congregações;
   não posso suportar
      iniquidade
nem o ajuntamento solene.
14 A minha alma aborrece
   as vossas luas novas e
      solenidades,
   já me são pesadas;
estou cansado de as sofrer.
15 Pelo que, quando estendeis
   as vossas mãos,
      escondo de vós os meus
         olhos;
   sim, quando multiplicais as
      vossas orações,
      não as ouço.
   As vossas mãos estão cheias
      de sangue;
16 lavai-vos e purificai-vos.
   Tirai a maldade dos
      vossos atos
   de diante dos meus olhos.
   Cessai de fazer o mal
17 e aprendei a fazer o bem.
   Praticai o que é reto,
      ajudai o oprimido.
   Fazei justiça ao órfão,
tratai da causa das viúvas.
18 Vinde e conversemos,
   diz o Senhor:
      Ainda que os vossos pecados
         sejam como a escarlata,
      eles se tornarão brancos
         como a neve;
      ainda que sejam vermelhos
         como o carmesim,
      se tornarão como a branca lã.
19 Se quiserdes e me ouvirdes,
   comereis o bem desta terra.
20 Se, porém, recusardes e
   fordes rebeldes,
      sereis devorados à espada.
   Porque a boca do
      Senhor o disse.
21 Como se fez prostituta
   a cidade fiel!
      Ela que estava cheia de
         justiça;
      a retidão habitava nela,
      mas agora habitam
         homicidas.
22 A tua prata se tornou
      em escórias,
   o teu vinho se misturou
      com água.
23 Os teus líderes são rebeldes,
   companheiros de ladrões;
      cada um deles ama o
         suborno
      e corre atrás de presentes.
      Não fazem justiça
         ao órfão,
      e não chega perante eles a
         causa das viúvas.
24 Portanto, diz o Senhor,
   o Senhor dos Exércitos,
   o Poderoso de Israel:
      Ah! Eu me livrarei dos meus
         adversários,
      e me vingarei dos meus
         inimigos.
25 Voltarei contra ti a
   minha mão;
      purificarei inteiramente as
         tuas escórias
      e tirarei de ti toda
         impureza.
26 Restituirei os teus juízes,
   como antes,
      os teus conselheiros,
      como antigamente.
   Então te chamarão
   cidade de justiça, cidade fiel.
27 Sião será remida com a
   justiça;
      os seus arrependidos,
      com retidão.
28 Os transgressores e os
   pecadores,
      porém, serão juntamente
         destruídos,
      e os que deixarem o Senhor
         serão consumidos.

29 Vós vos envergonhareis por
causa dos carvalhos sagrados
que cobiçastes e sereis
confundidos
por causa dos jardins que
escolhestes.
30 Sereis como o carvalho,
ao qual caem as folhas,
e como a floresta que não
tem água.
31 O forte se tornará em estopa,
e a sua obra em faísca;
ambos arderão juntamente,
e não haverá quem os apague.

### O monte do Senhor

2 Visão que teve Isaías, filho de Amoz, a respeito de Judá e de Jerusalém.
2 Nos últimos dias se firmará
o monte do templo do Senhor
no cume dos montes
e se engrandecerá por
cima dos outeiros;
concorrerão a ele todas as
nações.
3 Virão muitos povos e dirão:
Vinde, subamos ao monte do
Senhor,
ao templo do Deus de Jacó.
Ele nos ensinará o que
concerne aos seus
caminhos,
para que andemos nas suas
veredas.
De Sião sairá a lei,
de Jerusalém, a palavra do
Senhor.
4 Ele exercerá o seu juízo entre
as nações
e repreenderá muitos povos.
*Estes converterão as suas
espadas em arados
e as suas lanças em
podadeiras.
Não levantará espada
nação contra nação,
nem aprenderão mais
a guerra.*
5 Vinde, ó descendência
de Jacó,
andemos na luz do Senhor.
6 Pois tu, Senhor, desamparaste
o teu povo,
a nação de Jacó.
Encheram-se dos costumes
do Oriente;
são agoureiros como os
filisteus
e associam-se com os
filhos dos estranhos.
7 A sua terra está cheia de
prata e ouro;
não têm fim os seus tesouros.
A sua terra está cheia de
cavalos;
não têm fim os seus carros.
8 A sua terra está cheia
de ídolos;
inclinaram-se perante a obra
das suas mãos,
diante daquilo que
fabricaram os seus dedos.
9 Pelo que o homem será
abatido;
a humanidade, humilhada;
não lhes perdoes!
10 Vai, entra nas rochas,
esconde-te no pó,
de diante da presença
espantosa do Senhor
e da glória da sua majestade.
11 Os olhos do homem
arrogante serão abatidos,
e o orgulho dos homens
será humilhado;
só o Senhor será exaltado
naquele dia.
12 O dia do Senhor dos Exércitos
será contra todo soberbo e
altivo,
e contra todo o que se
exalta,
para que seja abatido;

13 contra todos os cedros
do Líbano,
altos e sublimes,
contra todos os carvalhos
de Basã;
14 contra todos os montes
altos e contra todos os
outeiros elevados;
15 contra toda torre alta
e contra toda muralha
fortificada;
16 contra todos os navios de
Társis e
contra todas as naus
vistosas.
17 A arrogância do homem
será humilhada,
e o orgulho dos homens
será abatido;
só o Senhor será exaltado
naquele dia.
18 Desaparecerão todos
os ídolos totalmente.
19 Os homens se meterão
nas cavernas das rochas e nas
covas da terra,
por causa da presença
espantosa do Senhor
e por causa do esplendor da
sua majestade,
quando ele se levantar para
sacudir a terra.
20 Naquele dia os homens
lançarão às toupeiras
e aos morcegos os seus ídolos
de prata
e os seus ídolos de ouro,
que fizeram para diante eles
se prostrar;
21 eles se refugiarão pelas
fendas das rochas
e pelas cavernas das
penhas,
por causa da presença
espantosa do Senhor
e por causa do esplendor da
sua majestade,

quando ele se levantar para
sacudir a terra.
22 Parai de confiar no homem,
cujo fôlego está nas narinas.
Em que ele deve ser
estimado?

### O castigo de Jerusalém

**3** Vede, agora, o Senhor,
o Senhor dos Exércitos
tirará de Jerusalém e de Judá
o sustento e o apoio:
todo o sustento de pão e todo
o sustento de água,
2 o valente e o soldado,
o juiz e o profeta,
o adivinho e o ancião,
3 o capitão de cinquenta
e o respeitável, o conselheiro,
o hábil artífice e o
encantador perito.
4 Eu lhes darei meninos por
seus líderes,
e crianças governarão
sobre eles.
5 O povo será oprimido;
um será contra o outro,
e cada um contra o seu
próximo.
O menino se levantará contra
o ancião
e o vil contra o nobre.
6 Quando alguém for falar com
seu irmão
da família de seu pai,
dizendo:
Tu tens roupa,
sê nosso governante,
e toma sob a tua mão esta
ruína,
7 nesse dia levantará este a voz,
dizendo:
Não tenho remédio.
Em minha casa não há pão
nem veste alguma.
Não me ponhais por
governante do povo.

**8** Jerusalém tropeça,
e Judá cai;
a sua língua e as suas obras
são contra o Senhor,
para desafiarem a sua
gloriosa presença.
**9** O parecer do seu rosto
testifica contra eles;
publicam os seus pecados
como Sodoma;
não os dissimulam.
Ai da sua alma!
Fizeram mal a si mesmos.
**10** Dizei aos justos que bem
lhes irá,
pois comerão do fruto das
suas obras.
**11** Ai dos ímpios! Mal lhes irá!
Comerão do fruto das suas
obras.
**12** Os opressores do meu povo
são crianças,
e mulheres estão no domínio
do seu governo.
Oh! povo meu! os que te
guiam te enganam,
e destroem o caminho das
tuas veredas.
**13** O Senhor se levanta para
pleitear;
sai para julgar os povos.
**14** O Senhor vem em juízo
contra as autoridades
do seu povo,
e contra os seus líderes:
Sois vós os que consumistes
esta vinha;
o que foi furtado do pobre
está em vossas casas.
**15** Que tendes vós que afligir o
meu povo
e moer as faces do pobre?
diz o Senhor, o Senhor dos
Exércitos.
**16** Diz o Senhor:
Visto que as filhas de Sião
se exaltam
e andam de pescoço erguido,
e têm olhares impudentes e,
quando andam, parecem
dançar,
fazendo retinir os
ornamentos dos seus pés,
**17** o Senhor rapará a cabeça
das mulheres de Sião,
e o Senhor descobrirá
a sua nudez.
**18** Naquele dia tirará o Senhor
os seus enfeites: os anéis dos artelhos, as toucas, os colares em forma de meia-lua,
**19** os brincos, os braceletes, os véus,
**20** os diademas, as cadeias dos artelhos, os cintos, as caixinhas de perfume e os amuletos,
**21** os sinetes e os anéis pendentes do nariz,
**22** os vestidos diáfanos, os mantos, os xales, as bolsas,
**23** os espelhos, as capinhas de linho, as tiaras e os véus.
**24** Em lugar de perfume haverá
mau cheiro;
em lugar de cinto, uma corda;
em lugar de encrespadura
de cabelos, calvície;
em lugar de veste luxuosa,
pano de saco;
em lugar de formosura,
queimadura.
**25** Teus homens cairão à espada;
teus valentes, na peleja.
**26** As portas da cidade gemerão
e estarão de luto;
desolada, ela se assentará
no chão.

### O Renovo do Senhor

**4** Naquele dia sete mulheres lançarão mão de um homem,
dizendo:
Nós comeremos do nosso pão
e nos vestiremos de nossos
vestidos;

tão somente queremos ser
chamadas pelo teu nome.
Livra-nos da nossa desonra.
2 Naquele dia, o Renovo do Senhor será cheio de beleza e de glória, e o fruto da terra será excelente e formoso para os que escaparem de Israel.
3 Aquele que ficar em Sião e permanecer em Jerusalém será chamado santo — todo aquele que estiver inscrito entre os vivos em Jerusalém.
4 Quando o Senhor lavar a imundícia das mulheres de Sião e limpar o sangue de Jerusalém do meio dela, com o espírito de justiça e com o espírito de ardor,
5 criará o Senhor sobre toda a extensão do monte de Sião e sobre as suas congregações uma nuvem de dia; uma fumaça e um resplendor de fogo chamejante de noite; sobre toda a glória haverá um dossel.
6 Será abrigo e sombra contra o calor do dia; e refúgio e esconderijo será contra a tempestade e a chuva.

### O cântico do vinhateiro

**5** Cantarei ao meu amado
o cântico do meu querido
a respeito da sua vinha:
O meu amado teve uma
vinha
num outeiro fértil.
2 Ele a cavou e a limpou
das pedras,
e a plantou de excelentes
vides.
Edificou no meio dela uma
torre
e construiu nela um lagar.
E esperava que desse uvas,
mas deu uvas bravas.
3 Agora, ó moradores
de Jerusalém e homens
de Judá,
julgai entre mim
e a minha vinha.
4 Que mais se podia fazer à
minha vinha,
que eu não lhe tenha feito?
E como, esperando eu que
desse uvas boas,
veio a produzir uvas
bravas?
5 Agora vos direi o que hei
de fazer à minha vinha:
Tirarei a sua cerca, para que
sirva de pasto;
derrubarei a sua parede,
para que seja pisada.
6 Eu a tornarei em deserto;
não será podada nem
escavada;
sarças e espinheiros
crescerão nela.
Darei ordem às nuvens para
que não derramem chuva
sobre ela.
7 A vinha do Senhor dos
Exércitos é a casa de Israel,
e os homens de Judá são
a planta das suas delícias.
Ele esperou que
exercessem
justiça, mas viu opressão;
retidão, mas ouviu clamor.
8 Ai dos que ajuntam casa a casa
e reúnem herdade a herdade,
até que não haja mais lugar,
e fiquem como únicos
moradores no meio da terra!
9 A meus ouvidos disse o
Senhor dos Exércitos:
Em verdade que muitas casas
ficarão desertas;
até as casas grandes e
excelentes ficarão sem
moradores.
10 Dez geiras de vinha não
darão mais do que um bato,
e um ômer de semente não
dará mais do que um efa.

**11** Ai dos que se levantam
cedo de manhã
para correr atrás da bebida,
que continuam até alta noite,
até que o vinho os esquente!
**12** Harpas e liras, tamborins
e flautas,
e vinho há nos seus
banquetes,
mas não olham para a obra
do Senhor,
nem consideram as obras
das suas mãos.
**13** Portanto, o meu povo será
levado cativo,
por falta de entendimento;
os seus nobres terão fome,
e a sua multidão se secará
de sede.
**14** Por isso, a sepultura
aumenta o seu apetite
e abre a sua boca
desmesuradamente;
para lá descerá a glória deles,
a sua multidão,
a sua pompa e os que entre
eles folgam.
**15** Então o homem será abatido,
e a humanidade será
humilhada;
os olhos dos arrogantes se
humilharão.
**16** O Senhor dos Exércitos,
porém,
será exaltado por sua justiça;
Deus, o Santo, será
santificado por sua retidão.
**17** Então os cordeiros
pastarão como em
pastos seus,
e entre as ruínas dos ricos
se apascentarão os carneiros.
**18** Ai dos que puxam
a iniquidade com cordas
de vaidade,
e o pecado com tirantes
de carros,
**19** e dizem: Apresse-se Deus
e acabe a sua obra,
para que a vejamos.
Aproxime-se e venha o
conselho do
Santo de Israel,
para que o conheçamos.
**20** Ai dos que ao mal
chamam bem,
e ao bem mal;
que fazem da escuridade luz,
e da luz escuridade;
que põem o amargo por doce,
e o doce por amargo.
**21** Ai dos que são sábios
a seus próprios olhos,
e prudentes diante de si
mesmos!
**22** Ai dos que são poderosos
para beber vinho
e valentes para misturar
bebida forte,
**23** que justificam o ímpio
por suborno
e ao justo negam justiça.
**24** Portanto, como as chamas
de fogo consomem o restolho,
e a palha se desfaz na chama,
assim será a sua raiz,
como podridão,
e a sua flor se esvaecerá
como pó;
pois rejeitaram a lei do
Senhor dos Exércitos,
e desprezaram a palavra do
Santo de Israel.
**25** Por isso se acende a ira
do Senhor contra o seu povo,
e estende a sua mão contra
ele, e o fere.
As montanhas tremem,
e os seus cadáveres são
como monturo no meio das ruas.
Com tudo isso não tornou
atrás a sua ira,
mas ainda está alçada
a sua mão.

26 Ele arvora o estandarte
ante as nações de longe,
e lhes assobia desde a
extremidade da terra.
Aí vêm, apressadamente.
27 Não há entre eles cansado
nem quem tropece,
ninguém cochila nem dorme;
não se desata o cinto dos
seus lombos,
nem se rompe a correia
dos sapatos.
28 As suas flechas são agudas;
todos os seus arcos,
retesados;
as unhas dos seus cavalos
parecem de pederneira;
as rodas dos seus carros,
um redemoinho.
29 O seu rugido é como o do leão,
rugem como filhos de leão;
rugem e arrebatam a presa;
levam-na e não há quem a livre.
30 Bramarão contra eles
naquele dia,
como o bramido do mar.
Se alguém olhar para a terra,
só verá trevas e angústia,
e a luz se escurecerá pelas
nuvens.

### O chamado de Isaías

**6** No ano em que morreu o rei Uzias, eu vi o Senhor assentado sobre um alto e sublime trono e a aba do seu manto enchia o templo. 2 Os serafins estavam acima dele; cada um tinha seis asas: com duas cobriam os seus rostos, com duas cobriam os seus pés e com duas voavam. 3 Clamavam uns aos outros, dizendo:
Santo, Santo, Santo é o
Senhor dos Exércitos;
toda a terra está cheia da
sua glória.
4 Os umbrais das portas se moveram com a voz do que clamava, e o templo se encheu de fumaça. 5 Então disse eu: Ai de mim, que vou perecendo! porque sou um homem de lábios impuros e habito no meio de um povo de impuros lábios; mesmo assim, os meus olhos viram o rei, o Senhor dos Exércitos! 6 Um dos serafins, porém, voou para mim trazendo na mão uma brasa viva, que tirara do altar com uma tenaz. 7 Com ela tocou a minha boca e disse: Vê, isto tocou os teus lábios, a tua iniquidade foi tirada e purificado o teu pecado. 8 Depois disso ouvi a voz do Senhor, que dizia: A quem enviarei, e quem há de ir por nós? Então disse eu: Aqui estou.
Envia-me.
9 Então disse ele:
Vai e dize a este povo:
Ouvis, de fato, e não entendeis;
vedes, em verdade, mas não
percebeis.
10 Torna insensível o coração
deste povo,
endurece-lhe os ouvidos e
fecha-lhe os olhos.
Para que não venha ele a
ver com os seus olhos,
e a ouvir com os seus ouvidos,
e a entender com o seu
coração,
e a converter-se, para que
seja sarado.
11 Então disse eu:
Até quando, Senhor?
E respondeu:
Até que se assolem as
cidades
e fiquem sem habitantes,
e nas casas não fique
morador,
e a terra seja assolada de todo,

12 e o Senhor afaste dela
os homens,
e no meio da terra seja
grande o desamparo.
13 Se, porém, ainda a décima
parte dela ficar,
tornará a ser destruída.
Como o carvalho e como o
terebinto,
os quais, depois de se
desfolharem, ainda
ficam firmes,
assim a santa semente será o
seu toco.

### O sinal do Emanuel

**7** Nos dias de Acaz, filho de Jotão, filho de Uzias, rei de Judá, Rezim, rei da Síria, e Peca, filho de Remalias, rei de Israel, subiram a Jerusalém, para pelejar contra ela, mas não puderam conquistá-la.
2 Avisaram ao rei Davi: A Síria fez aliança com Efraim. Então se agitou o coração de Acaz e o coração do seu povo, como se agitam as árvores do bosque com o vento.
3 Então disse o Senhor a Isaías: Tu e teu filho Sear-Jasube saí ao encontro de Acaz, ao fim do aqueduto da piscina superior, no caminho do campo do lavandeiro,
4 e dize-lhe: Tenha cuidado, aquieta-te e não temas. Não se desanime o teu coração por causa destes dois pedaços de tições fumegantes; por causa do ardor da ira de Rezim e da Síria, e do filho de Remalias.
5 A Síria trama contra ti malignamente, com Efraim e com o filho de Remalias, dizendo:
6 Subamos contra Judá e amedrontemo-lo e o conquistemos para nós, e façamos reinar no meio dele o filho de Tabeel.

7 Contudo, assim diz o Senhor Deus:
Isso não subsistirá,
tampouco acontecerá,
8 pois a cabeça da Síria é
Damasco,
e a cabeça de Damasco é
Rezim.
Dentro de sessenta e cinco anos
Efraim será quebrantado,
e deixará de ser povo.
9 Entretanto, a cabeça de
Efraim é Samaria,
e a cabeça de Samaria é o
filho de Remalias.
Se não o crerdes,
certamente não ficareis
firmes.
10 Continuou o Senhor a falar com Acaz, dizendo:
11 Pede para ti ao Senhor, o teu Deus, um sinal; pede-o ou embaixo nas profundezas ou em cima nas alturas.
12 Acaz, porém, disse: Não o pedirei nem tentarei ao Senhor.
13 Então Isaías disse: Ouvi agora, ó descendentes de Davi: Pouco vos é afadigardes os homens, senão que ainda afadigareis também ao meu Deus?
14 Portanto, o mesmo Senhor vos dará um sinal: A virgem engravidará, e dará à luz um filho, e será o seu nome Emanuel.
15 Manteiga e mel comerá, até que saiba rejeitar o mal e escolher o bem.
16 Na verdade, antes que este menino saiba rejeitar o mal e escolher o bem, a terra ante cujos reis tremes de medo será desamparada.
17 O Senhor, porém, fará vir sobre ti, sobre o teu povo e sobre a descendência de teu pai, pelo rei da Assíria, dias tais, quais nunca vieram, desde o dia em que Efraim se separou de Judá.

18 Naquele dia, o Senhor assobiará às moscas que há no extremo dos rios do Egito e às abelhas que andam na terra da Assíria.
19 Elas virão e pousarão todas nos vales desertos e nas fendas das rochas, e em todos os espinheiros e em todos os prados.
20 Naquele dia, rapará o Senhor com uma navalha alugada, que está além do rio, isto é, com o rei da Assíria, a cabeça e os cabelos das pernas, e até a barba será totalmente tirada.
21 Naquele dia, alguém criará uma vaca e duas ovelhas
22 e, por causa da abundância do leite que elas hão de dar, comerá manteiga. Manteiga e mel comerá todo aquele que ficar de resto no meio da terra.
23 Naquele dia, todo lugar em que antes havia mil vides no valor de mil siclos de prata será deixado para sarças e para espinheiros.
24 Com arco e flechas se entrará nele, porque as sarças e os espinheiros cobrirão toda a terra.
25 Quanto a todos os montes que costumavam cavar com enxadas, para ali não irás, por causa do temor das sarças e dos espinheiros, mas servirão de pasto para os bois e serão pisados pelas ovelhas.

### A Assíria, instrumento do Senhor

**8** Disse-me o Senhor: Toma um grande rolo e escreve nele com uma caneta comum: Maer-Salal-Has-Baz.
2 Tomei comigo fiéis testemunhas: Urias, sacerdote, e Zacarias, filho de Jeberequias.
3 Então deitei-me com a profetisa; e ela engravidou, e deu à luz um filho. E me disse o Senhor: Põe-lhe o nome de Maer-Salal-Has-Baz.
4 Antes que o menino saiba dizer meu pai ou minha mãe, as riquezas de Damasco e os despojos de Samaria serão levados pelo rei da Assíria.
5 Continuou o Senhor a falar comigo, dizendo:
6 Porque este povo desprezou
   as águas de Siloé que correm
   brandamente,
   e com Rezim
   e com o filho de Remalias se
   alegrou,
7 portanto o Senhor fará vir
   sobre eles as águas do Rio,
   fortes e impetuosas,
   isto é, o rei da Assíria,
   com toda a sua glória.
   As águas encherão os leitos
   dos rios,
   transbordarão por todas as
   suas ribanceiras,
8 e penetrarão em Judá,
   inundando-o,
   e irão passando por ele e
   chegarão até o pescoço.
   A extensão de suas asas
   encherá
   a largura da tua terra,
   ó Emanuel.
9 Alvoroçai-vos, ó povos,
   e sereis quebrantados;
   dai ouvidos, todos os que
   sois de terras longínquas.
   Cingi-vos e sereis feitos em
   pedaços.
   Sim, cingi-vos e sereis
   feitos em pedaços.
10 Tomai juntamente conselho,
   e ele será dissipado;
   dizei a palavra, mas ela não
   subsistirá,
   pois Deus é conosco.
11 Assim o Senhor me falou, com sua forte mão sobre mim, advertindo-me de que não andasse pelo caminho deste povo, dizendo:

**12** Não chameis conspiração
a tudo o que este povo chama
conspiração;
não temais o seu temor,
e não vos assombreis.
**13** Ao Senhor dos Exércitos,
a ele santificai;
seja ele o vosso temor,
e seja ele o vosso assombro.
**14** Então ele vos será santuário;
mas servirá de pedra de
tropeço,
e de rocha de escândalo
para os dois reinos de Israel,
de laço e rede
aos moradores de Jerusalém.
**15** Muitos dentre eles
tropeçarão, cairão,
e serão quebrantados;
serão enlaçados e presos.
**16** Ata o testemunho,
e sela a lei entre os meus
discípulos.
**17** Esperarei no Senhor,
que esconde o seu rosto
da descendência de Jacó,
e a ele aguardarei.
**18** Aqui estou, com os filhos que
me deu o Senhor. Somos sinais e
maravilhas em Israel da parte do
Senhor dos Exércitos, que habita no monte de Sião.
**19** Quando vos disserem: Consultai os médiuns e os feiticeiros, que consultam os espíritos e murmuram entre dentes, respondei: Acaso não consultará um povo o seu Deus? Acaso a favor dos vivos se consultarão os mortos?
**20** À lei e ao Testemunho! Se eles não falarem segundo esta palavra, nunca verão a alva.
**21** Passarão pela terra duramente oprimidos e famintos; e, quando tiverem fome, ficarão irados e amaldiçoarão o seu rei e ao seu Deus, olhando para cima.
**22** Então olharão para a terra e verão somente angústia e escuridão, e sombras de ansiedade, e serão lançados em densas trevas.

### Um menino nos nasceu

**9** Aos que estavam aflitos, porém, não haverá mais obscuridade. No passado ele humilhou a terra de Zebulom e a terra de Naftali, mas, nos últimos, a enobreceu junto ao caminho do mar, além do Jordão, a Galileia das nações.
**2** O povo que andava em trevas
viu uma grande luz;
sobre os que habitavam na
região da sombra da morte
resplandeceu a luz.
**3** Tu multiplicaste este povo,
e alegria lhe aumentaste;
todos se alegrarão perante
ti,
como se alegram na colheita
e como exultam quando se
repartem os despojos.
**4** Porque tu quebraste o jugo
que pesava sobre ele,
a vara que lhe feria os
ombros,
e o cetro do seu opressor
como no dia da derrota dos
midianitas.
**5** Todo calçado daqueles
que pelejavam no tumulto
e toda veste revolvida em
sangue serão queimados,
servirão de pasto ao fogo.
**6** Porque um menino nos
nasceu,
um filho se nos deu;
o principado está sobre os
seus ombros,
e o seu nome será:
Maravilhoso, Conselheiro,
Deus Forte,
Pai da Eternidade, Príncipe
da Paz.

**7** Do aumento do seu governo
e paz não haverá fim.
Reinará sobre o trono de Davi
e sobre o seu reino,
para o estabelecer e o
fortificar
em retidão e justiça,
desde agora e para sempre.
O zelo do Senhor dos
Exércitos fará isso.

### A ira do Senhor contra Israel

**8** O Senhor enviou uma palavra
a Jacó,
e ela caiu em Israel.
**9** Todo o povo o saberá,
Efraim e os moradores de
Samaria,
que em soberba
e altivez de coração dizem:
**10** Os tijolos caíram,
mas com pedras lavradas
tornaremos a edificar;
cortaram-se as figueiras
bravas,
mas por cedros as
substituiremos.
**11** O Senhor, porém,
levantará contra
ele os adversários de Rezim
e instigará os seus inimigos.
**12** Do leste virão os sírios,
e do oeste, os filisteus,
e devorarão Israel com a
boca escancarada.
Com tudo isto não se apartou
a sua ira,
mas ainda está estendida a
sua mão.
**13** Todavia, este povo não
se voltou para quem o feria
nem buscou o Senhor dos
Exércitos.
**14** Pelo que o Senhor cortará
de Israel a cabeça e a cauda,
o ramo e o junco,
num mesmo dia;
**15** o ancião e o homem de
respeito são a cabeça,
o profeta que ensina a
falsidade é a cauda.
**16** Os guias deste povo são
enganadores,
e os que por eles são
dirigidos são devorados.
**17** Pelo que o Senhor não se
regozijará com os seus jovens,
e não se compadecerá dos
seus órfãos e das suas viúvas,
pois todos eles são
ímpios e malfeitores,
e toda boca profere doidices.
Com tudo isso não se
apartou a sua ira,
mas ainda está estendida a
sua mão.
**18** Certamente a impiedade
queima como fogo;
devora as sarças e os
espinheiros,
se ateia no emaranhado da
floresta,
e sobe ao alto em espessas
nuvens de fumaça.
**19** Por causa da ira do Senhor
dos Exércitos
a terra será abrasada, e o
povo será pasto do fogo;
ninguém poupará o seu irmão.
**20** Se cortar do lado direito,
ainda terá fome,
e se comer do lado
esquerdo,
ainda não se fartará.
Cada um comerá a carne de
seu braço:
**21** Manassés a Efraim,
e Efraim a Manassés,
e ambos, juntos, serão
contra Judá.
Com tudo isso não se apartou
a sua ira,
mas ainda está estendida a
sua mão.

**10** Ai dos que decretam leis injustas,
e dos escrivães que escrevem perversidades,
2 para privar da justiça os pobres,
e para arrebatar o direito dos aflitos do meu povo,
despojando as viúvas,
e roubando os órfãos!
3 Que fareis, porém, no dia da visitação,
e da assolação, que há de vir de longe?
A quem recorrereis para obter socorro?
Onde deixareis a vossa glória,
4 sem que cada um se abata entre os presos, e caia entre os mortos?
Com tudo isso a sua ira não se apartou,
ainda está estendida a sua mão.

## O juízo de Deus sobre a Assíria

5 Ai da Assíria, a vara da minha ira,
porque a minha indignação é como bordão nas suas mãos.
6 Envio-a contra uma nação hipócrita e contra o povo do meu furor lhe dou ordem,
para que lhe roube a presa e lhe tome o despojo,
e o ponha para ser pisado como a lama das ruas.
7 Ela, porém, não pensa assim, nem o seu coração assim o imagina;
antes no seu coração intenta destruir
e desarraigar não poucas nações.
8 Diz ela: Não são os meus comandantes todos eles reis?
9 Não é Calno como Carquemis?
Não é Hamate como Arpade?
e Samaria como Damasco?
10 A minha mão alcançou os reinos dos ídolos,
ainda que as suas imagens de escultura
fossem melhores do que as de Jerusalém
e do que as de Samaria.
11 Não faria igualmente a Jerusalém e aos seus ídolos
como fiz a Samaria e aos seus ídolos?
12 Havendo o Senhor acabado toda a sua obra no monte de Sião e em Jerusalém, então visitará o fruto do arrogante coração do rei da Assíria e a pompa da altivez dos seus olhos.
13 Porque diz ele:
Com a força da minha mão fiz isto,
e com a minha sabedoria, porque sou entendido.
Eu removi os limites dos povos
e roubei os seus tesouros;
como valente, abati os que se assentavam sobre tronos.
14 Achou a minha mão as riquezas dos povos como a um ninho;
como se ajuntam os ovos abandonados,
assim ajuntei toda a terra;
não houve quem movesse a asa,
ou abrisse a boca, ou murmurasse.
15 Gloria-se o machado contra o que corta com ele,
ou se gaba a serra contra o que a usa?

Como se o bordão movesse os
que o levantam,
ou a vara levantasse a
quem não é pau!
16 Pelo que o Senhor,
o Senhor dos Exércitos,
fará definhar os que entre
eles são gordos,
e debaixo da sua glória ateará
um incêndio,
como incêndio de fogo.
17 A Luz de Israel virá a ser
como fogo;
o seu Santo, como labareda,
que abrase e consuma os
seus espinheiros
e as suas sarças num
só dia.
18 Também consumirá a glória
da sua floresta
e do seu campo fértil desde
a alma até o corpo;
será como quando desmaia
o doente.
19 O resto das árvores da sua
floresta será tão pouco
que um menino as poderá
contar.
20 Naquele dia, os restantes
de Israel
e os que tiverem escapado
da descendência de Jacó
nunca mais confiarão
naquele que os feriu,
mas confiarão fielmente
no Senhor, o Santo de Israel.
21 Os restantes se converterão,
os restantes de Jacó,
ao Deus forte.
22 Ainda que o teu povo, ó
Israel,
seja como a areia do mar,
só um resto dele se
converterá.
Uma destruição está
determinada,
transbordando de justiça.
23 Determinada já está a
destruição,
e o Senhor Deus dos
Exércitos,
a executará no meio de toda
esta terra.
24 Pelo que assim diz o Senhor
Deus dos Exércitos:
Não temas a Assíria, povo
meu,
que habitas em Sião,
quando ela te ferir com a vara
e contra ti levantar o seu
bordão
à maneira dos egípcios.
25 Daqui a bem pouco
se cumprirá a minha
indignação
e a minha ira, para os
consumir.
26 O Senhor dos Exércitos os
flagelará com chicote,
como fez na matança de Midiã
junto à rocha de Orebe;
a sua vara se estenderá sobre
o mar,
e ele a levantará como no
Egito.
27 Naquele dia, a sua carga
será tirada do teu ombro,
e o seu jugo do teu pescoço;
o jugo será despedaçado por
causa da gordura.
28 Já vêm chegando a Aiate,
já vão passando por Migrom,
e em Micmás lançam a sua
bagagem.
29 Já vão passando,
já se alojam em Geba,
já Ramá treme,
e Gibeá de Saul vai fugindo.
30 Clama alto com a tua voz,
ó filha de Galim! Ouve, ó Laís!
Ó tu, pobre Anatote!
31 Já Madmena se foi;
os moradores de Gebim
vão fugindo em bandos.

32 Nesse mesmo dia,
pararão em Nobe;
agitarão o punho contra o
monte da filha de Sião,
o outeiro de Jerusalém.
33 O Senhor Deus dos Exércitos,
porém, cortará os ramos
com grande poder.
As árvores de alto porte serão
cortadas,
e as altivas serão abatidas.
34 Cortará com o ferro
a espessura da floresta;
o Líbano cairá na presença
do Poderoso.

### O rebento de Jessé

**11** Do tronco de Jessé brotará
um rebento,
e das suas raízes um renovo
frutificará.
2 Repousará sobre ele o
Espírito do Senhor,
o Espírito de sabedoria e de
inteligência,
o Espírito de conselho e de
fortaleza,
o Espírito de conhecimento e
de temor do Senhor.
3 Ele se deleitará no temor do
Senhor,
não julgará segundo a vista
dos seus olhos
nem repreenderá segundo
o ouvir dos seus ouvidos,
4 mas julgará com justiça os
pobres
e repreenderá com equidade
os mansos da terra.
Ferirá a terra com a vara da
sua boca
*e com o sopro dos seus
lábios matará o ímpio.*
5 A justiça será o cinto dos
seus lombos,
e a verdade o cinto dos
seus rins.

6 Morará o lobo com o cordeiro,
e o leopardo com o cabrito se
deitará;
o bezerro, o filho de leão e o
animal cevado viverão juntos,
e um menino pequeno os
guiará.
7 A vaca e a ursa pastarão
juntas,
seus filhos juntos se deitarão,
e o leão comerá palha como
o boi.
8 Brincará a criança de peito
sobre a toca da cobra,
e o já desmamado meterá a
mão na cova da víbora.
9 Não se fará mal nem dano
algum em todo o monte da
minha santidade,
pois a terra se encherá do
conhecimento do Senhor
como as águas cobrem o mar.
10 Naquele dia, as nações perguntarão pela raiz de Jessé, posta por estandarte dos povos, e o lugar do seu repouso será glorioso.
11 Naquele dia, o Senhor tornará a estender a sua mão para adquirir outra vez os restantes do seu povo, que restarem da Assíria, do Egito, de Patros, da Etiópia, de Elão, de Sinear, de Hamate e das ilhas do mar.
12 Levantará uma bandeira entre
as nações,
e ajuntará os desterrados
de Israel;
e os dispersos de Judá
congregará
desde os quatro cantos da
terra.
13 Ele desfará a inveja de Efraim,
e os adversários de Judá
serão desarraigados;
Efraim não invejará Judá,
e Judá não oprimirá
Efraim.

14 Antes voarão sobre os
ombros dos filisteus ao
Ocidente;
juntos despojarão os filhos
do Oriente.
Em Edom e Moabe porão as
mãos,
e os filhos de Amom lhes
obedecerão.
15 O Senhor destruirá
totalmente
o braço de mar do Egito
e moverá a sua mão contra
o Rio com a força do seu vento.
Ele o ferirá e o dividirá em
sete correntes,
e qualquer pessoa o
atravessará de sandálias.
16 Haverá caminho plano
para o restante do seu povo
que for deixado da Assíria,
como sucedeu a Israel
no dia em que subiu da
terra do Egito.

### Cântico de louvor

**12** Naquele dia dirás:
Graças te dou, ó Senhor.
Ainda que te iraste contra mim,
a tua ira se retirou,
e tu me consolaste.
2 Certamente Deus é a minha
salvação;
confiarei e não temerei.
O Senhor Deus é a minha
força e o meu cântico;
ele se tornou a minha
salvação.
3 Com alegria vós tirareis
águas das fontes da salvação.
4 Direis naquele dia:
Dai graças ao Senhor,
invocai o seu nome;
tornai manifestos os seus
feitos entre os povos
e contai quão excelso é o seu
nome.
5 Cantai ao Senhor, pois fez
coisas grandiosas;
saiba-se isso em toda a
terra.
6 Exulta e canta de alegria,
ó habitante de Sião,
pois grande é o Santo de
Israel no meio de ti.

### Oráculo acerca de Babilônia

**13** Oráculo acerca de Babilônia, o
qual viu Isaías, filho de Amoz:
2 Alçai uma bandeira sobre
o monte escalvado,
levantai a voz para eles;
acenai-lhes com a mão
para que entrem pelas
portas dos nobres.
3 Eu dei ordens aos meus
consagrados;
chamei os meus valentes
para a minha ira,
os que exultam com a
minha majestade.
4 Já se ouve a gritaria da
multidão sobre os montes,
semelhante à de um grande
povo;
a voz do rebuliço de reinos
e de nações já congregados.
O Senhor dos Exércitos passa
em revista
o exército para a guerra.
5 Já vem de uma terra distante,
desde a extremidade do céu,
o Senhor e os instrumentos
da sua indignação,
para destruir toda aquela
terra.
6 Chorai, pois o Dia do Senhor
está perto;
virá do Todo-poderoso
como assolação.
7 Pelo que todas as mãos se
debilitarão,
e o coração de todos os
homens se desanimará.

8 Ficarão assombrados
e serão dominados por
dores e ais;
se angustiarão,
como a parturiente.
Cada um se espantará com
o seu próximo,
os seus rostos serão rostos
flamejantes.
9 Vede, o dia do Senhor vem,
horrendo, com furor e ira
ardente,
para pôr a terra em
assolação e
destruir do meio dela os
pecadores.
10 As estrelas dos céus e os
astros não darão a sua luz.
O sol se escurecerá ao nascer,
e a lua não fará resplandecer
a sua luz.
11 Castigarei o mundo por sua
maldade,
e sobre os ímpios a sua
iniquidade.
Farei cessar a arrogância dos
atrevidos
e abaterei a soberba dos
cruéis.
12 Farei que um homem seja
mais raro do que o ouro puro,
mais escasso do que o ouro
fino de Ofir.
13 Por isso, farei estremecer
os céus;
a terra se moverá do seu
lugar por causa do furor
do Senhor dos Exércitos,
e do dia da sua ardente ira.
14 Cada um será como a corça
que foge,
*como a ovelha que*
ninguém recolhe;
cada um voltará para o seu
povo,
e cada um fugirá para a sua
terra.
15 Todo o que for achado será
trespassado;
todo o que for apanhado,
cairá à espada.
16 As suas crianças serão
despedaçadas perante os seus
olhos;
as suas casas serão
saqueadas
e as suas mulheres
violentadas.
17 Vede, eu despertarei contra
eles os medos,
que não farão caso da prata,
tampouco desejarão ouro.
18 Os seus arcos despedaçarão
os jovens,
e eles não terão misericórdia
do fruto do ventre;
o seu olho não poupará as
crianças.
19 Babilônia, o enfeite dos
reinos,
a glória e a soberba dos
caldeus,
será como Sodoma e Gomorra,
quando Deus as
transtornou.
20 Nunca mais será habitada
nem reedificada de
geração em geração;
o árabe não armará ali a
sua tenda
nem os pastores ali farão
deitar os seus rebanhos.
21 As feras do deserto, porém,
repousarão ali,
e as suas casas se encherão
de chacais;
ali habitarão as corujas,
e os bodes selvagens pularão
ali.
22 As hienas gritarão umas
às outras nos seus palácios
vazios,
como também os chacais
nos seus palácios luxuosos.

Bem perto está o seu tempo,
e os seus dias não se prolongarão.

## 14

O Senhor se compadecerá de Jacó;
uma vez mais elegerá Israel
e os porá na sua própria terra.
Estrangeiros se ajuntarão com eles,
e se achegarão à casa de Jacó.
2 Os povos os receberão,
e os levarão aos seus lugares,
e a descendência de Israel
os possuirá por servos e por servas,
na terra do Senhor.
Aprisionarão aqueles que os prenderam,
e dominarão aqueles que os oprimiram.
3 No dia em que Deus vier a dar-te descanso do teu trabalho, do teu tremor e da dura servidão com que te fizeram servir,
4 então proferirás este dito contra o rei de Babilônia:
Como cessou o opressor!
Como acabou a tirania!
5 Já quebrou o Senhor a vara dos ímpios
e o cetro dos dominadores,
6 que feria os povos com furor,
com praga incessante,
e que com ira dominava as nações,
com uma perseguição irresistível.
7 Já descansa, está sossegada toda a terra!
Exclamam todos com júbilo.
8 Até os ciprestes se alegram sobre ti,
e os cedros do Líbano dizem:
Desde que caíste ninguém sobe
contra nós para nos cortar.
9 O além desde o profundo se agitou por ti,
para te sair ao encontro na tua vinda;
despertou por ti os mortos,
e todos os governantes da terra;
fez levantar dos seus tronos
todos os reis das nações.
10 Todos estes responderão
e te dirão:
Tu também estás fraco como nós,
e te tornaste semelhante a nós.
11 Já foi derrubada na cova a tua soberba,
com o som dos teus alaúdes;
as larvas te servem de cama,
e os vermes te cobrem.
12 Como caíste do céu,
ó estrela da manhã, filho da alva!
Como foste lançado por terra,
tu que debilitavas as nações!
13 Tu dizias no teu coração:
Eu subirei ao céu;
acima das estrelas de Deus
exaltarei o meu trono;
no monte da congregação me assentarei,
nas extremidades do norte.
14 Subirei acima das mais altas nuvens;
serei semelhante ao Altíssimo.
15 Contudo, serás levado à cova,
ao mais profundo do abismo.
16 Os que te virem te contemplarão,
e, ponderando, dirão:
E este o homem que fazia estremecer a terra
e tremer os reinos?

17 Que punha o mundo como um deserto e assolava as suas cidades?
Que a seus cativos não deixava voltar soltos para suas casas?
18 Todos os reis das nações, todos eles,
jazem com honra,
cada um no seu túmulo.
19 Quanto, a ti, porém,
és lançado da tua sepultura, como um renovo abominável,
coberto de mortos atravessados à espada, como os que descem às pedras da cova,
como o cadáver pisado.
20 Com eles não te reunirás na sepultura,
pois destruíste a tua terra e mataste o teu povo.
A descendência dos malignos não será nomeada para sempre.
21 Preparai a matança para os filhos
por causa da maldade de seus pais,
para que não se levantem e possuam a terra,
e encham o mundo de cidades.
22 Eu me levantarei contra eles,
diz o Senhor dos Exércitos, e exterminarei de Babilônia o nome,
o restante, o filho, e o neto, diz o Senhor.
23 Eu a reduzirei a possessão de corujas
e a lagoas de águas; eu a varrerei com a vassoura de destruição, diz o Senhor dos Exércitos.

## Profecia acerca da Assíria

24 O Senhor dos Exércitos jurou, dizendo:
Como pensei,
assim sucederá,
e como determinei,
assim se efetuará.
25 Quebrantarei a Assíria na minha terra;
nas minhas montanhas a pisarei.
O jugo será retirado de Israel, e a sua carga se desviará dos seus ombros.
26 Este é o conselho que foi determinado sobre toda a terra; esta é a mão que está estendida sobre todas as nações.
27 Pois o Senhor dos Exércitos o determinou;
quem o invalidará?
A sua mão está estendida; quem a fará voltar atrás?

## Profecia acerca dos filisteus

28 No ano em que morreu o rei Acaz, veio esta advertência:
29 Não te alegres, tu, toda a Filístia, por estar quebrada a vara que te feria;
da raiz da cobra sairá uma víbora,
e o seu fruto será uma serpente venenosa e voadora.
30 Os primogênitos dos pobres serão apascentados,
e os necessitados se deitarão seguros.
Mas farei morrer de fome a tua raiz,
e serão destruídos os teus restantes.
31 Lamentai, ó porta!
Grita, ó cidade!
Tu, ó Filístia, estás toda derretida!

Do norte vem uma fumaça,
e não há vacilantes nas
suas fileiras.
32 O que se responderá
aos mensageiros do povo?
Que o Senhor fundou Sião,
e que nela encontram
refúgio os aflitos do seu povo.

### Profecia acerca de Moabe

**15** Advertência acerca de Moabe:
Certamente numa noite
foi destruída Ar de Moabe,
e foi desfeita.
Certamente numa noite foi
destruída Quir de Moabe,
e foi desfeita.
2 Vai subindo Dibom ao
seu templo,
aos seus lugares altos,
a fim de chorar;
por Nebo e por Medeba
Moabe uivará.
Todas as cabeças ficarão calvas,
e toda barba será rapada.
3 Vestiram-se de sacos
nas suas ruas;
nos seus terraços e nas
suas praças
andam todos pranteando,
e choram abundantemente.
4 Tanto Hesbom como Eleale
andam gritando;
até Jaaz se ouve a sua voz.
Portanto os armados de
Moabe clamam,
e a sua alma treme dentro
deles.
5 O meu coração clama
por causa de Moabe;
fugiram os seus nobres
para Zoar,
como uma novilha de três anos.
Vão chorando pela subida
de Luíte;
no caminho de Horonaim
lamentam a sua destruição.

6 As águas de Ninrim secaram,
e murchou o pasto;
definhou a erva,
e não há verdura alguma.
7 Por isso, a abundância
que ajuntaram e guardaram
levam para o riacho dos
salgueiros.
8 O seu pranto rodeia os limites
de Moabe;
até Eglaim chega o seu
clamor,
e até Beer-Elim o seu
lamento.
9 As águas de Dimom estão
cheias de sangue,
mas ainda acrescentarei
a Dimom: leões contra
aqueles
que escaparem de Moabe,
e contra os que restarem na
terra.

**16** Enviai cordeiros ao
governante da terra,
desde Sela, no deserto,
até o monte da filha de Sião.
2 Como pássaros que vagueiam,
como ninhada dispersa,
assim são as filhas de Moabe
junto aos vaus do Arnom.
3 Dá conselhos e executa o juízo.
Põe a tua sombra como
a noite,
em pleno meio-dia.
Esconde os desterrados
e não descubras os fugitivos.
4 Habitem entre ti os meus
desterrados, ó Moabe;
serve-lhes de refúgio
perante a face do destruidor.
O opressor terá fim,
e cessará a destruição;
o agressor desaparecerá da
terra.
5 Um trono se firmará em amor;
sobre ele no tabernáculo de
Davi se assentará

com fidelidade um
que julgue,
busque o juízo e se apresse a
fazer justiça.
6 Ouvimos da soberba de
Moabe,
soberbo em extremo;
da sua arrogância,
da sua soberba e do seu furor,
mas tudo isso é sem valor.
7 Portanto, os moabitas
chorarão por Moabe.
Lamentarão e prantearão
pelos homens de Quir-Haresete.
8 Os campos de Hesbom
murcharam,
e também a vinha de Sibma.
Os senhores das nações
derrubaram
os seus melhores ramos;
vão chegando a Jazer,
andam vagueando pelo
deserto.
Os seus rebentos se estenderam
e passaram além do mar.
9 Pelo que prantearei,
com o pranto de Jazer,
a vinha de Sibma.
Regarei a vós com as minhas
lágrimas,
ó Hesbom e Eleale!
O júbilo dos teus frutos de
verão
e da tua colheita
desapareceu.
10 Fugiram a exultação e a
alegria do campo fértil,
e já nas vinhas não se canta
nem há júbilo algum;
já não pisam as uvas nos
lagares,
*pois eu fiz cessar o grito da
vindima.*
11 Pelo que o meu íntimo vibra
como harpa por Moabe,
e o meu coração por
Quir-Heres.

12 Quando Moabe se
apresentar nos seus altos,
apenas se cansará;
quando entrar no seu
santuário para orar, nada
alcançará.
13 Essa é a palavra que o Senhor
falou no passado acerca de Moabe.
14 Agora, porém, diz o Senhor:
Dentro de três anos, tais como
os anos dos assalariados, será
sem valor a glória de Moabe, com
toda a sua grande multidão, e o
seu restante será pouco e fraco.

### Profecia acerca de Damasco e Efraim

**17** Advertência acerca de
Damasco:
Damasco será tirada,
e já não será cidade,
mas um montão de ruínas.
2 As cidades de Aroer serão
abandonadas,
e hão de ser para os rebanhos,
que se deitarão sem haver
quem os espante.
3 A fortaleza de Efraim cessará,
como também o reino de
Damasco;
o restante da Síria será como
a glória dos filhos de Israel,
diz o Senhor dos Exércitos.
4 Será diminuída naquele
dia a glória de Jacó;
a gordura da sua carne
desaparecerá.
5 Será como o ceifeiro que
colhe o trigo,
e com o seu braço colhe as
espigas;
será também como o que
colhe espigas
no vale de Refaim.
6 Contudo, ainda ficarão nele
algumas espigas,
como no sacudir da oliveira,

duas ou três azeitonas na mais alta ponta dos ramos, e quatro ou cinco nos ramos mais exteriores de uma árvore frutífera, diz o Senhor, o Deus de Israel.

7 Naquele dia, atentará o homem para o seu Criador, e os seus olhos olharão para o Santo de Israel.

8 Não dará atenção aos altares, obra das suas mãos, nem olhará para o que fizeram os seus dedos, nem para os bosques, nem para os altares de incenso.

9 Naquele dia, as suas cidades fortes, as quais abandonaram por causa dos filhos de Israel, serão como os lugares abandonados no bosque ou no cume das montanhas. E tudo será assolação.

10 Tu te esqueceste do Deus da tua salvação, e não te lembraste da rocha da tua fortaleza. Portanto, ainda que faças plantações formosas e ponhas nelas mudas de fora,

11 e as faças crescer no dia em que as plantares e florescer na manhã desse dia, contudo a colheita voará no dia da tribulação e das dores incuráveis.

12 Ai do bramido de muitos povos que bramam como o bramido dos mares. Ai do rugido das nações que rugem como o rugido de impetuosas águas!

13 Embora rujam as nações como o rugido das muitas águas, quando ele as repreender fugirão para longe, serão levadas como a palha dos montes diante do vento e como a poeira diante do tufão.

14 Ao anoitecer há pavor, e antes que amanheça, eles já não existem. Este é o quinhão daqueles que nos despojam, e a sorte daqueles que nos saqueiam.

### Profecia acerca da Etiópia

18 Ai da terra do roçar das asas, que está além dos rios da Etiópia,

2 que envia embaixadores por mar em navios de papiro sobre as águas, dizendo: Ide, mensageiros velozes, a um povo de estatura alta e pele macia, a um povo terrível desde o seu princípio, a uma nação forte e vitoriosa, cuja terra os rios dividem!

3 Vós, todos os habitantes do mundo, e vós, os moradores da terra, quando se arvorar a bandeira nos montes, o vereis, e, quando se tocar a trombeta, o ouvireis.

4 Assim me diz o Senhor: Estarei quieto, olhando desde a minha morada,

como o ardor do sol
 resplandecente,
 como a nuvem do orvalho
 no calor da colheita.
5 Porque antes da colheita,
 quando já caiu a flor
 e quando as uvas
 amadurecem,
 cortará com a foice os rebentos,
 e tirará os ramos,
 e os lançará fora.
6 Serão deixados juntos às
 aves dos montes
 e aos animais da terra;
 sobre eles veranearão as aves
 de rapina,
 e todos os animais da terra
 invernarão sobre eles.
7 Naquele tempo, será levado
 um presente ao Senhor dos
 Exércitos
 da parte de um povo alto e
 de pele macia,
 povo terrível desde o seu
 princípio,
 uma nação forte e vitoriosa,
 cuja terra os rios dividem;
um presente será levado ao lugar
 do nome do Senhor dos Exércitos,
 ao monte Sião.

### Profecia acerca do Egito

**19** Advertência acerca do Egito:
 O Senhor vem cavalgando
 numa nuvem ligeira e virá
 ao Egito.
 Os ídolos do Egito tremem
 perante a sua face,
 e o coração dos egípcios se
 derrete dentro deles.
2 Farei que os egípcios se
 *levantem contra os egípcios*,
 e cada um pelejará contra o
 seu irmão,
 e cada um contra o seu próximo,
 cidade contra cidade,
 reino contra reino.

3 O espírito dos egípcios se
 esvaecerá dentro deles,
 e eu destruirei o seu conselho;
 consultarão os seus ídolos e
 os encantadores,
 os médiuns e os feiticeiros.
4 Entregarei os egípcios
 nas mãos de um senhor duro,
 e um rei rigoroso os
 dominará,
 diz o Senhor, o Senhor dos
 Exércitos.
5 Minguarão as águas do Nilo,
 e o rio se esgotará e secará.
6 Os canais exalarão mau cheiro;
 os rios do Egito se
 esgotarão e secarão.
 As canas e os juncos
 murcharão,
7 também a relva que está
 junto ao rio,
 junto às suas ribanceiras,
 e tudo o que foi semeado
 junto ao rio,
 se secará, será arrancado
 e deixará de existir.
8 Os pescadores gemerão,
 e suspirarão;
 os que estendem rede
 sobre as águas desfalecerão.
9 Os que trabalham em
 linho fino,
 e os que tecem pano branco
 se envergonharão.
10 Os seus tecelões serão
 arrasados,
 e todos os que trabalham
 por salário ficarão com
 tristeza na alma.
11 Na verdade loucos são os
 líderes de Zoã;
 o conselho dos sábios
 conselheiros de faraó se
 embruteceu.
 Como direis a faraó:
 Sou filho de sábios,
 filho de antigos reis?

12 Onde estão agora os teus sábios?
Anunciem-te, ou informem-te do que o Senhor dos Exércitos determinou contra o Egito.
13 Loucos se tornaram os líderes de Zoã, enganados estão os líderes de Mênfis; eles farão errar o Egito, eles que são a pedra de esquina das suas tribos.
14 O Senhor derramou no meio deles um espírito de tontura;
fazem errar o Egito com toda a sua obra, como o bêbado quando se revolve no seu vômito.
15 Não aproveita ao Egito obra alguma
que possa fazer, nada que a cabeça ou cauda, a palma ou o junco possam fazer.
16 Naquele tempo, os egípcios serão como mulheres; tremerão e temerão por causa da mão erguida que o Senhor dos Exércitos levanta contra eles.
17 E a terra de Judá será um terror para os egípcios; todo aquele a quem isso se anunciar se assombrará, por causa do propósito do Senhor dos Exércitos, do que determinou contra eles.
18 Naquele tempo, haverá cinco cidades na terra do Egito que falarão a língua de Canaã e farão juramento ao Senhor dos Exércitos. Uma delas se chamará Cidade de Destruição.
19 Naquele tempo, o Senhor terá um altar no meio da terra do Egito, e um monumento ao Senhor na sua fronteira.
20 Servirá de sinal e de testemunho ao Senhor dos Exércitos na terra do Egito. Quando clamarem ao Senhor, por causa dos opressores, ele lhes enviará um salvador e um defensor que os livrará.
21 O Senhor se dará a conhecer ao Egito, e os egípcios conhecerão o Senhor naquele dia. Eles o adorarão com sacrifícios e ofertas; farão votos ao Senhor e os cumprirão.
22 Ferirá o Senhor os egípcios com uma praga; ele os ferirá e os curará. Eles se converterão ao Senhor, e ele lhes ouvirá as orações, e os curará.
23 Naquele dia, haverá estrada do Egito até a Assíria. Os assírios virão ao Egito, e os egípcios irão à Assíria. Os egípcios adorarão com os assírios ao Senhor.
24 Naquele dia, Israel será o terceiro com os egípcios e os assírios, uma bênção no meio da terra.
25 O Senhor dos Exércitos os abençoará, dizendo: Bendito seja o Egito, meu povo, a Assíria, obra de minhas mãos, e Israel, a minha herança.

### Profecia acerca do Egito e da Etiópia

**20** No ano em que Tartã, enviado por Sargom, rei da Assíria, veio a Asdode, guerreou contra ela e a tomou,
2 falou o Senhor, nesse mesmo tempo, por intermédio de Isaías, filho de Amoz. Disse-lhe: Vai, tira o pano de saco dos teus lombos e descalça as sandálias dos teus pés. E assim ele o fez, andando nu e descalço.
3 Então disse o Senhor: Assim como o meu servo Isaías andou três anos nu e descalço, por sinal e prodígio sobre o Egito e sobre a Etiópia,

4 assim o rei da Assíria levará em cativeiro os presos do Egito, e os exilados da Etiópia, tanto jovens como velhos, nus e descalços, e com as nádegas descobertas, para vergonha do Egito.
5 Temerão e se envergonharão os que depositaram a confiança na Etiópia, e se gloriaram no Egito.
6 Então dirão os moradores desta região naquele dia: Vede o que aconteceu à nossa esperança, aqueles a quem buscamos por socorro e livramento da face do rei da Assíria! Como, pois, escaparemos nós?

### Profecia acerca de Babilônia

**21** Advertência acerca do deserto do mar:
Como os tufões de vento do sul,
 que a tudo assolam,
ele virá do deserto,
 de uma terra de terror.
2 Visão dura me foi manifesta:
 O traidor trai,
 e o destruidor anda
  destruindo.
 Sobe, ó Elão! Sitia, ó Média!
 Já fiz cessar todo o seu
  gemido.
3 Pelo que os meus lombos
 estão cheios de grande
  enfermidade,
 angústias se apoderaram de
  mim como as angústias da
  que dá à luz;
 estou tão desfalecido que
  não posso ver.
4 O meu coração se estremece,
 o horror me apavora;
 o crepúsculo, que desejava,
 *se me tornou em tremores.*
5 Eles põem a mesa,
 estendem os tapetes,
  comem, bebem!
 Levantai-vos, líderes,
  preparai o escudo!

6 Assim me diz o Senhor:
 Vai, põe uma sentinela,
 e ela que diga o que vir.
7 Quando vir um bando de
  cavaleiros de dois a dois,
 um bando de jumentos
 e um bando de camelos,
 ela que escute atentamente
  com grande cuidado.
8 E clamou a sentinela:
 Senhor, sobre a torre de vigia
  estou em pé
  continuamente de dia,
 e de guarda me ponho noites
  inteiras.
9 Aí vem um bando de homens,
 e cavaleiros de dois a dois.
 Então ele respondeu:
 Caiu, caiu Babilônia!
 Todas as imagens de
  escultura
 dos seus deuses jazem
  quebradas no chão!
10 Ah! malhada minha e trigo
  da minha eira!
 O que ouvi do Senhor dos
  Exércitos,
 Deus de Israel, isso vos
  anunciei.

### Profecia acerca de Edom

11 Advertência acerca de Dumá:
 Gritam-me de Seir:
 Guarda, o que resta da noite?
 Guarda, o que resta da noite?
12 Disse o guarda:
 Vem a manhã, mas também a
  noite.
 Se quereis perguntar,
  perguntai;
 voltai, vinde.

### Profecia acerca da Arábia

13 Advertência acerca da Arábia:
 Ó caravanas de dedanitas,
  que passais a noite nos
  bosques da Arábia,

14 saí com água ao encontro dos sedentos;
ó moradores da terra de Tema, saí com pão ao encontro dos fugitivos.
15 Fogem diante das espadas, diante da espada nua,
e diante do arco armado, e diante da pressão da guerra.
16 Assim me disse o Senhor: Dentro de um ano, tal como os anos dos assalariados, toda a glória de Quedar desaparecerá.
17 O restante do número dos flecheiros, os valentes dos filhos de Quedar, serão diminuídos. Assim o disse o Senhor, Deus de Israel.

### Profecia acerca de Jerusalém

**22** Advertência acerca do vale da Visão:
Que tens agora,
para que com todos os teus subisses aos telhados?
2 Cidade cheia de aclamações, cidade turbulenta,
cidade que salta de alegria, os teus mortos não são mortos à espada
nem morreram na guerra.
3 Todos os teus líderes juntamente fugiram;
foram capturados sem o uso do arco.
Todos os que em ti se acharam foram presos juntamente,
enquanto fugiam do inimigo que ainda estava longe.
4 Portanto digo: Desviai de mim a vista,
e chorarei amargamente.
Não vos canseis mais em consolar-me
pela destruição da filha do meu povo.
5 Dia de alvoroço, de vexame e de confusão
é este da parte do Senhor, o Deus dos Exércitos,
no vale da Visão,
dia de derrubar muros e de clamar às montanhas.
6 Elão toma a aljava,
com carros de homens e cavaleiros,
e Quir descobre os escudos.
7 Os teus mais formosos vales se enchem de carros,
e os cavaleiros se põem em ordem às portas.
8 Tiram-se as defesas de Judá. Naquele dia, olhaste para as armas da Casa do Bosque.
9 Então vistes as brechas da Cidade de Davi,
porque são muitas,
e ajuntastes as águas da piscina inferior.
10 Contastes os edifícios de Jerusalém,
e derrubastes casas para fortalecer os muros.
11 Fizestes também um reservatório
entre os dois muros para as águas da piscina velha,
mas não olhastes para cima, para o que o tinha feito
nem considerastes o que o formou desde a antiguidade.
12 O Senhor, o Senhor Deus dos Exércitos
vos convidou naquele dia para chorar e prantear,
para rapar a cabeça e vestir pano de saco.
13 Contudo, há deleite e alegria, matam-se vacas e degolam-se ovelhas,
come-se carne e bebe-se vinho,
e diz-se: Comamos e bebamos, porque amanhã morreremos.

14 O Senhor dos Exércitos declarou isto aos meus ouvidos: Certamente esta maldade não será expiada até que morrais, diz o Senhor Deus dos Exércitos.
15 Assim diz o Senhor Deus dos Exércitos:

Anda, vai ter com este administrador,
Sebna, o mordomo, e dize-lhe:
16 O que é que fazes aqui,
e quem te deu permissão
para que cavasses aqui uma sepultura?
Cavando em lugar alto a tua sepultura,
talhando na rocha morada para ti mesmo!
17 Cuidado! O Senhor te lançará para longe,
ó homem forte,
e seguramente te agarrará.
18 Ele te enrolará como uma bola
e te atirará em um país espaçoso.
Ali morrerás e ali permanecerão os carros da tua glória,
ó tu, vergonha da casa do teu senhor.
19 Eu te demitirei do teu posto
e te arrancarei da tua posição.

20 Naquele dia, chamarei o meu servo Eliaquim, filho de Hilquias, 21 e o revestirei da tua túnica, e o cingirei com o teu cinto, e entregarei nas suas mãos o teu domínio, e será como pai para os moradores de Jerusalém e para os habitantes de Judá. 22 *Porei a chave do reino de Davi sobre o seu ombro, e ele abrirá, e ninguém fechará, e fechará, e ninguém abrirá.* 23 Eu o fincarei como um prego num lugar firme; como um trono de honra ele será para o reino de seu pai. 24 Nele será pendurada toda a glória da família de seu pai: os renovos e os descendentes, todos os vasos menores, desde as taças até os jarros. 25 Naquele dia, diz o Senhor dos Exércitos, o prego fincado em lugar firme será tirado; será arrancado, e cairá, e a carga que nele estava se desprenderá, porque o Senhor o disse.

### Profecia acerca de Tiro

**23** Advertência acerca de Tiro:

Chorai, navios de Társis,
porque está assolada,
a ponto de não haver nela casa nenhuma,
e de ninguém mais entrar nela.
Desde a terra de Quitim lhes foi isto revelado.
2 Calai-vos, moradores da ilha,
vós a quem enriqueceram os mercadores de Sidom,
navegando pelo mar.
3 Por sobre grandes águas
veio a sua provisão,
o cereal de Sior, a ceifa do Nilo,
que era a renda de Tiro,
e ela se tornou a feira das nações.
4 Envergonha-te, ó Sidom, e tu,
ó fortaleza do mar,
porque o mar disse:
Eu não tive dores de parto
nem dei à luz;
nem criei jovens,
nem eduquei donzelas.
5 Quando a notícia a respeito
de Tiro chegar ao Egito,
com ela se angustiarão os homens.
6 Passai a Társis;
chorai, moradores da ilha.

**7** É esta a vossa cidade que
andava pulando de alegria,
cuja origem é dos dias
antigos,
cujos pés a levavam
para longe a peregrinar?
**8** Quem formou este desígnio
contra Tiro,
a cidade coroada,
cujos mercadores são
príncipes,
e cujos negociantes são
os mais nobres da terra?
**9** O Senhor dos Exércitos
formou este desígnio
para denegrir a soberba de
toda glória
e tornar vil os mais
nobres da terra.
**10** Passa como o Nilo pela tua
terra, ó filha de Társis,
pois o teu porto já não existe.
**11** O Senhor estendeu a sua
mão sobre o mar
e fez tremer os seus reinos.
Deu uma ordem acerca de
Canaã,
para que se destruíssem as
suas fortalezas.
**12** E disse: Nunca mais
pularás de alegria,
ó oprimida donzela,
filha de Sidom;
levanta-te, passa a Quitim,
e mesmo ali não terás
descanso.
**13** Vede a terra dos caldeus,
este povo que agora não
tem importância alguma.
Os assírios a destinaram
para as feras do deserto;
levantaram as suas torres de
sítio,
derrubaram as suas
fortalezas
e a transformaram em
ruínas.

**14** Chorai, navios de Társis;
é destruída a vossa força.
**15** Naquele dia, Tiro será esquecida por setenta anos, a duração dos dias de um rei. Mas no fim desses setenta anos, acontecerá a Tiro como na canção da prostituta:
**16** Toma a harpa, rodeia a cidade,
ó prostituta entregue ao
esquecimento;
toca bem, canta muitos
cânticos,
para que haja memória de ti.
**17** No fim de setenta anos, o Senhor visitará Tiro, e ela tornará ao seu ganho de prostituta e terá comércio com todos os reinos que há sobre a face da terra. **18** Contudo, o seu comércio e o seu ganho de prostituta será consagrado ao Senhor; não se entesourará nem se fechará. O seu comércio será para os que habitam perante o Senhor, para que tenham comida em abundância e vestes finas.

### A devastação que o Senhor trará sobre a terra

**24** Vede, o Senhor esvazia a terra e a desola;
ele transtorna a sua
superfície
e dispersa os seus
moradores.
**2** O que suceder ao povo,
sucederá ao sacerdote;
ao servo, como ao seu
senhor;
à serva, como à sua senhora;
ao comprador, como ao
vendedor;
ao que empresta, como ao
que toma emprestado;
ao credor, como ao devedor.
**3** Totalmente se esvaziará
a terra,

e será completamente
   saqueada.
O Senhor pronunciou esta
   palavra.
4 A terra seca-se e se murcha,
o mundo enfraquece e se
   murcha,
   enfraquecem os mais altos
      do povo da terra.
5 A terra está contaminada
   por causa dos seus
      moradores;
   eles desobedeceram às leis,
   mudaram os estatutos
   e quebraram a aliança eterna.
6 Por isso, a maldição
   consome a terra;
   os que nela habitam se
      tornam culpados.
      Portanto, serão queimados
         os moradores da terra,
      e poucos homens restarão.
7 Seca-se o vinho, e enfraquece
   a vide;
      suspiram todos os alegres
         de coração.
8 Cessou a exultação dos
      tamborins,
   acabou o ruído dos que
      pulam de satisfação,
   e descansou a alegria da
      harpa.
9 Já não bebem vinho com
      canções;
   a bebida forte é amarga
      para os que a bebem.
10 Desolada está a cidade
      arruinada;
   todas as casas estão
      fechadas.
11 Há lastimoso clamor nas
   *ruas por causa do vinho;*
      toda a alegria se escureceu,
      foi-se a alegria da terra.
12 Na cidade, só resta a
      desolação,
   e a porta está reduzida à ruína.
13 Assim será na terra,
   entre as nações,
      como quando a oliveira é
         sacudida,
      ou como quando se deixam
         os restos das uvas, depois de
            acabada a colheita.
14 Estes levantam a voz e
      cantam com alegria;
   por causa da majestade do
      Senhor clamam desde o mar.
15 Portanto glorificai ao Senhor
   no Oriente;
      nas ilhas do mar
   exaltai o nome do Senhor
      Deus de Israel.
16 Dos confins da terra
   ouvimos cantar:
      Glória ao Justo.
   Mas eu disse: Definho,
      definho!
   Ai de mim!
      Os traidores tratam
         traiçoeiramente;
      os traidores tratam
         traiçoeiramente.
17 O temor, a cova e o laço vêm
      sobre ti,
   ó morador da terra.
18 Aquele que fugir da voz
      do terror cairá na cova,
   e o que subir da cova o laço
      o prenderá.
   As janelas do alto se abriram;
   tremem os fundamentos da
      terra.
19 A terra é quebrantada,
   a terra é fendida,
   a terra é totalmente
      abalada.
20 A terra vacila como um
      bêbado,
   oscila como uma choça
      ao vento;
   tão pesada é a culpa da sua
      rebelião que ela cai,
   e jamais se levantará.

21 Naquele dia, o Senhor
castigará, no alto,
as potestades nos céus,
e embaixo, os reis da terra.
22 Serão amontoados
como presos numa masmorra;
serão encerrados num
cárcere
e castigados depois de
muitos dias.
23 A lua se envergonhará,
e o sol se confundirá;
pois o Senhor dos Exércitos
reinará no monte Sião e em
Jerusalém,
e perante os seus líderes,
gloriosamente.

### Cântico de ação de graças

**25** Ó Senhor, tu és o meu Deus;
eu te exaltarei
e louvarei o teu nome,
pois em perfeita fidelidade
fizeste maravilhas
e executaste os teus
conselhos antigos.
2 Da cidade fizeste um montão
de pedras,
e da cidade fortificada uma
ruína,
e do paço dos estranhos
fizeste
que não seja mais cidade;
jamais será reedificada.
3 Pelo que povos fortes te
glorificarão;
cidades de nações
*implacáveis* te temerão.
4 Foste a fortaleza do pobre
e a fortaleza do necessitado
na sua angústia;
refúgio contra a tempestade
e sombra contra o calor.
Porque o sopro dos
opressores
é como a tempestade
contra o muro,

5 e como o calor em lugar seco.
Tu abates o bramido dos
estranhos;
como se abranda o calor
pela sombra da espessa nuvem,
assim o cântico dos tiranos
é humilhado.
6 O Senhor dos Exércitos
preparará neste monte,
para todos os povos, uma festa
com animais gordos,
uma festa com vinhos
puros,
com coisas gordurosas e
vinhos velhos,
bem purificados.
7 Destruirá neste monte
a máscara do rosto,
com que todos os povos
andam cobertos,
e o véu com que todas as
nações se escondem.
8 Aniquilará a morte para sempre;
e assim enxugará o Senhor
Deus
as lágrimas de todos os rostos
e tirará a vergonha de todo
o seu povo.
O Senhor o disse.
9 Naquele dia se dirá:
Certamente este é o nosso Deus;
nele confiamos, e ele nos
salvou.
Este é o Senhor, nele
confiamos;
na sua salvação exultemos,
e nos alegremos.
10 A mão do Senhor descansará
neste monte;
mas Moabe será trilhado
debaixo dele,
como se trilha a palha no
monturo.
11 Estenderão as suas mãos no
meio disso,
assim como as estende o
nadador para nadar.

Deus abaterá a sua altivez,
 apesar da perícia das mãos
 deles.
12 Abaterá as altas fortalezas
 dos seus muros e os
 derrubará;
 ele os fará cair por terra.

### Louvor e ação de graças

**26** Naquele dia, se entoará este cântico na terra de Judá:
Uma forte cidade temos,
 a que Deus pôs a salvação
 por muros e antemuros.
2 Abri as portas, para que entre
 nela a nação justa,
 que observa a verdade.
3 Tu conservarás em paz
 aquele cuja mente está firme
 em ti,
 porque ele confia em ti.
4 Confiai no Senhor
 perpetuamente,
 pois o Senhor Deus é uma
 rocha eterna.
5 Ele abate os que habitam
 em lugares sublimes,
 a cidade exaltada humilha;
 derruba-a até o chão,
 e a faz cair por terra.
6 O pé a pisa;
 os pés dos aflitos,
 e os passos dos pobres.
7 O caminho do justo é todo plano;
 tu retamente pesas o andar
 do justo.
8 Até no caminho dos teus juízos,
 Senhor, te esperamos;
 no teu nome e na tua memória
 está o desejo da nossa alma.
9 Com a minha alma te desejo
 de noite;
 com o meu espírito,
 que está dentro em mim,
 madrugo a buscar-te.
 Quando os teus juízos
 reinam na terra,
 os moradores do mundo
 aprendem retidão.
10 Ainda que se mostre favor
 ao ímpio,
 nem por isso aprende a
 justiça;
 até na terra da retidão ele
 pratica a iniquidade,
 e não dá atenção para a
 majestade do Senhor.
11 Senhor, a tua mão está
 exaltada,
 mas nem por isso a veem.
 Eles a verão, porém,
 e se confundirão
 por causa do zelo
 que tens do teu povo;
 o fogo reservado para os
 teus adversários
 os devorará.
12 Senhor, tu nos darás a paz;
 tu fizeste para nós todas as
 nossas obras.
13 Ó Senhor nosso Deus,
 outros senhores têm tido
 domínio
 sobre nós,
 mas, por ti só, nos lembramos
 do teu nome.
14 Morrendo eles, não tornarão
 a viver;
 falecendo, não ressuscitarão.
 Tu os castigaste e destruíste,
 e apagaste toda a sua
 memória.
15 Ó Senhor, tu aumentaste
 o povo;
 aumentaste o povo e te
 fizeste glorioso.
 Alargaste as fronteiras da
 nação.
16 Senhor, na angústia te
 buscaram;
 vindo sobre eles a tua
 disciplina,
 derramaram a sua
 oração secreta.

17 Como a mulher grávida,
quando está próxima
a sua hora,
tem dores de parto e dá
gritos nas suas dores,
assim fomos nós por causa
da tua face, ó Senhor!
18 Engravidamos nós e tivemos
dores de parto,
mas isso nada foi senão
vento.
Livramento não trouxemos à
terra;
nem nasceram moradores
do mundo.
19 Mas os teus mortos viverão;
os seus cadáveres
ressuscitarão.
Despertai e exultai,
os que habitais no pó.
O teu orvalho, ó Deus,
é como o orvalho das ervas;
a terra lançará de si os
mortos.
20 Vai, povo meu, entra
nos teus quartos,
e fecha as tuas portas
sobre ti;
esconde-te só por um momento,
até que passe a ira.
21 Vede, o Senhor sairá
da sua habitação
para castigar os moradores
da terra, por causa da sua
iniquidade.
A terra descobrirá o seu
sangue;
não encobrirá mais aqueles
que foram mortos.

### Livramento de Israel

**27** Naquele dia, o Senhor
castigará com a sua espada,
a sua grande e forte espada,
o leviatã, a serpente veloz,
e o leviatã, a serpente
deslizante,
e matará o dragão que
está no mar.
2 Naquele dia, haverá uma
vinha de vinho tinto;
cantai a seu respeito.
3 Eu, o Senhor, a guardo;
a cada momento a rego.
De noite e de dia eu a guardo
para que ninguém lhe faça
dano.
4 Não há indignação em mim.
Quem me dera sarças e
espinheiros diante de mim
na guerra!
Eu iria contra eles
e juntamente os queimaria.
5 Aquele que se coloca
sob a minha proteção,
que faça paz comigo.
6 Dias virão em que Jacó
lançará raízes,
e florescerá e brotará
Israel,
e encherão de fruto a face do
mundo.
7 Feriu-o ele como feriu
aqueles que o feriram?
Matou-o ele assim
como matou os que
por ele foram mortos?
8 Com medida contendeste
com ela quando a rejeitaste;
ele a tirou com o seu vento
forte,
no tempo do vento leste.
9 Por causa disso,
a iniquidade de Jacó será
expiada,
e este será todo o fruto da
remoção do seu pecado:
Quando o Senhor fizer a
todas as pedras do altar
como pedras de cal
reduzidas a pedaços,
os postes sagrados
e os altares do incenso
não poderão ficar em pé.

**10** A cidade fortificada
está solitária,
uma habitação rejeitada
e abandonada como um
deserto;
ali pastam os bezerros,
ali se deitam e devoram os
seus ramos.
**11** Quando os seus ramos se
secam, são quebrados,
e as mulheres vêm e os
acendem.
Este povo não é povo de
entendimento;
por isso, aquele que o fez
não se compadecerá dele,
e aquele que o formou não
lhe mostrará nenhum favor.
**12** Naquele dia, o Senhor debulhará o seu trigo desde as correntes do Rio até o ribeiro do Egito, e vós, ó filhos de Israel, sereis colhidos um a um.
**13** Naquele dia, se tocará uma grande trombeta. Os que andavam perdidos pela terra da Assíria e os que foram desterrados para a terra do Egito tornarão a vir e adorarão ao Senhor no monte santo em Jerusalém.

### Ai de Efraim

**28** Ai da coroa, a soberba dos bêbados de Efraim,
cujo glorioso adorno é como
a flor que cai,
que está sobre a cabeça do
fértil vale dos vencidos pelo
vinho.
**2** O Senhor mandará um
homem valente e poderoso.
Como uma queda de
saraiva, uma tormenta de
destruição,
e como uma tempestade
de impetuosas águas que
transbordam,
ele violentamente a
derrubará por terra.
**3** A coroa, a soberba dos
bêbados de Efraim,
será pisada aos pés.
**4** A flor murcha do seu glorioso
ornamento,
que está sobre a cabeça do
fértil vale,
será como figo que
amadurece antes do verão,
o qual, vendo-o alguém,
e tendo-o ainda na mão, o
engole.
**5** Naquele dia, o Senhor dos
Exércitos
será por coroa gloriosa
e por grinalda formosa
para o restante de seu povo.
**6** Ele será espírito de justiça
para o que se assenta a julgar
e fonte de fortaleza
para os que fazem recuar a
batalha até a porta.
**7** Também estes erram
por causa do vinho,
e com a bebida forte se
desencaminham:
Os sacerdotes e os profetas
erram por causa de bebida
forte,
e são absorvidos pelo vinho;
desencaminham-se por causa
da bebida forte,
andam errados na visão,
e tropeçam no juízo.
**8** Todas as suas mesas estão
cheias de vômitos e de
imundícia,
e não há nenhum lugar
limpo.
**9** A quem se ensinaria o
conhecimento?
E a quem se daria a
entender a mensagem?
Ao desmamado,
e ao arrancado dos seios?

10 Porque é:
Preceito sobre preceito,
regra sobre regra;
um pouco aqui, um pouco ali.
11 Pelo que por lábios estrangeiros
e por língua estranha
Deus falará a este povo,
12 ao qual disse:
Este é o descanso,
dai descanso ao cansado;
e: Este é o refrigério;
mas não quiseram ouvir.
13 Assim, pois, a palavra do Senhor lhes será preceito sobre preceito,
regra sobre regra,
um pouco aqui, um pouco ali;
para que vão e caiam para trás,
e se quebrantem, e se enlacem, e sejam presos.
14 Portanto, ouvi a palavra do Senhor,
homens zombadores,
que dominais este povo que está em Jerusalém.
15 Dizeis: Fizemos aliança com a morte,
e com o inferno fizemos um acordo.
Quando passar o dilúvio do açoite,
não chegará a nós,
pois pusemos a mentira por nosso refúgio
e debaixo da falsidade nos escondemos.
16 Portanto, assim diz o Senhor Deus:
Vede, assentei em Sião uma pedra,
uma pedra já provada,
pedra preciosa de esquina,
que está bem firme e fundada;
aquele que crer não será confundido.
17 Colocarei o juízo como a linha de medir,
e a justiça como o prumo;
a saraiva varrerá o refúgio da mentira,
e as águas cobrirão o esconderijo.
18 A vossa aliança com a morte será anulada,
e o vosso acordo com o inferno não subsistirá.
Quando o dilúvio do açoite passar,
sereis oprimidos por ele.
19 Todas as vezes que passar, vos arrebatará;
todas as manhãs passará,
e todos os dias e todas as noites.
Será puro terror o só compreender tal notícia.
20 A cama é tão curta que ninguém se pode estender nela,
o cobertor tão estreito que ninguém se pode cobrir com ele.
21 O Senhor se levantará como no monte Perazim,
e mostrará a sua ira, como no vale de Gibeom,
para fazer a sua obra,
a sua estranha obra,
e para executar o seu ato,
o seu estranho ato.
22 Agora cesseis com a zombaria,
para que os vossos grilhões não se façam mais fortes;
da parte do Senhor, o Deus dos Exércitos,
ouvi um decreto da destruição determinada sobre toda a terra.
23 Inclinai os ouvidos e ouvi a minha voz;
prestai atenção, e ouvi o meu discurso.

24 Lavra todo dia o lavrador
para semear?
Ou sulca e esterroa todo dia
a sua terra?
25 Quando já tem nivelado a
sua superfície,
não espalha o endro,
não semeia o cominho,
não lança nela o trigo em eiras,
ou cevada no devido lugar,
ou a espelta na margem?
26 O seu Deus o ensina,
e o instrui acerca do que há
de fazer.
27 Não se trilha o endro
com instrumento de trilhar,
nem sobre o cominho passa
roda de carro;
com uma vara se sacode o
endro,
e o cominho com um pau.
28 O trigo deve ser moído
para se fazer pão,
mas não é trilhado
continuamente.
Embora passe sobre ele as
rodas do seu carro,
não o moem os seus cavalos.
29 Tudo isso procede do Senhor
dos Exércitos,
maravilhoso em conselho e
grande em sabedoria.

### Ai da Cidade de Davi

**29** Ai de ti, Ariel, Ariel,
a cidade em que Davi
assentou o seu acampamento!
Acrescentai ano a ano,
e sucedam-se as festas.
2 Contudo, sitiarei Ariel;
pranteará e lamentará,
*será para mim como a*
lareira do altar.
3 Acamparei contra ti em redor;
eu te cercarei com torres
e levantarei tranqueiras
contra ti.
4 Então serás abatida,
falarás de debaixo da terra;
a tua fala desde o pó sairá
fraca.
A tua voz debaixo da terra será
como a de um feiticeiro;
a tua fala assobiará desde o pó.
5 A multidão dos teus
inimigos, porém, será
como o pó miúdo,
e a multidão dos tiranos
como palha que o vento espalha.
De súbito, num instante,
6 o Senhor dos Exércitos virá
com trovões,
com terremotos e grande
ruído,
com tufão de vento,
tempestade e labareda de
fogo consumidor.
7 Como sonho e visão noturna
será a multidão de todas as
nações que hão de
pelejar contra Ariel,
como também todos os que
pelejarem contra ela
e contra os seus muros,
e a puserem em aperto.
8 Será como o faminto que
sonha que está a comer,
mas, acordando, sente a
alma vazia;
ou como o sequioso que sonha
que está a beber,
mas, acordando,
ainda desfalecido se acha,
e a sua alma com sede.
Assim será toda a multidão
das nações
que pelejarem contra o
monte Sião.
9 Pasmai e maravilhai-vos,
folgai e clamai;
bêbados estão, mas não
de vinho,
andam titubeando,
mas não de bebida forte.

**10** O Senhor derramou sobre vós um espírito de profundo sono:
Ele fechou os vossos olhos (os profetas);
ele vendou as vossas cabeças (os videntes).
**11** Pelo que toda a visão vos é como as palavras de um livro selado que se dá ao que sabe ler, dizendo: Por favor, lê isto; e ele dirá: Não posso; está selado.
**12** Ou dá-se o livro ao que não sabe ler, dizendo: Por favor, lê isto; e ele dirá: Não sei ler.
**13** Diz o Senhor:
Este povo se aproxima de mim com a sua boca,
e com os seus lábios me honra, mas o seu coração está longe de mim.
O seu temor para comigo consiste só em mandamentos de homens, em coisa aprendida por rotina.
**14** Portanto, continuarei a fazer uma obra maravilhosa no meio deste povo,
uma obra maravilhosa e um assombro;
a sabedoria dos seus sábios perecerá,
e o entendimento dos seus prudentes se esconderá.
**15** Ai dos que profundamente escondem do Senhor o seu *propósito*,
que fazem as suas obras às escuras
e pensam: Quem nos vê? E quem nos conhece?
**16** A tudo vós perverteis!
Como se o oleiro fosse igual ao barro,
e a obra dissesse do seu artífice:
Ele não me fez;
e o vaso formado dissesse do seu oleiro: Nada sabe.
**17** Não se converterá o Líbano, num breve momento, em campo fértil?
E o campo fértil não será tido por bosque?
**18** Naquele dia, os surdos ouvirão as palavras do livro,
e da escuridão e das trevas as verão os olhos dos cegos.
**19** Os mansos terão alegria e mais alegria no Senhor,
e os necessitados entre os homens se alegrarão no Santo de Israel.
**20** O tirano será reduzido a nada, e desaparecerá o zombador,
e todos os que se dão à iniquidade serão exterminados;
**21** os que fazem por culpado ao homem numa causa,
os que armam laços ao que repreende na porta,
e os que com falso testemunho
negam justiça ao inocente.
**22** Portanto, assim diz o Senhor, que remiu a Abraão, acerca da casa de Jacó:
Jacó já não será envergonhado;
já não descorará a sua face.
**23** Quando, porém, virem no meio dele os seus filhos,
a obra das minhas mãos, santificarão o meu nome;
santificarão o Santo de Jacó, e temerão ao Deus de Israel.
**24** Os errados de espírito terão entendimento;
os murmuradores aceitarão a instrução.

## Ai da nação obstinada

**30** Ai dos filhos rebeldes, diz o Senhor,
que tomaram conselho,
mas não de mim,
que se cobriram com uma cobertura,
mas não do meu Espírito,
para acrescentarem pecado a pecado;
2 que descem ao Egito, sem me consultar,
para se fortificarem com a força de faraó,
e para se refugiarem na sombra do Egito.
3 A proteção de faraó, porém, será para vós motivo de vergonha,
e a sombra do Egito vos trará confusão.
4 Ainda que os seus líderes estejam em Zoã,
e os seus embaixadores tenham chegado a Hanes,
5 todos se envergonharão
de um povo que de nada lhes servirá,
que não traz ajuda nem proveito,
antes vergonha e zombaria.
6 Advertência acerca dos animais do Neguebe: Para a terra de aflição e angústia,
de onde vem a leoa e o leão, o basilisco e a serpente voadora,
levarão às costas de jumentinhos os seus bens,
e sobre as corcovas de camelos os seus tesouros,
a um *povo que de nada lhes aproveitará*,
7 ao Egito cuja ajuda é completamente inútil.
Pelo que a chamo de Raabe, a que nada faz.

8 Vai, agora, escreve isto numa tábua perante eles,
e aponta-o num livro,
para que fique escrito para o tempo por vir,
para sempre e perpetuamente.
9 Este é um povo rebelde, filhos mentirosos,
filhos que não querem ouvir a lei do Senhor.
10 Dizem aos videntes: Não vejais!
e aos profetas:
Não profetizeis para nós o que é reto!
Dizei-nos coisas agradáveis,
e tende para nós enganadoras bajulações.
11 Desviai-vos do caminho, apartai-vos da vereda
e fazei que o Santo de Israel deixe de estar perante nós.
12 Pelo que assim diz o Santo de Israel:
Visto que rejeitais esta palavra
e confiais na opressão e na perversidade,
e nisso confiais,
13 esta maldade vos será como a brecha de um muro alto,
que, formando uma barriga, está prestes a cair,
e cuja queda vem de súbito, num instante.
14 Ele se quebrará como o vaso do oleiro;
será despedaçado
a ponto de não se achar entre os seus pedaços
um que sirva para tomar fogo da lareira,
ou tirar água da cisterna.
15 Assim diz o Senhor Deus, o Santo de Israel:

Em vos converterdes e em repousardes está a vossa salvação, no sossego e na confiança está a vossa força, mas não o quisestes.

**16** Antes dissestes: Não, porém sobre cavalos fugiremos.
Portanto fugireis!
Dissestes: Sobre cavalos ligeiros cavalgaremos.
Portanto os vossos perseguidores serão ligeiros!

**17** Mil homens fugirão ao grito de um,
e ao grito de cinco todos vós fugireis,
até que sejais deixados como o mastro no cume do monte,
e como a bandeira sobre o outeiro.

**18** Contudo, o Senhor espera para ter misericórdia de vós; ele se detém para se compadecer de vós.
Pois o Senhor é um Deus de justiça.
Bem-aventurados todos os que nele esperam.

**19** Ó povo de Sião, que habita em Jerusalém, tu não chorarás mais. Certamente ele se compadecerá de ti, à voz do teu clamor, e, ouvindo-a, te responderá.

**20** Embora o Senhor te dê pão de angústia e água de aperto, contudo não se esconderão mais os teus mestres; os teus olhos verão todos eles.

**21** Quer te desvies para a direita, quer te desvies para a esquerda, os teus ouvidos ouvirão a palavra que será dita atrás de ti: Este é o caminho; andai nele.

**22** Então contaminarás as tuas esculturas recobertas de prata e as tuas imagens cobertas de ouro; tu as lançarás fora como um pano imundo e dirás a cada uma delas: Fora daqui.

**23** Então o Senhor te dará chuva sobre a tua semente, com que semeares a terra, como também pão da novidade da terra, pois esta será fértil e cheia. Naquele dia, o teu gado pastará em lugares espaçosos.

**24** Os bois e os jumentinhos que lavram a terra comerão forragem com sal, espalhada com pá e forquilha.

**25** Haverá em todo o monte alto e em todo o outeiro elevado ribeiros e correntes de águas, no dia da grande matança, quando caírem as torres.

**26** A luz da lua será como a luz do sol, e a do sol sete vezes maior, como a luz de sete dias, no dia em que o Senhor ligar a quebradura do seu povo e curar a chaga da sua ferida.

**27** O nome do Senhor vem de longe,
ardendo na sua ira e lançando espessa fumaça;
os seus lábios estão cheios de indignação,
e a sua língua é como um fogo consumidor.

**28** A sua respiração é como o ribeiro que transborda e chega até o pescoço.
Ele peneira as nações com peneira de destruição;
ele coloca nos queixos dos povos
um freio de fazer errar.

**29** Um cântico haverá entre vós, como na noite em que se celebra uma festa santa;

alegria de coração,
como a daquele que sai ao
som da flauta,
para ir ao monte do Senhor,
à Rocha de Israel.
30 O Senhor fará ouvir a glória
da sua voz
e mostrará o golpe do seu
braço,
com indignação de ira,
e a labareda de um fogo
consumidor, e tempestade
forte,
e dilúvio e pedra de saraiva.
31 A voz do Senhor desfará
em pedaços a Assíria,
quando ele a ferir com a
vara.
32 A cada pancada do bordão
do juízo que o Senhor der,
haverá tamborins e harpas,
e combaterá vibrando
golpes contra eles.
33 Tofete está preparada há
muito;
está preparada para o rei.
Ele a fez profunda e larga,
a sua pira é fogo,
e tem muita lenha;
o sopro do Senhor como
torrente de enxofre a acende.

### Ai dos que descem ao Egito

**31** Ai dos que descem ao
Egito a buscar socorro,
que confiam em cavalos, e em
carros,
porque são muitos,
e nos cavaleiros, porque são
poderosíssimos,
mas não dão atenção ao
*Santo de Israel*,
nem buscam ao Senhor.
2 Todavia este é sábio, e faz vir
o mal;
ele não retira as suas
palavras.
Ele se levantará contra a casa
dos malfeitores
e contra a ajuda dos que
praticam a iniquidade.
3 Os egípcios, porém,
são homens, e não Deus;
os seus cavalos carne,
e não espírito.
Quando o Senhor
estender a sua mão,
cairão por terra tanto o
ajudador
como o ajudado,
e todos juntamente serão
consumidos.
4 Assim me diz o Senhor:
Como o leão,
quando ruge sobre a sua
presa,
e mesmo que se convoque contra
ele uma multidão de pastores,
e ele não se espanta com os
gritos deles
e não se perturba com o seu
alarido,
assim o Senhor dos Exércitos
descerá para pelejar pelo
monte Sião,
e sobre o seu outeiro.
5 Como adejam as aves,
assim o Senhor dos
Exércitos amparará a
Jerusalém;
ele a amparará e a livrará
e, passando, a salvará.
6 Convertei-vos àquele contra
quem os filhos de Israel se rebelaram tão profundamente.
7 Pois naquele dia cada um lançará fora os seus ídolos de prata, e os seus ídolos de ouro, que as vossas mãos fabricaram para pecardes.
8 A Assíria cairá pela espada,
não de homem,
e a espada, não de homem,
a consumirá.

Fugirá perante a espada,
e os seus jovens serão
derrotados.
9 A sua fortaleza cairá por
causa do terror;
os seus líderes em
pânico desertarão da
bandeira,
diz o Senhor,
cujo fogo está em Sião
e cuja fornalha está em
Jerusalém.

### O reino de justiça

**32** Reinará um rei com justiça,
e dominarão os príncipes
segundo o juízo.
2 Cada um deles será um
esconderijo contra o vento,
e um refúgio contra a
tempestade,
como ribeiros de águas em
lugares secos,
e como a sombra de uma
grande rocha em terra sedenta.
3 Os olhos dos que veem
não se fecharão,
e os ouvidos dos que
ouvem estarão atentos.
4 O coração dos imprudentes
entenderá a sabedoria,
e a língua dos gagos estará
pronta para falar com
facilidade.
5 Ao louco nunca mais se
chamará nobre,
e do avarento nunca mais
se dirá que é generoso.
6 Porque o louco fala
loucamente,
e o seu coração pratica a
iniquidade,
para usar de hipocrisia,
e para proferir mentiras
contra o Senhor,
para deixar vazia a alma do
faminto,
e fazer que o sedento
venha a ter falta de água.
7 Todas as armas do
fraudulento são más;
ele maquina invenções
malignas,
para destruir os mansos
com palavras falsas,
mesmo quando a petição do
pobre é justa.
8 O nobre, porém, projeta
coisas nobres,
e por nobres atos persevera.
9 Levantai-vos, mulheres
que estais em repouso,
e ouvi a minha voz;
vós, filhas que estais tão
seguras,
inclinai os ouvidos às
minhas palavras.
10 Dentro de um ano e alguns
dias vireis a tremer,
ó mulheres que estais tão
seguras;
a vindima se acabará,
e a colheita não virá.
11 Tremei, mulheres que estais
em repouso;
turbai-vos, vós que estais
tão seguras!
Despi-vos e ponde-vos nuas,
e vesti com pano de saco os
vossos lombos.
12 Batei nos peitos pelos
campos desejáveis,
pela vinha frutífera
13 e pela terra do meu povo,
uma terra coberta de
espinheiros e sarças;
sim, chorai por todas as casas
cheias de alegria,
na cidade que pula exultando.
14 O palácio será abandonado,
o ruído da cidade cessará;
Ofel e as torres da guarda
servirão de cavernas
eternamente,

para alegria dos jumentos monteses e para pasto dos rebanhos,

15 até que se derrame sobre nós o Espírito lá do alto, e o deserto se torne em campo fértil, e o campo fértil seja tido por bosque.

16 A justiça habitará no deserto, e a retidão morará no campo fértil.

17 O fruto da retidão será paz; o efeito da retidão será repouso e segurança, para sempre.

18 O meu povo habitará em morada de paz, e em moradas bem seguras, e em calmos lugares de descanso.

19 Ainda que a saraiva nivele o bosque, e a cidade seja inteiramente abatida,

20 bem-aventurados sois vós os que semeais sobre todas as águas, que deixais livres os pés do boi e do jumento.

### Aflição e livramento

**33** Ai de ti, destruidor, que não foste destruído! Ai de ti traidor, que não foste traído! Quando parares de destruir, serás destruído; quando parares de trair, serás traído.

2 Senhor, tem misericórdia de nós; *por ti temos esperado.* Sê tu o nosso braço cada manhã, como também a nossa salvação no tempo da tribulação.

3 À voz do teu trovão fogem os povos; quando te levantas, as gentes são dispersas.

4 Então se ajuntará o vosso despojo como se ajunta a lagarta; como os gafanhotos saltam, assim os homens saltarão sobre ele.

5 O Senhor é exaltado, pois habita nas alturas; encherá Sião de retidão e de justiça.

6 Haverá estabilidade nos teus tempos, abundância de salvação, sabedoria e conhecimento; o temor do Senhor será o teu tesouro.

7 Olhai, os seus embaixadores estão clamando de fora; os mensageiros de paz estão chorando amargamente.

8 As estradas estão desoladas, cessam os que passam pelas veredas. Rompeu-se a aliança, as testemunhas são desprezadas e homem nenhum é respeitado.

9 A terra geme e pranteia, o Líbano se envergonha e se murcha; Sarom é como um deserto, Basã e Carmelo são sacudidos.

10 Agora me erguerei, diz o Senhor. Agora serei exaltado; agora me levantarei.

11 Concebestes palha, produzireis pragana; o vosso fôlego vos devorará como fogo.

12 Os povos serão queimados
  como se queima a cal;
    como espinhos cortados
    arderão no fogo.
13 Ouvi, vós que estais longe,
  o que tenho feito; vós,
    que estais perto,
    conhecei o meu poder.
14 Os pecadores de Sião se
  assombram;
    o tremor surpreende os
    hipócritas.
  Quem dentre nós habitará
    com o fogo consumidor?
  Quem dentre nós habitará
    com as labaredas eternas?
15 O que anda em justiça
  e fala com retidão,
    que arremessa para longe
    de si
  o ganho de opressões
    e sacode das suas mãos todo
    suborno,
  que tapa os seus ouvidos
    para não ouvir falar de
    sangue
  e fecha os olhos para não ver
    o mal;
16 este habitará nas alturas,
  e as fortalezas das rochas
    serão o seu alto refúgio.
  O seu pão lhe será dado,
    e as suas águas serão
    certas.
17 Os teus olhos verão o rei
  na sua formosura,
    e verão a terra que está longe.
18 O teu coração meditará
  nos terrores, dizendo:
  Onde está aquele que serviu
    de escrivão?
  Onde está o que recebeu o
    tributo?
  Onde está o que contou as
    torres?
19 Não verás mais aquele
  povo cruel,
    povo de fala tão obscura
    que não se pode compreender,
    e de língua tão estranha
    que não se pode entender.
20 Olha para Sião, a cidade
  das nossas festas solenes;
    os teus olhos verão
    Jerusalém,
  habitação quieta,
    tenda que não será
    derrubada;
  as suas estacas jamais serão
    arrancadas,
    nem arrebentada
  nenhuma das suas cordas.
21 Ali o Senhor nos será
  grandioso.
    Será como um lugar de rios
    e correntes largas.
  Barco nenhum de remo
    passará por eles,
    nem navio grande por eles
    navegará.
22 Pois o Senhor é o nosso juiz,
  o Senhor é o nosso legislador,
  o Senhor é o nosso rei;
    é ele quem nos salva.
23 As tuas cordas estão frouxas:
  Não puderam firmar o seu
    mastro,
  e vela não estenderam.
  Então a presa de abundantes
    despojos se repartirá,
  e até os coxos participarão dela.
24 Nenhum morador de
  Sião dirá:
  Estou enfermo;
    e a iniquidade do povo que
    aí habitar será perdoada.

## Juízo contra as nações

**34** Chegai-vos, nações, para ouvir,
  e vós, povos, escutai;
    ouça a terra e a sua
    plenitude,
  o mundo e tudo o que produz.

2 O Senhor está indignado
contra todas as nações;
a sua ira está sobre todos os
exércitos delas.
Ele as destruirá totalmente,
ele as entregará à matança.
3 Os seus mortos serão
lançados fora,
e dos seus corpos subirá
mau cheiro;
com o seu sangue os montes
se encharcarão.
4 Todo o exército dos céus se
dissolverá,
e os céus se enrolarão como
um livro;
todo o seu exército cairá,
como cai a folha da vide e o
figo da figueira.
5 A minha espada se embriagou
nos céus;
sobre Edom descerá,
e sobre o povo que condenei à
destruição,
para exercer juízo.
6 A espada do Senhor está cheia
de sangue,
está cheia de gordura,
o sangue de cordeiros e de
bodes,
a gordura dos rins de
carneiros.
Porque o Senhor tem
sacrifício em Bozra
e grande matança na terra de
Edom.
7 Os bois selvagens cairão com
eles,
e os bezerros com os touros.
A sua terra beberá sangue até
se fartar,
e o seu pó se encharcará de
gordura.
8 Porque será um dia de
vingança para o Senhor,
um ano de retribuições pela
causa de Sião.

9 Os ribeiros de Edom se
transformarão em piche,
e o seu pó em enxofre;
a sua terra se tornará em
piche ardente.
10 Nem de noite nem de dia se
apagará;
para sempre a sua fumaça
subirá.
De geração em geração será
assolada,
de século em século
ninguém passará por ela.
11 O corujão e a coruja a
possuirão;
o bufo e o corvo habitarão nela.
Deus estenderá sobre ela
o cordel de confusão e o
prumo de ruína.
12 Chamarão ao reino os seus
nobres, mas nenhum haverá,
e todos os seus líderes
não serão coisa alguma.
13 Nos seus palácios crescerão
espinhos,
urtigas e cardos nas suas
fortalezas.
Ela será uma habitação de
chacais,
e lar para as corujas.
14 As criaturas do deserto
se encontrarão com as hienas,
e os bodes selvagens
clamarão uns aos outros;
ali os animais noturnos
pousarão,
e acharão lugar de repouso
para si.
15 Ali se aninhará a coruja e
porá os seus ovos;
ela tirará os seus filhotes e
os recolherá debaixo da
sombra das suas asas;
também ali os falcões se
ajuntarão,
cada um com o seu
companheiro.

**16** Buscai no livro do Senhor e lede:
Nenhuma destas coisas falhará,
nem uma nem outra faltará.
Pois a sua própria boca o ordenou,
e o seu Espírito mesmo as ajuntará.
**17** Ele mesmo lança as sortes por eles,
e a sua mão lhes reparte a terra por medida.
Para sempre a possuirão,
e de geração em geração habitarão nela.

### A alegria dos remidos

**35** O deserto e os lugares secos se alegrarão;
o ermo exultará e florescerá como a rosa.
**2** Abundantemente florescerá,
e exultará de alegria,
e romperá em cânticos.
A glória do Líbano se lhe deu,
a excelência do Carmelo e Sarom;
eles verão a glória do Senhor,
a excelência do nosso Deus.
**3** Fortalecei as mãos fracas,
firmai os joelhos trementes;
**4** dizei aos turbados de coração:
Esforçai-vos, não temais;
o vosso Deus virá com vingança;
com recompensa divina ele virá e vos salvará.
**5** Então os olhos dos cegos se abrirão,
e os ouvidos dos surdos se destaparão.
**6** Então os coxos saltarão como o cervo,
e a língua dos mudos cantará.
Águas arrebentarão no deserto,
e ribeiros no ermo.
**7** A terra seca se transformará em lagos,
e a terra sedenta em mananciais de águas.
Nas habitações em que viviam os chacais,
crescerá erva com canas e juncos.
**8** Ali haverá uma estrada;
ela se chamará o Caminho da Santidade.
O imundo não passará por ela;
será para aqueles que andam pelo Caminho;
os loucos ímpios não passarão por ela.
**9** Ali não haverá leão,
nenhum animal feroz subirá a ela nem se achará nela.
Mas somente os remidos andarão por ela,
**10** e os remidos do Senhor voltarão
e entrarão em Sião com júbilo;
alegria eterna coroará as suas cabeças.
Júbilo e alegria alcançarão,
e deles fugirá a tristeza e o gemido.

### Senaqueribe ameaça Jerusalém

**36** No décimo quarto ano do rei Ezequias, subiu Senaqueribe, rei da Assíria, contra todas as cidades fortificadas de Judá e as conquistou.
**2** Então o rei da Assíria enviou Rabsaqué, de Laquis a Jerusalém, ao rei Ezequias com um grande exército. Quando ele parou no aqueduto da piscina superior, que está junto ao caminho do campo do lavandeiro,

3 saíram a ter com ele Eliaquim, filho de Hilquias, o mordomo, Sebna, o escrivão, e Joá, filho de Asafe, o cronista.

4 Disse-lhes Rabsaqué: Dizei a Ezequias: Assim diz o grande rei, o rei da Assíria: Que confiança é essa em que te estribas?

5 Dizes possuir estratégia e força militar, mas proferes apenas palavras vãs. Em quem agora confias, que contra mim te rebelas?

6 Confias naquele bordão de cana quebrada, a saber, no Egito, que, se alguém se apoiar nele, lhe entrará pela mão, e a furará; assim é faraó, rei do Egito, para com todos os que nele confiam.

7 No entanto, se me disseres: No Senhor, nosso Deus, confiamos; não é esse aquele cujos altos e cujos altares Ezequias tirou, e disse a Judá e a Jerusalém: Perante este altar vos inclinareis?

8 Ora, faze uma aposta com meu senhor, o rei da Assíria: Eu te darei dois mil cavalos, se tu puderes dar cavaleiros para eles.

9 Como poderás tu voltar o rosto para um só oficial dos mínimos servos do meu senhor, confiando que o Egito fornecerá carros e cavaleiros?

10 Acaso subi eu sem o Senhor contra esta terra, para destruí-la? O Senhor mesmo me disse: Sobe contra esta terra e destrói-a.

11 Então disseram Eliaquim, Sebna e Joá a Rabsaqué: Pedimos-te que fales aos teus servos em aramaico, porque bem o entendemos. Não *nos fales em judaico,* aos ouvidos do povo que está sobre os muros.

12 Contudo, Rabsaqué disse: Mandou-me o meu senhor só ao teu senhor e a ti, para dizer estas palavras, e não antes aos homens que estão assentados sobre os muros, para que comam convosco as suas fezes e bebam a sua urina?

13 Então Rabsaqué se pôs em pé e clamou em alta voz em judaico: Ouvi as palavras do grande rei, do rei da Assíria.

14 Assim diz o rei: Não vos engane Ezequias. Ele não vos poderá livrar.

15 Tampouco Ezequias vos faça confiar no Senhor, dizendo: Infalivelmente nos livrará o Senhor, e esta cidade não será entregue nas mãos do rei da Assíria.

16 Não deis ouvidos a Ezequias. Assim diz o rei da Assíria: Aliai-vos comigo, e saí a mim, e coma cada um da sua vide, e da sua figueira, e beba cada um da água da sua cisterna,

17 até que eu venha e vos leve para uma terra como a vossa; terra de trigo e de vinho, terra de pão e de vinhas.

18 Não vos engane Ezequias, dizendo: O Senhor nos livrará. Livraram os deuses das nações cada um a sua terra das mãos do rei da Assíria?

19 Onde estão os deuses de Hamate e de Arpade? Onde estão os deuses de Sefarvaim? Livraram eles a Samaria da minha mão?

20 Quais são, dentre todos os deuses destes países, os que livraram a sua terra das minhas mãos, para que o Senhor livrasse a Jerusalém das minhas mãos?

21 Eles, porém, se calaram e não lhe responderam palavra, porque o rei lhes havia ordenado: Não lhe respondereis.

22 Então Eliaquim, filho de Hilquias, o mordomo, Sebna, o escrivão, e Joá, filho de Asafe, o cronista,

vieram contar a Ezequias com as vestes rasgadas as palavras de Rabsaqué.

## O livramento de Jerusalém

**37** Quando o rei Ezequias ouviu isto, rasgou as suas vestes, cobriu-se com pano de saco e entrou na casa do Senhor.
2 Enviou Eliaquim, o mordomo, Sebna, o escrivão, e os anciãos dos sacerdotes, cobertos de pano de saco, a Isaías, filho de Amoz, o profeta,
3 os quais lhe disseram: Assim diz Ezequias: Este dia é dia de angústia e repreensão e vergonha, porque chegados são os filhos ao parto, e força não há para os dar à luz.
4 Porventura o Senhor, o teu Deus, terá ouvido as palavras de Rabsaqué, a quem enviou o rei da Assíria, seu amo, para afrontar o Deus vivo com as palavras que o Senhor, o teu Deus, ouviu. Portanto, faze oração pelo resto que ficou.
5 Foram os servos do rei Ezequias a Isaías.
6 Disse-lhes Isaías: Assim direis a vosso amo: Assim diz o Senhor: Não temas à vista das palavras que ouviste, com as quais os servos do rei da Assíria de mim blasfemaram.
7 Porei nele um espírito, e ele ouvirá certo rumor, e voltará para a sua terra, e ali o farei cair morto à espada.
8 Voltou Rabsaqué e achou o rei da Assíria pelejando contra Libna, porque ouvira que já se havia retirado de Laquis.
9 Ora, Senaqueribe recebeu aviso de que Tiraca, rei da Etiópia, tinha saído para lhe fazer guerra. Assim que ouviu isso, enviou mensageiros a Ezequias, dizendo:
10 Assim direis a Ezequias, rei de Judá: Não te engane o teu Deus, em quem confias, dizendo: Jerusalém não será entregue nas mãos do rei da Assíria.
11 Certamente já tens ouvido o que fizeram os reis da Assíria a todas as terras, destruindo-as totalmente. E escaparias tu?
12 Livraram-nas os deuses das nações que meus pais destruíram: Gozã, Harã, Rezefe, e os filhos de Éden, que estavam em Telassar?
13 Onde está o rei de Hamate, e o rei de Arpade, e o rei da cidade de Sefarvaim, de Hena e de Iva?
14 Recebendo Ezequias a carta das mãos dos mensageiros, e tendo-a lido, subiu ao templo do Senhor e a estendeu perante o Senhor.
15 Orou Ezequias ao Senhor:
16 Ó Senhor dos Exércitos, Deus de Israel, que habitas entre os querubins, só tu és o Deus de todos os reinos da terra. Tu fizeste os céus e a terra.
17 Inclina, ó Senhor, o teu ouvido, e ouve; abre, ó Senhor, os teus olhos, e olha; ouve todas as palavras de Senaqueribe, as quais ele mandou para afrontar o Deus vivo.
18 Verdade é, ó Senhor, que os reis da Assíria assolaram todos os países, e as suas terras,
19 e lançaram no fogo os deuses deles, porque deuses não eram, mas obra de mãos de homens, madeira e pedra; por isso os destruíram.
20 Agora, ó Senhor nosso Deus, livra-nos da sua mão, para que todos os reinos da terra conheçam que só tu és o Senhor.
21 Então Isaías, filho de Amoz, mandou dizer a Ezequias: Assim

diz o Senhor, o Deus de Israel: Quanto ao que me pediste acerca de Senaqueribe, rei da Assíria, 22 esta é a palavra que o Senhor disse a respeito dele:

A virgem, a filha de Sião,
  te despreza, e zomba de ti.
A filha de Jerusalém meneia
  a cabeça por detrás de ti.
23 A quem afrontaste e de quem blasfemaste?
  Contra quem ergueste a voz
  e ergueste os olhos ao alto?
Contra o Santo de Israel.
24 Por meio dos teus servos
  afrontaste o Senhor.
E disseste:
  Com a multidão dos meus
    carros
  subi eu aos cumes dos montes,
    aos últimos recessos do
      Líbano,
  e cortarei os seus altos cedros
    e os seus ciprestes
      escolhidos,
  e entrarei no seu cume mais
    elevado,
    no bosque do seu campo
      fértil.
25 Eu cavei, e bebi as águas.
  Com as plantas dos meus
    pés
  sequei todos os rios do Egito.
26 Não ouviste que já muito
    antes eu fiz isto,
  e já desde os dias antigos o
    tinha pensado?
  Agora, porém, se cumpre,
  e eu quis que tu destruísses
    as
  cidades fortificadas,
    e as reduzisses a montões
      de ruínas.
27 Por isso, os seus moradores,
    debilitados,
  andaram atemorizados e
    envergonhados.

Eram como a erva do campo,
  a erva verde,
c feno dos telhados,
  e o trigo queimado
    antes de amadurecer.
28 Eu conheço, porém, o teu
    assentar,
  e o teu sair, e o teu entrar,
  e o teu furor contra mim.
29 Por causa do teu furor
    contra mim,
  e porque a tua arrogância
  subiu até os meus ouvidos,
    porei o meu anzol no teu
      nariz,
  e o meu freio nos teus beiços,
    e te farei voltar
  pelo caminho por onde vieste.
30 Isto te será por sinal, ó Ezequias:
  Este ano se comerá o que
    espontaneamente nascer,
  e no segundo ano o que daí
    proceder,
  mas no terceiro ano semeai e
    colhei,
    plantai vinhas e comei os
      seus frutos.
31 O que escapou da tribo
    de Judá e ficou de resto
  tornará a lançar raízes para
    baixo e dará fruto para cima.
32 Pois de Jerusalém sairá o
    restante,
  e do monte Sião o que
    escapou.
  O zelo do Senhor dos
    Exércitos fará isto.
33 Portanto, assim diz o Senhor
    acerca do rei da Assíria:
  Não entrará nesta cidade,
    nem lançará nela flecha
      alguma.
  Tampouco virá perante ela
    com escudo,
    ou levantará contra ela
      tranqueira.

34 Pelo caminho por onde vier, por esse voltará; ele não entrará nesta cidade, diz o Senhor.
35 Eu ampararei esta cidade para a livrar, por amor de mim e por amor do meu servo Davi.
36 Então saiu o anjo do Senhor e feriu no acampamento dos assírios cento e oitenta e cinco mil. Quando se levantaram pela manhã cedo, só havia cadáveres.
37 Assim Senaqueribe, rei da Assíria, se retirou do acampamento e voltou para Nínive e lá permaneceu.
38 Certo dia, estando ele prostrado no templo de Nisroque, seu deus, Adrameleque e Sarezer, seus filhos, o mataram à espada, e fugiram para a terra de Ararate. E Esar-Hadom, seu filho, reinou em seu lugar.

### A doença de Ezequias

**38** Naqueles dias, Ezequias adoeceu de uma enfermidade mortal. Veio a ele Isaías, filho de Amoz, o profeta, e lhe disse: Assim diz o Senhor: Põe em ordem a tua casa, porque morrerás; não viverás.
2 Então virou Ezequias o rosto para a parede e orou ao Senhor:
3 Ah! Senhor, lembra-te, peço-te, de que andei diante de ti em verdade, com inteireza de coração, e fiz o que era reto aos teus olhos. E chorou Ezequias amargamente.
4 Então veio a palavra do Senhor a Isaías:
5 Vai e dize a Ezequias: Assim diz o Senhor, o Deus de Davi, teu pai: Ouvi a tua oração e vi as tuas lágrimas; acrescentarei aos teus dias quinze anos.
6 Eu te livrarei das mãos do rei da Assíria, a ti e a esta cidade. Eu defenderei esta cidade.
7 Isto te será da parte do Senhor como sinal de que o Senhor cumprirá o que prometeu:
8 Farei voltar dez graus a sombra no relógio de Acaz, pelos quais já declinou com o sol. Assim recuou o sol dez graus pelos quais já tinha andado.
9 Escrito de Ezequias, rei de Judá, depois de sua enfermidade e cura:
10 Eu disse: Em pleno vigor de meus dias
devo entrar nas portas
da sepultura
e ser privado do resto de
meus anos?
11 Eu disse: Já não verei o Senhor
na terra dos viventes;
jamais verei o homem
com os moradores do mundo.
12 Como a tenda de pastor,
a minha morada foi
arrancada e tirada de mim.
Como um tecelão, enrolei a
minha vida,
e ele me cortou do tear;
noite e dia deste cabo de mim.
13 Esperei com paciência
até de madrugada,
mas como um leão ele
quebrou todos os meus ossos;
noite e dia deste cabo de mim.
14 Como o grou, ou a
andorinha,
assim eu chilreava,
e gemia como a pomba.
Os meus olhos se cansaram
de olhar para o alto.
Ando oprimido; ó Senhor,
fica por meu fiador.
15 Eu, porém, que direi?
Ele falou comigo,
e ele mesmo fez isso.

Andarei humildemente todos
os meus anos,
por causa da amargura da
minha alma.
16 Senhor, por estas coisas
vivem os homens;
e o meu espírito encontra
vida nelas também.
Restauraste-me a saúde
e me deixaste viver.
17 Certamente foi para minha
paz que estive em grande
amargura.
Em teu amor abraçaste a
minha alma,
que não caiu na cova da
corrupção;
lançaste para trás das tuas
costas
todos os meus pecados.
18 Pois não pode louvar-te a
sepultura,
nem a morte glorificar-te;
não esperarão em tua verdade
os que descem à cova.
19 Os vivos, os vivos,
esses te louvarão como eu
hoje faço; o pai aos filhos
fará notória a tua fidelidade.
20 O Senhor me salvará, e
cantaremos com
instrumentos de cordas
todos os dias de nossa vida no
templo do Senhor.
21 Isaías havia dito: Prepare-se
uma pasta de figos e ponha-se como
emplastro sobre a chaga, e ele se
recuperará.
22 Ezequias tinha perguntado:
Qual será o sinal de que hei de
subir ao templo do Senhor?

### Os enviados de Babilônia

**39** Nesse tempo, Merodaque-Baladã, filho de Baladã, rei de Babilônia, enviou cartas e um presente a Ezequias, porque tinha ouvido dizer que estivera doente, e já tinha convalescido.
2 Ezequias se alegrou com eles e lhes mostrou a casa do seu tesouro, a prata, o ouro, as especiarias, os melhores unguentos, toda a sua casa de armas, e tudo o que se achava nos seus tesouros. Coisa alguma houve no seu palácio, ou em todo o seu domínio, que Ezequias não lhes mostrasse.
3 Então o profeta Isaías veio ao rei Ezequias e lhe perguntou: O que foi que aqueles homens disseram? De onde vieram? Respondeu Ezequias: De uma terra remota vieram a mim, de Babilônia.
4 Perguntou o profeta: O que foi que viram em teu palácio? Respondeu Ezequias: Viram tudo o que há em minha casa. Coisa alguma há nos meus tesouros que não lhes mostrasse.
5 Então disse Isaías a Ezequias: Ouve a palavra do Senhor dos Exércitos:
6 Certamente virão dias em que tudo o que houver em teu palácio, e tudo o que entesouraram os teus antepassados até ao dia de hoje, será levado para Babilônia. Não ficará coisa alguma, diz o Senhor.
7 Dos teus próprios filhos, que procederem de ti, e tu gerares, tomarão, para que sejam eunucos no palácio do rei de Babilônia.
8 Então disse Ezequias a Isaías: Boa é a palavra do Senhor que disseste. Pois pensava: Haverá paz e segurança em meus dias.

### Consolo para o povo de Deus

**40** Consolai, consolai o meu povo,
diz o vosso Deus.

**2** Falai benignamente a Jerusalém
e anunciem que já a sua
malícia é acabada,
que a sua iniquidade está
expiada,
e que já recebeu em dobro
da mão do Senhor,
por todos os seus pecados.
**3** Voz do que clama no deserto:
Preparai o caminho do Senhor;
façam no deserto um
caminho reto para
o nosso Deus.
**4** Todo vale será exaltado,
e todo monte e todo outeiro
serão abatidos;
o que é tortuoso será
endireitado,
e o que é escabroso, aplanado.
**5** E a glória do Senhor se
manifestará,
e toda a humanidade
juntamente a verá,
pois foi a boca do Senhor que
o disse.
**6** Diz uma voz: Clama.
E eu disse: Que hei de
clamar?
Todos os homens são como
a erva,
e toda a sua beleza como as
flores do campo.
**7** Seca-se a erva, e caem as
flores,
soprando nelas o hálito do
Senhor.
Na verdade o povo é erva.
**8** Seca-se a erva, e caem as
flores,
mas a palavra do nosso
Deus permanece
eternamente.
**9** Quanto a ti, anunciador
de boas-novas a Sião,
sobe a um alto monte.
E tu, anunciador de
boas-novas a Jerusalém,
levanta a voz fortemente,
levanta-a, não temas,
e dize às cidades de Judá:
Aqui está o vosso Deus.
**10** O Senhor Deus virá
com poder,
e o seu braço dominará.
O seu galardão vem com ele,
e o seu salário diante
da sua face.
**11** Como pastor apascentará o
seu rebanho:
Nos seus braços recolherá
os cordeirinhos
e os levará no seu regaço;
as que amamentam,
ele guiará mansamente.
**12** Quem mediu com a concha
das mãos as águas,
ou tomou a medida dos céus
aos palmos?
Quem recolheu numa medida
o pó da terra,
ou pesou os montes e os
outeiros em balanças?
**13** Quem guiou o Espírito
do Senhor?
E que conselheiro o
ensinou?
**14** A quem consultou,
para que lhe desse
entendimento,
e lhe mostrasse o
caminho certo,
e lhe ensinasse sabedoria,
e lhe fizesse notório
o caminho do
conhecimento?
**15** Certamente as nações são
consideradas por ele
como a gota de um balde,
e como o pó miúdo das
balanças;
ele pesa as ilhas como
se fossem fino pó.
**16** Nem todo o Líbano basta
para o fogo,

nem os seus animais
bastam para holocaustos.
17 Todas as nações são como
nada perante ele;
ele as considera sem valor,
e menos do que nada.
18 A quem, pois, fareis
semelhante a Deus?
Com que imagem o
comparareis?
19 O artífice grava a imagem,
e o ourives a cobre de ouro,
e cadeias de prata funde
para ela.
20 O pobre demais, que não
pode oferecer tanto,
escolhe madeira que não
apodrece.
Ele busca um artífice sábio
para gravar uma imagem
que não se pode mover.
21 Não sabeis?
Não ouvis?
Ou desde o princípio não vos
foi notificado isto mesmo?
Ou não destes atenção para
os fundamentos da terra?
22 Ele está assentado sobre
o círculo da terra,
cujos moradores são para
ele como gafanhotos.
Ele estende os céus como
cortina
e os desenrola como tenda
para neles habitar.
23 Ele faz voltar ao nada os
príncipes,
e reduz a nada os juízes da
terra.
24 Mal são plantados e
semeados,
*mal se arraigou na terra o
seu tronco,*
Deus sopra sobre eles, e
secam-se,
e um redemoinho os leva
como palha.

25 A quem me fareis
semelhante,
para que lhe seja semelhante?
Diz o Santo.
26 Levantai ao alto os
vossos olhos:
Quem criou todas estas
coisas?
Aquele que faz sair o exército
de estrelas,
uma por uma, e as chama
pelo nome.
Por causa da grandeza das
suas forças
e da fortaleza do seu poder,
nenhuma faltará.
27 Por que dizes, ó Jacó, e tu
reclamas, ó Israel:
O meu caminho está
encoberto ao Senhor,
e a minha causa passa
despercebida ao meu Deus?
28 Não sabes? Não ouviste?
O Senhor é o eterno Deus,
o Criador dos fins da terra.
Ele não se cansa nem fica
exausto,
e não há quem esquadrinhe
o seu entendimento.
29 Dá força ao cansado
e multiplica a força ao que
não tem nenhum vigor.
30 Até os jovens se cansam
e se fatigam,
eles tropeçam e caem,
31 mas os que esperam no
Senhor
renovarão as suas forças.
Subirão com asas como
águias;
correrão e não se cansarão,
caminharão e não se
fatigarão.

**O redentor de Israel**

**41** Calai-vos na minha
presença, ó ilhas!

E os povos renovem as forças!
 Cheguem-se, e então falem;
 cheguemo-nos juntos a juízo.
2 Quem suscitou do
 Oriente o justo,
 chamando-o em retidão
 ao seu serviço?
 Ele lhe dá as nações,
 e subjuga reis na sua
 presença.
 Ele os transforma em pó com
 a sua espada,
 e como palha arrebatada
 pelo vento, com o seu arco.
3 Ele os persegue e passa em paz,
 por uma vereda que com
 os seus pés nunca tinha
 trilhado.
4 Quem operou e fez isso,
 chamando as gerações desde
 o princípio?
 Eu, o Senhor, o primeiro deles,
 e com os últimos,
 sou eu mesmo.
5 As ilhas veem isso e temem;
 os fins da terra tremem.
 Aproximam-se e vêm;
6 um ao outro ajuda,
 e ao seu companheiro diz:
 Esforça-te.
7 O artífice anima o ourives,
 e o que alisa com o martelo,
 ao que bate na bigorna,
 dizendo da coisa soldada:
 Boa é.
 Então com pregos a fixa
 para que não caia.
8 A ti, porém, ó Israel, servo meu,
 tu Jacó, a quem escolhi,
 descendência de Abraão,
 meu amigo,
9 eu te tomei desde os confins
 da terra,
 chamei-te dos seus recantos
 mais distantes,
 e te disse: Tu és o meu servo,
 a ti escolhi, e não te rejeitei.

10 Não temas, pois eu
 sou contigo;
 não te assombres,
 pois eu sou teu Deus.
 Eu te fortalecerei e te
 ajudarei;
 eu te sustentarei com a
 destra da minha justiça.
11 Certamente envergonhados
 e confundidos serão
 todos os que se enraivecem
 contra ti;
 os que contenderem contigo
 se tornarão em nada e
 perecerão.
12 Ainda que busques os
 teus inimigos,
 não os acharás.
 Os que pelejam contigo
 se tornarão em nada,
 e coisa de nenhum valor os
 que guerreiam contra ti.
13 Pois eu sou o Senhor,
 o teu Deus,
 que te toma pela tua
 mão direita
 e te diz: Não temas;
 eu te ajudarei.
14 Não temas, ó verme de Jacó,
 povozinho de Israel,
 eu mesmo te ajudarei,
 diz o Senhor,
 o teu Redentor,
 o Santo de Israel.
15 Eu te prepararei um
 trilho novo,
 que tem dentes agudos.
 Os montes trilharás
 e moerás,
 e os outeiros reduzirás a
 palha.
16 Tu os padejarás, o vento os
 levará,
 o redemoinho os espalhará,
 mas tu te alegrarás no Senhor
 e te gloriarás no Santo
 de Israel.

**17** Os pobres e necessitados buscam água,
mas não há;
a sua língua se seca de sede.
Contudo eu, o Senhor, os ouvirei;
eu, o Deus de Israel, não os desampararei.
**18** Abrirei rios nos altos desnudos,
e fontes no meio dos vales.
Tornarei o deserto em lagos,
e a terra seca em mananciais.
**19** Plantarei no deserto o cedro, a acácia, a murta e a oliveira.
Colocarei juntos no ermo o pinheiro, o olmeiro e o cipreste,
**20** para que todos vejam e saibam,
considerem e entendam que a mão do Senhor fez isso,
que o Santo de Israel o criou.
**21** Apresentai a vossa causa, diz o Senhor.
Trazei as vossas firmes razões, diz o Rei de Jacó.
**22** Trazei e anunciai-nos as coisas que hão de acontecer.
Anunciai-nos as coisas passadas,
para que as consideremos, e saibamos o seu fim.
Ou mostrai-nos as coisas futuras,
**23** anunciai-nos as coisas que ainda hão de vir,
para que saibamos que sois deuses.
Fazei o bem, ou fazei o mal, para que nos assombremos,
e juntamente o vejamos.
**24** No entanto, sois menos do que nada,
e a vossa obra é menos do que nada;
abominação é quem vos escolhe.
**25** Suscito a um do norte, e ele vem,
um do nascente do sol que invocará o meu nome.
Ele pisará os magistrados como lodo,
e, como o oleiro pisa o barro, assim ele os pisará.
**26** Quem anunciou isso desde o princípio,
para que o possamos saber,
ou dantes, para que digamos: Justo é?
Não houve quem anunciasse,
não houve quem manifestasse,
não houve quem ouvisse as vossas palavras.
**27** Eu fui o primeiro a dizer a Sião: Aqui estão!
A Jerusalém dei um mensageiro de boas-novas.
**28** Olhei, mas ninguém havia;
ninguém entre eles que soubesse aconselhar,
ninguém que me desse resposta.
**29** Vede, todos são vaidade!
As suas obras não são coisa alguma;
as suas imagens de fundição não passam de vento e confusão.

### O Servo do Senhor

**42** Aqui está o meu Servo, a quem sustenho,
o meu eleito, de quem se agrada a minha alma;

porei o meu Espírito sobre ele,
e justiça trará às nações.
2 Não clamará, não se exaltará,
nem fará ouvir a sua voz na praça.
3 A cana ferida não quebrará,
e não apagará o pavio que fumega.
Em verdade ele trará a justiça;
4 não mostrará fraqueza
nem será quebrantado,
até que ponha na terra a justiça.
Na sua lei as ilhas esperarão.
5 Assim diz Deus, o Senhor,
que criou os céus, e os estendeu,
e formou a terra, e a tudo o que produz,
que dá a respiração ao povo que nela está
e vida aos que andam nela.
6 Eu, o Senhor, te chamei em retidão;
eu te tomarei pela mão.
Eu te guardarei, e te darei por mediador
para o povo e para luz dos gentios,
7 para abrir os olhos dos cegos,
para tirar da prisão os presos
e do cárcere os que jazem em trevas.
8 Eu sou o Senhor; este é o meu nome!
A minha glória a outrem não a darei,
nem o meu louvor às imagens de escultura.
9 Vede, as primeiras coisas se cumpriram,
e novas coisas eu vos anuncio;
antes que venham à luz,
vos faço ouvi-las.

## Cântico de louvor ao Senhor

10 Cantai ao Senhor um cântico novo,
e o seu louvor desde as extremidades da terra,
vós os que navegais pelo mar,
e tudo o que nele há,
vós, ilhas e seus habitantes.
11 Ergam a voz o deserto e as suas cidades;
regozijem-se as aldeias habitadas por Quedar.
Exultem os que habitam nas rochas,
e clamem do cume dos montes.
12 Deem glória ao Senhor
e anunciem o seu louvor nas ilhas.
13 O Senhor como poderoso sairá,
como homem de guerra despertará o zelo;
clamará e fará grande ruído,
e sujeitará os seus inimigos.
14 Por muito tempo me calei,
estive em silêncio e me contive;
mas agora darei gritos
como a que está de parto,
arfando e arquejando.
15 Os montes e outeiros tornarei em deserto,
e toda a sua erva farei secar,
e tornarei os rios em terras áridas,
e as lagoas secarei.
16 Guiarei os cegos por um caminho
que não conheceram,
farei que caminhem por veredas desconhecidas;
tornarei as trevas em luz perante eles,
e as coisas tortas endireitarei.
Essas coisas lhes farei,
e nunca os desampararei.

17 No entanto, os que confiam
em imagens de escultura
e dizem às imagens de
fundição: Vós sois os nossos
deuses, tornarão atrás,
e se confundirão de vergonha.
18 Surdos, ouvi,
e vós, cegos, olhai,
para que possais ver.
19 Quem é cego, senão o
meu servo,
ou surdo como o meu
mensageiro, a quem envio?
E quem é cego como
o meu amigo,
e cego como o servo do Senhor?
20 Tu viste muitas coisas,
mas não as guardaste;
ainda que tenhas os
ouvidos abertos,
nada ouves.
21 Foi do agrado do Senhor,
por amor da sua
própria justiça,
engrandecer a sua lei e
torná-la gloriosa.
22 Este, porém, é um povo
roubado e saqueado,
todos foram apanhados
em cavernas,
e escondidos nas prisões.
São postos por presa,
e ninguém há que os livre;
tornou-se despojo,
e ninguém diz: Restituí.
23 Quem há entre vós
que ouça isso,
ou atenda e ouça o que há
de ser depois?
24 Quem entregou Jacó
por despojo,
e *Israel aos roubadores*?
Não foi o Senhor,
aquele contra quem
pecaram,
e em cujos caminhos não
queriam andar,
e a cuja lei não
quiseram obedecer?
25 Pelo que derramou sobre
eles a indignação da sua ira
e a violência da guerra.
Ela os envolveu em
labaredas,
contudo não compreenderam;
queimou-os, mas não
fizeram caso.

### O único Salvador de Israel

**43** Agora, porém, assim diz
o Senhor
que te criou, ó Jacó,
e que te formou, ó Israel:
Não temas, porque eu te remi;
chamei-te pelo teu nome;
tu és meu.
2 Quando passares pelas águas,
estarei contigo
e, quando passares pelos
rios,
eles não te submergirão.
Quando passares pelo fogo,
não te queimarás,
nem a chama arderá em ti.
3 Pois eu sou o Senhor,
o teu Deus,
o Santo de Israel,
o teu Salvador;
dou o Egito por teu resgate,
a Etiópia e Seba por ti.
4 Visto que és precioso e
honrado aos meus olhos,
e porque te amo,
darei os homens por ti,
e os povos pela tua vida.
5 Não temas, pois estou contigo;
trarei a tua descendência do
Oriente
e te ajuntarei do Ocidente.
6 Direi ao norte: Dá;
e ao sul: Não retenhas;
trazei meus filhos de longe,
e minhas filhas das
extremidades da terra;

7 a todos os que são chamados
pelo meu nome,
aos quais criei para a
minha glória,
aos quais formei e fiz.
8 Trazei o povo que tem olhos,
mas é cego,
que tem ouvidos, mas é
surdo.
9 Todas as nações se
congregam,
e os povos se reúnem.
Quem dentre eles pode
anunciar isto,
e fazer-nos ouvir as coisas
antigas?
Apresentem as suas
testemunhas, para que se
justifiquem,
e para que se ouça e se diga:
Verdade é.
10 Vós sois as minhas
testemunhas, diz o Senhor,
e o meu servo, a quem
escolhi,
para que o saibais e creiais
em mim,
e entendais que eu sou o mesmo,
e que antes de mim deus
nenhum se formou,
e depois de mim nenhum
haverá.
11 Eu, eu sou o Senhor,
e fora de mim não há Salvador.
12 Eu anunciei, e eu salvei,
e eu o fiz ouvir,
e deus estranho não houve
entre vós.
Vós sois as minhas
testemunhas, diz o Senhor,
de que eu sou Deus.
13 Ainda antes que houvesse
dia, eu sou.
Ninguém há que possa fazer
escapar das minhas mãos.
Operando eu, quem
impedirá?

14 Assim diz o Senhor,
teu Redentor,
o Santo de Israel:
Por amor de vós enviarei a
Babilônia
e farei descer como
fugitivos
todos os caldeus,
nos navios com que se
vangloriavam.
15 Eu sou o Senhor, vosso Santo,
o Criador de Israel, vosso Rei.
16 Assim diz o Senhor,
o que preparou no mar um
caminho,
e nas águas impetuosas
uma vereda;
17 o que fez sair o carro e o
cavalo,
o exército e a força –
eles juntamente se deitaram,
e nunca se levantarão,
estão extintos,
como um pavio se
apagaram.
18 Não vos lembreis das coisas
passadas,
nem considereis as antigas.
19 Vede, eu faço uma coisa nova,
que está saindo à luz;
não a percebeis?
Porei um caminho no deserto,
e rios no ermo.
20 Os animais do campo me
servirão,
os chacais e as corujas,
porque porei águas no
deserto,
e rios no ermo,
para dar de beber ao meu povo,
ao meu escolhido,
21 o povo que formei para mim,
para que me desse louvor.
22 Contudo, tu não me
invocaste, ó Jacó,
mas te cansaste de mim,
ó Israel.

23 Não me trouxeste ovelhas
para ofertas queimadas,
nem me honraste com os
teus sacrifícios.
Não te dei trabalho com
ofertas de cereais,
nem te fatiguei com incenso.
24 Não me compraste por
dinheiro cana aromática,
nem com a gordura
dos teus sacrifícios me
satisfizeste,
mas me deste trabalho com
os teus pecados,
e me cansaste com as tuas
iniquidades.
25 Eu, eu mesmo, sou o que
apago as tuas
transgressões por amor
de mim,
e dos teus pecados não
me lembro.
26 Procura lembrar-me,
entremos juntos em juízo;
apresenta as tuas razões,
para que te possas justificar.
27 Teu primeiro pai pecou;
os teus intérpretes se
rebelaram contra mim.
28 Pelo que profanarei os
maiorais do santuário,
e entregarei Jacó à destruição,
e Israel à zombaria.

### Israel, o escolhido do Senhor

**44** Agora, porém, ouve, ó Jacó,
servo meu,
ó Israel, a quem escolhi.
2 Assim diz o Senhor
que te criou e te formou
desde o ventre,
*e que te ajudará:*
Não temas, ó Jacó, servo meu,
Jesurum, a quem escolhi.
3 Pois derramarei água
sobre o sedento
e rios sobre a terra seca;
derramarei o meu Espírito
sobre a tua posteridade,
e a minha bênção sobre os
teus descendentes.
4 Eles brotarão entre a erva,
como salgueiros junto às
correntes das águas.
5 Um te dirá: Eu sou do Senhor;
outro se chamará pelo
nome de Jacó;
ainda outro escreverá
na sua mão:
Eu sou do Senhor,
e por sobrenome tomará o
nome de Israel.
6 Assim diz o Senhor,
Rei de Israel,
e seu Redentor, o
Senhor dos Exércitos:
Eu sou o primeiro, e eu sou o
último,
e fora de mim não há Deus.
7 Quem há como eu?
Que o proclame e o
exponha na minha presença!
Quem anunciou desde os
tempos antigos as coisas
vindouras?
Que nos anuncie as que ainda
hão de vir.
8 Não vos assombreis,
nem temais.
Não o declarei a vós há
muito tempo? E não vos
anunciei?
Vós sois as minhas
testemunhas.
Há outro Deus além de mim?
Não, não há outra Rocha que
eu conheça.
9 Todos os artífices de imagens
de escultura são vaidade,
e as suas coisas mais
desejáveis são de nenhum
préstimo,
e suas próprias testemunhas
nada veem,

nem entendem, para que eles sejam confundidos.

10 Quem forma um deus e funde uma imagem de escultura, que é de nenhum préstimo?
11 Ele e todos os seus seguidores ficarão confundidos; os artífices são apenas homens.
Ajuntem-se todos e levantem-se.
Sejam assombrados e sejam todos juntos envergonhados.
12 O ferreiro faz o machado, trabalha nas brasas, forma-o com martelos e o forja com a força do seu braço.
Ele tem fome, e a sua força falta, não bebe água e desfalece.
13 O carpinteiro estende a régua sobre a madeira e, com lápis, esboça um deus; dá-lhe forma com o formão e torna a esboçá-lo com o compasso.
Faz o seu deus à semelhança de um homem, segundo a forma de um homem, para habitar em uma casa.
14 Cortou para si cedros, ou tomou um cipreste, ou um carvalho.
Ele o deixou crescer entre as árvores do bosque.
Plantou um pinheiro, e a chuva o fez crescer.
15 Tal árvore serve ao homem para queimar; com parte da sua madeira se aquece; acende um fogo e assa o pão e também faz um deus e se prostra diante dele;
fabrica uma imagem de escultura e se ajoelha diante dela.
16 Metade queima no fogo, e sobre ela prepara a carne para comer; faz um assado, e dele se farta.
Também se aquece e diz: Ah! já me aqueci, já vi o fogo.
17 Então do resto faz um deus, uma imagem de escultura; ajoelha-se diante dela, se inclina, lhe dirige a sua oração e diz: Livra-me; tu és o meu deus.
18 Nada sabem nem entendem; fecharam-se os olhos, para que não vejam, e se fecharam os seus corações, para que não entendam.
19 Nenhum deles pensa; ninguém tem conhecimento nem entendimento, para dizer:
Metade queimei no fogo e assei pão sobre as suas brasas, assei sobre elas carne, e a comi.
Faria eu do resto uma abominação?
Eu me ajoelharia diante do pedaço de uma árvore?
20 Alimenta-se de cinza.
O seu coração enganado o desvia, de maneira que não pode livrar a sua alma, nem dizer:
Não será uma mentira o que está na minha mão direita?
21 Lembra-te destas coisas, ó Jacó, e, tu, ó Israel, pois és meu servo.

Eu te formei, meu servo és;
  ó Israel, não me esquecerei
  de ti.
22 Desfiz as tuas transgressões
  como a névoa,
  e os teus pecados como a
  nuvem.
Volta-te para mim,
  pois eu te remi.
23 Cantai alegres, vós, ó céus,
  pois o Senhor fez isso;
    exultai, vós, as partes mais
    baixas da terra.
Vós, montes, retumbai
  com júbilo,
    também vós, bosques, e todas
as suas árvores,
  pois o Senhor remiu Jacó
  e glorificou-se em Israel.
24 Assim diz o Senhor,
  o teu Redentor,
  e que te formou desde o
ventre: Eu sou o Senhor
  que faço todas as coisas,
  que estendo os céus
    e espalhei a terra por mim
    mesmo,
25 que desfaço os sinais dos
profetas falsos e enlouqueço
  os adivinhos,
    que faço tornar atrás os
    sábios
  e transformo o seu
  conhecimento em loucura,
26 que confirmo a palavra do
  meu servo
  e cumpro o conselho dos
  meus mensageiros,
  que digo de Jerusalém:
    Ela será habitada, e das
    cidades de Judá:
  *Elas serão reedificadas*,
    e eu levantarei as suas
    ruínas,
27 que digo à profundeza das
  águas: Seca-te,
  e eu secarei os teus rios,
28 que digo de Ciro:
  É meu pastor,
    e cumprirá tudo o que
    me agrada;
ele dirá de Jerusalém:
  Ela será reedificada,
  e do templo:
Será fundado.

## 45

Assim diz o Senhor ao seu ungido,
a Ciro, a quem tomo pela mão
  direita,
  para abater as nações
  diante de sua face
e desarmar os seus reis,
  para abrir diante dele as
  portas,
e as portas não se fecharão:
2 Eu irei adiante de ti
  e endireitarei os caminhos
  tortos;
    quebrarei as portas de bronze
    e despedaçarei os ferrolhos
    de ferro.
3 Eu te darei os tesouros das
  trevas
  e as riquezas encobertas,
    para que possas saber que
    eu sou o Senhor,
  o Deus de Israel, que te
  chama pelo teu nome.
4 Por amor de meu servo Jacó,
  e de Israel, meu eleito,
    eu te chamo pelo teu nome,
  ponho-te o teu sobrenome,
    ainda que não me conheças.
5 Eu sou o Senhor, e não há
outro;
  fora de mim não há Deus.
Eu te fortalecerei,
  ainda que não me conheças.
6 Para que se saiba desde
  o nascente do sol,
    e desde o poente,
  que fora de mim não há outro.
Eu sou o Senhor, e não há
outro.

7 Eu formo a luz e crio as trevas,
eu faço a paz e crio o mal;
eu, o Senhor, faço todas
essas coisas.
8 Derramai, ó céus, dessas
alturas,
e as nuvens chovam retidão;
abra-se a terra e produza-se
salvação,
e com ela brote a retidão;
eu, o Senhor, as criei.
9 Ai daquele que contende
com o seu Criador,
e não passa de um caco
de barro entre outros cacos!
Diz o barro ao que o forma:
Que fazes?
Diz a tua obra:
Ele não tem mãos?
10 Ai daquele que diz ao seu pai:
O que geraste?
ou à sua mãe:
O que deste à luz?
11 Assim diz o Senhor,
o Santo de Israel,
aquele que o formou:
Quereis saber das coisas
futuras?
Quereis saber acerca de
meus filhos,
e acerca da obra das minhas
mãos?
12 Eu fiz a terra e criei nela o
homem.
As minhas mãos
estenderam os céus,
e a todos os seus exércitos
*dei as minhas ordens.*
13 Eu despertarei a Ciro na
minha retidão;
Endireitarei todos os seus
caminhos.
Ele reedificará a minha cidade
e soltará os meus cativos
não por preço nem por
presentes,
diz o Senhor dos Exércitos.

14 Assim diz o Senhor:
Os produtos do Egito e as
mercadorias da Etiópia,
e os sabeus, homens de alta
estatura,
passarão para o teu lado,
e serão teus;
irão atrás de ti,
virão acorrentados,
e diante de ti se prostrarão.
Farão as suas súplicas a ti,
dizendo:
Deveras Deus está em ti,
e não há nenhum
outro deus.
15 Verdadeiramente tu és
o Deus que te ocultas,
o Deus de Israel, o Salvador.
16 Todos se envergonharão,
e também
ficarão envergonhados;
cairão juntamente na
afronta os que fabricam
imagens.
17 Israel, porém, será salvo
pelo Senhor,
com eterna salvação;
jamais sereis envergonhados
ou decepcionados em toda a
eternidade.
18 Pois assim diz o Senhor que
criou os céus,
ele é Deus;
foi ele que formou a terra,
e a fez, ele a estabeleceu;
ele não a criou para ser vazia,
mas a formou para que
fosse habitada.
Diz ele:
Eu sou o Senhor,
e não há outro.
19 Não falei em segredo,
nem em lugar algum
escuro da terra;
não disse à descendência
de Jacó:
Buscai-me em vão.

Eu sou o Senhor, que falo a verdade,
e anuncio coisas retas.
20 Reuni-vos e vinde;
chegai-vos juntos,
os que escapastes das nações.
Nada sabem os que conduzem em procissão as suas imagens de escultura,
feitas de madeira,
e rogam a um deus que não pode falar.
21 Anunciai e chegai-vos,
e tomai conselho todos juntos.
Quem predisse isso desde a antiguidade,
quem de há muito o anunciou?
Não fui eu, o Senhor?
E não há outro Deus senão eu,
Deus justo e Salvador não há além de mim.
22 Olhai para mim e sereis salvos,
vós, todos os confins da terra;
pois eu sou Deus, e não há outro.
23 Por mim mesmo jurei;
a minha boca proferiu,
com toda a integridade,
uma palavra que não voltará atrás:
Diante de mim se dobrará todo joelho,
e por mim jurará toda língua.
24 De mim se dirá: Somente no Senhor há retidão e força.
Todos os que se enraiveceram
contra ele virão a ele, envergonhados.
25 No Senhor, porém,
toda a descendência de Israel será justificada e nele se gloriará.

## Os ídolos de Babilônia

**46** Bel se encurva, Nebo se abaixa;
os seus ídolos são postos sobre os animais,
sobre as bestas.
As cargas dos vossos fardos são canseira para as bestas já cansadas.
2 Eles juntamente se encurvam e se abatem;
não podem livrar-se da carga,
e sua alma entra em cativeiro.
3 Ouvi-me, ó casa de Jacó,
e todo o restante da casa de Israel,
vós a quem sustentei desde o ventre
e levei desde o nascimento.
4 Até a vossa velhice eu serei o mesmo,
e ainda até a vossa idade avançada
eu vos carregarei.
Eu vos fiz, e eu vos levarei,
e eu vos trarei, e eu vos guardarei.
5 A quem me fareis semelhante?
A quem me igualareis?
A quem me comparareis,
para que sejamos semelhantes?
6 Gastam o ouro da bolsa
e pesam a prata nas balanças;
assalariam o ourives, e ele faz um deus,
e diante dele se prostram,
e se inclinam.
7 Sobre os ombros o tomam,
levam-no e o põem no seu lugar.
Ali está, do seu lugar não se move.
Se recorrem a ele,
resposta nenhuma dá,

e a ninguém livra da sua tribulação.

8 Lembrai-vos disto, considerai, trazei-o à memória, ó rebeldes.

9 Lembrai-vos das coisas passadas da antiguidade;
eu sou Deus, e não há outro; eu sou Deus, e não há outro semelhante a mim.

10 Eu anuncio o fim desde o princípio,
desde a antiguidade as coisas que ainda não sucederam.
Eu digo: O meu propósito subsistirá,
e farei toda a minha vontade.

11 Do Oriente chamo a ave de rapina,
e de um país distante, o homem do meu conselho.
O que eu disse, eu o cumprirei;
formei o plano e o executarei.

12 Ouvi-me, ó duros de coração, os que estais longe da retidão.

13 Faço chegar a minha retidão,
ela não está longe;
a minha salvação não tardará.
Estabelecerei em Sião a salvação,
e em Israel o meu esplendor.

### A queda de Babilônia

**47** Desce e assenta-te no pó, ó virgem filha de Babilônia;
assenta-te no chão, sem trono,
ó filha dos caldeus.
Nunca mais serás chamada mimosa e delicada.

2 Toma o moedor e mói a farinha;
descobre a cabeça, descalça os pés,
descobre as pernas e atravessa os rios.

3 A tua nudez será descoberta, e será vista a tua vergonha.
Tomarei vingança
e não farei acepção de homem algum.

4 O nome do nosso Redentor é o Senhor dos Exércitos, o Santo de Israel.

5 Assenta-te silenciosa e entra nas trevas,
ó filha dos caldeus;
nunca mais serás chamada senhora de reinos.

6 Muito me enraiveci contra o meu povo,
e tornei profana a minha herança;
entreguei-os na tua mão,
e não usaste com eles de misericórdia.
Até sobre os velhos
fizeste muito pesado o teu jugo.

7 Disseste: Eu serei senhora para sempre!
Até agora não levaste a sério essas coisas,
nem te lembraste do fim delas.

8 Agora, pois, ouve isto, tu que és dada aos prazeres,
que habitas segura,
que dizes no teu coração:
Eu sou, e fora de mim não há outra.
Não ficarei viúva,
nem conhecerei a perda de filhos.

9 Ambas estas coisas virão sobre ti num momento, no mesmo dia,
perda de filhos e viuvez.

Em toda a sua força virão sobre ti,
por causa da multidão das tuas feitiçarias
e da abundância dos teus muitos encantamentos.
10 Confiaste na tua maldade e disseste:
Ninguém me pode ver.
A tua sabedoria e o teu conhecimento,
isso te fez desviar,
quando disseste no teu coração:
Eu sou, e fora de mim não há outra.
11 Sobre ti virá o mal
e não saberás livrar-te dele por encantamentos.
Destruição tal cairá sobre ti que não a poderás afastar;
virá sobre ti de repente tão tempestuosa desolação
que não a poderás conhecer.
12 Continua com os teus encantamentos,
e com a multidão das tuas feitiçarias
em que te fatigaste desde a tua juventude,
a ver se podes tirar proveito,
ou se podes inspirar temor.
13 Cansaste-te na multidão dos teus conselhos;
levantem-se agora os astrólogos,
que contemplam os astros,
os que nas luas novas predizem o que há de vir sobre ti.
14 Certamente são como restolho;
o fogo os queimará.
Não podem livrar-se do poder das chamas.
Não é um braseiro com que se aquece,
nem fogo para que diante dele se assentem.
15 Assim serão para contigo aqueles com quem trabalhaste,
os teus negociantes desde a tua juventude.
Andarão vagueando,
cada um pelo seu caminho;
ninguém te salvará.

### A teimosia de Israel

**48** Ouvi isto, casa de Jacó,
que vos chamais do nome de Israel,
e saístes das águas de Judá,
que jurais pelo nome do Senhor,
e invocais o Deus de Israel,
mas não em verdade, nem em retidão.
2 Até da santa cidade tomam o nome
e se firmam sobre o Deus de Israel;
o Senhor dos Exércitos é o seu nome.
3 As primeiras coisas desde a antiguidade as anunciei,
pronunciou-as a minha boca, e eu as fiz ouvir;
de repente as fiz, e passaram.
4 Pois eu sabia que eras obstinado,
a tua cerviz um nervo de ferro
e a tua testa de bronze.
5 Por isso, te anunciei estas coisas há muito;
antes que acontecessem, anunciei-as a ti,
para que não dissesses:
O meu ídolo fez estas coisas,
ou a minha imagem de

escultura, ou a minha
imagem de fundição as
mandou.
6 Já ouviste essas coisas;
olha para todas elas.
Não as admites?
Desde agora te faço ouvir
coisas novas e ocultas,
que nunca conheceste.
7 Agora são criadas, e não
de há muito tempo
delas não ouviste antes deste
dia,
para que não digas:
Sim, eu já as sabia.
8 Delas não ouviste nem as
conheceste;
tampouco há muito tempo
foi aberto o teu ouvido.
Eu bem sei quão traiçoeiro
és;
foste chamado rebelde desde
o ventre.
9 Por amor do meu nome
retardo a minha ira;
por amor do meu louvor
me contenho para contigo,
para que não te venha a
exterminar.
10 Vê, eu te purifiquei,
mas não como a prata;
provei-te na fornalha da
aflição.
11 Por amor de mim,
por amor de mim faço isso.
Como seria profanado o
meu nome?
A minha glória não a darei a
outrem.
12 Dá-me ouvidos, ó Jacó,
e tu, ó Israel, a quem chamei:
Eu sou o mesmo,
sou o primeiro e também o
último.
13 A minha própria mão
fundou a terra,
e a minha mão direita

mediu os céus a palmos;
quando os convoco,
levantam-se juntos.
14 Ajuntai-vos todos vós e ouvi:
Qual dos ídolos anunciou
essas coisas?
O aliado escolhido do Senhor
executará a sua vontade
contra Babilônia,
o seu braço será contra os
caldeus.
15 Eu, eu o disse;
sim, já o chamei.
Eu o farei vir,
e farei próspero o seu
caminho.
16 Chegai-vos a mim e ouvi
isto:
Não falei em segredo desde o
princípio;
desde o tempo em que
aquilo se fez eu estava ali,
e agora o Senhor Deus me
enviou,
com o seu Espírito.
17 Assim diz o Senhor,
o teu Redentor, o Santo de
Israel:
Eu sou o Senhor, o teu
Deus,
que te ensina o que é útil
e te guia pelo caminho em
que deves andar.
18 Ah! se tivesses dado ouvidos
aos meus mandamentos!
Então seria a tua paz
como o rio,
e a tua retidão,
como as ondas do mar.
19 A tua descendência seria
como a areia,
e os que procedem das tuas
entranhas, como os seus
grãos;
o seu nome nunca seria
eliminado nem destruído de
diante de mim.

20 Saí de Babilônia,
fugi de entre os caldeus!
Anunciai isto com voz de júbilo e o proclamai.
Levai-o até os confins da terra; dizei: O Senhor remiu seu servo Jacó.
21 Eles não tinham sede, quando os levava pelos desertos;
fez-lhes correr água da rocha;
fendeu a rocha,
e as águas manaram dela.
22 Para os ímpios não há paz, diz o Senhor.

### O Servo do Senhor

**49** Ouvi-me, ilhas,
e escutai vós, povos de longe:
O Senhor me chamou desde o ventre,
desde as entranhas da minha mãe
fez menção do meu nome.
2 Fez a minha boca como uma espada aguda,
na sombra da sua mão me cobriu;
pôs-me como uma flecha limpa e me escondeu na sua aljava.
3 Ele me disse: Tu és o meu servo, Israel, em quem manifestarei a minha glória.
4 Eu, porém, disse: em vão tenho trabalhado,
inútil e em vão gastei as minhas forças.
Todavia o meu direito está perante o Senhor,
e o meu galardão, perante o meu Deus.
5 E agora diz o Senhor,
que me formou desde o ventre para ser seu servo,
que lhe torne a trazer Jacó e ajunte Israel a ele,
pois aos olhos do Senhor sou glorificado,
e o meu Deus tem sido a minha força.
6 Diz ele:
Pouco é que sejas o meu servo,
para restaurares as tribos de Jacó
e tornares a trazer os preservados de Israel.
Também te darei para luz dos gentios,
para seres a minha salvação até as extremidades da terra.
7 Assim diz o Senhor,
o Redentor de Israel, o seu Santo,
à alma desprezada, ao que as nações abominam,
ao servo dos que dominam:
Os reis o verão e se levantarão,
os príncipes diante de ti se inclinarão,
por amor do Senhor, que é fiel,
e do Santo de Israel,
que te escolheu.
8 Assim diz o Senhor:
No tempo favorável te ouvirei,
e no dia da salvação te ajudarei,
te guardarei e te darei por aliança do povo,
para restaurares a terra
e lhe dares em herança as herdades assoladas,
9 para dizeres aos presos: Saí,
e aos que estão em trevas: Aparecei!
Eles pastarão nos caminhos,
e em todos os lugares altos terão o seu pasto.

**10** Nunca terão fome nem sede;
nem a calma nem o sol os
aflligirá.
  Aquele que se compadece
    deles os guiará,
  e os levará mansamente
    aos mananciais das águas.
**11** Farei de todos os meus
  montes um caminho,
  e as minhas veredas serão
    erguidas.
**12** Vê, eles virão de longe;
  alguns do norte,
    outros do oeste,
  e ainda outros da terra de
    Sinim.
**13** Exultai, ó céus, e alegra-te,
  ó terra, e vós, montes,
    rompei em cânticos!
  Pois o Senhor consola
    o seu povo,
  e dos seus aflitos se
    compadecerá.
**14** Sião, porém, disse:
  O Senhor me desamparou,
    o Senhor se esqueceu de
    mim.
**15** Pode uma mulher
  esquecer-se
  do filho que ainda mama,
    de modo que
  não se compadeça do filho do
    seu ventre?
  Contudo, ainda que esta se
    esquecesse,
  eu, todavia, não me
    esquecerei de ti.
**16** Vê, nas palmas das minhas
  mãos te gravei;
    os teus muros estão
    continuamente na minha
    presença.
**17** Os teus filhos
  apressadamente vêm,
  mas os teus destruidores
    e os teus assoladores saem
    do meio de ti.

**18** Levanta os teus olhos ao
  redor e olha;
    todos os teus filhos se
    ajuntam e vêm a ti.
  Tão certo como eu vivo,
    diz o Senhor,
  de todos estes te vestirás,
    como dum enfeite,
  e deles te cingirás como
    noiva.
**19** Quanto aos teus desertos
  e lugares solitários e à tua
    terra destruída,
    será agora estreita demais
    para os moradores,
  e os que te devoravam
    estarão longe de ti.
**20** Os filhos da tua orfandade
  dirão aos teus ouvidos:
    Muito estreito é para mim
    este lugar;
  aparta-te de mim,
    para que possa habitar nele.
**21** Então dirás no teu coração:
  Quem me gerou estes?
    Eu estava sem filhos e
    solitária;
  em cativeiro e rejeitada.
    Quem então me criou estes?
  Fui deixada sozinha,
    mas estes, de onde vieram?
**22** Assim diz o Senhor:
  Eu acenarei com a mão às
    nações,
    e ante os povos arvorarei a
    minha bandeira;
  eles trarão os teus filhos nos
    braços,
  e as tuas filhas serão
    levadas sobre os ombros.
**23** Reis serão os teus tutores,
  e as suas rainhas as tuas
    amas.
  Diante de ti se inclinarão
    com o rosto em terra
  e lamberão o pó dos
    teus pés.

Então saberás que eu sou
o Senhor;
os que confiam em mim
não serão decepcionados.
24 Será que se tira a presa dos
valentes,
ou os presos escapariam do
tirano?
25 Assim, porém, diz o Senhor:
Por certo que os presos se
tirarão do valente,
e a presa do tirano escapará;
eu contenderei com os que
contendem contigo,
e os teus filhos eu remirei.
26 Sustentarei os teus
opressores
com a sua própria carne;
com o seu próprio sangue
se embriagarão,
como com vinho.
Então toda a humanidade
saberá que eu sou o Senhor,
o teu Salvador e o teu
Redentor,
o Poderoso de Jacó.

### O pecado de Israel e a obediência do Servo

**50** Assim diz o Senhor:
Onde está a carta de
divórcio de vossa mãe,
pela qual eu a rejeitei?
Ou quem é o meu credor,
a quem eu vos tenha
vendido?
Por causa das vossas
maldades fostes vendidos;
por causa das vossas
transgressões,
vossa mãe foi repudiada.
2 Quando eu vim, por que
ninguém apareceu?
Quando chamei, por que
ninguém respondeu?
Encolheu-se tanto a minha
mão que já não possa remir?
Ou não há mais força em
mim para livrar?
Com a minha repreensão faço
secar o mar,
torno os rios em deserto;
os seus peixes cheiram mal
por falta de água,
e morrem de sede.
3 Eu visto os céus de escuridão,
e ponho-lhe pano de saco por
sua cobertura.
4 O Senhor Deus me deu
língua instruída,
para saber a palavra que
ampara o cansado.
Ele me desperta todas as
manhãs,
desperta-me o ouvido,
para que ouça como
discípulo.
5 O Senhor Deus abriu os
meus ouvidos,
e eu não fui rebelde;
não me afastei.
6 As minhas costas dei aos
que me feriam,
as minhas faces aos que
me arrancavam os cabelos;
não escondi a minha face
dos
que me afrontavam e me
cuspiam.
7 Porque o Senhor Deus me
ajuda,
não serei confundido.
Por isso, fiz o meu rosto como
a pederneira,
e sei que não serei
envergonhado.
8 Perto está o que me justifica.
Quem contenderá comigo?
Compareçamos juntos!
Quem é meu adversário?
Chegue-se para mim!
9 É o Senhor Deus quem me
ajuda.
Quem há que me condene?

Todos eles como vestidos se envelhecerão;
a traça os comerá.
10 Quem há entre vós que tema a Deus
e ouça a voz do seu servo?
Quando andar em trevas
e não tiver luz nenhuma,
confie no nome do Senhor
e firme-se sobre o seu Deus.
11 Todos vós, porém,
que acendeis fogo,
e vos armais com tições acesos,
ide, andai entre as chamas do vosso fogo
e entre os tições que acendestes.
Isso é o que recebereis da minha mão:
Em tormentos jazereis.

### A salvação eterna de Israel

**51** Ouvi-me vós, os que seguis a retidão,
os que buscais ao Senhor:
Olhai para a rocha de onde fostes cortados
e para a caverna do poço de onde fostes cavados.
2 Olhai para Abraão,
vosso pai, e para Sara,
que vos deu à luz.
Sendo ele só, eu o chamei
o abençoei e o multipliquei.
3 O Senhor certamente consolará Sião
e consolará todos os seus lugares assolados;
ele fará o seu deserto como o Éden e os seus ermos como o jardim do Senhor.
Alegria e contentamento se acharão nela,
ações de graças e som de cânticos.
4 Atendei-me, povo meu;
nação minha, inclinai os ouvidos para mim:
De mim sairá a lei,
e a minha justiça se estabelecerá como luz dos povos.
5 Perto está a minha retidão;
vem saindo a minha salvação,
e os meus braços julgarão os povos.
As ilhas me aguardarão
e no meu braço esperarão.
6 Levantai os vossos olhos para os céus e olhai para a terra,
porque os céus desaparecerão como a fumaça
e a terra se envelhecerá como um vestido;
os seus moradores morrerão como mosquitos.
A minha salvação, porém, durará para sempre
e a minha retidão jamais falhará.
7 Ouvi-me, vós que conheceis o que é reto;
vós, povo, em cujo coração está a minha lei:
Não temais o desprezo dos homens
nem vos turbeis pelas suas injúrias.
8 Pois a traça os roerá como a um vestido;
o bicho os comerá como à lã.
A minha retidão, porém, durará para sempre;
a minha salvação de geração em geração.
9 Desperta, desperta!
Veste-te de força,
ó braço do Senhor;
desperta como nos dias passados,
como nas gerações antigas.

Não foste tu que cortaste em pedaços a Raabe
e trespassaste ao dragão?
10 Não foste tu que secaste o mar,
as águas do grande abismo;
que fizeste um caminho no fundo do mar,
para que passassem os remidos?
11 Os resgatados do Senhor voltarão.
Entrarão em Sião com júbilo;
perpétua alegria coroará as suas cabeças.
Alegria e contentamento os alcançarão;
tristeza e gemido fugirão deles.
12 Eu, eu sou aquele que vos consola.
Quem és tu, para que temas o homem, que é mortal,
ou o filho do homem, que não passa de erva,
13 que te esqueces do Senhor que te criou,
que estendeu os céus e fundou a terra,
e temes continuamente todo dia o furor do angustiador,
quando se prepara para destruir?
Onde está o furor do que te atribulava?
14 O exilado cativo depressa será solto e não morrerá na masmorra,
e o seu pão não lhe faltará.
15 Pois eu sou o Senhor, o teu Deus,
que agita o mar, de modo que bramem as suas ondas.
O Senhor dos Exércitos é o seu nome.
16 Eu pus as minhas palavras na tua boca
e te cobri com a sombra da minha mão;
eu que plantei os céus no seu lugar
e fundei a terra,
e que digo a Sião: Tu és o meu povo.
17 Desperta, desperta!
Levanta-te, ó Jerusalém, que bebeste da mão do Senhor
o cálice do seu furor,
que bebeste da taça do atordoamento e a esgotaste.
18 De todos os filhos que teve, nenhum há que a guie mansamente,
e de todos os filhos que criou
nenhum que a tome pela mão.
19 Estas duas coisas te aconteceram;
quem terá compaixão de ti?
Assolação e quebrantamento, fome e espada; quem te consolará?
20 Os teus filhos já desmaiaram e jazem nas entradas
de todos os caminhos, como o antílope na rede.
Cheios estão do furor do Senhor e da repreensão do teu Deus.
21 Pelo que agora ouve isto, ó opressa
e embriagada, mas não de vinho.
22 Assim diz o Senhor, o Senhor teu Deus,
que pleiteará a causa do seu povo:
Eu tomo da tua mão o cálice do atordoamento,
o cálice do meu furor;
nunca mais dele beberás.

23 Eu o colocarei nas mãos
dos que te entristeceram,
que dizem à tua alma:
Abaixa-te, para que passemos
sobre ti.
E tu puseste as tuas costas
como chão e
como rua para os que
passavam.

## 52

Desperta, desperta,
reveste-te de fortaleza, ó
Sião.
Veste-te dos teus vestidos
formosos,
ó Jerusalém, cidade santa.
Nunca mais entrará em ti
incircunciso nem imundo.
2 Sacode o pó; levanta-te
e assenta-te, ó Jerusalém.
Solta-te das ataduras de teu
pescoço,
ó cativa filha de Sião.
3 Pois assim diz o Senhor:
Por nada fostes vendidos,
e sem dinheiro sereis
resgatados.
4 Pois assim diz o Senhor Deus:
O meu povo em tempos
passados desceu ao Egito,
para lá habitar;
a Assíria sem razão o
oprimiu.
5 E agora o que acho eu aqui?
diz o Senhor.
Pois o meu povo foi
levado por nada,
e os que dominam sobre ele
zombam dele,
diz o Senhor.
O meu nome é blasfemado
incessantemente o dia todo.
6 Portanto, o meu povo saberá o
meu nome;
portanto naquele dia
saberão
que fui eu quem o predisse.
Sim, eu mesmo.

7 Quão formosos são sobre os
montes
os pés do que anuncia boas-
novas,
que proclama a paz,
que anuncia coisas boas,
que faz ouvir a salvação,
que diz a Sião:
O teu Deus reina!
8 Ouvi! Os teus sentinelas
levantam a voz;
juntamente exultam.
Com os seus próprios olhos o
verão,
quando o Senhor voltar a
Sião.
9 Rompei em cânticos de júbilo
juntamente,
ó ruínas de Jerusalém,
pois o Senhor consolou o seu
povo,
remiu a Jerusalém.
10 O Senhor descobriu o seu
santo braço perante os olhos
de todas as nações;
todos os confins da terra
verão
a salvação do nosso Deus.
11 Retirai-vos, retirai-vos, saí
de lá!
Não toqueis coisa imunda!
Saí do meio dela, purificai-vos,
os que levais os utensílios
do Senhor.
12 Contudo, não saireis
apressadamente nem ireis
em fuga;
pois o Senhor irá diante de
vós,
e o Deus de Israel será a
vossa retaguarda.

### O sofrimento e a glória do Messias

13 Vede, o meu servo
procederá com prudência;
será engrandecido,
elevado e muito sublime.

**Isaías 53**

14 Exatamente como muitos pasmaram à vista dele.
O seu parecer estava tão desfigurado,
mais do que o de outro qualquer,
e a sua aparência mais do que a dos outros filhos dos homens.
15 Assim causará temor em muitas nações,
e os reis fecharão as suas bocas por causa dele.
Pois aquilo que não lhes foi anunciado verão,
e aquilo que não ouviram entenderão.

## 53

Quem deu crédito à nossa pregação?
A quem se manifestou o braço do Senhor?
2 Ele foi subindo como renovo perante ele,
e como raiz de uma terra seca.
Não tinha parecer nem formosura;
e, olhando nós para ele,
nenhuma beleza víamos para que o desejássemos.
3 Era desprezado e o mais indigno entre os homens;
homem de dores e experimentado no sofrimento.
Como um de quem os homens escondiam o rosto,
era desprezado, e não fizemos dele caso algum.
4 Verdadeiramente ele tomou sobre si as nossas *enfermidades*,
e as nossas dores levou sobre si;
contudo, nós o consideramos como aflito,
ferido de Deus e oprimido.
5 Ele, porém, foi ferido pelas nossas transgressões
e moído pelas nossas iniquidades;
o castigo que nos traz a paz estava sobre ele,
e pelas suas pisaduras fomos sarados.
6 Todos nós andávamos desgarrados como ovelhas,
cada um se desviava pelo seu caminho;
e o Senhor fez cair sobre ele a iniquidade de nós todos.
7 Ele foi oprimido e humilhado, mas não abriu a sua boca;
como cordeiro foi levado ao matadouro,
e como a ovelha muda perante os seus tosquiadores,
ele não abriu a sua boca.
8 Pela opressão e pelo juízo foi tirado.
E quem pode falar da sua linhagem?
Pois foi cortado da terra dos viventes;
pela transgressão do meu povo foi ele atingido.
9 Deram-lhe sepultura com os ímpios,
e com o rico na sua morte,
embora nunca tivesse cometido injustiça,
nem houvesse engano na sua boca.
10 Todavia, ao Senhor agradou moê-lo, fazendo-o enfermar;
quando a sua alma se puser por expiação do pecado,
verá a sua posteridade,
prolongará os seus dias,
e a vontade do Senhor prosperará na sua mão.

11 Ele verá o trabalho
da sua alma
e ficará satisfeito;
   com o seu conhecimento o
   meu servo,
   o justo, justificará a muitos,
   e as iniquidades deles
   levará sobre si.
12 Pelo que lhe darei uma
porção entre os poderosos,
   e com os fortes repartirá ele
   o despojo,
porque derramou a sua alma
na morte
e foi contado com os
transgressores.
Pois ele levou sobre si o
pecado de muitos
e pelos transgressores
intercedeu.

### A futura glória de Sião

**54** Canta, ó estéril, que não deste à luz;
exulta com alegre canto
   e exclama, tu que nunca
   tiveste dores de parto;
   porque mais são os filhos
   da desolada
do que os da casada, diz o
Senhor.
2 Amplia o lugar da tua tenda,
e as cortinas das tuas
   habitações se estendam,
não o impeças;
   alonga as tuas cordas
   e firma bem as tuas estacas.
3 Porque transbordarás à mão
direita e à esquerda;
   a tua posteridade
   possuirá as nações
e fará que sejam habitadas
as cidades assoladas.
4 Não temas; não serás
envergonhada.
   Não te envergonhes;
   não serás humilhada.

Antes te esquecerás
da vergonha da tua
   juventude,
e não te lembrarás mais
da humilhação da tua viuvez.
5 Pois o teu Criador é o
teu marido,
   o Senhor dos Exércitos é o
   seu nome,
   o Santo de Israel é o teu
   Redentor;
   ele será chamado o Deus de
   toda a terra.
6 O Senhor te chamará
como a mulher
desamparada e triste de
   espírito,
como a mulher da juventude,
que fora desprezada,
diz o teu Deus.
7 Por breve momento te deixei,
mas com grande compaixão
   te recolherei.
8 Em grande ira
escondi a minha face de ti por
um momento,
mas com benignidade eterna
me compadecerei de ti,
   diz o Senhor, o teu
   Redentor.
9 Isso será para mim como
os dias de Noé,
   quando jurei que as águas
   de Noé nunca
mais inundariam a terra.
   Assim agora jurei
   que não me
irarei mais contra ti,
nem te repreenderei.
10 Embora as montanhas
se desviem e os outeiros
   tremam,
contudo o meu constante
   amor
não se desviará de ti,
   nem será removida a
   aliança da minha paz,

Isaías 55

diz o Senhor,
que se compadece de ti.
11 Ó oprimida, arrojada
com a tormenta e
desconsolada!
Eu te construirei com
pedras de turquesa
e te fundarei sobre safiras.
12 Farei os teus baluartes de rubis,
as tuas portas de joias
brilhantes
e todos os teus muros de
pedras preciosas.
13 Todos os teus filhos serão
ensinados do Senhor,
e grande será a paz de teus
filhos.
14 Com retidão serás
confirmada:
A opressão estará longe de
ti;
já não temerás.
O terror será removido;
não chegará a ti.
15 Embora se levantem
ataques contra ti,
isso não procederá de mim;
todo aquele que contender
contigo,
cairá diante de ti.
16 Vê, fui eu que criei o ferreiro,
que assopra as brasas no fogo,
que produz a ferramenta
para a sua obra.
E fui eu que criei o assolador,
para destruir;
17 ferramenta alguma
preparada
contra ti prosperará,
e toda língua que se
levantar contra ti em juízo
tu a condenarás.
Essa é a herança dos
servos do Senhor,
e essa é a sua justiça que vem
de mim,
diz o Senhor.

## Convite ao sedento

**55** Ó vós, todos os que
tendes sede,
vinde às águas,
e os que não tendes
dinheiro,
vinde, comprai e comei!
Vinde, comprai, sem
dinheiro
e sem preço, vinho e leite.
2 Por que gastais o dinheiro
naquilo que não é pão?
E o produto do vosso
trabalho naquilo que não
pode satisfazer?
Ouvi-me atentamente,
comei o que é bom,
e a vossa alma se deleite
com a gordura.
3 Inclinai os vossos ouvidos e
vinde a mim;
ouvi, e a vossa alma viverá.
Convosco farei uma aliança
perpétua,
dando-vos as firmes
beneficências prometidas a
Davi.
4 Vede, eu o dei por testemunho
aos povos como príncipe e
governador dos povos.
5 Certamente chamarás
a uma nação que não
conheces,
e uma nação que nunca te
conheceu correrá para ti,
por amor do Senhor,
o teu Deus,
e do Santo de Israel,
pois ele te glorificou.
6 Buscai ao Senhor enquanto se
pode achar,
invocai-o enquanto está
perto.
7 Deixe o ímpio o seu caminho,
e o homem maligno os seus
pensamentos.
Converta-se ao Senhor,

que se compadecerá dele,
e torne para o nosso Deus,
pois grandioso é em perdoar.
8 Pois os meus pensamentos
não são os vossos
pensamentos,
nem os vossos caminhos os
meus caminhos,
diz o Senhor.
9 Assim como os céus
são mais altos do que a terra,
assim são os meus caminhos
mais altos do que os vossos
caminhos,
e os meus pensamentos
mais altos do que os vossos
pensamentos.
10 Assim como descem a chuva
e a neve dos céus,
e para lá não tornam,
mas regam a terra,
e a fazem produzir,
brotar e dar semente ao
semeador
e pão ao que come,
11 assim será a palavra
que sair da minha boca:
Ela não voltará para mim
vazia,
mas fará o que desejo,
e prosperará naquilo para
que a enviei.
12 Com alegria saireis,
e em paz sereis guiados;
os montes e os outeiros
exclamarão de contentamento
perante a vossa face,
e todas as árvores do campo
baterão palmas.
13 Em lugar do espinheiro
crescerá o cipreste,
e em lugar da sarça
crescerá a murta.
Isso será para renome do
Senhor,
por sinal eterno,
que nunca se apagará.

## Salvação para os gentios

**56** Assim diz o Senhor:
Mantende o juízo
e fazei justiça,
pois a minha salvação está
prestes a vir
e a minha retidão a
manifestar-se.
2 Bem-aventurado o homem
que faz isso,
e o filho do homem que
lança mão disso,
que se guarda de profanar
o sábado
e guarda a sua mão de
perpetrar algum mal.
3 Não diga o estrangeiro
que se houver chegado
ao Senhor:
De todo me apartará o
Senhor do seu povo.
Tampouco diga o eunuco:
Eu não passo de uma árvore seca.
4 Pois assim diz o Senhor:
Aos eunucos que guardam os
meus sábados
e escolhem aquilo que
me agrada,
e abraçam a minha aliança,
5 darei na minha casa
e dentro dos meus muros
um lugar e um nome,
melhor do que o de filhos e
filhas;
um nome eterno darei a
cada um deles,
que nunca se apagará.
6 Aos estrangeiros que se
chegarem ao Senhor para o
servirem,
e para amarem o nome do
Senhor,
sendo deste modo servos seus,
todos os que guardarem
o sábado, não o profanando,
e os que abraçarem a
minha aliança,

7 também os levarei ao meu
  santo monte
    e os alegrarei na minha
    casa de oração.
  Os seus holocaustos e os seus
    sacrifícios
    serão aceitos no meu altar,
  pois a minha casa será
    chamada
    casa de oração para todos
    os povos.
8 Assim diz o Senhor Deus,
  que ajunta os dispersos de
    Israel:
    Ainda ajuntarei outros aos
  que já se lhe ajuntaram.
9 Vós, todos os animais do campo,
  todas as feras dos bosques,
    vinde comer.
10 Todos os atalaias de Israel
  são cegos,
    nada sabem;
  todos são cães mudos,
    não podem ladrar;
  andam adormecidos,
    estão deitados,
  e amam dormir.
11 Esses cães são gulosos,
  nunca se podem fartar.
    São pastores que nada
    compreendem;
  todos eles se tornam para o
    seu caminho,
  cada um para a sua
  ganância, todos sem exceção.
12 Vinde, diz cada um deles,
  trarei vinho,
  e beberemos bebida forte;
    o dia de amanhã será
    como este,
  ou ainda muito melhor.

# 57

*Perece o justo,*
  e não há quem considere
isso em seu coração;
  os homens compassivos são
    retirados,
    sem que alguém considere
que o justo é levado antes que
    venha o mal.
2 Os que andam retamente
  entram em paz;
    descansam nas suas camas
  os que houverem andado na
    sua retidão.
3 Chegai-vos, porém, para aqui,
  vós os filhos da adivinha,
  descendência de adúlteros e
    prostitutas!
4 De quem zombais?
  Contra quem escancarais
    a boca
  e mostrais a língua?
  Não sois filhos da
    transgressão,
  descendência da falsidade?
5 Vós vos inflamais com desejos
  incontroláveis
    debaixo dos carvalhos
  e debaixo de toda árvore
    frondosa;
  sacrificais os vossos
    filhos nos ribeiros
  e nas aberturas dos penhascos.
6 Por entre as pedras lisas
  dos ribeiros está a tua parte;
    estas, estas são a tua
    porção.
  Sobre elas também
    derramas a tua libação,
  e lhes ofereces ofertas.
  Poderia eu contentar-me com
    essas coisas?
7 Sobre um monte alto
  e elevado puseste a tua cama,
  e a ele sobes para oferecer
    sacrifícios.
8 Detrás das portas e dos
  limiares das ombreiras pões
    os teus memoriais.
  Longe de mim te
    descobriste,
  subiste à tua cama e a
    alargaste;
  fizeste aliança com aqueles

cuja cama tu amas,
e contemplaste a sua nudez.
9 Procuraste a Moloque com óleo
e multiplicaste os teus
perfumes.
Enviaste os teus
embaixadores para longe;
desceste até o sepulcro.
10 Em todos os teus caminhos
te cansaste,
mas não disseste: Não há
esperança.
Recuperaste o vigor da tua
força,
por isso não desfaleceste.
11 Contudo de quem tiveste
receio ou temor,
para que mentisses
e não te lembrasses de mim,
nem no teu coração me
pusesses?
Não é porque eu me calo,
e isso há muito tempo,
e não me temes?
12 Eu exporei a tua retidão
e as tuas obras,
e elas não te aproveitarão.
13 Quando clamares, livrem-te
os teus
congregados.
O vento a todos levará,
e a vaidade os arrebatará.
Mas o que confia em mim
possuirá a terra,
e herdará o meu santo monte.
14 E se dirá:
Aplanai, aplanai,
preparai o caminho!
Tirai os tropeços
do caminho do meu povo.
15 Porque assim diz o Alto,
o Sublime,
que habita na eternidade,
e cujo nome é Santo:
Num alto e santo lugar habito,
e também com o contrito e
abatido de espírito,

para vivificar o espírito
dos abatidos
e vivificar o coração dos
contritos.
16 Não contenderei para
sempre,
nem continuamente me
indignarei,
pois o espírito do homem
se enfraqueceria perante a
minha face,
o fôlego do homem que eu
criei.
17 Por causa da iníqua
cobiça me indignei;
eu o castiguei, e escondi a
minha face, indignei-me,
mas, rebelde, seguiu ele o
caminho do seu coração.
18 Eu vi os seus caminhos, mas
o sararei;
eu o guiarei e lhe tornarei a
dar consolo,
19 criando louvor nos lábios dos
pranteadores de Israel.
Paz, paz, para os que estão
longe
e para os que estão perto,
diz o Senhor, e eu o sararei.
20 Os ímpios, porém, são
como o mar agitado
que não se pode aquietar,
cujas águas lançam de si
lama e lodo.
21 Para os ímpios, diz o meu
Deus,
não há paz.

### O verdadeiro jejum

**58** Clama em alta voz, não te detenhas.
Levanta a tua voz como a
trombeta
e anuncia ao meu povo a
sua transgressão
e à comunidade de Jacó os
seus pecados.

## Isaías 58

2 Pois dia a dia me procuram;
 têm prazer em saber os meus
  caminhos,
  como um povo que pratica
   a justiça
 e não deixa os mandamentos
  do seu Deus.
 Perguntam-me pelos direitos
  da justiça
  e têm prazer em se chegar
   a Deus.
3 Dizem: Por que jejuamos nós,
  e tu não atentas para isso?
   Por que afligimos as nossas
    almas,
  e tu não o sabes?
   Contudo no dia em que
    jejuais,
  prosseguis nas vossas
   empresas
   e explorais todos os vossos
    trabalhadores.
4 Para contendas e debates
  jejuais,
   e para ferirdes com o
    punho iníquo.
  Não jejueis como hoje,
   para fazer ouvir a vossa voz
    no alto.
5 É este o jejum que eu escolhi,
  que o homem um dia
   humilhe a sua alma,
   incline a sua cabeça
    como o junco
  e estenda debaixo de si
   saco e cinza?
   É isso o que chamas de
  jejum e dia aprazível ao
   Senhor?
6 Não é este o jejum que escolhi:
  Que soltes as ligaduras da
   *impiedade,*
  que desates as cordas do
   jugo,
  que deixes livres os
   quebrantados
   e despedaces todo jugo?

7 Não é também que repartas
  o teu pão com o faminto
   e recolhas em casa os
    pobres desterrados?
   E, vendo o nu, o cubras,
    e não te escondas do teu
     próximo?
8 Então romperá a tua luz
  como a alva,
   e a tua cura
    apressadamente brotará,
   e a tua justiça irá adiante da
    tua face,
   e a glória do Senhor será a
    tua retaguarda.
9 Então clamarás, e o Senhor te
  responderá;
  gritarás, e ele dirá:
   Aqui estou.
  Se tirares do meio de ti o jugo,
   o estender do dedo e o falar
    iniquamente,
10 e se abrires a tua alma ao
  faminto e fartares a alma
   aflita,
   então a tua luz nascerá nas
    trevas
   e a tua escuridão será como o
    meio-dia.
11 O Senhor te guiará
  continuamente
   e fartará a tua alma em
    lugares secos;
   fortificará os teus ossos.
   Serás como um jardim
    regado,
   e como um manancial,
    cujas águas nunca faltam.
12 Os que de ti procederem
  edificarão os lugares
   antigamente assolados,
   e levantarás os fundamentos
  de geração em geração;
   eles te chamarão
    reparador de brechas
   e restaurador de veredas com
    moradias.

13 Se desviares o teu pé de profanar o sábado,
de fazer a tua vontade no meu santo dia,
e se chamares ao sábado deleitoso,
e santo dia do Senhor, digno de honra,
e o honrares não seguindo os teus caminhos,
nem te ocupando nas tuas empresas,
nem falando palavras vãs,
14 então te deleitarás no Senhor,
e te farei cavalgar sobre as alturas da terra,
e te sustentarei com a herança
de teu pai Jacó.
A boca do Senhor o disse.

### Os pecados de Israel

**59** Certamente a mão do Senhor não está encolhida,
para que não possa salvar,
nem surdo o seu ouvido, para que não possa ouvir.
2 Contudo, as vossas iniquidades
fazem divisão entre vós e o vosso Deus,
e os vossos pecados encobrem o seu rosto de vós,
para que não vos ouça.
3 Pois as vossas mãos estão contaminadas de sangue,
e os vossos dedos, de iniquidade.
Os vossos lábios falam falsamente,
a vossa língua pronuncia perversidade.
4 Ninguém há que clame pela justiça;
ninguém comparece em juízo pela verdade.
Confiam na vaidade e andam falando mentiras;
concebem o mal e produzem a iniquidade.
5 Chocam ovos de basilisco
e tecem teias de aranha.
Aquele que comer dos ovos deles morrerá,
e se um dos ovos é quebrado, sai dele uma víbora.
6 As suas teias não prestam para vestes;
não se podem cobrir com as suas obras.
As suas obras são obras de iniquidade,
obra de violência há nas suas mãos.
7 Os seus pés correm para o mal;
apressam-se para derramar o sangue inocente.
Os seus pensamentos são pensamentos de iniquidade;
ruína e destruição há nas suas estradas.
8 Não conhecem o caminho da paz;
não há juízo nos seus passos.
Fizeram para si veredas tortuosas;
todo aquele que anda por elas não tem conhecimento da paz.
9 Pelo que a justiça está longe de nós,
e a retidão não nos alcança.
Esperamos pela luz,
e só há trevas;
pelo resplendor,
mas andamos em escuridão.
10 Apalpamos as paredes como cegos;
como os que não têm olhos, andamos apalpando.
Tropeçamos ao meio-dia como nas trevas,

e nos lugares escuros somos
como mortos.
11 Todos nós bramamos
como ursos,
e continuamente gememos
como pombas.
Esperamos a justiça, e ela
não aparece;
a salvação, e ela está longe
de nós.
12 Pois as nossas transgressões
se multiplicam perante ti,
e os nossos pecados
testificam contra nós.
As nossas transgressões
estão conosco;
conhecemos as nossas
iniquidades:
13 rebelião e traição contra o
Senhor,
retiramo-nos do nosso Deus,
pregamos opressão e revolta,
e proferimos mentiras que
nosso coração concebeu.
14 Pelo que a justiça se tornou
atrás,
e a retidão se pôs longe;
a verdade anda tropeçando
pelas ruas,
e a equidade não pode
entrar.
15 A verdade ausentou-se,
e quem se desvia do mal
arrisca-se a ser despojado.
O Senhor o viu, e pareceu
mau aos seus olhos
que não houvesse justiça.
16 Ele viu que não havia
ninguém,
e maravilhou-se de que não
houvesse intercessor;
pelo que o seu próprio braço
lhe trouxe a salvação,
e a sua própria justiça o
susteve.
17 Ele se revestiu de retidão,
como de uma couraça,
e pôs capacete da salvação
na cabeça;
tomou sobre si as vestes da
vingança
e se cobriu de zelo, como de
um manto.
18 Conforme as obras deles,
assim será a sua retribuição:
furor aos seus adversários,
e recompensa aos seus
inimigos;
às ilhas dará ele a sua
recompensa.
19 Então temerão o nome do
Senhor desde o poente,
e a sua glória desde o
nascente do sol.
Pois ele virá como uma
corrente impetuosa,
que o sopro do Senhor impele.
20 O Redentor virá a Sião
e aos que se desviarem da
transgressão em Jacó,
diz o Senhor.
21 Quanto a mim, esta é a minha aliança com eles, diz o Senhor. O meu Espírito, que está sobre ti, e as minhas palavras, que pus na tua boca, não se desviarão da tua boca, nem da boca de teus filhos, nem da boca dos seus descendentes, diz o Senhor, desde agora e para todo o sempre.

### A glória de Jerusalém

**60** Levanta-te, resplandece,
pois já vem a tua luz,
e a glória do Senhor vai
nascendo sobre ti.
2 As trevas cobrem a terra,
e a escuridão os povos;
mas sobre ti o Senhor vem
surgindo, e a sua glória se vê
sobre ti.
3 As nações caminharão à tua luz,
e os reis ao resplendor que
te nasceu.

**4** Levanta em redor os teus
olhos, e vê:
Todos estes já se ajuntaram, e
vêm a ti;
os teus filhos virão de
longe,
e as tuas filhas se criarão a
teu lado.
**5** Quando o vires, ficarás
radiante,
e o teu coração estremecerá
e se alegrará;
a abundância do mar se
tornará a ti,
e as riquezas das nações a
ti virão.
**6** Multidão de camelos cobrirá
a tua terra,
os camelos de Midiã e Efá.
Todos virão de Sabá,
trazendo ouro e incenso,
e proclamando os louvores do
Senhor.
**7** Todas as ovelhas de Quedar
se congregarão em ti,
os carneiros de Nebaiote te
servirão;
com agrado subirão ao meu
altar,
e eu cobrirei de esplendor
o templo da minha glória.
**8** Quem são estes que vêm
voando como nuvens
e como pombas aos seus
ninhos?
**9** Certamente as ilhas me
aguardam;
vêm primeiro os navios de
Társis,
trazendo os teus filhos de
longe,
a sua prata e o seu ouro
com eles,
para a honra do Senhor, o teu
Deus,
o Santo de Israel, pois ele te
glorificou.

**10** Estrangeiros reedificarão os
teus muros,
e os seus reis te servirão.
Embora no meu furor eu te
tenha ferido,
na minha benignidade terei
compaixão de ti.
**11** As tuas portas estarão
abertas de contínuo,
nem de dia nem de noite se
fecharão,
para que tragam a ti as
riquezas das nações e,
conduzidos com elas, os seus
reis.
**12** Pois a nação ou o reino
que não te servirem
perecerão;
essas nações de todo serão
assoladas.
**13** A glória do Líbano virá a ti,
o cipreste, o olmeiro e o
buxo conjuntamente,
para adornar o lugar do meu
santuário;
e farei glorioso o lugar dos
meus pés.
**14** Também virão a ti,
inclinando-se, os filhos dos
que te oprimiram;
se prostrarão aos teus pés
todos os que te
desprezaram,
e te chamarão a cidade do
Senhor,
a Sião do Santo de Israel.
**15** Embora foste abandonada e
odiada,
de modo que ninguém
passava por ti,
eu te farei um orgulho
perpétuo,
uma alegria de geração em
geração.
**16** Beberás o leite das nações
e te alimentarás aos peitos
dos reis.

Então, saberás que eu,
o Senhor, sou o teu Salvador,
e o teu Redentor,
o Poderoso de Jacó.
17 Por bronze trarei ouro,
por ferro trarei prata.
Por madeira trarei bronze,
e por pedras ferro.
Farei pacíficos os teus
oficiais,
e justos os teus governantes.
18 Nunca mais se ouvirá
de violência nas tuas
fronteiras,
de desolação ou destruição
nos teus termos,
mas aos teus muros
chamarás Salvação,
e às tuas portas Louvor.
19 Nunca mais te servirá o sol
para luz do dia,
nem com o seu resplendor
a lua te iluminará,
pois o Senhor será a tua luz
perpétua,
e o teu Deus a tua glória.
20 Nunca mais se porá
o teu sol,
nem a tua lua minguará;
o Senhor será a tua luz
perpétua,
e os dias do teu luto
findarão.
21 Então, todo o teu povo será
justo
e para sempre herdará a
terra.
Eles serão renovos por mim
plantados,
obra das minhas mãos,
para que eu seja glorificado.
22 O menor virá a ser mil,
e o mínimo, uma poderosa
nação.
Eu sou o Senhor;
a seu tempo farei isso
prontamente.

## O ano da graça do Senhor

**61** O Espírito do Senhor
Deus está sobre mim,
porque o Senhor me ungiu
para pregar
as boas-novas aos pobres.
Enviou-me a restaurar os
contritos de coração,
a proclamar liberdade aos
cativos
e abertura de prisão aos
presos;
2 a apregoar o ano aceitável do
Senhor
e o dia da vingança do
nosso Deus.
A consolar todos os tristes,
3 e ordenar acerca dos
tristes de Sião
que se lhes dê uma bela
coroa em vez de cinzas,
óleo de alegria em vez de
tristeza,
veste de louvor em vez de
espírito angustiado.
Eles se chamarão árvores de
justiça,
plantação do Senhor,
para que ele seja
glorificado.
4 Reedificarão as ruínas
antigas
e restaurarão os lugares há
muito devastados;
renovarão as cidades
arruinadas,
devastadas de geração em
geração.
5 Estrangeiros apascentarão os
vossos rebanhos;
estranhos serão os vossos
lavradores
e os vossos vinhateiros.
6 E vós sereis chamados
sacerdotes do Senhor,
e vos chamarão ministros
de nosso Deus.

Comereis a abundância das nações,
e na sua glória vos gloriareis.
7 Em lugar da sua vergonha, terão dupla honra,
em lugar da humilhação, exultarão na sua herança;
pelo que na sua terra possuirão
o dobro e terão perpétua alegria.
8 Pois eu, o Senhor, amo a justiça;
odeio o roubo e a iniquidade.
Na minha fidelidade lhes darei a sua recompensa,
e farei uma aliança eterna com eles.
9 A sua posteridade será conhecida entre as nações,
e os seus descendentes no meio dos povos.
Todos quantos os virem os conhecerão
como descendência bendita do Senhor.
10 Eu me regozijo muito no Senhor;
a minha alma se alegra no meu Deus.
Pois ele me cobriu com vestes de salvação
e me envolveu com o manto de retidão,
como o noivo que se adorna com um turbante,
e como a noiva que se enfeita com as suas joias.
11 Porque, como a terra produz os seus renovos,
e como o jardim faz brotar o que nele se semeia,
assim o Senhor Deus fará brotar a retidão
e o louvor perante todas as nações.

## O novo nome de Sião

**62** Por amor de Sião não me calarei,
e por amor de Jerusalém não me aquietarei,
até que brilhe a sua retidão como a aurora,
e a sua salvação como uma tocha acesa.
2 As nações verão a tua retidão,
e todos os reis a tua glória;
eles te chamarão por um nome novo,
que a boca do Senhor nomeará.
3 Serás uma coroa de glória na mão do Senhor,
um diadema real na mão do teu Deus.
4 Nunca mais te chamarão Desamparada,
nem a tua terra se denominará jamais Assolada.
Mas te chamarão Hefzibá, e à tua terra, Beulá;
pois o Senhor se agrada de ti,
e a tua terra será desposada.
5 Como o jovem se casa com a donzela,
assim os teus filhos se casarão contigo
e, como o noivo se alegra com a noiva,
assim se alegrará contigo o teu Deus.
6 Ó Jerusalém, sobre os teus muros pus guardas;
jamais se calarão, nem de dia nem de noite.
Vós os que invocais ao Senhor, não descanseis,
7 nem estejais em silêncio,
até que ele restabeleça Jerusalém,
e a ponha por louvor na terra.

8 Jurou o Senhor pela sua mão direita
e pelo braço da sua força:
Nunca mais darei o teu trigo por comida aos teus inimigos,
nem os estranhos beberão o teu vinho novo, pelo qual trabalhaste.
9 Os que, porém, ajuntarem o comerão,
e louvarão ao Senhor,
e os que o colherem beberão nos átrios do meu santuário.
10 Passai, passai pelas portas!
Preparai o caminho ao povo.
Aplanai, aplanai a estrada!
Limpai-a das pedras.
Arvorai a bandeira aos povos.
11 O Senhor proclamou até as extremidades da terra:
Dizei à filha de Sião:
Vê, a tua salvação vem!
Vê, com ele vem o seu galardão,
e a sua obra diante dele.
12 Serão chamados o povo santo, os remidos do Senhor;
e tu serás chamada a Procurada,
a cidade não desamparada.

### Vingança e redenção de Deus

**63** Quem é este que vem de Edom,
de Bozra, com vestes tingidas de vermelho?
Quem é este, vestido de esplendor,
que marcha na grandeza da sua força?
Sou eu que falo em retidão, poderoso para salvar.
2 Por que estão vermelhas as tuas vestes,
como os trajes daqueles que pisam no tanque de prensar uvas?
3 Eu sozinho pisei neste tanque;
dos povos ninguém houve comigo.
Pisei-os na minha ira,
e os esmaguei no meu furor;
o seu sangue salpicou as minhas vestes,
e manchei toda a minha roupa.
4 Porque o dia da vingança estava no meu coração,
e o ano dos meus redimidos é chegado.
5 Olhei, e não havia quem me ajudasse,
espantei-me de não haver quem me sustivesse;
pelo que o meu braço me trouxe a salvação,
e o meu furor me susteve.
6 Pisei os povos na minha ira;
embriaguei-os no meu furor
e derramei o seu sangue sobre a terra.

### Louvor e ação de graças

7 As benignidades do Senhor mencionarei,
e os muitos louvores do Senhor,
consoante tudo o que o Senhor nos concedeu;
a grande bondade para com a nação de Israel,
bondade que ele lhes concedeu
segundo as suas misericórdias
e segundo a multidão das suas benignidades.
8 Ele disse: Certamente eles são meu povo,
filhos que não mentirão;
e assim ele foi o seu Salvador.

⁹ Em toda a angústia deles foi
ele angustiado,
e o anjo da sua face os salvou.
Em seu amor e compaixão ele
os remiu;
ele os tomou
e os conduziu todos os dias da
antiguidade.
¹⁰ Contudo, eles foram rebeldes
e entristeceram o seu
Espírito Santo.
Pelo que se lhes tornou em
inimigo,
e ele mesmo pelejou contra
eles.
¹¹ Então, o seu povo se lembrou
dos dias da antiguidade,
de Moisés e do seu povo,
dizendo:
Onde está aquele que os fez
subir do mar
com os pastores do seu
rebanho?
Onde está o que pôs no meio
deles
o seu Espírito Santo,
¹² que fez o seu braço glorioso
andar à mão
direita de Moisés,
que fendeu as águas diante
deles,
para criar para si um nome
eterno,
¹³ que os guiou pelos abismos?
Como um cavalo no deserto,
nunca tropeçaram;
¹⁴ como o animal que desce aos
vales,
receberam descanso do
Espírito do Senhor.
Assim guiaste o teu povo,
para criares um nome
glorioso.
¹⁵ Olha dos céus, da tua
santa e gloriosa habitação.
Onde estão o teu zelo
e as tuas obras poderosas?
A ternura do teu coração e
as tuas misericórdias se
detêm para comigo!
¹⁶ No entanto, tu és o nosso Pai,
ainda que Abraão não nos
conheça
e Israel não nos reconheça;
tu, ó Senhor, és o nosso Pai,
nosso Redentor desde a
antiguidade
é o teu nome.
¹⁷ Por que, ó Senhor, nos fazes
desviar dos teus caminhos?
Por que endureces o nosso
coração,
para que não te temamos?
Volta, por amor dos teus
servos e das tribos da tua
herança.
¹⁸ Por breve tempo o teu
santo povo possuiu a sua
herança,
mas agora os nossos
adversários
pisaram o teu santuário.
¹⁹ Há muito que somos
o teu povo;
mas não exerceste o teu
domínio sobre eles,
não foram chamados pelo
teu nome.

# 64

Oh! se fendesses os céus e
descesses,
se os montes tremessem
diante da tua face!
² Como quando o fogo inflama
os gravetos
e faz ferver a água,
desce para fazeres notório o
teu nome
aos teus adversários,
e fazer que as nações tremam
na tua presença!
³ Pois quando fizeste coisas
terríveis
que não esperávamos,
desceste,

e os montes tremeram diante da tua face.
4 Desde a antiguidade ninguém ouviu, nenhum ouvido percebeu, e olho nenhum viu Deus além de ti, que trabalhe para aqueles que nele esperam.
5 Sais em socorro daqueles que alegremente praticam a justiça, daqueles que se lembram dos teus caminhos. Mas ao continuarmos pecando contra eles, te iraste. Como, pois, podemos ser salvos?
6 Todos nós somos como o imundo, e todos os nossos atos de justiça como trapo da imundícia; todos nós caímos como a folha, e os nossos pecados como um vento nos arrebatam.
7 Ninguém há que invoque o teu nome, que desperte e te detenha; pois esconderes de nós o teu rosto, e nos consumistes por causa das nossas iniquidades.
8 Agora, porém, ó Senhor, tu és o nosso Pai. Nós somos o barro, tu és o nosso oleiro; somos todos obra das tuas mãos.
9 Não te enfureças tanto, ó Senhor, nem perpetuamente te lembres da iniquidade. Olha, nós te pedimos, todos nós somos o teu povo.
10 As tuas santas cidades se tornaram em deserto; até Sião é um deserto, Jerusalém está assolada.
11 A nossa santa e gloriosa casa, em que te louvaram os nossos pais, foi queimada a fogo, e todas as nossas coisas mais preciosas se tornaram em ruína.
12 Depois de tudo, te conterás ainda, ó Senhor? Ficarás calado e nos afligirás ainda mais?

## Juízo e salvação

**65** Fui buscado dos que não perguntavam por mim; fui achado daqueles que não me buscavam. A um povo que não invocava o meu nome eu disse: Aqui estou, aqui estou.
2 Estendi as mãos o dia todo a um povo rebelde, que caminha por caminho que não é bom, após os seus próprios pensamentos;
3 povo que me irrita continuamente, sacrificando em jardins e queimando incenso sobre altares de tijolos;
4 que se assenta junto às sepulturas e passa as noites em lugares secretos; que come carne de porco, e cujo prato contém caldo de coisas abomináveis;
5 que diz: Afasta-te! Não te aproximes de mim, pois sou mais santo do que tu.

Estes são fumaça no meu nariz,
um fogo que arde o dia todo.
**6** Está escrito diante de mim:
Não me calarei, mas pagarei;
sim, eu lhes darei a
recompensa;
**7** as vossas iniquidades e
juntamente
as iniquidades de vossos
pais, diz o Senhor,
que queimaram sacrifícios
nos montes
e me desafiaram nos outeiros,
eu os farei pagar por suas
obras antigas.
**8** Assim diz o Senhor:
Como quando se acha suco
num cacho de uvas,
e os homens dizem: Não o
destruas,
ainda há alguma coisa
boa nele,
assim farei por amor de meus
servos,
para que não os destrua
totalmente.
**9** Produzirei descendência a Jacó,
e a Judá um herdeiro,
que possua os meus
montes;
os meus escolhidos herdarão
a terra,
e os meus servos
habitarão ali.
**10** Sarom servirá de curral
de ovelhas,
e o vale de Acor de lugar
de descanso para os
rebanhos,
para o meu povo, que me
busca.
**11** Quanto a vós, porém,
abandonais o Senhor,
os que vos esqueceis do
meu santo monte,
os que preparais uma mesa
para a Fortuna,
e que misturais vinho para
o Destino,
**12** eu vos destinarei à espada,
e todos vos encurvareis à
matança;
pois chamei, e não
respondestes,
falei, e não ouvistes.
Fizestes o que era mau aos
meus olhos
e escolhestes aquilo em que
eu não tinha prazer.
**13** Pelo que assim diz o
Senhor Deus:
Os meus servos comerão,
mas vós padecereis fome;
os meus servos beberão,
mas vós tereis sede;
os meus servos se alegrarão,
mas vós vos envergonhareis.
**14** Os meus servos cantarão
por terem o coração alegre,
mas vós gritareis com
angústia de coração,
e uivareis em quebrantamento
de espírito.
**15** Deixareis o vosso nome
aos meus escolhidos como
uma maldição;
o Senhor Deus vos matará,
e a seus servos chamará por
outro nome.
**16** De sorte que aquele que
invocar uma
bênção na terra,
o fará pelo Deus da verdade;
aquele que jurar na terra,
jurará pelo Deus da
verdade.
Pois as angústias passadas
serão esquecidas,
e estarão encobertas dos
meus olhos.

### Novos céus e nova terra

**17** Vede, eu crio novos céus e
nova terra.

Não haverá lembrança das coisas passadas,
nem mais se recordarão.
18 Quanto a vós, porém,
folgareis e exultareis perpetuamente no que eu crio,
pois crio para Jerusalém alegria,
e para o seu povo regozijo.
19 Folgarei por causa de Jerusalém
e exultarei no meu povo;
nunca mais se ouvirá nela
nem voz de choro nem voz de clamor.
20 Não haverá mais nela criança que viva poucos dias,
nem velho que não cumpra os seus dias;
aquele que morrer com cem anos
será tido por jovem;
o pecador que não conseguir alcançar cem anos
será considerado amaldiçoado.
21 Edificarão casas e nelas habitarão;
plantarão vinhas e comerão o seu fruto.
22 Não edificarão para que outros nelas habitem,
nem plantarão para que outros comam.
Pois os dias do meu povo serão como os dias da árvore,
e os meus eleitos desfrutarão das obras
das suas mãos até a velhice.
23 Não trabalharão inutilmente,
nem terão filhos para a calamidade;
pois serão um povo bendito do Senhor,
eles e os seus descendentes com eles.
24 Antes que clamem, responderei;
estando eles ainda falando, os ouvirei.
25 O lobo e o cordeiro se apascentarão juntos,
e o leão comerá palha como o boi,
mas o pó será a comida da serpente.
Não farão mal nem dano algum
em todo o meu santo monte, diz o Senhor.

## Juízo e esperança

**66** Assim diz o Senhor: O céu é o meu trono,
e a terra o estrado dos meus pés.
Onde está a casa que me edificareis?
Onde será o lugar do meu descanso?
2 Não fez a minha mão todas essas coisas,
e assim vieram a existir? diz o Senhor.
É para este que olharei:
para o humilde e contrito de espírito,
que treme da minha palavra.
3 O que, porém, sacrifica um boi
é como o que mata um homem,
e o que sacrifica um cordeiro,
como o que degola um cão;
o que oferece uma oferta de cereal
é como o que oferece sangue de porco,
e o que queima incenso,
como o que adora um ídolo.

# Isaías 66

Eles escolheram os seus próprios caminhos,
e a sua alma se satisfaz nas suas abominações;
4 de modo que escolherei para eles
um duro tratamento,
e farei vir sobre eles os seus temores.
Pois quando clamei, ninguém respondeu,
quando falei, não escutaram.
Fizeram o que era mau aos meus olhos
e escolheram aquilo em que eu não tinha prazer.
5 Ouvi a palavra do Senhor, os que tremeis da sua palavra:
Os vossos irmãos que vos odeiam,
e que para longe vos lançam
por amor do meu nome, dizem:
O Senhor seja glorificado, para que vejamos a vossa alegria.
Contudo, serão envergonhados.
6 Uma voz de grande tumulto virá da cidade,
uma voz do templo, voz do Senhor,
que dá o pago aos seus inimigos.
7 Antes que estivesse de parto, deu à luz;
*antes que lhe viessem as dores*,
deu à luz um filho.
8 Quem jamais ouviu tal coisa?
Quem viu coisas semelhantes?
Poderia fazer nascer uma nação num só dia?
Nasceria uma nação de uma só vez?
Mas Sião mal sentiu as dores de parto,
e já deu à luz seus filhos.
9 Abriria eu a madre e não faria nascer?
diz o Senhor.
Faria nascer, e fecharia a madre?
diz o teu Deus.
10 Regozijai-vos com Jerusalém, e alegrai-vos por ela,
vós todos os que a amais;
enchei-vos de alegria por ela, todos os que por ela pranteastes.
11 Pois mamareis e vos fartareis dos peitos das suas consolações;
sugareis e vos deleitareis com a abundância da sua glória.
12 Porque assim diz o Senhor:
Estenderei sobre ela a paz como um rio,
e a glória das nações como um ribeiro que transborda;
então sereis amamentados, sereis carregados ao colo
e sobre os joelhos sereis afagados.
13 Como alguém a quem a sua mãe consola,
assim eu vos consolarei;
em Jerusalém vós sereis consolados.
14 Isso vereis, e se alegrará o vosso coração,
e os vossos corpos reverdecerão como a erva nova;
a mão do Senhor será notória aos seus servos,
e ele se indignará contra os seus inimigos.
15 O Senhor virá em fogo,
e os seus carros como um turbilhão,

para tornar a sua ira
em furor,
e a sua repreensão, em
chamas de fogo.
**16** Porque com fogo e com a sua espada
entrará o Senhor em juízo
com toda a carne,
e os mortos do Senhor serão
multiplicados.
**17** Os que se santificam e se purificam, para entrarem nos jardins após aquele que está no meio dos que comem carne de porco e ratos e outras abominações, juntamente serão consumidos, diz o Senhor.
**18** Porque conheço as suas obras e os seus pensamentos, venho para ajuntar todas as nações e línguas; e virão e verão a minha glória.
**19** Porei entre eles um sinal, e os que deles escaparem enviarei às nações, a Társis, Pul e Lude, famosos como flecheiros, a Tubal e Javã, até às ilhas de mais longe, que não ouviram a minha fama, nem viram a minha glória. Anunciarão a minha glória entre as nações.
**20** Trarão todos os vossos irmãos, dentre todas as nações, por presente ao Senhor, sobre cavalos, e em carros, e em liteiras, e sobre mulas, e sobre camelos, ao meu santo monte, a Jerusalém, diz o Senhor, como os filhos de Israel trazem as suas ofertas de cereais em vasos limpos ao templo do Senhor.
**21** E também deles tomarei alguns para sacerdotes e para levitas, diz o Senhor.
**22** Como os novos céus e a nova terra, que hei de fazer, estarão diante da minha face, diz o Senhor, assim há de estar a vossa posteridade e o vosso nome.
**23** De uma lua nova à outra, e de um sábado ao outro, virá toda a humanidade a adorar na minha presença, diz o Senhor.
**24** Eles sairão e verão os cadáveres dos homens que se rebelaram contra mim; o seu verme nunca morrerá, nem o seu fogo se apagará, e serão um horror para toda a humanidade.

# JEREMIAS

**1** Palavras de Jeremias, filho de Hilquias, um dos sacerdotes que estavam em Anatote, na terra de Benjamim. **2** A ele veio a palavra do Senhor, nos dias de Josias, filho de Amom, rei de Judá, no décimo terceiro ano do seu reinado; **3** e lhe veio também nos dias de Jeoiaquim, filho de Josias, rei de Judá, até o fim do décimo primeiro ano de Zedequias, filho de Josias, rei de Judá, até que Jerusalém foi levada ao exílio no quinto mês.

## A vocação de Jeremias

**4** Veio a mim a palavra do Senhor, dizendo:
**5** Antes que eu te formasse
 no ventre,
  te conheci;
 antes que saísses da madre, te
  santifiquei;
  às nações te dei por profeta.
**6** Eu, porém, disse: Ah! Senhor Deus! Não sei falar; não passo de uma criança. **7** O Senhor, entretanto, me disse: Não digas: Não passo de uma criança. Aonde quer que eu te enviar, irás; e tudo o que te mandar, dirás. **8** Não temas diante deles, pois eu sou contigo para te livrar, diz o Senhor. **9** Depois, o Senhor estendeu a sua mão, tocou-me na boca e me disse: Agora pus as minhas palavras na tua boca. **10** Vê, ponho-te hoje sobre as nações e sobre os reinos, para arrancares e derrubares, para destruíres e arruinares e para edificares e plantares. **11** Veio a mim a palavra do Senhor: O que é que vês, Jeremias? E eu respondi: Vejo uma vara de amendoeira. **12** Disse-me o Senhor: Viste bem, pois eu velo sobre a minha palavra, para a cumprir. **13** Veio a mim a palavra do Senhor segunda vez: O que é que vês? E eu respondi: Vejo uma panela a ferver, inclinada para o norte. **14** Disse-me o Senhor: Do norte se derramará o mal sobre todos os habitantes da terra. **15** Estou convocando todas as famílias dos reinos do norte, diz o Senhor.
 Os seus reis virão, e cada um
  porá o seu trono
 à entrada das portas de
  Jerusalém,
 e contra todos os seus
  muros em redor
 e contra todas as cidades
  de Judá.
**16** Pronunciarei contra o meu povo os meus juízos,
 por causa de toda a sua
  malícia;
 pois me deixaram,
 e queimaram incenso a
  deuses estranhos,
 e se encurvaram diante
  das obras
  das suas mãos.
**17** Cinge os teus lombos! Levanta-te e dize-lhes tudo o que eu te mandar. Não te espantes diante deles, ou eu farei que temas na sua presença.

18 Eu te pus hoje por cidade fortificada, por coluna de ferro e por muros de bronze, contra toda a terra; contra os reis de Judá, contra os seus príncipes, contra os seus sacerdotes e contra o povo da terra.
19 Pelejarão contra ti, mas não prevalecerão, pois eu sou contigo, diz o Senhor, para te livrar.

### Israel abandona a Deus

**2** Veio a mim a palavra do Senhor:
2 Vá proclamar aos ouvidos de Jerusalém:
Assim diz o Senhor:
Lembro-me de ti, da devoção da tua mocidade,
do teu amor quando éramos noivos,
de como me seguiste pelo deserto,
numa terra não semeada.
3 Israel era santo para o Senhor,
as primícias da sua novidade;
todos os que o devoravam eram tidos por culpados,
e o mal vinha sobre eles, diz o Senhor.
4 Ouvi a palavra do Senhor, ó casa de Jacó,
e todas as famílias da casa de Israel.
5 Assim diz o Senhor:
Que injustiça acharam vossos pais em mim,
para se afastarem de mim,
indo após ídolos vãos,
tornando-se sem valor eles mesmos?
6 Não perguntaram: Onde está o Senhor,
que nos fez subir da terra do Egito,
que nos guiou através do deserto,
por uma terra árida e cheia de covas,
por uma terra de sequidão e densas trevas,
por uma terra em que ninguém transitava
e na qual não morava homem algum?
7 Eu vos introduzi numa terra fértil,
para comerdes o seu fruto e o seu bem.
Mas quando nela entrastes, contaminastes a minha terra;
da minha herança fizestes uma abominação.
8 Os sacerdotes não perguntaram:
Onde está o Senhor?
Os que tratavam da lei não me conheceram;
os pastores se rebelaram contra mim.
Os profetas profetizaram por Baal
e andaram após o que é de nenhum proveito.
9 Portanto, pleiteio convosco, diz o Senhor.
Até com os filhos de vossos filhos pleitearei.
10 Passai às ilhas de Quitim e vede;
enviai mensageiros a Quedar, e atentai bem;
vede se jamais sucedeu coisa semelhante.
11 Houve alguma nação que trocasse os seus deuses,
posto não serem deuses?
Todavia o meu povo trocou a sua glória
pelo que é de nenhum proveito.
12 Espantai-vos disso, ó céus, e horrorizai-vos;

ficai verdadeiramente estupefatos, diz o Senhor.

13 O meu povo fez duas maldades:
A mim me deixaram, o manancial de águas vivas,
e cavaram cisternas, cisternas rotas, que não retêm as águas.

14 Acaso é Israel um servo, ou um escravo nascido em casa?
Por que, pois, veio a ser presa?

15 Os leões rugiram; contra ele levantaram a sua voz.
Fizeram da sua terra uma desolação;
as suas cidades se queimaram,
e ninguém habita nelas.

16 Até os filhos de Mênfis e de Tafnes
raparam o alto da tua cabeça.

17 Não procuraste isso para ti mesmo,
deixando o Senhor, o teu Deus,
no tempo em que ele te guiava pelo caminho?

18 Agora, que te adiantará ir ao Egito,
beber as águas do Nilo?
E que te adiantará ir à Assíria, beber as águas do Eufrates?

19 A tua malícia te castigará; as tuas apostasias te repreenderão.
Sabe, pois, e vê como é mau e amargo
deixares o Senhor, o teu Deus, e não teres temor de mim,
diz o Senhor Deus dos Exércitos.

20 Há muito quebraste o teu jugo,
e rompeste as tuas ataduras; disseste: Não te servirei!
Contudo, em todo outeiro alto e debaixo de toda árvore frondosa
tu te deitas e te prostituis.

21 Eu mesmo te plantei como vide excelente,
uma semente inteiramente fiel.
Como, pois, te tornaste para mim uma planta corrupta, como de vide brava?

22 Ainda que te laves com salitre e amontoes sabão,
a tua iniquidade está diante de mim,
diz o Senhor Deus.

23 Como podes dizer:
Não estou contaminada, nem andei após Baal?
Vê o teu caminho no vale; conhece o que fizeste.
Gamela ligeira és, que anda torcendo os seus caminhos,

24 jumenta selvagem,
acostumada ao deserto
e que, no ardor do cio sorve o vento;
quem lhe pode impedir o desejo?
Todos os que a buscam não se cansam;
no mês dela a acharão.

25 Evita que o teu pé ande descalço e que a tua garganta tenha sede.
Mas tu dizes: É inútil; amo os deuses estranhos, e após eles irei.

26 Como fica confundido o ladrão quando o apanham,
assim se confundem os da casa de Israel;

eles, os seus reis, os seus
    príncipes,
  os seus sacerdotes e os seus
    profetas.
27 Dizem ao pau: Tu és meu
    pai, e à pedra: Tu me geraste.
  Eles me viraram as costas,
    e não o rosto,
  mas no tempo do seu aperto
    dirão:
  Levanta-te e livra-nos.
28 Onde, pois, estão os teus
    deuses,
  que fizeste para ti?
  Que se levantem,
    se te podem livrar no tempo
    da tua tribulação!
  Pois os teus deuses, ó Judá,
    são tão numerosos
    como as tuas cidades.
29 Por que contendeis comigo?
  Todos vós transgredistes
    contra mim, diz o Senhor.
30 Em vão castiguei os
    vossos filhos;
  eles não aceitaram a
    correção.
  A vossa espada devorou os
    vossos profetas
  como um leão destruidor.
31 Ó geração, considerai a
    palavra do Senhor:
  Tenho eu sido para Israel
    um deserto?
  Ou uma terra da mais
    espessa escuridão?
  Por que diz o meu povo:
  Desligamo-nos de ti;
    nunca mais a ti viremos?
32 É possível uma jovem
    esquecer-se das suas joias,
    ou a esposa, dos seus
    ornamentos?
  Todavia o meu povo se
    esqueceu
    de mim por inumeráveis
    dias.
33 Como ornamentas o teu
    caminho, para buscares
    o amor!
  Até às malignas ensinaste
    os teus caminhos.
34 Nas orlas dos teus vestidos
    se achou o sangue das almas
    dos inocentes e
    necessitados,
  embora não os apanhaste no
    ato de roubar.
  Contudo, a despeito de todas
    essas coisas,
35 ainda dizes: Estou inocente;
    certamente a sua ira se
    desviou de mim.
  Eu, porém, entrarei em
    juízo contigo,
  porque dizes: Não pequei.
36 Por que te desvias tanto,
    mudando o teu caminho?
  Ficarás decepcionada com
    o Egito como
    ficaste com a Assíria.
37 Daquele lugar sairás
    com as mãos sobre a cabeça,
    pois o Senhor rejeitou
    aqueles
    em quem confias,
  e não prosperarás com eles.

**3** Se um homem despedir a sua
    mulher,
  e ela se ausentar dele,
    e se ajuntar a outro homem,
    tornará ele mais para ela?
  Não se poluiria de todo
    aquela terra?
  Tu, porém, maculaste com
    muitos amantes;
    tornarias agora para mim?
    diz o Senhor.
2 Levanta os teus olhos aos
    altos e vê.
  Onde não te prostituíste?
  Nos caminhos te assentavas
    para eles,
  como o árabe no deserto.

Manchaste a terra com as tuas devassidões,
e com a tua malícia.
3 Pelo que foram retiradas as chuvas,
e não houve chuva tardia.
Contudo, tu tens a testa de prostituta,
e não queres ter vergonha.
4 Não acabaste de me invocar, dizendo:
Pai meu, tu és o guia da minha mocidade?
5 Conservarás para sempre a tua ira?
Ou a guardarás continuamente?
Tens dito e feito coisas más,
e nelas permaneces.

### A infidelidade de Israel

6 Disse-me o Senhor nos dias do rei Josias: Viste o que fez a rebelde Israel? Ela se foi a todo monte alto, debaixo de toda árvore frondosa, e ali andou prostituindo-se. 7 Eu pensei que depois de ter feito tudo isso ela voltaria para mim, mas não voltou. E viu isso a sua infiel irmã Judá. 8 Dei carta de divórcio à infiel Israel e a despedi, por causa dos seus adultérios. Vi, contudo, que a sua infiel irmã Judá não temeu; ela se foi e também se prostituiu. 9 Pela fama da sua prostituição contaminou a terra, pois adulterou com a pedra e com a madeira. 10 Apesar de tudo isso, não voltou para mim a sua infiel irmã Judá, com sincero coração, mas falsamente, diz o Senhor. 11 Disse-me o Senhor: Já a rebelde Israel justificou mais a sua alma do que a infiel Judá. 12 Vai, apregoa estas palavras para o norte:

Volta, ó rebelde Israel, diz o Senhor,
e não farei cair a minha ira sobre ti,
porque benigno sou, diz o Senhor,
e não conservarei para sempre a minha ira.
13 Somente reconhece a tua iniquidade,
reconhece que transgrediste contra o Senhor, o teu Deus,
e estendeste os teus favores aos estranhos,
debaixo de toda árvore frondosa
e não deste ouvidos à minha voz, diz o Senhor.

14 Convertei-vos, ó filhos rebeldes, diz o Senhor, pois eu vos desposarei e vos tomarei, a um de uma cidade, e a dois de cada família, e vos levarei a Sião. 15 Eu lhes darei pastores segundo o meu coração, que vos apascentem com conhecimento e com inteligência. 16 Naqueles dias, quando vos multiplicardes e frutificardes na terra, diz o Senhor, nunca mais se exclamará: A arca da aliança do Senhor! Ela jamais lhes virá ao coração, nem dela se lembrarão; dela não sentirão falta, e não se fará outra. 17 Naquele tempo, chamarão a Jerusalém de trono do Senhor, e todas as nações se ajuntarão a ela, em nome do Senhor, a Jerusalém. Nunca mais andarão segundo o propósito do seu coração maligno. 18 Naqueles dias, andará a casa de Judá com a casa de Israel, e juntas virão da terra do Norte, para a terra que dei em herança a vossos pais.

19 Eu, porém, dizia a mim mesmo:
Como te porei entre os filhos
e te darei a terra desejável,
a excelente herança dos
exércitos das nações?
E respondi: De Pai me
chamarás e de mim não te
desviarás.
20 De fato, como a mulher infiel
a seu marido,
assim foste infiel comigo,
ó casa de Israel, diz o Senhor.
21 Nos lugares altos se ouviu
uma voz,
pranto e súplicas dos filhos
de Israel,
porque perverteram o seu
caminho
e se esqueceram do Senhor
seu Deus.
22 Voltai, ó filhos rebeldes;
eu curarei as vossas
rebeliões.
Aqui estamos, vimos a ti,
pois tu és o Senhor nosso
Deus.
23 Certamente, em vão se
confia nos outeiros
e na multidão das
montanhas;
deveras, no Senhor nosso
Deus
está a salvação de Israel.
24 A coisa vergonhosa devorou
o trabalho de nossos pais
desde a nossa mocidade;
as suas ovelhas e as suas
vacas,
os seus filhos e as suas
filhas.
25 Deitemo-nos em nossa
vergonha,
e cubra-nos a nossa
confusão.
Pecamos contra o Senhor
nosso Deus,
nós e nossos pais,
desde a nossa mocidade até o
dia de hoje,
e não demos ouvidos à voz
do Senhor nosso Deus.

4 Se voltares, ó Israel, diz o Senhor,
para mim voltarás.
Se tirares as tuas
abominações
de diante de mim,
não andarás mais
vagueando,
2 e se realmente, em justiça e
em retidão jurares:
Como vive o Senhor, então,
nele se bendirão as nações
e nele se gloriarão.
3 Assim diz o Senhor aos
homens de Judá
e a Jerusalém:
Lavrai para vós campo novo
e não semeeis entre
espinhos.
4 Circuncidai-vos para o
Senhor,
e tirai os prepúcios do vosso
coração,
ó homens de Judá e
habitantes de Jerusalém,
para que a minha indignação
não venha a sair como fogo,
e arda de modo que não haja
quem a apague,
por causa da malícia das
vossas obras.

### O mal que vem do norte

5 Anunciai em Judá, fazei
ouvir em Jerusalém e dizei:
Tocai a trombeta na terra!
Gritai em alta voz, dizendo:
Ajuntai-vos;
entremos nas cidades
fortificadas!
6 Levantai a bandeira no
caminho para Sião,
fugi para vossa segurança,
não pareis!

Eu trago do norte um mal
e uma grande destruição.
7 Já um leão subiu da sua ramada;
um destruidor das nações
se pôs em marcha.
Ele já partiu;
saiu do seu lugar para
fazer da tua terra uma
desolação,
a fim de que as tuas cidades
sejam destruídas,
e ninguém nelas habite.
8 Por isso, cingi-vos de pano
de saco,
lamentai e uivai,
pois o ardor da ira do Senhor
não se desviou de nós.
9 Naquele dia, diz o Senhor,
o rei e os príncipes perderão
a coragem,
os sacerdotes pasmarão,
e os profetas se
maravilharão.
10 Então disse eu: Ah! Senhor Deus! Verdadeiramente trouxeste grande ilusão a este povo e a Jerusalém, dizendo: Tereis paz, entretanto a espada penetra-lhe até a alma.
11 Naquele tempo, se dirá a este povo e a Jerusalém: Um vento seco das alturas do deserto vem ao caminho da filha do meu povo, não para espalhar nem para limpar;
12 um vento forte demais para isso vem de mim. Agora eu pronuncio juízos contra eles.
13 Vede! Virá subindo
como nuvens,
os seus carros como a
tormenta,
os seus cavalos mais ligeiros
do que as águias.
Ai de nós! Somos assolados!
14 Lava o teu coração da
malícia,
ó Jerusalém, para que sejas
salva.
Até quando permanecerão no
meio de ti os teus
maus pensamentos?
15 Uma voz anuncia desde Dã
e faz ouvir a calamidade
desde os montes de Efraim.
16 Proclamai isto às nações,
fazei-o ouvir contra
Jerusalém:
Sitiadores vêm de uma
terra distante
e levantam a voz contra as
cidades de Judá.
17 Como os guardas de um
campo, eles a rodeiam,
porque ela se rebelou
contra mim,
diz o Senhor.
18 O teu caminho e as
tuas obras
te trouxeram essas coisas.
Esta é a tua iniquidade,
que de tão amargosa te
chega ao coração.
19 Ah! entranhas minhas,
entranhas minhas!
Eu me contorço em dores!
O meu coração ruge,
não me posso calar.
Pois tu, ó minha alma,
ouviste o som da trombeta e
o alarido da guerra.
20 Desastre após desastre se
apregoa;
já toda a terra está
destruída.
De repente foram destruídas
as minhas tendas,
e as minhas cortinas num
momento.
21 Até quando verei a bandeira
e ouvirei a voz da trombeta?
22 Deveras, o meu povo
está louco,
já não me conhece.

# Jeremias 5

São filhos néscios,
e não entendidos.
Sábios são para fazerem o mal,
mas não sabem fazer o bem.
23 Observei a terra, e ela estava
assolada e vazia;
também os céus, e não
tinham a sua luz.
24 Observei os montes,
e eles tremiam;
também todos os outeiros
estremeciam.
25 Observei, e vi que homem
algum havia
e que todas as aves do céu
tinham fugido.
26 Vi também que a terra fértil
era um deserto;
todas as suas cidades
estavam derrubadas
diante do Senhor,
diante do furor da sua ira.
27 Assim diz o Senhor:
Toda esta terra será assolada;
de todo, porém, não a
consumirei.
28 Por isso lamentará a terra,
e os céus em cima se
enegrecerão,
porque assim o disse, assim
o propus,
e não me arrependi nem
voltarei atrás.
29 Ao clamor dos cavaleiros e
dos flecheiros fogem
todas as cidades.
Alguns entram pelas matas;
alguns sobem pelos
penhascos.
Todas as cidades ficam
desamparadas,
e já ninguém nelas habita.
30 O que fazes, ó assolada?
Por que te vestes de
escarlate
e te adornas com joias
de ouro?
Por que te pintas em volta
dos teus olhos?
Inutilmente te fazes bela.
Os teus amantes te
desprezam;
procuram tirar-te a vida.
31 Ouço uma voz como de
mulher que está de parto,
uma angústia como da que
está com dores
do primeiro filho;
a voz da filha de Sião, ofegante,
que estende as mãos,
dizendo: Ai de mim!
A minha alma desfalece por
causa dos assassinos.

**5** Dai voltas às ruas de Jerusalém,
olhai, informai-vos,
buscai pelas suas praças.
Se achardes alguém que
pratique a justiça e
busque a verdade,
eu perdoarei a esta cidade.
2 Embora digam: Tão certo
como vive o Senhor,
ainda juram falsamente.
3 Ó Senhor, não procuram os
teus olhos a verdade?
Feriste-os, mas não lhes
doeu;
consumiste-os, mas não
quiseram
receber a correção.
Endureceram a sua face mais
do que uma rocha,
e não quiseram
arrepender-se.
4 Eu, porém, pensei: Deveras
estes são uns pobres;
são loucos, pois não sabem
o caminho do Senhor,
o juízo do seu Deus.
5 Irei aos grandes e falarei
com eles;
certamente sabem o
caminho do Senhor,
o direito do seu Deus.

Estes, porém, de comum acordo quebraram o jugo e romperam as algemas.

6 Portanto, um leão do bosque os ferirá,
um lobo dos desertos os assolará,
um leopardo estará à espreita das suas cidades,
para despedaçar a qualquer que sair delas,
pois as suas transgressões se multiplicaram,
e se multiplicaram as suas apostasias.

7 Como, vendo isso, te perdoaria? Os teus filhos me deixaram
e juraram pelos que não são deuses.
Depois de eu os ter fartado, adulteraram;
em casa de meretrizes se ajuntaram em bandos.

8 Como cavalos bem fartos, levantam-se pela manhã,
relinchando cada um à mulher do seu companheiro.

9 Deixaria eu de castigar essas coisas,
diz o Senhor,
ou não se vingaria a minha alma
de uma nação como esta?

10 Subi aos seus muros e destruí-os,
mas não façais uma destruição final.
Tirai os seus ramos,
pois estas pessoas não são do Senhor.

11 A casa de Israel e a casa de Judá foram totalmente infiéis a mim, diz o Senhor.

12 Negaram ao Senhor; disseram:
Ele não fará nada!
Nenhum mal nos sobrevirá; não veremos espada nem fome.

13 Os profetas não passam de vento,
e a palavra não está com eles;
assim lhes sucederá a eles mesmos.

14 Portanto, assim diz o Senhor, o Deus dos Exércitos:
Porque disseste tal palavra,
converterei as minhas palavras na tua boca em fogo,
e a este povo em lenha,
e eles serão consumidos.

15 Ó casa de Israel, trago sobre vós uma nação
de longe, diz o Senhor,
uma nação antiga e durável,
nação cuja língua ignoras,
cuja fala não entendes.

16 A sua aljava é como uma sepultura aberta;
todos eles são valentes.

17 Comerão a tua sega e o teu pão,
que haviam de comer teus filhos e tuas filhas;
comerão as tuas ovelhas e as tuas vacas,
devorarão a tua vide e a tua figueira.
As tuas cidades fortificadas, em que confiavas,
destruirão à espada.

18 Contudo, ainda naqueles dias, diz o Senhor, não farei de vós uma destruição final.

19 E, quando vos perguntardes: Por que nos fez o Senhor nosso Deus todas estas coisas?, então lhes dirás: Como vós me deixastes e servistes a deuses estranhos na vossa terra, assim servireis a estrangeiros, em terra que não é vossa.

20 Anunciai isso na casa de Jacó e fazei-o ouvir em Judá, dizendo:
21 Ouvi agora isto, ó povo louco e sem entendimento, que tendes olhos e não vedes, que tendes ouvidos e não ouvis.
22 Não me temereis? diz o Senhor.
Não temereis diante de mim,
que pus a areia por limite ao mar,
por ordenança eterna, que ele não pode passar?
Ainda que se levantem as suas
ondas, não prevalecerão;
ainda que bramem, não a poderão passar.
23 Este povo, porém,
é de coração rebelde e obstinado;
rebelaram-se e foram-se.
24 Não dizem no seu coração:
Temamos ao Senhor nosso Deus, que dá chuva,
a temporã e a tardia, a seu tempo,
e nos conserva as semanas determinadas da sega.
25 As vossas iniquidades desviam essas coisas,
e os vossos pecados afastam de vós o bem.
26 Entre o meu povo se acham ímpios
que estão à espreita, como passarinheiros
e como os que colocam armadilhas
para apanharem homens.
27 Como uma gaiola cheia de pássaros,
são as suas casas cheias de engano;
engrandeceram-se e enriqueceram,
28 tornaram-se gordos e bem alimentados.
Os seus feitos malignos não têm limites;
não julgam a causa dos órfãos, para que prosperem,
nem defendem o direito dos necessitados.
29 Não castigaria eu essas coisas? diz o Senhor.
Não se vingaria a minha alma de uma nação como esta?
30 Coisa espantosa e horrenda se anda fazendo na terra:
31 Os profetas profetizam falsamente,
os sacerdotes dominam de mãos dadas com eles,
e o meu povo assim o deseja.
O que fareis, porém, quando chegar o fim?

# 6

Fugi para segurança vossa, filhos de Benjamim!
Fugi de Jerusalém!
Tocai a trombeta em Tecoa
e levantai o sinal sobre Bete-Haquerém,
pois da banda do norte surge um grande mal
e uma grande destruição.
2 A formosa e delicada, a filha de Sião,
eu deixarei desolada.
3 A ela virão pastores com os seus rebanhos;
levantarão contra ela tendas em redor,
e cada um apascentará no seu lugar.
4 Preparai a guerra contra ela, levantai-vos, e subamos ao meio-dia.
Ai de nós! que já declina o dia,
já se vão estendendo as sombras da tarde.

5 Levantai-vos, subamos de
noite e destruamos os seus
palácios.
6 Assim diz o Senhor dos
Exércitos:
Cortai árvores e levantai
tranqueiras
contra Jerusalém.
Essa é a cidade que há
de ser punida;
só opressão há no meio dela.
7 Como a fonte produz as suas
águas,
assim ela produz a sua
malícia.
Violência e estrago se
ouvem nela;
enfermidade e feridas
há diante de mim
continuamente.
8 Aceita a disciplina,
ó Jerusalém,
para que a minha alma não se
aparte de ti,
para que eu não te torne em
assolação e terra não
habitada.
9 Assim diz o Senhor dos
Exércitos:
Que respiguem o resto de Israel
tão completamente como
uma vinha;
passe de novo tua mão sobre
os ramos,
como o vindimador.
10 A quem falarei e
testemunharei,
para que ouça?
Os seus ouvidos estão
incircuncisos
e não podem ouvir.
A palavra do Senhor é para
eles coisa vergonhosa;
não gostam dela.
11 Eu, porém, estou cheio do
furor do Senhor
e não o posso conter.

Derrama-o sobre os meninos
nas ruas
e sobre as reuniões dos
jovens;
o marido com a mulher
serão presos,
e o velho com o que está
cheio de dias.
12 As suas casas passarão
a outros,
como também os seus
campos
e as suas mulheres,
quando eu estender a
minha mão
contra os habitantes
desta terra,
diz o Senhor.
13 Desde o menor deles até o
maior,
cada um se entrega à avareza;
profetas e sacerdotes
igualmente,
cada um usa de falsidade.
14 Curam superficialmente
a ferida da filha do meu povo,
dizendo:
Paz, paz, quando não
há paz.
15 Estão envergonhados da sua
abominação?
Pelo contrário, de maneira
nenhuma
se envergonham;
nem mesmo sabem que
coisa é envergonhar-se.
Portanto, cairão entre
os que caem;
quando eu os punir,
tropeçarão,
diz o Senhor.
16 Assim diz o Senhor:
Ponde-vos à margem no
caminho, e vede;
perguntai pelas veredas
antigas,
e pelo bom caminho.

Andai por ele e achareis
descanso
para as vossas almas.
Eles, porém, disseram:
Não andaremos nele.
17 Pus atalaias sobre vós,
dizendo:
Estai atentos ao som da
trombeta!
Mas dissestes: Não
escutaremos.
18 Portanto, ouvi, vós, nações, e
informa-te,
ó congregação,
do que se faz entre eles!
19 Ouve tu, ó terra!
Eu trarei mal sobre este povo,
o próprio fruto dos seus
pensamentos,
porque não estão atentos às
minhas palavras
e rejeitam a minha lei.
20 Para que me vem o incenso
de Sabá,
ou a melhor cana aromática
de terras remotas?
Vossos holocaustos não me
agradam,
nem os vossos sacrifícios
me são suaves.
21 Portanto, assim diz o Senhor:
Armarei tropeços a este povo.
Tropeçarão neles pais e
filhos juntamente;
o vizinho e o seu
companheiro perecerão.
22 Assim diz o Senhor:
Vem um povo da terra do Norte;
uma grande nação se
levanta
dos confins da terra.
23 Trazem arco e lança;
são cruéis e não usam de
misericórdia.
A sua voz ruge como o mar,
e em cavalos vêm
montados,
dispostos como homens de
guerra contra ti,
ó filha de Sião.
24 Ouvimos a sua fama,
e se afrouxaram as
nossas mãos.
Angústia nos tomou,
e dores como de
parturiente.
25 Não saiais ao campo nem
andeis pelo caminho,
pois espada do inimigo e
espanto há em redor.
26 Ó filha do meu povo,
cinge-te de pano de saco e
revolve-te na cinza;
pranteia como por um filho
único,
pranto de amarguras,
pois de súbito virá o
destruidor sobre nós.
27 Por torre de guarda te pus
entre o meu povo,
qual fortaleza, para que
soubesses
e examinasses o seu caminho.
28 Todos eles são os mais
rebeldes,
andam espalhando calúnias.
São bronze e ferro,
são todos corruptores.
29 Já o fole se queimou,
e o chumbo se consumiu com
o fogo;
em vão continua a fundição,
pois os maus não são
arrancados.
30 Prata rejeitada lhes
chamarão,
porque o Senhor os rejeitou.

### A falsa religião é sem valor

**7** Palavra que da parte do Senhor
veio a Jeremias:
2 Põe-te à porta da casa do Senhor
e proclama ali esta mensagem:
Ouvi a palavra do Senhor, todos

de Judá, os que entrais por estas portas, para adorardes ao Senhor.
3 Assim diz o Senhor dos Exércitos, o Deus de Israel: Emendai os vossos caminhos e as vossas obras, e eu vos farei habitar neste lugar.
4 Não vos fieis em palavras falsas, dizendo: Templo do Senhor, templo do Senhor, templo do Senhor é este.
5 Se, porém, mudardes o vosso procedimento e as vossas obras, se deveras praticardes a justiça, cada um com o seu companheiro,
6 se não oprimirdes o estrangeiro, o órfão, e a viúva, nem derramardes sangue inocente neste lugar, nem andardes após outros deuses para o vosso próprio mal,
7 eu vos farei habitar neste lugar, na terra que dei a vossos pais, de século em século.
8 Vede, porém, vós confiais em palavras falsas, que para nada são proveitosas.
9 Furtareis vós, e matareis, e cometereis adultério, e jurareis falsamente, e queimareis incenso a Baal, e andareis após outros deuses que não conhecestes,
10 e, então, vireis, e vos poreis diante de mim nesta casa, que se chama pelo meu nome, e direis: Somos livres, podemos fazer todas essas abominações?
11 É esta casa, que se chama pelo meu nome, uma caverna de *salteadores aos vossos olhos*? Mas eu, eu mesmo, vi isso, diz o Senhor.
12 Ide agora ao meu lugar de adoração que estava em Siló, onde, no princípio, fiz habitar o meu nome, e vede o que lhe fiz, por causa da maldade do meu povo Israel.
13 Enquanto fazíeis todas essas obras, diz o Senhor, eu vos falei, começando de madrugada, mas não ouvistes; chamei-vos, mas não respondestes.
14 Portanto, farei a esta casa, que se chama pelo meu nome, na qual confiais, e a este lugar, que vos dei a vós e a vossos pais, como fiz a Siló.
15 Eu vos lançarei da minha presença, como lancei a todos os vossos irmãos, a toda a geração de Efraim.
16 Portanto, não ores por este povo, nem levantes por ele clamor ou oração, nem me importunes, porque eu não te ouvirei.
17 Não vês tu o que andam fazendo nas cidades de Judá e nas ruas de Jerusalém?
18 Os filhos apanham a lenha, os pais acendem o fogo, e as mulheres amassam a farinha, para fazerem bolos à rainha dos céus, e oferecem libações a outros deuses, provocando-me à ira.
19 E, porém, a mim que eles provocam à ira, diz o Senhor, e não antes a si mesmos, para a sua própria vergonha?
20 Portanto, assim diz o Senhor Deus: A minha ira e o meu furor se derramarão sobre este lugar, sobre os homens e sobre os animais, sobre as árvores do campo e sobre os frutos da terra; se acenderá e não se apagará.
21 Assim diz o Senhor dos Exércitos, o Deus de Israel: Ajuntai os vossos holocaustos aos vossos sacrifícios e comei carne.
22 Pois eu nada disse a vossos pais, no dia em que vos tirei da terra do Egito, nem lhes ordenei coisa alguma acerca de holocaustos ou sacrifícios.
23 Isto lhes ordenei: Dai ouvidos à minha voz, e eu serei o vosso Deus, e vós sereis o meu povo.

Andai em todo o caminho que eu vos mandar, para que vos vá bem. 24 Mas não ouviram, nem inclinaram os seus ouvidos; pelo contrário, andaram nos seus próprios conselhos, na dureza do seu coração maligno. Andaram para trás, e não para diante. 25 Desde o dia em que os vossos pais saíram da terra do Egito, até hoje, enviei-vos os meus servos, os profetas, todos os dias; começando de madrugada, eu os enviei. 26 Contudo, não me destes ouvidos. Não inclinastes os vossos ouvidos, mas endurecestes a vossa cerviz e fizestes pior do que os vossos pais. 27 Portanto, Jeremias, tu dirás ao povo todas estas palavras, mas não te darão ouvidos; irás chamá-los, mas não te responderão. 28 Dirás: Esta é a nação que não dá ouvidos à voz do Senhor seu Deus e não aceita a correção. A verdade foi destruída; desapareceu dos seus lábios. 29 Corta o cabelo da tua cabeça e lança-o fora; levanta um pranto sobre os altos escalvados, pois já o Senhor rejeitou e desamparou esta geração, objeto do seu furor. 30 Os filhos de Judá fizeram o que é mau aos meus olhos, diz o Senhor. Puseram as suas abominações na casa que se chama pelo meu nome, e a contaminaram. 31 Edificaram os altos de Tofete, que está no vale do filho de Hinom, para queimarem no fogo a seus filhos e a suas filhas — o que nunca ordenei, nem me subiu ao coração. 32 Portanto, vêm dias, diz o Senhor, em que já não se chamará Tofete, nem vale do filho de Hinom, mas o vale da Matança; enterrarão os mortos em Tofete, por falta de lugar para os enterrar. 33 Os cadáveres deste povo servirão de pasto às aves dos céus e aos animais da terra; e ninguém os espantará. 34 Farei cessar nas cidades de Judá e nas ruas de Jerusalém a voz de folguedo, a voz de alegria, a voz de noivo e a voz de noiva, pois a terra se tornará em desolação.

**8** Naquele tempo, diz o Senhor, tirarão para fora das suas sepulturas os ossos dos reis de Judá e os ossos dos seus príncipes, e os ossos dos sacerdotes, os ossos dos profetas e os ossos dos habitantes de Jerusalém. 2 Serão expostos ao sol, à lua, a todo o exército do céu, a quem tinham amado, e a quem tinham servido, e após quem tinham ido, e a quem tinham buscado e diante de quem se tinham prostrado. Não serão recolhidos nem sepultados, mas serão como esterco sobre a face da terra. 3 Escolherão antes a morte do que a vida todos os que restarem desta raça maligna nos lugares onde os lancei, diz o Senhor dos Exércitos.

### Pecado e castigo

4 Dize-lhes mais:
Assim diz o Senhor:
 Cairão os homens e não se
  tornarão a levantar?
 E se desviarão e não
  voltarão?
5 Por que, pois, se desvia este
 povo de Jerusalém
  com uma apostasia
   contínua?
 Retém o engano, não quer
  voltar.
6 Eu ouvi atentamente,
 mas não falam o que é reto,

ninguém há que se
arrependa da sua maldade,
dizendo: Que fiz eu?
Cada um se desvia na sua
carreira,
como um cavalo que
arremete com ímpeto na
batalha.
7 Até a cegonha no céu
conhece os seus tempos
determinados,
e a rola, a andorinha e o
grou
observam o tempo da sua
migração,
mas o meu povo não
conhece o juízo do
Senhor.
8 Como podeis dizer:
Nós somos sábios,
e a lei do Senhor está
conosco,
quando em vão tem
trabalhado
a falsa pena dos mestres da
lei?
9 Os sábios foram envergonhados,
foram espantados e presos.
Visto que rejeitaram a
palavra do Senhor,
que sabedoria teriam?
10 Portanto, darei as suas
mulheres a outros
e os seus campos a outros
possuidores.
Desde o menor até o maior,
cada um deles se entrega à
avareza;
desde o profeta até o
sacerdote,
cada um deles usa de
falsidade.
11 Curam superficialmente a
ferida
da filha de meu povo,
dizendo: Paz, paz, quando
não há paz.

12 Envergonham-se de cometer
abominação?
Pelo contrário, de maneira
nenhuma
se envergonham;
nem mesmo sabem que coisa
é envergonhar-se.
Pelo que cairão entre os que
caem;
e tropeçarão quando eu os
punir,
diz o Senhor.
13 Certamente os apanharei,
diz o Senhor.
Já não há uvas na vide.
Já não há figos na figueira,
e a sua folha caiu.
Até aquilo mesmo que lhes
dei se irá deles.
14 Por que nos assentamos
ainda? Ajuntai-vos!
Entremos nas cidades
fortificadas
e ali estejamos calados!
Pois já o Senhor nosso Deus
nos fez calar
e nos deu a beber água de
fel,
porque pecamos contra ele.
15 Espera-se a paz, e não há
bem algum;
o tempo da cura, mas só há
terror.
16 Desde Dã se ouve o
resfolegar dos seus cavalos;
toda a terra treme
à voz dos rinchos dos seus
ginetes.
Vêm devorar a terra e a sua
abundância,
a cidade e os que nela
habitam.
17 Eu enviarei entre vós
serpentes e basiliscos,
contra os quais não há
encantamento,
e vos morderão, diz o Senhor.

**18** Oh! se eu pudesse consolar-me na minha tristeza!
   O meu coração desfalece dentro em mim.
**19** Eis o clamor da filha do meu povo de terra muito remota:
   Não está o Senhor em Sião? Não está nela o seu rei?
   Por que me provocaram à ira
com as suas imagens de escultura,
   com vaidades estranhas?
**20** Passou a sega, findou o verão,
e nós não estamos salvos.
**21** Estou quebrantado pela ferida
   da filha do meu povo;
ando de luto, e o espanto se apoderou de mim.
**22** Não há bálsamo em Gileade? Ou não há lá médico?
   Por que não se realizou a cura da filha do meu povo?

**9** Oxalá a minha cabeça se tornasse
em um manancial de águas, e os meus olhos em uma fonte de lágrimas!
Então choraria de dia e de noite
os mortos da filha do meu povo.
**2** Oxalá tivesse no deserto uma estalagem de caminhantes!
Então deixaria o meu povo e me apartaria dele
   porque todos são adúlteros, e um bando
*de infiéis.*
**3** Estendem a língua, como se fosse o seu arco,
   para a mentira;
fortalecem-se na terra, mas não para a verdade.
Avançam de pecado em pecado,
   e não me conhecem, diz o Senhor.
**4** Guardai-vos cada um do seu amigo;
   de irmão nenhum vos fieis.
Pois todo irmão não faz mais do que enganar,
e todo amigo anda caluniando.
**5** Zomba cada um do seu próximo,
   e não falam a verdade.
Ensinam a sua língua a proferir mentiras;
cansam-se de praticar a iniquidade.
**6** A tua habitação está no meio do engano;
   pelo engano recusam a conhecer-me,
diz o Senhor.
**7** Portanto, assim diz o Senhor dos Exércitos:
Eu os fundirei e os provarei, porque, de que outra maneira procederia
com a filha do meu povo?
**8** Flecha mortífera é a língua deles;
eles falam engano.
   Com a sua boca fala cada um
de paz com o seu companheiro,
mas no seu interior arma-lhe ciladas.
**9** Não os puniria eu por essas coisas?
   diz o Senhor.
Ou não se vingaria a minha alma
de nação tal como esta?
**10** Pelos montes levantarei choro e pranto,
e pelas pastagens do deserto lamentação.

Já estão queimadas, ninguém passa por elas
e não se ouve mugido de gado.
As aves dos céus fugiram e os animais se foram.

**11** Farei de Jerusalém montões de pedras,
morada de chacais;
e das cidades de Judá farei uma assolação,
de sorte que fiquem desabitadas.

**12** Quem é o homem sábio, que entenda isso? A quem falou a boca do Senhor, para que o possa anunciar? Por que pereceu a terra e se queimou como deserto, de sorte que ninguém passa por ela?

**13** Disse o Senhor: É porque deixaram a minha lei, que publiquei perante a sua face; não deram ouvidos à minha voz, nem andaram nela.

**14** Antes andaram após o propósito do seu próprio coração; após os baalins, que lhes ensinaram os seus pais.

**15** Portanto, assim diz o Senhor dos Exércitos, Deus de Israel: Darei de comer losna a este povo e lhe darei a beber água de fel.

**16** Eu os espalharei entre nações, que nem eles nem seus pais conheceram; mandarei a espada após eles, até que venha a consumi-los.

**17** Assim diz o Senhor dos Exércitos:
Considerai e chamai carpideiras,
para que venham;
mandai procurar mulheres hábeis,
para que venham.

**18** Apressem-se e levantem o seu lamento sobre nós,
até que os nossos olhos se desfaçam em lágrimas,
e as nossas pálpebras destilem águas.

**19** Uma voz de pranto se ouviu de Sião:
Como estamos arruinados!
Quão grande é a nossa vergonha!
Temos de deixar a nossa terra porque as nossas moradas estão em ruínas.

**20** Agora, ouvi, vós mulheres, a palavra do Senhor, e os vossos ouvidos recebam a palavra da sua boca.
Ensinai o pranto a vossas filhas,
e cada uma à sua companheira a lamentação.

**21** A morte subiu pelas nossas janelas e entrou em nossos palácios;
exterminou das ruas as crianças,
e os jovens das praças.

**22** Dize: Assim diz o Senhor:
Até os cadáveres dos homens jazerão
como esterco sobre a face do campo
e cairão como gavela atrás do segador,
e não há quem a recolha.

**23** Assim diz o Senhor:
Não se glorie o sábio na sua sabedoria,
nem se glorie o forte na sua força,
nem se glorie o rico nas suas riquezas,

**24** mas o que se gloriar glorie-se nisto:
em me conhecer e saber que eu sou o Senhor,
que faço misericórdia, juízo e justiça na terra,

porque dessas coisas me agrado, diz o Senhor.

25 Vêm dias, diz o Senhor, em que castigarei a todo circuncidado, juntamente com o incircunciso: 26 ao Egito, a Judá, a Edom, aos filhos de Amom, a Moabe e a todos os que cortam os cantos do seu cabelo, que habitam no deserto. Pois todas essas nações são incircuncisas, e toda a casa de Israel é incircuncisa de coração.

### O Senhor e os ídolos

**10** Ouvi a palavra que o Senhor vos fala a vós, ó casa de Israel. 2 Assim diz o Senhor:
Não aprendais o caminho das nações,
nem vos espanteis com os sinais dos céus,
embora com eles se atemorizem as nações.
3 Porque os costumes dos povos são vaidade;
cortam do bosque um madeiro,
e um artífice o lavra com o cinzel.
4 Com prata e com ouro o enfeitam,
com pregos e com martelos o firmam,
para que não se mova.
5 Como o espantalho num pepinal,
não podem falar;
necessitam de quem os leve,
pois não podem andar.
Não tenhais receio deles;
*não podem fazer o mal*
nem podem fazer o bem.
6 Ninguém há semelhante a ti, ó Senhor;
tu és grande, e grande é o teu nome em força.
7 Quem não te temeria, ó Rei das nações?
Isso só a ti pertence.
Entre todos os sábios das nações,
e em todo o seu reino,
ninguém há semelhante a ti.
8 Todos eles se embruteceram e se tornaram loucos;
são ensinados por ídolos vãos de madeira.
9 Trazem prata batida de Társis, e ouro de Ufaz,
trabalho do artífice e das mãos do fundidor;
fazem as suas vestes de azul e de púrpura,
obra de homens hábeis são todos eles.
10 O Senhor Deus, porém, é o verdadeiro Deus;
ele mesmo é o Deus vivo, o Rei eterno.
Do seu furor treme a terra,
e as nações não podem suportar a sua indignação.
11 Assim lhes direis: Estes deuses, que não fizeram os céus e a terra, desaparecerão da terra e de debaixo deste céu.
12 Deus, porém, fez a terra pelo seu poder;
estabeleceu o mundo por sua sabedoria
e com a sua inteligência estendeu os céus.
13 Fazendo ele soar a sua voz,
logo há ruído de águas no céu,
e sobem os vapores da extremidade da terra.
Ele faz os relâmpagos para a chuva
e faz sair o vento dos seus depósitos.
14 Todo homem se embruteceu e não tem conhecimento;
da sua imagem de escultura

envergonha-se todo fundidor.
　　Suas imagens fundidas são
　　　mentira,
　e não há fôlego de vida nelas.
15 Vaidade são, obra de
　　enganos;
　no tempo do seu castigo virão
　　a perecer.
16 Não é semelhante a essas
　　imagens a porção de Jacó,
　pois ele é o criador de todas
　　as coisas,
　　e Israel é a tribo da sua
　　　herança;
　Senhor dos Exércitos é o
　　seu nome.
17 Ajunta da terra a tua
　　mercadoria,
　ó habitante da fortaleza.
18 Porque assim diz o Senhor:
　Desta vez lançarei os
　　moradores da terra,
　　como se fora com uma
　　　funda;
　eu os angustiarei, para que
　　venham
　a ser capturados.
19 Ai de mim, por causa da
　　minha ruína!
　　A minha chaga é incurável!
　Eu havia dito a mim mesmo:
　　Esta é a minha enfermidade
　　e tenho de suportá-la.
20 A minha tenda está
　　destruída;
　todas as minhas cordas se
　　quebraram.
　*Os meus filhos foram-se de
　　mim e já não existem;
　　ninguém há que estenda a
　　　minha tenda
　e que levante as minhas
　　cortinas.
21 Os pastores se
　　embruteceram
　　e não buscam ao Senhor;
　　por isso não prosperam,
　e todos os seus rebanhos se
　　acham dispersos.
22 Escutai! Vem uma voz de
　　rumor,
　grande tumulto da terra do
　　Norte,
　para fazer das cidades de
　　Judá uma assolação,
　uma morada de chacais.
23 Eu sei, ó Senhor, que não
　　cabe ao homem
　　determinar o seu
　　　caminho,
　nem ao que caminha o
　　dirigir os seus passos.
24 Corrige-me, ó Senhor,
　　mas com medida,
　　não na tua ira,
　para que não me reduzas a
　　nada.
25 Derrama a tua indignação
　　sobre as nações que não te
　　conhecem
　e sobre as gerações que não
　　invocam o teu nome.
　　Porque devoraram a Jacó;
　devoraram-no, consumiram-
　　no e assolaram a sua
　　morada.

### A aliança é quebrada

**11** Palavra que veio a Jeremias, da parte do Senhor:
2 Ouve as palavras desta aliança e fala aos homens de Judá e aos habitantes de Jerusalém.
3 Dize-lhes: Assim diz o Senhor, o Deus de Israel: Maldito o homem que não obedecer às palavras desta aliança,
4 que ordenei a vossos pais no dia em que os tirei da terra do Egito, da fornalha de ferro, dizendo: Dai ouvidos à minha voz e fazei conforme tudo que vos mando; assim, vós me sereis por povo, e eu vos serei por Deus.

**5** Então cumprirei o juramento que fiz a vossos pais de dar-lhes uma terra em que manassem leite e mel, como se vê neste dia. E eu respondi: Amém, ó Senhor.
**6** Disse-me o Senhor: Apregoa todas estas palavras nas cidades de Judá e nas ruas de Jerusalém: Ouvi as palavras desta aliança e cumpri-as.
**7** Desde o dia em que tirei do Egito a vossos pais, até hoje, eu os tenho advertido constantemente: Dai ouvidos à minha voz.
**8** Eles, porém, não ouviram, nem inclinaram os ouvidos; antes andaram cada um conforme o propósito do seu coração maligno. Pelo que trouxe sobre eles todas as palavras desta aliança, a qual lhes mandei que cumprissem, mas não cumpriram.
**9** Disse-me o Senhor: Uma conspiração se achou entre os homens de Judá, entre os habitantes de Jerusalém.
**10** Tornaram às maldades de seus primeiros pais, que recusaram ouvir as minhas palavras. Andaram após deuses estranhos, para os servir. A casa de Israel e a casa de Judá quebraram a minha aliança, que fiz com seus pais.
**11** Portanto, assim diz o Senhor: Trarei mal sobre eles, do qual não poderão escapar. Embora clamem a mim, eu não os ouvirei.
**12** Irão as cidades de Judá e os habitantes de Jerusalém e clamarão aos deuses a quem queimaram incenso, mas eles de nenhuma *sorte os livrarão no tempo do seu mal.*
**13** Segundo o número das tuas cidades, são os teus deuses, ó Judá! E segundo o número das ruas de Jerusalém, levantaste altares à vergonha, altares para queimardes incenso a Baal.
**14** Portanto, não ores por esse povo, nem levantes por eles clamor nem oração, porque não os ouvirei no tempo em que clamarem a mim, por causa do seu mal.
**15** Que direito tem a minha amada na minha casa,
  visto que muitos nela têm
    cometido grande
    abominação?
  Pode a carne sacrificada
    desviar de ti o castigo
    quando fazes o mal?
  Então saltarias de prazer?
**16** Denominou-te o Senhor
  oliveira verde,
    formosa por seus deliciosos
    frutos.
  Agora, porém, à voz de
    grande tumulto,
    acendeu fogo ao redor dela
  e os seus ramos se
    quebraram.
**17** O Senhor dos Exércitos, que te plantou, pronunciou contra ti o desastre, pela maldade da casa de Israel e da casa de Judá, que para si mesmos fizeram, pois me provocaram à ira, queimando incenso a Baal.

## Conspiração contra Jeremias

**18** Porque o Senhor me fez saber a sua conspiração, eu o soube, pois nesse dia me fez ver as suas ações.
**19** Eu era como um manso cordeiro, que levam à matança; não sabia que tramavam projetos contra mim, dizendo:
  Destruamos a árvore com o
    seu fruto;
    cortemo-lo da terra dos
    viventes,
  para que não haja mais
    memória do seu nome.

**20** Ó Senhor dos Exércitos, que julgas com retidão,
que provas a mente
e o coração,
veja eu a tua vingança sobre eles,
pois a ti descobri a minha causa.
**21** Portanto, assim diz o Senhor acerca dos homens de Anatote, que procuram a tua morte, e dizem: Não profetizes no nome do Senhor, para que não morras às nossas mãos.
**22** Assim diz o Senhor dos Exércitos: Eu os punirei. Os jovens morrerão à espada, os seus filhos e as suas filhas morrerão de fome.
**23** Não ficará deles nem um resto, porque farei vir o mal sobre os homens de Anatote, no ano do seu castigo.

# 12
Justo és, ó Senhor, ainda quando entro contigo num pleito.
Contudo falarei contigo da tua justiça:
Por que prospera o caminho dos ímpios?
Por que vivem em paz todos os que procedem perfidamente?
**2** Plantaste-os, e eles se arraigaram;
crescem e dão fruto.
Têm-te nos lábios, mas longe do seu coração.
**3** Tu, porém, ó Senhor, me conheces;
tu me vês e provas o meu coração para contigo.
Impele-os como a ovelhas para o matadouro
e prepara-os para o dia da matança.
**4** Até quando lamentará a terra,
e se secará a erva de todo o campo?
Pela maldade dos que habitam nela,
perecem os animais e as aves.
Pois eles dizem: Ele não verá o nosso fim.
**5** Se te fatigas correndo com homens que vão a pé,
como poderás competir com cavalos?
Se tropeças numa terra segura,
o que farás nos bosques do Jordão?
**6** Até os teus irmãos e a casa de teu pai te traíram;
eles mesmos clamam após ti em altas vozes.
Não confies neles, ainda que te digam coisas boas.
**7** Desampararei a minha casa,
abandonarei a minha herança;
entregarei a amada da minha alma
nas mãos dos seus inimigos.
**8** Tornou-se a minha herança para mim como leão numa floresta.
Levanta a sua voz contra mim;
por isso eu a odeio.
**9** Não se tornou a minha herança para mim
como ave de rapina colorida,
que outras aves de rapina cercam e atacam?
Ide e reuni todos os animais do campo;
trazei-os para a devorarem.
**10** Muitos pastores destruíram a minha vinha e pisaram o meu campo;
tornaram em desolado deserto
o meu campo desejado.
**11** Em assolação o tornaram,
e a mim clama na sua desolação;
toda a terra está assolada,

porque não há quem se importe com isso.

12 Sobre todos os altos desnudos do deserto virão destruidores,
pois a espada do Senhor devorará
de um extremo ao outro da terra;
não haverá paz para ninguém.

13 Semearão trigo, mas segarão espinhos;
se cansarão, mas sem resultado.
Ficarão desapontados com as suas colheitas,
por causa do ardor da ira do Senhor.

14 Assim diz o Senhor acerca de todos os meus maus vizinhos, que se apoderam da herança que dei ao meu povo de Israel: Eu os desarraigarei da sua terra, e a casa de Judá arrancarei do meio deles.

15 Depois de os haver arrancado, porém, tornarei a ter compaixão deles e os farei voltar cada um à sua herança, e cada um à sua terra.

16 Se diligentemente aprenderem os caminhos do meu povo, jurando pelo meu nome: Tão certo como vive o Senhor, como ensinaram o meu povo a jurar por Baal, então serão edificados no meio do meu povo.

17 Se, porém, não quiserem ouvir, totalmente arrancarei a tal nação e a farei perecer, diz o Senhor.

## Um cinto de linho

**13** Assim me disse o Senhor: Vai, compra um cinto de linho e põe-no sobre os teus lombos, mas não o metas na água.

2 Comprei o cinto, conforme a palavra do Senhor, e o pus sobre os meus lombos.

3 Então me veio a palavra do Senhor segunda vez:

4 Toma o cinto que compraste e trazes sobre os teus lombos; e vai agora ao Eufrates e esconde-o ali na fenda de uma rocha.

5 Fui e o escondi junto ao Eufrates, como o Senhor me havia ordenado.

6 Ao fim de muitos dias, disse-me o Senhor: Vai ao Eufrates e toma o cinto que te ordenei que escondesses ali.

7 Fui ao Eufrates, cavei e tomei o cinto do lugar onde o havia escondido, mas o cinto tinha apodrecido e para nada prestava.

8 Então, veio a mim a palavra do Senhor:

9 Assim diz o Senhor: Do mesmo modo farei apodrecer o orgulho de Judá e o grande orgulho de Jerusalém.

10 Este povo maligno, que se recusa a ouvir as minhas palavras, que caminha segundo o propósito do seu coração e anda após outros deuses para os servir e inclinar-se diante deles, será como este cinto, que para nada presta.

11 Pois, como o cinto está ligado aos lombos do homem, assim eu liguei a mim toda a casa de Israel e toda a casa de Judá, diz o Senhor, para me serem por povo, e nome, e louvor, e glória. Mas não deram ouvidos.

12 Dize-lhes: Assim diz o Senhor, Deus de Israel: Todo odre se encherá de vinho. E se te disserem: Não sabemos nós muito bem que todo odre se encherá de vinho?

13 Então dize-lhes: Assim diz o Senhor: Eu encherei de embriaguez a todos os habitantes desta

terra, e aos reis da estirpe de Davi, que estão assentados sobre o seu trono, e aos sacerdotes, e aos profetas, e a todos os habitantes de Jerusalém.

**14** Eu os farei em pedaços, atirando uns contra os outros, tanto os pais como os filhos, diz o Senhor. Não perdoarei nem pouparei, nem terei compaixão deles, para que não os destrua.

**15** Escutai e inclinai os ouvidos,
não vos ensoberbeçais,
pois o Senhor falou.
**16** Dai glória ao Senhor
vosso Deus,
antes que venha a escuridão
e antes que tropecem os
vossos pés
nos montes tenebrosos.
Esperais a luz, mas ele a
mudará
em sombra de morte
e a transformará em
escuridão.
**17** Se, porém, não ouvirdes,
a minha alma chorará em
lugares ocultos,
por causa do vosso orgulho;
amargamente chorarão os
meus olhos
e se desfarão em lágrimas,
porque o rebanho do Senhor
foi levado cativo.
**18** Dize ao rei e à rainha:
Humilhai-vos e assentai-vos
no chão,
*pois já caiu da vossa cabeça
a coroa da vossa glória.*
**19** As cidades do sul estão
fechadas,
e ninguém há que as abra.
Todo o Judá foi levado cativo,
inteiramente foi levado
cativo.
**20** Levantai os vossos olhos
e vede os que vêm do Norte.

Onde está o rebanho que te
foi confiado,
o teu lindo rebanho?
**21** Que dirás quando o Senhor
puser sobre ti
aqueles que cultivaste
como amigos?
Não te tomarão as dores,
como à mulher que
está de parto?
**22** Quando disseres no teu
coração:
Por que me sobrevieram
essas coisas?
Pela multidão das tuas
maldades
se levantaram as tuas vestes,
e a violentaram.
**23** Pode o etíope mudar a sua
pele ou o leopardo,
as suas manchas?
Tampouco podeis vós
fazer o bem,
acostumados que estais a
fazer o mal.
**24** Eu vos espalharei como o
restolho
que passa arrebatado pelo
vento do deserto.
**25** Esta será a tua sorte,
a porção que te será medida
por mim, diz o Senhor,
porque te esqueceste de mim
e confiaste em mentiras.
**26** Eu levantarei as tuas vestes
sobre o teu rosto,
e aparecerão as tuas
vergonhas.
**27** Vi as tuas abominações e os
teus adultérios,
os teus rinchos de desejo
incontrolável
e a tua desavergonhada
prostituição!
Vi as tuas abominações
sobre os outeiros
e nos campos.

Ai de ti, Jerusalém!
Até quando não te
purificarás?

### Seca, fome, espada

**14** Palavra do Senhor, que veio a Jeremias, a respeito da seca:

2 Judá anda chorando,
as suas cidades estão
enfraquecidas;
andam de luto por causa de
terra,
e sobe um clamor de
Jerusalém.

3 Os seus mais nobres mandam
os seus servos buscar água;
vêm às cisternas, mas não
acham água.
Voltam com os seus cântaros
vazios;
envergonhados e
desesperados,
cobrem a cabeça.

4 O solo se ressecou,
porque não há chuva na
terra;
os lavradores,
envergonhados,
cobrem a cabeça.

5 Até as cervas no campo
abandonam seus filhos,
porque não há erva.

6 Os jumentos selvagens
põem-se nos lugares altos
e sorvem o ar como
chacais;
os seus olhos desfalecem,
porque não há erva.

7 Ainda que as nossas
maldades
testifiquem contra nós,
ó Senhor, opera tu por amor
do teu nome.
Pois as nossas rebeldias se
multiplicaram;
contra ti pecamos.

8 Oh! esperança de Israel,
Redentor seu no tempo da
angústia!
Por que serias como um
estrangeiro na terra?
E como um viajante que
permanece apenas
uma noite?

9 Por que serias como homem
surpreendido,
como o guerreiro que não
pode livrar?
Tu, porém, estás no meio de
nós,
ó Senhor, e nós somos
chamados
pelo teu nome;
não nos desampares!

10 Assim diz o Senhor acerca
deste povo:
Gostam de correr para todos
os lados;
não detêm os seus pés.
Por isso, o Senhor não se
agrada deles;
lembrará da maldade deles
e punirá os seus pecados.

11 Disse-me mais o Senhor: Não rogues pelo bem deste povo.

12 Quando jejuarem, não ouvirei o seu clamor; quando oferecerem holocaustos e ofertas de cereais, não me agradarei deles. Antes, eu os consumirei pela espada, pela fome e pela peste.

13 Então disse eu: Ah! Senhor, Senhor, os profetas lhes dizem: Não vereis espada e não tereis fome. Deveras, darei a vós paz verdadeira neste lugar.

14 Disse-me o Senhor: Os profetas profetizam falsamente em meu nome. Não os enviei nem lhes dei ordem, nem lhes falei. Visão falsa adivinhação, vaidade e o engano do seu coração é o que vos profetizam.

**15** Portanto, assim diz o Senhor acerca dos profetas que profetizam em meu nome, sem que eu os tenha mandado, dizem que nem espada nem fome haverá nesta terra. À espada e à fome serão consumidos esses profetas.
**16** O povo a quem eles profetizam será lançado nas ruas de Jerusalém, por causa da fome e da espada. Não haverá quem enterre as suas mulheres, os seus filhos e as suas filhas. Derramarei sobre eles a sua maldade.
**17** Portanto, lhes dirás esta palavra:
Os meus olhos derramem lágrimas
 de noite e de dia, e não cessem;
pois a virgem, a filha do meu povo,
 está ferida de grande ferida,
 de chaga muito dolorosa.
**18** Se eu saio ao campo,
 vejo os mortos à espada;
se entro na cidade,
 estão ali os debilitados pela fome.
Os profetas e os sacerdotes vagueiam pela terra
 e nada sabem.
**19** Já de todo rejeitaste a Judá?
Ou aborrece a tua alma a Sião?
Por que nos feriste, e não há cura para nós?
Aguardamos a paz, e não aparece o bem;
 o tempo da cura, mas só há pavor.
**20** Ah! Senhor! conhecemos a nossa impiedade
 e a maldade de nossos pais;
deveras pecamos contra ti.
**21** Não nos rejeites, por amor do teu nome;
não tragas humilhação sobre o trono
 da tua glória.
Lembra-te e não anules a tua aliança conosco.
**22** Haverá entre os ídolos dos gentios, algum que faça chover?
Ou podem os céus dar chuvas?
Não és tu somente, ó Senhor nosso Deus?
Portanto, em ti esperaremos, pois tu fazes todas essas coisas.

**15** Então o Senhor me disse: Ainda que Moisés e Samuel se pusessem diante de mim, não seria a minha alma com este povo. Lança-os de diante da minha face, e saiam.
**2** Quando te perguntarem: Para onde iremos? Responderás: Assim diz o Senhor:
Os destinados para a morte, para a morte;
 os destinados para a espada, para a espada;
 os destinados para a fome, para a fome;
 e os destinados para o exílio, para o exílio.
**3** Eu os punirei com quatro gêneros de destruidores, diz o Senhor. A espada para os matar, os cães para os dilacerar, e as aves dos céus e os animais da terra para os devorar e destruir.
**4** Eu os entreguei ao desterro em todos os reinos da terra, por causa de Manassés, filho de Ezequias, rei de Judá, por tudo o que fez em Jerusalém.
**5** Quem se compadecerá de ti, ó Jerusalém?
Ou quem se entristecerá por ti?

Ou quem se deterá para perguntar pelo teu bem-estar?

**6** Tu me deixaste, diz o Senhor, voltaste para trás.
Por isso, estenderei a minha mão contra ti e te destruirei; já não posso mostrar compaixão.

**7** Eu os espalharei com a pá nas portas da terra.
Desfilharei, destruirei o meu povo, pois não deixaram os seus caminhos.

**8** Multiplicarei as suas viúvas mais do que a areia dos mares.
Ao meio-dia trarei um destruidor sobre as mães de seus jovens; de repente farei cair sobre elas angústia e terror.

**9** A que deu à luz sete filhos se enfraquecerá e expirará.
Para ela, o sol se porá sendo ainda dia; ela se confundirá e se envergonhará.
Os que dela ficarem eu os entregarei à espada, diante dos seus inimigos, diz o Senhor.

**10** Ai de mim, minha mãe!
Pois me deste à luz homem de rixa e homem de contendas para toda a terra!
Nunca lhes emprestei com usura nem eles me *emprestaram com usura*; todavia, cada um deles me amaldiçoa.

**11** Disse o Senhor:
Certamente te fortalecerei para o bem; no tempo da calamidade e no tempo da angústia, farei que o inimigo te dirija súplicas.

**12** Pode alguém quebrar o ferro, o ferro do Norte, ou o bronze?

**13** Os teus bens e os teus tesouros entregarei sem preço ao saque, por causa de todos os teus pecados, em todos os teus limites.

**14** Eu te levarei com os teus inimigos para uma terra que não conheces, pois o fogo se acendeu em minha ira e sobre vós arderá.

**15** Tu, ó Senhor, me conheces; lembra-te de mim e visita-me.
Vinga-me dos meus perseguidores.
Não me arrebates, por tua longanimidade.
Sabe que por amor de ti tenho sofrido afronta.

**16** Achadas as tuas palavras, logo as comi; elas me foram deleite e alegria ao coração, pois pelo teu nome me chamo, ó Senhor, Deus dos Exércitos.

**17** Jamais me assentei na roda dos que se alegram, nunca com eles me regozijei; por causa da tua mão me assentei solitário, pois me encheste de indignação.

**18** Por que dura a minha dor continuamente, e a minha ferida é dolorosa e incurável?
Serias tu para mim como um ilusório ribeiro, como águas inconstantes?

19 Portanto, assim diz o Senhor:
Se tu te arrependeres,
  eu te farei voltar, e me
    servirás;
  se apartares o precioso do vil,
    serás o meu porta-voz.
Tornem-se eles para ti,
  mas não voltes tu para eles.
20 Eu te porei contra este povo
    como forte muro de bronze;
  pelejarão contra ti,
  mas não prevalecerão contra
    ti,
  pois eu sou contigo para te
    guardar,
  para te livrar deles, diz o
    Senhor.
21 Eu te arrebatarei das mãos
    dos malignos,
  e te livrarei das mãos dos
    cruéis.

### O dia do desastre

**16** Então veio a mim a palavra do Senhor:
2 Não tomarás para ti mulher, nem terás filhos nem filhas neste lugar.
3 Pois assim diz o Senhor acerca dos filhos e das filhas que nascerem neste lugar, acerca das mães que os tiverem e dos pais que os gerarem nesta terra:
4 Morrerão de doenças mortais. Não serão pranteados nem sepultados, mas servirão de esterco para a terra. Pela espada e pela fome serão consumidos; e os seus cadáveres servirão de mantimento às aves do céu e aos animais da terra.
5 Pois assim diz o Senhor: Não entres na casa do luto; não vás lamentar nem te compadeças deles, porque deste povo, diz o Senhor, retirei a minha bênção, o meu amor e a minha misericórdia.
6 Morrerão grandes e pequenos nesta terra. Não serão sepultados nem pranteados; ninguém por eles fará incisões, nem por eles rapará a cabeça.
7 Ninguém oferecerá pão para consolar os que estiverem de luto por causa de morte, nem mesmo pelo pai ou pela mãe; nem lhes dará a beber do copo de consolação.
8 Não entres na casa do banquete, para te assentares com eles a comer e a beber.
9 Pois assim diz o Senhor dos Exércitos, o Deus de Israel: Farei cessar neste lugar perante os vossos olhos, e em vossos dias, a voz de deleite e a voz de alegria, a voz do noivo e a voz da noiva.
10 Quando anunciares a este povo todas estas palavras, e te perguntarem: Por que pronuncia o Senhor sobre nós todo este grande mal? Qual é a nossa iniquidade? Que pecado cometemos contra o Senhor nosso Deus?
11 Então lhes responderás: É porque vossos pais me deixaram, diz o Senhor, e se foram após outros deuses, e os serviram, e se inclinaram diante deles. A mim me deixaram, e a minha lei não guardaram.
12 Vós, porém, fizestes pior do que vossos pais. Vede como cada um de vós anda após o propósito do seu coração maligno, em vez de dar ouvidos a mim.
13 Portanto, os lançarei fora desta terra, para uma terra que não conhecestes, nem vós nem vossos pais, e ali servireis a outros deuses de dia e de noite, pois não usarei de misericórdia para convosco.
14 Portanto, vêm dias, diz o Senhor, em que nunca mais se dirá: Tão certo como vive o Senhor, que fez

subir os filhos de Israel da terra do Egito,

15 mas: Tão certo como vive o Senhor, que fez subir os filhos de Israel da terra do Norte e de todas as terras para onde os tinha lançado. Pois eu os farei voltar à sua terra, que dei a seus pais.

16 Agora, porém, mandarei muitos pescadores, diz o Senhor, os quais os pescarão. Depois enviarei muitos caçadores, os quais os caçarão de sobre todos os montes, de sobre todos os outeiros e até nas fendas das rochas.

17 Os meus olhos estão sobre todos os seus caminhos; ninguém se esconde de mim, nem a sua maldade se encobre aos meus olhos.

18 Eu lhes retribuirei em dobro a sua maldade e o seu pecado, porque profanaram a minha terra com os cadáveres dos seus ídolos detestáveis, e com as suas abominações encheram a minha herança.

19 Ó Senhor, fortaleza minha e força minha,
e refúgio meu no dia da angústia,
a ti virão as nações desde os confins da terra e dirão:
Nossos pais herdaram só deuses falsos e ídolos vãos, em que não há proveito.

20 Fazem os homens para si deuses que de fato não são deuses?

21 Portanto, eu lhes farei conhecer,
desta vez lhes farei conhecer *a minha força e o meu poder.*
Então saberão que o meu nome é Senhor.

# 17

O pecado de Judá está escrito com um estilete de ferro, gravado com ponta de diamante
na tábua do seu coração e nas pontas dos seus altares.

2 Até os seus filhos se lembram dos seus altares e dos seus postes-ídolos junto
às árvores frondosas, sobre os altos outeiros.

3 Ó minha montanha no campo, a tua riqueza e todos os teus tesouros
darei por presa,
como também os teus altos por causa do pecado, em todos os teus termos.

4 Por ti mesmo te privarás da tua herança que te dei.
Eu te farei servir os teus inimigos,
na terra que não conheces,
pois o fogo que acendeste na minha ira
arderá para sempre.

5 Assim diz o Senhor:
Maldito o homem que confia no homem,
que faz da carne o seu braço
e cujo coração se aparta do Senhor!

6 Ele será como um arbusto nos ermos;
não verá a prosperidade, quando ela vier.
Morará nos lugares secos do deserto,
na terra salgada e inabitável.

7 Bendito o homem que confia no Senhor e cuja esperança é o Senhor.

8 Ele será como a árvore plantada junto às águas,
que estende as suas raízes para o ribeiro,

Não receia quando vem o calor; suas folhas são sempre verdes. No ano de sequidão não se perturba nem deixa de dar fruto.

**9** Enganoso é o coração, mais do que todas as coisas, e incorrigível. Quem o conhecerá?

**10** Eu, o Senhor, esquadrinho o coração e provo a mente, e isso para dar a cada um segundo os seus caminhos e segundo o fruto das suas ações.

**11** Como a perdiz que choca ovos que não pôs, assim é aquele que ajunta riquezas, mas não retamente. Na metade de seus dias elas o deixarão, e no seu fim ele se mostrará insensato.

**12** Trono de glória, exaltado desde o princípio, é o lugar do nosso santuário.

**13** Ó Senhor, esperança de Israel, todos os que te deixam serão envergonhados. Os que se apartam de ti serão escritos no pó, porque abandonaram o Senhor, a fonte das águas vivas.

**14** Cura-me, ó Senhor, e serei curado; salva-me, e serei salvo, pois tu és o meu louvor.

**15** Eles me perguntam: Onde está a palavra do Senhor? Que se cumpra agora.

**16** Eu não me recusei a ser o teu pastor; tampouco desejei o dia de aflição, tu o sabes. O que saiu dos meus lábios está diante da tua face.

**17** Não me sejas por assombro; tu és o meu refúgio no dia da calamidade.

**18** Envergonhem-se os que me perseguem, mas não me envergonhe eu; assombrem-se eles, mas não me assombre eu. Traze sobre eles o dia da calamidade; destrói-os com dobrada destruição.

### A santificação do sábado

**19** Assim me disse o Senhor: Vai, põe-te na porta do povo, pela qual entram e saem os reis de Judá; põe-te também em todas as portas de Jerusalém.

**20** Dize-lhes: Ouvi a palavra do Senhor, vós, reis de Judá e todo o Judá, e todos os moradores de Jerusalém, que entrais por essas portas.

**21** Assim diz o Senhor: Guardai-vos, por vossa alma, não carregueis cargas no dia de sábado nem as fazei entrar pelas portas de Jerusalém.

**22** Não tireis cargas de vossas casas no dia de sábado nem façais obra alguma; antes santificai o dia de sábado, como eu ordenei a vossos pais.

**23** Contudo, eles não deram ouvidos, nem inclinaram os seus ouvidos; endureceram a sua cerviz, para não ouvirem, e para não receberem disciplina.

**24** Se, porém, diligentemente me ouvirdes, diz o Senhor, não fazendo entrar cargas pelas portas desta cidade no dia de sábado, e santificardes o dia de sábado, não fazendo nele obra alguma,

25 então entrarão pelas portas desta cidade reis e príncipes, assentados sobre o trono de Davi, andando em carros e montados em cavalos, eles e seus príncipes, os homens de Judá e os moradores de Jerusalém, e esta cidade será para sempre habitada.

26 Virão das cidades de Judá, dos arredores de Jerusalém, da terra de Benjamim, das planícies, das montanhas e do Neguebe, trazendo holocaustos e sacrifícios, ofertas de cereais, incenso e sacrifícios de ação de graças à casa do Senhor.

27 Se, contudo, não me derdes ouvidos, para santificardes o dia de sábado e para não trazerdes carga alguma, quando entrardes pelas portas de Jerusalém no dia de sábado, então acenderei fogo nas suas portas, o qual consumirá os palácios de Jerusalém e não se apagará.

### O vaso do oleiro

**18** Palavra do Senhor, que veio a Jeremias:

2 Levanta-te e desce à casa do oleiro, e lá te farei ouvir as minhas palavras.

3 Desci à casa do oleiro, e vi que ele estava fazendo a sua obra sobre as rodas.

4 O vaso, que ele fazia de barro, porém, se quebrou na sua mão; pelo que o oleiro tornou a fazer dele outro vaso, conforme bem lhe pareceu.

5 Então veio a mim a palavra do Senhor:

6 Não posso fazer de vós como fez este oleiro, ó casa de Israel? diz o Senhor. Como o barro na mão do oleiro, assim sois vós na minha mão, ó casa de Israel.

7 No momento em que eu falar contra uma nação ou contra um reino para o arrancar, derrubar e destruir,

8 se a tal nação, contra a qual falar, se converter da sua maldade, também eu me arrependerei do mal que pensava fazer-lhe.

9 Se em qualquer tempo eu falar de uma nação ou reino, para edificar e para plantar,

10 se ela fizer o mal diante dos meus olhos, não dando ouvidos à minha voz, então me arrependerei do bem que tinha dito lhe faria.

11 Ora, portanto, dize aos homens de Judá e aos moradores de Jerusalém: Assim diz o Senhor: Olhai! Estou forjando mal contra vós e projeto um plano contra vós. Pelo que vos convertei cada um do seu mau caminho e corrija a vossa conduta e as vossas ações.

12 Eles, porém, dizem: Não há esperança. Após as nossas imaginações andaremos; cada um fará segundo o propósito do seu coração maligno.

13 Portanto, assim diz o Senhor:
Perguntai entre os gentios:
Quem ouviu tal coisa?
Coisa sobremodo horrenda
fez a virgem de Israel!

14 Acaso desaparece a neve
do Líbano das suas encostas
rochosas?
Ou deixarão de correr as
suas águas frias?

15 Contudo, o meu povo se
esqueceu de mim,
queimando incenso aos
ídolos vãos,

os quais os fizeram tropeçar
nos seus caminhos,
e nas veredas antigas,
para que andassem por
atalhos,
por estradas não aplanadas.
**16** A sua terra será um espanto
e uma zombaria perpétua;
todo aquele que passar por
ela se espantará
e meneará a cabeça.
**17** Como vento oriental os
espalharei
diante da face do inimigo;
mostrarei as costas, e não o
rosto,
no dia da sua perdição.
**18** Então, disseram: Vinde, maquinemos projetos contra Jeremias; pois não perecerá a lei do sacerdote nem o conselho do sábio nem a palavra do profeta. Vinde, ataquemo-lo com a língua e não escutemos nenhuma das suas palavras.
**19** Olha para mim, ó Senhor,
e ouve a voz dos meus
acusadores.
**20** Acaso se pagará mal por
bem?
Contudo, abriram uma cova
para a minha alma.
Lembra-te de que compareci
na tua presença,
para falar por seu bem,
para desviar deles a tua
indignação.
**21** Portanto, entrega os seus
filhos à fome;
entrega-os ao poder da
espada.
Sejam as suas mulheres
roubadas
dos filhos e fiquem viúvas;
seus maridos sejam feridos
de morte,
e os seus jovens, feridos à
espada na peleja.
**22** Ouça-se o clamor de
suas casas,
quando trouxeres tropas
sobre eles de repente,
pois abriram uma cova
para me prender
e armaram laços aos
meus pés.
**23** Tu, porém, ó Senhor, sabes
todos os seus
conselhos contra mim, para
matar-me.
Não perdoes a sua iniquidade,
nem apagues o seu pecado
de diante da tua face.
Sejam transtornados
diante de ti;
age contra eles no tempo
da tua ira.

# 19

Assim diz o Senhor: Vai, compra uma botija de oleiro. Leva contigo os anciãos do povo e os anciãos dos sacerdotes. **2** Sai ao vale do filho de Hinom, que está à entrada da Porta do Oleiro. Apregoa ali as palavras que eu te disser, **3** e dize: Ouvi a palavra do Senhor, ó reis de Judá e moradores de Jerusalém. Assim diz o Senhor dos Exércitos, o Deus de Israel: Ouvi! Trarei tão grande desastre sobre este lugar que fará retinir os ouvidos de quem quer que dele ouvir. **4** Pois me deixaram e profanaram este lugar, queimando nele incenso a outros deuses, que nunca conheceram, nem eles nem seus pais nem os reis de Judá, e encheram este lugar de sangue de inocentes. **5** Edificaram os altos de Baal, para queimarem seus filhos no fogo em holocausto a Baal; o que nunca lhes ordenei, nem falei nem me subiu ao coração. **6** Por isso, vêm dias, diz o Senhor, em que este lugar não se chamará mais Tofete nem o vale do filho de Hinom, mas o vale da Matança.

7 Neste lugar, dissiparei o conselho de Judá e de Jerusalém. Eu os farei cair à espada diante de seus inimigos, pela mão dos que buscam a vida deles, e darei os seus cadáveres por pasto às aves dos céus e aos animais da terra.

8 Porei esta cidade por espanto e objeto de assobios; todo aquele que passar por ela se espantará e assobiará, por causa de todas as suas pragas.

9 Eu os farei comer a carne de seus filhos e a carne de suas filhas, e cada um comerá a carne do seu próximo, no cerco e no aperto em que os apertarão os seus inimigos, e os que buscam tirar-lhes a vida.

10 Então, quebrarás a botija à vista dos homens que foram contigo,

11 e lhes dirás: Assim diz o Senhor dos Exércitos: Deste modo quebrarei eu a este povo, e a esta cidade, como se quebra o vaso do oleiro, que não pode mais refazer-se. Enterrarão os mortos em Tofete, por falta de lugar para os enterrar.

12 Assim farei a este lugar, diz o Senhor, e aos seus moradores. Porei esta cidade como Tofete.

13 As casas de Jerusalém, e as casas dos reis de Judá, serão imundas como o lugar de Tofete; todas as casas sobre cujos terraços queimaram incenso a todo o exército dos céus, e ofereceram libações a outros deuses.

14 Vindo Jeremias, de Tofete, aonde o tinha enviado o Senhor a profetizar, pôs-se em pé no átrio da casa do Senhor, e disse a todo o povo:

15 Assim diz o Senhor dos Exércitos, o Deus de Israel: Ouvi! Trarei sobre esta cidade e sobre todas as suas vilas todo o mal que pronunciei contra ela, porque endureceram a sua cerviz, para não ouvir as minhas palavras.

### Pasur e Jeremias

**20** Pasur, filho de Imer, o sacerdote, que era presidente da casa do Senhor, ouviu Jeremias profetizar estas coisas.

2 Feriu Pasur ao profeta Jeremias, e o meteu no cepo que está na Porta Superior de Benjamim, a qual está na casa do Senhor.

3 No dia seguinte, quando Pasur o tirou do cepo, disse-lhe Jeremias: O Senhor não chama o teu nome Pasur, mas Magor-Missabibe.

4 Pois assim diz o Senhor: Farei de ti um terror para ti mesmo e para todos os teus amigos; estes cairão à espada de seus inimigos, e teus olhos o verão. Entregarei todo o Judá nas mãos do rei de Babilônia, que os levará presos a Babilônia e os ferirá à espada.

5 Também entregarei todas as riquezas desta cidade, todo o fruto do seu trabalho e todas as suas coisas preciosas; todos os tesouros dos reis de Judá entregarei nas mãos de seus inimigos, que os saquearão, tomarão e levarão a Babilônia.

6 E tu, Pasur, e todos os moradores da tua casa ireis para o exílio para Babilônia. Ali morrerás, e ali serás sepultado, tu, e todos os teus amigos, aos quais profetizaste falsamente.

7 Iludiste-me, ó Senhor, e iludido fiquei;
    mais forte foste do que eu, e prevaleceste.
    Sirvo de escárnio o dia todo;

cada um deles zomba de
mim.
8 Sempre que falo, grito
proclamando
violência e destruição.
Pelo que a palavra do Senhor
me trouxe
insulto e censura o dia todo.
9 Se eu, porém, disser:
Não me lembrarei dele e não
falarei
mais no seu nome,
sua palavra me é no coração
como fogo ardente,
encerrado nos meus ossos.
Estou fatigado de contê-lo,
e não posso mais.
10 Ouço a murmuração de
muitos:
Terror de todos os lados!
Denunciai-o!
Denunciemo-lo!
Todos os meus amigos
aguardam que eu
tropece, dizendo:
Bem pode ser que se deixe
persuadir;
então prevaleceremos
contra ele
e nos vingaremos dele.
11 O Senhor, porém, está
comigo como um
poderoso guerreiro;
pelo que os meus
perseguidores
tropeçarão e não
prevalecerão.
Fracassarão e ficarão
totalmente confundidos;
a sua desonra jamais será
esquecida.
12 Tu, ó Senhor dos Exércitos,
que provas o justo
e esquadrinhas a mente e o
coração,
permite que eu veja a tua
vingança contra eles,
pois te descobri a minha
causa.
13 Cantai ao Senhor! Louvai ao
Senhor!
Ele livra a alma do
necessitado
da mão dos malfeitores.
14 Maldito o dia em que nasci!
Que o dia em que minha
mãe me deu à luz não seja
bendito!
15 Maldito o homem que deu as
novas
a meu pai, dizendo:
Nasceu-te um filho;
alegrando-o com isso
grandemente.
16 Seja esse homem como as
cidades que o
Senhor destruiu, sem que
se arrependesse.
Ouça clamor pela manhã,
ao meio-dia um grito de
guerra.
17 Por que não me matou na
madre?
Por que minha mãe não foi
minha sepultura,
ou não permaneceu grávida
perpetuamente?
18 Por que saí da madre para
ver trabalho e tristeza
e para que se consumam na
vergonha
os meus dias?

### Deus rejeita o pedido de Zedequias

**21** Palavra que veio a Jeremias
da parte do Senhor, quando
o rei Zedequias lhe enviou Pasur,
filho de Malquias, e Sofonias, filho de Maaseias, o sacerdote, dizendo:
2 Pergunta agora por nós ao
Senhor, porque Nabucodonosor,
rei de Babilônia, guerreia contra
nós. Bem pode ser que o Senhor

opere conosco segundo todas as suas maravilhas e o faça retirar-se de nós.
**3** Jeremias, porém, lhes respondeu: Assim direis a Zedequias:
**4** Assim diz o Senhor, o Deus de Israel: Virarei contra vós as armas de guerra, que estão nas vossas mãos, com que vós pelejais contra o rei de Babilônia e contra os caldeus que vos têm cercado fora dos muros, e os ajuntarei no meio desta cidade.
**5** Eu mesmo pelejarei contra vós com braço estendido e mão forte, com ira, indignação e grande furor.
**6** Ferirei os habitantes desta cidade, tanto os homens como os animais, e de grande pestilência morrerão.
**7** Depois disso, diz o Senhor, entregarei Zedequias, rei de Judá, os seus servos, o povo e os que desta cidade restarem da pestilência, da espada e da fome, nas mãos de Nabucodonosor, rei de Babilônia, nas mãos dos seus inimigos e nas mãos dos que buscam a sua vida. Ele os ferirá a fio de espada; não os poupará, não se compadecerá nem terá misericórdia.
**8** A este povo dirás: Assim diz o Senhor: Ponho diante de vós o caminho da vida e o caminho da morte.
**9** O que ficar nesta cidade há de morrer à espada, ou de fome, ou de peste. Mas o que sair e se render aos caldeus, que vos cercam, viverá e terá a sua vida por despojo.
**10** Pus o meu rosto contra esta cidade para mal, e não para bem, diz o Senhor. Nas mãos do rei de Babilônia será entregue, e ele a queimará a fogo.

**11** À casa do rei de Judá dirás: Ouvi a palavra do Senhor.
**12** Ó casa de Davi, assim diz o Senhor:
Julgai com justiça a cada manhã
  e livrai o oprimido das
  mãos do opressor,
para que não saia o meu
  furor como fogo
  e se acenda,
sem que haja quem o apague,
  por causa da maldade das
  vossas ações.
**13** Eu sou contra ti, ó moradora do vale,
  ó rocha da campina,
  diz o Senhor;
contra vós que dizeis:
Quem descerá contra nós?
  ou: Quem entrará nas
  nossas moradas?
**14** Eu os punirei segundo o
  fruto das vossas ações,
  diz o Senhor.
Acenderei um fogo no
  vosso bosque,
  que consumirá tudo o que
  está ao vosso redor.

### Juízo contra reis iníquos

**22** Assim diz o Senhor: Desce à casa do rei de Judá e anuncia ali esta mensagem:
**2** Ouve a palavra do Senhor, ó rei de Judá, que te assentas no trono de Davi; tu, os teus servos e o teu povo, que entrais por estas portas.
**3** Assim diz o Senhor: Exercei o juízo e a justiça, livrai o oprimido das mãos do opressor. Não oprimais ao estrangeiro nem ao órfão nem à viúva, e não façais violência, nem derrameis sangue inocente neste lugar.
**4** Pois, se deveras cumprirdes essa palavra, entrarão pelas portas

desta casa os reis que se assentam no trono de Davi, em carros e montados em cavalos, eles, os seus servos e o seu povo.

5 Se, porém, não derdes ouvidos a essas palavras, por mim mesmo jurei, diz o Senhor, que esta casa se tornará em desolação.

6 Pois assim diz o Senhor acerca da casa do rei de Judá:
Ainda que sejas para mim Gileade,
a cabeça do Líbano,
certamente farei de ti um deserto
e cidades desabitadas.

7 Prepararei contra ti destruidores,
cada um com as suas armas.
Cortarão os teus cedros escolhidos
e os lançarão no fogo.

8 Muitas nações passarão por esta cidade, e dirá cada um ao seu companheiro: Por que procedeu o Senhor assim com esta grande cidade?

9 E a resposta será: Porque deixaram a aliança do Senhor seu Deus e se inclinaram diante de outros deuses e os serviram.

10 Não choreis o morto, nem o lastimeis;
antes chorai abundantemente aquele que sai,
porque nunca mais tornará nem verá a terra onde nasceu.

11 Pois assim diz o Senhor acerca de Salum, filho de Josias, rei de Judá, que reinou em lugar de Josias, seu pai, que saiu deste lugar: Jamais tornará para ali.

12 No lugar para onde o levaram cativo morrerá; nunca mais verá esta terra.

13 Ai daquele que edifica a sua casa com injustiça
e os seus aposentos,
sem direito,
que se serve do serviço do seu próximo sem paga
e não lhe dá o salário do seu trabalho.

14 Ele diz: Edificarei para mim uma casa
espaçosa e largos aposentos, com amplas janelas,
forrada de cedro e pintada de vermelho.

15 Reinarás tu, só porque procuras
exceder no uso do cedro?
Acaso o teu pai não comeu e bebeu,
e não exercitou o juízo e a justiça?
Por isso lhe sucedeu bem.

16 Julgou a causa do aflito e do necessitado;
por isso, lhe sucedeu bem.
Não é isso conhecer-me? diz o Senhor.

17 Os teus olhos e o teu coração, porém,
não atentam senão para a tua ganância,
para derramar o sangue inocente
e para levar a extorsão e a violência a efeito.

18 Portanto, assim diz o Senhor acerca de Jeoiaquim, filho de Josias, rei de Judá:
Não lamentarão por ele, dizendo:
Ai, irmão meu, ou:
Ai, minha irmã!
Nem lamentarão por ele, dizendo:
Ai, senhor! ou: Ai, o seu esplendor!

19 Em sepultura de jumento o sepultarão,

arrastando-o e lançando-o
para bem longe,
fora das portas de Jerusalém.
20 Sobe ao Líbano e clama,
levanta a tua voz em Basã,
clama desde Abarim,
pois estão quebrantados os
teus aliados.
21 Falei contigo no tempo
da tua prosperidade,
mas disseste: Não ouvirei.
Este tem sido o teu caminho,
desde a tua mocidade;
nunca deste ouvidos à
minha voz.
22 O vento afugentará todos os
teus pastores,
e os teus aliados irão para o
exílio.
Então te confundirás e te
envergonharás,
por causa de toda a tua
maldade.
23 Ó tu, que habitas no Líbano,
e fazes o teu ninho nos
cedros!
Quão lastimada serás
quando
te vierem as dores e os ais,
como da que está de parto!
24 Tão certo como eu vivo, diz o
Senhor, que ainda que tu, Jeconias,
filho de Jeoiaquim, rei de Judá,
fosse o selo do anel da minha mão
direita, eu dali te arrancaria.
25 Eu te entregarei nas mãos dos
que buscam a tua vida e nas mãos
daqueles a quem temes, a saber,
nas mãos de Nabucodonosor,
rei de Babilônia, e nas mãos dos
caldeus.
26 *Lançarei a ti e a tua mãe*, que
te deu à luz, para outra terra, em
que não nasceste, e ali morrereis.
27 À terra para a qual almejam
voltar, porém, para lá jamais
tornarão.

28 É este homem Jeconias
um vaso desprezado e
quebrado,
um objeto de que ninguém
se agrada?
Por que serão
arremessados fora,
ele e a sua geração,
e lançados para uma terra
que não conhecem?
29 Ó terra, terra, terra,
ouve a palavra do Senhor!
30 Assim diz o Senhor:
Escrevei que este homem está
privado dos seus filhos,
homem que não prosperará
nos seus dias,
pois nenhum da sua
linhagem prosperará,
para se assentar no trono
de Davi,
ou reinar de novo em Judá.

### O renovo justo

**23** Ai dos pastores que destroem e dispersam as ovelhas do meu pasto, diz o Senhor. 2 Portanto, assim diz o Senhor, o Deus de Israel, acerca dos pastores que apascentam o meu povo: Visto que dispersastes as minhas ovelhas, as afugentastes e não cuidastes delas, trarei sobre vós a maldade das vossas ações, diz o Senhor. 3 Eu mesmo recolherei o resto das minhas ovelhas, de todas as terras para onde eu as tiver afugentado, e as farei voltar aos seus apriscos, onde frutificarão e se multiplicarão. 4 Levantarei sobre elas pastores que as apascentem, e nunca mais temerão nem se assombrarão, e nem uma delas faltará, diz o Senhor.
5 Vêm dias, diz o Senhor,
em que levantarei a Davi um
Renovo justo,

um rei que reinará e prosperará; ele praticará o juízo e a justiça na terra. 6 Nos seus dias Judá será salvo, e Israel habitará seguro. Este será o seu nome, com que o nomearão: O Senhor, Nossa Justiça. 7 Portanto, vêm dias, diz o Senhor, em que nunca mais dirão: Tão certo como vive o Senhor, que fez subir os filhos de Israel da terra do Egito, 8 mas: Tão certo como vive o Senhor, que fez subir a linhagem da casa de Israel da terra do Norte, e de todas as terras para onde os tinha lançado. Então eles habitarão na sua terra.

### Falsos profetas

9 Quanto aos profetas: O meu coração está quebrantado dentro em mim; todos os meus ossos estremecem. Sou como um homem embriagado, como um homem vencido do vinho, por causa do Senhor e das palavras da sua santidade. 10 A terra está cheia de adúlteros; por causa da maldição, a terra chora, e os pastos do deserto se secam. O caminho dos adúlteros é a maldade, e a sua força a injustiça. 11 Tanto o profeta como o sacerdote estão contaminados; até na minha casa achei a sua maldade, diz o Senhor.

12 Portanto, o caminho deles será como lugares escorregadios na escuridão; serão empurrados e cairão nele. Trarei sobre eles a calamidade, no ano do seu castigo, diz o Senhor. 13 Entre os profetas de Samaria vi loucura: Eles profetizavam da parte de Baal e faziam errar o meu povo Israel. 14 E entre os profetas de Jerusalém vi uma coisa horrenda: Cometem adultérios e andam com falsidade. Fortalecem as mãos dos malfeitores, para que não se convertam da sua maldade. Têm-se tornado para mim como Sodoma, e os moradores dela como Gomorra. 15 Portanto, assim diz o Senhor dos Exércitos acerca dos profetas: Eu lhes darei a comer losna e lhes farei beber águas de fel, porque dos profetas de Jerusalém saiu a contaminação sobre toda a terra. 16 Assim diz o Senhor dos Exércitos: Não deis ouvidos às palavras dos profetas que entre vós profetizam; eles vos ensinam vaidades. Falam da visão do seu próprio coração, não da boca do Senhor. 17 Dizem continuamente aos que me desprezam:

O Senhor disse: Paz tereis. A qualquer que anda segundo o propósito do seu coração, dizem: Nenhum mal virá sobre vós.

18 Quem dentre eles esteve no conselho do Senhor, e viu, e ouviu a sua palavra? Quem esteve atento à sua palavra e a ouviu?

19 Saiu com indignação a tempestade do Senhor, e uma tempestade penosa cairá cruelmente sobre a cabeça dos ímpios.

20 A ira do Senhor não se desviará, até que ele execute e cumpra os pensamentos do seu coração. No fim dos dias, entendereis isso claramente.

21 Não mandei esses profetas, todavia eles foram correndo; não lhes falei, todavia profetizaram.

22 Se, porém, estivessem presentes no meu conselho, teriam feito ouvir as minhas palavras ao meu povo, e o teriam feito voltar do seu mau caminho e da maldade das suas ações.

23 Sou eu apenas Deus de perto, diz o Senhor, e não também de longe?

24 Poderia alguém esconder-se, de modo que eu não o possa ver? diz o Senhor. Não encho eu os céus e a terra? diz o Senhor.

25 Ouvi o que dizem esses profetas, profetizando mentiras em meu nome, dizendo: Sonhei, sonhei.

26 Até quando continuará isso no coração desses profetas mentirosos, que profetizam o engano do seu próprio coração?

27 Cuidam em fazer que o meu povo se esqueça do meu nome pelos seus sonhos que cada um conta ao seu companheiro, assim como seus pais se esqueceram do meu nome por causa de Baal.

28 O profeta que tem um sonho conte o sonho, mas aquele que tem a minha palavra, fale a minha palavra, com verdade. Que tem a palha em comum com o trigo? diz o Senhor.

29 Não é a minha palavra como fogo, diz o Senhor, e como martelo que esmiúça a penha?

30 Portanto, eu sou contra esses profetas, diz o Senhor, que furtam as minhas palavras, cada um ao seu companheiro.

31 Sim, sou contra esses profetas, diz o Senhor, que usam de sua língua e dizem: Ele disse.

32 Deveras, sou contra os que profetizam sonhos mentirosos, diz o Senhor. Eles os contam e fazem errar o meu povo com as suas mentiras e com as suas leviandades, mas eu não os enviei nem lhes dei ordem. Não trazem proveito nenhum a este povo, diz o Senhor.

33 Quando te perguntar este povo, ou qualquer profeta, ou sacerdote: Qual é o oráculo do Senhor? Então lhe dirás: Que oráculo? Vós sois o oráculo, e eu vos abandonarei, diz o Senhor.

34 Quanto ao profeta, ao sacerdote e ao povo que disser: Este é o oráculo do Senhor, eu castigarei o tal homem e a sua casa.

35 Assim direis, cada um ao seu companheiro e cada um ao seu irmão:

Que respondeu o Senhor? ou: Que falou o Senhor?

36 Nunca mais mencionareis o oráculo do Senhor, porque a cada um lhe serve de oráculo a sua própria palavra, e assim torceis as palavras do Deus vivo, do Senhor dos Exércitos, o nosso Deus.

37 Assim dirás ao profeta: Que te respondeu o Senhor? Que falou o Senhor?

38 Mas porque dizeis: Oráculo do Senhor; assim o diz o Senhor: Porque dizeis esta palavra: Oráculo do Senhor, havendo-vos ordenado, dizendo: Não direis: Oráculo do Senhor.

39 Portanto, eu certamente me esquecerei de vós e vos lançarei da minha presença, a vós e à cidade que dei a vós e a vossos pais.

40 Porei sobre vós perpétua humilhação e eterna vergonha, que não será esquecida.

### Dois cestos de figos

**24** Mostrou-me o Senhor dois cestos de figos, postos diante do templo do Senhor, depois que Nabucodonosor, rei de Babilônia, levou em exílio, para Babilônia, a Jeconias, filho de Jeoiaquim, rei de Judá, os príncipes de Judá, os carpinteiros e os ferreiros de Jerusalém.

2 Um cesto tinha figos muito bons, como os figos temporãos, mas o outro, figos tão ruins que não se podiam comer, de tão ruins que eram.

3 Perguntou-me o Senhor: Que vês, Jeremias? Respondi: Figos. Os figos bons, muito bons, e os ruins, muito ruins, que não se podem comer, de ruins que são.

4 Então veio a mim a palavra do Senhor:

5 Assim diz o Senhor, o Deus de Israel: Como a esses figos bons, assim olho com favor aos de Judá, levados em exílio, e que enviei deste lugar para a terra dos caldeus.

6 Porei os meus olhos sobre eles, para o seu bem, e os farei voltar a esta terra. Eu os edificarei, e não os destruirei; os plantarei, e não os arrancarei.

7 Darei a eles coração para que me conheçam, porque eu sou o Senhor. Eles serão o meu povo, e eu serei o seu Deus, pois se converterão a mim de todo o seu coração.

8 Como se rejeitam aos figos ruins, que não se podem comer, de ruins que são, certamente assim diz o Senhor: Do mesmo modo entregarei Zedequias, rei de Judá, os seus príncipes e o resto de Jerusalém, quer fiquem nesta terra, quer habitem na terra do Egito.

9 Farei que sejam espetáculo horrendo, calamidade para todos os reinos da terra, vergonha e provérbio, zombaria, e maldição em todos os lugares para onde os lancei.

10 Enviarei entre eles a espada, a fome e a peste, até que sejam consumidos de sobre a terra que dei a eles e a seus pais.

### Os setenta anos de exílio

**25** Palavra que veio a Jeremias acerca de todo o povo de Judá no quarto ano de Jeoiaquim, filho de Josias, rei de Judá, que é o primeiro ano de Nabucodonosor, rei de Babilônia,

2 a qual anunciou o profeta Jeremias a todo o povo de Judá e a todos os habitantes de Jerusalém:

3 Durante vinte e três anos — do décimo terceiro ano de Josias, filho de Amom, rei de Judá, até o dia de hoje, tem vindo a mim a palavra do Senhor, e eu a tenho anunciado a vós, madrugando e falando, mas vós não escutastes.

4 E embora vos tenha enviado o Senhor todos os seus servos, os profetas, madrugando e enviando-os, vós não escutastes, nem inclinastes os vossos ouvidos para ouvir.

5 Disseram: Convertei-vos agora, cada um, do seu mau caminho e da maldade das suas ações, e habitai na terra que o Senhor deu a vós e a vossos pais, de século em século.

6 Não andeis após outros deuses, para os servirdes e vos inclinardes diante deles; não me provoqueis à ira com a obra das vossas mãos, para que não vos faça mal.

7 Vós, porém, não me destes ouvidos, diz o Senhor, e me provocastes à ira com a obra das vossas mãos, para o vosso próprio mal.

8 Portanto, assim diz o Senhor dos Exércitos: Visto que não escutastes as minhas palavras,

9 convocarei todos os povos do norte, diz o Senhor, como também a Nabucodonosor, rei de Babilônia, meu servo, e os trarei sobre esta terra, sobre os seus moradores e sobre todas estas nações em redor. Eu os destruirei totalmente e os porei por objeto de espanto e de zombaria, e ruínas perpétuas.

10 Farei cessar entre eles a voz de folguedo e a voz de alegria, a voz do noivo e a voz da noiva, o som do moinho e a luz do candeeiro.

11 Toda esta terra virá a ser ermo desolado, e estas nações servirão ao rei de Babilônia setenta anos.

12 Quando, porém, se cumprirem os setenta anos, punirei o rei de Babilônia e a sua nação, a terra dos caldeus, castigando a sua iniquidade, diz o Senhor, e farei deles desolações perpétuas.

13 Trarei sobre aquela terra todas as coisas que disse contra ela, tudo o que está escrito neste livro, que profetizou Jeremias contra todas as nações.

14 Eles mesmos serão escravos de muitas nações e grandes reis; eu lhes retribuirei segundo os seus feitos e segundo as obras das suas mãos.

15 Assim me disse o Senhor, o Deus de Israel: Toma da minha mão este copo de vinho do furor e faze que dele bebam todas as nações às quais eu te enviar.

16 Quando dele beberem, cambalearão e enlouquecerão, por causa da espada que enviarei entre eles.

17 Tomei o copo da mão do Senhor e dei a beber a todas as nações às quais o Senhor me tinha enviado:

18 A Jerusalém, às cidades de Judá, aos seus reis e aos seus príncipes, para fazer deles ruína e objeto de horror, escárnio e maldição, como hoje se vê;

19 a faraó, rei do Egito, a seus servos, a seus príncipes e a todo o seu povo;

20 a todo o povo misto, a todos os reis da terra de Uz, a todos os reis da terra dos filisteus, a Asquelom, a Gaza, a Ecrom, ao resto de Asdode,

21 a Edom, a Moabe, e aos filhos de Amom;

22 a todos os reis de Tiro, a todos os reis de Sidom e aos reis das ilhas além do mar;

23 a Dedã, a Tema, a Buz e a todos os que habitam nos últimos cantos da terra;

24 a todos os reis da Arábia e a todos os reis do povo misto que habita no deserto;

25 a todos os reis de Zinri, a todos os reis de Elão e a todos os reis da Média;

26 a todos os reis do Norte, os de perto e os de longe, tanto um

como o outro, e a todos os reinos sobre a face da terra. E depois de todos eles, o rei de Sesaque também beberá.

**27** Então lhes dirás: Assim diz o Senhor dos Exércitos, o Deus de Israel: Bebei, embebedai-vos e vomitai; caí e não torneis a levantar-vos, por causa da espada que vos enviarei.

**28** Se não quiserem tomar o copo da tua mão para beber, lhes dirás: Assim diz o Senhor dos Exércitos: Certamente bebereis.

**29** Na cidade que se chama pelo meu nome, começo a castigar, ficareis vós totalmente impunes? Não, não ficareis impunes, pois chamo a espada sobre todos os moradores da terra, diz o Senhor dos Exércitos.

**30** Portanto, tu profetizarás todas estas palavras, e lhes dirás:

O Senhor lá do alto rugirá;
 ele fará ouvir a sua voz
  desde a morada da sua
 santidade e fortemente
  rugirá contra a sua terra.
 Ele gritará como os que
  pisam as uvas,
 gritará contra todos os
  moradores da terra.

**31** Chegará o estrondo até
 a extremidade da terra,
  pois o Senhor tem contenda
   com as nações;
 ele entrará em juízo com toda
  a carne;
  os ímpios entregará à
   espada.

**32** Assim diz o Senhor dos Exércitos:
 Olhai! A calamidade sai de
  nação para nação;
 grande tormenta se levanta
  dos confins da terra.

**33** Naquele dia, os mortos pelo Senhor estarão desde uma extremidade da terra até a outra. Não serão pranteados; não serão recolhidos nem sepultados, mas serão como esterco sobre a face da terra.

**34** Uivai, pastores, e clamai;
 revolvei-vos na cinza, donos
  do rebanho,
 pois já se cumpriram os
  vossos
   dias para serdes mortos;
 eu vos quebrantarei,
 e vós então caireis como
  jarros preciosos.

**35** Não haverá refúgio para os pastores,
 nem salvamento para os
  donos do rebanho.

**36** Ouvi o grito dos pastores
 e os uivos dos donos do
  rebanho,
  pois o Senhor destruiu o
   pasto deles.

**37** As suas malhadas pacíficas
  serão desarraigadas,
 por causa do furor da ira do
  Senhor.

**38** Como o leão, deixará ele o
  seu covil;
  a sua terra será assolada
 por causa da espada do
  opressor
 e do furor da ira do Senhor.

### Jeremias corre perigo de morte

**26** No princípio do reinado de Jeoiaquim, filho de Josias, rei de Judá, veio esta palavra do Senhor:

**2** Assim diz o Senhor: Põe-te no átrio da casa do Senhor e dize a todas as cidades de Judá, que vêm adorar na casa do Senhor, todas as palavras que te mandei; não te esqueças de nenhuma palavra.

**3** Pode ser que ouçam e se convertam cada um do seu mau caminho, e eu me arrependa do mal que intento fazer-lhes, por causa da maldade das suas ações.

**4** Dize-lhes: Assim diz o Senhor: Se não me derdes ouvidos para andardes na minha lei, que pus diante de vós,

**5** para que ouvísseis as palavras dos meus servos, os profetas, que eu vos envio, madrugando e enviando, mas não ouvistes,

**6** então farei que esta casa seja como Siló e farei desta cidade uma maldição para todas as nações da terra.

**7** Os sacerdotes, os profetas e todo o povo ouviram a Jeremias, anunciando estas palavras na casa do Senhor.

**8** Assim que Jeremias acabou de dizer tudo o que o Senhor lhe havia ordenado que dissesse a todo o povo, lançaram mão dele os sacerdotes, os profetas e todo o povo e disseram: Certamente morrerás.

**9** Por que profetizas no nome do Senhor, dizendo que esta casa será como Siló, e esta cidade será assolada e ficará deserta? E ajuntou-se todo o povo contra Jeremias, na casa do Senhor.

**10** Ouvindo os príncipes de Judá estas palavras, subiram da casa do rei à casa do Senhor e se assentaram à entrada da Porta Nova da casa do Senhor.

**11** Então disseram os sacerdotes e os profetas aos príncipes e a todo o povo: Este homem é réu de morte, porque profetizou contra esta cidade, como ouvistes com os vossos ouvidos.

**12** Jeremias, porém, disse a todos os príncipes e a todo o povo: O Senhor me enviou a profetizar contra esta casa e contra esta cidade todas as palavras que ouvistes.

**13** Agora, corrigi os vossos caminhos e as vossas ações e ouvi a voz do Senhor, o vosso Deus. Então se arrependerá o Senhor do mal que falou contra vós.

**14** Quanto a mim, estou nas vossas mãos; fazei de mim conforme o que for bom e reto aos vossos olhos.

**15** Sabei, porém, com certeza que, se me matardes, trareis sangue inocente sobre vós, sobre esta cidade e sobre os seus habitantes. Porque, na verdade, o Senhor me enviou a vós, para dizer aos vossos ouvidos todas estas palavras.

**16** Então disseram os príncipes e todo o povo aos sacerdotes e aos profetas: Este homem não é réu de morte, porque em nome do Senhor, nosso Deus, nos falou.

**17** Também se levantaram alguns dentre os anciãos da terra e disseram a toda a congregação do povo:

**18** Miqueias, o morastita, profetizou nos dias de Ezequias, rei de Judá, e disse a todo o povo de Judá: Assim diz o Senhor dos Exércitos:

> Sião será lavrada como
>   um campo,
> e Jerusalém se tornará em
>   montões de pedras,
> e a colina do templo,
>   num monte coberto de
>   mato.

**19** Mataram-no Ezequias, rei de Judá, e todo o Judá? Antes não temeu este ao Senhor e não implorou o favor do Senhor? E o Senhor não se arrependeu do mal que falara contra eles? Estamos fazendo um grande mal contra a nossa alma.

**20** Também houve outro homem que profetizava em nome

do Senhor: Urias, filho de Semaías, de Quiriate-Jearim, que profetizou contra esta cidade e contra esta terra, conforme todas as palavras de Jeremias.

**21** Ouvindo o rei Jeoiaquim, todos os seus valentes e todos os príncipes as suas palavras, procurou o rei matá-lo. Mas Urias, ouvindo isso, temeu e fugiu para o Egito. **22** O rei Jeoiaquim, porém, enviou Elnatã, filho de Acbor, ao Egito, e com ele outros homens. **23** Tiraram a Urias do Egito e o trouxeram ao rei Jeoiaquim, que o matou à espada e lançou o seu cadáver numa vala comum. **24** Aicão, filho de Safã, porém, apoiou a Jeremias, de sorte que ele não foi entregue nas mãos do povo, para ser morto.

### Submissão ao rei de Babilônia

**27** No princípio do reinado de Zedequias, filho de Josias, rei de Judá, veio esta palavra a Jeremias da parte do Senhor: **2** Assim me disse o Senhor: Faze um jugo com cordas e pedaços de madeira e põe-nos ao teu pescoço. **3** Então manda uma mensagem ao rei de Edom, ao rei de Moabe, ao rei dos filhos de Amom, ao rei de Tiro, ao rei de Sidom, por intermédio dos mensageiros que vieram a Jerusalém ter com Zedequias, rei de Judá. **4** Dá-lhes uma mensagem para os seus senhores e dize: Assim diz o Senhor dos Exércitos, o Deus de Israel: Assim direis a vossos senhores: **5** Eu fiz a terra, o homem e os animais que estão sobre a face da terra com o meu grande poder e com o meu braço estendido, e a dou a quem me apraz. **6** Agora, eu entregarei todas estas terras nas mãos de Nabucodonosor, rei de Babilônia, meu servo; até os animais do campo lhe darei, para que o sirvam. **7** Todas as nações servirão a ele, a seu filho e ao filho de seu filho, até que também venha o tempo da sua própria terra, quando muitas nações e grandes reis se servirão dele. **8** Se alguma nação e reino não servirem o mesmo Nabucodonosor, rei de Babilônia, e não puserem o seu pescoço debaixo do jugo dele, punirei com a espada, com a fome e com a peste a essa nação, diz o Senhor, até que a consuma pelas suas mãos. **9** Não deis ouvidos aos vossos profetas, aos vossos adivinhos, aos vossos sonhos, aos vossos agoureiros e aos vossos encantadores, que vos dizem: Não servireis o rei de Babilônia. **10** Eles vos profetizam mentiras, para vos mandarem para longe da vossa terra; eu vos lançarei dela, e vós perecereis. **11** A nação, porém, que meter o seu pescoço sob o jugo do rei de Babilônia e o servir, eu a deixarei na sua terra, diz o Senhor, para cultivá-la e habitar nela. **12** A Zedequias, rei de Judá, eu disse estas mesmas palavras: Colocai o vosso pescoço no jugo do rei de Babilônia; servi-o, a ele e ao seu povo, e vivereis. **13** Por que morrerias tu e o teu povo à espada, de fome e de peste, como o Senhor disse acerca da nação que não servir ao rei de Babilônia? **14** Não deis ouvidos às palavras dos profetas, que vos dizem: Não servireis ao rei de Babilônia, pois vos profetizam mentiras.

15 Eu não os enviei, diz o Senhor. Profetizam falsamente em meu nome, para que eu vos lance fora, e pereçais vós e os profetas que vos profetizam.
16 Aos sacerdotes e a todo este povo eu disse: Assim diz o Senhor: Não deis ouvidos às palavras dos vossos profetas, que vos profetizam, dizendo: Os utensílios da casa do Senhor cedo voltarão de Babilônia. Eles vos profetizam mentiras.
17 Não lhes deis ouvidos. Servi ao rei de Babilônia e vivereis. Por que se tornaria esta cidade um deserto?
18 No entanto, se são profetas e se há palavras do Senhor com eles, orem ao Senhor dos Exércitos, para que os utensílios que ficaram na casa do Senhor, na casa do rei de Judá e em Jerusalém não vão para Babilônia.
19 Pois assim diz o Senhor dos Exércitos acerca das colunas, do mar, das bases e dos restantes utensílios que ficaram na cidade,
20 os quais Nabucodonosor, rei de Babilônia, não levou, quando transportou de Jerusalém para Babilônia a Jeconias, filho de Jeoiaquim, rei de Judá, como também a todos os nobres de Jerusalém;
21 sim, assim diz o Senhor dos Exércitos, o Deus de Israel, acerca dos utensílios que ficaram na casa do Senhor, na casa do rei de Judá e em Jerusalém:
22 Para Babilônia serão levados e ali ficarão até o dia em que eu os tirar, diz o Senhor. Então os farei subir e os tornarei a trazer a este lugar.

## O falso profeta Hananias

**28** No mesmo ano, no princípio do reinado de Zedequias, rei de Judá, no quarto ano, no quinto mês, Hananias, filho de Azur, o profeta de Gibeom, me disse na casa do Senhor, perante os olhos dos sacerdotes e de todo o povo:
2 Assim diz o Senhor dos Exércitos, o Deus de Israel: Eu quebrarei o jugo do rei de Babilônia.
3 Depois de passados dois anos completos, eu tornarei a trazer a este lugar os utensílios da casa do Senhor, que deste lugar tomou Nabucodonosor, rei de Babilônia, levando-os para Babilônia.
4 Também a Jeconias, filho de Jeoiaquim, rei de Judá, e a todos os do exílio de Judá, que entraram em Babilônia, eu tornarei a trazer a este lugar, diz o Senhor, pois quebrarei o jugo do rei de Babilônia.
5 Então respondeu Jeremias, o profeta, a Hananias, o profeta, aos olhos dos sacerdotes e aos olhos de todo o povo que estava na casa do Senhor.
6 Disse Jeremias, o profeta: Amém! Assim faça o Senhor! O Senhor confirme as tuas palavras com que profetizaste e torne a trazer os utensílios da casa do Senhor e todos os exilados da Babilônia a este lugar.
7 Ouve, porém, esta palavra, que eu digo aos teus ouvidos e aos ouvidos de todo o povo:
8 Os profetas que existiram antes de mim e antes de ti, desde a antiguidade, profetizaram guerra, mal e peste contra muitas terras e grandes reinos.
9 O profeta que profetizar paz, quando se cumprir a palavra desse profeta, será conhecido como profeta verdadeiramente enviado pelo Senhor.
10 Então Hananias, o profeta, tomou o jugo do pescoço do profeta Jeremias e o quebrou.

**11** Disse Hananias aos olhos de todo o povo: Assim diz o Senhor: Deste modo quebrarei o jugo de Nabucodonosor, rei de Babilônia, depois de passados dois anos completos, de sobre o pescoço de todas as nações. E Jeremias, o profeta, foi-se embora.
**12** Veio a palavra do Senhor a Jeremias, depois que Hananias, o profeta, quebrou o jugo de sobre o pescoço do profeta Jeremias:
**13** Vai e dize a Hananias: Assim diz o Senhor: Jugo de madeira quebraste, mas em vez dele terás jugo de ferro.
**14** Assim diz o Senhor dos Exércitos, o Deus de Israel: Jugo de ferro pus sobre o pescoço de todas estas nações, para servirem a Nabucodonosor, rei de Babilônia, e o servirão. Até os animais do campo lhe darei.
**15** Disse Jeremias, o profeta, a Hananias, o profeta: Ouve, Hananias! O Senhor não te enviou, mas fizeste que este povo confiasse em mentiras.
**16** Pelo que assim diz o Senhor: Eu te lançarei de sobre a face da terra. Este ano morrerás, porque pregaste rebeldia contra o Senhor.
**17** Morreu Hananias, o profeta, no mesmo ano, no sétimo mês.

### Uma carta aos cativos

**29** São estas as palavras da carta que Jeremias, o profeta, enviou de Jerusalém ao resto dos anciãos do exílio, como também aos sacerdotes, aos profetas e a todo o povo que Nabucodonosor havia transportado de Jerusalém para Babilônia,
**2** depois que saíram o rei Jeconias, a rainha, os oficiais, os príncipes de Judá e Jerusalém, os artífices e os ferreiros.
**3** Veio pela mão de Elasa, filho de Safã, e de Gemarias, filho de Hilquias, os quais Zedequias, rei de Judá, tinha enviado a Babilônia, a Nabucodonosor, rei de Babilônia, dizendo:
**4** Assim diz o Senhor dos Exércitos, o Deus de Israel, a todos os que foram transportados, que eu fiz transportar de Jerusalém para Babilônia:
**5** Edificai casas e habitai nelas; plantai pomares e comei o seu fruto.
**6** Tomai mulheres e gerai filhos e filhas; tomai mulheres para os vossos filhos e dai as vossas filhas a maridos, para que tenham filhos e filhas. Multiplicai-vos ali, e não vos diminuais.
**7** Procurai a paz e a prosperidade da cidade, para onde vos fiz transportar. Orai por ela ao Senhor, porque se ela prosperar vós também prosperareis.
**8** Sim, assim diz o Senhor dos Exércitos, o Deus de Israel: Não vos enganem os vossos profetas que estão no meio de vós nem os vossos adivinhos; não deis ouvidos aos vossos sonhos, que sonhais.
**9** Eles vos profetizam falsamente em meu nome. Não os enviei, diz o Senhor.
**10** Assim diz o Senhor: Certamente que passados setenta anos em Babilônia, atentarei para vós e cumprirei sobre vós a minha boa palavra, tornando-vos a trazer a este lugar.
**11** Pois eu sei os planos que tenho para vós, diz o Senhor, planos de paz, e não de mal, para vos dar uma esperança e um futuro.
**12** Então me invocareis e ireis, e orareis a mim, e eu vos ouvirei.
**13** Vós me buscareis e me achareis, quando me buscardes de todo o vosso coração.

**14** Serei achado de vós, diz o Senhor, e farei voltar os vossos cativos. Eu vos congregarei de todas as nações, e de todos os lugares para onde vos lancei, diz o Senhor, e tornarei a trazer-vos ao lugar de onde vos transportei.

**15** Vós dizeis: O Senhor nos levantou profetas em Babilônia,

**16** mas assim diz o Senhor a respeito do rei que se assenta no trono de Davi e de todo o povo que habita nesta cidade, vossos irmãos, que não saíram convosco para o exílio;

**17** sim, assim diz o Senhor dos Exércitos: Enviarei entre eles a espada, a fome e a peste; e os farei como a figos podres, que não se podem comer, de ruins que são.

**18** Eu os perseguirei com a espada, com a fome, e com a peste; os farei um espetáculo horrendo para todos os reinos da terra e os porei por objeto de espanto, assobio e vergonha entre todas as nações para onde os tiver lançado.

**19** Pois não deram ouvidos às minhas palavras, diz o Senhor, enviando-lhes eu os meus servos, os profetas, madrugando e enviando. Mas vós não escutastes, diz o Senhor.

**20** Vós, portanto, ouvi a palavra do Senhor, todos os do exílio que enviei de Jerusalém para Babilônia.

**21** Assim diz o Senhor dos Exércitos, o Deus de Israel, acerca de Acabe, filho de Colaías, e de Zedequias, filho de Maaseias, que vos profetizam falsamente *em meu nome: Eu os entregarei* nas mãos de Nabucodonosor, rei de Babilônia, e ele os ferirá diante dos vossos olhos.

**22** Por causa deles, todos os transportados de Judá, que estão em Babilônia, usarão esta maldição: O Senhor te faça como a Zedequias e Acabe, os quais o rei de Babilônia assou no fogo.

**23** Pois fizeram loucura em Israel, cometeram adultério com as mulheres de seus companheiros e anunciaram falsamente em meu nome palavras que não lhes mandei dizer. Eu o sei e sou testemunha disso, diz o Senhor.

**24** A Semaías, o neelamita, dirás:

**25** Assim diz o Senhor dos Exércitos, o Deus de Israel: Enviaste no teu nome cartas a todo o povo que está em Jerusalém, como também a Sofonias, filho de Maaseias, o sacerdote, e a todos os sacerdotes. Disseste a Sofonias:

**26** O Senhor te pôs por sacerdote em lugar de Jeoiada, o sacerdote, para que sejas encarregado da casa do Senhor sobre todo homem fanático e que profetiza, para o lançares na prisão e no tronco.

**27** Então por que não repreendeste a Jeremias, o anatotita, que vos profetiza?

**28** Ele nos mandou esta mensagem a Babilônia: O exílio muito há de durar. Edificai casas e habitai nelas; plantai pomares e comei o seu fruto.

**29** Leu Sofonias, o sacerdote, esta carta aos ouvidos de Jeremias, o profeta.

**30** Então veio a palavra do Senhor a Jeremias:

**31** Manda esta mensagem a todos os exilados: Assim diz o Senhor acerca de Semaías, o neelamita: Porque Semaías vos profetizou, embora eu não o tenha enviado, e vos fez confiar em mentiras,

**32** assim diz o Senhor: Certamente punirei a Semaías, o neelamita, e a sua descendência. Ele não terá ninguém que habite entre este povo e não verá o bem que hei de fazer ao meu povo, diz o Senhor, porque pregou rebeldia contra o Senhor.

### A restauração de Israel

**30** Palavra que do Senhor veio a Jeremias:
2 Assim diz o Senhor, Deus de Israel: Escreve num livro todas as palavras que eu te disse.
3 Vêm dias, diz o Senhor, em que mudarei a sorte do meu povo Israel e Judá; tornarei a trazê-los à terra que dei a seus pais, e a possuirão, diz o Senhor.
4 São estas as palavras que disse o Senhor acerca de Israel e de Judá:
5 Assim diz o Senhor:
Ouvimos uma voz de tremor,
de temor, mas não de paz.
6 Perguntai, pois, e vede se um homem
tem dores de parto.
Então por que vejo a cada homem com as mãos sobre os lombos,
como a que está dando à luz,
e por que se tornaram pálidos todos os rostos?
7 Ah! porque aquele dia será tão grande
que não há outro semelhante!
Será tempo de angústia para Jacó,
*mas ele será livrado dela.*
8 Naquele dia, diz o Senhor dos Exércitos,
eu quebrarei o seu jugo de sobre o teu pescoço
e quebrarei as tuas algemas; nunca mais se servirão dele os estranhos.
9 Antes, ele servirá ao Senhor, seu Deus,
como também a Davi,
seu rei, que lhe levantarei.
10 Portanto, não temas, ó Jacó, meu servo,
diz o Senhor,
nem te espantes, ó Israel.
Eu certamente te livrarei das terras de longe
e a tua descendência da terra do seu exílio.
Jacó tornará, descansará e ficará em sossego;
não haverá quem o atemorize.
11 Eu sou contigo, diz o Senhor, para te salvar.
Embora eu dê fim a todas as nações entre as quais te espalhei,
a ti, porém, não darei fim,
mas eu te castigarei com medida
e de todo não te terei por inocente.
12 Assim diz o Senhor:
O teu ferimento é incurável,
a tua chaga não tem remédio.
13 Não há quem defenda a tua causa,
não existe remédio para a tua ferida,
não há cura para ti.
14 Todos os teus amantes se esqueceram de ti
e não perguntam por ti,
porque te feri com ferida de inimigo
e com castigo cruel,
por causa da grandeza da tua maldade
e da multidão dos teus pecados.
15 Por que gritas por causa do teu ferimento?
Tua dor não tem remédio.
Por causa da grandeza da tua maldade

e da multidão dos teus pecados eu fiz estas coisas.

16 Todos, porém, que te devoram serão devorados; todos os teus adversários irão para o exílio.
Os que te roubam serão roubados;
todos os que te despojam entregarei ao saque.

17 Eu te restaurarei a saúde e curarei as tuas chagas, diz o Senhor, porque te chamam a rejeitada, dizendo: É Sião, por quem ninguém já pergunta.

18 Assim diz o Senhor:
Acabarei com o exílio das tendas de Jacó
e terei compaixão das suas moradas;
a cidade será reedificada sobre as suas ruínas,
e o palácio permanecerá no seu devido lugar.

19 Deles sairá o louvor e a voz de júbilo.
Eu os multiplicarei,
e não serão diminuídos;
os glorificarei, e não serão desprezados.

20 Seus filhos serão como na antiguidade,
e a sua congregação será confirmada perante o meu rosto;
punirei a todos os seus opressores.

21 O seu príncipe procederá deles;
*o seu governador sairá do meio deles.*
Eu o farei aproximar, e ele se chegará a mim,
pois quem é aquele que se empenhará em se chegar a mim? diz o Senhor.

22 Vós sereis o meu povo, e eu serei o seu Deus.

23 A tempestade do Senhor, a sua indignação,
saiu, uma tempestade varredora;
cairá cruelmente sobre a cabeça dos ímpios.

24 Não voltará atrás o furor da ira do Senhor,
até que ele a tenha executado e até que tenha cumprido os desígnios do seu coração.
Nos últimos dias entendereis isso.

**31** Naquele tempo, diz o Senhor, serei o Deus de todas as tribos de Israel,
e elas serão o meu povo.

2 Assim diz o Senhor:
O povo que escapar da espada achará graça no deserto;
Israel mesmo, quando eu o fizer descansar.

3 Há muito que o Senhor nos apareceu, dizendo:
Com amor eterno te amei;
com benignidade te atraí.

4 Ainda te edificarei, e serás edificada,
ó virgem de Israel.
Ainda serás adornada com os teus adufes
e sairás com o coro dos que dançam.

5 Ainda plantarás vinhas nos montes de Samaria;
os plantadores plantarão e desfrutarão dos frutos.

6 Haverá um dia em que gritarão
os vigias sobre o monte de Efraim:
Levantai-vos, e subamos a Sião, ao Senhor nosso Deus.

**7** Assim diz o Senhor:
Cantai sobre Jacó com alegria;
exultai por causa da cabeça
das nações.
Proclamai, cantai louvores e
dizei:
Salva, ó Senhor, o teu povo,
o resto de Israel.
**8** Eu os trarei da terra do Norte
e os congregarei das
extremidades da terra.
Entre eles estarão os cegos e
os aleijados,
as mulheres grávidas e as
de parto;
em grande congregação
voltarão para aqui.
**9** Virão com choro; com
súplicas os levarei.
Eu os guiarei aos ribeiros
de águas,
por caminho reto em que não
tropeçarão,
porque sou um pai para
Israel,
e Efraim é o meu
primogênito.
**10** Ouvi a palavra do Senhor, ó
nações;
anunciai-a nas ilhas de
longe:
Aquele que espalhou a Israel
o congregará e o guardará,
como o pastor ao seu
rebanho.
**11** Pois o Senhor resgatou a
Jacó
e o livrou das mãos do que
era mais forte do que ele.
**12** Eles virão e exultarão nos
altos de Sião;
ficarão radiantes pelos bens
do Senhor,
pelo trigo, pelo vinho novo e
pelo azeite,
pelos cordeiros e pelos
bezerros.
A sua alma será como um
jardim regado,
e nunca mais andarão
tristes.
**13** Então as virgens se
alegrarão na dança,
e também os jovens e os
velhos.
Tornarei o seu pranto em
alegria;
eu os consolarei e
transformarei a sua
tristeza em regozijo.
**14** Saciarei de gordura a alma
dos sacerdotes;
o meu povo se fartará dos
meus bens,
diz o Senhor.
**15** Assim diz o Senhor:
Ouviu-se um clamor em
Ramá,
lamentação e choro
amargo:
Raquel chora seus filhos,
e não se deixa consolar por
eles,
porque já não existem.
**16** Assim diz o Senhor:
Reprime a tua voz de choro
e as lágrimas de teus olhos,
pois há galardão para o teu
trabalho,
diz o Senhor,
pois eles voltarão da terra do
inimigo.
**17** Há esperança para o teu
futuro, diz o Senhor.
Os teus filhos voltarão para
os seus termos.
**18** Bem ouvi eu que Efraim se
queixava, dizendo:
Castigaste-me, e fui
castigado,
como novilho ainda não
domado.
Converte-me, e serei
convertido,

porque tu és o Senhor
meu Deus.
19 Na verdade que, depois que me converti,
arrependi-me;
depois que fui instruído, bati na minha coxa.
Fiquei confundido e envergonhado,
porque suportei a vergonha da minha mocidade.
20 Não é Efraim meu filho precioso,
filho das minhas delícias?
Embora eu tantas vezes fale contra ele,
ainda me lembro dele.
Por isso se comovem por ele as minhas entranhas;
deveras me compadecerei dele, diz o Senhor.
21 Põe-te marcos, faze postes que te guiem.
Dirige a tua atenção à vereda,
ao caminho pelo qual vais.
Regressa, ó virgem de Israel, regressa a estas tuas cidades.
22 Até quando andarás errante, ó filha rebelde?
O Senhor criou uma coisa nova na terra:
uma mulher cercará um homem.
23 Assim diz o Senhor dos Exércitos, o Deus de Israel: Ainda dirão esta palavra na terra de Judá e nas suas cidades, quando eu acabar com o seu exílio: O Senhor te abençoe, ó morada de justiça, ó monte de santidade!
24 O povo habitará em Judá e em todas as suas cidades; como também os lavradores e os que andam com o rebanho.
25 Satisfarei a alma cansada e saciarei toda alma entristecida.
26 Então, despertei e olhei em redor. O meu sono tinha sido doce para mim.
27 Vêm dias, diz o Senhor, em que semearei a casa de Israel e a casa de Judá com a semente de homens e com a semente de animais.
28 Como velei sobre eles, para arrancar e derrubar, para transtornar, destruir e afligir, assim velarei sobre eles, para edificar e para plantar, diz o Senhor.
29 Naqueles dias nunca mais dirão: Os pais comeram uvas verdes,
e os dentes dos filhos se embotaram.
30 Cada um, porém, morrerá pela sua iniquidade; de todo homem que comer as uvas verdes os dentes se embotarão.
31 Vêm dias, diz o Senhor,
em que farei uma aliança nova
com a casa de Israel e com a casa de Judá.
32 Não conforme a aliança que fiz com seus pais,
no dia em que os tomei pela mão,
para os tirar da terra do Egito,
porque eles invalidaram a minha aliança,
apesar de eu os haver desposado,
diz o Senhor.
33 Esta, porém, é a aliança que farei com a casa de Israel depois daqueles dias,
diz o Senhor.
Porei a minha lei no seu interior
e a escreverei no seu coração.
Eu serei o seu Deus,
e eles serão o meu povo.

34 Não ensinará alguém mais a seu próximo
nem alguém a seu irmão, dizendo:
Conhecei ao Senhor,
porque todos me conhecerão,
desde o menor deles até o maior,
diz o Senhor.
Pois lhes perdoarei a sua maldade
e nunca mais me lembrarei dos seus pecados.
35 Assim diz o Senhor, que dá o sol para luz do dia
e as leis fixas da lua e das estrelas
para luz da noite,
que fende o mar e faz bramir as suas ondas;
o Senhor dos Exércitos é o seu nome.
36 Somente se estes decretos desaparecerem de diante de mim,
diz o Senhor,
deixará a descendência de Israel
de ser uma nação na minha presença.
37 Assim diz o Senhor:
Somente se puderem ser medidos os céus lá em cima,
e sondados os fundamentos da terra cá embaixo,
eu rejeitarei toda a
*descendência de Israel,*
por tudo o que fizerem, diz o Senhor.
38 Vêm dias, diz o Senhor, em que esta cidade será reedificada para o Senhor, desde a torre de Hananeel até a Porta da Esquina.
39 A linha de medir se estenderá para diante, até o outeiro de Garebe, e de lá virará para Goa.
40 Todo o vale dos cadáveres e da cinza e todos os campos até o ribeiro de Cedrom, até a esquina da Porta dos Cavalos para o oriente, serão consagrados ao Senhor. A cidade jamais será arrancada nem derrubada.

### Jeremias compra um campo

**32** Palavra que veio a Jeremias, da parte do Senhor, no décimo ano de Zedequias, rei de Judá, o qual foi o décimo oitavo ano de Nabucodonosor.
2 O exército do rei de Babilônia então cercava a Jerusalém, e Jeremias, o profeta, estava preso no pátio da guarda que estava na casa do rei de Judá.
3 Ora, Zedequias, rei de Judá, o tinha encerrado, dizendo: Por que profetizas tu, dizendo: Assim diz o Senhor: Entregarei esta cidade nas mãos do rei de Babilônia, e ele a tomará.
4 Zedequias, rei de Judá, não escapará das mãos dos caldeus, mas certamente será entregue nas mãos do rei de Babilônia e com ele falará boca a boca, e os seus olhos verão os dele.
5 Ele levará Zedequias para Babilônia, onde permanecerá até que me lembre dele, diz o Senhor. Se pelejardes contra os caldeus, não tereis êxito?
6 Disse Jeremias: Veio a mim a palavra do Senhor:
7 Hananeel, filho de Salum, teu tio, virá a ti e dirá: Compra o meu campo que está em Anatote, pois, como parente mais próximo, tens o direito e o dever de comprá-lo.
8 Veio, pois, a mim Hananeel, filho de meu tio, segundo a palavra do Senhor, ao pátio da guarda, e me disse: Compra o meu campo

que está em Anatote, na terra de Benjamim. Visto que é teu o direito de herança e tens o resgate, compra-o para ti. Então entendi que isto era a palavra do Senhor.
9 De modo que comprei o campo de Hananeel, filho de meu tio, o qual está em Anatote, e pesei-lhe o dinheiro, dezessete siclos de prata.
10 Assinei a escritura e a selei, chamei testemunhas e pesei-lhe o dinheiro numa balança.
11 Tomei a escritura da compra, tanto a selada conforme a lei e os estatutos, como a cópia aberta;
12 dei-a a Baruque, filho de Nerias, filho de Maaseias, perante os olhos de Hananeel, filho de meu tio, e perante os olhos das testemunhas, que assinara a escritura da compra, e perante os olhos de todos os judeus que se assentavam no pátio da guarda.
13 Dei ordem a Baruque, perante os olhos deles, dizendo:
14 Assim diz o Senhor dos Exércitos, o Deus de Israel: Toma estas escrituras de compra, tanto a selada como a aberta, e coloque-as num vaso de barro, para que se possam conservar muitos dias.
15 Pois assim diz o Senhor dos Exércitos, o Deus de Israel: Ainda se comprarão casas, campos e vinhas nesta terra.
16 Depois que dei a escritura da compra a Baruque, filho de Nerias, orei ao Senhor, dizendo:
17 Ah! Senhor Deus! Tu fizeste os céus e a terra com o teu grande *poder e com o teu braço estendido*. Nada há que te seja demasiado difícil.
18 Tu usas de benignidade para com milhares e tornas a maldade dos pais ao seio dos filhos depois deles. Tu és grande, o poderoso Deus cujo nome é o Senhor dos Exércitos,
19 grande em conselho e magnífico em obras. Os teus olhos estão abertos sobre todos os caminhos dos filhos dos homens, para dar a cada um segundo os seus caminhos e segundo o fruto das suas obras.
20 Tu puseste sinais e maravilhas na terra do Egito até o dia de hoje, tanto em Israel como entre outros homens, e te fizeste um nome, qual é o que tens neste dia.
21 Tiraste o teu povo Israel da terra do Egito, com sinais e maravilhas, com mão forte, com braço estendido e com grande espanto;
22 e lhe deste esta terra, que juraste a seus pais que lhes havia de dar, terra em que manam leite e mel.
23 Entraram nela e dela tomaram posse, mas não obedeceram à tua voz nem andaram na tua lei; tudo o que lhes mandaste que fizessem, eles não o fizeram. Pelo que ordenaste lhes sucedesse todo este mal.
24 Eis as rampas! Já chegaram à cidade para tomá-la; a cidade está entregue nas mãos dos caldeus, que pelejam contra ela, pela espada, pela fome e pela peste. O que disseste se cumpriu, como o estás presenciando.
25 E, embora a cidade já esteja entregue nas mãos dos caldeus, contudo tu me disseste, ó Senhor Deus: Compra para ti o campo por dinheiro e faze que o atestem testemunhas.
26 Então veio a palavra do Senhor a Jeremias:
27 Eu sou o Senhor, o Deus de toda a humanidade. Acaso haveria coisa demasiadamente difícil para mim?
28 Portanto, assim diz o Senhor: Entregarei esta cidade nas

mãos dos caldeus e nas mãos de Nabucodonosor, rei de Babilônia, e ele a tomará.

29 Os caldeus, que pelejam contra esta cidade, entrarão nela e lhe porão fogo; queimarão as casas sobre cujos terraços queimaram incenso a Baal e ofereceram libações a outros deuses, provocando-me à ira.

30 Os filhos de Israel e os filhos de Judá não fizeram senão mal diante dos meus olhos, desde a sua mocidade; sim, os filhos de Israel não fizeram senão provocar-me à ira com as obras das suas mãos, diz o Senhor.

31 Desde o dia em que a edificaram, e até o dia de hoje, esta cidade tem despertado a minha ira e o meu furor de tal maneira que devo tirá-la da minha presença.

32 Os filhos de Israel e os filhos de Judá provocaram-me à ira por causa de toda a maldade que fizeram, eles e os seus reis, os seus príncipes, os seus sacerdotes e os seus profetas, como também os homens de Judá e os moradores de Jerusalém.

33 Viraram para mim as costas, e não o rosto; ainda que eu os ensinasse, madrugando e ensinando-os, não deram ouvidos, para receberem o ensino.

34 Antes puseram as suas abominações na casa que se chama pelo meu nome e a profanaram.

35 Edificaram os altos de Baal, que estão no vale do filho de Hinom, para fazerem passar seus filhos e suas filhas pelo fogo a Moloque, o que nunca lhes ordenei, nem subiu ao meu coração, que fizessem tal abominação, para fazerem pecar a Judá.

36 Por isso, assim diz o Senhor, o Deus de Israel, acerca desta cidade, da qual vós dizeis: Já está entregue nas mãos do rei de Babilônia, pela espada, pela fome e pela pestilência:

37 Certamente os congregarei de todas as terras, para onde os houver lançado na minha ira, no meu furor e na minha grande indignação; tornarei a trazê-los a este lugar e farei que habitem nele seguramente.

38 Eles serão o meu povo, e eu serei o seu Deus.

39 Eu lhes darei um mesmo coração e um mesmo caminho, para que me temam todos os dias, para seu bem e bem de seus filhos, depois deles.

40 Farei com eles uma aliança eterna: Jamais me desviarei de fazer-lhes o bem e porei o meu temor no seu coração, para que nunca se apartem de mim.

41 Eu me alegrarei por causa deles, fazendo-lhes bem, e os plantarei firmemente nesta terra, de todo o meu coração e de toda a minha alma.

42 Assim diz o Senhor: Como eu trouxe sobre este povo todo este grande mal, assim também trarei sobre ele todo o bem que lhes tenho prometido.

43 Campos comprados nesta terra, da qual vós dizeis: Está deserta, sem homens nem animais, pois está entregue nas mãos dos caldeus.

44 Comprarão campos por dinheiro; assinarão escrituras e as selarão; e chamarão testemunhas na terra de Benjamim, nos lugares ao redor de Jerusalém, nas cidades de Judá e nas cidades da região montanhosa, nas cidades das planícies e nas cidades do Sul, porque os farei voltar do seu exílio, diz o Senhor.

**33** Veio a palavra do Senhor a Jeremias, pela segunda vez, estando ele ainda preso no pátio da guarda:
**2** Assim diz o Senhor que faz isto, o Senhor que forma isto, para o estabelecer; o Senhor é o seu nome.
**3** Clama a mim, e te responderei, e anunciarei coisas grandes e ocultas, que não sabes.
**4** Pois assim diz o Senhor, o Deus de Israel, acerca das casas desta cidade e das casas dos reis de Judá, que foram derrubadas para serem usadas contra as rampas e contra a espada,
**5** na peleja contra os caldeus: Serão enchidas com os cadáveres dos homens que ferirei na minha ira e no meu furor. Esconderei o meu rosto desta cidade, por causa de toda a sua maldade.
**6** Farei vir sobre ela saúde e cura; sararei o meu povo e lhe manifestarei abundância de paz e de verdade.
**7** Removerei o exílio de Judá e o exílio de Israel, e os edificarei como no princípio.
**8** Eu os purificarei de toda a sua maldade com que pecaram contra mim; perdoarei todos os seus pecados de rebeldia contra mim.
**9** Esta cidade me servirá de nome, de alegria, de louvor e de glória, entre todas as nações da terra, que ouvirem todo o bem que lhe faço; ficarão espantadas e perturbadas por causa de todo o bem e de toda a paz que lhe dou.
**10** Assim diz o Senhor: Neste lugar, do qual dizeis que está deserto, sem homens nem animais, nas cidades de Judá e nas ruas de Jerusalém, que estão assoladas, sem homens, sem moradores e sem animais, ainda se ouvirá
**11** a voz de deleite, a voz de alegria, a voz do noivo e da noiva, e a voz dos que trazem ofertas de ações de graças à casa do Senhor e dizem:

Dai graças ao Senhor
    dos Exércitos,
pois bom é o Senhor;
    o seu amor dura para sempre.

Pois restaurarei a sorte da terra como no princípio, diz o Senhor.
**12** Assim diz o Senhor dos Exércitos: Ainda neste lugar, que está deserto, sem homens e sem animais, e em todas as suas cidades haverá pastagens onde os pastores farão repousar os seus rebanhos.
**13** Nas cidades da região montanhosa, nas cidades das planícies, nas cidades do Sul, na terra de Benjamim, nas aldeias em redor de Jerusalém e nas cidades de Judá, ainda passarão os rebanhos pelas mãos de quem os conta, diz o Senhor.
**14** Vêm dias, diz o Senhor, em que cumprirei a palavra boa que falei à casa de Israel e à casa de Judá.
**15** Naqueles dias e naquele tempo,
    farei que brote a Davi um
    Renovo de justiça;
ele fará juízo e justiça
    na terra.
**16** Naqueles dias, Judá
    será salvo e Jerusalém
    habitará seguramente.
Este é o nome que lhe
    chamarão:
O Senhor, Nossa Justiça.
**17** Pois assim diz o Senhor: Nunca faltará a Davi homem que se assente sobre o trono da casa de Israel
**18** nem aos sacerdotes levitas faltará homem diante de mim, para que ofereça holocausto, queime oferta de cereais e faça sacrifício todos os dias.
**19** Veio a palavra do Senhor a Jeremias:

**20** Assim diz o Senhor: Se puderdes invalidar a minha aliança com o dia e com a noite, de tal modo que não haja dia e noite a seu tempo,
**21** também se poderá invalidar a minha aliança com Davi, meu servo, para que não tenha filho que reine no seu trono; como também com os levitas sacerdotes, meus ministros.
**22** Como não se pode contar o exército dos céus, nem se medir a areia do mar, assim multiplicarei a descendência de Davi, meu servo, e os levitas que ministram diante de mim.
**23** Veio a palavra do Senhor a Jeremias:
**24** Não atentaste para o que este povo diz: As duas famílias que o Senhor elegeu, agora as rejeitou? Assim desprezam o meu povo, como se já não fora um povo diante deles.
**25** Assim diz o Senhor: Se a minha aliança com o dia e com a noite não permanecer, e eu não mantiver as ordenanças dos céus e da terra,
**26** também rejeitarei a descendência de Jacó e de Davi, meu servo, de modo que não tome da sua descendência quem domine sobre a descendência de Abraão, Isaque e Jacó. Pois restaurarei a sua sorte e terei piedade deles.

### Advertência contra Zedequias

**34** Quando Nabucodonosor, rei de Babilônia, e todo o seu exército, e todos os reinos da terra que estavam sob o seu domínio e todos os povos pelejavam contra Jerusalém e contra todas as suas cidades, veio esta palavra da parte do Senhor a Jeremias:
**2** Assim diz o Senhor, Deus de Israel: Vai e dize a Zedequias, rei de Judá: Assim diz o Senhor: Entregarei esta cidade nas mãos do rei de Babilônia, o qual a queimará a fogo.
**3** Tu não escaparás das mãos dele, mas certamente serás preso e entregue nas suas mãos. Teus olhos verão os olhos do rei de Babilônia, e ele te falará boca a boca, e entrarás em Babilônia.
**4** Todavia ouve a palavra do Senhor, ó Zedequias, rei de Judá: Assim diz o Senhor a teu respeito: Não morrerás à espada.
**5** Em paz morrerás. Assim como queimavam perfumes a teus pais, os reis que te precederam, assim queimarão perfumes a ti e te prantearão, dizendo: Ah! senhor! Eu mesmo faço esta promessa, diz o Senhor.
**6** Então anunciou Jeremias, o profeta, a Zedequias, rei de Judá, todas estas palavras, em Jerusalém,
**7** quando o exército do rei de Babilônia pelejava contra Jerusalém e contra todas as cidades de Judá, que ficaram de resto, contra Laquis e contra Azeca. Estas cidades fortificadas foram as únicas que ficaram dentre as cidades de Judá.

### Liberdade para os escravos

**8** Palavra que do Senhor veio a Jeremias, depois que o rei Zedequias fez aliança com todo o povo que havia em Jerusalém, para lhes apregoar a liberdade,
**9** para que cada um libertasse o seu escravo, e cada um a sua escrava, hebreu ou hebreia, de maneira que ninguém se servisse mais dos judeus, seus irmãos, como escravos.
**10** Obedeceram todos os príncipes e todo o povo, que haviam entrado na aliança de libertarem

cada qual o seu escravo, e cada qual a sua escrava, de maneira que não se servissem mais deles. Obedeceram e os libertaram.
11 Depois, porém, se arrependeram e fizeram voltar os escravos e as escravas que tinham libertado, sujeitando-os como escravos e escravas.
12 Então veio a palavra do Senhor a Jeremias:
13 Assim diz o Senhor, Deus de Israel: Eu fiz aliança com vossos pais, no dia em que os tirei da terra do Egito, da casa da servidão, dizendo:
14 Ao fim de sete anos libertareis cada um a seu irmão hebreu, que te for vendido, e te houver servido seis anos, e despedirás livre. Vossos pais, porém, não me ouviram nem inclinaram os seus ouvidos a mim.
15 Há pouco tempo vos havíeis convertido e tínheis feito o que é reto aos meus olhos, apregoando liberdade cada um ao seu próximo; tínheis feito diante de mim uma aliança, na casa que se chama pelo meu nome.
16 Mudastes, porém, e profanastes o meu nome, fazendo voltar cada um ao seu escravo, e cada um à sua escrava, os quais já tínheis despedido livres conforme a vontade deles, e os sujeitastes, para que se vos fizessem escravos e escravas.
17 Portanto, assim diz o Senhor: Vós não me obedecestes; não apregoastes a liberdade, cada um ao seu *irmão e cada um ao seu próximo*. Pelo que agora eu vos apregoo a liberdade, diz o Senhor, para a espada, para a peste e para a fome. Farei que sejais um espetáculo de terror a todos os reinos da terra.

18 Farei aos homens que violaram a minha aliança, que não cumpriram as palavras da aliança que fizeram diante de mim como fizeram com o bezerro que dividiram em duas partes, e então passaram pelo meio das duas porções.
19 Os príncipes de Judá e de Jerusalém, os oficiais, os sacerdotes e todo o povo da terra que passou por meio das porções do bezerro,
20 os entregarei nas mãos de seus inimigos e nas mãos dos que procuram a sua morte. Os seus cadáveres servirão de mantimento às aves dos céus e aos animais da terra.
21 A Zedequias, rei de Judá, e seus príncipes entregarei nas mãos de seus inimigos, nas mãos dos que procuram a sua morte e nas mãos do exército do rei de Babilônia, que já se retirou de vós.
22 Darei ordem, diz o Senhor, e os farei tornar a esta cidade; eles pelejarão contra ela, a tomarão e a queimarão a fogo. E as cidades de Judá porei em assolação, de sorte que ninguém nelas habite.

## Os recabitas

**35** Palavra que do Senhor veio a Jeremias, nos dias de Jeoiaquim, filho de Josias, rei de Judá:
2 Vai à casa dos recabitas, fala com eles, leva-os à casa do Senhor, a uma das câmaras, e dá-lhes vinho a beber.
3 Então tomei a Jaazanias, filho de Jeremias, filho de Habazinias, a seus irmãos, a todos os seus filhos e a toda a casa dos recabitas;
4 os levei à casa do Senhor, à câmara dos filhos de Hanã, filho de Jigdalias, homem de Deus, que está junto à câmara dos príncipes

e sobre a câmara de Maaseias, filho de Salum, guarda do vestíbulo; 5 e pus diante dos filhos da casa dos recabitas taças cheias de vinho e copos e disse-lhes: Bebei vinho. 6 Eles, porém, disseram: Não beberemos vinho, porque Jonadabe, filho de Recabe, nosso pai, nos deu ordem, dizendo: Nunca jamais bebereis vinho, nem vós nem os vossos filhos.
7 Também não edificareis casa nem semeareis semente; não plantareis vinha nem a possuireis; mas habitareis em tendas todos os vossos dias, para que vivais muitos dias sobre a face da terra, em que vós andais peregrinando.
8 Obedecemos à voz de Jonadabe, filho de Recabe, nosso pai, em tudo o que nos ordenou, de maneira que não bebemos vinho em todos os nossos dias, nem nossas mulheres, filhos e filhas; 9 nem edificamos casas para nossa habitação; não temos vinha, campo ou semente.
10 Habitamos, porém, em tendas, e assim ouvimos e fizemos conforme tudo o que nos mandou Jonadabe, nosso pai.
11 Quando, porém, Nabucodonosor, rei de Babilônia, subiu a esta terra, dissemos: Vinde, vamo-nos a Jerusalém, por causa do exército dos caldeus e do exército dos sírios. Assim ficamos em Jerusalém.
12 Então veio a palavra do Senhor a Jeremias:
13 Assim diz o Senhor dos Exércitos, o Deus de Israel: Vai e dize aos homens de Judá e aos moradores de Jerusalém: Não aceitareis instrução, para ouvirdes as minhas palavras? diz o Senhor.
14 As palavras de Jonadabe, filho de Recabe, que ordenou a seus filhos que não bebessem vinho, foram guardadas, pois não beberam até este dia, antes ouviram o mandamento de seu pai. A mim, porém, que vos tenho falado a vós, madrugando e falando, não me ouvistes.
15 Também vos enviei todos os meus servos, os profetas, madrugando e dizendo: Convertei-vos, cada um do seu mau caminho; corrigi as vossas ações e não sigais após outros deuses para os servir. Então ficareis na terra que vos dei a vós e a vossos pais. Mas não inclinastes os vossos ouvidos para mim nem me obedecestes.
16 Os filhos de Jonadabe, filho de Recabe, guardaram o mandamento de seu pai, que lhes ordenou, mas este povo não me obedeceu.
17 Portanto, assim diz o Senhor, o Deus dos Exércitos, o Deus de Israel: Ouvi! Trarei sobre Judá e sobre todos os moradores de Jerusalém todo o mal que falei contra eles. Eu lhes falei, mas não ouviram, eu os chamei, mas não responderam.
18 À casa dos recabitas disse Jeremias: Assim diz o Senhor dos Exércitos, o Deus de Israel: Obedecestes ao mandamento de Jonadabe, vosso pai, guardastes todas as suas instruções e fizestes conforme tudo o que vos ordenou.
19 Portanto, assim diz o Senhor dos Exércitos, Deus de Israel: Nunca faltará homem a Jonadabe, filho de Recabe, que assista perante a minha face todos os dias.

## Jeoiaquim queima o rolo de Jeremias

**36** No quarto ano de Jeoiaquim, filho de Josias, rei de Judá, veio esta palavra do Senhor a Jeremias:

**2** Toma um rolo e escreve nele todas as palavras que te falei acerca de Israel, de Judá e de todas as nações, desde o dia em que comecei a falar-te, desde os dias de Josias até hoje.

**3** Ouvirão talvez os da casa de Judá todo o mal que eu intento fazer-lhes, para que cada qual se converta do seu mau caminho, e eu perdoe a sua maldade e o seu pecado.

**4** Então Jeremias chamou a Baruque, filho de Nerias, e escreveu Baruque, no rolo, enquanto Jeremias lhe ditava, todas as palavras que o Senhor lhe tinha falado.

**5** Ordenou Jeremias a Baruque: Eu estou preso; não posso entrar na casa do Senhor.

**6** Portanto, entra tu e lê do rolo que escreveste da minha boca as palavras do Senhor aos ouvidos do povo, na casa do Senhor, no dia de jejum. Também as lerás aos ouvidos de todo o Judá, que vem das suas cidades.

**7** Pode ser que caia a sua súplica diante do Senhor, e se converta cada um do seu mau caminho, pois grande é a ira e o furor que o Senhor pronunciou contra este povo.

**8** Fez Baruque, filho de Nerias, conforme tudo o que lhe havia ordenado Jeremias, o profeta, e leu naquele livro as palavras do Senhor na casa do Senhor.

**9** No quinto ano de Jeoiaquim, filho de Josias, rei de Judá, no nono mês, apregoaram jejum diante do Senhor a todo o povo em Jerusalém, como também a todo o povo que vinha das cidades de Judá a Jerusalém.

**10** Leu Baruque naquele livro as palavras de Jeremias na casa do Senhor, na câmara de Gemarias, filho de Safã, o mestre da lei, no átrio superior, à entrada da Porta Nova da casa do Senhor, aos ouvidos de todo o povo.

**11** Ouvindo Micaías, filho de Gemarias, filho de Safã, todas as palavras do Senhor, naquele livro,

**12** desceu à casa do rei, à câmara do mestre da lei, onde todos os oficiais estavam assentados: Elisama, o escrivão, Delaías, filho de Semaías, Elnatã, filho de Acbor, Gemarias, filho de Safã, Zedequias, filho de Hananias, e todos os outros oficiais.

**13** Depois que Micaías lhes anunciou todas as palavras que ouvira Baruque ler do rolo aos ouvidos do povo,

**14** todos os oficiais mandaram Jeudi, filho de Netanias, filho de Selemias, filho de Cusi, dizer a Baruque: Toma contigo o rolo que leste aos ouvidos do povo e vem. Assim, Baruque, filho de Nerias, tomou o rolo consigo e foi a eles.

**15** Disseram-lhe: Senta-te e lê o livro aos nossos ouvidos. Leu Baruque aos ouvidos deles.

**16** Ouvindo eles todas aquelas palavras, se voltaram temerosos uns para os outros e disseram a Baruque: Sem dúvida nenhuma anunciaremos ao rei todas estas palavras.

**17** Então perguntaram a Baruque: Declara-nos, como escreveste isto? Acaso te ditou o profeta todas estas palavras?

**18** Respondeu-lhes Baruque: Com a sua boca ditava-me todas estas palavras, e eu as escrevia no livro com tinta.

**19** Então disseram os príncipes a Baruque: Vai, esconde-te, tu e

Jeremias, e ninguém saiba onde estais.

**20** Foram ter com o rei ao átrio, mas depositaram o rolo na câmara de Elisama, o escrivão, e anunciaram aos ouvidos do rei todas aquelas palavras.

**21** Então enviou o rei a Jeudi, para que trouxesse o rolo, e Jeudi tomou-o da câmara de Elisama, o escrivão, e leu-o aos ouvidos do rei e aos ouvidos de todos os oficiais que estavam em torno do rei.

**22** Estava então o rei assentado na casa de inverno, pelo nono mês, e diante dele estava um braseiro aceso.

**23** Tendo Jeudi lido três ou quatro folhas do rolo, cortou-o o rei com um canivete de escrivão e lançou-o ao fogo que havia no braseiro, até que todo o rolo se consumiu no fogo que estava sobre o braseiro.

**24** Não temeram e não rasgaram as suas vestes, nem o rei nem nenhum dos seus servos que ouviram todas aquelas palavras.

**25** Posto que Elnatã, Delaías e Gemarias tivessem pedido ao rei que não queimasse o rolo, ele não lhes deu ouvidos.

**26** Antes deu ordem o rei a Jerameel, filho de Hameleque, a Seraías, filho de Azriel, e a Selemias, filho de Abdeel, que prendessem a Baruque, o escrivão, e a Jeremias, o profeta. O Senhor, porém, os havia escondido.

**27** Veio a Jeremias a palavra do Senhor, depois que o rei queimara o rolo com as palavras que Baruque escrevera da boca de Jeremias, dizendo:

**28** Toma ainda outro rolo e escreve nele todas as palavras que estavam no primeiro rolo, que queimou Jeoiaquim, rei de Judá.

**29** A Jeoiaquim, rei de Judá, dirás: Assim diz o Senhor: Tu queimaste este rolo, dizendo: Por que escreveste nele anunciando: Certamente virá o rei de Babilônia e destruirá esta terra e fará cessar nela homens e animais?

**30** Portanto, assim diz o Senhor acerca de Jeoiaquim, rei de Judá: Não terá quem se assente sobre o trono de Davi, e o seu cadáver será lançado ao calor do dia e à geada da noite.

**31** Castigarei a ele, sua descendência e os seus servos por causa da sua iniquidade; trarei sobre ele, sobre os moradores de Jerusalém e sobre os homens de Judá todo o mal que falei contra eles, porque não ouviram.

**32** Assim, tomou Jeremias outro rolo e o deu a Baruque, filho de Nerias, o escrivão, o qual escreveu nele da boca de Jeremias todas as palavras do livro que Jeoiaquim, rei de Judá, tinha queimado no fogo. E ainda se lhes acrescentaram muitas palavras semelhantes.

### Jeremias na prisão

**37** Zedequias, filho de Josias, reinou no lugar de Jeconias, filho de Jeoiaquim, a quem Nabucodonosor, rei de Babilônia, havia constituído rei na terra de Judá.

**2** Mas nem ele nem os seus servos nem o povo da terra deram ouvidos às palavras do Senhor que falou por intermédio de Jeremias, o profeta.

**3** O rei Zedequias, porém, mandou Jucal, filho de Selemias, e Sofonias, filho de Maaseias, o sacerdote, ao profeta Jeremias, para lhe dizerem: Roga por nós ao Senhor nosso Deus.

4 Ora, Jeremias andava livremente entre o povo, pois ainda não o tinham lançado na prisão.

5 O exército de faraó saíra do Egito, e os caldeus, que sitiavam Jerusalém, quando ouviram esta notícia, retiraram-se de Jerusalém.

6 Então veio a palavra do Senhor a Jeremias, o profeta:

7 Assim diz o Senhor, o Deus de Israel: Assim direis ao rei de Judá, que vos enviou, para me consultar: O exército de faraó, que saiu em vosso socorro, voltará para a sua terra no Egito.

8 Então os caldeus voltarão, pelejarão contra esta cidade, a tomarão e a queimarão a fogo.

9 Assim diz o Senhor: Não vos enganeis a vós mesmos, pensando: Sem dúvida os caldeus se retirarão de nós. Eles não se retirarão.

10 Ainda que ferísseis a todo o exército dos caldeus, que peleja contra vós, e ficassem deles apenas homens mortalmente feridos na sua tenda, cada um se levantaria e queimaria a fogo esta cidade.

11 Depois que o exército dos caldeus subiu de Jerusalém, por causa do exército de faraó,

12 saiu Jeremias de Jerusalém a fim de ir à terra de Benjamim, para receber ali a sua parte no meio do povo.

13 Estando ele à Porta de Benjamim, achava-se ali um capitão da guarda, cujo nome era Jerias, filho de Selemias, filho de Hananias, o qual prendeu a Jeremias, o profeta, e disse: Tu foges para os caldeus.

14 Disse Jeremias: Isso é falso, *não fujo para os caldeus*. Mas Jerias não lhe deu ouvidos; pelo contrário, prendeu a Jeremias e o levou aos oficiais.

15 Os oficiais se iraram muito contra Jeremias e o feriram; puseram-no na prisão na casa de Jônatas, o escrivão, a qual tinham transformado em cárcere.

16 Jeremias foi colocado nas celas do calabouço, onde ficou muitos dias.

17 Então o rei Zedequias mandou soltá-lo e lhe perguntou em sua casa, em segredo: Há alguma palavra do Senhor? Respondeu Jeremias: Há. E disse ainda: Nas mãos do rei de Babilônia serás entregue.

18 Disse Jeremias ao rei Zedequias: Em que tenho pecado contra ti, contra os teus servos e contra este povo, para que me pusésseis na prisão?

19 Onde estão os vossos profetas, que vos profetizavam: O rei de Babilônia não virá contra vós nem contra esta terra?

20 Agora, porém, ouve, ó rei, meu senhor. Caia a minha súplica diante de ti: Não me deixes tornar à casa de Jônatas, o escrivão, para que não venha a morrer ali.

21 Então ordenou o rei Zedequias que pusessem a Jeremias no átrio da guarda e, cada dia, lhe dessem um bolo de pão, vindo da rua dos padeiros, até acabar-se todo o pão da cidade. Assim ficou Jeremias no átrio da guarda.

## Jeremias é lançado numa cisterna

**38** Ouviram Sefatias, filho de Matã, Gedalias, filho de Pasur, Jucal, filho de Selemias, e Pasur, filho de Malquias, as palavras que anunciava Jeremias a todo o povo, dizendo:

2 Assim diz o Senhor: O que ficar nesta cidade morrerá à espada, de fome e de peste, mas o que for para os caldeus viverá. A sua alma lhe será por despojo; viverá.

**3** Assim diz o Senhor: Esta cidade infalivelmente será entregue nas mãos do exército do rei de Babilônia, e ele a tomará.
**4** Então disseram os oficiais ao rei: Morra este homem, visto que assim afrouxa as mãos dos homens de guerra que restam nesta cidade e as mãos de todo o povo, dizendo-lhes tais palavras. Este homem não busca a paz para este povo, mas o seu mal.
**5** Respondeu o rei Zedequias: Ele está nas vossas mãos. O rei não pode fazer coisa alguma contra vós.
**6** Então tomaram a Jeremias e o colocaram na cisterna de Malquias, filho do rei, que estava no átrio da guarda. Desceram Jeremias com cordas; na cisterna não havia água, senão lama, e Jeremias se atolou na lama.
**7** Ebede-Meleque, o etíope, eunuco que estava na casa do rei, ouviu que tinham colocado Jeremias na cisterna. Ora, estando o rei assentado à Porta de Benjamim,
**8** saiu Ebede-Meleque da casa do rei e lhe disse:
**9** Ó rei, senhor meu, estes homens agiram mal em tudo o que fizeram a Jeremias, o profeta. Lançaram-no numa cisterna, onde certamente morrerá de fome, quando não houver mais pão na cidade.
**10** Então o rei ordenou a Ebede-Meleque, o etíope: Toma contigo daqui trinta homens e tira a Jeremias, o profeta, da cisterna, antes que morra.
**11** Tomou Ebede-Meleque os homens consigo e foi à casa do rei, por debaixo da tesouraria, e tomou dali uns trapos velhos e rotos, e roupas velhas, e, por meio de cordas, desceu-os a Jeremias na cisterna.
**12** Disse Ebede-Meleque, o etíope, a Jeremias: Põe estes trapos velhos e rotos, já apodrecidos, nas axilas, entre os braços e as cordas. Jeremias assim fez;
**13** e puxaram-no com as cordas e o tiraram da cisterna. E ficou Jeremias no átrio da guarda.
**14** Então o rei Zedequias mandou trazer o profeta Jeremias à sua presença, à terceira entrada na casa do Senhor, e lhe disse: Pergunto-te uma coisa, não me encubras nada.
**15** Disse Jeremias a Zedequias: Se eu te der resposta, não me matarás? E ainda que eu te aconselhe, não me ouvirás.
**16** Jurou, porém, o rei Zedequias a Jeremias, em segredo: Tão certo como vive o Senhor, que nos deu a vida, não te matarei nem te entregarei nas mãos destes homens que procuram a tua morte.
**17** Então Jeremias disse a Zedequias: Assim diz o Senhor, Deus dos Exércitos, Deus de Israel: Se voluntariamente saíres aos oficiais do rei de Babilônia, viverá a tua alma, e esta cidade não será queimada a fogo; viverás tu e a tua casa.
**18** Se, porém, não saíres aos oficiais do rei de Babilônia, esta cidade será entregue nas mãos dos caldeus, e eles a queimarão a fogo; tu não escaparás das mãos deles.
**19** Disse o rei Zedequias a Jeremias: Receio-me dos judeus que se passaram para os caldeus, pois os caldeus podem entregar-me a eles, e eles se escarnecerão de mim.
**20** Respondeu Jeremias: Não te entregarão. Ouve a voz do Senhor e faze o que eu te digo. Então bem te irá, e viverá a tua alma.
**21** Se, contudo, não quiseres sair, é esta a palavra que me mostrou o Senhor:

**22** Todas as mulheres que ficaram na casa do rei de Judá serão levadas aos oficiais do rei de Babilônia. Elas mesmas te dirão:
Os teus pacificadores te enganaram
e prevaleceram contra ti.
Agora que se atolaram os teus pés na lama,
voltaram atrás.
**23** Todas as tuas mulheres e teus filhos serão levados aos caldeus; e tu não escaparás das mãos deles, antes pelas mãos do rei de Babilônia serás preso, e esta cidade queimará ele a fogo.
**24** Então disse Zedequias a Jeremias: Ninguém saiba estas palavras, e não morrerás.
**25** Se os oficiais ouvirem que falei contigo e vierem a ti e te disserem: Declara-nos o que disseste ao rei e o que o rei disse a ti; não o encubras, e não te mataremos,
**26** então lhes dirás: Lancei a minha súplica diante do rei, para que não me fizesse tornar à casa de Jônatas, para morrer ali.
**27** Vindo todos os oficiais a Jeremias, e interrogando-o, declarou-lhes conforme todas as palavras que o rei lhe havia ordenado. Assim o deixaram em paz, porque ninguém tinha ouvido a conversação com o rei.
**28** E ficou Jeremias no átrio da guarda até o dia em que Jerusalém foi tomada.

## A queda de Jerusalém

**39** No nono ano de Zedequias, *rei de Judá, no décimo mês, veio Nabucodonosor, rei de Babilônia, e todo o seu exército, contra Jerusalém, e a cercaram.*
**2** No décimo primeiro ano de Zedequias, no quarto mês, aos nove do mês, fez-se a brecha na cidade.
**3** E entraram todos os oficiais do rei de Babilônia, e pararam na Porta do Meio: Nergal-Sarezer, Sangar-Nebo, Sarsequim, Rabe-Saris, Nergal-Sarezer, Rabe-Mague e todos os outros oficiais do rei de Babilônia.
**4** Vendo-os Zedequias, rei de Judá, e todos os homens de guerra, fugiram; saíram de noite da cidade, pelo caminho do jardim do rei, pela porta que está entre os dois muros, e seguiram pelo caminho da Arabá.
**5** O exército dos caldeus, porém, os perseguiu e alcançou a Zedequias nas campinas de Jericó. Prenderam-no e o fizeram ir a Nabucodonosor, rei de Babilônia, a Ribla, na terra de Hamate, onde lhe pronunciou a sentença.
**6** O rei de Babilônia mandou matar os filhos de Zedequias em Ribla, à sua vista, e também matou todos os nobres de Judá.
**7** Arrancou os olhos a Zedequias e o atou com duas cadeias de bronze, para levá-lo a Babilônia.
**8** Os caldeus queimaram a fogo a casa do rei e as casas do povo, e derrubaram os muros de Jerusalém.
**9** O resto do povo, que ficara na cidade, os desertores que se tinham passado para ele e o resto do povo que havia ficado, levou Nebuzaradã, comandante da guarda imperial, para Babilônia.
**10** Os pobres de entre o povo, porém, que nada tinham, deixou Nebuzaradã, comandante da guarda, na terra de Judá; e naquela época deu-lhes vinhas e campos.
**11** Nabucodonosor, rei de Babilônia, porém, havia ordenado a Nebuzaradã, comandante

da guarda imperial, acerca de Jeremias:

12 Toma-o e põe sobre ele os teus olhos; não lhe faças nenhum mal, mas, como ele te disser, assim procederás para com ele.

13 Pelo que Nebuzaradã, comandante da guarda, Nebusazbã, Rabe-Saris, Nergal-Sarezer, Rabe-Mague e todos os oficiais do rei de Babilônia 14 mandaram retirar Jeremias do átrio da guarda e o entregaram a Gedalias, filho de Aicão, filho de Safã, para que o levasse para casa. Assim ficou ele entre o povo.

15 Ora, tinha vindo a Jeremias a palavra do Senhor, estando ele ainda encerrado no átrio da guarda, dizendo:

16 Vai e dize a Ebede-Meleque, o etíope: Assim diz o Senhor dos Exércitos, Deus de Israel: Eu cumprirei as minhas palavras sobre esta cidade para mal, e não para bem. Naquele dia, se cumprirão perante os teus olhos.

17 A ti, porém, livrarei naquele dia, diz o Senhor; não serás entregue nas mãos dos homens a quem temes.

18 Eu te salvarei; não cairás à espada, mas a tua alma terás por despojo, porque confias em mim, diz o Senhor.

### Jeremias é posto em liberdade

**40** Palavra que veio a Jeremias da parte do Senhor, depois que Nebuzaradã, comandante da guarda imperial, o deixou ir de Ramá, estando ele atado com cadeias no meio de todos os do exílio de Jerusalém e de Judá, que estavam sendo levados cativos para Babilônia.

2 Quando o comandante da guarda encontrou a Jeremias, disse-lhe: O Senhor, o teu Deus, pronunciou este mal contra este lugar.

3 E agora o Senhor o trouxe; ele fez como havia dito. Tudo isto aconteceu porque pecastes contra o Senhor e não obedecestes à sua voz.

4 Agora, porém, eu te solto das cadeias que estavam sobre as tuas mãos. Se te apraz vir comigo para Babilônia, vem, e eu velarei por ti; mas se não te apraz vir comigo para Babilônia, deixa de vir. Olha, toda a terra está diante de ti; para onde te parecer bem e conveniente ir, para ali vai.

5 Antes, porém, de Jeremias se voltar para sair, acrescentou Nebuzaradã: Volta a Gedalias, filho de Aicão, filho de Safã, a quem o rei de Babilônia pôs sobre as cidades de Judá, e habita com ele no meio do povo, ou vai para qualquer outra parte que te aprouver ir. Então o comandante lhe deu sustento para o caminho e um presente, e o deixou ir.

6 Assim veio Jeremias a Gedalias, filho de Aicão, a Mispa, e habitou com ele no meio do povo que havia ficado na terra.

7 Ouvindo todos os oficiais dos exércitos, que estavam no campo, eles e os seus homens, que o rei de Babilônia tinha posto sobre a terra a Gedalias, filho de Aicão, e que lhe havia confiado os homens, as mulheres, os meninos e os mais pobres da terra, que não foram levados cativos para Babilônia, 8 vieram ter com Gedalias, a Mispa, a saber: Ismael, filho de Netanias, Joanã e Jônatas, filhos de Careá, Seraías, filho de Tanumete, e os filhos de Efai, o netofatita, e Jaazanias, filho do maacatita, eles e os seus homens.

9 Jurou Gedalias, filho de Aicão, filho de Safã, a eles e aos seus homens: Não temais servir aos caldeus. Ficai na terra e servi ao rei de Babilônia, e bem vos irá.

10 Eu mesmo habitarei em Mispa, para estar às ordens dos caldeus que vierem a nós, mas vós recolhei o vinho, as frutas de verão e o azeite; colocai-os nas vossas vasilhas e habitai nas cidades que tomastes.

11 Do mesmo modo, quando todos os judeus que estavam em Moabe, e entre os filhos de Amom, e em Edom, e os que havia em todas aquelas terras ouviram que o rei de Babilônia havia deixado um resto em Judá e que havia posto sobre eles a Gedalias, filho de Aicão, filho de Safã,

12 voltaram todos os judeus de todos os lugares, para onde foram lançados, e vieram à terra de Judá, a Gedalias, a Mispa. E colheram vinho e frutas de verão em muita abundância.

13 Joanã, filho de Careá, e todos os oficiais dos exércitos, que estavam no campo, vieram a Gedalias, a Mispa,

14 e lhe disseram: Sabes que Baalis, rei dos filhos de Amom, enviou Ismael, filho de Netanias, para te tirar a vida? Mas Gedalias, filho de Aicão, não lhes deu crédito.

15 Então Joanã, filho de Careá, disse a Gedalias em segredo, em Mispa: Permita-me ir e ferir a Ismael, filho de Netanias, sem que ninguém o saiba. Por que te tiraria ele a vida, e todo o Judá que se *tem congregado a ti seria disperso*, e pereceria o resto de Judá?

16 Disse, porém, Gedalias, filho de Aicão, a Joanã, filho de Careá: Não faças tal coisa! O que dizes acerca de Ismael é falso.

**41** No sétimo mês, Ismael, filho de Netanias, filho de Elisama, de sangue real, veio com os oficiais do rei, a saber, dez homens com ele, a Gedalias, filho de Aicão, a Mispa. Enquanto comiam ali juntos,

2 levantou-se Ismael filho de Netanias, com os dez homens que estavam com ele, e feriram a Gedalias, filho de Aicão, filho de Safã, à espada, matando aquele que o rei de Babilônia havia posto sobre a terra.

3 Também feriu Ismael a todos os judeus que estavam com Gedalias em Mispa, como também aos caldeus, homens de guerra, que ali se achavam.

4 No segundo dia depois do assassinato de Gedalias, sem ninguém o saber,

5 vieram homens de Siquém, de Siló e de Samaria, oitenta homens, com a barba rapada, as vestes rasgadas e os corpos retalhados. Traziam nas mãos ofertas de cereais e incenso, para levarem à casa do Senhor.

6 Saiu-lhes ao encontro Ismael, filho de Netanias, de Mispa, e ia chorando. Quando os encontrou, lhes disse: Vinde a Gedalias, filho de Aicão.

7 Quando eles entraram na cidade, matou-os Ismael, filho de Netanias, e os lançou numa cisterna, ele e os homens que estavam com ele.

8 Houve, porém, entre eles dez homens que disseram a Ismael: Não nos mates a nós! Temos no campo tesouros escondidos, trigo e cevada, azeite e mel. E ele por isso os deixou em paz e não os matou como a seus irmãos.

9 Ora, a cisterna, em que Ismael lançou todos os cadáveres dos

homens que feriu por causa de Gedalias, é a mesma que fez o rei Asa, como parte da sua defesa contra Baasa, rei de Israel. Foi essa mesma que Ismael, filho de Netanias, encheu de mortos.

10 Ismael levou cativo a todo o resto do povo que estava em Mispa; as filhas do rei e todo o povo que ficara em Mispa, que Nebuzaradã, comandante da guarda imperial, havia confiado a Gedalias, filho de Aicão. Ismael, filho de Netanias, levou-os cativos e foi-se para passar aos filhos de Amom.

11 Ouvindo Joanã, filho de Careá, e todos os oficiais dos exércitos que com ele estavam, todo o mal que Ismael, filho de Netanias, havia feito,

12 tomaram todos os seus homens e foram pelejar contra Ismael, filho de Netanias. Acharam-no ao pé das muitas águas que há em Gibeom.

13 Quando todo o povo que estava com Ismael viu a Joanã, filho de Careá, e a todos os oficiais dos exércitos, que com ele vinham, se alegrou.

14 Todo o povo que Ismael levara cativo de Mispa virou as costas, voltou, e foi para Joanã, filho de Careá.

15 Ismael, filho de Netanias, porém, escapou de Joanã com oito homens e se foi para os filhos de Amom.

16 Então Joanã, filho de Careá, e todos os oficiais dos exércitos que estavam com ele, tomaram a todo o resto do povo que ele havia recobrado de Ismael, filho de Netanias, desde Mispa, depois que tinha sido ferido Gedalias, filho de Aicão, isto é, os homens valentes de guerra, as mulheres, os meninos e os oficiais da corte que havia recobrado de Gibeom.

17 E partiram, indo habitar em Gerute-Quimã, que está perto de Belém, para dali entrarem no Egito,

18 por causa dos caldeus. Eles os temiam, por ter Ismael, filho de Netanias, ferido a Gedalias, filho de Aicão, a quem o rei de Babilônia tinha posto sobre a terra.

**42** Então chegaram todos os oficiais dos exércitos, Joanã, filho de Careá, Jezanias, filho de Hosaías, e todo o povo, desde o menor até o maior

2 e disseram a Jeremias, o profeta: Caia a nossa súplica diante de ti, e roga por nós ao Senhor, o teu Deus, por todo este remanescente. Pois de muitos restamos uns poucos, como veem os teus olhos.

3 Ora para que o Senhor, o teu Deus, nos ensine o caminho por onde devemos andar e aquilo que havemos de fazer.

4 Respondeu-lhes Jeremias, o profeta: Eu vos ouvi. Certamente orarei ao Senhor, o vosso Deus, conforme as vossas palavras; eu vos declararei o que o Senhor responder e não vos ocultarei nada.

5 Então disseram a Jeremias: Seja o Senhor testemunha verdadeira e fiel contra nós, se não fizermos conforme toda a palavra com que te enviar a nós o Senhor, o teu Deus.

6 Seja ela boa, seja má, à voz do Senhor nosso Deus, a quem te enviamos, obedeceremos, para que nos suceda bem, obedecendo à voz do Senhor nosso Deus.

7 Dez dias mais tarde veio a palavra do Senhor a Jeremias.

8 Então chamou a Joanã, filho de Careá, e a todos os oficiais dos

exércitos que havia com ele, e a todo o povo, desde o menor até o maior,
9 e lhes disse: Assim diz o Senhor, Deus de Israel, a quem me enviastes, para lançar a vossa súplica diante dele:
10 Se ficardes nesta terra, eu vos edificarei, e não vos derrubarei; os plantarei, e não vos arrancarei, pois estou arrependido do mal que vos tenho feito.
11 Não tenhais medo do rei de Babilônia, a quem agora vós temeis. Não o temais, diz o Senhor, pois eu sou convosco, para vos salvar e para vos livrar das suas mãos.
12 Eu vos concederei misericórdia, para que ele tenha misericórdia de vós e vos faça voltar à vossa terra.
13 Se, porém, disserdes: Não ficaremos nesta terra, não obedecendo à voz do Senhor, o vosso Deus,
14 e, se disserdes: Não, iremos e viveremos na terra do Egito, onde não veremos guerra, nem ouviremos som de trombeta, nem teremos fome de pão,
15 então ouvi a palavra do Senhor, ó restante de Judá: Assim diz o Senhor dos Exércitos, Deus de Israel: Se vós de todo vos propuserdes a entrar no Egito, e entrardes para lá morar,
16 então a espada que vós temeis ali vos alcançará, e a fome que vós receais estará convosco no Egito, e ali morrereis.
17 Assim será com todos os *homens que de todo se propuserem a entrar no Egito para morar*; morrerão à espada, de fome e de peste. Deles não haverá quem reste e escape do mal que eu farei vir sobre eles.
18 Assim diz o Senhor dos Exércitos, Deus de Israel: Como se derramou a minha ira e a minha indignação sobre os habitantes de Jerusalém, assim se derramará a minha indignação sobre vós, quando entrardes no Egito. Sereis objeto de maldição, desprezo e vergonha, e não vereis mais este lugar.
19 Disse-vos o Senhor, ó resto de Judá: Não entreis no Egito. Tende por certo que vos adverti hoje
20 de que vos enganastes a vós mesmos quando me enviastes ao Senhor, o vosso Deus, dizendo: Ora por nós ao Senhor, o nosso Deus, e conforme tudo o que disser o Senhor, o nosso Deus, anuncia-o, e o faremos.
21 Eu o declarei hoje, mas ainda não destes ouvidos à voz do Senhor, o vosso Deus, em coisa alguma pela qual ele me enviou a vós.
22 Agora, porém, sabei por certo que à espada, de fome e de peste morrereis no mesmo lugar aonde desejais ir para morar.

**43** Tendo Jeremias acabado de anunciar a todo o povo todas as palavras do Senhor seu Deus, aquelas palavras com as quais o Senhor seu Deus o havia enviado,
2 disseram Azarias, filho de Hosaías, Joanã, filho de Careá, e todos os homens arrogantes a Jeremias: Tu dizes mentiras! O Senhor nosso Deus não te enviou a dizer: Não entreis no Egito, para morar.
3 É Baruque, filho de Nerias, porém, quem te instiga contra nós, para nos entregar nas mãos dos caldeus, para eles nos matarem, ou nos transportarem para Babilônia.
4 Não obedeceu Joanã, filho de Careá, nem nenhum de todos os

oficiais dos exércitos, nem todo o povo à voz do Senhor, para ficarem na terra de Judá.

5 Antes Joanã, filho de Careá, e todos os oficiais do exército tomaram todo o resto de Judá, que havia voltado dentre todas as nações, para onde haviam sido lançados, para morar na terra de Judá: 6 homens, mulheres e crianças, bem como as filhas do rei e a todos os que deixara Nebuzaradã, comandante da guarda imperial, com Gedalias, filho de Aicão, filho de Safã, e também a Jeremias, o profeta, e a Baruque, filho de Nerias.

7 Entraram na terra do Egito, em desobediência à voz do Senhor e vieram a Tafnes.

8 Então veio a palavra do Senhor a Jeremias, em Tafnes:

9 Toma pedras grandes e esconde-as com barro no pavimento que está à entrada da casa de faraó em Tafnes, à vista dos judeus, 10 e dize-lhes: Assim diz o Senhor dos Exércitos, Deus de Israel: Mandarei chamar Nabucodonosor, rei de Babilônia, meu servo, e porei o seu trono sobre estas pedras que escondi; ele estenderá a sua tenda real sobre elas.

11 Virá e ferirá a terra do Egito; entregará à morte os destinados à morte; ao exílio, os destinados ao exílio; à espada, os destinados à espada.

12 Lançará fogo às casas dos deuses do Egito e as queimará; levará cativos os ídolos e se ornará da terra do Egito, como veste o pastor com a sua roupa, e sairá dali em paz.

13 Quebrará as colunas de Bete-Semes, que está na terra do Egito, e as casas dos deuses do Egito queimará a fogo.

## Castigo por causa da idolatria

**44** Palavra que veio a Jeremias, acerca de todos os judeus, moradores da terra do Egito, em Migdol, em Tafnes, em Mênfis e na terra de Patros:

2 Assim diz o Senhor dos Exércitos, Deus de Israel: Vistes todo o mal que fiz cair sobre Jerusalém e todas as cidades de Judá. Hoje elas são um deserto, e ninguém nelas habita,

3 por causa da maldade que fizeram. Provocaram-me à ira, indo queimar incenso e servir a outros deuses, que nunca conheceram, eles, vós e vossos pais.

4 Eu vos enviei todos os meus servos, os profetas, madrugando para vos dizer: Ora, não façais esta coisa abominável que aborreço.

5 Eles, porém, não escutaram nem inclinaram os seus ouvidos, para se converterem da sua maldade, para não queimarem incenso a outros deuses.

6 Portanto, derramaram-se a minha indignação e a minha ira, e acenderam-se nas cidades de Judá e nas ruas de Jerusalém; elas se tornaram em deserto e em assolação, como hoje se vê.

7 Agora, assim diz o Senhor, Deus dos Exércitos, Deus de Israel: Por que fazeis tão grande mal contra vós mesmos, eliminando de Judá o homem e a mulher, a criança e o que mama, a fim de não deixardes ali remanescente algum?

8 Por que me provocais à ira com as obras das vossas mãos, queimando incenso a outros deuses na terra do Egito, onde entrastes para morar? Vós mesmos vos desarraigareis e vos tornareis objeto de desprezo e de vergonha entre todas as nações da terra.

**9** Esquecestes já as maldades dos vossos pais, as maldades dos reis de Judá, as maldades das suas mulheres, as vossas maldades e as maldades das vossas mulheres, cometidas na terra de Judá e nas ruas de Jerusalém?
**10** Eles não se humilharam até o dia de hoje, não temeram, não andaram na minha lei nem nos meus estatutos, que pus diante de vós e diante de vossos pais.
**11** Portanto, assim diz o Senhor dos Exércitos, Deus de Israel: Voltarei o meu rosto contra vós para mal e para desarraigar a todo o Judá.
**12** Tomarei o resto de Judá, que decidiu entrar na terra do Egito, a fim de lá morar. Serão todos consumidos na terra do Egito; cairão à espada, e de fome morrerão. Eles se consumirão, desde o menor até o maior, à espada e de fome morrerão. Serão objeto de maldição, espanto, desprezo e vergonha.
**13** Eu punirei os que habitam na terra do Egito como castiguei a Jerusalém, com a espada, com a fome e com a peste.
**14** De maneira que não haverá quem escape e fique da parte remanescente de Judá, que entrou na terra do Egito, a fim de lá morar, para tornar à terra de Judá, à qual era grande desejo da sua alma voltar, para ali habitar; não voltarão, a não ser alguns fugitivos.
**15** Então responderam a Jeremias todos os homens que sabiam que *as suas mulheres queimavam* incenso a outros deuses e todas as mulheres que estavam em pé, grande multidão, como também todo o povo que habitava na terra do Egito, em Patros, dizendo:
**16** Quanto à palavra que nos anunciaste em nome do Senhor, não obedeceremos a ti!
**17** Certamente cumpriremos toda a palavra que saiu da nossa boca, de queimarmos incenso à rainha dos céus e de lhe oferecermos libações, como nós e nossos pais, nossos reis e nossos oficiais temos feito, nas cidades de Judá e nas ruas de Jerusalém. Então tínhamos fartura de pão e prosperávamos alegres, e não víamos mal algum.
**18** Mas desde que cessamos de queimar incenso à rainha dos céus e de lhe oferecer libações, tivemos falta de tudo e fomos consumidos pela espada e pela fome.
**19** Quando queimamos incenso à rainha dos céus e lhe oferecemos libações, acaso não sabiam nossos maridos que lhe fazíamos bolos que a representam e lhe oferecíamos libações?
**20** Então disse Jeremias a todo o povo, aos homens e às mulheres, e a todo o povo que lhe dera essa resposta:
**21** Não se lembrou o Senhor e não lhe veio à mente o incenso que queimastes nas cidades de Judá e nas ruas de Jerusalém, vós e vossos pais, vossos reis e vossos oficiais, como também o povo da terra?
**22** Quando o Senhor não pôde mais sofrer a maldade das vossas ações e as abominações que cometestes, a vossa terra tornou-se em deserto, em espanto e em maldição, sem habitantes, como hoje se vê.
**23** Porque queimastes incenso e pecastes contra o Senhor, não obedecendo à voz do Senhor nem andando na sua lei e nos seus

testemunhos, aconteceu-vos este mal, como se vê neste dia.

24 Disse mais Jeremias a todo o povo e a todas as mulheres: Ouvi a palavra do Senhor, vós, todo o Judá, que estais na terra do Egito. 25 Assim diz o Senhor dos Exércitos, Deus de Israel: Vós e vossas mulheres demonstrastes por vossas ações o que prometestes, quando dissestes: Certamente cumpriremos os votos que fizemos de queimar incenso à rainha dos céus e de lhe oferecer libações. Confirmai os vossos votos! Cumpri-os!

26 Ouvi, porém, a palavra do Senhor, todo o Judá, que habitais na terra do Egito: Eu juro pelo meu grande nome, diz o Senhor, que o meu nome nunca mais será pronunciado pela boca de homem de Judá em toda a terra do Egito, dizendo: Tão certo como vive o Senhor Deus! 27 Pois eu velo sobre eles para mal, e não para bem; os judeus que estão no Egito serão consumidos à espada e pela fome, até que se acabem de todo. 28 Os que escaparem da espada e voltarem do Egito à terra de Judá serão poucos. Então saberá todo o resto de Judá que entrou na terra do Egito para ali morar se subsistirá a minha palavra ou a sua. 29 Isto vos servirá de sinal, diz o Senhor, que eu vos castigarei neste lugar, para que saibais que certamente subsistirão as minhas palavras contra vós para mal. 30 Assim diz o Senhor: Eu entregarei faraó Hofra, rei do Egito, nas mãos dos seus inimigos e nas mãos dos que procuram a sua morte, como entreguei Zedequias, rei de Judá, nas mãos de Nabucodonosor, rei de Babilônia, seu inimigo, e que procurava a sua morte.

## Uma palavra a Baruque

**45** Palavra que Jeremias, o profeta, falou a Baruque, filho de Nerias, no quarto ano de Jeoiaquim, filho de Josias, rei de Judá, depois que Baruque escrevera num livro as palavras ditadas por Jeremias:
2 Assim diz o Senhor, Deus de Israel, acerca de ti, ó Baruque:
3 Disseste: Ai de mim! Acrescentou o Senhor tristeza à minha dor; estou cansado do meu gemido e não acho descanso.
4 Isto lhe dirás: Assim diz o Senhor: Derrubarei o que edifiquei e arrancarei o que plantei, e isso em toda esta terra.
5 Procuras tu grandezas? Não as busques. Pois eu trarei mal sobre toda a humanidade, diz o Senhor, mas a ti darei a tua alma por despojo, em todos os lugares para onde fores.

## Uma palavra acerca do Egito

**46** Palavra do Senhor, que veio a Jeremias, o profeta, contra as nações:
2 Acerca do Egito: Contra o exército de faraó Neco, rei do Egito, exército que foi derrotado em Carquemis, junto ao rio Eufrates, por Nabucodonosor, rei de Babilônia, no quarto ano de Jeoiaquim, filho de Josias, rei de Judá.
3 Preparai o escudo, os grandes e os pequenos,
  e chegai-vos para a peleja.
4 Selai os cavalos, montai, cavaleiros,
  e apresentai-vos com capacetes!
Poli as lanças, vesti-vos de couraças!
5 Por que vejo os medrosos voltando as costas?

# Jeremias 46

Os seus heróis estão
abatidos e vão fugindo,
sem olhar para trás;
terror há ao redor, diz o
Senhor.

6 Não fuja o ligeiro nem escape
o herói.
Para a banda do norte,
junto à borda do rio
Eufrates
tropeçaram e caíram.

7 Quem é este que vem subindo
como o Nilo,
e cujas águas se movem
como os rios?

8 O Egito vem subindo como o
Nilo,
e as suas águas se movem
como os rios.
Diz ele: Subirei, cobrirei a
terra;
destruirei a cidade e os que
nela habitam.

9 Avançai, ó cavalos, e
estrondeai, ó carros,
e saiam os valentes;
os etíopes e os de Pute, que
manejam o escudo,
e os lídios, que manejam e
entesam o arco.

10 Este dia, porém, é o dia do
Senhor Deus
dos Exércitos,
dia de vingança para se
vingar
dos seus adversários.
A espada devorará;
se fartará e se embriagará
com o sangue deles.
Pois o Senhor Deus dos
Exércitos
tem um sacrifício na terra
do Norte,
junto ao rio Eufrates.

11 Sobe a Gileade e toma
bálsamo,
ó virgem filha do Egito.
Mas debalde multiplicas
remédios,
pois não há cura para ti.

12 As nações ouviram falar da
tua vergonha,
e a terra está cheia do teu
clamor.
O valente tropeçou no
valente,
e ambos caíram juntos.

13 A palavra que falou o
Senhor a Jeremias, o
profeta, acerca da vinda
de Nabucodonosor, rei de
Babilônia, para ferir a terra
do Egito:

14 Anunciai no Egito e fazei
ouvir isto em Migdol;
proclamai-o também em
Mênfis e em Tafnes:
Apresenta-te e prepara-te,
pois a espada devora o que
está ao redor de ti.

15 Por que serão derrubados os
teus valentes?
Não se podem ter em pé, pois
o Senhor os abaterá.

16 Multiplicará os que
tropeçavam;
cairão uns sobre os outros.
Dirão: Levanta-te, e voltemos
ao nosso povo
e à terra do nosso
nascimento,
por causa da espada que
oprime.

17 Ali clamarão: faraó, rei do
Egito
é apenas um som;
deixou passar o tempo
assinalado.

18 Tão certo como eu vivo, diz
o Rei,
cujo nome é o Senhor dos
Exércitos,
certamente como o Tabor é
entre os montes,

e como o Carmelo junto ao mar, assim ele virá.

19 Prepara-te para ires para o exílio,
ó moradora, filha do Egito,
pois Mênfis será tornada em desolação
e será incendiada,
até que ninguém mais aí more.

20 Novilha muito formosa é o Egito,
mas já lhe vem do Norte uma mutuca.

21 Até os seus mercenários no meio dela são como bezerros cevados.
Eles também virarão as costas e fugirão juntos; não estarão firmes,
pois vem sobre eles o dia da sua ruína
e o tempo do seu castigo.

22 A sua voz é como a da serpente que foge;
marcharão com um exército
e virão contra ela com machados,
como cortadores de lenha.

23 Cortarão o seu bosque, diz o Senhor,
que era impenetrável.
São mais numerosos do que os gafanhotos,
são inumeráveis.

24 A filha do Egito será envergonhada,
será entregue nas mãos do povo do Norte.

25 Diz o Senhor dos Exércitos, Deus de Israel: Eu punirei a Amom de Nô, a faraó, ao Egito, aos seus deuses e aos seus reis; ao próprio faraó e aos que confiam nele.

26 Eu os entregarei nas mãos dos que procuram a sua morte, nas mãos de Nabucodonosor, rei de Babilônia, e nas mãos dos seus oficiais. Depois será habitada como nos dias antigos, diz o Senhor.

27 Não temas, ó Jacó, servo meu,
nem te espantes, ó Israel.
Certamente te livrarei mesmo de longe,
e a tua descendência da terra do seu exílio.
Jacó voltará, descansará, sossegará e não haverá quem o atemorize.

28 Não temas, ó Jacó, servo meu,
diz o Senhor, pois estou contigo.
Ainda que eu dê cabo de todas as nações
entre as quais te lancei, de ti não darei cabo.
Eu te castigarei, mas somente com justiça;
não te deixarei de todo impune.

## Uma palavra acerca dos filisteus

**47** Palavra do Senhor que veio a Jeremias, o profeta, acerca dos filisteus, antes que faraó ferisse a Gaza:

2 Assim diz o Senhor:
Do Norte se levantam as águas;
se tornarão em torrente transbordante.
Alagarão a terra e a sua plenitude,
a cidade e os que nela moram.
Os homens clamarão,
e todos os moradores da terra se lamentarão,

3 ao ruído estrepitoso das unhas
dos seus fortes cavalos,
ao barulho dos seus carros,
ao estrondo das suas rodas.

Os pais não atenderão os
  filhos,
por causa da fraqueza das
  mãos.
4 Pois chegou o dia de destruir
  a todos os filisteus,
    de cortar de Tiro e de
      Sidom
  todo o resto que os socorra.
    O Senhor destruirá os
      filisteus,
  o resto da ilha de Caftor.
5 Gaza rapará a cabeça;
  Ascalom será silenciada.
    Ó resto da planície,
  até quando vos retalhareis?
6 Ah! espada do Senhor!
  até quando deixarás de
    repousar?
    Volta para a tua bainha,
  descansa e aquieta-te.
7 Como podes estar quieta,
  se o Senhor te deu ordem,
    se ele te enviou contra
      Ascalom
  e contra o litoral?

### Uma palavra acerca de Moabe

**48** Acerca de Moabe: Assim diz o Senhor dos Exércitos, Deus de Israel:
  Ai de Nebo, pois será
    destruída.
      Envergonhada será
        Quiriataim, e tomada;
      a fortaleza será
        envergonhada e
          espantada.
2 A glória de Moabe não é mais;
  em Hesbom projetaram
    mal contra ela, dizendo:
  Vinde, desarraiguemo-la,
    para que não seja mais
      povo.
  Também tu, ó Madmém,
    serás silenciada;
  a espada te irá seguindo.
3 Voz de grito de Horonaim,
  ruína e grande destruição.
4 Moabe será destruída;
  os seus filhinhos clamarão.
5 Pela subida de Luíte
  eles vão subindo com choro
    contínuo;
    na descida de Horonaim
      ouvem-se gritos
  angustiosos de ruína.
6 Fugi, salvai a vossa vida;
  sede como arbusto no
    deserto.
7 Por causa da tua confiança
  nas tuas obras e nos teus
    tesouros,
    também tu serás tomada;
  Camos sairá para o exílio,
  os seus sacerdotes e os seus
    oficiais juntamente.
8 O destruidor virá sobre cada
    uma das cidades,
    e nenhuma escapará.
  Perecerá o vale, e será
    destruída a campina,
  porque o Senhor o disse.
9 Dai asas a Moabe, pois
    voando sairá;
    as suas cidades se tornarão
      em ruínas,
  e ninguém morará nelas.
10 Maldito aquele que fizer a
    obra do Senhor
      negligentemente!
  Maldito aquele que
    preservar a sua espada do
      sangue!
11 Moabe esteve descansado
    desde a sua mocidade;
  como o vinho sobre os
    resíduos,
    não foi mudado de vasilha
      para vasilha,
  nem foi para o exílio.
    Por isso conservou o seu
      sabor,
  e o seu cheiro não se alterou.

**12** Vêm dias, porém, diz o
Senhor,
em que lhe enviarei
derramadores
que o derramarão;
esvaziarão as suas vasilhas
e romperão os seus odres.
**13** Moabe terá vergonha de
Camos,
como se envergonhou a casa
de Israel
de Betel, sua confiança.
**14** Como direis: Somos
valentes e homens fortes para
a guerra?
**15** Moabe está destruída,
e invadidas as suas cidades;
os seus jovens escolhidos
desceram à matança,
diz o Rei, cujo nome é o
Senhor dos Exércitos.
**16** Está prestes a vir a perdição
de Moabe;
apressa-se o seu mal.
**17** Lamentai-vos dele todos
os que estais ao redor dele,
e todos os que sabeis o seu
nome, dizei:
Como se quebrou a vara
forte,
o cajado formoso!
**18** Desce da tua glória e
assenta-te em seco,
ó moradora, filha de Dibom,
pois o destruidor de Moabe
subiu contra ti
e desfez as tuas fortalezas.
**19** Põe-te no caminho e espia,
ó moradora de Aroer.
Pergunta ao que vai fugindo
e à que escapou: Que
sucedeu?
**20** Moabe está envergonhado,
pois foi quebrantado.
Uivai e gritai!
Anunciai em Arnom que
Moabe está destruído.

**21** Também o julgamento veio
sobre a terra
da campina, sobre Holom,
Jaza e Mefaate,
**22** sobre Dibom, Nebo e
Bete-Diblataim,
**23** sobre Quiriataim, Bete-Gamul
e Bete-Meom,
**24** sobre Queriote e Bozra;
a todas as cidades da terra
de Moabe, as de longe e as
de perto.
**25** Está cortado o poder
de Moabe e quebrantado o
seu braço,
diz o Senhor.
**26** Embriagai-o, pois contra o
Senhor
se engrandeceu.
Moabe se revolverá no seu
vômito
e será objeto de escárnio.
**27** Não foi Israel objeto de
escárnio para ti?
Foi achado entre ladrões
para que,
sempre que falas dele,
meneies a cabeça?
**28** Deixai as cidades e habitai
no rochedo,
ó moradores de Moabe.
Sede como a pomba que se
aninha
nos lados da boca da
caverna.
**29** Ouvimos falar do orgulho de
Moabe,
que de fato é extremamente
orgulhoso; da sua soberba,
da sua arrogância,
e da altivez do seu coração.
**30** Eu conheço, diz o Senhor,
a sua indignação,
mas isso nada é;
as suas mentiras nada farão.
**31** Por isso, gemerei por Moabe;
por Moabe eu grito,

pelos homens de Quir-
-Heres lamento.
32 Com choro maior do que
o de Jazer te chorarei,
ó vide de Sibma;
os teus ramos passaram
o mar,
chegaram ao mar de Jazer,
mas o destruidor caiu sobre os
teus frutos de verão e sobre
a tua vindima.
33 Tirou-se o folguedo
e a alegria
do campo fértil e da terra
de Moabe.
Fiz que o vinho acabasse nos
lagares; já não pisam uvas
com júbilo.
Embora haja gritos,
os gritos não são de alegria.
34 Ouve-se o grito de Hesbom
até Eleale e Jaaz,
e de Zoar até Horonaim e
Eglate-Selisias,
pois as águas do Ninrim virão
a ser uma desolação.
35 Farei desaparecer de Moabe,
diz o Senhor,
quem sacrifique nos altos
e queime incenso aos seus
deuses.
36 Por isso, o meu coração
geme como flauta por Moabe;
como flauta geme o meu
coração pelos homens de
Quir-Heres.
A abundância que ajuntou se
perdeu.
37 Toda cabeça ficará calva,
e toda barba será rapada;
sobre todas as mãos haverá
*incisões*,
sobre toda cintura pano de
saco.
38 Sobre todos os telhados
de Moabe e nas suas ruas
haverá pranto,
pois quebrei a Moabe,
como a um vaso que não
agrada,
diz o Senhor.
39 Como está quebrantado!
Como uivam!
Como virou Moabe as
costas e se envergonhou!
Assim será Moabe
objeto de escárnio
e de espanto para todos os
que estão
em seu redor.
40 Assim diz o Senhor:
Vede! Ele voa como a águia
e estende as suas asas sobre
Moabe.
41 São tomadas as cidades,
e ocupadas as fortalezas.
Será o coração dos valentes
de Moabe naquele dia
como o coração da mulher
em dores de parto.
42 Moabe será destruído,
para que não seja povo,
porque se engrandeceu
contra o Senhor.
43 Temor, cova e laço vêm
sobre ti,
ó morador de Moabe,
diz o Senhor.
44 O que fugir do temor cairá
na cova,
e o que sair da cova ficará
preso no laço;
pois trarei sobre Moabe
o ano da sua punição,
diz o Senhor.
45 Os que fogem param sem
forças à sombra de Hesbom,
mas fogo sai de Hesbom,
e labareda do meio de Siom,
e queima a fronte de Moabe
e o crânio dos turbulentos.
46 Ai de ti, Moabe!
Pereceu o povo de Camos;
os teus filhos foram

levados cativos,
e as tuas filhas para o exílio.
47 Contudo, restaurarei a sorte
de Moabe nos
últimos dias, diz o Senhor.
Aqui termina o juízo de
Moabe.

**Uma mensagem acerca de Amom**

**49** Acerca dos filhos de Amom:
Assim diz o Senhor:
Não tem Israel filhos?
Não tem herdeiros?
Por que, pois, herdou
Milcom a Gade,
e o seu povo habitou nas
cidades dela?
2 Vêm dias, porém, diz o
Senhor,
em que farei ouvir em Rabá
dos filhos
de Amom o alarido de guerra;
ela se tornará num montão
de ruínas,
e os lugares da sua jurisdição
serão queimados a fogo.
Então Israel herdará os que o
herdaram,
diz o Senhor.
3 Uiva, ó Hesbom, pois Ai é
destruída!
Clamai, ó filhas de Rabá,
cingi-vos de pano de saco,
lamentai e dai voltas por
entre os muros,
pois Milcom irá em cativeiro;
os seus sacerdotes e os seus
oficiais juntamente.
4 Por que te glorias nos vales,
teus luxuriantes vales,
ó filha rebelde,
que confias nos teus tesouros,
dizendo:
Quem virá contra mim?
5 Eu trarei temor sobre ti,
diz o Senhor Deus dos
Exércitos,
de todos os que estão ao teu
redor, e sereis lançados
fora, cada um para diante,
e ninguém recolherá o
desgarrado.
6 Contudo, depois disso
farei voltar os cativos dos
filhos de Amom,
diz o Senhor.

**Uma palavra acerca de Edom**

7 Acerca de Edom: Assim diz
o Senhor dos Exércitos:
Não há mais sabedoria em
Temã?
Pereceu o conselho dos
entendidos?
Desvaneceu-se a sua
sabedoria?
8 Fugi, voltai, habitai em
profundezas,
ó moradores de Dedã,
porque trarei sobre ele a
ruína de Esaú,
no tempo em que eu o punir.
9 Se os que colhem uvas
viessem a ti,
não deixariam algumas
uvas?
Se ladrões de noite,
não roubariam só o que
lhes bastasse?
10 Eu, porém, despi a Esaú,
descobri os seus esconderijos,
e não se poderá esconder.
É destruída a sua
descendência,
como também seus irmãos
e seus vizinhos,
e ele já não é.
11 Deixa os teus órfãos;
eu os guardarei em vida,
e as tuas viúvas confiarão
em mim.
12 Assim diz o Senhor: Se os que
não merecem beber o cálice devem bebê-lo totalmente, por que

ficarias tu inteiramente impune?
Não ficarás impune, mas certamente o beberás.

13 Por mim mesmo juro, diz o Senhor, que Bozra servirá de objeto de espanto, de vergonha, de ruína e de maldição; e todas as suas cidades se tornarão em perpétuas desolações.

14 Eu ouvi novas da parte do Senhor,
que um embaixador é enviado às nações,
para lhes dizer:
Ajuntai-vos, vinde contra ela;
levantai-vos para a guerra.

15 Ora, eu te fiz pequeno entre as nações,
desprezado entre os homens.

16 O terror que inspiras
e o orgulho do teu coração te enganaram,
tu que habitas nas fendas das rochas,
que ocupas as alturas dos outeiros.
Ainda que eleves o teu ninho como a águia,
de lá te derrubarei, diz o Senhor.

17 Edom será objeto de espanto;
todo aquele que passar por ela se espantará
e assobiará por causa de todas as suas pragas.

18 Como na destruição de Sodoma e Gomorra,
e dos seus vizinhos, diz o Senhor,
não habitará ninguém ali,
nem morará nela filho de homem.

19 Como leão subirá das margens do Jordão
um inimigo contra a morada do forte,
mas de repente o farei correr dali.
Quem é o escolhido que porei sobre ela?
Quem é semelhante a mim?
Quem me desafiaria?
Quem é o pastor que subsistiria na minha presença?

20 Portanto, ouvi o conselho do Senhor,
que ele decretou contra Edom,
e os seus desígnios,
que ele intentou contra os moradores de Temã:
Os mais novos do rebanho serão arrastados;
ele destruirá completamente o seu pasto por causa deles.

21 A terra estremecerá com o estrondo da sua queda;
o seu grito ressoará até o mar Vermelho.

22 Vede! Uma águia
subirá e voará;
estenderá as suas asas sobre Bozra.
Naquele dia, o coração dos valentes de Edom
será como o coração da mulher
que está em dores de parto.

**Uma palavra acerca de Damasco**

23 Acerca de Damasco:
Envergonharam-se Hamate e Arpade,
pois ouviram más notícias, e cambaleiam.
São como o mar agitado,
que não se pode sossegar.

24 Damasco está enfraquecida,
virou as costas para fugir,

e tremor a tomou;
angústia e dores a tomaram
como da que está de parto.
25 Por que não foi abandonada
a famosa cidade,
a cidade das minhas
delícias?
26 Certamente os seus jovens
cairão nas ruas;
todos os homens de guerra
serão silenciados
naquele dia,
diz o Senhor dos Exércitos.
27 Acenderei fogo no muro
de Damasco,
o qual consumirá os
palácios de Ben-Hadade.

### Uma palavra acerca de Quedar e Hazor

28 Acerca de Quedar e dos reinos
de Hazor, que Nabucodonosor,
rei de Babilônia, feriu: Assim diz
o Senhor:
Levantai-vos, subi contra
Quedar
e destruí os filhos do Oriente.
29 Tomarão as suas tendas,
os seus rebanhos,
as suas cortinas e todos
os seus bens,
e os seus camelos levarão
para si,
e lhes gritarão: Há terror de
todos os lados!
30 Fugi, desviai-vos para
muito longe,
habitai nas profundezas,
ó moradores de Hazor,
diz o Senhor.
Nabucodonosor, rei de
Babilônia,
conspirou e fez planos
contra vós.
31 Levantai-vos, subi contra
uma nação que está
sossegada,
que habita confiadamente,
diz o Senhor, que não tem
portas,
nem ferrolhos, que habita a sós.
32 Os seus camelos serão
para presa,
e a multidão dos seus
rebanhos para despojo.
Espalharei a todo vento
aqueles que cortam os
cantos do seu cabelo,
e de todos os lados lhes trarei
a ruína,
diz o Senhor.
33 Hazor se tornará em
morada de chacais,
em desolação para sempre.
Ninguém habitará ali,
nem morará nela filho de
homem.

### Uma palavra acerca de Elão

34 A palavra do Senhor, que veio
a Jeremias, o profeta, acerca de
Elão, no princípio do reinado
de Zedequias, rei de Judá:
35 Assim diz o Senhor dos Exércitos:
Vê, eu quebrarei o arco de
Elão,
a fonte do seu poder.
36 Trarei sobre Elão os quatro
ventos
dos quatro ângulos do céu,
e os espalharei na direção de
todos estes ventos;
não haverá nação
aonde não cheguem os seus
fugitivos.
37 Farei que Elão tema diante
de seus inimigos
e diante dos que procuram
a sua morte;
farei vir sobre eles o mal,
o furor da minha ira, diz o
Senhor.
Enviarei após eles a espada,
até que os tenha consumido.

**38** Porei o meu trono em Elão e destruirei dali o rei e os oficiais, diz o Senhor.
**39** Contudo, nos últimos dias restaurarei a sorte de Elão, diz o Senhor.

## Uma palavra acerca de Babilônia

**50** Palavra que o Senhor proferiu acerca de Babilônia, acerca da terra dos caldeus, por intermédio de Jeremias, o profeta:
**2** Anunciai e fazei ouvir entre as nações,
arvorai estandarte e proclamai;
nada encubrais, mas dizei:
Tomada é Babilônia,
confundido está Bel,
caído está Merodaque,
confundidos estão os seus ídolos,
e caídos estão os seus deuses.
**3** Subiu contra ela uma nação do Norte,
que fará da sua terra uma solidão.
Não haverá quem nela habite;
tanto os homens como os animais fugiram
e se foram.
**4** Naqueles dias, e naquele tempo, diz o Senhor,
os filhos de Israel virão junto com os filhos de Judá;
andando e chorando virão,
e buscarão ao Senhor seu Deus.
**5** Acerca do caminho de Sião perguntarão,
e para ali dirigirão os seus rostos.
Virão e se ajuntarão ao Senhor
numa aliança eterna que nunca será esquecida.
**6** Ovelhas perdidas foram o meu povo;
os seus pastores as fizeram errar
e para as montanhas as deixaram desviar.
Andaram por montanhas e colinas,
se esqueceram do lugar do seu repouso.
**7** Todos os que as acharam as devoraram;
os seus adversários disseram:
Culpa nenhuma temos,
pois pecaram contra o Senhor,
a morada da justiça,
o Senhor, a esperança de seus pais.
**8** Fugi do meio de Babilônia;
saí da terra dos caldeus
e sede como os bodes que conduzem o rebanho.
**9** Pois eu suscitarei e farei subir contra Babilônia uma congregação de
grandes nações da terra do Norte.
Tomarão as suas posições contra ela,
e do Norte será tomada.
As suas flechas serão como de hábil guerreiro
que não volta de mãos vazias.
**10** A Caldeia servirá de presa;
todos os que a saquearem ficarão fartos,
diz o Senhor.
**11** Porque vos alegrais, saltais de prazer,
ó saqueadores da minha herança,
e vos inchais como bezerros gordos,
e relinchais como cavalos vigorosos,

12 muito envergonhada será a vossa mãe;
 humilhada será a que vos deu à luz.
Ela será a última das nações,
 um deserto,
 uma terra seca e uma solidão.
13 Por causa do furor do Senhor não será habitada,
 antes se tornará em total desolação.
Qualquer que passar pela Babilônia se espantará
 e zombará dela por causa de todas as suas pragas.
14 Tomai as vossas posições em redor de Babilônia,
 todos os que manejais arcos.
Atirai-lhe, não poupeis as flechas,
 pois ela pecou contra o Senhor.
15 Gritai contra ela, rodeando-a!
 Ela já se submeteu;
 caíram os seus fundamentos,
estão derrubados os seus muros.
Visto que esta é a vingança do Senhor,
 vingai-vos dela;
conforme o que ela fez, fazei-lhe a ela.
16 Arrancai de Babilônia o que semeia
 e o que leva a foice no tempo da sega.
Por causa da espada do opressor,
 se virará cada um para o seu povo
e fugirá cada um para a sua terra.
17 Cordeiro desgarrado é Israel, o qual os leões afugentaram.
O primeiro a devorá-lo foi o rei da Assíria;
 o último a quebrar-lhe os ossos foi Nabucodonosor, rei de Babilônia.
18 Portanto, assim diz o Senhor dos Exércitos,
 Deus de Israel:
Eu punirei o rei de Babilônia e a sua terra,
 assim como castiguei o rei da Assíria.
19 Mas farei tornar Israel à sua morada,
 e pastará no Carmelo e em Basã;
 se fartará a sua alma no monte de Efraim e em Gileade.
20 Naqueles dias, e naquele tempo, diz o Senhor,
 se buscará a maldade de Israel,
 mas não será achada,
 e os pecados de Judá,
 mas não se acharão,
 pois perdoarei aos que eu deixar de resto.
21 Sobe contra a terra de Merataim, sobe contra ela
 e contra os moradores de Pecode.
Assola e inteiramente destrói tudo após eles, diz o Senhor,
 e faze conforme tudo o que te mandei.
22 Estrondo de batalha há na terra,
 e de grande destruição!
23 Como foi cortado e quebrado
 o martelo de toda a terra!
Como se tornou Babilônia em objeto de espanto entre as nações!

## Jeremias 50

24 Laços te armei, e foste presa,
ó Babilônia,
e tu não o soubeste;
foste achada e apanhada
porque contra o Senhor te
opuseste.
25 O Senhor abriu o seu arsenal
e tirou dele as armas da sua
indignação,
pois o Senhor, o Senhor dos
Exércitos,
tem obra a realizar na terra
dos caldeus.
26 Vinde contra ela dos confins
da terra.
Abri os seus celeiros;
fazei dela montões.
Destruí-a de todo, e nada lhe
fique de resto.
27 Matai à espada a todos os
seus novilhos,
desçam ao degoladouro!
Ai deles! Pois veio o seu dia,
o tempo do seu castigo.
28 Ouvi a voz dos que fugiram
e escaparam da terra de
Babilônia
para anunciarem em Sião
a vingança do Senhor nosso
Deus,
a vingança do seu templo.
29 Convocai contra Babilônia
os flecheiros,
todos os que manejam o
arco.
Acampai-vos contra ela em
redor,
que ninguém escape.
Pagai-lhe conforme a sua
obra;
conforme tudo o que fez,
fazei-lhe.
Pois ela desafiou o Senhor,
o Santo de Israel.
30 Portanto, cairão os seus
jovens nas suas ruas;
todos os seus homens
de guerra serão silenciados
naquele dia, diz o Senhor.
31 Vê, eu sou contra ti, ó
arrogante,
diz o Senhor Deus dos
Exércitos,
pois chegou o teu dia,
o tempo em que te hei de
punir.
32 Então tropeçará a arrogante
e cairá; ninguém haverá que
a levante;
porei fogo às suas cidades,
o qual consumirá todos os
seus arredores.
33 Assim diz o Senhor dos
Exércitos:
Os filhos de Israel e os filhos
de Judá
são oprimidos juntamente.
Todos os que os levaram
cativos os retêm,
recusam-se a soltá-los.
34 O seu Redentor, porém,
é forte,
o Senhor dos Exércitos é o
seu nome.
Ele certamente pleiteará a
causa deles,
para dar descanso à terra
e inquietar os moradores de
Babilônia.
35 A espada virá sobre os
caldeus, diz o Senhor,
e sobre os moradores de
Babilônia,
sobre os seus oficiais e sobre
os seus sábios.
36 A espada virá sobre os seus
falsos profetas,
e ficarão insensatos.
A espada virá sobre os seus
valentes,
e desmaiarão.
37 A espada virá sobre
os seus cavalos,
sobre os seus carros e sobre

todo o povo misto que está no meio dela,
e eles serão como mulheres.
A espada virá sobre os seus tesouros, e serão saqueados.
38 Cairá a seca sobre as suas águas, e secarão.
Pois é uma terra de ídolos, ídolos que enlouquecerão de terror.
39 De sorte que habitarão nela feras do deserto e hienas, também habitarão nela as corujas.
Nunca mais será povoada, nem será habitada de geração em geração.
40 Como quando Deus transtornou a Sodoma e a Gomorra, e aos seus vizinhos, diz o Senhor,
assim ninguém habitará ali, nem morará nela filho de homem.
41 Um povo vem vindo do norte;
uma grande nação e reis poderosos se levantam dos confins da terra.
42 Estão armados de arco e lança;
são cruéis e não conhecem a compaixão.
A sua voz brama como o mar,
e montam em cavalos;
vêm dispostos como homens para a batalha,
contra ti, ó filha de Babilônia.
43 O rei de Babilônia ouviu a fama deles,
e desfaleceram as suas mãos.
A angústia se apoderou dele, dores,
como da que está de parto.
44 Como leão, subirá das margens do Jordão um inimigo contra a morada forte,
mas num momento o farei correr dali.
Ao escolhido porei sobre ela. Quem é semelhante a mim?
Quem me pediria contas?
E quem é o pastor que subsistiria na minha presença?
45 Portanto, ouvi o conselho que o Senhor decretou contra Babilônia
e os desígnios que formou contra a terra dos caldeus:
Os mais novos do rebanho serão arrastados;
ele destruirá completamente o seu pasto por causa deles.
46 Ao estrondo da tomada de Babilônia estremecerá a terra;
o grito ressoará entre as nações.

# 51

Assim diz o Senhor:
Levantarei um vento destruidor contra Babilônia
e contra os que habitam em Lebe-Camai.
2 Enviarei estrangeiros contra Babilônia,
que a peneirarão e esvaziarão a sua terra;
virão contra ela em redor no dia da calamidade.
3 O flecheiro não arme o seu arco
nem o coloque sobre a sua couraça.
Não poupeis a seus jovens; destruí a todo o seu exército.

# Jeremias 51

4 Cairão mortos na terra dos caldeus
e mortalmente feridos pelas ruas.
5 Pois Israel e Judá não foram abandonados
por seu Deus, o Senhor dos Exércitos,
ainda que a sua terra esteja cheia de culpa
perante o Santo de Israel.
6 Fugi do meio de Babilônia!
Livre cada um a sua vida!
Não sejais destruídos na sua maldade.
É o tempo da vingança do Senhor;
ele lhe dará a sua paga.
7 Babilônia era uma taça de ouro
nas mãos do Senhor;
ela embriagou toda a terra.
Do seu vinho beberam as nações;
por isso agora enlouqueceram.
8 Num momento cairá Babilônia e ficará arruinada.
Gemei sobre ela!
Tomai bálsamo para a sua dor; talvez ela sare.
9 Teríamos curado Babilônia, mas ela não pode ser curada;
deixai-a, e cada um vá para a sua terra,
pois o seu juízo chegou até o céu e se elevou até as mais altas nuvens.
10 O Senhor trouxe a nossa justiça à luz;
vinde e contemos em Sião
*a obra do Senhor nosso Deus.*
11 Aguçai as flechas, preparai os escudos!
O Senhor despertou o espírito dos reis da Média,
porque o seu intento contra Babilônia
é para a destruir.
Esta é a vingança do Senhor,
a vingança do seu templo.
12 Hasteai a bandeira sobre os muros de Babilônia!
Reforçai a guarda, colocai sentinelas,
preparai as ciladas!
O Senhor executará o seu propósito,
o seu decreto contra os moradores de Babilônia.
13 Ó tu, que habitas sobre muitas águas,
rica de tesouros,
chegou o teu fim, a medida da tua avareza.
14 Jurou o Senhor dos Exércitos por si mesmo:
Certamente te encherei de homens, como de um enxame de gafanhotos,
e eles gritarão em triunfo sobre ti.
15 Ele fez a terra com o seu poder;
ele fundou o mundo com a sua sabedoria
e estendeu os céus com o seu entendimento.
16 Fazendo ele ouvir a sua voz,
grande estrondo de águas há nos céus,
e sobem os vapores desde os confins da terra.
Envia os relâmpagos com a chuva e tira o vento dos seus tesouros.
17 Embruteceu-se todo homem e não tem conhecimento;
todo ourives é envergonhado pelas suas imagens de escultura.

Suas imagens de fundição são mentira,
e não há vida em nenhuma delas.
18 Vaidade são, obra de enganos;
no tempo em que eu as castigar perecerão.
19 Não é semelhante a estes a porção de Jacó,
pois ele é o Criador de todas as coisas,
e Israel é a tribo da sua herança;
o Senhor dos Exércitos é o seu nome.
20 Tu és o meu martelo e as minhas armas de guerra;
contigo despedaço nações,
contigo destruo os reis;
21 contigo despedaço o cavalo e o seu cavaleiro,
contigo despedaço o carro e o que vai nele;
22 contigo despedaço o homem e a mulher,
contigo despedaço o velho e o moço;
contigo despedaço o jovem e a virgem,
23 contigo despedaço o pastor e o seu rebanho;
contigo despedaço o lavrador e a sua junta de bois,
contigo despedaço os governantes e os oficiais.
24 Pagarei a Babilônia e a todos os moradores da Caldeia toda a sua maldade, que fizeram em Sião, à vossa vista, diz o Senhor.
25 Estou contra ti, ó monte destruidor, diz o Senhor,
tu que destróis toda a terra.
Estenderei a minha mão contra ti,
e te revolverei das rochas;
e farei de ti um monte incendiado.
26 Não tomarão de ti pedra para esquina,
nem pedra para fundamentos,
pois te tornarás em perpétua desolação,
diz o Senhor.
27 Hasteai a bandeira na terra!
Tocai trombeta entre as nações!
Preparai as nações contra ela,
convocai contra ela os reinos de Arará, Mini, e Asquenaz.
Ordenai contra ela um comandante;
fazei subir cavalos,
como um enxame de gafanhotos.
28 Preparai contra ela as nações,
os reis da Média, os seus governantes,
todos os seus oficiais
e toda a terra do seu domínio.
29 A terra se estremece e se contorce,
pois cada um dos desígnios do Senhor está firme contra Babilônia,
para fazer da terra de Babilônia uma desolação,
de modo que ninguém nela habite.
30 Os valentes de Babilônia cessaram de pelejar;
permanecem nas fortalezas.
Desfaleceu a sua força;
tornaram-se como mulheres.
Incendiadas estão as suas moradas;
quebrados estão os seus ferrolhos.

# Jeremias 51

31 Um emissário corre ao encontro
de outro emissário, e um mensageiro,
ao encontro de outro mensageiro,
para anunciar ao rei de Babilônia
que toda a sua cidade foi tomada,
32 os vaus estão ocupados,
a vegetação dos pântanos queimadas a fogo,
e os homens de guerra assombrados.
33 Assim diz o Senhor dos Exércitos,
o Deus de Israel:
A filha de Babilônia é a eira no tempo da debulha;
ainda um pouco,
e o tempo da colheita lhe virá.
34 Nabucodonosor, rei de Babilônia, devorou-nos,
pisou-nos, fez de nós um vaso vazio.
Como serpente nos tragou,
encheu o seu ventre das nossas iguarias finas
e então nos lançou fora.
35 A violência que se fez a nós e à nossa descendência venha sobre Babilônia,
diga a moradora de Sião.
Caia o nosso sangue sobre os moradores
da Caldeia, diga Jerusalém.
36 Portanto, assim diz o Senhor:
*Eu pleitearei a tua causa*
e te vingarei da vingança que se tomou contra ti;
secarei o seu mar
e farei que se esgote o seu manancial.
37 Babilônia se tornará em montões,
morada de chacais,
objeto de espanto e assobio,
sem um só habitante.
38 Juntos rugirão como filhos dos leões,
rosnarão como filhotes de leões.
39 Estando eles excitados,
lhes darei a sua bebida e os embriagarei,
para que andem saltando;
mas dormirão um perpétuo sono e não acordarão, diz o Senhor.
40 Eu os farei descer como cordeiros ao matadouro,
como carneiros e bodes.
41 Como será tomada Sesaque,
e apanhada de surpresa a glória de toda a terra!
Como se tornará Babilônia um objeto de espanto entre as nações!
42 O mar subirá sobre Babilônia;
com a multidão das suas ondas a cobrirá.
43 As suas cidades se tornarão em desolação,
terra seca e deserta,
terra em que ninguém habita,
nem por ela passa filho de homem.
44 Punirei a Bel em Babilônia
e tirarei da sua boca o que ele tragou.
Nunca mais virão a ele as nações.
E o muro de Babilônia cairá.
45 Saí do meio dela, ó povo meu,
e salve cada um a sua vida,
por causa do ardor da ira do Senhor.
46 Não se desfaleça
o vosso coração,

nem temais pelo rumor que
se ouvir na terra;
virá num ano um rumor,
e depois noutro ano, outro
rumor;
rumores de violência na
terra,
e dominador contra
dominador.

47 Pois certamente vêm os dias
em que punirei as imagens de
escultura
de Babilônia;
toda a sua terra será
envergonhada,
e todos os seus mortos
ficarão caídos no meio dela.

48 Então os céus e a terra,
com tudo o que neles há,
jubilarão sobre Babilônia,
pois do norte lhe virão os
destruidores,
diz o Senhor.

49 Como Babilônia fez cair
os trespassados de Israel,
assim em Babilônia cairão
os trespassados de toda
a terra.

50 Vós, que escapastes da
espada,
ide-vos, não pareis!
De longe lembrai-vos do
Senhor,
e suba Jerusalém ao vosso
coração.

51 Direis: Envergonhados
estamos,
pois ouvimos insultos;
a vergonha cobriu o nosso
rosto,
porque vieram estrangeiros
sobre os santuários da casa
do Senhor.

52 Vêm dias, porém, diz o
Senhor,
em que punirei as suas
imagens de escultura,
e gemerá o ferido em toda a
sua terra.

53 Ainda que Babilônia subisse
aos céus,
e ainda que fortificasse a
sua fortaleza altiva, de mim
viriam
destruidores sobre ela, diz o
Senhor.

54 O som de um clamor vem de
Babilônia,
som de grande destruição,
da terra dos caldeus.

55 O Senhor destruirá Babilônia;
fará perecer nela a sua
grande voz.
As ondas do inimigo
bramarão
como muitas águas;
se ouvirá o ruído da sua
voz.

56 O destruidor virá sobre
Babilônia;
os seus valentes serão
presos,
e os seus arcos serão
quebrados.
Pois o Senhor, Deus das
recompensas,
certamente lhe retribuirá.

57 Embriagarei os seus oficiais,
os seus sábios, os seus
governadores,
os seus magistrados e os seus
valentes;
dormirão um sono
perpétuo e não acordarão,
diz o Rei, cujo nome é o
Senhor dos Exércitos.

58 Assim diz o Senhor dos
Exércitos:
Os largos muros de Babilônia
serão totalmente
derrubados,
e as suas altas portas serão
abrasadas pelo fogo;
trabalham os povos em vão,

e o trabalho das nações é combustível para o fogo.

**59** Palavra que Jeremias, o profeta, mandou a Seraías, filho de Nerias, filho de Maaseias, quando ia com Zedequias, rei de Judá a Babilônia, no quarto ano do seu reinado. Seraías era o camareiro-mor.

**60** Escreveu Jeremias num livro todo o mal que havia de vir sobre Babilônia, todas estas palavras que estavam escritas acerca de Babilônia.

**61** Disse Jeremias a Seraías: Quando chegares a Babilônia, vê que leias todas estas palavras.

**62** Então dize: Ó Senhor, tu falaste a respeito deste lugar, que o havias de destruir, até não ficar nele morador algum, desde o homem até o animal, mas que se tornaria em perpétuas desolações.

**63** Quando acabares de ler este livro, ata-o a uma pedra e lança-o no meio do Eufrates.

**64** Então dize: Assim será afundada Babilônia, e não se levantará, por causa do mal que eu hei de trazer sobre ela. E o seu povo cairá. Aqui terminam as palavras de Jeremias.

### A queda de Jerusalém

**52** Era Zedequias da idade de vinte e um anos quando começou a reinar, e onze anos reinou em Jerusalém. O nome de sua mãe era Hamutal, filha de Jeremias, de Libna.

**2** Fez ele o que era mau aos olhos *do Senhor, conforme tudo o que* fizera Jeoiaquim.

**3** Foi por causa da ira do Senhor que tudo isto aconteceu contra Jerusalém e Judá, e no final ele os lançou fora da sua presença. Ora, Zedequias rebelou-se contra o rei de Babilônia.

**4** Assim, no nono ano do seu reinado, no décimo mês, no décimo dia do mês, Nabucodonosor, rei de Babilônia, veio contra Jerusalém, ele e todo o seu exército. Acamparam-se contra ela e levantaram tranqueiras ao seu redor.

**5** A cidade esteve cercada até o décimo primeiro ano do rei Zedequias.

**6** No quarto mês, aos nove do mês, a fome prevalecia de tal maneira na cidade que o povo da terra não tinha pão.

**7** Então foi aberta uma brecha na cidade, e todos os homens de guerra fugiram. Saíram de noite, pelo caminho da porta que está entre os dois muros perto do jardim do rei, embora os caldeus estivessem contra a cidade ao redor. Fugiram pelo caminho da Arabá,

**8** mas o exército dos caldeus perseguiu o rei Zedequias e o alcançou nas campinas de Jericó. Todo o seu exército se espalhou, abandonando-o.

**9** Prenderam o rei e o fizeram subir ao rei de Babilônia, a Ribla, na terra de Hamate, onde lhe pronunciou a sentença.

**10** O rei de Babilônia degolou os filhos de Zedequias à sua vista, e também degolou a todos os oficiais de Judá em Ribla.

**11** Arrancou os olhos a Zedequias, atou-o com cadeias de bronze e o levou para Babilônia, onde o conservou na prisão até o dia da sua morte.

**12** No quinto mês, no décimo dia do mês, no décimo nono ano do rei Nabucodonosor, rei de Babilônia, veio Nebuzaradã, comandante da guarda imperial, que assistia na presença do rei de Babilônia, a Jerusalém.

**13** Queimou a casa do Senhor, a casa do rei e todas as casas de Jerusalém. Incendiou todas as casas importantes.

**14** O exército dos caldeus, que estava com o comandante da guarda imperial, derrubou todos os muros que rodeavam Jerusalém.

**15** Os mais pobres do povo, a parte do povo que tinha ficado na cidade, os desertores que se haviam passado para o rei de Babilônia e o resto da multidão, Nebuzaradã, comandante da guarda, levou presos.

**16** Dos mais pobres da terra, porém, Nebuzaradã, comandante da guarda, deixou ficar alguns, para vinhateiros e lavradores.

**17** Quebraram os caldeus as colunas de bronze que estavam na casa do Senhor, as bases e o mar de bronze que estavam na casa do Senhor, e levaram todo o bronze para Babilônia.

**18** Também tomaram as caldeiras, as pás, os garfos, as bacias, os recipientes de incenso e todos os utensílios de bronze, com que se ministrava.

**19** O comandante da guarda imperial tomou os copos, os incensários, as bacias, as caldeiras, os castiçais, os recipientes de incenso e as taças, tudo o que fosse de ouro puro ou de prata.

**20** O bronze das duas colunas, do mar e dos doze bois de bronze, que estavam debaixo das bases, que fizera o rei Salomão para a casa do Senhor, era incalculável.

**21** Quanto às colunas, a altura de cada uma era de dezoito côvados, e doze côvados era a sua circunferência; era a sua espessura de quatro dedos, e era oca.

**22** Havia sobre ela um capitel de bronze; a altura de um capitel era de cinco côvados, com uma rede e romãs sobre o capitel ao redor, tudo de bronze. Semelhante a esta era a outra coluna, com as romãs.

**23** Havia noventa e seis romãs aos lados; as romãs todas, sobre a rede e ao redor, eram cem.

**24** Levou o comandante da guarda a Seraías, o principal sacerdote, e a Sofonias, o segundo sacerdote, e os três guardas da porta.

**25** Da cidade, levou o oficial que tinha a seu cargo a gente de guerra e a sete homens dos que viam a face do rei, que se acharam na cidade, como também ao escrivão-mor do exército, que registrava o povo da terra, e mais sessenta homens do povo da terra, que se achavam na cidade.

**26** Tomando-os Nebuzaradã, comandante da guarda, trouxe-os ao rei de Babilônia, a Ribla.

**27** O rei de Babilônia os feriu e os matou em Ribla, na terra de Hamate. Assim Judá foi levado da sua terra para o exílio.

**28** Este é o número do povo que Nabucodonosor levou cativo: no sétimo ano, três mil e vinte e três judeus;

**29** no décimo oitavo ano de Nabucodonosor levou ele cativas de Jerusalém oitocentas e trinta e duas pessoas;

**30** no vigésimo terceiro ano de Nabucodonosor, Nebuzaradã, comandante da guarda imperial, levou cativos dentre os judeus, setecentas e quarenta e cinco pessoas.

Todas as pessoas são quatro mil e seiscentas.

**31** No trigésimo sétimo ano do exílio de Joaquim, rei de Judá, no ano em que Evil-Merodaque começou a reinar em Babilônia, no dia vinte e cinco do décimo segundo mês, libertou do cárcere a Joaquim, rei de Judá. **32** Falou-lhe benignamente e pôs o seu trono acima do trono dos reis que estavam com ele em Babilônia. **33** Mudou-lhe as vestes do cárcere, e ele passou a comer pão na presença do rei todos os dias da sua vida. **34** O rei de Babilônia garantiu a sua subsistência de contínuo, dia após dia, todos os dias da sua vida, até o dia da sua morte.

# LAMENTAÇÕES

**1** Como jaz solitária a cidade
outrora tão populosa!
Tornou-se como viúva
a que foi grande entre as
nações!
A princesa entre as províncias
tornou-se escrava!
**2** Amargamente chora de noite,
e as suas lágrimas lhe correm
pelas faces.
Não há ninguém que a
console
entre todos os seus amantes.
Todos os seus amigos a
traíram
e se tornaram seus inimigos.
**3** Depois de sofrer aflição e dura
servidão,
Judá foi para o exílio.
Habita entre as nações;
não acha descanso.
Todos os seus perseguidores
a alcançaram nas suas
angústias.
**4** Os caminhos de Sião pranteiam,
pois não há quem venha à
reunião solene.
Todas as suas portas estão
desoladas;
os seus sacerdotes gemem,
as suas virgens estão tristes,
e ela mesma tem amargura.
**5** Os seus adversários a
dominaram;
os seus inimigos
prosperam.
O Senhor a entristeceu,
por causa da multidão dos
seus pecados.
Os seus filhos foram para o
exílio,
cativos na frente do
adversário.
**6** Da filha de Sião foi-se todo o
esplendor.
Os seus príncipes são como
cervos que não
acham pasto,
e sem força fogem na frente
do perseguidor.
**7** Nos dias da sua aflição
e das suas rebeliões,
lembra-se Jerusalém de
todas as suas mais
queridas coisas,
que teve nos tempos antigos.
Quando o seu povo caiu nas
mãos do adversário,
ela não teve quem a
socorresse.
Os seus adversários a viram
e zombaram da sua
destruição.
**8** Jerusalém gravemente pecou,
por isso se fez imunda.
Todos os que a honravam
agora a desprezam,
pois viram a sua nudez;
ela própria geme e volta
para trás.
**9** A sua impureza pegou-se às
suas saias;
ela não pensou no seu futuro.
Foi espantosa a sua queda;
não houve quem a
consolasse.
Vê, ó Senhor, a minha aflição,
pois o inimigo triunfou.
**10** Estendeu o adversário a sua
mão
a todas as coisas mais
preciosas dela;
ela viu entrar no seu
santuário
as nações que proibiste
entrar na tua congregação.

11 Todo o seu povo anda gemendo,
   buscando o pão;
 dão as suas coisas mais preciosas
   a troco de mantimento para restaurar as forças.
 Vê, ó Senhor, e contempla,
   pois sou desprezado.
12 Não vos comove isto a todos vós
   que passais pelo caminho?
 Olhai ao redor, e vede se há dor igual à minha dor,
 que veio sobre mim,
   com que me entristeceu o Senhor
 no dia do furor da sua ira.
13 Do alto enviou fogo a meus ossos,
   o qual se assenhoreou deles.
 Estendeu uma rede
   aos meus pés,
 fez-me voltar para trás,
 tornou-me desolada e enferma o dia todo.
14 Ele fez um jugo com os meus pecados;
   estão entretecidos,
 subiram sobre o meu pescoço,
   e ele abateu a minha força.
 Entregou-me o Senhor nas mãos daqueles
 aos quais não posso resistir.
15 O Senhor rejeitou todos os meus valentes que estavam comigo;
   convocou contra mim um ajuntamento,
     para quebrantar os meus jovens.
 O Senhor pisou como num lagar
   a virgem filha de Judá.
16 Por estas coisas choro,
 e os meus olhos se desfazem em águas.
 Afastou-se de mim o consolador
 que devia restaurar o meu espírito.
 Os meus filhos estão desolados,
 porque o inimigo prevaleceu.
17 Sião estende as suas mãos,
   mas não há quem a console.
 O Senhor decretou acerca de Jacó
   que fossem inimigos
 os que estão em redor dele;
   Jerusalém é para eles como coisa imunda.
18 Justo é o Senhor,
   contudo me rebelei contra os seus mandamentos.
 Ouvi, todos os povos; vede a minha dor.
 As minhas virgens e os meus jovens
 foram levados para o exílio.
19 Chamei os meus aliados,
   mas eles me enganaram.
 Os meus sacerdotes e os meus anciãos
 pereceram na cidade,
 enquanto buscavam para si mantimento,
 para restaurar as suas forças.
20 Olha, ó Senhor, quanto estou angustiada!
   Turbadas estão as minhas entranhas,
 o meu coração está transtornado dentro em mim,
 pois gravemente me rebelei.
 Fora me desfilha a espada;
 dentro de mim há somente a morte.
21 Ouviram o meu gemido,
   mas não há quem me console.

Todos os meus inimigos souberam do meu mal; alegram-se com o que fizeste.
Em trazendo tu, porém, o dia que anunciaste, eles se tornarão semelhantes a mim.
22 Venha toda a sua iniquidade à tua presença; faze-lhes como fizeste a mim por causa de todos os meus pecados.
Os meus gemidos são muitos, e o meu coração está desfalecido.

2 Como cobriu o Senhor de nuvens, na sua ira, a filha de Sião!
Derrubou do céu à terra a glória de Israel, e não se lembrou do estrado de seus pés no dia da sua ira.
2 Devorou o Senhor todas as moradas de Jacó e não se apiedou; derrubou no seu furor as fortalezas da filha de Judá.
Abateu até a terra o seu reino e os seus líderes.
3 Cortou no furor da sua ira toda a força de Israel.
Retirou a sua destra de diante do inimigo.
Ardeu em Jacó como labareda de fogo que a tudo consome em redor.
4 Entesou o seu arco como inimigo, firmou a sua destra como adversário e matou todo o que era formoso à vista; derramou a sua indignação como fogo na tenda da filha de Sião.
5 Tornou-se o Senhor como inimigo; devorou Israel, devorou a todos os seus palácios e destruiu as suas fortalezas.
Multiplicou na filha de Judá a lamentação e a tristeza.
6 Arrancou a sua morada com violência, como se fosse um jardim; destruiu a sua congregação.
O Senhor em Sião pôs em esquecimento as festas e o sábado; na indignação da sua ira rejeitou com desprezo o rei e o sacerdote.
7 Rejeitou o Senhor o seu altar e abandonou o seu santuário.
Entregou nas mãos do inimigo os muros dos seus palácios; deram gritos na casa do Senhor, como em dia de festa.
8 Decidiu o Senhor destruir o muro da filha de Sião.
Estendeu a trena e não retirou a sua mão destruidora.
Fez gemer o antemuro e o muro; juntos se enfraqueceram.
9 As suas portas afundaram-se na terra; ele destruiu e quebrou as suas trancas.
O seu rei e os seus líderes estão entre as nações onde já não há lei, e os seus profetas já não recebem visão alguma do Senhor.

# Lamentações 2

10 Os anciãos da filha de Sião
estão sentados na terra,
silenciosos;
lançam pó sobre as suas
cabeças,
cingidos de pano de saco.
As virgens de Jerusalém
abaixaram a cabeça até a
terra.

11 Consomem-se os meus olhos
com lágrimas,
turbadas estão as minhas
entranhas;
o meu fígado se derrama pela
terra por causa da
destruição da filha do
meu povo,
pois desfalecem os meninos
e as crianças de peito pelas
ruas da cidade.

12 Dizem a suas mães:
Onde há trigo e vinho?
Enquanto isso, desfalecem
como o ferido
pelas ruas da cidade,
derramando-se a sua alma
nos braços
de suas mães.

13 Que posso dizer-te?
A quem te compararei,
ó filha de Jerusalém?
A quem te assemelharei,
para te consolar,
ó virgem filha de Sião?
Grande como o mar é a tua
ferida.
Quem te poderá curar?

14 Os teus profetas viram para
ti falsidade e insensatez;
não manifestaram o teu pecado,
para afastarem o teu exílio.
Os oráculos que te deram
eram falsos e vãos.

15 Todos os que passam pelo
caminho batem palmas,
assobiam e meneiam a
cabeça
sobre a filha de Jerusalém,
dizendo:
É esta a cidade que era
chamada
a perfeição da formosura,
a alegria de toda a terra?

16 Todos os teus inimigos
abrem a boca contra ti;
assobiam, rangem os dentes e
dizem:
Nós a devoramos.
Certamente este é o dia que
esperávamos;
achamo-lo, vimo-lo.

17 O Senhor fez o que intentou;
cumpriu a sua palavra,
que decretou desde os dias
da antiguidade.
Derrubou e não se apiedou;
fez que o inimigo se
alegrasse por tua causa,
exaltou o poder dos teus
adversários.

18 O coração do povo clama ao
Senhor:
Ó muralha da filha de Sião,
corram as tuas lágrimas
como um ribeiro,
de dia e de noite;
não te dês descanso, nem
parem de chorar
as meninas de teus olhos.

19 Levanta-te, clama de noite
no princípio das vigílias;
derrama o teu coração
como águas diante da face
do Senhor.
Levanta a ele as tuas mãos
em favor de teus filhos
que desfalecem de fome à
entrada de todas as ruas.

20 Vê, ó Senhor, e considera:
A quem fizeste assim?
Deverão as mulheres comer
seus próprios filhos,
as crianças que trazem nos
braços?

Ou o sacerdote e o profeta
deverão ser
assassinados no santuário
do Senhor?
21 Jazem em terra pelas ruas o
moço e o velho;
as minhas virgens e os meus
jovens caíram à espada.
Tu os mataste no dia da tua
ira;
tu os degolaste e não te
apiedaste deles.
22 Convocaste de toda parte
terrores contra mim,
como convocas um dia de
festa.
No dia da ira do Senhor,
não houve quem escapasse
ou sobrevivesse;
aqueles que eu trouxe nas
mãos e sustentei,
o meu inimigo os destruiu.

**3** Eu sou o homem que viu a aflição
pela vara do seu furor.
2 Ele me levou e me fez andar
nas trevas, e não na luz.
3 Deveras ele volveu a sua
mão contra mim o dia todo.
4 Fez envelhecer a minha carne
e a minha pele,
e quebrou os meus ossos.
5 Levantou trincheiras contra mim
e me cercou de amargura e
trabalho.
6 Fez-me habitar em lugares
tenebrosos,
como os que estavam
mortos há muito.
7 Cercou-me com um muro, e
não posso sair;
agravou os meus grilhões.
8 Ainda quando clamo e grito,
ele exclui a minha oração.
9 Fechou os meus caminhos
com pedras lavradas,
fez tortuosas as minhas
veredas.

10 Como o urso de emboscada,
como o leão em esconderijos,
11 ele desviou os meus
caminhos,
fez-me em pedaços e me
deixou desolado.
12 Entesou o seu arco e me
pôs como alvo à flecha.
13 Fez entrar no meu coração
as flechas da sua aljava.
14 Fui feito um objeto de
vergonha para todo o meu
povo,
e a sua canção o dia todo.
15 Fartou-me de amarguras
e saciou-me de fel.
16 Quebrou com pedrinhas
de areia os meus dentes;
cobriu-me de cinza.
17 Fui privado de paz;
esqueci-me do que seja a
prosperidade.
18 Então eu disse: Pereceu a
minha força,
como também a minha
esperança no Senhor.
19 Lembra-te da minha aflição
e do meu pranto,
do pesar e da amargura.
20 Minha alma certamente se
lembra e se abate
dentro em mim.
21 Entretanto, disto me recordo,
e, portanto, tenho esperança:
22 As misericórdias do Senhor
são a causa de não sermos
consumidos,
pois as suas misericórdias
não têm fim.
23 Novas são a cada manhã;
grande é a tua fidelidade.
24 A minha porção é o Senhor,
diz a minha alma;
portanto esperarei nele.
25 Bom é o Senhor para os que
nele esperam,
para a alma que o busca.

## Lamentações 3

26 Bom é ter esperança
e aguardar em silêncio a
salvação do Senhor.
27 Bom é para o homem
suportar o jugo na sua
mocidade.
28 Assente-se solitário e fique
em silêncio,
porque Deus o pôs sobre ele.
29 Esconda o rosto no pó;
talvez ainda haja esperança.
30 Dê a sua face ao que o fere;
farte-se de afronta.
31 Pois o Senhor não rejeitará
para sempre.
32 Embora entristeça a alguém,
usará de compaixão
segundo a grandeza das
suas misericórdias.
33 Pois não aflige nem
entristece
de bom grado aos filhos dos
homens.
34 Pisar debaixo dos pés
a todos os presos da terra,
35 perverter o direito do
homem
perante a face do Altíssimo,
36 privar o homem de justiça,
não o veria o Senhor?
37 Quem é aquele que diz, e
assim acontece,
quando o Senhor não o
mande?
38 Não é da boca do Altíssimo
que saem o mal e o bem?
39 De que se queixa o homem
vivente?
Queixe-se cada um dos seus
pecados.
40 Examinemos os nossos
*caminhos*,
experimentemo-los,
e voltemos para o Senhor.
41 Levantemos o nosso coração
e as nossas mãos para Deus
nos céus, dizendo:
42 Nós pecamos e fomos
rebeldes,
e tu não nos perdoaste.
43 Cobriste-nos de ira e nos
perseguiste;
mataste, não perdoaste.
44 Cobriste-te de nuvens,
de modo que a nossa oração
não passa.
45 Como cisco e refugo
nos puseste no meio dos
povos.
46 Todos os nossos inimigos
abriram a boca contra nós.
47 Temor e cova vieram sobre
nós, ruína e destruição.
48 Torrentes de águas correm
dos meus olhos,
por causa da destruição da
filha do meu povo.
49 Os meus olhos choram
sem parar,
sem descanso,
50 até que o Senhor atente e
veja desde os céus.
51 O que eu vejo entristece a
minha alma,
por causa de todas as filhas
da minha cidade.
52 Como ave me caçaram
os que são meus inimigos
sem motivo.
53 Tentaram acabar com
a minha vida na cova
e lançaram pedras sobre
mim;
54 as águas correram sobre a
minha cabeça,
e eu disse: Estou perdido.
55 Invoquei o teu nome, ó
Senhor,
desde a mais profunda
cova.
56 Ouviste a minha voz:
Não escondas o teu ouvido ao
meu gemido,
ao meu clamor.

57 Tu te aproximaste no dia em
que te invoquei
e disseste: Não temas.
58 Pleiteaste, Senhor, os pleitos
da minha alma,
remiste a minha vida.
59 Viste, ó Senhor, a injustiça
que me fizeram.
Julga a minha causa!
60 Viste a profundeza da sua
vingança,
todos os seus pensamentos
contra mim.
61 Ouviste as suas afrontas,
Senhor,
todos os seus pensamentos
contra mim;
62 os lábios e os pensamentos
dos que se levantam
contra mim o dia todo.
63 Contempla-os! Sentados ou
de pé,
eu sou a sua canção.
64 Tu lhes darás a recompensa,
ó Senhor,
conforme a obra das suas
mãos.
65 Põe um véu sobre o seu
coração,
seja a tua maldição sobre
eles.
66 Persegue-os na tua ira,
e destrói-os debaixo dos céus
do Senhor.

**4** Como se escureceu o ouro,
como se mudou o ouro fino
e bom!
As pedras do santuário estão
espalhadas
pelas esquinas de todas as
ruas!
2 Os preciosos filhos de Sião,
comparáveis a puro ouro,
como são agora
reputados por objetos de
barro,
obra das mãos do oleiro!
3 Até os chacais abaixam o
peito
e dão de mamar aos seus
filhos,
mas a filha do meu povo
tornou-se cruel
como os avestruzes no
deserto.
4 A língua do que mama fica
pegada pela sede ao céu da
boca;
os meninos pedem pão,
mas ninguém lhes dá.
5 Os que comiam iguarias
delicadas desfalecem nas ruas.
Os que se criaram entre
escarlata
abraçam os monturos.
6 Maior é a maldade da filha
do meu povo do que o
pecado de Sodoma,
que foi subvertida num
momento,
sem que mão alguma lhe
ajudasse.
7 Os seus príncipes eram
mais alvos do que a neve,
eram mais brancos do que
o leite,
eram mais ruivos de corpo do
que o coral,
e a sua aparência como a
safira.
8 Agora, porém, escureceu-se
o seu parecer mais do que a
fuligem;
não são reconhecidos nas
ruas.
A sua pele se lhes pegou aos
ossos;
secou-se, tornou-se como
um pau.
9 Os mortos à espada são mais
ditosos
do que os mortos pela fome;
estes se esgotam como
trespassados,

por falta dos frutos dos campos.
10 As mãos das mulheres piedosas
cozinharam seus próprios filhos,
que lhe serviram de alimento
na destruição da filha do meu povo.
11 Deu o Senhor vazão ao seu furor;
derramou o ardor da sua ira
e acendeu fogo em Sião,
que consumiu os seus fundamentos.
12 Não creram os reis da terra, nem todos os moradores do mundo,
que o adversário e o inimigo pudesse entrar
pelas portas de Jerusalém.
13 Isso, porém, aconteceu por causa dos pecados dos profetas
e das maldades dos seus sacerdotes,
que derramaram o sangue dos justos no meio dela.
14 Agora vagueiam como cegos pelas ruas.
Estão tão contaminados de sangue que ninguém ousa tocar
nas suas roupas.
15 Desviai-vos! Imundo! gritavam-lhes.
Desviai-vos! Desviai-vos! Não nos toqueis!
Quando fogem e vagueiam, dizem entre as nações:
Nunca mais morem aqui.
16 A ira do Senhor os dividiu; ele nunca mais tornará a olhar para eles.
Não honraram a face dos sacerdotes,
nem se compadeceram dos velhos.
17 Os nossos olhos desfaleceram,
esperando em vão por socorro;
das nossas torres olhamos para uma nação
que não podia salvar.
18 Espreitaram os nossos passos, de maneira que
não podíamos andar pelas nossas ruas.
Estava chegando o nosso fim, estavam cumpridos os nossos dias,
pois era chegado o nosso fim.
19 Os nossos perseguidores foram mais ligeiros
do que as aves dos céus;
sobre os montes nos perseguiram,
no deserto nos armaram ciladas.
20 O fôlego da nossa vida, o ungido do Senhor,
foi preso nas armadilhas deles. Dele dizíamos:
Debaixo da sua sombra viveremos entre as nações.
21 Regozija-te e alegra-te, ó filha de Edom,
que habitas na terra de Uz.
O cálice, porém, chegará também para ti;
tu embebedarás, e te descobrirás.
22 O castigo da tua maldade está consumado, ó filha de Sião;
ele nunca mais te levará para o exílio.
Ele punirá a tua maldade, ó filha de Edom;
exporá os teus pecados.

**5** Lembra-te, ó Senhor, do que nos sucedeu;

considera e olha para a
nossa humilhação.
2 A nossa herança passou a
estranhos,
e as nossas casas a
estrangeiros.
3 Órfãos somos sem pai,
nossas mães são como viúvas.
4 A nossa água por dinheiro a
bebemos,
por preço vem a nossa
lenha.
5 Os nossos perseguidores
estão sobre os nossos
pescoços;
estamos cansados e não
temos descanso.
6 Submetemo-nos aos egípcios
e à Assíria,
para nos fartarem de pão.
7 Nossos pais pecaram e já não
existem,
e nós levamos as suas
maldades.
8 Servos dominam sobre nós,
e ninguém há que nos
arranque das suas mãos.
9 Com perigo de nossa vida
obtemos o nosso pão,
por causa da espada do
deserto.
10 Nossa pele está abrasada
como um forno,
por causa do ardor da fome.
11 Forçaram as mulheres em
Sião;
e as virgens, nas cidades
de Judá.
12 Com as suas mãos
enforcaram os líderes;
os velhos não
receberam honra.
13 Os jovens são obrigados
a trabalhar no moinho;
os meninos tropeçam
debaixo das cargas de lenha.
14 Os velhos já não se assentam
na porta,
os jovens já não cantam.
15 Cessou a alegria de nosso
coração,
converteu-se em
lamentação a nossa
dança.
16 Caiu a coroa da nossa
cabeça.
Ai de nós, pois pecamos.
17 Por isto desmaiou o nosso
coração;
por isto se escureceram os
nossos olhos.
18 Pelo monte de Sião, que está
assolado,
andam as raposas.
19 Tu, ó Senhor, reinas
eternamente,
e o teu trono subsiste de
geração em geração.
20 Por que sempre te esqueces
de nós?
Por que nos desamparas
por tanto tempo?
21 Restaura-nos, ó Senhor, a ti,
para que retornemos;
renova os nossos dias como
dantes,
22 a menos que nos tenhas
rejeitado totalmente
e estejas sobremaneira
irado contra nós.

# EZEQUIEL

## Os seres viventes e a glória do Senhor

**1** No trigésimo ano, no quarto mês, no quinto dia do mês, estando eu no meio dos cativos junto ao rio Quebar, abriram-se os céus, e eu vi visões de Deus.
**2** No quinto dia do mês, no quinto ano do exílio do rei Joaquim,
**3** veio expressamente a palavra do Senhor a Ezequiel, filho de Buzi, o sacerdote, na terra dos caldeus, junto ao rio Quebar, e ali esteve sobre ele a mão do Senhor.
**4** Olhei e vi um vento tempestuoso que vinha do norte, e uma grande nuvem, com um fogo que emitia labaredas de contínuo, e um resplendor ao redor dela. O centro do fogo tinha a aparência do brilho de metal,
**5** e do meio do fogo saía a semelhança de quatro seres viventes. Esta era a sua aparência: tinham a semelhança de homem;
**6** cada um tinha quatro rostos, como também cada um deles quatro asas.
**7** As suas pernas eram direitas, e as plantas dos seus pés como a planta do pé de um bezerro, que luziam como o brilho de bronze polido.
**8** Tinham mãos de homem debaixo das suas asas, aos quatro lados; assim todos os quatro tinham seus rostos e suas asas,
**9** e as suas asas uniam-se uma à outra. Não se viravam quando andavam; cada qual andava para adiante de si.
**10** A semelhança dos seus rostos era como o rosto de homem, e à mão direita os quatro tinham rosto de leão, e à esquerda tinham rosto de boi; também os quatro tinham rosto de águia.
**11** Assim eram os seus rostos. As suas asas se estendiam para cima; cada qual tinha duas asas unidas uma à outra, e duas cobriam os corpos deles.
**12** Cada qual andava para diante de si. Para onde o espírito havia de ir, iam; não se viravam quando andavam.
**13** Quanto à semelhança dos seres viventes, o seu parecer era como brasas de fogo ardentes, como uma aparência de tochas. Fogo corria por entre os seres viventes; resplandecia, e dele saíam relâmpagos.
**14** Os seres viventes corriam, saindo e voltando à semelhança de um raio.
**15** Ao olhar para os seres viventes, vi que havia uma roda na terra junto a eles, uma para cada um dos seus quatro rostos.
**16** O aspecto das rodas e sua estrutura tinham o brilho do berilo. Tinham as quatro a mesma aparência; era o seu aspecto e a sua estrutura, como se estivera uma roda no meio de outra roda.
**17** Andando elas, iam em qualquer das quatro direções, sem se virar quando andavam.
**18** Estas rodas eram altas e formidáveis; as quatro tinham os seus aros cheios de olhos ao redor.
**19** Andando os seres viventes, andavam as rodas ao lado deles; elevando-se os seres viventes da terra, elevavam-se também as rodas.

**20** Para onde o espírito queria ir, iam; as rodas se elevavam em frente deles, porque o espírito da criatura vivente estava nas rodas.
**21** Andando eles, andavam elas, e, parando eles, paravam elas e, elevando-se eles da terra, elevavam-se também as rodas em frente deles, porque o espírito dos seres viventes estava nas rodas.
**22** Sobre a cabeça dos seres viventes havia uma semelhança de firmamento, brilhante como o cristal, estendido por cima, sobre a sua cabeça.
**23** Debaixo do firmamento estavam as suas asas direitas, uma em direção à outra; cada um tinha duas asas que lhe cobriam o corpo de um lado, e cada um tinha outras duas, que os cobriam do outro lado.
**24** Ouvi o ruído das suas asas enquanto andavam, como o ruído de muitas águas, como a voz do Onipotente; era o estrondo como de um exército. Parando eles, abaixavam as suas asas.
**25** Ouviu-se uma voz por cima do firmamento, que estava por cima das suas cabeças; parando eles, abaixavam as suas asas.
**26** Por cima do firmamento, que estava por cima das suas cabeças, havia uma semelhança de trono, como a aparência de uma safira; sobre a semelhança do trono havia *como* que a semelhança de um homem no alto, sobre ele.
**27** Vi como o brilho de um metal, como o aspecto do fogo pelo interior dele, desde a semelhança dos seus lombos, e daí para cima; desde a semelhança dos seus lombos, e daí para baixo, vi como a semelhança de fogo, e havia um resplendor ao redor dele.
**28** Como o aspecto do arco que aparece na nuvem no dia de chuva, assim era o aspecto do resplendor em redor. Este era o aspecto da semelhança da glória do Senhor; vendo isso, caí com o rosto em terra e ouvi a voz de quem falava.

### A vocação de Ezequiel

**2** Ele me disse: Filho do homem, põe-te em pé, e falarei contigo.
**2** Então entrou em mim o Espírito, quando falava comigo e me pôs em pé, e ouvi o que me falava.
**3** Ele me disse: Filho do homem, eu te envio aos filhos de Israel, às nações rebeldes que se rebelaram contra mim; eles e seus pais se revoltaram contra mim, até este mesmo dia.
**4** Os filhos são rebeldes e obstinados de coração; eu te envio a eles, e lhes dirás: Assim diz o Senhor Deus.
**5** E eles, quer ouçam quer deixem de ouvir, pois são nação rebelde, hão de saber que esteve no meio deles um profeta.
**6** E tu, ó filho do homem, não os temas nem temas as suas palavras. Não temas ainda que sarças e espinhos te cerquem, e tu habites com escorpiões, não temas as suas palavras, nem te assustes com os seus rostos, porque são nação rebelde.
**7** E tu, porém, lhes dirás as minhas palavras, quer ouçam quer deixem de ouvir, pois são rebeldes.
**8** Quanto a ti, porém, ó filho do homem, ouve o que eu te digo, não sejas rebelde como a nação rebelde; abre a tua boca e come o que eu te dou.
**9** Então olhei, e vi uma mão que se estendia para mim. Nela estava um rolo.

10 Estendeu-o diante de mim, e ele estava escrito por dentro e por fora; nele se achavam escritas lamentações, suspiros e ais.

**3** E ele me disse: Filho do homem, come o que achares, come este rolo; então vai e fala à nação de Israel.
2 Abri a boca, e ele me deu a comer o rolo.
3 Então me disse: Filho do homem, dá de comer ao teu ventre e enche o teu estômago deste rolo que eu te dou. Eu o comi, e era na minha boca doce como o mel.
4 Ele então me disse: Filho do homem, vai à nação de Israel e dize-lhe as minhas palavras.
5 Tu não és enviado a um povo de fala estranha e de língua difícil, mas à nação de Israel;
6 não irá a muitos povos de fala estranha, e de língua difícil, cujas palavras não possas entender. Certamente se eu aos tais te enviara, eles te dariam ouvidos.
7 A nação de Israel, porém, não te quererá dar ouvidos porque não me querem dar ouvidos, pois toda a nação de Israel é obstinada e rebelde.
8 Fiz, porém, duro o teu rosto contra o rosto deles, e forte a tua testa contra a testa deles.
9 Fiz como diamante a tua testa, mais forte do que a pederneira; não os temas nem te assombres com os seus semblantes, embora sejam nação rebelde.
10 Disse-me mais: Filho do homem, ponha no teu coração todas *as minhas palavras* que te hei de dizer; ouve-as com os teus ouvidos.
11 Agora vai ter com os do exílio, aos filhos do teu povo, fala com eles, dize-lhes: Assim diz o Senhor Deus, quer ouçam quer deixem de ouvir.
12 Então o Espírito me levantou, e ouvi por detrás de mim uma voz de grande estrondo, que dizia: Bendita seja a glória do Senhor, desde o seu lugar.
13 Ouvi o barulho das asas dos seres viventes, que tocavam umas nas outras, e o barulho das rodas em frente deles, e o sonido de um grande estrondo.
14 Então o Espírito me levantou e me levou; eu me fui, amargurado, na indignação do meu espírito, mas a mão do Senhor era forte sobre mim.
15 Vim aos do exílio que moravam em Tel-Abibe, junto ao rio Quebar. E por sete dias assentei-me ali, no meio deles, atônito.

### Advertência a Israel

16 Ao fim de sete dias, veio a mim a palavra do Senhor:
17 Filho do homem, eu te dei por sentinela sobre a nação de Israel; tu da minha boca ouvirás a palavra, e os avisarás da minha parte.
18 Quando eu disser ao ímpio: Certamente morrerás; não o avisando tu, não falando para avisar o ímpio acerca do seu caminho ímpio, para salvar a sua vida, aquele ímpio morrerá na sua maldade, mas o seu sangue da tua mão o requererei.
19 Se, porém, avisares o ímpio, e ele não se converter da sua impiedade e do seu caminho ímpio, ele morrerá na sua maldade, mas tu salvaste a tua alma.
20 Semelhantemente, quando o justo se desviar da sua justiça e fizer maldade, e eu puser diante dele um tropeço, ele morrerá. Visto que não o avisaste, no seu

pecado morrerá, e as suas justiças que tiver praticado não serão lembradas, mas o seu sangue da tua mão o requererei.
21 Avisando, porém, tu o justo, para que ele não peque, e ele não pecar, certamente viverá, porque foi avisado, e tu salvaste a tua alma.
22 A mão do Senhor estava sobre mim ali, e ele me disse: Levanta-te e sai ao vale, e ali falarei contigo.
23 Levantei-me e saí ao vale. E a glória do Senhor estava ali, como a glória que vi junto ao rio Quebar, e caí sobre o meu rosto.
24 Então entrou em mim o Espírito e me pôs em pé. Ele falou comigo, dizendo: Entra, encerra-te dentro da tua casa.
25 Ó filho do homem, eles te amarrarão com cordas, de modo que não possas sair do meio deles.
26 Eu farei que a tua língua se pegue ao teu paladar, para que fiques mudo e não lhes possa repreender, embora sejam nação rebelde.
27 Quando, porém, eu falar contigo, abrirei a tua boca, e lhes dirás: Assim diz o Senhor: Quem ouvir ouça, e quem deixar de ouvir, deixe; pois são nação rebelde.

## O símbolo do cerco de Jerusalém

**4** Agora, ó filho do homem, toma um tijolo, põe-no diante de ti e desenha nele a cidade de Jerusalém.
2 Põe contra ela um cerco e edifica contra ela uma fortificação, levanta contra ela uma tranqueira e põe contra ela acampamentos e põe-lhe aríetes em redor.
3 Pega também uma panela de ferro; e põe-na por muro de ferro entre ti e a cidade e dirige para ela o teu rosto. Assim será cercada, e a cercarás. Isso servirá de sinal à nação de Israel.
4 Deita-te também sobre o teu lado esquerdo e põe a maldade da nação de Israel sobre ele. Conforme o número dos dias que te deitares sobre ele, levarás as suas maldades.
5 Eu te designei o mesmo número de dias que os anos da sua maldade. De sorte que durante trezentos e noventa dias levarás a maldade da nação de Israel.
6 Quando tiveres cumprido esses dias, tornarás a deitar sobre o teu lado direito e levarás a maldade da nação de Judá quarenta dias; um dia te dei para cada ano.
7 Dirigirás o teu rosto para o cerco de Jerusalém, com o teu braço descoberto, e profetizarás contra ela.
8 Eu porei sobre ti cordas para que não te voltes de um lado para outro, até que cumpras os dias do teu cerco.
9 Pegue trigo, cevada, favas, lentilhas, milho, aveia e coloca-os numa vasilha e faze deles pão; conforme o número dos dias que te deitares sobre o teu lado, trezentos e noventa dias, comerás dele.
10 A tua comida, que hás de comer, será por peso, vinte siclos cada dia; de tempo em tempo a comerás.
11 Também beberás a água por medida, a sexta parte de um him; de tempo em tempo a beberás.
12 O que comeres será como bolos de cevada; asse-os sobre o esterco humano, diante dos olhos deles.
13 Disse o Senhor: Assim comerão os filhos de Israel o seu pão imundo, entre as nações, para onde serão lançados.
14 Então disse eu: Ah! Senhor, Senhor! A minha alma nunca

foi contaminada. Jamais comi coisa morta ou despedaçada, desde a minha juventude até agora. Jamais carne abominável entrou na minha boca.

15 Disse-me: Vê, eu te darei esterco de vacas, em lugar de esterco humano; sobre ele prepararás o teu pão.

16 Então me disse: Filho do homem, eu torno instável o sustento de pão em Jerusalém. Comerão o pão por peso e, com ansiedade, beberão a água por medida e com espanto,

17 até que lhes falte o pão e a água. Eles se espantarão uns com os outros e se definharão nas suas maldades.

**5** Tu, ó filho do homem, pega uma faca afiada; como navalha de barbeiro a usarás, raspando com ela a tua cabeça e tua barba. Então tomarás uma balança e repartirás os cabelos.

2 A terça parte queimarás no fogo, no meio da cidade, quando se cumprirem os dias do cerco. Então tomarás outra terça parte e a ferirás com uma espada ao redor dela. A outra terça parte espalharás ao vento. Pois desembainharei a espada atrás deles.

3 Apanharás, porém, deles um pequeno número e os atarás nas abas da tua veste.

4 Destes ainda tomarás alguns e os lançarás no fogo, para queimá-los; dali sairá um fogo contra toda a nação de Israel.

5 Assim diz o Senhor Deus: Esta é Jerusalém, *que coloquei no meio* das nações e terras que estão ao redor dela.

6 Ela, porém, se rebelou contra os meus juízos mais do que as nações, e contra os meus estatutos mais do que as terras que estão ao redor dela. Ela rejeitou os meus juízos e não andou nos meus preceitos.

7 Portanto, assim diz o Senhor Deus: Porque multiplicastes as vossas maldades mais do que as nações que estão ao redor de vós, nos meus estatutos não andastes, não guardastes os meus juízos e tampouco procedestes segundo os juízos das nações que estão ao redor de vós;

8 portanto, assim diz o Senhor Deus: Eu estou contra ti; executarei juízos no meio de ti aos olhos das nações.

9 Farei em ti o que nunca fiz nem jamais tornarei a fazer, por causa de todas as tuas abominações.

10 Portanto, os pais comerão a seus filhos no meio de ti, e os filhos comerão a seus pais; executarei em ti juízos e espalharei todo o remanescente aos ventos.

11 Portanto, tão certo como eu vivo, diz o Senhor Deus, porque profanaste o meu santuário com todas as tuas coisas detestáveis e com todas as tuas abominações, eu te diminuirei; não te perdoarei nem terei piedade de ti.

12 Uma terça parte de ti morrerá da peste e se consumirá de fome no meio de ti; outra terça parte cairá à espada em redor de ti; e a outra terça parte espalharei aos ventos, e desembainharei a espada atrás dela.

13 Assim se cumprirá a minha ira, diminuirá o meu furor contra eles, e me consolarei; saberão que sou eu, o Senhor, que falei no meu zelo, quando cumprir neles o meu furor.

14 Farei de ti ruína e objeto de desprezo entre as nações que estão ao teu redor, à vista de todos os que passarem.

**15** Tu serás um objeto de vergonha e zombaria, uma advertência e um objeto de horror às nações que estão ao teu redor, quando eu executar em ti juízos com ira, com furor e com furiosos castigos. Eu, o Senhor, falei.

**16** Quando eu enviar as malignas flechas da fome contra eles, flechas para a destruição, as quais eu mandarei para vos destruir, então aumentarei a fome sobre vós e vos tirarei o sustento de pão.

**17** Enviarei sobre vós fome e feras que te desfilharão; a peste e o sangue passarão por ti, e trarei a espada sobre ti. Eu, o Senhor, falei.

### Profecia contra os montes de Israel

**6** Veio a mim a palavra do Senhor: **2** Filho do homem, volta o teu rosto para os montes de Israel; profetiza contra eles,

**3** dizendo: Montes de Israel, ouvi a palavra do Senhor Deus: Assim diz o Senhor Deus aos montes, aos outeiros, aos ribeiros e aos vales: Eu trarei a espada sobre vós e destruirei os vossos altos.

**4** Serão desolados os vossos altares e quebrados os vossos altares de incenso; e lançarei os vossos mortos diante dos vossos ídolos.

**5** Porei os cadáveres dos filhos de Israel diante dos seus ídolos; espalharei os vossos ossos ao redor dos vossos altares.

**6** Em todos os vossos lugares habitáveis as cidades serão destruídas, e os altos, assolados, para que os vossos altares sejam destruídos e assolados, e os vossos ídolos se quebrem e cessem, e os vossos altares de incenso sejam cortados, e desfeitas as vossas obras.

**7** Os mortos cairão no meio de vós, para que saibais que eu sou o Senhor.

**8** Deixarei, porém, um resto, pois alguns escaparão da espada, quando fordes espalhados pelas terras e nações.

**9** Então se lembrarão de mim os que de vós escaparem entre as nações para onde foram levados em exílio; quanto me quebrantei por causa do seu coração corrompido, que se desviou de mim, e por causa dos seus olhos, que se andaram corrompendo após os seus ídolos. Terão nojo de si mesmos por causa das maldades que fizeram em todas as suas abominações.

**10** E saberão que eu, o Senhor, não disse em vão que lhes faria esse mal.

**11** Assim diz o Senhor Deus: Bate com a mão, e bate com o pé, e dize: Ah! por causa de todas as terríveis abominações da nação de Israel! pois cairão à espada, de fome e de peste.

**12** O que estiver longe morrerá de peste, e o que estiver perto cairá à espada, e o que ficar de resto e cercado morrerá de fome. Assim cumprirei o meu furor contra eles.

**13** Então sabereis que eu sou o Senhor, quando estiverem os seus mortos estendidos no meio dos seus ídolos, ao redor dos seus altares, em todo o outeiro alto, em todos os cumes dos montes, debaixo de toda árvore frondosa, debaixo de todo carvalho espesso, lugares onde ofereciam suave perfume a todos os seus ídolos.

**14** Estenderei a minha mão sobre eles e farei que a terra se torne desolada e deserta em todas as suas habitações, desde o deserto de Dibla; então saberão que eu sou o Senhor.

### O fim vem!

**7** Veio a mim a palavra do Senhor: 2 Filho do homem, assim diz o Senhor Deus acerca da terra de Israel: O fim! O fim vem sobre os quatro cantos da terra.
3 Agora vem o fim sobre ti, e enviarei sobre ti a minha ira. Eu te julgarei conforme os teus caminhos e trarei sobre ti todas as tuas abominações.
4 Não te pouparei nem terei piedade de ti, mas porei sobre ti os teus caminhos, e as tuas abominações estarão no meio de ti. Então sabereis que eu sou o Senhor.
5 Assim diz o Senhor Deus: O mal! Mal sobre mal, eis que vem.
6 Vem o fim, o fim vem, despertou-se contra ti; eis que vem.
7 Vem a tua ruína, ó habitante da terra. Vem o tempo; chegado é o dia da turbação, e não da alegria, sobre os montes.
8 Depressa derramarei o meu furor sobre ti, e cumprirei a minha ira contra ti, e te julgarei conforme os teus caminhos, e porei sobre ti todas as tuas abominações.
9 Não te pouparei nem terei piedade; conforme os teus caminhos, assim te punirei, e as tuas abominações estarão no meio de ti. Então sabereis que eu, o Senhor, castigo.
10 Eis o dia! Eis que vem! Veio a tua ruína, já floresceu a vara, reverdeceu a soberba!
11 A violência se levantou em vara de impiedade; nada restará deles, ninguém da sua multidão, nada dos seus bens. Não haverá lamentação por eles.
12 Vem o tempo, é chegado o dia. O que compra não se alegre, e o que vende não se entristeça, pois a ira ardente está sobre toda a multidão deles.
13 O que vende não tornará a possuir o que vendeu, ainda que esteja entre os viventes, pois a visão não tornará para trás sobre toda a sua multidão. Por causa da sua iniquidade, ninguém conservará a sua vida.
14 Já tocaram a trombeta e tudo prepararam, mas não há quem vá à peleja, pois sobre toda a sua multidão está a minha ardente ira.
15 Fora está a espada, dentro estão a peste e a fome; o que estiver no campo morrerá à espada, e o que estiver na cidade a fome e a peste o consumirão.
16 Se escaparem alguns sobreviventes, estarão pelos montes, como pombas dos vales, todos gemendo, cada um por causa da sua maldade.
17 Todas as mãos se enfraquecerão, e todos os joelhos destilarão águas.
18 Eles se cobrirão de pano de saco, e o temor os cobrirá; sobre todos os rostos haverá vergonha, e sobre todas as cabeças, calvície.
19 A sua prata lançarão pelas ruas, e o seu ouro será como imundícia. A sua prata e o seu ouro não os poderá livrar no dia do furor do Senhor. Eles não poderão saciar a sua fome e encher o seu estômago, porque serviram de tropeço da sua maldade.
20 Tinham orgulho das suas joias preciosas, e as usaram para fazer seus ídolos detestáveis e suas imagens de abominações. Por isso, eu as farei para eles como coisas imundas.
21 Eu a entregarei nas mãos dos estranhos por presa, e aos ímpios

da terra por despojo, e a profanarão.
**22** Desviarei deles o meu rosto, e profanarão o meu lugar oculto; entrarão nele saqueadores e o profanarão.
**23** Faze uma cadeia, porque a terra está cheia de crimes de sangue e a cidade está cheia de violência.
**24** Farei vir os piores de entre as nações, e possuirão as suas casas; farei cessar a arrogância dos valentes, e os seus lugares santos serão profanados.
**25** Vem a destruição; eles buscarão a paz, mas não haverá nenhuma.
**26** Miséria sobre miséria virá, e se levantará rumor sobre rumor. Buscarão do profeta uma visão; do sacerdote perecerá a lei e dos anciãos o conselho.
**27** O rei se lamentará, o príncipe se vestirá de desespero, e as mãos do povo da terra tremerão. Conforme o seu caminho lhes farei, e com os seus próprios juízos os julgarei. Então saberão que eu sou o Senhor.

### A idolatria no santuário

**8** No sexto ano, no sexto mês, no quinto dia do mês, estando eu assentado na minha casa, e os anciãos de Judá assentados diante de mim, ali a mão do Senhor Deus caiu sobre mim.
**2** Olhei e vi uma semelhança como *aparência de fogo*; desde os seus lombos, e para baixo, era fogo e dos seus lombos para cima como aspecto de resplendor, como o brilho de metal.
**3** Estendeu a forma de uma mão e me tomou pelos cabelos da cabeça; o Espírito me levantou entre a terra e o céu e me trouxe a Jerusalém em visões de Deus, até a entrada da porta do pátio de dentro, que olha para o norte, onde estava colocada a imagem que provoca ciúme.
**4** E a glória do Deus de Israel estava ali, conforme a semelhança que eu tinha visto no vale.
**5** Então ele me disse: Filho do homem, levanta agora os teus olhos para o caminho do norte. Levantei os meus olhos para o caminho do norte e vi que do lado do norte, à porta do altar, estava esta imagem de ciúmes, à entrada.
**6** E ele me disse: Filho do homem, vês tu o que eles estão fazendo? As grandes abominações que a nação de Israel faz aqui, a fim de afastar-me do meu santuário? Pois verás ainda maiores abominações.
**7** Então ele me levou à porta do átrio; olhei e vi um buraco na parede.
**8** Ele me disse: Filho do homem, cava agora naquela parede. Cavei na parede e vi uma porta.
**9** Então me disse: Entra e vê as terríveis abominações que eles fazem aqui.
**10** Entrei e vi toda forma de répteis, de animais abomináveis e de todos os ídolos da nação de Israel, pintados na parede em redor.
**11** Setenta homens dos anciãos da nação de Israel, com Jaazanias, filho de Safã, que se achava no meio deles, estavam em pé diante das pinturas. Cada um tinha na mão o seu incensário, e subia uma espessa nuvem de incenso.
**12** Então me disse: Viste, filho do homem, o que os anciãos da nação de Israel fazem nas trevas, cada um nas suas câmaras pintadas de imagens? E eles dizem: O Senhor não nos vê; o Senhor abandonou a terra.

13 De novo, ele me disse: Tornarás a ver ainda maiores abominações do que as que estes fazem.

14 Então ele me levou à entrada da porta da casa do Senhor, que está do lado do norte, e vi ali mulheres assentadas chorando por Tamuz.

15 Ele me disse: Viste, filho do homem? Verás ainda abominações maiores do que estas.

16 Ele me levou ao átrio interior da casa do Senhor, e vi à entrada do templo do Senhor, entre o pórtico e o altar, cerca de vinte e cinco homens. De costas para o templo do Senhor e com os rostos para o Oriente, eles se prostravam diante do sol, virados para o Oriente.

17 Então me disse: Viste, filho do homem? É coisa de pouca importância para a casa de Judá o fazerem as abominações que fazem aqui? Devem ainda encher a terra de violência e continuamente provocar-me à ira? Ei-los a chegar o ramo ao seu nariz.

18 Pelo que também eu os tratarei com furor; não olharei com piedade para eles nem os pouparei. Ainda que me gritem aos ouvidos com grande voz, eu não os ouvirei.

## A morte dos idólatras

9 Então ouvi que gritava com grande voz: Trazei os intendentes da cidade, cada um com as suas armas destruidoras na mão.

2 E vi seis homens que vinham da direção da porta alta, que olha *para o norte, cada um com* as suas armas destruidoras na mão, e entre eles um homem vestido de linho, com um tinteiro de escrivão à cintura; entraram e se puseram junto ao altar de bronze.

3 A glória do Deus de Israel se levantou do querubim sobre o qual estava e foi até a entrada da casa. Então clamou o Senhor ao homem vestido de linho, que tinha o tinteiro de escrivão à cintura, 4 e lhe disse: Passa pelo meio da cidade, pelo meio de Jerusalém, e marca com um sinal as testas dos homens que suspiram e gemem por causa de todas as abominações que se cometem no meio dela.

5 Enquanto eu escutava, ele disse: Passai pela cidade após ele e feri, não tenha dó, nem piedade. 6 Matai velhos, jovens, virgens, meninos e mulheres, até exterminá-los, mas a todo homem que tiver o sinal não vos chegueis. Começai pelo meu santuário. E começaram pelos homens mais velhos que estavam diante da casa.

7 Então ele lhes disse: Contaminai o templo, e enchei os átrios de mortos. Ide! E foram e puseram-se a ferir a cidade.

8 Havendo-os eles ferido, e ficando eu de resto, caí sobre a minha face e clamei, dizendo: Ah! Senhor Deus! Destruirás todo o restante de Israel, derramando a tua indignação sobre Jerusalém?

9 Ele me respondeu: A maldade da nação de Israel e de Judá é grandíssima, e a terra se encheu de sangue, e a cidade se encheu de perversidade. Eles dizem: O Senhor deixou a terra; o Senhor não vê. 10 Também quanto a mim, não olharei para eles com piedade nem me compadecerei, mas sobre a cabeça deles farei recair o seu caminho.

11 Então o homem que estava vestido de linho, em cuja cintura estava o tinteiro, tornou com

a resposta, dizendo: Fiz como me mandaste.

## A glória retira-se do templo

**10** Olhei e vi, no firmamento que estava por cima da cabeça dos querubins, aparecer sobre eles uma como pedra de safira, semelhante em forma a um trono.

2 Disse o Senhor ao homem vestido de linho: Vai por entre as rodas, até debaixo do querubim, e enche as tuas mãos de brasas acesas dentre os querubins e espalha-as sobre a cidade. Ele entrou à minha vista.

3 Os querubins estavam ao lado direito do templo, quando entrou o homem, e uma nuvem encheu o átrio interior.

4 Então se levantou a glória do Senhor de sobre o querubim e foi para a entrada do templo. Encheu-se o templo de uma nuvem, e o átrio se encheu do resplendor da glória do Senhor.

5 O ruído das asas dos querubins se ouvia no átrio exterior, como a voz do Deus todo-poderoso, quando fala.

6 Dando ele ordem ao homem vestido de linho: Toma fogo dentre as rodas, dentre os querubins, ele entrou e se pôs junto às rodas.

7 Então um querubim estendeu a sua mão de entre os querubins para o fogo que estava entre eles; tomou dele e o pôs nas mãos do que estava vestido de linho, o qual o tomou e saiu.

8 Apareceu nos querubins uma semelhança de mão de homem debaixo das suas asas.

9 Então olhei e vi quatro rodas junto aos querubins, uma roda junto a um querubim, e outra roda junto a outro querubim; o aspecto das rodas era como o brilho do berilo.

10 Quanto ao seu aspecto, as quatro tinham uma mesma semelhança, como se estivera uma roda dentro de outra roda.

11 Andando eles, andavam elas pelos seus quatro lados; não se viravam quando andavam, mas para o lugar para onde olhava a cabeça, para esse andavam. Não se viravam quando andavam.

12 Todo o seu corpo, e as suas costas, e as suas mãos, e as suas asas, e as rodas, as rodas que os quatro tinham, estavam cheias de olhos em redor.

13 Quanto às rodas, ouvi que foram chamadas giradoras.

14 Cada um dos seres viventes tinha quatro rostos; o rosto do primeiro era rosto de querubim, o rosto do segundo era rosto de homem, o do terceiro era rosto de leão e do quarto, rosto de águia.

15 Os querubins se elevaram ao alto. São estes os mesmos seres viventes que vi junto ao rio Quebar.

16 Andando os querubins, andavam as rodas juntamente com eles; levantando os querubins as suas asas, para se elevarem de sobre a terra, também as rodas não se separavam deles.

17 Parando eles, paravam elas; elevando-se eles, elevavam-se elas, porque o espírito de vida estava nelas.

18 Então saiu a glória do Senhor da entrada do templo, e parou sobre os querubins.

19 Os querubins alçaram as suas asas e se elevaram da terra à minha vista quando saíram acompanhados pelas rodas; pararam à entrada da porta oriental do templo

do Senhor, e a glória do Deus de Israel estava no alto, sobre eles.
20 São estes os seres viventes que vi debaixo do Deus de Israel, junto ao rio Quebar, e percebi que eram querubins.
21 Cada um tinha quatro rostos e cada um quatro asas, e a semelhança de mãos de homem debaixo das suas asas.
22 A semelhança dos seus rostos era a dos rostos que eu tinha visto junto ao rio Quebar; tinham o mesmo aspecto, eram os mesmos seres. Cada um andava em linha reta para frente.

### O juízo dos chefes de Israel

**11** Então o Espírito me levantou e me levou à porta oriental do templo do Senhor, que olha para o Oriente. Vinte e cinco homens estavam à entrada da porta, e no meio deles vi a Jaazanias, filho de Azur, e a Pelatias, filho de Benaia, chefes do povo.
2 Disse-me o Senhor: Filho do homem, estes são os homens que maquinam a iniquidade e dão ímpio conselho nesta cidade.
3 Eles dizem: Não está próximo o tempo de construir casas; esta cidade é a panela, e nós a carne.
4 Portanto, profetiza contra eles; profetiza, ó filho do homem.
5 Então o Espírito do Senhor caiu sobre mim e disse-me: Fala: Assim diz o Senhor: Assim tendes dito, ó nação de Israel, mas conheço as coisas que vos entram na mente.
6 Multiplicastes os vossos mortos nesta cidade, enchestes as suas ruas de mortos.
7 Portanto, assim diz o Senhor Deus: Vossos mortos, que deitastes no meio dela, são a carne, e ela é a panela; a vós, porém, vos tirarei do meio dela.
8 Temestes a espada, a espada trarei sobre vós, diz o Senhor Deus.
9 E vos farei sair do meio dela e vos entregarei na mão de estrangeiros; executarei os meus juízos entre vós.
10 Caireis à espada, e nos confins de Israel vos julgarei. Então sabereis que eu sou o Senhor.
11 Esta cidade não vos servirá de panela, nem vós servireis de carne no meio dela; nos confins de Israel vos julgarei.
12 E sabereis que eu sou o Senhor, pois nos meus estatutos não andastes, nem executastes os meus juízos; antes fizestes conforme os juízos das nações que estão em redor de vós.
13 Ora, profetizando eu, morreu Pelatias, filho de Benaia. Então caí sobre o meu rosto e clamei com grande voz: Ah! Senhor Deus! Darás tu fim ao resto de Israel?
14 Então veio a mim a palavra do Senhor:
15 Filho do homem, teus irmãos, os teus próprios irmãos, os homens de teu parentesco e toda a nação de Israel, todos eles são aqueles a quem os habitantes de Jerusalém disseram: Apartai-vos para longe do Senhor; esta terra se nos deu em possessão.
16 Portanto, dize: Assim diz o Senhor Deus: Ainda que os tenha lançado para longe entre as nações, e ainda que os tenha espalhado pelas terras, todavia lhes servirei de santuário, por um pouco de tempo, nas terras para onde foram.
17 Portanto, dize: Assim diz o Senhor Deus: Eu vos ajuntarei do meio dos povos, vos recolherei

das terras para onde fostes lançados e vos darei a terra de Israel.
18 Virão ali e tirarão dela todas as suas coisas detestáveis e todas as suas abominações.
19 Então eu lhes darei um mesmo coração e um espírito novo porei dentro deles; tirarei da sua carne o coração de pedra e lhes darei um coração de carne,
20 para que andem nos meus estatutos, guardem os meus juízos e os executem; eles serão o meu povo, e eu serei o seu Deus.
21 Quanto, porém, àqueles cujo coração andar após os seus ídolos detestáveis e as suas abominações, eu farei recair nas suas cabeças o seu caminho, diz o Senhor Deus.
22 Então os querubins elevaram as suas asas, e as rodas os acompanhavam; a glória do Deus de Israel estava no alto, sobre eles.
23 A glória do Senhor se alçou desde o meio da cidade e se pôs sobre o monte que está ao oriente da cidade.
24 Depois o Espírito me levantou e me levou em visão, dada pelo Espírito de Deus, à Caldeia, para os do exílio. Então se foi de mim a visão que eu tinha visto,
25 e falei aos do exílio todas as coisas que o Senhor me tinha mostrado.

### O símbolo do exílio

**12** Veio a mim a palavra do Senhor:
2 Filho do homem, tu habitas no meio da nação rebelde, que tem olhos para ver e não vê, tem ouvidos para ouvir e não ouve, pois é nação rebelde.
3 Tu, pois, ó filho do homem, prepara a bagagem de exílio, e de dia sai, à vista deles, para o exílio; do teu lugar mudarás para outro lugar à vista deles. Bem pode ser que reparem nisso, ainda que eles sejam nação rebelde.
4 À vista deles tirarás para fora, de dia, os teus pertences, como para mudança; então tu sairás de tarde à vista deles, como quem vai para o exílio.
5 Faze para ti, à vista deles, um buraco na parede e sai por ali.
6 À vista deles aos ombros levarás os teus pertences, e às escuras os tirarás, e cobrirás o teu rosto, para que não vejas a terra, pois te dei por sinal à nação de Israel.
7 Fiz assim, como se me deu ordem: os meus pertences tirei para fora de dia, como para o exílio. Então à tarde com as mãos abri para mim um buraco na parede; às escuras eu saí, e aos ombros transportei a bagagem à vista deles.
8 Veio a mim a palavra do Senhor, pela manhã:
9 Filho do homem, não te perguntou a nação de Israel, aquela nação rebelde: Que fazes tu?
10 Dize-lhes: Assim diz o Senhor Deus: Este oráculo refere-se ao príncipe em Jerusalém e a toda a nação de Israel, que está no meio dela.
11 Dize: Eu sou o vosso sinal: Assim como eu fiz, assim se lhes fará a eles; irão cativos para o exílio.
12 O príncipe que está no meio deles levará aos ombros e às escuras os pertences e sairá; ele fará um buraco na parede e sairá por ele. O seu rosto cobrirá, para que com os seus olhos não veja a terra.
13 Também estenderei a minha rede sobre ele, e será apanhado no meu laço; eu o levarei para

Babilônia, para a terra dos caldeus, mas ele não a verá, ainda que ali venha a morrer.

14 Todos os que estiverem ao redor dele para seu socorro e todas as suas tropas espalharei aos ventos; desembainharei a espada atrás deles.

15 Assim saberão que eu sou o Senhor, quando eu os dispersar entre as nações e os espalhar pelas terras.

16 Deles, porém, pouparei alguns poucos da espada, da fome e da peste para que contem todas as suas abominações entre as nações para onde forem. Então saberão que eu sou o Senhor.

17 Veio a mim a palavra do Senhor:

18 Filho do homem, o teu pão comerás com tremor, e a tua água beberás com estremecimento e com receio,

19 e dirás ao povo da terra: Assim diz o Senhor Deus acerca dos habitantes de Jerusalém, na terra de Israel: O seu pão comerão com receio, e a sua água beberão com susto, pois a sua terra será roubada de sua abundância, por causa da violência de todos os que nela habitam.

20 As cidades habitadas serão devastadas, e a terra se tornará em desolação. Então sabereis que eu sou o Senhor.

21 Veio ainda a mim a palavra do Senhor:

22 Filho do homem, que provérbio é este que vós tendes na terra de Israel: Passam-se os dias, e perece toda a visão?

23 Portanto, dize-lhes: Assim diz o Senhor Deus: Farei cessar este provérbio, e não se servirão mais dele em Israel. Dize-lhes: Estão próximos os dias em que toda visão será cumprida.

24 Pois não haverá mais visão falsa, nem adivinhação lisonjeira, no meio da nação de Israel.

25 Eu, porém, o Senhor, falarei, e a palavra que eu falar se cumprirá sem demora. Pois em vossos dias, ó nação rebelde, falarei uma palavra e a cumprirei, diz o Senhor Deus.

26 Veio a mim a palavra do Senhor:

27 Filho do homem, os da nação de Israel dizem: A visão que este vê é para muitos dias, e ele profetiza de tempos que estão longe.

28 Portanto dize-lhes: Assim diz o Senhor Deus: Não sofrerá mais demora nenhuma das minhas palavras; a palavra que falei se cumprirá, diz o Senhor Deus.

## A condenação dos profetas falsos

**13** Veio a mim a palavra do Senhor:

2 Filho do homem, profetiza contra os profetas de Israel que agora estão profetizando. Dize aos que só profetizam o que vê o seu coração: Ouvi a palavra do Senhor:

3 Assim diz o Senhor Deus: Ai dos profetas loucos, que seguem o seu próprio espírito e coisas que não viram!

4 Os teus profetas, ó Israel, são como raposas nos desertos.

5 Não subistes às brechas, nem fizestes muros para a nação de Israel, para que ela permaneça firme na peleja no dia do Senhor.

6 Viram vaidade e adivinhação mentirosa os que dizem: O Senhor diz, quando o Senhor não os enviou; contudo esperam o cumprimento da palavra.

7 Não tivestes visão falsa e não falastes adivinhação mentirosa quando dissestes: O Senhor diz, quando eu tal não falei?

**8** Portanto, assim diz o Senhor Deus: Como falais falsidade e tendes visão mentirosa, eu sou contra vós, diz o Senhor Deus.
**9** A minha mão será contra os profetas que têm visões falsas e que adivinham mentira; na congregação do meu povo não estarão, nem serão inscritos nos registros da nação de Israel, nem entrarão na terra de Israel. Então sabereis que eu sou o Senhor Deus.
**10** Visto que andam enganando o meu povo, dizendo: Paz, não havendo paz, e, quando se edifica a parede, rebocam-na de argamassa fraca, **11** portanto dize aos que a rebocam de argamassa fraca que ela cairá. Haverá uma chuva torrencial, e grandes pedras de saraiva cairão, e um vento tempestuoso a fenderá.
**12** Caindo a parede, não vos perguntarão: Onde está o reboco de que a rebocastes?
**13** Por isso, assim diz o Senhor Deus: Um vento tempestuoso a fenderá no meu furor, e uma chuva torrencial haverá na minha ira, e grandes pedras de saraiva na minha indignação, para a consumir.
**14** Derrubarei a parede que rebocastes de argamassa fraca e a derrubarei por terra; o seu fundamento se descobrirá. Quando ela cair, perecereis no meio dela, e sabereis que eu sou o Senhor.
**15** Assim cumprirei o meu furor contra a parede e contra os que a rebocam de argamassa fraca, e vos direi: A parede já não existe, nem aqueles que a rebocaram, **16** aqueles profetas de Israel que profetizaram de Jerusalém e tiveram visão de paz para ela, não havendo paz, diz o Senhor Deus.

**17** Quanto a ti, ó filho do homem, volta o teu rosto contra as filhas do teu povo, que profetizam de seu coração, profetiza contra elas, **18** e dize: Assim diz o Senhor Deus: Ai das que costuram pulseiras mágicas para todos os braços e que fazem véus de diferentes comprimentos para suas cabeças, a fim de caçarem as almas! Caçareis as almas do meu povo mas preservareis as vossas próprias?
**19** E vós me profanastes entre o meu povo em troca de punhados de cevada e pedaços de pão, para matardes as almas que não haviam de morrer e para guardardes vivas as almas que não haviam de viver, mentindo assim ao meu povo que escuta mentiras.
**20** Por isso, assim diz o Senhor Deus: Aí vou eu contra as vossas pulseiras mágicas, com que vós ali caçais as almas como aves, e as arrancarei de vossos braços; soltarei as almas que vós caçais como aves.
**21** Rasgarei os vossos véus e livrarei o meu povo das vossas mãos; nunca mais estará ao vosso alcance para ser caçado. Então sabereis que eu sou o Senhor.
**22** Visto que entristecestes o coração do justo com falsidade, não o havendo eu entristecido, e fortalecestes as mãos do ímpio, para que não se desviasse do seu mau caminho e vivesse, **23** não tereis visões falsas nem mais fareis adivinhações. Eu livrarei o meu povo das vossas mãos. E então sabereis que eu sou o Senhor.

### A condenação dos idólatras

**14** Vieram a mim alguns homens dos anciãos de Israel e se assentaram diante de mim.

2 Então veio a mim a palavra do Senhor:
3 Filho do homem, estes homens levantaram os seus ídolos no coração, e o tropeço da sua maldade puseram diante da sua face. Devo eu de alguma maneira ser interrogado por eles?
4 Ora, dize-lhes: Assim diz o Senhor Deus: Qualquer homem da nação de Israel que levantar os seus ídolos no seu coração, puser o tropeço da sua maldade diante da sua face e vier ao profeta, eu, o Senhor, vindo ele, lhe responderei conforme a multidão dos seus ídolos.
5 Farei isso para que possa apanhar a nação de Israel no seu próprio coração, porque todos se apartaram de mim para seguirem os seus ídolos.
6 Por isso, dize à nação de Israel: Assim diz o Senhor Deus: Convertei-vos! Deixai os vossos ídolos e desviai os vossos rostos de todas as vossas abominações.
7 Quando qualquer homem da nação de Israel, ou dos estrangeiros que peregrinam em Israel, se separar de mim e levantar os seus ídolos no seu coração, puser o tropeço da sua maldade diante do seu rosto e vier ao profeta, para me consultar por meio dele, a esse, eu, o Senhor, responderei por mim mesmo.
8 Porei o meu rosto contra o tal homem e o farei um espanto, um sinal e um provérbio. Eu o arrancarei do meio do meu povo. Então sabereis que eu sou o Senhor.
9 E, *se o profeta for enganado* e falar alguma coisa, eu, o Senhor, persuadirei esse profeta, estenderei a minha mão contra ele e o destruirei do meio do meu povo Israel.
10 Levarão a sua culpa: o profeta será tão culpado quanto aquele que o consulta.
11 Então a nação de Israel não se desviará mais de mim nem se contaminará mais com todas as suas transgressões. Eles serão o meu povo, e eu serei o seu Deus, diz o Senhor Deus.

### O juízo é inevitável

12 Veio a mim a palavra do Senhor:
13 Filho do homem, quando uma terra pecar contra mim, sendo infiel, então estenderei a minha mão contra ela e tornarei instável o sustento do pão, e enviarei contra ela fome, e arrancarei dela homens e animais;
14 ainda que estivessem no meio dela estes três homens: Noé, Daniel e Jó, eles pela sua justiça livrariam apenas a sua vida, diz o Senhor Deus.
15 Se eu enviar pela terra animais selvagens, e eles a assolarem, e ela ficar desolada de sorte que ninguém possa passar por ela por causa dos animais,
16 ainda que esses três homens estivessem no meio dela, tão certo como eu vivo, diz o Senhor Deus, nem a filhos nem a filhas livrariam. Só eles ficariam livres; a terra, porém, seria assolada.
17 Ou, se eu trouxer a espada contra tal terra e disser: Espada, passa pela terra; e eu arrancar dela homens e animais,
18 ainda que esses três homens estivessem nela, tão certo como eu vivo, diz o Senhor Deus, nem filhos nem filhas livrariam. Só eles ficariam livres.
19 Ou se eu enviar a peste sobre a tal terra e derramar o meu furor sobre ela com sangue, para arrancar dela homens e animais,

20 ainda que Noé, Daniel e Jó estivessem no meio dela, tão certo como eu vivo, diz o Senhor Deus, nem filho nem filha eles livrariam. Eles só livrariam a sua própria vida pela sua justiça.
21 Pois assim diz o Senhor Deus: Quanto pior será se eu enviar os meus quatro maus juízos: a espada, a fome, os animais selvagens e a peste contra Jerusalém, para exterminar dela homens e animais?
22 Alguns, porém, restarão nela, os quais serão levados para fora, assim filhos como filhas. Eles virão a vós, e, quando virdes o seu caminho e os seus feitos, ficareis consolados do mal que eu trouxe sobre Jerusalém e de tudo o que trouxe sobre ela.
23 Sereis consolados quando virdes o seu caminho e os seus feitos, pois sabereis que não fiz sem razão tudo o que fiz nela, diz o Senhor Deus.

### Jerusalém, uma videira inútil

**15** Veio a mim a palavra do Senhor:
2 Filho do homem, em que é o pau da videira melhor que qualquer outra árvore do bosque?
3 Toma-se dele madeira para fazer alguma obra? Ou toma-se dele alguma estaca, para se lhe pendurar algum traste?
4 E depois que é lançado no fogo, para ser consumido, ambas as suas extremidades consome o fogo, e o meio dele fica também queimado; serviria, pois, para alguma obra?
5 Se quando estava inteiro não servia para obra alguma, quanto menos estando consumido ou carbonizado pelo fogo, se faria dele qualquer obra?

6 Portanto, assim diz o Senhor Deus: Como a videira entre as árvores do bosque, que entreguei ao fogo para que seja consumida, assim entregarei os habitantes de Jerusalém.
7 Porei a minha face contra eles. Embora possam sair do fogo, o fogo ainda os consumirá. E, quando eu tiver posto a minha face contra eles, sabereis que eu sou o Senhor.
8 Tornarei a terra em desolação, porque foram infiéis, diz o Senhor Deus.

### Alegoria da Jerusalém infiel

**16** Veio a mim a palavra do Senhor:
2 Filho do homem, faze conhecer a Jerusalém as suas abominações
3 e dize: Assim diz o Senhor Deus a Jerusalém: A tua origem e o teu nascimento procedem da terra dos cananeus; teu pai era amorreu e a tua mãe heteia.
4 Quanto ao teu nascimento, no dia em que nasceste não te foi cortado o umbigo, nem foste lavada com água, para tua purificação; tampouco foste esfregada com sal nem envolta em faixas.
5 Não se compadeceu de ti olho algum, para te fazer alguma dessas coisas; antes foste lançada em pleno campo, pelo nojo de ti, no dia em que tu nasceste.
6 Passando eu por ti, vi-te banhada no teu sangue e te disse: Ainda que estejas no teu sangue, vive; sim, disse-te: Ainda que estejas no teu sangue, vive.
7 Eu te fiz multiplicar como o renovo do campo, e cresceste e te engrandeceste, e alcançaste grande formosura. Formaram-se os teus seios e cresceu o teu

cabelo; contudo estavas nua e descoberta.

**8** Passando eu por ti, olhei e vi que o teu tempo era tempo de amores; estendi sobre ti as abas do meu manto e cobri a tua nudez. Dei-te juramento e entrei em aliança contigo, diz o Senhor Deus, e tu ficaste sendo minha.

**9** Então te lavei com água, te enxuguei do teu sangue e te ungi com óleo.

**10** Eu te vesti de roupas bordadas e te calcei com peles de animais marinhos, e te cingi de linho fino e te cobri de seda.

**11** Eu te adornei com enfeites, pus braceletes em tuas mãos e um colar no teu pescoço,

**12** e te pus uma joia na testa, pendentes nas orelhas e uma linda coroa na cabeça.

**13** Assim foste adornada com ouro e prata; o teu vestido foi de linho fino, e de seda e de bordados. Nutriste-te de flor de farinha, de mel e óleo; foste formosa em extremo e próspera, até chegares a ser rainha.

**14** Correu a tua fama entre as nações, por causa da tua formosura, pois era perfeita, por causa da minha glória que eu tinha posto sobre ti, diz o Senhor Deus.

**15** Confiaste na tua formosura, porém, e te corrompeste por causa da tua fama; derramaste as tuas prostituições a todo o que passava, para seres dele.

**16** Tomaste dos teus vestidos e fizeste lugares altos adornados *de diversas cores, e te prostituíste* sobre eles. Tais coisas não deviam ter acontecido nem hão de novamente acontecer.

**17** Tomaste as tuas joias de enfeite, que eu te dei do meu ouro e da minha prata, e fizeste imagens de homens e te prostituíste com elas.

**18** E tomaste os teus vestidos bordados e as cobriste; o meu óleo e o meu perfume puseste diante delas.

**19** O meu pão que te dei, a flor de farinha, o óleo e o mel, com que eu te sustentava, também puseste diante delas em aroma suave. Foi isso o que aconteceu, diz o Senhor Deus.

**20** Além disso, tomaste teus filhos e tuas filhas, que por mim geraras, e os sacrificaste a elas, para serem consumidos. Acaso é pequena a tua prostituição?

**21** Mataste meus filhos e os entregaste a elas para os fazerem passar pelo fogo.

**22** Em todas as tuas abominações, nas tuas prostituições, não te lembraste dos dias da tua juventude, quando estavas nua e descoberta, e banhada no teu sangue.

**23** Ai, ai de ti! diz o Senhor Deus. Além de toda a tua maldade,

**24** edificaste uma câmara abobadada, e fizeste lugares altos por todas as ruas.

**25** A cada canto do caminho edificaste o teu lugar alto e fizeste abominável a tua formosura; alargaste os teus pés a todo o que passava e multiplicaste as tuas prostituições.

**26** Também te prostituíste com os filhos do Egito, teus vizinhos, grandemente carnais, e multiplicaste a tua prostituição, provocando-me à ira.

**27** Pelo que estendi a minha mão contra ti e diminuí o teu território; entreguei-te à vontade das que te odeiam, às filhas dos filisteus, as quais se envergonhavam do teu caminho depravado.

**28** Também te prostituíste com os filhos da Assíria, porque eras insaciável; prostituindo-te com eles, nem ainda assim te fartaste, **29** antes multiplicaste as tuas prostituições até no país dos comerciantes, a Caldeia, e ainda com isso não te fartaste.
**30** Quão fraco é o teu coração, diz o Senhor Deus, fazendo tu todas essas coisas, obra de meretriz descarada!
**31** Edificando a tua câmara abobadada no canto de cada caminho, e fazendo o teu lugar alto em cada rua, não foste sequer como a meretriz, pois desprezaste a paga.
**32** Foste como a mulher adúltera que, em lugar de seu marido, recebe os estranhos.
**33** A todas as meretrizes se dá paga, mas tu dás presentes a todos os teus amantes, subornando-os para que venham a ti de todas as partes, pelas tuas prostituições.
**34** Assim que contigo sucede o contrário de outras mulheres nas tuas prostituições, pois após ti não andam para prostituição; porque tu dás o pagamento e nada recebe.
**35** Portanto, ó meretriz, ouve a palavra do Senhor.
**36** Assim diz o Senhor Deus: Visto que se derramou o teu dinheiro e se descobriu a tua nudez nas tuas prostituições com os teus amantes, como também com todos os ídolos *das tuas abominações*, e no sangue de teus filhos que lhes deste,
**37** eu ajuntarei todos os teus amantes, com os quais te misturaste, como também todos os que amaste, com todos os que aborreceste, eu os ajuntarei contra ti em redor e descobrirei a tua nudez diante deles, para que vejam toda a tua nudez.
**38** Eu te julgarei como são julgadas as adúlteras e as que derramam sangue; te entregarei ao sangue de furor e de ciúme.
**39** Eu te entregarei nas suas mãos, e eles derrubarão a tua câmara abobadada e os teus altos lugares; te despirão dos teus vestidos, e tomarão as tuas joias de enfeite e te deixarão nua e descoberta.
**40** Então farão subir contra ti um ajuntamento, te apedrejarão com pedras e te trespassarão com as suas espadas.
**41** Destruirão as tuas casas a fogo e executarão juízos contra ti, aos olhos de muitas mulheres. Darei fim às tuas prostituições, e paga não darás mais aos teus amantes.
**42** Assim o meu furor diminuirá, e os meus ciúmes se desviarão de ti; também me aquietarei e nunca mais me indignarei.
**43** Visto que não te lembraste dos dias da tua juventude e me provocaste à ira com tudo isso, eu certamente farei recair o teu caminho sobre a tua cabeça, diz o Senhor Deus. Não acrescentaste esta infidelidade a todas as tuas abominações?
**44** Todo o que usa de provérbios usará contra ti este provérbio, dizendo: Qual a mãe, tal é a sua filha.
**45** És tu a filha de tua mãe, que tinha nojo de seu marido e de seus filhos; tu és a irmã de tuas irmãs, que tinham nojo de seus maridos e de seus filhos. Vossa mãe foi heteia, e vosso pai, amorreu.
**46** Tua irmã mais velha é Samaria, ela e suas filhas, que habitam à tua esquerda; tua irmã mais nova que habita à tua mão direita, é Sodoma e suas filhas.
**47** Todavia não andaste nos seus caminhos nem fizeste conforme

as suas abominações, mas, como se isso fosse muito pouco, ainda te corrompeste mais do que elas, em todos os teus caminhos.
**48** Tão certo como eu vivo, diz o Senhor Deus, não fez Sodoma, tua irmã, ela e suas filhas, como fizeste tu e tuas filhas.
**49** Ora, foi esta a maldade de Sodoma, tua irmã: soberba, fartura de pão e abundância de ociosidade teve ela e suas filhas; mas nunca amparou o pobre e o necessitado.
**50** Elas se ensoberbeceram e fizeram abominação diante de mim; pelo que, ao ver isso, tirei-as do seu lugar.
**51** Samaria não cometeu metade de teus pecados. Multiplicaste as tuas abominações mais do que elas, e justificaste a tuas irmãs, com todas as abominações que fizeste.
**52** Sofre a tua vergonha, tu que julgaste a tuas irmãs, pelos teus pecados, que cometeste mais abomináveis do que os delas; mais justas são do que tu. Envergonha-te logo também e sofre a tua vergonha, pois justificaste a tuas irmãs.
**53** Todavia, farei voltar os cativos delas; os cativos de Sodoma e suas filhas, os cativos de Samaria e suas filhas, e os cativos do teu exílio entre elas,
**54** para que sofras a tua vergonha e sejas envergonhada por tudo o que fizeste, dando-lhes tu consolação.
**55** Quando tuas irmãs, Sodoma e suas filhas e Samaria e suas filhas tornarem ao seu primeiro estado, também tu e tuas filhas tornareis ao vosso primeiro estado.
**56** Nem mesmo Sodoma, tua irmã, foi mencionada pela tua boca, no dia das tuas soberbas,
**57** antes que se descobrisse a tua maldade, como no tempo do desprezo das filhas da Síria e de todos os que estão ao redor dela, as filhas dos filisteus, que te desprezam em redor.
**58** A tua perversidade e as tuas abominações tu levarás, diz o Senhor.
**59** Assim diz o Senhor Deus: Eu te farei como fizeste, tu que desprezaste o juramento, quebrantando a aliança.
**60** Contudo, eu me lembrarei da aliança que contigo fiz nos dias da tua juventude, e estabelecerei contigo uma aliança eterna.
**61** Então te lembrarás dos teus caminhos e te envergonharás quando receberes tuas irmãs mais velhas do que tu, com as mais novas do que tu. Eu as darei a ti por filhas, mas não pela tua aliança.
**62** Estabelecerei a minha aliança contigo, e saberás que eu sou o Senhor.
**63** Então quando eu te perdoar tudo o que fizeste, tu te lembrarás e te envergonharás e nunca mais abrirás a boca, por causa da tua vergonha, diz o Senhor Deus.

### Duas águias e uma videira

**17** Veio a mim a palavra do Senhor:
**2** Filho do homem, propõe uma alegoria e usa de uma parábola para com a nação de Israel,
**3** e dize: Assim diz o Senhor Deus: Uma grande águia, de grandes asas, de farta plumagem, cheia de penas de várias cores, veio ao Líbano e levou o mais alto ramo de um cedro.
**4** Arrancou a ponta mais alta dos seus ramos e a trouxe a uma terra de comércio, pondo-a na cidade de comerciantes.

5 Tomou da semente da terra e a lançou num campo fértil. Plantou-a como um salgueiro junto a muitas águas;
6 ela brotou e tornou-se uma videira muito larga, de pouca altura, virando-se para a águia os seus ramos, mas as suas raízes ficaram debaixo dela. Tornou-se uma videira produzindo ramos e brotos.
7 Houve ainda outra grande águia, de grandes asas, e cheia de penas. Esta videira lançou para ela as suas raízes e estendeu para ela os seus ramos, desde o lugar em que estava plantada, para que a regasse.
8 Em boa terra, à beira de muitas águas, estava ela plantada, para produzir ramos e dar fruto, para que fosse videira excelente.
9 Dize: Assim diz o Senhor Deus: Ela prosperará? Não lhe arrancará a águia as suas raízes e não cortará o seu fruto, para que se sequem todas as folhas de seus brotos? Não será necessário nem braço forte, nem muita gente, para arrancá-la pelas raízes.
10 Estando, porém, plantada, prosperará? Tocando-lhe o vento oriental, de todo não se secará? Desde o lugar em que estava plantada se secará.
11 Então veio a mim a palavra do Senhor:
12 Dize agora à nação rebelde: Não sabeis o que significam essas coisas? Dize: Veio o rei de Babilônia a Jerusalém e tomou o seu rei e os seus príncipes, e os levou consigo para Babilônia.
13 Então tomou um membro da família real e fez aliança com ele, sob juramento. E removeu os poderosos da terra,
14 para que o reino ficasse humilhado, e não tivesse condições de se levantar, embora, guardando a sua aliança, pudesse subsistir.
15 Ele, porém, se rebelou contra o rei da Babilônia, enviando os seus mensageiros ao Egito, para que lhe mandassem cavalos e muita gente. Prosperará ou escapará aquele que faz tais coisas? Ou quebrará a aliança e escapará?
16 Tão certo como eu vivo, diz o Senhor Deus, no lugar em que habita o rei que o fez reinar, cujo juramento desprezou e cuja aliança quebrou, sim, com ele no meio de Babilônia certamente morrerá.
17 Faraó, nem com grande exército, nem com uma companhia numerosa, lhe prestará ajuda em guerra, levantando tranqueiras e edificando baluartes, para destruir muitas vidas.
18 Ele desprezou o juramento, quebrantando a aliança. Porque desprezou o juramento e fez todas essas coisas, não escapará.
19 Portanto, assim diz o Senhor Deus: Tão certo como eu vivo, farei recair sobre a sua cabeça o meu juramento que quebrou.
20 Estenderei sobre ele a minha rede, e ele será apanhado no meu laço. Eu o levarei para Babilônia e ali entrarei em juízo com ele pela rebeldia com que se rebelou contra mim.
21 Todos os seus fugitivos, com todas as suas tropas, cairão à espada; os que restarem serão espalhados em todas as direções. Então sabereis que eu, o Senhor, o disse.
22 Assim diz o Senhor Deus: Também eu tomarei o topo do cedro e o plantarei; do principal dos seus renovos cortarei o mais tenro e o plantarei sobre um monte alto e sublime.

23 No monte alto de Israel o plantarei; ele produzirá ramos e dará fruto e se fará um cedro excelente. Habitarão debaixo dele aves de toda espécie; encontrarão abrigo à sombra dos seus ramos.
24 Assim saberão todas as árvores do campo que eu, o Senhor, abati a árvore alta, elevei a árvore baixa, sequei a árvore verde, e fiz reverdecer a árvore seca. Eu, o Senhor, o disse, e o farei.

### A alma que pecar, essa morrerá

**18** Veio a mim a palavra do Senhor:
2 Que queres dizer vós quando citam este provérbio acerca da terra de Israel:
Os pais comeram uvas verdes,
e os dentes dos filhos é que se embotaram?
3 Tão certo como eu vivo, diz o Senhor Deus, nunca mais direis este provérbio em Israel.
4 Pois todos são meus; tanto o pai, como o filho são meus. A alma que pecar, essa morrerá.
5 Sendo o homem justo
e fazendo juízo e justiça,
6 não comendo sobre os montes,
nem levantando os seus olhos
para os ídolos da nação de Israel,
nem contaminando a mulher do seu próximo,
nem se chegando à mulher na sua separação;
7 não oprimindo ninguém,
tornando ao devedor
o seu penhor,
*não roubando,*
dando o seu pão ao faminto
e cobrindo o nu com vestes;
8 não dando o seu dinheiro
à usura,
não recebendo demais,
desviando a sua mão
da injustiça
e fazendo verdadeiro juízo
entre homem e homem;
9 andando nos meus estatutos
e guardando os meus juízos,
para proceder segundo a verdade,
o tal justo certamente viverá,
diz o Senhor Deus.
10 Se ele gerar um filho ladrão,
derramador de sangue, que fizer a seu irmão qualquer uma destas coisas,
11 e não cumprir todos aqueles deveres,
mas antes comer sobre os montes
e contaminar a mulher de seu próximo,
12 oprimir o aflito e necessitado, praticar roubos,
não devolver o penhor,
levantar os olhos para os ídolos,
cometer abominação,
13 emprestar com usura e receber
mais do que emprestou, viverá?
Não viverá! Porque fez todas essas abominações, certamente será morto, e o seu sangue será sobre ele.
14 Se ele, porém, gerar um filho que veja todos os pecados que seu pai fez e, vendo-os, não cometer coisas semelhantes,
15 não comer carne sacrificada sobre os montes,
não levantar os olhos para os ídolos da casa de Israel,
não contaminar a mulher de seu próximo,
16 não oprimir ninguém,
não retiver o penhor, não roubar,

der o seu pão ao faminto, cobrir o nu com vestes, 17 desviar do aflito a sua mão, não receber usura nem mais do que emprestou, observar os meus juízos e andar nos meus estatutos — o tal não morrerá pela maldade de seu pai; certamente viverá.
18 Seu pai, porque praticou extorsão, roubou os bens do próximo e fez o que não era bom no meio de seu povo, morrerá pela sua própria maldade.
19 Contudo perguntais: Por que não levará o filho a maldade do pai? Porque o filho fez juízo e justiça, guardou todos os meus estatutos e os praticou; por isso, certamente viverá.
20 Aquele que pecar, esse morrerá. O filho não levará a maldade do pai, nem o pai levará a maldade do filho. A justiça do justo ficará sobre ele, e a impiedade do ímpio cairá sobre ele.
21 Se, porém, o ímpio se converter de todos os seus pecados que cometeu, e guardar todos os meus estatutos e fizer juízo e justiça, certamente viverá; não morrerá.
22 De todas as suas transgressões que cometeu não haverá lembrança contra ele. Pela sua justiça que *praticou viverá*.
23 Tenho eu alguma satisfação na morte do ímpio? diz o Senhor Deus. Não desejo antes que se converta dos seus caminhos e viva?
24 Desviando-se, porém, o justo da sua justiça e cometendo a iniquidade, fazendo conforme todas as abominações que faz o ímpio, viverá? De todas as suas justiças que tiver feito não se fará memória. Na sua transgressão com que transgrediu, e no seu pecado com que pecou, neles morrerá.
25 Dizeis, porém: O caminho do Senhor não é justo. Ouvi agora, ó nação de Israel: Não é o meu caminho justo? Não são os vossos caminhos injustos?
26 Se o justo se desviar da sua justiça e cometer iniquidade, morrerá por ela; na sua iniquidade que cometeu morrerá.
27 Convertendo-se, porém, o ímpio da impiedade que cometeu, e praticando o juízo e a justiça, conservará este a sua vida.
28 Pois se considerar todas as suas transgressões que cometeu e se desviar delas, certamente viverá, não morrerá.
29 Contudo, diz a nação de Israel: O caminho do Senhor não é justo. Não são os meus caminhos justos, ó nação de Israel? E não são os vossos caminhos injustos?
30 Portanto, eu vos julgarei, a cada um conforme os seus caminhos, ó nação de Israel, diz o Senhor Deus. Vinde e convertei-vos de todas as vossas transgressões, e a iniquidade não vos servirá de tropeço.
31 Lançai de vós todas as vossas transgressões com que transgredistes; criai em vós um coração novo e um espírito novo. Por que razão morreríeis, ó nação de Israel?
32 Pois não tenho prazer na morte de ninguém, diz o Senhor Deus. Arrependei-vos e vivei.

## Lamento pelos príncipes de Israel

**19** Tu levanta uma lamentação pelos príncipes de Israel 2 e dize: Quem foi tua mãe?

Uma leoa entre leões,
que, deitada entre os
leõezinhos,
criou os seus filhotes.
**3** Ela criou um dos seus
filhotinhos,
que veio a ser leãozinho,
e aprendeu a apanhar a
presa e devorou homens.
**4** As nações ouviram falar dele,
ele foi apanhado na cova
delas,
e levado com ganchos à
terra do Egito.
**5** Vendo que havia esperado,
mas que a sua esperança era
perdida,
ela tomou outro dos seus
filhotes
e fez dele um leãozinho.
**6** Este, andando continuamente
no meio dos leões, veio a ser
um leãozinho.
Ele aprendeu a apanhar a
presa e devorou homens.
**7** Devastou os seus palácios
e destruiu as suas cidades.
Assolou-se a terra e a
sua plenitude,
ao ouvir o seu rugido.
**8** Então se ajuntaram contra ele
as gentes das províncias em
redor.
Estenderam sobre ele
a rede,
e foi apanhado na cova que
elas fizeram.
**9** Colocaram-no na prisão com
ganchos e o levaram ao rei de
Babilônia.
Fizeram-no entrar nos
lugares fortes,
para que não se ouvisse
mais a sua voz nos montes
de Israel.
**10** Tua mãe era como uma
videira na tua vinha,
plantada junto às águas;
ela frutificou e encheu-se
de ramos,
por causa das muitas águas.
**11** Tinha varas fortes
para cetros de dominadores.
Ela cresceu e elevou-se a sua
estatura entre os espessos
ramos,
e foi vista na sua altura
com a multidão dos seus
ramos.
**12** Contudo, foi arrancada com
furor,
foi abatida até a terra.
O vento oriental secou o seu
fruto;
quebraram-se e secaram-se
as suas fortes varas, e o
fogo as consumiu.
**13** Agora ela está plantada no
deserto,
numa terra seca e sedenta.
**14** De uma vara dos seus ramos
saiu fogo
que consumiu o seu fruto,
de maneira que já não há
nela
nenhuma vara forte que sirva
de cetro para dominar.
Esta é a lamentação, e como
lamentação servirá.

## O Israel rebelde

**20** No sétimo ano, no quinto mês, aos dez do mês, vieram alguns dos anciãos de Israel para consultar o Senhor, e assentaram-se diante de mim. **2** Então veio a mim a palavra do Senhor: **3** Filho do homem, fala aos anciãos de Israel e dize-lhes: Assim diz o Senhor Deus: Vós vindes consultar-me? Tão certo como eu vivo, diz o Senhor Deus, vós não me consultareis.

**4** Acaso tu os julgarias, ó filho do homem? Por acaso os julgarias? Faze-lhes saber as abominações de seus pais
**5** e dize-lhes: Assim diz o Senhor Deus: No dia em que escolhi Israel, levantei a minha mão para a descendência da família de Jacó e me revelei a eles na terra do Egito; levantei a minha mão para eles, dizendo: Eu sou o Senhor, o vosso Deus.
**6** Naquele dia, levantei a minha mão para eles, jurando tirá-los da terra do Egito para uma terra que tinha previsto para eles, na qual manam leite e mel, e é a glória de todas as terras.
**7** Então lhes disse: Cada um lance de si as abominações dos seus olhos, e não vos contamineis com os ídolos do Egito. Eu sou o Senhor, o vosso Deus.
**8** No entanto, rebelaram-se contra mim e não me quiseram ouvir; ninguém lançava de si as abominações dos seus olhos, nem deixava os ídolos do Egito. Então eu disse que derramaria sobre eles o meu furor, para cumprir a minha ira contra eles no meio da terra do Egito.
**9** O que fiz, porém, foi por amor do meu nome, para que não fosse profanado diante dos olhos das nações, no meio das quais eles estavam, à vista de quem eu me dei a conhecer a eles, para tirá-los da terra do Egito.
**10** Tirei-os da terra do Egito e os levei ao deserto.
**11** Dei-lhes os meus estatutos e lhes mostrei os meus juízos, os quais, cumprindo-os o homem, viverá por eles.
**12** Também lhes dei os meus sábados, para que servissem de sinal entre mim e eles; para que soubessem que eu sou o Senhor que os santifica.
**13** Contudo, os israelitas se rebelaram contra mim no deserto, não andando nos meus estatutos e rejeitando os meus juízos, os quais, cumprindo-os o homem, viverá por eles; profanaram grandemente os meus sábados. Então eu disse que derramaria sobre eles o meu furor no deserto, para os consumir.
**14** O que fiz, porém, foi por amor do meu nome, para que não fosse profanado diante dos olhos das nações perante as quais os fiz sair.
**15** Demais, eu levantei a minha mão para eles no deserto, para não os deixar entrar na terra que lhes tinha dado, na qual manam leite e mel, e é a glória de todas as terras,
**16** porque rejeitaram os meus juízos e profanaram os meus sábados. Pois o seu coração andava após os seus ídolos.
**17** Não obstante, olhei para eles com piedade e lhes perdoei, para não os destruir nem os consumir no deserto.
**18** Entretanto, disse eu a seus filhos no deserto: Não andeis nos estatutos de vossos pais, nem guardeis os seus juízos, nem vos contamineis com os seus ídolos.
**19** Eu sou o Senhor, o vosso Deus; andai nos meus estatutos, guardai os meus juízos e executai-os.
**20** Santificai os meus sábados, e eles servirão de sinal entre mim e vós, para que saibais que eu sou o Senhor, o vosso Deus.
**21** Os filhos, porém, se rebelaram contra mim e não andaram nos meus estatutos nem guardaram os meus juízos, os quais,

cumprindo-os o homem, viverá por eles; antes profanaram os meus sábados. Por isso, eu disse que derramaria sobre eles o meu furor, para cumprir contra eles a minha ira no deserto.

22 Contive, porém, a minha mão, e o fiz por amor do meu nome, para que não fosse profanado aos olhos das nações à vista das quais os fiz sair.

23 Também levantei a minha mão para eles no deserto, jurando espalhá-los entre as nações, e derramá-los pelas terras,

24 porque não executaram os meus juízos, rejeitaram os meus estatutos, profanaram os meus sábados, e os seus olhos seguiram após os ídolos de seus pais.

25 Pelo que também lhes dei estatutos que não eram bons e juízos pelos quais não haviam de viver;

26 deixei-os contaminar-se em seus próprios dons, nos quais faziam passar pelo fogo tudo o que abre a madre, para os assolar, a fim de que soubessem que eu sou o Senhor.

27 Portanto, fala à nação de Israel, ó filho do homem, e dize-lhe: Assim diz o Senhor Deus: Ainda nisto me blasfemaram vossos pais e transgrediram contra mim.

28 Havendo-os eu feito entrar na terra que, de mão levantada, jurei dar-lhes, então olharam para todo outeiro alto e para toda árvore frondosa; sacrificaram ali a provocação das suas ofertas, puseram ali os seus cheiros suaves e ali derramaram as suas libações.

29 Eu lhes disse: Que alto é este aonde vós ides? (O seu nome tem sido Bamá, até o dia de hoje.)

30 Portanto, dize à nação de Israel: Assim diz o Senhor Deus: Acaso vós vos contaminais a vós mesmos, à maneira de vossos pais? E vos prostituís com as suas abominações?

31 Ao oferecerdes os vossos dons e fazerdes passar os vossos filhos pelo fogo, até hoje estais contaminados com todos os vossos ídolos. E vós me consultaríeis, ó nação de Israel? Tão certo como eu vivo, diz o Senhor Deus, vós não me consultareis.

32 O que veio ao vosso espírito de maneira alguma sucederá, quando dizeis: Seremos como as nações, como as outras gerações da terra, servindo ao madeiro e à pedra.

33 Tão certo como eu vivo, diz o Senhor Deus, com mão forte, com braço estendido e com indignação derramada, hei de reinar sobre vós.

34 Eu vos tirarei dentre os povos e vos congregarei das terras nas quais andais espalhados, com mão forte, com braço estendido e com indignação derramada.

35 Eu vos levarei ao deserto dos povos e ali, face a face, vos julgarei.

36 Como julguei vossos pais, no deserto da terra do Egito, assim entrarei em juízo convosco, diz o Senhor Deus.

37 Eu vos farei passar debaixo da vara e vos farei entrar no vínculo da aliança.

38 Separarei dentre vós os rebeldes e os que transgrediram contra mim. Da terra das suas peregrinações os tirarei, mas à terra de Israel não voltarão. Então sabereis que eu sou o Senhor.

39 Quanto a vós, ó nação de Israel, assim diz o Senhor Deus: Ide, sirva cada um os seus ídolos, pois que a

mim não quereis ouvir; mas não profaneis mais o meu santo nome com as vossas dádivas e com os vossos ídolos.

**40** Pois no meu santo monte, no monte alto de Israel, diz o Senhor Deus, ali me servirá toda a nação de Israel; toda ela naquela terra. Ali vos aceitarei e ali exigirei as vossas ofertas alçadas, e as primícias das vossas dádivas, com todas as vossas coisas santas.

**41** Com cheiro suave me deleitarei em vós, quando eu vos tirar dentre os povos e vos congregar das terras em que andais espalhados, e serei santificado em vós diante dos olhos das nações.

**42** Então sabereis que eu sou o Senhor, quando eu vos fizer voltar à terra que, com mão levantada, jurei dar a vossos pais.

**43** Ali vos lembrareis de vossos caminhos e de todos os vossos atos com que vos contaminastes, e tereis nojo de vós mesmos, por todas as maldades que tendes cometido.

**44** Sabereis que eu sou o Senhor, quando eu proceder para convosco por amor do meu nome, não conforme os vossos maus caminhos, nem conforme os vossos atos corruptos, ó nação de Israel, diz o Senhor Deus.

**45** Veio a mim a palavra do Senhor:
**46** Filho do homem, volta o teu rosto para o caminho do Sul, derrama as tuas palavras contra o Sul, profetiza contra o bosque do campo do Sul

**47** e dize ao bosque do Sul: Ouve a palavra do Senhor: Assim diz o Senhor Deus: Eu acenderei em ti um fogo que em ti consumirá toda árvore verde e toda árvore seca. Não se apagará a chama flamejante, antes com ela se queimarão todos os rostos, desde o sul até o norte.

**48** Todos verão que eu, o Senhor, o acendi; não se apagará.

**49** Então disse eu: Ah! Senhor Deus! Eles dizem de mim: Não é ele um contador de parábolas?

## A espada do Senhor

**21** Veio a mim a palavra do Senhor:

**2** Filho do homem, volta o teu rosto contra Jerusalém, derrama as tuas palavras contra os santuários e profetiza contra a terra de Israel.

**3** Dize à terra de Israel: Assim diz o Senhor: Eu sou contra ti; tirarei a minha espada da bainha e exterminarei do meio de ti o justo e o ímpio.

**4** Porque hei de exterminar do meio de ti o justo e o ímpio, a minha espada sairá da bainha contra todos, desde o sul até o norte.

**5** Então saberão todos que eu, o Senhor, tirei a minha espada da bainha; nunca mais voltará a ela.

**6** Quanto a ti, porém, ó filho do homem, suspira; suspira à vista deles, com quebrantamento dos teus lombos e com amargura.

**7** E, quando eles te perguntarem: Por que suspiras tu?, responderás: Por causa das novas que vêm; todo coração desmaiará, todas as mãos se enfraquecerão, todo espírito se angustiará, e todos os joelhos se desfarão em águas. Elas vêm, e se realizarão, diz o Senhor Deus.

**8** Veio a mim a palavra do Senhor:
**9** Filho do homem, profetiza e dize: Assim diz o Senhor:
   A espada, a espada está
      afiada e polida.
**10** Para matar está afiada,
   para reluzir está polida.

Nós nos alegraremos pois?
A espada do meu filho
despreza todo madeiro.
**11** Foi dada a polir para ser manejada;
esta espada está afiada,
e polida,
para ser posta na mão do matador.
**12** Grita e geme, ó filho do homem,
pois ela será contra o meu povo,
contra todos os príncipes de Israel.
Estes com o meu povo estão entregues à espada;
bate, pois, na tua coxa.
**13** Pois haverá uma prova. E que será se não mais existir o próprio cetro desprezador? diz o Senhor Deus.
**14** Tu, ó filho do homem,
profetiza e bate com as mãos uma na outra.
Que a espada golpeie duas vezes,
ou até três vezes.
É uma espada da matança,
da grande matança, a que os rodeia.
**15** Para que desmaie o coração
e se multipliquem os tropeços contra todas as suas portas
pus a ponta da espada,
que foi feita como relâmpago
e está afiada para matar!
**16** Ó espada, vira-te para a direita,
vira-te para a esquerda,
para onde quer que o teu rosto se voltar.
**17** Também eu baterei com as minhas mãos uma na outra
e farei descansar a minha indignação.
Eu, o Senhor, falei.
**18** Veio a mim a palavra do Senhor:
**19** Quanto a ti, pois, ó filho do homem, propõe dois caminhos, por onde venha a espada do rei de Babilônia. Ambos procederão de uma mesma terra. Faze um marco indicador e põe-no no princípio do caminho para a cidade.
**20** Um caminho proporás, por onde virá a espada contra Rabá dos filhos de Amom, e a outra contra Judá, em Jerusalém, a fortificada.
**21** Pois o rei de Babilônia parará na encruzilhada, no princípio dos dois caminhos, para fazer adivinhações: Ele lançará a sorte com flechas, consultará os ídolos do lar, examinará o fígado.
**22** À sua direita cairá a adivinhação sobre Jerusalém, para ordenar os aríetes, para abrir a boca à matança, para levantar a voz com júbilo, para pôr os aríetes contra as portas, para levantar tranqueiras, para edificar baluartes.
**23** Isso será aos olhos deles como adivinhação vã, pois foram ajuramentados com juramentos entre eles, mas ele se lembrará da maldade, para que sejam apanhados.
**24** Portanto, assim diz o Senhor Deus: Visto que me fazeis lembrar da vossa maldade, descobrindo-se as vossas transgressões, aparecendo os vossos pecados em todos os vossos atos; visto que viestes em memória, sereis apanhados com a mão.
**25** Quanto a ti, ó profano e ímpio príncipe de Israel, cujo dia é chegado no tempo da punição final,
**26** assim diz o Senhor Deus: Tira o diadema e remove a coroa. Esta não será a mesma: exalta ao humilde e humilha ao soberbo.
**27** Ruína! Ruína! Eu a reduzirei a ruínas, e ela não será mais, até que venha aquele a quem pertence de direito, e a ele a darei.

28 Quanto a ti, ó filho do homem, profetiza e dize: Assim diz o Senhor Deus acerca dos filhos de Amom e do seu desprezo:
A espada, a espada está desembainhada,
polida para a matança, para consumir, para reluzir como relâmpago!
29 Apesar de visões vãs e de adivinhações falsas
que têm a teu respeito,
será posta no pescoço dos ímpios,
cujo dia é chegado no tempo da punição final.
30 Torne a tua espada à sua bainha.
No lugar em que foste criado, na terra do teu nascimento, te julgarei.
31 Derramarei sobre ti a minha indignação,
assoprarei contra ti o fogo do meu furor,
eu te entregarei nas mãos dos homens brutais,
inventores de destruição.
32 Ao fogo servirás de pasto, o teu sangue estará no meio da terra, não serás mais lembrado; pois eu, o Senhor, o disse.

## Os pecados de Jerusalém

**22** Veio a mim a palavra do Senhor:
2 Quanto a ti, ó filho do homem, julgarás, julgarás a cidade sanguinária? Faze-lhe conhecer, pois, todas as suas abominações
3 e dize: Assim diz o Senhor Deus: Ai da cidade que derrama sangue no meio de si, para que venha o seu tempo, e que faz ídolos contra si mesma, para se contaminar!
4 Pelo teu sangue que derramaste te fizeste culpada, e pelos teus ídolos que fabricaste te contaminaste e fizeste aproximar-se o teu dia, e é chegado o fim dos teus anos. Por isso, eu te fiz motivo de vergonha entre as nações e de zombaria entre todas as terras.
5 As que estão perto e as que estão longe zombarão de ti, ó cidade infame inquieta.
6 Com efeito, os príncipes de Israel, cada um conforme o seu poder, tiveram domínio sobre ti, para derramar sangue.
7 No meio de ti desprezaram o pai e a mãe; no meio de ti oprimiram o estrangeiro e foram injustos para com o órfão e a viúva.
8 As minhas coisas santas desprezaste, e os meus sábados profanaste.
9 Homens caluniadores se acham em ti, para derramarem sangue; em ti sobre os montes comem carne sacrificada, e perversidade cometem no meio de ti.
10 No meio de ti descobrem a vergonha do pai e abusam da que está impura, na sua separação.
11 No meio de ti um comete abominação com a mulher do seu próximo, outro contamina abominavelmente a sua nora e outro humilha a sua irmã, filha de seu pai.
12 No meio de ti aceitam-se subornos para se derramar sangue; recebes usura e lucros ilícitos além de usar de avareza com o teu próximo, oprimindo-o. E de mim te esqueceste, diz o Senhor Deus.
13 Eu certamente baterei as mãos contra o lucro desonesto que ganhaste e contra o sangue que derramaste no meio de ti.
14 Estará firme o teu coração? Estarão fortes as tuas mãos, nos dias em que eu tratarei contigo? Eu, o Senhor, o disse, e o farei.

15 Eu te espalharei entre as nações pelas terras, e porei termo à tua imundícia.
16 E tu serás profanada em ti mesma, aos olhos das nações, e então saberás que eu sou o Senhor.
17 Veio a mim a palavra do Senhor:
18 Filho do homem, a nação de Israel se tornou para mim em escória; todos eles são bronze, estanho, ferro e chumbo no meio do forno. Em escória de prata se tornaram.
19 Portanto assim diz o Senhor Deus: Visto que todos vós vos tornastes em escória, eu vos ajuntarei no meio de Jerusalém.
20 Como se ajuntam a prata, o bronze, o ferro, o chumbo e o estanho, no meio do forno, para assoprar o fogo sobre eles, a fim de se fundirem, assim vos ajuntarei na minha ira e no meu furor, e ali vos deixarei e fundirei.
21 Eu vos congregarei e assoprarei sobre vós o fogo do meu furor; sereis fundidos no meio de Jerusalém.
22 Como se funde a prata no meio do forno, assim sereis fundidos no meio dela, e sabereis que eu, o Senhor, derramei o meu furor sobre vós.
23 Veio a mim a palavra do Senhor:
24 Filho do homem, dize-lhe: Tu és uma terra que não está purificada e que não tem chuva no dia da indignação.
25 Conjuração dos seus profetas há no meio dela, como um leão que ruge, arrebatando a sua presa; eles devoram as almas, tomam tesouros e coisas preciosas, e multiplicam as suas viúvas no meio dela.
26 Os seus sacerdotes transgridem a minha lei e profanam as minhas coisas santas; não fazem diferença entre o santo e o profano, ensinam que não há diferença entre o impuro e o puro; de meus sábados escondem os seus olhos, e assim sou profanado no meio deles.
27 Os seus príncipes no meio dela são como lobos que arrebatam a presa para derramarem o sangue e destruírem vidas, para lucrar desonestamente.
28 Os seus profetas têm feito para eles reboco com argamassa fraca, tendo visões falsas e predizendo-lhes mentira, dizendo: Assim diz o Senhor Deus; sem que o Senhor tivesse falado.
29 O povo da terra oprime gravemente e anda roubando; fazem violência ao aflito e ao necessitado, e ao estrangeiro oprimem sem razão.
30 Busquei entre eles um homem que levantasse o muro e se pusesse na brecha perante mim por esta terra, para que eu não a destruísse, mas a ninguém achei.
31 Por isso, derramarei sobre eles a minha indignação e os consumirei com o fogo do meu furor, fazendo que o seu caminho recaia sobre a sua cabeça, diz o Senhor Deus.

### As duas irmãs adúlteras

**23** Veio a mim a palavra do Senhor:
2 Filho do homem, houve duas mulheres, filhas de uma mesma mãe.
3 Estas se prostituíram no Egito, prostituíram-se na sua juventude. Ali foram apertados os seus peitos e apalpados os seios da sua virgindade.
4 Os seus nomes eram: Oolá, a mais velha, e Oolibá, sua irmã; foram minhas, e tiveram filhos e filhas.

Quanto aos seus nomes, Samaria é Oolá, e Jerusalém é Oolibá.

**5** Prostituiu-se Oolá, sendo minha; enamorou-se dos seus amantes, dos assírios, seus vizinhos, **6** que se vestiam de azul, governadores e sátrapas, todos jovens de cobiçar, cavaleiros montados a cavalo.

**7** Assim cometeu ela as suas devassidões com eles, que eram todos a flor dos filhos da Assíria, e com todos aqueles de quem se enamorava; com todos os seus ídolos se contaminou.

**8** A sua prostituição, que trouxe do Egito, não abandonou; porque com ela muitos se deitaram na sua juventude, apalparam os seios da sua virgindade e derramaram sobre ela a sua prostituição.

**9** Portanto, a entreguei na mão dos seus amantes, na mão dos filhos da Assíria, de quem se enamorara.

**10** Estes descobriram a sua vergonha, levaram seus filhos e suas filhas, mas a ela mataram à espada. Ela se tornou um provérbio entre as mulheres, e sobre ela executaram juízos.

**11** Vendo isso sua irmã Oolibá, corrompeu o seu amor mais do que ela, e as suas devassidões foram maiores do que as de sua irmã.

**12** Enamorou-se dos filhos da Assíria, dos governadores e dos *sátrapas, seus vizinhos, vestidos* com primor; cavaleiros que andam montados em cavalos, todos jovens de cobiçar.

**13** Vi que se tinha contaminado; o caminho de ambas era o mesmo.

**14** Aumentou a sua prostituição, pois viu homens pintados na parede, imagens dos caldeus, pintadas de vermelho;

**15** de lombos cingidos, tendo largos turbantes sobre as cabeças, todos com parecer de oficiais, semelhantes aos filhos de Babilônia, na Caldeia, terra do seu nascimento.

**16** Ela se enamorou deles, ao lançar sobre eles os olhos, e lhes mandou mensageiros à Caldeia.

**17** Então vieram a ela os filhos de Babilônia para o leito dos amores, e a contaminaram com a sua prostituição, e ela se contaminou com eles. Então afastou-se deles a alma dela.

**18** Assim pôs a descoberto as suas devassidões e descobriu a sua vergonha; então a minha alma se apartou dela, como já se tinha apartado a minha alma da sua irmã.

**19** Todavia ela multiplicou as suas prostituições, lembrando-se dos dias da sua mocidade, em que se prostituíra na terra do Egito.

**20** Apaixonou-se dos seus amantes, cujos membros são como os de jumentos, e cuja ejaculação é como a de cavalos.

**21** Assim trouxeste à memória a luxúria da tua juventude, quando os do Egito apalpavam os teus seios, os peitos da tua juventude.

**22** Por isso, ó Oolibá, assim diz o Senhor Deus: Eu suscitarei contra ti os teus amantes, dos quais se tinha apartado a tua alma, e os trarei contra ti de todos os lados;

**23** os filhos de Babilônia e todos os caldeus de Pecode, de Soa, de Coa, e todos os filhos da Assíria com eles, jovens de cobiçar, governadores e sátrapas todos eles, oficiais e homens de renome, todos eles montados a cavalo.

**24** Virão contra ti com armas, carros e carroças, e com ajuntamento de povos; e se colocarão contra ti em redor com grandes e pequenos escudos e capacetes. Eu te entregarei a eles para juízo, e eles te julgarão segundo os seus direitos.

25 Porei contra ti o meu zelo e usarão de indignação contigo; o nariz e as orelhas te tirarão, e o que te ficar de resto cairá à espada. Teus filhos e tuas filhas eles te tomarão, e o que ficar será consumido pelo fogo.

26 Também te despirão os teus vestidos e tomarão as tuas joias de adorno.

27 Assim farei cessar em ti a tua luxúria e a tua prostituição, iniciadas na terra do Egito. Não levantarás os teus olhos para eles e não te lembrarás mais do Egito.

28 Pois assim diz o Senhor Deus: Eu te entregarei na mão dos que odeias, na mão daqueles de quem, enojada, te apartaste.

29 Eles te tratarão com ódio e levarão todo o teu trabalho; te deixarão nua, e despida se descobrirá a vergonha da tua prostituição, a tua luxúria e as tuas devassidões.

30 Essas coisas farão a ti, porque te prostituíste após os gentios e te contaminaste com os seus ídolos.

31 No caminho de tua irmã andaste; por isso, entregarei o seu copo na tua mão.

32 Assim diz o Senhor Deus:
Beberás o copo de tua irmã, fundo e largo;
servirás de riso e zombaria, pois o copo leva muito.

33 De embriaguez e de dor te encherás;
o copo de tua irmã Samaria *é copo de espanto e de desolação.*

34 E tu o beberás, o esgotarás;
depois o despedaçarás,
e os teus próprios peitos arrancarás.
Eu o anunciei, diz o Senhor Deus.

35 Portanto, assim diz o Senhor Deus: Visto que te esqueceste de mim e me lançaste para trás das tuas costas, também sofrerás as consequências da tua luxúria e das tuas devassidões.

36 Disse-me mais o Senhor: Filho do homem, julgarias a Oolá e a Oolibá? Mostra-lhes, pois, as suas abominações.

37 Elas adulteraram, e sangue se acha nas suas mãos; com os seus ídolos adulteraram, e até os seus filhos, que de mim geraram, fizeram passar pelo fogo, para os consumirem.

38 Ainda isto me fizeram: contaminaram o meu santuário no mesmo dia e profanaram os meus sábados.

39 Havendo sacrificado seus filhos aos seus ídolos, vieram ao meu santuário no mesmo dia e o profanaram. Assim fizeram no meio da minha casa.

40 Além disso, mandaram vir uns homens de longe, aos quais fora enviado um mensageiro, e vieram. Por amor deles te lavaste, pintaste os teus olhos e te ornaste de enfeites.

41 E te assentaste sobre um leito de honra, diante do qual estava uma mesa preparada, sobre a qual puseste o meu incenso e o meu óleo.

42 Ouvia-se ali a voz de uma multidão satisfeita; e com homens de classe baixa foram trazidos beberrões do deserto, os quais puseram braceletes nas mãos delas e coroas de esplendor nas suas cabeças.

43 Então disse à envelhecida em adultérios: Agora deveras se contaminarão com ela e ela com eles.

**44** E se deitaram com ela, como quem deita com uma prostituta; assim entraram a Oolá e a Oolibá, mulheres infames.
**45** De maneira que homens justos as julgarão como se julgam as adúlteras, e como se julgam as que derramam sangue; pois adúlteras são, e sangue há nas suas mãos.
**46** Assim diz o Senhor Deus: Farei subir contra elas uma grande multidão e as entregarei ao tumulto e ao saque.
**47** A multidão as apedrejará e as matará à espada; a seus filhos e suas filhas trucidará, e as suas casas queimará a fogo.
**48** Assim farei cessar da terra a perversão, para que sejam advertidas todas as mulheres, e não imitem o vosso comportamento pervertido.
**49** O castigo da vossa perversão carregareis sobre vós; levareis os pecados dos vossos ídolos. Então sabereis que eu sou o Senhor Deus.

### A panela

**24** Veio a mim a palavra do Senhor, no nono ano, no décimo mês, aos dez do mês:
**2** Filho do homem, escreve o nome deste dia, deste mesmo dia, porque o rei de Babilônia se aproxima de Jerusalém neste dia.
**3** Propõe uma parábola à nação rebelde e dize-lhe: Assim diz o Senhor Deus:
Põe a panela para esquentar,
    põe-na, e derrama-lhe água,
**4** ponha dentro dela os pedaços de carne,
    os melhores pedaços da coxa e da espádua.
        Enche-a de ossos escolhidos;
**5** toma o que há de melhor no rebanho.
    Empilha lenha debaixo da panela;
    faze-a ferver bem,
    e cozinhem-se dentro dela os seus ossos.
**6** Portanto, assim diz o Senhor Deus:
    Ai da cidade sanguinária,
        da panela enferrujada,
    cuja ferrugem não saiu dela!
    Tira dela a carne pedaço a pedaço,
    não caia sorte sobre ela.
**7** Pois o seu sangue está no meio dela,
    sobre uma penha descalvada ela o pôs;
    não o derramou sobre a terra, para o cobrir com pó.
**8** Para fazer subir a indignação, para tomar vingança,
    eu pus o seu sangue numa rocha nua,
    para que não seja coberto.
**9** Portanto, assim diz o Senhor Deus:
    Ai da cidade sanguinária!
    Eu também farei uma grande fogueira.
**10** Amontoa a lenha e acende o fogo.
    Ferve bem a carne,
    engrossando o caldo;
    que os ossos sejam queimados.
**11** Então porás a panela vazia sobre as brasas,
    para que ela aqueça, brilhe o seu cobre,
    fundam-se as suas impurezas e se consuma a sua ferrugem.
**12** Foram vãos todos os esforços; não saiu dela a sua muita ferrugem, nem mesmo pelo fogo.
**13** Na tua imundícia está a luxúria, pois eu quis purificar-te e tu

não te purificaste; nunca mais serás purificada da tua imundícia, enquanto eu não tenha satisfeito sobre ti a minha indignação.
14 Eu, o Senhor, o disse. Será assim, e o farei. Não tornarei atrás, não pouparei nem me arrependerei; conforme os teus caminhos e os teus feitos te julgarão, diz o Senhor Deus.

### A morte da esposa de Ezequiel

15 Veio a mim a palavra do Senhor:
16 Filho do homem, eu tirarei de ti o deleite dos teus olhos de um golpe, mas não lamentarás, nem chorarás, nem te correrão as lágrimas.
17 Geme em silêncio; não tomes luto pelos mortos. Ata na cabeça o teu turbante, põe as tuas sandálias nos pés, não cubras os teus bigodes e não comas o pão dos homens.
18 Falei ao povo pela manhã, e à tarde morreu a minha mulher. Na manhã seguinte, fiz como se me deu ordem.
19 Então o povo me disse: Não nos farás saber o que significam essas coisas que estás fazendo?
20 Eu lhes disse: Veio a mim a palavra do Senhor:
21 Dize à nação de Israel: Assim diz o Senhor Deus: Eu profanarei o meu santuário, a glória da vossa fortaleza, o deleite dos vossos olhos e o anelo das vossas almas. Os vossos filhos e as vossas filhas, que deixastes, cairão à espada.
22 E fareis o que eu fiz. Não cobrireis os bigodes e não comereis o pão dos homens.
23 *Tereis na cabeça os vossos* turbantes, e as vossas sandálias nos pés; não lamentareis nem chorareis, mas definhareis nas vossas iniquidades e gemereis uns com os outros.
24 Assim vos servirá Ezequiel de sinal; conforme tudo o que ele fez, fareis. Quando isso suceder, então sabereis que eu sou o Senhor Deus.
25 E quanto a ti, filho do homem, não sucederá que, no dia que eu lhes tirar a sua fortaleza, a alegria do seu ornamento, o deleite dos seus olhos, e o desejo dos seus corações, e seus filhos e a suas filhas,
26 nesse dia virá ter contigo algum que escapar, para te dar a notícia?
27 Nesse dia, se abrirá a tua boca para com aquele que escapar; falarás, e por mais tempo não ficarás mudo. Assim virás a ser para eles um sinal, e saberão que eu sou o Senhor.

### Profecia contra Amom

**25** Veio a mim a palavra do Senhor:
2 Filho do homem, volta o teu rosto contra os filhos de Amom e profetiza contra eles.
3 Dize aos filhos de Amom: Ouvi a palavra do Senhor Deus: Assim diz o Senhor Deus: Visto que tu disseste: Ah! contra o meu santuário, quando foi profanado, e contra a terra de Israel, quando foi assolada, e contra a casa de Judá, quando foi para o exílio,
4 eu te entregarei em possessão aos filhos do Oriente. Eles estabelecerão os seus paços em ti e porão em ti as suas moradas; eles comerão os teus frutos e beberão o teu leite.
5 Farei de Rabá uma estrebaria de camelos e dos filhos de Amom um curral de ovelhas. Então sabereis que eu sou o Senhor.
6 Pois assim diz o Senhor Deus: Visto que bateste com as mãos e

pateaste com os pés, alegrando-te de coração em toda a tua malícia contra a terra de Israel,
7 eu estenderei a minha mão contra ti e te darei por despojo às nações e te arrancarei dentre os povos e te destruirei dentre as terras. Acabarei de todo contigo, e saberás que eu sou o Senhor.

### Profecia contra Moabe

8 Assim diz o Senhor Deus: Visto que dizem Moabe e Seir: Eis que a nação de Judá é como todas as nações,
9 portanto eu abrirei o flanco de Moabe desde as cidades, desde as suas cidades fora das fronteiras, a glória da terra, Bete-Jesimote, Baal-Meom e Quiriataim;
10 e aos filhos do Oriente, com os filhos de Amom, eu o entregarei em possessão, para que não haja memória dos filhos de Amom entre as nações;
11 e executarei juízos em Moabe. Então saberão que eu sou o Senhor.

### Profecia contra a Edom

12 Assim diz o Senhor Deus: Visto que Edom se vingou da nação de Judá e se fez culpadíssimo, quando se vingou deles,
13 assim diz o Senhor Deus: Estenderei a minha mão contra Edom e arrancarei dele homens e animais. Eu os tornarei em deserto; desde Temã até Dedã cairão à espada.
14 Exercerei a minha vingança contra Edom por intermédio do meu povo de Israel, e farão em Edom segundo a minha ira e segundo o meu furor; conhecerão a minha vingança, diz o Senhor Deus.

### Profecia contra a Filístia

15 Assim diz o Senhor Deus: Visto que os filisteus se vingaram e executaram vingança com maldade no coração, para destruírem com perpétua inimizade,
16 assim diz o Senhor Deus: Eu estenderei a minha mão contra os filisteus, e arrancarei os quereteus, e destruirei o resto da costa do mar.
17 Executarei neles grandes vinganças, com castigos de furor. Então saberão que eu sou o Senhor, quando eu tiver exercido a minha vingança sobre eles.

### Profecia contra Tiro

**26** No décimo primeiro ano, ao primeiro do mês, veio a mim a palavra do Senhor:
2 Filho do homem, visto que Tiro disse no tocante a Jerusalém: Ah! está quebrada a porta dos povos, está aberta para mim; agora que ela está assolada eu me encherei,
3 assim diz o Senhor Deus: Eu estou contra ti, ó Tiro, e farei subir contra ti muitas nações, como se o mar fizesse subir as suas ondas.
4 Elas destruirão os muros de Tiro e derrubarão as suas torres; eu varrerei o seu pó e dela farei uma rocha nua.
5 No meio do mar virá a ser um lugar para estender redes de pesca, pois eu o anunciei, diz o Senhor Deus. Ela servirá de despojo para as nações,
6 e suas filhas, que estão no campo, serão mortas à espada. Então saberão que eu sou o Senhor.
7 Pois assim diz o Senhor Deus: Eu trarei contra Tiro a Nabucodonosor, rei de Babilônia, desde o norte, o rei dos reis, com cavalos e carros, com cavaleiros e um grande exército.

8 As tuas filhas que estão no campo ele as matará à espada; fará um baluarte contra ti, fundará uma tranqueira e levantará escudos.

9 Ele dirigirá os golpes dos seus aríetes contra os teus muros e derrubará as tuas torres com as suas armas.

10 Pela multidão de seus cavalos te cobrirá de pó; os teus muros tremerão com o estrondo dos cavaleiros, das carroças e dos carros, quando ele entrar pelas tuas portas, como pelas entradas de uma cidade em que se fez brecha.

11 Com as unhas dos seus cavalos pisará todas as tuas ruas; ao teu povo matará à espada, e as colunas da tua fortaleza cairão por terra.

12 Roubarão as tuas riquezas, saquearão as tuas mercadorias, derrubarão os teus muros e arrasarão as tuas casas preciosas; as tuas pedras, as tuas madeiras e o teu pó lançarão no meio das águas.

13 Farei cessar o ruído das tuas cantigas, e o som das tuas harpas não se ouvirá mais.

14 Farei de ti uma rocha nua, e virás a ser um lugar para estender redes de pesca. Nunca mais serás edificada, pois eu, o Senhor, o falei, diz o Senhor Deus.

15 Assim diz o Senhor Deus a Tiro: Não tremerão as ilhas com o estrondo da tua queda, quando gemerem os feridos, quando se fizer uma espantosa matança no meio de ti?

16 Todos os príncipes do mar descerão dos seus tronos, tirarão de si os seus mantos e despirão as suas vestes bordadas. De tremores se vestirão, sobre a terra se assentarão, estremecerão a cada momento, e por tua causa pasmarão.

17 Levantarão uma lamentação sobre ti e te dirão:

Como pereceste, ó bem
povoada e afamada cidade,
que foste forte no mar!
Tu e os teus moradores,
que atemorizastes
a todos os que habitam
ao teu redor!

18 Agora estremecerão as ilhas no dia da tua queda;

as ilhas, que estão no mar,
se turbarão com a tua
saída.

19 Assim diz o Senhor Deus: Quando eu te fizer uma cidade assolada, como as cidades que não se habitam, quando fizer subir sobre ti um abismo, e as muitas águas te cobrirem,

20 então te farei descer com os que descem à cova, ao povo antigo, e te deitarei nas mais baixas partes da terra, em lugares desertos de há muito, com os que descem à cova, para que não sejas habitada; estabelecerei a glória na terra dos viventes.

21 Farei de ti um grande espanto, e não serás mais. Quando te buscarem, nunca mais serás achada para sempre, diz o Senhor Deus.

## Lamentação sobre Tiro

**27** Veio a mim a palavra do Senhor:

2 Filho do homem, levanta uma lamentação sobre Tiro.

3 Dize a Tiro, que habita nas entradas do mar, e negocia com os povos em muitas ilhas: Assim diz o Senhor Deus:

Ó Tiro, tu dizes: Eu sou
perfeita em formosura.

4 No coração dos mares estão
os teus termos;
  os que te edificaram
    aperfeiçoaram
    a tua formosura.
5 Fabricaram todos os teus
  conveses
    de ciprestes de Senir;
    trouxeram cedros do Líbano
  para fazerem mastros para ti.
6 Fizeram os teus remos de
  carvalhos de Basã;
    os teus bancos fizeram-nos
    de marfim
    engastado em pinho das ilhas
    dos quiteus.
7 Linho fino bordado do Egito
  era a tua cortina,
    para te servir de vela;
    azul e púrpura das ilhas
    de Elisá
    era a tua cobertura.
8 Os moradores de Sidom
  e de Arvade
    foram os teus remeiros;
    os teus sábios, ó Tiro, que se
    achavam em ti,
    esses foram os teus pilotos.
9 Os anciãos de Gebal
  e os seus peritos foram em ti
    os teus calafates;
    todos os navios do mar e os
    marinheiros se acharam em ti,
    para tratarem dos teus
    negócios.
10 Os persas, os lídios e os de
  Pute eram
    no teu exército os teus
    soldados;
    escudos e capacetes
    penduravam em ti,
    trazendo-te esplendor.
11 Os filhos de Arvade
  e o teu exército
    estavam sobre os teus
    muros em redor;
    os gamaditas nas tuas torres.

Penduravam os seus escudos
    nos teus muros em redor;
    aperfeiçoavam a tua
    formosura.
12 Társis negociava contigo, por causa da abundância de toda sorte de riquezas; trocavam por tuas mercadorias prata, ferro, estanho e chumbo.
13 Javã, Tubal e Meseque eram teus mercadores; com almas de homens e vasos de bronze fizeram negócios contigo.
14 Os da casa de Togarma em troca da tua mercadoria traziam cavalos, ginetes e mulos.
15 Os filhos de Dedã eram os teus mercadores, muitas terras do mar eram o mercado da tua mão; dentes de marfim e madeira de ébano tornavam a dar-te em presente.
16 A Síria negociava contigo por causa da multidão das tuas manufaturas; pelas tuas mercadorias trocavam esmeralda, púrpura, obras bordadas, linho fino, coral e pedras preciosas.
17 Judá e a terra de Israel eram os teus mercadores; trocavam o trigo de Minite e confeitos, mel, azeite e bálsamo pelas tuas mercadorias.
18 Damasco negociava contigo, por causa da multidão das tuas manufaturas, por causa da multidão de toda sorte de riquezas, dando em troca vinho de Helbom e lã branca.
19 Também Dã e Javã, de Uzal, pelas tuas mercadorias trocavam ferro trabalhado, cássia e cálamo aromático.
20 Dedã negociava contigo mantos de selas para cavalos.
21 A Arábia e todos os príncipes de Quedar eram os mercadores ao teu serviço; com cordeiros,

carneiros e bodes, nestas coisas negociavam contigo.

22 Os mercadores de Sebá e Raamá eram os teus mercadores; davam em troca pelas tuas mercadorias os mais finos aromas, pedras preciosas e ouro.

23 Harã, Cane e Éden, mercadores de Seba, Assíria e Quilmade negociavam contigo.

24 Estes eram os teus mercadores em roupas escolhidas, em pano de azul e bordados, tapetes de várias cores e cordas trançadas e fortes.

25 Os navios de Társis
eram as tuas caravanas
para a tua mercadoria.
E te enriqueceste e ficaste
muito famosa
no meio dos mares.

26 Os teus remadores te
conduzem
sobre grandes águas,
mas o vento oriental te
quebrantará
no meio dos mares.

27 As tuas riquezas, as tuas
mercadorias,
os teus bens, os teus
marinheiros,
os teus pilotos, os calafates,
os que faziam os teus
negócios
e todos os teus soldados, que
estão em ti,
com toda a tua
congregação,
que está no meio de ti,
cairão no meio dos mares
no dia da tua queda.

28 Ao estrondo da gritaria dos
teus pilotos
tremerão as praias.

29 Todos os que pegam no remo,
os marinheiros e todos os
pilotos do mar
descerão de seus navios e
pararão em terra.

30 Farão ouvir a sua voz sobre ti
e gritarão amargamente;
lançarão pó sobre as
cabeças
e na cinza se revolverão.

31 Raparão a cabeça por tua
causa
e se cingirão de pano de
saco;
chorarão sobre ti com
amargura de alma,
com amarga lamentação.

32 Levantarão uma lamentação
sobre ti no seu pranto e
lamentarão sobre ti,
dizendo: Quem foi como
Tiro,
como a que está reduzida
ao silêncio no meio do mar?

33 Quando as tuas mercadorias
eram exportadas pelos mares,
fartaste a muitos povos;
com a multidão da tua
riqueza
e do teu negócio,
enriqueceste os reis da terra.

34 No tempo em que foste
quebrantada nos mares,
nas profundezas das águas,
caíram os teus negócios
e toda a tua multidão no
meio de ti.

35 Todos os moradores
das terras
dos mares estão cheios de
espanto a teu respeito;
os seus reis tremem
grandemente,
e estão de rostos
perturbados.

36 Os mercadores dentre os
povos assobiam contra ti;
tu te tornaste em grande
espanto,
e não mais existirás.

## Profecia contra o rei de Tiro

**28** Veio a mim a palavra do Senhor:
2 Filho do homem, dize ao príncipe de Tiro: Assim diz o Senhor Deus:
No orgulho do teu coração,
   tu dizes: Eu sou Deus,
sobre a cadeira de Deus me
   assento
no meio dos mares;
contudo, tu és homem, e não
   deus, embora
   consideres o teu coração
   como se fora o coração de
   Deus.
3 És mais sábio do que Daniel?
   Não há segredo algum que se
   possa
   esconder de ti?
4 Pela tua sabedoria e pelo teu
   entendimento
   alcançaste o teu poder
   e adquiriste ouro e prata nos
   teus tesouros.
5 Pela extensão da tua
   sabedoria no teu comércio
   aumentaste o teu poder;
   por causa do teu poder
   eleva-se o teu coração.
6 Portanto, assim diz o Senhor
   Deus:
   Visto que consideras o teu
   coração,
   como se fora o coração de
   Deus,
7 eu trarei sobre ti estrangeiros,
   os mais formidáveis dentre as
   nações,
os quais desembainharão as
   suas espadas contra a
   formosura da tua sabedoria
   e mancharão o teu
   resplendor.
8 À cova te farão descer,
   e morrerás da morte dos
   feridos
   no meio dos mares.
9 Dirás então diante daquele
   que te matar:
   Eu sou deus?
   Tu serás homem, e não
   Deus,
   na mão do que te trespassa.
10 Da morte dos incircuncisos
   morrerás,
   por mãos dos estrangeiros.
   Eu falei, diz o Senhor Deus.
11 Veio a mim a palavra do Senhor:
12 Filho do homem, levanta uma
   lamentação sobre o rei de Tiro e
   dize-lhe: Assim diz o Senhor Deus:
   Tu és o selo da perfeição,
   cheio de sabedoria e
   perfeito em formosura.
13 Estavas no Éden, jardim de
   Deus;
   cobrias-te de toda pedra
   preciosa:
   o sárdio, o topázio, o
   diamante,
   o berilo, o ônix, o jaspe,
   a safira, o carbúnculo e a
   esmeralda.
   Os teus engastes e
   ornamentos
   eram feitos de ouro;
   no dia em que foste criado
   foram eles preparados.
14 Eu te estabeleci como
   querubim da guarda ungido;
   estavas no monte santo de
   Deus,
   andavas entre as pedras
   afogueadas.
15 Perfeito eras nos teus
   caminhos,
   desde o dia em que foste
   criado,
   até que se achou iniquidade
   em ti.
16 Na multiplicação do teu
   comércio
   se encheu o teu interior de
   violência,

e pecaste; pelo que te lançarei profanado fora do monte de Deus e te farei perecer,
ó querubim protetor, entre pedras afogueadas.

17 Elevou-se o teu coração por causa da tua formosura, corrompeste a tua sabedoria por causa do teu resplendor. Por terra te lancei, diante dos reis te pus, para que te contemplem.

18 Pela multidão das tuas iniquidades, pela injustiça do teu comércio profanaste os teus santuários. Eu, pois, fiz sair do meio de ti um fogo que te consumiu, e te tornei em cinza sobre a terra, aos olhos de todos os que te contemplam.

19 Todos os que te conheciam entre os povos espantaram-se ao ver-te; chegaste a um fim horrível e não mais existirás.

### Profecia contra Sidom

20 Veio a mim a palavra do Senhor:
21 Filho do homem, volta o teu rosto contra Sidom, profetiza contra ela,
22 e dize: Assim diz o Senhor Deus: Estou contra ti, ó Sidom, e serei glorificado no meio de ti. Saberão que eu sou o Senhor, quando nela executar juízos e nela me santificar.
23 Enviarei contra ela a peste e o sangue nas suas ruas, e os trespassados cairão no meio dela, estando a espada em roda contra ela. Então saberão que eu sou o Senhor.

24 A nação de Israel nunca mais terá espinho que a espete, nem erva daninha que lhe cause dor, entre os que se acham ao redor deles e que os desprezam. Então saberão que eu sou o Senhor Deus.
25 Assim diz o Senhor Deus: Quando eu congregar a nação de Israel dentre os povos entre os quais estão espalhados, eu me santificarei entre eles, perante os olhos das nações. Então habitarão na sua terra que dei a meu servo, a Jacó.
26 Habitarão nela seguros e edificarão casas, e plantarão vinhas; habitarão seguros, quando eu executar juízos contra todos os que estão ao seu redor e que os desprezam. Então saberão que eu sou o Senhor seu Deus.

### Profecia contra o Egito

**29** No décimo ano, no décimo mês, no dia doze do mês, veio a mim a palavra do Senhor:
2 Filho do homem, volta o teu rosto contra faraó, rei do Egito, e profetiza contra ele e contra todo o Egito.
3 Dize-lhe: Assim diz o Senhor Deus:
Estou contra ti, ó faraó, rei do Egito,
grande dragão, que pousas no meio dos teus rios
e dizes: O meu rio é meu, e eu o fiz para mim.
4 Contudo, eu porei anzóis em teus queixos
e prenderei o peixe dos teus rios às tuas escamas;
todos os peixes dos teus rios se pegarão às tuas escamas.

5 Eu te deixarei no deserto,
a ti e a todos os peixes dos
teus rios.
Cairás sobre a face do campo
e não serás recolhido nem
ajuntado.
Aos animais da terra e às
aves do céu
te darei por mantimento.
6 Então saberão todos os moradores do Egito que eu sou o Senhor. Tu tens sido um bordão de cana para a nação de Israel.
7 Tomando-te eles pela mão, tu te quebraste, e lhes rasgaste todo o ombro e, encostando-se eles a ti, tu te quebraste, fazendo estremecer todos os seus lombos.
8 Portanto, assim diz o Senhor Deus: Eu trarei sobre ti a espada e exterminarei de ti homem e animal.
9 A terra do Egito se tornará em desolação e deserto. Então saberão que eu sou o Senhor. Porque disseste: O rio é meu, e eu o fiz,
10 portanto eu estou contra ti e contra os teus rios, e tornarei a terra do Egito em desertas e desoladas solidões, desde Migdol até Sevene, até os confins da Etiópia.
11 Não passará por ela pé de homem, nem pata de animal passará por ela, nem será habitada por quarenta anos.
12 Tornarei a terra do Egito em desolação no meio das terras desoladas; as suas cidades no meio das cidades desertas se tornarão em desolação por quarenta anos. Espalharei os egípcios entre as nações e os derramarei pelas terras.
13 No entanto, assim diz o Senhor Deus: Ao cabo de quarenta anos ajuntarei os egípcios dentre os povos entre os quais foram espalhados.
14 Removerei o exílio dos egípcios e os farei voltar à terra de Patros, à terra da sua origem. Ali serão um reino humilde.
15 Mais humilde se fará do que os outros reinos, e nunca mais se exaltará sobre as nações. Eu os enfraquecerei, para que não dominem sobre as nações.
16 O Egito não será mais a confiança da nação de Israel, mas será uma lembrança da sua iniquidade quando se voltava a ele à procura de socorro. Então saberão que eu sou o Senhor Deus.
17 No vigésimo sétimo ano, no primeiro mês, no primeiro dia do mês, veio a mim a palavra do Senhor:
18 Filho do homem, Nabucodonosor, rei de Babilônia, fez que o seu exército prestasse um grande serviço contra Tiro; toda cabeça se tornou calva, e todo ombro se pelou. Contudo não houve recompensa da parte de Tiro para ele, nem para o seu exército, pelo serviço que prestou contra ela.
19 Portanto, assim diz o Senhor Deus: Eu darei a Nabucodonosor, rei de Babilônia, a terra do Egito, e ele levará a sua riqueza. Tomará o seu despojo e roubará a sua presa, e isso será a recompensa do seu exército.
20 Como recompensa do seu trabalho, com que serviu contra ela, lhe dei a terra do Egito, visto que trabalharam por mim, diz o Senhor Deus.
21 Naquele dia, farei brotar um chifre na nação de Israel e abrirei a tua boca no meio deles. Então saberão que eu sou o Senhor.

**Lamentação contra o Egito**

**30** Veio a mim a palavra do Senhor:

2 Filho do homem, profetiza e dize: Assim diz o Senhor Deus:
Gemei: Ah! aquele dia!
3 Pois está perto o dia, sim,
está perto o dia do Senhor;
dia de nuvens,
o tempo da destruição
dos gentios.
4 Uma espada virá ao Egito,
e haverá grande dor na Etiópia.
Quando caírem os trespassados no Egito,
a sua riqueza será levada
e seus fundamentos se quebrarão.
5 Etiópia e Pute, Lude e todo o povo da Arábia, Cube e os filhos da terra da aliança, com eles cairão à espada.
6 Assim diz o Senhor:
Também cairão os que sustêm o Egito,
e falhará o seu soberbo poder.
Desde Migdol até Sevene cairão à espada,
diz o Senhor Deus.
7 Serão desolados no meio das terras desoladas,
e as suas cidades estarão no meio
das cidades desertas.
8 Então saberão que eu sou o Senhor,
quando eu puser fogo ao Egito
e forem destruídos todos os que lhe davam auxílio.
9 Naquele dia, sairão mensageiros de diante de mim em navios, para amedrontarem a Etiópia descuidada. Haverá neles grandes dores, como no dia do Egito, pois eis que já vem.
10 Assim diz o Senhor Deus:
Eu farei cessar a multidão do Egito,
por intermédio de Nabucodonosor,
rei de Babilônia.
11 Ele e o seu povo com ele,
os mais formidáveis das nações,
serão levados para destruírem a terra.
Desembainharão as suas espadas contra o Egito
e encherão a terra de mortos.
12 Eu secarei os rios, venderei a terra,
entregando-a na mão dos maus;
assolarei a terra e a sua plenitude por meio de estrangeiros.
Eu, o Senhor, o disse.
13 Assim diz o Senhor Deus:
Também destruirei os ídolos
e farei cessar as imagens em Mênfis.
Já não haverá um príncipe na terra do Egito,
e porei o temor por toda a terra.
14 Assolarei Patros, porei fogo a Zoã
e executarei juízos em Tebas.
15 Derramarei o meu furor sobre Pelúsio,
fortaleza do Egito,
e exterminarei a multidão de Tebas.
16 Atearei fogo no Egito;
Pelúsio terá grande dor,
Tebas será destruída
e Mênfis terá angústia constante.
17 Os jovens de Áven
e de Pi-Besete cairão à espada,
e essas cidades irão para o exílio.

18 Em Tafnes se escurecerá
o dia,
quando eu quebrar ali os
jugos do Egito;
nela terá fim o seu soberbo
poder;
uma nuvem a cobrirá,
e suas filhas irão para o
exílio.
19 Assim executarei juízos
no Egito,
e saberão que eu sou o
Senhor.
20 No ano décimo primeiro, no primeiro mês, aos sete do mês, veio a mim a palavra do Senhor:
21 Filho do homem, eu quebrei o braço de faraó, rei do Egito, e ele não foi enfaixado para que sare, não lhe aplicaram remédios, nem lhe puseram tala, para tornar-se forte, a fim de pegar na espada.
22 Portanto, assim diz o Senhor Deus: Eu estou contra faraó, rei do Egito. Quebrarei os seus braços, o forte como o que já está quebrado, e farei cair da sua mão a espada.
23 Espalharei os egípcios entre as nações e os dispersarei pelas terras.
24 Fortalecerei os braços do rei de Babilônia e porei a minha espada na sua mão, mas quebrarei os braços de faraó e diante dele gemerá como quem está mortalmente ferido.
25 Eu levantarei os braços do rei de Babilônia, mas os braços de faraó cairão. Então saberão que eu sou o Senhor, quando puser a minha espada na mão do rei de Babilônia, e ele a estender sobre a terra do Egito.
26 Espalharei os egípcios entre as nações e os dispersarei pelas terras. Então saberão que eu sou o Senhor.

## Um cedro no Líbano

**31** No décimo primeiro ano, no terceiro mês, ao primeiro do mês, veio a mim a palavra do Senhor:
2 Filho do homem, dize a faraó, rei do Egito, e à sua multidão:
A quem és semelhante na tua grandeza?
3 A Assíria era um cedro no Líbano,
de ramos formosos,
de frondosa ramagem e de alta estatura,
cuja copa estava entre os ramos espessos.
4 As águas o nutriram,
as fontes das profundezas o fizeram crescer;
as suas correntes fluíam em torno
da sua plantação,
e alcançava todas as árvores do campo.
5 Por isso, se elevou a sua estatura
sobre todas as árvores do campo,
se multiplicaram os seus ramos
e se alongaram as suas varas,
por causa das muitas águas que enviava.
6 Todas as aves do céu
se aninhavam nos seus ramos;
todos os animais do campo geravam debaixo dos seus galhos;
todos os grandes povos se assentavam
à sua sombra.
7 Assim era ele formoso na sua grandeza,
na extensão dos seus ramos,
porque a sua raiz estava junto às muitas águas.

8 Os cedros no jardim de Deus não lhe eram rivais;
os ciprestes não igualavam os seus ramos,
e os plátanos não eram como os seus renovos;
nenhuma árvore no jardim de Deus
se assemelhava a ele na sua formosura.
9 Formoso o fiz com a multidão dos seus ramos;
todas as árvores do Éden,
que estavam no jardim de Deus,
tiveram inveja dele.
10 Portanto, assim diz o Senhor Deus: Como se elevou na sua estatura e se levantou a sua copa no meio dos espessos ramos, e o seu coração se exaltou na sua altura,
11 eu o entreguei na mão da mais poderosa das nações, que lhe deu o tratamento merecido. Pela sua impiedade o rejeitei,
12 e a mais terrível das nações estrangeiras o derrubou e o deixou. Caíram os seus ramos sobre os montes e por todos os vales; os seus renovos foram quebrados por todas as correntes da terra. Todos os povos da terra se retiraram da sua sombra e o deixaram.
13 Todas as aves do céu habitaram sobre a sua ruína, e todos os animais do campo se acolheram sob os seus ramos.
14 Por isso, nenhuma árvore junto às águas se exaltará na sua estatura, nem levantará a sua copa no meio dos ramos espessos. Nenhuma das árvores bem regadas confiará em si mesma, por causa da sua altura; todas estão entregues à morte, até a terra mais baixa, entre os filhos dos homens, com os que descem à cova.
15 Assim diz o Senhor Deus: No dia em que ele desceu à sepultura, fiz eu que houvesse luto; cobri o abismo, por sua causa, e retive as suas correntes; detiveram-se as grandes águas. Fiz que o Líbano o pranteasse, e todas as árvores do campo por causa dele desfaleceram.
16 Ao som da sua queda fiz tremer as nações, quando o fiz passar para o além com os que descem à cova; todas as árvores do Éden, a fina flor e o melhor do Líbano, todas as árvores bem regadas, se consolavam nas partes inferiores da terra.
17 Também estes com ele passarão para o além, a juntar-se aos que foram mortos à espada; sim, aos que foram seu braço e que estavam assentados à sombra no meio das nações.
18 A quem és semelhante em glória e em grandeza entre as árvores do Éden? Todavia descerás com as árvores do Éden às partes inferiores da terra; no meio dos incircuncisos jazerás com os que foram mortos à espada. Este é faraó e toda a sua multidão, diz o Senhor Deus.

### Lamentação sobre faraó

**32** No ano décimo primeiro, no décimo segundo mês, no primeiro dia do mês, veio a mim a palavra do Senhor:
2 Filho do homem, levanta uma lamentação sobre faraó, rei do Egito, e dize-lhe:
Eras semelhante a um filho de leão entre as nações,
e tu foste como um dragão nos mares;
ferias os teus rios e turbavas as águas com os teus pés, e sujavas os teus rios.

**3** Assim diz o Senhor Deus:
Estenderei sobre ti a
minha rede
com ajuntamento de muitos
povos,
e te farão subir na minha rede.
**4** Então te deixarei em terra;
sobre a face do campo te
lançarei,
e farei morar sobre ti todas
as aves do céu,
e se fartarão de ti todos os
animais da terra.
**5** Porei as tuas carnes sobre os
montes
e encherei os vales com os
teus restos.
**6** Regarei a terra com o sangue
que corre de ti,
até os montes,
e as ravinas se encherão da
tua carne.
**7** Apagando-te eu,
cobrirei os céus
e enegrecerei as suas
estrelas;
encobrirei o sol com uma
nuvem,
e a lua não deixará
resplandecer a sua luz.
**8** Todas as brilhantes luzes do céu
enegrecerei sobre ti e trarei
trevas sobre a tua
terra, diz o Senhor Deus.
**9** Afligirei o coração de muitos
povos,
quando eu levar a tua
destruição entre as nações,
às terras que não conheceste.
**10** Farei que muitos povos
fiquem espantados ao ver-te
e os seus reis tremam
grandemente,
quando eu brandir a minha
espada ante os seus rostos.
Estremecerão a cada
momento,
cada um pela sua vida,
no dia da tua queda.
**11** Pois assim diz o Senhor
Deus:
A espada do rei da Babilônia
virá sobre ti.
**12** Farei cair a tua multidão
com as espadas dos valentes;
terríveis dentre as nações
são todos eles.
Destroçarão a soberba do
Egito,
e toda a sua multidão será
destruída.
**13** Exterminarei todos os seus
animais
sobre as muitas águas;
não as turbará mais pé de
homem,
nem as turbarão unhas de
animais.
**14** Então farei assentar
as suas águas
e correr os seus rios como o
azeite,
diz o Senhor Deus.
**15** Quando eu tornar a terra do
Egito em desolação,
e a terra for desolada em
sua plenitude,
e quando ferir todos os que
nela habitam,
então saberão que eu sou o
Senhor.
**16** Esta é a lamentação que se fará.
As filhas das nações lamentarão
pelo Egito e por toda a sua multidão, diz o Senhor Deus.
**17** No décimo primeiro ano, aos
quinze do primeiro mês, veio a
mim a palavra do Senhor:
**18** Filho do homem, pranteia sobre a multidão do Egito e faze-a
descer, a ela e às filhas das nações magníficas, às partes inferiores da terra, com os que descem à cova.

**19** A quem superas tu em beleza? Desce e deita-te com os incircuncisos.
**20** No meio daqueles que foram mortos à espada eles cairão. A espada está desembainhada; arrastai-a e a toda a sua multidão.
**21** Os mais poderosos dos valentes, com os que o socorrem, lhe gritarão do além: Desceram, e lá estão, entre os incircuncisos, mortos à espada.
**22** Ali está a Assíria com todo o seu ajuntamento; em redor dela estão os seus sepulcros, todos eles foram mortos, e caíram à espada.
**23** Os seus sepulcros foram postos no mais interior da cova, e o seu ajuntamento está em redor do seu sepulcro; todos foram mortos e caíram à espada, os que tinham causado espanto na terra dos viventes.
**24** Ali está Elão com toda a sua multidão em redor do seu sepulcro. Todos eles foram mortos e caíram à espada. Eles desceram incircuncisos às partes inferiores da terra; causaram terror na terra dos viventes, e levaram a sua vergonha com os que desceram à cova.
**25** No meio dos mortos lhe puseram uma cama entre toda a sua multidão; e ao redor dele estão os seus sepulcros. Todos eles são incircuncisos, mortos à espada, porque causaram terror na terra dos viventes, e levaram a sua vergonha com os que desceram à cova, no meio dos mortos foram postos.
**26** Ali estão Meseque e Tubal com toda a sua multidão; e ao redor deles *estão os seus sepulcros*. Todos eles são incircuncisos, e foram mortos à espada porque causaram terror na terra dos viventes.
**27** Não jazem com os valentes que caíram dos incircuncisos, os quais desceram ao sepulcro com as suas armas de guerra e puseram as suas espadas debaixo das suas cabeças? O castigo da sua iniquidade está sobre os seus ossos, porque eram o terror dos poderosos na terra dos viventes.
**28** Também tu serás quebrado no meio dos incircuncisos e jazerás com os que foram mortos à espada.
**29** Ali está Edom, os seus reis e todos os seus príncipes, que no seu poder foram postos com os que foram mortos à espada; estes jazem com os incircuncisos e com os que desceram à cova.
**30** Ali estão os príncipes do Norte, todos eles, e todos os sidônios, que desceram com os mortos, envergonhados com o terror causado pelo seu poder; jazem incircuncisos com os que foram mortos à espada e levam a sua vergonha com os que desceram à cova.
**31** Faraó os verá e se consolará com toda a sua multidão; sim, o próprio faraó e todo o seu exército, mortos à espada, diz o Senhor Deus.
**32** Embora eu o tenha feito espalhar o terror na terra dos viventes, ele jazerá no meio dos incircuncisos, com os mortos à espada, sim, faraó e toda a sua multidão, diz o Senhor Deus.

### Ezequiel, o atalaia

**33** Veio a mim a palavra do Senhor:
**2** Filho do homem, fala aos filhos do teu povo, dizendo: Quando eu fizer vir a espada sobre a terra e o povo da terra tomar um homem dos seus termos e o constituir por seu atalaia,

3 e ele vir que a espada vem sobre a terra e tocar a trombeta para avisar o povo,
4 então se alguém ouvir o som da trombeta, mas não der atenção à advertência, e vier a espada, e o tomar, o seu sangue será sobre a sua própria cabeça.
5 Ele ouviu o som da trombeta e não deu atenção, o seu sangue será sobre ele. Mas o que se dá por avisado salvará a sua vida.
6 Se, porém, o atalaia vir que vem a espada e não tocar a trombeta para avisar o povo, e se a espada vier e levar uma vida entre eles, este tal foi levado na sua iniquidade, mas o seu sangue requererei da mão do atalaia.
7 A ti, ó filho do homem, te constituí por atalaia sobre a nação de Israel; tu, pois, ouvirás a palavra da minha boca e lhe darás aviso da minha parte.
8 Se eu disser ao ímpio: Ó ímpio, certamente morrerás, e tu não falares, para desviar o ímpio do seu caminho, morrerá esse ímpio na sua iniquidade, mas o seu sangue eu o requererei da tua mão.
9 Se, contudo, advertires o ímpio do seu caminho, para que ele se converta, e ele não se converter, morrerá na sua iniquidade, mas tu terás livrado a tua alma.
10 Quanto a ti, ó filho do homem, dize à nação de Israel: Assim falais vós: Visto que as nossas transgressões e os nossos pecados estão sobre nós, e nós desfalecemos neles, como viveremos então?
11 Dize-lhes: Tão certo como eu vivo, diz o Senhor Deus, não tenho prazer na morte do ímpio, mas em que o ímpio se converta do seu caminho e viva. Convertei-vos, convertei-vos dos vossos maus caminhos; por que morrereis, ó nação de Israel?
12 E tu, ó filho do homem, dize aos filhos do teu povo: A justiça do justo não o fará escapar no dia da sua transgressão, e a impiedade do ímpio não fará que ele caia, no dia em que se converter da sua impiedade. O justo, se pecar, não poderá viver pela justiça.
13 Quando eu disser ao justo que certamente viverá, e ele, confiando na sua justiça, praticar iniquidade, não virão em memória todas as suas justiças, mas na sua iniquidade, que pratica, ele morrerá.
14 Quando eu também disser ao ímpio: Certamente morrerás; se ele se converter do seu pecado e fizer juízo e justiça,
15 restituindo esse ímpio o penhor, pagando o furtado, andando nos estatutos da vida não praticando iniquidade, certamente viverá, não morrerá.
16 De todos os seus pecados que cometeu não se fará memória contra ele; juízo e justiça fez, certamente viverá.
17 Todavia, os filhos do teu povo dizem: Não é reto o caminho do Senhor. Mas o próprio caminho deles é que não é reto.
18 Desviando-se o justo da sua justiça e praticando iniquidade, morrerá nela.
19 E, convertendo-se o ímpio da sua impiedade, fazendo juízo e justiça, viverá por isso mesmo.
20 Todavia, vós dizeis: Não é reto o caminho do Senhor. Mas eu julgarei a cada um de vós conforme os seus caminhos, ó nação de Israel.

### Explicação da queda de Jerusalém

**21** No décimo segundo ano do nosso exílio, no décimo mês, aos cinco do mês, veio a mim um que tinha escapado de Jerusalém, dizendo: A cidade caiu. **22** Ora, a mão do Senhor estivera sobre mim pela tarde, antes que viesse o que tinha escapado, e ele abrira a minha boca antes que esse homem viesse ter comigo pela manhã. Assim abriu-se a minha boca, e não fiquei mais em silêncio.

**23** Então veio a mim a palavra do Senhor: **24** Filho do homem, os moradores destes lugares desertos da terra de Israel dizem: Abraão era um só, contudo possuiu esta terra. Mas nós somos muitos; certamente esta terra nos foi dada em possessão. **25** Dize-lhes, portanto: Assim diz o Senhor Deus: Com sangue comeis, e levantais os vossos olhos para os vossos ídolos, e derramais sangue; haveis de possuir a terra? **26** Vós que confiais na vossa espada, cometeis abominação, e cada um contamina a mulher do seu próximo; haveis de possuir a terra? **27** Assim lhes dirás: Assim diz o Senhor Deus: Tão certo como eu vivo, os que estiverem em lugares desertos cairão à espada, e os que estiverem em campo aberto eu os entregarei às feras, para que os devorem, e os que estiverem em fortalezas e em cavernas morrerão de peste. **28** Tornarei a terra em desolação e espanto; cessará o seu soberbo poder. Os montes de Israel ficarão tão desolados que ninguém passará por eles. **29** Então saberão que eu sou o Senhor, quando eu tornar a terra em desolação e espanto, por causa de todas as abominações que cometeram. **30** Quanto a ti, ó filho do homem, os filhos do teu povo falam de ti junto às paredes e nas portas das casas; fala um com o outro, cada um a seu irmão: Vinde ouvir qual é a palavra que procede do Senhor. **31** Eles vêm a ti, como o povo costuma vir, e se assentam diante de ti como meu povo, e ouvem as tuas palavras, mas não as põem em prática, pois expressam devoção com a sua boca, mas o seu coração vai após o lucro. **32** Deveras, tu és para eles como quem canta canções de amor, que tem voz suave e tange bem, pois ouvem as tuas palavras, mas não as põem em prática. **33** Quando, porém, vier isto — e aí vem —, então saberão que houve no meio deles um profeta.

### Pastores e ovelhas

**34** Veio a mim a palavra do Senhor: **2** Filho do homem, profetiza contra os pastores de Israel; profetiza e dize aos pastores: Assim diz o Senhor Deus: Ai dos pastores de Israel que se apascentam a si mesmos! Não apascentarão os pastores as ovelhas? **3** Comeis a gordura, vestis-vos de lã e degolais o cevado, mas não apascentais as ovelhas. **4** A fraca não fortalecestes, a doente não curastes, a quebrada não ligastes, a desgarrada não tornastes a trazer e a perdida não buscastes, mas dominais sobre elas com rigor e dureza.

**5** Assim se espalharam, por não haver pastor, e ficaram para pasto de todos os animais do campo, porque se espalharam.
**6** As minhas ovelhas andam desgarradas por todos os montes e alto outeiro; sim, as minhas ovelhas andam espalhadas por toda a face da terra, sem haver quem as procure nem quem as busque.
**7** Portanto, ó pastores, ouvi a palavra do Senhor:
**8** Tão certo como eu vivo, diz o Senhor Deus, visto que as minhas ovelhas foram entregues à rapina e vieram a servir de pasto a todos os animais do campo, por falta de pastor, e os meus pastores não procuram as minhas ovelhas, pois se apascentam a si mesmos, e não apascentam as minhas ovelhas,
**9** portanto, ó pastores, ouvi a palavra do Senhor:
**10** Assim diz o Senhor Deus: Eu estou contra os pastores; eu requererei as minhas ovelhas das suas mãos, e eles deixarão de apascentar as ovelhas, e não se apascentarão mais a si mesmos; livrarei as minhas ovelhas da sua boca, e não lhes servirão mais de pasto.
**11** Pois assim diz o Senhor Deus: Eu, eu mesmo, procurarei as minhas ovelhas e delas cuidarei.
**12** Como o pastor busca o seu rebanho, no dia em que está no meio das suas ovelhas dispersas, *assim* buscarei as minhas ovelhas. Eu as levarei de todos os lugares para onde foram espalhadas no dia de nuvens e escuridão.
**13** Eu as tirarei dos povos e as farei vir dos diversos países; eu as trarei à sua terra e as apascentarei nos montes de Israel, junto às correntes, e em todos os lugares habitados da terra.
**14** Em bons pastos as apascentarei, e nos altos montes de Israel será a sua pastagem; ali se deitarão numa boa pastagem, e pastarão em pastos gordos nos montes de Israel.
**15** Eu apascentarei as minhas ovelhas e as farei repousar, diz o Senhor Deus.
**16** A perdida buscarei, a desgarrada tornarei a trazer, a quebrada ligarei e a enferma fortalecerei, mas a gorda e a forte destruirei. Eu as apascentarei com juízo.
**17** Quanto a vós, ó ovelhas minhas, assim diz o Senhor Deus: Eu julgarei entre ovelhas e ovelhas, entre carneiros e bodes.
**18** Não vos basta pastar o bom pasto? Haveis de pisar o resto de vossos pastos? Não vos basta beber as águas limpas? Haveis de sujar o resto com os vossos pés?
**19** Quanto às minhas ovelhas, elas pastam o que foi pisado com os vossos pés e bebem o que foi sujado com os vossos pés.
**20** Por isso, o Senhor Deus assim lhes diz: Eu, eu mesmo, julgarei entre ovelhas gordas e ovelhas magras.
**21** Visto que com o lado e com o ombro dais empurrões, e com os vossos chifres escorneais todas as fracas, até que as espalhais para fora,
**22** eu livrarei as minhas ovelhas, para que não sirvam mais de presa, e julgarei entre ovelhas e ovelhas.
**23** Levantarei sobre elas um só pastor, o meu servo Davi, e ele as apascentará; ele as apascentará e lhes servirá de pastor.
**24** Eu, o Senhor, lhes serei por Deus, e o meu servo Davi será líder no meio delas. Eu, o Senhor, o disse.

25 Farei com elas uma aliança de paz e acabarei com os animais da terra para que habitem no deserto seguramente e durmam nos bosques.
26 Farei delas e dos lugares ao redor do meu monte uma bênção. Farei descer a chuva a seu tempo; chuvas de bênção serão.
27 As árvores do campo darão o seu fruto, e a terra dará a sua novidade; estarão seguras na sua terra. Saberão que eu sou o Senhor, quando eu quebrar as varas do seu jugo e as livrar das mãos dos que se serviam delas.
28 Não servirão mais de presa aos gentios, e os animais da terra nunca mais as comerão; habitarão seguramente, e ninguém haverá que as espante.
29 Eu lhes darei uma plantação de renome, e nunca mais serão consumidas pela fome na terra, nem mais levarão sobre si a vergonha dos gentios.
30 Saberão, porém, que eu, o Senhor seu Deus, estou com elas, e que elas são o meu povo, a nação de Israel, diz o Senhor Deus.
31 Vós, ó ovelhas minhas, ovelhas do meu pasto, homens sois, mas eu sou o vosso Deus, diz o Senhor Deus.

## Profecia contra Edom

**35** Veio a mim a palavra do Senhor:
2 Filho do homem, dirige o teu rosto contra o monte Seir, e profetiza contra ele.
3 Dize-lhe: Assim diz o Senhor Deus: Eu *estou contra ti, ó monte Seir*, e estenderei a minha mão contra ti e te porei em desolação e espanto.
4 As tuas cidades porei em solidão, e tu te tornarás em desolação. Então saberás que eu sou o Senhor.
5 Porque guardaste inimizade para sempre e abandonaste os filhos de Israel à violência da espada no tempo da extrema iniquidade,
6 por isso, tão certo como eu vivo, diz o Senhor Deus, eu te preparei para sangue, e o sangue te perseguirá. Visto que não aborreceste o sangue, o sangue te perseguirá.
7 Farei do monte Seir uma extrema desolação e exterminarei dele o que por ele passa, e o que por ele volta.
8 Encherei os seus montes dos seus mortos; nos teus outeiros, nos teus vales e em todas as tuas correntes cairão os mortos à espada.
9 Em desolações perpétuas te porei, e as tuas cidades nunca mais serão habitadas. Então sabereis que eu sou o Senhor.
10 Visto que dizes: Os dois povos e as duas terras serão meus, e os possuiremos, ainda que o Senhor se achasse ali,
11 por isso, tão certo como eu vivo, diz o Senhor Deus, procederei conforme a tua ira, e conforme a tua inveja, de que usaste, no teu ódio contra eles, e serei conhecido deles, quando te julgar.
12 Então saberás que eu, o Senhor, ouvi todas as tuas blasfêmias, que proferiste contra os montes de Israel, dizendo: Já estão desolados, a nós nos são entregues por pasto.
13 Vós vos engrandecestes contra mim com a vossa boca e multiplicastes as vossas palavras contra mim, e eu o ouvi.
14 Assim diz o Senhor Deus: Enquanto se alegra toda a terra, porei a ti em desolação.
15 Como te alegraste com a herança da nação de Israel, porque foi desolada, assim farei contigo.

Desolado serás, ó monte Seir, e todo o Edom, sim, todo ele. Então saberão que eu sou o Senhor.

### Profecia aos montes de Israel

**36** Filho do homem, profetiza aos montes de Israel e dize: Montes de Israel, ouvi a palavra do Senhor.

2 Assim diz o Senhor Deus: Disse o inimigo contra vós: Ah! ah! até as eternas alturas serão nossa herança.

3 Portanto, profetiza e dize: Assim diz o Senhor Deus: Visto que vos assolaram e devoraram em redor, para que tornásseis herança do resto das nações, e andais arrastados por conversas maliciosas e pela calúnia do povo,

4 portanto, ouvi, ó montes de Israel, a palavra do Senhor Deus: Assim diz o Senhor Deus aos montes e aos outeiros, às ravinas e aos vales, aos lugares desolados e solitários, e às cidades desamparadas, que se tornaram rapina e objeto de zombaria para o resto das nações que estão ao redor delas.

5 Assim diz o Senhor Deus: Certamente no fogo do meu zelo falei contra o resto das nações e contra todo o Edom, que se apropriaram da minha terra, com alegria de todo o coração, e com menosprezo da alma, para a lançarem fora à rapina.

6 Portanto, profetiza sobre a terra de Israel e dize aos montes e aos outeiros, às correntes e aos vales: Assim diz o Senhor Deus: Falei no meu zelo e no meu furor porque levastes sobre vós o vexame dos gentios.

7 Portanto, assim diz o Senhor Deus: Eu levantei a minha mão, para que os gentios, que estão ao redor de vós, levem o seu vexame sobre si mesmos.

8 Quanto a vós, porém, ó montes de Israel, vós produzireis os vossos ramos e dareis o vosso fruto para o meu povo de Israel, pois já está prestes a vir.

9 Eu estou convosco e me voltarei para vós, e sereis lavrados e semeados.

10 Multiplicarei homens entre vós, a toda a nação de Israel, a toda ela. As cidades serão habitadas e os lugares devastados serão reedificados.

11 Multiplicarei homens e animais entre vós, e eles se multiplicarão e frutificarão. Farei que sejais habitados como dantes, e farei vosso estado melhor que nos vossos princípios. Então sabereis que eu sou o Senhor.

12 Farei andar sobre vós os homens, o meu povo de Israel. Eles vos possuirão, e sereis a sua herança, e nunca mais os desfilhareis.

13 Assim diz o Senhor Deus: Visto que vos dizem: Tu és uma terra que devora os homens, e és uma terra que desfilha os seus povos,

14 por isso, tu não devorarás mais os homens, nem desfilharás mais os teus povos, diz o Senhor Deus.

15 Farei que nunca mais se ouça em ti a afronta dos gentios, e não levarás mais sobre ti a zombaria das gentes, nem mais desfilharás a tua nação, diz o Senhor Deus.

16 Veio a mim a palavra do Senhor:

17 Filho do homem, quando a nação de Israel habitava na sua terra, então a contaminaram com os seus caminhos e com as suas ações. Como a imundícia de uma mulher em sua separação, tal era o seu caminho perante o meu rosto.

18 Derramei, pois, o meu furor sobre eles, por causa do sangue que derramaram sobre a terra e dos seus ídolos, com que a contaminaram.
19 Espalhei-os entre as nações, e foram espalhados pelas terras; conforme os seus caminhos e conforme os seus feitos, eu os julguei.
20 E, chegando às nações para onde foram, profanaram o meu santo nome, pois se dizia deles: São estes o povo do Senhor, e saíram da sua terra.
21 Eu, porém, os poupei por amor do meu santo nome, que a nação de Israel profanou entre as nações para onde foi.
22 Dize, portanto, à nação de Israel: Assim diz o Senhor Deus: Não é por amor de vós que eu faço isso, ó nação de Israel, mas pelo meu santo nome, que profanastes entre as nações para onde fostes.
23 Eu santificarei o meu grande nome, que foi profanado entre as nações, o qual profanastes no meio delas. Então as nações saberão que eu sou o Senhor, diz o Senhor Deus, quando eu for santificado aos seus olhos.
24 Pois eu vos tirarei dentre as nações, vos congregarei de todos os países e vos trarei para a vossa terra.
25 Então espargirei água pura sobre vós, e ficareis purificados; de todas as vossas imundícias e de todos os vossos ídolos vos purificarei.
26 Eu vos darei um coração novo e porei em vós um espírito novo; tirarei de vós o coração de pedra e vos darei um coração de carne.
27 Porei em vós o meu Espírito, e farei que andeis nos meus estatutos e guardeis os meus juízos, e os observeis.
28 Habitareis na terra que eu dei a vossos pais; vós me sereis por povo, e eu vos serei por Deus.
29 Eu vos livrarei de todas as vossas imundícias. Chamarei o trigo e o multiplicarei, e não trarei fome sobre vós.
30 Multiplicarei o fruto das árvores e a novidade do campo, para que nunca mais sofrais a vergonha da fome entre as nações.
31 Então vos lembrareis dos vossos maus caminhos e dos vossos feitos, que não foram bons, e tereis nojo de vós mesmos por causa das vossas maldades e das vossas abominações.
32 Não é por amor de vós que eu faço isso, diz o Senhor Deus, que fique bem claro. Envergonhai-vos e confundi-vos pelos vossos caminhos, ó nação de Israel.
33 Assim diz o Senhor Deus: No dia em que eu vos purificar de todas as vossas maldades, então farei que sejam habitadas as cidades e edificados os lugares devastados.
34 A terra assolada se lavrará, em vez de estar desolada aos olhos de todos os que passam.
35 Dirão: Esta terra desolada ficou como o jardim do Éden; as cidades solitárias, desoladas e destruídas, estão fortificadas e habitadas.
36 Então saberão as nações, que ficarem de resto em redor de vós, que eu, o Senhor, reedifiquei as cidades destruídas e plantei o que estava devastado. Eu, o Senhor, o disse, e o farei.
37 Assim diz o Senhor Deus: Uma vez mais ouvirei o pedido da nação de Israel e farei isto por eles: Eu lhes multiplicarei os homens como rebanho.

**38** Como o rebanho dos santos, como o rebanho de Jerusalém nas suas festas fixas, assim as cidades desertas se encherão de rebanhos de homens. Então saberão que eu sou o Senhor.

### O vale de ossos secos

**37** Veio sobre mim a mão do Senhor, e ele me levou no Espírito do Senhor e me pôs no meio de um vale que estava cheio de ossos.
**2** Ele me fez andar ao redor deles, e eu vi que eram muito numerosos sobre a face do vale, e estavam sequíssimos.
**3** Ele me perguntou: Filho do homem, poderão viver estes ossos? Eu disse: Senhor Deus, tu o sabes.
**4** Então ele me disse: Profetiza sobre estes ossos e dize-lhes: Ossos secos, ouvi a palavra do Senhor.
**5** Assim diz o Senhor Deus a estes ossos: Farei entrar em vós o espírito, e vivereis.
**6** Porei nervos sobre vós, farei crescer carne sobre vós, e sobre vós estenderei pele; porei em vós o espírito, e vivereis. Então sabereis que eu sou o Senhor.
**7** Portanto, profetizei como me foi ordenado. Enquanto eu profetizava, houve um ruído, um barulho, e os ossos se ajuntaram, cada osso ao seu osso.
**8** Olhei, e vieram nervos sobre eles, e cresceu a carne, e estendeu-se a pele sobre eles, mas não havia neles espírito.
**9** Então ele me disse: Profetiza ao espírito; profetiza, ó filho do homem, e dize ao espírito: Assim diz o Senhor Deus: Vem dos quatro ventos, ó espírito, e assopra sobre estes mortos, para que vivam.
**10** Profetizei como ele me ordenara, então o espírito entrou neles e viveram, e se puseram em pé, um exército grande em extremo.
**11** Então ele me disse: Filho do homem, estes ossos são toda a nação de Israel. Eles dizem: Os nossos ossos se secaram e pereceu a nossa esperança; nós estamos cortados.
**12** Portanto, profetiza e dize-lhes: Assim diz o Senhor Deus: Eu abrirei as vossas sepulturas e vos farei sair delas, ó povo meu, e vos trarei à terra de Israel.
**13** Então sabereis que eu sou o Senhor, quando eu abrir as vossas sepulturas e vos fizer sair delas, ó povo meu.
**14** Porei em vós o meu Espírito e vivereis, e vos porei na vossa terra. Então sabereis que eu, o Senhor, disse isto, e o fiz, diz o Senhor.

### Uma nação sob um rei

**15** Veio a mim a palavra do Senhor:
**16** Quanto a ti, ó filho do homem, toma um pedaço de madeira, e escreve nele: Por Judá e pelos filhos de Israel, seus companheiros. Então toma outro pedaço de madeira, e escreve nele: Por José, vara de Efraim, e por toda a nação de Israel, seus companheiros.
**17** Ajunta-os um ao outro, para que se unam e se tornem um só na tua mão.
**18** Quando os filhos do teu povo te perguntarem: Não nos declararás o que significam essas coisas?
**19** Então tu lhes dirás: Assim diz o Senhor Deus: Eu tomarei a vara de José, que esteve na mão de Efraim, e as das tribos de Israel, suas companheiras, e as ajuntarei à vara de Judá; dessa forma, farei delas uma só vara, e elas se farão uma só na minha mão.

20 Os pedaços de madeira em que houveres escrito estarão na tua mão perante os olhos deles.
21 Dize-lhes: Assim diz o Senhor Deus: Eu tomarei os filhos de Israel de entre as nações, para onde eles foram, e os congregarei de todas as partes, e os levarei à sua terra.
22 Deles farei uma nação na terra, nos montes de Israel. Um só rei será rei de todos eles, e nunca mais serão duas nações, nunca mais para o futuro se dividirão em dois reinos.
23 Nunca mais se contaminarão com os seus ídolos, nem com as suas abominações, nem com as suas transgressões, pois eu os livrarei de todas as suas apostasias e os purificarei. Então eles serão o meu povo, e eu serei o seu Deus.
24 O meu servo Davi reinará sobre eles, e todos eles terão um pastor. Andarão nos meus juízos e guardarão os meus estatutos, e os observarão.
25 Habitarão na terra que dei a meu servo Jacó, na qual habitaram vossos pais. Habitarão nela, eles e seus filhos, e os filhos de seus filhos, para sempre, e Davi, meu servo, será seu líder eternamente.
26 Farei com eles uma aliança de paz; será uma aliança eterna. Eu os estabelecerei e os multiplicarei; e porei o meu santuário no meio deles para sempre.
27 O meu tabernáculo estará com eles; *eu serei o seu Deus, e eles serão o meu povo.*
28 Então as nações saberão que eu sou o Senhor que santifico a Israel, quando estiver o meu santuário no meio deles para sempre.

## Profecia contra Gogue

**38** Veio a mim a palavra do Senhor:
2 Filho do homem, volta o teu rosto contra Gogue, terra de Magogue, príncipe e chefe de Meseque e de Tubal; profetiza contra ele
3 e dize: Assim diz o Senhor Deus: Eu sou contra ti, ó Gogue, príncipe e chefe de Meseque e de Tubal.
4 Eu te farei voltar e porei anzóis nos teus queixos e te levarei, com todo o teu exército, cavalos e cavaleiros, todos eles vestidos de armadura completa, uma grande multidão, com escudos grandes e pequenos, manejando todos a espada.
5 Persas, etíopes, e os de Pute com eles, todos com escudo e capacete,
6 também Gômer e todas as suas tropas, e Bete-Togarma, do extremo norte, e todas as suas tropas, muitos povos contigo.
7 Prepara-te, sim, dispõe-te, tu e todas as tuas multidões que se reuniram a ti, e serve-lhes tu de guarda.
8 Depois de muitos dias serás visitado. No fim dos anos virás à terra que se recuperou da espada, ao povo que se congregou dentre muitos povos sobre os montes de Israel, que sempre estavam desolados. Aquela terra foi tirada dentre os povos, e todos eles habitarão seguramente.
9 Então subirás, tu e todas as tuas tropas, e muitos povos contigo, virás como uma tempestade; e serão como uma nuvem para cobrir a terra.
10 Assim diz o Senhor Deus: Naquele dia ideias virão ao teu coração, e conceberás um mau desígnio.
11 Dirás: Subirei contra a terra das aldeias não muradas, virei contra os que estão em repouso,

que habitam seguros; todos eles habitam sem muro, e não têm ferrolho nem portas.

**12** Tomarei o despojo, arrebatarei a presa e tornarei a minha mão contra as terras desertas que agora se habitam e contra o povo, que se ajuntou dentre as nações, que tem gado e possessões, e habita no meio da terra.

**13** Sabá e Dedã e os mercadores de Társis e todas as suas aldeias te dirão: Vens tu para tomar o despojo? Ajuntaste o teu bando para arrebatar a presa, levar a prata e o ouro, tomar o gado e as possessões, para saquear grandes despojos?

**14** Portanto, profetiza, ó filho do homem, e dize a Gogue: Assim diz o Senhor Deus: Naquele dia, quando o meu povo Israel habitar seguro, não o saberás tu?

**15** Virás do teu lugar, do extremo norte, tu e muitos povos contigo, montados todos a cavalo, grande multidão e exército numeroso.

**16** Subirás contra o meu povo Israel, como uma nuvem que cobre a terra. No fim dos dias hei de trazer-te contra a minha terra, para que as nações me conheçam a mim, quando eu me houver santificado em ti aos seus olhos, ó Gogue.

**17** Assim diz o Senhor Deus: Não és tu aquele de quem eu disse nos dias antigos, por intermédio de *meus servos, os profetas* de Israel, os quais naqueles dias profetizaram, durante anos, que te traria contra eles?

**18** Naquele dia, porém, no dia em que vier Gogue contra a terra de Israel, diz o Senhor Deus, a minha indignação será despertada.

**19** No meu zelo e no fogo do meu furor eu digo que naquele dia haverá um grande tremor na terra de Israel.

**20** Tremerão diante da minha face os peixes do mar, as aves do céu, os animais do campo, todos os répteis que se arrastam sobre a terra e todos os homens que estão sobre a face da terra. Os montes cairão e os precipícios se desfarão; todos os muros desabarão por terra.

**21** Chamarei contra ele a espada, sobre todos os meus montes, diz o Senhor Deus. A espada de cada um se voltará contra seu irmão.

**22** Também executarei juízo contra ele por meio da peste e do sangue; chuva inundante, grandes pedras de saraiva, fogo e enxofre farei cair sobre ele, sobre as suas tropas e sobre os muitos povos que estiverem com ele.

**23** Assim eu me engrandecerei e me santificarei, e me darei a conhecer aos olhos de muitas nações. Então saberão que eu sou o Senhor.

**39** E tu, pois, ó filho do homem, profetiza contra Gogue e dize: Assim diz o Senhor Deus: Eu sou contra ti, ó Gogue, príncipe e chefe de Meseque e de Tubal.

**2** Eu te farei retornar e te porei seis anzóis; te farei subir do extremo norte e te trarei aos montes de Israel.

**3** Tirarei o teu arco da tua mão esquerda e farei cair as tuas flechas da tua mão direita.

**4** Nos montes de Israel cairás, tu e todas as tuas tropas, e os povos que estão contigo. Às aves de rapina, e às aves de toda espécie, e aos animais do campo, te darei por pasto.

**5** Em campo aberto cairás, pois eu falei, diz o Senhor Deus.

**6** Enviarei um fogo sobre Magogue e sobre os que habitam seguros nas ilhas, e saberão que eu sou o Senhor.

**7** Farei conhecido o meu santo nome no meio do meu povo Israel. Nunca mais deixarei profanar o meu santo nome, e as nações saberão que eu sou o Senhor, o Santo em Israel.

**8** Eis que vem, e se cumprirá, diz o Senhor Deus. Este é o dia de que tenho falado.

**9** Então os habitantes das cidades de Israel sairão e totalmente queimarão as armas, os escudos, os escudos pequenos e grandes, os arcos, as flechas, os bastões de mão e as lanças. Farão fogo com tudo isso por sete anos.

**10** Não trarão lenha do campo, nem a cortarão dos bosques, mas com as armas acenderão fogo. E roubarão aos que os roubaram, e despojarão aos que os despojaram, diz o Senhor Deus.

**11** Naquele dia, darei a Gogue um lugar de sepultura em Israel, o vale dos que passam ao Oriente, na direção do Mar, o qual fará parar os que por ele passarem, porque Gogue e toda a sua multidão serão enterrados ali. E lhe chamarão o vale de Hamom-Gogue.

**12** A nação de Israel os enterrará por sete meses, para purificar a terra.

**13** Sim, todo o povo da terra os enterrará, e será para eles memorável o dia em que eu for glorificado, diz o Senhor Deus.

**14** Serão separados homens que incessantemente passarão pela *terra para sepultar os* que tiverem ficado nela, para a purificar. Durará sete meses este trabalho.

**15** Ao percorrerem a terra, vendo alguém um osso de homem, levantará um sinal próximo dele, até que os enterradores o enterrem no vale de Hamom-Gogue.

**16** Também o nome da cidade será Hamona. Assim purificarão a terra.

**17** Filho do homem, assim diz o Senhor Deus: Dize às aves de toda espécie e a todos os animais do campo: Ajuntai-vos e vinde, vinde de toda parte para o meu sacrifício, que eu sacrifiquei por vós, sacrifício grande nos montes de Israel, e comei carne, e bebei sangue.

**18** Comereis a carne dos poderosos e bebereis o sangue dos príncipes da terra; dos carneiros, dos cordeiros, dos bodes, dos bezerros, todos engordados em Basã.

**19** Comereis a gordura até vos fartardes e bebereis o sangue até vos embebedardes, a gordura e o sangue do meu sacrifício que sacrifiquei por vós.

**20** Eu vos fartarei à minha mesa, de cavalos, de cavaleiros, de valentes e de todos os homens de guerra, diz o Senhor Deus.

**21** Porei a minha glória entre as nações, e todas as nações verão o meu juízo, que eu tiver executado, e a minha mão, que sobre elas tiver descarregado.

**22** Daquele dia em diante saberão os da nação de Israel que eu sou o Senhor seu Deus.

**23** E as nações saberão que os da nação de Israel, por causa da sua iniquidade, foram levados para o exílio, porque se rebelaram contra mim. Eu escondi deles a minha face e os entreguei nas mãos de seus adversários, e todos caíram à espada.

**24** Conforme a sua imundícia e as suas transgressões agi com eles, e escondi deles a minha face.

**25** Portanto, assim diz o Senhor Deus: Agora tornarei a trazer os cativos de Jacó e terei compaixão de toda a nação de Israel; e terei zelo pelo meu santo nome.
**26** Levarão sobre si a sua vergonha e toda a sua rebeldia, com que se rebelaram contra mim, quando habitavam seguros na sua terra, sem haver quem os espantasse.
**27** Quando eu os tornar a trazer de entre os povos e os ajuntar das terras de seus inimigos, eu me santificarei neles aos olhos de muitas nações.
**28** Então saberão que eu sou o Senhor seu Deus, vendo que eu os fiz ir para o exílio entre as nações e os tornei a ajuntar a fim de voltarem à sua terra, e nenhum deles deixei para trás.
**29** Já não esconderei deles a minha face, pois eu derramarei o meu Espírito sobre a nação de Israel, diz o Senhor Deus.

### A restauração do templo

**40** No vigésimo quinto ano do nosso exílio, no princípio do ano, no décimo dia do mês, catorze anos depois que a cidade foi conquistada, nesse mesmo dia veio sobre mim a mão do Senhor e me levou para lá.
**2** Em visões de Deus me levou à terra de Israel e me pôs sobre um monte muito alto, e sobre ele, para a banda do sul, havia uns como edifícios que pareciam uma cidade.
**3** Ele me levou para lá, e vi que um homem cuja aparência era como a do bronze estava em pé na porta, tendo na mão uma corda de linho e uma vara de medir.
**4** Disse-me o homem: Filho do homem, vê com os teus olhos e ouve com os teus ouvidos, e põe no teu coração tudo o que eu te fizer ver, pois para isso foste aqui trazido. Anuncia à nação de Israel tudo o que vires.
**5** Havia um muro fora da vara em redor, e na mão do homem uma vara de medir, de seis côvados, cada côvado com um palmo a mais. Ele mediu a largura do edifício, uma vara, e a altura, uma vara.
**6** Então veio à porta que dava para o Oriente. Subiu pelos seus degraus e mediu o limiar da porta; uma vara de largo, e o outro umbral, uma vara de largo.
**7** Cada sala tinha uma vara de comprido e uma vara de largura; entre as salas havia cinco côvados. E o umbral da porta, ao pé do vestíbulo da porta, tinha uma vara, por dentro.
**8** Também mediu o vestíbulo da porta por dentro, uma vara.
**9** Então mediu o outro alpendre da porta, que tinha oito côvados, e os seus umbrais, dois côvados, e o vestíbulo da porta, por dentro.
**10** As salas da porta para o lado do Oriente eram três deste lado, e três do outro, uma mesma medida era a das três; também os umbrais deste lado e do outro tinham a mesma medida.
**11** Mediu mais a largura da entrada da porta, que era de dez côvados; o comprimento da porta, treze côvados.
**12** O espaço em frente das salas era de um côvado, e de um côvado o espaço do outro lado. Cada sala tinha seis côvados dum lado, e seis do outro.
**13** Então mediu a porta desde o telhado de uma sala até o telhado da outra, vinte e cinco côvados de largura, porta contra porta.

14 Mediu também o vestíbulo, vinte côvados; em torno do vestíbulo da porta estava o átrio.
15 A distância da entrada da porta até o extremo do pórtico da porta interior media cinquenta côvados.
16 Havia também nas salas janelas, e nos seus umbrais, dentro da porta ao redor, e do mesmo modo no pórtico. As janelas estavam à roda pela parte de dentro; e nos umbrais havia palmeiras.
17 Então ele me levou ao átrio exterior. Havia nele salas, e um pavimento feito no átrio em redor; trinta salas havia naquele pavimento.
18 O pavimento ao lado das portas era a par do comprimento das portas; o pavimento era inferior.
19 Então mediu a largura desde a dianteira da porta inferior até a dianteira do átrio interior, por fora, cem côvados, do lado do oriente e do norte.
20 Quanto à porta que dava para o norte, no átrio exterior, ele mediu o seu comprimento e a sua largura.
21 As suas salas, três de um lado, e três do outro, e os seus umbrais e os seus pórticos eram da medida da primeira porta: de cinquenta côvados era o seu comprimento, e a largura de vinte e cinco côvados.
22 As suas janelas, os seus pórticos e as suas palmeiras eram da medida da porta que dava para o Oriente; subia-se para ela por sete degraus, e o seu pórtico estava diante dela.
23 *Estava a porta do átrio interior em frente da porta do norte e do oriente; mediu de porta a porta cem côvados.*
24 Então ele me levou ao sul, e vi que havia ali uma porta que dava para o sul, e mediu os seus umbrais e os seus pórticos conforme essas medidas.
25 Havia também janelas em redor dos seus pórticos, como as outras janelas: cinquenta côvados o comprimento, e a largura vinte e cinco côvados.
26 De sete degraus eram as suas subidas, e os seus pórticos estavam diante deles; tinha palmeiras, uma de um lado e outra do outro, nos seus umbrais.
27 Também havia uma porta no átrio interior que olha para o sul; e mediu de porta a porta, para o sul, cem côvados.
28 Então me levou ao átrio interior pela porta do sul; mediu a porta do sul, conforme essas medidas.
29 As suas salas, e os seus umbrais, e os seus pórticos eram conforme essas medidas; tinham também janelas ao redor dos seus pórticos: o comprimento era de cinquenta côvados, e a largura de vinte e cinco côvados.
30 Havia pórticos em redor; o comprimento era de vinte e cinco côvados, e a largura de cinco côvados.
31 Os seus pórticos estavam na direção do átrio exterior, e havia palmeiras nos seus umbrais; de oito degraus eram as suas subidas.
32 Depois me levou ao átrio interior, para o Oriente; a porta tinha a mesma medida que as anteriores.
33 Também as suas salas, e os seus umbrais e os seus pórticos tinham as mesmas medidas. Havia também janelas em redor dos seus pórticos; o comprimento de cinquenta côvados, e a largura de vinte e cinco côvados.
34 Os seus pórticos estavam no átrio exterior; também havia palmeiras

nos seus umbrais de um e de outro lado, e eram as suas subidas de oito degraus.
35 Então me levou à porta do norte, e a mediu. Ela possuía as mesmas medidas das outras,
36 como também as suas salas, os seus umbrais, e os seus pórticos; também tinha janelas em redor. O comprimento era de cinquenta côvados, e a largura de vinte e cinco côvados.
37 Os seus umbrais estavam no átrio exterior; também havia palmeiras nos seus umbrais de um e de outro lado, e eram as suas subidas de oito degraus.
38 A sua sala e a sua porta estavam junto aos umbrais das portas onde lavavam o holocausto.
39 No pórtico da porta havia duas mesas de um lado, e duas mesas do outro, para nelas se degolar o holocausto e a oferta pelo pecado e pela culpa.
40 Também do lado de fora da subida para a entrada da porta do norte havia duas mesas; do outro lado, que estava no pórtico da porta, havia duas mesas.
41 Quatro mesas de um, e quatro mesas do outro lado; aos lados da porta oito mesas, sobre as quais imolavam.
42 As quatro mesas para o holocausto eram de pedras lavradas; o comprimento era de um côvado e meio, a largura de um côvado e meio e a altura de um côvado. Sobre elas se punham os instrumentos com que imolavam o holocausto e os sacrifícios.
43 Os ganchos eram de um palmo de comprido, e estavam fixos por dentro ao redor, e sobre as mesas estava a carne da oferta.
44 Fora da porta interior estavam as salas dos cantores, no átrio interior, que estava do lado da porta do norte e olhava para o sul; uma estava ao lado da porta do oriente, a qual olhava para o norte.
45 Ele me disse: Esta sala que olha para o sul é para os sacerdotes que têm a guarda do templo.
46 A sala voltada para o norte, porém, é para os sacerdotes que têm a guarda do altar; estes são os filhos de Zadoque, que se chegam ao Senhor, dentre os filhos de Levi, para o servir.
47 Então ele mediu o átrio; o comprimento de cem côvados, um quadrado, e o altar estava diante do templo.
48 Então me levou ao pórtico do templo e mediu cada pilar do pórtico, cinco côvados de um lado, e cinco côvados do outro; a largura da porta, três côvados de um lado, e três côvados do outro.
49 O comprimento do pórtico era de vinte côvados, e a largura de onze côvados, e era por degraus, que se subia; havia colunas junto aos umbrais, uma de um lado e outra do outro.

**41** Então me levou ao templo e mediu os umbrais, seis côvados de largura de um lado, e seis côvados de largura do outro, que era a largura do tabernáculo.
2 A largura da entrada, cinco côvados de um lado e cinco côvados do outro; também mediu o seu comprimento, de quarenta côvados, e a largura, de vinte côvados.
3 Então ele entrou no átrio interior, e mediu o pilar da entrada, dois côvados, e a entrada, seis côvados, e a largura da entrada, sete côvados.
4 Também mediu o seu comprimento, vinte côvados, e a largura,

vinte côvados, diante do templo, e me disse: Este é o Santo dos Santos.

5 Então mediu a parede do templo, seis côvados, e a largura das salas laterais, quatro côvados, por todo o redor do templo.

6 As salas laterais, sala sobre sala, eram trinta, em três níveis, trinta em cada nível, e entravam na parede que se encostava no templo em redor, de modo que não se apoiassem na parede do templo.

7 As salas laterais aumentavam de largura de andar em andar, ao passo que se aprofundava o encaixe da parede a cada andar, ao redor do templo; havia ao lado do templo uma escadaria pela qual se subia ao terceiro andar pelo segundo.

8 Olhei para a altura do templo em redor; eram os fundamentos das salas laterais da medida de uma cana inteira, seis côvados grandes.

9 A grossura da parede das salas laterais de fora era de cinco côvados; o que foi deixado vazio era o lugar das salas laterais, que estavam junto ao templo.

10 Entre as salas havia a largura de vinte côvados por todo o redor do templo.

11 As entradas das salas laterais estavam voltadas para o lugar vazio; uma entrada para o norte, e outra entrada para o sul. A largura do lugar vazio era de cinco côvados em redor.

12 Era também o edifício que estava *diante do lugar separado*, à esquina ocidental, da largura de setenta côvados; a parede do edifício era de cinco côvados de largura em redor, e o seu comprimento era de noventa côvados.

13 Assim mediu o templo, do comprimento de cem côvados, como também o lugar separado, e o edifício, e as suas paredes, cem côvados de comprimento.

14 A largura da frente do templo, e do lugar separado para o Oriente, de uma e de outra parte, cem côvados.

15 Também mediu o comprimento do edifício, diante do lugar separado, que estava por detrás, e as suas galerias de uma e de outra parte, cem côvados. A nave do templo, a sala interior, e o pórtico do átrio eram apainelados.

16 Os três tinham janelas gradeadas. As galerias em redor dos três, em frente do umbral, eram cobertas de madeira em redor, e isto desde o chão até as janelas que estavam cobertas.

17 No espaço em cima da porta, e até a sala interior, por dentro e por fora, e em todas as paredes em redor, por dentro e por fora,

18 havia querubins e palmeiras de entalhe, de maneira que cada palmeira estava entre querubim e querubim, e cada querubim tinha dois rostos,

19 a saber: um rosto de homem olhava para a palmeira de um lado e um rosto de leão para a palmeira do outro. Assim foi feito por todo o templo em redor.

20 Desde o chão até acima da entrada estavam feitos os querubins e as palmeiras, como também pela parede do templo.

21 Os batentes do templo eram quadrados, e, no tocante à frente do santuário, a feição de uma era como a feição da outra.

22 O altar de madeira era de três côvados de altura, e o seu comprimento de dois côvados, e tinha

os seus dois cantos; o seu fundamento e as suas paredes eram de madeira. Disse-me o homem: Esta é a mesa que está perante a face do Senhor.

23 O templo e o Santíssimo tinham duas portas.

24 Havia duas folhas para as portas, duas folhas dobráveis, duas para uma porta, e duas para a outra.

25 E havia nelas, nas portas do templo, querubins e palmeiras, como os que estavam nas paredes, e havia um grande toldo de madeira diante do pórtico por fora.

26 Havia janelas estreitas e palmeiras, em ambos os lados do pórtico, como também nas salas laterais do templo e no toldo de madeira.

### As salas dos sacerdotes

**42** Depois disso fez-me sair para o átrio exterior, para o lado do norte, e me levou às salas que estavam em frente do espaço vazio, e que estavam em frente do edifício, do lado do norte.

2 Do comprimento de cem côvados era a entrada do norte, e a largura era de cinquenta côvados.

3 Em frente dos vinte côvados, que tinha o átrio interior, e em frente do pavimento que tinha o átrio exterior, havia galeria contra galeria em três andares.

4 Diante das salas havia um passeio de dez côvados de largura, do lado de dentro, e um caminho de um côvado; as suas entradas eram para o lado do norte.

5 As salas de cima eram mais estreitas, pois as galerias tomavam aqui mais espaço do que nas de baixo e nas do meio do edifício.

6 As salas do terceiro andar não tinham colunas como as colunas dos átrios; por isso, desde o chão se iam estreitando mais do que as de baixo e as do meio.

7 O muro que estava por fora, em frente das salas, no caminho do átrio exterior, diante das salas, tinha cinquenta côvados de comprimento.

8 Ao passo que o comprimento das salas que estavam no átrio exterior era de cinquenta côvados, as que ficavam em frente do templo eram de cem côvados.

9 Da parte de baixo destas salas estava a entrada do lado do oriente, quando se entra nelas pelo átrio exterior.

10 Na largura do muro do átrio para o caminho do oriente, diante do lugar separado, e diante do edifício, também havia salas.

11 O caminho de diante delas era da mesma forma das salas do norte. Conforme o seu comprimento, assim era a sua largura; todas as suas saídas eram também conforme as suas formas, e conforme as suas entradas.

12 Conforme as entradas das salas, que davam para o sul, havia também uma entrada no começo de cada caminho, diante do muro direito, para o Oriente, quando se entra por elas.

13 Então me disse: As salas do norte e as salas do sul, que estão diante do lugar separado, são salas santas, em que os sacerdotes, que se chegam ao Senhor, comerão as coisas mais santas. Ali porão as coisas mais santas, e as ofertas de cereais, as ofertas pelo pecado e as ofertas pela culpa; pois o lugar é santo.

14 Quando os sacerdotes entrarem, não sairão do santuário para o átrio exterior, mas porão ali as

vestiduras com que ministraram, pois elas são santas. Eles se vestirão de outras vestiduras, e assim se aproximarão do lugar pertencente ao povo.

**15** Acabando ele de medir o templo interior, fez-me sair pela porta cuja face dá para o Oriente, e mediu em redor.
**16** Mediu o lado oriental com a vara de medir, quinhentos côvados com a vara de medir ao redor.
**17** Mediu o lado do norte, quinhentos côvados com a vara de medir ao redor.
**18** O lado do sul também mediu, quinhentos côvados com a vara de medir.
**19** Deu uma volta para o lado do ocidente, e mediu quinhentos côvados com a vara de medir.
**20** Mediu pelos quatro lados. Havia um muro em redor, de quinhentos côvados de comprimento, e quinhentos de largura, para fazer separação entre o santo e o profano.

### A glória volta ao templo

**43** Então me levou à porta que olha para o Oriente.
**2** Eu vi a glória do Deus de Israel que vinha do Oriente. A sua voz era como a voz de muitas águas, e a terra resplandeceu por causa da sua glória.
**3** O aspecto da visão que tive era como o da visão que eu tivera quando veio destruir a cidade, e como a que tive junto ao rio Quebar; caí com o rosto em terra.
**4** *A glória do Senhor* entrou no templo pela porta que olha para o Oriente.
**5** Então o Espírito me levantou e me levou ao átrio interior, e a glória do Senhor encheu o templo.
**6** Enquanto o homem estava em pé ao meu lado, ouvi uma voz que me foi dirigida de dentro do templo.
**7** Disse-me: Filho do homem, este é o lugar do meu trono, e o lugar das plantas dos meus pés. Aqui habitarei no meio dos filhos de Israel para sempre. Os da nação de Israel não contaminarão mais o meu nome santo, nem eles nem os seus reis, com as suas prostituições e com os cadáveres dos seus reis, nos seus altos,
**8** pondo a sua soleira ao pé da minha soleira, e os seus batentes junto aos meus batentes, e havendo uma parede entre mim e eles. Contaminaram o meu santo nome com as suas abominações que faziam; por isso, eu os consumi na minha ira.
**9** Agora lancem eles para longe de mim a sua prostituição e os cadáveres dos seus reis, e habitarei no meio deles para sempre.
**10** Quanto a ti, ó filho do homem, mostra à nação de Israel este templo, para que se envergonhe das suas maldades. Sirva-lhes ela de modelo,
**11** e, envergonhando-se eles de tudo o que fizeram, faze-lhes saber a forma deste templo, e a sua figura, e as suas saídas, e as suas entradas, e todas as suas formas, e todos os seus estatutos, todos os seus dispositivos e todas as suas leis; escreve isto diante de seus olhos, para que guardem todas as suas instituições e todos os seus estatutos, e os cumpram.
**12** Esta é a lei do templo: Sobre o cume do monte todo o seu contorno em redor será santíssimo. Esta é a lei do templo.
**13** São estas as medidas do altar, em côvados, sendo o côvado com

quatro dedos a mais; a parte inferior será de um côvado de altura, e um côvado de largura, e a sua borda, em todo o seu contorno, de um palmo. Esta é a base do altar.
14 Da base, desde o chão até a saliência de baixo, dois côvados, e de largura um côvado; desde a pequena saliência até a saliência grande, quatro côvados, e a largura um côvado.
15 O altar será de quatro côvados de altura, e por cima do altar se projetavam quatro chifres.
16 O altar terá doze côvados de comprimento, e doze de largura, quadrado nos quatro lados.
17 A saliência, catorze côvados de comprimento, e doze de largura, nos seus quatro lados; o contorno, ao redor dela, de meio côvado, e a base dela de um côvado, ao redor. Os seus degraus olhavam para o Oriente.
18 Então ele me disse: Filho do homem, assim diz o Senhor Deus: São estes os estatutos do altar, no dia em que o farão, para oferecerem sobre ele holocausto, e para espargirem sobre ele sangue.
19 Aos sacerdotes levitas, que são da descendência de Zadoque, que se chegam a mim, diz o Senhor Deus, para me servirem, darás um novilho para oferta pelo pecado.
20 Tomarás do seu sangue e o porás sobre os seus quatro ângulos, sobre os quatro cantos da saliência e sobre o contorno ao redor, assim farás a purificação e a expiação.
21 Então pegarás o novilho da oferta pelo pecado, o qual será queimado no lugar do templo designado para isso, fora do santuário.
22 No segundo dia, oferecerás um bode, sem defeito, para oferta pelo pecado; purificarão o altar, como o purificaram com o novilho.
23 Acabando tu de o purificar, oferecerás um novilho, sem defeito, e um carneiro do rebanho, sem defeito.
24 Tu os oferecerás perante a face do Senhor; os sacerdotes colocarão sal sobre eles e os oferecerão em holocausto ao Senhor.
25 Durante sete dias prepararás cada dia um bode como oferta pelo pecado; também prepararão um novilho e um carneiro do rebanho, sem defeito.
26 Por sete dias expiarão o altar e o purificarão, e assim o consagrarão.
27 Chegado o fim desse período, do oitavo dia em diante, os sacerdotes oferecerão sobre o altar os vossos holocaustos e as vossas ofertas pacíficas. Então eu me deleitarei em vós, diz o Senhor Deus.

**44** Então me fez voltar para o caminho da porta do santuário exterior, que olha para o Oriente, a qual estava fechada.
2 Disse-me o Senhor: Esta porta estará fechada, não se abrirá; ninguém entrará por ela. Porque o Senhor Deus de Israel entrou por ela, estará fechada.
3 Quanto ao príncipe, ele ali se assentará como príncipe, para comer o pão diante do Senhor; pelo caminho do pórtico da porta entrará, e por esse mesmo caminho sairá.
4 Depois levou-me pelo caminho da porta do norte, diante do templo. Olhei e vi a glória do Senhor encher o templo do Senhor, e caí com o rosto em terra.
5 Disse-me o Senhor: Filho do homem, considera no teu coração, vê com os teus olhos e ouve com os

# Ezequiel 44

teus ouvidos tudo o que eu te disser de todos os estatutos do templo do Senhor e de todas as suas leis. Considera no teu coração a entrada do templo, com todas as saídas do santuário.

**6** Dize aos rebeldes, à nação de Israel: Assim diz o Senhor Deus: Já bastam todas as vossas abominações, ó nação de Israel!

**7** Além das vossas outras abominações, fizestes entrar estrangeiros, incircuncisos de coração e incircuncisos de carne, para estarem no meu santuário, para o profanarem, quando ofereceis o meu pão, a gordura, e o sangue, e quebrastes a minha aliança.

**8** Não guardastes a ordenança das minhas coisas sagradas; antes constituístes em vosso lugar qualquer um para executar a ordenança no meu santuário.

**9** Assim diz o Senhor Deus: Nenhum estrangeiro, incircunciso de coração ou incircunciso de carne, entrará no meu santuário, dentre os estrangeiros que se acharem no meio dos filhos de Israel.

**10** Contudo os levitas que se apartaram para longe de mim, quando Israel se desviou de mim, para ir atrás dos seus ídolos, levarão sobre si a sua iniquidade.

**11** Entretanto, serão ministros do meu santuário, nos cargos das portas do templo, e servirão ao templo. Eles degolarão o holocausto e o sacrifício para o povo, e estarão perante ele, para o servir.

**12** No entanto, porque lhes ministraram *diante dos seus ídolos* e serviram de tropeço de maldade à nação de Israel, por isso, eu levantei a minha mão sobre eles, diz o Senhor Deus, e levarão sobre si a sua iniquidade.

**13** Não se chegarão a mim, para me servirem no sacerdócio, nem se chegarão a nenhuma de todas as minhas coisas sagradas, que são santíssimas, mas levarão sobre si a sua vergonha e as suas abominações que cometeram.

**14** Contudo, eu os constituirei guardas da ordenança do templo, em todo o seu serviço e em tudo o que nele se fizer.

**15** Contudo, os sacerdotes levitas, os filhos de Zadoque, que guardaram a ordenança do meu santuário, quando os filhos de Israel se extraviaram de mim, se chegarão a mim, para me servirem, e estarão diante de mim, para me oferecerem a gordura e o sangue, diz o Senhor Deus.

**16** Eles entrarão no meu santuário e se chegarão à minha mesa, para me servirem, e guardarão a minha ordenança.

**17** Quando entrarem pelas portas do átrio interior, estarão vestidos de vestes de linho; não se porá lã sobre eles, quando servirem nas portas do átrio interior, dentro do templo.

**18** Coifas de linho estarão sobre as suas cabeças e calções de linho, sobre as suas coxas. Não se cingirão de coisa alguma que os faça transpirar.

**19** Saindo eles ao povo, no átrio exterior, despirão as suas vestes com que ministraram, e as porão nas santas salas, e vestirão outras vestes, para que com as suas vestes não santifiquem o povo.

**20** A sua cabeça não raparão, nem deixarão crescer o seu cabelo; antes, como convém, apararão as cabeças.

**21** Nenhum sacerdote beberá vinho, quando entrar no átrio interior.

**22** Não se casarão nem com viúva nem com repudiada, mas tomarão virgens da linhagem da ascendência de Israel, ou com viúva de sacerdote.
**23** A meu povo ensinarão a distinguir entre o santo e o profano, e o farão discernir entre o impuro e o puro.
**24** Quando houver disputa, eles assistirão a ela para a julgarem; pelos meus juízos a julgarão. As minhas leis e os meus estatutos em todas as minhas festas fixas guardarão, e os meus sábados santificarão.
**25** Não se aproximarão de nenhuma pessoa morta, pois se contaminariam; somente por pai, ou por mãe, ou por filho, ou por filha, ou por irmão ou por irmã que não tiver marido, se poderão contaminar.
**26** Depois de ser ele purificado, esperará sete dias.
**27** No dia em que ele entrar no lugar santo, no átrio interior, para ministrar no lugar santo, oferecerá a sua oferta pelo pecado, diz o Senhor Deus.
**28** Eles não terão uma herança; eu serei a sua herança. Não lhes dareis, portanto, possessão em Israel; eu sou a sua possessão.
**29** A oferta de cereais, a oferta pelo pecado e a oferta pela culpa eles comerão; toda a coisa consagrada em Israel será deles.
**30** O melhor de todos os primeiros frutos de tudo e toda a oferta de todas as vossas ofertas serão dos sacerdotes. As primeiras das vossas massas dareis ao sacerdote, para que faça repousar uma bênção sobre a vossa casa.
**31** Os sacerdotes não comerão nenhuma coisa que tenha sido encontrada morta ou tenha sido despedaçada, seja de aves, seja de animais.

## A divisão da terra

**45** Quando repartirdes a terra por sortes em herança, fareis uma oferta ao Senhor, uma porção santa da terra. O comprimento será de vinte e cinco mil côvados, e a largura de dez mil; esta parte será santa em toda a sua extensão ao redor.
**2** Deste terreno o santuário ocupará quinhentos côvados de comprimento, e quinhentos de largura, em quadrado, e terá em redor um espaço vazio de cinquenta côvados.
**3** Desta área santa medirás um comprimento de vinte e cinco mil côvados, e uma largura de dez mil; ali estará o santuário e o Santíssimo Lugar.
**4** Este será o lugar santo da terra; ele será para os sacerdotes, ministros do santuário, que dele se aproximam para servir ao Senhor. Esse será o lugar para casas, e para o lugar santo para o santuário.
**5** Terão os levitas, ministros do templo, por sua propriedade, vinte e cinco mil côvados de comprimento.
**6** Para a propriedade da cidade, de largura dareis cinco mil côvados, e de comprimento vinte e cinco mil, em frente da porção santa, o que será para toda a nação de Israel.
**7** O príncipe terá a sua parte deste e do outro lado da santa porção, e da propriedade da cidade, diante da santa porção, e diante da propriedade da cidade, ao lado ocidental e oriental; o comprimento corresponderá a uma

das porções, desde o termo ocidental até o termo oriental.

8 Esta terra será a sua propriedade em Israel, e os meus príncipes nunca mais oprimirão o meu povo, antes deixarão a terra à nação de Israel, conforme as suas tribos.

9 Assim diz o Senhor Deus: Já basta, ó príncipes de Israel! Afastai a violência e a desolação; praticai juízo e justiça. Deixai de desapropriar o meu povo, diz o Senhor Deus.

10 Balanças justas, efa justo e bato justo tereis.

11 O efa e o bato serão da mesma medida, de maneira que o bato contenha a décima parte do ômer; conforme o ômer será a sua medida.

12 O siclo será de vinte geras. Vinte siclos mais vinte e cinco siclos mais quinze siclos serão uma mina.

13 Esta será a oferta que haveis de fazer: a sexta parte de um efa de cada ômer de trigo; também dareis a sexta parte de um efa de cada ômer de cevada.

14 Quanto ao estatuto do azeite, de cada bato de azeite oferecereis a décima parte do bato tirado de um coro, que é um ômer de dez batos, pois dez batos fazem um ômer.

15 De cada rebanho de duzentas cabeças, um cordeiro tirado da mais regada terra de Israel, para oferta de cereais, para holocausto e para oferta pacífica; para que façam expiação por eles, diz o *Senhor Deus*.

16 Todo o povo da terra contribuirá para esta oferta ao príncipe de Israel.

17 Estarão a cargo do príncipe os holocaustos, as ofertas de cereais e as libações, nas festas, nas luas novas, nos sábados, em todas as festas fixas da nação de Israel. Ele fará a oferta pelo pecado, a oferta de cereais, o holocausto e as ofertas pacíficas, para fazer expiação pela nação de Israel.

18 Assim diz o Senhor Deus: No primeiro mês, no primeiro dia do mês, tomarás um novilho sem defeito, e purificarás o santuário.

19 O sacerdote tomará do sangue da oferta pelo pecado e porá dele nos batentes do templo, nos quatro cantos da saliência do altar e nos batentes da porta do átrio interior.

20 Assim também farás no sétimo dia do mês, por causa dos que pecam por ignorância e pelos insensatos; assim expiareis o templo.

21 No primeiro mês, no dia catorze do mês, tereis a Páscoa, uma festa de sete dias; pão sem fermento se comerá.

22 O príncipe, no mesmo dia, por si e por todo o povo da terra, preparará um novilho como oferta pelo pecado.

23 Nos sete dias da festa preparará um holocausto ao Senhor, de sete novilhos e sete carneiros sem defeito, cada dia durante os sete dias, e um bode cada dia como oferta pelo pecado.

24 Também preparará uma oferta de cereais, um efa para cada novilho, e um efa para cada carneiro, e um him de azeite para cada efa.

25 No sétimo mês, no dia quinze do mês, na festa, fará o mesmo por sete dias, para a oferta pelo pecado, para o holocausto, para a oferta de cereais e o azeite.

**46** Assim diz o Senhor Deus: A porta do átrio interior, que olha para o Oriente, estará fechada durante os seis dias, que são de trabalho, mas no dia de sábado ela se abrirá; também no dia da lua nova se abrirá.

**2** O príncipe entrará pelo caminho do pórtico da porta, por fora, e permanecerá junto do batente da porta. Os sacerdotes oferecerão o holocausto e as ofertas pacíficas dele. Ele se prostrará no limiar da porta, e sairá; mas a porta não se fechará até a tarde.

**3** O povo da terra se prostrará à entrada da mesma porta, nos sábados e nas luas novas, diante do Senhor.

**4** O holocausto, que o príncipe oferecer ao Senhor, será, no dia de sábado, seis cordeiros sem defeito e um carneiro sem defeito.

**5** A oferta de cereais será um efa pelo carneiro; pelo cordeiro, a oferta de cereais será o que puder dar, e de azeite um him para cada efa.

**6** Entretanto, no dia da lua nova será um novilho, sem defeito, e seis cordeiros e um carneiro; todos serão sem defeito.

**7** Preparará por oferta de cereais um efa pelo novilho e um efa pelo carneiro, mas pelos cordeiros, conforme o que alcançar a sua mão; um him de azeite para cada efa.

**8** Quando entrar o príncipe, entrará pelo caminho do pórtico da porta e sairá pelo mesmo caminho.

**9** Quando, porém, vier o povo da terra perante a face do Senhor nas festas fixas, aquele que entrar pela porta do norte, para adorar, sairá pela porta do sul; aquele que entrar pela porta do sul, sairá pela porta do norte. Não tornará pela porta por onde entrou, mas sairá pela que está em frente dele.

**10** O príncipe entrará no meio deles, quando eles entrarem, e, saindo eles, sairão juntos.

**11** Nas solenidades e nas festas fixas será a oferta de cereais um efa pelo novilho, e um efa pelo carneiro, mas pelos cordeiros o que puder dar, e de azeite um him para cada efa.

**12** Quando o príncipe preparar uma oferta voluntária, holocausto, ou ofertas pacíficas, como uma oferta voluntária ao Senhor, então lhe abrirão a porta que dá para o Oriente e oferecerá o seu holocausto e as suas ofertas pacíficas, como houver feito no dia de sábado, e sairá, e se fechará a porta depois de ele sair.

**13** Prepararás um cordeiro de um ano, sem defeito, em holocausto ao Senhor, cada dia; todas as manhãs o prepararás.

**14** Com ele prepararás uma oferta de cereais todas as manhãs, a sexta parte de um efa, e, de azeite, a terça parte de um him, para misturar com a flor de farinha, por oferta de cereais ao Senhor, em estatuto perpétuo e contínuo.

**15** Assim prepararão o cordeiro e a oferta de cereais, e o azeite, todas as manhãs, em holocausto contínuo.

**16** Assim diz o Senhor Deus: Quando o príncipe der um presente a alguns de seus filhos, será propriedade deles por herança.

**17** Contudo, dando ele um presente da sua herança a algum dos seus servos, será deste até o ano da liberdade; então tornará para o príncipe, porque herança dele é. Sua herança pertence a seus filhos.

**18** O príncipe não tomará nada da herança do povo, não os afastará da sua propriedade. Da sua própria propriedade deixará herança a seus filhos, para que o meu povo não seja separado cada um da sua propriedade.

**19** Depois disso me trouxe pela entrada que estava ao lado da porta, às salas santas dos sacerdotes, que davam para o norte, e me mostrou um lugar em ambos os lados, para a banda do ocidente. **20** Ele me disse: Este é o lugar onde os sacerdotes cozinharão a oferta pela culpa e a oferta pelo pecado, e onde cozinharão a oferta de cereais, para que não a tragam ao átrio exterior, e assim santifiquem o povo.

**21** Então me levou para fora, para o átrio exterior, e me fez passar pelos quatro cantos do átrio, e vi que em cada canto do átrio havia outro átrio. **22** Nos quatro cantos do átrio havia átrios fechados, menores, de quarenta côvados de comprimento e trinta de largura; estes quatro cantos tinham a mesma medida. **23** Ao redor do interior dos quatro átrios havia uma série de projeções de pedra, com lugares para cozinhar, construídos por baixo ao redor delas. **24** Ele me disse: Estas são as cozinhas, onde os ministros do templo cozinharão o sacrifício do povo.

### O rio purificador

**47** Depois, me fez voltar à entrada do templo, e eu vi umas águas por debaixo do limiar do templo, para o Oriente, pois a frente do templo dava para o Oriente, e as águas vinham debaixo, do lado direito do templo, ao sul do altar. **2** Ele me levou pela porta do norte e me fez dar uma volta por fora, até a porta exterior, que dá para o Oriente, e corriam as águas ao lado direito.

**3** Saiu aquele homem para o Oriente, tendo na mão um cordel de medir; mediu mil côvados e me fez passar pelas águas, águas que me davam pelos tornozelos. **4** Mediu mais mil e me fez passar pelas águas, águas que me davam pelos joelhos; mediu mais mil e me fez passar por águas que me davam pelos lombos. **5** Mediu mais mil, mas agora era um rio, que eu não podia atravessar, porque as águas eram profundas, águas que se deviam passar a nado, rio pelo qual não se podia passar. **6** Ele me perguntou: Viste, filho do homem? Então me levou e me tornou a trazer à margem do rio. **7** Ao chegar lá, vi que na margem do rio havia grande abundância de árvores, de um e de outro lado. **8** Ele me disse: Estas águas saem para a região oriental, e descem à Arabá, onde entram no mar Morto, cujas águas se tornam saudáveis. **9** Enxames de criaturas viventes viverão onde quer que o rio passar. Haverá grande número de peixes, porque estas águas lá chegam e tornam saudável a água salgada; de modo que onde quer que o rio passar tudo viverá. **10** Os pescadores estarão junto dele; desde En-Gedi até En-Eglaim haverá lugar para estender as redes. O seu peixe, segundo a sua espécie, será como o peixe do mar Grande, em multidão excessiva. **11** Contudo, os seus charcos e os seus pântanos não se tornarão saudáveis; serão deixados para sal. **12** Junto ao rio, à sua margem, de um e de outro lado, nascerá toda sorte de árvore, que dá fruto para se comer. Não cairá a sua folha, nem perecerá o seu fruto. Nos seus meses produzirá novos frutos, porque as suas águas saem do santuário. O seu fruto servirá de alimento e a sua folha de remédio.

### Os limites da terra

13 Assim diz o Senhor Deus: Este será o limite conforme o qual tomareis a terra em herança, segundo as doze tribos de Israel. José terá duas partes.
14 Vós a herdareis, tanto um como o outro. Porque sobre ela levantei a minha mão, para dá-la a vossos pais, esta mesma terra vos cairá a vós outros em herança.
15 Este será o limite da terra: da banda do norte, desde o mar Grande, caminho de Hetlom até a entrada de Zedade,
16 Hamate, Berota, Sibraim, que está entre a fronteira de Damasco e a de Hamate; Hazer-Haticom, que está junto ao limite de Haurã.
17 A fronteira será desde o mar até Hazar-Enom, o termo de Damasco, e na direção do norte está o limite de Hamate. Essa será a fronteira do norte.
18 A fronteira oriental, entre Haurã, e Damasco, e Gileade, e a terra de Israel, será o Jordão; desde o limite do norte até o mar do oriente medireis. Essa será a fronteira oriental.
19 A fronteira do sul será desde Tamar até as águas de Meribá-Cades, junto ao ribeiro do Egito, até o mar Grande. Essa será a fronteira do sul.
20 A fronteira ocidental será o mar Grande, desde o limite do sul até a entrada de Hamate. Essa será a fronteira ocidental.

21 Repartireis esta terra entre vós, segundo as tribos de Israel.
22 Repartireis como herança entre vós e os estrangeiros que peregrinam no meio de vós, que geraram filhos no meio de vós. Eles vos serão como naturais entre os filhos de Israel; convosco entrarão em herança, no meio das tribos de Israel.
23 Na tribo em que peregrinar o estrangeiro, ali lhe dareis a sua herança, diz o Senhor Deus.

### A divisão da terra

**48** São esses os nomes das tribos: desde o extremo norte, ao longo do caminho de Hetlom, até a entrada de Hamate, até Hazar-Enom, junto ao limite norte de Damasco, próxima de Hamate e desde o lado oriental até o ocidente, Dã terá uma porção.
2 Junto ao limite de Dã, desde o lado oriental até o ocidental, Aser, uma porção.
3 Junto ao limite de Aser, desde o lado oriental até o ocidental, Naftali, uma porção.
4 Junto ao limite de Naftali, desde o lado oriental até o ocidental, Manassés, uma porção.
5 Junto ao limite de Manassés, desde o lado oriental até o ocidental, Efraim, uma porção.
6 Junto ao limite de Efraim, desde o lado oriental até o ocidental, Rúben, uma porção.
7 Junto ao limite de Rúben, desde o lado oriental até o ocidental, Judá, uma porção.
8 Junto ao limite de Judá, desde o lado oriental até o ocidental, será a oferta que haveis de fazer, de vinte e cinco mil côvados de largura, e de comprimento como uma das porções, desde

o lado oriental até o ocidental. O santuário estará no meio dela.

9 A oferta que haveis de fazer ao Senhor será do comprimento de vinte e cinco mil varas, e da largura de dez mil.

10 A oferta santa será dos sacerdotes; para o norte vinte e cinco mil côvados de comprimento, e para o ocidente dez mil de largura, e para o oriente dez mil de largura, e para o sul vinte e cinco mil de comprimento. O santuário do Senhor estará no meio dela.

11 Será para os sacerdotes santificados dentre os filhos de Zadoque, que guardaram a minha ordenança, que não se desviaram quando os filhos de Israel se extraviaram, como se extraviaram os outros levitas.

12 Será uma oferta especial dentro da santa oferta da terra, coisa santíssima, junto ao território dos levitas.

13 Os levitas terão, consoante o termo dos sacerdotes, vinte e cinco mil côvados de comprimento, e de largura dez mil; todo o comprimento será vinte e cinco mil, e a largura dez mil.

14 Não venderão nada disto, nem trocarão, nem transferirão a outrem o melhor da terra, porque é santo ao Senhor.

15 No entanto, os cinco mil que ficaram da largura diante dos vinte e cinco mil serão para o uso da cidade, para habitação e para arrabaldes; a cidade estará no meio.

16 Serão estas as suas medidas: o lado do norte de quatro mil e quinhentos côvados, o lado do sul de quatro mil e quinhentos, o lado do oriente de quatro mil e quinhentos e o lado do ocidente de quatro mil e quinhentos.

17 Os arredores da cidade serão para o norte de duzentos e cinquenta côvados, e para o sul de duzentos e cinquenta, e para o oriente de duzentos e cinquenta, e para o ocidente de duzentos e cinquenta.

18 Quanto ao que ficou do resto do comprimento, paralelo à santa oferta, será dez mil para o oriente, e dez mil para o ocidente; corresponderá à santa oferta, e o seu produto será para sustento daqueles que servem a cidade.

19 Os que servem a cidade a cultivarão dentre todas as tribos de Israel.

20 A oferta inteira será de vinte e cinco mil côvados com mais vinte e cinco mil; em quadrado ofereceis a santa oferta, com a propriedade da cidade.

21 O que restar será para o príncipe; deste e do outro lado da santa oferta, e da propriedade da cidade, diante dos vinte e cinco mil côvados da oferta, na direção da fronteira oriental e ocidental, diante dos vinte e cinco mil, na direção da fronteira ocidental, correspondente às porções, será a parte do príncipe. A oferta santa e o santuário do templo estarão no meio.

22 Desde a propriedade dos levitas, e desde a propriedade da cidade, no meio do que pertencer ao príncipe, entre o limite de Judá e o de Benjamim, será isso para o príncipe.

23 Quanto ao resto das tribos, desde o lado oriental até o ocidental, Benjamim, uma porção.

24 Junto ao limite de Benjamim, desde o lado oriental até o ocidental, Simeão, uma porção.

25 Junto ao limite de Simeão, desde o lado oriental até o ocidental, Issacar, uma porção.

# Ezequiel 48

26 Junto ao limite de Issacar, desde o lado oriental até o ocidental, Zebulom, uma porção.

27 Junto ao limite de Zebulom, desde o lado oriental até o ocidental, Gade, uma porção.

28 Junto ao limite de Gade, ao sul, do lado do sul, a fronteira será desde Tamar até as águas de Meribá-Cades, até o Ribeiro do Egito, e até o mar Grande.

29 Esta é a terra que sorteareis em herança às tribos de Israel, e são estas as suas porções, diz o Senhor Deus.

30 São estas as saídas da cidade: da banda do norte quatro mil e quinhentos côvados por medida,

31 e as portas da cidade serão conforme os nomes das tribos de Israel. As três portas para o norte serão: a de Rúben uma, a de Judá outra, e a de Levi outra.

32 Ao oriente quatro mil e quinhentos côvados, e três portas, a saber: a porta de José uma, a de Benjamim outra, a de Dã outra.

33 Do lado do sul quatro mil e quinhentos côvados, e três portas: a porta de Simeão uma, a de Issacar outra, e a de Zebulom outra.

34 Do lado do ocidente quatro mil e quinhentos côvados, e as suas três portas: a porta de Gade uma, a de Aser outra, e a de Naftali outra.

35 A distância será dezoito mil côvados em redor. E o nome da cidade desde aquele dia será: O Senhor está ali.

# DANIEL

### A educação de Daniel em Babilônia

**1** No terceiro ano do reinado de Jeoiaquim, rei de Judá, veio Nabucodonosor, rei de Babilônia, a Jerusalém e a sitiou.
**2** O Senhor entregou nas suas mãos a Jeoiaquim, rei de Judá, e uma parte dos utensílios do templo de Deus, e ele os levou para a terra de Sinear, para o templo do seu deus, e pôs os utensílios na casa do tesouro do seu deus.
**3** Então disse o rei a Aspenaz, chefe dos seus eunucos, que trouxesse alguns dos filhos de Israel, da linhagem real e dos nobres,
**4** jovens em quem não houvesse defeito algum, formosos de aparência e instruídos em toda a sabedoria, sábios em ciência, versados no conhecimento e que tivessem habilidade para viver no palácio do rei a fim de que fossem ensinados nas letras e na língua dos caldeus.
**5** O rei lhes determinou a ração de cada dia, da porção do manjar do rei e do vinho que ele bebia. Os jovens deveriam ser criados assim por três anos, para que no fim deles pudessem estar a serviço do rei.
**6** Entre eles se achavam, dos filhos de Judá, Daniel, Hananias, Misael e Azarias.
**7** O chefe dos eunucos lhes deu outros nomes, a saber: a Daniel deu o *nome de* Beltessazar; a Hananias, o de Sadraque; a Misael, o de Mesaque; e a Azarias, o de Abede-Nego.
**8** Daniel, porém, propôs no coração não se contaminar com a porção do manjar do rei, nem com o vinho que ele bebia; portanto pediu ao chefe dos eunucos que lhe concedesse não se contaminar.
**9** Ora, Deus deu a Daniel graça e misericórdia diante do chefe dos eunucos,
**10** mas o chefe dos eunucos disse a Daniel: Tenho medo do meu senhor, o rei, que determinou a vossa comida e a vossa bebida. Por que veria ele os vossos rostos mais tristes do que os dos jovens que são vossos iguais? Assim poríeis em perigo a minha cabeça para com o rei.
**11** Então disse Daniel ao guarda a quem o chefe dos eunucos havia constituído sobre Daniel, Hananias, Misael e Azarias:
**12** Experimenta, peço-te, os teus servos dez dias, fazendo que se nos deem legumes a comer e água a beber.
**13** Então se veja diante de ti o nosso parecer e o parecer dos jovens que comem a porção do manjar do rei, e, conforme vires, procedas para com os teus servos.
**14** Ele concordou com isso e os experimentou dez dias.
**15** Ao fim dos dez dias, apareceram os seus semblantes melhores; eles estavam mais robustos do que todos os jovens que comiam a porção do manjar do rei.
**16** Desta sorte, o guarda tirou a porção do manjar deles e o vinho que deviam beber, e lhes dava legumes.
**17** Ora, a estes quatro jovens Deus deu o conhecimento e a inteligência em toda cultura e sabedoria.

E Daniel tornou-se entendido em todas as visões e em todos os sonhos.

18 Ao fim dos dias, depois dos quais o rei tinha dito que os trouxessem, o chefe dos eunucos os apresentou diante de Nabucodonosor. 19 O rei falou com eles, e entre todos eles não foram achados outros tais como Daniel, Hananias, Misael e Azarias; por isso, permaneceram diante do rei.

20 Em toda matéria de sabedoria e de inteligência, sobre que o rei lhes fez perguntas, achou-os dez vezes mais sábios do que todos os magos e encantadores que havia em todo o seu reino. 21 E Daniel permaneceu ali até o primeiro ano do rei Ciro.

### O sonho de Nabucodonosor

**2** No segundo ano do reinado de Nabucodonosor, teve este uns sonhos; seu espírito se perturbou, e ele perdeu o seu sono. 2 Então o rei mandou chamar os magos, os encantadores, os feiticeiros e os astrólogos, para que declarassem ao rei qual tinha sido o seu sonho. Quando vieram e se apresentaram diante do rei, 3 este lhes disse: Tive um sonho que perturba o meu espírito e quero saber o que significa. 4 Então os astrólogos disseram ao rei em siríaco: Ó rei, vive eternamente! Dize o sonho a teus servos, e daremos a interpretação. 5 Respondeu o rei aos astrólogos: É esta a minha decisão: Se não me fizerdes saber o sonho e a sua interpretação, sereis despedaçados, e as vossas casas serão feitas um monturo. 6 Se, porém, vós me declarardes o sonho e a sua interpretação, recebereis de mim dádivas, recompensas e grande honra; portanto declarai-me o sonho e a sua interpretação. 7 Responderam segunda vez e disseram: Diga o rei o sonho a seus servos, e daremos a sua interpretação. 8 Então o rei respondeu: Percebo muito bem que vós quereis ganhar tempo, porque vedes que a minha palavra é irrevogável. 9 Se não me fazeis saber o sonho, uma só sentença será a vossa. Vós preparastes palavras mentirosas e perversas para as proferirdes na minha presença, esperando que se mude a situação. Portanto, dizei-me o sonho, para que eu entenda que me podeis dar a sua interpretação. 10 Responderam os astrólogos na presença do rei: Não há ninguém sobre a terra que possa declarar a palavra ao rei, pois nenhum rei há, senhor ou dominador, que requeira coisa semelhante de algum mago, encantador ou astrólogo. 11 Porquanto a coisa que o rei requer é difícil, e ninguém há que a possa declarar diante do rei, senão os deuses, cuja morada não é com os homens. 12 Então o rei muito se irou e enfureceu, e ordenou que matassem todos os sábios de Babilônia. 13 Saiu o decreto, segundo o qual deviam ser mortos os sábios, e buscaram Daniel e os seus companheiros para que fossem mortos. 14 Então Daniel falou avisada e prudentemente a Arioque, capitão da guarda do rei, que tinha saído para matar os sábios de Babilônia. 15 Ele perguntou a Arioque, o oficial do rei: Por que se apressa tanto o mandado da parte do rei? Então Arioque explicou o caso a Daniel.

**16** Ao que Daniel se apresentou ao rei e pediu que lhe desse tempo, para que pudesse dar a interpretação.

**17** Então Daniel foi para sua casa e fez saber o caso a Hananias, Misael e Azarias, seus companheiros,

**18** para que pedissem misericórdia ao Deus do céu, sobre este mistério, a fim de que Daniel e seus companheiros não perecessem, com o resto dos sábios de Babilônia.

**19** Então foi revelado o mistério a Daniel numa visão de noite, pelo que Daniel louvou o Deus do céu.

**20** Disse Daniel:

Seja bendito o nome de Deus
  para todo o sempre,
 porque dele é a sabedoria e a
  força;

**21** é ele quem muda os tempos e
  as horas,
 remove reis e estabelece
  reis;
 ele dá sabedoria aos sábios
  e conhecimento aos
  entendidos.

**22** Ele revela o profundo e o
  escondido;
 conhece o que está em
  trevas,
 e com ele mora a luz.

**23** Ó Deus de meus pais,
 eu te louvo e celebro
 porque me deste sabedoria
  e força;
 *agora me fizeste saber o que
  te pedimos,*
 porque nos fizeste saber
  este assunto do rei.

**24** Por isso, Daniel foi ter com Arioque, ao qual o rei tinha constituído para matar os sábios de Babilônia; entrou e lhe disse: Não mates os sábios de Babilônia; leva-me à presença do rei, e lhe darei a interpretação.

**25** Então Arioque depressa introduziu Daniel na presença do rei e lhe disse: Achei um dentre os filhos dos cativos de Judá, o qual fará saber ao rei a interpretação.

**26** Respondeu o rei a Daniel, cujo nome era Beltessazar: Podes tu fazer-me saber o sonho que tive e a sua interpretação?

**27** Respondeu Daniel na presença do rei: O mistério que o rei requer, nem sábios, nem encantadores, nem magos, nem adivinhos o podem descobrir ao rei,

**28** mas há um Deus nos céus, o qual revela mistérios; ele fez saber ao rei Nabucodonosor o que há de ser no fim dos dias. O teu sonho e as visões da tua cabeça na tua cama são estas:

**29** Estando tu, ó rei, na tua cama, foram os teus pensamentos ao que há de acontecer no futuro. Aquele que revela mistérios te fez saber o que vai acontecer.

**30** Quanto a mim, me foi revelado este mistério, não porque eu tenha mais sabedoria do que todos os viventes, mas para que a interpretação se fizesse saber ao rei, e para que entendesses os pensamentos do teu coração.

**31** Tu, ó rei, estavas olhando e viste uma grande estátua. Esta estátua, que era grande e cujo esplendor era excelente, estava em pé diante de ti, e a sua aparência era terrível.

**32** A cabeça da estátua era de ouro fino, o seu peito e os seus braços de prata, o seu ventre e as suas coxas de bronze,

33 as suas pernas de ferro, os seus pés em parte de ferro e em parte de barro.

34 Estavas vendo isso, quando uma pedra se soltou, sem auxílio de mãos, a qual feriu a estátua nos pés de ferro e de barro e os esmigalhou.

35 Então foi juntamente esmigalhado o ferro, o barro, o bronze, a prata e o ouro, os quais se fizeram como a palha das eiras no verão, e o vento os levou, e não se achou lugar algum para eles. Mas a pedra que feriu a estátua se fez um grande monte e encheu toda a terra.

36 Este é o sonho; também a interpretação dele diremos na presença do rei.

37 Tu, ó rei, és rei de reis, a quem o Deus do céu deu o reino, o poder, a força e a majestade,

38 em cujas mãos ele entregou os filhos dos homens, onde quer que habitem, os animais do campo e as aves do céu, e fez que dominasses sobre todos eles; tu és a cabeça de ouro.

39 Depois de ti se levantará outro reino, inferior ao teu, e um terceiro reino, de bronze, o qual terá domínio sobre toda a terra.

40 O quarto reino será forte como o ferro; pois, como o ferro esmigalha e quebra tudo, como o ferro quebra todas as coisas, ele esmigalhará e quebrará.

41 Quanto ao que viste dos pés e dos dedos, em parte de barro de oleiro, e em parte de ferro, isso será um reino dividido; contudo haverá nele alguma coisa da firmeza do ferro, pois que viste o ferro misturado com barro de oleiro.

42 Como os dedos dos pés eram em parte de ferro e em parte de barro, assim por uma parte o reino será forte, e por outra será frágil.

43 Quanto ao que viste do ferro misturado com barro de oleiro, serão misturados pelo casamento, mas não se ligarão um ao outro, assim como o ferro não se mistura com o barro.

44 Nos dias destes reis, porém, o Deus do céu levantará um reino que não será jamais destruído. Este reino não passará a outro povo, mas esmigalhará e consumirá todos estes reinos, e será estabelecido para sempre.

45 Como viste que do monte foi cortada uma pedra, sem auxílio de mãos, e ela esmigalhou o ferro, o bronze, o barro, a prata e o ouro, o grande Deus fez saber ao rei o que há de ser depois disso. Certo é o sonho, e fiel a sua interpretação.

46 Então o rei Nabucodonosor se inclinou e se prostrou com o rosto em terra perante Daniel, e ordenou que lhe fizessem oferta de cereais e perfumes suaves.

47 Respondeu o rei a Daniel: Certamente o vosso Deus é Deus dos deuses, e o Senhor dos reis, e o revelador de mistérios, pois pudeste revelar este mistério.

48 Então o rei engrandeceu Daniel, lhe deu muitas e grandes dádivas e o pôs por governador de toda a província de Babilônia, como também por principal governador de todos os sábios de Babilônia.

49 A pedido de Daniel, o rei nomeou Sadraque, Mesaque e Abede-Nego superintendentes sobre os negócios da província de Babilônia, mas Daniel permaneceu na corte real.

## A estátua de ouro e a fornalha de fogo ardente

**3** O rei Nabucodonosor fez uma estátua de ouro, cuja altura era de sessenta côvados, e a largura de seis côvados; levantou-a no campo de Dura, na província de Babilônia.

2 Então o rei Nabucodonosor mandou ajuntar os sátrapas, os prefeitos, os governadores, os juízes, os tesoureiros, os magistrados, os conselheiros e todos os oficiais das províncias, para que viessem à consagração da estátua que o rei Nabucodonosor tinha levantado.

3 De modo que se ajuntaram os sátrapas, os prefeitos, os governadores, os juízes, os tesoureiros, os magistrados, os conselheiros e todos os oficiais das províncias, para a consagração da estátua que o rei Nabucodonosor tinha levantado, e estavam em pé diante da imagem que Nabucodonosor tinha levantado.

4 Então o arauto apregoava em alta voz: Ordena-se a vós, ó povos, nações e gente de todas as línguas:

5 Quando ouvirdes o som da trombeta, do pífaro, da harpa, da cítara, do saltério, da gaita de foles e de toda sorte de música, vos prostrareis e adorareis a imagem de ouro que o rei Nabucodonosor levantou.

6 Qualquer que não se prostrar e não a adorar será na mesma hora lançado na fornalha de fogo ardente.

7 Portanto, no mesmo instante em que todos os povos ouviram o som da trombeta, do pífaro, da harpa, da cítara, do saltério e de toda sorte de música, prostraram-se todos os povos, nações e línguas e adoraram a estátua de ouro que o rei Nabucodonosor tinha levantado.

8 Ora, no mesmo instante, chegaram-se alguns homens astrólogos e acusaram os judeus.

9 Disseram ao rei Nabucodonosor: Ó rei, vive eternamente!

10 Tu, ó rei, fizeste um decreto, pelo qual todo homem que ouvisse o som da trombeta, do pífaro, da harpa, da cítara, do saltério, da gaita de foles e de toda sorte de música se prostraria e adoraria a estátua de ouro,

11 e qualquer que não se prostrasse e adorasse seria lançado na fornalha de fogo ardente.

12 Há uns homens judeus, que tu constituíste sobre os negócios da província de Babilônia: Sadraque, Mesaque e Abede-Nego; estes homens, ó rei, não fizeram caso de ti. A teus deuses não servem, nem adoram a estátua de ouro que levantaste.

13 Então Nabucodonosor, com ira e furor, mandou chamar Sadraque, Mesaque e Abede-Nego. De sorte que estes homens foram levados à presença do rei.

14 Disse-lhes Nabucodonosor: É de propósito, ó Sadraque, Mesaque e Abede-Nego, que vós não servis a meus deuses nem adorais a estátua de ouro que levantei?

15 Agora, quando ouvirdes o som da trombeta, do pífaro, da cítara, da harpa, do saltério, da gaita de foles e de toda sorte de música, estejais prontos para vos prostrardes e adorardes a estátua que fiz; pois isso será melhor para vós. Mas, se não a adorardes, sereis lançados, na mesma hora, na fornalha de fogo ardente. E quem é

o Deus que vos poderá livrar das minhas mãos?

16 Responderam Sadraque, Mesaque e Abede-Nego ao rei Nabucodonosor: Não necessitamos de te responder sobre este negócio.

17 Se formos lançados na fornalha de fogo ardente, o nosso Deus, a quem nós servimos, pode livrar-nos dela, e ele nos livrará da tua mão, ó rei.

18 Se não, fica sabendo, ó rei, que não serviremos a teus deuses nem adoraremos a estátua de ouro que levantaste.

19 Então Nabucodonosor se encheu de furor, e se mudou o aspecto do seu rosto contra Sadraque, Mesaque e Abede-Nego. Ordenou que a fornalha se aquecesse sete vezes mais que de costume

20 e ordenou aos homens mais fortes, que estavam no seu exército, que amarrassem Sadraque, Mesaque e Abede-Nego, para os lançarem na fornalha de fogo ardente.

21 Então esses homens foram amarrados com os seus mantos, suas túnicas, seus turbantes e suas vestes e foram lançados na fornalha de fogo ardente.

22 Porque a palavra do rei era urgente e a fornalha estava sobremaneira quente, a chama do fogo matou os homens que levaram Sadraque, Mesaque e Abede-Nego.

23 Estes três homens, Sadraque, Mesaque e Abede-Nego, caíram amarrados dentro da fornalha de fogo ardente.

24 Então o rei Nabucodonosor espantou-se e levantou-se depressa e disse aos seus conselheiros: Não lançamos nós três homens atados dentro do fogo? Responderam ao rei: É verdade, ó rei.

25 Disse ele: Eu, porém, vejo quatro homens soltos, que andam passeando dentro do fogo, sem nenhum dano, e o aspecto do quarto é semelhante ao filho dos deuses.

26 Então se chegou Nabucodonosor à porta da fornalha de fogo ardente e disse: Sadraque, Mesaque e Abede-Nego, servos do Deus Altíssimo, saí e vinde! Então Sadraque, Mesaque e Abede-Nego saíram do meio do fogo.

27 Ajuntaram-se os sátrapas, os prefeitos, os governadores e os conselheiros do rei, contemplando estes homens, e viram que o fogo não tinha tido poder algum sobre os seus corpos; nem um só cabelo da sua cabeça se tinha queimado, nem os seus mantos se mudaram, nem havia cheiro de fogo neles.

28 Então Nabucodonosor disse: Bendito seja o Deus de Sadraque, Mesaque e Abede-Nego, que enviou o seu anjo e livrou os seus servos, que confiaram nele, pois não quiseram cumprir a palavra do rei, preferindo entregar os seus corpos a servirem e adorarem a qualquer outro deus, senão ao seu Deus.

29 Por mim, pois, é feito um decreto, pelo qual todo povo, nação e língua que disser blasfêmia contra o Deus de Sadraque, Mesaque e Abede-Nego seja despedaçado e as suas casas sejam feitas um monturo, pois não há outro Deus que possa livrar como este.

30 Então o rei fez prosperar Sadraque, Mesaque e Abede-Nego, na província de Babilônia.

**Nabucodonosor sonha com uma árvore**

**4** O rei Nabucodonosor, a todos os povos, nações e homens que moram em toda a terra: Paz vos seja multiplicada.

2 Pareceu-me bem fazer conhecidos os sinais e maravilhas que Deus, o Altíssimo, fez para comigo.

3 Quão grandes são os seus sinais,
e quão poderosas as suas maravilhas!
O seu reino é um reino sempiterno,
e o seu domínio de geração em geração.

4 Eu, Nabucodonosor, estava sossegado em minha casa e próspero no meu palácio.

5 Tive um sonho que me espantou. Estando eu na minha cama, os pensamentos e as visões da minha cabeça me perturbaram.

6 Por isso, fiz um decreto, pelo qual fossem levados à minha presença todos os sábios de Babilônia, para que me fizessem saber a interpretação do sonho.

7 Então entraram os magos, os encantadores, os astrólogos e os feiticeiros, e eu contei o sonho diante deles, mas não me fizeram saber a sua interpretação.

8 Por fim, entrou na minha presença Daniel, cujo nome é Beltessazar, segundo o nome do meu deus, e no qual há o espírito dos deuses santos; eu lhe contei o sonho, dizendo:

9 Beltessazar, chefe dos magos, eu sei que há em ti o espírito dos deuses santos e que nenhum mistério te é difícil; dize-me as visões do sonho que tive e a sua interpretação.

10 Eram assim as visões da minha cabeça, na minha cama: Eu estava olhando e vi uma árvore no meio da terra, cuja altura era grande.

11 Crescia a árvore e se fazia forte, de maneira que a sua altura chegava até o céu, e era visível até os confins da terra.

12 A sua folhagem era formosa, e o seu fruto abundante, e havia nela sustento para todos; debaixo dela os animais do campo achavam sombra, as aves do céu faziam morada nos seus ramos, e todos os seres viventes se alimentavam dela.

13 Estava vendo isso nas visões da minha cabeça, na minha cama, e eis que um vigia, um santo, descia do céu,

14 clamando fortemente e dizendo: Derrubai a árvore, cortai-lhe os ramos, sacudi as suas folhas, espalhai o seu fruto; afugentem-se os animais de debaixo dela e as aves dos seus ramos.

15 O tronco com as suas raízes, porém, deixai na terra, atado com cadeias de ferro e de bronze, na erva do campo; seja molhado do orvalho do céu, e a sua porção seja com os animais na erva da terra.

16 Seja mudado o seu coração, para que não seja mais coração de homem, e seja-lhe dado coração de animal, e passem sobre ele sete tempos.

17 Esta sentença é por decreto dos vigias, e esta ordem por mandado dos santos, a fim de que conheçam os viventes que o Altíssimo tem domínio sobre o reino dos homens, e o dá a quem quer, e até ao mais baixo dos homens constitui sobre eles.

18 Isso eu, rei Nabucodonosor, vi em sonho; tu, agora, Beltessazar, dize a interpretação. Todos os sábios do meu reino não puderam fazer-me saber a interpretação. Mas tu podes, pois há em ti o espírito dos deuses santos.

19 Então Daniel, cujo nome era Beltessazar, esteve atônito por

algum tempo, e os seus pensamentos o perturbavam. Pelo que disse o rei a Beltessazar: Não te espante o sonho, nem a sua interpretação. Respondeu Beltessazar: Senhor meu, o sonho seja contra os que te têm ódio, e a sua interpretação para os teus inimigos.
**20** A árvore que viste, que cresceu e se fez forte, cuja altura chegava ao céu, e que foi vista por toda a terra,
**21** cujas folhas eram formosas, e cujo fruto, abundante, e em que havia mantimento para todos, debaixo da qual moravam os animais do campo, e em cujos ramos habitavam as aves do céu,
**22** és tu, ó rei, que cresceste e te fizeste forte. A tua grandeza cresceu e chegou ao céu, e o teu domínio até a extremidade da terra.
**23** Quanto ao que viu o rei, um vigia, um santo, que descia do céu e que dizia: Cortai a árvore e destruí-a, mas o tronco com as suas raízes deixai na terra, atado com cadeias de ferro e de bronze, na erva do campo; seja molhado do orvalho do céu, e a sua porção seja com os animais do campo, até que passem sobre ele sete tempos,
**24** esta é a interpretação, ó rei, e este é o decreto do Altíssimo, que virá sobre o rei, meu Senhor:
**25** Serás tirado de entre os homens, e a tua morada será com os animais do campo, e te farão comer erva como os bois, e serás molhado do orvalho do céu. Passarão sete tempos por cima de ti, até que conheças que o Altíssimo tem domínio sobre o reino dos homens, e o dá a quem quer.
**26** Quanto ao que foi dito, que deixassem o tronco com as raízes da árvore, o teu reino voltará para ti, depois que tiveres conhecido que o céu reina.
**27** Portanto, ó rei, aceita o meu conselho e desfaze os teus pecados, pela justiça, e as tuas iniquidades, usando de misericórdia para com os pobres; talvez se prolongue a tua tranquilidade.
**28** Todas estas coisas sobrevieram ao rei Nabucodonosor.
**29** Ao cabo de doze meses, passeando o rei sobre o palácio real de Babilônia,
**30** disse: Não é esta a grande Babilônia que eu edifiquei para a casa real, com a força do meu poder e para glória da minha majestade?
**31** Ainda estava a palavra na boca do rei, quando desceu uma voz do céu: A ti se diz, ó rei Nabucodonosor: Passou de ti o reino.
**32** Serás tirado dentre os homens, e a tua morada será com os animais do campo; e te farão comer erva como os bois. Passarão sete tempos sobre ti, até que conheças que o Altíssimo tem domínio sobre o reino dos homens, e o dá a quem quer.
**33** Na mesma hora, cumpriu-se a palavra sobre Nabucodonosor, e ele foi tirado dentre os homens, e comia erva como os bois, e o seu corpo foi molhado do orvalho do céu, até que lhe cresceu o cabelo como as penas da águia e as suas unhas como as das aves.
**34** Ao fim daqueles dias, porém, eu, Nabucodonosor, levantei os olhos ao céu, e tornou-me a vir o meu entendimento, e eu bendisse o Altíssimo, e louvei, e glorifiquei ao que vive para sempre,
cujo domínio é um domínio sempiterno,

e cujo reino é de geração em geração.

35 Todos os moradores da terra são reputados em nada;
segundo a sua vontade ele opera no exército do céu e nos moradores da terra. Não há quem lhe possa deter a mão ou lhe dizer: Que fazes?

36 No mesmo tempo voltou-me a vir o meu entendimento e, para a dignidade do meu reino, tornou-me a vir a minha majestade e o meu resplendor; buscaram-me os meus conselheiros e os meus grandes, e fui restabelecido no meu reino, e a minha glória foi aumentada.

37 Agora, pois, eu, Nabucodonosor, louvo, exalto e glorifico ao Rei do céu, porque todas as suas obras são verdade, e os seus caminhos justos, e pode humilhar aos que andam na soberba.

## A escrita na parede

**5** O rei Belsazar deu um grande banquete a mil dos seus grandes e bebeu vinho na presença dos mil.

2 Havendo Belsazar provado o vinho, mandou trazer os utensílios de ouro e de prata, que Nabucodonosor, seu pai, tinha tirado do templo que estava em Jerusalém, para que bebessem neles o rei, os seus grandes, as suas mulheres e concubinas.

3 Então trouxeram os objetos de ouro, que foram tirados do *templo de Deus*, que estava em Jerusalém, e beberam neles o rei, os seus grandes, as suas mulheres e concubinas.

4 Beberam o vinho e deram louvores aos deuses de ouro, de prata, de bronze, de ferro, de madeira e de pedra.

5 Na mesma hora, apareceram uns dedos de mão de homem e escreviam, em frente do castiçal, no reboco da parede do palácio real; o rei via a parte da mão que estava escrevendo.

6 Então se mudou o semblante do rei, e os seus pensamentos o perturbaram; as juntas dos seus lombos se relaxaram, e os seus joelhos bateram um no outro.

7 Ordenou o rei em alta voz que lhe trouxessem os encantadores, os astrólogos e os feiticeiros, e disse o rei aos sábios de Babilônia: Qualquer que ler esta escritura e me declarar a sua interpretação será vestido de púrpura, trará uma cadeia de ouro ao pescoço e será, no reino, o terceiro dominador.

8 Então entraram todos os sábios do rei, mas não puderam ler a escritura nem fazer saber ao rei a sua interpretação.

9 Com isso, o rei Belsazar perturbou-se muito, e mudou-se nele o seu semblante. Os seus grandes estavam sobressaltados.

10 A rainha, por causa das palavras do rei e dos seus grandes, entrou na casa do banquete e disse: Ó rei, vive para sempre! Não te turbem os teus pensamentos nem se mude o teu semblante.

11 Há no teu reino um homem que tem o espírito dos deuses santos. Nos dias de teu pai, achou-se nele luz, inteligência e sabedoria como a sabedoria dos deuses. Teu pai, o rei Nabucodonosor, sim, teu pai, ó rei, o constituiu chefe dos magos, dos feiticeiros, dos astrólogos e dos adivinhadores.

12 Porquanto se achou neste Daniel, a quem o rei pôs o nome

de Beltessazar, um espírito excelente, conhecimento, inteligência, interpretação de sonhos, explicação de enigmas e solução de dúvidas. Chame-se agora Daniel, e ele dará a interpretação.

**13** Então Daniel foi levado à presença do rei. Disse o rei a Daniel: És tu aquele Daniel, dos cativos de Judá, que o rei, meu pai, trouxe de Judá?

**14** Ouvi dizer a teu respeito que o espírito dos deuses está em ti e que a luz, o entendimento e a excelente sabedoria se acham em ti.

**15** Acabam de ser trazidos à minha presença os sábios e os feiticeiros, para lerem esta escritura e me fazerem saber a sua interpretação, mas não puderam dar a interpretação destas palavras.

**16** Eu, porém, tenho ouvido dizer de ti que podes dar interpretações e solucionar problemas difíceis. Agora, se puderes ler esta escritura e fazer-me saber a sua interpretação, serás vestido de púrpura, terás cadeia de ouro ao pescoço e no reino serás o terceiro dominador.

**17** Então respondeu Daniel na presença do rei: As tuas dádivas fiquem contigo, e dá os teus presentes a outro. Todavia lerei ao rei a escritura e lhe farei saber a interpretação.

**18** Ó rei, o Altíssimo Deus deu a Nabucodonosor, teu pai, o reino, a grandeza, a glória e a majestade.

**19** Por causa da grandeza que lhe deu, povos, nações e línguas tremiam e temiam diante dele. A quem queria matar, matava; a quem queria deixar com vida, deixava com vida; a quem queria engrandecer, engrandecia; e a quem queria abater, abatia.

**20** Quando, porém, o seu coração se exaltou, e o seu espírito se endureceu em soberba, foi derrubado do seu trono real, e passou dele a sua glória.

**21** Foi tirado dentre os filhos dos homens, e o seu coração foi feito semelhante ao dos animais; a sua morada foi com os jumentos selvagens, e fizeram-no comer erva como os bois; e pelo orvalho do céu foi molhado o seu corpo, até que conheceu que Deus, o Altíssimo, tem domínio sobre os reinos dos homens, e a quem quer constitui sobre eles.

**22** Tu, porém, seu filho Belsazar, não humilhaste o teu coração, ainda que soubeste de tudo isso.

**23** Em vez disso, levantaste-te contra o Senhor do céu, pois foram trazidos os utensílios da casa dele perante ti, e tu, os teus grandes, as tuas mulheres e as tuas concubinas, bebestes vinho neles. Além disso, deste louvores aos deuses de prata, de ouro, de bronze, de ferro, de madeira e de pedra, que não veem, não ouvem, nem sabem. Mas a Deus, em cuja mão está a tua vida, e todos os teus caminhos, a ele não glorificaste.

**24** Então dele foi enviada aquela parte da mão, e escreveu-se esta escritura.

**25** Esta é a escritura que se escreveu: MENE, MENE, TEQUEL, e PARSIM.

**26** Esta é a interpretação daquilo: MENE: Contou Deus o teu reino e deu cabo dele.

**27** TEQUEL: Pesado foste na balança e foste achado em falta.

**28** PERES: Dividido foi o teu reino e dado aos medos e aos persas.

**29** Então mandou Belsazar que vestissem a Daniel de púrpura e que lhe pusessem uma cadeia de ouro ao pescoço e proclamassem a respeito dele que havia de ser o terceiro dominador do reino.
**30** Naquela mesma noite, foi morto Belsazar, rei dos caldeus,
**31** e Dario, o medo, ocupou o reino, com a idade de sessenta e dois anos.

### Daniel na cova dos leões

**6** Pareceu bem a Dario constituir sobre o reino a cento e vinte sátrapas, que estivessem sobre todo o reino,
**2** e sobre eles três presidentes, dos quais Daniel era um, aos quais estes sátrapas dessem conta, para que o rei não sofresse dano.
**3** Então o mesmo Daniel se distinguiu destes presidentes e sátrapas, porque nele havia um espírito excelente, e o rei pensava constituí-lo sobre todo o reino.
**4** Os presidentes e os sátrapas procuravam achar ocasião contra Daniel a respeito do reino, mas não podiam achar ocasião ou culpa alguma, porque ele era fiel, e não se achava nele nenhum vício nem culpa.
**5** Então estes homens disseram: Nunca acharemos ocasião alguma contra este Daniel, se não a procurarmos contra ele na lei do seu Deus.
**6** Estes presidentes e sátrapas foram juntos ao rei e disseram-lhe: Ó rei Dario, vive para sempre!
**7** Todos os presidentes do reino, os prefeitos e sátrapas, conselheiros e governadores, concordaram em que o rei devia baixar um decreto e fazer firme o interdito, que qualquer que, por espaço de trinta dias, fizer uma petição a qualquer deus, ou a qualquer homem, e não a ti, ó rei, seja lançado na cova dos leões.
**8** Agora, ó rei, estabelece o decreto e assina a escritura, para que não seja mudada, conforme a lei dos medos e dos persas, que não se pode revogar.
**9** Por esta causa, o rei Dario assinou a escritura e o decreto.
**10** Ora, quando Daniel soube que a escritura estava assinada, entrou em sua casa, no seu quarto em cima, onde estavam abertas as janelas para o lado de Jerusalém, e, três vezes ao dia, se punha de joelhos, orava e dava graças, diante do seu Deus, como também antes costumava fazer.
**11** Aqueles homens foram juntos e encontraram Daniel orando e suplicando diante do seu Deus.
**12** Se apresentaram ao rei e disseram: No tocante ao mandamento real, não assinaste o decreto, pelo qual todo homem que fizesse uma petição a qualquer deus, ou a qualquer homem, por espaço de trinta dias, e não a ti, ó rei, seria lançado na cova dos leões? Respondeu o rei: Esta palavra é certa, conforme a lei dos medos e dos persas, que não se pode revogar.
**13** E responderam diante do rei: Daniel, que é dos transportados de Judá, não tem feito caso de ti, ó rei, nem do decreto que assinaste, antes três vezes por dia faz a sua oração.
**14** Ouvindo então o rei o negócio, ficou muito penalizado, e a favor de Daniel propôs no coração livrá-lo, e até o pôr do sol trabalhou por salvá-lo.
**15** Então aqueles homens foram juntos ao rei e lhe disseram:

Sabe, ó rei, que é uma lei dos medos e dos persas que nenhum edito ou decreto, que o rei estabeleça, se pode mudar.
**16** O rei ordenou que trouxessem Daniel e o lançassem na cova dos leões. Disse o rei a Daniel: O teu Deus, a quem tu continuamente serves, ele te livrará.
**17** Foi trazida uma pedra e posta sobre a boca da cova, e o rei a selou com o seu anel e com o anel dos seus grandes, para que não se mudasse a situação de Daniel.
**18** O rei, então, se dirigiu ao seu palácio, passou a noite em jejum e não deixou trazer à sua presença instrumentos de música. E fugiu dele o sono.
**19** Pela manhã, à primeira luz da aurora, levantou-se o rei e foi com pressa à cova dos leões.
**20** Chegando-se à cova, chamou por Daniel com voz de angústia: Daniel, servo do Deus vivo, será que o teu Deus, a quem tu continuamente serves, tenha podido livrar-te dos leões?
**21** Daniel respondeu ao rei: Ó rei, vive para sempre!
**22** O meu Deus enviou o seu anjo e fechou a boca dos leões, para que não me fizessem dano, porque foi achada em mim inocência diante dele. Também contra ti, ó rei, não cometi delito algum.
**23** O rei, então, muito se alegrou e mandou tirar Daniel da cova. Quando Daniel foi tirado da cova, nenhum dano se achou nele, porque crera no seu Deus.
**24** Ordenou o rei, e foram trazidos aqueles homens que tinham acusado Daniel, e foram lançados na cova dos leões, eles, seus filhos e suas mulheres. E ainda não tinham chegado ao fundo da cova, e já os leões se apoderaram deles e lhes esmigalharam todos os ossos.
**25** Então o rei Dario escreveu a todos os povos, nações e gente de diferentes línguas, que moram em toda a terra: A paz vos seja multiplicada.
**26** Da minha parte é feito um decreto, pelo qual em todo o domínio do meu reino os homens tremam e temam perante o Deus de Daniel,
porque ele é o Deus vivo
e permanece para sempre,
o seu reino não se pode destruir,
e o seu domínio jamais terá fim.
**27** Ele livra e salva;
opera sinais e maravilhas no céu e na terra.
Ele livrou Daniel do poder dos leões.
**28** Foi assim que Daniel prosperou no reinado de Dario e no reinado de Ciro, o persa.

## O sonho com os animais simbólicos

**7** No primeiro ano de Belsazar, rei de Babilônia, teve Daniel, na sua cama, um sonho e visões vieram à sua cabeça. Então escreveu logo o sonho e relatou a suma das coisas.
**2** Disse Daniel: Na minha visão da noite eu olhei e vi que os quatro ventos do céu agitavam o mar Grande.
**3** Quatro animais grandes, diferentes uns dos outros, subiam do mar.
**4** O primeiro era como leão e tinha asas de águia. Eu olhei até que lhe foram arrancadas as asas, e foi levantado da terra e posto em pé como um homem; e foi-lhe dado um coração de homem.

5 Continuei olhando, e vi o segundo animal, semelhante a um urso, o qual se levantou de um lado, tendo na boca três costelas entre os dentes, e foi-lhe dito: Levanta-te, devora muita carne.
6 Depois disso, continuei olhando, e vi outro animal, semelhante a um leopardo, e tinha quatro asas de ave nas costas. Este animal tinha quatro cabeças, e foi-lhe dado domínio.
7 Depois disso, continuei olhando nas visões da noite, e vi o quarto animal, terrível, espantoso e muito forte, o qual tinha dentes grandes de ferro; ele devorava e fazia em pedaços, e pisava com os pés o que sobrava. Era diferente de todos os animais que apareceram antes dele e tinha dez chifres.
8 Estando eu observando os chifres, vi que entre eles subiu outro chifre pequeno; e três dos primeiros chifres foram arrancados diante dele. Neste chifre havia olhos, como os olhos de homem, e uma boca que falava com arrogância.
9 Eu continuei olhando,
   até que foram postos uns tronos,
   e um Ancião de Dias
     se assentou.
  A sua veste era branca
    como a neve,
   e o cabelo da sua cabeça
    como lã puríssima.
  O seu trono era de chamas
    de fogo,
    com rodas de fogo ardente.
10 Um rio de fogo manava e saía de diante dele.
  Milhares de milhares o
    serviam,
   e milhões de milhões
    estavam diante dele.
  Assentou-se o tribunal,
   e abriram-se os livros.
11 Então estive olhando, por causa da voz das grandes palavras que provinha do chifre. Estive olhando até que o animal foi morto, e o seu corpo desfeito e entregue para ser queimado pelo fogo.
12 Quanto aos outros animais, foi-lhes tirado o domínio, mas foi-lhes dada prolongação de vida até certo espaço de tempo.
13 Eu estava olhando nas minhas visões da noite, e vi que vinha nas nuvens do céu um como o filho do homem. Ele se dirigiu ao Ancião de Dias e o fizeram chegar até ele.
14 Foi-lhe dado o domínio, a honra e o reino; todos os povos, nações e línguas o adoraram. O seu domínio é um domínio eterno, que não passará, e o seu reino o único que não será destruído.
15 Quanto a mim, Daniel, o meu espírito foi abatido dentro do corpo, e as visões da minha cabeça me espantaram.
16 Cheguei-me a um dos que estavam perto e pedi-lhe a verdade acerca de tudo isto. E ele me disse, e fez-me saber a interpretação das coisas.
17 Estes grandes animais, que são quatro, são quatro reis, que se levantarão da terra.
18 Os santos do Altíssimo, porém, receberão o reino e possuirão o reino para todo o sempre, e de eternidade em eternidade.
19 Então tive desejo de conhecer a verdade a respeito do quarto animal, que era diferente de todos os outros, muito terrível, cujos dentes eram de ferro, e as unhas, de bronze — o animal que devorava, fazia em pedaços e pisava aos pés o que sobrava.
20 Também tive desejo de conhecer a verdade a respeito dos dez

chifres que tinha na cabeça e do outro que subia, diante do qual caíram três, isto é, daquele chifre que tinha olhos, uma boca que falava com arrogância e parecia ser mais robusto do que os seus companheiros.

21 Eu olhava, e vi que este chifre fazia guerra contra os santos, e os vencia,

22 até que veio o Ancião de Dias, e foi dado o juízo aos santos do Altíssimo, e chegou o tempo em que os santos possuíram o reino.

23 Disse-me ele: O quarto animal será o quarto reino na terra, o qual será diferente de todos os reinos e devorará toda a terra, a pisará aos pés e a fará em pedaços.

24 Quanto aos dez chifres, daquele mesmo reino se levantarão dez reis. Depois deles se levantará outro, o qual será diferente dos primeiros, e abaterá a três reis.

25 Proferirá palavras contra o Altíssimo, destruirá os santos do Altíssimo e tentará mudar os tempos e as leis. Eles serão entregues nas suas mãos por um tempo, e tempos, e metade de um tempo.

26 O tribunal, porém, se assentará em juízo e lhe tirará o seu domínio, para o destruir e para o desfazer até o fim.

27 O reino e o domínio, e a majestade dos reinos debaixo de todo o céu serão dados ao povo dos santos do Altíssimo. O seu reino será um reino eterno, e todos os governantes o servirão e lhe obedecerão.

28 Aqui findou o assunto. Quanto a mim, Daniel, os meus pensamentos muito me espantaram, e mudou-se em mim o meu semblante, mas guardei essas coisas no meu coração.

## A visão de um carneiro e de um bode

**8** No terceiro ano do reinado do rei Belsazar, apareceu-me uma visão, a mim, Daniel, depois daquela que me apareceu no princípio.

2 Na visão que tive, vi que eu estava na cidadela de Susã, na província de Elão; na visão eu estava junto ao rio Ulai.

3 Levantei os olhos e vi um carneiro que estava diante do rio, o qual tinha dois chifres, e os dois chifres eram altos. Um dos chifres era mais alto do que o outro, e o mais alto subiu por último.

4 Vi que o carneiro dava marradas para o ocidente, para o norte e para o sul. Nenhum animal podia estar diante dele, nem havia quem pudesse livrar-se das suas mãos. Ele fazia conforme a sua vontade, e se engrandecia.

5 Estando eu considerando isso, vi que um bode vinha do ocidente sobre toda a terra, mas sem tocar no chão, e aquele bode tinha um chifre notável entre os olhos.

6 Dirigiu-se ao carneiro de dois chifres, que eu tinha visto diante do rio, e correu contra ele no furor da sua força.

7 Vi-o chegar perto do carneiro, e, irritado contra ele, o feriu e lhe quebrou os dois chifres, pois não havia força no carneiro para lhe resistir; em seguida, o bode o lançou por terra e o pisou com os pés, e não houve quem pudesse livrar o carneiro do seu poder.

8 O bode se engrandeceu sobremaneira; estando, porém, na sua maior força, aquele grande chifre foi quebrado, e subiram no seu lugar quatro outros chifres

também notáveis, para os quatro ventos do céu.

**9** De um deles saiu um chifre muito pequeno, o qual cresceu muito para o sul, para o oriente e para a terra formosa.

**10** Engrandeceu-se até o exército do céu; e a alguns do exército e das estrelas deitou por terra e os pisou.

**11** Sim, ele se engrandeceu até o príncipe do exército, dele tirou o sacrifício contínuo, e o lugar do seu santuário lançou por terra.

**12** O exército lhe foi entregue, com o sacrifício contínuo, por causa das transgressões. Lançou a verdade por terra e prosperou em tudo o que fez.

**13** Depois ouvi um santo que falava, e disse outro santo àquele que falava: Até quando durará a visão do sacrifício contínuo e da transgressão assoladora, para que seja entregue o santuário, e o exército, a fim de serem pisados?

**14** Ele me disse: Até duas mil e trezentas tardes e manhãs, e o santuário será purificado.

**15** Enquanto eu, Daniel, contemplava a visão e procurava entendê-la, diante de mim se apresentou um ser semelhante a um homem.

**16** E ouvi uma voz de homem entre as margens do Ulai, a qual gritou: Gabriel, dá a entender a este a visão.

**17** Ele veio para perto de onde eu estava; e vindo ele, fiquei assombrado e caí com o rosto em terra. Mas ele me disse: Entende, filho do homem, porque esta visão se realizará no fim do tempo.

**18** Estando ele falando comigo, caí com o rosto em terra, adormecido. Ele, porém, me tocou, me pôs em pé

**19** e disse: Eu te farei saber o que há de acontecer no último tempo da ira, porque ela se exercerá no determinado tempo do fim.

**20** Aquele carneiro que viste com dois chifres são os reis da Média e da Pérsia.

**21** O bode peludo, porém, é o rei da Grécia, e o chifre grande que tinha entre os olhos é o primeiro rei.

**22** O ter sido quebrado, levantando-se quatro em seu lugar, significa que quatro reinos se levantarão da mesma nação, mas não com a força dele.

**23** No fim do seu reinado, porém, quando os transgressores encherem a medida do seu pecado, se levantará um rei, feroz de semblante e entendido em enigmas.

**24** Grande será a sua força, mas não de si mesmo. Ele destruirá terrivelmente, prosperará e fará o que lhe aprouver; destruirá os poderosos e o povo santo.

**25** Pelo seu entendimento também fará prosperar o engano, no seu coração se engrandecerá e destruirá muitos que vivem em segurança; ele se levantará contra o Príncipe dos príncipes, mas sem esforço de mãos humanas será quebrado.

**26** A visão da tarde e da manhã, que foi dita, é verdadeira; tu, porém, cerra a visão, porque só daqui a muitos dias se cumprirá.

**27** Eu, Daniel, estive enfraquecido e enfermo alguns dias. Então me levantei e tratei do negócio do rei. Espantava-me com a visão, e não havia quem a entendesse.

### A oração de Daniel

**9** No primeiro ano de Dario, filho de Assuero, da nação dos medos, o qual foi constituído rei sobre o reino dos caldeus,

2 no primeiro ano do seu reinado, eu, Daniel, entendi pelos livros que o número de anos, de que falou o Senhor ao profeta Jeremias, que haviam de transcorrer sobre as desolações de Jerusalém, era de setenta anos.

3 Dirigi o meu rosto ao Senhor Deus, para o buscar com oração e rogos, com jejum, pano de saco e cinza.

4 Orei ao Senhor, o meu Deus, confessei e disse: Ó Senhor! Deus grande e tremendo, que guardas a aliança e a misericórdia para com os que te amam e guardam os teus mandamentos,

5 pecamos e cometemos iniquidade, procedemos impiamente e fomos rebeldes; apartamo-nos dos teus mandamentos e dos teus juízos,

6 e não demos ouvidos aos teus servos, os profetas, que em teu nome falaram aos nossos reis, nossos príncipes e nossos pais, como também a todo o povo da terra.

7 A ti, ó Senhor, pertence a justiça, mas a nós a confusão de rosto, como se vê neste dia; aos homens de Judá, aos moradores de Jerusalém e a todo o Israel, aos de perto e aos de longe, em todas as terras por onde os tens lançado, por causa das suas transgressões que cometeram contra ti.

8 Ó Senhor, a nós pertence a confusão de rosto, aos nossos reis, aos nossos príncipes e a nossos pais, porque pecamos contra ti.

9 Ao Senhor, o nosso Deus, pertencem a misericórdia e o perdão; pois nos rebelamos contra ele

10 e não obedecemos à voz do Senhor, nosso Deus, para andarmos nas suas leis, que nos deu por intermédio de seus servos, os profetas.

11 Sim, todo o Israel transgrediu a tua Lei, desviando-se, para não obedecer à tua voz. Por isso, a maldição, o juramento que está escrito na Lei de Moisés, servo de Deus, se derramou sobre nós, porque pecamos contra ele.

12 Ele confirmou a sua palavra, que falou contra nós, e contra os nossos juízes que nos julgavam, trazendo sobre nós um grande mal. Nunca debaixo de todo o céu aconteceu como em Jerusalém.

13 Como está escrito na Lei de Moisés, todo aquele mal nos sobreveio; contudo, não buscamos o favor do Senhor nosso Deus, convertendo-nos das nossas iniquidades e aplicando-nos à tua verdade.

14 Por isso, o Senhor vigiou sobre o mal, e o trouxe sobre nós, porque justo é o Senhor, o nosso Deus, em todas as obras que faz; contudo, não obedecemos à sua voz.

15 Na verdade, ó Senhor, nosso Deus, que tiraste o teu povo da terra do Egito com mão poderosa e ganhaste para ti nome, como se vê neste dia, pecamos e procedemos impiamente.

16 Ó Senhor, segundo todas as tuas justiças, apartem-se a tua ira e o teu furor da tua cidade de Jerusalém, do teu santo monte, porque por causa dos nossos pecados, e por causa das iniquidades de nossos pais, tornou-se Jerusalém e o teu povo um objeto de zombaria para todos os que estão em redor de nós.

17 Agora, ó Deus nosso, ouve a oração do teu servo e as suas súplicas, e sobre o teu santuário desolado faze resplandecer o teu rosto, por amor do Senhor.

18 Inclina, ó Deus meu, os teus ouvidos, e ouve; abre os teus olhos, e olha para a nossa desolação e para a cidade que é chamada pelo teu nome, porque não lançamos as nossas súplicas perante a tua face confiados em nossas justiças, mas em tuas muitas misericórdias.
19 Ó Senhor, ouve! Ó Senhor, perdoa! Ó Senhor, atende-nos e opera sem tardar! Por amor de ti mesmo, ó Deus meu, porque a tua cidade e o teu povo se chamam pelo teu nome.
20 Estando eu ainda falando e orando, e confessando o meu pecado e o pecado do meu povo Israel, e lançando a minha súplica perante a face do Senhor, meu Deus, pelo monte santo do meu Deus,
21 estando eu, digo, ainda falando na oração, o homem Gabriel, que eu tinha visto na minha visão ao princípio, veio voando rapidamente e tocou-me à hora do sacrifício da tarde.
22 Ele me instruiu e me disse: Daniel, agora vim para fazer-te entender o sentido.
23 No princípio das tuas súplicas, saiu a ordem, e eu vim, para declará-la a ti, porque és muito amado. Portanto, considera a mensagem e entende a visão:
24 Setenta semanas estão determinadas sobre o teu povo e sobre a tua santa cidade, para fazer cessar a transgressão e dar fim aos pecados, para expiar a iniquidade e trazer a justiça eterna, para selar a visão e a profecia e para ungir o Santo dos Santos.
25 Sabe e entende: desde a saída da ordem para restaurar e para edificar Jerusalém, até o Ungido, o Príncipe, sete semanas, e sessenta e duas semanas. As praças e os muros se reedificarão, mas em tempos angustiosos.
26 Depois das sessenta e duas semanas será cortado o Ungido e não será mais, e o povo do príncipe, que há de vir, destruirá a cidade e o santuário. O seu fim será como uma inundação: Até o fim haverá guerra, e estão determinadas desolações.
27 Ele confirmará uma aliança com muitos por uma semana, mas na metade da semana fará cessar o sacrifício e a oferta de cereais. E sobre a asa das abominações virá o assolador, até a destruição determinada, a qual será derramada sobre o assolador.

## A visão de um homem

**10** No terceiro ano de Ciro, rei da Pérsia, foi revelada uma palavra a Daniel, cujo nome se chama Beltessazar. A palavra era verdadeira e tratava de uma guerra prolongada. Ele entendeu a palavra e teve entendimento da visão.
2 Naqueles dias, eu, Daniel, estive triste por três semanas completas.
3 Manjar desejável não comi, nem carne nem vinho entraram na minha boca, nem me ungi com unguento, até que se cumpriram as três semanas.
4 No vigésimo quarto dia do primeiro mês, eu estava às margens do grande rio Tigre;
5 levantei os olhos e vi um homem vestido de linho e os seus lombos cingidos com ouro fino de Ufaz.
6 O seu corpo era como berilo, o seu rosto parecia um relâmpago, os seus olhos eram como tochas de fogo, os seus braços e os seus pés como o brilho de bronze polido

e a voz das suas palavras como a voz de uma multidão.

7 Só eu, Daniel, tive aquela visão; os homens que estavam comigo nada viram, mas caiu sobre eles um grande temor e fugiram para se esconder.

8 Fiquei, pois, eu só e tive esta grande visão, e não restou força em mim; desfigurou-se a feição do meu rosto, e não retive força alguma.

9 Contudo, ouvi a voz das suas palavras e, ouvindo a voz das suas palavras, eu caí com o rosto em terra, profundamente adormecido.

10 Certa mão me tocou e fez que me levantasse, tremendo, sobre os meus joelhos e sobre as palmas das minhas mãos.

11 Ele disse: Daniel, homem muito amado, atende às palavras que te vou dizer e levanta-te sobre os teus pés, porque te fui enviado. Ao falar ele comigo esta palavra, pus-me em pé, tremendo.

12 Então me disse: Não temas, Daniel, porque desde o primeiro dia em que aplicaste o teu coração a compreender e a humilhar-te perante o teu Deus, são ouvidas as tuas palavras, e eu vim por causa das tuas palavras.

13 O príncipe do reino da Pérsia, porém, me resistiu por vinte e um dias. Então Miguel, um dos primeiros príncipes, veio para ajudar-me, e eu fiquei ali com os reis da Pérsia.

14 Agora vim, para fazer-te entender o que há de acontecer ao teu povo nos derradeiros dias, porque a visão é ainda para muitos dias.

15 Falando ele comigo estas palavras, abaixei o rosto para a terra e emudeci.

16 Então uma como semelhança dos filhos dos homens me tocou os lábios, abri a boca e disse àquele que estava diante de mim: Senhor meu, por causa da visão sobrevieram-me dores e não me restou força alguma.

17 Como pode o servo deste meu senhor falar com aquele meu senhor? Já não resta força em mim, e não ficou em mim fôlego.

18 Então um semelhante a um homem me tocou outra vez e me fortaleceu.

19 Disse ele: Não temas, homem muito amado, paz seja contigo; sê forte e tem bom ânimo. Falando ele comigo, fiquei fortalecido e disse: Fala, meu senhor, porque me fortaleceste.

20 E ele disse: Sabes por que eu vim a ti? Eu tornarei a pelejar contra o príncipe dos persas e, saindo eu, virá o príncipe da Grécia.

21 Eu, porém, te declararei o que está escrito na escritura da verdade; ninguém há que se esforce comigo contra aqueles, a não ser Miguel, vosso príncipe.

**11** No primeiro ano de Dario, o medo, levantei-me para o animar e fortalecer.

2 Agora eu te declararei a verdade: Ainda três reis se levantarão na Pérsia, e o quarto será cumulado de grandes riquezas mais do que todos. E, tendo-se fortalecido por meio das suas riquezas, agitará todos contra o reino da Grécia.

3 Depois, se levantará um rei valente, que reinará com grande domínio, e fará o que lhe aprouver.

4 Estando, porém, ele em pé, o seu reino será quebrado e repartido para os quatro ventos do céu. Não passará à sua posteridade, nem terá o mesmo poder com que reinou, porque o seu reino será arrancado e passará a outros.

5 O rei do Sul se fortalecerá, como também um de seus príncipes; este se fortalecerá mais do que ele, e reinará, e grande será o seu domínio.

6 Ao cabo de alguns anos, porém, eles se aliarão; a filha do rei do Sul virá ao rei do Norte para fazer um tratado. Ela, contudo, não conservará a força de seu braço, nem ele persistirá, nem o seu braço, porque ela será entregue à morte com seu pai, os que a tiverem trazido, e o que a fortalecia naqueles tempos.

7 Do renovo das suas raízes, porém, um se levantará em seu lugar; virá com o exército e entrará nas fortalezas do rei do Norte, agirá contra elas e prevalecerá.

8 Também os seus deuses com a multidão das suas imagens de fundição, com os seus objetos preciosos de prata e ouro, levará cativos para o Egito. Por alguns anos ele persistirá contra o rei do Norte.

9 Então o rei do reino do Norte invadirá o reino do rei do Sul, mas voltará para a sua terra.

10 Os seus filhos intervirão e reunirão um grande exército, que virá apressadamente, arrasará tudo como uma inundação irresistível, e levará a guerra até a sua fortaleza.

11 Então o rei do Sul se irritará, sairá e pelejará contra ele, contra o rei do Norte, que porá em campo um grande exército, mas o seu exército será entregue nas mãos daquele.

12 Quando o seu exército for levado, o rei do Sul se encherá de orgulho e derrubará miríades, mas não prevalecerá.

13 Porque o rei do Norte voltará e porá em campo um exército maior do que o primeiro, e, ao cabo de tempos, isto é, de anos, virá à pressa com grande exército e abundantes provisões.

14 Naqueles tempos, muitos se levantarão contra o rei do Sul. Os violentos dentre o teu povo se levantarão, em cumprimento da visão, mas eles cairão.

15 O rei do Norte virá, levantará baluartes e tomará uma cidade fortificada. As forças do Sul não poderão subsistir, nem o seu povo escolhido, pois não haverá força que possa subsistir.

16 O que há de vir contra ele fará segundo a sua vontade; ninguém poderá resistir diante dele. Estará na terra gloriosa e terá o poder de destruí-la.

17 Firmará o propósito de vir com a força de todo o seu reino e fará uma aliança com o rei do Sul. E lhe dará uma jovem em casamento a fim de destruir o reino, mas seus planos não vingarão, nem serão para sua vantagem.

18 Depois virará o seu rosto para as ilhas e tomará muitas, mas um governante fará cessar a sua arrogância contra ele e ainda fará recair sobre ele essa arrogância.

19 Virará então o seu rosto para as fortalezas da sua própria terra, mas tropeçará, cairá e não será achado.

20 Em seu lugar se levantará quem fará passar um cobrador de impostos pela glória do reino, mas em poucos dias será destruído, e isso sem ira e sem batalha.

21 Depois, se levantará em seu lugar um homem vil, ao qual não tinham dado a dignidade real. Ele virá caladamente e tomará o reino com engano.

22 As forças inundantes serão varridas de diante dele e serão

destruídas, como também o príncipe da aliança.

**23** Depois de fazer aliança com ele, usará de engano, subirá e se tornará forte com pouca gente.

**24** Virá caladamente aos lugares mais férteis da província e fará o que nunca fizeram seus pais, nem os pais de seus pais. Repartirá entre eles a presa e os despojos, e a riqueza, e tramará os seus projetos contra as fortalezas, mas por certo tempo.

**25** Suscitará a sua força e o seu coração contra o rei do Sul com um grande exército. O rei do Sul se envolverá na guerra com um grande e poderoso exército, mas não subsistirá, porque maquinarão projetos contra ele.

**26** Os que comerem os seus manjares o destruirão; o seu exército será arrasado, cairão muitos trespassados.

**27** Também estes dois reis terão o coração atento para fazerem o mal, e a uma mesma mesa falarão a mentira, mas sem êxito, porque o fim há de ser no tempo determinado.

**28** Então voltará para a sua terra com grande riqueza, e o seu coração será contra a santa aliança. Ele fará o que lhe aprouver e tornará para a sua terra.

**29** No tempo determinado, tornará a vir contra o Sul, mas não será na última vez como foi na primeira.

**30** Porque virão contra ele navios de Quitim, que lhe causarão tristeza. Voltará, e se indignará contra a santa aliança, e fará como deseja. Ainda voltará e atenderá os que tiverem desamparado a santa aliança.

**31** Dele sairão uns braços, que profanarão o santuário, isto é, a fortaleza, e tirarão o sacrifício contínuo, estabelecendo a abominação desoladora.

**32** Aos violadores da aliança, ele, com bajulações, perverterá, mas o povo que conhece ao seu Deus se tornará forte e fará proezas.

**33** Os entendidos entre o povo ensinarão a muitos, mas cairão pela espada e pelo fogo, pelo exílio e pelo roubo, por muitos dias.

**34** Caindo eles, porém, serão ajudados com pequeno socorro, e muitos se ajuntarão a eles com adulação.

**35** Alguns dos entendidos cairão para serem provados, e purificados, e embranquecidos, até o fim do tempo, porque isso será para o tempo determinado.

**36** Este rei fará conforme a sua vontade, e se levantará, e se engrandecerá sobre todo deus; falará coisas espantosas contra o Deus dos deuses e será próspero, até que a ira se complete, porque aquilo que está determinado será feito.

**37** Não terá respeito aos deuses de seus pais, nem terá respeito pelo desejado das mulheres, nem a qualquer deus, porque sobre tudo se engrandecerá.

**38** Ao deus das fortalezas, porém, honrará em seu lugar; e a um deus a quem seus pais não conheceram honrará com ouro, com prata, com pedras preciosas e com coisas agradáveis.

**39** Agirá contra os castelos fortes com o auxílio de um deus estranho, e aos que o reconhecerem multiplicará a honra, e os fará reinar sobre muitos, e repartirá a terra por preço.

**40** No fim do tempo, o rei do Sul lutará com ele, e o rei do Norte o atacará com carros, com cavaleiros e com muitos navios. Entrará nas terras, e as inundará, e passará.

41 Entrará também na terra gloriosa, e muitos países serão derrubados, mas da sua mão escaparão estes: Edom e Moabe, e as primícias dos filhos de Amom.

42 Estenderá a sua mão às terras, e a terra do Egito não escapará.

43 Ele se apoderará dos tesouros de ouro e de prata, e de todas as coisas desejáveis do Egito; os líbios e os etíopes o seguirão.

44 Os rumores do Oriente e do Norte, porém, o espantarão, e sairá com grande furor, para destruir e aniquilar muitos.

45 Armará as tendas do seu palácio entre os mares e o monte santo e glorioso. Então virá ao seu fim, e não haverá quem o socorra.

## O tempo do fim

**12** Nesse tempo, se levantará Miguel, o grande príncipe que protege os filhos do teu povo, e haverá um tempo de angústia, qual nunca houve, desde que houve nação até aquele tempo. Mas, nesse tempo, o teu povo, todo aquele que se achar escrito no livro, será liberto.

2 Muitos dos que dormem no pó da terra ressuscitarão, uns para a vida eterna, e outros para a vergonha e o desprezo eterno.

3 Os que forem sábios resplandecerão como o fulgor do firmamento; os que a muitos ensinam a justiça refulgirão como as estrelas sempre e eternamente.

4 Tu, porém, Daniel, fecha estas palavras e sela este livro, até o fim do tempo. Muitos correrão de uma parte para outra, e o conhecimento se multiplicará.

5 Então eu, Daniel, olhei, e vi dois outros anjos, um deste lado, à beira do rio, e o outro do outro lado, à beira do rio.

6 Um deles disse ao homem vestido de linho que estava sobre as águas do rio: Quanto tempo haverá até o fim destas maravilhas?

7 Ouvi o homem vestido de linho, que estava sobre as águas do rio, quando levantou a mão direita e a mão esquerda ao céu e jurou por aquele que vive eternamente que depois de um tempo, de tempos e metade de um tempo. Quando tiverem acabado de destruir o poder do povo santo, todas estas coisas serão cumpridas.

8 Eu ouvi, mas não entendi. Por isso perguntei: Senhor meu, qual será o fim destas coisas?

9 Ele respondeu: Vai, Daniel, porque estas palavras estão fechadas e seladas até o tempo do fim.

10 Muitos serão purificados, embranquecidos e provados, mas os ímpios procederão impiamente. Nenhum dos ímpios entenderá, mas os sábios entenderão.

11 Desde o tempo em que o sacrifício contínuo for tirado, e posta a abominação desoladora, haverá mil duzentos e noventa dias.

12 Bem-aventurado o que espera e chega até mil trezentos e trinta e cinco dias.

13 Tu, porém, vai-te até que chegue o fim. Tu repousarás e no fim dos dias te levantarás para receber a tua herança.

# OSEIAS

**1** Palavra do Senhor, que veio a Oseias, filho de Beeri, nos dias de Uzias, Jotão, Acaz e Ezequias, reis de Judá, e nos dias de Jeroboão, filho de Joás, rei de Israel.

### A mulher e os filhos de Oseias

2 Quando o Senhor começou a falar por intermédio de Oseias, ele lhe disse: Vai, toma uma mulher de prostituições, e terás filhos de prostituição, porque a terra se prostituiu, desviando-se do Senhor.

3 Foi-se, pois, e tomou a Gômer, filha de Diblaim, e ela engravidou e lhe deu um filho.

4 Então, o Senhor lhe disse: Põe-lhe o nome de Jezreel, porque daqui a pouco visitarei o sangue de Jezreel sobre a casa de Jeú e farei cessar o reino da casa de Israel.

5 Naquele dia, quebrarei o arco de Israel no vale de Jezreel.

6 Tornou ela a engravidar e deu à luz uma filha. Então, o Senhor disse a Oseias: Põe-lhe o nome de Lo-Ruama, porque eu não tornarei mais a compadecer-me da casa de Israel, mas tudo lhe tirarei.

7 Da casa de Judá, porém, me compadecerei, e os salvarei pelo Senhor seu Deus, pois não os salvarei pelo arco, nem pela espada, nem pela guerra, nem pelos cavalos, nem pelos cavaleiros.

8 Depois de haver desmamado a Lo-Ruama, engravidou e deu à luz um filho.

9 Então, disse o Senhor: Põe-lhe o nome de Lo-Ami, porque vós não sois meu povo, nem eu serei vosso Deus.

10 Todavia, o número dos filhos de Israel será como a areia do mar, que não se pode medir nem se contar. No lugar em que se lhes dizia: Vós não sois meu povo, se lhes dirá: Vós sois filhos do Deus vivo.

11 Os filhos de Judá e os filhos de Israel juntos se congregarão, constituirão sobre si uma única cabeça e subirão da terra, porque grande será o dia de Jezreel.

### Castigo e restauração de Israel

**2** Dizei a vossos irmãos: Meu povo, e a vossas irmãs: Minhas amadas.

2 Contendei com vossa mãe, contendei,
porque ela não é minha mulher,
e eu não sou seu marido.
Desvie ela as suas prostituições da sua face
e os seus adultérios de entre os seus peitos,

3 para que eu não a deixe despida e a ponha como no dia em que nasceu,
e a faça como um deserto
e a ponha como uma terra seca,
e a mate à sede

4 e não me compadeça de seus filhos,
porque são filhos de prostituições.

5 Porque sua mãe se prostituiu
e os concebeu em desgraça.
Ela disse: Irei atrás de meus amantes,
que me dão o meu pão e a minha água,

a minha lã e o meu linho,
o meu óleo e as minhas bebidas.

6 Portanto, cercarei o caminho dela com espinhos;
levantarei um muro contra ela, para que não ache as suas veredas.
7 Ela irá atrás de seus amantes, mas não os alcançará;
os buscará, mas não os achará.
Então dirá:
Irei e voltarei ao meu primeiro marido,
porque melhor me ia então do que agora.
8 Ela não reconhece que eu lhe dei o grão,
o vinho e o óleo,
e lhe multipliquei a prata e o ouro,
que eles usaram para Baal.
9 Portanto, tirarei o meu trigo a seu tempo
e o meu vinho no seu tempo determinado.
Arrebatarei a minha lã e o meu linho
com que cobria a sua nudez.
10 Agora descobrirei a sua vergonha
diante dos olhos dos seus amantes,
e ninguém a livrará da minha mão.
11 Farei cessar toda a sua alegria,
as suas festas, as suas luas novas,
os seus sábados e todas as suas *solenidades*.
12 Devastarei a sua vide e a sua figueira,
de que ela diz: Esta é a paga que me deram os meus amantes.
Eu farei delas um bosque,
e os animais do campo as devorarão.
13 Trarei castigo sobre ela
pelos dias em que queimou incenso a Baal,
e se adornou com os seus anéis e joias,
e andou atrás de seus amantes,
mas de mim se esqueceu, diz o Senhor.
14 Portanto, eu a atrairei,
a levarei para o deserto e lhe falarei ao coração.
15 Ali eu lhe darei as suas vinhas e o vale de Acor
por porta de esperança.
Ali ela cantará como nos dias da sua mocidade,
como no dia em que subiu da terra do Egito.
16 Naquele dia, diz o Senhor, me chamarás:
Meu marido;
não me chamarás mais:
Meu mestre.
17 Da sua boca tirarei os nomes dos baalins,
e os seus nomes não virão mais em memória.
18 Naquele dia, farei por eles aliança com os animais do campo,
com as aves do céu e com os répteis da terra.
Da terra tirarei o arco,
a espada e a guerra,
e os farei deitar em segurança.
19 Eu te desposarei comigo para sempre;
eu te desposarei comigo em justiça, em juízo,
em benignidade e em misericórdias.
20 Eu te desposarei comigo em fidelidade,
e conhecerás ao Senhor.

21 Naquele dia, eu responderei, diz o Senhor, responderei aos céus, e estes responderão à terra;
22 e a terra responderá ao trigo, ao vinho e ao óleo, e estes responderão a Jezreel.
23 Eu a semearei para mim na terra e mostrarei amor à Não Amada. Direi a Não Meu Povo: Tu és meu povo, e ele dirá: Tu és o meu Deus.

### Oseias se reconcilia com a esposa

**3** Disse-me o Senhor: Vai outra vez, ama uma mulher, amada de seu amigo, e adúltera, como o Senhor ama os filhos de Israel, embora eles olhem para outros deuses, e amem os bolos de passas.
2 Assim eu a comprei por quinze peças de prata e um ômer e meio de cevada
3 e lhe disse: Tu ficarás comigo muitos dias; não te prostituirás nem serás de outro homem, e assim eu quero ser também para ti.
4 Porque os filhos de Israel ficarão por muitos dias sem rei, sem príncipe, sem sacrifício, sem coluna, sem estola sacerdotal ou ídolos.
5 Depois tornarão os filhos de Israel e buscarão ao Senhor, seu Deus, e a Davi, seu rei. Virão tremendo ao Senhor e à sua bondade, nos últimos dias.

### A acusação contra Israel

**4** Ouvi a palavra do Senhor, vós, filhos de Israel, porque o Senhor tem uma contenda com os habitantes da terra: Não há verdade, nem amor, nem conhecimento de Deus na terra.
2 Só prevalecem o perjurar, o mentir, o matar, o furtar e o adulterar; quebram todos os laços, há homicídios sobre homicídios.
3 Por isso a terra se lamenta, e todo o que nela mora desfalece com os animais do campo e com as aves do céu; até os peixes do mar perecem.
4 Todavia, ninguém contenda, nem qualquer repreenda, porque o teu povo é como os que contendem com o sacerdote.
5 Por isso, tropeçarás de dia, e o profeta contigo tropeçará de noite. Assim eu destruirei a tua mãe;
6 o meu povo é destruído porque lhe falta o conhecimento. Porque tu rejeitaste o conhecimento, também eu te rejeitarei como meu sacerdócio; visto que te esqueceste da lei do teu Deus, também eu me esquecerei de teus filhos.
7 Quanto mais eles se multiplicaram, tanto mais contra mim pecaram; eu mudarei a sua honra em vergonha.
8 Alimentam-se do pecado do meu povo e da maldade dele têm desejo ardente.
9 Por isso, como é o povo, assim será o sacerdote. Eu o castigarei pelos seus caminhos

e lhe darei a recompensa
das suas obras.
10 Comerão, mas não se fartarão;
se entregarão à luxúria,
mas não se multiplicarão,
porque deixaram de olhar
para o Senhor.
11 A sensualidade,
o vinho e o mosto tiram o
entendimento.
12 O meu povo consulta a sua
madeira,
e a sua vara lhe responde,
porque o espírito de luxúria
os engana,
e eles, prostituindo-se,
apartam-se do seu Deus.
13 Sacrificam sobre os cumes
dos montes
e queimam incenso sobre os
outeiros;
debaixo do carvalho,
do álamo e do olmeiro,
porque é boa a sua sombra.
Por isso as vossas filhas se
prostituem,
as vossas noras adulteram.
14 Eu não castigarei vossas
filhas, que se prostituem,
nem vossas noras, quando
adulteram,
porque os homens
com as prostitutas se
desviam
e com as meretrizes
sacrificam;
o povo que não tem
entendimento
será transtornado.
15 Ainda que tu, ó Israel,
queiras prostituir-te,
*contudo não se faça culpado
Judá.*
Não venhais a Gilgal e não
subais a Bete-Áven,
nem jureis, dizendo:
Vive o Senhor.

16 Porque como novilha
rebelde se rebelou Israel.
Agora o Senhor os
apascentará
como a um cordeiro
num lugar espaçoso.
17 Efraim está entregue aos
ídolos; deixai-o.
18 Tendo acabado de beber,
eles se entregam à prostituição;
os seus príncipes certamente
amam
a vergonha.
19 O vento os envolveu
nas suas asas;
e eles se envergonharão
por causa dos seus sacrifícios.

### Juízo contra Israel

**5** Ouvi isto, ó sacerdotes,
e escutai, ó casa de Israel;
escutai, ó casa do rei,
porque a vós pertence este
juízo,
visto que fostes um laço para
Mispa
e rede estendida sobre o
Tabor.
2 Os rebeldes se aprofundaram
na carnificina.
Eu castigarei a todos eles.
3 Eu conheço a Efraim, e Israel
não me está oculto;
porque agora te tens
prostituído, ó Efraim,
e se contaminou Israel.
4 As suas ações não lhes
permitem voltar para o seu
Deus.
O espírito da prostituição está
no meio deles,
e não conhecem ao Senhor.
5 A soberba de Israel testifica
contra eles;
Israel e Efraim tropeçarão
pela sua iniquidade,
e Judá tropeçará com eles.

6 Eles irão com os seus rebanhos
e com as suas manadas à
procura do Senhor,
mas não o acharão;
ele se retirou deles.
7 Foram infiéis ao Senhor;
geraram filhos bastardos.
Agora os festivais da lua
nova os consumirá
e também aos seus campos.
8 Tocai a trombeta em Gibeá
e a corneta em Ramá.
Gritai altamente em Bete-
Áven;
após ti, ó Benjamim.
9 Efraim será para assolação no
dia do castigo.
Entre as tribos de Israel
torno conhecido o que é certo.
10 Os príncipes de Judá são
como os que mudam os
marcos.
Derramarei o meu furor
sobre eles como água.
11 Efraim está oprimido,
quebrantado em juízo,
porque quis seguir os ídolos.
12 Portanto, para Efraim
sou como a traça,
e para a casa de Judá,
como a podridão.
13 Quando Efraim viu a sua
enfermidade,
e Judá a sua chaga,
subiu Efraim à Assíria
e buscou ao grande rei
que o socorresse.
Mas ele não poderá curar-vos,
nem sarar a vossa chaga.
14 Porque para Efraim serei
como um leão,
e como um grande leão
para a casa de Judá.
Eu os despedaçarei, e irei
embora;
os arrebatarei,
e não haverá quem os livre.
15 Irei e voltarei para
o meu lugar,
até que se reconheçam
culpados
e busquem a minha face.
Estando eles angustiados,
de madrugada me buscarão.

# 6

Vinde, tornemos para o Senhor.
Ele nos despedaçou, mas
nos sarará;
fez a ferida, mas a ligará.
2 Depois de dois dias,
nos dará a vida;
no terceiro dia, nos
ressuscitará,
e viveremos diante dele.
3 Conheçamos e prossigamos
em conhecer ao Senhor.
Como a alva será a sua saída;
ele a nós virá como a chuva,
como a primeira chuva
que rega a terra.
4 Que te farei, ó Efraim?
Que te farei, ó Judá?
O vosso amor é como a
nuvem da manhã
e como o orvalho da
madrugada,
que cedo passa.
5 Por isso, os despedacei com
meus profetas,
com as palavras da minha
boca os matei;
os meus juízos saíram como o
relâmpago sobre vós.
6 Pois eu quero misericórdia,
não o sacrifício;
e o conhecimento de Deus,
mais do que holocaustos.
7 Eles, porém, transgrediram
a aliança, como Adão;
foram infiéis a mim.
8 Gileade é a cidade dos que
praticam a iniquidade,
calcada de sangue.
9 Como hordas de salteadores
que espreitam a alguém,

assim é a companhia
   dos sacerdotes;
matam no caminho
para Siquém, praticando
   abominações.
10 Vi uma coisa horrenda na
casa de Israel.
Ali está a prostituição de
   Efraim,
e Israel está contaminado.
11 Também para ti, ó Judá,
está determinada uma ceifa,
para quando eu trouxer de
   volta
o meu povo do cativeiro.

# 7

Quando eu queria restaurar
a sorte do meu povo,
   quando eu queria sarar a
      Israel,
   descobriam-se os pecados
      de Efraim
   e os crimes de Samaria.
Praticam a falsidade;
   o ladrão entra,
a horda dos salteadores
   rouba por fora,
2 mas não consideram no seu
   coração que eu me lembro
   de toda a sua maldade.
Agora os cercam as suas obras;
   diante da minha face estão.
3 Com a sua malícia alegram
   ao rei,
   e com as suas mentiras aos
      príncipes.
4 Todos eles são adúlteros,
   semelhantes são ao forno
      aceso pelo padeiro,
   cujo fogo não precisa atear,
      desde o amassar a massa
      até que seja levedada.
5 *No dia do nosso rei,*
   os príncipes se tornam
      doentes, instigados pelo
         vinho,
   e ele dá mãos aos
      escarnecedores.
6 O coração deles é como
   um forno,
   enquanto estão de espreita.
A sua ira dorme toda a noite;
   pela manhã, arde como
      chamas de fogo.
7 Eles estão todos quentes como
   um forno;
   consomem os seus juízes.
Todos os seus reis caem,
   ninguém entre eles
   há que me invoque.
8 Efraim com os povos se
   mistura;
   Efraim é um bolo que não
      foi virado.
9 Estrangeiros lhe comem a
   força,
   e ele não o sabe.
Seus cabelos ficam brancos,
   mas ele não o percebe.
10 A soberba de Israel testifica
   contra ele,
   todavia não voltam
   para o Senhor seu Deus,
   nem o buscam em tudo isso.
11 Efraim é como uma pomba
   enganada,
   sem entendimento;
invocam o Egito,
   vão para a Assíria.
12 Quando forem, sobre eles
   estenderei a minha rede;
   como aves do céu os
      farei descer.
Eu os castigarei,
   conforme o que
   eles têm ouvido na sua
      congregação.
13 Ai deles,
   porque fugiram de mim!
Destruição sobre eles,
   porque se rebelaram
      contra mim!
Eu os remi,
   mas disseram mentiras
      contra mim.

14 Não clamaram a mim com seu coração,
 mas gemem nas suas camas.
 Para o trigo e para o vinho se ajuntam,
 mas contra mim se rebelam.
15 Eu os ensinei e lhes fortaleci os braços,
 mas pensam mal contra mim.
16 Eles voltam, mas não para o Altíssimo.
 São como um arco enganador.
 Os seus príncipes caem à espada,
 por causa da violência da sua língua.
 Este será o seu escárnio na terra do Egito.

### O castigo está próximo

8 Põe a trombeta na tua boca.
 Ele vem como a águia contra a casa do Senhor,
 porque transgrediram a minha aliança
 e se rebelaram contra a minha lei.
2 A mim clamam:
 Deus meu, nós, Israel, te conhecemos.
3 Israel rejeitou o bem;
 o inimigo o perseguirá.
4 Eles fizeram reis, mas não por mim; constituíram príncipes,
 mas eu não o soube.
 Da sua prata e do seu ouro fizeram ídolos para si,
 para serem destruídos.
5 O teu bezerro, ó Samaria, é rejeitado;
 a minha ira se acende contra eles.
 Até quando serão eles incapazes de alcançar a pureza?
6 Porque isso procede de Israel;
 um artífice o fez, e não é Deus.
 Mas em pedaços será desfeito o bezerro de Samaria.
7 Eles semeiam ventos e colhem tormentas.
 Não haverá seara;
 a erva não dará farinha.
 Se a der,
 a tragarão os estrangeiros.
8 Israel foi devorado;
 agora está entre as nações como um vaso em que ninguém tem prazer.
9 Porque subiram à Assíria,
 como um jumento selvagem, andando sozinho.
 Efraim se vendeu por amores.
10 Todavia, ainda que eles se tenham vendido entre as nações,
 agora eu os congregarei.
 Já começaram a ser diminuídos sob a carga do poderoso rei.
11 Ainda que Efraim tenha multiplicado altares,
 estes se tornaram altares para pecar.
12 Escrevi para eles as muitas coisas da minha lei,
 mas isso é para eles como coisa estranha.
13 Quanto aos sacrifícios das minhas ofertas,
 eles sacrificam carne e a comem,
 mas o Senhor não os aceita.
 Agora se lembrará da injustiça deles
 e punirá os seus pecados:
 Eles voltarão para o Egito.
14 Israel se esqueceu do seu Criador e edificou palácios;

Judá multiplicou cidades fortificadas.
Eu, porém, enviarei um fogo contra as suas cidades, e ele consumirá os seus palácios.

### Castigo para Israel

**9** Não te alegres, ó Israel, até saltar, como os outros povos.
Porque te foste do teu Deus como uma meretriz; amaste a paga de meretriz sobre todas as eiras de trigo.
2 A eira e o tanque de espremer uvas não os manterão; o vinho novo lhes faltará.
3 Na terra do Senhor não permanecerão; Efraim tornará ao Egito e na Assíria comerão comida imunda.
4 Não derramarão vinho perante o Senhor, nem as suas ofertas serão para ele suaves.
Tais sacrifícios para eles serão como pão de pranteadores; todos os que dele comerem serão imundos.
Pois o seu pão será para o seu apetite; não entrará na casa do Senhor.
5 Que fareis vós no dia da solenidade e no dia da festa do Senhor?
6 Ainda que escapem da destruição, o Egito os recolherá, Mênfis os sepultará.
O desejável da sua prata as urtigas o possuirão por herança; espinhos haverá nas suas moradas.
7 Chegaram os dias do castigo, chegaram os dias da retribuição.
Israel o saberá.
O profeta é um insensato, o homem inspirado é um louco, por causa da abundância da tua iniquidade e do teu grande ódio.
8 O profeta, junto ao meu Deus, é a sentinela de Efraim, mas o profeta é como um laço de caçador de aves em todos os seus caminhos, um inimigo na casa do seu Deus.
9 Muito profundamente se corromperam, como nos dias de Gibeá.
Ele se lembrará das suas injustiças e punirá os pecados deles.
10 Achei a Israel como uvas no deserto, vi a vossos pais como a fruta temporã da figueira no seu princípio, mas eles foram para Baal-Peor e se tornaram abomináveis como aquilo que amaram.
11 Quanto a Efraim, a sua glória como ave voará; não haverá nascimento, nem gravidez, nem concepção.
12 Ainda que venham a criar seus filhos, eu os privarei deles, para que não fique nenhum homem.
Ai deles, quando deles me apartar!

13 Efraim, assim como vi a Tiro,
está plantado num lugar
deleitoso.
Mas Efraim levará seus filhos
ao matador.
14 Dá-lhes, ó Senhor!
Mas o que lhes darás?
Dá-lhes uma madre que
aborte e seios secos.
15 Toda a sua malícia se acha
em Gilgal,
pois ali os aborreci.
Por causa da maldade das
suas obras
os lançarei fora de minha casa.
Não os amarei mais;
todos os seus príncipes são
rebeldes.
16 Efraim foi ferido,
secou-se a sua raiz, não dão
fruto.
Sim, ainda que gerem,
eu matarei os frutos
desejáveis do seu ventre.
17 O meu Deus os rejeitará,
porque não o ouvem;
peregrinos andarão entre
as nações.

# 10

Israel é uma vide frondosa;
dá fruto para si mesmo.
Conforme a abundância do
seu fruto,
assim multiplicou os
altares;
conforme a bondade da terra,
assim fizeram belas
colunas.
2 O seu coração está dividido,
por isso serão culpados.
O Senhor cortará os seus
altares
e destruirá as suas colunas.
3 Certamente agora dirão:
Não temos rei porque não
tememos ao Senhor.
Mas mesmo o rei,
o que faria por nós?
4 Falam palavras vãs, jurando
falsamente,
fazendo aliança; portanto
florescerá o juízo
como erva venenosa num
campo arado.
5 Os moradores de Samaria
serão atemorizados
por causa do bezerro de
Bete-Áven.
O seu povo se lamentará por
causa dele,
como também os seus
sacerdotes idólatras tremerão
por causa da sua glória,
que se apartou dela.
6 Também à Assíria será levado
como um presente ao
grande rei.
Efraim ficará confuso,
e Israel se envergonhará
por causa do seu próprio
conselho.
7 O rei de Samaria será desfeito
como a espuma sobre a face
da água.
8 Os altos de iniquidade serão
destruídos;
são o pecado de Israel.
Espinhos e ervas daninhas
crescerão
sobre os seus altares.
Então, dirão aos montes:
Cobri-nos!
E aos outeiros: Caí sobre nós!
9 Desde os dias de Gibeá
pecaste, ó Israel,
e ali permaneceste.
A peleja em Gibeá contra os
filhos da perversidade
não te alcançará?
10 Eu castigarei o povo
na medida do meu desejo;
se congregarão contra eles os
povos,
quando os atar às suas
transgressões.

11 Efraim é uma bezerra domada,
que gostava de trilhar;
coloquei o jugo
sobre a formosura do seu pescoço.
Porei arreios sobre Efraim,
Judá lavrará,
Jacó lhe desfará os torrões.
12 Semeai para vós em justiça,
ceifai o fruto do constante amor,
e lavrai o campo de lavoura,
porque é tempo de buscar ao Senhor,
até que venha e chova
a justiça sobre vós.
13 Lavrastes a impiedade,
segastes a perversidade
e comestes o fruto da mentira,
porque confiastes no vosso caminho,
na multidão dos vossos valentes.
14 Portanto, entre o teu povo
se levantará um grande tumulto,
e todas as tuas fortalezas
serão destruídas,
como Salmã destruiu a Bete-
-Arbel no dia da guerra.
A mãe ali foi despedaçada
com os filhos.
15 Assim vos fará Betel,
por causa da vossa grande malícia.
O rei de Israel de madrugada
será totalmente destruído.

### O amor de Deus por Israel

**11** Quando Israel era menino, eu o amei,
e do Egito chamei a meu filho.
2 Quanto mais, porém, eu os chamava,
tanto mais se iam da minha face.
Sacrificavam a baalins e
queimavam incenso às
imagens de escultura.
3 Todavia, eu ensinei a andar a Efraim,
tomando-os pelos seus braços;
mas não conheceram que eu os curava.
4 Atraí-os com cordas humanas,
com cordas de amor;
fui para eles como os que
tiram o jugo do pescoço,
e lhes dei mantimento.
5 Não voltará para a terra do Egito,
mas a Assíria será seu rei,
porque recusam converter-se.
6 Cairá a espada sobre as suas cidades,
consumirá os seus ferrolhos
e os devorará, por causa
dos seus conselhos.
7 O meu povo é inclinado
a desviar-se de mim.
Ainda que clamem ao Altíssimo,
nenhum deles o exalta.
8 Como te deixaria, ó Efraim?
Como te entregaria, ó Israel?
Como te trataria como Admá?
Como te faria como Zeboim?
Está comovido em mim o meu coração,
todas as minhas compaixões
unânimes se acendem.
9 Não executarei o furor da minha ira,
nem voltarei para destruir a Efraim.
Porque eu sou Deus, e não homem,
o Santo no meio de ti.
Eu não entrarei na cidade.

**10** Andarão após o Senhor;
ele bramará como leão.
  Bramando ele,
os filhos, tremendo,
virão do Ocidente.
**11** Tremendo virão,
como um passarinho,
os do Egito,
  e como uma pomba os da
terra da Assíria.
Eu os farei habitar em suas
casas,
diz o Senhor.
**12** Efraim me cercou com
mentira,
  e a casa de Israel com
engano.
E Judá ainda é rebelde contra
Deus,
contra o Santo fiel.

### O pecado de Israel

**12** Efraim se alimenta de vento;
segue o vento leste o
dia todo
  e multiplica a mentira e a
violência.
Faz aliança com a Assíria
e manda azeite ao Egito.
**2** O Senhor também com Judá
tem contenda;
  castigará Jacó segundo os
seus caminhos
  e o recompensará segundo
as suas obras.
**3** No ventre, pegou do
calcanhar de seu irmão,
e pela sua força como príncipe
se houve com Deus.
**4** Como príncipe lutou com o
anjo e prevaleceu;
  chorou e lhe suplicou.
Em Betel o achou e falou com
ele ali;
**5** sim, com o Senhor, o Deus dos
Exércitos,
o Senhor é o seu nome.

**6** Converte-te a teu Deus;
guarda o amor e a justiça,
e em teu Deus espera
sempre.
**7** O mercador tem balança
enganosa em sua mão;
ele ama a opressão.
**8** Diz Efraim:
Eu me enriqueci;
adquiri grandes bens.
  Em todo o meu trabalho
não acharão em mim
iniquidade alguma,
nada que seja pecado.
**9** Eu, porém, sou o Senhor teu
Deus,
que te tirou da terra do Egito;
eu ainda te farei habitar em
tendas,
como nos dias da festa solene.
**10** Falei aos profetas,
dei-lhes muitas visões e,
  por seu intermédio,
propus parábolas.
**11** Não é Gileade iniquidade?
Pura vaidade são eles.
  Em Gilgal sacrificam bois?
Os seus altares serão como
montões de pedras nos
sulcos dos campos.
**12** Jacó fugiu para a terra da
Síria;
Israel serviu por uma
mulher,
e por uma mulher
guardou o gado.
**13** O Senhor, porém,
por meio de um profeta,
fez subir a Israel do Egito,
e por um profeta foi ele
guardado.
**14** Efraim muito amargamente
o provocou à ira;
  o seu Senhor deixará sobre
ele o seu sangue
e fará cair sobre ele a sua
vergonha.

### A ira do Senhor contra Israel

**13** Quando Efraim falava,
tremia-se;
era exaltado em Israel.
Mas ele se fez culpado no
tocante a Baal e morreu.
2 Agora multiplicam pecados,
e da sua prata fazem
imagens de fundição,
ídolos segundo o seu
entendimento,
todos obra de artífices.
Diz-se deles: Oferecem
sacrifício humano
e beijam os bezerros.
3 Por isso, serão como a
nuvem de manhã,
como orvalho que cedo
passa,
como palha que se lança
da eira e como a fumaça
que sai pela janela.
4 Todavia, eu sou o Senhor
teu Deus que te tirou da
terra do Egito;
portanto não reconhecerás
outro Deus além de mim,
porque não há Salvador
senão eu.
5 Eu te conheci no deserto,
em terra muito seca.
6 Quando eu os alimentei,
eles se fartaram;
estando fartos,
ensoberbeceu-se o seu
coração,
por isso se esqueceram d
e mim.
7 Portanto, serei para eles como
leão,
como leopardo espreitarei
*junto ao caminho.*
8 Como ursa roubada
dos seus filhos,
eu os atacarei
e lhes romperei as teias
do coração.
Eu os devorarei como leão;
um animal do campo os
despedaçará.
9 Para tua perda, ó Israel,
te rebelaste contra mim,
contra o teu ajudador.
10 Onde está agora o teu rei,
para que te guarde em todas
as tuas cidades?
Onde estão os teus juízes,
dos quais disseste:
Dá-me rei e príncipes?
11 Dei-te um rei na minha
ira e tirei-o no meu furor.
12 A iniquidade de Efraim
está atada,
o seu pecado está
armazenado.
13 Dores de parto lhe
sobrevirão,
mas ele é um filho
insensato,
porque é tempo e não está no
lugar
em que deve vir à luz.
14 Eu os remirei da violência
do inferno e os resgatarei
da morte.
Onde estão, ó morte,
as tuas pragas?
Onde está, ó inferno,
a tua destruição?
A compaixão está escondida
de meus olhos.
15 Ainda que ele dê fruto entre
os irmãos,
virá o vento leste, vento do
Senhor,
subindo do deserto;
se secará a sua nascente,
e se estancará sua fonte.
O seu tesouro será saqueado
de todos os vasos desejáveis.
16 Samaria virá a ser deserta,
porque se rebelou contra o
seu Deus.
Cairão à espada,

seus filhos serão
despedaçados
e as suas mulheres grávidas
serão abertas pelo meio.

**O arrependimento trará o perdão**

**14** Volta, ó Israel, para o Senhor,
o teu Deus.
Pelos teus pecados tens caído.
2 Tomai convosco palavras
e voltai para o Senhor.
Dizei-lhe: Perdoa toda a
iniquidade
e aceita-nos graciosamente,
para que ofereçamos como
novilhos
os sacrifícios dos nossos
lábios.
3 Não nos salvará a Assíria,
não iremos montados em
cavalos
e à obra das nossas mãos
não diremos mais:
Tu és o nosso Deus;
porque por ti o órfão
alcançará misericórdia.
4 Eu sararei a sua apostasia,
eu voluntariamente os
amarei,
porque a minha ira se
apartou deles.

5 Eu serei para Israel como
orvalho;
ele florescerá como o lírio
e espalhará as suas raízes
como o cedro do Líbano.
6 Se estenderão os seus ramos,
e a sua glória será como a da
oliveira,
o seu odor como um cedro do
Líbano.
7 Voltarão a habitar na sua
sombra.
Serão vivificados como o trigo
e florescerão como a vide;
a sua memória será como
o vinho do Líbano.
8 Ó Efraim, que mais tenho eu
com os ídolos?
Eu te ouvirei e cuidarei de ti.
Eu sou como o pinheiro verde;
de mim vem o teu fruto.
9 Quem é sábio, para que
entenda
estas coisas,
e prudente, para que as
saiba?
Os caminhos do Senhor são
retos;
os justos andam neles,
mas os transgressores neles
tropeçam.

# JOEL

**1** Palavra do Senhor, que foi dirigida a Joel, filho de Petuel.

### Invasão de gafanhotos

2 Ouvi isto, vós, anciãos;
e escutai, todos os moradores
da terra:
Aconteceu isto em vossos dias,
ou também nos dias de vossos
pais?
3 Fazei sobre isto uma narração
a vossos filhos,
e vossos filhos a seus netos,
e os filhos destes à outra
geração.
4 O que ficou do gafanhoto
cortador,
comeu-o o gafanhoto
migrador;
o que ficou do gafanhoto
migrador,
comeu-o o gafanhoto
devorador;
o que ficou do gafanhoto
devorador,
comeu-o o gafanhoto
destruidor.
5 Despertai, bêbados, e chorai!
Gemei, todos os que bebeis
vinho;
gemei por causa do vinho
novo,
porque foi tirado da vossa
boca.
6 Uma nação poderosa
e inumerável veio sobre a
minha terra;
*os seus dentes são dentes de
leão,*
e têm presas de leoa.
7 Fez da minha vide
uma assolação,
arruinou a minha figueira.
Arrancou-lhe a casca e a
lançou por terra;
os seus galhos se
embranqueceram.
8 Lamenta como a virgem
que está vestida de pano
de saco,
pelo marido da sua mocidade.
9 Foi cortada a oferta de cereais,
e a libação do templo
do Senhor.
Os sacerdotes, servos
do Senhor,
estão entristecidos.
10 O campo está assolado,
e a terra triste;
o trigo está destruído, o vinho
novo se secou,
o azeite falta.
11 Desesperai-vos, lavradores,
uivai, vinhateiros,
sobre o trigo e a cevada,
porque a colheita do campo
pereceu.
12 A vide se secou, a figueira se
murchou;
a romeira, a palmeira,
a macieira
e todas as árvores do campo
se secaram.
A alegria se secou entre os
filhos dos homens.
13 Cingi-vos de pano de saco
e lamentai-vos, sacerdotes;
gemei, ministros do altar.
Entrai e passai, vestidos de
pano de saco,
durante a noite, ministros
do meu Deus;
pois a oferta de cereais e a
libação
cortadas foram do templo do
vosso Deus.

14 Santificai um jejum,
convocai uma assembleia solene,
congregai os anciãos
e todos os moradores desta terra
para o templo do Senhor, o vosso Deus,
e clamai ao Senhor.
15 Ai do dia!
Pois o dia do Senhor está perto;
ele virá como assolação
da parte do Todo-poderoso.
16 Não está o mantimento cortado de diante de nossos olhos?
A alegria e o regozijo do templo do nosso Deus?
17 A semente mirrou debaixo dos torrões de terra.
Os celeiros estão assolados,
os armazéns derrubados,
porque se secaram os cereais.
18 Como geme o gado!
As manadas de vacas estão confusas,
porque não têm pasto;
até os rebanhos de ovelhas estão sofrendo.
19 A ti, ó Senhor, clamo,
porque o fogo consumiu os pastos do deserto,
e a chama abrasou todas as árvores do campo.
20 Também todos os animais do campo clamam a ti;
os rios se secaram
e o fogo consumiu os pastos do deserto.

## 2

Tocai a trombeta em Sião,
e dai o alarme no meu monte santo.
Tremam todos os moradores da terra,
porque o dia do Senhor vem, já está perto:
2 Dia de trevas e de escuridão;
dia de nuvens e de trevas espessas.
Como a alva espalhada sobre os montes,
vem um povo grande e poderoso,
qual desde o tempo antigo nunca houve,
nem depois dele haverá pelos anos adiante,
de geração em geração.
3 Diante dele um fogo consome,
atrás dele uma chama abrasa.
Diante dele a terra é como o jardim do Éden,
atrás dele, um desolado deserto;
sim, nada lhe escapará.
4 A sua aparência é como a de cavalos;
correm como cavaleiros.
5 Como o estrondo de carros sobre os cumes dos montes vão eles saltando,
como o ruído da chama de fogo que consome o restolho,
como um povo poderoso, posto em ordem de combate.
6 Diante dele temem os povos;
todos os rostos empalidecem.
7 Como valentes correm,
como homens de guerra sobem os muros.
Vai cada um nos seus caminhos,
e não se desvia da sua fileira.
8 Não empurram uns aos outros;
cada um marcha sempre em frente.
Arremetem contra lanças e não se detêm.
9 Assaltam a cidade,
correm pelos muros,
sobem às casas,
entram pelas janelas como o ladrão.

## Joel 2

10 Diante deles treme a terra,
abalam-se os céus,
enegrecem-se o sol e a lua,
e retiram as estrelas o seu
resplendor.
11 O Senhor troveja diante do
seu exército;
muito grande é o seu
exército
e poderosos são os que
executam a sua palavra.
O dia do Senhor é grande e
muito terrível,
quem o poderá suportar?
12 Ainda assim, agora mesmo
diz o Senhor:
Voltai para mim de todo o
vosso coração,
com jejuns, com choro e com
pranto.
13 Rasgai o vosso coração, não
as vossas vestes.
Voltai para o Senhor, o vosso
Deus,
porque ele é misericordioso,
compassivo,
tardio em irar-se,
grande em amor e se
arrepende do mal.
14 Quem sabe se não se voltará
e se arrependerá,
e deixará após si uma
bênção,
em oferta de cereais e libação
para o Senhor,
o vosso Deus?
15 Tocai a trombeta em Sião,
santificai um jejum,
proclamai um dia de
assembleia solene.
16 Congregai o povo,
*santificai a congregação*,
ajuntai os anciãos,
congregai os filhinhos e os
que mamam.
Saia o noivo do seu aposento
e a noiva do seu leito nupcial.

17 Chorem os sacerdotes,
ministros do Senhor,
entre o alpendre e o altar,
e digam: Poupa o teu povo,
ó Senhor.
Não entregues a tua herança
à vergonha,
para que as nações
zombem dele.
Por que diriam entre os povos:
Onde está o seu Deus?
18 Então, o Senhor teve zelo
da sua terra
e se compadeceu do seu povo.
19 O Senhor responderá
ao seu povo:
Eu vos envio o trigo, o vinho
novo e o azeite;
deles sereis fartos, e não
vos entregarei
mais à zombaria entre as
nações.
20 Farei o exército do Norte
partir para longe de vós,
e os lançarei em uma terra
seca e deserta;
a sua frente para o mar
oriental,
e a sua retaguarda para o
mar ocidental.
E subirá a sua podridão,
e o seu mau cheiro se
espalhará,
porque fez grandes coisas.
21 Não temas, ó terra;
regozija-te e alegra-te,
porque o Senhor fez
grandes coisas.
22 Não temais, animais do campo,
porque os pastos do deserto
reverdecem.
As árvores dão o seu fruto;
a vide e a figueira dão
a sua força.
23 Alegrai-vos, ó filhos de Sião,
e regozijai-vos no Senhor, o
vosso Deus,

porque ele vos deu em justa
medida a chuva.
Ele faz descer a chuva,
a de outono e a da primavera,
como outrora.
24 As eiras se encherão de
trigo, e os tonéis
transbordarão de vinho
novo e de azeite.
25 Eu vos recompensarei anos
de colheita
consumidos pelo gafanhoto
migrador,
pelo destruidor e pelo
cortador,
o meu grande exército que
enviei contra vós.
26 Comereis abundantemente
até ficardes satisfeitos,
e louvareis o nome do Senhor,
o vosso Deus,
que procedeu para convosco
maravilhosamente;
o meu povo não será mais
envergonhado.
27 Sabereis que eu estou no
meio de Israel,
e que eu sou o Senhor, o vosso
Deus,
e que não há outro;
o meu povo não será
envergonhado para sempre.

**O dia do Senhor**

28 E, depois disso, derramarei
o meu Espírito
sobre todos os povos.
Os vossos filhos e as
vossas filhas profetizarão,
os vossos velhos terão
sonhos,
os vossos jovens terão visões.
29 Até sobre os servos e sobre
as servas naqueles dias
derramarei o meu Espírito.
30 Mostrarei maravilhas no céu
e na terra,
sangue e fogo e colunas
de fumaça.
31 O sol se converterá em
trevas,
e a lua em sangue,
antes que venha o grande
e terrível dia do Senhor.
32 E todo aquele que invocar
o nome do Senhor será salvo;
porque no monte de Sião
e em Jerusalém haverá
livramento,
assim como o Senhor disse,
entre os restantes que o
Senhor chamar.

**Os juízos sobre as nações**

3 Naqueles dias e naquele tempo,
quando eu restaurar a
sorte de Judá e de Jerusalém,
2 congregarei todas as nações
e as farei descer ao vale
de Josafá.
Ali com elas entrarei
em juízo,
por causa do meu povo e
da minha herança,
Israel, a quem espalharam
entre as nações,
repartindo a minha terra.
3 Lançaram sortes sobre
o meu povo
e deram um menino em troca
de uma meretriz;
venderam uma menina
por vinho, para beberem.
4 Ora, que tendes vós comigo,
Tiro e Sidom, e todos os termos
da Filístia? Acaso quereis vingar-vos de mim? Se assim vos
quereis vingar, bem depressa farei cair a vossa vingança sobre a
vossa cabeça.
5 Levastes a minha prata e o meu
ouro, e as minhas coisas desejáveis e formosas colocastes nos
vossos templos.

**6** Vendestes os filhos de Judá e os filhos de Jerusalém aos filhos dos gregos, para os levar para longe da terra onde nasceram.
**7** Vede, eu os tirarei do lugar para onde os vendestes, e farei cair a vingança deles sobre a vossa cabeça.
**8** Venderei os vossos filhos e as vossas filhas aos filhos de Judá, e estes os venderão aos sabeus, uma nação remota, porque o Senhor o disse.
**9** Proclamai isto entre as nações:
 Santificai uma guerra!
  Suscitai os valentes!
 Cheguem-se, subam todos os homens de guerra.
**10** Forjai espadas das relhas dos vossos arados
 e lanças das vossas foices.
 Diga o fraco: Eu sou forte.
**11** Ajuntai-vos e vinde,
 todos os povos em redor,
  e congregai-vos ali.
 Ó Senhor, faze descer os teus valentes.
**12** Despertem-se as nações
 e subam ao vale de Josafá,
  porque ali me assentarei para julgar todas as nações em redor.
**13** Lançai a foice,
 porque já está madura a colheita.
  Vinde, descei,
 porque o tanque de prensar uvas está cheio,
  os vasos deles transbordam;
 porque a sua malícia é grande.
**14** Multidões, multidões no vale da decisão!
 Porque *o dia do Senhor* está perto,
 no vale da decisão.
**15** O sol e a lua se enegrecerão,
 e as estrelas retirarão o seu resplendor.
**16** O Senhor rugirá de Sião,
 e fará ouvir a sua voz de Jerusalém;
 os céus e a terra tremerão.
 Mas o Senhor será o refúgio do seu povo
 e a fortaleza dos filhos de Israel.

### Bênçãos para o povo de Deus

**17** Então sabereis que eu sou o Senhor, o vosso Deus,
 que habito em Sião, o meu santo monte.
 Jerusalém será santa;
 estranhos nunca mais passarão por ela.
**18** Naquele dia, os montes destilarão vinho novo,
 os outeiros manarão leite
 e todos os rios de Judá estarão cheios de águas.
 Sairá uma fonte da casa do Senhor
 e regará o vale de Sitim.
**19** O Egito se tornará uma desolação,
 Edom se fará um deserto assolado,
 por causa da violência que fizeram aos filhos de Judá,
 em cuja terra derramaram sangue inocente.
**20** Judá, porém, será habitada para sempre,
 e Jerusalém de geração em geração.
**21** Perdoarei a sua culpa de sangue
 que eu não tinha perdoado.
 O Senhor habita em Sião.

# AMÓS

## Juízos contra os vizinhos de Israel

**1** Palavras de Amós, que estava entre os pastores de Tecoa, sobre o que ele viu a respeito de Israel, nos dias de Uzias, rei de Judá, e nos dias de Jeroboão, filho de Joás, rei de Israel, dois anos antes do terremoto. **2** Disse ele: O Senhor brama de Sião
e de Jerusalém dá a sua voz;
as pastagens dos pastores lamentam,
seca-se o cume do Carmelo.
**3** Assim diz o Senhor:
Por três transgressões de Damasco,
e por quatro,
não retirarei o castigo,
porque trilharam a Gileade com trilhos de ferro.
**4** Porei fogo à casa de Hazael,
e ele consumirá os palácios de Ben-Hadade.
**5** Quebrarei o ferrolho de Damasco,
exterminarei o morador do vale de Áven,
e o que tem o cetro de Bete-Éden.
O povo da Síria será levado em cativeiro a Quir, diz o Senhor.
**6** Assim diz o Senhor:
Por três transgressões de Gaza,
e por quatro,
não retirarei o castigo,
porque levaram em cativeiro
todo o povo para o entregar a Edom.
**7** Porei fogo ao muro de Gaza,
e ele consumirá os seus palácios.
**8** Exterminarei o morador de Asdode
e o que tem o cetro de Ascalom.
Tornarei a minha mão contra Ecrom,
e o resto dos filisteus perecerá,
diz o Senhor Deus.
**9** Assim diz o Senhor:
Por três transgressões de Edom,
e por quatro, não retirarei o castigo,
porque entregaram todos os cativos a Edom
e não se lembraram da aliança de irmãos.
**10** Porei fogo ao muro de Tiro,
e ele consumirá os seus palácios.
**11** Assim diz o Senhor:
Por três transgressões de Edom,
e por quatro, não retirarei o castigo,
porque perseguiu a seu irmão à espada
e baniu toda a misericórdia.
A sua ira despedaça eternamente
e retém a sua indignação para sempre.
**12** Porei fogo a Temã,
e ele consumirá os palácios de Bozra.
**13** Assim diz o Senhor:
Por três transgressões dos filhos de Amom,
e por quatro,
não retirarei o castigo,
porque fenderam o ventre das grávidas de Gileade,

para dilatarem as suas
próprias fronteiras.
14 Porei fogo aos muros de Rabá,
e ele consumirá os seus
palácios,
com alarido no dia da
batalha,
com turbilhão no dia da
tormenta.
15 O seu rei irá para o exílio,
ele e também os seus
príncipes, diz o Senhor.

**2** Assim diz o Senhor:
Por três transgressões
de Moabe,
e por quatro, não retirarei o
castigo,
porque queimou os ossos do
rei de Edom
até os reduzir a cal.
2 Porei fogo a Moabe,
e ele consumirá os palácios
de Queriote.
Moabe morrerá com grande
estrondo,
com alarido, com som de
trombeta.
3 Eliminarei o juiz do meio dele,
e a todos os seus príncipes
com ele matarei,
diz o Senhor.
4 Assim diz o Senhor:
Por três transgressões de Judá,
e por quatro, não retirarei o
castigo,
porque rejeitaram a lei do
Senhor
e não guardaram os seus
estatutos,
antes se deixaram enganar
por suas
*próprias mentiras,*
após as quais andaram seus
pais.
5 Porei fogo a Judá,
e ele consumirá os palácios
de Jerusalém.

6 Assim diz o Senhor:
Por três transgressões
de Israel,
e por quatro, não retirarei
o castigo,
porque vendem o justo por
dinheiro
e o necessitado por um par
de sandálias.
7 Pisam a cabeça dos pobres
no pó da terra,
pervertem o caminho
dos mansos.
Um homem e seu pai
possuem uma mesma moça
e assim profanam o meu
santo nome.
8 Deitam-se junto a qualquer
altar sobre roupas
empenhadas
e no templo de seus deuses
bebem o vinho dos que foram
multados.
9 Eu destruí o amorreu
diante deles,
não obstante sua altura ser
como a dos cedros
e sua força como a dos
carvalhos.
Eu destruí o seu fruto por
cima e as suas raízes por baixo.
10 Também vos fiz subir da
terra do Egito,
e quarenta anos vos guiei
no deserto,
para que possuísseis a terra
do amorreu.
11 Dentre vossos filhos levantei
profetas e dentre os vossos
jovens, nazireus.
Não é isso assim, filhos de
Israel?
diz o Senhor.
12 Vós, porém, aos nazireus
destes vinho a beber
e aos profetas ordenastes:
Não profetizeis.

13 Eis que eu vos apertarei no vosso lugar
 como se aperta um carro cheio de feixes.
14 Assim que de nada valerá a fuga ao ágil;
 nem o forte confirmará a sua força
 nem o valente salvará a sua vida.
15 Não ficará em pé o arqueiro;
 o ligeiro de pés não se livrará,
 tampouco o cavaleiro livrará a sua alma.
16 Até mesmo o mais corajoso dos guerreiros
 fugirá nu naquele dia, diz o Senhor.

### Testemunhas contra Israel

**3** Ouvi esta palavra que o Senhor fala contra vós, filhos de Israel, contra toda a geração que fiz subir da terra do Egito, dizendo:
2 De todas as famílias da terra a vós
 somente conheci;
 portanto eu vos punirei
 por todas as vossas iniquidades.
3 Andarão dois juntos
 se não estiverem de acordo?
4 Rugirá o leão no bosque
 sem que tenha presa?
 Levantará ele no covil a sua voz
 se nada tiver apanhado?
5 Cairá a ave no laço em terra
 se não houver laço para ela?
 Se levantará o laço da terra
 sem que tenha apanhado alguma coisa?
6 Tocará a trombeta na cidade
 sem que o povo trema?
 Sucederá algum mal à cidade
 sem que o Senhor o tenha feito?
7 Certamente o Senhor Deus não fará coisa alguma
 sem ter revelado o seu segredo
 aos seus servos, os profetas.
8 Rugiu o leão, quem não temerá?
 Falou o Senhor Deus, quem não profetizará?
9 Fazei ouvir isto nos palácios de Asdode
 e nos palácios da terra do Egito e dizei:
 Ajuntai-vos sobre os montes de Samaria
 e vede os grandes tumultos no meio dela,
 e os oprimidos dentro dela.
10 Porque não sabem fazer o que é reto, diz o Senhor,
 entesourando nos seus palácios
 a violência e a destruição.
11 Portanto, assim diz o Senhor Deus:
 Um inimigo surgirá.
 Ele cercará a tua terra,
 derrubará a tua fortaleza
 e saqueará os teus palácios.
12 Assim diz o Senhor:
 Como o pastor livra da boca do leão as duas pernas,
 ou um pedacinho da orelha,
 assim serão livrados os filhos de Israel, que habitam em Samaria,
 com um canto do leito
 e um pedaço da cama.
13 Ouvi e protestai contra a descendência de Jacó, diz o Senhor Deus, o Deus dos Exércitos:
14 No dia em que eu punir as transgressões de Israel,
 também punirei os altares de Betel;
 as pontas do altar serão cortadas e cairão por terra.

15 Derrubarei a casa de inverno
e a casa de verão;
as casas adornadas de
marfim serão destruídas,
e as grandes casas terão
fim, diz o Senhor.

### Israel não voltou para o Senhor

**4** Ouvi esta palavra, vós, vacas de Basã,
que estais no monte de
Samaria,
que oprimis os pobres,
que esmagais os necessitados,
que dizeis a vossos maridos:
Tragam bebidas e bebamos.
2 Jurou o Senhor Deus
pela sua santidade
que dias estão para vir
sobre vós
em que vos levarão
com anzóis,
e a vossos descendentes
com anzóis de pesca.
3 Saireis pelas brechas, uma
após outra,
e sereis lançadas para
Harmom, diz o Senhor.
4 Ide a Betel e transgredi;
ide a Gilgal e multiplicai as
transgressões.
Cada manhã trazei os vossos
sacrifícios
e, de três em três dias, os
vossos dízimos.
5 Oferecei sacrifício de louvores
do que é levedado
e apregoai ofertas
voluntárias, publicai-as;
porque disso gostais, ó filhos
de Israel,
*diz o Senhor Deus.*
6 Também vos dei limpeza
de dentes em todas as
vossas cidades
e falta de pão em todos
os vossos lugares,
contudo não voltastes
para mim,
diz o Senhor.
7 Além disso, retive de vós
a chuva,
faltando ainda três meses
para a colheita.
Fiz chover sobre uma cidade,
e sobre outra cidade não fiz
chover;
sobre um campo choveu, mas
o outro,
sobre o qual não choveu, se
secou.
8 Andaram errantes duas ou
três cidades,
indo a outra cidade
para beberem água,
mas não se saciaram,
contudo não voltastes para
mim,
diz o Senhor.
9 Feri-vos com crestamento e
ferrugem.
A multidão das vossas
hortas, das vossas vinhas,
das vossas figueiras e das
vossas oliveiras
foi devorada pelo gafanhoto,
contudo não voltastes para
mim,
diz o Senhor.
10 Enviei a peste contra vós,
à maneira do Egito.
Os vossos jovens matei à
espada
e os vossos cavalos deixei
levar presos;
o fedor dos vossos arraiais
fiz subir às vossas narinas,
contudo não voltastes para
mim,
diz o Senhor.
11 Destruí alguns dentre vós,
como Deus subverteu a
Sodoma e Gomorra,
e vós fostes como um tição

arrebatado da fogueira,
contudo não voltastes
para mim, diz o Senhor.
12 Portanto, assim te farei,
ó Israel!
E porque isto te farei,
prepara-te, ó Israel,
para te encontrares com o
teu Deus.
13 É ele o que forma os montes
e cria o vento;
ele declara ao homem qual
é o seu pensamento.
Ele faz da manhã trevas e
pisa os altos da terra;
o Senhor, o Deus dos
Exércitos, é o seu nome.

### Lamentação e chamado ao arrependimento

**5** Ouvi esta palavra, que levanto como uma lamentação sobre vós, ó nação de Israel.
2 A virgem de Israel caiu,
nunca mais tornará a
levantar-se;
desamparada está na sua
terra,
não há quem a levante.
3 Assim diz o Senhor Deus:
A cidade da qual saem mil
conservará cem,
e aquela da qual saem cem
conservará dez à nação de
Israel.
4 Assim diz o Senhor à nação
de Israel:
Buscai-me e vivei.
5 Não busqueis a Betel,
não venhais a Gilgal nem
passeis a Berseba,
porque Gilgal certamente
será levado cativo
e Betel será desfeita em nada.
6 Buscai ao Senhor e vivei,
para que não irrompa na
descendência

de José como um fogo,
e a consuma, e não haja em
Betel quem o apague.
7 Vós que converteis a justiça
em alosna e deitais por terra
a retidão.
8 Procurai o que faz o Sete-
-estrelo e o Órion,
e torna a sombra da noite
em manhã,
e escurece o dia como a noite;
o que chama as águas
do mar
e as derrama sobre a terra;
o Senhor é o seu nome.
9 O que faz vir súbita
destruição sobre o forte,
de sorte que vem a ruína
sobre a fortaleza.
10 Aborreceis na porta ao que
vos repreende
e abominais o que fala
sinceramente.
11 Portanto, visto que pisais
o pobre e dele exigis tributo
de trigo,
edificareis casas de pedras
lavradas,
mas nelas não habitareis;
vinhas desejáveis plantareis,
mas não bebereis do seu
vinho.
12 Porque sei que são muitas as
vossas transgressões
e enormes os vossos pecados.
Afligis o justo, tomais suborno
e rejeitais os necessitados
na porta.
13 Portanto, o que for prudente
guardará
silêncio naquele tempo,
porque o tempo será mau.
14 Buscai o bem, não o mal,
para que vivais.
Então o Senhor, o Deus dos
Exércitos,
estará convosco, como dizeis.

15 Aborrecei o mal e amai
o bem;
estabelecei a justiça na porta.
Talvez o Senhor, o Deus dos
Exércitos, tenha piedade
do restante de José.
16 Portanto, assim diz o Senhor
Deus dos Exércitos,
o Senhor:
Em todas as ruas haverá
pranto,
e em todos os bairros dirão:
Ai! Ai!
E ao lavrador chamarão para
o choro,
e para o pranto, os que
souberem prantear.
17 Em todas as vinhas haverá
pranto,
porque passarei pelo meio de ti,
diz o Senhor.
18 Ai daqueles que desejam o
dia do Senhor!
Para que quereis vós este dia
do Senhor?
Trevas será, e não luz.
19 Como se um homem fugisse
de diante do leão
e encontrasse um urso;
ou como se, entrando
numa casa,
a sua mão encostasse
à parede
e fosse mordido por
uma cobra.
20 Não será o dia do Senhor
trevas, e não luz?
Não será completa escuridão,
sem nenhuma claridade?
21 Aborreço e desprezo as
vossas festas;
*as vossas assembleias
solenes*
não me dão nenhum prazer.
22 Ainda que me ofereçais
holocaustos,
com as ofertas de cereais,

não me agradarei deles nem
atentarei para
as ofertas pacíficas de
vossos animais cevados.
23 Afasta de mim o som dos
teus cânticos,
porque não ouvirei as
melodias dos teus
instrumentos.
24 Corra, porém, a justiça como
as águas
e a retidão como ribeiro
perene.
25 Oferecestes-me vós
sacrifícios e oblações
no deserto por quarenta anos,
ó nação de Israel?
26 Levantastes a tenda de vosso
rei,
o altar dos vossos ídolos,
a estrela do vosso deus,
que fizestes para vós
mesmos.
27 Portanto, vos levarei cativos
para além de Damasco,
diz o Senhor, cujo nome é o
Deus dos Exércitos.

### Ai dos que estão seguros

**6** Ai dos que repousam em Sião
e dos que estão seguros no
monte de Samaria;
homens notáveis da
principal das nações,
aos quais vem o povo de
Israel!
2 Passai a Calné e vede;
dali ide à grande Hamate
e, depois, descei a Gate dos
filisteus.
Serão eles melhores do que
estes reinos?
Ou será a sua terra maior
do que a vossa?
3 Vós, que adiais o dia mau
e fazeis que se aproxime
um reino de violência;

4 que dormis em camas
   de marfim e vos estendeis
   sobre os vossos leitos,
   comendo os cordeiros do
   rebanho
   e os bezerros cevados;
5 que cantais ao som da lira
   e inventais para vós
   instrumentos musicais,
   como Davi;
6 que bebeis vinho em taças
   e vos ungis com o mais
   excelente óleo,
   mas não vos afligis por
   causa da ruína de José!
7 Por isso, agora ireis para
   o exílio entre os primeiros que
   forem cativos
   e cessarão os festins dos
   banqueteadores.
8 Jurou o Senhor Deus
   por si mesmo.
   O Senhor Deus dos
   Exércitos diz:
   Abomino a soberba de Jacó
   e aborreço os seus palácios;
   entregarei a cidade e tudo o
   que nela há.
9 Ficando de resto dez homens
   numa casa, morrerão.
10 Se o parente de alguém, o qual
   os há de queimar, o tomar para
   levar-lhe os ossos para fora da
   casa e disser ao que estiver no
   mais interior da casa: Está ainda
   alguém contigo? e este responder:
   Ninguém; então dirá este:
   Cala-te, porque não podemos fazer
   menção do nome do Senhor.
11 Pois o Senhor ordenou,
   a casa grande será
   despedaçada,
   e a casa pequena reduzida
   a fragmentos.
12 Poderão correr cavalos
   na rocha?
   Poderão lavrá-la com bois?

Vós, porém, haveis tornado a
   justiça em fel
   e o fruto da retidão
   em alosna;
13 vós que vos alegrais com
   Lo-Debar e dizeis:
   Não apoderamos nós de
   Carnaim por nossa própria
   força?
14 Pois eu levantarei sobre vós,
   ó nação de Israel, um povo,
   diz o Senhor
   Deus dos Exércitos, que vos
   oprimirá,
   desde a entrada de Hamate
   até o ribeiro da Arabá.

## Gafanhotos, fogo e prumo

**7** O Senhor Deus assim me fez ver: Ele formava gafanhotos no princípio do rebento da erva serôdia, e eis que era a erva serôdia depois das ceifas do rei. 2 Tendo eles comido completamente a erva da terra, eu disse: Senhor Deus, perdoa! Como se levantará agora Jacó? Ele é tão pequeno! 3 Então o Senhor se arrependeu disso. Não acontecerá, disse o Senhor.

4 Assim me mostrou o Senhor Deus: O Senhor Deus ordenava que por meio do fogo se decidisse o pleito; o fogo consumiu o grande abismo e também queria consumir a terra. 5 Então eu disse: Senhor Deus, cessa, peço-te! Como se levantará Jacó? Ele é tão pequeno! 6 Então o Senhor se arrependeu disso. Nem isso acontecerá, disse o Senhor Deus.

7 Mostrou-me também assim: O Senhor estava sobre um muro levantado conforme o prumo, e tinha um prumo na sua mão.

**8** E o Senhor me perguntou: Que vês tu, Amós? Eu respondi: Um prumo. Então disse o Senhor: Eis que eu porei o prumo no meio do meu povo Israel; nunca mais passarei por ele.
**9** Os altos de Isaque serão assolados,
e destruídos os santuários de Israel;
eu me levantarei com a espada contra a dinastia de Jeroboão.

### Amós e Amazias

**10** Então Amazias, o sacerdote de Betel, mandou dizer a Jeroboão, rei de Israel: Amós tem conspirado contra ti, no centro de Israel. A terra não poderá suportar todas as suas palavras.
**11** Pois assim diz Amós:
Jeroboão morrerá à espada,
e Israel certamente será levado para fora da sua terra para o exílio.
**12** Então Amazias disse a Amós: Vai-te, ó vidente, foge para a terra de Judá e ali come o pão, e ali profetiza.
**13** Em Betel, porém, daqui por diante não profetizarás mais, porque é o santuário do rei e o templo do reino.
**14** Respondeu Amós a Amazias: Eu não era profeta, nem filho de profeta, mas criador de gado, e cultivador de figos silvestres.
**15** O Senhor, porém, me tirou de após o gado e me disse: Vai, profetiza ao meu povo Israel.
**16** *Ora, pois, ouve a palavra do Senhor:* Tu dizes:
Não profetizarás contra Israel
nem falarás contra a descendência de Isaque.
**17** Portanto, assim diz o Senhor:
Tua mulher se prostituirá na cidade,
teus filhos e tuas filhas cairão à espada,
a tua terra será repartida a cordel,
tu morrerás na terra imunda
e Israel certamente será levado cativo
para fora da sua terra.

### Um cesto de frutos maduros

**8** O Senhor Deus assim me fez ver: um cesto de frutos do verão.
**2** E perguntou: O que vês, Amós? Eu respondi: Um cesto de frutos do verão. Então o Senhor me disse: Chegou o fim sobre o meu povo Israel; daqui por diante nunca mais passarei por ele.
**3** Os cânticos do templo, porém, serão uivos naquele dia, diz o Senhor Deus. Os cadáveres se multiplicarão; em todos os lugares serão lançados fora. Silêncio!
**4** Ouvi isto, vós que pisais o necessitado
e destruís os pobres da terra,
**5** dizendo:
Quando passará a lua nova para vendermos o grão?
E quando findará o sábado para abrirmos os celeiros de trigo,
diminuindo o efa,
aumentando o siclo e procedendo
enganosamente com balanças desonestas
**6** e comprando os pobres por dinheiro
e os necessitados por um par de sandálias,
e vendendo o refugo do trigo?
**7** Jurou o Senhor pela glória de Jacó:

Eu não me esquecerei de
todas as suas obras
para sempre!
8 Por causa disso não se
comoverá a terra
e não chorará todo aquele
que habita nela?
Certamente se levantará toda
como o Nilo,
será agitada e abaixará
como o rio do Egito.
9 Naquele dia, diz o Senhor,
farei que o sol se ponha ao
meio-dia
e cobrirei a terra de trevas
em pleno dia.
10 Tornarei as vossas festas em
luto
e todos os vossos cânticos
em lamentações;
aparecerá o pano de saco
sobre todos os lombos
e calva sobre toda cabeça.
Farei que isso seja como luto
de filho único,
cujo fim será como dia de
amarguras.
11 Vêm dias, diz o Senhor Deus,
em que enviarei fome
sobre a terra;
não fome de pão, nem sede
de água,
mas de ouvir as palavras do
Senhor.
12 Andarão errantes de
mar a mar,
do norte até o oriente,
correrão por toda parte,
buscando a palavra do
Senhor, e não a acharão.
13 Naquele dia, as jovens
formosas
e os rapazes desmaiarão
de sede.
14 Os que juram pela vergonha
de Samaria,
ou dizem:

Tão certo como vive o teu
deus, ó Dã,
e: Tão certo como vive o
deus de Berseba;
esses mesmos cairão e não se
levantarão mais.

### Israel será destruído

9 Vi o Senhor em pé junto
ao altar, e ele me disse:
Fere os capitéis
para que estremeçam os
umbrais.
Faze tudo em pedaços sobre a
cabeça
de todos eles;
eu matarei à espada até o
último deles.
Nenhum deles conseguirá
fugir,
nenhum conseguirá escapar.
2 Ainda que cavem até as
profundezas da sepultura,
a minha mão os tirará dali.
Ainda que subam ao céu, dali
os farei descer.
3 Ainda que se escondam no
cume do Carmelo,
eu os buscarei, e dali os
tirarei.
Ainda que se ocultem aos
meus olhos
no fundo do mar,
ali darei ordem à serpente, e
ela os morderá.
4 Ainda que vão para o exílio
diante de seus inimigos,
ali darei ordem à espada
para que os mate.
Eu porei os meus olhos sobre
eles para o mal,
não para o bem.
5 Porque o Senhor, o Senhor
dos Exércitos,
é o que toca a terra,
e ela se derrete, e todos os
que habitam nela choram;

ela toda se levanta como o Nilo,
e então se submerge como o
rio do Egito.
6 Ele é o que edifica as suas
câmaras no céu
e funda a sua abóbada
sobre a terra;
é o que chama as águas do mar
e as derrama sobre a terra;
o Senhor é o seu nome.
7 Não sois vós para mim, ó
filhos de Israel,
como os filhos dos etíopes?
diz o Senhor.
Não fiz eu subir a Israel da
terra do Egito,
de Caftor aos filisteus e de
Quir, aos siros?
8 Os olhos do Senhor Deus
estão contra este reino
pecador.
Eu o destruirei de sobre a
face da terra,
mas não destruirei
de todo a descendência de
Jacó, diz o Senhor.
9 Porque darei ordens e
sacudirei a nação de Israel
entre todas as nações,
como se sacode trigo no crivo,
sem que caia na terra um
só grão.
10 Todos os pecadores
do meu povo
morrerão à espada,
todos os que dizem:
O mal não nos alcançará
nem nos encontrará.

11 Naquele dia, tornarei a
levantar a tenda de Davi,
que está caída, e repararei
os seus lugares
quebrados;
restaurarei as suas ruínas
e a edificarei como nos dias
da antiguidade,
12 para que possuam o restante
de Edom
e todas as nações que são
chamadas pelo meu nome,
diz o Senhor, que faz estas
coisas.
13 Vêm dias, diz o Senhor,
em que o que lavra
alcançará ao que colhe,
e o que pisa as uvas ao que
lança a semente.
Os montes destilarão
vinho novo,
e todos os outeiros se
derreterão.
14 Trarei de volta do exílio
o meu povo Israel;
reedificarão as cidades
assoladas e nelas
habitarão.
Plantarão vinhas e beberão
o seu vinho;
farão pomares, e lhes
comerão o fruto.
15 Eu os plantarei na sua
própria terra,
e não serão mais
arrancados
da terra que lhes dei,
diz o Senhor o teu Deus.

# OBADIAS

**1** Visão de Obadias. Assim diz o Senhor Deus a respeito de Edom:
Ouvimos a mensagem do Senhor:
Foi enviado às nações um mensageiro, dizendo:
Levantai-vos! Levantemo-nos contra Edom para a guerra.
**2** Eis que te farei pequeno entre as nações;
tu serás totalmente desprezado.
**3** A soberba do teu coração te enganou,
ó tu que habitas nas fendas das rochas,
na tua alta morada,
que dizes no teu coração:
Quem me derrubará em terra?
**4** Embora te eleves como águia
e ponhas o teu ninho entre as estrelas,
dali te derrubarei, diz o Senhor.
**5** Se viessem a ti ladrões, ou assaltantes de noite
(como estás destruído!),
não furtariam somente o que lhes bastasse?
Se a ti viessem os que colhem uvas,
não deixariam alguns cachos?
**6** Como foram rebuscados os bens de Esaú!
*Como foram esquadrinhados os seus*
tesouros escondidos!
**7** Todos os teus aliados
te levaram para fora dos teus limites;
os que desfrutam da tua paz te enganaram
e prevaleceram contra ti;
os que comem o teu pão,
debaixo de ti porão uma armadilha;
não há em Edom entendimento.
**8** Naquele dia, diz o Senhor,
não farei perecer os sábios de Edom
e o entendimento da montanha de Esaú?
**9** Os teus valentes, ó Temã,
estarão atemorizados,
para que da montanha de Esaú
seja cada um exterminado pela matança.
**10** Por causa da violência feita a teu irmão Jacó,
a confusão te cobrirá,
e serás exterminado para sempre.
**11** No dia em que estavas presente,
no dia em que estranhos lhe levaram os bens,
e os estrangeiros lhe entraram pelas portas
e lançaram sortes sobre Jerusalém,
tu mesmo eras como um deles.
**12** Tu, porém, não devias olhar com prazer
para o dia da desgraça de teu irmão,
no dia do seu desterro;
não devias alegrar-te sobre os filhos de Judá
no dia da sua ruína;
nem falar arrogantemente no dia da angústia.
**13** Não devias entrar pela porta do meu povo
no dia da sua calamidade;
nem devias olhar com prazer para o seu mal

no dia da sua calamidade;
nem estender as tuas mãos
contra o seu exército
no dia da sua calamidade.
14 Não devias parar nas
encruzilhadas,
para exterminares os que
escapassem;
nem entregar os que lhe
restassem
no dia da angústia.
15 O dia do Senhor está perto
sobre todas as nações.
Como tu fizeste, assim se
fará contigo;
a tua maldade cairá sobre a
tua cabeça.
16 Como vós bebestes no
meu santo monte,
assim beberão de contínuo
todas as nações;
beberão sem cessar,
até o fim,
e serão como se nunca
tivessem existido.
17 No monte de Sião, porém,
haverá livramento;
ele será santo,
e os da casa de Jacó possuirão
as suas heranças.
18 A casa de Jacó será fogo,
e a casa de José chama;
a casa de Esaú palha,
e aqueles se acenderão
contra eles
e os consumirão.
Não haverá sobrevivente da
casa de Esaú.
O Senhor o disse.
19 Os do Neguebe possuirão o
monte de Esaú,
e os das planícies, os
filisteus.
Possuirão também os campos
de Efraim e Samaria,
e Benjamim possuirá a
Gileade.
20 Os cativos do exército dos
filhos de Israel,
que estão em Canaã,
possuirão até Sarepta;
os cativos de Jerusalém,
que estão em Sefarade,
possuirão as cidades do
Neguebe.
21 Subirão salvadores ao monte
de Sião,
para julgarem as
montanhas de Esaú.
E o reino será do Senhor.

# JONAS

## Jonas foge do Senhor

**1** Veio a palavra do Senhor a Jonas, filho de Amitai, dizendo:
2 Levanta-te, vai à grande cidade de Nínive e clama contra ela, porque a sua malícia subiu até mim.
3 Jonas, porém, levantou-se a fim de fugir de diante da face do Senhor para Társis. Desceu a Jope, onde achou um navio que ia para Társis. Pagou sua passagem e embarcou nele, a fim de ir com eles para Társis, para longe da presença do Senhor.
4 O Senhor, contudo, mandou ao mar um grande vento, e fez-se no mar uma grande tempestade, de modo que o navio estava a ponto de se despedaçar.
5 Então temeram os marinheiros, e clamava cada um ao seu deus, e lançaram ao mar a carga do navio, para o aliviarem do seu peso. Jonas, porém, descera ao porão, onde se deitou e dormia um profundo sono.
6 O mestre do navio chegou-se a ele e lhe disse: Como podes dormir? Levanta-te e invoca o teu deus! Talvez assim ele se lembre de nós para que não pereçamos.
7 Então disseram cada um ao seu companheiro: Vinde, e lancemos sortes, para que saibamos por que nos sobreveio este mal. E lançaram sortes, e a sorte caiu sobre Jonas.
8 Então lhe disseram: Declara-nos tu, agora, por que nos sobreveio este mal. Que ocupação é a tua? Donde vens? Qual é a tua terra? De que povo és?
9 Respondeu-lhes ele: Eu sou hebreu e temo ao Senhor, o Deus do céu que fez o mar e a terra.
10 Então os homens se encheram de grande temor e lhe disseram: O que é isto que fizeste? Pois sabiam os homens que fugia da presença do Senhor, porque lhes tinha contado.
11 Disseram-lhe: Que te faremos nós, para que o mar se acalme? Porque o mar se agitava cada vez mais.
12 Ele lhes disse: Levantai-me e lançai-me ao mar, e o mar se aquietará. Eu sei que por minha causa vos sobreveio esta grande tempestade.
13 Entretanto os homens remavam, esforçando-se por alcançar a terra. Mas não podiam, porque o mar se ia embravecendo cada vez mais contra eles.
14 Então clamaram ao Senhor: Ó Senhor, nós te rogamos, não nos deixes perecer por causa da vida deste homem e não ponhas sobre nós sangue inocente, porque tu, Senhor, fizeste como te aprouve.
15 Então levantaram a Jonas e o lançaram ao mar; e cessou o mar da sua fúria.
16 Temeram, pois, estes homens ao Senhor com grande temor; e ofereceram sacrifícios ao Senhor e fizeram votos.
17 O Senhor preparou um grande peixe, para que tragasse a Jonas, e Jonas esteve três dias e três noites nas entranhas do peixe.

## A oração de Jonas

**2** Orou Jonas ao Senhor, seu Deus, das entranhas do peixe.

**2** Disse ele:
Na minha angústia clamei
   ao Senhor,
   e ele me respondeu.
Das profundezas da sepultura
   gritei,
   e tu ouviste a minha voz.
**3** Tu me lançaste no profundo,
   no coração dos mares,
   e a corrente me cercou;
todas as tuas ondas e as tuas
   vagas
   passaram por cima de mim.
**4** Eu disse: Banido estou de
   diante dos teus olhos;
   todavia tornarei a olhar para
   o teu santo templo.
**5** As águas me cercaram
   até a alma,
   o abismo me rodeou;
   as algas se enrolaram na
   minha cabeça.
**6** Eu desci até os fundamentos
   dos montes;
   as trancas da terra
      prenderam-se para
      sempre.
Mas tu fizeste subir a minha
   vida da cova,
   ó Senhor, meu Deus.
**7** Quando desfalecia em mim a
   minha alma,
   eu me lembrei de ti, ó
      Senhor,
   e subiu a ti a minha oração,
   no teu santo templo.
**8** Os que se apegam aos
   ídolos vãos
   afastam de si a sua própria
      misericórdia.
**9** Eu, porém, com um cântico de
   ações de graças,
   te oferecerei sacrifício.
   O que votei pagarei.
Do Senhor vem a salvação.
**10** E o Senhor falou ao peixe, e
ele vomitou a Jonas na terra.

### Jonas vai a Nínive

**3** Veio a palavra do Senhor segunda vez a Jonas, dizendo:
**2** Levanta-te, vai à grande cidade de Nínive e proclama contra ela a mensagem que eu te dou.
**3** Levantou-se Jonas e foi a Nínive, segundo a palavra do Senhor. Ora, Nínive era uma grande cidade, de três dias de jornada.
**4** No primeiro dia, Jonas começou a percorrer a cidade, e clamava: Daqui a quarenta dias Nínive será destruída.
**5** Os ninivitas creram em Deus. Proclamaram um jejum e vestiram-se de pano de saco, desde o maior até o menor.
**6** Quando a notícia chegou ao rei de Nínive, levantou-se ele do seu trono, tirou de si as suas vestes reais, cobriu-se de pano de saco e assentou-se sobre cinzas.
**7** Então ele fez uma proclamação, que se divulgou em Nínive: Por mandado do rei e dos seus nobres: Não provem coisa alguma nem homens, nem animais, nem bois, nem ovelhas; não comam, nem bebam água.
**8** Os homens e os animais estarão cobertos de pano de saco, clamarão fortemente a Deus e se converterão, cada um do seu mau caminho e da violência que há nas suas mãos.
**9** Quem sabe se Deus se voltará, se arrependerá e se apartará do furor da sua ira, de sorte que não pereçamos?
**10** Quando Deus viu as obras deles e como se converteram do seu mau caminho, se arrependeu do mal que tinha dito lhes faria, e não o fez.

### A ira de Jonas

**4** Mas desgostou-se Jonas extremamente e ficou irado.

2 E orou ao Senhor: Ó Senhor! Não foi isso o que eu disse estando ainda na minha terra? Por isso é que me apressei a fugir para Társis. Eu sabia que és Deus clemente e misericordioso, tardio em irar-se e grande em amor, e que te arrependes do mal.
3 Agora, ó Senhor, tira a minha vida, porque melhor me é morrer do que viver.
4 O Senhor respondeu: É razoável essa tua ira?
5 Jonas saiu da cidade e assentou-se ao oriente dela. Aí fez uma barraca e assentou-se debaixo dela, à sombra, até ver o que aconteceria à cidade.
6 Então o Senhor Deus fez nascer uma aboboreira, que subiu por cima de Jonas, para que fizesse sombra sobre a sua cabeça, a fim de o livrar do seu enfado, e Jonas se alegrou em extremo por causa da aboboreira.
7 Deus, porém, enviou um bicho, no dia seguinte, ao subir da alva, o qual feriu a aboboreira, e ela se secou.
8 Aparecendo o sol, Deus mandou um vento calmoso oriental, e o sol feriu a cabeça de Jonas, de sorte que ele desfalecia. Pelo que com toda a sua alma desejou morrer e disse: Melhor me é morrer do que viver.
9 Então disse Deus a Jonas: É acaso razoável essa tua ira por causa da aboboreira? Disse ele: É justo que eu me enfade a ponto de desejar a morte.
10 Disse o Senhor: Tiveste compaixão da aboboreira que não te custou trabalho, a qual não fizeste crescer. Numa noite ela nasceu, e numa noite pereceu.
11 Em Nínive há mais de cento e vinte mil pessoas, que não sabem discernir entre a mão direita e a esquerda, e também muito gado. Não hei de eu ter compaixão dessa grande cidade?

# MIQUEIAS

### Juízo contra Samaria e Jerusalém

**1** A palavra do Senhor que veio a Miqueias, morastita, nos dias de Jotão, Acaz e Ezequias, reis de Judá, a qual ele viu sobre Samaria e Jerusalém.

**2** Ouvi, todos os povos,
 presta atenção, ó terra,
 e tudo o que nela há,
e seja o Senhor Deus
 testemunha contra vós,
 o Senhor, desde o seu
 santo templo.
**3** Porque eis que o Senhor sai
 do seu lugar,
 desce e anda sobre as
 alturas da terra.
**4** Os montes debaixo dele se
 derretem,
 os vales se fendem,
 como a cera diante do fogo,
 como as águas que se
 precipitam num abismo.
**5** Tudo por causa da
 transgressão
 de Jacó e dos pecados da casa
 de Israel.
 Qual é a transgressão de Jacó?
 Não é Samaria?
 Qual é o altar idólatra de Judá?
 Não é Jerusalém?
**6** Por isso, farei de Samaria
 um montão de pedras do
 campo,
 uma terra de plantar
 vinhas;
 farei rolar as suas pedras
 *para o vale*
 e descobrirei os seus
 fundamentos.
**7** Todas as suas imagens de
 escultura
 serão despedaçadas;
todos os seus salários
 serão queimados pelo fogo;
 destruirei todos os seus ídolos.
 Visto que do preço de sua
 prostituição os ajuntou,
 em salário de prostitutas se
 tornarão.
**8** Por isso, lamentarei e uivarei;
 andarei despojado e nu.
 Uivarei como os chacais
 e gemerei como as corujas.
**9** Porque a sua chaga é
 incurável;
 chegou até Judá.
 Estendeu-se até a porta do
 meu povo,
 até Jerusalém.
**10** Não o anuncieis em Gate;
 não choreis muito.
 Revolvei-vos no pó,
 em Bete-Afra.
**11** Passa, ó moradora de Safir,
 com nudez vergonhosa.
 A moradora de Zaanã não
 sairá.
 Bete-Ezel está de luto;
 a sua proteção vos é tirada.
**12** A moradora de Marote se
 contorce em dores,
 esperando pelo bem,
 porque desceu do Senhor o
 mal
 até a porta de Jerusalém.
**13** Ata o cavalo ligeiro ao carro,
 ó moradora de Laquis.
 Foste o princípio do
 pecado para a filha de Sião,
 pois em ti se acharam as
 transgressões
 de Israel.
**14** Por isso, darás presentes
 de despedida a
 Moresete-Gate.

As casas de Aczibe
serão um engano
para os reis de Israel.
15 Trarei contra ti um
vencedor,
ó moradora de Maressa.
Aquele que é a glória de
Israel virá a Adulão.
16 Faze-te calva e tosquia-te,
por causa dos filhos das tuas
delícias;
aumenta a tua calva como a
águia,
porque de ti foram levados
para o exílio.

**2** Ai daqueles que nas
suas camas
tramam a iniquidade e
maquinam o mal!
À luz da alva o praticam
porque está no poder da
sua mão.
2 Cobiçam campos e se
apossam deles;
cobiçam casas e as tomam.
Assim fazem violência a um
homem e à sua casa,
a uma pessoa e à sua
herança.
3 Portanto, assim diz o Senhor:
Projeto um mal contra esta
geração,
do qual não tirareis os
vossos pescoços.
Não andareis tão altivos,
porque o tempo será mau.
4 Naquele dia, surgirá um
provérbio contra vós,
e se levantará pranto
lastimoso,
dizendo: Nós estamos
inteiramente desolados;
a porção do meu povo,
Deus a troca.
Como me despoja!
Reparte os nossos
campos aos rebeldes.

5 Portanto, não terás na
congregação do Senhor
quem lance a corda de
medir por sorteio.
6 Não profetizeis,
dizem os seus profetas.
Não profetizeis tais coisas;
a desgraça não nos alcançará.
7 Acaso se dirá, ó casa de Jacó:
Está irado o Espírito
do Senhor?
São estas as suas obras?
Não fazem bem as minhas
palavras ao que anda
retamente?
8 Há pouco, porém, se levantou
o meu povo como inimigo.
De sobre a veste tirais a capa
daqueles que passam
seguros,
como homens que voltam
da guerra.
9 Lançais fora as mulheres do
meu povo,
das suas casas agradáveis.
Dos seus meninos tirais a
minha glória
para sempre.
10 Levantai-vos e andai!
Porque não é aqui o vosso
descanso,
por causa da imundícia que
traz destruição,
sim, destruição enorme.
11 Se alguém, seguindo o
espírito de falsidade,
mentir, dizendo:
Eu te profetizarei acerca do
vinho
e da bebida forte;
será esse tal o profeta deste
povo.
12 Certamente te ajuntarei
todo, ó Jacó;
certamente congregarei o
restante de Israel.
Eu os porei todos juntos,

como ovelhas no aprisco,
como rebanho no meio
de seu curral;
farão estrondo por causa da
multidão dos homens.
13 Subirá diante deles aquele
que abre o caminho;
eles romperão e entrarão pela
porta,
e sairão por ela.
O seu rei irá adiante deles,
e o Senhor os guiará.

### Repreensão aos chefes e aos profetas

**3** Então eu disse:
Ouvi, vós, chefes de Jacó,
e vós, governantes da nação
de Israel:
Não é a vós que pertence
saber a justiça?
2 A vós que aborreceis o bem e
amais o mal,
que arrancais a pele de
cima deles,
e a sua carne de cima dos
seus ossos;
3 que comeis a carne do meu
povo,
lhes arrancais a pele,
lhes esmiuçais os ossos
e os repartis como para a
panela
e como carne do meio do
caldeirão.
4 Então clamarão ao Senhor,
mas ele não os ouvirá,
antes esconderá deles a sua
face naquele tempo,
por causa do mal que
fizeram.
5 *Assim diz o Senhor contra*
os profetas que fazem errar o
meu povo
e que proclamam paz,
quando têm o que mastigar,
mas contra aquele que nada
lhes coloca na boca,
preparam guerra.
6 Portanto, se vos fará noite,
sem profecias,
e haverá trevas, sem
adivinhações.
O sol se porá sobre estes
profetas,
e o dia sobre eles se
enegrecerá.
7 Os videntes se
envergonharão,
e os adivinhadores se
confundirão.
Todos eles cobrirão os seus
lábios,
porque não haverá resposta
de Deus.
8 Quanto a mim, porém,
eu estou cheio de poder,
do Espírito do Senhor,
e cheio de justiça e de força,
para anunciar a Jacó a sua
transgressão
e a Israel, o seu pecado.
9 Ouvi agora isto, vós, chefes
da descendência de Jacó, e
vós,
governantes da nação de
Israel,
que abominais a justiça
e perverteis tudo o que é
direito,
10 edificando Sião com sangue
e Jerusalém,
com perversidade.
11 Os seus chefes dão as
sentenças por suborno,
os seus sacerdotes
ensinam por interesse,
e os seus profetas
adivinham por dinheiro.
Ainda se apoiam ao Senhor,
dizendo:
Não está o Senhor no meio
de nós?
Nenhum mal nos sobrevirá.

12 Portanto, por causa de vós,
Sião será lavrada
como um campo,
Jerusalém se tornará em
montões de pedras,
e o monte deste templo numa
colina coberta de mato.

### O monte do Senhor

4 Nos últimos dias, porém,
o monte do templo
do Senhor
será estabelecido no cume
dos montes,
e se elevará sobre os outeiros;
e concorrerão a ele
os povos.
2 Virão muitas nações e dirão:
Vinde, subamos ao monte
do Senhor
e ao templo do Deus
de Jacó,
para que nos ensine os seus
caminhos,
e andemos nas suas veredas.
De Sião sairá a lei,
e a palavra do Senhor, de
Jerusalém.
3 Ele julgará entre muitos
povos e arbitrará entre nações
poderosas e longínquas.
Eles converterão as suas
espadas em relhas de arado,
e as suas lanças, em foices.
Uma nação não levantará a
espada contra outra nação
nem aprenderão mais a
guerra.
4 Cada um, porém, se assentará
debaixo da sua videira e
debaixo da sua figueira,
e não haverá quem os
espante,
porque a boca do Senhor dos
Exércitos o disse.
5 Todos os povos andam cada
um em nome do seu deus,
mas nós andaremos em nome
do Senhor,
o nosso Deus, eternamente
e para sempre.
6 Naquele dia, diz o Senhor,
congregarei a que coxeava
e recolherei a que tinha
sido expulsa
e a que eu afligi.
7 Da que coxeava farei a parte
restante
e da que tinha sido arrojada
para longe, uma nação
poderosa.
O Senhor reinará sobre eles
no monte de Sião,
desde agora e para sempre.
8 A ti, ó torre do rebanho,
monte da filha de Sião, a ti virá;
sim, a ti virá o primeiro
domínio,
o reino da filha de Jerusalém.
9 E agora, por que ergues tão
grande pranto?
Não há em ti rei?
Pereceu o teu conselheiro?
Apoderou-se de ti a dor,
como a da que está de parto?
10 Sofre dores, ó filha de Sião,
como a que está de parto,
porque agora sairás da cidade
e morarás no campo.
Virás até Babilônia; ali
serás livrada.
Ali te remirá o Senhor das
mãos de teus inimigos.
11 Agora se congregaram
muitas nações contra ti.
Dizem: Seja ela profanada,
e os nossos olhos vejam seus
desejos sobre Sião.
12 Não sabem, porém,
os pensamentos do Senhor;
não entendem o plano do que
as ajunta como feixes na eira.
13 Levanta-te e debulha,
ó filha de Sião,

porque eu farei de ferro o teu chifre
e de bronze as tuas unhas;
despedaçarás muitos povos.
Os seus ganhos mal adquiridos
serão consagrados ao Senhor,
e os seus bens ao Senhor de toda a terra.

### Promessa de um rei

**5** Agora ajunta-te em tropas, ó cidade de tropas,
pois há um cerco contra nós.
Ferirão com a vara no queixo ao juiz de Israel.
2 Tu, porém, Belém Efrata,
posto que pequena entre milhares de Judá,
de ti me sairá aquele que há de reinar em Israel,
e cujas saídas são desde os tempos antigos,
desde os dias da eternidade.
3 Portanto os entregará até o tempo em que
a que está de parto tiver dado à luz;
então o restante de seus irmãos
voltará com os filhos de Israel.
4 Ele permanecerá e apascentará o povo
na força do Senhor,
na excelência do nome do Senhor, o seu Deus.
E eles viverão seguros,
porque agora será ele grande até os fins da terra.
5 E ele será a nossa paz.
Quando a Assíria invadir a nossa terra
e quando passar sobre os nossos palácios,
levantaremos contra ela sete pastores
e oito líderes dentre os homens.
6 Estes consumirão a terra da Assíria à espada
e a terra de Ninrode nas suas entradas.
Assim ele nos livrará da Assíria,
quando esta invadir a nossa terra
e pisar as nossas fronteiras.
7 O restante de Jacó estará no meio de muitos povos,
como orvalho do Senhor,
como chuvisco sobre a erva,
que não espera pelo homem nem aguarda filhos de homens.
8 O restante de Jacó estará entre as nações,
no meio de muitos povos,
como um leão entre os animais do bosque,
como um leãozinho entre os rebanhos de ovelhas,
o qual quando passar as pisará e despedaçará,
sem que haja quem as livre.
9 A tua mão se exaltará sobre os teus adversários,
e todos os teus inimigos serão exterminados.
10 Naquele dia, diz o Senhor,
eu exterminarei no meio de ti os teus cavalos
e destruirei os teus carros.
11 Destruirei as cidades da tua terra
e derrubarei todas as tuas fortalezas.
12 Tirarei as feitiçarias das tuas mãos,
e não terás adivinhadores.
13 Arrancarei do meio de ti as tuas imagens

de escultura e as tuas colunas,
e tu não te inclinarás mais diante da obra das tuas mãos.
14 Arrancarei os teus bosques do meio de ti
e destruirei as tuas cidades.
15 Com ira e com furor tomarei vingança
sobre as nações que não obedeceram.

### O juízo do Senhor contra Israel

**6** Ouvi agora o que diz o Senhor: Levanta-te, contende com os montes,
e ouçam os outeiros a tua voz.
2 Ouvi, montes, a contenda do Senhor, e vós,
duráveis fundamentos da terra,
porque o Senhor tem uma contenda com o seu povo
e com Israel entrará em juízo.
3 Ó povo meu, o que é que tenho feito?
E em que te enfadei? Responde-me.
4 Certamente te fiz subir da terra do Egito
e da casa da servidão te remi.
Enviei adiante de ti Moisés, Arão e Miriã.
5 Povo meu, lembra-te da consulta de Balaque,
rei de Moabe,
e do que lhe respondeu Balaão, filho de Beor,
desde Sitim até Gilgal,
para que conheças as justiças do Senhor.
6 Com que me apresentarei ao Senhor
e me inclinarei ante o Deus excelso?
Virei perante ele com holocaustos,
com bezerros de um ano?
7 Ele se agradará de milhares de carneiros,
ou de miríades de ribeiros de azeite?
Darei o meu primogênito pela minha transgressão?
O fruto do meu ventre pelo pecado da minha alma?
8 Ele te declarou, ó homem, o que é bom.
E o que é que o Senhor pede de ti,
senão que pratiques a justiça, ames a misericórdia
e andes humildemente com o teu Deus?
9 A voz do Senhor clama à cidade;
temer-lhe o nome é sabedoria.
Escutai a vara e quem a ordenou.
10 Ainda há na casa do ímpio tesouros de impiedade e medida falsa,
que é detestável?
11 Poderei eu inocentar balanças falsas,
com um saco de pesos enganosos?
12 Os seus ricos estão cheios de violência,
os seus habitantes falam mentiras,
e a sua língua é enganosa na sua boca.
13 Assim eu também te enfraquecerei,
ferindo-te e assolando-te por causa dos teus pecados.
14 Tu comerás, mas não te fartarás;
o teu ventre ainda estará vazio.

Removerás os teus bens, mas
não os livrarás,
e aquilo que guardares,
eu o entregarei à espada.
15 Tu semearás, mas não
colherás;
pisarás a azeitona,
mas não te ungirás com azeite,
pisarás as uvas,
mas não beberás o vinho.
16 Porque se observam
os estatutos de Onri
e toda a obra da família
de Acabe,
e vós andais nos
conselhos deles.
Portanto farei de ti uma
desolação
e dos seus habitantes um
assobio.
Assim trareis sobre vós a
zombaria do meu povo.

### A corrupção de Israel

**7** Ai de mim!
Estou feito como quando são
colhidas
as frutas do verão,
como os rabiscos da vindima;
não há cacho de uvas
para comer,
nenhum figo temporão
que eu tanto desejo.
2 Pereceu da terra o homem
piedoso,
e não há entre os homens
um que seja reto.
Todos armam ciladas para
sangue;
cada um caça o seu irmão
com uma rede.
3 As suas mãos fazem
diligentemente o mal,
o governante exige
condenação,
o juiz aceita suborno, o
grande fala da
corrupção da sua alma,
e assim todos eles são
perturbadores.
4 O melhor deles é como
um espinho,
o mais reto é pior do que
uma cerca de espinhos.
Veio o dia dos teus vigias,
veio o dia da tua visitação.
Agora é o tempo da sua
confusão.
5 Não creiais no amigo;
não confieis no companheiro.
Daquela que repousa
no teu seio
guarda as portas da tua
boca.
6 Pois o filho despreza o pai,
a filha se levanta contra sua
mãe,
a nora contra sua sogra;
os inimigos do homem são
os da sua própria família.
7 Eu, porém, confiarei no
Senhor,
esperarei no Deus da minha
salvação;
o meu Deus me ouvirá.
8 Ó inimiga minha, não te
alegres a meu respeito!
Ainda que eu tenha caído, me
levantarei.
Se morar nas trevas,
o Senhor será a minha luz.
9 Sofrerei a ira do Senhor,
porque pequei contra ele,
até que julgue a minha
causa
e execute o meu direito.
Ele me trará à luz,
e eu verei a sua justiça.
10 A minha inimiga verá isso,
e a confusão a cobrirá,
a ela que me dizia:
Onde está o teu Deus?
Os meus olhos verão
a sua queda;

agora ela será pisada como a lama das ruas.
11 O dia da reedificação de teus muros virá.
Naquele dia, será dilatado grandemente o teu termo.
12 Naquele dia, virão a ti, desde a Assíria até as cidades do Egito,
e do Egito até o Rio,
e de mar a mar,
e de montanha a montanha.
13 A terra, porém, será entregue à desolação, por causa dos seus moradores,
por causa do fruto das suas obras.
14 Apascenta o teu povo com a tua vara,
o rebanho da tua herança,
que mora a sós no bosque, no meio da terra fértil.
Apascentem-se em Basã e Gileade,
como nos dias da antiguidade.
15 Eu lhe mostrarei maravilhas, como nos dias da tua saída da terra do Egito.
16 As nações o verão e se envergonharão,
por causa de todo o seu poder.
Porão a mão sobre a boca,
e os seus ouvidos ficarão surdos.
17 Lamberão o pó como serpentes,
como répteis da terra.
Tremendo, sairão dos seus esconderijos;
com pavor virão ao Senhor, o nosso Deus,
e terão medo de ti.
18 Quem, ó Deus,
é semelhante a ti,
que perdoas a iniquidade,
e te esqueces da transgressão do restante da tua herança?
O Senhor não retém
a sua ira para sempre,
porque tem prazer na misericórdia.
19 Tornará a apiedar-se de nós;
pisará com pés as nossas iniquidades
e lançará todos os nossos pecados nas profundezas do mar.
20 Mostrarás a Jacó a fidelidade,
e a Abraão a misericórdia,
as quais jurastes a nossos pais
desde os dias antigos.

# NAUM

## A ira do Senhor contra Nínive

**1** Oráculo acerca de Nínive. Livro da visão de Naum, o elcosita.
**2** O Senhor é um Deus zeloso e vingador,
  o Senhor é vingador e cheio de furor.
 O Senhor toma vingança contra os seus adversários
  e guarda a ira contra os seus inimigos.
**3** O Senhor é tardio em irar-se,
  mas grande em força,
  e ao culpado não tem por inocente.
 O Senhor tem o seu caminho na tormenta e na tempestade,
  e as nuvens são o pó dos seus pés.
**4** Ele repreende o mar e o faz secar;
  esgota todos os rios.
 Desfalecem Basã e Carmelo,
  e a flor do Líbano se murcha.
**5** Os montes tremem perante ele,
  e os outeiros se derretem.
  A terra se levanta na sua presença,
  o mundo e todos os que nele habitam.
**6** Quem parará diante do seu furor?
  Quem subsistirá diante do ardor da sua ira?
 A sua cólera se derrama como fogo,
  e as rochas são por ele derrubadas.
**7** O Senhor é bom,
  uma fortaleza no dia da angústia.
 Ele conhece os que nele confiam,
**8** mas com uma inundação transbordante
  acabará duma vez com o lugar de Nínive;
  para dentro das trevas perseguirá os seus inimigos.
**9** O que projetais vós contra o Senhor?
 Ele mesmo vos consumirá de todo;
  não se levantará por duas vezes a angústia.
**10** Pois ainda que eles se entrelacem com os espinhos
  e se saturem de vinho como bêbados,
 serão inteiramente consumidos como palha seca.
**11** De ti saiu um que maquina o mal contra o Senhor,
 um que aconselha maldade.
**12** Assim diz o Senhor:
 Por mais seguros que estejam,
  e por mais numerosos que sejam,
  ainda assim serão exterminados e passarão.
 Eu te afligi, mas não te afligirei mais.
**13** Agora, porém, quebrarei o seu jugo de cima de ti
  e romperei os teus laços.
**14** Contra ti, porém, o Senhor deu ordens,
  que não haja mais linhagem do teu nome.
 Da casa dos teus deuses destruirei

as imagens de escultura e
de fundição.
Ali farei o teu sepulcro,
porque és vil.
15 Eis sobre os montes os pés
do que traz boas-novas,
do que anuncia a paz!
Celebra as tuas festas, ó Judá,
e cumpre os teus votos.
O ímpio não tornará mais a
passar por ti;
ele será inteiramente
destruído.

### A queda de Nínive

2 O destruidor sobe contra ti,
ó Nínive.
Guarda a fortaleza, observa o
caminho,
fortalece os lombos,
reúne todas as tuas forças!
2 O Senhor restaurará o
esplendor de Jacó,
como o esplendor de Israel,
ainda que os saqueadores o
tenham despojado
e destruído os seus sarmentos.
3 Os escudos dos seus valentes
estão vermelhos;
os guerreiros vestem
escarlate.
O aço dos carros cintila no
dia da sua preparação;
vibram as lanças.
4 Os carros andam
furiosamente pelas ruas,
cruzam velozes as praças
em todas as direções.
O seu parecer é o de tochas,
e correm como relâmpagos.
5 Ele convoca os seus nobres,
mas tropeçam no seu
caminho.
Apressam-se para chegar ao
muro da cidade;
o escudo protetor é
preparado.
6 As portas do rio se abrem,
e o palácio se derrete.
7 Está decretado que a cidade
será despida e levada cativa.
As suas servas gemem
como pombas
e batem em seus peitos.
8 Nínive é como um tanque,
e as suas águas agora fogem.
Parai, parai, clama-se,
mas ninguém olha
para trás.
9 Saqueai a prata,
saqueai o ouro,
porque não se acabam os
tesouros,
há abastança de todo objeto
desejável.
10 Ela está vazia, esgotada e
devastada!
Derrete-se o coração, tremem
os joelhos,
em todos os lombos há dor,
todos os rostos
empalidecem.
11 Onde está agora o
covil dos leões
e os lugares onde
alimentavam os leõezinhos,
onde passeava o leão
e a leoa,
e o filhote do leão, sem haver
ninguém
que os espantasse?
12 O leão arrebatava o que
bastava para os seus filhotes,
estrangulava a presa para as
suas leoas
e enchia de presas as suas
cavernas,
e os seus covis, de rapina.
13 Eu estou contra ti, diz o
Senhor dos Exércitos.
Queimarei na fumaça os
teus carros,
e a espada devorará os teus
leõezinhos.

Arrancarei da terra a tua presa,
e não se ouvirá mais a voz dos teus mensageiros.

### Ai de Nínive

**3** Ai da cidade ensanguentada!
Ela está toda cheia de mentiras e de rapina;
da presa não há fim!
2 O estalo de açoite, o estrondo das rodas,
o galopar dos cavalos e os carros que saltam!
3 A cavalaria que ataca,
espadas flamejantes e lanças cintilantes!
Multidão de mortos,
abundância de cadáveres;
não têm fim os defuntos,
tropeçam nos seus corpos;
4 tudo isso por causa da multidão dos pecados
da bela e encantadora meretriz,
da mestra de feitiçarias,
que vende povos por seus deleites
e famílias por suas feitiçarias.
5 Eu estou contra ti,
diz o Senhor dos Exércitos.
Levantarei as tuas vestes até a altura do teu rosto.
Às nações mostrarei a tua nudez;
e aos reinos, a tua vergonha.
6 Lançarei sobre ti coisas abomináveis,
te envergonharei e te porei como espetáculo.
7 *Todos os que te virem*, fugirão de ti e dirão:
Nínive está destruída,
quem terá compaixão dela?
De onde buscarei consoladores para ti?
8 És tu melhor do que Nô-Amom,
que está situada entre os rios,
cercada de águas,
tendo por baluarte o mar e ainda o mar por muralha?
9 Etiópia e Egito eram a sua força,
e esta não tinha fim;
Pute e Líbia foram o seu socorro.
10 Todavia ela foi levada ao exílio.
Também os seus filhos foram despedaçados
nas entradas de todas as ruas,
e sobre os seus nobres lançaram sortes,
e todos os seus grandes foram presos com grilhões.
11 Tu também serás embriagada e te esconderás;
também buscarás refúgio contra o inimigo.
12 Todas as tuas fortalezas são como figueiras com figos temporãos;
sendo eles sacudidos, caem na boca
do que os há de comer.
13 As tuas tropas no meio de ti são como mulheres!
As portas da tua terra estão de todo
abertas aos teus inimigos;
o fogo consome os teus ferrolhos.
14 Tira água para o tempo do cerco,
fortifica as tuas fortalezas!
Entra no lodo e pisa o barro,
pega na forma para os tijolos.
15 O fogo ali te consumirá;
a espada te exterminará e, como gafanhotos, te consumirá.

Multiplica-te como o
gafanhoto assolador,
multiplica-te como o
gafanhoto migrador.
16 Multiplicaste os teus
negociantes mais do que as
estrelas do céu,
mas, como gafanhotos
devoradores,
invadem a terra e saem
voando.
17 Os teus príncipes são
como os gafanhotos,
e os teus chefes como
enxames de gafanhotos,
que se acampam nos muros
nos dias de frio;
em subindo o sol voam,
e não se sabe o lugar
onde estão.
18 Os teus pastores dormem,
ó rei da Assíria;
os teus nobres deitam-se
para descansar.
O teu povo está espalhado
pelos montes,
sem que haja quem possa
ajuntá-los.
19 Não há cura para a tua
ferida;
a tua chaga é fatal.
Todos os que ouvem a notícia
a teu respeito
batem palmas sobre ti,
pois quem não sentiu a tua
crueldade sem fim?

# HABACUQUE

### A iniquidade de Judá

1 O oráculo que viu o profeta Habacuque.
2 Até quando, Senhor, clamarei eu,
e tu não me escutarás?
ou gritarei a ti: Violência!
E não salvarás?
3 Por que me fazes ver a iniquidade e a opressão?
Destruição e violência estão diante de mim;
há também contendas, e o litígio se suscita.
4 Por isso a lei se afrouxa,
e a justiça nunca se manifesta.
O ímpio cerca o justo; a justiça é pervertida.
5 Vede entre as nações, olhai, maravilhai-vos, e admirai-vos,
porque realizo, em vossos dias, uma obra,
que vós não crereis,
quando vos for contada.
6 Suscito os caldeus,
nação feroz e impetuosa,
que marcha sobre a largura da terra,
para se apoderar de moradas que não são suas.
7 Ela é terrível e pavorosa;
dela mesma sai o seu juízo e a sua dignidade.
8 Os seus cavalos são mais ligeiros do que os leopardos
*e mais ferozes do que os lobos à tarde.*
Os seus cavaleiros espalham-se por toda parte;
os seus cavaleiros vêm de longe.
Voam como águia que se apressa a devorar;
9 todos eles vêm com violência.
Os seus rostos buscam o Oriente,
e eles congregam os cativos como a areia.
10 Escarnecem dos reis,
e dos príncipes fazem zombarias.
Eles se riem de todas as fortalezas,
porque, amontoando terra, as tomam.
11 Então passam como passa o vento e seguem;
mas eles são culpados,
esses cujo próprio poder é o seu deus.
12 Não és tu desde a eternidade,
ó Senhor meu Deus,
meu Santo?
Nós não morreremos.
Ó Senhor, para juízo o puseste,
e tu, ó Rocha, o fundaste para castigar.
13 Tu és tão puro de olhos,
que não podes ver o mal
e a opressão não podes contemplar.
Por que, pois, toleras os que procedem traiçoeiramente?
Por que te calas quando o ímpio devora aquele que é mais justo do que ele?
14 Fizeste os homens como os peixes do mar,
como os répteis, que não têm quem os governe.
15 O inimigo a todos levanta com o anzol,

apanha-os com o arrastão
e os ajunta na sua rede
varredora;
por isso ele se alegra e se
regozija.
16 Portanto sacrifica à sua rede
e queima incenso à sua
varredoura,
porque com elas se
enriqueceu
a sua porção e é copiosa a sua
comida.
17 Deve ele continuar a
esvaziar a sua rede
e a destruir sem piedade
os povos?

### O castigo dos caldeus

**2** Sobre a minha torre de
vigia estarei,
e sobre a fortaleza me
apresentarei e vigiarei,
para ver o que fala comigo,
e o que eu responderei a esta
queixa.
2 Então o Senhor me respondeu:
Escreve a visão, e torna-a
bem legível sobre tábuas,
para que aquele que passar
correndo a possa ler.
3 Porque a visão é ainda para o
tempo determinado,
e até o fim falará e não
mentirá.
Se tardar, espera-o, porque
certamente virá,
não tardará.
4 Eis que a sua alma se incha,
não é reta nele,
mas o justo pela sua fé
viverá.
5 Tanto mais que, por ser dado
ao vinho, é desleal;
um homem soberbo, que não
se contém,
que alarga como o sepulcro
o seu desejo,

e, como a morte,
que não se farta,
ajunta a si todas as nações
e congrega a si todos
os povos.
6 Não levantarão todos
estes contra
ele um provérbio e um dito
zombador? Dirão:
Ai daquele que multiplica o
que não é seu!
(até quando?) e daquele que
se carrega
a si mesmo de penhores!
7 Não se levantarão de repente
os teus credores?
Não despertarão os que te
farão tremer?
Então lhes servirás tu de
despojo.
8 Visto que despojaste
a muitas nações,
os demais povos te
despojarão a ti
por causa do sangue dos
homens
e da violência contra a terra,
contra a cidade e contra
todos os que nela habitam.
9 Ai daquele que ajunta em sua
casa
bens mal adquiridos,
para pôr o seu ninho
no alto,
a fim de se livrar das garras
do mal!
10 Vergonha maquinaste
para a tua casa;
destruindo tu a muitos
povos, pecaste contra a tua
alma.
11 Porque a pedra clamará
da parede,
e a trave lhe responderá do
madeiramento.
12 Ai daquele que edifica a
cidade com sangue

e a fundamenta
com iniquidade!
13 Não foi o Senhor dos
Exércitos que determinou
que os povos trabalhem
para o fogo
e as nações se fatiguem
em vão?
14 Pois a terra se encherá do
conhecimento
da glória do Senhor,
como as águas cobrem o mar.
15 Ai daquele que dá de beber
ao seu companheiro,
que lhe chega o seu odre e o
embebeda,
para ver a sua nudez.
16 Serás farto de vergonha em
lugar de honra.
Bebe tu também e sê como
um incircunciso.
O cálice da mão direita do
Senhor
se voltará sobre ti,
e vergonha cairá sobre a tua
glória.
17 A violência cometida contra
o Líbano te cobrirá,
e a destruição das feras te
assombrará,
por causa do sangue dos
homens e da violência
contra a terra, contra a
cidade
e contra todos os seus
moradores.
18 Que aproveita a imagem de
escultura,
visto que a esculpiu o seu
artífice?
Ou a imagem de fundição,
*que ensina a mentira?*
Pois o artífice confia na sua
própria obra, quando faz
ídolos mudos.
19 Ai daquele que diz ao pau:
Acorda!
Ou à pedra muda: Desperta!
Pode isso ensinar?
Está coberto de ouro e de
prata;
no seu interior não há
espírito algum.
20 O Senhor, porém, está no seu
santo templo;
cale-se diante dele toda a
terra.

## A oração de Habacuque

**3** Oração do profeta Habacuque,
conforme sigionote.
2 Ouvi, Senhor, a tua palavra e
temi.
Aviva, ó Senhor, a tua obra no
meio dos anos,
e, no meio dos anos, faze-a
conhecida;
na ira lembra-te da
misericórdia.
3 Deus vem de Temã,
e do monte de Parã vem o Santo.
[Selá] A sua glória cobre os
céus,
e a terra se enche do seu
louvor.
4 O seu resplendor é como a luz;
raios brilhantes saem da sua
mão,
e ali está o esconderijo da
sua força.
5 Adiante dele vai a praga,
e a peste segue os seus pés.
6 Para e faz tremer a terra;
olha e sacode as nações.
Os montes perpétuos são
esmiuçados,
os outeiros eternos se
encurvam.
Os caminhos de Deus são
eternos.
7 Vejo as tendas de Cusã
em aflição;
as cortinas da terra de Midiã
tremem.

8 Acaso é contra os rios,
Senhor, que estás irado?
É contra os ribeiros a tua ira
ou contra o mar o teu furor,
já que andas montado nos
teus cavalos,
nos teus carros de vitória?
9 Descoberto está o teu arco,
a tua aljava está cheia de
flechas.
[Selá] Tu fendes a terra
com rios;
10 os montes te veem e tremem.
A inundação das águas passa;
o abismo dá a sua voz e
levanta as mãos ao alto.
11 O sol e a lua param nas suas
moradas,
ao brilho das tuas flechas,
ao resplendor do relâmpago
da tua lança.
12 Com indignação marchas
pela terra,
com ira trilhas as nações.
13 Tu sais para salvamento do
teu povo,
para salvar o teu ungido.
Tu feres o chefe da terra da
impiedade,
despindo-o da cabeça aos
pés. [Selá]
14 Traspassas a cabeça dos
seus guerreiros
com as suas próprias
lanças,
quando avançam como uma
tempestade
para nos atacar;
eles vêm orgulhosos, como se
estivessem
para devorar o pobre
às ocultas.
15 Tu com os teus cavalos
marchas pelo mar,
agitando as grandes águas.
16 Ouvindo-o eu, o meu ventre
se comove,
à sua voz tremem os meus
lábios;
entra a podridão nos meus
ossos,
e minhas pernas
estremecem.
Contudo esperarei
pacientemente
o dia da angústia que virá
contra o povo
que nos invade.
17 Ainda que a figueira não
floresça,
nem haja fruto na vide,
ainda que o produto da
oliveira falhe
e os campos não produzam
mantimento,
ainda que as ovelhas sejam
exterminadas
e nos currais não haja gado,
18 todavia eu me alegrarei no
Senhor,
exultarei no Deus da minha
salvação.
19 O Senhor é a minha força;
torna os meus pés como os
das corças
e me faz andar sobre os
lugares altos.
(Ao diretor de música. Para
meus instrumentos de
corda.)

# SOFONIAS

### Ameaças de destruição

**1** A palavra do Senhor que veio a Sofonias, filho de Cusi, filho de Gedalias, filho de Amarias, filho de Ezequias, nos dias de Josias, filho de Amom, rei de Judá.
**2** Consumirei por completo tudo sobre a face da terra, diz o Senhor.
**3** Consumirei os homens e os animais;
consumirei as aves do céu e os peixes do mar.
Os ímpios terão apenas montões de ruínas quando eu exterminar os homens de sobre a face da terra,
diz o Senhor.
**4** Estenderei a minha mão contra Judá
e contra todos os habitantes de Jerusalém;
exterminarei deste lugar o resto de Baal
e os nomes dos sacerdotes de ídolos,
juntamente com os sacerdotes;
**5** os que sobre os telhados se curvam ao exército do céu,
os que se inclinam ao Senhor
e juram por ele e também por Milcom;
**6** os que deixam de seguir ao Senhor,
*e os que não buscam ao* Senhor,
nem perguntam por ele.
**7** Cala-te diante do Senhor Deus, porque o dia do Senhor está perto,
porque o Senhor preparou o sacrifício
e santificou os seus convidados.
**8** No dia do sacrifício do Senhor, hei de castigar os príncipes,
os filhos do rei e todos os que se vestem
de trajes estranhos.
**9** Castigarei também naquele dia todos os que saltam sobre o umbral,
que enchem de violência e engano
a casa dos seus senhores.
**10** Naquele dia, diz o Senhor, se fará ouvir uma voz de clamor desde
a Porta do Peixe,
um uivo desde a Cidade Baixa e grande lamento desde os outeiros.
**11** Uivai vós, moradores de Mactés,
porque todo o povo de Canaã está arruinado,
todos os que pesam a prata são destruídos.
**12** Naquele tempo, esquadrinharei
Jerusalém com lanternas e castigarei os que estão tranquilos e satisfeitos,
que são como a borra do vinho, que dizem no seu coração:
O Senhor não faz bem nem faz mal.
**13** Os seus bens serão saqueados; as suas casas, assoladas.
Edificarão casas, mas não habitarão nelas,
plantarão vinhas,
mas não lhes beberão o vinho.

## O grande dia do Senhor

14 O grande dia do Senhor está perto;
sim, está perto e se apressa muito.
Ouvi! Amargo será o clamor no dia do Senhor,
o clamor do homem poderoso.
15 Aquele dia é um dia de indignação,
dia de angústia, dia de alvoroço e desolação,
dia de trevas e escuridão,
dia de nuvens e densas trevas.
16 Dia de trombeta e de alarido contra as cidades fortificadas
e contra as torres altas.
17 Angustiarei os homens,
e eles andarão como cegos,
porque pecaram contra o Senhor.
O seu sangue se derramará como pó,
e a sua carne será tirada como esterco.
18 Nem a sua prata nem o seu ouro
os poderá livrar no dia do furor do Senhor.
No fogo de seu zelo toda esta terra será consumida,
porque certamente fará de todos os moradores da terra uma destruição total e repentina.

## Ameaças contra diversas nações

2 Congrega-te, congrega-te,
ó nação que não tens pudor;
2 antes que saia o decreto
e o dia passe como a palha,
antes que venha sobre vós a ira do Senhor,
antes que venha sobre vós o dia da ira do Senhor.
3 Buscai ao Senhor, vós todos os mansos da terra,
que cumpris o seu juízo.
Buscai a justiça, buscai a mansidão;
porventura sereis escondidos
no dia da ira do Senhor.
4 Gaza será desamparada,
Ascalom assolada.
Asdode ao meio-dia será esvaziada, Ecrom desarraigada.
5 Ai dos que habitam no litoral,
o povo dos quereteus!
A palavra do Senhor será contra vós,
ó Canaã, terra dos filisteus,
e eu vos farei destruir,
até que não haja um morador sequer.
6 O litoral será de pastagens,
com abrigos para os pastores
e currais para os rebanhos.
7 O litoral será para o resto da casa de Judá,
para que nela apascentem.
À tarde se assentarão nas casas de Ascalom,
porque o Senhor seu Deus atentará para eles
e restaurará a sua sorte.
8 Eu ouvi o escárnio de Moabe
e as injuriosas palavras dos filhos de Amom,
com que escarneceram do meu povo
e se engrandeceram contra a sua terra.
9 Portanto, tão certo como eu vivo,
diz o Senhor dos Exércitos,
o Deus de Israel,
Moabe será como Sodoma e os filhos de Amom
serão como Gomorra,
campo de urtigas,

poços de sal, assolação
perpétua.
O restante do meu povo os
saqueará,
e os sobreviventes da minha
nação os possuirão.
10 Isso lhes sobrevirá em
recompensa
da sua soberba,
porque escarneceram e se
engrandeceram contra
o povo do Senhor dos
Exércitos.
11 O Senhor será terrível
contra eles
quando aniquilar todos os
deuses da terra.
As nações de todos os litorais,
cada uma na sua própria
terra, o adorarão.
12 Também vós, ó etíopes,
sereis mortos com a minha
espada.
13 Estenderá também a sua
mão contra o Norte
e destruirá a Assíria,
fazendo de Nínive uma
desolação
e terra seca como o deserto.
14 No meio dela repousarão os
rebanhos,
animais de toda espécie.
O pelicano e o ouriço
se alojarão nos seus capitéis.
A voz do seu canto
retinirá nas janelas,
a desolação estará nos limiares,
o madeiramento de cedro
será exposto.
15 Esta é a cidade alegre e
descuidada,
*que dizia no seu coração:*
Eu sou, e não há outra além
de mim.
Como se tornou em
desolação,
em pousada de animais!

Qualquer que passar por ela
assobiará com desprezo e
agitará a mão.

## A futura Jerusalém

**3** Ai da rebelde e manchada,
da cidade opressora!
2 Não ouve a voz, não aceita o
castigo.
Não confia no Senhor
nem se aproxima do seu
Deus.
3 Os seus príncipes são leões
que rugem no meio dela,
os seus juízes são lobos da
tarde,
que não deixam nada para o
dia seguinte.
4 Os seus profetas são
arrogantes;
são homens traiçoeiros.
Os seus sacerdotes profanam o
santuário e fazem violência
à lei.
5 O Senhor é justo no meio
dela;
ele não comete iniquidade.
Todas as manhãs traz a sua
justiça à luz
e a cada novo dia ele não
falha,
mas o injusto não conhece a
vergonha.
6 Exterminei as nações;
as suas fortalezas estão
assoladas.
Fiz desertas as suas praças,
a ponto de não ficar quem
passe por elas.
As suas cidades foram
destruídas,
até não ficar ninguém,
até não haver quem as
habite.
7 Eu dizia:
Certamente me temerás
e aceitarás a correção,

e assim a sua morada não
seria destruída,
conforme o que havia
determinado.
Mas eles se levantaram de
madrugada
e corromperam todas as
suas obras.
8 Portanto esperai-me,
diz o Senhor,
no dia em que eu me
levantar para o despojo.
Porque o meu intento é
ajuntar as nações
e congregar os reinos,
para sobre eles derramar a
minha indignação
e todo o ardor da minha ira.
Toda esta terra será
consumida
pelo fogo do meu zelo.
9 Então darei lábios puros
aos povos,
para que todos invoquem
o nome do Senhor,
para que o sirvam de comum
acordo.
10 Dalém dos rios da Etiópia
os meus zelosos adoradores,
o meu povo disperso, me
trarão sacrifício.
11 Naquele dia não te
envergonharás
de nenhuma das tuas obras,
com que te rebelaste
contra mim,
porque então tirarei do
*meio de ti*
os que exultam na sua soberba.
Nunca mais te
ensoberbecerás
no meu santo monte.
12 **D**eixarei, porém, no meio
de ti um povo humilde e
pobre,
que confia no nome do
Senhor.
13 O remanescente de Israel
não cometerá iniquidade;
não proferirá mentira nem na
sua boca
se achará língua enganosa.
Serão apascentados, se deitarão,
e não haverá quem os
espante.
14 Canta alegremente, ó filha
de Sião;
rejubila, ó Israel!
Regozija-te e exulta de todo o
coração,
ó filha de Jerusalém!
15 O Senhor afastou o teu
castigo,
lançou fora o teu inimigo.
O Senhor, o rei de Israel, está
no meio de ti;
tu já não verás mal algum.
16 Naquele dia, se dirá a
Jerusalém:
Não temas, ó Sião, não se
afrouxem
as tuas mãos.
17 O Senhor teu Deus está no
meio de ti,
poderoso para te salvar.
Ele se deleitará em ti com
alegria,
te renovará no seu amor;
ele se regozijará em ti com
júbilo.
18 Os que em tristeza suspiram
pelas festas solenes,
eu os removerei de ti;
esses que são de ti e sobre
os quais há o peso da
humilhação.
19 Naquele tempo, procederei
contra todos os que te afligem;
salvarei os aleijados
e recolherei os que foram
espalhados.
Eu lhes darei louvor e honra
em toda a terra em que foram
envergonhados.

## Sofonias 3

**20** Naquele tempo, vos trarei; naquele tempo, vos recolherei. Certamente vos darei honra e louvor entre todos os povos da terra, quando, diante dos vossos olhos, eu restaurar a vossa sorte, diz o Senhor.

# AGEU

## Chamado à reconstrução do templo

**1** No segundo ano do rei Dario, no sexto mês, no primeiro dia do mês, veio a palavra do Senhor, por intermédio do profeta Ageu, a Zorobabel, filho de Sealtiel, governador de Judá, e a Josué, filho de Jeozadaque, o sumo sacerdote, dizendo:
**2** Assim diz o Senhor dos Exércitos: Este povo diz: Não veio ainda o tempo, o tempo em que a casa do Senhor deve ser edificada.
**3** Veio, pois, a palavra do Senhor, por intermédio do profeta Ageu, dizendo:
**4** É para vós tempo de habitardes nas vossas casas bem acabadas, enquanto esta casa fica deserta?
**5** Ora, assim diz o Senhor dos Exércitos: Aplicai o vosso coração aos vossos caminhos.
**6** Semeais muito e recolheis pouco. Comeis, mas não vos saciais. Vesti-vos, mas ninguém se aquece. O que recebe salário, recebe-o para pô-lo num saco furado.
**7** Assim diz o Senhor dos Exércitos: Aplicai o vosso coração aos vossos caminhos.
**8** Subi ao monte, trazei madeira e edificai a casa, para que dela me agrade e seja glorificado, diz o Senhor.
**9** Esperastes o muito, e eis que veio a ser pouco. Esse pouco, quando o trouxestes para casa, eu o dissipei com um sopro. Por quê? diz o Senhor dos Exércitos. Por causa da minha casa, que está deserta, enquanto cada um de vós se ocupa com a sua própria casa.
**10** Por isso retêm os céus o seu orvalho, e a terra, os seus frutos.
**11** Fiz vir a seca sobre a terra e sobre os montes, sobre o trigo e sobre o vinho novo, sobre o azeite e sobre o que a terra produz, como também sobre os homens, sobre os animais e sobre todo o trabalho das vossas mãos.
**12** Então ouviu Zorobabel, filho de Sealtiel, e Josué, filho de Jeozadaque, sumo sacerdote, e todo o resto do povo a voz do Senhor, o seu Deus, e as palavras do profeta Ageu como o Senhor, o seu Deus, o tinha enviado, e temeu o povo diante do Senhor.
**13** Então Ageu, o mensageiro do Senhor, falou ao povo, conforme a mensagem do Senhor: Eu sou convosco, diz o Senhor.
**14** De modo que o Senhor suscitou o espírito de Zorobabel, filho de Sealtiel, governador de Judá, e o espírito de Josué, filho de Jeozadaque, sumo sacerdote, e o espírito do resto de todo o povo. Eles vieram e trabalharam na casa do Senhor dos Exércitos, o seu Deus,
**15** ao vigésimo quarto dia do sexto mês, no segundo ano do rei Dario.

## A glória do segundo templo

**2** No sétimo mês, ao vigésimo primeiro do mês, veio a palavra do Senhor por intermédio do profeta Ageu:
**2** Fala agora a Zorobabel, filho de Sealtiel, governador de Judá, e a Josué, filho de Jeozadaque, sumo sacerdote, e ao resto do povo. Dize-lhes:
**3** Quem há entre vós, dos sobreviventes, que viu esta casa na sua primeira glória? E como a

vedes agora? Não é esta como nada em vossos olhos, comparada com aquela?
4 Ora, esforça-te, Josué, filho de Jeozadaque, sumo sacerdote, e esforçai-vos, todo o povo da terra, diz o Senhor, e trabalhai. Porque eu sou convosco, diz o Senhor dos Exércitos.
5 É esta a aliança que fiz convosco, quando saístes do Egito. E o meu Espírito habita no meio de vós. Não temais.
6 Assim diz o Senhor dos Exércitos: Ainda uma vez, dentro em pouco, abalarei os céus, a terra, o mar e a terra seca.
7 Abalarei todas as nações, e o desejado de todas as nações virá, e encherei esta casa de glória, diz o Senhor dos Exércitos.
8 Minha é a prata, e meu é o ouro, diz o Senhor dos Exércitos.
9 A glória desta última casa será maior do que a da primeira, diz o Senhor dos Exércitos, e, neste lugar, darei a paz, diz o Senhor dos Exércitos.

### Bênção para um povo aviltado

10 Ao vigésimo quarto dia do nono mês, no segundo ano de Dario, veio a palavra do Senhor por intermédio do profeta Ageu:
11 Assim diz o Senhor dos Exércitos: Pergunta agora aos sacerdotes, acerca da lei:
12 Se alguém leva carne santa na borda do seu vestido, e com ele toca no pão, ou no guisado, ou no vinho, ou no azeite, ou em qualquer outro mantimento, *ficará ele santificado*? Os sacerdotes responderam: Não.
13 Então disse Ageu: Se alguém, que se tinha tornado impuro pelo contato com um corpo morto, tocar nalguma dessas coisas, ficarão elas imundas? Os sacerdotes responderam: Ficarão imundas.
14 Então disse Ageu: Assim é este povo, e assim é esta nação diante do meu rosto, diz o Senhor. Tudo o que fazem e tudo o que ali oferecem é imundo.
15 Agora considerai o que acontece desde aquele dia. Antes de pordes pedra sobre pedra no templo do Senhor,
16 antes daquele tempo, alguém vinha a um monte de vinte medidas, e havia somente dez; vinha ao lagar para tirar cinquenta, havia somente vinte.
17 Feri-vos com queimadura, e com ferrugem, e com saraiva, em toda a obra das vossas mãos, contudo não houve entre vós quem voltasse para mim, diz o Senhor.
18 Deste dia em diante, desde o vigésimo quarto dia do nono mês, desde o dia em que se fundou o templo do Senhor, considerai estas coisas.
19 Há ainda semente no celeiro? Até agora a videira, a figueira, a romeira e a oliveira não têm dado os seus frutos. Mas desde este dia vos abençoarei.
20 Veio a palavra do Senhor pela segunda vez a Ageu, aos vinte e quatro do mês:
21 Dize a Zorobabel, governador de Judá: Abalarei os céus e a terra.
22 Derrubarei o trono dos reinos e destruirei a força dos reinos das nações. Destruirei o carro e os que nele se assentam; os cavalos e os que andam montados neles cairão, cada um pela espada do seu irmão.
23 Naquele dia, diz o Senhor dos Exércitos, eu te tomarei, ó Zorobabel, filho de Sealtiel, servo meu, diz o Senhor, e te farei como um anel de selar, porque te escolhi, diz o Senhor dos Exércitos.

# ZACARIAS

### Exortação ao arrependimento

**1** No oitavo mês do segundo ano de Dario, veio a palavra do Senhor ao profeta Zacarias, filho de Baraquias, filho de Ido:
2 O Senhor se irou em extremo contra vossos pais.
3 Portanto dize-lhes: Assim diz o Senhor dos Exércitos: Voltai para mim, diz o Senhor dos Exércitos, e eu voltarei para vós, diz o Senhor dos Exércitos.
4 Não sejais como vossos pais, aos quais clamavam os primeiros profetas: Assim diz o Senhor dos Exércitos: Convertei-vos dos vossos maus caminhos e das vossas más obras. Mas não me ouviram nem me deram atenção, diz o Senhor.
5 Os vossos pais, onde estão eles? E os profetas, vivem eles para sempre?
6 As minhas palavras e os meus estatutos, porém, que eu mandei pelos profetas, meus servos, não alcançaram os vossos pais? E eles se arrependeram e disseram: O Senhor dos Exércitos fez conosco o que os nossos caminhos e as nossas obras mereciam.

### A primeira visão

7 Aos vinte e quatro dias do décimo primeiro mês, que é o mês de sebate, no segundo ano de Dario, veio a palavra do Senhor ao profeta Zacarias, filho de Baraquias, filho de Ido:
8 Olhei, de noite, e vi um homem montado num cavalo vermelho. Ele estava parado entre as murteiras que se achavam no vale. Atrás dele estavam cavalos vermelhos, marrons e brancos.
9 Então perguntei: Senhor meu, quem são estes? Respondeu-me o anjo que falava comigo: Eu te mostrarei quem estes são.
10 Então o homem que estava entre as murteiras explicou: Estes são os que o Senhor enviou para percorrer a terra.
11 Eles responderam ao anjo do Senhor, que estava entre as murteiras: Nós já percorremos a terra, e ela está tranquila e descansada.
12 Então disse o anjo do Senhor: Ó Senhor dos Exércitos, até quando não terás compaixão de Jerusalém e das cidades de Judá, contra as quais estiveste irado estes setenta anos?
13 Respondeu o Senhor ao anjo que falava comigo, palavras boas, palavras consoladoras.
14 Então o anjo que falava comigo me disse: Clama, dizendo: Assim diz o Senhor dos Exércitos: Com grande zelo estou zelando por Jerusalém e por Sião,
15 mas estou muito irado contra as nações que se sentem seguras. Eu estava um pouco indignado, e elas agravaram o mal.
16 Portanto, assim diz o Senhor: Voltarei para Jerusalém com misericórdia, e a minha casa nela será edificada. E a corda de medir será estendida sobre Jerusalém, diz o Senhor dos Exércitos.
17 Clama outra vez, dizendo: Assim diz o Senhor dos Exércitos: As minhas cidades ainda se transbordarão de bens, e o Senhor ainda

consolará Sião e ainda escolherá Jerusalém.

### A segunda visão

18 Então olhei para o alto e vi quatro chifres.
19 Perguntei ao anjo que falava comigo: Que é isso? Ele me respondeu: Estes são os chifres que dispersaram Judá, Israel e Jerusalém.
20 Então o Senhor me mostrou quatro ferreiros.
21 Então perguntei: O que vêm estes fazer? Ele respondeu: Estes são os poderes que dispersaram Judá, de maneira que ninguém pode levantar a cabeça; estes ferreiros vieram para os amedrontar, para derrubar os chifres das nações que levantaram o seu poder contra a terra de Judá, para a espalhar.

### A terceira visão

2 Tornei a olhar para o alto e vi um homem em cuja mão estava uma corda de medir.
2 Eu perguntei: Para onde vais tu? Ele me respondeu: Medir Jerusalém, para ver qual é a sua largura e qual o seu comprimento.
3 Então o anjo que falava comigo saiu, e outro anjo foi-lhe ao encontro
4 e lhe disse: Corre, dize a este jovem: Jerusalém será habitada como as aldeias sem muros, por causa da multidão de homens e animais que nela haverá.
5 Pois eu, diz o Senhor, serei para ela um muro de fogo em redor, e eu mesmo serei, no meio dela, a sua glória.
6 Ah, ah! Fugi agora da terra do norte, diz o Senhor, porque vos espalhei como os quatro ventos do céu, diz o Senhor.
7 Ah! Sião! Livra-te tu, que habitas com a filha de Babilônia.
8 Porque assim diz o Senhor dos Exércitos: Depois que me glorificou, enviou-me às nações que vos despojaram, porque aquele que tocar em vós toca na menina do seu olho.
9 Certamente levantarei a minha mão contra eles, e eles virão a ser a presa daqueles que os serviram. Então sabereis vós que o Senhor dos Exércitos me enviou.
10 Exulta e alegra-te ó filha de Sião, porque eu venho e habitarei no meio de ti, diz o Senhor.
11 Naquele dia, muitas nações se ajuntarão ao Senhor e serão o meu povo. Estabelecerei em ti a minha habitação e saberás que o Senhor dos Exércitos me enviou a ti.
12 Então o Senhor possuirá Judá como sua porção na terra santa e ainda escolherá Jerusalém.
13 Cale-se, toda a carne, diante do Senhor, porque ele se levantou da sua santa morada.

### A quarta visão

3 Então ele me mostrou o sumo sacerdote Josué, que estava diante do anjo do Senhor, e Satanás estava à sua mão direita, para se opor a ele.
2 O Senhor disse a Satanás: O Senhor te repreende, ó Satanás! O Senhor, que escolheu Jerusalém, te repreende! Não é este um tição tirado do fogo?
3 Ora, Josué, vestido de trajes sujos, estava diante do anjo.
4 Então falando este, ordenou aos que estavam diante dele: Tirai-lhe estes trajes sujos. E a Josué disse: Vê, tenho feito que passe de ti a tua iniquidade e te vestirei de trajes finos.

5 Então eu disse: Ponham-lhe um turbante limpo sobre a cabeça. Puseram-lhe, pois, sobre a cabeça um turbante limpo e vestiram-no, enquanto o anjo do Senhor estava ali.
6 O anjo do Senhor exortou Josué, dizendo:
7 Assim diz o Senhor dos Exércitos: Se andares nos meus caminhos e observares as minhas ordenanças, tu julgarás a minha casa e também guardarás os meus átrios, e te darei lugar entre os que estão aqui.
8 Ouve Josué, sumo sacerdote, tu e os teus companheiros que se assentam diante de ti, os quais são homens que simbolizam coisas vindouras: Eu farei vir o meu servo, o Renovo.
9 Vede aqui a pedra que pus diante de Josué! Sobre esta pedra única estão sete olhos. Eu esculpirei a sua escultura, diz o Senhor dos Exércitos, e tirarei a iniquidade desta terra num só dia.
10 Naquele dia, diz o Senhor dos Exércitos, cada um de vós convidará o seu companheiro para debaixo da videira e para debaixo da figueira.

### A quinta visão

4 Tornou o anjo que falava comigo e me despertou, como a um homem que é despertado do seu sono,
2 e me perguntou: O que vês? Respondi: Vejo um castiçal todo de ouro e um vaso de azeite em cima, com sete lâmpadas, e há sete canudos que se unem às lâmpadas que estão em cima dele.
3 Junto a ele há duas oliveiras, uma à direita do vaso de azeite e outra à sua esquerda.
4 Então perguntei ao anjo que falava comigo: Senhor meu, o que é isso?
5 Respondeu-me o anjo que falava comigo: Não sabes tu o que isso é? Eu disse: Não, Senhor meu.
6 Então ele me disse: Esta é a palavra do Senhor a Zorobabel: Não por força nem por violência, mas pelo meu Espírito, diz o Senhor dos Exércitos.
7 Quem és tu, ó grande monte? Diante de Zorobabel serás uma campina. Então ele trará a pedra angular em meio a aclamações: Graça, graça a ela.
8 Veio de novo a mim a palavra do Senhor:
9 As mãos de Zorobabel lançaram o fundamento desta casa, também as suas mãos a acabarão, para que saibais que o Senhor dos Exércitos me enviou a vós.
10 Quem despreza o dia das coisas pequenas? Esses se alegrarão, vendo o prumo na mão de Zorobabel. São estes os sete olhos do Senhor, que percorrem toda a terra.
11 Então perguntei ao anjo: O que são estas duas oliveiras à direita e à esquerda do castiçal?
12 Novamente lhe perguntei: O que são aqueles dois raminhos de oliveira, que estão junto aos dois tubos de ouro e vertem de si azeite dourado?
13 Respondeu-me ele: Não sabes o que é isso? Eu disse: Não, meu Senhor.
14 Então ele disse: Estes são os dois ungidos para servir diante do Senhor de toda a terra.

### A sexta visão

5 Outra vez para o alto olhei e vi um pergaminho voando.

2 Perguntou-me ele: O que vês? Eu respondi: Vejo um pergaminho voando, que tem vinte côvados de comprimento e dez de largura.
3 Então me disse: Esta é a maldição que sairá pela face de toda a terra; pois qualquer que furtar ou jurar falsamente será expulso, conforme a maldição.
4 Eu a trarei, diz o Senhor dos Exércitos, e a farei entrar na casa do ladrão e do que jurar falsamente pelo meu nome. Ela permanecerá na sua casa e destruirá a sua madeira como as suas pedras.

### A sétima visão

5 Saiu o anjo que falava comigo e me disse: Levanta os teus olhos e vê o que está surgindo.
6 Eu perguntei: O que é isto? Ele me respondeu: Isto é um efa que sai. Então acrescentou: Esta é a iniquidade do povo desta terra.
7 Eis que foi levantada a tampa de chumbo, e uma mulher estava sentada dentro da vasilha.
8 Prosseguiu o anjo: Esta é a impiedade. E a lançou dentro da vasilha e fechou com a tampa de chumbo.
9 Olhei para o alto e vi que duas mulheres saíram, agitando o ar com as suas asas, pois tinham asas como as da cegonha, e levantaram a vasilha entre a terra e o céu.
10 Então perguntei ao anjo que falava comigo: Para onde levam estas a vasilha?
11 Ele me respondeu: Para lhe edificarem uma casa na terra de Sinear, e, estando esta acabada, ela será posto ali em seu próprio lugar.

### A oitava visão

6 Outra vez olhei para o alto e vi quatro carros que saíam dentre dois montes, e estes montes eram de bronze.
2 No primeiro carro, havia cavalos vermelhos; no segundo carro, cavalos pretos;
3 no terceiro carro, cavalos brancos, e no quarto carro, cavalos marrons — todos eles fortes.
4 Perguntei ao anjo que falava comigo: O que é isso, meu Senhor?
5 Respondeu-me o anjo: Estes são os quatro ventos do céu, saindo de onde estavam perante o Senhor de toda a terra.
6 O carro em que estão os cavalos pretos sai para a terra do norte, o dos brancos sai atrás deles, o dos marrons para a terra do sul.
7 Os cavalos fortes saíram e procuravam percorrer a terra. E ele disse: Ide, percorrei a terra. E eles assim fizeram.
8 Então ele me chamou, dizendo: Vê! Aqueles que saíram para a terra do norte fizeram repousar o meu Espírito na terra do norte.

### Uma coroa para Josué

9 Veio a mim a palavra do Senhor:
10 Recebe prata e ouro dos que foram levados cativos, a saber, de Heldai, de Tobias e de Jedaías, que chegaram da Babilônia; e vem tu no mesmo dia, e entra na casa de Josias, filho de Sofonias.
11 Pega a prata e o ouro e faze coroas, e põe-nas na cabeça de Josué, filho de Jeozadaque, sumo sacerdote,
12 e dize-lhe: Assim diz o Senhor dos Exércitos: Aqui está o homem cujo nome é Renovo, e ele sairá do seu lugar e edificará o templo do Senhor.

**13** Ele mesmo edificará o templo do Senhor e levará a glória; ele se assentará, e dominará no seu trono. E ele será sacerdote no seu trono. E haverá harmonia entre os dois.
**14** As coroas serão dadas a Helém, a Tobias, a Jedaías, e a Hem, filho de Sofonias, como um memorial no templo do Senhor.
**15** Aqueles que estão longe virão e ajudarão a edificar o templo do Senhor, e vós sabereis que o Senhor dos Exércitos me enviou a vós. Isto acontecerá, se diligentemente ouvirdes a voz do Senhor, o vosso Deus.

### Justiça e misericórdia

**7** No quarto ano do rei Dario, veio a palavra do Senhor a Zacarias, no quarto dia do nono mês, que é quisleu.
**2** Quando de Betel foram enviados Sarezer, Regem-Meleque e os seus homens, para suplicarem o favor do Senhor,
**3** disseram aos sacerdotes, que estavam no templo do Senhor dos Exércitos, e aos profetas: Chorarei eu no quinto mês, com jejum, como tenho feito por tantos anos?
**4** Então veio a mim a palavra do Senhor dos Exércitos:
**5** Dize a todo o povo desta terra e aos sacerdotes: Quando jejuastes e pranteastes, no quinto e sétimo meses, durante estes setenta anos, jejuastes de fato para mim?
**6** Ou quando comestes e bebestes, não foi para vós mesmos que o fizestes?
**7** Não ouvistes vós as palavras que o Senhor pregou por intermédio dos profetas que nos precederam, quando Jerusalém estava habitada e em paz com as suas cidades ao redor dela, e o Neguebe e a campina eram habitados?
**8** Veio de novo a palavra do Senhor a Zacarias:
**9** Assim diz o Senhor dos Exércitos: Executai a justiça verdadeira; mostrai bondade e misericórdia cada um a seu irmão.
**10** Não oprimais a viúva e o órfão, nem o estrangeiro e o pobre. Não trameis o mal uns contra os outros no seu coração.
**11** Eles, porém, não quiseram dar atenção; viraram-me as costas rebeldemente e taparam os ouvidos, para que não ouvissem.
**12** Sim, fizeram o seu coração duro como diamante, para que não ouvissem a Lei nem as palavras que o Senhor dos Exércitos enviara pelo seu Espírito mediante os profetas que nos precederam. Por isso, veio a grande ira do Senhor dos Exércitos.
**13** Quando eu clamei, eles não ouviram; assim também quando eles clamaram, eu não os ouvi, diz o Senhor dos Exércitos.
**14** Espalhei-os com um turbilhão por entre todas as nações que eles não conheceram. A terra foi assolada atrás deles, de sorte que ninguém passava por ela, nem para ela se voltava; porque fizeram da terra desejada uma desolação.

### O Senhor promete abençoar Jerusalém

**8** Outra vez veio a mim a palavra do Senhor dos Exércitos:
**2** Assim diz o Senhor dos Exércitos: Zelo por Sião com grande zelo; com grande indignação zelo por ela.
**3** Assim diz o Senhor: Voltarei para Sião e habitarei no meio de Jerusalém. Então Jerusalém será

chamada a cidade da verdade, e o monte do Senhor dos Exércitos será chamado o monte santo.

4 Assim diz o Senhor dos Exércitos: Ainda nas praças de Jerusalém habitarão velhos e velhas, levando cada um na mão a sua bengala, por causa da sua muita idade.

5 As praças da cidade se encherão de meninos e meninas, que nelas brincarão.

6 Assim diz o Senhor dos Exércitos: Se isso for maravilhoso aos olhos do restante deste povo naqueles dias, será também maravilhoso aos meus olhos? diz o Senhor dos Exércitos.

7 Assim diz o Senhor dos Exércitos: Eu salvarei o meu povo, tirando-o da terra do Oriente e da terra do Ocidente.

8 Eu os trarei, e eles habitarão no meio de Jerusalém; serão o meu povo, e eu serei o seu Deus em verdade e em justiça.

9 Assim diz o Senhor dos Exércitos: Esforcem-se as mãos de todos vós, que nestes dias ouvistes estas palavras da boca dos profetas, que estiveram no dia em que foi lançado o alicerce do templo do Senhor dos Exércitos, para que o templo fosse edificado.

10 Antes destes dias não havia salário para homens nem para animais. Não havia paz para o que entrava nem para o que saía, por causa do inimigo, porque eu incitei todos os homens, cada um contra o seu próximo.

11 Agora, porém, não serei para com o restante deste povo como nos primeiros dias, diz o Senhor dos Exércitos.

12 A semente prosperará, a vide dará o seu fruto, a terra dará a sua novidade e os céus darão o seu orvalho. Farei que o resto deste povo herde tudo isso.

13 Ó casa de Judá, ó casa de Israel, assim como fostes uma maldição entre as nações, assim vos salvarei e sereis uma bênção. Não temais, sejam fortes as vossas mãos.

14 Assim diz o Senhor dos Exércitos: Assim como pensei fazer-vos mal, quando vossos pais me provocaram à ira, diz o Senhor dos Exércitos, e não me arrependi,

15 assim pensei de novo em fazer bem a Jerusalém e à casa de Judá nestes dias. Não temais.

16 São estas coisas que deveis fazer. Falai a verdade cada um com o seu próximo e executai juízo de verdade e de paz nas vossas portas;

17 nenhum de vós pense mal no seu coração contra o seu próximo, nem ame o juramento falso. Eu aborreço todas essas coisas, diz o Senhor.

18 De novo me veio a palavra do Senhor dos Exércitos:

19 Assim diz o Senhor dos Exércitos: O jejum do quarto mês, e o jejum do quinto, e o jejum do sétimo, e o jejum do décimo mês serão para a casa de Judá satisfação, e alegria, e festas alegres. Portanto, amai a verdade e a paz.

20 Assim diz o Senhor dos Exércitos: Ainda virão povos e habitantes de muitas cidades;

21 e os habitantes de uma cidade irão à outra, dizendo: Vamos depressa suplicar o favor do Senhor e buscar o Senhor dos Exércitos. Eu também irei.

22 Assim virão muitos povos e poderosas nações buscar em Jerusalém o Senhor dos Exércitos e suplicar a bênção do Senhor.

23 Assim diz o Senhor dos Exércitos: Naquele dia, pegarão dez homens,

de todas as línguas das nações, pegarão, sim, na barra das vestes de um judeu, dizendo: Iremos convosco, porque temos ouvido que Deus está convosco.

## O castigo dos inimigos de Israel

**9** A palavra do Senhor está contra a terra de Hadraque
e repousará sobre Damasco;
pois o olhar do homem e de todas as tribos de Israel
se volta para o Senhor.
2 E também Hamate, que faz fronteira com ela,
e Tiro e Sidom, ainda que sejam muito sábias.
3 Tiro edificou para si fortalezas, amontoou prata como o pó
e ouro fino como a lama das ruas.
4 O Senhor, porém, despojará e destruirá o seu poder no mar,
e ela será consumida pelo fogo.
5 Ascalom o verá e temerá, também Gaza, e terá grande dor;
igualmente Ecrom,
porque a sua esperança será iludida;
o rei de Gaza perecerá,
e Ascalom não será habitada.
6 Estrangeiros habitarão em Asdode;
exterminarei a soberba dos filisteus.
7 Da sua boca tirarei o seu sangue
e dentre os seus dentes as suas abominações.
Ele também ficará como um restante
para o nosso Deus
e será como chefe em Judá,
e Ecrom como um jebuseu.
8 Eu defenderei a minha casa contra os invasores,
para que ninguém passe nem volte;
não passará mais sobre eles o opressor,
pois agora vejo isso com os meus olhos.
9 Alegra-te muito, ó filha de Sião! Exulta, ó filha de Jerusalém!
Vê! O teu rei virá a ti,
justo e Salvador, humilde,
montado em jumento,
num jumentinho, filho de jumenta.
10 Destruirei os carros de Efraim e os cavalos de Jerusalém,
e o arco de guerra será destruído.
Ele anunciará paz às nações.
O seu domínio se estenderá de mar a mar,
e desde o Rio até as extremidades da terra.
11 Ainda quanto a ti,
por causa do sangue da tua aliança,
tirei os teus presos da cova em que não havia água.
12 Voltai à fortaleza, ó prisioneiros da esperança;
também hoje vos anuncio
que vos recompensarei em dobro.
13 Para mim curvarei Judá como um arco
e o encherei de Efraim.
Levantarei os teus filhos,
ó Sião,
contra os teus filhos, ó Grécia,
e te porei como a espada de um guerreiro.
14 O Senhor será visto sobre eles, e as suas flechas sairão como o relâmpago.

O Senhor Deus fará soar a trombeta;
marchará nos redemoinhos do sul;
15 o Senhor dos Exércitos os protegerá.
Eles destruirão e vencerão com fundas.
Beberão e farão barulho como excitados pelo vinho;
estarão cheios como bacias usadas
para espargir os cantos do altar.
16 O Senhor, o seu Deus, naquele dia os salvará,
como ao rebanho do seu povo.
Como as pedras de uma coroa, eles serão exaltados na sua terra.
17 Quão grande é a sua bondade!
E quão grande é a sua formosura!
O cereal fará florescer os jovens,
e o vinho novo, as donzelas.

### O Senhor cuidará de Judá

**10** Pedi ao Senhor chuva no tempo da chuva serôdia;
é o Senhor que faz as nuvens de chuva.
Ele dá chuvas copiosas aos homens,
e a cada um, erva no campo.
2 Os ídolos falam vaidade,
os adivinhos veem mentira e contam sonhos falsos;
em vão consolam.
Por isso, vagueiam como ovelhas,
estão aflitos, pois não há pastor.
3 Contra os pastores se acende a minha ira,
e castigarei os líderes.

Mas o Senhor dos Exércitos visitará o seu rebanho,
a casa de Judá,
e os fará como o seu majestoso cavalo na peleja.
4 De Judá sairá a pedra de esquina,
dele a estaca da tenda,
dele o arco de guerra,
dele sairão todos os chefes.
5 Serão como valentes que na batalha pisam os seus inimigos
na lama das ruas.
Porque o Senhor está com eles,
confundirão os que andam montados em cavalos.
6 Fortalecerei a casa de Judá e salvarei a casa de José.
Tornarei a plantá-los,
porque me apiedei deles.
Serão como se os não tivera rejeitado,
pois eu sou o Senhor, o seu Deus, e os ouvirei.
7 Os de Efraim serão como um valente,
e o seu coração se alegrará como pelo vinho.
Os seus filhos o verão e se alegrarão;
o seu coração se regozijará no Senhor.
8 Eu lhes assobiarei e os ajuntarei.
Certamente os remirei;
serão numerosos como antes.
9 Embora eu os espalhe entre os povos,
eles se lembrarão de mim em lugares remotos.
Viverão com seus filhos e voltarão.
10 Eu os farei voltar da terra do Egito e os congregarei da Assíria.

Eu os trarei à terra de Gileade e ao Líbano, e não se achará lugar suficiente para eles.
11 Passarão pelo mar de angústia; as ondas do mar serão feridas, e todas as profundezas do Nilo se secarão. Então será derrubada a soberba da Assíria, e o cetro do Egito se retirará.
12 Eu os fortalecerei no Senhor, e eles andarão no seu nome, diz o Senhor.

# 11

Abre, ó Líbano, as tuas portas para que o fogo consuma os teus cedros.
2 Geme, ó cipreste, porque o cedro caiu, porque as mais excelentes árvores são destruídas! Gemei, ó carvalhos de Basã, porque o bosque forte foi derrubado!
3 Ouvi o uivo dos pastores; a sua glória é destruída! Ouvi o bramido dos leões; foi destruída a soberba do Jordão!
4 Assim diz o Senhor, o meu Deus: Apascenta as ovelhas destinadas à matança,
5 cujos compradores as matam e não se têm por culpados. Aqueles que as vendem, dizem: Louvado seja o Senhor, porque me enriqueci! Os seus próprios pastores não têm piedade delas.
6 Certamente não terei mais piedade dos moradores desta terra, diz o Senhor, mas entregarei cada um na mão do seu próximo e na mão do seu rei. Eles ferirão a terra e eu não os livrarei das mãos deles.
7 Eu apascentei as ovelhas destinadas à matança, as pobres ovelhas do rebanho. Então tomei para mim duas varas: a uma chamei Graça e à outra chamei União, e apascentei as ovelhas.
8 Destruí os três pastores num mês, porque se angustiou deles a minha alma, e também a sua alma teve fastio de mim.
9 Então eu disse: Não vos apascentarei mais. O que está morrendo, morra; e o que está perecendo, pereça. Os que restarem comam cada um a carne do seu próximo.
10 Tomei a minha vara Graça e a quebrei, para anular a minha aliança, que tinha estabelecido com todos estes povos.
11 Foi anulada naquele dia, e assim os pobres do rebanho que me observavam conheceram que isso era palavra do Senhor.
12 Eu lhes disse: Se parece bem aos vossos olhos, dai-me o que me é devido; se não, deixai-o. Pesaram, pois, o meu salário, trinta moedas de prata.
13 E o Senhor me disse: Lança isso ao oleiro, esse belo preço em que fui avaliado por eles. Tomei as trinta moedas de prata e as lancei ao oleiro no templo do Senhor.
14 Então quebrei a minha segunda vara União, para romper a irmandade entre Judá e Israel.
15 Então o Senhor me disse: Toma ainda para ti o equipamento de um pastor insensato.
16 Porque levantarei na terra um pastor que não visitará as que estão perecendo, não buscará a desgarrada, não sarará a doente, nem

apascentará a sã, mas comerá a carne da gorda e lhe despedaçará as unhas.
17 Ai do pastor inútil,
   que abandona o rebanho!
Caia a espada sobre o seu braço
   e sobre o seu olho direito!
Que o braço completamente
   se lhe seque,
e o olho direito de todo se
   escureça.

## A destruição dos inimigos de Jerusalém

**12** É esta a palavra do Senhor acerca de Israel; palavra do Senhor que estende o céu, funda a terra e forma o espírito do homem dentro dele:
2 Porei Jerusalém como um copo de atordoamento para todos os povos em redor, e também para Judá, durante o cerco contra Jerusalém.
3 Naquele dia, farei de Jerusalém uma pedra pesada para todos os povos. Todos os que a erguerem certamente serão feridos. E se ajuntarão contra ela todas as nações da terra.
4 Naquele dia, diz o Senhor, ferirei de pânico todos os cavalos e de loucura ferirei os cavaleiros. Sobre a casa de Judá abrirei os meus olhos e ferirei de cegueira todos os cavalos dos povos.
5 Então os chefes de Judá dirão no seu coração: A minha força são os habitantes de Jerusalém; o Senhor dos Exércitos é o seu Deus.
6 Naquele dia, porei os chefes de Judá como uma brasa ardente debaixo da lenha e como uma tocha incandescente entre gavetos. À direita e à esquerda consumirão todos os povos em redor, mas Jerusalém será habitada outra vez; ela permanecerá no mesmo lugar e ficará intacta.
7 O Senhor salvará primeiro as tendas de Judá, para que a glória da casa de Davi e a glória dos habitantes de Jerusalém não sejam exaltadas acima de Judá.
8 Naquele dia, o Senhor amparará os habitantes de Jerusalém, de sorte que o que dentre eles tropeçar naquele dia será como Davi, e a família de Davi será como Deus, como o anjo do Senhor diante deles.
9 Naquele dia, procurarei destruir todas as nações que vierem contra Jerusalém.

## Luto por aquele que trespassaram

10 Sobre a família de Davi e sobre os habitantes de Jerusalém derramarei o Espírito de graça e de súplicas. Olharão para mim, a quem trespassaram, e prantearão como quem pranteia por seu filho único, e chorarão amargamente por ele, como se chora pelo primogênito.
11 Naquele dia, será grande o pranto em Jerusalém, como o pranto de Hadade-Rimom no vale de Megido.
12 A terra pranteará, cada família à parte; a família de Davi à parte, e suas mulheres à parte; a família de Natã à parte, e suas mulheres à parte;
13 a família da casa de Levi à parte, e suas mulheres à parte; a família de Simei à parte, e suas mulheres à parte.
14 As demais famílias, cada família à parte, e suas mulheres à parte.

## A purificação do pecado

**13** Naquele dia, haverá uma fonte aberta para os descendentes de Davi e para os habitantes de Jerusalém, contra o pecado e a impureza.

**2** Naquele dia, diz o Senhor dos Exércitos, tirarei da terra os nomes dos ídolos, e deles não haverá mais memória. Também farei sair da terra os profetas e o espírito da impureza.
**3** E se alguém ainda profetizar, seu pai e sua mãe, que o geraram, lhe dirão: Não viverás, porque mentirosamente falaste em nome do Senhor. E seu pai e sua mãe, que o geraram, o trespassarão quando profetizar.
**4** Naquele dia, os profetas se sentirão envergonhados, cada um da sua visão, quando profetizarem. Não mais se vestirão de manto de pelos, para mentirem.
**5** Dirão, porém: Não sou profeta; sou lavrador da terra; tenho sido escravo desde a minha juventude.
**6** Se alguém lhe perguntar: Que feridas são essas nas tuas mãos? responderá ele: São as feridas com que fui ferido na casa dos meus amigos.

### O Pastor ferido

**7** Ó espada, ergue-te contra o meu Pastor
e contra o homem que é o meu companheiro,
diz o Senhor dos Exércitos.
Fere o pastor, e as ovelhas se dispersarão,
mas voltarei a minha mão para os pequenos.
**8** Em toda a terra, diz o Senhor, as duas partes dela serão
extirpadas e expirarão,
mas a terceira parte restará nela.
**9** Farei passar esta terceira parte pelo fogo,
e a purificarei, como se purifica a prata,
e a provarei, como se prova o ouro.
Ela invocará o meu nome, e eu a ouvirei;
direi: É meu povo, e ela dirá: O Senhor é meu Deus.

### A vinda e o Reino do Senhor

**14** Vem o dia do Senhor, no qual os teus bens serão repartidos no meio de ti.
**2** Eu ajuntarei todas as nações para a peleja contra Jerusalém; a cidade será tomada, as casas serão saqueadas e as mulheres, forçadas. Metade da cidade irá para o exílio, mas o restante do povo não será expulso da cidade.
**3** Então o Senhor sairá e pelejará contra estas nações, como pelejou no dia da batalha.
**4** Naquele dia, estarão os seus pés sobre o monte das Oliveiras, que está a leste de Jerusalém para o oriente; o monte das Oliveiras será dividido ao meio, para o oriente e para o ocidente, formando um vale muito grande; metade do monte se apartará para o norte, e a outra metade para o sul.
**5** Fugireis pelo vale dos meus montes, porque o vale dos montes chegará até Azel; fugireis assim como fugistes do terremoto nos dias de Uzias, rei de Judá. Então virá o Senhor, o meu Deus, e todos os santos com ele.
**6** Naquele dia, não haverá luz nem frio, nem geada.
**7** Será um dia singular conhecido do Senhor; não será nem dia nem noite. Quando a tarde chegar, haverá luz.
**8** Naquele dia, também correrão de Jerusalém águas vivas, metade delas para o mar oriental, e a outra metade até o mar ocidental; no verão e no inverno sucederá isso.

9 O Senhor será rei sobre toda a terra. Naquele dia, um será o Senhor, e um será o seu nome.
10 Toda a terra em redor se tornará em planície, desde Geba até Rimom, ao sul de Jerusalém; ela será exaltada e habitada no seu lugar, desde a porta de Benjamim até o lugar da primeira porta, até a porta da Esquina, e desde a torre de Hananeel até os lagares do rei.
11 Habitarão nela, e já não haverá maldição; Jerusalém habitará segura.
12 Esta é a praga com que o Senhor ferirá todos os povos que guerrearam contra Jerusalém: a sua carne será consumida, estando eles de pé, e lhes apodrecerão a língua na sua boca.
13 Naquele dia, também haverá da parte do Senhor uma grande confusão entre eles. Cada um agarrará a mão do seu próximo, cada um levantará a sua mão contra o seu próximo.
14 Também Judá pelejará em Jerusalém, e se ajuntarão as riquezas de todas as nações circunvizinhas, ouro e prata, e vestes em grande abundância.
15 Como esta praga, assim será a praga dos cavalos, dos mulos, dos camelos, dos jumentos e de todos os animais daquelas nações.
16 Então todos os que restarem de todas as nações que vieram contra Jerusalém subirão anualmente para adorar o Rei, o Senhor dos Exércitos, e celebrar a festa dos tabernáculos.
17 Se alguma das famílias da terra não subir a Jerusalém, para adorar o Rei, o Senhor dos Exércitos, não virá sobre ela a chuva.
18 Se a família dos egípcios não subir para participar, cairá sobre eles a praga com que o Senhor ferirá as nações que não subirem para celebrar a festa dos tabernáculos.
19 Este será o castigo dos egípcios e o castigo de todas as nações que não subirem para celebrar a festa dos tabernáculos.
20 Naquele dia, será gravado nas campainhas dos cavalos: Santo ao Senhor; as panelas do templo do Senhor serão como as bacias diante do altar.
21 Todas as panelas em Jerusalém e Judá serão consagradas ao Senhor dos Exércitos, e todos os que sacrificarem virão, lançarão mão delas e nelas cozinharão a carne do sacrifício. Naquele dia, não haverá mais mercador no templo do Senhor dos Exércitos.

# MALAQUIAS

## Jacó é amado, Esaú é detestado

**1** Um oráculo: A palavra do Senhor a Israel, por intermédio de Malaquias.
**2** Eu vos amei, diz o Senhor, mas vós dizeis: Em que nos amaste? Não foi Esaú irmão de Jacó? diz o Senhor. Todavia amei a Jacó
**3** e aborreci a Esaú. Fiz dos seus montes uma desolação e dei a sua herança aos chacais do deserto.
**4** Ainda que Edom diga: Empobrecidos somos, porém tornaremos a edificar os lugares desertos, assim diz o Senhor dos Exércitos: Eles edificarão, e eu destruirei. Edom será chamada Terra da Impiedade e povo contra quem o Senhor está irado para sempre.
**5** Os vossos olhos o verão, e direis: O Senhor é engrandecido ainda além dos termos de Israel.
**6** O filho honrará o pai, e o servo, ao seu senhor. Se eu sou pai, onde está a minha honra? E se eu sou senhor, onde está o respeito para comigo? diz o Senhor dos Exércitos a vós, ó sacerdotes, que desprezais o meu nome. Mas vós perguntais: Em que desprezamos nós o teu nome?
**7** Ofereceis sobre o meu altar pão imundo e dizeis: Em que te havemos profanado? Nisto que dizeis: A mesa do Senhor é desprezível.
**8** Quando trazeis animal cego para o sacrificardes, isso não é mau? E quando ofereceis o coxo ou o doente, isso não é mau? Ora, apresenta-o ao teu governador! Terá ele agrado em ti e te será favorável? diz o Senhor dos Exércitos.
**9** Agora, suplicai o favor de Deus, para que se compadeça de nós. Com tal oferta da vossa mão, aceitará ele a vossa pessoa? diz o Senhor dos Exércitos.
**10** Oxalá houvesse entre vós alguém que fechasse as portas para que não acendesse debalde o fogo do meu altar. Eu não tenho prazer em vós, diz o Senhor dos Exércitos, nem aceitarei da vossa mão a oferta.
**11** Desde o nascente do sol até o poente o meu nome será grande entre as nações. Em todo o lugar se oferecerão ao meu nome incenso e uma oblação pura, porque o meu nome será grande entre as nações, diz o Senhor dos Exércitos.
**12** Vós, porém, o profanais, quando dizeis: A mesa do Senhor é impura, e o seu produto, isto é, a sua comida, é desprezível.
**13** E dizeis também: Que canseira! E o lançastes ao desprezo, diz o Senhor dos Exércitos. Vós ofereceis o roubado, o coxo e o doente; assim trazeis a oferta. Aceitaria eu isso da vossa mão? diz o Senhor.
**14** Maldito seja o enganador que, tendo animal no seu rebanho, promete e oferece ao Senhor uma coisa vil. Pois eu sou grande rei, diz o Senhor dos Exércitos, o meu nome é temível entre as nações.

## Advertência aos sacerdotes

**2** Agora, ó sacerdotes, este mandamento é para vós.
**2** Se não o ouvirdes, e não propuserdes no vosso coração dar honra ao meu nome, diz o Senhor

dos Exércitos, enviarei a maldição contra vós e amaldiçoarei as vossas bênçãos. Sim, já as tenho amaldiçoado, porque vós não propondes isso no coração.
3 Eu vos reprovarei a descendência e espalharei esterco sobre os vossos rostos, o esterco dos vossos sacrifícios, e juntamente com este sereis levados para fora.
4 Então, sabereis que eu vos enviei este mandamento, para que a minha aliança seja com Levi, diz o Senhor dos Exércitos.
5 Minha aliança com ele foi de vida e de paz, e eu lhe dei ambas para que me temesse; ele me temeu e assombrou-se por causa do meu nome.
6 A lei da verdade esteve na sua boca, e a iniquidade não se achou nos seus lábios. Andou comigo em paz e em retidão e apartou a muitos da iniquidade.
7 Pois os lábios do sacerdote devem guardar o conhecimento, e da sua boca devem os homens procurar a instrução, porque ele é o mensageiro do Senhor dos Exércitos.
8 Vós, porém, vos desviastes do caminho, a muitos fizestes tropeçar na lei; corrompestes a aliança de Levi, diz o Senhor dos Exércitos.
9 Por isso também eu vos fiz desprezíveis e indignos diante de todo o povo, visto que não guardastes os meus caminhos, mas fizestes acepção de pessoas na lei.

### A infidelidade de Judá

10 Não temos nós todos o mesmo Pai? Não nos criou o mesmo Deus? Por que seremos desleais uns para com os outros, profanando a aliança de nossos pais?
11 Judá tem sido desleal. Abominação se cometeu em Israel e em Jerusalém: Judá profanou a santidade do Senhor, a qual ele ama, e se casou com a filha de deus estranho.
12 O Senhor extirpará das tendas de Jacó o homem que fizer isto, o que vela, e o que responde, e o que oferece dons ao Senhor dos Exércitos.
13 Ainda fazeis isto: cobris o altar do Senhor de lágrimas, de choros e de gemidos, de sorte que ele já não olha para a oferta, nem a aceita com prazer da vossa mão.
14 Perguntais: Por quê? Porque o Senhor foi testemunha entre ti e a mulher da tua mocidade, com a qual tu foste desleal sendo ela a tua companheira e a mulher da tua aliança.
15 Não fez ele somente um? Em carne e espírito são dele. E por que somente um? Ele buscava uma descendência piedosa. Portanto cuidai de vós mesmos, e ninguém seja desleal para com a mulher da sua mocidade.
16 Eu detesto o divórcio, diz o Senhor Deus de Israel, e aquele que cobre de violência as suas vestes, diz o Senhor dos Exércitos. Portando cuidai de vós mesmos e não sejais desleais.

### O dia do juízo

17 Enfadais ao Senhor com as vossas palavras e ainda perguntais: Em que o enfadamos? Nisto que dizeis: Qualquer que faz o mal passa por bom aos olhos do Senhor, e é desses que ele se agrada; ou: Onde está o Deus de justiça?

3 Vede, eu envio o meu mensageiro que preparará o caminho diante de mim. De repente virá ao seu templo o Senhor, a quem buscais, o mensageiro

da aliança, a quem desejais; ele vem, diz o Senhor dos Exércitos.
2 Quem, no entanto, suportará o dia da sua vinda? E quem subsistirá, quando ele aparecer? Porque ele é como o fogo do ourives e como o sabão dos lavandeiros.
3 Ele se assentará como fundidor e purificador de prata; purificará os filhos de Levi e os refinará como ouro e como prata. Então eles trarão ao Senhor ofertas em retidão.
4 Então as ofertas de Judá e de Jerusalém serão aceitáveis ao Senhor, como nos dias antigos e como nos primeiros anos.
5 Eu me chegarei a vós para juízo e serei uma testemunha veloz contra os feiticeiros e contra os adúlteros; contra os que juram falsamente e contra os que defraudam o trabalhador e pervertem o direito da viúva, do órfão e do estrangeiro, e não me temem, diz o Senhor dos Exércitos.

### O roubo a Deus

6 Eu, o Senhor, não mudo. Por isso, vós, ó filhos de Jacó, não sois consumidos.
7 Desde os dias de vossos pais vos desviastes dos meus estatutos e não os guardastes. Tornai-vos para mim, e eu tornarei para vós, diz o Senhor dos Exércitos. Mas vós dizeis: Em que havemos de tornar?
8 Roubará o homem a Deus? Todavia vós me roubais e dizeis: Em que te roubamos? Nos dízimos e nas ofertas alçadas.
9 Com maldição sois amaldiçoados, porque me roubais, vós, a nação toda.
10 Trazei todos os dízimos à casa do tesouro, para que haja mantimento na minha casa, e depois fazei prova de mim, diz o Senhor dos Exércitos, se eu não vos abrir as janelas do céu e não derramar sobre vós uma bênção tal, que dela vos advenha a maior abastança.
11 Por vossa causa, repreenderei o devorador, para que não vos consuma o fruto da terra; a vossa vide no campo não será estéril, diz o Senhor dos Exércitos.
12 Então, todas as nações vos chamarão bem-aventurados, porque vós sereis uma terra deleitosa, diz o Senhor dos Exércitos.
13 As vossas palavras foram agressivas para mim, diz o Senhor. Mas vós dizeis: Que temos falado contra ti?
14 Vós dizeis: Inútil é servir a Deus. O que nos aproveitou termos cuidado em guardar os seus preceitos, e em andar de luto diante do Senhor dos Exércitos?
15 Agora, porém, nós consideramos bem-aventurados os soberbos. Os que cometem impiedade certamente prosperam, e até os que tentam ao Senhor escapam.
16 Então aqueles que temiam ao Senhor falaram uns aos outros, e o Senhor atentou e ouviu. Um memorial foi escrito diante dele, para os que temiam ao Senhor e para os que se lembravam do seu nome.
17 Eles serão meus, diz o Senhor dos Exércitos, minha possessão particular naquele dia que prepararei. Eu os pouparei, como um homem poupa a seu filho, que o serve.
18 Então vereis outra vez a diferença entre o justo e o ímpio, entre o que serve a Deus e o que não o serve.

### O dia do Senhor

**4** Certamente aquele dia vem; arderá como fornalha. Todos os

# Malaquias 4

soberbos e todos os que cometem impiedade serão como palha, e o dia que está para vir os abrasará, diz o Senhor dos Exércitos, de sorte que não lhes deixará nem raiz nem ramo.

**2** Para vós, porém, que temeis o meu nome, nascerá o sol da justiça, trazendo salvação debaixo das suas asas. E saireis, e saltareis como bezerros libertos da estrebaria.

**3** Pisareis os ímpios, porque se farão cinza debaixo das plantas de vossos pés naquele dia que prepararei, diz o Senhor dos Exércitos.

**4** Lembrai-vos da lei de Moisés, meu servo, a qual lhe mandei em Horebe para todo o Israel, os estatutos e os juízos.

**5** Vede, eu vos enviarei o profeta Elias, antes que venha o grande e terrível dia do Senhor.

**6** Ele converterá o coração dos pais aos filhos e o coração dos filhos aos pais, para que eu não venha e fira a terra com maldição.

# NOVO TESTAMENTO

NOVO
TESTAMENTO

# MATEUS

## A genealogia de Jesus Cristo
*Lc 3:23-38*

**1** Livro da genealogia de Jesus Cristo, filho de Davi, filho de Abraão.

**2** Abraão gerou Isaque, Isaque gerou Jacó, Jacó gerou Judá e seus irmãos,

**3** Judá gerou Perez e Zerá, de Tamar; Perez gerou Esrom, Esrom gerou Arão,

**4** Arão gerou Aminadabe, Aminadabe gerou Naassom, Naassom gerou Salmom,

**5** Salmom gerou Boaz, de Raabe; Boaz gerou, de Rute, Obede; Obede gerou Jessé,

**6** Jessé gerou, de Rute, o rei Davi, o rei Davi gerou Salomão da que foi mulher de Urias,

**7** Salomão gerou Roboão, Roboão gerou Abias, Abias gerou Asa,

**8** Asa gerou Josafá, Josafá gerou Jorão, Jorão gerou Uzias,

**9** Uzias gerou Jotão, Jotão gerou Acaz, Acaz gerou Ezequias,

**10** Ezequias gerou Manassés, Manassés gerou Amom, Amom gerou Josias,

**11** Josias gerou Jeconias e seus irmãos no tempo do exílio na Babilônia.

**12** Depois do exílio na Babilônia, Jeconias gerou Salatiel, Salatiel gerou Zorobabel,

**13** Zorobabel gerou Abiúde, Abiúde gerou Eliaquim, Eliaquim gerou Azor,

**14** Azor gerou Sadoque, Sadoque gerou Aquim, Aquim gerou Eliúde,

**15** Eliúde gerou Eleazar, Eleazar gerou Matã, Matã gerou Jacó,

**16** Jacó gerou José, marido de Maria, da qual nasceu Jesus, que se chama o Cristo.

**17** Assim a soma das gerações de Abraão até Davi foi catorze; de Davi até o exílio na Babilônia, catorze; do exílio na Babilônia até Cristo, catorze.

## O nascimento de Jesus Cristo
*Lc 2:1-7*

**18** Ora, o nascimento de Jesus Cristo foi assim: Estando Maria, sua mãe, prometida em casamento a José, antes de se unirem, achou-se grávida pelo Espírito Santo.

**19** José, seu marido, sendo justo e não querendo difamá-la, resolveu deixá-la secretamente.

**20** Projetando ele isso, em sonho lhe apareceu um anjo do Senhor, dizendo: José, filho de Davi, não temas receber Maria como tua mulher, porque o que nela foi gerado é do Espírito Santo.

**21** Ela dará à luz um filho e tu lhe porás o nome de Jesus, porque ele salvará o seu povo dos pecados deles.

**22** Tudo isso aconteceu para que se cumprisse o que foi dito da parte do Senhor, pelo profeta:

**23** A virgem engravidará e dará à luz um filho, e o chamarão pelo nome de Emanuel, que quer dizer: Deus conosco.

**24** José, despertando do sonho, fez como o anjo do Senhor lhe ordenara e recebeu a sua mulher.

**25** Ele, porém não teve relações com ela até que ela deu à luz um filho. E José lhe pôs o nome de Jesus.

# Mateus 2

### A visita dos magos

**2** Tendo Jesus nascido em Belém da Judeia, no tempo do rei Herodes, vieram uns magos do Oriente a Jerusalém
2 e perguntavam: Onde está o recém-nascido rei dos judeus? Vimos a sua estrela no Oriente e viemos adorá-lo.
3 Quando o rei Herodes ouviu isso, ficou perturbado, e com ele toda a Jerusalém.
4 E, convocando todos os principais sacerdotes e os mestres da lei, perguntou-lhes onde deveria nascer o Cristo.
5 Eles lhe responderam: Em Belém da Judeia, pois foi isso que o profeta escreveu:
6 E tu, Belém, terra de Judá,
  de modo nenhum és o menor
    entre os governantes
      de Judá;
  pois de ti sairá um guia
    que apascentará
      o meu povo, Israel.
7 Então Herodes chamou secretamente os magos e informou-se acerca do tempo em que a estrela aparecera.
8 E, enviando-os a Belém, disse-lhes: Ide e perguntai diligentemente pelo menino. Quando o encontrardes, avisai-me, para que eu também vá e o adore.
9 Tendo eles ouvido o rei, partiram. E a estrela, que tinham visto no Oriente, ia adiante deles até que, chegando, parou sobre o lugar onde estava o menino.
10 Vendo eles a estrela, ficaram muito alegres.
11 Entrando na casa, viram o menino com Maria, sua mãe, e, prostrando-se, o adoraram. Então, abrindo os seus tesouros, lhe deram seus presentes: ouro, incenso e mirra.
12 E, tendo sido por divina revelação avisados em sonhos para que não voltassem a Herodes, regressaram por outro caminho à sua terra.

### A fuga para o Egito

13 Depois que os magos partiram, o anjo do Senhor apareceu a José em sonho e disse: Levanta-te, toma o menino e sua mãe e foge para o Egito. Fica lá até que eu te avise, pois Herodes procurará o menino para o matar.
14 José levantou-se de noite, tomou o menino e sua mãe e partiu para o Egito.
15 Ali permaneceu até a morte de Herodes, para que se cumprisse o que o Senhor havia dito pelo profeta: Do Egito chamei o meu Filho.
16 Então Herodes, percebendo que havia sido enganado pelos magos, ficou furioso e mandou matar todos os meninos de dois anos para baixo, habitantes de Belém e de seus arredores, segundo o tempo indicado pelos magos.

### A matança dos inocentes

17 Então se cumpriu o que foi dito pelo profeta Jeremias:
18 Ouviu-se uma voz em Ramá,
  choro e grande lamentação.
  Raquel chorando por seus
    filhos,
  recusando-se a ser
    consolada,
  porque já não existem.

### A volta do Egito
Lc 2:39,40

19 Depois que Herodes morreu, o anjo do Senhor apareceu em sonho a José, no Egito, e disse-lhe:
20 Levanta-te, toma o menino e sua mãe e vai para a terra de Israel,

pois já morreram os que procuravam tirar a vida do menino.
**21** Então ele se levantou, tomou o menino e sua mãe e foi para a terra de Israel.
**22** Quando, porém, ouviu que Arquelau reinava na Judeia em lugar de seu pai, Herodes, temeu ir para lá. Avisado em sonhos, retirou-se para as regiões da Galileia
**23** e foi morar numa cidade chamada Nazaré, para que se cumprisse o que fora dito pelos profetas: Ele será chamado Nazareno.

### João Batista
Mc 1:1-8; Lc 3:1-9; Jo 1:6-8,19-36

**3** Naqueles dias, apareceu João Batista pregando no deserto da Judeia
**2** e dizendo: Arrependei-vos, pois está próximo o Reino dos céus.
**3** Este é aquele de quem o profeta Isaías falou, ao dizer:
Voz do que clama no deserto,
preparai o caminho do Senhor,
endireitai as suas veredas.
**4** As roupas de João eram feitas de pelos de camelo, e ele trazia um cinto de couro na cintura. Seu alimento eram gafanhotos e mel silvestre.
**5** Então iam ter com ele os habitantes de Jerusalém, de toda a Judeia e de toda a região circunvizinha ao Jordão.
**6** Confessavam os seus pecados e eram batizados por ele no rio Jordão.
**7** Vendo ele, porém, que muitos fariseus e saduceus vinham ao batismo, disse-lhes: Raça de víboras! Quem vos ensinou a fugir da ira futura?
**8** Produzi fruto que mostre arrependimento.
**9** E não penseis que basta dizer: Temos por pai a Abraão. Eu vos digo que destas pedras Deus pode fazer surgir filhos a Abraão.
**10** O machado já está posto à raiz das árvores, e toda árvore que não produz bom fruto será cortada e lançada ao fogo.

### O testemunho de João
Mc 1:7,8; Lc 3:15-17; Jo 1:19-28

**11** Eu vos batizo com água, para arrependimento. Mas depois de mim vem aquele que é mais poderoso do que eu, cujas sandálias não sou digno de levar. Ele vos batizará com o Espírito Santo e com fogo.
**12** Na mão ele tem a pá e limpará a sua eira, recolherá o trigo no seu celeiro e queimará a palha com fogo que nunca se apagará.

### O batismo de Jesus
Mc 1:9,11; Lc 3:21,22; Jo 1:32-34

**13** Então veio Jesus da Galileia ao Jordão para ser batizado por João.
**14** João, porém, tentava impedi-lo, dizendo: Eu preciso ser batizado por ti, e vens tu a mim?
**15** Jesus, porém, lhe respondeu: Deixa por agora, pois assim nos convém cumprir toda a justiça. Então concordou João.
**16** Assim que Jesus foi batizado, saiu logo da água. Nesse instante, o céu se abriu, e João viu o Espírito de Deus descendo como pomba e pousando sobre Jesus.
**17** E uma voz dos céus disse: Este é meu Filho amado, em quem me agrado.

### A tentação de Jesus
Mc 1:12,13; Lc 4:1-13

**4** Então Jesus foi levado pelo Espírito ao deserto, para ser tentado pelo Diabo.

**2** Depois de jejuar quarenta dias e quarenta noites, sentiu fome. **3** O Tentador chegou-se a ele e disse: Se tu és o Filho de Deus, manda que estas pedras se transformem em pães. **4** Respondeu Jesus: Está escrito: Não só de pão viverá o homem, mas de toda a palavra que sai da boca de Deus. **5** Então o Diabo o levou à cidade santa e o colocou sobre a parte mais alta do templo. **6** E lhe disse: Se tu és o Filho de Deus, lança-te daqui para baixo. Pois está escrito:

> Aos seus anjos dará ordens a teu respeito,
> e eles te segurarão nas mãos, para que não tropeces em pedra alguma.

**7** Respondeu-lhe Jesus: Também está escrito: Não tentarás o Senhor, o teu Deus. **8** Levou-o novamente o Diabo a um monte muito alto e mostrou-lhe todos os reinos do mundo e o seu esplendor. **9** E lhe disse: Tudo isto te darei se, prostrado, me adorares. **10** Então Jesus lhe disse: Retira-te, Satanás! Pois está escrito: Ao Senhor, o teu Deus, adorarás e só a ele servirás. **11** Então o Diabo o deixou, e vieram os anjos e o serviram.

### Jesus na Galileia
Mc 1:14,15; Lc 4:14,15

**12** Quando Jesus soube que João estava preso, voltou para a Galileia. **13** Deixando Nazaré, foi morar em Cafarnaum, cidade que ficava à beira do mar, na região de Zebulom e Naftali; **14** para que se cumprisse o que foi dito pelo profeta Isaías:

**15** Terra de Zebulom,
> terra de Naftali,
> caminho do mar,
> além do Jordão,
> Galileia dos gentios —

**16** o povo que estava em trevas
> viu grande luz,
> e aos que estavam na região da sombra da morte,
> raiou-lhes a luz.

**17** Desde então começou Jesus a pregar: Arrependei-vos, pois está próximo o Reino dos céus.

### A vocação dos primeiros discípulos

**18** Andando Jesus junto ao mar da Galileia, viu dois irmãos, Simão, chamado Pedro, e André; eles estavam lançando as redes ao mar, pois eram pescadores. **19** Disse-lhes Jesus: Vinde após mim, e eu vos farei pescadores de homens. **20** Imediatamente eles deixaram as redes e o seguiram. **21** Indo um pouco mais longe, viu outros dois irmãos, Tiago, filho de Zebedeu, e João, seu irmão. Estavam num barco em companhia de Zebedeu, consertando as redes, quando Jesus os chamou, **22** e eles, deixando imediatamente o barco e seu pai, o seguiram.

### Jesus cura os enfermos
Lc 6:17-19

**23** Percorria Jesus toda a Galileia, ensinando nas suas sinagogas, pregando o evangelho do Reino e curando todos os tipos de doenças e enfermidades entre o povo. **24** Sua fama espalhou-se por toda a Síria, e traziam-lhe todos os enfermos, acometidos de várias doenças e tormentos: endemoninhados, epiléticos, paralíticos, e ele os curava.

25 Seguiam-no grandes multidões da Galileia, de Decápolis, de Jerusalém, da Judeia e do outro lado do Jordão.

## As bem-aventuranças

Lc 6:20-23

**5** Vendo Jesus as multidões, subiu ao monte e assentou-se. Aproximaram-se dele os seus discípulos,

2 e ele começou a ensiná-los, dizendo:

3 **B**em-aventurados os pobres de espírito,
    pois deles é o Reino dos céus.

4 **B**em-aventurados os que choram,
    pois serão consolados.

5 **B**em-aventurados os humildes,
    pois herdarão a terra.

6 **B**em-aventurados os que têm fome
    e sede de justiça,
    pois serão fartos.

7 **B**em-aventurados os misericordiosos,
    pois alcançarão misericórdia.

8 **B**em-aventurados os puros de coração,
    pois verão a Deus.

9 **B**em-aventurados os pacificadores,
    pois serão chamados filhos de Deus.

10 **B**em-aventurados os que *sofrem perseguição por causa da justiça,*
    pois deles é o Reino dos céus.

11 **B**em-aventurados sois vós, quando vos injuriarem e perseguirem e, mentindo, disserem todo o mal contra vós por minha causa.

12 Regozijai-vos e alegrai-vos, porque grande é a vossa recompensa nos céus, pois assim perseguiram aos profetas que viveram antes de vós.

## Os discípulos são o sal da terra e a luz do mundo

13 **V**ós sois o sal da terra. Mas, se o sal perder o sabor, com que se há de salgar? Para nada mais serve senão para ser lançado fora e pisado pelos homens.

14 **V**ós sois a luz do mundo. Não se pode esconder uma cidade construída sobre um monte.

15 Nem se acende uma lâmpada e se coloca debaixo de uma vasilha, mas no candelabro; assim ilumina a todos os que estão na casa.

16 Assim brilhe a vossa luz diante dos homens, para que vejam as vossas boas obras e glorifiquem a vosso Pai que está nos céus.

## O cumprimento da lei

17 **N**ão penseis que vim destruir a Lei ou os Profetas; não vim para destruí-los, mas para cumpri-los.

18 Em verdade vos digo que, até que o céu e a terra passem, nem uma letra ou um só traço se omitirá da Lei, sem que tudo seja cumprido.

19 Qualquer que desobedecer a um destes mandamentos, por menor que seja, e assim ensinar aos homens, será chamado o menor no Reino dos céus; aquele, porém, que os cumprir e ensinar será chamado grande no Reino dos céus.

20 Pois vos digo que, se a vossa justiça não for superior à dos mestres da lei e fariseus, de modo nenhum entrareis no Reino dos céus.

## O homicídio

21 **O**uvistes que foi dito aos antigos: Não matarás, e quem matar estará sujeito a julgamento.

**22** Eu, porém, vos digo que qualquer que, sem motivo, se irar contra seu irmão estará sujeito a julgamento, e qualquer que disser a seu irmão: Tolo, será levado ao tribunal. Mas quem disser: Louco! estará sujeito ao fogo do inferno.
**23** Portanto, se trouxeres a tua oferta ao altar e aí te lembrares de que teu irmão tem alguma coisa contra ti,
**24** deixa diante do altar a tua oferta, vai primeiro reconciliar-te com teu irmão; depois vem e apresenta a tua oferta.
**25** Entra em acordo depressa com o teu adversário, enquanto estás com ele a caminho do tribunal, para que o adversário não te entregue ao juiz, e o juiz ao guarda, e te levem à prisão.
**26** Em verdade te digo que de maneira nenhuma sairás dali enquanto não pagares o último centavo.

### O adultério

**27** Ouvistes que foi dito aos antigos: Não cometerás adultério.
**28** Eu, porém, vos digo: Qualquer que olhar para uma mulher com intenção impura, no coração, já cometeu adultério com ela.
**29** Se o teu olho direito te faz pecar, arranca-o e atira-o para longe de ti. É melhor perder um dos teus membros do que ter todo o teu corpo lançado no inferno.
**30** E, se a tua mão direita te faz pecar, corta-a e atira-a para longe de ti. É melhor perder um dos teus membros do que ter todo o teu corpo lançado no inferno.

### O divórcio

**31** Também foi dito: Aquele que deixar sua mulher, dê-lhe carta de divórcio.
**32** Eu, porém, vos digo que qualquer que se divorciar de sua mulher, a não ser por causa de imoralidade sexual, faz que ela cometa adultério, e aquele que casar com a divorciada comete adultério.

### Os juramentos

**33** Ouvistes também que foi dito aos antigos: Não jurarás em falso, mas cumprirás teus juramentos ao Senhor.
**34** Eu, porém, vos digo: De maneira nenhuma jureis: nem pelo céu, por ser o trono de Deus;
**35** nem pela terra, por ser o estrado de seus pés; nem por Jerusalém, por ser a cidade do grande Rei.
**36** Não jures pela tua cabeça, pois não podes tornar um cabelo branco ou preto.
**37** Seja, porém, o vosso sim, sim, e o vosso não, não; o que passar disso vem do Maligno.

### Olho por olho

**38** Ouvistes que foi dito: Olho por olho, e dente por dente.
**39** Eu, porém, vos digo: Não resistais ao homem mau. Se alguém te bater na face direita, oferece-lhe também a outra.
**40** E, se alguém quiser levar-te ao tribunal e tirar-te a túnica, deixa-lhe também a capa.
**41** Se alguém te forçar a caminhar uma milha, vai com ele duas.
**42** Dá a quem te pedir, e não te desvies daquele que quiser lhe pedir algo emprestado.

### Amor aos inimigos

**43** Ouvistes que foi dito: Amarás o teu próximo e odiarás o teu inimigo.
**44** Eu, porém, vos digo: Amai vossos inimigos e orai pelos que vos perseguem,

**45** para que sejais filhos do vosso Pai que está nos céus. Ele faz que o seu sol brilhe sobre maus e bons e faz chover sobre justos e injustos. **46** Se amardes os que vos amam, que recompensa tereis? Não fazem os cobradores de impostos também o mesmo? **47** E, se cumprimentardes somente os vossos irmãos, que fazeis de mais? Não fazem os gentios também assim? **48** Sede vós, pois, perfeitos, como perfeito é o vosso Pai que está nos céus.

### A prática da justiça

**6** Guardai-vos de praticar vossas boas obras diante dos homens, para serdes vistos por eles. Se o fizerdes, não tereis recompensa junto de vosso Pai que está nos céus. **2** Portanto, quando deres esmola, não faças tocar trombeta diante de ti, como os hipócritas nas sinagogas e nas ruas, para serem glorificados pelos homens. Em verdade vos digo que já receberam sua recompensa. **3** Quando, porém, tu deres esmola, não saiba a tua mão esquerda o que faz a tua mão direita, **4** para que a tua esmola seja dada secretamente. Então teu Pai, que vê em secreto, te recompensará.

### A oração

**5** E, quando orares, não sejas como os hipócritas, pois gostam de orar em pé nas sinagogas e nas esquinas das ruas para serem vistos pelos homens. Em verdade vos digo que já receberam a sua recompensa. **6** Quando, porém, orares, entra no teu quarto, e, fechando a tua porta, ora a teu Pai que está em secreto. E teu Pai, que vê secretamente, te recompensará. **7** E, orando, não useis de vãs repetições, como os gentios, que pensam que por muito falar serão ouvidos. **8** Não faça como eles, pois vosso Pai sabe do que necessitais, antes de o pedirdes.

### A oração-modelo

**9** Portanto, vós orareis assim:
Pai nosso que estás nos céus,
santificado seja o teu nome,
**10** venha o teu Reino,
seja feita a tua vontade,
assim na terra como no céu.
**11** O pão nosso de cada dia
nos dá hoje.
**12** Perdoa-nos as nossas dívidas,
assim como nós perdoamos
aos nossos devedores.
**13** Não nos deixes cair
em tentação,
mas livra-nos do mal.
Porque teu é o Reino, o poder
e a glória, para sempre.
Amém.
**14** Pois se perdoardes aos homens as suas ofensas, também vosso Pai celestial vos perdoará a vós. **15** Se, porém, não perdoardes aos homens as suas ofensas, também vosso Pai celestial não perdoará as vossas ofensas.

### O jejum

**16** Quando jejuardes, não vos mostreis entristecidos como os hipócritas, pois mudam o rosto para parecer aos homens que jejuam. Em verdade vos digo que já receberam a sua recompensa. **17** Quando, porém, jejuares, unge a cabeça e lava o rosto, **18** para não pareceres aos homens que jejuas, mas a teu Pai, que está em secreto; e teu Pai, que vê em secreto, te recompensará.

### Os tesouros no céu

**19** Não ajunteis tesouros na terra, onde a traça e a ferrugem destroem e onde os ladrões arrombam e roubam.
**20** Ajuntai, porém, tesouros no céu, onde nem a traça nem a ferrugem destroem e onde os ladrões não arrombam nem roubam.
**21** Pois onde estiver o vosso tesouro, aí estará também o vosso coração.

### A luz e as trevas

**22** A lâmpada do corpo são os olhos. Se os teus olhos forem bons, todo o teu corpo terá luz.
**23** Se, porém, os teus olhos forem maus, todo o teu corpo estará em trevas. Portanto, se a luz que em ti há são trevas, quão grandes são essas trevas!

### Os dois senhores

**24** Ninguém pode servir a dois senhores. Ou há de odiar a um e amar o outro, ou se dedicará a um e desprezará o outro. Não podeis servir a Deus e às riquezas.

### Não andeis ansiosos

**25** Por isso, vos digo: Não andeis ansiosos pela vossa vida, quanto ao que haveis de comer ou beber; nem pelo vosso corpo, quanto ao que haveis de vestir. Não é a vida mais do que o alimento, e o corpo mais do que as roupas?
**26** Olhai para as aves do céu; não plantam nem colhem, e não ajuntam em celeiros; contudo, o vosso Pai celestial as alimenta. Não tendes vós muito mais valor do que elas?
**27** Qual de vós poderá, com as suas preocupações, acrescentar uma única hora ao curso da sua vida?
**28** Quanto às roupas, por que andais ansiosos? Olhai como crescem os lírios do campo. Eles não trabalham nem fiam.
**29** Eu, porém, vos digo que nem mesmo Salomão, em toda a sua glória, vestiu-se como qualquer deles.
**30** Se Deus assim veste a erva do campo, que hoje existe e amanhã é lançada no fogo, não vestirá muito mais a vós, homens de pequena fé?
**31** Portanto, não andeis ansiosos, dizendo: Que comeremos? Que beberemos? ou: Com que nos vestiremos?
**32** Pois os gentios procuram todas essas coisas. De certo vosso Pai celestial bem sabe que necessitais de todas elas.
**33** Buscai, pois, em primeiro lugar o seu Reino e a sua justiça, e todas essas coisas vos serão acrescentadas.
**34** Portanto, não andeis ansiosos pelo dia de amanhã, pois o amanhã se preocupará consigo mesmo. Basta a cada dia o seu próprio mal.

### O juízo pertence a Deus

**7** Não julgueis, para que não sejais julgados.
**2** Pois com o juízo com que julgardes sereis julgados, e com a medida com que tiverdes medido vos medirão a vós.
**3** Por que reparas no cisco que está no olho do teu irmão, mas não percebes a trave que está no teu?
**4** Ou como dirás a teu irmão: Deixa-me tirar o cisco do teu olho, estando uma trave no teu?

**5** Hipócrita, tira primeiro a trave do teu olho e então verás claramente para tirar o cisco do olho do teu irmão.

### Não deis aos cães as coisas santas

**6** Não deis aos cães as coisas santas, nem lanceis aos porcos as vossas pérolas, para que não as pisem com os pés e, voltando-se, vos estraçalhem.
**7** Pedi e vos será dado; buscai e encontrareis; batei e a porta vos será aberta.
**8** Pois aquele que pede recebe; o que busca encontra; e ao que bate se abre.
**9** Qual dentre vós é o homem que, se o filho lhe pedir pão, lhe dará uma pedra?
**10** Ou, pedindo-lhe peixe, lhe dará uma cobra?
**11** Ora, se vós, sendo maus, sabeis dar boas coisas aos vossos filhos, quanto mais vosso Pai, que está nos céus, dará boas coisas aos que lhe pedirem?
**12** Portanto, tudo o que vós quereis que os homens vos façam, fazei-o vós também a eles, pois esta é a Lei e os Profetas.

### Os dois caminhos

**13** Entrai pela porta estreita. Pois larga é a porta e espaçoso o caminho que leva à perdição, e muitos são os que entram por ela.
**14** Como é estreita a porta, e apertado o caminho que leva para a vida! Poucos são os que a encontram.

### Os falsos profetas

**15** Cuidado com os falsos profetas, que vêm até vós disfarçados em ovelhas, mas por dentro são lobos devoradores.
**16** Pelos seus frutos os conhecereis. Colhem-se uvas dos espinheiros ou figos das ervas daninhas?
**17** Do mesmo modo, toda árvore boa produz bons frutos, e toda árvore má produz frutos maus.
**18** Não pode a árvore boa produzir maus frutos, nem a árvore má produzir frutos bons.
**19** Toda árvore que não dá bom fruto é cortada e lançada no fogo.
**20** Portanto, pelos seus frutos os conhecereis.
**21** Nem todo o que me diz: Senhor, Senhor! entrará no Reino dos céus, mas aquele que faz a vontade de meu Pai, que está nos céus.
**22** Muitos me dirão naquele dia: Senhor, Senhor, não profetizamos nós em teu nome? E em teu nome não expulsamos demônios? E em teu nome não fizemos muitos milagres?
**23** Então lhes direi claramente: Nunca vos conheci. Afastai-vos de mim, vós que praticais o mal!

### Os dois fundamentos

Lc 6:46-49

**24** Portanto, todo aquele que ouve estas minhas palavras e as pratica será semelhante ao homem prudente, que construiu a sua casa sobre a rocha.
**25** Desceu a chuva, transbordaram os rios, sopraram os ventos e bateram contra aquela casa; contudo, ela não caiu, porque estava edificada sobre a rocha.
**26** Aquele que ouve estas minhas palavras, mas não as pratica será comparado ao homem insensato, que construiu a sua casa sobre a areia.
**27** Desceu a chuva, transbordaram os rios, sopraram os ventos

e bateram contra aquela casa, e ela caiu, e foi grande a sua queda.

28 Terminando Jesus de proferir essas palavras, as multidões ficaram maravilhadas com seu ensino,

29 porque ele as ensinava como quem tem autoridade, não como os mestres da lei.

### O leproso
Mc 1:40-45; Lc 5:12-14

8 Quando ele desceu do monte, seguiu-o uma grande multidão.

2 Veio um leproso e o adorou, dizendo: Senhor, se quiseres, podes purificar-me.

3 Jesus estendeu a mão, tocou nele e disse: Quero, seja purificado! E imediatamente ele ficou limpo da lepra.

4 Disse-lhe então Jesus: Olha, não conte isso a ninguém, mas vai, mostra-te ao sacerdote e apresenta a oferta que Moisés ordenou, para lhes servir de testemunho.

### O centurião de Cafarnaum
Lc 7:1-10

5 Assim que Jesus entrou em Cafarnaum, aproximou-se dele um centurião, implorando:

6 Senhor, o meu criado está em casa paralítico e em terrível sofrimento.

7 Disse-lhe Jesus: Eu irei curá-lo.

8 O centurião, porém, respondeu: Senhor, não sou digno de receber-te sob o meu teto. Dize somente uma palavra e o meu criado será curado.

9 Pois eu também sou homem sob autoridade, tenho soldados às minhas ordens. Digo a este: Vai, e ele vai; e a outro: Vem, e ele vem. Digo ao meu criado: Faze isto, e ele o faz.

10 Ao ouvir isso, admirou-se Jesus e disse aos que o seguiam: Em verdade vos digo que nem mesmo em Israel encontrei tanta fé.

11 Eu, porém, vos digo que muitos virão do Oriente e do Ocidente e se assentarão à mesa com Abraão, Isaque e Jacó, no Reino dos céus.

12 Os filhos do Reino, porém, serão lançados fora, nas trevas, onde haverá pranto e ranger de dentes.

13 Então disse Jesus ao centurião: Vai! E seja feito conforme a tua fé. Naquela mesma hora o seu criado foi curado.

### A cura da sogra de Pedro
Mc 1:29-31; Lc 4:38-41

14 Ao entrar na casa de Pedro, Jesus viu a sogra dele, que estava de cama e com febre.

15 E tocou-lhe na mão, a febre a deixou, ela se levantou e o servia.

16 Ao cair da tarde, trouxeram-lhe muitos endemoninhados, e ele com a sua palavra expulsou deles os espíritos e curou todos os enfermos.

17 Isso aconteceu para que se cumprisse o que fora dito pelo profeta Isaías: Ele tomou sobre si as nossas enfermidades e levou as nossas doenças.

### Como devemos seguir a Jesus
Lc 9:57

18 Quando Jesus viu ao seu redor uma grande multidão, ordenou que passassem para o outro lado do lago.

19 Então um mestre da lei aproximou-se dele e disse: Mestre, aonde quer que fores, eu te seguirei.

20 Respondeu-lhe Jesus: As raposas têm tocas, e as aves do céu têm ninhos, mas o Filho do homem não tem onde descansar a cabeça.

**21** E outro de seus discípulos lhe disse: Senhor, deixe-me ir primeiro sepultar meu pai.
**22** Jesus, porém, lhe disse: Segue-me e deixa para os mortos o sepultar os seus próprios mortos.

### Jesus acalma a tempestade
Mc 4.35-41; Lc 8.22-25

**23** Ao entrar no barco, seus discípulos o seguiram.
**24** De repente, levantou-se no mar uma grande tempestade, de forma que as ondas inundavam o barco; Jesus, porém, dormia.
**25** Os seus discípulos aproximaram-se e o acordaram, dizendo: Senhor, salva-nos! Vamos morrer.
**26** Ele lhes disse: Por que temeis, homens de pequena fé? Então, levantou-se, repreendeu os ventos e o mar, e fez-se grande calmaria.
**27** Aqueles homens se admiraram, dizendo: Quem é este homem, a quem até os ventos e o mar obedecem?

### A cura de dois endemoninhados
Mc 5.1-20; Lc 8.26-39

**28** Quando chegaram ao outro lado, à terra dos gadarenos, saíram-lhe ao encontro dois endemoninhados, vindos dos sepulcros. Eram tão violentos que ninguém podia passar por aquele caminho.
**29** De repente gritaram: Que temos nós contigo, Jesus, Filho de Deus? Vieste aqui atormentar-nos antes do tempo?
**30** Ora, andava pastando, não distante deles, uma manada de porcos.
**31** Os demônios rogavam, dizendo: Se nos expulsas, permite-nos que entremos naquela manada de porcos.
**32** Ele lhes disse: Ide. E, saindo eles, entraram nos porcos, os quais se lançaram ao mar por um despenhadeiro e morreram afogados.
**33** Os que cuidavam dos porcos fugiram e, chegando à cidade, divulgaram tudo o que acontecera aos endemoninhados.
**34** Então toda a cidade saiu ao encontro de Jesus e, vendo-o, rogaram que saísse da terra deles.

### O paralítico de Cafarnaum
Mc 2.1-12; Lc 5.17-26

**9** Entrando Jesus num barco, passou para o outro lado e foi para sua cidade.
**2** Alguns homens lhe trouxeram um paralítico deitado num leito. Vendo Jesus tão grande fé, disse ao paralítico: Filho, tem bom ânimo; os teus pecados estão perdoados.
**3** Alguns mestres da lei, porém, diziam entre si: Ele blasfema.
**4** Jesus, porém, conhecendo os pensamentos deles, disse: Por que pensais mal em vosso coração?
**5** O que é mais fácil dizer? Os teus pecados estão perdoados, ou: Levanta e anda?
**6** Ora, para que saibais que o Filho do homem tem na terra autoridade para perdoar pecados — disse então ao paralítico: Levanta-te, toma o teu leito e vai para tua casa.
**7** Ele se levantou e foi para casa.
**8** A multidão, vendo isso, temeu e glorificou a Deus, que dera tal autoridade aos homens.

### A vocação de Mateus
Mc 2.14-17; Lc 5.27-32

**9** Passando adiante, Jesus viu assentado na coletoria um homem chamado Mateus e lhe disse: Segue-me. Mateus levantou-se e o seguiu.

**Mateus 9**

**10** Enquanto Jesus estava jantando na casa de Mateus, chegaram muitos cobradores de impostos e pecadores e sentaram-se à mesa com Jesus e seus discípulos.
**11** Os fariseus, vendo isso, perguntaram aos seus discípulos: Por que come o vosso mestre com os cobradores de impostos e pecadores?
**12** Jesus, porém, ouvindo isso, disse: Os sãos não necessitam de médico, mas sim os doentes.
**13** Ide, porém, e aprendei o que isso significa: Misericórdia quero, não sacrifícios. Pois eu não vim chamar os justos, mas os pecadores ao arrependimento.

### O jejum
Mc 2:18-22; Lc 5:33-39

**14** Então vieram os discípulos de João, dizendo: Por que jejuamos nós e os fariseus muitas vezes, mas os teus discípulos não jejuam?
**15** Respondeu-lhes Jesus: Podem estar tristes os convidados para o casamento, enquanto o noivo está com eles? Dias, porém, virão em que o noivo lhes será tirado, e nesses dias jejuarão.
**16** Ninguém põe remendo de pano novo em roupa velha, pois o remendo rompe a roupa, e faz-se maior o rasgo.
**17** Nem se põe vinho novo em odres velhos. Do contrário, rompem-se os odres, derrama-se o vinho e os odres se estragam. Mas põe-se vinho novo em odres novos, e ambos se conservam.

### A cura da mulher com hemorragia
Mc 5:22-43; Lc 8:42-48

**18** Dizia ele estas coisas, quando chegou um chefe da sinagoga e o adorou, dizendo: Minha filha faleceu agora mesmo. Vem, impõe a tua mão sobre ela, e ela viverá.
**19** Jesus levantou-se e o seguiu, juntamente com os seus discípulos.
**20** Certa mulher, que havia doze anos sofria com uma hemorragia, chegou por trás dele e tocou a ponta do seu manto.
**21** Ela dizia a si mesma: Se eu tão somente tocar o seu manto, ficarei curada.
**22** Jesus, virando-se, a viu e disse: Tem bom ânimo, filha, a tua fé te salvou. E desde aquele momento a mulher ficou curada.
**23** Quando Jesus chegou à casa daquele chefe e viu os tocadores e o povo agitado,
**24** disse: Retirai-vos. A menina não está morta, mas dorme. E riam-se dele.
**25** Depois que o povo se afastou, entrou Jesus e tomou a menina pela mão, e ela se levantou.
**26** E espalhou-se essa notícia por toda aquela região.

### A cura de dois cegos e um mudo

**27** Partindo Jesus dali, seguiram-no dois cegos, clamando: Tem compaixão de nós, Filho de Davi!
**28** Quando ele entrou em casa, os cegos se aproximaram, e Jesus lhes perguntou: Credes vós que eu possa fazer isso? Responderam-lhe eles: Sim, Senhor.
**29** Então ele tocou os olhos deles e disse: Seja-vos feito conforme a vossa fé.
**30** E os seus olhos se abriram. Jesus, porém, os advertiu severamente, dizendo: Cuidado para que ninguém saiba disso.
**31** Quando, porém, ele saiu, espalharam a sua fama por toda aquela região.

**32** Enquanto eles saíam, trouxeram-lhe um homem mudo e endemoninhado.
**33** E, expulso o demônio, o mudo começou a falar. As multidões se admiravam, dizendo: Nunca se viu coisa igual em Israel!
**34** Os fariseus, porém, diziam: Ele expulsa os demônios pelo príncipe dos demônios.

### A seara e os ceifeiros

**35** E percorria Jesus todas as cidades e aldeias, ensinando nas sinagogas, pregando o evangelho do Reino e curando todas as enfermidades e doenças entre o povo.
**36** Vendo ele as multidões, tinha grande compaixão delas, porque andavam cansadas e abatidas, como ovelhas sem pastor.
**37** Então disse aos seus discípulos: A colheita é realmente grande, mas os trabalhadores são poucos.
**38** Rogai, pois, ao Senhor da colheita que envie trabalhadores para a sua colheita.

### Os Doze e a sua missão

**10** Chamando seus doze discípulos, deu-lhes autoridade sobre os espíritos imundos, para os expulsarem e para curarem todo tipo de doenças e enfermidades.
**2** Ora, são estes os nomes dos doze apóstolos: O primeiro, Simão, chamado Pedro, e André, seu irmão; Tiago, filho de Zebedeu, e João, seu irmão;
**3** Filipe e Bartolomeu; Tomé e Mateus, o cobrador de impostos; Tiago, filho de Alfeu, e Tadeu;
**4** Simão, o Zelote, e Judas Iscariotes, que o traiu.
**5** Jesus enviou estes doze e lhes ordenou: Não ireis pelo caminho dos gentios, nem entreis em cidade de samaritanos.
**6** Ide antes às ovelhas perdidas da casa de Israel.
**7** E, indo, pregai, dizendo: O Reino dos céus está próximo.
**8** Curai os enfermos, purificai os leprosos, ressuscitai os mortos, expulsai os demônios. De graça recebestes; de graça dai.
**9** Não leveis ouro, nem prata, nem cobre, em vossos cintos;
**10** não leveis bolsa de viagem, nem túnica extra, nem sandálias, nem bordão; pois digno é o trabalhador do seu alimento.
**11** E em qualquer cidade ou aldeia em que entrardes, procurai saber quem nelas seja digno e hospedai-vos aí até que vos retireis.
**12** Ao entrardes numa casa, saudai-a.
**13** Se a casa for digna, desça sobre ela a vossa paz; se não for digna, volte para vós a vossa paz.
**14** Se ninguém vos receber nem ouvir as vossas palavras, saindo daquela casa ou cidade, sacudi o pó dos vossos pés.
**15** Em verdade vos digo que no dia do juízo haverá menos rigor para Sodoma e Gomorra do que para aquela cidade.
**16** Eu vos envio como ovelhas entre os lobos. Portanto sede prudentes como as serpentes e simples como as pombas.
**17** Cuidado com os homens; eles vos entregarão aos tribunais e vos açoitarão nas suas sinagogas.
**18** Sereis até conduzidos à presença de governadores e reis por minha causa, para lhes servir de testemunho, a eles e aos gentios.
**19** Quando, porém, vos entregarem, não fiqueis preocupados com o que haveis de falar.

Naquela mesma hora vos será dado o que haveis de dizer,
20 pois não sois vós que falareis, mas o Espírito de vosso Pai é quem fala por meio de vós.
21 Um irmão entregará à morte outro irmão, e o pai ao filho; e os filhos se rebelarão contra os pais e os matarão.
22 E odiados de todos sereis por causa do meu nome, mas aquele que perseverar até o fim será salvo.
23 Quando vos perseguirem nesta cidade, fugi para outra. Em verdade vos digo que não acabareis de percorrer as cidades de Israel até que venha o Filho do homem.
24 O discípulo não é superior ao mestre, nem o servo superior ao seu senhor.
25 Basta ao discípulo ser como seu mestre, e ao servo como seu senhor. Se chamaram Belzebu ao pai de família, quanto mais aos seus familiares?

### Jesus anima os discípulos

26 Portanto, não os temais. Nada há escondido que não venha a ser revelado, nem oculto que não se torne conhecido.
27 O que vos digo no escuro dizei-o na luz; e o que escutais ao ouvido pregai-o sobre os telhados.
28 Não temais os que matam o corpo e não podem matar a alma. Temei antes aquele que pode destruir no inferno tanto a alma como o corpo.
29 Não se vendem dois passarinhos por uma pequena moeda? E *nenhum deles cairá em terra* sem a permissão de vosso Pai.
30 E até mesmo os cabelos da vossa cabeça estão todos contados.
31 Não temais, pois; mais valeis vós do que muitos pardais.
32 Todo aquele, porém, que me confessar diante dos homens, eu o confessarei diante de meu Pai, que está nos céus.
33 Mas todo aquele que me negar diante dos homens, eu o negarei também diante do meu Pai que está nos céus.

### As dificuldades e as recompensas

34 Não penseis que vim trazer paz à terra. Não vim trazer paz, mas espada.
35 Pois eu vim trazer divisão
entre o homem e seu pai,
entre a filha e sua mãe,
entre a nora e sua sogra.
36 Os inimigos do homem serão os seus próprios familiares.
37 Quem ama o pai ou a mãe mais do que a mim não é digno de mim; quem ama o filho ou a filha mais do que a mim não é digno de mim.
38 E quem não toma a sua cruz e não me segue não é digno de mim.
39 Quem achar a sua vida a perderá, e quem perder a sua vida por minha causa a achará.
40 Quem vos recebe a mim me recebe, e quem me recebe, recebe aquele que me enviou.
41 Quem recebe um profeta porque é profeta receberá recompensa de profeta, e quem recebe um justo porque é justo receberá recompensa de justo.
42 E quem der de beber ainda que seja um copo com água fria a um destes pequeninos, por ser meu discípulo, em verdade vos digo que de modo algum perderá a sua recompensa.

### Jesus e João Batista

Lc 7:18-35

**11** Quando Jesus acabou de instruir seus doze discípulos, partiu dali para ensinar e pregar nas cidades da Galileia.

**2** João, ao ouvir na prisão falar dos feitos de Cristo, enviou dois dos seus discípulos

**3** a perguntar-lhe: És tu aquele que havia de vir ou devemos esperar outro?

**4** Respondeu-lhes Jesus: Ide e anunciai a João as coisas que ouvis e vedes:

**5** Os cegos veem, os coxos andam, os leprosos são limpos, os surdos ouvem, os mortos são ressuscitados e aos pobres é anunciado o evangelho.

**6** E bem-aventurado é aquele que não se escandalizar por minha causa.

**7** Partindo eles, começou Jesus a dizer à multidão, a respeito de João: Que fostes ver no deserto? Um caniço agitado pelo vento?

**8** Sim, que fostes ver? Um homem vestido de roupas finas? Os que usam roupas finas estão nos palácios dos reis.

**9** Mas então que fostes ver? Um profeta? Sim, vos digo eu, e muito mais do que profeta.

**10** João é aquele de quem está escrito:

À tua frente envio o meu anjo,
que preparará diante de ti o
teu caminho.

**11** Em verdade vos digo que, entre os que nasceram de mulher, não apareceu alguém maior do que João Batista; contudo, o menor no Reino dos céus é maior do que ele.

**12** Desde os dias de João Batista até agora, o Reino dos céus é tomado à força, e pela força apoderam-se dele.

**13** Pois todos os Profetas e a Lei profetizaram até João.

**14** E, se quiserdes aceitar, ele é o Elias que havia de vir.

**15** Quem tem ouvidos para ouvir ouça!

**16** A que posso comparar esta geração? É semelhante a crianças que se assentam nas praças e gritam aos seus companheiros:

**17** Tocamo-vos flauta,
e não dançastes;
cantamo-vos lamentações,
e não chorastes.

**18** Pois veio João, não comendo nem bebendo, e dizem: Tem demônio.

**19** Veio o Filho do homem, comendo e bebendo, e dizem: Eis um homem comilão e beberrão, amigo de cobradores de impostos e pecadores. Mas a sabedoria é comprovada pelas ações que a acompanham.

### As três cidades impenitentes
Lc 10:13-16

**20** Então começou ele a denunciar as cidades onde se realizou a maior parte dos seus milagres por não se terem arrependido.

**21** Ai de ti, Corazim! Ai de ti, Betsaida! Se em Tiro e em Sidom se tivessem feito os milagres que em vós se fizeram, há muito que se teriam arrependido, vestindo pano de saco e cinza.

**22** Por isso eu vos digo que no dia do juízo haverá menos rigor para Tiro e Sidom do que para vós.

**23** E tu, Cafarnaum, serás levada até os céus? Serás derrubada até o inferno. Se em Sodoma tivessem sido feito os milagres que em ti se operaram, ela teria permanecido até hoje.

**24** Eu, porém, vos digo que no dia do juízo haverá menos rigor para Sodoma do que para ti.

## O jugo de Jesus
Lc 10:21,22

**25** Por esse tempo, disse Jesus: Graças te dou, ó Pai, Senhor do céu e da terra, que escondeste estas coisas aos sábios e entendidos e as revelaste aos pequeninos. **26** Sim, ó Pai, pois assim foi da tua vontade. **27** Todas as coisas me foram entregues por meu Pai. Ninguém conhece o Filho, senão o Pai, e ninguém conhece o Pai, senão o Filho e aquele a quem o Filho o quiser revelar. **28** Vinde a mim todos os que estais cansados e sobrecarregados, e eu vos aliviarei. **29** Tomai sobre vós o meu jugo e aprendei de mim, porque sou manso e humilde de coração, e encontrareis descanso para as vossas almas. **30** Pois o meu jugo é suave e o meu fardo é leve.

## Jesus é senhor do sábado
Mc 2:23-28; Lc 6:1-5

**12** Naquele tempo passou Jesus pelos campos de cereal, em dia de sábado. Seus discípulos estavam com fome e começaram a colher espigas e a comer. **2** Quando os fariseus viram isso, disseram-lhe: Olha, os teus discípulos fazem o que não é permitido fazer no sábado. **3** Ele, porém, lhes disse: Não lestes o que fez Davi quando teve fome, ele e os que com ele estavam? **4** Como entrou na casa de Deus e comeu os pães da proposição, que não lhe era permitido comer, nem aos que com ele estavam, mas só aos sacerdotes? **5** Ou não lestes na lei que, no sábado, os sacerdotes no templo violam o dia e ficam sem culpa? **6** Eu vos digo que está aqui quem é maior do que o templo. **7** Se, porém, vós soubésseis o que significa: Misericórdia quero, não sacrifícios, não condenaríeis os inocentes. **8** Pois o Filho do homem é Senhor do sábado.

## A cura do homem da mão atrofiada
Mc 3:1-6; Lc 6:6-11

**9** Ao partir dali, entrou na sinagoga deles, **10** e estava ali um homem que tinha uma das mãos atrofiadas. Eles, para o acusarem, o interrogaram: É permitido curar no sábado? **11** Ele lhes respondeu: Qual de vós será o homem que, tendo uma ovelha, e, no sábado, ela cair numa cova, não vai pegá-la e tirá-la de lá? **12** Quanto mais vale um homem do que uma ovelha! Logo, é permitido fazer bem nos sábados. **13** Então disse àquele homem: Estende a tua mão. Ele a estendeu, e ficou sã como a outra. **14** Os fariseus saíram e conspiraram contra ele, para o matarem. **15** Jesus, sabendo disso, retirou-se dali. Acompanhou-o uma grande multidão, e ele curou todos os doentes, **16** recomendando-lhes rigorosamente que não dissessem quem ele era. **17** Para que se cumprisse o que fora dito pelo profeta Isaías:

**18** Aqui está o meu servo,
   que escolhi,
o meu amado, em quem tenho
   prazer.
Porei sobre ele o meu
   Espírito,
e ele anunciará justiça
   aos gentios.

**19** Não discutirá, nem clamará, nem se ouvirá pelas ruas a sua voz.
**20** Não esmagará o caniço quebrado
e não apagará o pavio que fumega,
até que faça triunfar a justiça.
**21** E no seu nome os gentios terão esperança.

### A blasfêmia dos fariseus
Lc 11:14-23

**22** Trouxeram-lhe então um endemoninhado cego e mudo, e ele o curou, de tal forma que o cego e mudo podia falar e ver. **23** E toda a multidão se maravilhava e dizia: Não é este o Filho de Davi? **24** Os fariseus, porém, ouvindo isto, diziam: Este não expulsa os demônios senão pelo poder de Belzebu, príncipe dos demônios. **25** Jesus, conhecendo os seus pensamentos, disse-lhes: Todo reino dividido contra si mesmo será arruinado e toda cidade ou casa dividida contra si mesma não permanecerá em pé. **26** Se Satanás expulsa a Satanás, está dividido contra si mesmo. Como, pois, permanecerá em pé o seu reino? **27** Se, porém, eu expulso os demônios pelo poder de Belzebu, por quem os expulsam então os vossos filhos? Portanto eles mesmos serão os vossos juízes. **28** Mas, se eu expulso os demônios pelo Espírito de Deus, certamente é chegado a vós o Reino de Deus. **29** Ou, como pode alguém entrar na casa do homem forte e roubar os seus bens, se primeiro não o amarrar, saqueando então a sua casa? **30** Quem não é por mim é contra mim, e quem comigo não ajunta espalha. **31** Portanto eu vos digo: Todo pecado e blasfêmia se perdoará aos homens, mas a blasfêmia contra o Espírito não será perdoada. **32** Se alguém disser alguma palavra contra o Filho do homem, isso lhe será perdoado, mas se alguém falar contra o Espírito Santo, isso não lhe será perdoado, nem neste mundo nem no futuro.

### Cada árvore com seus frutos
Lc 6:43-45

**33** Ou fazei a árvore boa e o seu fruto bom, ou fazei a árvore má e o seu fruto mau, pois pelo fruto se conhece a árvore. **34** Raça de víboras, como podeis vós dizer boas coisas, sendo maus? Pois do que está cheio o coração, disso fala a boca. **35** O homem bom tira boas coisas do seu bom tesouro, e o homem mau do mau tesouro tira coisas más. **36** Eu, porém, vos digo que de toda palavra inútil que os homens falarem darão conta no dia do juízo. **37** Pois pelas tuas palavras serás inocentado e pelas tuas palavras serás condenado.

### O sinal de Jonas
Lc 11:29-32

**38** Então alguns mestres da lei e fariseus lhe disseram: Mestre, gostaríamos de ver da tua parte algum sinal. **39** Mas ele lhes respondeu: Uma geração má e adúltera pede um sinal, mas não se lhe dará outro sinal senão o do profeta Jonas.

**40** Pois como Jonas esteve três dias e três noites no ventre do grande peixe, assim estará o Filho do homem três dias e três noites no seio da terra.
**41** Os ninivitas ressurgirão no juízo com esta geração e a condenarão, pois se arrependeram com a pregação de Jonas. E aqui está quem é maior do que Jonas.
**42** A rainha do Sul se levantará no dia do juízo com esta geração e a condenará, pois veio dos confins da terra para ouvir a sabedoria de Salomão. E aqui está quem é maior do que Salomão.
**43** Quando o espírito imundo sai do homem, anda por lugares estéreis buscando repouso, mas não o encontra.
**44** Então diz: Voltarei para minha casa de onde saí. E, voltando, acha-a desocupada, varrida e em ordem.
**45** Então vai e leva consigo outros sete espíritos piores do que ele e, entrando, habitam ali. E são os últimos atos desse homem piores do que os primeiros. Assim acontecerá também a esta geração má.

### A família de Jesus
*Mc 3:31-35; Lc 8:19-21*

**46** Falava ele ainda à multidão, quando sua mãe e seus irmãos estavam do lado de fora, querendo falar com ele.
**47** Disse-lhe alguém: Tua mãe e teus irmãos estão lá fora e querem falar contigo.
**48** Ele, porém, respondeu ao que lhe dera o aviso: Quem é minha mãe e quem são meus irmãos?
**49** E, estendendo a mão para os discípulos, disse: Aqui estão minha mãe e meus irmãos.
**50** Pois todo aquele que fizer a vontade de meu Pai que está nos céus, esse é meu irmão, irmã e mãe.

### A parábola do semeador
*Mc 4:1-20; Lc 8:4-15*

**13** Naquele mesmo dia Jesus saiu de casa e assentou-se à beira-mar.
**2** Ajuntaram-se grandes multidões ao seu redor; por isso, entrou num barco e se assentou, enquanto toda a multidão estava em pé na praia.
**3** E falou-lhes de muitas coisas por meio de parábolas, dizendo: Certo semeador saiu a semear.
**4** E, quando semeava, parte da semente caiu à beira do caminho, e vieram as aves e a comeram.
**5** Outra parte caiu em terreno pedregoso, onde não havia terra bastante, e logo nasceu, porque a terra não era funda.
**6** Mas, saindo o sol, queimou-se e secou-se, porque não tinha raiz.
**7** Outra parte caiu entre espinhos, e os espinhos cresceram e a sufocaram.
**8** Outra caiu em boa terra e deu fruto: uma semente produzindo a cem, outra a sessenta e ainda outra a trinta por um.
**9** Quem tem ouvidos para ouvir ouça!
**10** Aproximando-se dele os discípulos, disseram-lhe: Por que lhes falas por meio de parábolas?
**11** Respondeu-lhes Jesus: Porque a vós é dado conhecer os mistérios do Reino dos céus, mas a eles não lhes é dado.
**12** Ao que tem, se lhe dará, e terá em abundância. Ao que não tem, até aquilo que tem lhe será tirado.

**13** Por isso lhes falo por parábolas:
Porque eles, vendo, não veem;
ouvindo, não ouvem nem
compreendem.
**14** Neles se cumpre a profecia de Isaías:
Certamente ouvireis, mas
não compreendereis.
Certamente vereis, mas
não percebereis.
**15** Pois o coração deste povo está endurecido,
e ouviram de má vontade
com seus ouvidos,
e fecharam seus olhos,
para que não vejam com
os olhos,
nem ouçam com os ouvidos,
ou compreendam
com o coração,
e se convertam e eu os cure.
**16** Bem-aventurados, porém, os vossos olhos, porque veem, e os vossos ouvidos, porque ouvem. **17** Pois em verdade vos digo que muitos profetas e justos desejaram ver o que vós vedes e não o viram, e ouvir o que vós ouvis e não o ouviram.
**18** Escutai vós, pois, a parábola do semeador. **19** Ouvindo alguém a palavra do Reino e não entendendo, vem o Maligno e arranca o que lhe foi semeado no coração. Este é o que foi semeado à beira do caminho. **20** O que foi semeado em terreno pedregoso é o que ouve a palavra e a recebe imediatamente, com alegria. **21** Mas não tem raiz em si mesmo, antes é de pouca duração. Chegada a angústia e a perseguição por causa da palavra, logo a abandona. **22** O que foi semeado entre espinhos é o que ouve a palavra, mas as preocupações deste mundo e a sedução das riquezas sufocam a palavra, e ela fica infrutífera. **23** Entretanto, o que foi semeado em boa terra é o que ouve a palavra e a compreende. Ele dá fruto e produz a cem, a sessenta e a trinta por um.

### A parábola do trigo e do joio

**24** Propôs-lhes outra parábola, dizendo: O Reino dos céus é semelhante ao homem que semeia boa semente no seu campo. **25** Enquanto, porém, os homens dormiam, veio o seu inimigo, semeou o joio no meio do trigo e se foi. **26** Quando o trigo cresceu e frutificou, apareceu também o joio. **27** Então, indo ter com ele os servos do dono do campo, lhe disseram: Senhor, não semeaste tu no teu campo boa semente? Como então está cheio de joio? **28** Respondeu-lhes ele: Um inimigo fez isso. Perguntaram-lhe os servos: Queres que vamos arrancá-lo? **29** Ele, porém, lhes disse: Não, para que ao colher o joio não arranqueis também o trigo com ele. **30** Deixai crescer ambos juntos até a colheita. Por ocasião da colheita, direi aos ceifeiros: Colhei primeiro o joio, amarrai-o em feixes para o queimar; então colhei o trigo e guardai-o no meu celeiro.

### As parábolas do grão de mostarda e do fermento
Mc 4:30-34; Lc 13:18-21

**31** Outra parábola lhes contou, dizendo: O Reino dos céus é semelhante ao grão de mostarda que um homem tomou e plantou no seu campo.

**32** Embora seja a menor de todas as sementes, ela, quando cresce, é maior do que as hortaliças e se transforma em árvore, de modo que vêm as aves do céu fazer seus ninhos nos seus ramos.

**33** Outra parábola lhes disse: O Reino dos céus é semelhante ao fermento que uma mulher toma e mistura em três medidas de farinha, até que tudo esteja fermentado.

**34** Tudo isto disse Jesus por parábolas à multidão e nada lhes falava sem parábolas,

**35** para que se cumprisse o que fora dito pelo profeta:

Abrirei em parábolas a
   minha boca;
anunciarei coisas ocultas
   desde a criação
      do mundo.

### A explicação da parábola do joio

**36** Então, tendo despedido a multidão, foi Jesus para casa. E chegaram ao pé dele os seus discípulos, dizendo: Explica-nos a parábola do joio do campo.

**37** E ele respondeu: O que semeia a boa semente é o Filho do homem.

**38** O campo é o mundo, e a boa semente são os filhos do Reino. O joio são os filhos do Maligno,

**39** e o inimigo que o semeou é o Diabo. A colheita é o fim do mundo, e os ceifeiros são os anjos.

**40** Assim como o joio é colhido e queimado no fogo, assim será na consumação deste mundo.

**41** Mandará o Filho do homem os seus anjos, e eles colherão do seu Reino tudo o que causa pecado e todos os que praticam o mal.

**42** E serão lançados na fornalha de fogo, onde haverá pranto e ranger de dentes.

**43** Então os justos brilharão como o sol, no Reino de seu Pai. Quem tem ouvidos para ouvir, ouça.

### As parábolas do tesouro escondido, da pérola e da rede

**44** O Reino dos céus é semelhante a um tesouro escondido num campo. Achando-o um homem, escondeu-o de novo; então em sua alegria foi, vendeu tudo o que tinha e comprou aquele campo.

**45** Assim também, o Reino dos céus é semelhante a um comerciante que procura boas pérolas.

**46** E, tendo encontrado uma pérola de grande valor, foi, vendeu tudo o que tinha e a comprou.

**47** Igualmente, o Reino dos céus é semelhante a uma rede lançada ao mar, a qual apanha toda espécie de peixes.

**48** Estando ela cheia, puxam-na para a praia e, assentando-se, escolhem os bons para os cestos; os ruins, porém, jogam fora.

**49** Assim será na consumação do século. Virão os anjos e separarão os maus dentre os justos

**50** e os lançarão na fornalha de fogo, onde haverá pranto e ranger de dentes.

**51** Perguntou-lhes Jesus: Entendestes todas estas parábolas? Responderam-lhe: Sim, Senhor.

**52** Disse-lhes ele: Por isso, todo mestre da lei instruído a respeito do Reino dos céus é semelhante a um pai de família que tira do seu depósito coisas novas e velhas.

**53** Quando Jesus acabou de dizer essas parábolas, saiu dali.

**54** E, chegando à sua terra, ensinava na sinagoga deles, de modo que se admiravam e diziam: De onde veio a este a sabedoria e estes poderes miraculosos?

**55** Não é este o filho do carpinteiro? E não se chama sua mãe Maria, e seus irmãos Tiago, José, Simão e Judas?
**56** Não estão entre nós todas as suas irmãs? De onde, pois, lhe veio tudo isto?
**57** E escandalizavam-se nele. Jesus, porém, lhes disse: Não há profeta sem honra a não ser na sua terra e na sua casa.
**58** E não fez ali muitos milagres, por causa da incredulidade deles.

### A morte de João Batista
Mc 6:14-29; Lc 9:7-9

**14** Por aquele tempo ouviu Herodes, o tetrarca, a fama de Jesus
**2** e disse a seus servos: Este é João Batista; ressuscitou dos mortos e por isso nele operam estes poderes miraculosos.
**3** Herodes havia mandado prender João. E o fizera acorrentar e lançar na prisão por causa de Herodias, mulher de seu irmão Filipe,
**4** pois João lhe dissera: Não te é permitido possuí-la.
**5** Queria matá-lo, mas temia o povo, porque o tinham como profeta.
**6** Festejando-se, porém, o dia natalício de Herodes, dançou a filha de Herodias diante de todos e agradou tanto a Herodes
**7** que este prometeu, com juramentos, dar-lhe tudo o que pedisse.
**8** Então ela, influenciada por sua mãe, disse: Dá-me aqui num prato a cabeça de João Batista.
**9** O rei afligiu-se, mas, por causa do juramento e dos que estavam à mesa com ele, ordenou que a dessem a ela.
**10** E mandou degolar João na prisão.
**11** A cabeça foi trazida num prato e dada à jovem, e ela a levou para sua mãe.
**12** Então chegaram os seus discípulos, levaram o corpo e o sepultaram. Depois foram contar a Jesus.

### A primeira multiplicação dos pães
Mc 6:30-34; Lc 9:10-17; Jo 6:1-14

**13** Jesus, ouvindo isto, saiu dali num barco, para um lugar deserto, à parte. Sabendo disso, saiu das cidades o povo e o seguia a pé.
**14** Ao sair, Jesus viu uma grande multidão e, cheio de grande compaixão para com ela, curou os seus enfermos.
**15** Chegada a tarde, os seus discípulos aproximaram-se dele e disseram: O lugar é deserto, e a hora é já avançada. Manda embora a multidão, para que vá pelas aldeias e compre comida para si.
**16** Jesus, porém, lhes disse: Não é preciso que se retirem. Dai-lhes vós de comer.
**17** Então eles lhe disseram: Só temos aqui cinco pães e dois peixes.
**18** Disse-lhes ele: Trazei-os.
**19** Tendo ordenado que a multidão se assentasse sobre a grama, partiu os cinco pães e os dois peixes e, erguendo os olhos ao céu, os abençoou. Depois, partiu os pães, deu-os aos discípulos, e os discípulos à multidão.
**20** Todos comeram e ficaram satisfeitos; e recolheram dos pedaços que sobraram doze cestos cheios.
**21** E os que comeram foram cerca de cinco mil homens, além de mulheres e crianças.

### Jesus anda sobre o mar
Mc 6:45-56; Jo 6:15-21

**22** Logo em seguida ordenou Jesus que os seus discípulos entrassem

no barco e fossem adiante para o outro lado, enquanto ele despedia a multidão.
23 Despedida a multidão, ele subiu ao monte para orar em particular. Ao cair da tarde, estava ali sozinho.
24 Entretanto, o barco já estava no meio do mar, atingido pelas ondas, porque o vento era contrário.
25 Na quarta vigília da noite, dirigiu-se Jesus a eles, andando por sobre o mar.
26 Os discípulos, vendo-o caminhar sobre o mar, assustaram-se, dizendo: É um fantasma. E gritaram de medo.
27 Jesus, porém, imediatamente lhes disse: Coragem, sou eu, não tenhais medo.
28 Respondeu-lhe Pedro: Senhor, se és tu, manda-me ir ter contigo sobre as águas.
29 E ele disse: Vem! E Pedro, descendo do barco, andou sobre as águas para ir ter com Jesus.
30 Mas, observando o vento forte, teve medo e, começando a afundar, clamou: Senhor, salva-me!
31 Imediatamente, Jesus estendeu a mão, tomou-o e lhe disse: Homem de pequena fé, por que duvidaste?
32 Quando entraram no barco, o vento cessou.
33 Então os que estavam no barco o adoraram, dizendo: És verdadeiramente o Filho de Deus.
34 Ao passar para o outro lado, chegaram a Genesaré.
35 Quando os homens daquele lugar o reconheceram, espalharam a notícia por toda a região e lhe trouxeram todos os que estavam doentes.
36 E lhe rogavam que ao menos eles pudessem tocar a borda da sua roupa. E todos os que a tocavam ficavam sãos.

## A tradição dos anciãos
Mc 7.1-23

**15** Então vieram de Jerusalém a Jesus alguns fariseus e mestres da lei e perguntaram:
2 Por que quebram os teus discípulos a tradição dos anciãos? Eles não lavam as mãos quando comem pão.
3 Ele, porém, lhes respondeu: Por que quebrais vós também o mandamento de Deus, por causa da vossa tradição?
4 Pois Deus ordenou: Honra a teu pai e a tua mãe, e quem amaldiçoar seu pai ou sua mãe certamente morrerá.
5 Vós, porém, dizeis: Quem disser a seu pai ou a sua mãe: É oferta ao Senhor o que poderias aproveitar de mim,
6 esse não precisa honrar nem a seu pai nem a sua mãe. Assim anulastes, pela vossa tradição, o mandamento de Deus.
7 Hipócritas! Bem profetizou Isaías a vosso respeito:
8 Este povo honra-me com os seus lábios,
    mas o seu coração está longe de mim.
9 Em vão, porém, me adoram,
    ensinando doutrinas que são normas dos homens.
10 E, convocando a multidão, lhes disse: Ouvi e entendei:
11 O que contamina o homem não é o que entra pela boca; mas o que sai da boca, isto sim é o que o torna impuro.
12 Então, aproximando-se dele os seus discípulos, lhe disseram: Sabes que os fariseus, ouvindo essas palavras, se ofenderam?

**13** Ele, porém, respondeu: Toda planta que meu Pai celestial não plantou será arrancada.
**14** Deixai-os: são guias cegos. Se um cego guiar outro cego, ambos cairão no buraco.
**15** Então Pedro lhe disse: Explica-nos essa parábola.
**16** Jesus, porém, disse: Nem mesmo vós entendestes?
**17** Ainda não compreendeis que tudo o que entra pela boca desce para o ventre e é lançado fora?
**18** O que sai da boca, porém, procede do coração, e é isso o que contamina o homem.
**19** Pois do coração procedem maus pensamentos, homicídio, adultério, prostituição, roubo, falso testemunho, blasfêmia.
**20** São essas coisas que tornam o homem impuro, mas comer sem lavar as mãos não contamina o homem.

### A mulher cananeia
Mc 7:24-30

**21** Partindo Jesus dali, foi para a região de Tiro e de Sidom.
**22** Certa mulher cananeia, daquela região, clamou: Senhor, Filho de Davi, tem misericórdia de mim! Minha filha está horrivelmente endemoninhada.
**23** Jesus não lhe respondeu palavra. Então seus discípulos aproximaram-se dele e lhe rogaram: Mande-a embora, pois vem gritando atrás de nós.
**24** Respondeu ele: Eu não fui enviado senão às ovelhas perdidas de Israel.
**25** A mulher chegou, ajoelhou-se e disse: Senhor, ajuda-me.
**26** Ele respondeu: Não é bom pegar o pão dos filhos e lançá-lo aos cachorrinhos.
**27** Disse ela: Sim, Senhor, mas até os cachorrinhos comem das migalhas que caem da mesa dos seus donos.
**28** Então respondeu Jesus: Ó mulher, grande é a tua fé! Seja feito para contigo como tu desejas. E desde aquela hora a sua filha foi curada.

### A segunda multiplicação dos pães
Mc 8:1-10

**29** Jesus partiu dali e foi para junto do mar da Galileia. Então subiu a um monte e assentou-se.
**30** Vieram ter com ele grandes multidões, trazendo coxos, cegos, mudos, aleijados e muitos outros, e os puseram aos pés de Jesus; e ele os curou.
**31** A multidão se maravilhou ao ver os mudos falando, os aleijados curados, os coxos andando e os cegos vendo. E glorificavam ao Deus de Israel.
**32** Jesus chamou os discípulos e lhes disse: Tenho compaixão da multidão; já está comigo há três dias e não tem o que comer. Não quero mandá-la embora com fome, para que não desfaleça no caminho.
**33** Os seus discípulos lhe disseram: Onde encontraríamos num deserto tantos pães, para alimentar tanta gente?
**34** Perguntou-lhes Jesus: Quantos pães tendes? Responderam: Sete, e alguns peixinhos.
**35** Então mandou que a multidão se assentasse no chão,
**36** tomou os sete pães e os peixes e, dando graças, partiu-os e deu-os aos discípulos, e estes à multidão.
**37** Todos comeram e se fartaram. E levantaram do que sobrou sete cestos cheios de pedaços.

38 Ora, os que comeram foram quatro mil homens, além de mulheres e crianças.
39 Tendo despedido a multidão, entrou no barco e dirigiu-se ao território de Magadã.

### O fermento dos fariseus
*Mc 8:14-21*

**16** Aproximando-se os fariseus e os saduceus para o tentar, pediram-lhe que lhes mostrasse um sinal do céu.
2 Jesus, porém, lhes respondeu: Chegada a tarde, dizeis: Haverá bom tempo, pois o céu está avermelhado.
3 E de manhã: Hoje haverá tempestade, pois o céu está de um vermelho escuro. Hipócritas, sabeis interpretar os sinais do céu e não conheceis os sinais dos tempos?
4 Uma geração má e adúltera pede um sinal, e nenhum sinal lhe será dado, senão o do profeta Jonas. E, deixando-os, saiu.
5 Passando seus discípulos para o outro lado, esqueceram-se de levar pão.
6 Disse-lhes Jesus: Tomem cuidado com o fermento dos fariseus e saduceus.
7 Eles discutiam entre si, dizendo: É porque não trouxemos pão.
8 Jesus, percebendo isso, disse: Homens de pequena fé, por que discutis entre vós sobre não terdes trazido pão?
9 Não compreendeis ainda, nem vos lembrais dos cinco pães para cinco mil homens e de quantos cestos recolhestes?
10 Nem dos sete pães para quatro mil e de quantos cestos recolhestes?
11 Como não compreendestes que não vos falei a respeito de pão, mas que tomásseis cuidado com o fermento dos fariseus e saduceus?
12 Então compreenderam que não dissera que tomassem cuidado com o fermento do pão, mas com os ensinamentos dos fariseus.

### A confissão de Pedro
*Mc 8:27-33; Lc 9:18-22; Jo 6:66-69*

13 Chegando Jesus à região de Cesareia de Filipe, perguntou aos seus discípulos: Quem dizem os homens ser o Filho do homem?
14 Responderam-lhe: Uns dizem: João Batista; outros: Elias; e outros: Jeremias, ou um dos profetas.
15 Perguntou-lhes ele: E vós, quem dizeis que eu sou?
16 Simão Pedro respondeu: Tu és o Cristo, o Filho do Deus vivo.
17 Respondeu-lhe Jesus: Bem-aventurado és tu, Simão filho de Jonas, pois não foi carne e sangue quem te revelou, mas meu Pai que está nos céus.
18 E também eu te digo que tu és Pedro, e sobre esta pedra edificarei a minha igreja, e as portas do inferno não prevalecerão contra ela.
19 Eu te darei as chaves do Reino dos céus; tudo o que ligares na terra será ligado nos céus e tudo o que desligares na terra será desligado nos céus.
20 Então ordenou aos seus discípulos que a ninguém dissessem que ele era o Cristo.
21 Desde então começou Jesus a mostrar aos discípulos que era necessário ir a Jerusalém, sofrer muito nas mãos dos líderes religiosos, dos principais sacerdotes e dos mestres da lei, ser morto e ressuscitar no terceiro dia.

**22** Pedro chamou-o à parte e começou a repreendê-lo, dizendo: Senhor, tem compaixão de ti. Isso nunca te acontecerá.
**23** Ele, porém, voltando-se, disse a Pedro: Para trás de mim, Satanás! Tu me serves de pedra de tropeço; não compreendes as coisas que são de Deus, e sim as que são dos homens.

### O discípulo de Jesus deve levar sua cruz
Mc 8:34—9:1; Lc 9:23-27

**24** Então disse Jesus aos seus discípulos: Se alguém quiser vir após mim, negue-se a si mesmo, tome a sua cruz e siga-me.
**25** Pois aquele que quiser salvar a sua vida a perderá, mas quem perder a sua vida por amor de mim a achará.
**26** O que adiantará ao homem ganhar o mundo inteiro, se perder a sua alma? Ou que dará o homem em troca da sua alma?
**27** Pois o Filho do homem virá na glória de seu Pai, com os seus anjos, e então recompensará a cada um de acordo com suas obras.
**28** Em verdade vos digo, alguns dos que aqui estão não passarão pela morte até que vejam vir o Filho do homem no seu Reino.

### A transfiguração
Mc 9:1-13; Lc 9:28-36

**17** Seis dias depois, tomou Jesus consigo a Pedro, a Tiago, a João, irmão deste, e os levou, em particular, a um alto monte.
**2** Ali Jesus foi transfigurado diante deles. O seu rosto brilhou como o sol, e as suas roupas se tornaram brancas como a luz.
**3** Então lhes apareceram Moisés e Elias, falando com ele.
**4** Pedro disse a Jesus: Senhor, bom é estarmos aqui. Se queres, façamos aqui três abrigos — um para ti, um para Moisés e um para Elias.
**5** Estando ele ainda a falar, uma nuvem luminosa os cobriu, e da nuvem saiu uma voz que dizia: Este é meu Filho amado, em quem me agrado. A ele ouvi!
**6** Os discípulos, ouvindo isso, caíram com o rosto no chão, tomados de grande medo.
**7** Aproximou-se Jesus, tocou neles e disse: Levantai-vos e não tenhais medo.
**8** Erguendo eles os olhos, a ninguém viram senão a Jesus.
**9** Enquanto desciam do monte, Jesus lhes ordenou: A ninguém conteis a visão, até que o Filho do homem seja ressuscitado dos mortos.
**10** Os discípulos o interrogaram: Por que dizem, pois, os mestres da lei que é necessário que Elias venha primeiro?
**11** Jesus lhes respondeu: Certamente Elias virá primeiro e restaurará todas as coisas.
**12** Mas digo-vos que Elias já veio, e não o conheceram, mas fizeram-lhe tudo o que quiseram. Assim farão eles também sofrer o Filho do homem.
**13** Então entenderam os discípulos que lhes falara a respeito de João Batista.

### A cura de um menino epiléptico
Mc 9:14-32; Lc 9:37-45

**14** Quando chegaram à multidão, um homem aproximou-se de Jesus e ajoelhou-se, dizendo:
**15** Senhor, tem misericórdia de meu filho, que é epiléptico

e sofre muito. Ele muitas vezes cai no fogo e na água.

**16** Eu o trouxe aos teus discípulos, mas não puderam curá-lo.

**17** Respondeu-lhe Jesus: Ó geração incrédula e perversa! Até quando estarei convosco? Até quando vos suportarei? Trazei-me aqui o menino.

**18** Jesus repreendeu o demônio, e este saiu do menino, e desde aquela hora o menino ficou curado.

**19** Então os discípulos aproximaram-se de Jesus em particular e perguntaram: Por que não conseguimos nós expulsá-lo?

**20** Jesus lhes respondeu: Por causa da vossa pequena fé. Em verdade vos digo que, se tiverdes fé como um grão de mostarda, direis a este monte: Vá daqui para lá, e ele irá. Nada vos será impossível.

**21** Este tipo de demônio, porém, não se expulsa senão por meio de oração e jejum.

**22** Ora, achando-se eles na Galileia, disse-lhes Jesus: O Filho do homem será entregue nas mãos dos homens.

**23** Eles o matarão, e no terceiro dia ressuscitará. E eles se entristeceram muito.

### Jesus paga o tributo

**24** Quando eles chegaram a Cafarnaum, aproximaram-se de Pedro os que cobravam o imposto das duas dracmas e perguntaram: Não paga o vosso mestre o imposto do templo?

**25** Respondeu ele: Sim. E, entrando em casa, Jesus antecipou-se, dizendo: Que te parece, Simão? De quem cobram os reis da terra os impostos e o tributo? Dos seus filhos, ou dos estranhos?

**26** Respondeu-lhe Pedro: Dos estranhos. Disse-lhe Jesus: Então os filhos estão isentos.

**27** Mas, para que não os escandalizemos, vai ao mar, joga o anzol, tira o primeiro peixe que subir e, abrindo-lhe a boca, encontrarás um estáter. Pegue-o e pague o imposto por mim e por ti.

### O maior no Reino dos céus
Mc 9:33-37; Lc 9:46-48

**18** Naquela mesma hora os discípulos se aproximaram de Jesus e perguntaram: Quem é o maior no Reino dos céus?

**2** Jesus chamou uma criança, colocou-a no meio deles

**3** e disse: Em verdade vos digo que, se não vos converterdes e não vos tornardes como crianças, de modo algum entrareis no Reino dos céus.

**4** Portanto, aquele que se tornar humilde como esta criança, esse é o maior no Reino dos céus.

**5** E todo aquele que receber, em meu nome, uma criança como esta, recebe a mim.

**6** Aquele, porém, que fizer tropeçar um destes pequeninos que creem em mim, melhor seria que pendurasse ao pescoço uma grande pedra de moinho e se lançasse na profundeza do mar.

**7** Ai do mundo, por causa dos escândalos! É necessário que venham escândalos, mas ai do homem por quem o escândalo vier!

**8** Portanto, se a tua mão ou o teu pé te fazem pecar, corta-o e lança-o para longe de ti. Melhor é que entres na vida coxo, ou aleijado, do que, tendo duas mãos ou dois pés, seres lançado no fogo eterno.

**9** E, se o teu olho te faz tropeçar, arranca-o e lança-o para longe de ti.

Melhor é que entres na vida com um só olho do que, tendo dois olhos, sejas lançado no fogo do inferno.

**10** Vede, não desprezeis a qualquer destes pequeninos. Pois eu vos digo que os seus anjos nos céus sempre veem a face de meu Pai que está nos céus.

**11** O Filho do homem veio salvar o que estava perdido.

**12** Que vos parece? Se um homem tiver cem ovelhas e uma delas se perder, não deixará ele as noventa e nove nos montes e irá em busca da que se perdeu?

**13** E, se a acha, em verdade vos digo que maior prazer tem por aquela do que pelas noventa e nove que não se perderam.

**14** Assim também não é vontade de vosso Pai que está nos céus que um destes pequeninos se perca.

### O perdão do pecado de um irmão

**15** Se, porém, teu irmão pecar contra ti, vai e repreende-o entre ti e ele só. Se te ouvir, ganhaste a teu irmão.

**16** Se, porém, ele não te ouvir, leva contigo um ou dois, para que pela boca de duas ou três testemunhas toda palavra seja confirmada.

**17** E, se não as ouvir, dize-o à igreja; se também não ouvir a igreja, trate-o como gentio ou cobrador de impostos.

**18** Em verdade vos digo que tudo o que ligardes na terra será ligado no céu, e tudo o que desligardes na terra será desligado no céu.

**19** Também vos digo que, se dois de vós concordarem na terra a respeito de qualquer coisa que pedirem, essa lhe será dada por meu Pai que está nos céus.

**20** Pois onde estiverem dois ou três reunidos em meu nome, ali estou eu no meio deles.

**21** Então Pedro, aproximando-se, lhe perguntou: Senhor, até quantas vezes pecará meu irmão contra mim, e eu lhe perdoarei? Até sete?

**22** Jesus lhe respondeu: Não te digo que até sete vezes, mas até setenta vezes sete.

### A parábola do credor incompassivo

**23** Por isso, o Reino dos céus pode ser comparado a certo rei que quis acertar contas com os seus servos.

**24** E, começando a fazê-lo, trouxeram-lhe um que lhe devia dez mil talentos.

**25** Não tendo ele com que pagar, o seu senhor mandou que ele, sua mulher e seus filhos fossem vendidos, com tudo o que tinha, para que a dívida fosse paga.

**26** Então aquele servo, prostrando-se, implorava, dizendo: Senhor, sê generoso comigo e tudo te pagarei.

**27** Então o senhor daquele servo, movido por íntima compaixão, mandou-o embora e perdoou-lhe a dívida.

**28** Saindo, porém, aquele servo, encontrou um dos seus conservos que lhe devia cem denários. Agarrando-o, sufocava-o, dizendo: Paga-me o que me deves.

**29** Então o seu companheiro, prostrando-se a seus pés, rogava-lhe: Sê generoso comigo e tudo te pagarei.

**30** Ele, porém, não quis. Antes, foi lançá-lo na prisão, até que pagasse a dívida.

**31** Vendo os seus conservos o que acontecia, entristeceram-se muito e foram contar ao seu senhor tudo o que acontecera.

**32** Então o seu senhor chamou-o e lhe disse: Servo mal, perdoei-te toda aquela dívida, porque me suplicaste.
**33** Não devias tu igualmente compadecer-te do teu companheiro, como também eu me compadeci de ti?
**34** Irado, o seu senhor o entregou aos carrascos, até que lhe pagasse tudo o que devia.
**35** Assim vos fará também meu Pai celeste, se de coração não perdoardes, cada um, a seu irmão, as suas ofensas.

### Acerca do divórcio
*Mc 10:1-12*

**19** Tendo concluído essas palavras, Jesus saiu da Galileia e foi para o território da Judeia, além do Jordão.
**2** Seguiram-no grandes multidões, e ele as curou ali.
**3** Então se aproximaram os fariseus, para testá-lo, e perguntaram: É permitido ao homem divorciar-se de sua mulher por qualquer motivo?
**4** Respondeu-lhes ele: Não leste que no princípio o Criador os fez homem e mulher,
**5** e disse: Portanto deixará o homem pai e mãe, se unirá a sua mulher e serão os dois uma só carne?
**6** Assim já não são mais dois, mas uma só carne. Portanto, o que Deus uniu não o separe o homem.
**7** Perguntaram-lhe: Então por que mandou Moisés dar-lhe carta de divórcio e mandá-la embora?
**8** Respondeu-lhes ele: Moisés, por causa da dureza do vosso coração, vos permitiu mandar embora vossas mulheres. Mas no princípio não foi assim.
**9** Eu vos digo, porém, que qualquer que se divorciar de sua mulher, não sendo por causa de imoralidade sexual e casar com outra, comete adultério, e o que casar com a divorciada também comete adultério.
**10** Disseram-lhe os discípulos: Se essa é a condição entre o homem e a mulher, não convém casar.
**11** Ele, porém, lhes disse: Nem todos podem aceitar esta palavra, mas só aqueles a quem é concedido.
**12** Pois há eunucos que nasceram assim; outros foram feitos eunucos pelos homens. E há eunucos que se fizeram eunucos por causa do Reino dos céus. Quem puder aceitar isso, aceite-o.

### Jesus abençoa os meninos
*Mc 10:13-16; Lc 18:15-17*

**13** Trouxeram-lhe então algumas crianças para que lhes impusesse as mãos e orasse por elas. Mas os discípulos os repreendiam.
**14** Jesus, porém, disse: Deixai as crianças e não as impeçais de vir a mim, pois das tais é o Reino dos céus.
**15** E, tendo-lhes imposto as mãos, partiu dali.

### O jovem rico
*Mc 10:17-31; Lc 18:18-30*

**16** Ora, aproximou-se dele um homem e lhe perguntou: Mestre, que bem farei para ter a vida eterna?
**17** Respondeu-lhe Jesus: Por que me perguntas a respeito do que é bom? Bom só há um. Se queres, porém, entrar na vida, obedeça aos mandamentos.
**18** Perguntou-lhe ele: Quais? E Jesus respondeu: Não matarás, não adulterarás, não furtarás, não dirás falso testemunho,

**19** honra teu pai e tua mãe, e amarás o teu próximo como a ti mesmo.
**20** Disse-lhe o jovem: A tudo isso tenho obedecido. Que me falta ainda?
**21** Disse-lhe Jesus: Se queres ser perfeito, vai, vende tudo o que tens e dá-o aos pobres, e terás um tesouro no céu. Então vem e segue-me.
**22** O jovem, ao ouvir essa palavra, saiu triste, porque possuía muitas propriedades.
**23** Disse então Jesus aos seus discípulos: Em verdade vos digo que é difícil entrar um rico no Reino dos céus.
**24** Outra vez vos digo que é mais fácil passar um camelo pelo fundo de uma agulha do que entrar um rico no Reino de Deus.
**25** Os seus discípulos, ouvindo isso, admiraram-se muito e disseram: Quem poderá, então, salvar-se?
**26** Jesus, olhando para eles, lhes disse: Para os homens isso é impossível, mas para Deus tudo é possível.
**27** Então Pedro lhe perguntou: Nós deixamos tudo e te seguimos! O que então haverá para nós?
**28** Respondeu-lhe Jesus: Em verdade vos digo: vós, os que me seguistes, por ocasião da regeneração, quando o Filho do homem se assentar no trono da sua glória, também vos assentareis sobre doze tronos, para julgar as doze tribos de Israel.
**29** E todo aquele que tiver deixado casas, ou irmãos, ou irmãs, ou pai, ou mãe, ou mulher, ou filhos, ou terras, por causa do meu nome, receberá cem vezes mais e herdará a vida eterna.
**30** Muitos dos primeiros serão últimos, e muitos dos últimos serão os primeiros.

### A parábola dos trabalhadores na vinha

**20** O Reino dos céus é semelhante a um proprietário que saiu de madrugada para contratar trabalhadores para a sua vinha.
**2** E, tendo ajustado com os trabalhadores a um denário por dia, mandou-os para a sua vinha.
**3** Perto das nove horas da manhã ele saiu e viu na praça outros que estavam desocupados.
**4** Disse-lhes: Ide vós também para a vinha, e vos darei o que for justo. E eles foram.
**5** Saindo outra vez, perto do meio-dia e das três horas da tarde, fez o mesmo.
**6** Perto das cinco horas da tarde ele saiu e encontrou outros que estavam desocupados e perguntou-lhes: Por que estivestes aqui desocupados o dia todo?
**7** Responderam-lhes: Porque ninguém nos contratou. Disse-lhes: Ide vós também para a vinha, e recebereis o que for justo.
**8** Chegada a tarde, disse o dono da vinha ao seu administrador: Chama os trabalhadores e paga-lhes o salário, começando pelos últimos contratados indo até os primeiros.
**9** Vindo os contratados por volta das cinco da tarde, receberam um denário cada um.
**10** Vieram, então, os primeiros e pensaram que receberiam mais. Mas também eles receberam um denário cada um.
**11** Ao receberem, queixaram-se contra o proprietário.

**12** Disseram: Estes últimos contratados trabalharam só uma hora, e tu os igualaste conosco, que suportamos o cansaço e o calor do dia. **13** Ele, porém, disse a um deles: Amigo, não te faço injustiça. Não combinaste comigo um denário? **14** Toma o que é teu e retira-te daqui. Eu quero dar a este último tanto quanto a ti. **15** Não tenho o direito de fazer o que quiser com o que é meu? Ou é mau o teu olho porque eu sou bom? **16** Assim, os últimos serão primeiros, e os primeiros, últimos; pois muitos são chamados, mas poucos escolhidos.

### O pedido da mãe de Tiago e João
Mc 10:35-45

**17** Quando estavam para subir a Jerusalém, ele chamou em particular os doze discípulos e, enquanto caminhavam, lhes disse: **18** Vamos para Jerusalém, e o Filho do homem será entregue aos principais sacerdotes e aos mestres da lei. Eles o condenarão à morte. **19** E o entregarão aos gentios para que zombem dele, o açoitem e seja crucificado. No terceiro dia, ele ressuscitará. **20** Então se aproximou dele a mãe dos filhos de Zebedeu, com seus filhos, e, prostrando-se, fez-lhe um pedido. **21** Perguntou ele: Que queres? Disse ela: Concede que estes meus dois filhos se assentem, um à tua direita e outro à tua esquerda, no teu Reino. **22** Jesus, porém, respondeu: Não sabeis o que pedis. Podeis vós beber o cálice que estou para beber, [e ser batizados com o batismo com que estou para ser batizado]? Responderam-lhe: Podemos. **23** Disse-lhes Jesus: Na verdade bebereis o meu cálice, mas o assentar-se à minha direita ou à minha esquerda não me pertence concedê-lo. Esses lugares pertencem àqueles a quem meu Pai os preparou. **24** Quando os dez ouviram isto, se indignaram contra os dois irmãos. **25** Então Jesus chamou-os a si e disse: Bem sabeis que os governadores dos gentios os dominam e que os grandes exercem autoridade sobre eles. **26** Não será assim entre vós. Pelo contrário, todo aquele que entre vós quiser tornar-se grande seja vosso servo, **27** e quem quiser ser o primeiro seja vosso escravo — **28** tal como o Filho do homem não veio para ser servido, mas para servir e dar a sua vida em resgate por muitos.

### Os dois cegos de Jericó
Mc 10:46-52; Lc 18:35-43

**29** Quando eles saíram de Jericó, seguiu-o uma grande multidão. **30** Dois cegos estavam assentados à beira do caminho e, quando ouviram que Jesus passava, clamaram: Senhor, Filho de Davi, tem misericórdia de nós! **31** A multidão os repreendia para que se calassem, mas eles clamavam cada vez mais alto: Senhor, Filho de Davi, tem misericórdia de nós! **32** Jesus parou, chamou-os e lhes perguntou: Que quereis que vos faça? **33** Responderam-lhe: Senhor, que os nossos olhos se abram!

**34** Movido de compaixão, Jesus tocou-lhes os olhos. Imediatamente começaram a ver e o seguiram.

### A entrada triunfal de Jesus em Jerusalém
Mc 11:1-10; Lc 19:29-38

**21** Quando se aproximaram de Jerusalém e chegaram a Betfagé, ao monte das Oliveiras, enviou Jesus dois discípulos, dizendo-lhes:
**2** Ide à aldeia aí em frente, e logo encontrareis uma jumenta presa, e com ela um jumentinho. Desamarrai-a e trazei-os a mim.
**3** Se alguém vos disser alguma coisa, dizei-lhe que o Senhor necessita deles, e imediatamente os enviará.
**4** Ora, tudo isto aconteceu para que se cumprisse o que foi dito pelo profeta:
**5** Dizei à filha de Sião:
 Olha, eis que vem o teu Rei, manso, e montado em jumento,
 num jumentinho,
 filho de animal de carga.
**6** Os discípulos foram e fizeram como Jesus lhes ordenara.
**7** Trouxeram a jumenta e o jumentinho, e sobre eles puseram os seus mantos e Jesus assentou-se sobre eles.
**8** E grande multidão estendeu os seus mantos pelo caminho, e outros cortavam ramos de árvores e os espalhavam pelo caminho.
**9** As multidões que iam adiante e as que seguiam clamavam:
 Hosana ao Filho de Davi!
 Bendito o que vem em nome do Senhor!
 Hosana nas alturas!
**10** E, quando ele entrou em Jerusalém, toda a cidade ficou agitada, e perguntavam: Quem é este?
**11** E as multidões responderam: Este é Jesus, o profeta de Nazaré da Galileia.

### A purificação do templo
Mc 11:15-18; Lc 19:45-48

**12** Entrou Jesus no templo, expulsou a todos os que aí vendiam e compravam e derrubou as mesas dos cambistas e as cadeiras dos que vendiam pombas.
**13** E disse-lhes: Está escrito: A minha casa será chamada casa de oração, mas vós a tendes convertido em covil de ladrões.
**14** Aproximaram-se dele no templo cegos e coxos, e ele os curou.
**15** Quando, porém, os principais sacerdotes e os mestres da lei viram as maravilhas que fazia e as crianças clamando no templo: Hosana ao Filho de Davi, ficaram indignados.
**16** E perguntaram-lhe: Ouves o que estes dizem? Respondeu-lhes Jesus: Sim. Nunca lestes:
 Da boca de crianças e pequeninos tiraste perfeito louvor?
**17** E, deixando-os, saiu da cidade para Betânia, onde passou a noite.

### A figueira seca
Mc 11:12-14,20-26

**18** De manhã, ao voltar para a cidade, teve fome.
**19** Avistou uma figueira à beira do caminho, dirigiu-se a ela, mas nada encontrou senão folhas. E disse-lhe: Nunca mais nasça fruto de ti. E a figueira secou imediatamente.
**20** Quando os discípulos viram isso, perguntaram, espantados: Como secou imediatamente a figueira?

**21** Jesus respondeu: Em verdade vos digo que, se tiverdes fé e não duvidardes, não só fareis o que foi feito à figueira, mas até se a este monte disserdes: Levanta-te e lança-te no mar, assim será feito. **22** E tudo o que pedirdes em oração, crendo, o recebereis.

### O batismo de João
*Mc 11:27-33; Lc 20:1-8*

**23** Jesus entrou no templo e, enquanto ensinava, aproximaram-se dele os principais sacerdotes e os líderes religiosos do povo e perguntaram: Com que autoridade fazes estas coisas? E quem te deu tal autoridade? **24** Respondeu-lhes Jesus: Eu também vos farei uma pergunta. Se me responderdes, eu vos direi com que autoridade faço estas coisas. **25** De onde era o batismo de João? Do céu ou dos homens? E discutiam entre si, dizendo: Se dissermos: Do céu, ele nos dirá: Então por que não crestes nele? **26** Se, porém, dissermos: Dos homens, tememos o povo, pois todos consideram João como profeta. **27** Então responderam a Jesus: Não sabemos. Então ele lhes disse: Nem eu vos digo com que autoridade faço estas coisas.

### A parábola dos dois filhos

**28** O que vos parece? Um homem tinha dois filhos. Dirigindo-se ao primeiro, disse: Filho, vai trabalhar hoje na vinha. **29** Respondeu ele: Não irei. Mais tarde, porém, arrependeu-se e foi. **30** Então o pai se dirigiu ao segundo filho e disse a mesma coisa. Respondeu ele: Eu vou, senhor, mas não foi. **31** Qual dos dois fez a vontade do pai? Responderam-lhe: O primeiro. Disse-lhes Jesus: Em verdade vos digo que os cobradores de impostos e as prostitutas entram antes de vós no Reino de Deus. **32** Pois João veio a vós a fim de vos mostrar o caminho da justiça, e não crestes nele, mas os cobradores de impostos e as prostitutas creram. Vós, porém, mesmo vendo isto, não vos arrependestes para crerdes nele.

### A parábola dos lavradores maus
*Mc 12:1-12; Lc 20:9-18*

**33** Ouvi outra parábola: Havia um proprietário que plantou uma vinha. Colocou ao seu redor um muro, construiu nela um lagar e uma torre, arrendou-a a uns lavradores e ausentou-se do país. **34** Chegado o tempo da colheita, enviou os seus servos aos lavradores, para receber os seus frutos. **35** Os lavradores, agarrando os servos, feriram a um, mataram a outro, e apedrejaram a outro. **36** Então enviou outros servos, em maior número do que os primeiros, e eles lhes fizeram o mesmo. **37** Por último enviou-lhes seu filho, dizendo: Respeitarão a meu filho. **38** Os lavradores, porém, vendo o filho, disseram entre si: Este é o herdeiro. Vinde, vamos matá-lo e nos apoderar da sua herança. **39** Assim, agarraram-no, arrastaram-no para fora da vinha e o mataram. **40** Portanto, quando vier o dono da vinha, que fará àqueles lavradores? **41** Responderam-lhe: Destruirá de maneira horrível esses perversos e arrendará a vinha a outros lavradores, que no devido tempo lhe entreguem os frutos.

**42** Disse-lhes Jesus: Nunca lestes nas Escrituras:

A pedra que os construtores rejeitaram,
essa se tornou a pedra angular;
o Senhor fez isto, e é maravilhoso aos nossos olhos?

**43** Portanto, eu vos digo que o Reino de Deus vos será tirado e será entregue a um povo que produza os seus frutos.

**44** Aquele que cair sobre esta pedra se despedaçará, mas aquele sobre quem ela cair será reduzido a pó.

**45** Os principais sacerdotes e os fariseus, ouvindo estas parábolas, entenderam que ele falava a seu respeito.

**46** Procuraram prendê-lo, mas tiveram medo da multidão, porque o povo o considerava como profeta.

### A parábola dos convidados para as bodas

Lc 14:16-24

**22** Jesus tornou a falar-lhes em parábolas e disse:

**2** O Reino dos céus é semelhante a um rei que comemorou o casamento de seu filho.

**3** Enviou os seus servos para chamar os convidados para o casamento, mas estes não quiseram vir.

**4** Depois enviou outros servos, recomendando: Dizei aos convidados que já preparei o meu jantar: Meus bois e novilhos já foram mortos, e tudo está pronto. Vinde ao banquete.

**5** Eles, porém, não dando atenção, foram, um para o seu campo, outro para o seu negócio.

**6** O restante, agarrando os servos, os maltrataram e os mataram.

**7** O rei ficou com muita raiva. Enviou o seu exército e destruiu aqueles assassinos e incendiou a sua cidade.

**8** Então disse a seus servos: O banquete, na verdade, está preparado, mas os convidados não eram dignos.

**9** Ide às esquinas e convidai para o banquete todos os que encontrardes.

**10** E, saindo os servos pelos caminhos, ajuntaram todos quantos encontraram, tanto maus como bons, e a sala do banquete se encheu de convidados.

**11** Quando, porém, o rei entrou para ver os convidados, notou ali um homem que não estava vestido com roupas de núpcias.

**12** Perguntou-lhe: Amigo, como entraste aqui sem roupas nupciais? Ele ficou calado.

**13** Disse então o rei aos servos: Amarrai-o, os pés e as mãos, e lançai-o para fora, nas trevas, onde haverá choro e ranger de dentes.

**14** Pois muitos são chamados, mas poucos escolhidos.

### A questão do tributo

Mc 12:13-17; Lc 20:19-26

**15** Então, retirando-se os fariseus, conversaram entre si como o surpreenderiam em alguma palavra.

**16** Enviaram-lhe os seus discípulos, com os herodianos, dizendo: Mestre, bem sabemos que és verdadeiro e que ensinas o caminho de Deus, segundo a verdade. E não dás preferência a ninguém, porque não consideras a aparência dos homens.

**17** Dize-nos, pois, que te parece? É certo pagar tributo a César ou não?

**18** Jesus, porém, conhecendo a sua má intenção, disse: Por que me põem à prova, hipócritas? **19** Mostrai-me a moeda do imposto. Eles lhe apresentaram um denário. **20** E ele lhes perguntou: De quem é esta imagem e inscrição? **21** Responderam-lhe: De César. Então ele lhes disse: Dai a César o que é de César e a Deus o que é de Deus. **22** Ao ouvirem isso, eles se maravilharam. E, deixando-o, se retiraram.

### A ressurreição dos mortos

**23** Naquele mesmo dia vieram a ele os saduceus, que dizem não haver ressurreição, e o interrogaram: **24** Mestre, Moisés disse: Se um homem morrer, sem deixar filhos, seu irmão casará com a mulher dele e dará descendência a seu irmão. **25** Ora, houve entre nós sete irmãos. O primeiro casou e morreu e, não tendo filhos, deixou sua mulher a seu irmão. **26** A mesma coisa aconteceu com o segundo e o terceiro, até o sétimo. **27** Por fim, morreu também a mulher. **28** Portanto, na ressurreição, de qual dos sete será ela mulher, visto que todos foram casados com ela? **29** Respondeu-lhes Jesus: Errais, não conhecendo as Escrituras, nem o poder de Deus. **30** Na ressurreição nem casam nem são dados em casamento; serão como os anjos de Deus no céu. **31** E quanto à ressurreição dos mortos, não lestes o que Deus vos declarou: **32** Eu sou o Deus de Abraão, o Deus de Isaque e o Deus de Jacó? Ora, Deus não é Deus de mortos, mas de vivos. **33** Ouvindo isto, as multidões ficaram maravilhadas com o seu ensino.

### Os maiores mandamentos
Mc 12:28-34; Lc 10:25-27

**34** Quando os fariseus ouviram que ele fizera emudecer os saduceus, reuniram-se no mesmo lugar. **35** Um deles, doutor da lei, interrogou-o para o testar: **36** Mestre, qual é o grande mandamento na lei? **37** Respondeu-lhe Jesus: Amarás o Senhor teu Deus de todo o teu coração, de toda a tua alma e de todo o teu entendimento. **38** Este é o primeiro e grande mandamento. **39** O segundo, semelhante a este, é: Amarás o teu próximo como a ti mesmo. **40** Destes dois mandamentos dependem toda a Lei e os Profetas.

### Cristo, Filho de Davi
Mc 12:35-37; Lc 20:41-44

**41** Reunidos os fariseus, interrogou-os Jesus: **42** Que pensais vós do Cristo? De quem é filho? Responderam-lhe: De Davi. **43** Disse-lhes Jesus: Como, então, Davi, pelo Espírito, lhe chama Senhor, dizendo: **44** Disse o Senhor ao meu Senhor: Assenta-te à minha direita até que eu ponha os teus inimigos debaixo de teus pés. **45** Se Davi, pois, lhe chama Senhor, como é ele seu filho? **46** E ninguém lhe podia responder palavra. A partir daquele dia, ninguém mais se atreveu a questioná-lo.

### Jesus censura os mestres da lei e os fariseus
Mc 12.38-40; Lc 11.37-54; 20.45-47

**23** Então falou Jesus às multidões e aos discípulos:
2 Os mestres da lei e fariseus estão assentados na cadeira de Moisés.
3 Portanto obedecei a tudo o que vos disserem. Mas não façais o que eles fazem, pois não fazem o que dizem.
4 Atam fardos pesados e difíceis de suportar e os põem nos ombros dos homens; eles, porém, nem com o dedo querem movê-los.
5 Tudo o que fazem é para serem vistos pelos homens: Alargam os seus filactérios e alongam as franjas das suas vestes;
6 amam os lugares de honra nas ceias, as primeiras cadeiras nas sinagogas,
7 as saudações nas praças e o serem chamados de rabi pelos homens.
8 Vós, porém, não sereis chamados rabi, pois um só é o vosso Mestre, e vós todos sois irmãos.
9 E a ninguém na terra chameis vosso pai, pois um só é o vosso Pai, aquele que está nos céus.
10 Nem sereis chamados mestres, pois um só é o vosso Mestre, o Cristo.
11 O maior entre vós será vosso servo.
12 Pois quem a si mesmo se exaltar será humilhado, e quem a si mesmo se humilhar será exaltado.
13 Ai de vós, mestres da lei e fariseus, hipócritas! Fechais o Reino dos céus aos homens. Vós mesmos não entrais, nem deixais entrar os que querem.
14 Ai de vós, mestres da lei e fariseus, hipócritas! Devorais as casas das viúvas, sob desculpa de prolongadas orações. Por isso sofrereis mais rigorosamente.
15 Ai de vós, mestres da lei e fariseus, hipócritas! Percorreis o mar e a terra para converter alguém e, depois de o terdes feito, o tornais filho do inferno duas vezes mais do que vós.
16 Ai de vós, condutores cegos! que dizeis: Aquele que jurar pelo templo, isso nada é; mas o que jurar pelo ouro do templo, esse é devedor.
17 Insensatos e cegos! Qual é mais importante: o ouro ou o templo que santifica o ouro?
18 Também dizeis: Aquele que jurar pelo altar, isso nada é; mas aquele que jurar pela oferta que está sobre o altar, esse é devedor.
19 Insensatos e cegos! Qual é mais importante: a oferta ou o altar que santifica a oferta?
20 Portanto, o que jurar pelo altar jura por ele e por tudo o que sobre ele está.
21 E o que jurar pelo templo, jura por ele e por aquele que nele habita.
22 E o que jurar pelo céu, jura pelo trono de Deus e por aquele que está assentado no trono.
23 Ai de vós, mestres da lei e fariseus, hipócritas! Dais o dízimo da hortelã, do endro e do cominho, mas negligenciais o mais importante da lei, a justiça, a misericórdia e a fé. Devíeis, porém, fazer estas coisas, sem omitir aquelas.
24 Condutores cegos! Que coais um mosquito e engolis um camelo.
25 Ai de vós, mestres da lei e fariseus, hipócritas! Limpais o exterior do copo e do prato, mas

o interior está cheio de roubo e imoralidade.

**26** Fariseu cego! Limpa primeiro o interior do copo e do prato, para que também o exterior fique limpo.

**27** Ai de vós, mestres da lei e fariseus, hipócritas! Sois semelhantes aos sepulcros caiados, que por fora realmente parecem formosos, mas por dentro estão cheios de ossos de mortos e de toda imundícia.

**28** Assim também vós exteriormente pareceis justos aos homens, mas interiormente estais cheios de hipocrisia e de iniquidade.

**29** Ai de vós, mestres da lei e fariseus, hipócritas! Construís os sepulcros dos profetas, adornais os monumentos dos justos

**30** e dizeis: Se estivéssemos vivos no tempo de nossos pais, não teríamos sido cúmplices no derramar sangue dos profetas.

**31** Assim, vós mesmos confirmais que sois filhos dos que mataram os profetas.

**32** Enchei vós, pois, a medida de vossos pais.

**33** Serpentes, raça de víboras! Como escapareis da condenação do inferno?

**34** Portanto, eu vos envio profetas, sábios e mestres da lei. A uns matareis e crucificareis; a outros açoitareis nas vossas sinagogas e os perseguireis de cidade em cidade.

**35** Assim recairá sobre vós todo o sangue justo derramado sobre a terra, desde o sangue do justo Abel até o sangue de Zacarias, filho de Baraquias, a quem matastes entre o santuário e o altar.

**36** Em verdade vos digo que todas estas coisas hão de vir sobre esta geração.

**37** Jerusalém, Jerusalém, que matas os profetas e apedrejas os que te são enviados! Quantas vezes quis eu ajuntar os teus filhos, como a galinha ajunta os seus pintinhos debaixo das asas, e tu não quiseste!

**38** Agora a vossa casa vos ficará deserta.

**39** Pois eu vos digo que desde agora não me vereis mais, até que digais: Bendito aquele que vem em nome do Senhor.

### O sermão profético. O princípio de dores
Mc 13:1,2; Lc 21:5-36

**24** Jesus ia se retirando do templo quando se aproximaram dele os seus discípulos para lhe mostrarem a estrutura do templo.

**2** Ele, porém, lhes perguntou: Não vedes tudo isto? Em verdade vos digo que não ficará aqui pedra sobre pedra, que não seja derrubada.

**3** Estando ele assentado no monte das Oliveiras, aproximaram-se dele os discípulos, em particular, e lhe pediram: Dize-nos quando acontecerão estas coisas, e que sinal haverá da tua vinda e do fim dos tempos.

**4** Respondeu-lhes Jesus: Acautelai-vos, que ninguém vos engane.

**5** Pois muitos virão em meu nome, dizendo: Eu sou o Cristo, e enganarão a muitos.

**6** Ouvireis de guerras e rumores de guerras, mas cuidado para não vos alarmardes. Tais coisas devem acontecer, mas ainda não é o fim.

**7** Levantar-se-á nação contra nação, reino contra reino, e haverá fomes, pestes e terremotos em vários lugares.

**8** Todas essas coisas, porém, são o princípio das dores.
**9** Então vos hão de entregar para serdes atormentados e vos matarão. Sereis odiados de todas as nações por causa do meu nome.
**10** Nesse tempo, muitos se escandalizarão, trair-se-ão mutuamente e se odiarão uns aos outros.
**11** Surgirão muitos falsos profetas, e enganarão a muitos.
**12** E, por se multiplicar a iniquidade, o amor de quase todos esfriará.
**13** Mas aquele que perseverar até o fim será salvo.
**14** E este evangelho do Reino será pregado em todo o mundo, em testemunho a todas as nações. Então virá o fim.

### A grande tribulação

**15** Portanto quando virdes que a abominação da desolação, de que falou o profeta Daniel, está no lugar santo (quem lê, entenda),
**16** então, os que estiverem na Judeia fujam para os montes.
**17** Quem estiver sobre o telhado não desça a tirar alguma coisa de sua casa.
**18** Quem estiver no campo não volte atrás a buscar as suas roupas.
**19** Mas ai das que estiverem grávidas e das que amamentarem naqueles dias!
**20** Orai para que a vossa fuga não aconteça no inverno nem no sábado.
**21** Pois haverá então grande aflição, como nunca houve desde o princípio do mundo até agora, nem haverá jamais.
**22** Se aqueles dias não fossem abreviados, nenhuma carne se salvaria, mas por causa dos escolhidos serão abreviados aqueles dias.
**23** Então, se alguém vos disser: Olhai, o Cristo está aqui, ou ali, não acrediteis.
**24** Pois aparecerão falsos cristos e falsos profetas, e farão tão grandes sinais e prodígios que, se possível fora, enganariam até os escolhidos.
**25** Prestai atenção, eu vos aviso antecipadamente.
**26** Portanto, se vos disserem: Olhai, ele está no deserto! não saiais; ou: Olhai, ele está no interior da casa!, não acrediteis.
**27** Pois assim como o relâmpago sai do oriente e se mostra até o ocidente, assim será também a vinda do Filho do homem.
**28** Onde estiver o cadáver, aí se ajuntarão os abutres.

### A vinda do Filho do homem

**29** Logo depois da aflição daqueles dias,
  o sol escurecerá,
  a lua não dará a sua luz,
  as estrelas cairão do céu
  e os corpos celestes serão abalados.
**30** Então aparecerá no céu o sinal do Filho do homem, e todos os povos da terra se lamentarão e verão o Filho do homem vindo sobre as nuvens do céu, com poder e grande glória.
**31** E ele enviará os seus anjos com som muito forte de trombeta, os quais ajuntarão os seus escolhidos desde os quatro ventos, de uma à outra extremidade dos céus.
**32** Aprendei agora esta parábola da figueira: Quando já os seus ramos se renovam e brotam folhas, sabeis que está próximo o verão.
**33** Igualmente vós, quando virdes todas estas coisas, sabei que ele está próximo, às portas.

**34** Em verdade vos digo que não passará esta geração sem que todas estas coisas aconteçam.
**35** O céu e a terra passarão, mas as minhas palavras jamais passarão.

### Exortação à vigilância

**36** Quanto ao dia e hora ninguém sabe, nem os anjos do céu, nem o Filho, mas somente o Pai.
**37** Como foi nos dias de Noé, assim será também a vinda do Filho do homem.
**38** Pois assim como nos dias anteriores ao Dilúvio, comiam, bebiam, casavam e davam-se em casamento, até o dia em que Noé entrou na arca,
**39** e não o perceberam, até que veio o Dilúvio e levou todos — assim será também a vinda do Filho do homem.
**40** Estando dois no campo, será levado um e deixado o outro.
**41** Estando duas moendo no moinho, será levada uma e deixada a outra.
**42** Portanto vigiai, porque não sabeis a que hora há de vir o vosso Senhor.
**43** Entendei, pois, isto: Se o pai de família soubesse a que hora viria o ladrão, vigiaria e não deixaria que sua casa fosse arrombada.
**44** Por isso, estai vós também atentos, porque o Filho do homem virá na hora em que não esperais.

### A parábola dos dois servos

**45** Quem é, pois, o servo fiel e prudente a quem o senhor encarregou da sua casa, para dar o sustento a seu tempo?
**46** Bem-aventurado aquele servo a quem o senhor, quando vier, achar servindo assim.
**47** Em verdade vos digo que lhe confiará todos os seus bens.
**48** Se, porém, aquele servo for mau e disser consigo: O meu senhor tarde virá,
**49** e começar a espancar os seus conservos, e a comer e a beber com os beberrões,
**50** virá o senhor daquele servo num dia em que não espera e à hora em que ele não sabe,
**51** o castigará e lhe dará lugar com os hipócritas. Ali haverá choro e ranger de dentes.

### A parábola das dez virgens

**25** Então o Reino dos céus será semelhante a dez virgens que, pegando as suas lâmpadas, saíram ao encontro do noivo.
**2** Cinco eram insensatas; cinco, prudentes.
**3** As insensatas, ao pegarem as suas lâmpadas, não levaram azeite consigo.
**4** As prudentes, porém, levaram azeite em suas vasilhas, com as suas lâmpadas.
**5** Demorou o noivo a chegar, todas elas ficaram com sono e dormiram.
**6** À meia-noite, porém, ouviu-se um grito: Aí vem o noivo; saí ao seu encontro.
**7** Então todas aquelas virgens se levantaram e prepararam as suas lâmpadas.
**8** E as insensatas disseram às prudentes: Dai-nos do vosso azeite; as nossas lâmpadas se apagam.
**9** As prudentes, porém, responderam: Não seja o caso que nos falte a nós e a vós. Ide antes aos que o vendem e comprai-o.
**10** E, tendo elas ido comprá-lo, chegou o noivo. As virgens que estavam preparadas entraram

com ele para o banquete de casamento. E fechou-se a porta. **11** Mais tarde, chegaram também as outras virgens, dizendo: Senhor, senhor, abre-nos a porta! **12** Ele, porém, respondeu: Em verdade vos digo que não vos conheço. **13** Portanto vigiai, porque não sabeis o dia nem a hora em que o Filho do homem há de vir.

### A parábola dos talentos
Lc 19:11-27

**14** Pois será como um homem que, ausentando-se do país, chamou os seus servos e entregou-lhes os seus bens. **15** A um deu cinco talentos, a outro dois e a outro um, a cada um conforme a sua capacidade. Então partiu. **16** O que recebera cinco talentos negociou com eles e ganhou outros cinco talentos. **17** Do mesmo modo, o que recebera dois ganhou também outros dois. **18** O que, porém, recebera um foi, cavou na terra e escondeu o dinheiro do seu senhor. **19** Muito tempo depois, veio o senhor daqueles servos e ajustou contas com eles. **20** Então o que recebera cinco talentos, se aproximou e entregou-lhe outros cinco talentos, dizendo: Senhor, confiaste-me cinco talentos. Olha, aqui estão outros cinco talentos que ganhei com eles. **21** O seu senhor lhe disse: muito bem, servo bom e fiel. Sobre o pouco foste fiel, sobre o muito te colocarei. Entra e participa da alegria do teu senhor. **22** Chegando também o que tinha recebido dois talentos, disse: Senhor, entregaste-me dois talentos; olha, com eles ganhei outros dois. **23** Disse-lhe o seu senhor: Muito bem, bom e fiel servo. Sobre o pouco foste fiel, sobre o muito te colocarei. Entra e participa da alegria do teu senhor. **24** Chegando, porém, o que recebera um talento, disse: Senhor, eu sabia que és um homem duro, que colhes onde não plantastes e ajuntas onde não espalhaste **25** e, com medo, escondi na terra o teu talento. Aqui tens o que é teu. **26** Respondeu-lhe, porém, o seu senhor: Servo mau e negligente, sabias que colho onde não plantei e ajunto onde não espalhei? **27** Devias então ter confiado o meu dinheiro aos banqueiros, e, quando eu viesse, receberia com os juros o que é meu. **28** Tirai-lhe o talento e dai-o ao que tem dez. **29** Pois a qualquer que tiver será dado, e terá em abundância. Ao que não tiver, até o que tem lhe será tirado. **30** Lançai para fora o servo inútil, nas trevas. Ali haverá choro e ranger de dentes.

### A vida eterna e o castigo eterno

**31** Quando o Filho do homem vier em sua glória, e todos os anjos com ele, então se assentará no trono da sua glória. **32** Todas as nações se reunirão diante dele, e ele separará uns dos outros, como o pastor separa dos bodes as ovelhas. **33** Ele colocará as ovelhas à sua direita e os bodes à sua esquerda. **34** Então dirá o Rei aos que estiverem à sua direita: Vinde, benditos de meu Pai, possuí por herança o Reino que vos está preparado desde a criação do mundo.

**35** Pois tive fome, e me destes de comer; tive sede e me destes de beber; era estrangeiro e me acolhestes;

**36** estava nu, e me vestistes; estive enfermo e cuidastes de mim; preso e me visitastes.

**37** Então perguntarão os justos: Senhor, quando te vimos com fome e te demos de comer? Ou com sede e te demos de beber?

**38** E quando te vimos estrangeiro e te acolhemos? Ou nu e te vestimos?

**39** E quando te vimos enfermo, ou preso e fomos visitar-te?

**40** Responderá o Rei: Em verdade vos digo que, quando o fizestes a um destes meus pequeninos irmãos, a mim o fizestes.

**41** Então dirá também aos que estiverem à sua esquerda: Apartai-vos de mim, malditos, para o fogo eterno, preparado para o Diabo e seus anjos.

**42** Pois tive fome e não me destes de comer; tive sede e não me destes de beber;

**43** fui estrangeiro e não me acolhestes; estive nu e não me vestistes; enfermo e preso e não me visitastes.

**44** Então eles também lhe responderão: Senhor, quando te vimos com fome, ou com sede, ou estrangeiro, ou nu, ou enfermo, ou preso, e não te servimos?

**45** Então lhes responderá: Em verdade vos digo que, todas as vezes que o deixastes de fazer a um destes pequeninos, foi a mim que o deixastes de fazer.

**46** E irão estes para o castigo eterno, mas os justos para a vida eterna.

## A consulta dos sacerdotes e dos mestres da lei
Mc 14:1,2; Lc 22:1,2

**26** Quando Jesus terminou de dizer todas estas coisas, disse aos discípulos:

**2** Sabeis que daqui a dois dias é a Páscoa; e o Filho do homem será entregue para ser crucificado.

**3** Então os principais sacerdotes, os mestres da lei e os líderes religiosos do povo reuniram-se na sala do sumo sacerdote, chamado Caifás,

**4** e decidiram prender Jesus à traição e matá-lo.

**5** Diziam, porém: Não durante a festa, para não haver tumulto entre o povo.

## O jantar em Betânia
Mc 14:3-9; Jo 11:1-8

**6** Estando Jesus em Betânia, na casa de Simão, o leproso,

**7** aproximou-se dele uma mulher com um vaso de alabastro cheio de precioso perfume, que lhe derramou sobre a cabeça, quando ele estava assentado à mesa.

**8** Ao verem isso, os discípulos se indignaram, dizendo: Para que esse desperdício?

**9** Este perfume podia ser vendido por muito dinheiro e dar-se aos pobres.

**10** Jesus, porém, conhecendo isto, disse-lhes: Por que perturbais esta mulher? Ela praticou uma boa ação para comigo.

**11** Sempre tereis convosco os pobres, mas a mim não tereis sempre.

**12** Ora, derramando ela este perfume sobre o meu corpo, ela o fez preparando-me para o meu sepultamento.

**13** Em verdade vos digo que, onde quer que este evangelho for anunciado em todo o mundo, também será contado o que ela fez, para memória sua.

### O preço da traição
Mc 14:10, 11; Lc 22:3-6

**14** Então um dos Doze, chamado Judas Iscariotes, foi ter com os principais sacerdotes, **15** e disse: Que me dareis para que eu o entregue a vós? E pagaram-lhe trinta moedas de prata. **16** Desde então Judas buscava oportunidade para o entregar.

### A última Páscoa. A Santa Ceia
Mc 14:12-24; Lc 22:7-23; 1Co 11:23-29

**17** No primeiro dia da festa dos pães sem fermento, os discípulos se aproximaram de Jesus e lhe perguntaram: Onde queres que façamos os preparativos para comeres a Páscoa? **18** Respondeu-lhes ele: Ide à cidade ter com certo homem, e dizei-lhe: O Mestre diz: O meu tempo está próximo. Em tua casa celebrarei a Páscoa com os meus discípulos. **19** Os discípulos fizeram como Jesus lhes ordenara, e prepararam a Páscoa. **20** Chegada a tarde, assentou-se à mesa com os Doze. **21** Enquanto comiam, disse-lhes: Em verdade vos digo que um de vós me trairá. **22** E eles, entristecendo-se muito, começaram um por um a perguntar-lhe: Por acaso sou eu, Senhor? **23** Respondeu-lhes: O que come comigo no mesmo prato, esse me trairá. **24** Em verdade o Filho do homem vai, como acerca dele está escrito. Mas ai daquele por quem o Filho do homem é traído! Melhor seria se não tivesse nascido. **25** Então, perguntou-lhe Judas, o que o traía: Por acaso sou eu, Mestre? Respondeu Jesus: Tu o disseste.

**26** Enquanto comiam, Jesus tomou o pão e, abençoando-o, partiu-o e o deu aos discípulos, dizendo: Tomai e comei; isto é o meu corpo. **27** Então ele tomou o cálice e, tendo dado graças, deu-o aos discípulos, dizendo: Bebei dele todos. **28** Isto é o meu sangue, o sangue da nova aliança, que é derramado por muitos, para perdão de pecados. **29** E digo-vos que, desta hora em diante, não beberei deste fruto da vide, até àquele dia em que o beba de novo convosco no Reino de meu Pai. **30** Cantaram um hino e saíram para o monte das Oliveiras.

### Pedro é avisado
Mc 14:27-31; Lc 22:31-34; Jo 13:36-38

**31** Então Jesus lhes disse: Todos vós esta noite me abandonareis, pois está escrito:

Ferirei o pastor,
e as ovelhas do rebanho se dispersarão.

**32** Depois de ressuscitar, porém, irei adiante de vós para a Galileia. **33** Pedro lhe disse: Ainda que todos te abandonem, eu nunca te abandonarei. **34** Disse-lhe Jesus: Em verdade te digo que, nesta mesma noite, antes que o galo cante, três vezes me negarás.

**35** Disse-lhe Pedro: Ainda que me seja necessário morrer contigo, nunca te negarei. E todos os discípulos disseram o mesmo.

## Jesus no Getsêmani

Mc 14:32-42; Lc 22:39-46; Jo 18:1

**36** Então Jesus foi com eles a um lugar chamado Getsêmani e disse a seus discípulos: Assentai-vos aqui, enquanto vou ali orar.
**37** Levando consigo Pedro e os dois filhos de Zebedeu, começou a entristecer-se e a angustiar-se muito.
**38** Então lhes disse: A minha alma está cheia de tristeza mortal. Ficai aqui para vigiar comigo.
**39** Indo um pouco adiante, prostrou-se sobre o rosto, orando e dizendo: Meu Pai, se possível, passe de mim este cálice! Todavia, não seja como eu quero, mas como tu queres.
**40** Quando voltou, achou seus discípulos dormindo. E perguntou a Pedro: Nem uma hora pudestes vigiar comigo?
**41** Vigiai e orai, para que nao entreis em tentação. Na verdade o espírito está pronto, mas a carne é fraca.
**42** Indo pela segunda vez, orou, dizendo: Meu Pai, se este cálice não pode passar de mim sem que eu o beba, faça-se a tua vontade.
**43** Quando voltou, achou-os outra vez dormindo, porque os seus olhos estavam pesados.
**44** Deixou-os novamente e foi orar pela terceira vez, dizendo as mesmas palavras.
**45** Então voltou para os discípulos e lhes disse: Ainda dormis e descansais? Olhai, é chegada a hora, e o Filho do homem será entregue nas mãos de pecadores.
**46** Levantai-vos, partamos! Vede, o traidor se aproxima!

## Jesus é preso

Mc 14:43-50; Lc 22:47-53; Jo 18:2-11

**47** Enquanto ainda falava, chegou Judas, um dos Doze, e com ele grande multidão com espadas e varas, enviada pelos principais sacerdotes e pelos líderes religiosos do povo.
**48** O seu traidor dera-lhes um sinal, dizendo: O que eu beijar é esse; prendei-o.
**49** E logo, aproximando-se de Jesus, lhe disse: Eu te saúdo, Mestre! E o beijou.
**50** Jesus, porém, lhe disse: Amigo, para que vieste? Então, aproximando-se eles, agarraram Jesus e o prenderam.
**51** Um dos que estavam com Jesus, estendendo a mão, puxou da espada e feriu o servo do sumo sacerdote, cortando-lhe uma orelha.
**52** Então Jesus lhe disse: Guarda a tua espada, pois todos os que usarem a espada à espada morrerão.
**53** Ou pensas tu que eu não poderia agora orar a meu Pai, e ele me mandaria imediatamente mais de doze legiões de anjos?
**54** Como, pois, se cumpririam as Escrituras que dizem que assim deve acontecer?
**55** Então disse Jesus à multidão: Saístes com espadas e varas para prender-me, como a um assaltante? Todos os dias eu me assentava convosco, ensinando no templo, e não me prendestes.
**56** Tudo isto, porém, aconteceu para que se cumprissem as Escrituras dos profetas. Então todos os discípulos o abandonaram e fugiram.

## Jesus perante o Sinédrio

Mc 14:53-65; Lc 22:63-71; Jo 18:12-27

**57** Os que prenderam Jesus conduziram-no à casa do sumo sacerdote Caifás, onde os mestres da lei e os líderes religiosos estavam reunidos.

**58** Pedro, porém, o seguiu de longe até o pátio do sumo sacerdote e, entrando, assentou-se entre os guardas, para ver o fim.
**59** Ora, os principais sacerdotes e todo o Sinédrio buscavam falso testemunho contra Jesus, para condená-lo à morte.
**60** E não o acharam, apesar de se terem apresentado muitas testemunhas falsas. Finalmente, chegaram duas, afirmando:
**61** Este disse: Eu posso derrubar o templo de Deus e reconstruí-lo em três dias.
**62** Então levantou-se o sumo sacerdote e perguntou a Jesus: Nada respondes a essas acusações?
**63** Jesus, porém, guardou silêncio. E o sumo sacerdote lhe disse: Exijo pelo Deus vivo que nos digas se tu és o Cristo, o Filho de Deus.
**64** Respondeu-lhe Jesus: Tu o disseste. Eu, porém, vos digo que em breve vereis o Filho do homem assentado à direita do Todo-poderoso, vindo sobre as nuvens do céu.
**65** Então o sumo sacerdote rasgou as suas vestes e disse: Blasfemou! Para que precisamos ainda de testemunhas? Vós bem ouvistes a sua blasfêmia.
**66** Que vos parece? E eles responderam: É réu de morte.
**67** Então uns cuspiram-lhe no rosto e lhe davam murros, e outros o esbofeteavam,
**68** dizendo: Profetiza-nos, ó Cristo, quem foi que te bateu?

### Pedro nega a Jesus
Mc 14:66-72; Lc 22:54-62; Jo 18:15-18

**69** Pedro estava sentado fora, no pátio, e aproximou-se dele uma criada e lhe disse: Tu também estavas com Jesus, o galileu.
**70** Pedro, porém, negou diante de todos, dizendo: Não sei o que dizes.
**71** E, saindo para o pórtico, outra criada o viu e disse aos que ali estavam: Este também estava com Jesus de Nazaré.
**72** Ele negou outra vez, com juramento: Não conheço este homem.
**73** Logo depois, aproximando-se os que ali estavam, disseram a Pedro: Verdadeiramente também tu és um deles, pois o teu modo de falar te denuncia.
**74** Então começou ele a praguejar e a jurar, dizendo: Não conheço esse homem. E imediatamente o galo cantou.
**75** Então Pedro se lembrou das palavras que Jesus lhe dissera: Antes que o galo cante, três vezes me negarás. E, saindo dali, chorou amargamente.

### O suicídio de Judas
At 1:16-19

**27** De manhã, todos os principais sacerdotes e os líderes religiosos do povo decidiram matar Jesus.
**2** Amarrando-o, levaram-no e o entregaram ao governador Pilatos.
**3** Então Judas, o que o traiu, vendo que Jesus fora condenado, trouxe, arrependido, as trinta moedas de prata aos principais sacerdotes e líderes religiosos,
**4** dizendo: Pequei, pois traí sangue inocente. Eles, porém, responderam: Que nos importa? Isso é contigo.
**5** Então ele jogou no templo as moedas de prata, retirou-se e foi-se enforcar.
**6** E os príncipes dos sacerdotes, pegando as moedas de prata, disseram:

Não é permitido colocá-las no cofre das ofertas, pois é preço de sangue.

7 Depois de se reunirem, compraram com elas o campo do Oleiro, para sepultura dos estrangeiros.

8 Por isso, aquele campo até o dia de hoje tem sido chamado Campo de Sangue.

9 Então se cumpriu o que fora dito pelo profeta Jeremias: Tomaram as trinta moedas de prata, preço em que foi avaliado pelos filhos de Israel,

10 e as deram pelo campo do Oleiro, conforme me ordenou o Senhor.

### Jesus perante Pilatos
Mc 15:1-20; Lc 23:1-25; Jo 18:28; 19:16

11 Jesus foi posto perante o governador, e este o interrogou, dizendo: És tu o Rei dos judeus? Respondeu-lhe Jesus: Tu o dizes.

12 Acusado pelos principais sacerdotes e pelos líderes religiosos, nada respondeu.

13 Perguntou-lhe então Pilatos: Não ouves quantas acusações te fazem?

14 Jesus nem uma palavra lhe respondeu, de modo que o governador estava muito impressionado.

15 Ora, por ocasião da festa, costumava o governador soltar um preso, escolhido pelo povo.

16 Tinham então um preso bem conhecido, chamado Barrabás.

17 Portanto, estando eles reunidos, perguntou-lhes Pilatos: Qual quereis que vos solte? Barrabás ou Jesus, chamado Cristo?

18 Pois sabia que por inveja o haviam entregado.

19 Estando Pilatos no tribunal, sua mulher mandou dizer-lhe: Não entres na questão desse inocente, pois num sonho muito sofri por causa dele.

20 Os principais sacerdotes e os líderes religiosos persuadiram a multidão a que pedisse Barrabás e fizesse morrer Jesus.

21 De novo perguntou-lhes o governador: Qual dos dois quereis vós que eu solte? Responderam eles: Barrabás.

22 Disse-lhes Pilatos: Que farei então com Jesus, chamado Cristo? Disseram-lhe todos: Crucifica-o!

23 Pilatos, porém, lhes perguntou: Que mal fez ele? E eles mais clamavam: Crucifica-o!

24 Então Pilatos, quando viu que nada conseguia, antes o tumulto crescia, pegou água, lavou as mãos diante da multidão e disse: Estou inocente do sangue deste homem. A responsabilidade é vossa.

25 Respondeu todo o povo: O seu sangue caia sobre nós e sobre nossos filhos.

26 Então lhe soltou Barrabás. E tendo mandado açoitar Jesus, o entregou para ser crucificado.

27 Em seguida, os soldados do governador, conduzindo Jesus para a residência do governador, reuniram em torno dele toda a tropa.

28 E, despindo-o, cobriram-no com um manto vermelho,

29 e, fazendo uma coroa de espinhos, puseram-na em sua cabeça. Na mão direita puseram uma vara e, ajoelhando-se diante dele, zombavam, dizendo: Salve, rei dos judeus!

30 E, cuspindo nele, tiraram-lhe a vara, e batiam-lhe com ela na cabeça.

31 Depois de terem zombado dele, tiraram-lhe o manto, vestiram-lhe as suas roupas e o levaram para ser crucificado.

## A crucificação
Mc 15.20-32; Lc 23.26-49; Jo 19.17-37

**32** Quando saíam, encontraram um homem cireneu, chamado Simão, a quem forçaram a levar a cruz de Jesus.
**33** E, chegando ao lugar chamado Gólgota, que significa Lugar da Caveira,
**34** deram-lhe a beber vinho misturado com fel; mas ele, provando-o, não o quis beber.
**35** Depois de o crucificarem, repartiram entre si as roupas dele, lançando sortes, para que se cumprisse o que foi dito pelo profeta: Repartem entre si as minhas roupas, e sobre a minha túnica deitam sortes.
**36** Assentados ali, o guardavam.
**37** Por cima da sua cabeça colocaram por escrito a sua acusação: ESTE É JESUS, O REI DOS JUDEUS.
**38** E foram crucificados com ele dois ladrões, um à direita e outro à esquerda.
**39** Os que passavam blasfemavam dele, balançando a cabeça
**40** e dizendo: Tu, que destróis o templo, e em três dias o constróis, salva-te a ti mesmo! Se és Filho de Deus, desce da cruz.
**41** Da mesma maneira também os principais sacerdotes, com os mestres da lei, líderes religiosos e fariseus, zombando, diziam:
**42** Salvou a outros, mas si mesmo não pode salvar-se. É rei de Israel! Desça agora da cruz, e creremos nele.
**43** Confiou em Deus. Livre-o agora, se de fato o ama, pois disse: Sou Filho de Deus.
**44** E o mesmo fazia os ladrões que com ele haviam sido crucificados.
**45** Desde o meio-dia até as três horas da tarde houve trevas sobre toda a terra.
**46** Por volta das três horas da tarde exclamou Jesus em alta voz: Eli, Eli, lemá sabactâni, que quer dizer: Deus meu, Deus meu, por que me desamparaste?
**47** Alguns dos que ali estavam, ouvindo isso, diziam: Ele chama por Elias.
**48** E logo um deles, correndo, tomou uma esponja, encharcou-a em vinagre e, pondo-a na ponta de uma vara, dava-lhe de beber.
**49** Os outros, porém, diziam: Deixa, vejamos se Elias vem livrá-lo.
**50** E Jesus, clamando outra vez com alta voz, entregou o espírito.
**51** Nesse instante, o véu do templo se rasgou em duas partes, de alto a baixo. Tremeu a terra, e partiram-se as rochas.
**52** Abriram-se os sepulcros, e muitos corpos de santos, que dormiam, ressuscitaram.
**53** E, saindo dos sepulcros, depois da ressurreição de Jesus, entraram na cidade santa e apareceram a muitos.
**54** O centurião e os que com ele guardavam a Jesus, vendo o terremoto e as coisas que haviam acontecido, ficaram atemorizados e disseram: Verdadeiramente este era Filho de Deus.
**55** Estavam ali, observando de longe, muitas mulheres que tinham seguido Jesus desde a Galileia, para o servir.
**56** Entre elas estavam Maria Madalena, Maria mãe de Tiago e de José, e a mulher de Zebedeu.

## A sepultura de Jesus
Mc 15.42-47; Lc 23.50-56; Jo 19.38-42

**57** Chegada a tarde, veio um homem rico de Arimateia, chamado José, que também era discípulo de Jesus.

**58** Este foi falar com Pilatos e lhe pediu o corpo de Jesus. Então Pilatos mandou que lhe fosse entregue.
**59** E José, pegando o corpo, envolveu-o num pano limpo de linho
**60** e o colocou no seu sepulcro novo, que havia aberto na rocha. Rolou uma grande pedra para a entrada do sepulcro, e foi embora.
**61** Estavam ali, assentadas na frente do sepulcro, Maria Madalena e a outra Maria.
**62** No dia seguinte, que é o dia depois da preparação, os principais sacerdotes e os fariseus foram falar com Pilatos,
**63** dizendo: Senhor, lembramo-nos de que aquele enganador, enquanto vivia, disse: Depois de três dias ressuscitarei.
**64** Portanto manda que o sepulcro seja guardado com segurança até o terceiro dia, para não se dar o caso de que os seus discípulos vão de noite, o furtem e digam ao povo: Ressuscitou dentre os mortos. Assim o último erro será pior do que o primeiro.
**65** Disse-lhes Pilatos: Tendes aí uma escolta. Ide, guardai-o como acharem melhor.
**66** Indo eles, montaram guarda ao sepulcro, lacrando a pedra, e deixaram ali a escolta.

### A ressurreição
*Mc 16:1-8; Lc 24:1-12; Jo 20:1-18*

**28** Depois do sábado, ao nascer o primeiro dia da semana, Maria Madalena e a outra Maria foram ver o sepulcro.
**2** Houve um grande terremoto, pois um anjo do Senhor desceu do céu, chegou, removeu a pedra e assentou-se sobre ela.
**3** A sua aparência era como um relâmpago, e a sua roupa branca como a neve.
**4** Os guardas tremeram de medo dele e ficaram como mortos.
**5** O anjo, porém, dirigindo-se às mulheres, disse: Não tenhais medo, pois eu sei que procurais Jesus, que foi crucificado.
**6** Ele não está aqui; já ressuscitou, como havia dito. Vinde ver o lugar onde ele jazia.
**7** Agora ide imediatamente e dizei aos discípulos que ele ressuscitou dentre os mortos e que vai adiante de vós para a Galileia. Ali o vereis. Ora, eu vos tenho dito.
**8** Saindo elas apressadamente do sepulcro, com temor e grande alegria, correram a anunciá-lo aos seus discípulos.
**9** De repente Jesus lhes sai ao encontro, dizendo: Salve! E elas, aproximando-se, abraçaram os seus pés e o adoraram.
**10** Então Jesus lhes disse: Não temais! Ide dizer a meus irmãos que se dirijam para a Galileia, e lá me verão.

### A mentira dos judeus
**11** Quando alguns da guarda iam chegando à cidade, anunciaram aos principais sacerdotes todas as coisas que haviam acontecido.
**12** Reunindo-se eles com os líderes religiosos, decidiram dar muito dinheiro aos soldados, recomendando:
**13** Dizei que vieram de noite os seus discípulos e, enquanto dormíeis, o furtaram.
**14** Caso isto chegue aos ouvidos do governador, nós o convenceremos, e vos colocaremos em segurança.

**15** Eles, recebendo o dinheiro, fizeram como estavam instruídos. E espalhou-se esta história entre os judeus, até o dia de hoje.

### Jesus aparece aos discípulos na Galileia

**16** Os onze discípulos partiram para a Galileia, para o monte que Jesus lhes tinha indicado. **17** Quando o viram, o adoraram; mas alguns duvidaram. **18** Chegando-se Jesus, falou-lhes, dizendo: É-me dado todo o poder no céu e na terra. **19** Portanto, ide e fazei discípulos de todos os povos, batizando-os em nome do Pai e do Filho e do Espírito Santo, **20** ensinando-os a obedecer a todas as coisas que eu vos tenho mandado. E certamente estou convosco todos os dias, até a consumação do século.

# MARCOS

**1** Princípio do evangelho de Jesus Cristo, Filho de Deus.

### João Batista
*Mt 3:1-12; Lc 3:1-9*

**2** Como está escrito no profeta Isaías:

Eu envio o meu anjo diante da tua face,
o qual preparará o teu caminho.

**3** Voz do que clama no deserto: Preparai o caminho do Senhor, endireitai as suas veredas.
**4** Apareceu João, batizando no deserto e pregando o batismo de arrependimento, para remissão dos pecados.
**5** Toda a região da Judeia e os de Jerusalém iam ter com ele e, confessando os seus pecados, eram batizados por ele no rio Jordão.
**6** João andava vestido de pelos de camelo, trazia um cinto de couro e comia gafanhotos e mel silvestre.
**7** E pregava, dizendo: Após mim vem aquele que é mais poderoso do que eu, do qual não sou digno de, abaixando-me, desamarrar a correia das suas sandálias.
**8** Eu, em verdade, vos batizei com água, mas ele vos batizará com o Espírito Santo.

### O batismo de Jesus
*Mt 3:13-17; Lc 3:21,22; Jo 1:32-34*

**9** Naqueles dias, veio Jesus de Nazaré, na Galileia, e foi batizado por João no Jordão.
**10** Logo que saiu da água viu os céus abertos e o Espírito que, como pomba, descia sobre ele.
**11** Então ouviu-se esta voz dos céus: Tu és o meu Filho amado em quem me comprazo.
**12** Imediatamente o Espírito o impeliu para o deserto,
**13** onde esteve por quarenta dias, e foi tentado por Satanás. Vivia entre as feras, e os anjos o serviam.

### A vocação dos primeiros apóstolos
*Mt 4:12-25; Lc 5:1-11*

**14** Depois que João foi preso, veio Jesus para a Galileia, pregando o evangelho do Reino de Deus
**15** e dizendo: O tempo está cumprido, e o Reino de Deus está próximo. Arrependei-vos e crede no evangelho.
**16** Andando Jesus junto ao mar da Galileia, viu Simão, e André, seu irmão, que lançavam a rede ao mar, pois eram pescadores.
**17** Jesus lhes disse: Vinde após mim, e eu vos farei pescadores de homens.
**18** Então eles, deixando as redes, o seguiram.
**19** Passando dali um pouco mais adiante, viu Tiago, filho de Zebedeu, e João, seu irmão, que estavam no barco consertando as redes,
**20** e logo os chamou. Eles, deixando o seu pai, Zebedeu, no barco com os empregados, foram após Jesus.

### A cura de um endemoninhado
*Lc 4:33-37*

**21** Entraram em Cafarnaum, e, logo no sábado, indo ele à sinagoga, começou a ensinar.

**22** Maravilharam-se da sua doutrina, porque os ensinava como tendo autoridade, não como os mestres da lei.
**23** Estava na sinagoga um homem possesso de espírito imundo, o qual exclamou:
**24** Ah! que temos contigo, Jesus de Nazaré? Vieste destruir-nos? Bem sei quem és: o Santo de Deus.
**25** Repreendeu-o Jesus, dizendo: Cala-te e sai dele.
**26** Então o espírito imundo sacudiu-o violentamente e, clamando em alta voz, saiu dele.
**27** Todos se admiraram, a ponto de perguntarem entre si: Que é isto? Que nova doutrina é esta? Ele dá ordem até aos espíritos imundos, e eles lhe obedecem!
**28** Logo correu a sua fama por toda a província da Galileia.

### A cura da sogra de Pedro
Mt 8:14-17; Lc 4:38,39

**29** Saindo da sinagoga, foram à casa de Simão e de André com Tiago e João.
**30** A sogra de Simão estava de cama e com febre, e logo lhe falaram dela.
**31** Então, aproximando-se, tomou-a pela mão e a levantou. A febre a deixou, e ela os servia.
**32** Sendo já tarde, tendo-se posto o sol, trouxeram-lhe todos os que se achavam enfermos e endemoninhados.
**33** Toda a cidade se ajuntou à porta,
**34** e Jesus curou muitos doentes de diversas enfermidades; também expulsou muitos demônios, porém não permitia que eles falassem, porque o conheciam.
**35** Levantando-se de manhã muito cedo, quando ainda estava escuro, saiu de casa, foi para um lugar deserto e ali orava.
**36** Procuravam-no Simão e os que com ele estavam.
**37** Achando-o, lhe disseram: Todos te buscam.
**38** Jesus, porém, lhes disse: Vamos às aldeias vizinhas, para que eu ali também pregue. Foi para isso que eu vim.
**39** Pelo que foi por toda a Galileia, pregando nas sinagogas deles e expulsando os demônios.

### A cura de um leproso
Mt 8:1-4; Lc 5:12-16

**40** Aproximou-se dele um leproso que, rogando-lhe de joelhos, dizia: Se quiseres, bem podes purificar-me.
**41** Jesus, com grande compaixão, estendeu a mão, tocou nele e lhe disse: Quero, sê limpo.
**42** Tendo ele dito isso, a lepra desapareceu, e o homem ficou limpo.
**43** Advertindo-o severamente, logo o despediu e lhe
**44** disse: Olha, não digas nada a ninguém, mas vai, mostra-te ao sacerdote e oferece pela tua purificação o que Moisés determinou, para lhes servir de testemunho.
**45** Tendo, porém, ele saído, começou a apregoar muitas coisas e a divulgar o que acontecera. De sorte que Jesus já não podia entrar publicamente em qualquer cidade, mas se conservava fora, em lugares desertos. E de todas as partes vinham pessoas a ele.

### O paralítico de Cafarnaum
Mt 9:1-8; Lc 5:17-26

**2** Alguns dias depois, Jesus entrou outra vez em Cafarnaum, e o povo soube que ele estava em casa.

**2** Logo se ajuntou tanta gente que nem ainda nos lugares junto à porta cabiam, e ele lhes anunciava a palavra.
**3** Vieram a ele conduzindo um paralítico, trazido por quatro homens, e,
**4** não podendo aproximar-se dele, por causa da multidão, descobriram o telhado onde estava e, fazendo um buraco, baixaram o leito em que estava o doente.
**5** Jesus, vendo a fé deles, disse ao paralítico: Filho, perdoados estão os teus pecados.
**6** Estavam ali assentados alguns dos mestres da lei, que raciocinavam em seu íntimo:
**7** Por que profere este blasfêmias? Quem pode perdoar pecados, senão Deus?
**8** Jesus, conhecendo logo em seu espírito que assim pensavam entre si, lhes disse: Por que pensais sobre essas coisas em vossos corações?
**9** Qual é mais fácil, dizer ao paralítico: Estão perdoados os teus pecados, ou dizer-lhe: Levanta-te, toma o teu leito e anda?
**10** Ora, para que saibais que o Filho do homem tem na terra poder para perdoar pecados (disse ao paralítico):
**11** A ti te digo: Levanta-te, toma o teu leito e vai para tua casa.
**12** Ele se levantou e, tomando logo o leito, saiu na presença de todos, de sorte que todos se admiraram e glorificaram a Deus, dizendo: Nunca vimos tal coisa.

### A vocação de Levi
Mt 9.9-13; Lc 5.27-32

**13** Jesus tornou a sair para o mar, e toda a multidão ia ter com ele, e ele os ensinava.
**14** E, passando, viu Levi, filho de Alfeu, assentado na coletoria, e disse-lhe: Segue-me. Ele, levantando-se, o seguiu.
**15** Enquanto Jesus estava jantando na casa de Levi, muitos cobradores de impostos e pecadores estavam assentados à mesa com Jesus e seus discípulos, pois eram muitos os que o tinham seguido.
**16** Quando os mestres da lei que eram fariseus viram-no comer com os cobradores de impostos e pecadores, disseram aos seus discípulos: Por que come [e bebe] ele com os cobradores de impostos e pecadores?
**17** Tendo Jesus ouvido isso, disse-lhes: Os sãos não necessitam de médico, mas, sim, os doentes. Eu não vim chamar os justos, mas, sim, os pecadores.

### O jejum
Mt 9.14-17; Lc 5.33-39

**18** Ora, os discípulos de João e os fariseus estavam jejuando. Foram e lhe perguntaram: Por que jejuam os discípulos de João e os dos fariseus e não jejuam os teus discípulos?
**19** Respondeu-lhes Jesus: Podem os convidados para o casamento jejuar enquanto está com eles o noivo? Enquanto têm consigo o noivo, não podem jejuar.
**20** O tempo, porém, virá, em que lhes será tirado o noivo; e naquele dia jejuarão.
**21** Ninguém costura remendo de pano novo em vestido velho. Se o fizer, o remendo novo rompe o velho, e o rasgo fica maior.
**22** Ninguém põe vinho novo em odres velhos. Se o fizer, o vinho novo rompe os odres, e estragam-se tanto o vinho como os odres.

O vinho novo deve ser posto em odres novos.

### Senhor do sábado
*Mt 12:1-8; Lc 6:1-5*

**23** Certo sábado, passando ele pelas searas, os seus discípulos, caminhando, começaram a colher espigas. **24** Os fariseus lhe disseram: Vês? Por que fazem no sábado o que não é lícito? **25** Ele, porém, lhes disse: Nunca lestes o que fez Davi quando estava em necessidade e teve fome, ele e os que com ele estavam? **26** Como entrou na casa de Deus, no tempo de Abiatar, sumo sacerdote, e comeu os pães da proposição, dos quais não era lícito comer senão aos sacerdotes, dando também aos que com ele estavam? **27** Então lhes disse: O sábado foi feito por causa do homem, e não o homem por causa do sábado. **28** Portanto, o Filho do homem até do sábado é senhor.

### O homem da mão ressequida
*Mt 12:9-21; Lc 6:6-11*

**3** Outra vez entrou na sinagoga, e estava ali um homem que tinha uma das mãos ressequida. **2** Estavam observando-o para ver se curava no sábado, para o acusarem. **3** Disse Jesus ao homem que tinha a mão ressequida: Levanta-te e vem para o meio. **4** Então lhes perguntou: É lícito no sábado fazer o bem ou fazer o mal? Salvar a vida ou matar? Mas eles se calaram. **5** Irado, olhou para os que estavam ao seu redor e, profundamente triste pela dureza do coração deles, disse ao homem: Estende a tua mão. Ele a estendeu, e a mão foi-lhe restaurada completamente. **6** Tendo saído os fariseus, conspiravam com os herodianos contra Jesus, procurando ver como o matariam.

**7** Retirou-se Jesus com os seus discípulos para o mar, e seguia-o uma grande multidão da Galileia, da Judeia, **8** de Jerusalém, da Idumeia, dalém do Jordão, de perto de Tiro e de Sidom. Uma grande multidão que, ouvindo quão grandes coisas Jesus fazia, vinha ter com ele. **9** Então disse aos seus discípulos que lhe tivessem sempre pronto um barquinho junto dele, por causa da multidão, para que não o comprimisse. **10** Pois tinha curado a muitos, de tal maneira que todos quantos sofriam de algum mal se arrojavam a ele, para o tocar. **11** Os espíritos imundos, vendo-o, prostravam-se diante dele e clamavam: Tu és o Filho de Deus. **12** Ele, porém, os advertia muito, para que não manifestassem quem ele era.

### A eleição dos Doze
*Mt 10:1-4; Lc 6:12-16*

**13** Jesus subiu a um monte e chamou os que ele quis, os quais vieram a ele. **14** Nomeou doze para que estivessem com ele, os enviasse a pregar **15** e tivessem o poder de expulsar demônios. **16** São estes os Doze que designou: Simão, a quem deu o nome de Pedro; **17** Tiago, filho de Zebedeu, e João, irmão de Tiago, aos quais deu o

nome de Boanerges, que significa filhos do trovão;
**18** André, Filipe, Bartolomeu, Mateus, Tomé, Tiago, filho de Alfeu, Tadeu, Simão, o Zelote,
**19** e Judas Iscariotes, que o traiu.

### A blasfêmia dos mestres da lei
Mt 12:22-32; Lc 11:14-23

**20** Então Jesus entrou numa casa. Reuniu outra vez a multidão, de modo que nem conseguiam comer.
**21** Quando os seus ouviram isso, saíram para o prender, pois diziam: Está fora de si.
**22** Os mestres da lei, que tinham descido de Jerusalém, diziam: Está possesso de Belzebu, e pelo príncipe dos demônios expulsa os demônios.
**23** Assim Jesus, chamando-os a si, disse-lhes por parábolas: Como pode Satanás expulsar a Satanás?
**24** Se um reino se dividir contra si mesmo, tal reino não pode subsistir.
**25** Se uma casa se dividir contra si mesma, tal casa não pode subsistir.
**26** Se Satanás se levantar contra si mesmo e for dividido, não pode subsistir; chegou o seu fim.
**27** Ninguém pode roubar os bens do valente, entrando em sua casa, se primeiro não o amarrar. Só então saqueará a sua casa.
**28** Na verdade vos digo que todos os pecados e toda sorte de blasfêmias serão perdoados aos filhos dos homens.
**29** Mas qualquer que blasfemar contra o Espírito Santo nunca obterá perdão, mas é culpado de eterno pecado.
**30** Jesus disse isso porque alguns afirmavam: Está possesso de espírito imundo.

### A família de Jesus
Mt 12:46-50; Lc 8:19-21

**31** Chegaram então seus irmãos e sua mãe e, estando de fora, mandaram-no chamar.
**32** A multidão estava assentada ao redor dele, e lhe disseram: Tua mãe e teus irmãos te procuram e estão lá fora.
**33** Ele lhes perguntou: Quem é minha mãe, e quem são meus irmãos?
**34** Então, olhando em redor para os que estavam assentados junto dele, disse: Aqui estão minha mãe e meus irmãos.
**35** Portanto, qualquer que fizer a vontade de Deus, esse é meu irmão, irmã e mãe.

### A parábola do semeador
Mt 13:1-9; Lc 8:4-8

**4** Outra vez Jesus começou a ensinar junto ao mar e ajuntou-se grande multidão, de sorte que entrou e assentou-se num barco, afastando-se da praia. E toda a multidão estava em terra à beira-mar, na praia.
**2** Ensinava-lhes muitas coisas por parábolas e lhes dizia na sua doutrina:
**3** Escutai! Saiu o semeador a semear.
**4** Semeando ele, parte da semente caiu à beira do caminho, e vieram as aves do céu e a comeram.
**5** Outra caiu sobre pedregais, onde não havia muita terra. Logo nasceu, porque não tinha terra profunda.
**6** Saindo, porém, o sol, queimou-se e secou-se, porque não tinha raiz.
**7** Outra parte caiu entre espinhos e, crescendo os espinhos, a sufocaram, e não deu fruto.
**8** Outra caiu em boa terra e deu fruto, germinou, cresceu

produzindo a trinta, a sessenta e a cem, por um.
**9** Então Jesus lhes disse: Quem tem ouvidos para ouvir, ouça.
**10** Quando Jesus se achou só, os que estavam junto dele com os Doze o interrogaram acerca da parábola.
**11** Ele lhes disse: A vós é dado saber os mistérios do Reino de Deus, mas aos que estão de fora todas estas coisas se dizem por parábolas,
**12** para que vendo, vejam
 e não percebam;
 e ouvindo, ouçam e não
 entendam;
 para que não se convertam,
 e lhes sejam perdoados os
 pecados.
**13** Então Jesus lhes disse: Não percebeis esta parábola? Como, pois, entendereis todas as parábolas?
**14** O semeador semeia a palavra.
**15** Os que estão junto ao caminho são aqueles em quem a palavra é semeada. Tendo-a eles ouvido, vem logo Satanás e tira a palavra que foi semeada no seu coração.
**16** Da mesma forma, os que recebem a semente em solo rochoso são aqueles que, ouvindo a palavra, logo com prazer a recebem.
**17** Não tendo, porém, raiz em si mesmos, são de pouca duração. Sobrevindo a tribulação ou a perseguição por causa da palavra, imediatamente se escandalizam.
**18** Os outros são os que recebem a semente entre espinhos, os quais ouvem a palavra,
**19** mas os cuidados deste mundo, os enganos das riquezas e as demais ambições, entrando, sufocam a palavra, ficando ela infrutífera.
**20** Os que recebem a semente em boa terra são os que ouvem a palavra, a recebem e dão fruto, um a trinta, outro a sessenta, outro a cem, por um.

### A parábola da candeia
Lc 8:16-18

**21** Ele lhes disse: Vem a candeia para ser posta debaixo do alqueire, ou da cama? Não vem antes para ser colocada no velador?
**22** Pois nada há encoberto que não haja de ser revelado, e nada se faz para ficar oculto, mas para ser descoberto.
**23** Se alguém tem ouvidos para ouvir, ouça.
**24** Então lhes disse: Atendei ao que ides ouvir. Com a medida com que medirdes vos medirão a vós, e vos será ainda acrescentada.
**25** Ao que tem, mais lhe será dado; ao que não tem, até o que tem lhe será tirado.

### A parábola da semente

**26** Disse ainda: O Reino de Deus é semelhante a um homem que lançou a semente à terra,
**27** dormiu e se levantou de noite ou de dia, e a semente brotou e cresceu, não sabendo ele como.
**28** A terra por si mesma frutifica, primeiro a erva, depois a espiga e, por último, o grão cheio na espiga.
**29** Quando o fruto está maduro, logo se lhe passa a foice, porque é chegada a ceifa.

### A parábola do grão de mostarda
Mt 13:31,32; Lc 13:18,19

**30** De novo ele disse: A que assemelharemos o Reino de Deus? Ou com que parábola o representaremos?
**31** É como um grão de mostarda que, quando se semeia, é a

menor de todas as sementes sobre a terra.
32 Tendo, porém, sido semeado, cresce e faz-se a maior de todas as hortaliças e deita grandes ramos, de tal maneira que as aves do céu podem aninhar-se à sua sombra.
33 Com muitas parábolas semelhantes lhes dirigia a palavra, segundo o que podiam compreender.
34 Sem parábolas não lhes falava. Mas tudo explicava em particular aos discípulos.

### Jesus acalma a tempestade
*Mt 8.23-27; Lc 8.22-25*

35 Naquele dia, sendo já tarde, disse-lhes Jesus: Passemos para a outra margem.
36 Deixando a multidão, eles o levaram consigo, assim como estava, no barco. Havia também com ele outros barquinhos.
37 Ora, levantou-se grande vendaval, e as ondas se arremessavam contra o barco, de modo que já estava a encher-se.
38 Jesus estava na popa, dormindo sobre uma almofada. Os discípulos o despertaram, dizendo: Mestre, não te importa que pereçamos?
39 Ele, despertando, repreendeu o vento e disse ao mar: Cala-te. Aquieta-te. Então o vento se aquietou e houve grande bonança.
40 Ele disse aos discípulos: Por que sois tão tímidos? Ainda não tendes fé?
41 Eles sentiram grande temor e perguntavam uns aos outros: Quem é este, que até o vento e o mar lhe obedecem?

### O endemoninhado geraseno
*Mt 8.28-33; Lc 8.26-34*

5 Chegaram ao outro lado do mar, à província dos gerasenos.
2 Descendo ele do barco, saiu-lhe ao encontro, dos sepulcros, um homem possesso de espírito imundo,
3 o qual morava nos sepulcros, e mesmo com cadeias não o podiam prender.
4 Pois tendo sido muitas vezes preso com grilhões e cadeias, as cadeias foram por ele feitas em pedaços, e os grilhões em migalhas, e ninguém podia dominá-lo.
5 Andava sempre, de dia e de noite, clamando pelos montes e pelos sepulcros, ferindo-se com pedras.
6 Quando ele viu Jesus de longe, correu e adorou-o,
7 clamando em alta voz: Que tenho eu contigo, Jesus, Filho do Deus Altíssimo? Rogo-te por Deus que não me atormentes.
8 Pois Jesus lhe dissera: Sai deste homem, espírito imundo.
9 Então Jesus lhe perguntou: Qual é o teu nome? Respondeu ele: Legião é o meu nome, pois somos muitos.
10 E rogou-lhe muito que não os enviasse para fora daquela região.
11 Ora, andava ali pastando pelo monte uma grande manada de porcos.
12 Os espíritos imundos rogaram a Jesus: Manda-nos para aqueles porcos, para que entremos neles.
13 Jesus o permitiu. Saindo aqueles espíritos imundos, entraram nos porcos, e a manada (que era cerca de dois mil) precipitou-se por um despenhadeiro no mar, onde se afogaram.
14 Os que apascentavam os porcos fugiram e anunciaram esses acontecimentos na cidade e pelos campos. Muitos saíram para ver o que havia acontecido.
15 Indo ter com Jesus, viram o endemoninhado, o que tivera a

legião, assentado, vestido, em perfeito juízo; e temeram.

**16** Os que tinham visto aquilo contaram-lhes o que acontecera ao endemoninhado, e acerca dos porcos.

**17** E começaram a suplicar a Jesus que saísse da terra deles.

**18** Ao entrar Jesus no barco, rogava-lhe o que fora endemoninhado que o deixasse estar com ele.

**19** Jesus, porém, não permitiu, mas lhe disse: Vai para tua casa, para os teus, e anuncia-lhes quão grandes coisas o Senhor te fez e como teve misericórdia de ti.

**20** Então ele foi e começou a anunciar em Decápolis quão grandes coisas Jesus lhe fizera. E todos se maravilhavam.

### A filha de Jairo. A cura de uma mulher enferma
Mt 9.18-26; Lc 8.40-46

**21** Tendo Jesus passado de barco para o outro lado, ajuntou-se a ele uma grande multidão, enquanto ele estava junto ao mar.

**22** Então chegou um dos principais da sinagoga, por nome Jairo, o qual, vendo-o, prostrou-se aos seus pés

**23** e rogava-lhe muito: Minha filha está à morte. Rogo-te que venhas e lhe imponhas as mãos para que sare e viva.

**24** Pelo que Jesus foi com ele. Grande multidão o seguia, comprimindo-o.

**25** Certa mulher, que havia doze anos tinha uma hemorragia,

**26** e que havia padecido muito à mão de vários médicos, gastando tudo o que tinha, sem, contudo, melhorar, pelo contrário só piorava,

**27** ouvindo falar de Jesus, veio por trás dele, entre a multidão, e tocou na sua veste.

**28** Dizia ela: Se tão somente tocar nas suas vestes, sararei.

**29** Imediatamente se lhe estancou a hemorragia, e sentiu no seu corpo estar curada.

**30** Jesus, conhecendo que de si mesmo saíra poder, voltou-se para a multidão e perguntou: Quem tocou nas minhas vestes?

**31** Responderam-lhe os discípulos: Vês que a multidão te aperta e dizes: Quem me tocou?

**32** Ele, porém, olhava em redor, para ver quem tinha feito aquilo.

**33** Então a mulher, que sabia o que lhe tinha acontecido, temendo e tremendo, aproximou-se, prostrou-se diante dele e declarou-lhe toda a verdade.

**34** Ele lhe disse: Filha, a tua fé te salvou. Vai em paz e sê curada deste teu mal.

**35** Estando ele ainda falando, chegaram alguns da casa do principal da sinagoga, a quem disseram: A tua filha está morta. Por que incomodas o Mestre?

**36** Jesus, porém, tendo ouvido estas palavras, disse ao principal da sinagoga: Não temas; crê somente.

**37** E não permitiu que ninguém o seguisse, a não ser Pedro, Tiago e João, irmão de Tiago.

**38** Tendo chegado à casa do principal da sinagoga, viu o alvoroço e os que choravam muito e pranteavam.

**39** Ao entrar, lhes disse: Por que vos alvoroçais e chorais? A menina não está morta, mas dorme.

**40** Mas riam-se dele. Tendo ele, porém, feito sair a todos, tomou consigo o pai e a mãe da menina, os que vieram com ele e entrou onde ela estava.

**41** Tomando-a pela mão, disse: Talita cumi, que quer dizer: Menina, eu te ordeno, levanta-te.

42 Imediatamente a menina, que tinha doze anos, levantou-se e começou a andar. Então assombraram-se todos com grande espanto. 43 Jesus, porém, mandou-lhes expressamente que não contassem nada a ninguém e ordenou que dessem de comer à menina.

### Jesus retira-se para Nazaré
Mt 13:53-58; Lc 4:16-30

**6** Partindo dali, Jesus foi para a sua terra, e os seus discípulos o seguiram. 2 Chegando o sábado, começou a ensinar na sinagoga, e muitos, ouvindo-o, admiravam-se, dizendo: De onde lhe vêm estas coisas? Que sabedoria é esta que lhe foi dada? Como se fazem tais maravilhas por suas mãos? 3 Não é este o carpinteiro, filho de Maria, irmão de Tiago, José, Judas e Simão? Não estão aqui conosco as suas irmãs? E escandalizavam-se por causa dele. 4 Jesus, porém, lhes disse: Um profeta não tem honra na sua terra, entre os seus parentes e na sua casa. 5 Ele não pôde fazer ali obras maravilhosas, somente curou alguns poucos enfermos, impondo-lhes as mãos. 6 E ele se admirou da incredulidade deles. Então percorria Jesus as aldeias circunvizinhas, ensinando.

### Jesus envia os Doze
Mt 10:5-15; Lc 9:1-6

7 Chamou a si os Doze, e passou a enviá-los de dois em dois, dando-lhes poder sobre os espíritos imundos. 8 Ordenou-lhes que nada levassem para o caminho, exceto apenas um bordão. Não deviam levar bolsa nem pão nem dinheiro. 9 Deviam calçar sandálias, mas não deviam levar túnica extra. 10 E disse-lhes: Na casa em que entrardes, permanecei nela até partirdes dessa cidade. 11 Se nalgum lugar não vos receberem nem vos ouvirem, saindo dali, sacudi o pó dos vossos pés, em testemunho contra eles. Em verdade vos digo que haverá mais tolerância no dia de juízo para Sodoma e Gomorra do que para os daquela cidade. 12 Então, saindo eles, pregavam ao povo que se arrependesse. 13 Expulsavam muitos demônios e ungiam muitos enfermos com óleo e os curavam.

### A morte de João Batista
Mt 14:1-12; Lc 9:7-9

14 Ouviu isso o rei Herodes, pois o nome de Jesus se tornara notório, e disse: João Batista ressurgiu dos mortos; por isso estas maravilhas operam nele. 15 Outros diziam: É Elias. Diziam outros: É um profeta, ou como um dos profetas. 16 Herodes, porém, ouvindo isso, disse: Este é João, a quem mandei degolar, que ressurgiu. 17 Pois o próprio Herodes mandara prender João e encerrá-lo no cárcere, por causa de Herodias, com quem se havia casado, embora ela fosse mulher do seu irmão Filipe. 18 Pois João dizia a Herodes: Não te é lícito possuir a mulher de teu irmão. 19 De modo que Herodias o odiava e queria matá-lo. Mas não podia, 20 porque Herodes temia João e o protegia, sabendo que era homem

justo e santo; por isso, fazia muitas coisas, atendendo-o, e de boa vontade o ouvia.

**21** Finalmente, chegando uma ocasião favorável em que Herodes, no seu aniversário dava um banquete aos seus grandes, aos oficiais militares e aos principais da Galileia,
**22** entrou a filha de Herodias e, dançando, agradou a Herodes e aos seus convidados. Então disse o rei à jovem: Pede-me o que quiseres, e eu te darei.
**23** E jurou-lhe: Tudo o que me pedires te darei, até a metade do meu reino.
**24** Saindo ela, perguntou a sua mãe: Que pedirei? Esta respondeu: A cabeça de João Batista.
**25** Entrando apressadamente, pediu ao rei: Quero que imediatamente me dês num prato a cabeça de João Batista.
**26** O rei se entristeceu muito, mas, por causa do juramento e dos que estavam com ele à mesa, não lhe quis negar.
**27** Enviando logo o executor, mandou que lhe trouxessem a cabeça de João. Ele foi e o decapitou na prisão e, trazendo
**28** a cabeça num prato, entregou-a à jovem, e esta, por sua vez, à sua mãe.
**29** Os discípulos de João, tendo ouvido isso, foram, tomaram o seu corpo e o colocaram no sepulcro.

### A primeira multiplicação dos pães
Mt 14.13-21; Lc 9.10-17; Jo 6.1-14

**30** Os apóstolos ajuntaram-se a Jesus e contaram-lhe tudo o que tinham feito e ensinado.
**31** Ele lhes disse: Vinde vós, aqui à parte, a um lugar deserto, e repousai um pouco. Porque havia muitos que iam e vinham, e não tinham tempo para comer.
**32** Então foram sós num barco para um lugar solitário.
**33** A multidão viu-os partir, e muitos o reconheceram e correram para lá, a pé, de todas as cidades, e chegaram antes deles.
**34** Jesus desceu do barco e viu uma grande multidão, e teve compaixão dela, porque eram como ovelhas que não têm pastor. Então passou a ensinar-lhes muitas coisas.
**35** Ao declinar a tarde, os seus discípulos se aproximaram dele e disseram: O lugar é deserto, e o dia já está muito adiantado.
**36** Despede-os para que vão aos campos e aldeias circunvizinhas e comprem para si o que comer.
**37** Ele, porém, lhes respondeu: Dai-lhes vós de comer. Disseram-lhe: Iremos nós e compraremos duzentos denários de pão para lhes dar de comer?
**38** Ele lhes disse: Quantos pães tendes? Ide ver. E, sabendo-o eles, responderam: Cinco pães e dois peixes.
**39** Ordenou-lhes que fizessem assentar a todos, em grupos, sobre a relva verde.
**40** Assentaram-se em grupos de cem e de cinquenta.
**41** Tomando ele os cinco pães e os dois peixes, levantou os olhos ao céu e os abençoou e, partindo os pães, deu-os aos discípulos para que os distribuíssem. Ele também repartiu os dois peixes entre todos.
**42** Todos comeram e se fartaram,
**43** e os discípulos recolheram doze cestos cheios de pedaços de pão e de peixe.
**44** Os que comeram dos pães eram quase cinco mil homens.

## Jesus anda sobre o mar
*Mt 14.22-33; Jo 6.16-21*

**45** Imediatamente obrigou os seus discípulos a subir para o barco e passar adiante, para o outro lado, a Betsaida, enquanto ele despedia a multidão.
**46** Tendo-os despedido, subiu ao monte para orar.
**47** Vindo a tarde, estava o barco no meio do mar, e ele sozinho em terra.
**48** E, vendo-os fatigados a remar, porque o vento lhes era contrário, por volta da quarta vigília da noite aproximou-se deles, andando por sobre o mar. E queria passar à frente deles,
**49** mas, quando o viram andar por sobre o mar, pensaram que era um fantasma. Deram grandes gritos,
**50** porque todos o viam e estavam aterrorizados. Mas ele logo lhes disse: Tende bom ânimo! Sou eu. Não temais.
**51** Então subiu para o barco para estar com eles, e o vento se aquietou. Eles ficaram atônitos,
**52** pois não tinham compreendido o milagre dos pães, antes o coração deles estava endurecido.
**53** Estando no outro lado, seguiram para a terra de Genesaré, e ali aportaram.
**54** Saindo eles do barco, logo o povo reconheceu Jesus.
**55** E, correndo toda a terra em redor, começaram a trazer os enfermos em leitos ao lugar onde ouviam que ele estava.
**56** Onde quer que ele entrava, em cidades, aldeias ou campos, colocavam os enfermos nas praças. Rogavam-lhe que ao menos os deixasse tocar na borda da sua veste, e todos os que nela tocavam eram curados.

## A tradição dos anciãos
*Mt 15.1-9*

**7** Ajuntaram-se a Jesus os fariseus e alguns mestres da lei que tinham vindo de Jerusalém.
**2** E, vendo que alguns dos seus discípulos comiam pão com as mãos impuras, isto é, sem lavar, os repreendiam.
**3** Os fariseus e todos os judeus, conservando a tradição dos antigos, não comem sem lavar as mãos muitas vezes.
**4** Quando voltam da praça, se não se lavarem não comem. E muitas outras tradições há que receberam para observar, como lavar os copos, os jarros, os vasos de metal e as camas.
**5** Depois perguntaram-lhe os fariseus e os mestres da lei: Por que não andam os teus discípulos conforme a tradição dos antigos, mas comem com as mãos sem lavar?
**6** Respondeu-lhes Jesus: Bem profetizou Isaías a respeito de vós, hipócritas, como está escrito:
Este povo honra-me
 com os lábios,
mas o seu coração está
 longe de mim.
**7** Em vão, porém, me adoram,
ensinando doutrinas que
 são preceitos de homens.
**8** Deixando o mandamento de Deus, guardais a tradição dos homens, como o lavar dos jarros e dos copos e muitas outras coisas semelhantes a estas.
**9** E disse-lhes: Jeitosamente rejeitais o mandamento de Deus para guardardes a vossa própria tradição.
**10** Pois Moisés disse: Honra teu pai e tua mãe, e quem amaldiçoar seu pai ou sua mãe seja punido de morte.

**11** Vós, porém, dizeis: Se alguém disser a seu pai ou a sua mãe: Aquilo que poderias aproveitar de mim é Corbã, isto é, oferta ao Senhor,
**12** está ele desobrigado, por vós, de qualquer dever para com seu pai ou sua mãe.
**13** Invalidais, assim, a palavra de Deus pela vossa própria tradição, que vós mesmos transmitistes. E fazeis muitas coisas semelhantes a essas.
**14** Chamando outra vez a multidão, disse-lhes: Ouvi-me vós todos e compreendei.
**15** Nada há fora do homem que, entrando nele, o possa contaminar. Mas é o que sai dele que o contamina.
**16** Se alguém tem ouvidos para ouvir, ouça.
**17** Depois, quando deixou a multidão e entrou em casa, os seus discípulos o interrogaram acerca desta parábola.
**18** Ele lhes disse: Também vós não entendeis? Não compreendeis que tudo o que de fora entra no homem não o pode contaminar,
**19** pois não lhe entra no coração, mas no ventre, e é lançado fora? Ao dizer isso, Jesus considerou puros todos os alimentos.
**20** E dizia: O que sai do homem é o que o contamina.
**21** Pois do interior do coração dos homens saem os maus pensamentos, os adultérios, as prostituições, os homicídios,
**22** os furtos, a avareza, as maldades, o engano, os desejos incontroláveis, a inveja, a blasfêmia, a soberba e a loucura.
**23** Todos esses males procedem de dentro e contaminam o homem.

### A mulher siro-fenícia
Mt 15:21-28

**24** Levantando-se, partiu dali para as terras de Tiro e de Sidom. Tendo entrado numa casa, não queria que ninguém o soubesse, mas não pôde ocultar-se.
**25** Certa mulher, cuja filha estava possessa de espírito imundo, tendo ouvido falar a respeito dele, foi e lançou-se aos seus pés.
**26** Esta mulher era grega, de origem siro-fenícia, e rogava-lhe que expulsasse de sua filha o demônio.
**27** Disse-lhe Jesus: Deixa primeiro saciar os filhos, pois não convém tomar o pão dos filhos e lançá-lo aos cachorrinhos.
**28** Ela, porém, lhe respondeu: Sim, Senhor, mas também os cachorrinhos comem, debaixo da mesa, as migalhas dos filhos.
**29** Então ele lhe disse: Por causa dessa palavra, vai; o demônio já saiu da tua filha.
**30** Voltando ela para casa, achou a filha deitada na cama, e o demônio a tinha deixado.

### A cura de um surdo e gago

**31** Então Jesus, tornando a sair das terras de Tiro e de Sidom, foi até o mar da Galileia, através do território de Decápolis.
**32** Trouxeram-lhe um surdo e gago e rogaram-lhe que impusesse a mão sobre ele.
**33** Jesus, tirando-o da multidão, à parte, pôs-lhe os dedos nos ouvidos e tocou-lhe na língua com saliva.
**34** Depois, levantando os olhos ao céu, suspirou e disse: Efatá, que quer dizer: Abre-te.
**35** Abriram-se os ouvidos, e o impedimento da língua logo se desfez, e falava perfeitamente.

**36** Jesus lhes ordenou que a ninguém o dissessem. Contudo, quanto mais proibia, tanto mais o divulgavam.
**37** Admiravam-se sobremaneira, dizendo: Tudo faz bem. Faz ouvir os surdos e falar os mudos.

### A segunda multiplicação dos pães
*Mt 15.29-39*

**8** Naqueles dias, reuniu-se outra grande multidão. E, não tendo eles o que comer, Jesus chamou os seus discípulos e lhes disse:
**2** Tenho compaixão da multidão; estão comigo há três dias e não têm o que comer.
**3** Se os despedir em jejum para suas casas, desfalecerão no caminho, porque alguns vieram de longe.
**4** Os discípulos lhe responderam: De onde poderá alguém satisfazê-los de pão neste deserto?
**5** Perguntou-lhes Jesus: Quantos pães tendes? Responderam eles: Sete.
**6** Ordenou ao povo que se assentasse no chão. Tomando os sete pães e, tendo dado graças, partiu-os e deu-os aos seus discípulos, para que eles os distribuíssem, repartindo entre o povo.
**7** Tinham também alguns peixinhos; tendo dado graças, ordenou que também estes fossem distribuídos.
**8** Comeram e se saciaram. Dos pedaços restantes os discípulos recolheram sete cestos.
**9** Eram cerca de quatro mil homens. Então, tendo-os despedido,
**10** entrou logo no barco com os seus discípulos, e foram para a região de Dalmanuta.
**11** Os fariseus saíram e começaram a discutir com ele, pedindo-lhe, para o tentarem, um sinal do céu.
**12** Ele suspirou profundamente em seu espírito e disse: Por que pede esta geração um sinal? Em verdade vos digo que a esta geração não se dará sinal algum.
**13** Então ele os deixou, tornou a entrar no barco e foi para o outro lado.

### O fermento dos fariseus
*Mt 16.5-12*

**14** Os discípulos se esqueceram de levar pão e, no barco, não tinham consigo senão um só.
**15** Preveniu-os Jesus, dizendo: Olhai, guardai-vos do fermento dos fariseus e do fermento de Herodes.
**16** Eles discutiam entre si, dizendo: É porque não temos pão.
**17** Jesus, conhecendo o seu argumento, lhes perguntou: Por que discutis sobre o não terdes pão? Ainda não considerastes nem compreendestes? Tendes o coração endurecido?
**18** Tendo olhos, não vedes, e ouvidos, não ouvis? Não vos lembrais?
**19** Quando parti os cinco pães entre os cinco mil, quantos cestos cheios de pedaços recolhestes? Responderam-lhe: Doze.
**20** E quando parti os sete pães para os quatro mil, quantos cestos cheios de pedaços recolhestes? Responderam: Sete.
**21** Ele lhes disse: Não entendeis ainda?

### A cura de um cego em Betsaida

**22** Chegaram a Betsaida e lhe trouxeram um cego, rogando-lhe que tocasse nele.

**23** Ele tomou o cego pela mão, levou-o para fora da aldeia e, cuspindo-lhe nos olhos e impondo-lhe as mãos, perguntou: Vês alguma coisa?
**24** O cego, levantando os olhos, respondeu: Vejo as pessoas como árvores que andam.
**25** Tornou Jesus a pôr-lhe as mãos nos olhos e ele, olhando firmemente, ficou restabelecido e já via ao longe e distintamente a todos.
**26** Mandou-o Jesus para casa, dizendo: Não entres na aldeia.

### A confissão de Pedro
Mt 16:13-20; Lc 9:18-21

**27** Jesus e seus discípulos partiram para as aldeias de Cesareia de Filipe. No caminho perguntou-lhes: Quem dizem os homens que eu sou?
**28** Responderam eles: João Batista; outros, Elias; e ainda outros, um dos profetas.
**29** Então lhes perguntou: Mas vós quem dizeis que eu sou? Respondendo Pedro, lhe disse: Tu és o Cristo.
**30** Advertiu-os Jesus de que a ninguém dissessem tal coisa a respeito dele.

### Jesus prediz sua morte
Mt 16:21-23; Lc 9:22

**31** Então começou a ensinar-lhes que importava que o Filho do homem sofresse muitas coisas, fosse rejeitado pelos líderes religiosos, pelos chefes dos sacerdotes e pelos mestres da lei, fosse morto e que depois de três dias ressurgisse.
**32** Ele dizia abertamente estas palavras. E Pedro, chamando-o à parte, começou a repreendê-lo.
**33** Jesus, porém, voltou-se e, olhando para os discípulos, repreendeu Pedro, dizendo: Para trás de mim, Satanás! Não pensas nas coisas de Deus, mas, sim, nas dos homens.
**34** Então, chamando a si a multidão e juntamente os seus discípulos, lhes disse: Se alguém quiser vir após mim, negue-se a si mesmo, tome a sua cruz e siga-me.
**35** Pois quem quiser salvar a sua vida, a perderá, mas quem perder a sua vida por minha causa e do evangelho, esse a salvará.
**36** Que aproveitaria ao homem ganhar o mundo todo e perder a sua alma?
**37** Ou que daria o homem em troca da sua alma?
**38** Qualquer que, nesta geração adúltera e pecadora, se envergonhar de mim e das minhas palavras, também o Filho do homem se envergonhará dele, quando vier na glória de seu Pai com os santos anjos.

**9** Dizia-lhes ainda: Em verdade vos digo que, dos que aqui estão, alguns há que não provarão a morte sem que vejam ter chegado o Reino de Deus com poder.

### A transfiguração
Mt 17:1-8; Lc 9:28-36

**2** Seis dias depois Jesus tomou consigo Pedro, Tiago e João e os levou sós, em particular, a um alto monte. Aí ele foi transfigurado diante deles.
**3** As suas vestes tornaram-se resplandecentes, em extremo brancas como a neve, como nenhum lavandeiro na terra as poderia alvejar.
**4** E apareceu-lhes Elias com Moisés, e falavam com Jesus.

**5** Pedro disse a Jesus: Mestre, bom é que estejamos aqui. Façamos três cabanas, uma para ti, outra para Moisés e outra para Elias.
**6** Ele não sabia o que dizer, por estarem assombrados.
**7** Então desceu uma nuvem e os envolveu, e dela saiu uma voz que dizia: Este é o meu Filho amado. A ele ouvi.
**8** De súbito, olhando ao redor, a ninguém mais viram com eles, senão a Jesus.
**9** Ao descerem eles do monte, ordenou-lhes Jesus que a ninguém contassem o que tinham visto, até que o Filho do homem ressurgisse dentre os mortos.
**10** Eles guardaram o caso entre si, perguntando uns aos outros o que seria o ressurgir dentre os mortos.
**11** E interrogaram-no: Por que dizem os mestres da lei que é necessário que Elias venha primeiro?
**12** Respondeu Jesus: Em verdade, Elias virá primeiro e restaurará todas as coisas. Por que, pois, está escrito que o Filho do homem deve sofrer muito e ser rejeitado?
**13** Digo-vos, porém, que Elias já veio, e fizeram com ele tudo o que quiseram, como a seu respeito está escrito.

### A cura de um jovem possesso

Mt 17:14-21; Lc 9:37-45

**14** Quando se aproximaram dos outros discípulos, viram grande multidão e alguns mestres da lei que discutiam com eles.
**15** Assim que a multidão viu Jesus, ficou surpresa e correu para o saudar.
**16** Ele perguntou aos mestres da lei: O que discutis com eles?
**17** Um homem, dentre a multidão, respondeu: Mestre, trouxe-te o meu filho, possesso de um espírito mudo.
**18** Este, onde quer que o apanha, lança-o por terra e ele espuma, range os dentes e vai se secando. Roguei aos teus discípulos que o expulsassem, mas eles não puderam.
**19** Jesus respondeu: Ó geração incrédula! Até quando estarei convosco? Até quando vos suportarei? Trazei-o a mim.
**20** Eles o trouxeram. Quando o espírito viu Jesus, logo agitou o menino com violência. Caindo ele por terra, rolava espumando pela boca.
**21** Perguntou Jesus ao pai do menino: Quanto tempo há que lhe sucede isso? Respondeu ele: Desde a infância.
**22** Muitas vezes o tem lançado no fogo e na água, para o matar. Mas se tu podes fazer alguma coisa, tem compaixão de nós e ajuda-nos.
**23** Disse-lhe Jesus: Se tu podes! Tudo é possível ao que crê.
**24** Imediatamente o pai do menino exclamou: Eu creio; ajuda-me a vencer a minha falta de fé.
**25** Vendo Jesus que a multidão começava a se ajuntar, repreendeu o espírito imundo, dizendo-lhe: Espírito mudo e surdo, eu te ordeno: Sai deste jovem e nunca mais entres nele.
**26** O espírito, clamando e agitando-o com violência, saiu, deixando-o como morto, a ponto de muitos dizerem: Morreu.
**27** Jesus, porém, tomando-o pela mão, o levantou, e ele ficou em pé.
**28** Quando entrou em casa, os seus discípulos lhe perguntaram

em particular: Por que não pudemos expulsá-lo?

**29** Respondeu-lhes: Esta casta só pode sair por meio de oração [e jejum].

**30** Partiram dali e passaram pela Galileia. Jesus não queria que alguém o soubesse,

**31** porque ensinava os seus discípulos. Ele lhes dizia: O Filho do homem será entregue nas mãos dos homens. Eles o matarão, mas três dias depois ele ressurgirá.

**32** Eles, porém, não compreendiam essa palavra e receavam interrogá-lo.

### O maior no Reino dos céus
Mt 18:1-14; Lc 9:46-48

**33** Chegaram a Cafarnaum. Estando ele em casa, perguntou-lhes: Que estáveis discutindo pelo caminho?

**34** Eles, porém, se calaram porque pelo caminho tinham discutido entre si qual era o maior.

**35** Ele, assentando-se, chamou os Doze e lhes disse: Se alguém quiser ser o primeiro, será o último e servo de todos.

**36** Lançando mão de uma criança, colocou-a no meio deles. Tomando-a nos braços, disse-lhes:

**37** Qualquer que, em meu nome, receber uma criança como esta recebe a mim; e qualquer que me receber não recebe a mim, mas ao que me enviou.

### Quem não é contra nós é por nós
Lc 9:49,50

**38** Disse-lhe João: Mestre, vimos um homem que em teu nome expulsava demônios, e nós lhe proibimos, porque não nos segue.

**39** Jesus, porém, disse: Não lhe proibais. Ninguém há que faça milagre em meu nome e logo a seguir possa falar mal de mim,

**40** pois quem não é contra nós é por nós.

**41** Em verdade vos digo que aquele que vos der a beber um copo d'água em meu nome, por serdes discípulos de Cristo, de modo algum perderá o seu galardão.

### Os escândalos
Mt 18:6-9; Lc 17:1,2

**42** E quem escandalizar a um destes pequeninos que creem em mim melhor lhe fora que se lhe pendurasse ao pescoço uma grande pedra de moinho e fosse lançado ao mar.

**43** Se a tua mão te escandalizar, corta-a. Melhor é entrares na vida aleijado do que, tendo as duas mãos, ires para o inferno, para o fogo que nunca se apaga

**44** [onde o seu verme não morre, e o fogo nunca se apaga].

**45** E se o teu pé te escandalizar, corta-o. Melhor é entrares na vida aleijado do que, tendo dois pés, seres lançado no inferno

**46** [onde o seu verme não morre, e o fogo nunca se apaga].

**47** E se o teu olho te escandalizar, lança-o fora. Melhor é entrares no Reino de Deus com um só olho do que, tendo dois olhos, seres lançado no fogo do inferno,

**48** onde o seu verme não morre, e o fogo nunca se apaga.

**49** Cada um será salgado com fogo.

**50** Bom é o sal, mas, se tornar-se insípido, como lhe restaurar o sabor? Tende sal em vós mesmos e vivam em paz uns com os outros.

## O divórcio
*Mt 19.1-9; Lc 16.18*

**10** Levantando-se Jesus, foi dali para o território da Judeia, além do Jordão. De novo as multidões se reuniram, e ele tornou a ensiná-las, conforme era o seu costume.

**2** Aproximando-se alguns fariseus, perguntaram-lhe, tentando-o: É lícito ao marido repudiar sua mulher?

**3** Ele respondeu: Que vos ordenou Moisés?

**4** Eles disseram: Moisés permitiu escrever carta de divórcio e repudiar.

**5** Jesus respondeu: Por causa da dureza do vosso coração, ele vos deixou escrito esse mandamento.

**6** Desde o princípio da criação, porém, Deus os fez macho e fêmea.

**7** Por isso deixará o homem seu pai e sua mãe [e se unirá a sua mulher],

**8** e serão os dois uma só carne.

**9** Portanto, o que Deus ajuntou não o separe o homem.

**10** Em casa tornaram os discípulos a interrogá-lo acerca deste assunto.

**11** Ele respondeu: Quem repudiar a sua mulher e casar com outra adultera contra aquela.

**12** E, se a mulher repudiar o seu marido e casar com outro, adultera.

## Jesus abençoa as crianças
*Mt 19.13-15; Lc 18.15-17*

**13** Traziam-lhe crianças para que tocasse nelas, mas os discípulos os repreendiam.

**14** Jesus, porém, vendo isso, indignou-se e disse-lhes: Deixai vir a mim as criancinhas e não as impeçais, pois delas é o Reino de Deus.

**15** Em verdade vos digo que quem não receber o Reino de Deus como criança, de maneira nenhuma entrará nele.

**16** E, tomando-as nos braços, impôs-lhes as mãos e as abençoou.

## O jovem rico
*Mt 19.16-22; Lc 18.18-23*

**17** Jesus ia saindo, quando correu para ele um homem que, ajoelhando-se, perguntou-lhe: Bom Mestre, que farei para herdar a vida eterna?

**18** Respondeu-lhe Jesus: Por que me chamas bom? Ninguém é bom senão um, que é Deus.

**19** Sabes os mandamentos: Não adulterarás, não matarás, não furtarás, não dirás falsos testemunhos, não enganarás a ninguém, honra a teu pai e a tua mãe.

**20** Ele respondeu: Mestre, tudo isso tenho guardado desde a minha juventude.

**21** Jesus, olhando para ele, o amou e disse: Falta-te uma coisa: Vai, vende tudo o que tens, dá-o aos pobres, e terás um tesouro no céu. Então vem e segue-me.

**22** Ele, porém, contrariado com essa palavra, retirou-se triste, porque possuía muitas propriedades.

**23** Então Jesus, olhando ao redor, disse aos seus discípulos: Quão dificilmente entrarão no Reino de Deus os que têm riquezas!

**24** Os discípulos se admiraram dessas palavras. Mas Jesus, tornando a falar, disse-lhes: Filhos, quão difícil é para os que confiam nas riquezas entrar no Reino de Deus!

**25** É mais fácil passar um camelo pelo fundo de uma agulha do que entrar um rico no Reino de Deus.

**26** Eles se admiraram ainda mais, dizendo entre si: Então quem poderá salvar-se?
**27** Jesus, porém, olhando para eles, disse: Para os homens é impossível, mas não para Deus; para Deus todas as coisas são possíveis.
**28** Então Pedro começou a dizer-lhe: Nós tudo deixamos e te seguimos.
**29** Respondeu Jesus: Em verdade vos digo que ninguém há, que tenha deixado casa, ou irmãos, ou irmãs, ou pai, ou mãe, ou mulher, ou filhos, ou campos, por amor de mim e do evangelho,
**30** que não receba cem vezes tanto, já no presente, em casas, irmãos, irmãs, mães, filhos e campos, com perseguições, e no mundo por vir a vida eterna.
**31** Muitos primeiros, porém, serão derradeiros, e os derradeiros, os primeiros.

### De novo Jesus anuncia a sua morte
Mt 20:17-19; Lc 18:31-34

**32** Estavam a caminho, subindo para Jerusalém, e Jesus ia adiante deles. E eles se maravilhavam, e seguiam-no atemorizados. Tornando a tomar consigo os Doze, começou a dizer-lhes as coisas que lhe deviam sobrevir, dizendo:
**33** Estamos subindo a Jerusalém, e o Filho do homem será entregue aos principais sacerdotes e aos mestres da lei. Eles o condenarão à morte e o entregarão aos gentios,
**34** que escarnecerão dele, o açoitarão, cuspirão nele e o matarão. Ao terceiro dia ele ressurgirá.

### O pedido de Tiago e João
Mt 20:20-28

**35** Então se aproximaram dele Tiago e João, filhos de Zebedeu, dizendo: Mestre, queremos que nos concedas o que te vamos pedir.
**36** Ele lhes perguntou: Que quereis que vos faça?
**37** Eles responderam: Concede-nos que na tua glória nos assentemos um à tua direita e o outro à tua esquerda.
**38** Jesus lhes disse: Não sabeis o que pedis. Podeis vós beber o cálice que eu bebo, ou ser batizados com o batismo com que eu sou batizado?
**39** Responderam: Podemos. Jesus, porém, disse-lhes: Em verdade vós bebereis o cálice que eu beber e sereis batizados com o batismo com que eu sou batizado,
**40** mas o assentar-se à minha direita, ou à minha esquerda, não me compete concedê-lo. É para aqueles a quem está reservado.
**41** Quando os dez ouviram isso, começaram a indignar-se contra Tiago e João.
**42** Mas Jesus, chamando-os a si, disse-lhes: Sabeis que os que são considerados governadores dos gentios, deles se assenhoreiam, e os seus grandes exercem autoridade sobre eles.
**43** Entre vós não será assim. Antes, qualquer que entre vós quiser ser grande será o que vos sirva,
**44** e quem entre vós quiser ser o primeiro será servo de todos.
**45** Pois o Filho do homem não veio para ser servido, mas para servir e dar a sua vida em resgate por muitos.

### O cego de Jericó
Mt 20:29-34; Lc 18:35-43

**46** Depois foram para Jericó. Saindo ele de Jericó com os seus discípulos e grande multidão, Bartimeu, o cego, filho de Timeu,

estava assentado à beira do caminho, mendigando.
**47** Ouvindo que era Jesus de Nazaré, começou a clamar: Jesus, Filho de Davi, tem misericórdia de mim!
**48** Muitos o repreendiam, para que se calasse, mas ele cada vez gritava mais: Filho de Davi, tem misericórdia de mim!
**49** Jesus parou e disse: Chamai-o. Chamaram o cego, dizendo-lhe: Tem bom ânimo! Levanta-te! Ele te chama.
**50** Lançando de si a capa, levantou-se de um salto e foi falar com Jesus.
**51** Perguntou-lhe Jesus: Que queres que te faça? O cego lhe respondeu: Rabi, eu quero ver.
**52** Disse-lhe Jesus: Vai, a tua fé te salvou. Imediatamente ele tornou a ver e seguia a Jesus pelo caminho.

### A entrada triunfal
Mt 21:1-11; Lc 19:28-40; Jo 12:12-19

**11** Quando se aproximaram de Jerusalém, de Betfagé e Betânia, junto do monte das Oliveiras, enviou Jesus dois dos seus discípulos,
**2** dizendo-lhes: Ide à aldeia que está diante de vós e, logo ao entrar, encontrareis preso um jumentinho, no qual ainda ninguém montou. Soltai-o e trazei-o.
**3** Se alguém vos perguntar: Por que fazeis isso? dizei-lhe: O Senhor precisa dele e logo o devolverá.
**4** Então foram e encontraram o jumentinho preso, junto ao portão, do lado de fora da rua, e o soltaram.
**5** Alguns dos que ali estavam lhes perguntaram: Que fazeis, soltando o jumentinho?
**6** Eles lhes responderam como Jesus lhes tinha mandado, e os deixaram ir.
**7** Levaram o jumentinho, lançaram sobre ele as suas vestes, e nele Jesus montou.
**8** Muitos estendiam as suas vestes pelo caminho, e outros cortavam ramos das árvores e os espalhavam pelo caminho.
**9** Aqueles que iam adiante e os que seguiam atrás clamavam:
Hosana!
Bendito o que vem em
nome do Senhor!
**10** Bendito o Reino que vem,
o Reino de nosso pai Davi!
Hosana nas maiores
alturas!
**11** Jesus entrou em Jerusalém e foi ao templo. Tendo visto tudo ao redor, como já era tarde, saiu para Betânia com os Doze.
**12** No dia seguinte, quando saíram de Betânia, Jesus teve fome.
**13** Vendo de longe uma figueira que tinha folhas, foi ver se nela acharia alguma coisa. Aproximando-se dela, não achou senão folhas, porque não era tempo de figos.
**14** Então ele disse à figueira: Nunca jamais coma alguém fruto de ti. E os discípulos ouviram isso.

### Jesus expulsa os mercadores
Mt 21:12-17; Lc 19:45,46

**15** Ao chegarem a Jerusalém, Jesus entrou no templo e começou a expulsar os que ali vendiam e compravam. Derrubou as mesas dos cambistas e as cadeiras dos que vendiam pombas.
**16** Não consentia que alguém carregasse qualquer mercadoria pelo templo.
**17** E os ensinava, dizendo: Não está escrito:

A minha casa será chamada casa de oração para todas as nações?
Mas vós a transformastes em um covil de ladrões.
**18** Os mestres da lei e os principais sacerdotes, tendo ouvido isso, buscavam ocasião para matá-lo, pois o temiam, porque toda a multidão estava admirada da sua doutrina.
**19** Caindo a tarde, saíram da cidade.

### A figueira seca. O poder da fé

**20** Passando eles pela manhã, viram que a figueira tinha secado desde as raízes.
**21** Pedro lembrou-se e disse a Jesus: Mestre, olha, a figueira que amaldiçoaste secou.
**22** Ao que Jesus respondeu: Tende fé em Deus.
**23** Em verdade vos digo que se alguém disser a este monte: Ergue-te e lança-te ao mar, e não duvidar em seu coração, mas crer que se fará o que diz, lhe será feito.
**24** Por isso vos digo que tudo o que pedirdes em oração, crendo que o recebestes, será vosso.
**25** E, quando estiverdes orando, se tendes alguma coisa contra alguém, perdoai, para que vosso Pai, que está nos céus, vos perdoe as vossas ofensas.
**26** [Se, porém, vós não perdoardes, também vosso Pai, que está nos céus, não vos perdoará as vossas ofensas.]

### A cerca do batismo de João
*Mt 21:23-27; Lc 20:1-8*

**27** Outra vez chegaram a Jerusalém e, andando ele pelo templo, os principais sacerdotes, os mestres da lei e os líderes religiosos se aproximaram
**28** e lhe perguntaram: Com que autoridade fazes estas coisas? E quem te deu tal autoridade para fazer isto?
**29** Jesus lhes respondeu: Também vos perguntarei uma coisa. Respondei-me, e então vos direi com que autoridade faço estas coisas.
**30** O batismo de João era do céu ou dos homens? Respondei-me.
**31** Eles discutiam entre si, dizendo: Se dissermos: Do céu, ele perguntará: Então por que não crestes nele?
**32** Se, porém, dissermos: Dos homens, tememos o povo, pois todos sustentavam que João verdadeiramente era profeta.
**33** Então responderam a Jesus: Não sabemos. Jesus lhes disse: Eu tampouco vos direi com que autoridade faço estas coisas.

### A parábola dos lavradores
*Mt 21:33-46; Lc 20:9-18*

**12** Então ele começou a falar-lhes por parábolas: Um homem plantou uma vinha, cercou-a com um muro, construiu um lagar, edificou uma torre, arrendou-a a uns lavradores e saiu de viagem.
**2** Chegado o tempo da colheita, enviou um servo aos lavradores para receber deles do fruto da vinha.
**3** Eles, porém, apoderando-se dele, o espancaram e o mandaram embora de mãos vazias.
**4** Tornou a enviar-lhes outro servo; eles o feriram na cabeça e o insultaram.
**5** Ainda enviou-lhes outro, e a este mataram. Ele enviou muitos

outros; alguns dos quais feriram e a outros mataram.

**6** Restava-lhe ainda um, o seu filho amado. Enviou também este por último, dizendo: Terão respeito por meu filho.

**7** Os lavradores, porém, disseram entre si: Este é o herdeiro. Vamos, matemo-lo, e a herança será nossa.

**8** E, agarrando-o, mataram-no e o lançaram fora da vinha.

**9** Que fará, pois, o senhor da vinha? Virá, destruirá os lavradores e dará a vinha para outros.

**10** Ainda não lestes esta Escritura:
A pedra que os edificadores rejeitaram
foi posta por pedra angular;
**11** isso foi feito pelo Senhor,
e é coisa maravilhosa aos nossos olhos?

**12** Então procuravam prendê-lo porque entendiam que contra eles proferira esta parábola. Mas temiam a multidão; de modo que, deixando-o, se foram.

### O tributo a César
Mt 22:15-22; Lc 20:19-26

**13** Mais tarde, enviaram-lhe alguns dos fariseus e dos herodianos, para que o apanhassem nalguma palavra.

**14** Chegando, disseram-lhe: Mestre, sabemos que és homem íntegro e que não te deixas influenciar por ninguém, porque não olhas a aparência dos homens, antes com verdade ensinas o caminho de Deus. É lícito pagar o tributo a César ou não? Devemos pagar ou não devemos pagar?

**15** Jesus, porém, conhecendo a hipocrisia deles, disse-lhes: Por que me tentais? Trazei-me uma moeda para que a veja.

**16** Eles trouxeram a moeda. Perguntou-lhes: De quem é esta imagem e inscrição? Responderam: De César.

**17** Então Jesus lhes disse: Dai a César o que é de César; a Deus, o que é de Deus. E maravilharam-se por causa dele.

### Acerca da ressurreição
Mt 22:23-33; Lc 20:27-40

**18** Então os saduceus, que dizem não haver ressurreição, aproximaram-se dele e lhe perguntaram:

**19** Mestre, Moisés nos escreveu que, se morresse o irmão de alguém e deixasse mulher sem filhos, seu irmão tomasse a mulher dele e suscitasse descendência a seu irmão.

**20** Ora, havia sete irmãos. O primeiro casou e morreu sem deixar descendência.

**21** O segundo casou com a viúva e morreu, também sem deixar filho. O terceiro da mesma forma.

**22** Desposaram-na os sete, sem, contudo, deixarem descendência. Finalmente, depois de todos, morreu a mulher.

**23** Na ressurreição, de qual deles será a mulher, visto que os sete a desposaram?

**24** Respondeu-lhes Jesus: Errais vós em razão de não conhecerdes as Escrituras nem o poder de Deus!

**25** Quando ressurgirem dentre os mortos, nem casarão nem se darão em casamento; serão como os anjos nos céus.

**26** Ora, quanto à ressurreição dos mortos, não lestes no livro de Moisés, no trecho referente à sarça, como Deus lhe falou: Eu sou o Deus de Abraão, o Deus de Isaque e o Deus de Jacó?

**27** Ora, ele não é Deus de mortos, e sim de vivos. Errais muito.

### O maior dos mandamentos
*Mt 22:34-40; Lc 10:25-27*

**28** Aproximou-se dele um dos mestres da lei que os tinha ouvido discutir e, sabendo que lhes havia respondido bem, perguntou-lhe: Qual é o principal de todos os mandamentos?
**29** Respondeu-lhe Jesus: O principal de todos os mandamentos é: Ouve, ó Israel, o Senhor, o nosso Deus, é o único Senhor!
**30** Amarás o Senhor, teu Deus, de todo o teu coração, de toda a tua alma, de todo o teu entendimento e de todas as tuas forças.
**31** O segundo é: Amarás o teu próximo como a ti mesmo. Não há outro mandamento maior do que estes.
**32** Respondeu o mestre da lei: Muito bem, Mestre, e com verdade disseste que há um só Deus e que não há outro além dele.
**33** Amá-lo de todo o coração, de todo o entendimento, de toda a alma e de todas as forças, e amar ao próximo como a si mesmo, excede a todos os holocaustos e sacrifícios.
**34** Vendo Jesus que ele havia respondido sabiamente, disse-lhe: Não estás longe do Reino de Deus. E já ninguém mais ousava perguntar-lhe nada.

### O Cristo, Filho de Davi
*Mt 22:41-46; Lc 20:41-44*

**35** Enquanto ensinava no templo, Jesus perguntou: Como dizem os mestres da lei que o Cristo é filho de Davi?
**36** O próprio Davi, falando pelo Espírito Santo, declarou:
Disse o Senhor ao meu Senhor:
Assenta-te à minha direita
até que eu ponha os
teus inimigos
debaixo dos teus pés.
**37** O próprio Davi chama-lhe Senhor. Como, pois, pode ser seu filho? A grande multidão o ouvia com prazer.
**38** Ao ensinar, Jesus dizia: Cuidado com os mestres da lei, que gostam de andar com vestidos compridos, das saudações nas praças,
**39** das primeiras cadeiras nas sinagogas e dos primeiros assentos nos banquetes.
**40** Devoram as casas das viúvas e, para o justificar, fazem longas orações. Estes receberão juízo muito mais severo.

### A oferta da viúva pobre
*Lc 21:1-4*

**41** Estando Jesus assentado diante do gazofilácio, observava a maneira com que o povo lançava ali o dinheiro. Muitos ricos depositavam grandes quantias.
**42** Vindo, porém, uma viúva pobre, lançou duas pequenas moedas correspondentes a um quadrante.
**43** Chamando os discípulos, Jesus lhes disse: Em verdade vos digo que esta viúva pobre depositou no gazofilácio mais do que todos os ofertantes.
**44** Todos deram do que lhes sobrava, mas esta, da sua pobreza, deu tudo o que tinha, todo o seu sustento.

### Os sinais do fim
*Mt 24:1-51; Lc 21:5-36*

**13** Saindo Jesus do templo, disse-lhe um dos seus discípulos:

Mestre, olha! Que pedras, que edifícios!
**2** Respondeu-lhe Jesus: Vês estes grandes edifícios? Não ficará pedra sobre pedra, que não seja derrubada.
**3** Assentando-se ele no monte das Oliveiras, em frente do templo, Pedro, Tiago, João e André lhe perguntaram em particular:
**4** Dize-nos quando acontecerão essas coisas e que sinal haverá quando todas elas estiverem para cumprir-se.
**5** Disse-lhes Jesus: Cuidai para que ninguém vos engane.
**6** Muitos virão em meu nome, dizendo: Sou eu, e enganarão a muitos.
**7** Quando ouvirdes de guerras e de rumores de guerras, não vos perturbeis. Tais coisas devem acontecer, mas ainda não é o fim.
**8** Nação se levantando contra nação, e reino contra reino. Haverá terremotos em diversos lugares e fomes. Estas coisas são o princípio de dores.
**9** Deveis estar de sobreaviso. Sereis entregues aos tribunais e açoitados nas sinagogas. Sereis levados à presença de governadores e reis, por minha causa, para lhes servir de testemunho.
**10** Primeiro, porém, o evangelho deve ser pregado a todas as nações.
**11** Quando vos conduzirem para vos entregarem, não vos preocupeis com o que haveis de dizer. O que vos for dado naquela hora, isso falai, pois não sois vós os que falais, mas o Espírito Santo.
**12** Um irmão entregará à morte a outro irmão, e o pai ao filho. Filhos se levantarão contra os pais e os matarão.
**13** Sereis odiados de todos por causa do meu nome, mas aquele que perseverar até o fim será salvo.
**14** Quando virdes a abominação que causa a assolação, situada no lugar onde não deve estar (quem lê, entenda), então os que estiverem na Judeia fujam para os montes.
**15** O que estiver no telhado não desça para casa nem entre para tirar coisa alguma da sua casa.
**16** O que estiver no campo não volte atrás para buscar a sua capa.
**17** Ai das que estiverem grávidas e das que estiverem amamentando naqueles dias!
**18** Orai para que isso não suceda no inverno,
**19** porque naqueles dias haverá uma aflição tal qual nunca houve desde o princípio do mundo que Deus criou, até agora, e nunca jamais haverá.
**20** Se o Senhor não abreviasse aqueles dias, ninguém se salvaria. Mas por causa dos eleitos que ele escolheu, abreviou aqueles dias.
**21** Então, se alguém vos disser: Olhai, aqui está o Cristo! ou: Olhai, ali está ele! não acrediteis,
**22** pois se levantarão falsos cristos e falsos profetas, que farão sinais e prodígios, para enganar, se possível, os próprios eleitos.
**23** Estai, pois, de sobreaviso; eu vos disse tudo de antemão.

### A volta de Cristo
Mt 24:29-31; Lc 21:25-28

**24** Mas, naqueles dias, depois daquela aflição,
o sol escurecerá,
a lua não dará a sua luz,
**25** as estrelas cairão do céu
e os corpos celestes
serão abalados.

**26** Então verão o Filho do homem vir nas nuvens, com grande poder e glória.
**27** Ele enviará os seus anjos e ajuntará os seus escolhidos dos quatro ventos, da extremidade da terra até a extremidade do céu.

### A parábola da figueira
*Mt 24.32-44; Lc 21.29-36*

**28** Agora aprendei a parábola da figueira: Quando já os seus ramos se renovam e brotam as folhas, sabeis que está próximo o verão.
**29** Assim também vós, quando virdes suceder estas coisas, sabei que ele está perto, às portas.
**30** Na verdade vos digo que não passará esta geração sem que todas estas coisas aconteçam.
**31** Passará o céu e a terra, mas as minhas palavras não passarão.
**32** A respeito, porém, daquele dia e hora ninguém sabe, nem os anjos que estão no céu, nem o Filho, senão o Pai.
**33** Estai de sobreaviso! Vigiai [e orai]! Não sabeis quando será o tempo.
**34** É como se um homem que, partindo para longe, deixasse a sua casa, desse autoridade aos seus servos, a cada um a sua obra, e mandasse ao porteiro que vigiasse.
**35** Portanto, vigiai porque não sabeis quando virá o senhor da casa, se à tarde, se à meia-noite, se ao cantar do galo, se pela manhã.
**36** Se ele vier inesperadamente, não vos encontre dormindo.
**37** O que vos digo, digo a todos: Vigiai!

### O plano para matar a Jesus
*Mt 26.3-5; Lc 22.1,2*

**14** Dali a dois dias era a Páscoa e a festa dos pães sem fermento, e os principais sacerdotes e os mestres da lei procuravam como o prenderiam, à traição, e o matariam.
**2** Mas diziam: Não durante a festa, para que o povo não se amotine.
**3** Estando ele em Betânia, reclinado à mesa, na casa de Simão, o leproso, veio uma mulher trazendo um vaso de alabastro com perfume de nardo puro, de muito preço. Quebrou o vaso e derramou o bálsamo sobre a cabeça de Jesus.
**4** Alguns dos presentes, indignados, diziam uns aos outros: Para que se fez este desperdício de bálsamo?
**5** Este perfume podia ser vendido por mais de trezentos denários, e o dinheiro ser dado aos pobres. E murmuravam contra ela.
**6** Jesus, porém, disse: Deixai-a, por que a aborreceis? Ela praticou boa obra para comigo.
**7** Sempre tendes os pobres convosco e, quando quiserdes, podeis fazer-lhes bem, mas a mim nem sempre me tendes.
**8** Ela fez o que pôde. Antecipou-se a ungir o meu corpo para a sepultura.
**9** Em verdade vos digo que em todo o mundo onde este evangelho for pregado, o que ela fez também será contado para sua memória.
**10** Então Judas Iscariotes, um dos Doze, foi ter com os principais sacerdotes, para lhes entregar Jesus.
**11** Eles, ouvindo-o, alegraram-se e lhe prometeram dinheiro. De modo que ele procurava uma oportunidade para o entregar.

### A última Páscoa
*Mt 26.17-19; Lc 22.7-13*

**12** No primeiro dia da festa dos pães sem fermento, quando sacrificavam a Páscoa, perguntaram-lhe os discípulos: Aonde queres que vamos fazer os preparativos para comeres a Páscoa?

**13** De modo que ele enviou dois dos discípulos, dizendo-lhes: Ide à cidade, e um homem carregando um cântaro d'água vos sairá ao encontro. Segui-o.

**14** Onde quer que entrar, dizei ao dono da casa: O Mestre pergunta: Onde está o aposento em que hei de comer a Páscoa com os meus discípulos?

**15** Ele vos mostrará um espaçoso cenáculo, mobiliado e pronto. Preparai-a ali.

**16** Saindo os discípulos, foram à cidade e acharam tudo como lhes tinha dito, e prepararam a Páscoa.

**17** Chegada a tarde, Jesus foi com os Doze.

**18** Quando estavam reclinados à mesa, a comer, disse Jesus: Em verdade vos digo que um de vós, que come comigo, há de trair-me.

**19** Eles começaram a entristecer-se e a dizer-lhe, um após outro: Por acaso sou eu?

**20** Respondeu-lhes: É um dos Doze, o que põe comigo a mão no prato.

**21** Na verdade o Filho do homem vai, como dele está escrito, mas ai daquele por intermédio de quem o Filho do homem é traído! Melhor lhe fora não haver nascido.

**22** Enquanto comiam, Jesus tomou um pão e, abençoando-o, partiu-o e lhes deu, dizendo: Tomai, comei, isto é o meu corpo.

**23** Então tomou o cálice e, dando graças, deu-o aos discípulos, e todos beberam dele.

**24** Disse-lhes: Isto é o meu sangue, o sangue da [nova] aliança, que é derramado por muitos.

**25** Em verdade vos digo que não beberei mais do fruto da videira, até aquele dia em que beber o vinho novo no Reino de Deus.

**26** Tendo cantado um hino, saíram para o monte das Oliveiras.

### Pedro é avisado
Mt 26:31-35; Lc 22:31-34; Jo 13:36-38

**27** Disse-lhes Jesus: Todos vós esta noite me abandonareis, pois está escrito:

Ferirei o pastor,
e as ovelhas se dispersarão.

**28** Depois que eu tiver ressurgido, porém, irei adiante de vós para a Galileia.

**29** Declarou Pedro: Ainda que todos te abandonem, eu nunca te abandonarei!

**30** Respondeu-lhe Jesus: Em verdade te digo que hoje, esta noite, antes que o galo cante duas vezes, três vezes me negarás.

**31** Pedro, porém, insistia com mais veemência: Ainda que me seja necessário morrer contigo, de modo nenhum te negarei. Da mesma maneira disseram todos.

### Jesus no Getsêmani
Mt 26:36-46; Lc 22:39-46

**32** Foram a um lugar chamado Getsêmani, e Jesus disse aos discípulos: Assentai-vos aqui enquanto eu oro.

**33** Ele levou consigo Pedro, Tiago e João, e começou a ter pavor e a angustiar-se.

**34** E lhes disse: A minha alma está profundamente triste até a morte. Ficai aqui e vigiai.

**35** Tendo ido um pouco mais adiante, prostrou-se em terra e orava para que, se fosse possível, fosse afastada dele aquela hora.

**36** Dizia: Aba, Pai, todas as coisas te são possíveis. Afasta de mim este cálice. Não seja, porém, o que eu quero, e sim o que tu queres.
**37** Então voltou aos seus discípulos e encontrou-os dormindo. E disse a Pedro: Simão, tu dormes? Não pudeste vigiar nem uma hora?
**38** Vigiai e orai, para que não entreis em tentação. O espírito, na verdade, está pronto, mas a carne é fraca.
**39** Foi outra vez e orou, dizendo as mesmas palavras.
**40** Voltando, achou-os outra vez dormindo, porque os seus olhos estavam pesados. Não sabiam o que lhe responder.
**41** Voltando pela terceira vez, disse-lhes: Dormis e descansais ainda? Basta! É chegada a hora. O Filho do homem vai ser entregue nas mãos dos pecadores.
**42** Levantai-vos, vamos! Aí vem o meu traidor!

### Jesus é preso
*Mt 26:47-56; Lc 22:47-53; Jo 18:1-11*

**43** Falava ele ainda, quando veio Judas, um dos Doze. Com ele estava uma grande multidão com espadas e cassetetes, enviada pelos principais sacerdotes, mestres da lei e líderes religiosos.
**44** Ora, o traidor tinha-lhes dado uma senha, dizendo: Aquele a quem eu beijar é esse; prendei-o e levai-o em segurança.
**45** Logo que chegou, aproximou-se dele e disse-lhe: Rabi. E o beijou.
**46** Os homens agarraram Jesus e o prenderam.
**47** Em seguida, um dos que estavam por perto, puxando da espada, feriu o servo do sumo sacerdote, cortando-lhe a orelha.
**48** Disse-lhes Jesus: Saístes com espadas e cassetetes para prender-me, como a um salteador?
**49** Todos os dias eu estava convosco ensinando no templo, e não me prendestes. Contudo, é para que as Escrituras se cumpram.
**50** Então, deixando-o, todos fugiram.
**51** Certo jovem o seguia, envolto unicamente num lençol. Tentaram prendê-lo,
**52** mas ele, largando o lençol, fugiu nu.

### Jesus perante o Sinédrio
*Mt 26:57-68; Lc 22:66-71*

**53** Levaram Jesus ao sumo sacerdote; então ajuntaram-se todos os principais sacerdotes, os líderes religiosos e os mestres da lei.
**54** Pedro seguiu-o de longe até dentro do pátio do sumo sacerdote e, assentando-se com os guardas, aquecia-se perto do fogo.
**55** Os principais sacerdotes e todo o Sinédrio buscavam algum testemunho contra Jesus para o matar, mas não achavam.
**56** Muitos testificavam falsamente contra ele, mas os testemunhos não eram coerentes.
**57** Então levantaram-se alguns e deram este falso testemunho contra ele:
**58** Nós o ouvimos dizer: Eu destruirei este templo, edificado por mãos humanas, e em três dias edificarei outro não feito por mãos humanas.
**59** Nem assim o seu testemunho era coerente.
**60** Levantando-se o sumo sacerdote, perguntou a Jesus: Nada respondes? Que testificam estes contra ti?
**61** Ele, porém, se calou; nada respondeu. O sumo sacerdote

lhe tornou a perguntar: És tu o Cristo, o Filho do Deus Bendito? **62** Disse-lhe Jesus: Eu sou. E vereis o Filho do homem assentado à direita do Todo-poderoso, vindo sobre as nuvens do céu.

**63** O sumo sacerdote rasgou as suas vestes e disse: Por que necessitamos de mais testemunhas? **64** Vós ouvistes a blasfêmia. Que vos parece? Todos o consideraram réu de morte.

**65** Então alguns começaram a cuspir nele, a cobrir-lhe o rosto, a dar-lhe murros e a dizer-lhe: Profetiza! E os guardas o levaram, e davam-lhe bofetadas.

### Pedro nega a Jesus
*Mt 26:69-75; Lc 22:54-62; Jo 18:15-18,25-27*

**66** Estando Pedro embaixo, no átrio, chegou uma das criadas do sumo sacerdote **67** e, vendo a Pedro, que se aquentava, olhou para ele e disse: Tu também estavas com Jesus, o Nazareno. **68** Ele, porém, o negou, dizendo: Não o conheço, nem sei o que dizes. E saiu para o alpendre. [E o galo cantou.]

**69** A criada, vendo-o de novo, começou a dizer aos guardas: Este é um dos tais. **70** Ele, porém, o negou outra vez. Pouco depois os que ali estavam disseram outra vez a Pedro: Verdadeiramente tu és um deles, pois és galileu.

**71** Ele começou a praguejar e a jurar: Não conheço esse homem de quem falais!

**72** Imediatamente o galo cantou pela segunda vez. Então Pedro lembrou-se da palavra que Jesus lhe tinha dito: Antes que o galo cante duas vezes, três vezes me negarás. E, caindo em si, chorou.

### Jesus perante Pilatos
*Mt 27:11-26; Lc 23:1-7, 13-25; Jo 18:28—19:16*

**15** Bem cedo de manhã os principais sacerdotes, com os líderes religiosos, mestres da lei e todo o Sinédrio entraram em conselho. Amarraram Jesus, levaram-no e o entregaram a Pilatos. **2** Pilatos lhe perguntou: És tu o rei dos judeus? Respondeu Jesus: Tu o dizes.

**3** Os principais sacerdotes acusavam-no de muitas coisas. **4** Então Pilatos o interrogou outra vez: Nada respondes? Vê quantas acusações te fazem. **5** Jesus, porém, nada respondeu, de modo que Pilatos se maravilhava.

**6** Ora, era costume no dia da festa soltar um preso qualquer que o povo pedisse. **7** Havia um, chamado Barrabás, preso com rebeldes, o qual tinha cometido um homicídio na revolta. **8** A multidão veio e começou a pedir que lhes fizesse como de costume. **9** Perguntou-lhes Pilatos: Quereis que vos solte o rei dos judeus? **10** Ele sabia que por inveja os principais sacerdotes o haviam entregado. **11** Os principais sacerdotes, porém, incitaram a multidão no sentido de que Pilatos soltasse Barrabás. **12** Pilatos perguntou-lhes: Que farei, pois, com este a quem chamais rei dos judeus? **13** Gritaram eles: Crucifica-o! **14** Pilatos, porém, lhes perguntou: Por quê? Que crime cometeu ele? Mas eles gritavam cada vez mais: Crucifica-o!

**15** Querendo satisfazer a multidão, Pilatos soltou-lhes Barrabás. Tendo mandado açoitar Jesus, entregou-o para ser crucificado.

### Jesus é entregue aos soldados
Mt 27:27-31

**16** Os soldados o levaram para dentro do palácio, isto é, o pretório, e reuniram todo o destacamento.
**17** Vestiram-no de púrpura e, tecendo uma coroa de espinhos, puseram-na na sua cabeça.
**18** E começaram a saudá-lo, dizendo: Salve, rei dos judeus!
**19** Feriram-lhe a cabeça com uma vara, cuspiram nele e, pondo-se de joelhos, o adoraram.
**20** Depois de zombarem dele, despiram-lhe a púrpura e o vestiram com as suas próprias vestes. Então o levaram para fora, a fim de o crucificarem.

### A crucificação
Mt 27:32-44; Lc 23:33-43; Jo 19:17-27

**21** Obrigaram a certo Simão Cireneu, pai de Alexandre e de Rufo, o qual por ali passava, vindo do campo, a que carregasse a cruz.
**22** Levaram Jesus ao lugar chamado Gólgota, que quer dizer: Lugar da Caveira.
**23** Então lhe ofereceram vinho misturado com mirra, mas ele não o tomou.
**24** E o crucificaram. Repartindo entre si as vestes dele, lançaram sorte, para ver o que cada um levaria.
**25** Era a hora terceira quando o crucificaram.
**26** Por cima dele estava escrita a sua acusação: O REI DOS JUDEUS.
**27** Crucificaram com ele dois ladrões, um à sua direita e outro à sua esquerda.
**28** [E cumpriu-se a escritura que diz: Com malfeitores foi contado.]
**29** Os que passavam, blasfemavam dele, meneando a cabeça e dizendo: Ah! Tu que destróis o templo e, em três dias, o edificas,
**30** desce da cruz e salva-te a ti mesmo.
**31** Da mesma maneira, os principais sacerdotes com os mestres da lei, zombando, diziam uns aos outros: Salvou os outros, mas não pode salvar-se a si mesmo!
**32** Desça agora da cruz este Cristo, o rei de Israel, para que vejamos e acreditemos. Os que com ele foram crucificados também o insultavam.

### A morte de Jesus
Mt 27:45-56; Lc 23:44-49; Jo 19:28-30

**33** Ao meio-dia, houve trevas sobre toda a terra, até as 3 horas da tarde.
**34** E às 3 horas da tarde exclamou Jesus com alta voz: Eloí, Eloí, lamá sabactâni? Que quer dizer: Deus meu, Deus meu, por que me desamparaste?
**35** Alguns dos que ali estavam, ouvindo isso, diziam: Vede, chama por Elias.
**36** Um deles correu a embeber uma esponja em vinagre e, pondo-a na ponta de uma vara, deu-lhe de beber, dizendo: Deixai, vejamos se Elias vem tirá-lo.
**37** Dando um grande brado, Jesus expirou.
**38** O véu do templo rasgou-se em duas partes, de alto a baixo.
**39** E, quando o centurião, que estava em frente dele, ouviu o seu brado e viu como expirara, disse: Verdadeiramente este homem era o Filho de Deus!
**40** Algumas mulheres estavam olhando de longe. Entre elas estavam

Maria Madalena, Maria, mãe de Tiago, o menor, e de José, e Salomé.
41 Na Galileia, essas mulheres tinham-no seguido e servido. Estavam ali também muitas outras mulheres que tinham subido com ele para Jerusalém.

### O sepultamento de Jesus
Mt 27:57-61; Lc 23:50-56; Jo 19:38-42

42 Era o dia da preparação, isto é, a véspera do sábado. Ao cair da tarde,
43 José de Arimateia, ilustre membro do Sinédrio, que também esperava o Reino de Deus, foi ousadamente a Pilatos e pediu o corpo de Jesus.
44 Pilatos se maravilhou de que já estivesse morto. Chamando o centurião, perguntou-lhe se havia muito que tinha morrido.
45 Tendo-se certificado pelo centurião que assim sucedera, deu o corpo a José.
46 Então José comprou um lençol fino, tirou o corpo da cruz, envolveu-o nele e o depositou em um sepulcro lavrado numa rocha. A seguir, rolou uma pedra para a entrada do sepulcro.
47 Maria Madalena e Maria, mãe de José, viram onde o puseram.

### A ressurreição
Mt 28:1-10; Lc 24:1-12; Jo 20:1-10

**16** Passado o sábado, Maria Madalena, Maria, mãe de Tiago, e Salomé compraram aromas para irem ungir o corpo de Jesus.
2 Muito cedo, no primeiro dia da semana, logo depois do nascer do sol, foram ao sepulcro.
3 Diziam umas às outras: Quem removerá a pedra da entrada do sepulcro?
4 Olhando, porém, viram que a pedra, que era muito grande, já estava removida.
5 Entrando no sepulcro, viram um jovem assentado à direita, vestido com um manto branco, e ficaram espantadas.
6 Ele lhes disse: Não vos assusteis. Buscais a Jesus, o Nazareno, que foi crucificado. Já ressurgiu! Não está aqui. Vede o lugar onde o puseram.
7 Ide, porém, dizei a seus discípulos e a Pedro: Ele vai adiante de vós para a Galileia. Lá o vereis, como ele vos disse.
8 Tremendo e assombradas, as mulheres saíram e fugiram do sepulcro. Nada disseram a ninguém, porque temiam.

### Jesus aparece a Maria Madalena
Jo 20:11-18

9 Tendo Jesus ressurgido de manhã cedo no primeiro dia da semana, apareceu primeiro a Maria Madalena, da qual tinha expulsado sete demônios.
10 Partindo ela, anunciou-o àqueles que tinham estado com ele, os quais estavam tristes e choravam.
11 Quando ouviram que Jesus vivia e que tinha sido visto por ela, não acreditaram.

### Jesus aparece aos discípulos
Lc 24:13-35

12 Depois, Jesus manifestou-se de outra forma a dois deles, enquanto iam para o campo.
13 Estes voltaram e o anunciaram aos outros; tampouco acreditaram neles.

## Jesus comissiona os discípulos

*Mt 28:18-20; Lc 24:44-49*

**14** Mais tarde Jesus apareceu aos Onze, estando eles à mesa, e lançou-lhes em rosto a incredulidade e dureza de coração, porque não acreditaram nos que o tinham visto já ressuscitado.
**15** E disse-lhes: Ide por todo o mundo e pregai o evangelho a toda criatura.
**16** Quem crer e for batizado será salvo, mas quem não crer será condenado.
**17** E estes sinais hão de seguir os que crerem: Em meu nome expulsarão demônios; falarão novas línguas;
**18** pegarão em serpentes; quando beberem alguma coisa mortífera, ela não lhes fará mal algum; imporão as mãos sobre enfermos e os curarão.

## A ascensão de Jesus

*Lc 24:50-53*

**19** Depois de o Senhor lhes ter falado, foi recebido no céu e assentou-se à direita de Deus.
**20** Então os discípulos partiram e pregaram por toda parte, cooperando com eles o Senhor e confirmando a sua palavra por meio dos sinais que a acompanhavam.

# LUCAS

### Prefácio

**1** Tendo muitos elaborado uma narração dos fatos que entre nós se cumpriram,
**2** conforme nos transmitiram os que desde o início foram deles testemunhas oculares e ministros da palavra,
**3** achei também conveniente contá-los a ti, ó excelentíssimo Teófilo, por sua ordem, tendo já me informado detalhadamente de tudo desde o começo,
**4** para que tenhas plena certeza das coisas em que foste ensinado.

### O anúncio do nascimento de João

**5** Existiu no tempo de Herodes, rei da Judeia, um sacerdote chamado Zacarias, da ordem de Abias; sua mulher era das filhas de Arão, e o seu nome era Isabel.
**6** Eram ambos justos perante Deus, obedecendo de modo irrepreensível a todos os mandamentos e preceitos do Senhor.
**7** Eles, porém, não tinham filhos, porque Isabel era estéril, sendo ambos avançados em idade.
**8** Exercendo ele o sacerdócio diante de Deus, na ordem do seu turno,
**9** coube-lhe por sorteio, conforme o costume sacerdotal, entrar no templo do Senhor para oferecer o incenso.
**10** Chegada a hora de oferecer o incenso, toda a multidão do povo estava fora, orando.
**11** Então um anjo do Senhor lhe apareceu, em pé, à direita do altar do incenso.
**12** Vendo-o, Zacarias perturbou-se, e o temor apoderou-se dele.
**13** O anjo, porém, lhe disse: Zacarias, não temas. A tua oração foi ouvida. Isabel, tua mulher, dará à luz um filho, e tu lhe porás o nome de João.
**14** Terás satisfação e alegria, e muitos se alegrarão no seu nascimento,
**15** pois será grande diante do Senhor. Não beberá vinho nem bebida forte e será cheio do Espírito Santo, já desde antes de nascer.
**16** E converterá muitos dos filhos de Israel ao Senhor, o seu Deus.
**17** Irá adiante dele no espírito e poder de Elias, para fazer voltar o coração dos pais aos filhos, e os rebeldes à sabedoria dos justos, para deixar ao Senhor um povo preparado.
**18** Perguntou Zacarias ao anjo: Como saberei isto? Eu sou velho, e minha mulher é avançada em idade.
**19** Respondeu-lhe o anjo: Eu sou Gabriel, que fico diante de Deus, e fui enviado para falar-te e dar-te estas alegres notícias.
**20** E agora ficarás mudo e não poderás falar até o dia em que estas coisas aconteçam, porque não creste nas minhas palavras que a seu tempo se cumprirão.
**21** O povo estava esperando Zacarias, preocupado com sua demora no templo.
**22** Quando ele saiu, não lhes podia falar. Então entenderam que tivera uma visão no templo. Falava-lhes por sinais, pois estava mudo.

23 Terminados os dias de seu serviço, voltou para sua casa.
24 Depois daqueles dias Isabel, sua mulher, engravidou e por cinco meses não saiu de casa, dizendo:
25 Assim me fez o Senhor, nos dias em que decidiu retirar a minha humilhação perante os homens.

### O anúncio do nascimento de Jesus

26 No sexto mês, foi o anjo Gabriel enviado por Deus a uma cidade da Galileia, chamada Nazaré,
27 a uma virgem prometida em casamento a um homem, cujo nome era José, descendente de Davi. O nome da virgem era Maria.
28 Aproximando-se dela o anjo, disse: Salve, agraciada! O Senhor é contigo. Bendita és tu entre as mulheres.
29 Ela, porém, se perturbou muito com essas palavras e pensava que saudação seria essa.
30 Disse-lhe então o anjo: Maria, não temas, achaste graça diante de Deus.
31 Engravidarás e darás à luz um filho, e lhe porás o nome de Jesus.
32 Ele será grande e será chamado Filho do Altíssimo. O Senhor Deus lhe dará o trono de Davi, seu pai.
33 Ele reinará eternamente sobre o povo de Jacó, e o seu reinado não terá fim.
34 Disse Maria ao anjo: Como se fará isso, visto que não tenho relação com homem algum?
35 Respondeu-lhe o anjo: Descerá sobre ti o Espírito Santo, e o poder do Altíssimo te cobrirá com a sua sombra. Por isso, aquele santo que de ti nascerá será chamado Filho de Deus.
36 Até Isabel, tua prima, engravidou em sua velhice, sendo este o sexto mês para aquela que era considerada estéril.
37 Pois para Deus nada é impossível.
38 Disse, então, Maria: Eu sou a serva do Senhor. Cumpra-se em mim conforme a tua palavra. E o anjo a deixou.

### Maria visita a Isabel

39 Naqueles dias, levantou-se Maria, foi apressada às montanhas, a uma cidade de Judá,
40 entrou na casa de Zacarias e saudou Isabel.
41 Ao ouvir Isabel a saudação de Maria, o bebê saltou no seu ventre, e Isabel foi cheia do Espírito Santo.
42 Exclamou ela em alta voz: Bendita és tu entre as mulheres, e bendito o fruto do teu ventre.
43 De onde recebo tanta graça que me venha visitar a mãe do meu Senhor?
44 Ao ouvir a voz da tua saudação, o bebê agitou-se de alegria no meu ventre.
45 Bem-aventurada a que creu que se cumprirão as coisas que o Senhor lhe dissera.

### O cântico de Maria

46 Disse Maria:
A minha alma engrandece
ao Senhor,
47 e o meu espírito se alegra
em Deus,
o meu Salvador,
48 pois olhou para a humildade
da sua serva.
Desde agora todas as
gerações me chamarão
bem-aventurada,
49 pois grandes coisas
me fez o Poderoso.
Santo é o seu nome.

50 A sua misericórdia
  estende-se de
    geração em geração sobre
    os que o temem.
51 Com o seu braço agiu
  poderosamente;
    dispersou os que no coração
    cultivavam pensamentos
    soberbos.
52 Tirou dos tronos os poderosos,
  e exaltou os humildes.
53 Encheu de bens os famintos,
  e despediu vazios os ricos.
54 Ajudou Israel, seu servo,
  lembrando-se da sua
    misericórdia
55 para com Abraão e sua
  descendência,
    para sempre.
56 Maria ficou com ela quase três meses e depois voltou para casa.

### O nascimento de João Batista

57 Completou-se para Isabel o tempo de dar à luz, e ela teve um filho.
58 Os seus vizinhos e parentes ouviram que Deus teve para com ela grande misericórdia e alegraram-se com ela.
59 Ao oitavo dia, foram circuncidar o menino e queriam dar-lhe o nome de seu pai, Zacarias.
60 Respondeu sua mãe: Não! Ele será chamado João.
61 Disseram-lhe: Ninguém há na tua parentela que tenha este nome.
62 Perguntaram, por sinais, ao pai do menino que nome queria que lhe dessem.
63 Pedindo ele uma tabuinha, escreveu: O seu nome é João. E todos se admiraram.
64 Imediatamente sua boca se abriu, sua língua se soltou e falava, louvando a Deus.
65 Caiu temor sobre todos os seus vizinhos, e em toda a região montanhosa da Judeia foram divulgadas estas coisas.
66 Todos os que as ouviram perguntavam-se: Quem será, pois, este menino? E a mão do Senhor estava com ele.

### O cântico de Zacarias

67 Zacarias, seu pai, cheio do Espírito Santo, profetizou:
68 Bendito seja o Senhor, o
  Deus de Israel,
    porque visitou e libertou o
    seu povo,
69 e nos levantou uma
  poderosa salvação
    na descendência de Davi,
    seu servo.
70 Como falou pela boca dos
  seus santos profetas,
    desde o início do mundo,
71 para nos livrar dos
  nossos inimigos
    e da mão de todos os que
    nos odeiam;
72 para manifestar misericórdia
  a nossos pais,
    e lembrar-se da sua
    santa aliança
73 e do juramento que fez
  a Abraão, nosso pai,
74 de permitir-nos que,
  libertados da mão de
    nossos inimigos,
    o servíssemos sem temor,
75 em santidade e justiça
  perante ele todos os dias da
  nossa vida.
76 E tu, ó menino, serás
  chamado profeta
    do Altíssimo,
    pois irás adiante da face
    do Senhor
    e prepararás os seus
    caminhos,
77 para dar ao seu povo
  conhecimento da salvação,

pelo perdão dos seus pecados,
78 por causa da profunda misericórdia do nosso Deus, pela qual o sol nascente das alturas nos visitará,
79 para iluminar os que vivem nas trevas e na sombra da morte e guiar nossos pés pelo caminho da paz.
80 E o menino crescia e se fortalecia em espírito; e viveu nos desertos até o dia em que havia de aparecer a Israel.

### O nascimento de Jesus

**2** Naqueles dias, saiu um decreto da parte de César Augusto, ordenando o recenseamento de todo o mundo habitado.
2 Este primeiro recenseamento foi feito quando Quirino era governador da Síria.
3 Todos iam alistar-se, cada um em sua própria cidade.
4 Assim, subiu José da Galileia, da cidade de Nazaré, para a Judeia, à cidade de Davi, chamada Belém, porque pertencia à descendência de Davi,
5 a fim de se alistar com Maria, sua mulher, que estava grávida.
6 Estando eles ali, cumpriram-se os dias em que ela havia de dar à luz,
7 e ela deu à luz seu filho primogênito, envolveu-o em panos e o deitou numa manjedoura, porque não havia lugar para eles na hospedaria.

### Os pastores de Belém

8 Havia naquela mesma região pastores que viviam nos campos e guardavam o seu rebanho durante a noite.
9 Apareceu-lhes um anjo do Senhor, e a glória do Senhor os cercou de resplendor, e ficaram atemorizados.
10 O anjo lhes disse: Não temais. Eu vos trago notícias de grande alegria, que o será para todo o povo.
11 Na cidade de Davi vos nasceu hoje o Salvador, que é Cristo, o Senhor.
12 Isto vos servirá de sinal: Achareis o menino envolto em panos e deitado numa manjedoura.
13 No mesmo instante apareceu com o anjo uma multidão dos exércitos celestiais, louvando a Deus e dizendo:
14 Glória a Deus nas maiores alturas, paz na terra entre os homens a quem ele quer bem.
15 Ausentando-se deles os anjos para o céu, disseram os pastores uns aos outros: Vamos até Belém e vejamos isso que aconteceu e que o Senhor nos revelou.
16 Foram apressadamente e acharam Maria e José, e o menino deitado na manjedoura.
17 Depois de o verem, divulgaram a palavra que acerca do menino lhes fora dita.
18 Todos os que a ouviram maravilharam-se do que os pastores lhes diziam.
19 Maria, porém, guardava todas estas coisas, refletindo sobre elas no coração.
20 Voltaram os pastores, glorificando e louvando a Deus por tudo o que tinham ouvido e visto, como lhes fora anunciado.

### Circuncisão e apresentação de Jesus

21 Cumpridos os oito dias para circuncidar o menino, foi-lhe dado o

nome de Jesus, que pelo anjo lhe fora posto antes de nascer.

22 Quando se completaram os dias da purificação, segundo a Lei de Moisés, levaram-no a Jerusalém para o apresentar ao Senhor,
23 conforme o que está escrito na Lei do Senhor: Todo primogênito será consagrado ao Senhor,
24 e para dar a oferta segundo o disposto na Lei do Senhor: Um par de rolinhas ou dois pombinhos.

### Simeão e Ana

25 Havia em Jerusalém um homem cujo nome era Simeão; esse homem, justo e temente a Deus, esperava a consolação de Israel, e o Espírito Santo estava sobre ele.
26 Fora-lhe revelado pelo Espírito Santo que ele não morreria antes de ver o Cristo do Senhor.
27 Movido pelo Espírito foi ao templo. Quando os pais trouxeram o menino Jesus para com ele fazerem conforme o que a Lei ordenava,
28 Simeão então o tomou nos braços e louvou a Deus, dizendo:
29 Agora, Senhor, despede em paz o teu servo,
 segundo a tua palavra,
30 pois os meus olhos já
 viram a tua salvação,
31 a qual preparaste perante
 a face de todos os povos,
32 luz para iluminar os gentios,
 e para glória do teu povo,
 Israel.
33 O pai e a mãe do menino admiraram-se das coisas que dele se diziam.
34 E Simeão os abençoou e disse a Maria, mãe do menino: Esta criança é posta para queda e elevação de muitos em Israel, para ser alvo de contradição e para que se revelem os pensamentos de muitos corações.
35 E uma espada atravessará também a tua própria alma.
36 Estava ali a profetisa Ana, filha de Fanuel, da tribo de Aser. Esta era avançada em idade e tinha vivido com o marido sete anos, desde que se casara.
37 Era viúva, de quase oitenta e quatro anos, e não se afastava do templo, servindo a Deus com jejuns e orações, de noite e de dia.
38 Chegando na mesma hora, dava graças a Deus e falava a respeito do menino a todos os que esperavam a redenção de Jerusalém.

### O menino Jesus no meio dos doutores

39 Assim que cumpriram todas as exigências da Lei do Senhor, voltaram para a Galileia, para a sua cidade de Nazaré.
40 O menino crescia e se fortalecia, enchendo-se de sabedoria; e a graça de Deus estava sobre ele.
41 Ora, todos os anos iam seus pais a Jerusalém, para a festa da Páscoa.
42 Tendo ele doze anos, subiram a Jerusalém, conforme o costume do dia da festa.
43 Ao retornarem, terminados aqueles dias, ficou o menino Jesus em Jerusalém, sem que seus pais percebessem.
44 Pensando, porém, que estivesse em sua companhia, caminharam durante um dia. Então começaram a procurá-lo entre os parentes e conhecidos.
45 Como não o encontraram, voltaram a Jerusalém para procurá-lo.
46 Depois de três dias, acharam-no no templo, assentado no meio

dos mestres, ouvindo-os e fazendo-lhes perguntas.

**47** Todos os que o ouviam admiravam-se da sua inteligência e respostas.

**48** Quando o viram, maravilharam-se, e sua mãe lhe disse: Filho, por que fizeste isto conosco? Teu pai e eu preocupados te procurávamos.

**49** Respondeu-lhes ele: Por que é que me procuráveis? Não sabeis que eu devia estar na casa de meu Pai?

**50** Eles, porém, não compreenderam as palavras que lhes dizia.

**51** Então desceu com eles para Nazaré e era-lhes obediente. Sua mãe, porém, guardava todas essas coisas no coração.

**52** E crescia Jesus em sabedoria, em estatura e em graça diante de Deus e dos homens.

### A pregação de João Batista
*Mt 3:1-12; Mc 1:1-8*

**3** No décimo quinto ano do reinado de Tibério César, sendo Pôncio Pilatos governador da Judeia, Herodes, tetrarca da Galileia, seu irmão, Filipe, tetrarca da região da Itureia e Traconites, e Lisânias, tetrarca de Abilene, **2** quando Anás e Caifás eram sumos sacerdotes, veio no deserto a palavra de Deus a João, filho de Zacarias.

**3** Percorreu ele toda a terra ao redor do Jordão, pregando o batismo de arrependimento para perdão de pecados,

**4** conforme o que está escrito no livro das palavras do profeta Isaías:
Voz do que clama no deserto:
Preparai o caminho
do Senhor,
endireitai as suas veredas.

**5** Todo vale se encherá,
e se abaixará todo
monte e outeiro.
O que é tortuoso
se endireitará,
e os caminhos acidentados
se aplanarão.

**6** E toda a humanidade verá a salvação de Deus.

**7** Dizia João à multidão que saía para ser batizada por ele: Raça de víboras, quem vos ensinou a fugir da ira que está para vir?

**8** Produzi frutos dignos de arrependimento e não comeceis a dizer entre vós mesmos: Temos Abraão por pai. Pois eu vos digo que até destas pedras Deus pode fazer surgir filhos a Abraão.

**9** O machado já está posto à raiz das árvores, e toda árvore que não dá bom fruto é cortada e lançada no fogo.

**10** Então a multidão perguntava: Que faremos, pois?

**11** Respondeu-lhes: Quem tiver duas túnicas reparta com quem não tem, e quem tiver alimento faça da mesma maneira.

**12** Chegaram também uns cobradores de impostos para serem batizados e lhe perguntaram: Mestre, que devemos fazer?

**13** Respondeu-lhes: Não cobreis mais do que o que está estipulado.

**14** Então uns soldados lhe perguntaram: E nós, que faremos? Ele lhes disse: A ninguém trateis mal, não deis denúncia falsa e contentai-vos com o vosso salário.

**15** Estando o povo na expectativa, e pensando todos, em seus corações, se porventura João seria o Cristo,

**16** respondeu João a todos: Eu na verdade vos batizo com água. Vem,

porém, aquele que é mais poderoso do que eu, de quem não sou digno de desamarrar a correia das sandálias. Ele vos batizará com o Espírito Santo e com fogo. 17 Ele tem a pá na sua mão para limpar a sua eira e ajuntar o trigo no seu celeiro, mas queimará a palha com fogo que nunca se apaga.
18 E assim, exortando-os, muitas outras coisas anunciava ao povo. 19 Sendo, porém, o tetrarca Herodes repreendido por ele por causa de Herodias, mulher de seu irmão Filipe, e por todas as maldades que Herodes tinha feito, 20 acrescentou a todas as outras ainda esta, a de lançar João na prisão.

### O batismo de Jesus
Mt 3:13-17; Mc 1:9-11; Jo 1:32,34

21 Quando todo o povo se batizava, Jesus também foi batizado. E, enquanto ele orava, o céu se abriu, 22 e o Espírito Santo desceu sobre ele em forma física, como uma pomba. E ouviu-se uma voz do céu: Tu és o meu Filho amado, em ti me agrado.

### A genealogia de Jesus
Mt 1:1-17

23 Jesus tinha quase trinta anos quando começou seu ministério. Era, como se pensava, filho de José, filho de Eli, 24 filho de Matã, filho de Levi, filho de Melqui, filho de Janai, filho de José, 25 filho de Matatias, filho de Amós, filho de Naum, filho de Esli, filho de Nagai, 26 filho de Maate, filho de Matatias, filho de Semei, filho de José, filho de Jodá, 27 filho de Joanã, filho de Resá, filho de Zorobabel, filho de Salatiel, filho de Neri, 28 filho de Melqui, filho de Adi, filho de Cosã, filho de Elmadã, filho de Er, 29 filho de Josué, filho de Eliézer, filho de Jorim, filho de Matã, filho de Levi, 30 filho de Simeão, filho de Judá, filho de José, filho de Jonã, filho de Eliaquim, 31 filho de Meleá, filho de Mená, filho de Matatá, filho de Natã, filho de Davi, 32 filho de Jessé, filho de Obede, filho de Boaz, filho de Salmom, filho de Naassom, 33 filho de Aminadabe, filho de Admim, filho de Arni, filho de Esrom, filho de Farés, filho de Judá, 34 filho de Jacó, filho de Isaque, filho de Abraão, filho de Terá, filho de Naor, 35 filho de Serugue, filho de Ragaú, filho de Faleque, filho de Éber, filho de Salá, 36 filho de Cainã, filho de Arfaxade, filho de Sem, filho de Noé, filho de Lameque, 37 filho de Matusalém, filho de Enoque, filho de Jarede, filho de Maleleel, filho de Cainã, 38 filho de Enos, filho de Sete, filho de Adão, filho de Deus.

### A tentação de Jesus
Mt 4:1-11; Mc 1:12,13

4 Jesus, cheio do Espírito Santo, voltou do Jordão e foi levado pelo Espírito ao deserto, onde 2 por quarenta dias foi tentado pelo Diabo. Naqueles dias, não comeu coisa alguma e, ao fim deles, teve fome.
3 Disse-lhe o Diabo: Se tu és o Filho de Deus, dize a esta pedra que se transforme em pão.

**4** Jesus lhe respondeu: Está escrito: Nem só de pão viverá o homem, mas de toda a palavra de Deus.
**5** O Diabo levou-o a um alto monte e mostrou-lhe num instante todos os reinos do mundo.
**6** Disse-lhe o Diabo: Eu te darei toda a autoridade e a glória destes reinos, pois a mim foram entregues e posso dá-los a quem eu quiser.
**7** Se me adorares, tudo será teu.
**8** Jesus lhe respondeu: Está escrito: Adorarás ao Senhor, o teu Deus, e só a ele prestarás culto.
**9** O Diabo levou-o a Jerusalém, colocou-o na parte mais alta do templo e lhe disse: Se tu és o Filho de Deus, joga-te daqui abaixo.
**10** Pois está escrito:
Darás ordem aos seus anjos
   a teu respeito, para que te
      guardem;
**11** e que te segurem nas mãos,
   para que não tropeces em
      alguma pedra.
**12** Respondeu-lhe Jesus: Dito está: Não tentarás o Senhor, o teu Deus.
**13** Tendo o Diabo acabado toda a tentação, o deixou até o momento oportuno.

### Jesus é expulso de Nazaré

**14** Então, pelo poder do Espírito, voltou Jesus para a Galileia, e a sua fama correu por toda aquela região.
**15** Ele ensinava nas suas sinagogas, e por todos era elogiado.
**16** Chegou a Nazaré, onde fora criado, entrou, num dia de sábado, na sinagoga, como era seu costume, e levantou-se para ler.
**17** Foi-lhe dado o livro do profeta Isaías. Ao abrir o livro, achou o lugar onde estava escrito:

**18** O Espírito do Senhor está sobre mim,
   porque ele me ungiu
   para anunciar boas-novas
      aos pobres.
   Enviou-me para proclamar
   liberdade aos cativos,
      dar vista aos cegos,
   para libertar os oprimidos,
**19** e anunciar o ano aceitável do Senhor.
**20** Fechando o livro, devolveu-o ao assistente e assentou-se. Os olhos de todos na sinagoga estavam direcionados para ele.
**21** Então começou a dizer-lhes: Hoje se cumpriu esta Escritura que acabastes de ouvir.
**22** Todos falavam bem dele, se maravilhavam das palavras de graça que saíam da sua boca e diziam: Não é este o filho de José?
**23** Ele lhes disse: Sem dúvida me direis este provérbio: Médico, cura-te a ti mesmo! Faze também aqui na tua terra tudo o que ouvimos ter sido feito em Cafarnaum.
**24** Continuou ele: Em verdade vos digo que nenhum profeta é bem recebido na sua própria terra.
**25** Em verdade vos digo que muitas viúvas existiam em Israel nos dias de Elias, quando o céu se fechou por três anos e seis meses, de modo que em toda a terra houve grande fome.
**26** A nenhuma delas, porém, foi enviado Elias, senão a uma viúva de Sarepta de Sidom.
**27** E muitos leprosos havia em Israel no tempo do profeta Eliseu, e nenhum deles foi purificado, senão Naamã, o sírio.
**28** Todos na sinagoga, ao ouvirem essas coisas, se encheram de ira.
**29** E levantando-se, expulsaram-no da cidade e o levaram até o

cume do monte em que a cidade deles estava construída, para de lá o jogarem.

30 Ele, porém, passando pelo meio deles, retirou-se.

31 E desceu a Cafarnaum, cidade da Galileia, e os ensinava no sábado.

32 Admiravam-se de seu ensino, porque falava com autoridade.

### A cura de um endemoninhado
Mc 1:21-28

33 Estava na sinagoga um homem possesso de demônio, um espírito imundo, o qual exclamou em alta voz:

34 Ah! Que temos nós contigo, Jesus de Nazaré? Vieste para destruir-nos? Eu sei quem és: o Santo de Deus.

35 Jesus o repreendeu: Cala-te e sai dele. E o demônio jogou-o no chão, no meio do povo, e saiu dele sem lhe fazer mal.

36 Veio espanto sobre todos, e diziam entre si: Que palavra é esta? Até aos espíritos imundos manda com autoridade e poder, e eles saem?

### A cura da sogra de Pedro
Mt 8:14-15; Mc 1:29-31

37 E a sua fama se espalhava por toda a redondeza.

38 Saindo Jesus da sinagoga, entrou na casa de Simão. A sogra de Simão estava doente, com muita febre; e pediram a Jesus que fizesse alguma coisa em favor dela.

39 Inclinando-se para ela, repreendeu a febre, e esta a deixou. Imediatamente ela se levantou e os servia.

40 Ao pôr do sol, o povo trouxe a Jesus todos os que tinham vários tipos de enfermidades; e, impondo as mãos sobre cada um deles, ele os curava.

41 Também de muitos saíam demônios, gritando: Tu és o Cristo, o Filho de Deus. E ele, repreendendo-os, não os deixava falar, porque sabiam que ele era o Cristo.

42 Ao amanhecer, saiu e foi para um lugar deserto. A multidão o procurava e, vindo a ele, insistia para que não a deixasse.

43 Ele, porém, lhes disse: Também é necessário que eu anuncie a outras cidades o evangelho do Reino de Deus, porque para isso fui enviado.

44 E pregava nas sinagogas da Galileia.

### A pesca maravilhosa. Os primeiros discípulos
Mt 4:18-22; Mc 1:16-20

5 Apertando-o a multidão para ouvir a palavra de Deus, estava ele junto ao lago de Genesaré.

2 E viu dois barcos à beira do lago; mas os pescadores, havendo desembarcado, lavavam as redes.

3 Entrou em um dos barcos, que era o de Simão, e pediu-lhe que o afastasse um pouco da praia e, assentando-se, ensinava do barco a multidão.

4 Quando acabou de falar, disse a Simão: Vai para o alto-mar e lançai as vossas redes.

5 Respondeu-lhe Simão: Mestre, havendo trabalhado toda a noite, nada apanhamos, mas sobre tua palavra lançarei as redes.

6 Fazendo assim, colheram uma quantidade de peixes tão grande que suas redes se romperam.

7 Fizeram sinal aos companheiros que estavam no outro barco, para que fossem ajudá-los. Foram, e encheram ambos os barcos, de maneira tal que quase afundaram.

**8** Vendo isso Simão Pedro, prostrou-se aos pés de Jesus, dizendo: Senhor, afasta-te de mim; sou homem pecador. **9** Pois o espanto se apoderara dele e de todos os que com ele estavam, por causa da pesca que haviam feito, **10** e de igual modo, também de Tiago e João, filhos de Zebedeu, que eram companheiros de Simão. Disse Jesus a Simão: Não temas; de agora em diante serás pescador de homens. **11** E, levando os barcos para a terra, deixaram tudo e o seguiram.

### A cura de um leproso
Mt 8:1-4; Mc 1:40-45

**12** Estando Jesus numa das cidades, veio à sua presença um homem leproso. Vendo a Jesus, prostrou-se, rosto em terra, e rogou-lhe: Senhor, se quiseres, podes purificar-me. **13** Ele, estendendo a mão, tocou nele e disse: Quero, sê limpo! E imediatamente a lepra desapareceu dele. **14** Ordenou-lhe Jesus: Não conte isso a ninguém, mas vai e mostra-te ao sacerdote e oferece pela tua purificação o que Moisés determinou, para que lhes sirva de testemunho. **15** Todavia, a sua fama se espalhava ainda mais, e ajuntava-se muita gente para ouvi-lo e para ser por ele curada de suas enfermidades. **16** Ele, porém, se retirava para lugares desertos e orava.

### A cura de um paralítico
Mt 9:1-8; Mc 2:1-12

**17** Certo dia ele estava ensinando, e achavam-se ali assentados fariseus e mestres da Lei, vindos de todas as aldeias da Galileia, da Judeia e de Jerusalém. E o poder do Senhor estava com ele para curar. **18** Alguns homens, transportando num leito um paralítico, procuravam fazê-lo entrar na casa e colocá-lo diante de Jesus. **19** Não achando por onde fazê-lo, por causa da multidão, subiram no telhado e, por entre as telhas, o baixaram no leito, até o meio, diante de Jesus. **20** Vendo-lhes a fé, disse Jesus ao paralítico: Homem, os teus pecados estão perdoados. **21** Os mestres da lei e os fariseus começaram a pensar: Quem é este que diz blasfêmias? Quem pode perdoar pecados, senão Deus? **22** Jesus, porém, conhecendo os seus pensamentos, respondeu-lhes: Por que pensais essas coisas em vossos corações? **23** Qual é mais fácil dizer: Os teus pecados estão perdoados, ou: Levanta-te e anda? **24** Ora, para que saibais que o Filho do homem tem sobre a terra poder de perdoar pecados — disse ao paralítico: Eu te digo, levanta-te, toma o teu leito e vai para a tua casa. **25** Levantando-se ele imediatamente na presença deles, tomou o leito em que estava deitado e foi para casa, glorificando a Deus. **26** Todos ficaram maravilhados e glorificaram a Deus. Cheios de temor, diziam: Hoje vimos coisas extraordinárias.

### A vocação de Levi
Mt 9:9; Mc 2:13,14

**27** Depois disso, Jesus saiu e viu um cobrador de impostos, chamado Levi, assentado na coletoria, e disse-lhe: Segue-me.

28 Ele, deixando tudo, levantou-se e o seguiu.
29 Fez-lhe Levi um grande banquete em sua casa; havia ali uma multidão de cobradores de impostos e outros que estavam com eles à mesa.
30 Os fariseus e seus mestres da lei murmuravam contra os discípulos de Jesus, dizendo: Por que comeis e bebeis com cobradores de impostos e pecadores?
31 Respondeu-lhes Jesus: Não necessitam de médico os sãos, mas, sim, os enfermos.
32 Eu não vim chamar os justos, mas, sim, os pecadores ao arrependimento.

### A respeito do jejum
Mt 9:14-17; Mc 2:18-22

33 Disseram-lhe eles: Os discípulos de João jejuam com frequência e oram, como também os dos fariseus, mas os teus comem e bebem.
34 Respondeu Jesus: Podeis fazer jejuar os convidados para o casamento enquanto o noivo está com eles?
35 Dias virão, porém, em que o noivo se ausentará, e então, naqueles dias, jejuarão.
36 Disse-lhes esta parábola: Ninguém tira um pedaço de uma roupa nova e o costura numa roupa velha. Se fizer isso, romperá a nova e o remendo não se ajustará com a velha.
37 E ninguém põe vinho novo em recipientes de couro velhos. Se fizer isso, o vinho novo romperá os recipientes, será derramado, e os recipientes se estragarão.
38 O vinho novo, porém, deve ser colocado em recipientes de couro novos, e ambos juntamente se conservam.
39 E ninguém, tendo bebido o vinho velho, prefere o novo, pois diz: O velho é melhor.

### Jesus é senhor do sábado
Mt 12:1-8; Mc 2:23-28

6 Num sábado, Jesus passou pelas searas, e os seus discípulos iam arrancando espigas e, debulhando-as com as mãos, as comiam.
2 Alguns dos fariseus lhes disseram: Por que fazeis o que não é permitido fazer nos sábados?
3 Respondeu-lhes Jesus: Nunca lestes o que fez Davi quando teve fome, ele e os que com ele estavam?
4 Como entrou na casa de Deus, tomou e comeu os pães da proposição, que somente aos sacerdotes era permitido comer, e os deu também aos que estavam com ele?
5 Então Jesus lhes disse: O Filho do homem é senhor até do sábado.

### A cura do homem que tinha uma das mãos atrofiada
Mt 12:9-14; Mc 3:1-6

6 Em outro sábado, entrou na sinagoga e estava ensinando. Havia ali um homem cuja mão direita estava atrofiada.
7 Os mestres da lei e os fariseus observavam Jesus para ver se curaria o homem no sábado, a fim de acharem de que o acusar.
8 Ele, porém, lhes conhecia os pensamentos e disse ao homem que tinha a mão atrofiada: Levanta-te e fica em pé aqui no meio. E, levantando-se ele, ficou em pé.
9 Então Jesus lhes disse: Que vos parece? É permitido no sábado fazer o bem ou fazer o mal? Salvar a vida ou destruí-la?
10 Olhando para todos em redor, disse ao homem: Estende a

tua mão. Ele assim o fez, e a mão lhe foi restaurada ficando perfeita como a outra.

**11** Ficaram cheios de ódio, e uns com os outros discutiam sobre o que fariam a Jesus.

### A eleição dos Doze
*Mt 10:1-4; Mc 3:13-19*

**12** Naqueles dias, Jesus subiu ao monte para orar e passou a noite em oração a Deus.
**13** Ao amanhecer, chamou os discípulos e escolheu doze dentre eles, a quem também deu o nome de apóstolos:
**14** Simão, a quem chamou Pedro; André, seu irmão; Tiago e João; Filipe e Bartolomeu;
**15** Mateus e Tomé; Tiago, filho de Alfeu, e Simão, chamado Zelote;
**16** Judas, filho de Tiago, e Judas Iscariotes, que foi o traidor.

### O Sermão da Montanha
*Mt 5:1—7:29*

**17** Descendo com eles, parou num lugar plano, onde se encontrava grande número de discípulos seus e grande multidão de toda a Judeia, de Jerusalém e do litoral de Tiro e de Sidom,
**18** os quais tinham vindo para o ouvir e serem curados das suas enfermidades. Os que eram atormentados por espíritos imundos eram curados.
**19** E toda a multidão procurava tocar nele, porque saía dele poder, e curava a todos.
**20** Olhando para os discípulos, disse:
Bem-aventurados vós,
os pobres,
pois vosso é o Reino de Deus.
**21** Bem-aventurados vós,
que agora tendes fome,
pois sereis fartos.
Bem-aventurados vós,
que agora chorais,
pois haveis de rir.
**22** Bem-aventurados sereis
quando os homens vos
odiarem,
quando vos expulsarem,
vos injuriarem
e rejeitarem o vosso nome
como sendo mau,
por causa do Filho
do homem.
**23** Alegrai-vos nesse dia e exultai, porque grande é a vossa recompensa no céu. Pois assim fizeram os seus pais aos profetas.
**24** Ai de vós, os ricos,
pois já tendes a vossa
consolação.
**25** Ai de vós, os que estais fartos,
pois tereis fome.
Ai de vós, os que agora rides,
pois vos lamentareis e
chorareis.
**26** Ai de vós, quando todos
os homens
de vós disserem bem,
pois assim faziam seus pais
aos falsos profetas.

### A nova lei do amor
*Mt 5:43-48*

**27** Eu, porém, digo a vós, que me ouvis: Amai vossos inimigos, fazei bem aos que vos odeiam,
**28** bendizei os que vos maldizem, orai pelos que vos caluniam.
**29** Ao que te ferir numa face, oferece-lhe também a outra. Ao que tirar a tua capa, deixe que leve também a túnica.
**30** Dá a qualquer que te pedir, e ao que pegar o que é teu não o peças de volta.
**31** Como vós quereis que os homens vos façam, da mesma maneira fazei-lhes vós também.

**32** Se amardes os que vos amam, que recompensa tereis? Até os pecadores amam os que os amam. **33** Se fizerdes o bem aos que vos fazem o bem, que recompensa tereis? Até os pecadores fazem o mesmo. **34** Se emprestardes àqueles de quem esperais tornar a receber, que recompensa tereis? Até os pecadores emprestam aos pecadores, para tornarem a receber outro tanto. **35** Ao contrário, amai os vossos inimigos, fazei o bem, emprestai, sem nada esperardes. Então será grande a vossa recompensa, e sereis filhos do Altíssimo, porque ele é benigno até para com os ingratos e maus. **36** Sede misericordiosos, assim como o vosso Pai é misericordioso. **37** Não julgueis, e não sereis julgados. Não condeneis, e não sereis condenados. Perdoai, e vos perdoarão. **38** Dai, e vos será dado. Boa medida, recalcada, sacudida e transbordante generosamente vos darão. Pois com a mesma medida com que medirdes vos medirão também. **39** Disse-lhes uma parábola: Pode um cego guiar outro cego? Não cairão ambos no buraco? **40** O discípulo não é superior a seu mestre, mas todo aquele que for bem instruído será como o seu mestre. **41** Por que olhas para o cisco que está no olho do teu irmão e não reparas na trave que está no teu próprio olho? **42** Ou como podes dizer a teu irmão: Irmão, deixa-me tirar o cisco que está no teu olho, não vendo tu mesmo a trave que está no teu olho? Hipócrita, primeiro tira a trave do teu olho, e então verás bem para tirar o cisco que está no olho do teu irmão. **43** Não há boa árvore que dê mau fruto, nem má árvore que dê fruto bom. **44** Cada árvore é conhecida pelo seu próprio fruto. Não se colhem figos dos espinheiros, nem uvas das ervas daninhas. **45** O homem bom do bom tesouro do seu coração tira o bem, e o homem mau, do mau tesouro do seu coração tira o mal. Pois do que está cheio o coração, fala a boca.

### Os dois fundamentos
Mt 7:24-27

**46** Por que me chamais, Senhor, Senhor, e não fazeis o que eu mando? **47** A qualquer que vem a mim, ouve as minhas palavras e as pratica, eu mostrarei a quem é semelhante. **48** É semelhante ao homem que construiu uma casa, cavou bem fundo e lançou os alicerces sobre a rocha. Vindo a enchente, bateu com força contra aquela casa e não a pôde abalar, porque estava construída sobre a rocha. **49** O que, porém, ouve e não pratica é semelhante ao homem que construiu uma casa sobre a terra, sem alicerces. Quando a corrente bateu com força contra aquela casa, ela logo caiu, e foi completa a sua destruição.

### O centurião de Cafarnaum
Mt 8:5-13

**7** Ao concluir todas essas palavras perante o povo, Jesus entrou em Cafarnaum. **2** O servo de certo centurião, a quem este muito estimava, estava doente, à beira da morte.

**3** Quando o centurião ouviu falar a respeito de Jesus, enviou-lhe uns líderes religiosos dos judeus, pedindo-lhe que viesse curar seu servo.
**4** Chegando eles a Jesus, rogaram-lhe muito, dizendo: É justo que lhe faças isso,
**5** porque ama a nossa nação, e ele mesmo construiu nossa sinagoga.
**6** Então Jesus foi com eles. Ao chegar perto da casa, enviou-lhe o centurião uns amigos para lhe dizer: Senhor, não te incomodes, pois não sou digno de que entres em minha casa.
**7** Por isso, não me achei digno de ir ter contigo. Dize, porém, uma palavra, e o meu servo será curado.
**8** Pois também eu sou homem de autoridade e tenho soldados sob meu comando e digo a este: Vai, e ele vai; e a outro: Vem, e ele vem. Ao meu servo digo: Faze isto, e ele o faz.
**9** Ouvindo isto, Jesus se maravilhou dele e, voltando-se, disse à multidão que o seguia: Digo-vos que nem em Israel achei tanta fé.
**10** Quando voltaram para casa os que foram enviados, acharam curado o servo.

### O filho da viúva de Naim

**11** Logo depois, Jesus foi a uma cidade chamada Naim, e com ele iam muitos dos seus discípulos e uma grande multidão.
**12** Quando chegou perto da porta da cidade, eis que saía o enterro do filho único de uma viúva. E com ela ia uma grande multidão da cidade.
**13** Ao vê-la, o Senhor sentiu grande compaixão por ela e lhe disse: Não chores.
**14** Chegando-se, colocou a mão no caixão, e parando os que o levavam, disse: Jovem, a ti te digo: Levanta-te.
**15** O rapaz assentou-se e começou a falar, e Jesus o entregou à sua mãe.
**16** Todos ficaram cheios de temor e glorificavam a Deus, dizendo: Um grande profeta se levantou entre nós, e Deus visitou o seu povo.
**17** Correu dele esta fama por toda a Judeia e por toda a região ao redor.

### João envia dois discípulos a Jesus
*Mt 11:1-19*

**18** Os discípulos de João contaram-lhe todas estas coisas.
**19** João, chamando dois discípulos, enviou-os a Jesus, dizendo: És tu aquele que havia de vir, ou havemos de esperar outro?
**20** Quando aqueles homens chegaram a Jesus, disseram: João Batista enviou-nos a perguntar-te: És tu aquele que havia de vir, ou havemos de esperar outro?
**21** Na mesma hora Jesus curou a muitos de enfermidades, males e espíritos malignos, e deu vista a muitos cegos.
**22** Então lhes respondeu: Ide, e contai a João o que tendes visto e ouvido: os cegos veem, os coxos andam, os leprosos são purificados, os surdos ouvem, os mortos são ressuscitados e aos pobres é anunciado o evangelho.

### Jesus testifica de João Batista
*Mt 11:7-19*

**23** Bem-aventurado é aquele que em mim não se escandalizar.
**24** Tendo-se retirado os mensageiros de João, Jesus começou a dizer à multidão acerca de João:

Que saístes a ver no deserto? Um caniço agitado pelo vento? **25** Que saístes a ver? Um homem trajado de roupas finas? Não, os que andam com preciosas roupas e vivem no luxo estão nos palácios reais. **26** Mas que saístes a ver? Um profeta? Sim, vos digo, e muito mais do que profeta. **27** Este é aquele de quem está escrito:

   Envio o meu anjo à tua frente,
   o qual preparará diante de ti
      o teu caminho.

**28** Eu vos digo que, entre os nascidos de mulher, não há maior profeta do que João Batista; mas o menor no Reino de Deus é maior do que ele. **29** Todo o povo que o ouviu, e até os cobradores de impostos, reconheceram a justiça de Deus, tendo sido batizados com o batismo de João. **30** Os fariseus e os mestres da Lei, porém, rejeitaram o conselho de Deus quanto a si mesmos, não tendo sido batizados por ele. **31** A quem, pois, compararei os homens desta geração, e a quem são semelhantes? **32** São como crianças que, assentadas nas praças, gritam umas às outras:

   Tocamo-vos flauta,
      e não dançastes;
   cantamos lamentações,
      e não chorastes.

**33** Pois veio João Batista, que não comia pão nem bebia vinho, e dizeis: Tem demônio. **34** Veio o Filho do homem, que come e bebe, e dizeis: Eis um comilão e bebedor de vinho, amigo dos cobradores de impostos e dos pecadores. **35** A sabedoria, porém, é comprovada por todos os seus filhos.

### A pecadora que ungiu os pés de Jesus

**36** Convidou-lhe um dos fariseus que comesse com ele. Entrando na casa do fariseu, Jesus tomou lugar à mesa. **37** Certa mulher da cidade, uma pecadora, sabendo que ele estava à mesa na casa do fariseu, levou um vaso de alabastro com perfume, **38** e, estando atrás de Jesus, aos seus pés, chorando, molhava-os com suas lágrimas. Então os enxugava com os próprios cabelos, beijava-os e os ungia com o perfume. **39** Quando o fariseu que o tinha convidado viu isso, disse consigo mesmo: Se este fosse profeta, saberia quem e qual é a mulher que tocou nele, pois é pecadora. **40** Disse Jesus ao fariseu: Simão, uma coisa tenho a dizer-te. Respondeu ele: Dize-a, Mestre. **41** Certo credor tinha dois devedores. Um lhe devia quinhentos denários, e o outro cinquenta. **42** Não tendo eles com que pagar, perdoou-lhes a ambos. Ora, qual deles o amará mais? **43** Respondeu-lhe Simão: Tenho para mim que é aquele a quem mais perdoou. Disse-lhe Jesus: Julgaste bem. **44** Então voltando-se para a mulher, disse a Simão: Vês tu esta mulher? Entrei em tua casa, e não me deste água para os pés; esta, porém, molhou com lágrimas os meus pés e os enxugou com os seus cabelos. **45** Não me deste um beijo, mas ela, desde que entrou, não parou de me beijar os pés.

**46** Não me ungiste a cabeça com óleo, mas esta me ungiu os pés com perfume.
**47** Por isso, te digo que os seus muitos pecados lhe são perdoados, pois muito amou. Mas aquele a quem pouco é perdoado, pouco ama.
**48** Então Jesus disse à mulher: Os teus pecados te são perdoados.
**49** Os que estavam à mesa começaram a dizer entre si: Quem é este que até perdoa pecados?
**50** Jesus disse à mulher: A tua fé te salvou; vai-te em paz.

### As mulheres que serviram a Jesus com os seus bens

**8** Depois disto andava Jesus de cidade em cidade e de aldeia em aldeia, pregando e anunciando o evangelho do Reino de Deus. Os Doze iam com ele
**2** e também algumas mulheres que foram curadas de espíritos malignos e de enfermidades: Maria, chamada Madalena, da qual saíram sete demônios;
**3** Joana, mulher de Cuza, procurador de Herodes; Susana, e muitas outras, as quais o serviam com os seus bens.

### A parábola do semeador
*Mt 13:1-23; Mc 4:1-9*

**4** Ajuntando-se grande multidão, e vindo ter com ele gente de todas as cidades, falou por parábolas:
**5** Um semeador saiu a semear a sua semente. Quando semeava, uma parte caiu à beira do caminho, foi pisada e as aves do céu a comeram.
**6** Outra caiu sobre a pedra e, nascida, secou, porque não tinha umidade.
**7** Outra caiu entre espinhos e, crescendo com ela os espinhos, a sufocaram.
**8** Outra caiu em boa terra e, nascida, produziu fruto, a cem por um. Tendo dito ele estas coisas, clamou: Quem tem ouvidos para ouvir, ouça.
**9** Os seus discípulos perguntaram o que ele queria dizer com essa parábola.
**10** Ele lhes disse: A vós é dado conhecer os mistérios do Reino de Deus, mas aos outros fala-se por parábolas, para que,
vendo, não vejam
e, ouvindo, não entendam.
**11** Esta é a parábola: A semente é a palavra de Deus.
**12** Os que estão à beira do caminho são os que ouvem; depois vem o Diabo e tira-lhes do coração a palavra, para que não se salvem, ao crer.
**13** Os que estão sobre pedra são os que, ouvindo a palavra, a recebem com alegria, mas, como não têm raiz, apenas creem por algum tempo e na hora da provação se desviam.
**14** A que caiu entre espinhos são os que ouviram e, com o passar dos dias, são sufocados com preocupações, riquezas e prazeres da vida, e seus frutos não chegam a amadurecer.
**15** A que caiu em boa terra são os que, ouvindo a palavra, a retêm num coração honesto e bom e dão fruto com perseverança.

### A parábola da candeia
*Mc 4:21-25*

**16** Ninguém, acendendo uma candeia, a cobre com algum vaso ou a põe debaixo da cama. Antes, coloca-a no lugar apropriado, para que os que entram vejam a luz.
**17** Pois não há coisa oculta que não seja revelada, nem escondida

que não venha a ser conhecida e trazida à luz.
**18** Portanto, vede como ouvis. A qualquer que tiver, lhe será dado; e a qualquer que não tiver, até o que parece ter lhe será tirado.

### A família de Jesus
*Mt 12:46-50; Mc 3:31-35*

**19** Foram ter com ele sua mãe e seus irmãos e não podiam aproximar-se dele por causa da multidão.
**20** Foi-lhe dito: Tua mãe e teus irmãos estão lá fora e querem ver-te.
**21** Respondeu ele: Minha mãe e meus irmãos são aqueles que ouvem a palavra de Deus e a praticam.

### Jesus acalma a tempestade
*Mt 8:23-27; Mc 4:35-41*

**22** Certo dia, entrou num barco com seus discípulos e disse-lhes: Passemos para o outro lado do lago. E partiram.
**23** Enquanto navegavam, Jesus adormeceu. Sobreveio uma tempestade de vento no lago, e o barco se enchia de água e eles corriam perigo.
**24** Chegando-se a ele, despertaram-no, dizendo: Mestre, Mestre, vamos morrer! Ele se levantou, repreendeu o vento e a fúria da água; tudo se acalmou, e fez-se bonança.
**25** Então lhes perguntou: Onde está a vossa fé? Eles, temendo, maravilharam-se, dizendo uns aos outros: Quem é este, que até os ventos e a água lhe obedecem?

### O endemoninhado geraseno
*Mt 8:28-33; Mc 5:1-14*

**26** Navegaram para a região dos gerasenos, que está de frente da Galileia.
**27** Quando Jesus pisou em terra, saiu-lhe ao encontro, vindo da cidade, um homem que desde muito tempo estava possesso de demônios e não andava vestido, nem habitava em qualquer casa, mas nos sepulcros.
**28** Vendo Jesus, prostrou-se diante dele, exclamando e dizendo em alta voz: Que tenho eu contigo, Jesus, Filho do Deus Altíssimo? Peço-te que não me atormentes.
**29** Pois Jesus tinha ordenado ao espírito imundo que saísse do homem. Já havia muito tempo que se apossava dele e, embora o mantivesse preso com correntes e cadeias, quebrava as prisões e era levado pelo demônio para o deserto.
**30** Perguntou-lhe Jesus: Qual é o teu nome? Respondeu ele: Legião, porque tinham entrado nele muitos demônios.
**31** Suplicavam-lhe que não os mandasse para o abismo.
**32** Andava ali pastando no monte uma grande manada de porcos. Suplicaram-lhe os demônios que lhes deixasse entrar neles. Jesus o permitiu.
**33** Tendo saído do homem, os demônios entraram nos porcos, e a manada atirou-se no precipício em direção ao lago e se afogou.
**34** Aqueles que guardavam os porcos, vendo o que havia acontecido, fugiram e foram contar essas coisas na cidade e nos campos.
**35** E saíram para ver o que tinha acontecido e se aproximaram de Jesus. Acharam então o homem, de quem haviam saído os demônios, vestido, e em perfeito juízo, assentado aos pés de Jesus; e temeram.
**36** Os que tinham visto tudo isso contaram-lhes como fora liberto o endemoninhado.

**37** Então toda a multidão dos arredores dos gerasenos pediu-lhe que se retirasse deles, porque estavam possuídos de grande temor. Entrando ele no barco, voltou.
**38** O homem de quem haviam saído os demônios suplicou-lhe que o deixasse estar com ele, mas Jesus o despediu, dizendo:
**39** Volta para casa e conta quão grandes coisas Deus fez por ti. E ele foi anunciando por toda a cidade quão grandes coisas Jesus lhe tinha feito.

### A filha de Jairo. A mulher hemorrágica
Mc 5:21-43; Mc 5:21-34

**40** Quando Jesus voltou, a multidão o recebeu, pois todos o estavam esperando.
**41** Um homem chamado Jairo, chefe da sinagoga, chegou e prostrou-se aos pés de Jesus, rogando-lhe que entrasse em sua casa,
**42** porque tinha uma filha única de quase doze anos que estava à beira da morte. E, indo ele, apertava-o a multidão.
**43** Certa mulher, que tinha uma hemorragia havia doze anos e gastara com os médicos tudo o que tinha, mas ninguém pudera curá-la,
**44** chegando por trás dele, tocou na borda da sua roupa, e logo parou a hemorragia.
**45** Disse Jesus: Quem tocou em mim? E, negando todos, disse Pedro e os que estavam com ele: Mestre, a multidão te aperta e te comprime, e dizes: Quem tocou em mim?
**46** Disse Jesus: Alguém tocou em mim; senti que de mim saiu poder.
**47** Então, vendo a mulher que não podia esconder-se, aproximou-se tremendo e, prostrando-se diante dele, declarou-lhe diante de todo o povo por que havia tocado nele e como logo fora curada.
**48** Então ele lhe disse: Tem bom ânimo, filha, a tua fé te curou. Vai-te em paz.

### Jesus ressuscita a filha de Jairo
Mt 9:23-26; Mc 5:35-43

**49** Quando ele ainda falava, chegou alguém da casa de um dos dirigentes da sinagoga e disse: A tua filha está morta, não incomodes o Mestre.
**50** Jesus, porém, ouvindo isso, respondeu-lhe: Não temas; crê somente, e ela será curada.
**51** Chegando à casa, a ninguém deixou entrar, exceto Pedro, Tiago, João, bem como o pai e a mãe da menina.
**52** Todos choravam e se lamentavam. Ele disse: Não choreis. Ela não está morta, mas dorme.
**53** E riam-se dele, pois sabiam que ela estava morta.
**54** Ele, porém, pegando-a pela mão, disse: Levanta-te, menina.
**55** O seu espírito voltou, e ela logo se levantou, e Jesus mandou que lhe dessem de comer.
**56** Seus pais ficaram maravilhados, mas ele lhes mandou que a ninguém dissessem o que havia acontecido.

### A missão dos Doze
Mt 10:1,5-15; Mc 6:7-13

**9** Jesus convocou os Doze discípulos e deu-lhes poder e autoridade sobre todos os demônios e para que curassem as doenças.
**2** Então os enviou a pregar o Reino de Deus e a curar os doentes.
**3** Disse-lhes: Nada leveis convosco para o caminho, nem bordões, nem sacolas de viagem, nem pão,

nem dinheiro, nem leveis duas túnicas.
**4** Na casa em que entrardes, ali permanecei, até sairdes daquela cidade.
**5** Quanto à cidade que não vos receber, saindo dali, sacudi o pó dos vossos pés como testemunho contra eles.
**6** Saindo eles, percorreram todas as aldeias, anunciando o evangelho e fazendo curas por toda parte.

### Herodes e João Batista
*Mt 14:1-12; Mc 6:14-29*

**7** O tetrarca Herodes ouviu tudo o que se passava. E estava perplexo, porque diziam alguns que João ressuscitara dentre os mortos,
**8** outros que Elias tinha aparecido, e ainda outros que um profeta antigo havia ressuscitado.
**9** Disse Herodes: A João mandei decapitar. Quem é, pois, este de quem ouço dizer tais coisas? E queria vê-lo.

### A primeira multiplicação dos pães
*Mt 14:13-21; Mc 6:30-44; Jo 6:1-14*

**10** Ao retornarem, os apóstolos contaram-lhe tudo o que tinham feito. Tomando-os consigo, retirou-se para um lugar deserto, a uma cidade chamada Betsaida,
**11** mas, sabendo-o as multidões, seguiram-no. Ele os recebeu, e falava-lhes do Reino de Deus; também curava os que necessitavam de cura.
**12** O dia começava a escurecer. Aproximando-se dele os Doze, disseram: Manda embora a multidão, para que, indo aos lugares e aldeias em redor, se hospedem e achem o que comer, porque estamos em lugar deserto.
**13** Ele lhes disse: Dai-lhes vós de comer. Responderam eles: Temos apenas cinco pães e dois peixes, exceto se nós próprios formos comprar comida para todo este povo.
**14** Estavam ali cerca de cinco mil homens. Disse então aos seus discípulos: Fazei-os assentar em grupos de cinquenta.
**15** Assim o fizeram, acomodando a todos.
**16** Tomando os cinco pães e os dois peixes, olhando para o céu, ele os abençoou, partiu e deu aos discípulos para que os distribuíssem à multidão.
**17** Todos comeram e se fartaram, e recolheram, do que sobrou, doze cestos de pedaços.

### A confissão de Pedro
*Mt 16:13-23; Mc 8:27-33*

**18** Estando ele orando, em particular, estavam com ele os discípulos, a quem perguntou: Quem diz a multidão que eu sou?
**19** Responderam eles: João Batista; outros, Elias; e outros, que um dos antigos profetas ressuscitou.
**20** Perguntou-lhes: E vós, quem dizeis que eu sou? Respondeu Pedro: O Cristo de Deus.
**21** E, advertindo-os, mandou que a ninguém contassem isso,
**22** dizendo: É necessário que o Filho do homem sofra muitas coisas, e seja rejeitado pelos líderes religiosos, pelos principais sacerdotes e mestres da lei, seja morto e ressuscite no terceiro dia.

### Cada um deve levar a sua cruz
*Mt 16:24-28; Mc 8:34-9:1*

**23** Então disse a todos: Se alguém quer vir após mim, negue-se a si mesmo, tome diariamente a sua cruz e siga-me.

**24** Pois qualquer que quiser salvar a sua vida a perderá, mas qualquer que, por minha causa, perder a sua vida a salvará.
**25** Que adianta ao homem ganhar o mundo todo, perdendo-se ou prejudicando-se a si mesmo?
**26** Qualquer que de mim e das minhas palavras se envergonhar, dele se envergonhará o Filho do homem, quando vier na sua glória e na do Pai e dos santos anjos.
**27** Em verdade vos digo que, dos que aqui estão, alguns há que não provarão a morte até que vejam o Reino de Deus.

### A transfiguração
Mt 17.1-8; Mc 9.2-8

**28** Cerca de oito dias depois dessas palavras, tomou consigo Pedro, João e Tiago e subiu ao monte para orar.
**29** Estando ele orando, transformou-se a aparência do seu rosto, e suas roupas ficaram brancas e resplandecentes.
**30** Estavam falando com ele dois homens, Moisés e Elias,
**31** os quais apareceram em glória, e falavam da sua morte, a qual havia de cumprir-se em Jerusalém.
**32** Pedro e os que se achavam com ele estavam com muito sono, mas, quando despertaram, viram a sua glória e aqueles dois homens que estavam com ele.
**33** Quando estes se afastavam dele, disse Pedro a Jesus: Mestre, bom é que nós estejamos aqui. Façamos três tendas: uma para ti, uma para Moisés e uma para Elias. Ele não sabia o que estava dizendo.
**34** Enquanto ele dizia isto, veio uma nuvem e os cobriu com a sua sombra e, entrando eles na nuvem, temeram.
**35** Saiu da nuvem uma voz, que dizia: Este é o meu amado Filho; a ele ouvi.
**36** Tendo ouvido aquela voz, Jesus se achou só. Seus discípulos se calaram, e por aqueles dias não contaram a ninguém nada do que tinham visto.

### A cura de um jovem possesso
Mt 17.14-21; Mc 9.14-29

**37** No dia seguinte, quando desceram do monte, saiu-lhes ao encontro grande multidão.
**38** Um homem dentre a multidão clamou: Mestre, peço-te que vejas meu filho, pois é o único que eu tenho.
**39** Um espírito o toma, e de repente grita, e ele tem convulsões até espumar. Só o larga depois de o ter machucado.
**40** Pedi a teus discípulos que o expulsassem, mas não puderam.
**41** Respondeu Jesus: Ó geração incrédula e perversa! Até quando estarei convosco e vos suportarei? Traze-me o teu filho.
**42** Quando o menino vinha chegando, o demônio o derrubou e convulsionou. Jesus, porém, repreendeu o espírito imundo, curou o menino e o entregou a seu pai.
**43** E todos ficaram admirados com a grandeza de Deus. E, maravilhando-se todos de todas as coisas que Jesus fazia, disse aos seus discípulos:
**44** Abri bem os vossos ouvidos a estas palavras: O Filho do homem será entregue nas mãos dos homens.
**45** Eles, porém, não entendiam isso, que lhes era omitido para que não o compreendessem, e temiam interrogá-lo a esse respeito.

# Lucas 10

## O maior no Reino dos céus
*Mt 18:1-5; Mc 9:33-37*

**46** Levantou-se entre eles uma discussão sobre qual deles seria o maior.
**47** Jesus, porém, conhecendo o pensamento de seus corações, pegou uma criança, colocou-a junto de si
**48** e lhes disse: Qualquer que receber esta criança em meu nome, recebe a mim; e qualquer que me recebe, recebe o que me enviou. Pois aquele que entre vós todos for o menor, esse será o maior.

## Quem não é contra nós é por nós
*Mc 9:38-41*

**49** João disse: Mestre, vimos um homem que em teu nome expulsava demônios, e nós o proibimos de fazer isso porque não anda conosco.
**50** Jesus lhe disse: Não o proibais, pois quem não é contra vós é por vós.

## Os samaritanos não recebem a Jesus

**51** Completando-se os dias para sua ascensão, Jesus manifestou o firme propósito de ir para Jerusalém.
**52** Mandou mensageiros à sua frente, os quais entraram numa aldeia de samaritanos, para lhe prepararem pousada;
**53** mas não o receberam, porque viram que ele ia para Jerusalém.
**54** Os discípulos Tiago e João, vendo isso, perguntaram: Senhor, queres que mandemos que desça fogo do céu e os destrua, assim como fez Elias?
**55** Mas Jesus voltou-se, repreendeu-os e disse: Vós não sabeis de que espírito sois,
**56** pois o Filho do homem não veio para destruir as almas dos homens, mas para salvá-las. E foram para outra aldeia.

## Acerca dos que seguem a Jesus
*Mt 8:19-22*

**57** Indo eles pelo caminho, alguém lhe disse: Senhor, te seguirei para onde quer que fores.
**58** Respondeu-lhe Jesus: As raposas têm tocas, e as aves do céu ninhos, mas o Filho do homem não tem onde descansar a cabeça.
**59** Disse a outro: Segue-me. Mas ele respondeu: Senhor, deixa que primeiro eu vá enterrar meu pai.
**60** Respondeu Jesus: Deixa para os mortos o enterrar os seus mortos; tu, porém, vai e anuncia o Reino de Deus.
**61** Disse também outro: Senhor, eu te seguirei, mas deixa-me primeiro despedir-me dos que estão em minha casa.
**62** Jesus lhe disse: Ninguém que lança mão do arado e olha para trás é apto para o Reino de Deus.

## A missão dos setenta

**10** Depois disso designou o Senhor ainda outros setenta e mandou-os à sua frente, de dois em dois, a todas as cidades e lugares aonde ele iria.
**2** Disse-lhes: Grande é a colheita, mas os obreiros são poucos. Rogai, pois, ao Senhor da colheita que envie obreiros para a sua seara.
**3** Ide. Eu vos envio como cordeiros ao meio de lobos.
**4** Não leveis bolsa, nem sacola de viagem, nem sandálias, e a ninguém saudeis pelo caminho.
**5** Quando entrardes numa casa, dizei primeiro: Paz seja nesta casa.

**6** Se ali houver algum filho da paz, repousará sobre ele a vossa paz; se não, voltará para vós.
**7** Ficai na mesma casa, comendo e bebendo do que eles tiverem, pois digno é o trabalhador do seu salário. Não andeis de casa em casa.
**8** Quando entrardes numa cidade, e vos receberem, comei do que vos oferecerem.
**9** Curai os enfermos que nela houver e dizei-lhes: É chegado a vós o Reino de Deus.
**10** Quando, porém, entrardes numa cidade e não vos receberem, saindo por suas ruas, dizei:
**11** Até o pó que da vossa cidade se nos pegou sacudimos sobre vós. Sabei, contudo, que já o Reino de Deus é chegado a vós.
**12** Digo-vos que mais tolerância haverá naquele dia para Sodoma do que para aquela cidade.
**13** Ai de ti, Corazim! Ai de ti, Betsaida! Pois se em Tiro e Sidom se tivessem realizado as maravilhas que em vós foram feitas, há muito, vestidas em saco e cinza, elas se teriam arrependido.
**14** Portanto, para Tiro e Sidom haverá menos rigor no juízo do que para vós.
**15** E tu, Cafarnaum, serás levantada até ao céu? Até ao inferno descerás!
**16** Quem vos ouve, a mim me ouve; quem vos rejeita, a mim me rejeita; mas quem me rejeita, rejeita aquele que me enviou.
**17** Voltaram os setenta com alegria, dizendo: Senhor, pelo teu nome, até os demônios se submetem a nós.
**18** Disse-lhes Jesus: Eu vi Satanás como raio cair do céu.
**19** Eu vos dei autoridade para pisar serpentes e escorpiões e toda a força do inimigo, e nada vos fará dano algum.
**20** Mas não vos alegreis porque os espíritos se vos submetem; alegrai-vos antes por estarem os vossos nomes escritos nos céus.
**21** Naquela mesma hora alegrou-se Jesus no Espírito Santo e disse: Graças te dou, ó Pai, Senhor do céu e da terra, que escondeste estas coisas aos sábios e inteligentes e as revelaste às criancinhas. Assim é, ó Pai, porque assim o quis.
**22** Tudo me foi entregue por meu Pai. Ninguém sabe quem é o Filho senão o Pai, nem quem é o Pai senão o Filho e aquele a quem o Filho o quiser revelar.
**23** Voltando-se para os discípulos, disse-lhes em particular: Bem-aventurados os olhos que veem o que vós vedes.
**24** Digo-vos, pois, que muitos profetas e reis desejaram ver o que vedes, e não o viram, e ouvir o que ouvis, e não o ouviram.

## A parábola do bom samaritano

**25** Levantou-se certo mestre da Lei e, querendo provar Jesus, perguntou-lhe: Mestre, que farei para herdar a vida eterna?
**26** Jesus lhe respondeu: O que está escrito na lei? Como lês?
**27** Respondeu-lhe o homem: Amarás ao Senhor, o teu Deus, de todo o teu coração, de toda a tua alma, de todas as tuas forças e de todo o teu entendimento, e ao teu próximo como a ti mesmo.
**28** Então Jesus lhe disse: Respondeste bem. Faze isto e viverás.
**29** Ele, porém, querendo justificar-se a si mesmo, disse a Jesus: E quem é o meu próximo?

**30** Respondeu-lhe Jesus: Descia um homem de Jerusalém para Jericó e caiu nas mãos dos assaltantes, os quais o roubaram e, espancando-o, se retiraram, deixando-o meio morto.
**31** Casualmente descia pelo mesmo caminho certo sacerdote que, vendo-o, passou distante.
**32** De igual modo, também um levita chegou àquele lugar e, vendo-o, passou distante.
**33** Um samaritano, porém, que ia de viagem, chegou perto dele, viu-o e moveu-se de compaixão.
**34** Aproximando-se, enfaixou-lhe as feridas, colocando-lhes azeite e vinho. Então, colocando-o sobre a sua cavalgadura, levou-o para uma hospedaria e cuidou dele.
**35** Partindo no outro dia, tirou dois denários, deu-os ao hospedeiro, e disse-lhe: Cuida dele, e tudo o que de mais gastares com ele eu te pagarei quando voltar.
**36** Qual destes três te parece que foi o próximo daquele que caiu nas mãos dos assaltantes?
**37** Ele disse: O que usou de misericórdia para com ele. Disse Jesus: Vai, e faze da mesma maneira.

### Marta e Maria

**38** Indo eles no caminho, entrou numa aldeia. E certa mulher, por nome Marta, o recebeu em sua casa.
**39** Tinha esta uma irmã chamada Maria, a qual, assentando-se aos pés de Jesus, ouvia a sua palavra.
**40** Marta, porém, andava ocupada com muitos serviços e aproximando-se disse: Senhor, não te importas de que minha irmã me deixe servir só? Dize-lhe que me ajude.
**41** Respondeu-lhe Jesus: Marta, Marta, estás ansiosa e preocupada com muitas coisas,
**42** mas uma só é necessária. Maria escolheu a boa parte, a qual não lhe será tirada.

### A oração dominical
*Mt 6:9-15*

**11** Um dia Jesus estava orando em certo lugar. Quando acabou, disse-lhe um dos seus discípulos: Senhor, ensina-nos a orar, como também João ensinou aos seus discípulos.
**2** Ele lhes disse: Quando orardes, dizei:
Pai,
santificado seja o teu nome,
venha o teu reino.
**3** Dá-nos cada dia o nosso
pão cotidiano.
**4** Perdoa-nos os nossos pecados,
pois também nós
perdoamos a qualquer
que nos deve.
E não nos deixes cair
em tentação,
mas livra-nos do mal.

### A parábola do amigo importuno

**5** Então ele lhes disse: Qual de vós terá um amigo e se este for procurá-lo à meia-noite e lhe disser: Amigo empresta-me três pães,
**6** porque um meu amigo chegou de viagem à minha casa, e não tenho o que lhe servir.
**7** Se ele, respondendo de dentro, disser: Não me incomodes, a porta já está fechada, e os meus filhos estão comigo na cama. Não posso levantar-me para lhe dar os pães.
**8** Digo-vos que, ainda que não se levante a dar-lhe os pães, por ser seu amigo, se levantará, todavia, por causa da sua importunação, e lhe dará tudo o de que ele precisar.

**9** Por isso, vos digo: Pedi, e vos será dado; buscai, e achareis; batei, e se abrirá a vós.
**10** Pois qualquer que pede recebe; quem busca acha; e a quem bate, a porta se abrirá.
**11** Qual o pai dentre vós que, se o filho lhe pedir pão, lhe dará uma pedra? Ou se lhe pedir peixe, lhe dará uma serpente?
**12** Ou, se lhe pedir um ovo, lhe dará um escorpião?
**13** Se vós, pois, sendo maus, sabeis dar boas coisas aos vossos filhos, quanto mais dará o Pai celestial o Espírito Santo àqueles que pedirem?

### A blasfêmia dos fariseus
Mt 12:22-32; Mc 3:20-30

**14** Jesus estava expulsando um demônio que era mudo. Saindo o demônio, o mudo falou, e maravilhou-se a multidão.
**15** Mas alguns dentre eles diziam: Ele expulsa os demônios pelo poder de Belzebu, o príncipe dos demônios.
**16** Outros, tentando-o, pediam-lhe um sinal do céu.
**17** Mas, conhecendo ele os seus pensamentos, disse-lhes: Todo reino dividido contra si mesmo ficará arruinado, e a casa dividida contra si mesma cairá.
**18** Se Satanás está dividido contra si mesmo, como resistirá o seu reino? Isto porque dizeis que eu expulso os demônios por Belzebu.
**19** Se eu expulso os demônios pelo poder de Belzebu, por quem os expulsam vossos filhos? Eles, pois, serão os vossos juízes.
**20** Se eu, porém, expulso os demônios pelo dedo de Deus, certamente a vós é chegado o Reino de Deus.
**21** Quando um homem forte, bem armado, guarda a sua casa, em segurança está tudo o que tem.
**22** Se vier, porém, outro mais forte do que ele, vence-o, tira-lhe toda a sua armadura em que confiava e reparte os seus bens.
**23** Quem não é por mim é contra mim, e quem comigo não ajunta espalha.
**24** Quando o espírito imundo sai do homem, anda por lugares secos, em busca de descanso, mas não o acha. Então diz: Voltarei para minha casa donde saí.
**25** Quando chega, acha-a varrida e adornada.
**26** Então vai e leva consigo outros sete espíritos piores do que ele e, entrando, habitam ali. E o último estado desse homem é pior do que o primeiro.
**27** Dizendo ele estas coisas, uma mulher dentre a multidão levantou a voz e lhe disse: Bem-aventurado o ventre que te trouxe e os peitos em que te amamentaste.
**28** Mas ele disse: Antes bem-aventurados são os que ouvem a palavra de Deus e a praticam.

### O sinal de Jonas
Mt 12:38-42

**29** Ajuntando-se as multidões, começou Jesus a dizer: Esta geração é perversa. Ela pede um sinal, mas não lhe será dado outro sinal, senão o do profeta Jonas.
**30** Pois assim como Jonas foi sinal para os ninivitas, assim também o Filho do homem o será para esta geração.
**31** A rainha do Sul se levantará no juízo com os homens desta geração e os condenará; pois dos confins da terra veio ouvir a

sabedoria de Salomão, e aqui está quem é maior do que Salomão. **32** Os homens de Nínive se levantarão no juízo com esta geração, e a condenarão; pois se converteram com a pregação de Jonas, e aqui está quem é maior do que Jonas.

### A candeia do corpo
Ml 6.22,23

**33** Ninguém, acendendo uma candeia, a põe em lugar escondido, nem debaixo de uma vasilha, mas no lugar próprio, para que os que entram vejam a luz. **34** A candeia do corpo é o olho. Sendo o teu olho bom, todo o teu corpo será iluminado. Se, porém, for mau, também o teu corpo será cheio de trevas. **35** Cuida para que a luz que em ti há não sejam trevas. **36** Portanto, se todo o teu corpo for iluminado, não tendo nenhuma parte em trevas, todo será iluminado, como quando a candeia brilha com o seu resplendor.

### Jesus censura os fariseus e os mestres da lei

**37** Estando ele ainda falando, convidou-lhe um fariseu para jantar com ele; e, entrando, tomou lugar à mesa. **38** O fariseu, porém, admirou-se, vendo que não se lavara antes do jantar. **39** O Senhor, porém, lhe disse: Vós, os fariseus, limpais o exterior do copo e do prato, mas o vosso interior está cheio de ganância e maldade. **40** Loucos! O que fez o exterior não fez também o interior? **41** Antes dai esmola do que tiverdes, e tudo vos será limpo. **42** Ai, porém, de vós, fariseus, que dizimais a hortelã, a arruda e todas as hortaliças, e desprezais o juízo e o amor de Deus. Devíeis fazer estas coisas, sem deixar de fazer as outras. **43** Ai de vós, fariseus, que amais os primeiros assentos nas sinagogas e as saudações nas praças. **44** Ai de vós, mestres da lei e fariseus hipócritas, que sois como as sepulturas invisíveis, e os homens que sobre elas andam não o sabem. **45** Disse-lhe um dos mestres da lei: Mestre, quando dizes isso também nos ofendes a nós. **46** Ele, porém, respondeu: Ai de vós também, mestres da lei, que sobrecarregais os homens com cargas difíceis de transportar, e vós mesmos nem movem um dos vossos dedos para tocar nessas cargas. **47** Ai de vós! Porque construís os sepulcros dos profetas que vossos pais mataram. **48** Testificais que concordais nas obras de vossos pais; eles os mataram, e vós construís os seus sepulcros. **49** Por isso, diz a sabedoria de Deus: Profetas e apóstolos lhes mandarei, e eles matarão a uns e perseguirão a outros. **50** Portanto desta geração será requerido o sangue de todos os profetas, que foi derramado desde a fundação do mundo, **51** desde o sangue de Abel até o sangue de Zacarias, que foi morto entre o altar e o templo. Sim, eu vos digo que será cobrado desta geração. **52** Ai de vós, mestres da lei, porque tomastes a chave do conhecimento. Vós mesmos não entrastes e impedistes os que entravam.

**53** Dizendo-lhes ele isto, começaram os mestres da lei e os fariseus a pressioná-lo com insistência e a fazê-lo falar acerca de muitas coisas,
**54** armando-lhe ciladas, a fim de tirarem da sua boca alguma coisa para o acusar.

**12** Ajuntando-se, entretanto, uma multidão de milhares de pessoas, de modo que se atropelavam uns aos outros, Jesus começou a dizer aos seus discípulos: Tende cuidado com o fermento dos fariseus, que é a hipocrisia.
**2** Nada há escondido que não haja de ser descoberto, nem oculto, que não haja de ser conhecido.
**3** Tudo o que em trevas dissestes à luz será ouvido, e o que falastes ao ouvido no interior da casa sobre os telhados será anunciado.

### Não devemos temer os homens
*Mt 10:28-33*

**4** Digo-vos, amigos meus: Não temais os que matam o corpo e depois não têm mais que fazer.
**5** Eu, porém, vos mostrarei a quem deveis temer: Temei aquele que depois de matar tem poder para lançar no inferno. Sim, digo-vos, a esse temei.
**6** Não se vendem cinco pardais por duas moedinhas? Contudo, nenhum deles está esquecido diante de Deus.
**7** Até os cabelos da vossa cabeça estão todos contados. Não temais! Mais valeis vós do que muitos pardais.
**8** Digo-vos que todo aquele que me confessar diante dos homens, também o Filho do homem o confessará diante dos anjos de Deus.
**9** Quem, porém, me negar diante dos homens será negado diante dos anjos de Deus.
**10** E a todo aquele que disser uma palavra contra o Filho do homem, isso lhe será perdoado, mas o que blasfemar contra o Espírito Santo não será perdoado.
**11** Quando vos conduzirem às sinagogas, aos governadores e autoridades, não estejais preocupados de como ou do que haveis de responder, nem do que haveis de dizer,
**12** pois na mesma hora o Espírito Santo vos ensinará o que deveis dizer.

### A parábola do rico insensato

**13** Disse-lhe um homem da multidão: Mestre, dize a meu irmão que divida comigo a herança.
**14** Jesus, porém, lhe disse: Homem, quem me pôs a mim por juiz ou árbitro entre vós?
**15** Então lhes disse: Cuidai-vos e guardai-vos da ganância; a vida de um homem não consiste na quantidade de bens que ele possui.
**16** E propôs-lhes esta parábola: O campo de um homem rico produziu com abundância.
**17** Então ele pensava consigo mesmo, dizendo: Que farei? Não tenho onde guardar os meus frutos.
**18** E disse: Farei isto: Derrubarei os meus celeiros, construirei outros maiores e aí guardarei todo o meu produto e todos os meus bens.
**19** Então direi à minha alma: Alma, tens guardados muitos bens para muitos anos. Descansa, come, bebe e alegre-se.
**20** Deus, porém, lhe disse: Louco, esta noite te pedirão a tua alma. Então o que tens preparado para quem ficará?

**21** Assim é aquele que para si ajunta tesouros e não é rico para com Deus.

### A solicitude pela vida
*Mt 6:25-34*

**22** Disse Jesus a seus discípulos: Portanto vos digo: Não estejais preocupados pela vossa vida, sobre o que comereis, nem pelo corpo, sobre o que vestireis.
**23** Mais é a vida do que o sustento, e o corpo mais do que as roupas.
**24** Olhai os corvos, que não plantam nem colhem, não têm despensa nem celeiro; contudo, Deus os alimenta. Quanto mais valeis vós do que as aves!
**25** Qual de vós, por ansioso que esteja, pode acrescentar um instante ao curso da sua vida?
**26** Visto que nada podeis fazer quanto às coisas mínimas, por que estais ansiosos pelas outras?
**27** Olhai como crescem os lírios. Não trabalham nem fiam. Contudo, digo-vos que nem ainda Salomão, em toda a sua glória, se vestiu como um deles.
**28** Se Deus assim veste a erva que hoje está no campo e amanhã é lançada no forno, quanto mais a vós, homens de pequena fé.
**29** Não pergunteis que haveis de comer, ou que haveis de beber, e não andeis inquietos.
**30** Pois os gentios de todo o mundo buscam todas essas coisas, e vosso Pai sabe que necessitais delas.
**31** Buscai antes o Reino de Deus, e todas estas coisas vos serão acrescentadas.
**32** Não temas, ó pequeno rebanho, pois a vosso Pai agradou dar-vos o Reino.
**33** Vendei o que tendes e dai esmolas. Fazei para vós bolsas que não se envelheçam, tesouro nos céus que nunca acabe, onde o ladrão não chega e a traça não destrói.
**34** Pois onde estiver o vosso tesouro aí estará também o vosso coração.

### A parábola do servo vigilante
*Mt 24:45-51*

**35** Estejam prontos para servir e acesas as vossas candeias.
**36** Sede vós semelhantes aos homens que esperam o seu senhor, ao voltar ele da festa de casamento, para que, quando vier, e bater, logo possam abrir-lhe a porta.
**37** Bem-aventurados aqueles servos, os quais, quando o senhor vier, achar vigiando! Em verdade vos digo que se vestirá, os fará assentar à mesa e, chegando-se, os servirá.
**38** E, se vier de noite, e se vier de madrugada e os achar assim, bem-aventurados são os tais servos.
**39** Entendei, porém, isto: Se o pai de família soubesse a que hora havia de vir o ladrão, vigiaria e não deixaria invadir a sua casa.
**40** Portanto, estai vós também preparados, porque virá o Filho do homem à hora que não esperais.
**41** Perguntou-lhe Pedro: Senhor, dizes esta parábola a nós, ou a todos?
**42** Respondeu-lhe o Senhor: Qual é, pois, o administrador fiel e prudente, a quem o senhor pôs sobre os seus servos, para lhes dar no devido tempo o alimento?
**43** Bem-aventurado aquele servo a quem o senhor, quando vier, achar fazendo assim.
**44** Em verdade vos digo que sobre todos os seus bens o porá.
**45** Mas se aquele servo disser em seu coração: O meu senhor

demora em vir, e começar a espancar os criados e as criadas, a comer, a beber e a embriagar-se, **46** virá o senhor daquele servo no dia em que não o espera, numa hora em que ele não sabe, o separará e lhe dará a sua parte com os infiéis.

**47** O servo que soube a vontade do seu senhor e não se preparou, nem fez conforme a sua vontade, será castigado com muitos açoites. **48** O que, porém, não a soube e fez coisas dignas de açoites, com poucos açoites será castigado. A quem muito for dado muito lhe será pedido, e ao que muito se lhe confiou muito mais lhe será pedido.

### Jesus traz fogo e divisão à terra

**49** Vim lançar fogo na terra, e que mais quero se já está aceso? **50** Importa, porém, que eu seja batizado com certo batismo, e como me angustio até que venha a cumprir-se!
**51** Pensais vós que vim trazer paz à terra? Não, vos digo; antes, divisão.
**52** Daqui em diante estarão cinco divididos numa casa: três contra dois, e dois contra três.
**53** O pai estará dividido contra o filho, e o filho contra o pai, a mãe contra a filha, e a filha contra a mãe, a sogra contra a nora, e a nora contra a sogra.

### Os sinais dos tempos

**54** Disse também à multidão: Quando vedes a nuvem que vem do ocidente, logo dizeis: Lá vem chuva, e assim acontece.
**55** Quando vedes soprar o vento sul, dizeis: Haverá calma, e assim ocorre.
**56** Hipócritas, sabeis interpretar a face da terra e do céu. Como não sabeis então compreender este tempo?
**57** Por que não julgais também por vós mesmos o que é justo?
**58** Quando fores com o teu adversário ao tribunal, procura livrar-te dele no caminho, para que não te conduza ao juiz, e o juiz te entregue ao carcereiro e o carcereiro te tranque na prisão.
**59** Digo-te que não sairás dali enquanto não pagares até o último centavo.

### A necessidade de arrependimento

**13** Naquele mesmo tempo, estavam presentes alguns que lhe falavam dos galileus, cujo sangue Pilatos misturara com os sacrifícios que aqueles realizavam. **2** Respondeu-lhes Jesus: Pensais vós que esses galileus foram mais pecadores do que todos os galileus, por terem sofrido tais coisas? **3** Não, vos digo! Antes, se não vos arrependerdes, todos de igual modo perecereis.
**4** Ou aqueles dezoito, sobre os quais caiu a torre de Siloé e os matou, pensais que foram mais culpados do que todos os outros habitantes de Jerusalém?
**5** Não, vos digo! Antes, se não vos arrependerdes, todos de igual modo perecereis.

### A parábola da figueira estéril

**6** Então Jesus proferiu esta parábola: Certo homem tinha uma figueira plantada na sua vinha e, indo procurar nela fruto, não o achou.
**7** Pelo que disse ao que cuidava da vinha: Há três anos venho procurar fruto nesta figueira e não o acho.

Corta-a! Por que ocupa ainda a terra inutilmente?

**8** Ele, porém, respondeu: Senhor, deixa-a este ano, até que eu a escave e a adube.

**9** Se der fruto, ficará! Se não, depois a mandarás cortar.

### A cura de uma paralítica

**10** E ensinava no sábado, numa das sinagogas.

**11** Estava ali uma mulher que tinha um espírito de enfermidade havia já dezoito anos. Ela andava curvada e não podia de modo algum endireitar-se.

**12** Vendo-a Jesus, chamou-a a si e lhe disse: Mulher, tu estás livre da tua enfermidade.

**13** Então ele pôs as mãos sobre ela, e logo ela se endireitou e glorificava a Deus.

**14** Tomando a palavra o dirigente da sinagoga, indignado porque Jesus curava no sábado, disse à multidão: Seis dias há em que é permitido trabalhar. Nestes vinde para serdes curados, e não no sábado.

**15** Respondeu-lhe, porém, o Senhor: Hipócrita! No sábado não desamarra cada um de vós o seu boi, ou jumento, e não o leva a beber água?

**16** E não convinha soltar desta prisão, no dia de sábado, esta filha de Abraão, a qual há dezoito anos Satanás tinha presa?

**17** Dizendo ele isso, todos os seus oponentes ficaram envergonhados, e todo o povo se alegrava por todas as coisas gloriosas que Jesus fazia.

### As parábolas do grão de mostarda e do fermento

Mt 13.31-33; Mc 4.30-32

**18** Então Jesus perguntou: A que é semelhante o Reino de Deus, e a que o compararei?

**19** É semelhante ao grão de mostarda que um homem plantou na sua horta. Cresceu e fez-se árvore, e em seus ramos se aninharam as aves do céu.

**20** Perguntou mais: A que compararei o Reino de Deus?

**21** É semelhante ao fermento que uma mulher misturou em três medidas de farinha, até que tudo fermentou.

### A porta estreita

**22** Percorria Jesus as cidades e as aldeias, ensinando e caminhando para Jerusalém.

**23** Perguntou-lhe um homem: Senhor, são poucos os que se salvam? Ele lhes respondeu:

**24** Esforçai-vos por entrar pela porta estreita, porque eu vos digo que muitos procurarão entrar e não poderão.

**25** Quando o pai de família se levantar e fechar a porta, e do lado de fora começardes a bater, dizendo: Senhor, Senhor, abre-nos, ele vos responderá: Não sei de onde sois.

**26** Então direis: Comemos e bebemos na tua presença, e tu ensinaste nas nossas ruas.

**27** Ele, porém, vos responderá: Digo-vos que não sei de onde sois. Afastai-vos de mim, vós todos os que praticais o mal.

**28** Haverá choro e ranger de dentes, quando virdes Abraão, Isaque, Jacó e todos os profetas, no Reino de Deus, e vós lançados fora.

**29** Virão do Oriente e do Ocidente, do Norte e do Sul, e tomarão lugares à mesa no Reino de Deus.

**30** Há últimos que virão a ser primeiros, e primeiros que serão últimos.

## O lamento de Jesus sobre Jerusalém

**31** Naquele mesmo dia chegaram uns fariseus, dizendo-lhe: Sai e retira-te daqui. Herodes quer matar-te.
**32** Respondeu-lhes Jesus: Ide dizer àquela raposa: Eu expulso demônios e curo doenças, hoje e amanhã, e no terceiro dia terminarei.
**33** Importa, porém, caminhar hoje, amanhã e no dia seguinte, para que não aconteça que morra um profeta fora de Jerusalém.
**34** Jerusalém, Jerusalém, que matas os profetas e apedrejas os que te são enviados! Quantas vezes quis eu ajuntar os teus filhos, como a galinha ajunta os seus pintinhos debaixo das asas, e vós não o quisestes!
**35** Olhai, a vossa casa ficará deserta. Em verdade vos digo que não me vereis mais até que venhais a dizer: Bendito aquele que vem em nome do Senhor.

## A cura de um hidrópico

**14** Num sábado, quando Jesus entrou na casa de um dos principais dos fariseus para comer pão, eles o estavam observando.
**2** Estava ali diante dele certo homem hidrópico.
**3** Jesus perguntou aos mestres da lei e aos fariseus: É permitido curar no sábado?
**4** Eles, porém, se calaram. E tomando-o, o curou e o mandou embora.
**5** Então lhes perguntou: Qual de vós, se o filho ou o boi cair num poço, em dia de sábado, não o tirará logo?
**6** Nada lhe podiam responder sobre isto.

## A parábola dos primeiros assentos e dos convidados

**7** Reparando como escolhiam os primeiros assentos, propôs-lhes esta parábola:
**8** Quando por alguém fores convidado para um casamento, não te assentes no primeiro lugar, pois poderá haver um convidado mais importante do que tu.
**9** Então o que convidou a ti e a ele poderá dizer: Dá o lugar a este. Assim, com vergonha, terás de tomar o último lugar.
**10** Mas, quando fores convidado, vai e assenta-te no último lugar, para que, quando vier o que te convidou, te diga: Amigo, venha para um lugar mais importante. Então terás honra diante dos que estiverem contigo à mesa.
**11** Pois qualquer que a si mesmo se exaltar será humilhado, e aquele que a si mesmo se humilhar será exaltado.
**12** Então Jesus disse ao que o tinha convidado: Quando deres um jantar, ou uma ceia, não convides os teus amigos, nem os teus parentes, nem vizinhos ricos, para que não aconteça que também eles te tornem a convidar e sejas retribuído.
**13** Quando, porém, deres um banquete, convida os pobres, os aleijados, os mancos e os cegos
**14** e serás bem-aventurado. Embora eles não tenham com que te retribuir, recompensado serás na ressurreição dos justos.

## A parábola da grande ceia
*Mt 22:1-14*

**15** Ouvindo isto um dos que estavam com ele à mesa, disse-lhe: Bem-aventurado o que comer pão no Reino de Deus.

**16** Jesus respondeu: Certo homem deu uma grande ceia e convidou muitas pessoas.
**17** Na hora da ceia mandou o seu servo dizer aos convidados: Vinde, pois tudo já está pronto.
**18** Todos, porém, à uma começaram a dar desculpas. Disse-lhe o primeiro: Comprei um campo e preciso ir vê-lo. Peço-te que me desculpes.
**19** Outro disse: Comprei cinco juntas de bois e vou experimentá-los. Peço-te que me desculpes.
**20** Outro disse: Casei-me e por isso não posso ir.
**21** Voltando aquele servo, contou essas coisas ao seu senhor. Então o dono da casa, indignado, disse ao seu servo: Sai depressa pelas ruas e bairros da cidade e traze aqui os pobres, os aleijados, os cegos e os mancos.
**22** Disse o servo: Senhor, está feito como mandaste, mas ainda há lugar.
**23** Então disse o senhor ao servo: Sai pelos caminhos e valados e força-os a entrar, para que a minha casa se encha.
**24** Eu vos digo que nenhum daqueles homens que foram convidados provará o meu banquete.

### A parábola acerca da providência

**25** Certa vez ia com ele grande multidão. Voltando-se, disse-lhes:
**26** Se alguém vier a mim, e não deixar pai, e mãe, e mulher, e filhos, e irmãos, e irmãs, e até mesmo a sua própria vida, não pode ser meu discípulo.
**27** Qualquer que não tomar a sua cruz e não vier após mim não pode ser meu discípulo.
**28** Se algum de vós está querendo construir uma torre, não se assenta primeiro a fazer as contas dos gastos, para ver se tem com que a acabar?
**29** Para que não aconteça que, depois de haver colocado os alicerces, e não a podendo acabar, todos os que a virem comecem a zombar dele,
**30** dizendo: Este homem começou a construir e não pôde acabar.
**31** Ou qual é o rei que, indo para combater outro rei, não se assenta primeiro para calcular se com dez mil pode enfrentar ao que vem contra ele com vinte mil?
**32** Se não puder enfrentá-lo, estando o outro ainda longe, manda embaixadores e propõe-lhe acordo de paz.
**33** Da mesma forma, qualquer de vós que não renuncia a tudo o que tem não pode ser meu discípulo.
**34** Bom é o sal, mas, se tornar-se insípido, como recuperar-lhe o sabor?
**35** Nem presta para a terra, nem para o adubo; é jogado fora. Quem tem ouvidos para ouvir, ouça.

### As parábolas da ovelha e da moeda perdidas

**15** Chegavam-se a ele todos os cobradores de impostos e pecadores para o ouvir.
**2** Os fariseus e os mestres da lei, porém, murmuravam: Este recebe pecadores e come com eles.
**3** Então Jesus lhes propôs esta parábola:
**4** Que homem dentre vós, tendo cem ovelhas e perdendo uma delas, não deixa no deserto as noventa e nove e não vai atrás da perdida até achá-la?
**5** E, quando a encontra, coloca-a sobre os ombros, cheio de alegria,

**6** e vai para casa. Então chama os amigos e vizinhos e lhes diz: Alegrai-vos comigo; achei a minha ovelha perdida.
**7** Digo-vos que do mesmo jeito haverá alegria no céu por um pecador que se arrepende, mais do que por noventa e nove justos que não precisam de arrependimento.
**8** Ou qual a mulher que, tendo dez moedas, se perder uma, não acende a candeia, varre a casa e a busca com persistência até achá-la?
**9** E, quando a encontra, chama as amigas e vizinhas, dizendo: Alegrai-vos comigo; achei a moeda perdida.
**10** Assim vos digo que há alegria diante dos anjos de Deus por um pecador que se arrepende.

### A parábola do filho pródigo

**11** Jesus continuou: Certo homem tinha dois filhos.
**12** O mais moço deles disse ao pai: Pai, dá-me a parte da herança que me pertence. E o pai repartiu os bens entre os dois.
**13** Poucos dias depois, o filho mais novo, ajuntando tudo, partiu para uma terra distante e ali desperdiçou os seus bens, vivendo irresponsavelmente.
**14** Depois de ter gasto tudo, houve naquela terra uma grande fome, e começou a passar necessidades.
**15** Então ele foi e se chegou a um dos cidadãos daquela terra, o qual o mandou para os seus campos a cuidar de porcos.
**16** Ele desejava encher o estômago com as vagens de alfarrobeiras que os porcos comiam, mas ninguém lhe dava nada.
**17** Então, caindo em si, disse: Quantos trabalhadores de meu pai têm abundância de pão, e eu aqui passando fome!
**18** Eu me levantarei, irei ter com meu pai e lhe direi: Pai, pequei contra o céu e contra ti.
**19** Já não sou digno de ser chamado teu filho; trata-me como um dos teus trabalhadores.
**20** Então, levantando-se, foi para seu pai. Quando ainda estava longe, viu-o seu pai e se moveu de íntima compaixão e, correndo, o abraçou e o beijou.
**21** O filho lhe disse: Pai, pequei contra o céu e perante ti, já não sou digno de ser chamado teu filho.
**22** O pai, porém, disse aos seus servos: Trazei depressa a melhor roupa, vesti-o com ela e ponde-lhe um anel na mão e sandálias nos pés.
**23** Trazei o bezerro gordo e matai-o. Comamos e alegremo-nos.
**24** Pois este meu filho estava morto e reviveu; tinha-se perdido e foi achado. E começaram a festejar.
**25** O filho mais velho estava no campo. Quando voltou, e chegou perto de casa, ouviu a música e as danças.
**26** Chamando um dos criados, perguntou-lhe o que era aquilo.
**27** Ele lhe disse: Veio teu irmão, e teu pai matou o bezerro gordo, porque o recebeu são e salvo.
**28** Mas ele se indignou e não queria entrar. Então, saindo o pai, insistiu com ele.
**29** Ele, porém, respondeu a seu pai: Olha, sirvo-te há tantos anos, sem nunca desobedecer às tuas ordens, e nunca me deste um cabrito para alegrar-me com os meus amigos.
**30** Vindo, porém, este teu filho, que desperdiçou os teus bens com

prostitutas, tu mandaste matar para ele o bezerro gordo. 31 Respondeu-lhe o pai: Filho, tu sempre estás comigo, e todas as minhas coisas são tuas. 32 Era, porém, justo alegrarmo-nos e festejarmos, porque este teu irmão estava morto e reviveu, estava perdido e foi achado.

### A parábola do administrador infiel

**16** Disse Jesus aos discípulos: Havia um homem rico cujo administrador foi acusado de desperdiçar os seus bens. 2 Então, chamando-o, lhe disse: Que é isto que ouço de ti? Presta contas da tua administração, porque já não poderás ser meu administrador. 3 O administrador disse consigo: Agora, que farei? O meu senhor me tira o emprego. Cavar, não posso, e de mendigar, tenho vergonha. 4 Eu sei o que hei de fazer, para que, quando for demitido da administração, me recebam em suas casas. 5 Chamando a si cada um dos devedores do seu senhor, disse ao primeiro: Quanto deves ao meu senhor? 6 Ele respondeu: Cem potes de azeite. Disse-lhe: Toma a tua conta e, assentando-te depressa, escreve cinquenta. 7 Disse depois a outro: E tu quanto deves? Ele respondeu: Cem coros de trigo. Disse-lhe: Toma a tua conta e escreve oitenta. 8 Louvou aquele senhor o injusto administrador por haver procedido astutamente. Pois os filhos deste mundo são mais astutos na sua geração do que os filhos da luz. 9 Eu vos digo: Ganhai amigos com as riquezas da injustiça, para que, quando estas vos faltarem, vos recebam eles nas moradas eternas. 10 Quem é fiel no mínimo também é fiel no muito, e quem é injusto no mínimo também é injusto no muito. 11 Se nas riquezas injustas não fostes fiéis, quem vos confiará as verdadeiras? 12 E se no que é dos outros não fostes fiéis, quem vos dará o que é vosso? 13 Ninguém pode servir a dois senhores. Ou há de aborrecer a um e amar ao outro, ou se há de chegar a um e desprezar o outro. Não podeis servir a Deus e às riquezas.

### A autoridade da lei

14 Os fariseus, que amavam o dinheiro, ouviam todas estas coisas e zombavam dele. 15 Jesus, porém, lhes disse: Vós sois os que vos justificais a vós mesmos diante dos homens, mas Deus conhece os vossos corações. O que entre os homens é elevado, perante Deus é desprezível. 16 A Lei e os Profetas duraram até João. Desde então é anunciado o Reino de Deus, e todo homem usa força para entrar nele. 17 É mais fácil passar o céu e a terra do que cair um til sequer da Lei. 18 Qualquer que deixa sua mulher e casa com outra adultera, e aquele que casa com a repudiada pelo marido adultera também.

### O rico e Lázaro

19 Ora, havia certo homem rico que se vestia de púrpura e de

linho finíssimo e vivia todos os dias no luxo.

**20** Havia também certo mendigo, chamado Lázaro, que estava coberto de feridas à porta daquele, **21** e desejava alimentar-se com as migalhas que caíam da mesa do rico. Os próprios cães vinham lamber-lhe as feridas.

**22** Morreu o mendigo e foi levado pelos anjos para junto de Abraão. Morreu também o rico e foi sepultado. **23** No inferno, estando em tormentos, ergueu os olhos e viu ao longe a Abraão e Lázaro junto dele. **24** Então clamou: Pai Abraão, tem misericórdia de mim e manda a Lázaro que molhe na água a ponta do seu dedo e me refresque a língua, porque estou atormentado nesta chama. **25** Abraão, porém, respondeu: Filho, lembra-te de que recebeste os teus bens em tua vida, ao passo que Lázaro somente males, mas agora ele é consolado e tu atormentado. **26** Além disso, tem um grande abismo entre nós e vós, de modo que os que quisessem passar daqui para vós não poderiam, nem os de lá passar para cá.

**27** Respondeu ele: Peço-te, ó pai, que o mandes à casa de meu pai, **28** pois tenho cinco irmãos. Que ele lhes dê testemunho, a fim de que não venham também para este lugar de tormento.

**29** Disse-lhe Abraão: Têm Moisés e os profetas; ouçam-nos.

**30** Disse o rico: Não, pai Abraão, mas se algum dos mortos fosse ter com eles, se arrependeriam. **31** Respondeu Abraão: Se não ouvem a Moisés e aos profetas, tampouco acreditarão, ainda que algum dos mortos volte à vida.

### Acerca dos escândalos, do perdão, do poder da fé e dos servos inúteis

**17** Disse Jesus aos discípulos: É impossível que não venham escândalos, mas ai daquele por quem vierem! **2** Melhor fora que lhe pusessem ao pescoço uma pedra de moinho e fosse lançado ao mar do que fazer tropeçar um destes pequeninos. **3** Olhai por vós mesmos. Se teu irmão pecar contra ti, repreende-o e, se ele se arrepender, perdoa-lhe. **4** Se pecar contra ti sete vezes no dia, e sete vezes no dia vier ter contigo, e disser: Arrependo-me; perdoa-lhe.

**5** Disseram então os apóstolos ao Senhor: Aumenta-nos a fé.

**6** Respondeu o Senhor: Se tivésseis fé como um grão de mostarda, diríeis a esta amoreira: Arranca-te daqui e planta-te no mar, e ela vos obedeceria.

**7** Qual de vós terá um servo a trabalhar na lavoura ou a apascentar o gado, a quem, voltando ele do campo, diga: Chega-te e assenta-te à mesa? **8** E não lhe diga antes: Prepara-me o jantar, apronte-se e serve-me, até que tenha comido e bebido, e depois comerás e beberás tu? **9** Dá graças ao tal servo, porque fez o que lhe foi mandado? Creio que não. **10** Assim também vós, quando fizerdes tudo o que vos for mandado, dizei: Somos servos inúteis; fizemos somente o que devíamos fazer.

### A cura de dez leprosos

**11** Indo ele a Jerusalém, passou pelo meio de Samaria e da Galileia.

**12** Entrando em certa aldeia, saíram-lhe ao encontro dez leprosos, os quais pararam de longe
**13** e clamaram: Jesus, Mestre, tem misericórdia de nós.
**14** Jesus, vendo-os, disse-lhes: Ide e mostrai-vos aos sacerdotes. Indo eles, ficaram limpos.
**15** Um deles, vendo que estava curado, voltou glorificando a Deus em alta voz
**16** e caiu aos pés de Jesus, com o rosto em terra, dando-lhe graças; e este era samaritano.
**17** Jesus perguntou: Não foram dez os que foram limpos? Onde estão os nove?
**18** Não houve quem voltasse para dar glória a Deus, senão este estrangeiro?
**19** Então lhe disse: Levanta-te e vai; a tua fé te salvou.

### A vinda súbita do Reino de Deus

**20** Interrogado pelos fariseus sobre quando havia de vir o Reino de Deus, respondeu-lhes: O Reino de Deus não vem de forma visível.
**21** Nem dirão: Ei-lo aqui! ou: Ei-lo ali! Porque o Reino de Deus está dentro de vós.
**22** Então disse aos discípulos: Dias virão em que desejareis ver um dos dias do Filho do homem, mas não o vereis.
**23** E vos dirão: Ei-lo aqui! ou: Ei-lo ali! Não vades, nem os sigais.
**24** Porque como o relâmpago ilumina desde uma até a outra ponta do céu, assim será também o Filho do homem no seu dia.
**25** Primeiro, porém, é necessário que ele sofra muito e seja rejeitado por esta geração.
**26** Como aconteceu nos dias de Noé, assim será também nos dias do Filho do homem.
**27** Comiam, bebiam, casavam e davam-se em casamento, até o dia em que Noé entrou na arca, e veio o Dilúvio e os destruiu a todos.
**28** A mesma coisa aconteceu nos dias de Ló. Comiam, bebiam, compravam, vendiam, plantavam e construíam.
**29** No dia, porém, em que Ló saiu de Sodoma, choveu do céu fogo e enxofre, e os destruiu a todos.
**30** Assim será no dia em que o Filho do homem se revelar.
**31** Naquele dia, quem estiver no telhado, tendo os seus bens em casa, não desça para pegá-los. Da mesma forma, o que estiver no campo não volte para trás.
**32** Lembrai-vos da mulher de Ló.
**33** Qualquer que procurar salvar a sua vida, a perderá, e qualquer que a perder, a salvará.
**34** Digo-vos que naquela noite estarão dois numa cama; um será levado, e o outro será deixado.
**35** Duas estarão juntas, moendo; uma será levada, e a outra será deixada.
**36** Dois estarão no campo; um será levado, e o outro será deixado.
**37** Então lhe perguntaram: Onde, Senhor? Ele lhes respondeu: Onde estiver o cadáver, aí se ajuntarão os abutres.

### A parábola do juiz iníquo

**18** Jesus contou-lhes uma parábola sobre o dever de orar sempre, sem jamais desanimar.
**2** Havia numa cidade certo juiz que não temia a Deus nem respeitava o homem.
**3** Havia também naquela mesma cidade certa viúva, que ia ter com ele, dizendo: Faze-me justiça contra o meu adversário.

**4** Por algum tempo não quis atendê-la. Depois, porém, disse consigo: Ainda que eu não tema a Deus, nem respeite os homens,
**5** todavia, como esta viúva me aborrece, hei de fazer-lhe justiça, para que enfim não volte e me perturbe muito.
**6** Disse o Senhor: Ouvi o que diz o injusto juiz.
**7** Não fará Deus justiça aos seus escolhidos, que clamam a ele de dia e de noite, ainda que os faça esperar?
**8** Digo-vos que depressa lhes fará justiça. Quando, porém, vier o Filho do homem, achará fé na terra?

### A parábola do fariseu e do cobrador de impostos

**9** Jesus disse esta parábola a alguns que confiavam em si mesmos, crendo que eram justos, e desprezavam os outros:
**10** Dois homens subiram ao templo para orar; um era fariseu e o outro, cobrador de impostos.
**11** O fariseu, em pé, orava consigo desta maneira: Ó Deus, graças te dou porque não sou como os demais homens, ladrões, injustos e adúlteros, nem ainda como este cobrador de impostos.
**12** Jejuo duas vezes na semana e dou os dízimos de tudo o que possuo.
**13** O cobrador de impostos, porém, estando em pé, de longe, nem ainda queria levantar os olhos ao céu, mas batia no peito, dizendo: Ó Deus, tem misericórdia de mim, pecador!
**14** Digo-vos que este foi justificado para sua casa, e não aquele. Pois qualquer que a si mesmo se exaltar será humilhado, e qualquer que a si mesmo se humilhar será exaltado.

### Jesus abençoa as crianças
Mt 19.13-15

**15** Traziam-lhe também as crianças, para que ele tocasse nelas. Os discípulos, vendo isto, repreendiam-nos.
**16** Jesus, porém, chamando-as para si, disse: Deixai vir a mim os pequeninos, e não os impeçais, pois dos tais é o Reino de Deus.
**17** Em verdade vos digo que qualquer que não receber o Reino de Deus como uma criança não entrará nele.

### O jovem rico
Mt 19.16-22; Mc 10.17-22

**18** Perguntou-lhe certo homem de posição: Bom Mestre, que hei de fazer para herdar a vida eterna?
**19** Respondeu-lhe Jesus: Por que me chamas bom? Ninguém há bom, senão um, que é Deus.
**20** Sabes os mandamentos: Não adulterarás, não matarás, não furtarás, não dirás falso testemunho, honra a teu pai e a tua mãe.
**21** Disse ele: A todas essas coisas tenho obedecido desde a minha juventude.
**22** Quando Jesus ouviu isso, disse-lhe: Ainda te falta uma coisa. Vende tudo o que tens, reparte-o com os pobres e terás um tesouro no céu. Depois vem e segue-me.
**23** Ouvindo ele isto, encheu-se de tristeza, porque era muito rico.
**24** Vendo Jesus que ele ficara muito triste, disse: Quão dificilmente entrarão no Reino de Deus os que têm riquezas!
**25** Com certeza, é mais fácil passar um camelo pelo fundo de uma agulha do que entrar um rico no Reino de Deus.
**26** Os que ouviram isso disseram: Logo, quem pode salvar-se?

27 Ele, porém, respondeu: As coisas que são impossíveis aos homens são possíveis a Deus.
28 Disse Pedro: Nós deixamos tudo e te seguimos.
29 Disse-lhes ele: Em verdade vos digo que ninguém há que tenha deixado casa, ou pais, ou irmãos, ou mulher, ou filhos, pelo Reino de Deus,
30 e não receba muito mais neste mundo e no mundo vindouro a vida eterna.

### Jesus anuncia sua morte e ressurreição
Mt 20.17-19; Mc 10.32-34

31 Tomando consigo os Doze, disse-lhes: Subamos a Jerusalém, e se cumprirá no Filho do homem tudo o que os profetas escreveram.
32 Ele há de ser entregue aos gentios. Eles zombarão dele, o insultarão e cuspirão nele,
33 baterão nele e depois o matarão. Ao terceiro dia ressuscitará.
34 Eles nada disso entendiam, e esta palavra lhes era omitida, não percebendo o que se lhes dizia.

### O cego de Jericó
Mt 20.29-34; Mc 10.46-52

35 Chegando ele perto de Jericó, estava um cego assentado à beira do caminho, mendigando.
36 Ouvindo passar a multidão, perguntou que era aquilo.
37 Disseram-lhe que Jesus de Nazaré passava.
38 Então ele clamou: Jesus, Filho de Davi, tem misericórdia de mim.
39 Os que iam na frente repreendiam-no para que se calasse, mas ele clamava ainda mais: Filho de Davi, tem misericórdia de mim.
40 Jesus parou e mandou que lhe trouxessem o cego. Chegando ele, Jesus lhe perguntou:
41 Que queres que te faça? Respondeu ele: Senhor, quero ver.
42 Disse-lhe Jesus: Vê. A tua fé te salvou.
43 Imediatamente o homem voltou a ver e seguia-o, glorificando a Deus. E todo o povo, vendo isso, dava louvores a Deus.

### Zaqueu, o cobrador de impostos

**19** Tendo Jesus entrado em Jericó, ia atravessando a cidade.
2 Havia ali um homem chamado Zaqueu, que era chefe dos cobradores de impostos e era rico.
3 Este procurava ver quem era Jesus, mas não podia, por causa da multidão, porque era de pequena estatura.
4 Então, correndo adiante, subiu em uma figueira para vê-lo, já que havia de passar por ali.
5 Quando Jesus chegou àquele lugar, olhou para cima e disse-lhe: Zaqueu, desce depressa. Hoje me convém ficar em tua casa.
6 Apressando-se, desceu e o recebeu com alegria.
7 Todos os que viram isto murmuravam, dizendo que entrara para ser hóspede de um homem pecador.
8 Zaqueu, porém, levantou-se e disse ao Senhor: Senhor, olha, eu dou aos pobres metade dos meus bens; e se em alguma coisa extorqui alguém, devolvo quatro vezes mais.
9 Disse-lhe Jesus: Hoje veio a salvação a esta casa, porque também este é filho de Abraão.
10 Pois o Filho do homem veio buscar e salvar o que se havia perdido.

## As parábolas dos dez servos e das dez minas

Mt 25:14-30

**11** Ouvindo eles estas coisas, Jesus contou uma parábola, porque estava perto de Jerusalém, e pensavam que o Reino de Deus havia de manifestar-se imediatamente. **12** Disse ele: Certo homem nobre partiu para uma terra distante para tomar para si um reino e depois voltar. **13** Chamando dez servos seus, deu-lhes dez minas e disse-lhes: Negociai até que eu volte. **14** Os habitantes daquela terra, porém, o odiavam e mandaram após ele representantes, dizendo: Não queremos que este reine sobre nós. **15** Voltando ele, depois de ter tomado o reino, disse que chamassem aqueles servos, a quem tinha dado o dinheiro, para saber o que cada um tinha ganhado, negociando. **16** Veio o primeiro e disse: Senhor, a tua mina rendeu dez minas. **17** Respondeu-lhe: Bem está, servo bom. Porque no mínimo foste fiel, sobre dez cidades governarás. **18** Veio o segundo e disse: Senhor, a tua mina rendeu cinco minas. **19** A este disse também: Governa tu sobre cinco cidades. **20** Veio outro, dizendo: Senhor, aqui está a tua mina, que guardei num pano. **21** Tive medo de ti, que és homem rigoroso, que tiras o que não depositaste e colhes o que não plantaste. **22** Ele, porém, lhe respondeu: Mau servo, pela tua boca te julgarei! Sabias que sou homem rigoroso, que tiro o que não depositei e colho o que não plantei. **23** Por que, pois, não puseste o meu dinheiro no banco, para que eu, vindo, o recebesse com os juros? **24** Então disse aos que o assistiam: Tirai-lhe a mina e dai-a ao que tem dez. **25** Eles responderam: Senhor, ele já tem dez minas. **26** Eu vos digo que a qualquer que tiver lhe será dado, mas ao que não tiver, até o que tem lhe será tirado. **27** Quanto àqueles meus inimigos que não quiseram que eu reinasse sobre eles, trazei-os aqui e matai-os diante de mim.

## A entrada triunfal de Jesus em Jerusalém

Mt 21:1-11; Mc 11:1-11; Jo 12:12-19

**28** Tendo dito isto, ia caminhando adiante, subindo para Jerusalém. **29** Chegando perto de Betfagé e de Betânia, ao monte chamado das Oliveiras, mandou dois dos seus discípulos, **30** dizendo-lhes: Ide à aldeia que está adiante e, ao entrardes, achareis preso um jumentinho em que nenhum homem ainda montou. Soltai-o e trazei-o. **31** Se alguém vos perguntar: Por que o soltais? assim lhe direis: O Senhor precisa dele. **32** Indo os que haviam sido mandados, acharam como lhes dissera. **33** Quando soltaram o jumentinho, seus donos lhes perguntaram: Por que soltais o jumentinho? **34** Responderam eles: O Senhor precisa dele. **35** Trouxeram-no a Jesus e, lançando sobre o jumentinho as suas roupas, ajudaram Jesus a montar. **36** Indo ele, estendiam no caminho as suas roupas.

**37** Quando já chegava perto da descida do monte das Oliveiras, toda a multidão dos discípulos, alegrando-se, começou a dar louvores a Deus em alta voz, por todas as maravilhas que tinham visto, **38** dizendo:

Bendito o Rei que vem
em nome do Senhor!
Paz no céu e glória
nas alturas!

**39** Disseram-lhe alguns dos fariseus dentre a multidão: Mestre, repreende os teus discípulos. **40** Respondeu-lhes Jesus: Digo-vos que se estes se calarem, as próprias pedras clamarão.
**41** Quando ia chegando, vendo a cidade, chorou sobre ela, **42** dizendo: Ah! Se tu conhecesses, ao menos neste teu dia, o que à tua paz pertence! Mas agora isso está oculto aos teus olhos. **43** Dias virão sobre ti em que os teus inimigos te cercarão de trincheiras, te cercarão e te apertarão de todos os lados. **44** Eles te derrubarão, a ti e a teus filhos que dentro de ti estiverem. Não deixarão em ti pedra sobre pedra, porque não reconheceste a oportunidade que Deus te deu.

### A purificação do templo
*Mt 21:12-17; Mc 11:15-18*

**45** Depois, entrando no templo, começou a expulsar a todos os que nele vendiam e compravam, **46** dizendo-lhes: Está escrito: A minha casa será casa de oração; mas vós a transformastes em esconderijo de ladrões. **47** Todos os dias ensinava no templo. Os principais sacerdotes, os mestres da lei e os líderes religiosos do povo, porém, procuravam matá-lo. **48** Contudo, não achavam meio de o fazer, porque todo o povo o ouvia com muita atenção.

### O batismo de João
*Mt 21:23-27; Mc 11:27-33*

**20** Num daqueles dias, estando ele ensinando o povo no templo e anunciando o evangelho, sobrevieram os principais sacerdotes e os mestres da lei com os líderes religiosos **2** e perguntaram: Dize-nos, com que autoridade fazes estas coisas? Quem é que te deu esta autoridade? **3** Respondeu-lhes Jesus: Também eu vos farei uma pergunta. Dizei-me: **4** O batismo de João era do céu ou dos homens? **5** Eles discutiam entre si, dizendo: Se dissermos: Do céu, ele nos dirá: Então por que não o crestes? **6** Se dissermos: Dos homens, todo o povo nos apedrejará, porque tem certeza que João era profeta. **7** Por fim responderam que não sabiam. **8** Replicou-lhes Jesus: Tampouco vos direi com que autoridade faço isto.

### A parábola dos lavradores maus
*Mt 21:33-46; Mc 12:1-12*

**9** Jesus passou a contar ao povo esta parábola: Certo homem plantou uma vinha, deixou-a sob cuidados de lavradores e ficou fora do país por muito tempo. **10** No tempo da colheita mandou um servo aos lavradores, para que lhe dessem dos frutos da vinha. Os lavradores, porém, espancando-o, mandaram-no embora de mãos vazias. **11** Tornou ainda a mandar outro servo, mas eles, espancando também a este e afrontando-o, mandaram-no embora de mãos vazias.

**12** Tornou ainda a mandar o terceiro, mas eles feriram também a este e o expulsaram.

**13** Disse o senhor da vinha: Que farei? Mandarei o meu filho amado; talvez o respeitem.

**14** Vendo-o, porém, os lavradores discutiram entre si, dizendo: Este é o herdeiro; vinde, matemo-lo, para que a herança seja nossa.

**15** Lançando-o fora da vinha, o mataram. Que lhes fará, pois, o senhor da vinha?

**16** Irá, destruirá esses lavradores e dará a outros a vinha. Ouvindo eles isto, disseram: Não seja assim!

**17** Mas ele, olhando para eles, disse: Então o que é isto que está escrito:

A pedra que os construtores rejeitaram
foi feita cabeça da esquina?

**18** Qualquer que cair sobre essa pedra ficará em pedaços, e aquele sobre quem ela cair será feito em pó.

### A questão do tributo
Mt 22:15-22; Mc 12:13-17

**19** Os principais sacerdotes e os mestres da lei procuravam prendê-lo naquela mesma hora, porque entenderam que contra eles dissera esta parábola. Mas temeram o povo.

**20** E, aguardando oportunidade, mandaram espias que se fingissem de justos, para o apanharem em alguma palavra e o entregarem às autoridades e ao poder do governador.

**21** Perguntaram-lhe: Mestre, nós sabemos que falas e ensinas bem e retamente e que não consideras a aparência da pessoa, mas ensinas com verdade o caminho de Deus.

**22** É-nos correto pagar tributo a César ou não?

**23** Entendendo ele a sua astúcia, disse-lhes: Por que me tentais?

**24** Mostrai-me uma moeda. De quem é a imagem e a inscrição? Responderam-lhe: De César.

**25** Disse-lhes Jesus: Dai, pois, a César o que é de César e a Deus o que é de Deus.

**26** Não puderam apanhá-lo em palavra alguma diante do povo. E, maravilhados da sua resposta, calaram-se.

### Os saduceus e a ressurreição
Mt 22:23-33; Mc 12:18-27

**27** Chegando-se alguns dos saduceus, que dizem não haver ressurreição, perguntaram-lhe:

**28** Mestre, Moisés nos deixou escrito que se o irmão de alguém falecer, tendo mulher, e não deixar filhos, o irmão dele tome a viúva e suscite posteridade a seu irmão.

**29** Ora, houve sete irmãos. O primeiro casou-se com a mulher e morreu sem filhos.

**30** O segundo e o terceiro também a desposaram,

**31** e igualmente os sete. Todos eles morreram e não deixaram filhos.

**32** Por último, depois de todos, morreu também a mulher.

**33** Portanto, na ressurreição, de qual deles será a mulher, visto que os sete a desposaram?

**34** Respondeu-lhes Jesus: Os filhos deste mundo casam-se e dão-se em casamento.

**35** Os que, porém, forem considerados dignos de alcançar o mundo vindouro e a ressurreição dentre

os mortos não se casarão, nem serão dados em casamento
**36** e não podem mais morrer; pois são como os anjos e filhos de Deus, sendo filhos da ressurreição.
**37** E que os mortos hão de ressuscitar, mostrou-o Moisés no trecho referente à sarça, quando chama ao Senhor o Deus de Abraão, o Deus de Isaque e o Deus de Jacó.
**38** Ora, Deus não é Deus de mortos, mas de vivos, pois para ele todos vivem.
**39** Respondendo alguns dos mestres da lei, disseram: Mestre, disseste bem.
**40** E não ousavam perguntar-lhe mais coisa alguma.

### O Cristo, Filho de Davi
*Mt 22:41-46; Mc 12:35-37*

**41** Então Jesus lhes perguntou: Como dizem que o Cristo é filho de Davi?
**42** O próprio Davi declara no livro dos Salmos:
Disse o Senhor ao
 meu Senhor:
Assenta-te à minha direita,
**43** até que eu ponha os
 teus inimigos
por estrado de teus pés.
**44** Se Davi lhe chama Senhor, como pode ser ele seu filho?
**45** Ouvindo-o todo o povo, disse Jesus aos seus discípulos:
**46** Cuidado com os mestres da lei, que querem andar com roupas compridas, amam as saudações nas praças e as principais cadeiras nas sinagogas e os primeiros lugares nos banquetes.
**47** Devoram as casas das viúvas, fazendo, por pretexto, longas orações. Estes receberão maior condenação.

### A oferta da viúva pobre
*Mt 12:41-44*

**21** Olhando ele, viu os ricos lançarem as suas ofertas no gazofilácio.
**2** Viu também uma viúva pobre lançar ali duas pequenas moedas
**3** e disse: Em verdade vos digo que esta viúva pobre deu mais do que todos.
**4** Todos estes deram como oferta daquilo que lhes sobrava; mas esta, da sua pobreza, deu tudo o que tinha.

### O sermão profético. O princípio das dores
*Mt 24:1-14; Mc 13:1-13*

**5** Falavam alguns a respeito do templo, que estava ornado de formosas pedras e dádivas,
**6** então disse Jesus. Quanto a estas coisas que vedes, dias virão em que não se deixará pedra sobre pedra que não seja derrubada.
**7** Perguntaram-lhe: Mestre, quando serão estas coisas? E que sinal haverá quando isto estiver para acontecer?
**8** Respondeu ele: Cuidado para que não vos enganem. Virão muitos em meu nome, dizendo: Sou eu, e o tempo está próximo. Não os sigais.
**9** Quando ouvirdes falar de guerras e revoluções, não vos assusteis. É necessário que isto aconteça primeiro, mas o fim não será logo.
**10** Então lhes disse: Nação se levantará contra nação, e reino contra reino.
**11** Haverá grandes terremotos, fomes e epidemias em vários lugares, coisas espantosas e grandes sinais do céu.
**12** Antes de todas estas coisas, porém, vos prenderão e vos

perseguirão, entregando-vos às sinagogas e às prisões, e conduzindo-vos à presença de reis e governadores, por causa do meu nome.

**13** Isso vos acontecerá para testemunho.

**14** Decidi, porém, em vossos corações não vos preocupardes com o que deveis responder,

**15** porque eu vos darei palavras e sabedoria a que não poderão resistir nem contradizer todos os que se vos opuserem.

**16** Até pelos pais, irmãos, parentes e amigos sereis entregues, e matarão alguns de vós.

**17** De todos sereis odiados por causa do meu nome.

**18** Contudo, não se perderá um único cabelo da vossa cabeça.

**19** Na vossa perseverança ganhareis as vossas almas.

**20** Quando virdes Jerusalém cercada de exércitos, sabereis que é chegada a sua desolação.

**21** Então os que estiverem na Judeia fujam para os montes, os que estiverem no meio da cidade saiam, e os que estiverem nos campos não entrem nela.

**22** Pois dias de vingança são estes, para que se cumpram todas as coisas que estão escritas.

**23** Ai das grávidas e das que amamentarem naqueles dias! Haverá grande sofrimento na terra e ira sobre este povo.

**24** Cairão a fio de espada, e para todas as nações serão levados cativos. Jerusalém será pisada pelos gentios, até que os tempos deles se completem.

**25** Haverá sinais no sol, na lua e nas estrelas. Na terra as nações ficarão angustiadas e perplexas pelo bramido do mar e das ondas.

**26** Homens desmaiarão de terror, na expectativa das coisas que acontecerão ao mundo, pois os corpos celestes serão abalados.

**27** Então verão vir o Filho do homem numa nuvem, com poder e grande glória.

**28** Quando estas coisas começarem a acontecer, olhai para cima e levantai as vossas cabeças, porque a vossa redenção está próxima.

**29** Jesus lhes disse esta parábola: Olhai para a figueira e para todas as árvores.

**30** Quando vedes que as suas folhas começam a brotar, sabeis por vós mesmos que o verão está próximo.

**31** Assim também, quando virdes estas coisas acontecerem, sabei que o Reino de Deus está perto.

**32** Em verdade vos digo que não passará esta geração sem que tudo isto aconteça.

**33** Passará o céu e a terra, mas as minhas palavras não passarão.

**34** Cuidai de vós mesmos, para que não aconteça que os vossos corações se sobrecarreguem de glutonaria, de embriaguez e das preocupações da vida, e aquele dia vos pegue de surpresa, como uma armadilha.

**35** Pois cairá sobre todos os que habitam na face de toda a terra.

**36** Vigiai em todo o tempo e orai para que sejais considerados dignos de escapar de todas estas coisas que acontecerão e de estar em pé diante do Filho do homem.

**37** De dia Jesus ensinava no templo, e à noite ele saía e ia passar a noite no monte chamado das Oliveiras.

**38** E todo o povo ia cedo ao templo para ouvi-lo.

### Judas concorda em trair a Jesus
Mt 26:1-5,14-16; Mc 14:1,2,10,11

**22** Estava perto a festa dos pães sem fermento, chamada Páscoa,

2 e os principais sacerdotes e os mestres da lei andavam procurando um jeito para matar a Jesus secretamente, pois temiam o povo.

3 Então Satanás entrou em Judas, que tinha por sobrenome Iscariotes, que era um dos Doze.

4 E Judas foi aos principais sacerdotes e aos oficiais da guarda do templo para combinar a maneira como lhes entregaria Jesus.

5 Eles se alegraram e concordaram em lhe dar dinheiro.

6 Judas aceitou e começou a buscar oportunidade para lhes entregar Jesus, sem a multidão saber.

### A última Páscoa. A ceia do Senhor
Mt 26:17-30; Mc 14:12-16

7 Chegou o dia dos pães sem fermento em que era necessário sacrificar o cordeiro pascal.

8 Jesus enviou Pedro e João, dizendo: Ide, preparai-nos a refeição da Páscoa, para que a comamos.

9 Eles lhe perguntaram: Onde queres que a preparemos?

10 Ele lhes respondeu: Quando entrardes na cidade, encontrareis um homem levando um pote de água. Segui-o até a casa em que ele entrar.

11 Dizei ao dono da casa: O Mestre manda perguntar-te: Onde está o aposento em que comerei a Páscoa com os meus discípulos?

12 Então ele vos mostrará uma grande sala mobiliada. Fazei aí os preparativos.

13 Eles foram e acharam tudo como Jesus lhes havia dito. Então prepararam a Páscoa.

14 Chegada a hora, pôs-se Jesus à mesa, e com ele os apóstolos.

15 E disse-lhes: Desejei muito comer convosco esta Páscoa, antes do meu sofrimento.

16 Pois vos digo que não mais a comerei até que ela se cumpra no Reino de Deus.

17 Então Jesus pegou o cálice, deu graças e disse: Tomai-o e reparti-o entre vós.

18 Pois vos digo que não mais beberei do fruto da vide, até que venha o Reino de Deus.

19 E pegou o pão, deu graças, partiu-o e deu-lhes, dizendo: Isto é o meu corpo, que por vós é dado; fazei isto em memória de mim.

20 Semelhantemente pegou o cálice, depois da ceia, dizendo: Este é o cálice da Nova Aliança no meu sangue derramado por vós.

21 A mão do que me trai, porém, está comigo à mesa.

22 Na verdade, o Filho do homem vai segundo o que está determinado, mas ai daquele por intermédio de quem é traído!

23 Então começaram a perguntar entre si qual deles seria o que havia de fazer isto.

### O maior será como o menor
Mt 20:25-28

24 Houve também entre eles uma forte discussão sobre qual deles parecia ser o maior.

25 Disse-lhes Jesus: Os reis dos gentios dominam sobre eles, e os que exercem autoridade sobre eles são chamados benfeitores.

26 Mas vós não sereis assim. Pelo contrário, o maior entre vós seja como o menor; e quem governa seja como quem serve.

**27** Pois qual é maior, quem está à mesa ou quem serve? Não é quem está à mesa? Eu, porém, entre vós sou como aquele que serve.
**28** Vós sois os que tendes permanecido comigo nas minhas tentações.
**29** Assim como meu Pai me confiou um Reino, eu o confio a vós,
**30** para que comais e bebais à minha mesa no meu Reino e vos assenteis sobre tronos para julgar as doze tribos de Israel.

### Pedro é avisado
*Mt 26:33-35; Mc 14:27-31*

**31** Simão, Simão, Satanás vos pediu para vos peneirar como trigo.
**32** Mas eu roguei por ti, para que a tua fé não desfaleça. E tu, quando te converteres, fortalece teus irmãos.
**33** Respondeu-lhe Pedro: Senhor, estou pronto a ir contigo para a prisão e para a morte.
**34** Tornou Jesus: Digo-te, Pedro, que não cantará hoje o galo antes que três vezes negues que me conheces.
**35** Então Jesus lhes perguntou: Quando vos mandei sem bolsa, sacolas de viagem, ou sandálias, faltou-vos alguma coisa? Responderam eles: Nada.
**36** Disse-lhes: Pois agora aquele que tiver bolsa, tome-a, como também a sacola de viagem; e o que não tem espada, venda a sua capa e compre uma.
**37** Digo-vos que é necessário que se cumpra em mim o que está escrito: Com os malfeitores foi contado. Sim, o que está escrito de mim será cumprido.
**38** Disseram-lhe eles: Senhor, aqui estão duas espadas. Respondeu-lhes: Basta.

### Jesus no Getsêmani
*Mt 26:36-46; Mc 14:32-42*

**39** Jesus saiu e, como de costume, foi para o monte das Oliveiras, e os seus discípulos o seguiram.
**40** Quando chegou ao lugar, disse-lhes: Orai, para que não entreis em tentação.
**41** Afastou-se um pouco deles e, colocando-se de joelhos, orava,
**42** dizendo: Pai, se queres, passa de mim este cálice, todavia não se faça a minha vontade, mas a tua.
**43** Então lhe apareceu um anjo do céu, que o confortava.
**44** Em agonia, orava mais intensamente. O seu suor tornou-se em grandes gotas de sangue, que caíam no chão.
**45** Levantando-se da oração, foi ter com os discípulos e os achou dormindo, dominados pela tristeza,
**46** e disse-lhes: Por que estais dormindo? Levantai-vos e orai, para que não entreis em tentação.

### Jesus é preso
*Mt 26:47-56; Mc 14:43-50; Jo 18:1-11*

**47** Estando ele ainda a falar, surgiu uma multidão, e um dos Doze, chamado Judas, que vinha à frente dela, chegou-se a Jesus para o beijar.
**48** Jesus, porém, lhe disse: Judas, com um beijo trais o Filho do homem?
**49** Vendo os que estavam com ele o que ia acontecer, disseram-lhe: Senhor, lutaremos à espada?
**50** Um deles feriu o servo do sumo sacerdote e cortou-lhe a orelha direita.
**51** Mas Jesus disse: Deixai-os, basta! E tocando-lhe na orelha, o curou.
**52** Disse Jesus aos principais sacerdotes, oficiais da guarda do

templo e líderes religiosos que tinham ido contra ele: Saístes, como a um assaltante, com espadas e varas?
53 Eu estava todos os dias convosco no templo, e não estendestes as mãos contra mim. Esta, porém, é a vossa hora e do poder das trevas.

### Pedro nega a Jesus
Mt 26:69-75; Mc 14:66-72; Jo 18:15-18, 25-27

54 Então, prendendo-o, o levaram à casa do sumo sacerdote. Pedro seguia-o de longe.
55 Quando acenderam fogo no meio do pátio e juntos se assentaram, Pedro assentou-se entre eles.
56 Uma criada, vendo-o assentado ao fogo, fixou os olhos nele e disse: Este homem estava com ele.
57 Ele, porém, negou, dizendo: Mulher, não o conheço.
58 Um pouco depois, vendo-o outro, disse: Tu és também deles. Pedro, porém, disse: Homem, não sou.
59 Passada quase uma hora, outro afirmava: Também este verdadeiramente estava com ele, pois é galileu.
60 Pedro respondeu: Homem, não sei o que dizes. E logo, estando ele ainda a falar, o galo cantou.
61 Virando-se o Senhor, olhou para Pedro, e Pedro lembrou-se da palavra que o Senhor lhe havia dito: Hoje, antes que o galo cante, três vezes me negarás.
62 Então Pedro saiu dali e chorou amargamente.

### Jesus perante o Sinédrio
Mt 26:57-68; Mc 14:53-65

63 Os homens que detinham a Jesus zombavam dele e batiam nele.
64 Cobrindo-lhe os olhos, batiam-lhe no rosto e lhe perguntavam: Profetiza, quem é que te feriu?
65 Outras muitas coisas diziam contra ele, blasfemando.
66 Logo que amanheceu, ajuntaram-se os líderes religiosos do povo, os principais sacerdotes e os mestres da lei, e o levaram ao Sinédrio.
67 Perguntaram-lhe: És tu o Cristo? Dize-nos. Ele replicou: Se eu disser que sim, não o crereis.
68 E se vos perguntar, não me respondereis.
69 De agora em diante, porém, o Filho do homem se assentará à direita do Deus todo-poderoso.
70 Disseram todos: Logo és tu o Filho de Deus? Ele lhes respondeu: Vós dizeis que eu sou.
71 Então disseram: De que mais testemunho necessitamos? Nós mesmos o ouvimos da sua própria boca.

### Jesus perante Pilatos e perante Herodes
Mt 27:1,2,11-26; Mc 15:1-15; Jo 18:28-19:16

**23** Em seguida toda a assembleia se levantou, e levaram Jesus a Pilatos.
2 E começaram a acusá-lo, dizendo: Encontramos este homem pervertendo a nossa nação, proibindo pagar tributo a César e dizendo ser o Cristo, o Rei.
3 Então lhe perguntou Pilatos: És tu o Rei dos Judeus? Respondeu Jesus: Tu o dizes.
4 Disse Pilatos aos principais sacerdotes e à multidão: Não acho culpa alguma neste homem.
5 Mas eles insistiam cada vez mais, dizendo: Alvoroça o povo em toda a Judeia, com o seu ensino. Começou na Galileia e agora chegou aqui.

**6** Ouvindo isso, Pilatos perguntou se o homem era galileu. **7** Ao saber que era do território de Herodes, enviou-o a Herodes, que naqueles dias também estava em Jerusalém. **8** Herodes, quando viu a Jesus, alegrou-se muito, porque havia muito desejava vê-lo, por ter ouvido dele muitas coisas. E esperava que o veria fazer algum sinal. **9** E interrogava-o com muitas palavras, mas ele nada lhe respondia. **10** Estavam presentes os principais sacerdotes e os mestres da lei, acusando-o com grande veemência. **11** Então Herodes, com os seus soldados, tratou-o com desprezo e, zombando dele, vestiu-o de uma roupa nobre e tornou a enviá-lo a Pilatos. **12** No mesmo dia, Pilatos e Herodes entre si se fizeram amigos; antes disso andavam em inimizade um com o outro. **13** Convocando Pilatos os principais sacerdotes, os magistrados e o povo, disse-lhes: **14** Vós me trouxestes este homem como perversor do povo. Examinando-o na vossa presença, nenhuma culpa, das de que o acusais, acho nele. **15** Nem mesmo Herodes, pois o mandou de volta para nós; como vedes, este homem nada fez que mereça a pena de morte. **16** Portanto, eu o castigarei e o soltarei. **17** [E era-lhe necessário soltar-lhes um preso por ocasião da festa.] **18** Toda a multidão começou a gritar: Fora daqui com este! Solta-nos Barrabás! **19** Barrabás fora lançado na prisão por causa de uma rebelião feita na cidade e de um homicídio. **20** Querendo soltar a Jesus, Pilatos falou outra vez com a multidão. **21** Mas eles clamavam mais ainda: Crucifica-o! Crucifica-o! **22** Pela terceira vez Pilatos lhes disse: Mas que crime cometeu este homem? Não acho nele nada que mereça a pena de morte. Portanto, eu o castigarei e o soltarei. **23** Eles, porém, insistiam com grandes gritos, pedindo que fosse crucificado, e os seus gritos prevaleceram. **24** Então Pilatos decidiu fazer o que eles pediam. **25** Soltou-lhes aquele que fora lançado na prisão por causa de rebelião e homicídio, que era o que pediam, e entregou Jesus à vontade deles.

### A crucificação

**26** Quando o iam levando, pegaram certo cireneu, chamado Simão, que vinha do campo, e puseram-lhe a cruz às costas, para que a levasse após Jesus. **27** Seguia-o grande multidão e também mulheres que choravam e o lamentavam. **28** Jesus, porém, voltando-se para elas, disse: Filhas de Jerusalém, não choreis por mim; chorai antes por vós mesmas e por vossos filhos. **29** Pois virão dias em que dirão: Bem-aventuradas as estéreis, os ventres que não geraram e os peitos que não amamentaram! **30** Então dirão aos montes:
  Caí sobre nós
  e às colinas: Cobri-nos.
**31** Pois se ao madeiro verde fazem isto, que se fará ao seco? **32** Levaram também outros dois homens, que eram criminosos, para serem mortos com ele.

**33** Quando chegaram ao lugar chamado Caveira, ali crucificaram Jesus e com ele os dois criminosos, um à direita e outro à esquerda.
**34** Jesus disse: Pai, perdoa-lhes, pois não sabem o que fazem. Repartindo as roupas dele, sortearam-nas.
**35** O povo estava olhando, e as autoridades zombavam dele, dizendo: Aos outros salvou, salve-se a si mesmo, se é o Cristo, o Escolhido de Deus.
**36** Igualmente os soldados o ridicularizavam e, chegando-se a ele, ofereciam-lhe vinagre,
**37** dizendo: Se tu és o Rei dos Judeus, salva-te a ti mesmo.
**38** Também por cima dele estava uma inscrição, em letras gregas, romanas e hebraicas: ESTE É O REI DOS JUDEUS.
**39** Um dos criminosos crucificados o insultava, dizendo: Se tu és o Cristo, salva-te a ti mesmo e a nós.
**40** Mas o outro o repreendeu, dizendo: Tu nem ainda temes a Deus, estando na mesma condenação?
**41** Nós, na verdade, com justiça, pois recebemos o que os nossos atos mereciam. Mas este nenhum mal fez.
**42** Então disse: Senhor, lembra-te de mim quando entrares no teu Reino.
**43** Respondeu-lhe Jesus: Em verdade te digo que hoje estarás comigo no paraíso.
**44** Já era quase meio-dia, e houve trevas em toda a terra até as três horas da tarde,
**45** pois o sol se escureceu. E o véu do templo rasgou-se pelo meio.
**46** Jesus clamou com grande voz: Pai, nas tuas mãos entrego o meu espírito. Havendo dito isto, expirou.
**47** O centurião, vendo o que tinha acontecido, deu glória a Deus, e disse: Na verdade este homem era justo.
**48** Todas as multidões reunidas para presenciar isso, vendo o que havia acontecido, voltaram lamentando-se.
**49** Entretanto todos os seus conhecidos e as mulheres que o haviam seguido desde a Galileia estavam de longe observando essas coisas.

### O sepultamento de Jesus
Mt 27:57-61; Mc 15:42-47; Jo 19:38-42

**50** Ora, havia um homem chamado José, membro do Sinédrio, homem bom e justo,
**51** que não tinha concordado com a decisão e os atos dos outros. Ele era da cidade de Arimateia, na Judeia, e esperava o Reino de Deus.
**52** Chegando ele a Pilatos, pediu-lhe o corpo de Jesus.
**53** Então tirou o corpo do madeiro, envolveu-o num lençol e colocou-o num sepulcro cavado numa rocha, onde ninguém ainda havia sido sepultado.
**54** Era o Dia da Preparação, e ia começar o sábado.
**55** As mulheres que tinham vindo com ele da Galileia seguiram a José e viram o sepulcro, e como o corpo fora colocado ali.
**56** Então voltaram e prepararam especiarias e perfumes. E no sábado descansaram, conforme o mandamento.

### A ressurreição
Mt 28:1-10; Mc 16:1-8; Jo 20:1-18

**24** No primeiro dia da semana bem cedo, elas foram ao

sepulcro, levando as especiarias que tinham preparado.

**2** Acharam a pedra removida do sepulcro,

**3** mas, quando entraram, não encontraram o corpo do Senhor Jesus.

**4** Estando elas perplexas a esse respeito, de repente pararam junto delas dois homens, com vestes brilhantes.

**5** Elas ficaram tão atemorizadas que se curvaram com o rosto em terra, mas os homens lhes disseram: Por que buscais entre os mortos quem está vivo?

**6** Ele não está aqui, mas ressuscitou. Lembrai-vos do que vos disse, estando ainda na Galileia:

**7** É necessário que o Filho do homem seja entregue nas mãos de homens pecadores, seja crucificado e ao terceiro dia ressuscite.

**8** Então se lembraram das suas palavras.

**9** Quando voltaram do sepulcro, contaram todas estas coisas aos Onze e aos outros.

**10** Eram Maria Madalena, Joana, Maria, mãe de Tiago, e as outras que com elas estavam, as que contaram estas coisas aos apóstolos.

**11** Tais palavras lhes pareciam loucura, e não acreditaram.

**12** Pedro, porém, levantando-se, correu ao sepulcro. E, abaixando-se, viu só os lençóis de linho e retirou-se para casa, maravilhado do que havia acontecido.

### No caminho de Emaús
Mt 16.12,13

**13** Nesse mesmo dia iam dois deles para uma aldeia chamada Emaús, que era distante de Jerusalém sessenta estádios.

**14** Iam falando entre si de tudo o que havia acontecido.

**15** Indo eles falando entre si e fazendo perguntas um ao outro, o próprio Jesus se aproximou e ia com eles.

**16** Os olhos deles, porém, estavam como que fechados, e eles não o reconheceram.

**17** Então Jesus perguntou: Que palavras são essas que, caminhando, trocais entre vós? Eles pararam entristecidos.

**18** Um deles, cujo nome era Cleopas, perguntou-lhe: És tu o único peregrino em Jerusalém que não sabe das coisas que aconteceram lá nestes dias?

**19** Perguntou ele: Quais? Responderam eles: As que dizem respeito a Jesus de Nazaré, que foi profeta, poderoso em obras e palavras diante de Deus e de todo o povo,

**20** e como os principais sacerdotes e as nossas autoridades o entregaram para ser condenado à morte e o crucificaram.

**21** Ora, nós esperávamos que fosse ele quem redimisse a Israel. Mas agora, além de tudo isso, é já hoje o terceiro dia desde que essas coisas aconteceram.

**22** É verdade que algumas mulheres do nosso meio nos surpreenderam. Foram de madrugada ao sepulcro

**23** mas não acharam o corpo dele. Voltaram, dizendo que tinham tido uma visão de anjos que dizem estar ele vivo.

**24** Alguns dos que estavam conosco foram ao sepulcro e acharam ser assim como as mulheres haviam dito, mas a ele não viram.

**25** Então Jesus lhes disse: Ó tolos e tardios de coração para crer em tudo o que os profetas disseram!

**26** Não era necessário que o Cristo padecesse estas coisas e entrasse na sua glória?

**27** E começando por Moisés, e por todos os profetas, explicou-lhes o que dele se achava em todas as Escrituras.
**28** Quando se aproximaram da aldeia para onde iam, fez ele como quem ia para mais longe.
**29** Eles, porém, insistiram, dizendo: Fica conosco, pois é tarde, e o dia já declina. Então Jesus entrou para ficar com eles.
**30** Estando com eles à mesa, tomou o pão, abençoou-o, partiu-o e lhes deu.
**31** Os olhos deles se abriram e o reconheceram, mas ele desapareceu de diante deles.
**32** Disseram um para o outro: Não ardia em nós o nosso coração quando, pelo caminho, nos falava e quando nos abria as Escrituras?
**33** Na mesma hora, levantando-se, voltaram para Jerusalém e encontraram reunidos os Onze e os que estavam com eles,
**34** os quais diziam: Ressuscitou verdadeiramente o Senhor e já apareceu a Simão.
**35** Então os dois contaram o que lhes acontecera no caminho e como tinham reconhecido o Senhor quando ele partiu o pão.

### Jesus aparece aos discípulos
Jo 20:19-29

**36** Falavam ainda estas coisas quando Jesus se apresentou no meio deles e disse: Paz seja convosco.
**37** Eles, espantados e atemorizados, pensavam que viam um espírito.
**38** Ele, porém, lhes disse: Por que estais perturbados, e por que sobem tais pensamentos aos vossos corações?
**39** Vede as minhas mãos e os meus pés. Sou eu mesmo! Tocai em mim e vede; um espírito não tem carne nem ossos, como vedes que eu tenho.
**40** Dizendo isto, mostrou-lhes as mãos e os pés.
**41** E, não acreditando eles ainda por causa da alegria e estando admirados, perguntou-lhes Jesus: Tendes aqui alguma coisa que comer?
**42** Eles lhe serviram um pedaço de peixe assado [e um favo de mel],
**43** e ele comeu diante deles.
**44** Jesus lhes disse: São estas as palavras que vos falei estando ainda convosco, que era necessário que se cumprisse tudo o que de mim estava escrito na Lei de Moisés, nos Profetas e nos Salmos.
**45** Então lhes abriu o entendimento para compreenderem as Escrituras
**46** e disse: Eis o que está escrito: O Cristo morrerá e, ao terceiro dia, ressuscitará dos mortos
**47** e em seu nome se pregará o arrependimento e a remissão dos pecados, em todas as nações, começando por Jerusalém.
**48** Vós sois testemunhas destas coisas.
**49** Envio sobre vós a promessa de meu Pai; mas ficai na cidade, até que do alto sejais revestidos de poder.

### A ascensão
Mt 16:19 At 1:9-11

**50** Então Jesus os levou para Betânia e, levantando as mãos, os abençoou.
**51** Abençoando-os ele, deixou-os e foi elevado ao céu.
**52** Então eles o adoraram e voltaram com grande júbilo para Jerusalém.
**53** E estavam sempre no templo, louvando e bendizendo a Deus.

# JOÃO

### O Verbo se fez carne

**1** No princípio era o Verbo, e o Verbo estava com Deus, e o Verbo era Deus. **2** Ele estava no princípio com Deus. **3** Todas as coisas foram feitas por meio dele; e sem ele nada do que foi feito se fez. **4** Nele estava a vida, e a vida era a luz dos homens. **5** A luz resplandece nas trevas, e as trevas não prevaleceram sobre ela. **6** Houve um homem enviado de Deus cujo nome era João. **7** Este veio como testemunha para testificar a respeito da luz, a fim de que todos cressem por meio dele. **8** Ele não era a luz, mas veio para testificar da luz. **9** A luz verdadeira que ilumina a todos os homens estava vindo ao mundo. **10** Estava no mundo, o mundo foi feito por meio dele, mas o mundo não o conheceu. **11** Veio para o que era seu, mas os seus não o receberam. **12** No entanto, a todos os que o receberam, àqueles que creem no seu nome, deu-lhes o poder de serem feitos filhos de Deus; **13** filhos nascidos não do sangue, nem da vontade da carne, nem da vontade do homem, mas de Deus. **14** O Verbo se fez carne e habitou entre nós. Vimos a sua glória, a glória como do unigênito do Pai, cheio de graça e de verdade. **15** João testifica a respeito dele e afirma: Este é aquele de quem eu disse: O que vem depois de mim tem a primazia porque foi primeiro do que eu. **16** Da sua plenitude todos nós recebemos graça sobre graça. **17** Pois a Lei foi dada por intermédio de Moisés; a graça e a verdade vieram por meio de Jesus Cristo. **18** Ninguém nunca viu a Deus, mas o Deus unigênito, que está ao lado do Pai, é quem o revelou. **19** Este foi o testemunho de João, quando os judeus mandaram de Jerusalém sacerdotes e levitas para lhe perguntarem: Quem és tu? **20** Ele confessou e não negou; confessou: Eu não sou o Cristo. **21** Perguntaram-lhe: Então quem és? És tu Elias? Ele disse: Não sou. És tu o profeta? Respondeu: Não. **22** Finalmente, lhe disseram: Quem és? Dá-nos uma resposta para que levemos àqueles que nos enviaram. Que dizes de ti mesmo? **23** João respondeu com as palavras do profeta Isaías: Eu sou a voz do que clama no deserto: Endireitai o caminho do Senhor. **24** Ora, alguns dos fariseus que tinham sido enviados **25** perguntaram-lhe: Então por que batizas se não és o Cristo, nem Elias, nem o profeta? **26** João respondeu: Eu batizo com água, mas no meio de vós está alguém que não conheceis. **27** Este é aquele que vem após mim, do qual eu não sou digno de desatar as correias das sandálias. **28** Estas coisas aconteceram em Betânia, do outro lado do Jordão, onde João estava batizando.

### Jesus, o Cordeiro de Deus

**29** No dia seguinte, João viu Jesus aproximando-se e disse: Eis o Cordeiro de Deus que tira o pecado do mundo!
**30** Este é aquele do qual eu disse: Após mim vem um homem que é superior, porque era primeiro do que eu.
**31** Eu mesmo não o conhecia, mas, para que ele fosse manifestado a Israel, vim, por isso, batizando com água.
**32** Então João testificou, dizendo: Eu vi o Espírito descer do céu como pomba e permanecer sobre ele.
**33** Eu não o conhecia, mas, o que me mandou batizar com água me disse: Aquele sobre quem vires descer e permanecer o Espírito, esse é o que batiza com o Espírito Santo.
**34** Eu vi e testifico que este é o Filho de Deus.

### André e Simão Pedro

**35** No dia seguinte, João estava outra vez ali, na companhia de dois dos seus discípulos.
**36** Quando ele viu Jesus passar, disse: Eis o Cordeiro de Deus.
**37** Os dois discípulos ouviram-no dizer isso e seguiram Jesus.
**38** Jesus, voltando-se e vendo que eles o seguiam, perguntou: Que buscais? Eles disseram: Rabi (que quer dizer Mestre), onde moras?
**39** Respondeu-lhes: Vinde e vede. Eles foram e viram onde morava e ficaram com ele aquele dia. Era quase a hora décima.
**40** Era André, irmão de Simão Pedro, um dos dois que tinham ouvido o que João dissera e o havia seguido.
**41** A primeira coisa que André fez foi achar seu irmão Simão e dizer-lhe: Achamos o Messias (que quer dizer Cristo).
**42** E levou-o a Jesus. Olhando Jesus para ele, disse: Tu és Simão, filho de Jonas. Tu serás chamado Cefas (que quer dizer Pedro).

### Filipe e Natanael

**43** No dia seguinte, Jesus resolveu ir para a Galileia. Encontrando Filipe, disse-lhe: Segue-me.
**44** Filipe era de Betsaida, cidade de André e de Pedro.
**45** Filipe encontrou Natanael e disse-lhe: Achamos aquele de quem Moisés escreveu na Lei, e a quem se referiram os profetas: Jesus de Nazaré, filho de José.
**46** Perguntou Natanael: Pode vir alguma coisa boa de Nazaré? Respondeu Filipe: Vem e vê.
**47** Quando Jesus viu Natanael se aproximar, disse a seu respeito: Aqui está um verdadeiro israelita, em quem não há nada falso.
**48** Perguntou-lhe Natanael: De onde me conheces? Respondeu Jesus: Antes que Filipe te chamasse, te vi quando estavas debaixo da figueira.
**49** Então Natanael declarou: Rabi, tu és o Filho de Deus, tu és o Rei de Israel!
**50** Disse Jesus: Porque te disse que te vi debaixo da figueira, crês? Coisas maiores do que esta verás.
**51** Então acrescentou: Na verdade, na verdade vos digo que vereis o céu aberto e os anjos de Deus subindo e descendo sobre o Filho do homem.

### Jesus transforma água em vinho

**2** No terceiro dia, houve um casamento em Caná da Galileia. A mãe de Jesus estava ali;

**2** Jesus e seus discípulos também haviam sido convidados para o casamento. **3** Tendo acabado o vinho, a mãe de Jesus lhe disse: Não têm mais vinho. **4** Respondeu-lhe Jesus: Mulher, que tenho eu contigo? Ainda não chegou a minha hora. **5** A sua mãe disse aos serventes: Fazei tudo o que ele vos disser. **6** Estavam ali seis talhas de pedra que os judeus usavam para as purificações, e cada uma levava duas ou três metretas. **7** Disse-lhes Jesus: Enchei de água essas talhas. E encheram-nas até a borda. **8** Então lhes disse: Tirai agora, e levai ao mestre-sala. Eles assim fizeram. **9** Logo que o mestre-sala provou a água transformada em vinho, não sabendo de onde viera, se bem que sabiam os serventes que tinham tirado a água, chamou o noivo **10** e disse: Todos põem primeiro o vinho bom e, quando já beberam fartamente, então o inferior; mas tu guardaste até agora o bom vinho. **11** Este, o primeiro dos seus sinais miraculosos, Jesus realizou em Caná da Galileia. Assim revelou a sua glória, e seus discípulos creram nele. **12** Depois disso, desceu para Cafarnaum, com sua mãe, seus irmãos e seus discípulos. E ficaram ali não muitos dias.

### Jesus purifica o templo
Mt 21:12,13; Mc 11:15-18; Lc 19:45,46

**13** Estando próxima a Páscoa dos judeus, Jesus subiu para Jerusalém. **14** Achou no templo os que vendiam bois, ovelhas e pombas, e os cambistas assentados. **15** Tendo feito um chicote de cordas, lançou todos para fora do templo, bem como os bois e as ovelhas; espalhou o dinheiro dos cambistas, derrubou as mesas **16** e disse aos que vendiam pombas: Tirai daqui estas coisas! Como ousais transformar a casa de meu Pai em mercado! **17** Seus discípulos lembraram-se de que está escrito: O zelo da tua casa me consumirá. **18** Então os judeus perguntaram: Que sinal miraculoso nos mostras para provar que tens autoridade para fazer isso? **19** Respondeu-lhes Jesus: Destruirei este templo e em três dias o levantarei de novo. **20** Disseram os judeus: Em quarenta e seis anos foi edificado este templo, e tu o levantarás em três dias? **21** Ele, porém, falava do templo do seu corpo. **22** Quando Jesus ressuscitou dos mortos, os seus discípulos lembraram-se do que ele dissera. Então creram na Escritura e nas palavras que Jesus tinha dito. **23** Estando ele em Jerusalém, durante a festa da Páscoa, muitos viram os sinais miraculosos que fazia e creram no seu nome. **24** Jesus, porém, não confiava neles, pois a todos conhecia. **25** Ele não necessitava de que alguém lhe testificasse a respeito do homem, pois ele sabia o que havia no homem.

### Jesus instrui a Nicodemos

**3** Havia entre os fariseus um homem chamado Nicodemos, um dos principais dos judeus. **2** Este foi de noite se encontrar com Jesus e disse: Mestre, sabemos que ensinas da parte de Deus. Pois ninguém poderia fazer estes sinais miraculosos que tu fazes se Deus não fosse com ele.

**3** Jesus respondeu: Em verdade, em verdade te digo que quem não nascer de novo não pode ver o Reino de Deus.

**4** Perguntou-lhe Nicodemos: Como pode um homem nascer, sendo velho? Poderá voltar ao ventre da sua mãe e tornar a nascer?

**5** Jesus respondeu: Em verdade, em verdade te digo que aquele que não nascer da água e do Espírito não pode entrar no Reino de Deus.

**6** O que é nascido da carne é carne, mas o que é nascido do Espírito é espírito.

**7** Não te maravilhes de eu te dizer: Necessário vos é nascer de novo.

**8** O vento sopra onde quer, e ouves a sua voz, mas não sabes de onde vem, nem para onde vai. Assim é todo aquele que é nascido do Espírito.

**9** Nicodemos perguntou: Como pode ser isso?

**10** Jesus respondeu: Tu és mestre em Israel e não compreendes essas coisas?

**11** Em verdade, em verdade te digo que nós dizemos o que sabemos e testificamos do que vimos; contudo, não aceitais o nosso testemunho.

**12** Se vos falei de coisas terrestres, e não crestes, como crereis, se vos falar das celestiais?

**13** Ninguém subiu ao céu, senão o que desceu do céu — o Filho do homem [que está no céu].

**14** Assim como Moisés levantou a serpente no deserto, da mesma forma importa que o Filho do homem seja levantado,

**15** para que todo aquele que nele crê tenha a vida eterna.

**16** Porque Deus amou o mundo de tal maneira que deu o seu Filho unigênito, para que todo aquele que nele crê não pereça, mas tenha a vida eterna.

**17** Porque Deus enviou o seu Filho ao mundo não para que condenasse o mundo, mas para que o mundo fosse salvo por ele.

**18** Quem nele crê não é condenado, mas quem não crê já está condenado, porque não crê no nome do unigênito Filho de Deus.

**19** A condenação é esta: A luz veio ao mundo, e os homens amaram mais as trevas do que a luz porque as obras deles eram más.

**20** Todo aquele que pratica o mal odeia a luz e não vem para a luz, para que as suas obras não sejam reprovadas.

**21** Quem, no entanto, vive de acordo com a verdade vem para a luz, a fim de que se veja claramente que as suas obras são feitas em Deus.

**Outro testemunho de João Batista**

**22** Depois disso foi Jesus com os seus discípulos para a terra da Judeia, onde permaneceu algum tempo com eles e batizava.

**23** Ora, João também estava batizando em Enom, perto de Salim, porque havia ali muitas águas, e para lá ia o povo, para ser batizado.

**24** João ainda não tinha sido lançado na prisão.

**25** Suscitou-se uma contenda entre alguns discípulos de João e um judeu, acerca da purificação.

**26** Foram a João e disseram: Mestre, aquele homem que estava contigo no outro lado do Jordão, do

qual deste testemunho, está batizando, e todos vão ter com ele.
**27** João respondeu: O homem só pode receber o que lhe for dado do céu.
**28** Vós mesmos sois testemunhas de que vos disse: Eu não sou o Cristo, mas sou enviado adiante dele.
**29** A noiva pertence ao noivo. O amigo do noivo, que lhe assiste, espera e ouve e alegra-se muito com a voz do noivo. Essa alegria é minha e agora está completa.
**30** É necessário que ele cresça e que eu diminua.
**31** Aquele que vem de cima é sobre todos; aquele que vem da terra pertence à terra e fala como alguém da terra. Aquele que vem do céu é sobre todos.
**32** Ele testifica do que viu e ouviu, mas ninguém aceita o seu testemunho.
**33** Aquele que aceitou o seu testemunho confirmou que Deus é verdadeiro.
**34** Aquele que Deus enviou fala as palavras de Deus, pois Deus lhe dá o Espírito sem medida.
**35** O Pai ama o Filho e todas as coisas confiou às suas mãos.
**36** Todo aquele que crê no Filho tem a vida eterna, mas todo aquele que rejeita o Filho não verá a vida, pois sobre ele permanece a ira de Deus.

### Jesus e a samaritana

**4** Quando os fariseus ouviram que Jesus fazia e batizava mais discípulos do que João,
**2** se bem que Jesus não batizava, e sim os seus discípulos,
**3** ele deixou a Judeia e voltou outra vez para a Galileia.
**4** E era-lhe necessário passar por Samaria.
**5** Chegou a uma cidade samaritana chamada Sicar, perto das terras que Jacó dera a seu filho José.
**6** Estava ali a fonte de Jacó, e Jesus, cansado da viagem, assentou-se junto à fonte. Era quase meio-dia.
**7** Vindo uma mulher samaritana tirar água, Jesus lhe disse: Dá-me de beber.
**8** (Seus discípulos tinham ido à cidade comprar comida.)
**9** Disse-lhe a mulher samaritana: Como, sendo tu judeu, me pedes de beber a mim, que sou mulher samaritana? (Pois os judeus não se dão bem com os samaritanos.)
**10** Respondeu-lhe Jesus: Se conheceras o dom de Deus e quem é o que te pede: Dá-me de beber, tu lhe pedirias, e ele te daria água viva.
**11** Disse-lhe a mulher: Senhor, tu não tens com que tirá-la, e o poço é fundo. Onde tens a água viva?
**12** És tu maior do que o nosso pai Jacó, que nos deu o poço, do qual ele próprio bebeu, bem como seus filhos e o seu gado?
**13** Respondeu Jesus: Todo aquele que beber desta água tornará a ter sede,
**14** mas aquele que beber da água que eu lhe der nunca mais terá sede. Deveras, a água que eu lhe der se fará nele uma fonte de água que jorre para a vida eterna.
**15** Disse-lhe a mulher: Senhor, dá-me dessa água para que eu não mais tenha sede, nem precise vir aqui tirá-la.
**16** Disse-lhe Jesus: Vai, chama o teu marido e volte aqui.
**17** Respondeu ela: Não tenho marido. Disse-lhe Jesus: Tens razão em dizer que não tens marido,
**18** pois já tiveste cinco maridos, e o que agora tens não é teu marido. Isso disseste com verdade.

**19** Disse-lhe a mulher: Senhor, vejo que és profeta.
**20** Nossos pais adoraram neste monte, mas vós, os judeus, dizeis que é em Jerusalém o lugar onde se deve adorar.
**21** Disse-lhe Jesus: Mulher, crê-me, a hora vem em que nem neste monte nem em Jerusalém adorareis o Pai.
**22** Vós, os samaritanos, adorais o que não conheceis; nós adoramos o que conhecemos, pois a salvação vem dos judeus.
**23** No entanto, vem a hora, e já chegou, em que os verdadeiros adoradores adorarão o Pai em espírito e em verdade, pois o Pai procura a tais que assim o adorem.
**24** Deus é Espírito, e importa que os que o adoram o adorem em espírito e em verdade.
**25** Disse-lhe a mulher: Eu sei que o Messias (chamado Cristo) vem. Quando ele vier, nos explicará tudo.
**26** Disse-lhe Jesus: Eu o sou, eu que falo contigo.
**27** Naquele momento, chegaram os seus discípulos e maravilharam-se de encontrá-lo falando com uma mulher. Mas nenhum deles perguntou: Que queres? ou: Por que falas com ela?
**28** Então, deixando o seu cântaro, a mulher foi à cidade e disse ao povo:
**29** Vinde, vede um homem que me disse tudo o que tenho feito. Poderia ser este o Cristo?
**30** Saíram da cidade e foram ter com ele.
**31** Enquanto isso, os discípulos lhe rogavam: Mestre, come.
**32** Ele, porém, lhes disse: Uma comida tenho para comer, que vós não conheceis.
**33** Então os discípulos diziam uns aos outros: Será que alguém lhe trouxe comida?
**34** Jesus lhes disse: A minha comida é fazer a vontade daquele que me enviou e realizar a sua obra.
**35** Não dizeis: Ainda há quatro meses para a colheita? Eu vos digo: Erguei os vossos olhos e vede os campos! Já estão brancos para a colheita.
**36** O que colhe recebe desde já o seu salário, desde já ceifa o fruto para a vida eterna, e assim se regozijam tanto o semeador como o que colhe.
**37** Pois é verdadeiro o ditado: Um é o semeador, e outro é o que colhe.
**38** Eu vos enviei a colher onde não plantastes. Outros trabalharam, e vós usufruístes do seu trabalho.
**39** Muitos dos samaritanos daquela cidade creram nele, por causa do testemunho da mulher: Disse-me tudo o que tenho feito.
**40** Aproximando-se dele os samaritanos, rogaram-lhe que permanecesse com eles, e ficou ali dois dias.
**41** E por causa das suas palavras, muitos mais creram nele.
**42** Diziam à mulher: Já não é pelo teu dito que nós cremos; agora nós mesmos o ouvimos falar e sabemos que este é verdadeiramente o Salvador do mundo.

### A cura do filho de um oficial do rei

**43** Dois dias depois, partiu dali para a Galileia.
**44** Ora, Jesus mesmo havia testificado que um profeta não tem honra na sua própria terra.
**45** Quando chegou à Galileia, os galileus o receberam. Tinham visto todas as coisas que ele fizera em Jerusalém, por ocasião da festa, à qual também tinham comparecido.

**46** Uma vez mais Jesus foi a Caná da Galileia, onde transformara a água em vinho. E havia ali um oficial do rei, cujo filho estava doente em Cafarnaum.
**47** Ouvindo este homem que Jesus tinha chegado à Galileia, foi procurá-lo. Ao encontrá-lo, rogou-lhe que descesse e curasse o seu filho, que estava à morte.
**48** Jesus lhe disse: Se não virdes sinais miraculosos e prodígios, de modo nenhum crereis.
**49** Disse o oficial: Senhor, desce, antes que meu filho morra.
**50** Respondeu Jesus: Vai, o teu filho vive. O homem creu na palavra de Jesus e partiu.
**51** Enquanto ele estava a caminho, saíram-lhe ao encontro os seus servos e anunciaram que seu filho vivia.
**52** Perguntando ele a que hora seu filho se achara melhor, disseram: Ontem, à uma hora da tarde, a febre o deixou.
**53** Então o pai entendeu ser essa exatamente a hora em que Jesus lhe disse: Teu filho vive. De modo que creu ele e toda a sua casa.
**54** Foi esse o segundo sinal miraculoso que Jesus fez, depois de vir da Judeia para a Galileia.

### O paralítico de Betesda

**5** Algum tempo mais tarde, Jesus subiu a Jerusalém para assistir a uma festa dos judeus.
**2** Ora, existe em Jerusalém, próximo à porta das ovelhas, um tanque chamado em hebraico Betesda, o qual tem cinco pavilhões.
**3** Nestes, costumava ficar uma grande multidão de enfermos, cegos, coxos e paralíticos. Eles esperavam o movimento das águas.
**4** De tempo em tempo, um anjo descia e agitava a água. O primeiro que entrasse no tanque, depois do movimento da água, sarava de qualquer doença que tivesse.
**5** Estava ali um homem, inválido havia trinta e oito anos.
**6** Jesus, vendo-o deitado e sabendo que estava nesse estado havia muito tempo, disse-lhe: Queres ser curado?
**7** Respondeu-lhe o enfermo: Senhor, não tenho ninguém que me ponha no tanque quando a água é agitada. Enquanto estou tentando entrar, desce outro antes de mim.
**8** Então lhe disse Jesus: Levanta-te! Pega a tua esteira e anda.
**9** Imediatamente o homem foi curado, pegou a sua esteira e pôs-se a andar. Aquele dia era sábado.
**10** Então os judeus disseram ao homem que tinha sido curado: É sábado, e a Lei não permite que carregues a tua esteira.
**11** Ele respondeu: O homem que me curou me disse: Pega a tua esteira e anda.
**12** Então lhe perguntaram: Quem é o homem que mandou que tomasses a tua esteira e andasses?
**13** O homem que fora curado não sabia quem era, pois Jesus se tinha retirado por entre a multidão que havia naquele lugar.
**14** Mais tarde, Jesus o encontrou no templo e disse: Olha, agora já estás curado. Não peques mais, para que não te suceda coisa pior.
**15** O homem partiu e anunciou aos judeus que Jesus era quem o tinha curado.

### A vida por intermédio do Filho

**16** Assim, porque Jesus fazia essas coisas no sábado, os judeus o perseguiram.

**17** Jesus lhes disse: Meu Pai trabalha até agora, e eu trabalho também.
**18** Por este motivo os judeus ainda mais procuravam matá-lo; não só quebrava o sábado, mas também dizia que Deus era seu próprio Pai, fazendo-se igual a Deus.
**19** Jesus respondeu-lhes: Em verdade, em verdade vos digo que o Filho por si mesmo não pode fazer coisa alguma; ele só pode fazer o que vê o Pai fazendo, porque tudo o que o Pai faz, o Filho o faz igualmente.
**20** Porque o Pai ama o Filho e lhe mostra tudo o que faz. E lhe mostrará maiores obras do que estas, para que vos maravilheis.
**21** Pois, assim como o Pai ressuscita e vivifica os mortos, assim também o Filho vivifica aqueles a quem quer.
**22** O Pai a ninguém julga, mas confiou ao Filho todo o julgamento,
**23** para que todos honrem o Filho, como honram o Pai. Quem não honra o Filho não honra o Pai que o enviou.
**24** Em verdade, em verdade vos digo que quem ouve a minha palavra e crê naquele que me enviou tem a vida eterna e não entrará em condenação, mas passou da morte para a vida.
**25** Em verdade, em verdade vos digo que vem a hora, e já chegou, em que os mortos ouvirão a voz do Filho de Deus, e os que a ouvirem viverão.
**26** Assim como o Pai tem a vida em si mesmo, assim também concedeu ao Filho ter a vida em si mesmo.
**27** E deu-lhe autoridade para julgar, porque é o Filho do homem.
**28** Não vos maravilheis disto, pois vem a hora em que todos os que estão nos sepulcros ouvirão a sua voz e sairão:
**29** Os que fizeram o bem sairão para a ressurreição da vida, e os que praticaram o mal, para a ressurreição da condenação.
**30** Eu não posso fazer nada de mim mesmo; como ouço, assim julgo, e o meu juízo é justo, pois não busco a minha vontade, mas a vontade do Pai que me enviou.
**31** Se eu testifico a respeito de mim mesmo, o meu testemunho não é verdadeiro.
**32** Há outro que testifica a meu respeito, e eu sei que o testemunho que ele dá de mim é verdadeiro.
**33** Vós mandastes mensageiros a João, e ele deu testemunho da verdade.
**34** Eu não recebo testemunho de homem; mas digo isso para que sejais salvos.
**35** João era a lâmpada que ardia e iluminava, e vós escolhestes alegrar-vos por algum tempo com a sua luz.
**36** Eu tenho maior testemunho do que o de João. Pois as próprias obras que o Pai me deu para realizar, essas que eu faço, testificam de que o Pai me enviou.
**37** E o Pai que me enviou, ele mesmo testificou de mim. Vós nunca ouvistes a sua voz, tampouco vistes a sua forma,
**38** e a sua palavra não permanece em vós, pois não credes naquele que ele enviou.
**39** Examinais as Escrituras, porque pensais ter nelas a vida eterna. E são essas Escrituras que testificam de mim,
**40** contudo não quereis vir a mim para terdes vida.
**41** Eu não aceito glória dos homens,

42 mas vos conheço. Sei que não tendes o amor de Deus em vosso coração.
43 Eu vim em nome de meu Pai, e não me aceitais; mas se outro vier em seu próprio nome, a esse aceitareis.
44 Como podeis crer, recebendo glória uns dos outros, mas não vos esforçando por obter a glória que vem do único Deus?
45 Não penseis que eu vos acusarei perante o Pai. Quem vos acusa é Moisés, em quem esperais.
46 Se crêsseis em Moisés, creríeis também em mim, pois ele escreveu a meu respeito.
47 Se, porém, não credes nos seus escritos, como crereis nas minhas palavras?

### A multiplicação dos pães
*Mt 14:15-21; Mc 6:30-44; Lc 9:10-17*

**6** Depois destas coisas, Jesus atravessou o mar da Galileia, que é o de Tiberíades, e
2 grande multidão o seguia, porque tinham visto os sinais miraculosos que ele operava na cura dos enfermos.
3 Então Jesus subiu a um monte e assentou-se ali com os seus discípulos.
4 A Páscoa, festa dos judeus, estava próxima.
5 Jesus, erguendo os olhos e vendo uma grande multidão que se aproximava, disse a Filipe: Onde compraremos pão para toda esta gente comer?
6 Ele perguntava isso somente para o testar, pois já sabia o que ia fazer.
7 Respondeu-lhe Filipe: Duzentos denários de pão não bastariam para que cada um deles recebesse um pedaço.
8 Outro dos seus discípulos, André, irmão de Simão Pedro, disse:
9 Está aqui um rapaz que tem cinco pães de cevada pequenos e dois peixinhos, mas o que é isso para tantas pessoas?
10 Disse Jesus: Mandai o povo assentar-se. Havia muita grama naquele lugar, e assentaram-se os homens, em número de quase cinco mil.
11 Então Jesus tomou os pães, deu graças e repartiu-os com os que estavam assentados. E fez o mesmo com os peixes.
12 Quando estavam saciados, ele disse aos discípulos: Recolhei os pedaços que sobraram, para que nada se perca.
13 Recolheram-nos e encheram doze cestos de pedaços dos cinco pães de cevada, que sobraram aos que haviam comido.
14 Vendo os homens o milagre que Jesus fizera, disseram: Este é verdadeiramente o profeta que devia vir ao mundo.
15 Jesus, sabendo que viriam a fim de proclamá-lo rei, tornou a retirar-se, sozinho, para o monte.

### Jesus anda sobre o mar
*Mt 14:22-33; Mc 6:45-52*

16 Chegada a tarde, os seus discípulos desceram para o mar.
17 Entraram num barco e começaram a atravessar o mar, rumo a Cafarnaum. Já estava escuro, e Jesus ainda não viera encontrá-los.
18 O mar agitava-se, por causa de um forte vento que soprava.
19 Tendo remado cerca de vinte e cinco ou trinta estádios, viram Jesus aproximar-se do barco, andando sobre o mar, e ficaram aterrorizados.

20 Ele, porém, lhes disse: Sou eu; não temais.

21 Então eles de bom grado o receberam, e imediatamente o barco chegou à praia para onde iam.

### Jesus, o pão da vida

22 No dia seguinte, a multidão que ficara do outro lado do mar percebeu que aí havia um único barco e que Jesus não embarcara nele com os discípulos, mas que estes haviam partido sós.

23 Então outros barcos chegaram de Tiberíades, perto do lugar em que comeram o pão, tendo o Senhor dado graças.

24 Percebendo a multidão que Jesus não estava ali, nem os seus discípulos, tomaram os barcos e foram para Cafarnaum, à procura de Jesus.

25 Encontrando-o no outro lado do mar, perguntaram-lhe: Mestre, quando chegaste aqui?

26 Respondeu Jesus: Em verdade, em verdade vos digo que me buscais não pelos sinais miraculosos que vistes, mas porque comestes do pão e vos fartastes.

27 Trabalhai não pela comida que perece, mas pela comida que permanece para a vida eterna, a qual o Filho do homem vos dará, porque Deus, o Pai, o marcou com o seu selo.

28 Perguntaram eles: Que faremos para executar as obras de Deus?

29 Respondeu Jesus: A obra de Deus é esta: crede naquele que ele enviou.

30 Então lhe perguntaram: Que sinal miraculoso, pois, fazes tu, para que vejamos e creiamos em ti? Que farás?

31 Nossos pais comeram o maná no deserto, como está escrito: Deu-lhes a comer pão do céu.

32 Disse-lhes Jesus: Em verdade, em verdade vos digo: Não foi Moisés quem vos deu o pão do céu, mas é meu Pai quem dá o verdadeiro pão do céu.

33 Pois o pão de Deus é aquele que desce do céu e dá vida ao mundo.

34 Disseram-lhe: Senhor, dá-nos sempre desse pão.

35 Então Jesus lhes declarou: Eu sou o pão da vida. Aquele que vem a mim não terá fome, e quem crê em mim jamais terá sede.

36 Como, porém, eu vos disse, vós me vistes e, contudo, não credes.

37 Todo aquele que o Pai me dá virá a mim, e o que vem a mim de maneira nenhuma o lançarei fora.

38 Pois eu desci do céu não para fazer a minha vontade, mas a vontade daquele que me enviou.

39 E esta é a vontade daquele que me enviou, que eu não perca nenhum de todos os que ele me deu, mas o ressuscite no último dia.

40 Pois a vontade do meu Pai é que todo aquele que vê o Filho e nele crê tenha a vida eterna, e eu o ressuscitarei no último dia.

41 Murmuravam dele os judeus, porque dissera: Eu sou o pão que desceu do céu.

42 Diziam: Não é este Jesus, o filho de José, cujo pai e mãe nós conhecemos? Então como diz ele: Desci do céu?

43 Respondeu Jesus: Não murmureis entre vós.

44 Ninguém pode vir a mim, se o Pai que me enviou não o trouxer, e eu o ressuscitarei no último dia.

45 Está escrito nos profetas: Serão todos ensinados por Deus. Todo aquele que ouve o Pai e aprende dele vem a mim.

**46** Ninguém viu ao Pai, a não ser aquele que é de Deus; só este viu ao Pai.
**47** Em verdade, em verdade vos digo: Quem crê, tem a vida eterna.
**48** Eu sou o pão da vida.
**49** Os vossos pais comeram o maná no deserto e morreram.
**50** Aqui, porém, está o pão que desce do céu, do qual se o homem comer não morre.
**51** Eu sou o pão vivo que desceu do céu. Se alguém comer deste pão, viverá para sempre. Este pão é a minha carne, que eu darei pela vida do mundo.
**52** Então os judeus começaram a discutir entre si: Como nos pode dar este homem a sua carne a comer?
**53** Jesus lhes disse: Em verdade, em verdade vos digo que, se não comerdes a carne do Filho do homem e não beberdes o seu sangue, não tereis vida em vós mesmos.
**54** Quem come a minha carne e bebe o meu sangue tem a vida eterna, e eu o ressuscitarei no último dia.
**55** Pois a minha carne é verdadeiramente comida e o meu sangue é verdadeiramente bebida.
**56** Quem come a minha carne e bebe o meu sangue permanece em mim e eu nele.
**57** Assim como o Pai, que vive, me enviou, e eu vivo pelo Pai, assim também quem de mim se alimenta viverá por mim.
**58** Este é o pão que desceu do céu. Vossos pais comeram o maná e morreram, mas quem comer este pão viverá para sempre.
**59** Ele disse essas coisas na sinagoga, ensinando em Cafarnaum.

## Muitos discípulos abandonam Jesus

**60** Muitos de seus discípulos, ouvindo isso, disseram: Duro é esse discurso, quem o pode ouvir?
**61** Compreendendo que seus discípulos se queixavam a respeito do que ouviram, Jesus lhes disse: Isso vos escandaliza?
**62** Que aconteceria então se vísseis o Filho do homem subir para onde primeiro estava?
**63** O Espírito é que vivifica, a carne para nada serve. As palavras que eu vos disse são espírito e vida.
**64** Alguns de vós, porém, não creem. Pois Jesus sabia desde o princípio quais eram os que não criam e quem o trairia.
**65** Prosseguiu: É por isso que eu vos disse que ninguém pode vir a mim, se pelo Pai não lhe for concedido.
**66** A partir de então, muitos dos discípulos voltaram atrás e já não andavam com ele.
**67** Então perguntou Jesus aos Doze: Não quereis vós também retirar-vos?
**68** Respondeu-lhe Simão Pedro: Senhor, para quem iremos nós? Tu tens as palavras da vida eterna.
**69** Nós cremos e conhecemos que tu és o Cristo, o Santo de Deus.
**70** Respondeu Jesus: Não vos escolhi eu aos Doze? Contudo, um de vós é um diabo.
**71** Referia-se ele a Judas, filho de Simão Iscariotes, o qual, embora fosse um dos Doze, mais tarde o trairia.

## A incredulidade dos irmãos de Jesus

**7** Depois disso, andava Jesus pela Galileia e já não queria

percorrer a Judeia, porque os judeus procuravam matá-lo.
**2** Ao se aproximar, porém, a festa dos judeus, chamada de festa dos tabernáculos,
**3** os irmãos de Jesus lhe disseram: Sai daqui e vai para a Judeia, para que os teus discípulos vejam os milagres que fazes.
**4** Ninguém que procure ser conhecido em público faz coisa alguma em oculto. Já que fazes essas coisas, manifesta-te ao mundo.
**5** Pois até os seus irmãos não criam nele.
**6** Disse-lhes Jesus: O meu tempo ainda não chegou; para vós, porém, qualquer tempo é tempo.
**7** O mundo não vos pode odiar, mas me odeia, porque dele testifico que as suas obras são más.
**8** Subi vós à festa. Por enquanto, não subirei a esta festa, porque o meu tempo ainda não chegou.
**9** Tendo dito isso, Jesus ficou na Galileia.
**10 D**epois que seus irmãos subiram à festa, porém, ele foi também, não publicamente, mas em oculto.
**11** Ora, os judeus o procuravam na festa e perguntavam: Onde está ele?
**12** Havia grande murmuração entre as multidões a respeito dele. Uns diziam: Ele é bom. Outros respondiam: Não, ele engana o povo.
**13** Ninguém, porém, falava dele abertamente, por medo dos judeus.
**14 Q**uando a festa estava na metade, subiu Jesus ao templo e começou a ensinar.
**15** Os judeus estavam admirados e perguntavam: Como é que ele sabe tanto, sem ter estudado?
**16** Respondeu Jesus: O meu ensino não é meu. Ele vem daquele que me enviou.
**17** Se alguém quiser fazer a vontade de Deus, descobrirá se o meu ensino vem de Deus ou se falo de mim mesmo.
**18** Quem fala de si mesmo busca a sua própria glória, mas o que busca a glória daquele que o enviou, esse é verdadeiro, e não há nele injustiça.
**19** Não vos deu Moisés a Lei? Contudo, nenhum de vós a pratica. Por que procurais matar-me?
**20** A multidão respondeu: Estás possuído por demônio. Quem procura matar-te?
**21** Disse Jesus: Fiz um milagre, e todos vos admirais.
**22** Porque Moisés vos deu a circuncisão (embora na realidade ela não venha de Moisés, mas dos patriarcas), no sábado circuncidais um homem.
**23** Ora, se o homem pode receber a circuncisão no sábado, para que não se viole a Lei de Moisés, por que vos indignais contra mim por eu ter curado o homem todo no sábado?
**24** Não julgueis segundo a aparência, mas julgai segundo a reta justiça.
**25 E**ntão alguns de Jerusalém diziam: Não é este o que procuram matar?
**26** Aí está ele falando abertamente, e nada lhe dizem. Reconhecem verdadeiramente as autoridades que ele é o Cristo?
**27** Nós, porém, sabemos de onde ele é, ao passo que, quando o Cristo vier, ninguém saberá de onde ele é.
**28** Então Jesus, ainda ensinando no templo, exclamava: Sim, vós me conheceis e sabeis de onde sou. Eu não vim de mim mesmo, mas aquele que me enviou é verdadeiro. Vós não o conheceis,

**29** mas eu o conheço, porque dele sou e ele me enviou.
**30** Então procuravam prendê-lo, mas ninguém pôs as mãos nele, porque a sua hora ainda não tinha chegado.
**31** Contudo, muitos de entre a multidão creram nele. Diziam: Quando o Cristo vier, fará mais sinais miraculosos do que este homem tem feito?
**32** Os fariseus ouviram a multidão murmurar essas coisas a respeito dele. Então os principais sacerdotes e os fariseus enviaram guardas para prendê-lo.
**33** Disse Jesus: Ainda por um pouco de tempo estou convosco, e depois vou para aquele que me enviou.
**34** Vós me buscareis, mas não me achareis; e onde eu estou, vós não podeis vir.
**35** Disseram os judeus uns aos outros: Para onde pretende este homem ir que não poderemos achá-lo? Irá para os dispersos entre os gregos, a fim de ensiná-los?
**36** Que significa esta palavra que disse: Vós me buscareis, mas não me achareis, e: Onde eu estou, vós não podeis vir?
**37** No último dia, o grande dia da festa, Jesus pôs-se de pé e clamou: Se alguém tem sede, venha a mim e beba.
**38** Quem crê em mim, como diz a Escritura, do seu interior fluirão rios de água viva.
**39** Isso ele dizia do Espírito que haviam de receber os que nele cressem. O Espírito Santo ainda não fora dado, porque Jesus ainda não havia sido glorificado.
**40** Ao ouvir as suas palavras, alguns de entre a multidão disseram: Verdadeiramente este é o Profeta.
**41** Outros diziam: Ele é o Cristo. Ainda outros diziam: Pode o Cristo vir da Galileia?
**42** Não diz a Escritura que o Cristo virá da família de Davi e de Belém, a cidade de onde era Davi?
**43** Assim, o povo se dividiu por causa de Jesus.
**44** Alguns queriam prendê-lo, mas ninguém pôs as mãos nele.

### Jamais alguém falou como Jesus

**45** Finalmente, os guardas voltaram à presença dos principais sacerdotes e fariseus, os quais perguntaram: Por que não o trouxestes?
**46** Responderam os guardas: Jamais alguém falou como este homem.
**47** Replicaram os fariseus: Também fostes enganados?
**48** Creu nele alguém das autoridades ou dos fariseus?
**49** Esta plebe, porém, que nada sabe a respeito da lei, é maldita.
**50** Nicodemos, um deles, que antes tinha falado com Jesus, perguntou-lhes:
**51** Condena a nossa lei alguém sem primeiro ouvi-lo para descobrir o que faz?
**52** Responderam eles: És tu também da Galileia? Investiga e verás que da Galileia não surge profeta.
**53** Então cada um foi para sua casa.

### A mulher adúltera

**8** Jesus, porém, foi para o monte das Oliveiras.
**2** De manhã cedo, apareceu de novo no templo, e todo o povo se reuniu em volta dele, e ele se assentou para os ensinar.
**3** Os mestres da lei e os fariseus trouxeram a Jesus uma mulher apanhada em adultério. Puseram-na de pé no meio do grupo

4 e disseram a Jesus: Mestre, esta mulher foi apanhada em adultério. 5 Na Lei nos ordenou Moisés que tais mulheres sejam apedrejadas. Ora, o que dizes? 6 Eles usavam essa pergunta como uma armadilha, para terem de que acusá-lo. Mas Jesus se inclinou e começou a escrever na terra com o dedo. 7 Como insistissem na pergunta, ele se endireitou e disse: Aquele que dentre vós está sem pecado seja o primeiro a lhe atirar uma pedra. 8 Inclinando-se novamente, escrevia na terra. 9 Quando ouviram isso, foram-se retirando um a um, a começar pelos mais velhos, até que ficaram só Jesus e a mulher no lugar onde estava. 10 Jesus endireitou-se e disse: Mulher, onde estão eles? Ninguém te condenou? 11 Respondeu ela: Ninguém, Senhor. Disse Jesus: Nem eu também te condeno. Agora vai e abandona tua vida de pecado.

### Jesus, a luz do mundo

12 Jesus continuou a dizer à multidão: Eu sou a luz do mundo. Quem me segue não andará em trevas, mas terá a luz da vida. 13 Desafiaram-no os fariseus: Tu testificas de ti mesmo; o teu testemunho não é válido. 14 Respondeu Jesus: Ainda que eu testifique de mim mesmo, o meu testemunho é válido, pois sei de onde vim e para onde vou. Mas vós não sabeis de onde venho nem para onde vou. 15 Julgais vós segundo os padrões humanos; eu a ninguém julgo. 16 Se, porém, na verdade julgo, as minhas decisões são certas, porque não estou sozinho. Estou com o Pai que me enviou. 17 Na vossa Lei está escrito que o testemunho de dois homens é válido. 18 Eu sou um que testifica de mim mesmo; a minha outra testemunha é o Pai que me enviou. 19 Então lhe perguntaram: Onde está teu Pai? Respondeu Jesus: Não me conheceis nem a meu Pai. Se vós me conhecêsseis, também conheceríeis meu Pai. 20 Ele disse essas palavras ensinando na área do templo no lugar do gazofilácio. Contudo, ninguém o prendeu, porque a sua hora ainda não tinha chegado. 21 Uma vez mais disse Jesus: Vou retirar-me, e vós me buscareis e morrereis no vosso pecado. Para onde eu vou vós não podeis ir. 22 Disseram os judeus: Por acaso irá ele matar-se a si mesmo? É por isso que diz: Para onde eu vou, vós não podeis ir? 23 Ele, porém, continuou: Vós sois de baixo; eu sou de cima. Vós sois deste mundo; eu não sou deste mundo. 24 Eu vos disse que morreríeis nos vossos pecados; se não crerdes que eu sou, morrereis nos vossos pecados. 25 Perguntaram-lhe: Quem és tu? Respondeu Jesus: O que já vos disse desde o princípio. 26 Muito tenho que dizer e julgar de vós. Mas aquele que me enviou é verdadeiro, e o que dele ouvi digo ao mundo. 27 Eles não entenderam que ele lhes falava do Pai. 28 Por isso, Jesus disse: Quando levantardes o Filho do homem, então sabereis que eu sou quem digo ser e que nada faço de mim mesmo, mas falo como o Pai me ensinou.

**29** Aquele que me enviou está comigo; ele não me deixou só, pois sempre faço o que lhe agrada.
**30** Tendo ele dito essas coisas, muitos creram nele.

### Jesus, o libertador

**31** Disse Jesus aos judeus que criam nele: Se permanecerdes no meu ensino, verdadeiramente sereis meus discípulos.
**32** Então conhecereis a verdade e a verdade vos libertará.
**33** Responderam eles: Somos descendentes de Abraão e jamais fomos escravos de ninguém. Como é que dizes que seremos livres?
**34** Disse Jesus: Em verdade, em verdade vos digo que todo aquele que comete pecado é escravo do pecado.
**35** Ora, o escravo não permanece sempre em casa, mas o Filho aí permanece para sempre.
**36** Se o Filho vos libertar, verdadeiramente sereis livres.
**37** Sei que sois descendentes de Abraão. Contudo, procurais matar-me, porque a minha palavra não penetra em vós.
**38** Eu falo do que vi na presença do Pai, e vós fazeis o que ouvistes de vosso pai.
**39** Responderam eles: Nosso pai é Abraão. Disse-lhes Jesus: Se fôsseis filhos de Abraão, praticaríeis as obras de Abraão.
**40** Todavia, procurais matar-me, homem que vos disse a verdade que de Deus ouviu. Abraão não fez isso.
**41** Vós fazeis as obras de vosso pai. Protestaram eles: Nós não somos filhos ilegítimos. Temos um pai que é Deus.
**42** Disse-lhes Jesus: Se Deus fosse o vosso pai, vós me amaríeis, pois eu vim de Deus e aqui estou. Não vim por mim mesmo, mas foi ele que me enviou.
**43** Por que não entendeis a minha linguagem? Porque não podeis ouvir a minha palavra.
**44** Vós pertenceis ao vosso pai, o Diabo, e quereis executar o desejo dele. Ele foi homicida desde o princípio e não se firmou na verdade, pois não há verdade nele. Quando ele profere mentira, fala do que lhe é próprio, pois é mentiroso e pai da mentira.
**45** Contudo, porque vos digo a verdade, não credes em mim.
**46** Pode algum de vós acusar-me de pecado? Se vos digo a verdade, por que não credes em mim?
**47** Quem pertence a Deus ouve as palavras de Deus. O motivo por que não ouvis é que não pertenceis a Deus.
**48** Responderam os judeus: Não temos razão em dizer que és samaritano e que estás possesso de demônio?
**49** Disse Jesus: Eu não estou possesso de demônio, mas honro meu Pai, e vós me desonrais.
**50** Eu não busco a minha própria glória; há quem a busca, e ele é o juiz.
**51** Em verdade, em verdade vos digo que, se alguém guardar a minha palavra, jamais verá a morte.
**52** Disseram os judeus: Agora sabemos que estás possesso de demônio. Morreu Abraão e também os profetas, e tu dizes que, se alguém guardar a tua palavra, jamais provará a morte.
**53** És tu maior do que o nosso pai Abraão? Ele morreu e também os profetas. Quem pensas que és?
**54** Jesus respondeu: Se eu me glorifico a mim mesmo, a minha

glória nada significa. Quem me glorifica é meu Pai, o qual vós dizeis que é vosso Deus. **55** Certamente vós não o conheceis, mas eu o conheço. Se eu dissesse que não o conheço, seria mentiroso como vós, mas eu o conheço e guardo a sua palavra. **56** Vosso pai Abraão exultou por ver o meu dia; viu-o e alegrou-se. **57** Disseram-lhe os judeus: Ainda não tens cinquenta anos e viste Abraão? **58** Respondeu Jesus: Em verdade, em verdade vos digo que antes de Abraão nascer, Eu Sou! **59** Então pegaram em pedras para atirar nele, mas Jesus escondeu-se e retirou-se do templo.

## A cura de um cego de nascença

**9** Quando Jesus ia passando, viu um homem cego de nascença. **2** Os discípulos de Jesus perguntaram: Mestre, quem pecou, este ou seus pais, para que nascesse cego? **3** Jesus respondeu: Nem ele nem seus pais pecaram, mas isto aconteceu para que se manifestem nele as obras de Deus. **4** Devemos fazer as obras daquele que me enviou enquanto é dia. A noite vem, quando ninguém pode trabalhar. **5** Enquanto estou no mundo, sou a luz do mundo. **6** Tendo dito isso, cuspiu na terra, fez lodo com a saliva, aplicou-o aos olhos do cego **7** e disse: Vai, lava-te no tanque de Siloé (que significa o Enviado). O cego foi, lavou-se e voltou vendo. **8** Então os vizinhos e os que dantes o tinham visto a mendigar perguntavam: Não é este o que estava assentado pedindo esmolas? **9** Alguns diziam que era ele. Outros diziam: Parece-se com ele. Mas ele mesmo insistia: Sou eu. **10** Perguntaram-lhe: Como, pois, se abriram os teus olhos? **11** Respondeu ele: O homem chamado Jesus fez lodo, untou-me os olhos e disse: Vai, lava-te no tanque de Siloé. Então eu fui, lavei-me e pude ver. **12** Perguntaram-lhe: Onde está ele? Respondeu ele: Não sei. **13** Levaram aos fariseus o que dantes era cego. **14** Ora, era sábado o dia em que Jesus fez o lodo e abriu os olhos do homem. **15** Portanto, os fariseus também lhe perguntaram como vira. O homem respondeu: Ele aplicou lodo aos meus olhos, lavei-me e vejo. **16** Alguns dos fariseus diziam: Este homem não é de Deus, pois não guarda o sábado. Mas outros perguntavam: Como pode um homem pecador fazer tais sinais miraculosos? De modo que havia dissensão entre eles. **17** Finalmente, tornaram a perguntar ao cego: Que dizes tu a respeito de quem te abriu os olhos? O homem respondeu: É profeta. **18** Os judeus não acreditaram que ele tivesse sido cego e agora via, enquanto não chamaram os pais do homem. **19** Perguntaram-lhes: É este o vosso filho? É este que vós dizeis ter nascido cego? Como é que ele agora vê? **20** Os pais responderam: Sabemos que este é nosso filho e que nasceu cego. **21** Não sabemos, porém, como agora ele pode ver ou quem lhe abriu os olhos. Tem idade. Interrogai-o. Ele falará por si mesmo.

**22** Os seus pais disseram isso porque temiam os judeus, pois já os judeus tinham resolvido que quem confessasse que Jesus era o Cristo seria expulso da sinagoga. **23** Foi por isso que os pais disseram: Tem idade. Interrogai-o. **24** Chamaram pela segunda vez o homem que tinha sido cego e disseram-lhe: Dá glória a Deus. Sabemos que esse homem é pecador. **25** Respondeu ele: Se é pecador, não sei. Uma coisa sei: Eu era cego e agora vejo. **26** Então lhe perguntaram: Que te fez ele? Como te abriu os olhos? **27** Respondeu ele: Já vos disse, e não ouvistes. Para que quereis ouvir de novo? Quereis fazer-vos também seus discípulos? **28** Então o insultaram e disseram: Discípulo dele sejas tu! Nós somos discípulos de Moisés. **29** Sabemos que Deus falou a Moisés, mas este nem mesmo sabemos de onde é. **30** O homem respondeu: Ora, isto é espantoso! Vós não sabeis de onde ele é, contudo ele me abriu os olhos. **31** Nós sabemos que Deus não ouve pecadores. Ele ouve o homem que é temente a Deus e faz a sua vontade. **32** Jamais se ouviu dizer que alguém tenha aberto os olhos a um cego de nascença. **33** Se este não fosse de Deus, nada poderia fazer. **34** Disseram eles: Tu és nascido todo em pecados; como ousas nos ensinar? E o expulsaram.

### Cegueira espiritual

**35** Jesus ouviu que o tinham expulsado e, quando o encontrou, perguntou: Crês tu no Filho do homem? **36** Perguntou o homem: Quem é ele, Senhor, para que eu nele creia? **37** Jesus disse: Tu já o viste, e é aquele que fala contigo. **38** Disse o homem: Creio, Senhor. E o adorou. **39** Disse Jesus: Eu vim a este mundo para juízo, a fim de que os que não veem vejam, e os que veem se tornem cegos. **40** Alguns fariseus que estavam com ele, ouvindo isso, perguntaram: Acaso também nós somos cegos? **41** Disse Jesus: Se fôsseis cegos, não teríeis pecado; mas, como agora dizeis: Nós vemos, permanece o vosso pecado.

### Jesus, o bom pastor

**10** Em verdade, em verdade vos digo que aquele que não entra pela porta no aprisco das ovelhas, mas sobe por outra parte, é ladrão e assaltante. **2** Aquele, porém, que entra pela porta é o pastor das ovelhas. **3** A este o porteiro abre a porta, as ovelhas ouvem a sua voz; ele chama pelo nome às suas ovelhas e as leva para fora. **4** Quando tira para fora todas as ovelhas que lhe pertencem, vai adiante delas, e elas o seguem, porque conhecem a sua voz. **5** Jamais seguirão o estranho, antes fugirão dele, porque não reconhecem a voz dos estranhos. **6** Jesus lhes propôs esta parábola, mas eles não entenderam o que ele queria dizer. **7** Portanto, tornou Jesus a dizer: Em verdade vos digo que eu sou a porta das ovelhas.

**8** Todos os que vieram antes de mim são ladrões e assaltantes, mas as ovelhas não os ouviram.
**9** Eu sou a porta. Todo aquele que entrar por mim, será salvo. Entrará, sairá e achará pastagens.
**10** O ladrão só vem para roubar, matar e destruir; eu vim para que tenham vida e a tenham em abundância.
**11** Eu sou o bom pastor. O bom pastor dá a sua vida pelas ovelhas.
**12** O mercenário, a quem não pertencem as ovelhas, não é o pastor. De modo que quando vê vir o lobo, deixa as ovelhas e foge. Então o lobo ataca o rebanho e dispersa as ovelhas.
**13** O mercenário foge porque é mercenário e não tem cuidado com as ovelhas.
**14** Eu sou o bom pastor; eu conheço as minhas ovelhas, e as minhas ovelhas me conhecem.
**15** Assim como o Pai me conhece, também eu conheço o Pai e dou a minha vida pelas ovelhas.
**16** Ainda tenho outras ovelhas que não são deste aprisco. A mim me convém agregá-las também. Elas também ouvirão a minha voz, e haverá um só rebanho e só um pastor.
**17** Por isso, o Pai me ama, porque dou a minha vida para tornar a tomá-la.
**18** Ninguém a tira de mim, mas eu espontaneamente a dou. Eu tenho autoridade para dá-la e para tornar a tomá-la. Este mandato recebi de meu Pai.
**19** Por causa dessas palavras, os judeus se dividiram novamente.
**20** Muitos diziam: Está possuído por um demônio e está fora de si. Por que o ouvis?
**21** Outros, porém, diziam: Essas palavras não são de endemoninhado. Pode um demônio abrir os olhos dos cegos?

### A incredulidade dos judeus

**22** Houve então a festa da dedicação em Jerusalém. Era inverno,
**23** e Jesus andava passeando no templo, no pórtico de Salomão.
**24** Rodearam-no os judeus e perguntaram: Até quando nos manterás em suspenso? Se tu és o Cristo, dize-o abertamente.
**25** Jesus respondeu: Eu já vos disse, mas não credes. Os milagres que eu faço em nome de meu Pai falam por mim,
**26** mas vós não credes porque não sois das minhas ovelhas.
**27** As minhas ovelhas ouvem a minha voz; eu as conheço, e elas me seguem.
**28** Eu lhes dou a vida eterna, e elas jamais perecerão; ninguém poderá arrancá-las da minha mão.
**29** Meu Pai, que as deu a mim, é maior do que todos; ninguém pode arrancá-las da mão dele.
**30** Eu e o Pai somos um.
**31** De novo os judeus pegaram em pedras para apedrejá-lo,
**32** mas Jesus lhes disse: Tenho-vos mostrado muitos grandes milagres procedentes de meu Pai. Por qual deles me apedrejais?
**33** Responderam os judeus: Não te apedrejamos por nenhum milagre, mas pela blasfêmia, porque tu, mero homem, te fazes Deus a ti mesmo.
**34** Respondeu-lhes Jesus: Não está escrito na vossa Lei: Eu disse: Sois deuses?
**35** Se ele chamou deuses àqueles a quem a palavra de Deus foi dirigida (e a Escritura não pode ser anulada),

**36** que dizer daquele a quem o Pai santificou e enviou ao mundo? Então por que me acusais de blasfêmia, porque eu disse: Sou Filho de Deus?
**37** Se não faço as obras de meu Pai, não acrediteis em mim.
**38** Se, porém, as faço, e não credes em mim, crede nas obras, para que possais saber e compreender que o Pai está em mim, e eu nele.
**39** De novo procuravam prendê-lo, mas ele lhes escapou das mãos.
**40** Então novamente Jesus retirou-se para o outro lado do Jordão, para o lugar onde João tinha anteriormente batizado, e ali ficou.
**41** Muitos iam procurá-lo, dizendo: Embora João não tenha feito nenhum sinal miraculoso, tudo o que ele disse a respeito deste homem era verdade.
**42** E muitos ali creram nele.

### Lázaro adoece e morre

**11** Estava enfermo certo Lázaro, de Betânia, aldeia de Maria e de sua irmã Marta.
**2** Esta Maria, cujo irmão agora estava doente, era a mesma que ungiu o Senhor com bálsamo e lhe enxugou os pés com os cabelos.
**3** Mandaram as irmãs de Lázaro dizer a Jesus: Senhor, aquele a quem amas está enfermo.
**4** Quando Jesus ouviu isso, disse: Esta enfermidade não acabará em morte, mas é para a glória de Deus, para que o Filho de Deus seja por ela glorificado.
**5** Jesus amava Marta, a irmã dela e Lázaro.
**6** Quando, porém, ouviu que Lázaro adoecera, ficou ainda dois dias no lugar onde estava.
**7** Depois disse aos seus discípulos: Voltemos para a Judeia.
**8** Disseram os discípulos: Mestre, recentemente os judeus procuravam apedrejar-te, e voltas para lá?
**9** Jesus respondeu: Não há doze horas no dia? Se alguém andar de dia, não tropeça, pois vê a luz deste mundo.
**10** É quando anda de noite que tropeça, pois não tem luz.
**11** Disse isso e continuou: Nosso amigo Lázaro dorme, mas vou despertá-lo.
**12** Responderam os discípulos: Senhor, se dorme, melhorará.
**13** Jesus estava falando da sua morte, mas os discípulos pensavam que ele se referia ao repouso do sono.
**14** Então Jesus disse claramente: Lázaro está morto,
**15** e me alegro, por vossa causa, de que lá não estivesse, para que possais crer. Mas vamos até ele.
**16** Então Tomé, chamado Dídimo, disse aos outros discípulos: Vamos nós também para morrer com ele.

### Jesus, a ressurreição e a vida

**17** Quando Jesus chegou, já fazia quatro dias que Lázaro havia sido enterrado.
**18** Betânia distava cerca de quinze estádios de Jerusalém
**19** e muitos judeus tinham vindo visitar Marta e Maria, para consolá-las acerca de seu irmão.
**20** Ouvindo Marta que Jesus vinha, saiu-lhe ao encontro. Maria, porém, ficou em casa.
**21** Disse Marta a Jesus: Senhor, se tu estivesses aqui, meu irmão não teria morrido.
**22** Ainda agora, porém, sei que tudo o que pedires a Deus, ele te concederá.
**23** Disse Jesus: Teu irmão ressuscitará.

**24** Respondeu Marta: Eu sei que ressuscitará na ressurreição, no último dia.
**25** Disse Jesus: Eu sou a ressurreição e a vida. Quem crê em mim, ainda que esteja morto, viverá;
**26** e todo aquele que vive e crê em mim nunca morrerá. Crês nisso?
**27** Disse ela: Sim, Senhor, creio que tu és o Cristo, o Filho de Deus, que havia de vir ao mundo.
**28** Depois que ela disse isso, voltou e chamou Maria, sua irmã, em particular, dizendo: O Mestre está aqui e te chama.
**29** Quando Maria ouviu isso, levantou-se depressa e foi encontrar-se com Jesus.
**30** Ora, Jesus ainda não tinha entrado na aldeia, mas estava no lugar onde Marta o encontrara.
**31** Quando os judeus que estavam com Maria em casa e a consolavam perceberam quão rapidamente ela se levantara e saíra, seguiram-na, supondo que ia ao túmulo para chorar ali.
**32** Quando Maria chegou ao lugar onde Jesus estava e o viu, caiu-lhe aos pés, dizendo: Senhor, se tu estivesses aqui, meu irmão não teria morrido.
**33** Jesus, vendo-a chorar, e também chorando os judeus que com ela vinham, comoveu-se profundamente em espírito e perturbou-se.
**34** Perguntou ele: Onde o pusestes? Responderam: Senhor, vem e vê.
**35** Jesus chorou.
**36** Então disseram os judeus: Vede como o amava!
**37** Alguns, porém, disseram: Não podia ele, que abriu os olhos ao cego, fazer também que este não morresse?
**38** Jesus, comovendo-se profundamente outra vez, dirigiu-se ao sepulcro. Era uma gruta, com uma pedra posta sobre ela.
**39** Disse Jesus: Tirai a pedra. Disse Marta, irmã do morto: Senhor, já cheira mal, pois é o quarto dia.
**40** Então Jesus lhe disse: Não te disse que se creres verás a glória de Deus?
**41** Tiraram, então, a pedra. E Jesus, levantando os olhos para o céu, disse: Pai, graças te dou porque me ouviste.
**42** Eu sei que sempre me ouves, mas eu disse isso por causa da multidão que me rodeia, para que creiam que tu me enviaste.
**43** Tendo dito isso, Jesus clamou em alta voz: Lázaro, vem para fora!
**44** O morto saiu, tendo as mãos e os pés enfaixados, e o rosto envolto num lenço. Disse Jesus: Desatai-o e deixai-o ir.

### A trama para matar Jesus

**45** Muitos dos judeus que tinham ido visitar Maria e tinham visto o que Jesus fizera creram nele.
**46** Alguns, porém, foram aos fariseus e contaram o que Jesus tinha feito.
**47** Então os principais sacerdotes e os fariseus convocaram uma reunião do Sinédrio e disseram: Que faremos? Este homem realiza muitos sinais miraculosos.
**48** Se o deixarmos prosseguir assim, todos crerão nele, e virão os romanos e tomarão o nosso lugar e a própria nação.
**49** Então um deles, chamado Caifás, que era sumo sacerdote naquele ano, disse: Vós nada sabeis!
**50** Não percebeis que convém que um só homem morra pelo povo e que não pereça toda a nação.
**51** Ele não disse isso de si mesmo, mas, como sumo sacerdote

naquele ano, profetizou que Jesus morreria.

**52** E não somente pela nação, mas também para reunir em um só corpo os filhos de Deus que andavam dispersos.

**53** Desde aquele dia, resolveram matá-lo.

**54** Portanto, Jesus já não andava publicamente entre os judeus. Mas retirou-se para uma região perto do deserto, uma aldeia chamada Efraim, onde permaneceu com os discípulos.

**55** Quando se aproximava a Páscoa dos judeus, muitos daquela região subiram a Jerusalém para se purificar antes da Páscoa.

**56** Continuavam procurando Jesus e, estando no templo, diziam uns aos outros: Que vos parece? Não virá ele à festa?

**57** Ora, os principais sacerdotes e os fariseus tinham dado ordem para que, se alguém descobrisse onde ele estava, o denunciasse, para o prenderem.

### Jesus é ungido em Betânia
Mt 26:6-13; Mc 14:3-9

**12** Seis dias antes da Páscoa, Jesus chegou a Betânia, onde vivia Lázaro, a quem ele ressuscitara dentre os mortos.

**2** Ofereceram-lhe ali um jantar. Marta servia, e Lázaro estava entre os que se reclinavam à mesa com ele.

**3** Então Maria tomou uma libra de um nardo puro, um perfume muito caro, ungiu os pés de Jesus e os enxugou com os seus cabelos. E toda a casa se encheu com a fragrância do perfume.

**4** Contudo, um dos discípulos, Judas Iscariotes, que mais tarde o trairia, objetou:

**5** Por que não se vendeu este perfume por trezentos denários e não se deu aos pobres?

**6** Ele disse isso não pelo cuidado que tivesse com os pobres, mas porque era ladrão; tendo a bolsa de dinheiro, tirava o que nela se lançava.

**7** Respondeu Jesus: Deixai-a. Ela guardou este perfume para o dia do meu enterro.

**8** Pois vós sempre tereis os pobres convosco, mas a mim nem sempre tereis.

**9** Uma grande multidão, sabendo que ele estava ali, veio, não só por causa de Jesus, mas também para ver Lázaro, a quem ele ressuscitara dos mortos.

**10** Os principais sacerdotes decidiram, então, matar também a Lázaro,

**11** pois por causa dele muitos dos judeus iam ter com Jesus e criam nele.

### A entrada triunfal
Mt 21:1-11; Mc 11:1-11; Lc 19:28-40

**12** No dia seguinte, a grande multidão que viera à festa ouviu que Jesus estava a caminho de Jerusalém.

**13** Tomaram ramos de palmeiras e saíram ao seu encontro, gritando:
  Hosana!
  Bendito é aquele que vem
    em nome do Senhor!
  Bendito é o rei de Israel!

**14** Jesus encontrou um jumentinho e montou nele, como está escrito:

**15** Não temas, ó filha de Sião;
  vê, o teu Rei vem,
    montado num filho
      de jumenta.

**16** A princípio, seus discípulos não entenderam tudo isso. Só

depois que Jesus foi glorificado é que se lembraram de que essas coisas estavam escritas a respeito dele e que lhe foram feitas.
**17** Ora, a multidão que estivera com ele quando chamara a Lázaro do túmulo e o levantara dos mortos continuou a espalhar a notícia.
**18** Por isso, a multidão lhe saiu ao encontro, porque tinham ouvido que ele fizera este sinal miraculoso.
**19** Os fariseus então disseram entre si: Vede, nada conseguimos. Todo o mundo vai após ele.
**20** Ora, havia alguns gregos entre os que tinham subido para adorar no dia da festa.
**21** Dirigiram-se a Filipe, que era de Betsaida da Galileia, e lhe rogaram: Senhor, gostaríamos de ver Jesus.
**22** Filipe foi dizê-lo a André, e André e Filipe o disseram a Jesus.
**23** Jesus respondeu: É chegada a hora em que o Filho do homem será glorificado.
**24** Em verdade, em verdade vos digo que, se o grão de trigo, caindo na terra, não morrer, fica só. Mas, se morrer, produz muito fruto.
**25** Quem ama a sua vida, a perderá, mas quem odeia a sua vida neste mundo a guardará para a vida eterna.
**26** Aquele que me serve deve seguir-me, e onde eu estiver, ali estará também o meu servo. E, se alguém me servir, meu Pai o honrará.
**27** Agora o meu coração está angustiado, e que direi? Pai, salva-me desta hora? Mas foi precisamente para esta hora que eu vim.
**28** Pai, glorifica o teu nome! Então veio uma voz do céu: Já o glorifiquei e outra vez o glorificarei.
**29** A multidão que estava ali e ouviu a voz dizia que era um trovão. Outros diziam: Um anjo lhe falou.
**30** Disse Jesus: Não veio esta voz por causa de mim, mas por causa de vós.
**31** Agora é o tempo do juízo deste mundo; agora será expulso o príncipe deste mundo.
**32** Eu, porém, quando for levantado da terra, atrairei todos a mim.
**33** Ele dizia isso para mostrar o tipo de morte pelo qual morreria.
**34** A multidão respondeu: Nós temos ouvido da Lei que o Cristo permanecerá para sempre. Como dizes tu que convém que o Filho do homem seja levantado? Quem é esse Filho do homem?
**35** Então Jesus lhes disse: A luz ainda está convosco por um pouco. Andai enquanto tendes luz, para que as trevas não vos apanhem. Quem anda nas trevas não sabe para onde vai.
**36** Enquanto tendes a luz, crede na luz, para que sejais filhos da luz. Terminando de dizer estas coisas, Jesus se retirou e ocultou-se deles.
**37** Apesar de ter realizado todos esses sinais miraculosos na presença deles, ainda não criam nele.
**38** Para que se cumprisse a palavra do profeta Isaías:
Senhor, quem creu na nossa pregação?
E a quem foi revelado o braço do Senhor?
**39** Por isso, não podiam crer, porque como Isaías diz em outra passagem:
**40** Cegou-lhes os olhos
e endureceu-lhes o coração,
a fim de que não vejam com os olhos

nem compreendam com o coração e se convertam e eu os cure.
41 Isaías disse isso porque viu a glória de Jesus e falou a seu respeito.
42 Contudo, muitos dentre as autoridades creram nele. Mas por causa dos fariseus não confessavam a sua fé, pois tinham medo de ser expulsos da sinagoga;
43 pois amavam mais a glória dos homens do que a glória de Deus.
44 Então Jesus clamou: Quem crê em mim, crê não somente em mim, mas também naquele que me enviou.
45 Quem me vê, vê aquele que me enviou.
46 Eu vim ao mundo como luz, para que todo aquele que crê em mim não permaneça nas trevas.
47 Se alguém ouvir as minhas palavras, mas não as guardar, eu não o julgo. Pois eu vim não para julgar o mundo, mas para salvá-lo.
48 Quem me rejeita e não recebe as minhas palavras já tem quem o julgue: a própria palavra que tenho proferido, essa há de julgá-lo no último dia.
49 Pois eu não falei de mim mesmo, mas o Pai, que me enviou, me prescreveu o que dizer e de que falar.
50 Eu sei que o seu mandamento é a vida eterna. Portanto, o que eu digo, digo-o como o Pai me disse.

### Jesus lava os pés dos discípulos

**13** Antes da festa da Páscoa, sabendo Jesus que a sua hora de passar deste mundo para o Pai já tinha chegado, como havia amado os seus, que estavam no mundo, amou-os até o fim.
2 Durante a ceia, tendo já o Diabo posto no coração de Judas Iscariotes, filho de Simão, que o traísse,
3 Jesus, sabendo que o Pai tinha depositado nas suas mãos todas as coisas e que havia saído de Deus e ia para Deus,
4 levantou-se da ceia, tirou a vestimenta de cima, pegou uma toalha e a colocou em volta da cintura.
5 Depois colocou água numa bacia e começou a lavar os pés dos discípulos, enxugando-os com a toalha que estava em sua cintura.
6 Aproximou-se de Simão Pedro, que lhe disse: Senhor, tu vais lavar os meus pés?
7 Respondeu Jesus: O que eu faço não o sabes agora, mas o compreenderás depois.
8 Disse Pedro: Nunca me lavarás os pés. Respondeu Jesus: Se eu não te lavar, não tens parte comigo.
9 Respondeu Simão Pedro: Senhor, não apenas os pés, mas também as mãos e a cabeça.
10 Disse Jesus: Aquele que já se banhou não necessita lavar senão os pés; no mais está todo limpo. Ora, vós estais limpos, mas não todos.
11 Pois ele sabia quem o havia de trair. Foi por isso que disse: Nem todos estais limpos.
12 Tendo terminado de lavar os pés dos discípulos, Jesus retomou as suas vestes, voltou para a mesa e perguntou: Entendeis o que eu fiz?
13 Vós me chamais de Mestre e Senhor e dizeis bem, pois eu o sou.
14 Ora, se eu, Senhor e Mestre, vos lavei os pés, vós deveis também lavar os pés uns dos outros.
15 Eu vos dei o exemplo, para que façais o que eu fiz.
16 Em verdade, em verdade vos digo que o servo não é maior do que o seu senhor, nem o enviado maior do que aquele que o enviou.

17 Agora que sabeis estas coisas, bem-aventurados sois se as fizerdes.
18 Não falo de todos vós; eu conheço os que escolhi. Mas isto é para que se cumpra a Escritura: O que come o pão comigo levantou contra mim o seu calcanhar.
19 Digo-vos isso agora, antes que aconteça, para que quando acontecer acrediteis que eu sou.
20 Em verdade, em verdade vos digo: Todo aquele que receber o que eu enviar a mim me recebe; e aquele que me receber recebe aquele que me enviou.

### O anúncio da traição
Mt 26:21; Mc 14:18; Lc 22:21,22

21 Tendo Jesus dito isso, perturbou-se em espírito e afirmou: Em verdade, em verdade vos digo que um de vós me trairá.
22 Os discípulos olharam uns para os outros, sem saber de quem ele falava.
23 Um de seus discípulos, aquele a quem Jesus amava, estava reclinado próximo a Jesus.
24 Simão Pedro fez sinal a este, dizendo: Pergunta de quem o Mestre está falando.
25 Reclinando-se aquele discípulo sobre o peito de Jesus, perguntou: Senhor, quem é?
26 Jesus respondeu: É aquele a quem eu der o pedaço de pão molhado. Então, molhando o pedaço de pão, deu-o a Judas Iscariotes, filho de Simão.
27 Assim que Judas tomou o pão, entrou nele Satanás. Disse-lhe Jesus: O que estás prestes a fazer, faze-o depressa.
28 Todavia nenhum dos que estavam reclinados à mesa compreendeu com que propósito lhe dissera isso.
29 Como era Judas que guardava a bolsa, pensaram alguns que Jesus lhe tivesse dito: Compra o que nos é necessário para a festa, ou que desse alguma coisa aos pobres.
30 Assim que Judas tomou o pedaço de pão, saiu. E era noite.
31 Quando ele saiu, Jesus disse: Agora é glorificado o Filho do homem, e Deus é glorificado nele.
32 Se Deus é glorificado nele, Deus glorificará o Filho em si mesmo e o glorificará imediatamente.
33 Filhinhos, ainda por um pouco estou convosco. Vós me buscareis, e o que eu disse aos judeus, eu o digo a vós também agora: Para onde eu vou vós não podeis ir.
34 Novo mandamento vos dou: Amai-vos uns aos outros. Como eu vos amei, assim também deveis amar uns aos outros.
35 Nisso conhecerão todos que sois meus discípulos, se vos amardes uns aos outros.

### Jesus prediz que Pedro o negará

36 Perguntou-lhe Simão Pedro: Senhor, para onde vais? Respondeu Jesus: Para onde eu vou, não podes seguir-me agora; mais tarde, porém, me seguirás.
37 Pedro perguntou: Senhor, por que não posso seguir-te agora? Por ti darei a minha vida.
38 Jesus respondeu: Tu darás a tua vida por mim? Em verdade, em verdade te digo que de modo algum cantará o galo antes que me negues três vezes.

### Jesus promete voltar

**14** Não se turbe o vosso coração. Crede em Deus, crede também em mim.

**2** Na casa de meu Pai há muitas moradas. Se não fosse assim, eu o teria dito. Vou preparar-vos lugar.
**3** E, se eu for e vos preparar lugar, virei outra vez e vos levarei para mim mesmo, para que onde eu estou estejais vós também.
**4** Vós conheceis o caminho para onde eu vou.
**5** Disse-lhe Tomé: Senhor, nós não sabemos para onde vais, como podemos conhecer o caminho?
**6** Respondeu-lhe Jesus: Eu sou o caminho, a verdade e a vida. Ninguém vem ao Pai, senão por mim.
**7** Se vós me conhecêsseis, também conheceríeis a meu Pai. De agora em diante o conheceis e o vistes.
**8** Disse-lhe Filipe: Senhor, mostra-nos o Pai, e isso nos basta.
**9** Respondeu-lhe Jesus: Há tanto tempo estou convosco e não me conheces, Filipe? Quem me vê, vê o Pai. Como dizes tu: Mostra-nos o Pai?
**10** Não crês tu que eu estou no Pai e que o Pai está em mim? As palavras que eu vos digo não as digo por mim mesmo. Antes, é o Pai que está em mim quem faz as obras.
**11** Crede-me quando digo que estou no Pai e o Pai está em mim; pelo menos crede por causa das mesmas obras.
**12** Em verdade, em verdade vos digo que aquele que crê em mim também fará as obras que eu faço. E as fará maiores do que estas, porque eu vou para o Pai.
**13** E farei tudo o que pedirdes em meu nome, para que o Pai seja glorificado no Filho.
**14** Se me pedirdes alguma coisa em meu nome, eu o farei.

### A promessa do Espírito Santo

**15** Se me amais, guardareis os meus mandamentos.
**16** Eu rogarei ao Pai, e ele vos dará outro Consolador, para que esteja convosco para sempre,
**17** o Espírito da verdade, que o mundo não pode receber, porque não o vê nem o conhece. Mas vós o conheceis, pois habita convosco e estará em vós.
**18** Não vos deixarei órfãos; virei para vós.
**19** Ainda um pouco e o mundo não me verá mais, mas vós me vereis. Porque eu vivo, vós também vivereis.
**20** Naquele dia, conhecereis que estou em meu Pai, e vós em mim, e eu em vós.
**21** Aquele que tem os meus mandamentos e os guarda, esse é o que me ama. E quem me ama será amado por meu Pai, e eu também o amarei e me manifestarei a ele.
**22** Disse-lhe Judas, não o Iscariotes: Senhor, por que pretendes manifestar-te a nós, e não ao mundo?
**23** Respondeu-lhe Jesus: Se alguém me amar, guardará a minha palavra. Meu Pai o amará, e viremos para ele e nele faremos morada.
**24** Quem não me ama não guarda as minhas palavras. Esta palavra que ouvis não é minha, mas do Pai que me enviou.
**25** Tenho-vos dito isso, estando convosco.
**26** O Consolador, o Espírito Santo, que o Pai enviará em meu nome, porém, vos ensinará todas as coisas e vos fará lembrar de tudo o que vos tenho dito.
**27** Deixo-vos a paz, a minha paz vos dou. Não vo-la dou como o

mundo a dá. Não se turbe o vosso coração nem se atemorize. **28** Ouvistes que eu vos disse: Vou e voltarei para vós. Se me amásseis, vos alegraríeis porque eu vou para o Pai, pois o Pai é maior do que eu. **29** Eu vos disse agora, antes que aconteça, para que, quando acontecer, vós acrediteis. **30** Já não falarei muito convosco, pois se aproxima o príncipe deste mundo. Ele nada tem em mim, **31** mas é para que o mundo saiba que eu amo o Pai e que faço como o Pai me ordenou. Levantai-vos, vamo-nos daqui.

### A videira e os ramos

**15** Eu sou a videira verdadeira, e meu Pai é o agricultor. **2** Todo ramo em mim que não dá fruto ele o corta, e todo ramo que produz fruto ele o poda, para que produza mais fruto ainda. **3** Quanto a vós, já estais limpos por causa da palavra que vos tenho falado. **4** Permanecei em mim, e eu permanecerei em vós. O ramo de si mesmo não pode produzir fruto, se não estiver na videira. Tampouco vós podeis produzir fruto, se não permanecerdes em mim. **5** Eu sou a videira, vós sois os ramos. Se alguém permanece em mim, e eu nele, esse dá muito fruto; sem mim nada podeis fazer. **6** Se alguém não permanecer em mim, será lançado fora, como o ramo, e secará; tais ramos são apanhados, lançados no fogo e se queimam. **7** Se permanecerdes em mim, e as minhas palavras permanecerem em vós, pedireis o que quiserdes e vos será feito. **8** Nisto é glorificado meu Pai, em que deis muito fruto, e assim vos tornareis meus discípulos. **9** Como o Pai me amou, também eu vos amei. Permanecei no meu amor. **10** Se guardardes os meus mandamentos, permanecereis no meu amor, assim como eu tenho guardado os mandamentos de meu Pai e permaneço no seu amor. **11** Tenho-vos dito isto para que a minha alegria esteja em vós, e a vossa alegria seja completa. **12** O meu mandamento é este: Amai-vos uns aos outros como eu vos amei. **13** Ninguém tem maior amor do que este, de dar alguém a própria vida pelos seus amigos. **14** E vós sois meus amigos, se fizerdes o que eu vos mando. **15** Já não vos chamo de servos, porque o servo não sabe o que faz o seu senhor. Antes, tenho-vos chamado amigos, pois tudo o que ouvi de meu Pai vos tenho dado a conhecer. **16** Não fostes vós que me escolhestes, mas fui eu que vos escolhi e vos designei para que vades e deis fruto e o vosso fruto permaneça; a fim de que tudo o que em meu nome pedirdes ao Pai ele vos conceda. **17** Isto vos ordeno: Amai-vos uns aos outros. **18** Se o mundo vos odeia, sabei que antes de vós me odiou a mim. **19** Se fôsseis do mundo, o mundo amaria o que era seu. Mas como não sois do mundo, antes dele vos escolhi, é por isso que o mundo vos odeia.

**20** Lembrai-vos da palavra que vos disse: Não é o servo maior do que o seu senhor. Se eles me perseguiram, também vos perseguirão. Se guardaram a minha palavra, também guardarão a vossa. **21** Tudo isso, porém, vos farão por causa do meu nome, pois não conhecem aquele que me enviou. **22** Se eu não tivesse vindo e lhes falado, não teriam pecado. Agora, porém, não têm desculpa do seu pecado. **23** Aquele que me odeia, odeia também o meu Pai. **24** Se eu não tivesse feito entre eles o que nenhum outro fez, não teriam pecado. Mas agora viram e odiaram a mim e a meu Pai. **25** É, porém, para que se cumpra a palavra que está escrita na sua Lei: Odiaram-me sem motivo. **26** Quando vier o Consolador, que eu da parte do Pai vos enviarei, o Espírito da verdade, que procede do Pai, ele testificará de mim. **27** E vós também testificareis, pois estais comigo desde o princípio.

**Últimas instruções aos discípulos**

**16** Tenho-vos dito essas coisas para que não vos escandalizeis. **2** Eles vos expulsarão das sinagogas; de fato, vem a hora em que qualquer que vos matar pensará estar oferecendo culto a Deus. **3** Isso vos farão porque não conheceram o Pai nem a mim. **4** Tenho-vos dito isso a fim de que, quando chegar a hora, vos lembreis de que já vos tinha prevenido. Eu não vos disse isso desde o princípio porque estava convosco. **5** Agora vou para aquele que me enviou, e nenhum de vós me pergunta: Para onde vais? **6** Antes, porque vos disse isto, o vosso coração se encheu de tristeza. **7** Todavia, digo-vos a verdade: Convém que eu vá, porque, se eu não for, o Consolador não virá para vós; mas, se eu for, eu o enviarei. **8** Quando ele vier, convencerá o mundo do pecado, da justiça e do juízo. **9** Do pecado, porque não creem em mim; **10** da justiça, porque vou para o Pai, e não me vereis mais; **11** do juízo, porque já o príncipe deste mundo está julgado. **12** Ainda tenho muito que vos dizer, mas vós não o podeis suportar agora. **13** Quando, porém, vier o Espírito da verdade, ele vos guiará em toda a verdade. Não falará de si mesmo, mas dirá tudo o que tiver ouvido e vos anunciará o que há de vir. **14** Ele me glorificará porque há de receber do que é meu e há de anunciar a vós. **15** Tudo o que o Pai tem é meu. Por isso vos disse que há de receber do que é meu e há de anunciar a vós. **16** Um pouco, e não me vereis mais; e um pouco ainda e me vereis. **17** Alguns dos discípulos disseram uns aos outros: Que vem a ser isto que nos diz? Um pouco, e não me vereis e um pouco ainda, e me vereis? E: Vou para o Pai? **18** Diziam eles: Que quer dizer esse "um pouco"? Não sabemos o que diz. **19** Jesus percebeu que queriam interrogá-lo e lhes perguntou: Indagais entre vós acerca disso que disse: Um pouco, e não me vereis; e ainda um pouco, e me vereis?

20 Em verdade, em verdade vos digo que vós chorareis e vos lamentareis enquanto o mundo se alegra. Vós ficareis tristes, mas a vossa tristeza se converterá em alegria.
21 A mulher quando está para dar à luz sente tristeza, porque é chegada a sua hora; mas, depois de nascida a criança, já não se lembra da aflição, pelo prazer de ter vindo um homem ao mundo.
22 Assim também vós agora, na verdade, tendes tristeza, mas outra vez vos verei, e o vosso coração se alegrará, e a vossa alegria ninguém poderá tirar.
23 Naquele dia, nada me perguntareis. Em verdade, em verdade vos digo que tudo o que pedirdes a meu Pai, em meu nome, ele vos dará.
24 Até agora nada pedistes em meu nome. Pedi e recebereis, para que a vossa alegria seja completa.
25 Disse-vos estas coisas por figuras; vem a hora em que não vos falarei mais por figuras, mas abertamente vos falarei acerca do Pai.
26 Naquele dia, pedireis em meu nome. Não vos digo que eu rogarei por vós ao Pai.
27 Não, o próprio Pai vos ama, visto que vós me amastes e crestes que vim de Deus.
28 Vim do Pai e entrei no mundo; agora deixo o mundo e volto para o Pai.
29 Disseram os seus discípulos: Agora falas abertamente e não usas nenhuma figura.
30 Agora percebemos que sabes tudo, e não é preciso que alguém te interrogue. Por isso, cremos que vieste de Deus.
31 Respondeu Jesus: Credes agora?
32 Mas vem a hora, e já chegou, em que sereis dispersos cada um para sua casa. Vós me deixareis só. Mas não estou só, pois o Pai está comigo.
33 Disse-vos essas coisas para que em mim tenhais paz. No mundo tereis aflições. Mas tende bom ânimo! Eu venci o mundo.

### Jesus ora por si mesmo

**17** Tendo dito estas coisas, Jesus levantou os olhos ao céu e disse: Pai, é chegada a hora. Glorifica o teu Filho, para que também o teu Filho te glorifique.
2 Pois lhe deste autoridade sobre toda a carne, para que dê a vida eterna a todos os que lhe deste.
3 Ora, a vida eterna é esta: que conheçam a ti, o único Deus verdadeiro, e a Jesus Cristo, a quem enviaste.
4 Eu te glorifiquei na terra, concluindo a obra que me deste para fazer.
5 E agora, Pai, glorifica-me em tua presença com a glória que tinha contigo antes que o mundo existisse.

### Jesus ora pelos discípulos

6 Manifestei o teu nome aos homens que me deste do mundo. Eram teus e os deste a mim, e eles guardaram a tua palavra.
7 Agora sabem que tudo o que me deste provém de ti.
8 Pois lhes dei as palavras que tu me deste, e eles as receberam. Verdadeiramente conheceram que saí de ti e creram que me enviaste.
9 Eu rogo por eles. Não rogo pelo mundo, mas por aqueles que me deste, pois são teus.
10 Tudo o que tenho é teu, e tudo o que tens é meu. E neles sou glorificado.

**11** Já não permanecerei no mundo por muito tempo, mas eles estão no mundo, e eu vou para junto de ti. Pai santo, guarda-os em teu nome, o nome que me deste, para que sejam um, assim como nós. **12** Estando eu com eles no mundo, guardei-os no nome que me deste. Nenhum deles se perdeu, senão o filho da perdição, para que se cumprisse a Escritura. **13** Agora vou para junto de ti, e isto digo enquanto estou no mundo, para que tenham em si a medida completa da minha alegria. **14** Dei-lhes a tua palavra, e o mundo os odiou, pois não são do mundo, assim como eu não sou do mundo. **15** Não peço que os tires do mundo, mas que os guardes do mal. **16** Eles não são do mundo, como eu do mundo não sou. **17** Santifica-os na verdade; a tua palavra é a verdade. **18** Assim como tu me enviaste ao mundo, também eu os enviei ao mundo. **19** Por eles me santifico a mim mesmo, para que eles também sejam santificados na verdade. **20** Eu não rogo somente por estes, mas também por aqueles que pela sua palavra hão de crer em mim. **21** Para que todos sejam um, como tu, ó Pai, o és em mim, e eu em ti. Que eles também sejam um em nós, para que o mundo creia que tu me enviaste. **22** Eu lhes dei a glória que tu me deste, para que sejam um, como nós somos um: **23** Eu neles, e tu em mim, para que sejam perfeitos em unidade, para que o mundo conheça que tu me enviaste e que os amaste como também amaste a mim.

**24** Pai, quero que onde eu estiver, estejam também comigo aqueles que me deste, para que vejam a minha glória, a glória que me deste, porque me amaste antes da criação do mundo. **25** Pai justo, o mundo não te conheceu, mas eu te conheci, e estes conheceram que tu me enviaste. **26** Eu lhes dei a conhecer o teu nome e continuarei a fazê-lo, para que o amor com que me amaste esteja neles, e eu neles esteja.

### Jesus é preso
*Mt 26:47-56; Mc 14:43-50; Lc 22:47-53*

**18** Tendo Jesus terminado de orar, partiu com os discípulos, e atravessaram o vale do Cedrom. Havia ali um jardim, onde Jesus entrou com seus discípulos. **2** Ora, Judas, que o traiu, também conhecia aquele lugar, porque Jesus muitas vezes se reunira ali com os discípulos. **3** Então Judas, tendo recebido a escolta e alguns guardas dos principais sacerdotes e dos fariseus, chegou ao jardim com lanternas, tochas e armas. **4** Sabendo Jesus todas as coisas que sobre ele haviam de vir, adiantou-se e perguntou-lhes: A quem buscais? **5** Responderam-lhe: A Jesus de Nazaré. Disse-lhes Jesus: Sou eu. E Judas, que o traía, estava com eles. **6** Quando Jesus lhes disse: Sou eu, recuaram e caíram por terra. **7** Tornou a perguntar-lhes: A quem buscais? E disseram: A Jesus de Nazaré. **8** Respondeu Jesus: Já vos disse que sou eu. Se é a mim que buscais, deixai ir estes.

**9** Isso aconteceu para que se cumprisse a palavra que ele tinha dito: Não perdi nenhum dos que me deste.
**10** Então Simão Pedro, que tinha uma espada, puxou-a e feriu o servo do sumo sacerdote, cortando-lhe a orelha direita. O nome do servo era Malco.
**11** Jesus, porém, disse a Pedro: Coloca a tua espada na bainha! Não beberei o cálice que o Pai me deu?

### Jesus é levado a Anás e Caifás

**12** Então a escolta, o comandante e os guardas dos judeus prenderam a Jesus e o amarraram.
**13** Levaram-no primeiro a Anás, por ser sogro de Caifás, o sumo sacerdote naquele ano.
**14** Caifás era quem tinha aconselhado aos judeus que convinha que um homem morresse pelo povo.

### Pedro nega Jesus
Mt 26:69-75; Mc 14:66-72; Lc 22:54-62

**15** Simão Pedro e outro discípulo seguiam Jesus. Sendo este discípulo conhecido do sumo sacerdote, entrou com Jesus no pátio do sumo sacerdote.
**16** Pedro, porém, ficou de fora, junto à porta. O outro discípulo, que era conhecido do sumo sacerdote, voltou, falou com a porteira e levou Pedro para dentro.
**17** A porteira perguntou a Pedro: Não és tu um dos discípulos deste homem? Respondeu ele: Não sou.
**18** Fazia frio, e os servos e os guardas estavam em pé ao redor de uma fogueira que tinham feito para se aquecer. Pedro também estava com eles, aquecendo-se.

**19** Então o sumo sacerdote interrogou Jesus acerca dos seus discípulos e da sua doutrina.
**20** Respondeu-lhe Jesus: Eu falei abertamente ao mundo. Eu sempre ensinei nas sinagogas e no templo, onde todos os judeus se reúnem. Nada disse em oculto.
**21** Para que me interrogas? Pergunta aos que me ouviram. Certamente que eles sabem o que eu disse.
**22** Quando Jesus disse isso, um dos guardas que ali estavam deu-lhe uma bofetada, dizendo: É assim que respondes ao sumo sacerdote?
**23** Respondeu Jesus: Se falei mal, dá testemunho do mal. Mas se falei bem, por que me feres?
**24** Então Anás mandou-o, ainda amarrado, ao sumo sacerdote Caifás.

### De novo Pedro nega Jesus

**25** Simão Pedro continuava de pé, aquecendo-se. Então lhe perguntaram: Não és um dos seus discípulos? Ele negou, dizendo: Não sou.
**26** Um dos servos do sumo sacerdote, parente daquele a quem Pedro cortara a orelha, perguntou: Não te vi eu no jardim com ele?
**27** De novo Pedro negou, e naquele momento um galo começou a cantar.

### Jesus perante Pilatos
Mt 27:1-2, 11-26; Mc 15:1-15; Lc 23:1-7, 13-35

**28** Então os judeus levaram Jesus da casa de Caifás para o pretório. Era bem cedo, e para não se contaminarem, mas poderem comer a Páscoa, não entraram na residência oficial do governador romano.

**29** Então Pilatos saiu para falar com eles e lhes perguntou: Que acusação trazeis contra este homem?
**30** Responderam-lhe: Se este não fosse malfeitor, não o entregaríamos a ti.
**31** Disse-lhes Pilatos: Levai-o vós e julgai-o segundo a vossa lei. Responderam os judeus: Não nos é permitido executar a ninguém.
**32** Isso aconteceu para que se cumprisse a palavra que Jesus tinha dito, significando de que morte haveria de morrer.
**33 T**ornou Pilatos a entrar na residência oficial do governo romano, chamou a Jesus e lhe perguntou: És tu o rei dos judeus?
**34** Respondeu Jesus: Dizes isso de ti mesmo ou outros te disseram isso de mim?
**35** Replicou Pilatos: Sou eu judeu? A tua nação e os principais sacerdotes te entregaram a mim. Que fizeste?
**36** Respondeu Jesus: O meu Reino não é deste mundo. Se fosse, os meus súditos combateriam para que eu não fosse entregue aos judeus. Mas agora o meu Reino não é daqui.
**37** Perguntou Pilatos: Então, tu és rei? Respondeu Jesus: Tu dizes que eu sou rei. Eu para isso nasci e para isso vim ao mundo, a fim de dar testemunho da verdade. Todo aquele que é da verdade ouve a minha voz.
**38** Perguntou Pilatos: Que é a verdade? Tendo dito isso, voltou a falar com os judeus e lhes disse: Não acho nele crime algum.
**39** É vosso costume, porém, que eu vos solte alguém por ocasião da Páscoa. Quereis que vos solte o rei dos judeus?
**40** Todos começaram a gritar: Este não, mas Barrabás! Ora, Barrabás era um assaltante.

### Jesus é condenado à morte de cruz

**19** Então Pilatos pegou a Jesus e mandou açoitá-lo.
**2** Os soldados teceram uma coroa de espinhos, puseram-na em sua cabeça, e vestiram-no com um manto de púrpura.
**3** Aproximando-se dele, diziam: Salve, rei dos judeus! E davam-lhe bofetadas.
**4** De novo, Pilatos saiu e lhes disse: Vede! Eu o trago para vós para que saibais que não acho nele crime algum.
**5** Quando Jesus saiu, trazendo a coroa de espinhos e o manto de púrpura, Pilatos lhes disse: Eis o homem!
**6** Vendo-o os principais sacerdotes e os seus guardas, gritaram: Crucifica-o! Crucifica-o! Mas Pilatos respondeu: Tomai-o vós e crucificai-o. Eu não acho nele crime algum.
**7** Responderam os judeus: Nós temos uma lei, e segundo essa lei ele deve morrer, porque se fez filho de Deus.
**8** Tendo Pilatos ouvido esta declaração, mais atemorizado ficou.
**9** Entrando de novo na residência oficial, disse a Jesus: De onde vens? Mas Jesus não deu resposta.
**10** Disse Pilatos: Não me respondes? Não sabes que tenho autoridade para te soltar e para te crucificar?
**11** Respondeu Jesus: Nenhuma autoridade terias contra mim, se de cima não te fosse dada. Aquele, porém, que me entregou a ti maior pecado tem.

**12** Desde então Pilatos procurava soltar Jesus, mas os judeus continuavam a gritar: Se soltares a este, não és amigo de César. Qualquer que se faz rei se opõe a César.
**13** Ouvindo Pilatos essas palavras, levou Jesus para fora e sentou-se no tribunal, no lugar chamado Pavimento, em hebraico Gábata.
**14** Era o dia da preparação da Páscoa, e quase meio-dia. Disse Pilatos aos judeus: Eis o vosso rei.
**15** Eles, porém, gritaram: Fora! Fora! Crucifica-o! Perguntou-lhes Pilatos: Hei de crucificar o vosso rei? Responderam os principais sacerdotes: Não temos rei, senão César.
**16** Finalmente Pilatos o entregou para ser crucificado.

### A crucificação
Mt 27.33-44; Mc 15.22-32; Lc 23.33-43

**17** Então os soldados levaram Jesus. Ele próprio, levando a sua cruz, saiu para o lugar chamado Caveira, que em hebraico se chama Gólgota,
**18** onde o crucificaram, e com ele outros dois, um de cada lado, e Jesus no meio.
**19** Pilatos mandou escrever um título e o fez pregar na cruz. Nele estava escrito: JESUS DE NAZARÉ, O REI DOS JUDEUS.
**20** Muitos dos judeus leram este título, pois o lugar onde Jesus fora crucificado era próximo da cidade, e estava escrito em hebraico, latim e grego.
**21** Disseram os principais sacerdotes dos judeus a Pilatos: Não escrevas o rei dos judeus, mas que ele disse: Sou o rei dos judeus.
**22** Respondeu Pilatos: O que escrevi, escrevi.
**23** Tendo os soldados crucificado Jesus, tomaram as suas vestes e dividiram-nas em quatro partes, uma para cada soldado. Tomaram também a túnica, que era sem costura, toda tecida, numa só peça, de alto a baixo.
**24** Disseram uns aos outros: Não a rasguemos, mas lancemos sortes sobre ela para ver de quem será. Isso aconteceu para que se cumprisse a Escritura: Dividiram entre si as minhas vestes, e sobre a minha túnica lançaram sortes. Foi o que fizeram os soldados.
**25** Junto à cruz de Jesus estava a sua mãe, a irmã dela, e Maria, mulher de Clopas, e Maria Madalena.
**26** Vendo Jesus ali a sua mãe, e que o discípulo a quem ele amava estava presente, disse à sua mãe: Mulher, eis o teu filho.
**27** Depois, disse ao discípulo: Eis a tua mãe. Dessa hora em diante o discípulo a recebeu em sua casa.

### A morte de Jesus

**28** Mais tarde, sabendo Jesus que tudo estava consumado e, para que a Escritura se cumprisse, disse: Tenho sede!
**29** Estava ali um vaso cheio de vinagre. Embeberam de vinagre uma esponja, colocaram-na numa vara de hissopo e chegaram-na à sua boca.
**30** Quando Jesus recebeu o vinagre, disse: Está consumado! E inclinando a cabeça, entregou o espírito.
**31** Como era o dia da preparação, os judeus, para que os corpos não ficassem na cruz durante o sábado, porque esse sábado era um grande dia, rogaram a

Pilatos que se lhes quebrassem as pernas e fossem tirados da cruz.
32 Foram os soldados e quebraram as pernas do primeiro e do outro que com ele fora crucificado.
33 Chegando-se, porém, a Jesus, e vendo-o já morto, não lhe quebraram as pernas.
34 Contudo, um dos soldados trespassou-lhe o lado com uma lança, e imediatamente saiu sangue e água.
35 Aquele que o viu testificou, e o seu testemunho é verdadeiro. Ele sabe que é verdade o que diz, para que também vós o creiais.
36 Estas coisas aconteceram para que se cumprisse a Escritura: Nenhum dos seus ossos será quebrado.
37 E como diz outra Escritura: Olharão para aquele a quem trespassaram.

## O sepultamento de Jesus
Mt 27:57-61; Mc 15:42-47; Lc 23:50-56

38 Depois disso, José de Arimateia, que era discípulo de Jesus, mas em oculto, por temer os judeus, pediu a Pilatos que lhe permitisse tirar o corpo de Jesus. Com a permissão de Pilatos, ele foi, tirou o corpo da cruz e o levou.
39 Foi também Nicodemos, aquele que anteriormente se dirigira de noite a Jesus, levando quase cem libras de uma mistura de mirra e aloés.
40 Tomaram o corpo de Jesus e o envolveram em lençóis de linho com as especiarias, como os judeus costumam fazer, na preparação para o sepultamento.
41 No lugar em que Jesus foi crucificado, havia um jardim, e no jardim um sepulcro novo, no qual ainda ninguém havia sido posto.
42 Porque o sepulcro ficava perto, e por causa da preparação dos judeus, puseram ali o corpo de Jesus.

## A ressurreição de Jesus
Mt 28:1-10; Mc 16:1-8; Lc 24:1-12

**20** Na madrugada do primeiro dia da semana, sendo ainda escuro, Maria Madalena foi ao sepulcro e viu que a pedra fora removida da entrada.
2 Correu ela ao encontro de Simão Pedro e do outro discípulo, a quem Jesus amava, e lhes disse: Tiraram do sepulcro o Senhor, e não sabemos onde o colocaram.
3 Então Pedro saiu com o outro discípulo, e foram ao sepulcro.
4 Os dois correram juntos, mas o outro discípulo correu mais depressa do que Pedro e chegou primeiro ao sepulcro.
5 Abaixando-se, viu no chão os lençóis de linho, mas não entrou.
6 Chegou Simão Pedro, que o seguia, entrou no sepulcro e viu no chão os lençóis
7 e o lenço, que cobrira a cabeça de Jesus. O lenço não estava com os lençóis, mas enrolado num lugar à parte.
8 Finalmente entrou também o outro discípulo, que chegara primeiro ao sepulcro, e viu e creu.
9 Ainda não haviam compreendido que, conforme a Escritura, era necessário que ele ressuscitasse dos mortos.

## Jesus aparece a Maria Madalena

10 Então os discípulos voltaram para casa.
11 Maria, porém, ficou chorando junto à entrada do sepulcro. Enquanto chorava, abaixou-se para olhar para dentro do sepulcro

**12** e viu dois anjos vestidos de branco, assentados onde estivera o corpo de Jesus, um à cabeceira e outro aos pés.
**13** Os anjos lhe perguntaram: Mulher, por que choras? Ela respondeu: Levaram o meu Senhor, e não sei onde o puseram.
**14** Tendo dito isso, voltou-se e viu a Jesus ali em pé, mas não percebeu que era Jesus.
**15** Perguntou-lhe Jesus: Mulher, por que choras? A quem procuras? Pensando tratar-se do jardineiro, ela respondeu: Senhor, se tu o levaste, dize-me onde o puseste, e eu o irei buscar.
**16** Disse-lhe Jesus: Maria! Ela, voltando-se, disse em hebraico: Rabôni! (que quer dizer Mestre).
**17** Disse-lhe Jesus: Não me detenhas, pois ainda não voltei ao Pai. Mas vai ter com meus irmãos e dize-lhes: Eu volto para meu Pai e vosso Pai, meu Deus e vosso Deus.
**18** Maria Madalena foi e anunciou aos discípulos: Vi o Senhor! E contou o que ele lhe dissera.

### Jesus aparece aos discípulos
Lc 24:36-43

**19** Chegada a tarde daquele dia, o primeiro da semana, e estando fechadas as portas do lugar onde estavam os discípulos, com medo dos judeus, chegou Jesus, pôs-se no meio deles e lhes disse: Paz seja convosco!
**20** Tendo dito isso, mostrou-lhes as mãos e o lado. Os discípulos se alegraram ao verem o Senhor.
**21** Disse-lhes Jesus de novo: Paz seja convosco! Assim como o Pai me enviou, eu vos envio.
**22** Dizendo isso, soprou sobre eles e disse: Recebei o Espírito Santo.
**23** Se perdoardes os pecados de alguém, estarão perdoados; se não os perdoardes, não estarão perdoados.

### Jesus aparece a Tomé

**24** Ora, Tomé, chamado Dídimo, um dos Doze, não estava com eles quando apareceu Jesus.
**25** Disseram-lhe então os outros discípulos: Vimos o Senhor. Mas ele respondeu: Se eu não vir o sinal dos cravos em suas mãos, não puser ali o dedo e não puser a mão no seu lado, de maneira nenhuma o crerei.
**26** Oito dias mais tarde, estavam de novo os discípulos dentro de casa, e Tomé com eles. Embora as portas estivessem trancadas, Jesus chegou, apresentou-se no meio deles e disse: Paz seja convosco!
**27** Então disse a Tomé: Põe aqui o teu dedo; vê as minhas mãos. Estenda a tua mão e coloque-a no meu lado. Não sejas incrédulo, mas crente.
**28** Disse-lhe Tomé: Senhor meu e Deus meu!
**29** Então Jesus lhe disse: Porque me viste, creste. Bem-aventurados os que não viram e creram.
**30** Jesus operou na presença de seus discípulos muitos outros sinais miraculosos que não estão escritos neste livro.
**31** Estes, porém, foram escritos para que creiais que Jesus é o Cristo, o filho de Deus, e para que, crendo, tenhais vida em seu nome.

### Jesus aparece a alguns discípulos

**21** Depois disso, Jesus se manifestou novamente aos discípulos junto ao mar de Tiberíades. Manifestou-se assim:

**2** Estavam juntos Simão Pedro, Tomé, chamado Dídimo, Natanael, de Caná da Galileia, os filhos de Zebedeu, e outros dois discípulos. **3** Disse-lhes Simão Pedro: Vou pescar. Disseram-lhe eles: Nós também vamos contigo. Saíram e entraram no barco, mas naquela noite nada apanharam. **4** Logo pela manhã, Jesus se apresentou na praia, mas os discípulos não reconheceram que era Jesus. **5** Então Jesus lhes disse: Filhos, tendes alguma coisa de comer? Responderam-lhe: Não. **6** Disse-lhes ele: Lançai a rede à direita do barco e achareis. Lançaram-na, então, e já não podiam tirar a rede, por causa da quantidade de peixes. **7** Aquele discípulo a quem Jesus amava disse a Pedro: É o Senhor! Assim que Simão Pedro ouviu que era o Senhor, vestiu a capa, pois se havia despido, e lançou-se ao mar. **8** Os outros discípulos seguiram no barco, puxando a rede cheia de peixes, pois não estavam distantes da terra, senão quase duzentos côvados. **9** Quando saltaram em terra, viram brasas acesas, tendo por cima peixe e pão. **10** Disse-lhes Jesus: Trazei alguns dos peixes que apanhastes. **11** Simão Pedro entrou no barco e puxou a rede para a terra, cheia de cento e cinquenta e três grandes peixes, e mesmo sendo tantos a rede não se rompeu. **12** Disse-lhes Jesus: Vinde, comei. Nenhum dos discípulos ousava perguntar-lhe: Quem és tu? Sabiam que era o Senhor. **13** Veio Jesus, tomou o pão e lhes deu, e semelhantemente o peixe. **14** Era a terceira vez que Jesus se manifestava aos discípulos, depois de ter ressuscitado dos mortos.

### Jesus interroga Pedro

**15** Depois de terem comido, Jesus perguntou a Simão Pedro: Simão, filho de João, amas-me mais do que estes? Ele respondeu: Sim, Senhor, tu sabes que te amo. Disse-lhe: Apascenta os meus cordeiros. **16** Tornou a perguntar-lhe: Simão, filho de João, amas-me? Ele respondeu: Sim, Senhor, tu sabes que te amo. Disse-lhe Jesus: Apascenta as minhas ovelhas. **17** Perguntou-lhe pela terceira vez: Simão, filho de João, amas-me? Simão entristeceu-se por Jesus lhe ter perguntado pela terceira vez: Amas-me? E respondeu: Senhor, tu sabes tudo, tu sabes que eu te amo. Disse Jesus: Apascenta as minhas ovelhas. **18** Em verdade, em verdade te digo que, quando eras mais moço, te vestia a ti mesmo e andavas por onde querias; mas, quando fores velho, estenderás as mãos e outro te vestirá e te levará para onde não queres. **19** Jesus disse isso significando com que tipo de morte havia ele de glorificar a Deus. Então lhe disse: Segue-me! **20** Pedro, voltando-se, viu que o seguia o discípulo a quem Jesus amava, que na ceia se reclinara sobre o seu peito e dissera: Senhor, quem é que te há de trair? **21** Vendo-o Pedro, perguntou a Jesus: Senhor, e deste que será? **22** Respondeu-lhe Jesus: Se eu quero que ele permaneça até que eu venha, que te importa? Segue-me tu. **23** Então divulgou-se entre os irmãos este dito, que aquele discípulo não haveria de morrer. Jesus, porém, não disse que ele não morreria; mas: Se eu quero que ele permaneça até que eu venha, que te importa?

24 Este é o discípulo que testifica destas coisas e as escreveu. Sabemos que o seu testemunho é verdadeiro.

25 Jesus fez muitas outras coisas. Se cada uma delas fosse escrita, estou certo de que nem ainda o mundo todo poderia conter os livros que seriam escritos.

# ATOS

## Introdução. A ascensão

**1** Fiz o primeiro relato, ó Teófilo, acerca de tudo o que Jesus começou não só a fazer, mas também a ensinar,

**2** até o dia em que foi elevado ao céu, depois de ter dado mandamentos, pelo Espírito Santo, aos apóstolos que escolhera.

**3** Aos quais também, depois de ter morrido, se apresentou vivo, com muitas e incontestáveis provas, sendo visto por eles pelo período de quarenta dias, e falando a respeito do Reino de Deus.

**4** E, certa ocasião, estando comendo com eles, ordenou-lhes: Não vos ausenteis de Jerusalém, mas esperai a promessa do Pai, a qual de mim ouvistes.

**5** Pois João batizou com água, mas vós sereis batizados com o Espírito Santo, dentro de poucos dias.

**6** Aqueles que se haviam reunido perguntaram-lhe: Senhor, restaurarás tu neste tempo o reino a Israel?

**7** Ele lhes disse: Não vos importa saber os tempos ou as épocas que o Pai determinou pelo seu próprio poder.

**8** No entanto, recebereis poder, ao descer sobre vós o Espírito Santo, e sereis minhas testemunhas, tanto em Jerusalém como em toda a Judeia e Samaria, e até os confins da terra.

**9** Depois que lhes disse isto, vendo-o eles, foi elevado às alturas e uma nuvem o recebeu, encobrindo-o a seus olhos.

**10** E, estando eles com os olhos fixos no céu enquanto ele subia, de repente junto deles se puseram dois homens vestidos de branco,

**11** os quais lhes disseram: Varões galileus, por que estais olhando para o céu? Esse Jesus, que dentre vós foi elevado ao céu, há de vir, assim como para o céu o vistes ir.

**12** Então voltaram para Jerusalém, vindo do monte chamado das Oliveiras, que fica perto de Jerusalém, à distância da caminhada de um sábado.

**13** Tendo chegado, subiram ao aposento onde estavam hospedados. Estavam presentes: Pedro e Tiago, João e André, Filipe e Tomé, Bartolomeu e Mateus; Tiago, filho de Alfeu, Simão, o Zelote, e Judas, filho de Tiago.

**14** Todos esses perseveravam juntos em oração e súplicas, com as mulheres, com Maria, mãe de Jesus, e com seus irmãos.

## Matias substitui Judas

**15** Naqueles dias, levantando-se Pedro no meio dos discípulos (ora, a multidão reunida era de quase cento e vinte pessoas), disse:

**16** Irmãos, era necessário que se cumprisse a Escritura que o Espírito Santo disse pela boca de Davi acerca de Judas, que foi o guia daqueles que prenderam Jesus;

**17** ele foi contado conosco e participou deste ministério.

**18** Ora, este adquiriu um campo como recompensa do pecado; e, jogando-se de cabeça, partiu-se ao meio, e todas as suas entranhas se derramaram.

**19** E todos os que habitam em Jerusalém ficaram sabendo do acontecido, de maneira que na sua própria língua esse campo se chama Acéldama, isto é, Campo de Sangue.

20 Pois no Livro dos Salmos está escrito:
Fique deserta a sua habitação, e não haja quem nela habite, e:
tome outro a sua liderança.

21 Portanto, é necessário que dos homens que conviveram conosco todo o tempo em que o Senhor Jesus viveu entre nós,

22 começando desde o batismo de João até o dia em que dentre nós foi elevado ao céu, que um deles esteja conosco e sirva de testemunha da sua ressurreição.

23 Indicaram dois: José, chamado Barsabás, que tinha por sobrenome o Justo, e Matias.

24 Então oraram, dizendo: Tu, Senhor, conhecedor dos corações de todos, mostra qual destes dois escolhestes,

25 para que tome parte neste ministério e apostolado, de que Judas se desviou para ir ao seu próprio lugar.

26 Lançando-lhes sortes, caiu a sorte sobre Matias. E por unanimidade foi contado com os onze apóstolos.

## A descida do Espírito Santo

**2** Aproximando-se o dia de Pentecoste, estavam todos reunidos no mesmo lugar.

2 De repente veio do céu um som, como de um vento muito forte, e encheu toda a casa onde estavam assentados.

3 E viram línguas repartidas, como que de fogo, as quais pousaram sobre cada um deles.

4 Todos foram cheios do Espírito Santo, e começaram a falar em outras línguas, conforme o Espírito Santo lhes concedia que falassem.

5 Em Jerusalém estavam habitando judeus, homens religiosos, de todas as nações que estão debaixo do céu.

6 Ouvindo aquela voz, ajuntou-se uma multidão, e estava confusa, porque cada um os ouvia falar na sua própria língua.

7 E todos pasmavam e se maravilhavam, perguntando uns aos outros: Não são galileus todos esses homens que estão falando?

8 Então, como é que os ouvimos, cada um, na nossa própria língua nativa?

9 Partos, medos e elamitas e os que habitam na Mesopotâmia, Judeia e Capadócia, Ponto e Ásia,

10 Frígia e Panfília, Egito e regiões da Líbia perto de Cirene, forasteiros romanos, tanto judeus como convertidos ao judaísmo,

11 cretenses e árabes — todos os temos ouvido em nossas próprias línguas falar das grandezas de Deus.

12 Todos se maravilhavam e estavam perplexos, perguntando uns aos outros: Que quer dizer isto?

13 Outros, porém, zombando, diziam: Estão embriagados.

## O discurso de Pedro no dia de Pentecoste

14 Pedro, porém, pondo-se em pé com os Onze, levantou a voz, e disse-lhes: Homens judeus, e todos os que habitais em Jerusalém, seja-vos isto compreendido; escutai as minhas palavras.

15 Estes homens não estão embriagados, como vós pensais, sendo a terceira hora do dia.

**16** Isto, porém, é o que foi dito pelo profeta Joel:

**17** Nos últimos dias, diz Deus, do meu Espírito derramarei sobre toda a carne.
Os vossos filhos e as vossas filhas profetizarão, os vossos jovens terão visões, e os vossos velhos sonharão.

**18** E também do meu Espírito derramarei sobre os meus servos e as minhas servas naqueles dias, e profetizarão.

**19** Farei maravilhas, em cima no céu, e sinais embaixo, na terra, sangue, fogo e vapor de fumaça.

**20** O sol se transformará em trevas, e a lua em sangue antes de chegar o grande e glorioso dia do Senhor.

**21** E todo aquele que invocar o nome do Senhor, será salvo.

**22** Homens israelitas, escutai estas palavras: Jesus de Nazaré foi homem aprovado por Deus entre vós com maravilhas, prodígios e sinais, que Deus, por ele fez entre vós, como vós mesmos bem sabeis.

**23** Este homem vos foi entregue pelo determinado propósito e conhecimento antecipado de Deus; tomando-o vós, o crucificastes e matastes pelas mãos de ímpios.

**24** Deus, porém, o ressuscitou, soltos os laços da morte, porque não era possível que fosse detido por eles.

**25** A respeito dele, disse Davi:
Sempre via diante de mim o Senhor.
Porque está à minha direita, não serei abalado.

**26** Por isso se alegrou o meu coração, e a minha língua exultou;
ainda a minha carne há de viver em esperança,

**27** porque não deixarás a minha alma na morte,
nem permitirás que o teu Santo passe por decomposição.

**28** Fizeste-me conhecidos os caminhos da vida;
com a tua face me encherás de alegria.

**29** Irmãos, deixe-me dizer claramente que o patriarca Davi morreu e foi sepultado, e entre nós está até hoje a sua sepultura.

**30** Ele, porém, era profeta e sabia que Deus lhe havia prometido com juramento que da sua descendência levantaria o Cristo para o assentar sobre o seu trono.

**31** Prevendo isso, disse da ressurreição de Cristo que a sua alma não foi abandonada no túmulo, nem a sua carne sofreu decomposição.

**32** Deus ressuscitou a este Jesus, do que todos nós somos testemunhas.

**33** De modo que, exaltado pela destra de Deus, e tendo recebido do Pai a promessa do Espírito Santo, derramou isto que vós agora vedes e ouvis.

**34** Pois Davi não subiu aos céus, mas ele próprio disse:
Disse o Senhor ao meu Senhor:
Assenta-te à minha direita,

**35** até que ponha os teus inimigos por estrado de teus pés.

**36** Portanto, saiba com certeza todo o Israel que a este Jesus, a quem vós crucificastes, Deus o fez Senhor e Cristo.

### As primeiras conversões

**37** Ouvindo eles isto, afligiram-se em seu coração e perguntaram a Pedro e aos demais apóstolos: Que faremos, irmãos?
**38** Disse-lhes Pedro: Arrependei-vos, e cada um de vós seja batizado em nome de Jesus Cristo, para perdão dos pecados. E recebereis o dom do Espírito Santo.
**39** A promessa diz respeito a vós, a vossos filhos, a todos os que estão longe e a tantos quantos Deus nosso Senhor chamar.
**40** Com muitas outras palavras dava testemunho, e os advertia, dizendo: Salvai-vos desta geração corrompida.
**41** Os que de bom grado receberam a sua palavra foram batizados, e naquele dia acrescentaram-se quase três mil almas.
**42** E perseveravam na doutrina dos apóstolos, na comunhão, no partir do pão e nas orações.
**43** Em cada alma havia temor, e muitas maravilhas e sinais eram feitos pelos apóstolos.
**44** Todos os que criam estavam juntos e tinham tudo em comum.
**45** Vendiam suas propriedades e bens e repartiam com todos, conforme a necessidade de cada um.
**46** Perseverando unânimes todos os dias no templo e partindo o pão em casa, comiam juntos com alegria e sinceridade de coração,
**47** louvando a Deus e caindo na graça de todo o povo. E todos os dias acrescentava o Senhor à igreja aqueles que iam sendo salvos.

### A cura de um coxo; discurso de Pedro no templo

**3** Pedro e João subiam juntos ao templo à hora da oração, a nona.
**2** Ora, era trazido um homem que desde o ventre da mãe era coxo, o qual todos os dias colocavam na porta do templo, chamada Formosa, para pedir esmola aos que entravam.
**3** Vendo Pedro e João, que iam entrando no templo, pediu que lhe dessem uma esmola.
**4** Pedro, com João, pondo fixamente os olhos nele, disse: Olha para nós.
**5** E olhou para eles, esperando receber alguma coisa.
**6** Disse Pedro: Não tenho prata nem ouro, mas o que tenho te dou. Em nome de Jesus Cristo, o nazareno, levanta-te e anda.
**7** Tomando-o pela mão direita, o levantou, e logo os seus pés e tornozelos se firmaram.
**8** Saltando ele, pôs-se em pé e começou a andar. Então entrou com eles no templo, andando, saltando, e louvando a Deus.
**9** Quando todo o povo o viu andar e louvar a Deus,
**10** reconheceram-no como o mesmo homem que se assentava a pedir esmola à porta Formosa do templo, e ficaram perplexos e admirados pelo que lhe acontecera.
**11** E, apegando-se o coxo a Pedro e João, todo o povo correu maravilhado para junto deles, ao Pórtico de Salomão.
**12** Quando Pedro viu isso, disse ao povo: Homens israelitas, por que vos maravilhais disto? Ou por que olhais tanto para nós, como se por nosso próprio poder ou santidade tivéssemos feito andar este homem?
**13** O Deus de Abraão, de Isaque e de Jacó, o Deus de nossos pais, glorificou a seu filho Jesus, a quem vós entregastes, e perante

a face de Pilatos negastes, tendo ele determinado que fosse solto.
14 No entanto, vós negastes o Santo e o Justo, e pedistes que se vos desse um assassino.
15 Matastes o Autor da vida, ao qual Deus ressuscitou dos mortos, do que nós somos testemunhas.
16 Pela fé no nome de Jesus, este homem a quem vedes e conheceis foi curado. Foi a fé que vem pelo nome de Jesus que deu a este, na presença de todos vós, esta perfeita saúde.
17 Ora, irmãos, eu sei que o fizestes por ignorância, como também as vossas autoridades.
18 Deus, porém, cumpriu o que já antes pela boca de todos os seus profetas havia anunciado, que o Cristo haveria de sofrer.
19 Arrependei-vos, pois, e convertei-vos, para que sejam apagados os vossos pecados, e venham assim os tempos de descanso pela presença do Senhor.
20 E envie ele a Jesus Cristo, que já antes vos foi pregado.
21 Convém que no céu ele permaneça até os tempos da restauração de tudo, dos quais Deus falou pela boca de todos os seus santos profetas, desde o princípio.
22 Pois Moisés disse: O Senhor, o vosso Deus, levantará dentre vossos irmãos um profeta semelhante a mim; a ele ouvireis em tudo o que vos disser.
23 Todo aquele que não escutar esse profeta será exterminado dentre o povo.
24 Todos os profetas, desde Samuel, e todos quantos depois falaram também anunciaram estes dias.
25 Vós sois os filhos dos profetas e da aliança que Deus fez com vossos pais, dizendo a Abraão: Na tua descendência serão abençoados todos os povos da terra.
26 Ressuscitando Deus a seu Filho Jesus, primeiro o enviou a vós, para que nisso vos abençoasse, ao desviar-se, cada um, das suas maldades.

## Pedro e João perante o Sinédrio

**4** Estando eles falando ao povo, sobrevieram os sacerdotes, o capitão do templo e os saduceus.
2 Perturbaram-se muito de que ensinassem o povo e anunciassem em Jesus a ressurreição dentre os mortos.
3 Agarraram-nos e os trancaram na prisão até o dia seguinte, porque era já tarde.
4 Muitos, porém, dos que ouviram a palavra, creram, e chegou o número desses a quase cinco mil.
5 No dia seguinte reuniram-se em Jerusalém suas autoridades, os líderes religiosos, os mestres da lei,
6 Anás, o sumo sacerdote, Caifás, João, Alexandre e todos os que eram da linhagem do sumo sacerdote.
7 Colocando Pedro e João no meio, perguntaram: Com que poder ou em nome de quem fizestes isto?
8 Então Pedro, cheio do Espírito Santo, lhes disse: Autoridades do povo, e vós, líderes religiosos de Israel.
9 Visto que hoje somos interrogados acerca do benefício feito a um homem enfermo, e do modo pelo qual foi curado,
10 seja conhecido de vós todos, e de todo o povo de Israel, que em nome de Jesus Cristo, o nazareno, aquele a quem vós crucificastes, mas a quem Deus ressuscitou dentre os mortos, em nome desse é que este está curado diante de vós.

11 Ele é a pedra
que foi rejeitada por vós,
os construtores,
a qual foi posta por cabeça
de esquina.
12 Em nenhum outro há salvação, pois também debaixo do céu nenhum outro nome há, dado entre os homens, pelo qual devamos ser salvos.
13 Então eles, vendo a ousadia de Pedro e João, e informados de que eram homens comuns e sem instrução, se maravilharam e admitiam que eles haviam estado com Jesus.
14 Vendo, porém, com eles o homem que fora curado, nada tinham que dizer contra eles.
15 Todavia, mandando-os embora do Sinédrio, discutiam entre si:
16 Que havemos de fazer a esses homens? A todos os que habitam em Jerusalém é sabido que por eles foi feito um sinal claro, e não o podemos negar.
17 Para que isto, porém, não se espalhe mais entre o povo, convençamo-los para que não falem mais nesse nome a homem algum.
18 Chamando-os, ordenaram-lhes que de modo algum falassem nem ensinassem no nome de Jesus.
19 Responderam, porém, Pedro e João: Julgai vós se é justo, diante de Deus, obedecer antes a vós do que a Deus?
20 Pois não podemos deixar de falar do que temos visto e ouvido.
21 Eles, porém, ainda os ameaçaram mais e, não achando motivo para os castigar, deixaram-nos ir por causa do povo. Porque todos glorificavam a Deus pelo que acontecera,
22 pois o homem em quem se operara aquele milagre de saúde tinha mais de quarenta anos.

23 Soltos, eles foram para os seus e contaram tudo o que lhes disseram os principais sacerdotes e os líderes religiosos do povo.
24 Ouvindo eles isto, juntos levantaram a voz a Deus em oração: Senhor, tu és o que fizeste o céu, a terra, o mar e tudo o que neles há.
25 Tu disseste pela boca de Davi, teu servo:
Por que se enfurecem as
gentes,
e os povos pensam coisas
vãs?
26 Levantam-se os reis da terra,
e os príncipes se ajuntam de
uma só vez
contra o Senhor
e contra o seu Ungido.
27 Verdadeiramente contra o teu santo Filho Jesus, que tu ungiste, se ajuntaram não só Herodes, mas Pôncio Pilatos, com os gentios e os povos de Israel,
28 para fazerem tudo o que a tua mão e o teu propósito tinham anteriormente determinado que se havia de fazer.
29 Agora, ó Senhor, olha para as suas ameaças e permite aos teus servos que falem com toda a coragem a tua palavra,
30 enquanto estendes a tua mão para curar, e para que se façam sinais e maravilhas pelo nome do teu santo filho Jesus.
31 Tendo eles orado, moveu-se o lugar em que estavam reunidos. E todos foram cheios do Espírito Santo, e anunciavam corajosamente a palavra de Deus.

**A comunidade de bens entre os primeiros cristãos**

32 Era um o coração e a alma da multidão dos que criam, e ninguém dizia que coisa alguma do

que possuía era sua própria, mas todas as coisas eram compartilhadas.

33 Os apóstolos davam, com grande poder, testemunho da ressurreição do Senhor Jesus, e em todos eles havia abundante graça.
34 Não havia entre eles necessitado algum. Pois todos os que possuíam terras ou casas, vendendo-as, traziam o preço do que fora vendido e o depositavam aos pés dos apóstolos.
35 E distribuía-se a cada um conforme a sua necessidade.
36 Então José, chamado pelos apóstolos de Barnabé (que significa filho da Consolação), levita, natural de Chipre,
37 possuindo uma propriedade, vendeu-a, trouxe o dinheiro e o depositou aos pés dos apóstolos.

### A mentira de Ananias e Safira

**5** Ora, certo homem chamado Ananias, com Safira, sua mulher, vendeu uma propriedade.
2 E reteve parte do valor, sabendo-o sua mulher, mas levou o resto, e o depositou aos pés dos apóstolos.
3 Disse então Pedro: Ananias, por que encheu Satanás o teu coração, para que mentisses ao Espírito Santo, retendo parte do valor da propriedade?
4 Guardando-a não ficava para ti? E, vendida, não estava em teu poder? Por que planejaste isso em teu coração? Não mentiste aos homens, mas a Deus.
5 Ananias, ouvindo estas palavras, caiu e morreu. E um grande temor caiu sobre todos os que isso ouviram.
6 Levantando-se os jovens, cobriram o morto, e, levando-o para fora, o sepultaram.
7 Passado um período de quase três horas, entrou também sua mulher, não sabendo o que havia acontecido.
8 Perguntou-lhe Pedro: Dize-me, vendestes por tanto aquela propriedade? Respondeu ela: Sim, por tanto.
9 Então Pedro lhe disse: Por que é que entrastes em acordo para tentar o Espírito do Senhor? Estão aí à porta os pés dos que sepultaram o teu marido e também te levarão.
10 Imediatamente ela caiu aos seus pés e morreu. Entrando os jovens, acharam-na morta e a sepultaram junto de seu marido.
11 Houve grande temor em toda a igreja e em todos os que ouviram essas coisas.
12 Muitos sinais e maravilhas eram feitos entre o povo pelas mãos dos apóstolos. E estavam todos reunidos no Pórtico de Salomão.
13 Ninguém mais ousava juntar-se a eles, embora o povo os admirasse muito.
14 A multidão dos que criam no Senhor, tanto de homens como de mulheres, crescia cada vez mais.
15 De modo que levavam os enfermos para as ruas, e os colocavam em leitos e em macas, para que ao menos a sombra de Pedro, quando este passasse, cobrisse alguns deles.
16 Também das cidades circunvizinhas concorria muita gente a Jerusalém, levando enfermos e atormentados de espíritos imundos, e todos eram curados.

### Um anjo livra os apóstolos da prisão

17 Levantando-se o sumo sacerdote e todos os que estavam com

ele, da seita dos saduceus, encheram-se de inveja.
18 Mandaram prender os apóstolos e os lançaram na prisão pública.
19 De noite, porém, um anjo do Senhor abriu as portas da prisão, levou-os para fora e disse:
20 Ide e apresentai-vos no templo, e contai ao povo a mensagem completa desta nova Vida.
21 Ouvindo eles isso, entraram de manhã cedo no templo e ensinavam. Chegando, porém, o sumo sacerdote e os que estavam com ele, convocaram o Sinédrio e todos os líderes religiosos dos filhos de Israel, e enviaram guardas à prisão, para que de lá os trouxessem.
22 Tendo, porém, ido à prisão, os guardas não os acharam. Voltando, anunciaram:
23 Achamos realmente a prisão trancada, com toda a segurança, e os guardas, que estavam fora, diante das portas; mas, quando abrimos, ninguém encontramos dentro.
24 Então o capitão da guarda do templo e os principais sacerdotes, ouvindo essas palavras, ficaram perplexos acerca deles e do que teria acontecido.
25 Então chegou alguém e disse: Vede! Os homens que colocastes na prisão estão no templo e ensinam o povo.
26 Ouvindo isto, foi o capitão com os guardas, e os trouxe, não com violência, porque temiam ser apedrejados pelo povo.
27 E, tendo-os trazido, apresentaram-nos ao Sinédrio. E o sumo sacerdote os interrogou:
28 Não vos demos ordens expressas que não ensinásseis nesse nome? Contudo, enchestes Jerusalém dessa vossa doutrina e quereis nos culpar pelo sangue desse homem.
29 Responderam Pedro e os apóstolos: Mais importa obedecer a Deus do que aos homens!
30 O Deus de nossos pais ressuscitou Jesus, a quem vós matastes, suspendendo-o no madeiro.
31 Deus, com a sua destra, o elevou a Príncipe e Salvador, para dar a Israel o arrependimento e perdão dos pecados.
32 Nós somos testemunhas dessas palavras, nós e também o Espírito Santo, que Deus deu àqueles que lhe obedecem.
33 Ouvindo eles isto, enfureceram-se e queriam matá-los.

**A intervenção de Gamaliel**

34 Levantando-se, porém, no Sinédrio certo fariseu, chamado Gamaliel, mestre da lei, respeitado por todo o povo, mandou que por um momento levassem para fora os apóstolos.
35 Então lhes disse: Israelitas, tende cuidado a respeito do que haveis de fazer a esses homens.
36 Algum tempo atrás levantou-se Teudas, dizendo ser alguém, e a este se ajuntou cerca de quatrocentos homens. Ele foi morto, e todos os que lhe deram ouvidos foram dispersos e reduzidos a nada.
37 Depois dele, levantou-se Judas, o galileu, nos dias do recenseamento, e levou muitos atrás de si. Mas também este morreu, e todos os que lhe deram ouvidos foram dispersos.
38 Por isso, vos digo: Deixai em paz esses homens, libertai-os, pois, se este propósito ou esta obra é de homens, fracassará,

**39** mas, se é de Deus, não podereis contra ela, para que não aconteça serdes também achados lutando contra Deus.
**40** E concordaram com ele. Tendo chamado os apóstolos, açoitaram-nos e mandaram que não falassem no nome de Jesus; então os deixaram ir.
**41** Os apóstolos retiraram-se da presença do Sinédrio alegrando-se, porque tinham sido julgados dignos de sofrer afronta pelo nome de Jesus.
**42** E todos os dias, no templo e nas casas, não paravam de ensinar e anunciar a Jesus, o Cristo.

### A instituição dos diáconos

**6** Naqueles dias, crescendo o número dos discípulos, houve reclamação dos gregos contra os hebreus, porque as suas viúvas eram esquecidas na distribuição diária de alimento.
**2** Então os Doze, convocando os discípulos, disseram: Não é certo que nós deixemos a palavra de Deus e sirvamos às mesas.
**3** Escolhei, irmãos, dentre vós, sete homens de boa reputação, cheios do Espírito Santo e de sabedoria, aos quais constituamos sobre essa tarefa.
**4** Nós, porém, continuaremos na oração e no ministério da palavra.
**5** Esse parecer agradou a toda a multidão. Escolheram Estêvão, homem cheio de fé e do Espírito Santo; também Filipe, Prócoro, Nicanor, Timão, Parmenas e Nicolau, um convertido ao judaísmo, vindo de Antioquia.
**6** Apresentaram esses homens aos apóstolos. Estes, orando, lhes impuseram as mãos.

**7** De modo que se espalhava a palavra de Deus, e em Jerusalém se multiplicava rapidamente o número dos discípulos, e grande parte dos sacerdotes obedecia à fé.

### A prisão de Estêvão

**8** Ora, Estêvão, cheio de fé e de poder, fazia maravilhas e grandes sinais entre o povo.
**9** Levantaram-se alguns que eram da chamada sinagoga dos Libertos, dos cireneus e dos alexandrinos, dos que eram da Cilícia e da Ásia, e discutiam com Estêvão.
**10** Não podiam, porém, resistir à sabedoria e ao espírito com que ele falava.
**11** Então subornaram uns homens para que dissessem: Nós o ouvimos proferir blasfêmias contra Moisés e contra Deus.
**12** E agitaram o povo, os líderes religiosos e os mestres da lei e, investindo contra ele, o prenderam e o levaram ao Sinédrio.
**13** Apresentaram falsas testemunhas, que diziam: Este homem não para de dizer blasfêmias contra este santo lugar e a Lei.
**14** Pois o ouvimos dizer que esse Jesus de Nazaré há de destruir este lugar e mudar os costumes que Moisés nos deu.
**15** Então todos os que estavam assentados no Sinédrio, fixando os olhos nele, viram o seu rosto como o rosto de um anjo.

### O discurso de Estêvão

**7** Perguntou o sumo sacerdote: É isto verdade?
**2** Respondeu ele: Irmãos e pais, ouvi! O Deus da glória apareceu a nosso pai Abraão, estando na Mesopotâmia, antes de habitar em Harã,

3 e lhe disse: Sai da tua terra e da tua parentela e vai para a terra que eu te mostrarei.
4 Então saiu da terra dos caldeus e habitou em Harã. E dali, depois que seu pai faleceu, Deus o trouxe para esta terra em que habitais agora.
5 Ele não lhe deu nela herança, nem ainda de um palmo. Prometeu-lhe, porém, que lhe daria a posse dela, e depois dele à sua descendência, embora naquele tempo ele não tivesse filho.
6 Deus lhe falou assim: A tua descendência será peregrina em terra alheia, e a sujeitarão à escravidão e a maltratarão por quatrocentos anos.
7 Eu, porém, julgarei a nação que os tiver escravizado, disse Deus. Depois disto, sairão e me servirão neste lugar.
8 E deu-lhe a aliança da circuncisão. E Abraão gerou Isaque, e o circuncidou ao oitavo dia. Isaque gerou Jacó, e Jacó, os doze patriarcas.
9 Os patriarcas, movidos de inveja, venderam José para o Egito. Mas Deus era com ele,
10 e o livrou de todas as suas tribulações, e lhe deu graça e sabedoria perante faraó, rei do Egito; de modo que o constituiu governador do Egito e de todo o seu palácio.
11 Sobreveio então a todo o país do Egito e de Canaã fome e grande sofrimento, e nossos pais não achavam alimento.
12 Tendo, porém, ouvido Jacó que no Egito havia trigo, enviou nossos pais pela primeira vez.
13 Na segunda vez, José fez-se reconhecer por seus irmãos e manifestou a sua linhagem a faraó.
14 José mandou chamar seu pai, Jacó, e toda a sua parentela, que era de setenta e cinco pessoas.
15 Jacó desceu ao Egito, onde morreram ele e nossos pais.
16 Seus corpos foram levados para Siquém e colocados na sepultura que Abraão comprara por certo dinheiro aos filhos de Hamor, pai de Siquém.
17 Aproximando-se, porém, o tempo da promessa que Deus tinha feito a Abraão, o povo cresceu e se multiplicou no Egito.
18 Então se levantou outro rei que não conhecia José.
19 Aquele, usando de maldade contra o nosso povo, maltratou os nossos antepassados, a ponto de forçá-los a abandonar as suas crianças, para que não se multiplicassem.
20 Nesse tempo, nasceu Moisés. Ele era muito formoso, e foi criado três meses na casa de seu pai.
21 Ao ser abandonado, tomou-o a filha de faraó, e o criou como seu filho.
22 Moisés foi educado em toda a ciência dos egípcios e se tornou poderoso em palavras e em obras.
23 Quando completou a idade de quarenta anos, Moisés decidiu ir visitar seus irmãos, os filhos de Israel.
24 Vendo um deles sendo maltratado, defendeu-o e vingou o ofendido, matando o egípcio.
25 Ele pensava que seus irmãos entenderiam que Deus lhes havia de libertar pela sua mão, mas eles não entenderam.
26 No dia seguinte, apareceu-lhes quando brigavam dois filhos de Israel e quis levá-los à paz, dizendo: Homens, sois irmãos; por que vos feris um ao outro?

**27** O que ofendia o seu próximo o empurrou, dizendo: Quem te nomeou líder e juiz sobre nós?
**28** Queres tu matar-me, como ontem mataste o egípcio?
**29** A esta palavra fugiu Moisés, e esteve como estrangeiro na terra de Midiã, onde teve dois filhos.
**30** Completados quarenta anos, apareceu-lhe o anjo do Senhor, no deserto do monte Sinai, numa chama de fogo de uma sarça ardente.
**31** Então Moisés, quando viu isto, se maravilhou da visão. E, aproximando-se para observar, ouviu a voz do Senhor,
**32** dizendo: Eu sou o Deus de teus pais, o Deus de Abraão, o Deus de Isaque e o Deus de Jacó. E Moisés, tremendo, não ousava olhar.
**33** Disse-lhe o Senhor: Tira as sandálias dos teus pés; o lugar em que estás é terra santa.
**34** Tenho visto atentamente a aflição do meu povo que está no Egito, e ouvi os seus gemidos, e desci para livrá-los. Agora, vem, e te enviarei ao Egito.
**35 A** esse Moisés, ao qual haviam negado, dizendo: Quem te nomeou líder e juiz? A esse enviou Deus como líder e libertador, pela mão do anjo que lhe aparecera na sarça ardente.
**36** Foi ele que os tirou de lá, fazendo maravilhas e sinais na terra do Egito, no mar Vermelho e no deserto, por quarenta anos.
**37** Esse é aquele Moisés que disse aos filhos de Israel: O Senhor, o vosso Deus, vos levantará dentre vossos irmãos um profeta como eu; a ele ouvireis.
**38** Ele é o que esteve entre a congregação no deserto, com o anjo que lhe falava no monte Sinai, e com nossos pais; o qual recebeu as palavras de vida para nos dar.
**39** Ao qual nossos pais não quiseram obedecer, antes o rejeitaram, e em seu coração voltaram ao Egito.
**40** Disseram a Arão: Faze-nos deuses que vão adiante de nós. Quanto a esse Moisés, que nos tirou da terra do Egito, não sabemos o que lhe aconteceu.
**41** Naqueles dias fizeram o bezerro, e ofereceram sacrifícios ao ídolo, e se alegraram nas obras das suas mãos.
**42** Deus, porém, se afastou e os entregou ao culto dos corpos celestes, como está escrito no livro dos profetas:

Oferecestes-me vós
 ofertas e sacrifícios
no deserto por quarenta anos,
 ó nação de Israel?
**43** Antes tomastes o santuário
 de Moloque
 e a estrela do vosso
 deus Renfã,
imagens que vós fizestes
 para as adorar.
Eu vos levarei, pois, para
 além de Babilônia.

**44** Estava entre nossos pais no deserto o tabernáculo da aliança, como ordenara aquele que disse a Moisés que o fizesse segundo o modelo que tinha visto.
**45** O qual nossos pais, recebendo-o, também o levaram com Josué quando entraram na posse das nações que Deus expulsou da presença de nossos pais, até os dias de Davi,
**46** que achou graça diante de Deus e pediu que pudesse providenciar habitação para o Deus de Jacó.
**47** Foi, porém, Salomão quem lhe construiu casa.

48 O Altíssimo, porém, não habita em templos feitos por mãos humanas, como diz o profeta:
49 O céu é o meu trono,
e a terra o estrado
dos meus pés.
Que casa me construireis?
diz o Senhor.
Ou qual é o lugar do
meu descanso?
50 Não fez a minha mão
todas essas coisas?
51 Homens obstinados, e incircuncisos de coração e ouvido! Vós sempre resistis ao Espírito Santo, assim vós sois como vossos pais!
52 A qual dos profetas não perseguiram vossos pais? Até mataram os que anteriormente anunciaram a vinda do Justo, do qual vós agora fostes traidores e assassinos.
53 Vós, que recebestes a Lei por ordenação de anjos, e não a obedecestes.

## A morte de Estêvão

54 Ouvindo eles isto, iravam-se em seus corações e rangiam os dentes contra ele.
55 Ele, porém, cheio do Espírito Santo, fixando os olhos no céu, viu a glória de Deus, e Jesus, que estava à direita de Deus,
56 e disse: Olhai! Eu vejo os céus abertos, e o Filho do homem, que está em pé à direita de Deus.
57 Eles, porém, gritaram com grande voz, taparam os ouvidos e se levantaram todos juntos contra ele.
58 E, expulsando-o da cidade, o apedrejaram. As testemunhas depuseram as suas roupas aos pés de um jovem chamado Saulo.
59 E apedrejaram Estêvão, que em oração dizia: Senhor Jesus, recebe o meu espírito.
60 E, pondo-se de joelhos, clamou com grande voz: Senhor, não lhes culpe por este pecado. Tendo dito isso, adormeceu.

## O evangelho em Samaria

**8** Também Saulo consentia na morte dele.
Desencadeou-se naquele dia uma grande perseguição contra a igreja que estava em Jerusalém, e todos foram espalhados pelas terras da Judeia e de Samaria, exceto os apóstolos.
2 E uns homens piedosos foram enterrar Estêvão, e fizeram sobre ele grande pranto.
3 Saulo perseguia a igreja, entrando pelas casas e, arrastando homens e mulheres, os trancava na prisão.
4 Os que, porém, andavam espalhados iam por toda parte pregando a palavra.
5 Descendo Filipe à cidade de Samaria, pregava-lhes Cristo.
6 As multidões reunidas prestavam atenção ao que Filipe dizia, porque ouviam e viam os sinais que ele fazia.
7 Os espíritos imundos saíam de muitos que os tinham, gritando, e muitos paralíticos e coxos eram curados.
8 Havia grande alegria naquela cidade.
9 Estava ali certo homem chamado Simão, que anteriormente praticara naquela cidade a feitiçaria, iludindo o povo de Samaria. Dizia ser um homem importante,
10 e todos o atendiam, desde o menor até o maior, dizendo: Este é o grande poder de Deus.
11 Eles o atendiam porque já desde muito tempo os havia enganado com a sua mágica.

**12** Quando, porém, Filipe lhes pregava acerca do Reino de Deus e do nome de Jesus Cristo, creram nele e foram batizados tanto homens como mulheres.
**13** Creu até o próprio Simão; e, sendo batizado, seguiu Filipe. E, vendo os sinais e as grandes maravilhas que se faziam, estava maravilhado.
**14** Quando os apóstolos que estavam em Jerusalém ouviram que Samaria recebera a palavra de Deus, enviaram para lá Pedro e João.
**15** Quando chegaram, oraram para que recebessem o Espírito Santo,
**16** porque sobre nenhum deles tinha ainda descido, mas somente eram batizados em nome do Senhor Jesus.
**17** Então lhes impuseram as mãos, e receberam o Espírito Santo.
**18** Simão, vendo que pela imposição das mãos dos apóstolos era dado o Espírito Santo, ofereceu-lhes dinheiro,
**19** dizendo: Dai-me também esse poder, para que aquele sobre quem eu puser as mãos receba o Espírito Santo.
**20** Pedro, porém, lhe disse: O teu dinheiro seja contigo para perdição, porque pensaste que o dom de Deus se compra com dinheiro.
**21** É certo que tu não tens parte nem direito neste ministério, porque o teu coração não é reto diante de Deus.
**22** Arrepende-te desse teu pecado, e ora a Deus. Talvez te seja perdoado o pensamento do teu coração.
**23** Pois vejo que estás em fel de amargura e preso pelo pecado.
**24** Respondeu, porém, Simão: Orai vós por mim ao Senhor, para que nada do que dissestes me aconteça.
**25** Tendo eles testemunhado e falado a palavra do Senhor, voltaram para Jerusalém, e, em muitas aldeias dos samaritanos, anunciaram o evangelho.

### Filipe e o eunuco

**26** O anjo do Senhor disse a Filipe: Levanta-te e vai para o sul, pelo caminho que desce de Jerusalém para Gaza, que está deserta.
**27** Ele se levantou e partiu. No caminho, viu um etíope, eunuco e importante funcionário de Candace, rainha dos etíopes; ele era superintendente de todos os seus tesouros, e tinha ido a Jerusalém para adorar a Deus.
**28** Enquanto voltava para sua casa, assentado no seu carro, lia o profeta Isaías.
**29** Disse o Espírito a Filipe: Aproxima-te e suba neste carro.
**30** Correndo Filipe, ouviu que lia o profeta Isaías e perguntou: Entendes tu o que lês?
**31** Ele respondeu: Como poderei entender, se alguém não me ensinar? E pediu a Filipe que subisse no carro e com ele se assentasse.
**32** O lugar da Escritura que lia era este:

Foi levado como ovelha
 para o matadouro e,
como está mudo o cordeiro
 diante do tosquiador,
assim não abriu a sua boca.

**33** Na sua humilhação negaram-lhe justiça.

Quem contará a
 sua geração?
Pois a sua vida é tirada
 da terra.

**34** Respondendo o eunuco a Filipe, disse: Peço-te que me digas a quem o profeta se refere? A si mesmo ou a algum outro?

**35** Então Filipe, abrindo a sua boca e começando nesta escritura, anunciou-lhe Jesus.
**36** Indo eles caminhando, chegaram a um lugar onde havia água, e o eunuco perguntou: Vê, aqui há água. O que impede que eu seja batizado?
**37** Respondeu Filipe: Tu podes, se crês de todo o coração. Disse ele: Creio que Jesus Cristo é o Filho de Deus.
**38** Mandou parar o carro, e desceram ambos à água, tanto Filipe como o eunuco, e o batizou.
**39** Quando saíram da água, o Espírito do Senhor arrebatou Filipe, e não o viu mais o eunuco, mas, cheio de alegria, continuou o seu caminho.
**40** Filipe apareceu em Azoto e, ao passar, anunciava o evangelho em todas as cidades, até que chegou a Cesareia.

### A conversão de Saulo no caminho de Damasco

*At 21.1-16; 26.9-18*

**9** Saulo, mantendo ainda ameaças de mortes contra os discípulos do Senhor, dirigiu-se ao sumo sacerdote
**2** e pediu-lhe cartas para as sinagogas de Damasco, a fim de que, se encontrasse alguns daquela seita, quer homens quer mulheres, os levasse presos a Jerusalém.
**3** Aproximando-se ele de Damasco, na sua viagem, de repente o cercou um resplendor de luz do céu.
**4** E, caindo por terra, ouviu uma voz que lhe dizia: Saulo, Saulo, por que me persegues?
**5** Ele disse: Quem és, Senhor? Respondeu o Senhor: Eu sou Jesus, a quem tu persegues.
**6** Agora levanta-te, entra na cidade. Lá te será dito o que te convém fazer.
**7** Os homens que iam com ele pararam espantados, ouvindo a voz, mas não vendo ninguém.
**8** Saulo levantou-se da terra e, abrindo os olhos, não via coisa alguma. Guiando-o pela mão, conduziram-no para Damasco.
**9** Esteve três dias sem ver, e não comeu nem bebeu.
**10** Havia em Damasco um discípulo chamado Ananias. Disse-lhe o Senhor, em uma visão: Ananias! Ele respondeu: Aqui estou, Senhor.
**11** Disse-lhe o Senhor: Levanta-te, e vai à rua chamada Direita, e pergunta em casa de Judas por um homem de Tarso chamado Saulo, pois ele está orando.
**12** Numa visão ele viu que entrava um homem chamado Ananias, e impunha sobre ele a mão, para que tornasse a ver.
**13** Respondeu Ananias: Senhor, tenho ouvido muita coisa a respeito desse homem, quantos males tem feito aos teus santos em Jerusalém.
**14** E aqui tem autorização dos chefes dos sacerdotes para prender a todos os que invocam o teu nome.
**15** Disse-lhe, porém, o Senhor: Vai! Este é para mim um vaso escolhido, para levar o meu nome perante os gentios, os reis e os filhos de Israel.
**16** E eu lhe mostrarei quanto deve sofrer pelo meu nome.
**17** Então Ananias foi, entrou na casa e, impondo-lhe as mãos, disse: Irmão Saulo, o Senhor Jesus, que te apareceu no caminho por onde vinhas, me enviou, para que voltes a ver e sejas cheio do Espírito Santo.

18 Imediatamente lhe caíram dos olhos umas escamas, e voltou a ver. Levantando-se, foi batizado.
19 Depois de ter comido, sentiu-se recuperado. Esteve Saulo alguns dias com os discípulos em Damasco.
20 E logo, nas sinagogas, pregava que Jesus era o Filho de Deus.
21 E todos os que o ouviam estavam espantados, e diziam: Não é este o que em Jerusalém perseguia os que invocavam este nome, e para isso veio aqui, para os levar presos aos chefes dos sacerdotes?
22 Saulo, porém, se esforçava muito mais, e confundia os judeus que habitavam em Damasco, provando que Jesus era o Cristo.

### O perseguidor é perseguido

23 Tendo passado muitos dias, os judeus decidiram entre si matá-lo.
24 Os seus planos, porém, chegaram ao conhecimento de Saulo, e como eles guardavam as portas, tanto de dia como de noite, para poder tirar-lhe a vida,
25 os discípulos o levaram de noite e o desceram dentro de um cesto pelo muro.
26 Quando Saulo chegou a Jerusalém, procurava juntar-se aos discípulos, mas todos o temiam, não acreditando que fosse discípulo.
27 Então Barnabé, tomando-o consigo, o levou aos apóstolos e contou-lhes como no caminho ele vira o Senhor, e que este lhe falara, e como em Damasco pregara corajosamente em nome de Jesus.
28 Andava com eles em Jerusalém, entrando e saindo
29 e pregando corajosamente em nome do Senhor. Falava e discutia também com os gregos, mas eles queriam matá-lo.
30 Sabendo-o, porém, os irmãos, acompanharam-no até Cesareia, e o enviaram a Tarso.
31 Assim as igrejas em toda a Judeia, Galileia e Samaria tinham paz. Eram fortalecidas e, edificadas pelo Espírito Santo, se multiplicavam, andando no temor do Senhor.

### A cura de Eneias

32 Passando Pedro por toda parte, veio também aos santos que habitavam em Lida.
33 Encontrou ali certo homem paralítico, chamado Eneias, que havia oito anos estava numa cama.
34 Disse-lhe Pedro: Eneias, Jesus Cristo te cura. Levanta-te e arruma a tua cama. Imediatamente ele se levantou.
35 Viram-no todos os que habitavam em Lida e Sarona, os quais se converteram ao Senhor.

### A ressurreição de Tabita

36 Havia em Jope uma discípula chamada Tabita, que traduzido quer dizer Dorcas. Ela praticava boas obras e dava esmolas.
37 Naqueles dias, ela adoeceu e morreu. Tendo-a lavado, depositaram-na num quarto na parte superior da casa.
38 Como Lida ficava perto de Jope, ouvindo os discípulos que Pedro estava ali, mandaram-lhe dois homens, pedindo-lhe que não se demorasse em vir até eles.
39 Levantando-se Pedro, foi com eles. Quando chegou, levaram-no ao quarto onde estava o corpo. Todas as viúvas o rodearam, chorando e mostrando as túnicas e vestidos que Dorcas fizera quando estava com elas.

40 Pedro mandou que todas saíssem do quarto; então ajoelhou-se e orou. Voltando-se para o corpo, disse: Tabita, levanta-te. Ela abriu os olhos e, vendo Pedro, assentou-se.
41 Dando-lhe a mão, Pedro a levantou e, chamando os santos e as viúvas, apresentou-a viva.
42 Foi isso conhecido por toda a Jope, e muitos creram no Senhor.
43 Ficou Pedro muitos dias em Jope, com certo Simão curtidor de couro.

### A visão de Cornélio em Cesareia

**10** Havia em Cesareia um homem chamado Cornélio, centurião da corte conhecida como italiana.
2 Ele era piedoso e temente a Deus com toda a sua família; dava muitas esmolas ao povo e continuamente orava a Deus.
3 Esse homem, quase às 3 horas da tarde, viu claramente, numa visão, um anjo de Deus, que se aproximava dele e dizia: Cornélio!
4 Cornélio, muito atemorizado olhou para ele e perguntou: Que é, Senhor? Respondeu-lhe o anjo: As tuas orações e as tuas esmolas têm subido para memória diante de Deus.
5 Agora envia homens a Jope e manda chamar Simão, que tem por sobrenome Pedro.
6 Este está com um Simão curtidor de couro, que tem a sua casa à beira-mar. Ele te dirá o que deves fazer.
7 Logo que se retirou o anjo que lhe falava, Cornélio chamou dois dos seus criados e um piedoso soldado dos que estavam sob suas ordens.
8 Havendo-lhes contado tudo, enviou-os a Jope.

### A visão de Pedro em Jope

9 No dia seguinte, enquanto estavam a caminho, já perto da cidade, subiu Pedro ao terraço para orar; era quase meio-dia.
10 Tendo fome, quis comer e, enquanto preparavam a comida, sobreveio-lhe um arrebatamento de sentidos.
11 Ele viu o céu aberto e um objeto que descia, como um grande lençol preso pelas quatro pontas, e vindo em direção à terra.
12 No lençol havia todos os tipos de animais quadrúpedes e répteis da terra, e aves do céu.
13 Disse-lhe uma voz: Levanta-te, Pedro, mata e come.
14 Pedro, porém, disse: De modo nenhum, Senhor! Nunca comi coisa alguma impura e imunda.
15 Pela segunda vez lhe disse a voz: Não faças tu impuro ao que Deus purificou.
16 Isto aconteceu três vezes. Então o objeto foi recolhido ao céu.
17 Estando Pedro refletindo sobre o que seria aquela visão que tivera, os homens enviados por Cornélio pararam na porta, perguntando pela casa de Simão.
18 Chamando, perguntaram se Simão, que tinha por sobrenome Pedro, estava hospedado ali.
19 Pensando Pedro naquela visão, disse-lhe o Espírito: Simão, três homens te procuram.
20 Levanta-te, desce, e vai com eles, não duvidando, pois eu os enviei.
21 Descendo Pedro para junto dos homens, disse: Sou eu a quem procurais. Qual é o motivo pelo qual estais aqui?
22 Eles responderam: Cornélio, o centurião, homem justo e temente a Deus, que tem bom testemunho

de toda a nação dos judeus, foi avisado por um santo anjo para que te chamasse à sua casa e ouvisse as tuas palavras.

23 Então chamou-os para dentro e os recebeu. No dia seguinte Pedro foi com eles, e foram com ele alguns irmãos de Jope.

### O discurso de Pedro em Cesareia

24 No dia seguinte chegaram a Cesareia. Cornélio os estava esperando, tendo já convidado os seus parentes e amigos mais íntimos.

25 Entrando Pedro, saiu Cornélio para recebê-lo e, ajoelhando-se a seus pés, o adorou.

26 Pedro, porém, o levantou, dizendo: Levanta-te, que eu também sou homem.

27 Falando com ele, entrou e encontrou muitos que ali se haviam ajuntado.

28 Disse-lhes: Vós bem sabeis que não é permitido a um judeu ajuntar-se ou aproximar-se de estrangeiros. Deus, porém, mostrou-me que a nenhum homem devo considerar comum ou imundo.

29 Pelo que, sendo chamado, vim sem contrariar. Pergunto: Por que razão mandastes chamar-me?

30 Respondeu Cornélio: Há quatro dias estava eu em jejum até esta hora, orando em minha casa às 3 horas da tarde.

31 De repente diante de mim se apresentou um homem com vestes resplandecentes e disse: Cornélio, a tua oração foi ouvida, e as tuas esmolas estão em memória diante de Deus.

32 Envia homens a Jope, e manda chamar Simão, que tem por sobrenome Pedro. Ele está na casa de Simão, o curtidor de couro, à beira-mar.

33 Imediatamente, mandei chamar-te, e bem fizeste em vir. Agora estamos todos presentes diante de Deus, para ouvir tudo o que te foi ordenado pelo Senhor.

34 Abrindo Pedro a boca, disse: Na verdade reconheço que Deus não faz acepção de pessoas,

35 mas que lhe é agradável aquele que, em qualquer nação, o teme e faz o que é justo.

36 Conheceis a palavra que ele enviou aos filhos de Israel, anunciando a paz por Jesus Cristo (este é o Senhor de todos).

37 Essa palavra, vós bem sabeis, foi pregada por toda a Judeia, começando pela Galileia, depois do batismo que João pregou;

38 como Deus ungiu Jesus de Nazaré com o Espírito Santo e com poder, o qual andou fazendo o bem e curando a todos os oprimidos do Diabo, porque Deus era com ele.

39 Nós somos testemunhas de todas as coisas realizadas por ele, tanto na terra da Judeia como em Jerusalém. A esse mataram, pendurando-o num madeiro.

40 Deus o ressuscitou ao terceiro dia, e fez que se manifestasse,

41 não a todo o povo, mas às testemunhas que Deus antes ordenara; a nós, que comemos e bebemos com ele, depois que ressuscitou dos mortos.

42 Ele nos mandou pregar ao povo, e testificar que ele é o que por Deus foi constituído juiz dos vivos e dos mortos.

43 Dele dão testemunho todos os profetas, de que todos os que nele creem receberão o perdão dos pecados pelo seu nome.

44 Dizendo Pedro ainda essas palavras, desceu o Espírito Santo sobre todos os que o ouviam.

45 Os judeus seguidores de Jesus, que tinham vindo com Pedro, maravilharam-se de que o dom do Espírito Santo se derramasse também sobre os gentios.
46 Pois os ouviam falar em línguas e engrandecer a Deus. Então perguntou Pedro:
47 Pode alguém recusar a água, para que não sejam batizados esses, que também receberam como nós o Espírito Santo?
48 E mandou que fossem batizados em nome do Senhor. Então lhe pediram que ficasse com eles por alguns dias.

### A defesa de Pedro em Jerusalém

**11** Ouviram os apóstolos e os irmãos que estavam na Judeia que também os gentios tinham recebido a palavra de Deus.
2 Subindo Pedro a Jerusalém, discutiam com ele os que eram judeus seguidores de Jesus,
3 dizendo: Entraste na casa de homens incircuncisos e comeste com eles.
4 Pedro, porém, começou a contar-lhes ordenadamente, dizendo:
5 Estava eu orando na cidade de Jope, quando tive, num arrebatamento dos sentidos, uma visão. Vi um objeto, como um grande lençol que descia do céu, que vinha até perto de mim.
6 Fixando nele os olhos, vi animais da terra, quadrúpedes, selvagens, répteis e aves do céu.
7 Ouvi também uma voz que me dizia: Levanta-te, Pedro. Mata e come.
8 Eu, porém, respondi: De maneira nenhuma, Senhor! Nunca em minha boca entrou coisa alguma impura ou imunda.
9 A voz, porém, respondeu-me do céu pela segunda vez: Não chames tu impuro ao que Deus purificou.
10 Aconteceu isso três vezes, e então tudo voltou a recolher-se no céu.
11 Na mesma hora pararam junto da casa em que estávamos três homens que me foram enviados de Cesareia.
12 Disse-me o Espírito que fosse com eles, e nada duvidasse. Também estes seis irmãos foram comigo, e entramos na casa daquele homem.
13 E ele nos contou como vira em pé um anjo em sua casa, o qual dissera: Envia homens a Jope, e manda chamar Simão, que tem por sobrenome Pedro,
14 que te dirá palavras pelas quais serás salvo, tu e toda a tua casa.
15 Quando comecei a falar, desceu sobre eles o Espírito Santo, como também sobre nós no princípio.
16 Lembrei-me então de que o Senhor dissera: João certamente batizou com água, mas vós sereis batizados com o Espírito Santo.
17 Portanto, se Deus lhes deu o mesmo dom que a nós, quando cremos no Senhor Jesus Cristo, quem era eu, para que pudesse resistir a Deus?
18 Ouvindo eles essas coisas, acalmaram-se e glorificaram a Deus, dizendo: Na verdade até aos gentios Deus concedeu o arrependimento para a vida.

### A fundação da igreja de Antioquia

19 Ora, os que foram dispersos pela perseguição desencadeada pela morte de Estêvão caminharam até a Fenícia, Chipre e

Antioquia, não pregando a ninguém a palavra, senão somente aos judeus.

20 Havia, porém, entre eles alguns de Chipre e de Cirene, os quais, entrando em Antioquia, falaram aos gregos, anunciando o Senhor Jesus.

21 A mão do Senhor era com eles, e grande número de pessoas creu e se converteu ao Senhor.

22 E chegou a notícia dessas coisas aos ouvidos da igreja em Jerusalém, e enviaram Barnabé a Antioquia.

23 Quando ele chegou e viu a graça de Deus, se alegrou e exortou todos a que permanecessem no Senhor com todo o seu coração.

24 Era homem de bem, cheio do Espírito Santo e de fé. E muita gente se uniu ao Senhor.

25 Partiu então Barnabé para Tarso, à procura de Saulo,

26 e, tendo-o achado, levou-o para Antioquia. Por um ano inteiro se reuniram naquela igreja e ensinaram muita gente. Em Antioquia, os discípulos pela primeira vez foram chamados cristãos.

### Ágabo prediz uma fome

27 Naqueles dias, desceram profetas de Jerusalém para Antioquia.

28 Levantando-se um deles, chamado Ágabo, anunciou, pelo Espírito, que haveria uma grande fome em todo o mundo, a qual aconteceu no reinado de Cláudio.

29 Os discípulos determinaram mandar, cada um conforme o que pudesse, socorro aos irmãos que moravam na Judeia.

30 Assim o fizeram, enviando-o aos presbíteros por mão de Barnabé e de Saulo.

### Herodes persegue a igreja

**12** Por aquele mesmo tempo o rei Herodes prendeu alguns da igreja, para os maltratar.

2 Mandou matar à espada Tiago, irmão de João.

3 Vendo que isso agradava aos judeus, continuou, mandando prender também a Pedro. Isso aconteceu nos dias dos pães sem fermento.

4 Havendo-o prendido, trancou-o na prisão, entregando-o a quatro grupos de quatro soldados, para que o guardassem, querendo apresentá-lo ao povo depois da Páscoa.

5 Pedro estava na prisão, mas a igreja fazia contínua oração por ele a Deus.

### Pedro é liberto da prisão

6 Na noite anterior ao dia em que Herodes estava para apresentá-lo, estava Pedro dormindo entre dois soldados, preso por duas algemas, e as sentinelas na porta guardavam a prisão.

7 De repente apareceu um anjo do Senhor, e brilhou uma luz na prisão. Tocando em Pedro no lado, despertou-o, dizendo: Levanta-te depressa. E caíram-lhe das mãos as algemas.

8 Disse-lhe o anjo: Vista-se e calça as tuas sandálias. E ele o fez. Disse-lhe mais: Coloca nas costas a tua capa e segue-me.

9 Pedro, saindo, o seguia. E não sabia que era real o que o anjo estava fazendo, mas pensava estar tendo uma visão.

10 Quando passaram a primeira e a segunda guarda, chegaram na porta de ferro, que dá para a cidade, a qual se lhes abriu sozinha. Tendo saído, percorreram

uma rua, e logo o anjo se afastou dele.

11 Pedro, voltando a si, disse: Agora sei verdadeiramente que o Senhor enviou o seu anjo e me livrou da mão de Herodes e de tudo o que esperava o povo judeu.

12 Depois de perceber isso, foi até a casa de Maria, mãe de João, que tinha por sobrenome Marcos, onde muitos se encontravam reunidos e oravam.

13 Batendo Pedro na porta do pátio, uma criada chamada Rode saiu para atender.

14 Conhecendo a voz de Pedro, de alegria não abriu a porta, mas, correndo para dentro, anunciou que Pedro estava à porta.

15 Disseram-lhe: Estás fora de ti. Mas ela afirmava que era verdade. Então disseram: É o seu anjo.

16 Pedro, porém, continuava a bater e, quando abriram, viram-no e se espantaram.

17 Sinalizando-lhes ele com a mão para que se calassem, contou-lhes como o Senhor o tirara da prisão e disse: Contai isso a Tiago e aos irmãos. Então partiu para outro lugar.

18 De manhã, houve grande alvoroço entre os soldados sobre o que teria acontecido a Pedro.

19 Quando Herodes o procurou e não o achou, interrogou os guardas e mandou que fossem executados. Partindo da Judeia para Cesareia, ficou ali durante um tempo.

20 Ele estava irritado com os de Tiro e de Sidom; esses, vindo de comum acordo até ele, e obtendo a amizade de Blasto, camareiro do rei, pediam paz, porque o seu país dependia do país do rei.

21 No dia marcado, vestindo Herodes as vestes reais, estava assentado no trono e lhes falava.

22 E o povo exclamava: É voz de Deus, e não de homem.

23 No mesmo instante o anjo do Senhor feriu-o, porque não deu glória a Deus, e, comido por vermes, morreu.

24 A palavra de Deus, porém, crescia e se espalhava.

25 Barnabé e Saulo, havendo terminado aquela missão, voltaram de Jerusalém, levando consigo João, que tem por sobrenome Marcos.

## A primeira viagem missionária de Barnabé e Saulo

**13** Na igreja de Antioquia havia alguns profetas e mestres, a saber: Barnabé e Simeão, chamado Níger, Lúcio de Cirene, Manaém, que fora criado com Herodes, o tetrarca, e Saulo.

2 Servindo eles ao Senhor e jejuando, disse o Espírito Santo: Separai-me Barnabé e Saulo para a obra a que os tenho chamado.

3 Então, depois de jejuarem e orarem, impuseram sobre eles as mãos e os enviaram.

4 Assim esses, enviados pelo Espírito Santo, desceram a Selêucia, e dali navegaram para Chipre.

5 Chegando a Salamina, pregaram a palavra de Deus nas sinagogas dos judeus, e tinham também João como auxiliar.

6 Havendo atravessado a ilha toda até Pafos, encontraram certo judeu mágico, falso profeta, chamado Bar-Jesus,

7 o qual estava com o procônsul Sérgio Paulo, homem prudente. Esse, chamando Barnabé e Saulo, queria muito ouvir a palavra de Deus.

8 Resistia-lhes, porém, Elimas, o encantador (assim se interpreta o seu nome) procurando desviar da fé o procônsul.
9 Todavia Saulo, que também se chama Paulo, cheio do Espírito Santo, olhando para ele, disse:
10 Ó filho do Diabo, cheio de todo o engano e de toda a malícia, inimigo de toda a justiça, não vais parar de perturbar os retos caminhos do Senhor?
11 Agora a mão do Senhor está contra ti, e ficarás cego, sem ver a luz do sol por algum tempo. No mesmo instante caiu sobre ele uma névoa e escuridão, e, tateando, buscava quem o guiasse pela mão.
12 Então o procônsul, vendo o que havia acontecido, creu, maravilhado da doutrina do Senhor.

### O discurso de Paulo em Antioquia da Pisídia

13 Partindo de Pafos, Paulo e os que estavam com ele chegaram a Perge, da Panfília. Mas João, separando-se deles, voltou para Jerusalém.
14 Eles, saindo de Perge, chegaram a Antioquia da Pisídia. Entrando na sinagoga, num dia de sábado, assentaram-se.
15 Depois da leitura da Lei e dos Profetas, mandaram-lhes dizer os principais da sinagoga: Irmãos, se tendes alguma palavra de consolação para o povo, falai.
16 Paulo levantou-se e, pedindo silêncio com a mão, disse: Homens de Israel e os que temeis a Deus, ouvi!
17 O Deus do povo de Israel escolheu nossos pais e fez o povo prosperar, sendo eles estrangeiros na terra do Egito. Com braço poderoso os tirou dela
18 e suportou os seus costumes no deserto por um período de quase quarenta anos.
19 E, destruindo sete nações na terra de Canaã, deu-lhes por herança a terra deles.
20 Depois disso, por quase quatrocentos e cinquenta anos lhes deu juízes, até o profeta Samuel.
21 Depois pediram um rei, e Deus lhes deu Saul, filho de Cis, da tribo de Benjamim, por quarenta anos.
22 Quando esse foi rejeitado, levantou-lhes como rei Davi, do qual deu testemunho, dizendo: Achei Davi, filho de Jessé, homem segundo o meu coração, que fará toda a minha vontade.
23 Da descendência desse, conforme a promessa, levantou Deus Jesus para Salvador de Israel.
24 Antes da vinda de Jesus, João pregou a todo o povo de Israel o batismo de arrependimento.
25 João, porém, quando completava a carreira, disse: Quem pensais vós que eu sou? Eu não sou o Cristo, mas após mim vem aquele a quem não sou digno de desatar as sandálias dos pés.
26 Irmãos, filhos da geração de Abraão e os que dentre vós temeis a Deus, a vós é enviada a palavra desta salvação.
27 Por não terem conhecido Jesus, os que habitavam em Jerusalém e suas autoridades condenaram-no, cumprindo assim as vozes dos profetas que se leem todos os sábados.
28 Embora não encontrando nenhuma causa de morte, pediram a Pilatos que ele fosse morto.
29 Havendo eles cumprido todas as coisas que dele estavam escritas, tirando-o do madeiro, puseram-no na sepultura.

30 Deus, porém, o ressuscitou dentre os mortos.
31 E ele, por muitos dias, foi visto pelos que subiram com ele da Galileia para Jerusalém, os quais agora são suas testemunhas diante do povo.
32 E nós vos anunciamos que a promessa feita aos nossos pais Deus cumpriu a nós, seus filhos, ressuscitando Jesus.
33 Como também está escrito no salmo segundo:
Tu és meu filho,
    hoje te gerei.
34 O fato de que Deus o ressuscitaria dos mortos, para que nunca entrasse em decomposição, é desta forma declarado:
As santas e fiéis bênçãos de
    Davi vos darei.
35 Pelo que também em outro salmo diz:
Não permitirás que
    o teu santo
sofra a decomposição.
36 Pois tendo Davi no seu tempo servido conforme a vontade de Deus, dormiu e foi posto junto de seus pais, e sofreu decomposição.
37 Aquele, porém, a quem Deus ressuscitou nenhuma decomposição sofreu.
38 Seja-vos sabido, irmãos, que por este se vos anuncia o perdão de pecados.
39 E de tudo o que, pela Lei de Moisés, não pudestes ser justificados, por ele é justificado todo aquele que crê.
40 Cuidado para que não venha sobre vós o que os profetas disseram:
41 Vede, ó zombadores,
    admirai-vos e desaparecei,
    pois opero uma obra em
        vossos dias,
obra tal que não crereis,
    se alguém a contar.
42 Quando Paulo e Barnabé iam saindo da sinagoga, o povo pediu para que no sábado seguinte lhes dissessem as mesmas coisas.
43 E, ao saírem da sinagoga, muitos dos judeus e dos convertidos ao judaísmo seguiram Paulo e Barnabé, os quais, falando-lhes, os encorajava a que permanecessem na graça de Deus.
44 No sábado seguinte reuniu-se quase toda a cidade para ouvir a palavra de Deus.
45 Então os judeus, vendo a multidão, encheram-se de inveja, e, blasfemando, contradiziam o que Paulo falava.
46 Paulo e Barnabé, porém, ousadamente, disseram: Era necessário que a vós se pregasse primeiro a palavra de Deus. Visto, porém, que a rejeitais, e não vos julgais dignos da vida eterna, voltamo-nos para os gentios.
47 Pois assim nos ordenou o Senhor:
Eu te fiz luz para os gentios,
    a fim de que sejas
    para salvação até
        os confins da terra.
48 Os gentios, ouvindo isso, alegraram-se e glorificavam a palavra do Senhor; e creram todos os que haviam sido destinados para a vida eterna.
49 E a palavra do Senhor se espalhava por toda aquela região.
50 Os judeus, porém, incitavam algumas mulheres piedosas, de alta posição, e os principais da cidade e perseguiram Paulo e Barnabé, e os expulsaram da sua região.
51 Sacudindo, porém, contra eles o pó dos seus pés, partiram para Icônio.

**52** Os discípulos estavam cheios de alegria e do Espírito Santo.

### Os apóstolos em Icônio, Listra e Derbe

**14** Em Icônio entraram juntos na sinagoga dos judeus, e falaram de tal modo que creu grande multidão, tanto de judeus como de gregos.

**2** Os judeus, porém, incrédulos incitaram e irritaram os ânimos dos gentios contra os irmãos.

**3** Assim passaram muito tempo, falando corajosamente acerca do Senhor, o qual confirmava a palavra da sua graça, permitindo que pelas mãos de Paulo e Barnabé se fizessem sinais e maravilhas.

**4** Dividiu-se o povo da cidade. Uns eram pelos judeus, e outros pelos apóstolos.

**5** Havendo um motim tanto dos judeus como dos gentios, com os seus principais, para os maltratarem e apedrejarem,

**6** sabendo-o eles, fugiram para Listra e Derbe, cidades da Licaônia, e arredores,

**7** e ali pregavam o evangelho.

**8** Encontrava-se assentado em Listra certo homem aleijado dos pés, coxo desde o nascimento, o qual nunca tinha andado.

**9** Esse ouvia falar Paulo, que, olhando para ele e vendo que tinha fé para ser curado,

**10** disse em alta voz: Levanta-te direito sobre teus pés. E ele saltou e andava.

**11** Vendo as multidões o que Paulo fizera, levantaram a sua voz, dizendo na língua licaônica: Fizeram-se os deuses semelhantes aos homens, e desceram até nós.

**12** Chamavam Júpiter a Barnabé, e Mercúrio a Paulo, porque este era o que falava.

**13** O sacerdote de Júpiter, cujo templo estava em frente da cidade, trazendo à porta touros e grinaldas, queria com a multidão oferecer-lhes sacrifício.

**14** Ouvindo isso, os apóstolos Barnabé e Paulo rasgaram as suas roupas e correram para o meio da multidão, clamando:

**15** Senhores, por que fazeis essas coisas? Nós também somos homens como vós, sujeitos às mesmas paixões, e vos anunciamos que vos convertais dessas vaidades ao Deus vivo, que fez o céu, a terra, o mar e tudo o que neles há,

**16** o qual nos tempos passados deixou andar todas as nações em seus próprios caminhos.

**17** Contudo, não deixou de dar testemunho de si mesmo. Ele mostrou misericórdia, dando-vos chuvas do céu e colheita em sua própria estação, enchendo de mantimento e de alegria os vossos corações.

**18** Dizendo isso, com dificuldade impediram que as multidões lhes oferecessem sacrifícios.

**19** Chegaram, porém, uns judeus de Antioquia e de Icônio, os quais, tendo convencido a multidão, apedrejaram Paulo e o arrastaram para fora da cidade, pensando que estava morto.

**20** Os discípulos, porém, se ajuntaram em volta de Paulo, e ele se levantou e entrou na cidade. No dia seguinte, partiu com Barnabé para Derbe.

**21** Tendo pregado o evangelho naquela cidade, e feito muitos discípulos, voltaram para Listra, Icônio e Antioquia,

22 renovando os ânimos dos discípulos, incentivando-os a permanecerem firmes na fé, dizendo que por muitas tribulações nos é necessário entrar no Reino de Deus.
23 E, havendo-lhes por comum consentimento eleito presbíteros em cada igreja com oração e jejuns, encomendaram-nos ao Senhor, em quem haviam crido.
24 Passando depois pela Pisídia, chegaram à Panfília.
25 Tendo pregado a palavra em Perge, desceram a Atália.
26 E dali navegaram para Antioquia, onde tinham sido confiados à graça de Deus para a obra que acabavam de cumprir.
27 Quando chegaram e reuniram a igreja, relataram quão grandes coisas Deus fizera por eles e como abrira a porta da fé aos gentios.
28 E permaneceram ali por muito tempo com os discípulos.

### A controvérsia acerca da circuncisão

**15** Então alguns que tinham descido da Judeia ensinavam os irmãos: Se não vos circuncidardes, conforme o costume de Moisés, não podeis ser salvos.
2 Tendo tido Paulo e Barnabé grande discussão e briga com eles, resolveu-se que Paulo, Barnabé e alguns deles subissem a Jerusalém, aos apóstolos e aos presbíteros, por causa dessa questão.
3 Eles, sendo enviados pela igreja, passaram pela Fenícia e por Samaria, contando a conversão dos gentios. Essa notícia dava grande alegria a todos os irmãos.
4 Quando chegaram a Jerusalém, foram recebidos pela igreja, pelos apóstolos e pelos presbíteros, e lhes contaram quão grandes coisas Deus tinha feito com eles.
5 Alguns, porém, da seita dos fariseus, que tinham crido, levantaram-se, dizendo que era necessário circuncidá-los e ordenava-lhes que guardassem a Lei de Moisés.

### A Assembleia de Jerusalém

6 Reuniram-se os apóstolos e os presbíteros para considerar esse assunto.
7 E, havendo grande discussão, levantou-se Pedro, e lhes disse: Irmãos, bem sabeis que já há muito tempo Deus me elegeu dentre vós, para que os gentios ouvissem da minha boca a palavra do evangelho e cressem.
8 Deus, que conhece os corações, aceitou-os, dando-lhes o Espírito Santo, assim como também a nós.
9 E não fez diferença alguma entre eles e nós, purificando os seus corações pela fé.
10 Agora, pois, por que tentais a Deus, pondo sobre o pescoço dos discípulos um jugo que nem nossos pais nem nós pudemos suportar?
11 Cremos, porém, que somos salvos pela graça do Senhor Jesus Cristo, como eles também.
12 Então toda a multidão se calou, e escutava a Barnabé e a Paulo, que contavam quão grandes sinais e maravilhas Deus havia feito por meio deles entre os gentios.
13 Depois que eles se calaram, tomou Tiago a palavra e disse: Irmãos, ouvi-me.
14 Simão contou como primeiramente Deus visitou os gentios, para tomar dentre eles um povo para o seu nome.
15 E com isto concordam as palavras dos profetas, como está escrito:

**16** Depois disto voltarei,
reconstruirei o tabernáculo
de Davi,
que está caído.
Levantá-lo-ei das suas ruínas
e voltarei
a construí-lo,
**17** para que o restante dos
homens busque ao Senhor,
sim, todos os gentios,
sobre os quais o meu nome
é invocado,
diz o Senhor, que faz todas
estas coisas,
**18** que são conhecidas desde toda
a eternidade.
**19** Pelo que julgo que não se deve perturbar aqueles, dentre os gentios, que se convertem a Deus, **20** mas escrever-lhes que rejeitem as contaminações dos ídolos, a prostituição, os animais estrangulados e o sangue. **21** Pois Moisés, desde os tempos antigos, tem em cada cidade quem o pregue, e cada sábado é lido nas sinagogas. **22** Então decidiram os apóstolos e os presbíteros, com toda a igreja, eleger homens dentre eles e enviá-los com Paulo e Barnabé a Antioquia. Os que escolheram foram: Judas, chamado Barsabás, e Silas, homens influentes entre os irmãos.

### A decisão da Assembleia

**23** Por intermédio deles escreveram o seguinte: Os apóstolos e os presbíteros, irmãos, aos irmãos entre os gentios que estão em Antioquia, Síria e Cilícia, saúde. **24** Ouvindo que alguns que saíram dentre nós, aos quais não autorizamos, vos perturbaram com palavras e confundiram as vossas almas, **25** pareceu-nos bem, tendo chegado a um acordo, escolher alguns homens e enviá-los com os nossos amados Barnabé e Paulo. **26** Homens que já arriscaram as suas vidas pelo nome de nosso Senhor Jesus Cristo. **27** Enviamos, portanto, Judas e Silas, os quais oralmente vos anunciarão também o mesmo. **28** Pareceu bem ao Espírito Santo, e a nós, não vos impor mais jugo algum, senão estas coisas necessárias: **29** Que rejeiteis as coisas sacrificadas aos ídolos, o sangue, a carne de animais estrangulados e a prostituição. Fazeis bem se vos guardardes dessas coisas. Que tudo lhes vá bem.

**30** Tendo-se eles então despedido, partiram para Antioquia, e, reunindo a assembleia, entregaram a carta. **31** E, quando a leram, alegraram-se pela consolação. **32** Depois Judas e Silas, que também eram profetas, encorajaram e fortaleceram os irmãos com muitas palavras. **33** Depois de passar ali algum tempo, os irmãos mandaram-nos de volta em paz para os que os tinham enviado, **34** mas pareceu bem a Silas ficar ali. **35** Paulo e Barnabé, porém, ficaram em Antioquia, ensinando e pregando, com muitos outros, a palavra do Senhor.

### A segunda viagem missionária. Separação entre Paulo e Barnabé

**36** Alguns dias depois disse Paulo a Barnabé: Voltemos a visitar nossos irmãos por todas as cidades em que já pregamos a palavra do Senhor, para ver como estão.

37 Barnabé queria que levassem também João, chamado Marcos.
38 A Paulo, porém, não parecia certo que levassem aquele que desde a Panfília se tinha separado deles e não os acompanhara naquela obra.
39 E tal desentendimento houve entre eles que se separaram um do outro. Barnabé, levando consigo Marcos, navegou para Chipre.
40 Paulo, porém, tendo escolhido Silas, partiu, encomendado pelos irmãos à graça do Senhor.
41 E passou pela Síria e Cilícia, fortalecendo as igrejas.

### Paulo leva consigo Timóteo

**16** Chegou a Derbe e Listra. Estava ali certo discípulo por nome Timóteo, filho de uma judia crente, mas de pai grego.
2 Os irmãos que estavam em Listra e em Icônio davam bom testemunho dele.
3 Paulo quis que esse fosse com ele e, tomando-o, o circuncidou, por causa dos judeus que estavam naqueles lugares, porque todos sabiam que seu pai era grego.
4 Quando iam passando pelas cidades, entregavam-lhes, para serem observadas, as decisões que haviam sido tomadas pelos apóstolos e pelos presbíteros em Jerusalém.
5 De modo que as igrejas eram fortalecidas na fé, e cada dia cresciam em número.
6 Passando pela Frígia e pela província da Galácia, foram impedidos pelo Espírito Santo de pregar a palavra na Ásia.
7 Quando chegaram à Mísia, tentavam ir para a Bitínia, mas o Espírito de Jesus não lhes permitiu.
8 Tendo passado pela Mísia, desceram a Trôade.

### A visão em Trôade. Paulo passa à Macedônia

9 Paulo teve de noite uma visão em que apareceu um homem da Macedônia, que lhe pedia: Passa à Macedônia e ajuda-nos.
10 Logo depois dessa visão, procuramos partir para a Macedônia, concluindo que o Senhor nos chamava para lhes anunciarmos o evangelho.
11 Navegando de Trôade, fomos diretamente para a Samotrácia e, no dia seguinte, para Neápolis.
12 Dali para Filipos, a cidade mais importante dessa região da Macedônia e colônia romana. Permanecemos alguns dias nessa cidade.
13 No dia de sábado saímos da cidade para a margem do rio, onde julgávamos haver um lugar para oração, e, assentando-nos, falamos às mulheres que ali se reuniram.
14 Certa mulher, chamada Lídia, vendedora de púrpura, da cidade de Tiatira, e que servia a Deus, nos ouvia, e o Senhor lhe abriu o coração para que estivesse atenta ao que Paulo dizia.
15 Depois que foi batizada, ela e a sua casa, convidou-nos, dizendo: Se haveis julgado que eu seja fiel ao Senhor, entrai em minha casa e ficai ali. E nos convenceu disso.
16 Indo nós ao local de oração, saiu-nos ao encontro uma jovem que tinha um espírito de adivinhação, a qual, adivinhando, dava grande lucro aos seus senhores.
17 Ela, seguindo a Paulo e a nós, clamava, dizendo: Estes homens, que nos anunciam o caminho da salvação, são servos do Deus Altíssimo.

**18** E isso fez ela por muitos dias. Paulo, porém incomodado, voltou-se e disse ao espírito: Em nome de Jesus Cristo, ordeno-te que saias dela. E na mesma hora saiu.

### A prisão dos apóstolos. A conversão do carcereiro

**19** Vendo os senhores da jovem que a esperança do seu lucro estava perdida, prenderam Paulo e Silas e os levaram à praça, na presença das autoridades.
**20** Apresentando-os às autoridades, disseram: Estes homens, sendo judeus, perturbaram a nossa cidade.
**21** E nos pregam costumes que não nos é permitido receber nem praticar, visto que somos romanos.
**22** A multidão levantou-se unida contra eles, e as autoridades, rasgando-lhes as roupas, mandaram açoitá-los com varas.
**23** Havendo-lhes dado muitos açoites, lançaram-nos na prisão, ordenando ao carcereiro que os guardasse com segurança.
**24** Ele, tendo recebido tal ordem, lançou-os no cárcere interior e lhes prendeu os pés no tronco.
**25** Perto da meia-noite Paulo e Silas oravam e cantavam hinos a Deus, e os outros presos os escutavam.
**26** De repente houve um terremoto tão grande que os alicerces da prisão foram abalados, abriram-se todas as portas e foram soltas as correntes de todos.
**27** Acordando o carcereiro e vendo abertas as portas da prisão, tirou a espada e quis matar-se, pensando que os presos tinham fugido.
**28** Paulo, porém, gritou: Não te faças nenhum mal. Todos aqui estamos.
**29** O carcereiro pediu luz, saltou para dentro e, todo trêmulo, prostrou-se diante de Paulo e Silas.
**30** Então tirou-os para fora, dizendo: Senhores, que é necessário que eu faça para me salvar?
**31** Responderam eles: Crê no Senhor Jesus Cristo, e serás salvo, tu e a tua casa.
**32** Então lhe pregaram a palavra do Senhor, e a todos os que estavam em sua casa.
**33** Tomando-os o carcereiro consigo naquela mesma hora da noite, lavou-lhes as feridas; então logo foi batizado, ele e todos os seus.
**34** O carcereiro levou-os à sua casa, pôs-lhes a mesa e, na sua crença em Deus, alegrou-se com toda a sua casa.
**35** Sendo já dia, as autoridades mandaram soldados, dizendo: Soltai aqueles homens.
**36** O carcereiro anunciou a Paulo essas palavras, dizendo: As autoridades mandaram que vos soltasse. Agora saí e ide em paz.
**37** Paulo, porém, respondeu: Açoitaram-nos publicamente sem sermos condenados, e sendo nós cidadãos romanos nos lançaram na prisão, e agora encobertamente nos lançam fora? Não será assim! Venham eles mesmos e tirem-nos daqui.
**38** Os soldados foram dizer às autoridades essas palavras, e eles temeram, ouvindo que eram romanos.
**39** Vindo, pediram-lhes desculpas e, libertando-os, pediram que saíssem da cidade.
**40** Tendo eles saído da prisão, entraram na casa de Lídia e, vendo os irmãos, os confortaram, e partiram.

## Paulo em Tessalônica e em Bereia

**17** Tendo passado por Anfípolis e Apolônia, chegaram a Tessalônica, onde havia uma sinagoga dos judeus.
2 Paulo, como tinha por costume, foi ter com eles, e por três sábados discutiu com eles sobre as Escrituras,
3 explicando e comprovando que era necessário que o Cristo morresse e ressuscitasse dos mortos. E este Jesus que vos anuncio, dizia ele, é o Cristo.
4 Alguns deles creram e ajuntaram-se com Paulo e Silas, e também grande multidão de gregos piedosos, e não poucas mulheres de alta posição.
5 Os judeus, porém, cheios de inveja, tomaram consigo alguns homens perversos dentre os desocupados e, ajuntando o povo, tumultuaram a cidade e, invadindo a casa de Jasom, os procuravam para entregá-los ao povo.
6 Não os achando, porém, trouxeram Jasom e alguns irmãos à presença das autoridades da cidade, gritando: Estes que têm revolucionado o mundo chegaram também aqui,
7 os quais Jasom recebeu em casa. Todos estes agem contra os decretos de César, dizendo que há outro rei, Jesus.
8 Revoltaram a multidão e as autoridades da cidade, que ouviram essas coisas.
9 Tendo, porém, recebido fiança de Jasom e dos demais, os soltaram.
10 Assim que escureceu, os irmãos enviaram Paulo e Silas para Bereia. Tendo eles chegado lá, foram à sinagoga dos judeus.
11 Ora, estes foram mais nobres do que os de Tessalônica, pois de bom grado receberam a palavra, examinando cada dia nas Escrituras se essas coisas eram assim.
12 De modo que creram muitos deles, e também mulheres gregas de alta posição, e muitos homens.
13 No entanto, logo que os judeus de Tessalônica souberam que a palavra de Deus também era pregada por Paulo em Bereia, foram lá alvoroçar e agitar as multidões.
14 No mesmo instante, os irmãos fizeram Paulo partir em direção ao mar, mas Silas e Timóteo ficaram ali.

## Paulo em Atenas. Seu discurso no Areópago

15 E os que acompanhavam Paulo levaram-no até Atenas e, tendo recebido ordem para que Silas e Timóteo fossem ter com ele o mais depressa possível, partiram.
16 Enquanto Paulo os esperava em Atenas, ficou indignado ao ver a cidade tão entregue à idolatria.
17 De modo que discutia na sinagoga com os judeus e os gregos piedosos, e todos os dias na praça com os que ali chegavam.
18 Alguns dos filósofos epicureus e estoicos discutiam com ele. Uns diziam: Que quer dizer esse tagarela? E outros: Parece que é pregador de deuses estranhos. Diziam isso porque Paulo lhes anunciava Jesus e a ressurreição.
19 E, tomando-o, o levaram ao Areópago, dizendo: Poderemos nós saber que novo ensino é esse de que falas?
20 Coisas estranhas nos trazes aos ouvidos, e queremos saber o que vem a ser isto.
21 Ora, todos os atenienses e estrangeiros que lá moravam de

nenhuma outra coisa se ocupavam, senão de dizer e ouvir a última novidade.

22 Estando Paulo no meio do Areópago, disse: Homens atenienses, em tudo vejo que sois muito religiosos.

23 Pois, passando eu e vendo os vossos santuários, achei também um altar em que estava escrito: AO DEUS DESCONHECIDO. Ora, esse que vós adorais sem conhecer é o que eu vos anuncio.

24 O Deus que fez o mundo e tudo o que nele há, sendo ele Senhor do céu e da terra, não habita em templos feitos por mãos de homens.

25 Tampouco é servido por mãos de homens, como que necessitando de alguma coisa, porque ele mesmo é quem dá a todos a vida, a respiração e todas as coisas.

26 De um só fez todas as nações dos homens, para habitarem sobre toda a face da terra, determinando-lhes os tempos já dantes ordenados e os limites da sua habitação.

27 Deus fez isso para que o buscassem, e talvez, procurando, o pudessem achar, ainda que não esteja longe de cada um de nós.

28 Pois nele vivemos, nos movemos e existimos. Como também alguns dos vossos poetas disseram: Somos também sua geração.

29 Portanto, sendo nós geração de Deus, não havemos de pensar que a divindade seja semelhante ao ouro, ou à prata, ou à pedra esculpida pela arte e imaginação do homem.

30 Deus, porém, não levando em conta os tempos da ignorância, manda agora que todos os homens em todos os lugares se arrependam.

31 Pois determinou um dia em que com justiça há de julgar o mundo, por meio do homem que escolheu. Ele disso deu certeza a todos, ressuscitando-o dentre os mortos.

32 Quando ouviram falar em ressurreição de mortos, uns zombavam e outros diziam: Sobre isso te ouviremos outra vez.

33 E assim Paulo saiu do meio deles.

34 Todavia, juntaram-se alguns homens a ele e creram, entre os quais estava Dionísio, o areopagita, e uma mulher por nome Dâmaris, e com eles outros.

## Paulo em Corinto

**18** Depois disso Paulo partiu de Atenas e chegou a Corinto.

2 E, encontrando um judeu por nome Áquila, natural do Ponto, que havia pouco tinha vindo da Itália, com Priscila, sua mulher (pois Cláudio tinha mandado que todos os judeus saíssem de Roma), foi vê-los.

3 Por serem eles da mesma profissão, fabricantes de tendas, Paulo ficou morando e trabalhando com eles.

4 Todos os sábados ele debatia na sinagoga e convencia judeus e gregos.

5 Quando Silas e Timóteo desceram da Macedônia, Paulo dedicou-se exclusivamente à pregação, testemunhando aos judeus que Jesus era o Cristo.

6 Opondo-se eles e blasfemando, Paulo sacudiu as roupas e disse-lhes: O vosso sangue seja sobre a vossa cabeça! Eu estou limpo; de agora em diante, vou para os gentios.

7 E, saindo dali, entrou na casa de um homem temente a Deus, chamado Tito Justo, cuja casa ficava ao lado da sinagoga.

8 Crispo, principal da sinagoga, creu no Senhor, com toda a sua casa; e muitos dos coríntios, ouvindo-o, creram e foram batizados.
9 Disse o Senhor em visão a Paulo: Não temas, mas fala, e não te cales.
10 Pois eu sou contigo, e ninguém te ferirá ou te fará mal, porque tenho muita gente nesta cidade.
11 Paulo permaneceu ali um ano e seis meses, ensinando entre eles a palavra de Deus.

### Paulo perante Gálio

12 Sendo Gálio procônsul da Acaia, levantaram-se os judeus de comum acordo contra Paulo e o levaram ao tribunal,
13 dizendo: Este persuade os homens a servir a Deus contra a lei.
14 Quando Paulo estava para abrir a boca, disse Gálio aos judeus: Se houvesse, ó judeus, alguma transgressão ou crime grave, com razão vos ouviria.
15 Tendo em vista que a questão é de palavras, de nomes e da vossa lei, disso cuidai vós mesmos. Eu não quero ser juiz dessas coisas.
16 E expulsou-os do tribunal.
17 Então todos se voltaram contra Sóstenes, chefe da sinagoga, e o espancaram diante do tribunal. Mas Gálio não se importava com nenhuma dessas coisas.

### Priscila, Áquila e Apolo

18 Paulo, tendo permanecido ali ainda muitos dias, despediu-se dos irmãos e navegou para a Síria, e com ele Priscila e Áquila, tendo rapado a cabeça em Cencreia, porque tinha feito voto.
19 Chegaram a Éfeso, onde Paulo os deixou. Mas ele, entrando na sinagoga, debatia com os judeus.
20 Pedindo-lhe eles que ficasse por mais algum tempo, ele não aceitou.
21 Antes se despediu deles, dizendo: Se Deus quiser, outra vez voltarei a vós. E navegou de Éfeso.
22 Chegando a Cesareia, subiu a Jerusalém, saudou a igreja e desceu a Antioquia.
23 Tendo permanecido ali algum tempo, partiu, passando por toda a província da Galácia e da Frígia, fortalecendo todos os discípulos.

### Apolo em Éfeso e em Corinto

24 Chegou a Éfeso um judeu chamado Apolo, natural de Alexandria, homem culto e poderoso nas Escrituras.
25 Era instruído no caminho do Senhor e, sendo fervoroso de espírito, falava e ensinava com autoridade as coisas a respeito de Jesus, conhecendo, porém, somente o batismo de João.
26 Ele começou a falar ousadamente na sinagoga. Quando o ouviram Priscila e Áquila, levaram-no consigo e lhe explicaram com mais precisão o caminho de Deus.
27 Querendo ele ir para a Acaia, incentivaram-no os irmãos e escreveram aos discípulos que o recebessem. Tendo chegado, ajudou muito os que pela graça criam.
28 Pois com grande intensidade contestava publicamente os judeus, provando pelas Escrituras que Jesus era o Cristo.

### A terceira viagem missionária.
### Paulo prega em Éfeso

**19** Enquanto Apolo estava em Corinto, Paulo, tendo passado pela estrada do interior, chegou a Éfeso. Ali encontrou alguns discípulos

2 e perguntou-lhes: Recebestes vós o Espírito Santo quando crestes? Responderam eles: Não, nem sequer ouvimos que exista Espírito Santo.

3 Tornou-lhes ele: Em que fostes batizados então? Responderam: No batismo de João.

4 Paulo disse: Certamente João batizou com o batismo de arrependimento, dizendo ao povo que cresse no que após ele haveria de vir, isto é, em Jesus.

5 Quando ouviram isto, foram batizados em nome do Senhor Jesus.

6 Impondo-lhes Paulo as mãos, veio sobre eles o Espírito Santo, e falavam em línguas, e profetizavam.

7 E eram ao todo uns doze homens.

8 **P**aulo entrou na sinagoga e falou ousadamente por três meses, debatendo e convencendo a respeito do Reino de Deus.

9 Alguns deles, porém, resistiram e se recusaram a crer, falando mal do Caminho perante a multidão. Então Paulo afastou-se deles. Levou consigo os discípulos e passou a ensinar todos os dias na escola de Tirano.

10 Durou isso dois anos, de modo que todos os que habitavam na Ásia ouviram a palavra do Senhor Jesus, tanto judeus como gregos.

11 E Deus, pelas mãos de Paulo, fez milagres extraordinários.

12 De sorte que até lenços e aventais eram levados do seu corpo aos doentes, e as enfermidades os deixavam e os espíritos malignos saíam.

13 Alguns dos exorcistas judeus, ambulantes, tentavam invocar o nome do Senhor Jesus sobre os que estavam possessos de espíritos malignos, dizendo: Em nome de Jesus, a quem Paulo prega, eu lhes ordeno que saiam.

14 Os que faziam isso eram sete filhos de Ceva, judeu, um dos principais sacerdotes.

15 Respondeu, porém, o espírito maligno: Conheço Jesus e bem sei quem é Paulo, mas vós quem sois?

16 Saltando sobre eles o homem que tinha o espírito maligno, dominou dois deles e prevaleceu, de modo que fugiram nus e feridos daquela casa.

17 Quando isso se tornou conhecido de todos os que habitavam em Éfeso, tanto judeus como gregos, caiu temor sobre todos eles, e o nome do Senhor Jesus era engrandecido.

18 E muitos dos que tinham crido vinham, confessando e revelando as suas práticas más.

19 Também muitos dos que tinham praticado feitiçarias trouxeram os seus livros e os queimaram na presença de todos. Feita a conta do seu preço, o valor chegou a cinquenta mil moedas de prata.

20 Assim, a palavra do Senhor crescia poderosamente e prevalecia.

21 **D**epois dessas coisas, Paulo decidiu no espírito ir a Jerusalém, passando pela Macedônia e pela Acaia, dizendo: Depois de ter estado ali, é necessário que também eu visite Roma.

22 E, enviando à Macedônia dois daqueles que o auxiliavam, Timóteo e Erasto, ficou ele por algum tempo na Ásia.

### O tumulto em Éfeso

23 **P**or esse tempo houve uma grande confusão acerca do Caminho.

24 Certo ourives, por nome Demétrio, que fazia de prata miniaturas do

templo de Diana, dava muito lucro aos artífices.

25 Ele os ajuntou, bem como os oficiais de obras semelhantes, e disse: Senhores, vós bem sabeis que desta indústria vem a nossa prosperidade.

26 E bem vedes e ouvis que não só em Éfeso, mas até quase em toda a Ásia, este Paulo tem convencido e afastado uma grande multidão, dizendo que não são deuses os que se fazem com as mãos.

27 Não somente há perigo de que a nossa profissão caia em descrédito, mas também de que o próprio templo da grande deusa Diana seja reduzido a nada, vindo a ser destruída a majestade daquela que toda a Ásia e o mundo adoram.

28 Ouvindo isso, encheram-se de ira e gritaram: Grande é a Diana dos efésios!

29 Logo toda a cidade se encheu de confusão. O povo arrastou Gaio e Aristarco, macedônios, companheiros de Paulo e, às pressas, correram para o teatro.

30 Paulo queria apresentar-se ao povo, mas os discípulos não lhe permitiram.

31 Também algumas das autoridades da Ásia, amigos de Paulo, mandaram pedir-lhe que não se apresentasse no teatro.

32 Uns clamavam de uma maneira, outros de outra, porque o ajuntamento era confuso. A maioria não sabia por que se tinha reunido.

33 Então tiraram Alexandre dentre a multidão, empurrando-o os judeus para a frente. Alexandre, sinalizando com a mão, queria apresentar uma defesa ao povo.

34 Quando, porém, perceberam que era judeu, todos a uma só voz gritaram por quase duas horas: Grande é a Diana dos efésios!

35 Então o escrivão da cidade, tendo acalmado a multidão, disse: Efésios, quem é que não sabe que a cidade dos efésios é a guardadora do templo da grande deusa Diana e da imagem que caiu de Júpiter?

36 Ora, não podendo isto ser negado, convém que vos aquieteis e nada façais precipitadamente.

37 Estes homens que aqui trouxestes não roubam os objetos sagrados do templo de Diana nem são blasfemadores da vossa deusa.

38 Se Demétrio, porém, e os artífices que estão com ele têm alguma coisa contra alguém, há tribunais e há procônsules: que ali se acusem uns aos outros.

39 Se alguma outra coisa apresentais, se averiguará em legítima assembleia.

40 Na verdade até corremos perigo de que, por hoje, sejamos acusados de desordem pública, não havendo causa alguma com que possamos justificar este ajuntamento.

41 Tendo dito isso, despediu a assembleia.

## Paulo visita outra vez a Macedônia e a Grécia

**20** Depois que acabou o alvoroço, Paulo chamou a si os discípulos e, tendo-os encorajado, despediu-se e partiu para a Macedônia.

2 Ele andou por aquelas regiões, encorajando os discípulos com muitas palavras, e finalmente chegou à Grécia.

3 Depois de passar ali três meses, tendo os judeus armado uma cilada contra ele quando ia navegar

para a Síria, decidiu voltar pela Macedônia.

4 Acompanharam-no, até a Ásia, Sópatro de Bereia, filho de Pirro; e dos de Tessalônica, Aristarco e Segundo; Gaio de Derbe e Timóteo; e dos da Ásia, Tíquico e Trófimo.

5 Esses, indo na frente, esperaram-nos em Trôade.

6 E nós, depois dos dias dos pães sem fermento, navegamos de Filipos, e em cinco dias fomos encontrá-los em Trôade, onde permanecemos sete dias.

7 No primeiro dia da semana, reunindo-se os discípulos para partir o pão, Paulo, que haveria de sair no dia seguinte, falava com eles e prolongou o seu discurso até a meia-noite.

8 Havia muitas luzes no cenáculo onde estávamos reunidos.

9 Estando certo jovem, por nome Êutico, assentado numa janela, caiu do terceiro andar, tomado de um sono profundo que lhe sobreveio durante o extenso discurso de Paulo. Quando o levantaram, perceberam que ele estava morto.

10 Paulo, porém, descendo, inclinou-se sobre ele e, abraçando-o, disse: Não vos perturbeis, que a sua alma nele está.

11 Então subiu, partiu o pão e comeu. Depois de lhes falar até o amanhecer, partiu.

12 Levaram vivo o jovem e ficaram muito consolados.

13 Nós, porém, tomamos a frente e, embarcando, navegamos até Assôs, onde deveríamos receber Paulo, porque assim o ordenara, indo ele por terra.

14 Logo que nos alcançou em Assôs, recebemo-lo a bordo e fomos a Mitilene.

15 Navegando dali, chegamos no dia seguinte em frente de Quios, no outro aportamos a Samos e, tendo-nos demorado em Trogílio, chegamos no dia seguinte a Mileto.

16 Paulo já tinha decidido passar longe de Éfeso, para não gastar tempo na Ásia. Apressava-se para estar, se lhe fosse possível, em Jerusalém no dia de Pentecoste.

### O discurso de Paulo aos presbíteros da igreja de Éfeso

17 De Mileto mandou chamar os presbíteros da igreja de Éfeso.

18 Logo que chegaram, disse-lhes: Vós bem sabeis, desde o primeiro dia em que entrei na Ásia, como em todo esse tempo me comportei no meio de vós,

19 servindo ao Senhor com toda a humildade, com muitas lágrimas e provações que pelas ciladas dos judeus me sobrevieram.

20 Sabeis que nada proveitoso deixei de vos anunciar e ensinar publicamente e nas casas.

21 Tenho declarado tanto aos judeus como aos gregos que devem se converter a Deus, arrepender-se e ter fé em nosso Senhor Jesus Cristo.

22 E agora, levado pelo Espírito, vou para Jerusalém, não sabendo o que lá me há de acontecer.

23 Somente sei o que o Espírito Santo de cidade em cidade me revela, dizendo que me esperam prisões e tribulações.

24 Em nada, porém, considero a minha vida preciosa, contanto que cumpra com alegria a minha carreira e o ministério que recebi do Senhor Jesus, para dar testemunho do evangelho da graça de Deus.

25 Agora, na verdade, sei que nenhum de vós, entre os quais passei pregando o Reino de Deus, jamais voltará a ver o meu rosto.
26 Portanto, hoje vos declaro que estou inocente do sangue de todos.
27 Pois nunca deixei de vos anunciar toda a vontade de Deus.
28 Cuidai por vós e por todo o rebanho sobre o qual o Espírito Santo vos constituiu bispos, para apascentardes a igreja de Deus, a qual ele comprou com o seu próprio sangue.
29 Sei que depois da minha partida entrarão no meio de vós lobos cruéis que não pouparão o rebanho.
30 E que dentre vós mesmos se levantarão homens que torcerão a verdade, para atrair os discípulos após si.
31 Portanto, vigiai, lembrando-vos de que durante três anos não cessei noite e dia de advertir com lágrimas cada um de vós.
32 Agora, irmãos, entrego-vos a Deus e à palavra da sua graça, àquele que é poderoso para vos edificar e dar herança entre todos os que são santificados.
33 De ninguém cobicei prata, nem ouro, nem roupas.
34 Vós mesmos sabeis que estas mãos proveram o que me era necessário, e aos que estão comigo.
35 Tenho-vos mostrado em tudo que, trabalhando assim, é necessário socorrer os enfermos, recordando as palavras do próprio Senhor Jesus: Mais bem-aventurada coisa é dar do que receber.
36 Tendo dito isso, pôs-se de joelhos e orou com todos eles.
37 Levantou-se um grande pranto entre todos, e, abraçando Paulo, o beijavam.
38 O que lhes entristecia muito era a palavra que dissera, que não veriam mais o seu rosto. Então o acompanharam até o navio.

## Paulo viaja para Jerusalém

**21** Separando-nos deles, navegamos e fomos diretamente a Cós, e no dia seguinte a Rodes, e dali a Pátara.
2 Achamos um navio que ia para a Fenícia, embarcamos e partimos.
3 Depois de avistarmos Chipre, deixando-a à esquerda, navegamos para a Síria. Chegamos a Tiro, onde o navio havia de ser descarregado.
4 Encontrando os discípulos, ficamos ali sete dias. E eles pelo Espírito diziam a Paulo que não subisse a Jerusalém.
5 Havendo passado ali aqueles dias, saímos e seguimos nosso caminho. Acompanharam-nos todos os discípulos, com suas mulheres e filhos, até fora da cidade, e na praia ajoelhamo-nos e oramos.
6 E, despedindo-nos uns dos outros, embarcamos, e eles voltaram para suas casas.
7 Continuamos nossa viagem de Tiro e chegamos a Ptolemaida, onde saudamos os irmãos e passamos com eles um dia.
8 No dia seguinte, partindo dali, chegamos a Cesareia. Entrando na casa de Filipe, o evangelista, que era um dos sete, ficamos com ele.
9 Tinha esse quatro filhas solteiras que profetizavam.
10 Demorando-nos ali por muitos dias, chegou da Judeia um profeta, de nome Ágabo,
11 que, vindo ter conosco, tomou o cinto de Paulo e, amarrando os seus próprios pés e mãos, disse: Isto diz o Espírito Santo:

Assim amarrarão os judeus em Jerusalém o homem a quem pertence este cinto e o entregarão nas mãos dos gentios.

12 Ouvindo nós isso, pedimos-lhe, tanto nós como os que eram daquele lugar, que não subisse a Jerusalém.

13 Paulo, porém, respondeu: Que fazeis vós, chorando e magoando-me o coração? Eu estou pronto não só a ser amarrado, mas ainda a morrer em Jerusalém pelo nome do Senhor Jesus.

14 Como não podíamos convencê-lo, dissemos: Faça-se a vontade do Senhor.

15 Depois daqueles dias, havendo feito os nossos preparativos, subimos a Jerusalém.

16 Foram também conosco alguns discípulos de Cesareia, levando consigo certo Mnasom, cíprio, discípulo antigo, com quem nos havíamos de hospedar.

### Paulo chega a Jerusalém

17 Logo que chegamos a Jerusalém, os irmãos nos receberam com alegria.

18 No dia seguinte, Paulo foi conosco à casa de Tiago, e todos os presbíteros compareceram.

19 Paulo saudou-os e contou com detalhes o que por seu ministério Deus fizera entre os gentios.

20 Ouvindo eles isso, glorificaram a Deus e lhe disseram: Olhai, irmão, quantos milhares de judeus há que creem, e todos são zelosos da lei

21 A respeito de ti foram informados de que ensinas todos os judeus que estão entre os gentios a se afastarem de Moisés, dizendo que não devem circuncidar seus filhos, nem andar segundo os costumes da lei.

22 Que faremos? Certamente ouvirão que és chegado.

23 Faze, pois, o que te diremos: Temos quatro homens que fizeram voto.

24 Toma contigo esses e santifica-te com eles, e pague as despesas deles, para que rapem a cabeça. Assim, todos ficarão sabendo que nada há daquilo de que foram informados a respeito de ti, mas que também tu mesmo andas em obediência à lei.

25 Todavia, quanto aos gentios que têm crido, já escrevemos, dando o parecer que se afastem do que é sacrificado aos ídolos, do sangue, dos animais estrangulados e da prostituição.

26 No dia seguinte, Paulo, tomando consigo aqueles homens, purificou-se com eles. Então entrou no templo, anunciando serem já cumpridos os dias da purificação, e ficou ali até se oferecer a favor de cada um deles a oferta.

### Paulo é preso

27 Quando os sete dias estavam quase a terminar, os judeus da Ásia, vendo-o no templo, agitaram todo o povo e o agarraram,

28 gritando: Homens israelitas, ajudai! Este é o homem que por todas as partes ensina a todos a ser contra o povo, contra a lei e contra este lugar. Além disso, ele fez entrar também no templo os gregos e profanou este santo lugar.

29 Antes tinham visto com ele na cidade o efésio Trófimo, o qual pensavam que Paulo fizera entrar no templo.

30 Agitou-se toda a cidade, e houve grande ajuntamento do povo. Agarrando Paulo, arrastaram-no

para fora do templo, e logo as portas se fecharam.

**31** Procurando eles matá-lo, chegou ao comandante da corte o aviso de que toda Jerusalém estava em confusão.

**32** Ele imediatamente tomou consigo soldados e oficiais, e correu para o meio do povo. Quando viram chegar o comandante e os soldados, pararam de espancar Paulo.

**33** Então, aproximando-se o comandante, prendeu-o, mandou que fosse acorrentado com duas cadeias e perguntou quem era e o que tinha feito.

**34** Na multidão, uns gritavam de uma maneira, e outros de outra. Como o comandante nada podia saber ao certo, por causa da confusão, ordenou que Paulo fosse conduzido à fortaleza.

**35** Chegando ele às escadas, os soldados tiveram de carregá-lo por causa da violência da multidão.

**36** Pois a multidão o seguia, gritando: Mata-o!

**37** Quando ia ser conduzido para dentro da fortaleza, Paulo perguntou ao comandante: Permite-me dizer-te algo? Respondeu ele: Sabes o grego?

**38** Não és tu o egípcio que há poucos dias iniciou uma revolta e levou ao deserto quatro mil assassinos?

**39** Paulo respondeu: Eu sou judeu, natural de Tarso, cidade importante da Cilícia. Peço-te, porém, que me permitas falar ao povo.

**40** Tendo recebido a permissão do comandante, Paulo pôs-se em pé nas escadas e fez sinal com a mão ao povo. Tendo feito grande silêncio, disse-lhes em hebraico:

## O discurso de Paulo em sua defesa

**22** Irmãos e pais, ouvi agora a minha defesa.

**2** Quando ouviram que lhes falava em hebraico, maior silêncio fizeram. Então Paulo disse:

**3** Eu sou judeu, nascido em Tarso da Cilícia, e nesta cidade criado aos pés de Gamaliel, instruído conforme a verdade da lei de nossos pais, zeloso de Deus, como todos vós hoje sois.

**4** Persegui este Caminho até a morte, algemando e colocando em prisões tanto homens como mulheres,

**5** como também o sumo sacerdote me é testemunha, e assim todo o conselho dos presbíteros. Recebendo desses cartas para os irmãos, fui a Damasco, com o propósito de trazer algemados a Jerusalém aqueles que ali estivessem, a fim de que fossem castigados.

**6** Ora, aproximando-me de Damasco, quase ao meio-dia, de repente me cercou uma grande luz do céu.

**7** Caí por terra e ouvi uma voz que me dizia: Saulo, Saulo, por que me persegues?

**8** Eu perguntei: Quem és, Senhor? Respondeu-me: Eu sou Jesus de Nazaré, a quem tu persegues.

**9** Os que estavam comigo viram, em verdade, a luz e se atemorizaram muito, mas não ouviram a voz daquele que falava comigo.

**10** Então perguntei: Senhor, que farei? E o Senhor respondeu: Levanta-te e entra em Damasco, e ali se te dirá tudo o que te é ordenado fazer.

**11** Como eu não via, por causa do brilho daquela luz, fui guiado pelas mãos dos que estavam comigo e cheguei a Damasco.

**12** Certo Ananias, homem piedoso conforme a lei, que tinha bom testemunho de todos os judeus que ali moravam,
**13** veio ao meu encontro e apresentou-se, dizendo: Saulo, irmão, recupera a vista. Naquela mesma hora o vi.
**14** Disse ele: O Deus de nossos pais de antemão te escolheu para conheceres a sua vontade, e ver o Justo, e ouvir a voz da sua boca.
**15** Hás de ser sua testemunha para com todos os homens do que tens visto e ouvido.
**16** E agora por que te deténs? Levanta-te, batiza-te e lava os teus pecados, invocando o seu nome.
**17** Voltando eu para Jerusalém, quando orava no templo, achei-me em êxtase
**18** e vi aquele que me dizia: Apressa-te e sai logo de Jerusalém, porque não receberão o teu testemunho a meu respeito.
**19** Eu respondi: Senhor, eles bem sabem que eu lançava na prisão e açoitava nas sinagogas os que criam em ti.
**20** E, quando o sangue de Estêvão, tua testemunha, se derramava, eu também estava presente, aprovando sua morte, e até guardei as roupas dos que o matavam.
**21** Então o Senhor me disse: Vai, eu te enviarei para longe, aos gentios.
**22** Ouviram-no até esta palavra. Então levantaram a voz, dizendo: Tira da terra tal homem! Não merece viver!
**23** Gritando eles, tirando de si as capas e lançando pó para o ar,
**24** o comandante mandou que o levassem para a fortaleza, dizendo que o interrogassem e açoitassem, para saber por que assim gritavam contra ele.
**25** Quando o haviam amarrado, disse Paulo ao oficial que ali estava: É permitido a vós açoitar um cidadão romano, sem ser condenado?
**26** Ouvindo isso, o oficial foi e avisou o comandante, dizendo: O que vais fazer? Este homem é cidadão romano.
**27** Vindo o comandante, perguntou-lhe: Dize-me, és tu cidadão romano? E ele respondeu: Sim, sou.
**28** Então disse o comandante: Eu por grande soma de dinheiro alcancei o direito de cidadão. Paulo respondeu: Eu, porém, o sou de nascimento.
**29** Imediatamente se afastaram dele os que o haviam de interrogar. E até o comandante teve temor, quando soube que havia prendido um cidadão romano.

## Paulo perante o Sinédrio

**30** No dia seguinte, querendo o comandante saber ao certo por que ele era acusado pelos judeus, soltou-o das prisões e mandou que se reunissem os principais sacerdotes e todo o Sinédrio. Então trouxe Paulo e o apresentou diante deles.

**23** Paulo fixou os olhos no Sinédrio e disse: Irmãos, até o dia de hoje tenho andado diante de Deus com toda a boa consciência.
**2** O sumo sacerdote, Ananias, porém, mandou aos que estavam junto dele que o ferissem na boca.
**3** Então Paulo lhe disse: Deus te ferirá, parede branqueada! Tu estás aqui assentado para julgar-me conforme a lei, e contra a lei me mandas ferir?

**4** Os que estavam ali disseram: Ousas insultar o sumo sacerdote de Deus?
**5** Respondeu Paulo: Não sabia, irmãos, que ele era o sumo sacerdote; pois está escrito: Não dirás mal do príncipe do teu povo.
**6** Então Paulo, sabendo que uma parte era de saduceus e outra de fariseus, gritou no Sinédrio: Irmãos, eu sou fariseu, filho de fariseu. Por causa da esperança da ressurreição dos mortos estou sendo julgado.
**7** Havendo ele dito isso, houve confusão entre os fariseus e os saduceus, e a multidão se dividiu.
**8** Os saduceus dizem que não há ressurreição, nem anjo, nem espírito, mas os fariseus reconhecem uma e outra coisa.
**9** Começou um grande clamor e, levantando-se alguns mestres da lei da parte dos fariseus, discutiam, dizendo: Nenhum mal achamos neste homem. E, se algum espírito ou anjo lhe falou, não resistamos a Deus.
**10** A discussão ficou tão violenta que o comandante, temendo que Paulo fosse despedaçado, mandou que os soldados descessem e o tirassem do meio deles, e o levassem para a fortaleza.
**11** Na noite seguinte, o Senhor apresentou-se a ele e disse: Paulo, tem bom ânimo! Como de mim testificaste em Jerusalém, assim importa que testifiques também em Roma.

### A conspiração dos judeus contra Paulo

**12** Quando já era dia, os judeus fizeram uma conspiração e juraram que não comeriam nem beberiam enquanto não matassem Paulo.
**13** Eram mais de quarenta os que armaram essa conspiração.
**14** Esses foram falar com os principais sacerdotes e presbíteros, e disseram: Juramos sob pena de maldição a não provarmos nada até que matemos Paulo.
**15** Agora, pois, vós e o Sinédrio, pedi ao comandante que o traga amanhã, como que querendo saber mais alguma coisa de sua causa. Antes que chegue, estaremos prontos para matá-lo.
**16** O sobrinho de Paulo, porém, tendo sabido da cilada, foi, entrou na fortaleza e avisou Paulo.
**17** Paulo chamou a si um dos oficiais e disse: Leva este jovem ao comandante; ele tem alguma coisa que lhe comunicar.
**18** Tomando-o ele, levou-o ao comandante e disse: O preso Paulo, chamando-me a si, pediu-me que te trouxesse este jovem, que tem alguma coisa para dizer-te.
**19** O comandante tomou-o pela mão e, em particular, perguntou-lhe: Que tens que me contar?
**20** Disse ele: Os judeus combinaram pedir-te que amanhã leves Paulo ao Sinédrio, como que tendo de tirar dele mais detalhes sobre o caso.
**21** Mas tu não te deixes levar, porque mais de quarenta homens entre eles lhe armaram ciladas, os quais juraram, sob pena de maldição, não comerem nem beberem até que o tenham morto. Agora estão prontos, esperando a tua promessa.
**22** Então o comandante despediu o jovem, ordenando-lhe que a ninguém dissesse que lhe havia contado aquilo.

## Paulo é enviado a Cesareia

23 Chamando dois oficiais, disse-lhes: Aprontai para esta noite, às três horas, duzentos soldados de infantaria, setenta cavaleiros e duzentos lanceiros para irem até Cesareia.
24 E mandou que providenciassem montaria para que Paulo montasse, para o levarem com segurança ao governador Félix.
25 E escreveu-lhe uma carta, que dizia:
26 Cláudio Lísias, a Félix, excelentíssimo governador, saúde.
27 Este homem foi preso pelos judeus e, estando já a ponto de ser morto por eles, cheguei eu com a tropa e o livrei, ao saber que era romano.
28 Querendo saber por que o acusavam, levei-o ao Sinédrio deles.
29 Achei que o acusavam de algumas questões da sua lei, mas que nenhum crime havia nele digno de morte ou de prisão.
30 Sendo-me informado que os judeus haviam de armar ciladas a esse homem, logo o enviei a ti, ordenando também aos acusadores que perante ti digam o que tiverem contra ele. Passa bem.
31 Tomando os soldados a Paulo, como lhes fora mandado, levaram-no de noite a Antipátride.
32 No dia seguinte, deixando os de cavalaria irem com ele, voltaram à fortaleza.
33 Quando a cavalaria chegou a Cesareia, entregou a carta ao governador e lhe apresentou Paulo.
34 O governador, tendo lido a carta, perguntou de que província ele era. Sabendo que era da Cilícia, disse:
35 Eu te ouvirei quando aqui vierem os teus acusadores. E mandou que o prendessem no palácio de Herodes.

## Paulo perante Félix

24 Cinco dias depois, o sumo sacerdote Ananias desceu com os presbíteros e certo Tértulo, advogado, os quais compareceram perante o governador contra Paulo.
2 Sendo Paulo chamado, Tértulo começou a acusá-lo, dizendo:
3 Visto que em seu governo temos tanta paz, e por tua prudência se fazem a este povo muitas e louváveis obras, sempre e em todo lugar, ó excelentíssimo Félix, com todo o agradecimento o queremos reconhecer.
4 Todavia, para que não te tome muito tempo, peço-te que nos ouças por pouco tempo.
5 Temos achado que este homem é uma peste, que promove confusões entre todos os judeus, por todo o mundo. Ele é o principal defensor da seita dos nazarenos,
6 e até tentou profanar o templo; por isso, o prendemos e, conforme a nossa lei, o quisemos julgar.
7 Intervindo, porém, o comandante Lísias tirou-o de nossas mãos com grande violência,
8 mandando seus acusadores que viessem a ti; e, dele tu mesmo, interrogando-o, poderás entender tudo aquilo de que o acusamos.
9 Os judeus também o acusavam, dizendo serem estas coisas assim.
10 Paulo, porém, fazendo-lhe o governador sinal que falasse, respondeu: Sei que já vai para muitos anos que desta nação és juiz; de modo que com melhor ânimo respondo por mim.
11 Podes facilmente verificar que não há mais de doze dias que subi a Jerusalém para adorar,

12 e não me acharam no templo discutindo com alguém nem agitando o povo, quer nas sinagogas, quer na cidade.
13 Tampouco podem provar as coisas de que agora me acusam.
14 Confesso-te, porém, isto: que, conforme o Caminho a que chamam seita, assim sirvo ao Deus de nossos pais, crendo tudo o que está escrito na lei e nos profetas.
15 Tendo esperança em Deus, como estes mesmos também esperam, de que há de haver ressurreição tanto dos justos como dos injustos.
16 Por isso, sempre procuro ter uma consciência limpa, tanto para com Deus como para com os homens.
17 Ora, muitos anos depois, vim trazer à minha nação esmolas e ofertas.
18 Estando eu ocupado nessas coisas, me acharam já purificado no templo, não em ajuntamentos, nem com alvoroço, certos judeus da Ásia,
19 que convinha que comparecessem perante ti e me acusassem, se alguma coisa contra mim tivessem.
20 Ou digam estes mesmos, se acharam em mim algum crime, quando compareci perante o Sinédrio,
21 a não ser estas palavras, que, estando entre eles, falei em alta voz: Hoje sou julgado por vós acerca da ressurreição dos mortos.
22 Então Félix, que era bem informado acerca do Caminho, adiou a questão, dizendo: Quando o comandante Lísias tiver descido, tomarei inteiro conhecimento da vossa causa.
23 E ordenou ao oficial que o mantivesse na prisão, tratando-o com brandura, e que a ninguém dos seus proibisse servi-lo ou vir ter com ele.
24 Alguns dias depois, vindo Félix com Drusila, sua mulher, que era judia, mandou chamar Paulo e ouviu-o acerca da fé em Cristo.
25 E, discorrendo ele sobre a justiça, o domínio próprio e o juízo vindouro, Félix, apavorado, disse: Por enquanto basta; saia. Quando eu achar conveniente, de novo te chamarei.
26 Esperava ao mesmo tempo que Paulo lhe desse dinheiro, para que o soltasse, pelo que também muitas vezes o mandava chamar e falava com ele.
27 Passados dois anos, Félix teve por sucessor a Pórcio Festo, mas, querendo Félix agradar os judeus, deixou Paulo preso.

**Paulo apela para César**

**25** Três dias depois de entrar na província, Festo subiu de Cesareia a Jerusalém,
2 onde os principais sacerdotes e os dirigentes dos judeus compareceram perante ele, com acusações contra Paulo. Rogaram-lhe,
3 pedindo como favor contra Paulo que o fizesse vir a Jerusalém, armando ciladas para o matarem no caminho.
4 Festo, porém, respondeu que Paulo estava detido em Cesareia e que ele brevemente partiria para lá.
5 Portanto, disse, desçam comigo alguns dos vossos dirigentes e, se neste homem houver algum crime, acusem-no.
6 Não se demorando entre eles mais de dez dias, desceu a Cesareia e, no dia seguinte, assentou-se no tribunal e mandou que trouxessem Paulo.

**7** Chegando ele, cercaram-no os judeus que haviam descido de Jerusalém, trazendo contra Paulo muitas e graves acusações, que não podiam provar.
**8** Paulo, porém, em sua defesa, disse: Eu não pequei em coisa alguma contra a lei dos judeus, nem contra o templo, nem contra César.
**9** Todavia Festo, querendo agradar os judeus, respondeu a Paulo: Queres tu subir a Jerusalém e ser lá perante mim julgado por estas coisas?
**10** Paulo respondeu: Estou perante o tribunal de César, onde devo ser julgado. Não fiz mal algum aos judeus, como tu muito bem sabes.
**11** Se fiz algum mal ou cometi alguma coisa digna de morte, não recuso morrer. Se nada, porém, há das coisas de que me acusam, ninguém pode entregar-me a eles. Apelo para César.
**12** Então Festo, tendo falado com o conselho, respondeu: Apelaste para César. Para César irás.

### Paulo perante o rei Agripa

**13** Passados alguns dias, o rei Agripa e Berenice vieram a Cesareia, a saudar Festo.
**14** Como ali ficaram muitos dias, Festo contou ao rei o caso de Paulo, dizendo: Certo homem foi deixado por Félix aqui preso,
**15** a respeito do qual os principais sacerdotes e os líderes religiosos dos judeus, estando eu em Jerusalém, compareceram perante mim, pedindo sentença contra ele.
**16** Respondi-lhes não ser costume dos romanos entregar um homem à morte sem que o acusado tenha presentes os seus acusadores e possa defender-se da acusação.
**17** De modo que, chegando eles aqui juntos, no dia seguinte, sem me demorar, assentei-me no tribunal e mandei que trouxessem o homem.
**18** Levantando-se seus acusadores, não apresentaram nenhuma acusação das coisas perversas de que eu suspeitava.
**19** Tinham, porém, contra ele algumas questões acerca de sua superstição e de um tal Jesus, defunto, que Paulo afirmava viver.
**20** Estando eu perplexo quanto ao modo de investigar esta causa, perguntei se queria ir a Jerusalém e lá ser julgado por essas coisas.
**21** Apelando, porém, Paulo para que fosse reservado ao julgamento do imperador, mandei que o prendessem até que o enviasse a César.
**22** Então Agripa disse a Festo: Bem quisera ouvir também esse homem. Respondeu-lhe ele: Amanhã o ouvirás.
**23** No dia seguinte, vindo Agripa e Berenice, com muito aparato, entraram no auditório com os chefes militares e os principais da cidade. Então, por ordem de Festo, foi trazido Paulo.
**24** Disse Festo: Rei Agripa e todos os que estais presentes conosco, aqui vedes um homem de que toda a multidão dos judeus me tem falado, tanto em Jerusalém como aqui, dizendo que não convém que viva mais.
**25** Achando, porém eu que nenhuma coisa digna de morte fizera, e apelando ele mesmo para o imperador, resolvi enviá-lo.
**26** Não tenho, porém, coisa alguma definitiva que escreva a meu

senhor; por isso, perante vós o trouxe, principalmente perante ti, ó rei Agripa, para que, depois de interrogado, tenha alguma coisa que escrever.
27 Pois não me parece razoável enviar um preso sem especificar contra ele as acusações.

### Paulo testifica perante o rei Agripa

**26** Então Agripa disse a Paulo: Tens permissão para te defenderes. Paulo, estendendo a mão em sua defesa, respondeu:
2 Tenho-me por contente, ó rei Agripa, de que perante ti me haja hoje de defender de todas as coisas de que sou acusado pelos judeus,
3 principalmente sabendo que tens conhecimento de todos os costumes e questões que há entre os judeus. Portanto, peço-te que me ouças com paciência.
4 A minha vida, desde a mocidade, o que tem sido sempre entre o meu povo e em Jerusalém, todos os judeus a sabem.
5 Eles me conhecem desde o princípio e, se o quiserem, podem testificar que, conforme a mais severa seita da nossa religião, vivi fariseu.
6 E agora, pela esperança da promessa que por Deus foi feita a nossos pais, estou aqui e sou julgado.
7 Essa é a promessa que nossas doze tribos esperam, servindo a Deus continuamente, noite e dia. Por causa dessa esperança, ó rei Agripa, eu sou acusado pelos judeus.
8 Por que é que se julga coisa incrível entre vós que Deus ressuscite os mortos?
9 Eu também estava convencido de que contra o nome de Jesus de Nazaré devia fazer todo o possível.
10 E foi isso o que fiz em Jerusalém. Tendo recebido autoridade dos principais sacerdotes, lancei muitos dos santos nas prisões, e, quando os matavam, eu dava o meu voto contra eles.
11 Castigando-os muitas vezes por todas as sinagogas, obriguei-os a blasfemar. E, enfurecido demasiadamente contra eles, até nas cidades estranhas os persegui.
12 Numa dessas viagens, indo eu a Damasco, com autoridade e comissão dos principais sacerdotes,
13 ao meio-dia, ó rei, vi no caminho uma luz do céu, a qual excedia o brilho do sol, cuja claridade envolveu a mim e aos que iam comigo.
14 Caindo nós todos por terra, ouvi uma voz que me falava, em língua hebraica: Saulo, Saulo, por que me persegues? Dura coisa é resistires aos aguilhões.
15 Disse eu: Quem és, Senhor? Respondeu ele: Eu sou Jesus, a quem tu persegues.
16 Agora levanta-te e põe-te em pé. Eu te apareci por isto, para te fazer ministro e testemunha tanto das coisas que tens visto como daquelas pelas quais te aparecerei ainda.
17 Eu te livrarei deste povo, e dos gentios, a quem agora te envio,
18 para lhes abrir os olhos, e das trevas os converter à luz, e do poder de Satanás a Deus, para que recebam perdão dos pecados e herança entre aqueles que são santificados pela fé em mim.
19 Pelo que, ó rei Agripa, não fui desobediente à visão celestial.
20 Antes anunciei, primeiramente aos que estão em Damasco e em Jerusalém, e por toda a terra da Judeia, e aos gentios, que

se arrependessem e se convertessem a Deus, fazendo obras dignas de arrependimento.

21 Por causa disto, os judeus me agarraram no templo e procuraram matar-me.

22 Alcançando, porém, socorro de Deus, até o dia de hoje permaneço, dando testemunho tanto a pequenos como a grandes, não dizendo nada mais do que o que os profetas e Moisés disseram que deveria acontecer;

23 isto é, que o Cristo devia sofrer e, sendo o primeiro da ressurreição dos mortos, devia anunciar a luz a este povo e aos gentios.

24 A esta altura, Festo interrompeu a defesa de Paulo, gritando: Estás louco, Paulo! As muitas letras te fazem delirar.

25 Paulo, porém, respondeu: Não deliro, ó excelentíssimo Festo, antes digo palavras de verdade e de perfeito juízo.

26 O rei, diante de quem falo com ousadia, sabe essas coisas. Creio que nada disso lhe é estranho, porque isso não passou em um lugar qualquer.

27 Crês tu nos profetas, ó rei Agripa? Bem sei que crês.

28 Disse Agripa a Paulo: Pensas que em tão pouco tempo podes convencer-me a fazer-me cristão?

29 Respondeu Paulo: Peço a Deus que, por pouco ou por muito, não somente tu, mas também todos os que hoje me estão ouvindo se tornassem tais qual eu sou, exceto estas algemas.

30 Dizendo ele isso, levantou-se o rei, o governador e Berenice, e os que com eles estavam assentados.

31 Retiraram-se dali e falavam uns com os outros, dizendo: Este homem nada fez digno de morte ou de prisão.

32 Então Agripa disse a Festo: Este homem bem podia ser solto, se não tivesse apelado para César.

**Paulo é enviado a Roma**

**27** Quando se determinou que navegássemos para a Itália, entregaram Paulo e alguns outros presos a um oficial por nome Júlio, da coorte augusta.

2 E, embarcando em um navio de Adramítio, que estava prestes a navegar em demanda dos portos da costa da Ásia, fizemo-nos ao mar, estando conosco Aristarco, macedônio, de Tessalônica.

3 No dia seguinte, chegamos a Sidom, e Júlio, tratando Paulo humanamente, permitiu-lhe ir ver os amigos, para que cuidassem dele.

4 Partindo dali, fomos navegando abaixo de Chipre, porque os ventos eram contrários.

5 Tendo atravessado o mar, ao longo da Cilícia e Panfília, chegamos a Mirra, na Lícia.

6 Achando ali o oficial um navio de Alexandria, que navegava para a Itália, fez-nos embarcar nele.

7 Como por muitos dias navegamos vagarosamente, havendo chegado apenas em Cnido, não nos permitindo o vento ir mais adiante, navegamos abaixo de Creta, à altura de Salmone.

8 E, costeando-a com dificuldade, chegamos a um lugar chamado Bons Portos, perto do qual estava a cidade de Laseia.

9 Tendo decorrido muito tempo e sendo já perigosa a navegação, porque o jejum já havia passado, Paulo advertia-os,

10 dizendo: Senhores, vejo que a viagem será desastrosa e causará

muito dano, não só para o navio e a carga, mas também para as nossas vidas.
11 O oficial, porém, cria mais no piloto e no dono do navio do que no que Paulo dizia.
12 Como aquele porto não era próprio para invernar, os mais deles foram de parecer que se partisse dali para ver se podiam chegar a Fênice, um porto de Creta que dá para o nordeste e para o sudoeste, e ali invernar.

### A tempestade e o naufrágio

13 Soprando o vento sul brandamente e pensando terem já o que desejavam, levantaram âncora e foram mais de perto costeando a ilha de Creta.
14 Não muito depois, porém, desencadeou-se do lado da ilha um pé de vento, chamado vento Nordeste.
15 Sendo o navio arrastado e não podendo navegar contra o vento, cedemos à sua força e ficamos à deriva.
16 Passando abaixo de uma pequena ilha chamada Clauda, com muito esforço pudemos segurar o bote salva-vidas.
17 Recolheram-no e usaram dos recursos disponíveis para reforçar o navio com cordas; temendo que fossem lançados nos bancos de areia de Sirte, baixaram as velas e deixaram a embarcação à deriva.
18 Como fomos violentamente agitados pela tempestade, no dia seguinte começaram a esvaziar o navio.
19 Ao terceiro dia, com as próprias mãos, lançaram ao mar a armação do navio.
20 Não aparecendo, havia já muitos dias, nem sol nem estrelas e caindo sobre nós uma grande tempestade, perdemos toda a esperança de nos salvarmos.
21 Havendo eles estado muito tempo sem comer, Paulo, pondo-se em pé no meio deles, disse: Senhores, devíeis, na verdade, ter-me ouvido e não ter partido de Creta, para evitar este dano e esta perda.
22 Agora, pois, recomendo-lhes que tenhais bom ânimo, porque não se perderá a vida de nenhum de vós, mas somente o navio.
23 Esta mesma noite o anjo de Deus, de quem eu sou e a quem sirvo, esteve comigo,
24 dizendo: Paulo, não temas. Importa que sejas apresentado a César, e Deus te deu todos os que navegam contigo.
25 Portanto, senhores, tende bom ânimo, pois creio em Deus que há de acontecer assim como me foi dito.
26 Contudo é necessário que caiamos numa ilha.
27 Chegada a décima quarta noite, sendo nós ainda jogados de um lado a outro lado no mar Adriático, por volta da meia-noite suspeitaram os marinheiros que estavam próximos de terra.
28 Lançando a sonda, mediram vinte braças. Passando um pouco mais adiante, tornando a lançar a sonda, mediram quinze braças.
29 Ora, temendo bater em rochedos, lançaram da popa quatro âncoras e esperavam ansiosos que amanhecesse.
30 Procurando, porém, os marinheiros fugir do navio e tendo já jogado o barco salva-vidas ao mar, sob o pretexto de irem lançar âncoras pela proa,
31 disse Paulo ao oficial e aos soldados: Se estes não ficarem no navio, não podereis salvar-vos.

**32** Então os soldados cortaram os cabos do barco salva-vidas e o deixaram cair.
**33** Enquanto amanhecia, Paulo recomendava a todos a que comessem alguma coisa, dizendo: É já hoje o décimo quarto dia que esperais, e permaneceis sem comer, não havendo provado nada.
**34** Portanto, recomendo-vos que comais alguma coisa. Disso depende a vossa segurança. Nem um cabelo cairá da cabeça de qualquer de vós.
**35** E, havendo dito isso, tomou o pão, deu graças a Deus na presença de todos e, partindo-o, começou a comer.
**36** Então todos reanimaram-se e se puseram também a comer.
**37** Éramos ao todo no navio duzentas e setenta e seis pessoas.
**38** Saciados com a comida, começaram a aliviar o navio, lançando o trigo ao mar.
**39** Sendo já dia, não conheceram a terra, mas enxergaram uma enseada com uma praia e consultaram se poderiam encalhar nela o navio.
**40** Levantando as âncoras, deixaram-nas no mar, largando também as amarras do leme. Então, içando a vela da proa, foram para a praia.
**41** Dando, porém, num banco de areia, encalharam ali o navio. Fixa a proa, o navio ficou imóvel, mas a popa abria-se com a força das ondas.
**42** Então a ideia dos soldados foi que matassem os presos para que nenhum fugisse, escapando a nado.
**43** O oficial, porém, querendo salvar Paulo, impediu-lhes dessa tentativa. Mandou que os que pudessem nadar fossem os primeiros a se lançar ao mar e alcançar terra.
**44** Os demais deviam salvar-se, uns em tábuas e outros em destroços do navio. Assim todos chegaram a terra salvos.

### Paulo em Malta

**28** Estando salvos na praia, souberam então que a ilha se chamava Malta.
**2** Os nativos usaram conosco de muita bondade. Acenderam uma fogueira e nos recolheram a todos por causa da chuva que caía e por causa do frio.
**3** Havendo Paulo ajuntado um feixe de gravetos, colocou-os no fogo. Neste momento, uma víbora, fugindo do calor, prendeu-se à sua mão.
**4** Quando os nativos viram a serpente pendurada na mão dele, diziam uns aos outros: Certamente este homem é assassino; pois, embora salvo do mar, a Justiça não o deixa viver.
**5** Sacudindo, porém, ele a cobra no fogo, não sofreu mal nenhum.
**6** Eles esperavam que Paulo viesse a inchar ou a cair morto de repente, mas, tendo esperado muito tempo e vendo que nenhum incômodo lhe aconteceu, mudaram de opinião e diziam que era um deus.
**7** Próximo daquele lugar havia umas terras que pertenciam a Públio, o principal da ilha, o qual nos recebeu e hospedou bondosamente por três dias.
**8** O pai dele estava de cama, doente, com febre e disenteria. Paulo foi vê-lo e, tendo orado, impôs-lhe as mãos e o curou.
**9** Feito isso, vieram também ter com ele os demais enfermos da ilha, e foram curados.
**10** Esses nos prestaram muitas honras e, quando embarcamos,

providenciaram-nos todas as coisas de que necessitávamos.

### Paulo chega a Roma

11 Três meses depois, partimos num navio de Alexandria que invernara na ilha, o qual tinha por emblema Castor e Pólux.
12 Chegando a Siracusa, ficamos ali três dias.
13 Dali, indo costeando, viemos a Régio. Soprando, no dia seguinte, vento sul, chegamos em dois dias a Putéoli,
14 onde achamos alguns irmãos que nos pediram para ficar com eles por sete dias. E assim nos dirigimos a Roma.
15 Os irmãos de lá, tendo recebido notícias nossas, saíram ao nosso encontro até a Praça de Ápio e às Três Vendas. Quando Paulo os viu, deu graças a Deus e encorajou-se.
16 Logo que chegamos a Roma, o oficial entregou os presos ao general do exército, mas a Paulo foi permitido morar à parte, com o soldado que o guardava.
17 Três dias depois, Paulo convocou os principais dos judeus. Quando eles se reuniram, Paulo lhes disse: Irmãos, não havendo eu feito nada contra o povo, ou contra os ritos paternos, vim, contudo, preso desde Jerusalém, entregue nas mãos dos romanos.
18 Eles me examinaram e queriam soltar-me, por não haver em mim crime algum de morte.
19 Opondo-se, porém, os judeus, foi-me forçoso apelar para César, não tendo, contudo, de que acusar a minha nação.
20 Por essa causa vos chamei, para vos ver e falar. É por causa da esperança de Israel que estou preso com estas algemas.
21 Então eles lhe disseram: Nós não recebemos da Judeia cartas a teu respeito, nem veio aqui irmão algum que nos contasse ou falasse mal de ti.
22 No entanto, bem quiséramos ouvir de ti o que pensas, pois, quanto a esta seita, sabemos que em toda parte se fala contra ela.
23 Havendo-lhe eles marcado um dia, muitos foram ter com ele onde estava morando, aos quais explicava com bom testemunho o Reino de Deus e procurava convencê-los a respeito de Jesus, tanto pela Lei de Moisés como pelos Profetas, desde a manhã até a noite.
24 Alguns eram convencidos pelo que ele dizia, mas outros não criam.
25 Discordaram entre si e começaram a sair, havendo Paulo dito esta palavra: Bem falou o Espírito Santo a nossos pais pelo profeta Isaías:
26 Vai a este povo e dize:
Ouvindo, ouvireis,
   e de maneira nenhuma
     entendereis;
vendo, vereis,
   e de maneira nenhuma
     percebereis.
27 Pois o coração deste povo
   está endurecido;
   com os ouvidos ouviram
     de má vontade,
e fecharam os olhos,
   para que jamais vejam
     com os olhos,
   nem ouçam com os ouvidos,

nem entendam com o coração, e se convertam e eu os cure. **28** Portanto, quero que saibais que esta salvação de Deus é enviada aos gentios, e eles ouvirão. **29** Havendo ele dito isso, partiram os judeus, tendo entre si grande discussão.

**30** Paulo ficou dois anos inteiros na sua casa alugada e recebia todos os que o visitavam. **31** Pregava o Reino de Deus e ensinava com toda a liberdade as coisas pertencentes ao Senhor Jesus Cristo, sem impedimento algum.

# ROMANOS

### Prefácio e saudação

**1** Paulo, servo de Cristo Jesus, chamado para ser apóstolo, separado para o evangelho de Deus,
**2** o qual antes havia prometido pelos seus profetas nas Santas Escrituras,
**3** acerca de seu Filho, que nasceu da descendência de Davi segundo a carne,
**4** e foi declarado Filho de Deus com poder, segundo o Espírito de santidade, pela ressurreição dos mortos: Jesus Cristo, o nosso Senhor.
**5** Pelo qual recebemos a graça e o apostolado, por amor do seu nome, para a obediência da fé entre todos os gentios,
**6** entre os quais sois também vós chamados para ser de Jesus Cristo.
**7** A todos os que estais em Roma, amados de Deus, chamados para ser santos: Graça e paz da parte de Deus nosso pai e do Senhor Jesus Cristo.

### Paulo deseja ver os cristãos de Roma

**8** Primeiramente dou graças ao meu Deus, por meio de Jesus Cristo, no tocante a todos vós, porque em todo o mundo é anunciada a vossa fé.
**9** Deus, a quem sirvo em meu espírito, no evangelho de seu Filho, é minha testemunha de como incessantemente faço menção de vós,
**10** pedindo sempre em minhas orações que nalgum tempo, pela vontade de Deus, se me ofereça boa ocasião de ir ter convosco.
**11** Desejo ver-vos, para vos compartilhar algum dom espiritual, a fim de que sejais fortalecidos;
**12** isto é, para que convosco eu seja consolado pela fé mútua, assim vossa como minha.
**13** Não quero, porém, irmãos, que ignoreis que muitas vezes me propus ir ter convosco (mas até agora tenho sido impedido), para colher entre vós algum fruto, como também entre os demais gentios.
**14** Eu sou devedor tanto a gregos como a bárbaros, tanto a sábios como a ignorantes.
**15** De sorte que, quanto está em mim, estou pronto para vos anunciar o evangelho, também a vós que estais em Roma.

### A justiça pela fé

**16** Não me envergonho do evangelho, pois é o poder de Deus para a salvação de todo aquele que crê; primeiro do judeu, depois do grego.
**17** Pois nele se descobre a justiça de Deus de fé em fé, como está escrito: O justo viverá pela fé.

### A idolatria e a depravação da humanidade

**18** Do céu se manifesta a ira de Deus sobre toda a impiedade e injustiça dos homens que detêm a verdade pela injustiça,
**19** visto que o que de Deus se pode conhecer neles se manifesta, porque Deus lhes manifestou.
**20** Pois, desde a criação do mundo, os atributos invisíveis de Deus, o seu eterno poder e sua divindade se entendem e claramente se

veem pelas coisas que foram criadas, de modo que esses homens são indesculpáveis.
21 Pois, tendo conhecido a Deus, não o glorificaram como Deus nem lhe deram graças; antes, seus raciocínios se tornaram fúteis e seu coração insensato se obscureceu.
22 Dizendo-se sábios, tornaram-se loucos
23 e mudaram a glória do Deus incorruptível em semelhança da imagem de homem corruptível, bem como de aves, quadrúpedes e répteis.
24 Pelo que Deus os entregou às concupiscências de seu coração, à imundícia, para desonrarem seus corpos entre si.
25 Mudaram a verdade de Deus em mentira, honraram e serviram a criatura em lugar do Criador, que é bendito eternamente. Amém.
26 Pelo que Deus os abandonou às paixões vergonhosas. Até as suas mulheres mudaram suas relações sexuais por outras, contrárias à natureza.
27 Semelhantemente, também os homens deixaram as relações sexuais naturais com as mulheres, inflamaram-se em sua sensualidade uns para com os outros, homem com homem, cometendo atos indecentes e recebendo em si mesmos a penalidade merecida pelo seu erro.
28 E, como eles não se importaram de ter conhecimento de Deus, ele os entregou a um sentimento pervertido, para fazerem coisas que não deviam.
29 Estão cheios de toda iniquidade, prostituição, malícia, avareza, maldade, inveja, homicídio, contenda, engano e malignidade.
30 São murmuradores, caluniadores, aborrecedores de Deus, injuriadores, soberbos, presunçosos, inventores de males, desobedientes aos pais e às mães;
31 são néscios, infiéis nos contratos, sem afeição natural, irreconciliáveis e sem misericórdia.
32 Embora tenham conhecimento da justiça de Deus (que são dignos de morte os que tais coisas praticam), não somente as fazem, mas também aprovam os que as praticam.

### A impenitência dos judeus e a justiça de Deus

2 Portanto, és indesculpável quando julgas, quem quer que sejas, pois te condenas a ti mesmo naquilo em que julgas, porque tu, que julgas, fazes o mesmo.
2 Bem sabemos que o juízo de Deus é segundo a verdade sobre os que tais coisas fazem.
3 Tu, ó homem, que julgas os que fazem tais coisas, pensas que, fazendo-as tu, escaparás do juízo de Deus?
4 Ou desprezas tu as riquezas da sua bondade, tolerância e paciência, ignorando que a bondade de Deus te leva ao arrependimento?
5 Segundo a tua teimosia e coração impenitente, acumulas ira para ti no dia da ira e da manifestação do juízo de Deus.
6 Deus recompensará a cada um segundo as suas obras:
7 Dará a vida eterna aos que, com perseverança em fazer o bem, procuram glória, honra e incorrupção.
8 Mas indignação e ira aos que são contenciosos, desobedientes à verdade e obedientes à iniquidade.

9 Tribulação e angústia sobre toda a alma do homem que obra o mal, em primeiro lugar do judeu, depois do grego;
10 mas glória, honra e paz a qualquer que pratica o bem: em primeiro lugar do judeu, depois do grego.
11 Pois para com Deus não há acepção de pessoas.
12 Todos os que sem Lei pecaram, sem Lei também perecerão; e todos os que sob a Lei pecaram, pela Lei serão julgados.
13 Pois os que ouvem a Lei não são justos diante de Deus, mas os que praticam a Lei hão de ser justificados.
14 Quando os gentios, que não têm Lei, fazem naturalmente as coisas que são da Lei, não tendo eles Lei, para si mesmos são Lei.
15 Eles mostram que as exigências da Lei estão gravadas em seu coração, testificando juntamente a sua consciência e os seus pensamentos, quer acusando-os, quer defendendo-os.
16 Isso sucederá no dia em que Deus há de julgar os segredos dos homens, por meio de Jesus Cristo, segundo o meu evangelho.

### Os judeus e a Lei

17 Ora, tu que tens por sobrenome judeu, e te apoias na Lei, e te glorias em Deus;
18 e conheces a sua vontade e aprovas as coisas excelentes, sendo instruído na Lei;
19 e confias que és guia dos cegos, luz dos que estão em trevas,
20 instrutor dos insensatos, mestre de crianças, que tens a forma da ciência e da verdade na Lei;
21 tu, pois, que ensinas a outro, não te ensinas a ti mesmo? Tu, que pregas que não se deve furtar, furtas?
22 Tu, que dizes que não se deve adulterar, adulteras? Tu, que abominas os ídolos, roubas os templos?
23 Tu, que te glorias na Lei, desonras a Deus pela transgressão da Lei?
24 Como está escrito, o nome de Deus é blasfemado entre os gentios por causa de vós.
25 A circuncisão é, na verdade, proveitosa, se tu guardares a Lei, mas, se tu és transgressor da Lei, a tua circuncisão se torna em incircuncisão.
26 Se, pois, os incircuncisos obedecerem aos preceitos da Lei, não será a incircuncisão considerada como circuncisão?
27 E, se os não circuncidados fisicamente obedecerem à Lei, não julgará a ti, que, tendo a lei escrita e a circuncisão, és transgressor da Lei?
28 Não é judeu o que o é exteriormente, nem é circuncisão a que o é exteriormente na carne.
29 Antes, o judeu é o que o é no interior, e circuncisão a que é do coração, no espírito, não na letra; e cujo louvor não provém dos homens, mas de Deus.

### O privilégio dos judeus e a fidelidade de Deus

3 Qual é, pois, a vantagem do judeu? Ou qual a utilidade da circuncisão?
2 Muita, em todo sentido! Primeiramente, as palavras de Deus lhe foram confiadas.
3 Pois quê? Se alguns foram incrédulos, a sua incredulidade aniquilará a fidelidade de Deus?
4 De maneira nenhuma. Sempre seja Deus verdadeiro; e todo homem, mentiroso, como está escrito:

Para que sejas justificado quando falares e venças quando julgares.

5 Se, porém, a nossa injustiça faz surgir a justiça de Deus, que diremos? Será Deus injusto, trazendo ira sobre nós? (Falo como homem.)
6 De maneira nenhuma! Doutro modo, como julgará Deus o mundo?
7 Se, contudo, por causa da minha mentira sobressai a verdade de Deus para sua glória, por que sou eu ainda julgado como pecador?
8 E por que não dizemos (como alguns, blasfemando, afirmam que dizemos): Façamos males, para que venham bens? A condenação desses é justa.

### Todos estão debaixo do pecado

9 Pois quê? Somos nós melhores do que eles? De maneira nenhuma, pois já demonstramos que, tanto judeus como gregos, todos estão debaixo do pecado.
10 Como está escrito:
Não há um justo, nem um sequer;
11 não há ninguém que entenda, não há ninguém que busque a Deus.
12 Todos se extraviaram, e juntamente se fizeram inúteis.
Não há quem faça o bem, não há um sequer.
13 A sua garganta é um sepulcro aberto;
com a sua língua tratam enganosamente.
Veneno de víbora está debaixo de seus lábios.
14 A sua boca está cheia de maldição e amargura.
15 Os seus pés são ligeiros para derramar sangue;
16 nos seus caminhos há destruição e miséria,
17 e não conhecem o caminho da paz.
18 Não há temor de Deus diante de seus olhos.
19 Ora, nós sabemos que tudo o que a Lei diz, aos que estão debaixo dela o diz, para que toda boca esteja fechada e todo o mundo seja condenável diante de Deus.
20 Por isso ninguém será justificado diante dele pelas obras da Lei; antes, pela Lei vem o conhecimento do pecado.

### A justificação pela fé

21 Agora, porém, se manifestou, sem a Lei, a justiça de Deus, tendo o testemunho da Lei e dos Profetas.
22 Isto é, a justiça de Deus pela fé em Jesus Cristo para todos [e sobre todos] os que creem. Não há distinção,
23 pois todos pecaram e destituídos estão da glória de Deus,
24 sendo justificados gratuitamente pela sua graça, pela redenção que há em Cristo Jesus.
25 Deus o propôs para propiciação pela fé no seu sangue, para demonstrar a sua justiça pela remissão dos pecados dantes cometidos sob a tolerância de Deus;
26 para demonstração da sua justiça neste tempo presente, para que ele seja justo e justificador daquele que tem fé em Jesus.
27 Onde, pois, está a vanglória? É excluída. Por qual princípio? No da obediência à Lei? Não, mas pelo princípio da fé.
28 Concluímos, pois, que o homem é justificado pela fé, sem as obras da Lei.
29 Deus é Deus somente dos judeus? Não o é também dos gentios?

Sim, também dos gentios, certamente.
30 Se Deus é um só, que justifica pela fé a circuncisão, e por meio da fé a incircuncisão,
31 anulamos, pois, a Lei pela fé? De maneira nenhuma! Antes, confirmamos a Lei.

### Abraão foi justificado pela fé

4 Que diremos, pois, ter alcançado Abraão, nosso pai segundo a carne?
2 Se, de fato, Abraão foi justificado pelas obras, tem de que se gloriar, mas não diante de Deus.
3 O que diz a Escritura? Abraão creu em Deus, e isso lhe foi creditado como justiça.
4 Ora, a quem faz qualquer obra, seu salário não é considerado um favor, mas uma dívida.
5 No entanto, aquele que não trabalha, mas crê em Deus que justifica o ímpio, a sua fé lhe é creditada como justiça.
6 Assim também Davi declara bem-aventurado o homem a quem Deus credita a justiça sem as obras, dizendo:
7 Bem-aventurados aqueles
  cujas maldades são
    perdoadas
  e cujos pecados são cobertos.
8 Bem-aventurado o homem
  a quem o Senhor não credita
    o pecado.
9 Vem essa bem-aventurança sobre a circuncisão somente ou também sobre a incircuncisão? Dizemos que a fé foi creditada a Abraão para justiça.
10 Como lhe foi imputada? Estando na circuncisão ou na incircuncisão? Não na circuncisão, mas na incircuncisão.
11 E ele recebeu o sinal da circuncisão, selo da justiça da fé quando estava na incircuncisão, para que fosse pai de todos os que creem, estando eles também na incircuncisão, a fim de que a justiça lhes seja imputada.
12 E ele é também o pai da circuncisão, daqueles que não somente são da circuncisão, mas que também andam nas pisadas daquela fé que teve nosso pai Abraão, antes de ser circuncidado.
13 A promessa de que havia de ser herdeiro do mundo não foi feita pela Lei a Abraão, ou à sua posteridade, mas pela justiça da fé.
14 Pois, se os que são da Lei são herdeiros, logo a fé é vã e a promessa é aniquilada,
15 porque a Lei opera a ira. E onde não há Lei não há transgressão.
16 Portanto é pela fé, para que seja segundo a graça, a fim de que a promessa seja firme a toda a descendência, não somente à que é da Lei, mas também à que é da fé que teve Abraão (o qual é pai de todos nós,
17 como está escrito: Por pai de muitas nações te constituí), perante aquele no qual creu, a saber, Deus, que vivifica os mortos e chama à existência as coisas que não são como se já fossem.
18 O qual, em esperança, creu contra a esperança que seria feito pai de muitas nações, conforme o que lhe fora dito: Assim será a tua descendência.
19 Sem enfraquecer na fé, não atentou para o seu próprio corpo sem vitalidade, pois era já de quase cem anos, tampouco para a falta de vigor do ventre de Sara.
20 Ele não duvidou da promessa de Deus, deixando-se levar pela

incredulidade, mas foi fortificado na fé, dando glória a Deus,
21 estando certíssimo de que o que ele tinha prometido também era poderoso para cumprir.
22 Pelo que isso lhe foi creditado para justiça.
23 Ora, não só por causa dele está isso escrito que lhe fosse levado em conta,
24 mas também por nossa causa, a quem há de ser imputado, a nós os que cremos naquele que dentre os mortos ressuscitou a Jesus nosso Senhor.
25 Ele foi entregue por nossos pecados e ressurgiu para a nossa justificação.

### Paz e alegria

**5** Sendo, pois, justificados pela fé, temos paz com Deus, por meio de nosso Senhor Jesus Cristo,
2 mediante quem obtivemos acesso pela fé a esta graça, na qual estamos firmes, e nos gloriamos na esperança da glória de Deus.
3 Não somente isso, mas também nos gloriamos nas tribulações, sabendo que a tribulação produz perseverança;
4 e a perseverança, experiência; e a experiência, esperança.
5 Ora, a esperança não traz confusão, porque o amor de Deus está derramado em nosso coração pelo Espírito Santo que nos foi dado.
6 Porque Cristo, estando nós ainda fracos, morreu a seu tempo pelos ímpios.
7 Dificilmente morrerá alguém por um justo, embora alguém possa se animar a morrer pelo bom.
8 Mas Deus prova o seu amor para conosco pelo fato de que Cristo morreu por nós, sendo nós ainda pecadores.
9 Muito mais agora, que fomos justificados pelo seu sangue, seremos por ele salvos da ira.
10 Pois, se nós, quando éramos inimigos, fomos reconciliados com Deus pela morte de seu Filho, muito mais, estando já reconciliados, seremos salvos pela sua vida.
11 Não somente isso, mas também nos gloriamos em Deus por nosso Senhor Jesus Cristo, por intermédio de quem agora alcançamos a reconciliação.

### Adão e Cristo

12 Pelo que, como por um homem entrou o pecado no mundo, e pelo pecado a morte, assim também a morte passou a todos os homens, porque todos pecaram.
13 Pois antes da Lei estava o pecado no mundo. Mas, não havendo lei, o pecado não é creditado.
14 No entanto, a morte reinou desde Adão até Moisés, mesmo sobre aqueles que não pecaram à semelhança da transgressão de Adão, que é a figura daquele que havia de vir.
15 Não é, porém, o dom gratuito como a ofensa. Pois, se pela ofensa de um só morreram muitos, muito mais a graça de Deus, isto é, o dom pela graça de um só homem, Jesus Cristo, abundou para muitos.
16 O dom não é como a ofensa de um só que pecou: O juízo veio de uma só ofensa, na verdade, para condenação, mas o dom gratuito veio de muitas ofensas, para a justificação.
17 Pois, se pela ofensa de um só, a morte reinou por esse, muito mais os que recebem a abundância da graça e o dom da justiça reinarão em vida por um só, Jesus Cristo.

18 Pois, assim como por uma só ofensa veio o juízo sobre todos os homens, para condenação, assim também por um só ato de justiça veio a graça sobre todos os homens, para justificação e vida.
19 Pois, como pela desobediência de um só homem muitos foram feitos pecadores, assim pela obediência de um muitos serão feitos justos.
20 Veio, porém, a Lei para que a ofensa abundasse. Mas onde o pecado abundou, superabundou a graça,
21 para que, assim como o pecado reinou pela morte, também a graça reinasse pela justiça para a vida eterna, mediante Jesus Cristo, o nosso Senhor.

### Mortos para o pecado, vivos em Cristo

**6** Que diremos, pois? Permaneceremos no pecado, para que a graça aumente?
2 De modo nenhum. Nós, que estamos mortos para o pecado, como viveremos ainda nele?
3 Ou não sabeis que todos quantos fomos batizados em Cristo Jesus fomos batizados na sua morte?
4 De sorte que fomos sepultados com ele pelo batismo na morte, para que, como Cristo ressurgiu dentre os mortos, pela glória do Pai, assim andemos nós também em novidade de vida.
5 Se fomos plantados com ele na semelhança da sua morte, também o seremos na da sua ressurreição.
6 Pois sabemos isto, que o nosso velho homem foi com ele crucificado, para que o corpo do pecado seja desfeito, a fim de não servirmos mais ao pecado;
7 porque aquele que está morto está justificado do pecado.
8 Ora, se já morremos com Cristo, cremos que também com ele viveremos.
9 Pois sabemos que, havendo Cristo ressurgido dentre os mortos, já não morre; a morte não mais tem domínio sobre ele.
10 Pois quanto a ter morrido, de uma vez morreu para o pecado; mas, quanto a viver, vive para Deus.
11 Assim também vós vos considerai como mortos para o pecado, mas vivos para Deus em Cristo Jesus, o nosso Senhor.
12 Não reine, portanto, o pecado em vosso corpo mortal, para lhe obedecerdes aos seus desejos.
13 Tampouco apresenteis os vossos membros ao pecado por instrumentos de iniquidade, mas apresentai-vos a Deus como vivos dentre os mortos e os vossos membros a Deus como instrumentos de justiça.
14 Pois o pecado não terá domínio sobre vós, porque não estais debaixo da Lei, mas debaixo da graça.

### Escravos da justiça

15 Que diremos, pois? Havemos de pecar por não estarmos debaixo da Lei, mas debaixo da graça? De modo nenhum.
16 Não sabeis vós que sois servos daquele a quem vos oferecerdes para lhe obedecer: ou do pecado para a morte, ou da obediência para a justiça?
17 Graças, porém, a Deus que, tendo vós sido escravos do pecado, obedecestes de coração à forma de doutrina a que fostes entregues.

**18** Fostes libertos do pecado e vos tornastes escravos da justiça. **19** Falo como homem, por causa da fraqueza da vossa carne. Pois, assim como oferecestes os vossos membros à escravidão da impureza e da iniquidade, para a iniquidade, assim apresentai agora os vossos membros para servirem à justiça, para a santificação. **20** Quando éreis servos do pecado, estáveis livres da justiça. **21** E que fruto tínheis então das coisas de que agora vos envergonhais? Pois o fim delas é a morte. **22** Agora, porém, libertos do pecado e feitos servos de Deus, tendes o vosso fruto para a santificação, e por fim a vida eterna. **23** Pois o salário do pecado é a morte, mas o dom gratuito de Deus é a vida eterna, em Cristo Jesus, nosso Senhor.

### A Lei e a graça

**7** Não sabeis vós, irmãos (pois que falo aos que conhecem a Lei), que a Lei tem domínio sobre o homem por todo o tempo que vive? **2** Por exemplo, a mulher que está sujeita ao marido, enquanto ele viver, está ligada a ele pela Lei, mas, morto o marido, está livre da lei do casamento. **3** De sorte que, vivendo o marido, será chamada adúltera se unir-se a outro homem. Mas, se o marido morrer, está livre da lei, e assim não será adúltera, se vier a casar com outro marido. **4** Assim, meus irmãos, também vós estais mortos para a Lei pelo corpo de Cristo, para que sejais de outro, daquele que ressurgiu dentre os mortos, a fim de darmos fruto para Deus.

**5** Quando estávamos na carne, as paixões dos pecados, realçadas pela Lei, operavam em nossos membros a fim de darem fruto para a morte. **6** Agora, porém, estamos livres da Lei, pois morremos para aquilo que antes nos prendia, a fim de servirmos em novidade de espírito, não na velhice da letra. **7** Que diremos, pois? É a Lei pecado? De modo nenhum! Mas eu não conheci o pecado senão por intermédio da Lei. Pois eu não conheceria a cobiça se a Lei não dissesse: Não cobiçarás. **8** O pecado, porém, tomando ocasião pelo mandamento, operou em mim todo tipo de desejo cobiçoso. Pois sem a Lei estava morto o pecado. **9** Outrora eu vivia sem Lei, mas, vindo o mandamento, reviveu o pecado, e eu morri. **10** E o mandamento que era para vida, achei eu que me era para morte. **11** Pois o pecado, tomando ocasião pelo mandamento, me enganou e por meio do mandamento me matou. **12** Portanto, a Lei é santa, e o mandamento santo, justo e bom. **13** Logo tornou-se o bom em morte para mim? De modo nenhum! Mas o pecado, para que se mostrasse pecado, operou em mim a morte pelo bem, a fim de que pelo mandamento o pecado se fizesse excessivamente maligno. **14** Bem sabemos que a Lei é espiritual; mas eu sou carnal, vendido como escravo ao pecado. **15** O que faço não o entendo. Pois o que quero isso não faço, mas o que não quero, isso faço. **16** E, se faço o que não quero, consinto com a Lei, que é boa.

17 De maneira que agora já não sou eu que faço isso, mas o pecado que habita em mim.
18 Eu sei que em mim, isto é, na minha carne, não habita bem algum. Com efeito o querer está em mim, mas não consigo realizar o bem.
19 Pois não faço o bem que quero, mas o mal que não quero, esse faço.
20 Ora, se eu faço o que não quero, já não o faço eu, mas o pecado que habita em mim.
21 Acho então esta lei em mim, que, quando quero fazer o bem, o mal está comigo.
22 Pois segundo o homem interior, tenho prazer na Lei de Deus,
23 mas vejo nos meus membros outra lei que batalha contra a lei do meu entendimento e me prende debaixo da lei do pecado que está nos meus membros.
24 Miserável homem que eu sou! Quem me livrará do corpo desta morte?
25 Dou graças a Deus por Jesus Cristo, o nosso Senhor. De sorte que, com o entendimento, sirvo à Lei de Deus, mas, com a carne, à lei do pecado.

### A vida através do Espírito

**8** Portanto, agora nenhuma condenação há para os que estão em Cristo Jesus, que não andam segundo a carne, mas segundo o Espírito,
2 porque a lei do espírito de vida, em Cristo Jesus, livrou-me da lei *do pecado e da morte.*
3 Pois o que era impossível à Lei, visto que estava enferma pela carne, Deus o fez, enviando o seu Filho em semelhança do homem pecador, como oferta pelo pecado. Dessa forma, condenou o pecado na carne,
4 para que as justas exigências da Lei se cumprissem em nós, que não andamos segundo a carne, mas segundo o Espírito.
5 Os que vivem segundo a carne inclinam-se para as coisas da carne; mas os que vivem segundo o Espírito, para as coisas do Espírito.
6 A inclinação da carne é morte, mas a inclinação do Espírito é vida e paz.
7 A inclinação da carne é inimizade contra Deus, pois não é sujeita à Lei de Deus, nem em verdade o pode ser.
8 Portanto, os que estão na carne não podem agradar a Deus.
9 Vós, porém, não estais na carne, mas no Espírito, se é que o Espírito de Deus habita em vós. Mas, se alguém não tem o Espírito de Cristo, esse tal não é dele.
10 Se Cristo, porém, está em vós, o corpo, na verdade, está morto por causa do pecado, mas o espírito vive por causa da justiça.
11 Se o Espírito daquele que dentre os mortos ressuscitou Jesus habita em vós, aquele que dentre os mortos ressuscitou Cristo Jesus vivificará também os vossos corpos mortais, pelo seu Espírito que em vós habita.
12 De maneira que, irmãos, somos devedores, não à carne para viver segundo a carne.
13 Pois, se viverdes segundo a carne, morrereis; mas, se pelo Espírito mortificardes as obras do corpo, vivereis,
14 porque todos os que são guiados pelo Espírito de Deus são filhos de Deus.
15 Pois não recebestes o espírito de escravidão para outra vez

estardes em temor, mas recebestes o espírito de adoção, pelo qual clamamos: Aba, Pai!

16 O mesmo Espírito testifica com o nosso espírito que somos filhos de Deus.

17 Se nós somos filhos, logo somos também herdeiros, herdeiros de Deus e co-herdeiros de Cristo, se é certo que com ele padecemos, para que também com ele sejamos glorificados.

### A glória futura

18 Estou certo de que as aflições deste tempo presente não se podem comparar com a glória que em nós há de ser revelada.

19 A ardente expectativa da criação aguarda a revelação dos filhos de Deus.

20 Pois a criação ficou sujeita à vaidade, não por sua vontade, mas por causa daquele que a sujeitou,

21 na esperança de que também a própria criação será liberta do cativeiro da corrupção, para a liberdade da glória dos filhos de Deus.

22 Sabemos que toda a criação geme como se estivesse com dores de parto até agora.

23 Não só ela, mas nós mesmos, que temos os primeiros frutos do Espírito, também gememos interiormente, aguardando a adoção, a saber, a redenção do nosso corpo.

24 Pois nessa esperança somos salvos. Mas a esperança que se vê não é esperança. Quem espera por algo que já tem?

25 Se, porém, esperamos o que não vemos, com perseverança o aguardamos.

26 Da mesma maneira, o Espírito nos ajuda em nossas fraquezas. Não sabemos o que havemos de pedir como convém, mas o mesmo Espírito intercede por nós com gemidos inexprimíveis.

27 E aquele que examina os corações sabe qual é a intenção do Espírito, porque segundo a vontade de Deus é que intercede pelos santos.

### Mais do que vencedores

28 Sabemos que todas as coisas cooperam para o bem daqueles que amam a Deus, daqueles que são chamados segundo o seu propósito.

29 Pois os que dantes conheceu também os predestinou para serem conformes à imagem de seu Filho, a fim de que ele seja o primogênito entre muitos irmãos.

30 E aos que predestinou, a estes também chamou; aos que chamou, a estes também justificou; aos que justificou, a estes também glorificou.

### Cântico de vitória

31 Que diremos, pois, acerca dessas coisas? Se Deus é por nós, quem será contra nós?

32 Aquele que nem mesmo a seu próprio Filho poupou, antes o entregou por todos nós, como não nos dará também com ele todas as coisas?

33 Quem fará qualquer acusação contra os escolhidos de Deus? É Deus quem os justifica.

34 Quem os condenará? Pois é Cristo quem morreu, ou, antes, quem ressurgiu dentre os mortos, o qual está à direita de Deus e também intercede por nós.

35 Quem nos separará do amor de Cristo? A tribulação, ou a angústia, ou a perseguição, ou a fome, ou a nudez, ou o perigo, ou a espada?

36 Como está escrito:
Por amor de ti somos entregues à morte o dia todo; fomos considerados como ovelhas para o matadouro.
37 Em todas essas coisas, porém, somos mais do que vencedores por aquele que nos amou.
38 Pois estou certo de que, nem a morte, nem a vida, nem os anjos, nem os principados, nem as potestades, nem o presente, nem o porvir,
39 nem a altura, nem a profundidade, nem alguma outra criatura nos poderá separar do amor de Deus, que está em Cristo Jesus, nosso Senhor.

### A escolha soberana de Deus

**9** Em Cristo digo a verdade, não minto (dando-me testemunho a minha consciência no Espírito Santo):
2 que tenho grande tristeza e contínua dor no meu coração.
3 Pois eu mesmo desejaria ser separado de Cristo, por amor de meus irmãos, que são meus compatriotas, segundo a carne.
4 São israelitas. Pertencem-lhes a adoção de filhos, a glória, as alianças, a Lei, o culto e as promessas.
5 Deles são os patriarcas e deles descende Cristo segundo a carne, o qual é sobre todos, Deus bendito eternamente. Amém.
6 Não que a palavra de Deus tenha falhado. Pois nem todos os que são de Israel são israelitas.
7 Não é por serem descendência de Abraão que são todos seus filhos. Pelo contrário: Em *Isaque será chamada a tua descendência.*
8 Isto é, não são os filhos da carne que são filhos de Deus, mas os filhos da promessa são contados como descendência de Abraão.
9 Pois a palavra da promessa é esta: Por este tempo virei, e Sara terá um filho.
10 Não somente esta, mas também Rebeca, quando concebeu de um só, Isaque, nosso pai.
11 Contudo, não tendo eles ainda nascido, nem tendo feito bem ou mal (para que o propósito de Deus, segundo a eleição, ficasse firme, não por causa das obras, mas por aquele que chama),
12 foi dito a ela: O maior servirá o menor.
13 Como está escrito: Amei Jacó e rejeitei Esaú.
14 Que diremos, pois? Há injustiça da parte de Deus? De maneira nenhuma!
15 Pois ele diz a Moisés:
Terei compaixão de quem eu quiser e terei misericórdia de quem eu tiver misericórdia.
16 Assim, pois, não depende do desejo ou do esforço humano, mas de Deus, que se compadece.
17 Porque diz a Escritura a faraó: Para isto mesmo te levantei, para em ti mostrar o meu poder e para que o meu nome seja anunciado em toda a terra.
18 Logo, ele tem misericórdia de quem ele quer e endurece a quem ele quer.
19 Alguém dirá então: Por que se queixa ele ainda? Pois quem resiste à sua vontade?
20 Mas, ó homem, quem és tu, que a Deus questionas? Dirá a coisa formada ao que a formou: Por que me fizeste assim?
21 Ou não tem o Oleiro poder sobre o barro, para da mesma massa fazer um vaso para honra e outro para desonra?

22 E que direis se Deus, querendo mostrar a sua ira e dar a conhecer o seu poder, suportou com muita paciência os vasos da ira, preparados para a perdição, 23 a fim de que também desse a conhecer as riquezas da sua glória nos vasos de misericórdia, que para a glória já dantes preparou, 24 os quais somos nós, a quem chamou, não só dentre os judeus, mas também dentre os gentios?
25 Como diz em Oseias:
Chamarei meu povo ao
 que não era meu povo;
e amada à que não
 era amada.
26 No lugar em que lhes foi dito:
Vós não sois meu povo,
 aí serão chamados filhos
 do Deus vivo.
27 Isaías clamava acerca de Israel:
Ainda que o número dos
 filhos de Israel seja como
 a areia do mar,
o remanescente é que
 será salvo.
28 Pois o Senhor executará
 a sua palavra sobre a terra,
 completando-a e abreviando-a.
29 Como antes disse Isaías:
Se o Senhor dos Exércitos
 não nos deixara
 descendência,
teríamos sido feitos como
 Sodoma e seríamos
 semelhantes a Gomorra.
30 Que diremos, pois? Que os gentios, que não buscavam a justiça, a alcançaram? Sim, mas a justiça que vem da fé.
31 Israel, porém, que buscava a lei da justiça, não chegou a alcançá-la.
32 Por quê? Não a buscavam pela fé, mas como que pelas obras. Tropeçaram na pedra de tropeço, 33 como está escrito:
Vede, eu ponho em Sião uma
 pedra de tropeço
e uma rocha de escândalo,
todo aquele que nela crer não
 será confundido.

**10** Irmãos, o desejo do meu coração e a oração a Deus por Israel é para que se salvem. 2 Pois lhes dou testemunho de que têm zelo de Deus, mas não com entendimento. 3 Visto que não conheceram a justiça de Deus e procuraram estabelecer a sua própria justiça, não se sujeitaram à que vem de Deus. 4 O fim da Lei é Cristo para justiça de todo aquele que crê. 5 Moisés descreve a justiça que é pela Lei, dizendo: O homem que fizer estas coisas viverá por elas. 6 A justiça, porém, que vem da fé diz assim: Não perguntes em teu coração: Quem subirá ao céu? (isto é, para trazer do alto a Cristo). 7 Ou: Quem descerá ao abismo? (isto é, para levantar Cristo dentre os mortos). 8 Mas o que ela diz? A palavra está junto de ti; está na tua boca e no teu coração, isto é, a palavra da fé que pregamos. 9 Se com a tua boca confessares que Jesus é o Senhor e em teu coração creres que Deus o ressuscitou dentre os mortos, serás salvo. 10 Pois com o coração se crê para a justiça e com a boca se faz confissão para a salvação. 11 Como diz a Escritura: Todo aquele que nele crer não será envergonhado. 12 Pois não há diferença entre judeu e grego; um mesmo é o Senhor de todos, rico para com todos os que o invocam,

13 porque todo aquele que invocar o nome do Senhor será salvo.
14 Como, pois, invocarão aquele em quem não creram? E como crerão naquele de quem não ouviram? E como ouvirão, se não há quem pregue?
15 E como pregarão, se não forem enviados? Como está escrito: Quão formosos são os pés dos que anunciam a paz, dos que anunciam coisas boas!
16 Nem todos, porém, obedeceram ao evangelho, pois Isaías diz: Senhor, quem creu na nossa pregação?
17 De sorte que a fé vem pelo ouvir e o ouvir pela palavra de Deus.
18 Digo, porém: Não ouviram? Sim, por certo,
   pois por toda a terra saiu
     a voz deles,
   e as suas palavras até aos
     confins do mundo.
19 Digo, porém: Israel não o soube? Primeiro diz Moisés:
   Eu vos porei em ciúmes com
     aqueles que não são povo,
     com gente insensata vos
     provocarei à ira.
20 E Isaías ousadamente diz:
   Fui achado pelos que não me
     buscavam,
   revelei-me aos que
     não perguntavam por mim.
21 Contra Israel, porém, diz:
   Todo o dia estendi
     as minhas mãos
     a um povo rebelde
     e contradizente.

### O remanescente de Israel

**11** Digo, pois: Rejeitou Deus o seu povo? De modo nenhum! Também eu sou israelita, da descendência de Abraão, da tribo de Benjamim.
2 Deus não rejeitou o seu povo que antes conheceu. Ou não sabeis o que a Escritura diz de Elias, como clamou a Deus contra Israel:
3 Senhor, mataram os teus profetas, derrubaram os teus altares; só eu sobrei, e buscam tirar-me a vida?
4 Qual foi, porém, a resposta divina? Reservei para mim sete mil homens que não dobraram os joelhos diante de Baal.
5 Assim, pois, também agora neste tempo ficou um remanescente, segundo a eleição da graça.
6 Se, porém, é pela graça, já não é pelas obras; de outra maneira, a graça já não é graça.
7 Que diremos, pois? O que Israel buscava não o alcançou, mas os eleitos o alcançaram, e os outros foram endurecidos.
8 Como está escrito:
   Deus lhes deu espírito de
     entorpecimento,
   olhos para não ver e ouvidos
     para não ouvir,
   até o dia de hoje.
9 E diz Davi:
   Torne-se a mesa deles em
     laço e armadilha,
   em tropeço e retribuição.
10 Escureçam-se os olhos
     deles para que não
     possam ver,
   e encurvem-se
     continuamente as
     suas costas.
11 Digo, pois: Tropeçaram, para que caíssem? De modo nenhum, mas pela sua queda veio a salvação aos gentios, para provocar ciúme neles.
12 Ora, se a sua queda é a riqueza do mundo e a sua diminuição a riqueza dos gentios, quanto mais a sua plenitude!

**13** Convosco falo, gentios. E, enquanto for apóstolo dos gentios, glorificarei o meu ministério, **14** para ver se de alguma maneira posso provocar ao ciúme os do meu povo e salvar alguns deles. **15** Pois, se a sua rejeição é a reconciliação do mundo, qual será a sua admissão, senão a vida dentre os mortos? **16** E, se os primeiros frutos são santos, também a massa o é; se a raiz é santa, também os ramos o são. **17** Se alguns dos ramos foram quebrados, e tu, sendo oliveira brava, foste enxertado no lugar deles, e feito participante da raiz e da seiva da oliveira, **18** não te glories contra os ramos. Se contra eles te gloriares, considera isto: Não és tu que sustentas a raiz, mas a raiz a ti. **19** Dirás, pois: Os ramos foram quebrados para que eu fosse enxertado. **20** Está bem. Pela sua incredulidade foram quebrados, e tu estás em pé pela fé. Não te orgulhes, mas teme. **21** Pois, se Deus não poupou os ramos naturais, teme que não te poupe a ti também. **22** Considera, pois, a bondade e a severidade de Deus: para com os que caíram, severidade; mas, para contigo, a bondade de Deus, se permaneceres na sua bondade. De outro modo, também tu serás cortado. **23** Também eles, se não permanecerem na incredulidade, serão enxertados, pois poderoso é Deus para os tornar a enxertar. **24** Se tu foste cortado de uma oliveira brava por natureza e, contra a natureza, enxertado numa oliveira cultivada, quanto mais esses, que são naturais, serão enxertados na sua própria oliveira! **25** Não quero, irmãos, que ignoreis este segredo (para que não se tornem presunçosos), que o endurecimento veio em parte a Israel, até que a plenitude dos gentios tenha chegado. **26** E assim todo o Israel será salvo, como está escrito:

De Sião virá o Libertador,
   e desviará de Jacó as
   impiedades.
**27** Esta será a minha aliança
   com eles,
   quando eu tirar os
   seus pecados.
**28** Assim que, quanto ao evangelho, são inimigos por causa de vós; mas quanto à eleição, amados por causa dos patriarcas, **29** pois os dons e a vocação de Deus são irrevogáveis. **30** Assim como vós também outrora fostes desobedientes a Deus, mas agora alcançastes misericórdia pela desobediência deles, **31** assim também estes agora foram desobedientes, para igualmente alcançarem misericórdia pela misericórdia a vós demonstrada. **32** Pois Deus colocou a todos debaixo da desobediência, a fim de para com todos usar de misericórdia.

### Hino de adoração

**33** Ó profundidade das riquezas,
   tanto da sabedoria como
      da ciência de Deus!
   Quão insondáveis são os
      seus juízos,
   quão inescrutáveis os
      seus caminhos!
**34** Quem compreendeu a mente do Senhor?

Ou quem foi o seu conselheiro? 35 Ou quem lhe deu primeiro a ele, para que lhe seja recompensado? 36 Porque dele, por ele e para ele são todas as coisas. Glória, pois, a ele eternamente. Amém.

### O sacrifício vivo

**12** Portanto, rogo-vos, irmãos, pela compaixão de Deus, que apresenteis os vossos corpos como sacrifício vivo, santo e agradável a Deus, que é o vosso culto racional.

2 E não vos conformeis com este mundo, mas transformai-vos pela renovação do vosso entendimento, para que experimenteis qual seja a boa, agradável e perfeita vontade de Deus.

3 Pois, pela graça que me é dada, digo a cada um dentre vós que não saiba mais do que convém saber, mas que saiba com moderação, conforme a medida da fé que Deus repartiu a cada um. 4 Assim como em um só corpo temos muitos membros, mas nem todos os membros têm a mesma função, 5 assim nós, que somos muitos, somos um só corpo em Cristo, mas individualmente somos membros uns dos outros.

6 Temos diferentes dons, segundo a graça que nos é dada. Se é profecia, seja ela segundo a medida da fé. 7 Se é ministério, seja em ministrar; se é ensinar haja dedicação ao ensino; 8 ou o que exorta, use esse dom em exortar; o que reparte, faça-o com liberalidade; o que exerce liderança, com cuidado; o que exerce misericórdia, com alegria.

### O amor

9 O amor seja não fingido. Aborrecei o mal e apegai-vos ao bem. 10 Amai-vos cordialmente uns aos outros com amor fraternal, preferindo-vos em honra uns aos outros. 11 Não sejais vagarosos no cuidado, mas sede fervorosos no espírito, servindo ao Senhor. 12 Alegrai-vos na esperança, sede pacientes na tribulação, perseverai na oração. 13 Partilhai com os santos nas suas necessidades, segui a hospitalidade. 14 Abençoai aos que vos perseguem; abençoai, e não amaldiçoeis. 15 Alegrai-vos com os que se alegram; chorai com os que choram. 16 Sede unânimes entre vós. Não ambicioneis as coisas altivas, mas acomodai-vos às humildes. Não sejais sábios em vós mesmos. 17 A ninguém torneis mal por mal. Procurai as coisas honestas perante todos os homens. 18 Se for possível, quanto depender de vós, tende paz com todos os homens. 19 Não vos vingueis a vós mesmos, amados, mas dai lugar à ira, pois está escrito: Minha é a vingança; eu retribuirei, diz o Senhor. 20 Portanto,
 se o teu inimigo tiver fome,
   dá-lhe de comer;
 se tiver sede, dá-lhe
   de beber.
 Fazendo isso, amontoarás
   brasas de fogo sobre
   a sua cabeça.
21 Não te deixes vencer pelo mal, mas vence o mal com o bem.

## A submissão às autoridades

**13** Toda pessoa esteja sujeita às autoridades superiores, pois não há autoridade que não venha de Deus. As autoridades que há foram ordenadas por Deus.
**2** Por isso, quem resiste à autoridade resiste à ordenação de Deus, e os que resistem trarão sobre si mesmos a condenação.
**3** Pois os governantes não devem ser temidos pelos que praticam coisas boas, mas pelos que praticam coisas más. Queres não temer a autoridade? Faze o bem e terás louvor dela.
**4** Pois ela é ministro de Deus para teu bem. Mas, se fizeres o mal, teme, pois não traz a espada sem motivo. Ela é ministro de Deus, agente da ira para castigar o que pratica o mal.
**5** Portanto, é necessário que lhe estejais sujeitos, não somente por causa do castigo, mas também por causa da consciência.
**6** Por essa razão também pagais tributos, pois as autoridades são ministros de Deus, sempre dedicadas a esse serviço.
**7** Portanto, dai a cada um o que deveis: a quem tributo, tributo; a quem imposto, imposto; a quem temor, temor; a quem honra, honra.

## O amor ao próximo

**8** A ninguém devais coisa alguma, a não ser o amor com que vos ameis uns aos outros, pois quem ama ao próximo cumpriu a Lei.
**9** Com efeito: Não adulterarás, não matarás, não furtarás, não darás falso testemunho, não cobiçarás, e, se há algum outro mandamento, tudo nesta palavra se resume: Amarás o teu próximo como a ti mesmo.
**10** O amor não faz mal ao próximo. De sorte que o cumprimento da Lei é o amor.
**11** E fazei isto, conhecendo o tempo. Já é hora de despertarmos do sono, porque a nossa salvação está agora mais perto de nós do que quando aceitamos a fé.
**12** A noite é passada, e o dia é chegado. Rejeitemos, pois, as obras das trevas e vistamo-nos das armas da luz.
**13** Andemos honestamente, como de dia; não em glutonarias e bebedeiras, não em orgias e dissoluções, não em contendas e inveja.
**14** Antes, revesti-vos do Senhor Jesus Cristo e não tenhais preocupação em como satisfazer os desejos da carne.

## A tolerância para com os fracos na fé

**14** Ora, quanto ao que é fraco na fé, recebei-o, mas não para condená-lo em questões discutíveis.
**2** Um crê que de tudo se pode comer, e outro, que é fraco, come legumes.
**3** O que come não despreze o que não come, e o que não come não julgue o que come, pois Deus o recebeu por seu.
**4** Quem és tu, que julgas o servo alheio? Para seu próprio Senhor ele está em pé ou cai. E estará firme, pois poderoso é Deus para o firmar.
**5** Um faz diferença entre dia e dia, mas outro julga iguais todos os dias. Cada um esteja inteiramente seguro em sua própria mente.
**6** Aquele que faz caso do dia, para o Senhor o faz. E quem come, para o Senhor come, pois dá graças a Deus; e o que não come, para o Senhor não come, e dá graças a Deus.

7 Pois nenhum de nós vive para si, e nenhum morre para si.
8 Se vivemos, para o Senhor vivemos; se morremos, para o Senhor morremos. De sorte que, quer vivamos quer morramos, somos do Senhor.
9 Pois para isto Cristo morreu e tornou a viver, para ser Senhor tanto dos mortos como dos vivos.
10 Mas tu, por que julgas teu irmão? Pois todos havemos de comparecer perante o tribunal de Cristo.
11 Está escrito:
Pela minha vida, diz o Senhor,
todo joelho se dobrará
Diante de mim,
toda língua confessará
a Deus.
12 De modo que cada um de nós dará conta de si mesmo a Deus.

### A liberdade e o amor

13 Portanto, não nos julguemos mais uns aos outros. Antes seja o vosso propósito não pôr tropeço ou causar escândalo ao irmão.
14 Eu sei, e estou certo no Senhor Jesus, que nenhuma coisa é de si mesma imunda. Mas, se alguém a tem por imunda, então para esse é imunda.
15 Se por causa da comida se entristece teu irmão, já não andas conforme o amor. Não faças perecer por causa da tua comida aquele por quem Cristo morreu.
16 Não seja blasfemado o vosso bem.
17 *Pois o Reino de Deus não é comida nem bebida, mas justiça, paz e alegria no Espírito Santo,*
18 porque quem nisto serve a Cristo, agradável é a Deus e aprovado pelos homens.
19 Sigamos, pois, as coisas que servem para a paz e para a edificação de uns para com os outros.
20 Não destruas por causa da comida a obra de Deus. É verdade que tudo é limpo, mas é errado o homem comer qualquer alimento que leve seu irmão a cair.
21 Bom é não comer carne, nem beber vinho, ou fazer outras coisas em que teu irmão tropece, ou se escandalize, ou se enfraqueça.
22 Tens tu fé? Tem-na em ti mesmo diante de Deus. Bem-aventurado aquele que não se condena naquilo que aprova.
23 Aquele, porém, que tem dúvidas, se come está condenado, porque não come por fé; e tudo o que não provém da fé é pecado.

### Cristo dá-nos o exemplo da abnegação

**15** Mas nós, que somos fortes, devemos suportar as fraquezas dos fracos, e não agradar a nós mesmos.
2 Portanto, cada um de nós agrade ao seu próximo no que é bom para edificação.
3 Pois também Cristo não agradou a si mesmo, mas, como está escrito: Sobre mim caíram os insultos dos que te insultavam.
4 Pois tudo o que outrora foi escrito, para o nosso ensino foi escrito, para que pela paciência e consolação das Escrituras tenhamos esperança.
5 Ora, o Deus de paciência e consolação vos conceda o mesmo sentimento uns para com os outros, segundo Cristo Jesus,
6 para que concordes e a uma voz glorifiqueis ao Deus e Pai de nosso Senhor Jesus Cristo.

**7** Portanto, recebei-vos uns aos outros, como também Cristo nos recebeu para a glória de Deus.
**8** Digo, pois, que Cristo foi feito ministro da circuncisão, por causa da verdade de Deus, a fim de confirmar as promessas feitas aos pais,
**9** e para que os gentios glorifiquem a Deus pela sua misericórdia, como está escrito:
Portanto, eu te louvarei
  entre os gentios;
cantarei louvores ao teu nome.
**10** E outra vez diz:
Alegrai-vos, gentios,
  com o seu povo.
**11** E ainda:
Louvai ao Senhor,
  todos os gentios;
celebrai-o, todos os povos.
**12** E outra vez diz Isaías:
Uma raiz em Jessé haverá,
e naquele que se levantar
  para reger os gentios,
eles colocarão nele
  a sua esperança.
**13** Ora, o Deus de esperança vos encha de toda a alegria e paz na vossa crença, para que abundeis na esperança pelo poder do Espírito Santo.

### O apostolado e os propósitos de Paulo

**14** Eu próprio, meus irmãos, certo estou, a respeito de vós, que vós mesmos estais cheios de bondade, cheios de todo o conhecimento, podendo admoestar-vos uns aos outros.
**15** Mas, irmãos, em parte vos escrevi mais ousadamente, como para vos trazer outra vez isto à memória, pela graça que por Deus me foi dada,
**16** a fim de ser ministro de Cristo Jesus entre os gentios, no sagrado dever de anunciar o evangelho de Deus, para que seja agradável a oferta dos gentios, santificada pelo Espírito Santo.
**17** De sorte que tenho motivo de gloriar-me em Cristo Jesus, nas coisas que pertencem a Deus.
**18** Não ousaria dizer coisa alguma que Cristo por mim não tenha feito, para obediência dos gentios, por palavra e por obras,
**19** pelo poder dos sinais e prodígios, no poder do Espírito Santo. De modo que desde Jerusalém e arredores, até o Ilírico, tenho pregado o evangelho de Cristo.
**20** Desta maneira esforcei-me por anunciar o evangelho, não onde Cristo já fora nomeado, para não edificar sobre fundamento alheio.
**21** Antes, como está escrito:
Aqueles a quem não foi
  anunciado, o verão,
e os que não ouviram o
  entenderão.
**22** Pelo que também muitas vezes tenho sido impedido de ir ter convosco.
**23** Agora, porém, que não tenho mais demora nestas regiões e tendo já há muitos anos grande desejo de ir visitar-vos,
**24** quando partir para a Espanha irei ter convosco, pois espero que de passagem vos verei e que para lá seja encaminhado por vós, depois de ter desfrutado um pouco a vossa companhia.
**25** Agora, porém, vou a Jerusalém a serviço dos santos.
**26** Pois pareceu bem à Macedônia e à Acaia fazer uma coleta para os pobres dentre os santos que estão em Jerusalém.
**27** Isso lhes pareceu bem, como devedores que são para com eles. Pois se os gentios foram participantes

dos seus bens espirituais, devem também ministrar-lhes os temporais.
28 Assim que, concluída essa tarefa e havendo-lhes consignado este fruto, de lá, passando por vós, irei à Espanha.
29 E bem sei que, indo ter convosco, chegarei com a plenitude da bênção de Cristo.
30 Rogo-vos irmãos, por nosso Senhor Jesus Cristo e pelo amor do Espírito, que combatais comigo nas vossas orações por mim a Deus.
31 Orem para que seja livre dos rebeldes que estão na Judeia e que este meu ministério em Jerusalém seja bem aceito pelos santos,
32 a fim de que, pela vontade de Deus, chegue a vós com alegria e possa alegrar-me convosco.
33 E o Deus da paz seja com todos vós. Amém.

**Recomendações, saudações e votos**

**16** Recomendo-vos a nossa irmã Febe, que serve à igreja que está em Cencreia,
2 para que a recebais no Senhor, como convém aos santos, e a ajudeis em qualquer coisa que de vós necessitar, pois ela tem hospedado a muitos, como também a mim mesmo.
3 Saudai Priscila e Áquila, meus cooperadores em Cristo Jesus.
4 Eles pela minha vida expuseram sua cabeça. E isso não lhes agradeço eu só, mas também todas as igrejas dos gentios.
5 Saudai *também a igreja que está em sua casa*. Saudai a Epêneto, meu amado, que é o primeiro convertido da Ásia em Cristo.
6 Saudai Maria, que trabalhou muito por nós.
7 Saudai Andrônico e Júnia, meus parentes e companheiros de prisão, os quais são bem conceituados entre os apóstolos e estavam em Cristo antes de mim.
8 Saudai Amplíato, meu amado no Senhor.
9 Saudai Urbano, nosso cooperador em Cristo, e Estáquis, meu amado.
10 Saudai Apeles, aprovado em Cristo. Saudai os da família de Aristóbulo.
11 Saudai Herodião, meu parente. Saudai os da família de Narciso, que estão no Senhor.
12 Saudai Trifena e Trifosa, as quais trabalham no Senhor. Saudai a amada Pérside, que muito trabalhou no Senhor.
13 Saudai Rufo, eleito no Senhor, e sua mãe e minha.
14 Saudai Asíncrito, Flegonte, Hermes, Pátrobas, Hermas e os irmãos que estão com eles.
15 Saudai Filólogo e Júlia, Nereu e sua irmã, e Olimpas, e todos os santos que com eles estão.
16 Saudai-vos uns aos outros com ósculo santo. As igrejas de Cristo vos saúdam.
17 Rogo-vos, irmãos, que noteis os que promovem dissensões e escândalos contra a doutrina que aprendestes. Afastai-vos deles.
18 Pois os tais não servem a Cristo, o nosso Senhor, mas ao seu ventre. Com suaves palavras e bajulações enganam o coração dos ingênuos.
19 A vossa obediência é conhecida de todos, por isso alegro-me em vós; mas quero que sejais sábios para o bem, e simples para o mal.
20 E o Deus da paz em breve esmagará Satanás debaixo dos vossos pés. A graça de nosso Senhor Jesus seja convosco. Amém.

**21** Saúda-vos Timóteo, meu cooperador, e Lúcio, Jasom e Sosípatro, meus parentes.
**22** Eu, Tércio, que escrevi esta carta, saúdo-vos no Senhor.
**23** Saúda-vos Gaio, meu hospedeiro, e toda a igreja. Saúda-vos Erasto, tesoureiro da cidade, e o irmão Quarto.
**24** A graça de nosso Senhor Jesus Cristo seja com todos vós. Amém.
**25** Ora, àquele que é poderoso para vos confirmar segundo o meu evangelho e a pregação de Jesus Cristo, conforme a revelação do mistério que desde tempos eternos esteve oculto,
**26** mas que se manifestou agora, e foi dado a conhecer pelas Escrituras dos profetas, segundo o mandamento do Deus eterno, a todas as nações para obediência da fé,
**27** ao único Deus sábio, seja dada glória por Jesus Cristo para todo o sempre. Amém.

# 1CORÍNTIOS

### Prefácio, saudação e ação de graças

**1** Paulo, chamado apóstolo de Jesus Cristo pela vontade de Deus, e o irmão Sóstenes,

2 à igreja de Deus que está em Corinto, aos santificados em Cristo Jesus, chamados para ser santos, com todos os que em todo lugar invocam o nome de nosso Senhor Jesus Cristo, Senhor deles e nosso:

3 Graça e paz seja convosco da parte de Deus, nosso Pai, e do Senhor Jesus Cristo.

4 **S**empre dou graças ao meu Deus por vós pela graça de Deus que vos foi dada em Jesus Cristo.

5 Pois em tudo fostes enriquecidos nele, em toda a palavra e em todo o conhecimento,

6 assim como o testemunho de Cristo foi confirmado entre vós;

7 de modo que nenhum dom vos falta, aguardando a revelação de nosso Senhor Jesus Cristo,

8 o qual vos confirmará também até o fim, para serdes irrepreensíveis no dia de nosso Senhor Jesus Cristo.

9 Fiel é Deus, pelo qual fostes chamados para a comunhão de seu Filho Jesus Cristo, o nosso Senhor.

### Divisões na igreja

10 **R**ogo-vos, porém, irmãos, pelo nome de nosso Senhor Jesus Cristo, que digais todos a mesma coisa e que não haja entre vós divisões, para que sejais unidos *no mesmo sentido e no mesmo parecer.*

11 A respeito de vós, irmãos meus, me foi comunicado pelos da família de Cloé que há contendas entre vós.

12 Quero dizer com isso que cada um de vós diz: Eu sou de Paulo, e eu de Apolo, e eu de Cefas, e eu de Cristo.

13 Está Cristo dividido? Foi Paulo crucificado por vós? Fostes vós batizados em nome de Paulo?

14 Dou graças a Deus porque a nenhum de vós batizei, senão a Crispo e a Gaio,

15 para que ninguém diga que fostes batizados em meu nome.

16 Batizei também a família de Estéfanas; além destes, não sei se batizei algum outro.

17 Pois Cristo enviou-me não para batizar, mas para evangelizar; não com sabedoria de palavras, para que a cruz de Cristo não se faça vã.

18 **P**ois a palavra da cruz é loucura para os que perecem, mas para nós, que somos salvos, é o poder de Deus.

19 Pois está escrito:

Destruirei a sabedoria dos
   sábios;
aniquilarei a inteligência dos inteligentes.

20 Onde está o sábio? Onde está o mestre da lei? Onde está o questionador deste século? Não tornou Deus louca a sabedoria deste mundo?

21 Visto que, na sabedoria de Deus, o mundo não conheceu a Deus por sua própria sabedoria, aprouve a Deus salvar os crentes pela loucura da pregação.

22 Os judeus pedem sinal, e os gregos buscam sabedoria,

23 mas nós pregamos a Cristo crucificado, escândalo para os judeus e loucura para os gregos.

24 Para os que são chamados, porém, tanto judeus como gregos, pregamos a Cristo, poder de Deus e sabedoria de Deus.
25 Pois a loucura de Deus é mais sábia do que os homens, e a fraqueza de Deus é mais forte do que os homens.
26 Ora, irmãos, considerai o que éreis quando fostes chamados. Poucos eram sábios segundo os padrões humanos; poucos eram poderosos; poucos eram os nobres de nascimento.
27 Deus, porém, escolheu as coisas loucas deste mundo para confundir as sábias; Deus escolheu as coisas fracas deste mundo para confundir as fortes.
28 Deus escolheu as coisas vis deste mundo, as desprezíveis e as que não são, para aniquilar as que são;
29 para que ninguém se glorie perante ele.
30 Quanto a vós, porém, sois dele, em Jesus Cristo, o qual para nós foi feito por Deus sabedoria, e justiça, e santificação, e redenção,
31 para que, como está escrito: Aquele que se gloria, glorie-se no Senhor.

### O caráter da pregação de Paulo

**2** Eu, irmãos, quando fui ter convosco, anunciando-vos o testemunho de Deus, não fui com sublimidade de palavras ou de sabedoria.
2 Pois nada me propus saber entre vós, senão a Jesus Cristo, e este crucificado.
3 E eu estive convosco em fraqueza, em temor e em grande tremor.
4 A minha palavra e a minha pregação não consistiram em palavras persuasivas de sabedoria humana, mas em demonstração do Espírito e de poder,
5 para que a vossa fé não se apoiasse na sabedoria dos homens, mas no poder de Deus.

### Sabedoria do Espírito

6 Todavia, falamos sabedoria entre os perfeitos, mas não a sabedoria deste mundo ou dos poderosos deste mundo, que se aniquilam.
7 Não, falamos a sabedoria de Deus oculta em mistério, a qual Deus ordenou antes dos séculos para nossa glória.
8 Nenhum dos poderosos deste mundo a conheceu, pois, se a tivessem conhecido, jamais teriam crucificado o Senhor da glória.
9 Como, porém, está escrito:

    As coisas que o olho não viu,
      o ouvido não ouviu
    e não subiram à mente
      humana
    são as que Deus preparou
      para os que o amam.

10 Deus, porém, as revelou a nós pelo seu Espírito. O Espírito penetra todas as coisas, até mesmo as profundezas de Deus.
11 Pois qual dos homens sabe as coisas do homem, senão o espírito do homem, que nele está? Assim também ninguém sabe as coisas de Deus, senão o Espírito de Deus.
12 Nós, contudo, não recebemos o espírito do mundo, mas o Espírito que provém de Deus, para que pudéssemos conhecer o que nos é dado gratuitamente por Deus.
13 Disto também falamos, não com palavras de sabedoria humana, mas com as que o Espírito Santo ensina, comparando as coisas espirituais com as espirituais.
14 Ora, o homem natural não compreende as coisas do Espírito de

Deus, pois lhe parecem loucura, e não pode entendê-las, porque elas se discernem espiritualmente.
**15** O que é espiritual, porém, discerne bem todas as coisas, e ele por ninguém é discernido.
**16** Pois quem conheceu a mente do Senhor,
    para que o possa instruir?
Mas nós temos a mente de Cristo.

### O espírito mundano causa dissensões nas igrejas

**3** Eu, irmãos, não vos pude falar como a espirituais, mas como a carnais, como a meninos em Cristo.
**2** Com leite vos criei, não com alimento sólido, pois ainda não estáveis prontos para isso. Com efeito, ainda agora não estais prontos.
**3** Ainda sois carnais. Pois havendo entre vós inveja e contendas, não estais sendo carnais e agis conforme os mundanos?
**4** Pois dizendo um: Eu sou de Paulo, e outro: Eu de Apolo, não sois carnais?
**5** Afinal de contas, quem é Paulo e quem é Apolo, senão ministros pelos quais crestes, e isto conforme o que o Senhor deu a cada um?
**6** Eu plantei, Apolo regou, mas Deus deu o crescimento.
**7** Pelo que, nem o que planta nem o que rega são coisa alguma, mas Deus, que dá o crescimento.
**8** Ora, o que planta e o que rega são um, e cada um receberá o seu galardão segundo o seu trabalho.
**9** Pois nós somos cooperadores de Deus; vós sois lavoura de Deus e edifício de Deus.

### A responsabilidade dos pregadores

**10** Segundo a graça de Deus que me foi dada, pus eu, como sábio construtor, o fundamento, e outro edifica sobre ele. Mas veja cada um como edifica sobre ele.
**11** Pois ninguém pode pôr outro fundamento, além do que já está posto, o qual é Jesus Cristo.
**12** E, se alguém sobre este fundamento levantar um edifício de ouro, prata, pedras preciosas, madeira, feno, palha,
**13** a obra de cada um se manifestará, porque o dia a demonstrará. Pelo fogo será revelada, e o fogo provará qual seja a obra de cada um.
**14** Se a obra que alguém edificou sobre ele permanecer, esse receberá galardão.
**15** Se a obra de alguém se queimar, sofrerá perda; o tal será salvo, todavia como pelo fogo.
**16** Não sabeis vós que sois santuário de Deus e que o Espírito de Deus habita em vós?
**17** Se alguém destruir o santuário de Deus, Deus o destruirá; pois o santuário de Deus, que sois vós, é sagrado.

### Vós sois de Cristo

**18** Ninguém se engane a si mesmo. Se alguém dentre vós se tem por sábio neste mundo, faça-se louco para se tornar sábio.
**19** Pois a sabedoria deste mundo é loucura diante de Deus. Como está escrito: Ele apanha os sábios na sua própria astúcia.
**20** E outra vez: O Senhor conhece os pensamentos dos sábios, os quais são vãos.
**21** Portanto, ninguém se glorie nos homens! Tudo é vosso,
**22** seja Paulo, seja Apolo, seja Cefas, seja o mundo, seja a vida, seja a morte, seja o presente, seja o futuro, tudo é vosso,
**23** e vós de Cristo, e Cristo de Deus.

## Apóstolos de Cristo

**4** Assim, pois, que os homens nos considerem como ministros de Cristo e despenseiros dos mistérios de Deus.
2 Ora, além disso, requer-se dos despenseiros que cada um se ache fiel.
3 Todavia, a mim pouco se me dá de ser julgado por vós, ou por algum tribunal humano; nem eu tampouco a mim mesmo me julgo.
4 Em nada me sinto culpado, mas nem por isso me considero justificado. Quem me julga é o Senhor.
5 Portanto, nada julgueis antes do tempo, até que o Senhor venha, o qual também trará à luz as coisas ocultas das trevas e manifestará os desígnios dos corações. Então cada um receberá de Deus o louvor.

### Os coríntios e os apóstolos

6 Ora, irmãos, apliquei essas coisas figuradamente a mim e a Apolo, por amor de vós, para que em nós aprendais a não ir além do que está escrito, não vos ensoberbecendo a favor de um contra outro.
7 Pois quem te faz diferente? E que tens tu que não tenhas recebido? E, se o recebeste, por que te glorias, como se não o houveras recebido?
8 Já estais fartos! Já estais ricos! Sem nós reinais! Quem dera reináseis para que também nós reinemos convosco!
9 Pois tenho para mim que Deus a nós, apóstolos, nos pôs por últimos, como condenados à morte. Somos feitos espetáculo ao mundo, aos anjos e aos homens.
10 Nós somos loucos por amor de Cristo, e vós sábios em Cristo! Nós fracos, mas vós sois fortes! Vós sois ilustres, e nós desprezíveis.
11 Até esta presente hora sofremos fome, sede e nudez; recebemos bofetadas e não temos residência certa.
12 Afadigamo-nos, trabalhando com nossas próprias mãos. Quando somos injuriados, bendizemos; quando somos perseguidos, sofremos;
13 quando somos difamados, consolamos. Até o presente temos chegado a ser como o lixo deste mundo e como a escória de todos.
14 Não escrevo estas coisas para vos envergonhar, mas admoesto-vos como a meus filhos amados.
15 Ainda que tivésseis dez mil tutores em Cristo, não teríeis, contudo, muitos pais, pois eu pelo evangelho vos gerei em Jesus Cristo.
16 Admoesto-vos, portanto, a que sejais meus imitadores.
17 Por causa disso vos enviei Timóteo, que é meu filho amado e fiel no Senhor, o qual vos lembrará os meus caminhos em Cristo, como por toda parte ensino em cada igreja.
18 Alguns, porém, andam arrogantemente, como se eu não houvesse de ir ter convosco.
19 Em breve, porém, irei visitar-vos, se o Senhor quiser, e então conhecerei não as palavras dos que andam inchados, mas o poder.
20 Pois o Reino de Deus não consiste em palavras, mas em poder.
21 Que quereis? Irei ter convosco com vara ou com amor e espírito de mansidão?

### Expulsai o irmão imoral!

**5** Geralmente se ouve que há entre vós imoralidade, e imoralidade tal como nem mesmo entre os gentios se vê; isto é, há quem abuse da mulher de seu pai.

2 Estais orgulhosos, quando deveríeis estar ao menos entristecidos, para que fosse tirado do vosso meio quem cometeu tal ação.

3 Eu na verdade, ainda que ausente no corpo, mas presente no espírito, já determinei, como se estivesse presente, que o que tal ato praticou,

4 em nome de nosso Senhor Jesus Cristo, juntos vós e o meu espírito, pelo poder de nosso Senhor Jesus Cristo,

5 seja entregue a Satanás para destruição da carne, para que o espírito seja salvo no dia do Senhor Jesus.

6 Não é bom o vosso orgulho. Não sabeis que um pouco de fermento leveda toda a massa?

7 Lançai fora o fermento velho, para que sejais uma nova massa, assim como sois sem fermento. Pois Cristo, nossa Páscoa, foi sacrificado por nós.

8 Pelo que celebremos a festa, não com o fermento velho, nem com o fermento da maldade e da malícia, mas com os pães sem fermento da sinceridade e da verdade.

9 Já por carta vos escrevi que não vos associásseis com os que se prostituem.

10 Com isso não quero dizer propriamente com os impuros deste mundo, ou com os avarentos, ou com os roubadores, ou com os idólatras. Nesse caso vos seria necessário sair do mundo.

11 Agora, porém, vos escrevo que *não vos associeis* com aquele que, dizendo-se irmão, for devasso, ou avarento, ou idólatra, ou maldizente, ou beberrão, ou roubador. Com o tal nem ainda comais.

12 Que me importa de julgar os que estão de fora? Não julgais vós os que estão dentro?

13 Deus, porém, julga os que estão de fora. Tirai do meio de vós esse iníquo.

### Litígios entre os irmãos

**6** Ousa algum de vós, tendo algum negócio contra outro, ir a juízo perante os injustos, e não perante os santos?

2 Não sabeis vós que os santos hão de julgar o mundo? Ora, se o mundo deve ser julgado por vós, sois indignos de julgar as coisas mínimas?

3 Não sabeis vós que havemos de julgar os anjos? Quanto mais as coisas pertencentes a esta vida!

4 Então, se tiverdes negócios em juízo pertencentes a esta vida, constituís como juízes deles os que são de menos estima na igreja?

5 Para vos envergonhar o digo: Não há entre vós alguém que seja suficientemente sábio, nem mesmo um, que possa julgar entre seus irmãos?

6 O irmão, porém, vai a juízo contra outro irmão, e isso perante infiéis.

7 Na verdade já é realmente uma falta entre vós terdes demandas uns contra os outros. Por que não sofreis antes a injustiça? Por que não sofreis antes o dano?

8 Vós mesmos, porém, causais a injustiça e o dano, e isso aos próprios irmãos.

9 Não sabeis que os injustos não hão de herdar o Reino de Deus? Não vos enganeis: nem impuros, nem idólatras, nem adúlteros, nem efeminados, nem sodomitas,

10 nem ladrões, nem avarentos, nem bêbados, nem maldizentes,

nem roubadores herdarão o Reino de Deus.
11 E tais fostes alguns de vós. Mas fostes lavados, mas fostes santificados, mas fostes justificados em nome do Senhor Jesus e pelo Espírito do nosso Deus.

### A imoralidade sexual

12 Todas as coisas me são lícitas, mas nem todas convêm. Todas as coisas me são lícitas, mas eu não me deixarei dominar por nenhuma delas.
13 Os alimentos são para o estômago; e o estômago para os alimentos. Deus, porém, destruirá ambos. Mas o corpo não é para a prostituição, senão para o Senhor, e o Senhor para o corpo.
14 Ora, Deus, que ressuscitou o Senhor, também nos ressuscitará pelo seu poder.
15 Não sabeis vós que os vossos corpos são membros de Cristo? Tomarei, pois, os membros de Cristo e os farei membros de meretriz? Não, por certo.
16 Ou não sabeis que o que se une à meretriz faz-se um corpo com ela? Pois serão, como se diz, dois numa só carne.
17 O que, porém, se une ao Senhor é um espírito com ele.
18 Fugi da prostituição. Todo pecado que o homem comete é fora do corpo, mas o que se prostitui peca contra o seu próprio corpo.
19 Ou não sabeis que o nosso corpo é santuário do Espírito Santo, que habita em vós, proveniente de Deus? Não sois de vós mesmos;
20 fostes comprados por bom preço. Glorificai, pois, a Deus no vosso corpo [e no vosso espírito, os quais pertencem a Deus].

### O casamento

7 Ora, quanto às coisas que me escrevestes, bom seria que o homem não tocasse em mulher.
2 Por causa da prostituição, porém, cada um tenha a sua própria mulher, e cada uma tenha o seu próprio marido.
3 O marido pague à mulher o que lhe é devido, e da mesma forma a mulher ao marido.
4 A mulher não tem poder sobre o seu próprio corpo, mas tem-no o marido. Do mesmo modo o marido não tem poder sobre o seu próprio corpo, mas tem-no a mulher.
5 Não vos priveis um ao outro, senão por consentimento mútuo por algum tempo, para vos aplicardes à oração. Depois ajuntai-vos outra vez, para que Satanás não vos tente por causa da incontinência.
6 Digo isso, porém, como que por permissão, e não por mandamento.
7 Contudo, gostaria que todos os homens fossem como eu mesmo. Mas cada um tem de Deus o seu próprio dom; um de uma maneira, e outro de outra.
8 Digo, porém, aos solteiros e às viúvas que lhes é bom se permanecerem como eu.
9 Se, porém, não podem conter-se, casem-se, pois é melhor casar do que ficar ardendo de desejo.
10 Todavia, aos casados, mando não eu, mas o Senhor, que a mulher não se aparte do marido.
11 Se, porém, se apartar, que fique sem casar, ou que se reconcilie com o marido. E que o marido não deixe a mulher.
12 Aos outros, contudo, digo eu, não o Senhor: Se algum irmão tem mulher incrédula, e ela consente em habitar com ele, não a deixe.

13 E se alguma mulher tem marido incrédulo, e ele consente em habitar com ela, não o deixe.
14 Pois o marido incrédulo é santificado pela mulher, e a mulher incrédula é santificada pelo marido crente. Doutra sorte os vossos filhos seriam impuros, mas agora são santos.
15 Se, contudo, o descrente se apartar, aparte-se. Nesse caso o irmão ou a irmã não estão sujeitos à servidão; Deus os chamou para a paz.
16 Como sabes, ó mulher, se salvarás teu marido? Ou, como sabes, ó marido, se salvarás tua mulher?
17 Assim cada um ande como Deus lhe designou, cada um de acordo com o chamado de Deus. É o que ordeno em todas as igrejas.
18 Foi alguém chamado, estando circuncidado? Fique circuncidado. Foi alguém chamado, estando incircuncidado? Não se circuncide.
19 A circuncisão nada é, e a incircuncisão nada é, mas sim a observância dos mandamentos de Deus.
20 Cada um permaneça na situação em que estava quando foi chamado.
21 Foste chamado sendo escravo? Não te preocupes com isso; se ainda podes ser livre, aproveita a ocasião.
22 Pois o que é chamado pelo Senhor, sendo escravo, é liberto do Senhor; da mesma maneira, também o que é chamado, sendo livre, escravo é de Cristo.
23 Fostes comprados *por bom preço*. Não vos façais escravos dos homens.
24 Irmãos, cada um permaneça diante de Deus no estado em que foi chamado.

25 Ora, quanto às virgens, não tenho mandamento do Senhor; dou, porém, o meu parecer, como quem tem alcançado misericórdia do Senhor para ser fiel.
26 Acho que é bom, por causa da presente crise, o homem permanecer assim como está.
27 Estás ligado à mulher? Não busques separar-te. Estás livre de mulher? Não busques casamento.
28 Se, porém, te casares, não pecas; e se a virgem se casar, não peca. Todavia, os tais padecerão tribulação na carne, e eu quisera poupar-vos.
29 Isto, porém, vos digo, irmãos, que o tempo se abrevia. O que resta é que os que são casados sejam como se não o fossem;
30 os que choram, como se não chorassem; os que se alegram, como se não se alegrassem; os que compram, como se nada possuíssem;
31 os que usam deste mundo, como se dele não abusassem. Pois a aparência deste mundo passa.
32 E bem quisera eu que estivésseis livres de cuidado. O solteiro cuida das coisas do Senhor, em como há de agradar ao Senhor,
33 mas o casado cuida das coisas do mundo, em como há de agradar à sua mulher,
34 e está dividido. A solteira cuida das coisas do Senhor para ser santa, tanto no corpo como no espírito. Mas a casada cuida das coisas do mundo, em como há de agradar ao marido.
35 Digo isso para proveito vosso, não para vos restringir, mas para o que é decente e para vos dedicardes ao Senhor sem distração alguma.
36 Se, no entanto, alguém pensa que trata indignamente a

sua filha, e se tiver passado a flor da idade, e se for necessário, que faça o que quiser. Não peca. Casem-se.

**37** Todavia, o que está firme em seu coração, não tendo necessidade, mas tendo domínio sobre a sua própria vontade, se resolveu no seu coração guardar virgem sua filha, faz bem.

**38** De sorte que o que a dá em casamento faz bem, mas o que não a dá em casamento faz melhor.

**39** A mulher casada está ligada pela Lei enquanto o seu marido vive. Mas se falecer o marido, fica livre para casar com quem quiser, contanto que seja no Senhor.

**40** Será, porém, mais bem-aventurada se ficar assim, segundo o meu parecer, e também eu penso que tenho o Espírito de Deus.

### Coisas sacrificadas aos ídolos

**8** Ora, no tocante às coisas sacrificadas aos ídolos, sabemos que todos temos conhecimento. O conhecimento incha, mas o amor edifica.

**2** Se alguém pensa saber alguma coisa, ainda não sabe como convém saber.

**3** Se, porém, alguém ama a Deus, esse é conhecido dele.

**4** Quanto ao comer das coisas sacrificadas aos ídolos, sabemos que o ídolo nada é no mundo e que não há outro Deus, senão um só.

**5** Pois ainda que haja alguns que se chamem deuses, quer no céu, quer na terra, como há muitos deuses e muitos senhores,

**6** todavia, para nós há um só Deus, o Pai, de quem é tudo e para quem nós vivemos; e um só Senhor, Jesus Cristo, pelo qual são todas as coisas, e nós também por ele.

**7** Nem em todos, porém, há esse conhecimento. Alguns há que, acostumados até agora com o ídolo, comem coisas sacrificadas ao ídolo, e a sua consciência, sendo fraca, fica contaminada.

**8** Ora, a comida não nos faz agradáveis a Deus; se comemos, nada temos de mais, e se não comemos, nada nos falta.

**9** Vede, contudo, que essa liberdade não seja de alguma maneira motivo de tropeço para os fracos.

**10** Pois se alguém te vir, a ti que tens conhecimento, à mesa em templo de ídolos, não será a consciência do que é fraco induzida a comer das coisas sacrificadas aos ídolos?

**11** E assim, pelo teu conhecimento perecerá o irmão fraco, por quem Cristo morreu.

**12** Ora, pecando assim contra os irmãos e ferindo a sua fraca consciência, pecais contra Cristo.

**13** Pelo que, se a comida escandalizar a meu irmão, nunca mais comerei carne, para que meu irmão não se escandalize.

### Os direitos dos apóstolos

**9** Não sou eu apóstolo? Não sou livre? Não vi eu a Jesus Cristo Senhor nosso? Não sois vós a minha obra no Senhor?

**2** Se eu não sou apóstolo para os outros, ao menos o sou para vós! Pois vós sois o selo do meu apostolado no Senhor.

**3** Esta é a minha defesa para com os que me condenam:

**4** Não temos nós o direito de comer e beber?

**5** Não temos nós o direito de levar conosco uma esposa crente, como também os demais apóstolos, os irmãos do Senhor e Cefas?

**6** Ou só eu e Barnabé não temos o direito de deixar de trabalhar? **7** Quem jamais vai à guerra à sua própria custa? Quem planta a vinha e não come do seu fruto? Ou quem apascenta o gado e não toma do leite do rebanho? **8** Digo eu isso como homem? Ou não diz a Lei também o mesmo? **9** Pois na Lei de Moisés está escrito: Não amordaçarás a boca do boi que debulha. É de bois que Deus tem cuidado? **10** Ou não o diz certamente por nós? Certo que é por nós que está escrito, porque o que lavra deve lavrar com esperança, e o que debulha deve debulhar com esperança de participar do fruto. **11** Se nós vos semeamos as coisas espirituais, será muito que de vós recolhamos as materiais? **12** Se outros participam desse direito sobre vós, por que não, mais justamente, nós? Mas nós não usamos desse direito. Pelo contrário, suportamos tudo, para não pormos impedimento algum ao evangelho de Cristo. **13** Não sabeis vós que os que administram o que é sagrado comem do que é do templo? E que os que de contínuo servem ao altar participam do altar? **14** Assim ordenou também o Senhor aos que anunciam o evangelho que vivam do evangelho. **15** Eu, porém, de nenhum desses direitos usei. E não escrevi isto para que assim se faça comigo. Melhor me fora morrer do que alguém fazer vã esta minha glória. **16** Contudo, quando anuncio o evangelho, não tenho de que me gloriar, pois me é imposta essa obrigação. Ai de mim se não anunciar o evangelho!

**17** Se o faço de boa vontade, terei recompensa; mas se de má vontade, apenas desempenho um cargo que me foi confiado. **18** Logo, que recompensa tenho? É que, evangelizando, proponha de graça o evangelho, para não usar do direito que ele me confere. **19** Embora eu seja livre para com todos, fiz-me servo de todos, para ganhar ainda mais. **20** Fiz-me como judeu para os judeus, para ganhar os judeus. Para os que estão debaixo da Lei, como se estivesse debaixo da Lei, para ganhar os que estão debaixo da Lei. **21** Para os que estão sem lei, como se estivesse sem lei (não estando sem lei para com Deus, mas debaixo da lei de Cristo), para ganhar os que estão sem Lei. **22** Fiz-me fraco para com os fracos, para ganhar os fracos. Fiz-me tudo para com todos, para por todos os meios chegar a salvar alguns. **23** Faço tudo isso por causa do evangelho, para ser também participante dele. **24** Não sabeis vós que os que correm no estádio, todos na verdade correm, mas um só leva o prêmio? Correi de tal maneira que o alcanceis. **25** Todo aquele que luta, em tudo se domina. Eles para alcançar uma coroa que perece, nós, porém, para ganhar uma coroa que durará para sempre. **26** Portanto corro, não como indeciso; combato, não como batendo no ar. **27** Antes subjugo o meu corpo e o reduzo à servidão, para que, pregando aos outros, eu mesmo não venha de alguma maneira ficar reprovado.

## Avisos da história de Israel

**10** Irmãos, não quero que ignoreis que nossos pais estiveram todos debaixo da nuvem, e todos passaram pelo mar.
2 Todos foram batizados em Moisés, na nuvem e no mar.
3 Todos eles comeram da mesma comida espiritual
4 e beberam da mesma bebida espiritual; pois bebiam da pedra espiritual que os seguia, e a pedra era Cristo.
5 Deus, porém, não se agradou da maior parte deles, razão por que seus corpos foram espalhados pelo deserto.
6 Ora, essas coisas aconteceram como exemplos, para que não cobicemos as coisas más, como eles cobiçaram.
7 Não vos façais idólatras, como alguns deles; como está escrito: O povo assentou-se a comer e a beber e levantou-se para farrear.
8 Não nos prostituamos, como alguns deles fizeram e caíram num só dia vinte e três mil.
9 Não tentemos o Senhor, como alguns deles também tentaram e foram mortos pelas serpentes.
10 E não murmureis, como também alguns deles murmuraram e pereceram pelo anjo destruidor.
11 Todas essas coisas lhes aconteceram como exemplos e foram escritas para aviso nosso, para quem já são chegados os fins dos séculos.
12 Aquele, pois, que pensa estar em pé cuida para que não caia.
13 Não veio sobre vós tentação, senão humana. E fiel é Deus, que não vos deixará tentar acima do que podeis resistir, antes com a tentação dará também o escape, para que a possais suportar.

## A idolatria e o culto de demônios

14 Portanto, meus amados, fugi da idolatria.
15 Falo como a entendidos; julgai vós mesmos o que digo.
16 Não é o cálice de bênção, que abençoamos, a comunhão do sangue de Cristo? E não é o pão que partimos a comunhão do corpo de Cristo?
17 Porque nós, sendo muitos, somos um só pão e um só corpo, pois todos participamos do mesmo pão.
18 Vede Israel segundo a carne: os que comem os sacrifícios não são participantes do altar?
19 Que digo, porém? Que o ídolo é alguma coisa? Ou que o sacrificado ao ídolo é alguma coisa?
20 Antes digo que as coisas que os gentios sacrificam é aos demônios que sacrificam, não a Deus; e não quero que sejais participantes com os demônios.
21 Não podeis beber o cálice do Senhor e o cálice dos demônios; não podeis ser participantes da mesa do Senhor e da mesa dos demônios.

## A liberdade cristã

22 Ou provocaremos o ciúme do Senhor? Somos nós mais fortes do que ele?
23 Todas as coisas são lícitas, mas nem todas convêm; todas as coisas são lícitas, mas nem todas edificam.
24 Ninguém busque o proveito próprio, antes cada um o que é de outrem.
25 Comei de tudo o que se vende no mercado sem perguntar nada, por causa da consciência,
26 pois a terra é do Senhor, e toda a sua plenitude.

27 Se algum dos incrédulos vos convidar, e quiserdes ir, comei de tudo o que se puser diante de vós, sem nada perguntar, por causa da consciência.
28 Se, contudo, alguém vos disser: Isto foi sacrificado aos ídolos, não comais, por causa daquele que vos advertiu e por causa da consciência, pois a terra é do Senhor, e toda a sua plenitude.
29 Consciência, digo, não a tua, mas a do outro. Pois por que há de a minha liberdade ser julgada pela consciência de outrem?
30 Se eu com gratidão participo, por que sou censurado por causa daquilo por que dou graças?
31 Portanto, quer comais, quer bebais, ou façais outra coisa qualquer, fazei tudo para a glória de Deus.
32 Não vos torneis causa de tropeço nem para judeus, nem para gentios, nem para a igreja de Deus.
33 Como também eu em tudo agrado a todos, não buscando o meu próprio proveito, mas o de muitos, para que assim se possam salvar.

# 11

Sede meus imitadores, como também eu sou de Cristo.

### O uso de véu na igreja de Corinto

2 Eu vos louvo, irmãos, pois em tudo vos lembrais de mim e retendes os preceitos como os entreguei.
3 Quero, porém, que saibais que Cristo é o cabeça de todo homem, e o homem o cabeça da mulher, e Deus o cabeça de Cristo.
4 *Todo homem que* ora ou profetiza, tendo a cabeça coberta, desonra a sua própria cabeça.
5 Toda mulher, porém, que ora ou profetiza com a cabeça descoberta, desonra a sua própria cabeça, é como se a tivesse rapada.
6 Se a mulher não se cobre com véu, tosquie-se também; e se para a mulher é vergonhoso tosquiar-se, ou rapar-se, que ponha o véu.
7 O homem não deve cobrir a cabeça, pois é a imagem e glória de Deus, mas a mulher é a glória do homem.
8 Pois o homem não proveio da mulher, mas a mulher do homem.
9 O homem não foi criado por causa da mulher, mas a mulher por causa do homem.
10 Portanto, a mulher deve ter sobre a cabeça um sinal de autoridade, por causa dos anjos.
11 Todavia, nem o homem é independente da mulher, nem a mulher independente do homem, no Senhor.
12 Pois como a mulher proveio do homem, assim também o homem nasce da mulher, mas tudo vem de Deus.
13 Julgai entre vós mesmos: é próprio que a mulher ore a Deus com a cabeça descoberta?
14 Ou não vos ensina a mesma natureza que é desonroso para o homem ter cabelo comprido?
15 Mas ter a mulher cabelo comprido lhe é honroso, pois o cabelo lhe foi dado em lugar de véu.
16 Se, contudo, alguém quiser ser polêmico, nós não temos tal costume, nem as igrejas de Deus.

### A ceia do Senhor

17 Nisto que vou dizer-vos não vos louvo, pois vos reunis não para melhor, senão para pior.
18 Antes de tudo ouço que, quando vos reunis na igreja, há entre vós divisões, e em parte o creio.

19 E até importa que haja entre vós diferenças, para que os que têm a aprovação de Deus se manifestem no vosso meio.
20 Quando vos reunis no mesmo lugar, não é para comer a ceia do Senhor,
21 pois, quando comeis, cada um se apressa a tomar a sua própria ceia. Assim um tem fome e outro se embriaga.
22 Não tendes casas onde comer e beber? Ou menosprezais a igreja de Deus e envergonhais os que nada têm? Que vos direi? Eu vos louvarei? É claro que não.
23 Pois eu recebi do Senhor o que também vos ensinei: que o Senhor Jesus, na noite em que foi traído, tomou o pão
24 e, tendo dado graças, o partiu e disse: Isto é o meu corpo que é entregue por vós; fazei isto em memória de mim.
25 Semelhantemente, depois de cear, tomou o cálice, dizendo: Este cálice é a Nova Aliança no meu sangue; fazei isto, todas as vezes que o beberdes, em memória de mim.
26 Pois todas as vezes que comerdes este pão e beberdes este cálice, anunciais a morte do Senhor, até que ele venha.
27 Portanto, qualquer que comer o pão ou beber o cálice do Senhor indignamente será culpado do corpo e do sangue do Senhor.
28 Examine-se o homem a si mesmo antes de comer deste pão e beber deste cálice.
29 Pois o que come e bebe indignamente, come e bebe para sua própria condenação, não discernindo o corpo do Senhor.
30 Por causa disso, há entre vós muitos fracos e doentes e muitos que dormem.
31 Se, porém, nós julgássemos a nós mesmos, não seríamos julgados.
32 Quando, porém, somos julgados, somos disciplinados pelo Senhor, para não sermos condenados com o mundo.
33 Portanto, meus irmãos, quando vos reunis para comer, esperai uns pelos outros.
34 Se, contudo, algum tiver fome, coma em casa, para que não vos ajunteis para condenação. Quanto às demais coisas, eu vos instruirei quando estiver convosco.

### Dons espirituais

**12** Ora, a respeito dos dons espirituais, não quero, irmãos, que sejais ignorantes.
2 Vós bem sabeis que quando éreis gentios, deixáveis levar-vos aos ídolos mudos, conforme éreis guiados.
3 Portanto vos quero fazer compreender que ninguém que fala pelo Espírito de Deus diz: Jesus é anátema! E ninguém pode dizer: Jesus é o Senhor! senão pelo Espírito Santo.
4 Há diversidade de dons, mas o Espírito é o mesmo.
5 E há diversidade de ministérios, mas o Senhor é o mesmo.
6 E há diversidade de operações, mas é o mesmo Deus que opera tudo em todos.
7 A manifestação do Espírito é dada a cada um para o que for útil.
8 A um pelo Espírito é dada a palavra da sabedoria; a outro, pelo mesmo Espírito, a palavra da ciência;
9 a outro, pelo mesmo Espírito, fé; a outro, pelo mesmo Espírito, dons de curar;
10 a outro, a operação de milagres; a outro, profecia; a outro, discernimento de espíritos; a outro,

# 1Coríntios 13

variedade de línguas, e a outro, interpretação de línguas.

**11** No entanto, um só e o mesmo Espírito realiza todas estas coisas, distribuindo particularmente a cada um como quer.

## Um só corpo, muitos membros

**12** Assim como o corpo é uma unidade, mas tem muitos membros, e todos os membros, sendo muitos, formam um só corpo, assim é Cristo também.
**13** Pois todos nós fomos batizados em um só Espírito, formando um só corpo, quer judeus, quer gregos, quer servos, quer livres; e a todos nós foi dado beber de um só Espírito.
**14** Ora, o corpo não é um só membro, mas muitos.
**15** Se o pé disser: Porque não sou mão, não sou do corpo, não será por isso do corpo?
**16** E se a orelha disser: Porque não sou olho não sou do corpo, não será por isso do corpo?
**17** Se todo o corpo fosse olho, onde estaria o ouvido? Se fosse todo ouvido, onde estaria o olfato?
**18** Deus, porém, colocou os membros no corpo, cada um deles como quis.
**19** E, se todos fossem um só membro, onde estaria o corpo?
**20** Pois há muitos membros, mas um só corpo.
**21** O olho não pode dizer à mão: Não tenho necessidade de ti! Nem ainda a cabeça aos pés: Não tenho necessidade de vós!
**22** Antes, os membros do *corpo que parecem ser* mais fracos são necessários,
**23** e os que nos parecem menos honrosos no corpo, a esses honramos muito mais. E aos que em nós são menos decorosos damos muito mais honra,
**24** porque os que em nós são mais nobres não têm necessidade disso. Mas Deus assim formou o corpo, dando muito mais honra ao que tinha falta dela,
**25** para que não haja divisão no corpo, antes tenham os membros igual cuidado uns dos outros.
**26** De maneira que, se um membro padece, todos os membros padecem com ele; se um membro é honrado, todos os membros se regozijam com ele.
**27** Ora, vós sois o corpo de Cristo e, individualmente, membros desse corpo.
**28** A uns pôs Deus na igreja, primeiro apóstolos, em segundo lugar profetas, em terceiro lugar mestres, depois operadores de milagres, depois dons de curar, socorros, governos, variedades de línguas.
**29** São todos apóstolos? São todos profetas? São todos mestres? São todos operadores de milagres?
**30** Têm todos dons de curar? Falam todos em outras línguas? Interpretam-nas todos?
**31** Portanto, procurai com zelo os melhores dons. E agora eu vos mostrarei o caminho mais excelente.

## Amor

**13** Ainda que eu falasse as línguas dos homens e dos anjos, se não tivesse amor, seria como o metal que soa, ou como *o sino que tine.*
**2** Ainda que eu tivesse o dom de profecia e conhecesse todos os mistérios e todo o conhecimento, e ainda que eu tivesse toda a fé, de maneira tal que transportasse

os montes, se não tivesse amor, nada seria.
3 E ainda que distribuísse toda a minha fortuna para o sustento dos pobres e que entregasse o meu corpo para ser queimado, se não tivesse amor, nada disso me aproveitaria.
4 O amor é paciente, é benigno. O amor não inveja, não se vangloria, não se ensoberbece.
5 Não se porta inconvenientemente, não busca os seus próprios interesses, não se irrita, não suspeita mal.
6 O amor não se alegra com a injustiça, mas se regozija com a verdade.
7 Tudo sofre, tudo crê, tudo espera, tudo suporta.
8 O amor nunca falha. Mas as profecias cessarão, as línguas desaparecerão, o conhecimento passará.
9 Pois em parte conhecemos e em parte profetizamos,
10 mas, quando vier o que é perfeito, então o que é em parte será aniquilado.
11 Quando eu era menino, falava como menino, pensava como menino, raciocinava como menino. Mas logo que cheguei a ser homem, acabei com as coisas de menino.
12 Agora vemos em espelho, de maneira obscura; então veremos face a face. Agora conheço em parte; então conhecerei como também sou conhecido.
13 Agora permanecem estes três: a fé, a esperança e o amor, mas o maior deles é o amor.

### Os dons de profecia e de línguas

**14** Segui o amor e procurai com zelo os dons espirituais, mas principalmente o de profetizar.

2 Pois o que fala em língua não fala aos homens, senão a Deus. Com efeito, ninguém o entende, e em espírito fala mistérios.
3 O que profetiza, porém, fala aos homens para edificação, exortação e consolação.
4 O que fala em língua edifica-se a si mesmo, mas o que profetiza edifica a igreja.
5 Eu gostaria que todos vós falásseis em línguas, mas muito mais que profetizásseis. O que profetiza é maior do que o que fala em línguas, a não ser que também interprete para que a igreja receba edificação.
6 Agora, irmãos, se eu for ter convosco falando em línguas, que vos aproveitaria, se não vos falasse ou por meio da revelação, ou do conhecimento, ou da profecia, ou da doutrina?
7 Da mesma forma, se as coisas inanimadas, que fazem som, seja flauta, seja cítara, não formarem sons distintos, como se conhecerá o que se toca na flauta ou na cítara?
8 Se a trombeta der sonido incerto, quem se preparará para a batalha?
9 Assim também vós. Se com a língua não pronunciardes palavras bem compreensíveis, como se entenderá o que se diz? Estareis como que falando ao ar.
10 Há, por exemplo, tantas espécies de vozes no mundo, mas nenhuma delas sem significação.
11 Se eu, porém, ignorar o sentido da voz, serei estrangeiro para aquele a quem falo, e o que fala será estrangeiro para mim.
12 Assim também vós, como desejais dons espirituais, procurai abundar neles para a edificação da igreja.

13 Pelo que, o que fala em língua, ore para que a possa interpretar.
14 Pois se eu orar em língua, o meu espírito ora, de verdade, mas o meu entendimento fica sem fruto.
15 Que farei, pois? Orarei com o espírito, mas também orarei com o entendimento; cantarei com o espírito, mas também cantarei com o entendimento.
16 De outra maneira, se tu bendisseres com o espírito, como dirá o não instruído Amém sobre a tua ação de graças, visto que não sabe o que dizes?
17 Em verdade tu dás bem as graças, mas o outro não é edificado.
18 Dou graças ao meu Deus, porque falo em outras línguas mais do que todos vós.
19 Todavia, eu antes quero falar na igreja cinco palavras com o meu entendimento, para que possa também instruir os outros, do que dez mil palavras em língua.
20 Irmãos, não sejais meninos no entendimento, mas sede meninos na malícia e adultos no entendimento.
21 Está escrito na Lei:
Por gente doutras línguas,
 e por outros lábios,
  falarei a este povo,
   mas ainda assim não me ouvirão,
 diz o Senhor.
22 De sorte que as línguas são um sinal não para os crentes, mas para os incrédulos; a profecia, porém, não é sinal para os incrédulos, mas para os crentes.
23 *Portanto, se t*oda a igreja se congregar em um lugar e todos falarem em línguas, e entrarem os que não têm instrução ou incrédulos, não dirão que estais loucos?
24 Se, porém, todos profetizarem, e alguém sem instrução ou incrédulo entrar, por todos é convencido, por todos é julgado.
25 Os segredos do seu coração ficarão manifestos, e assim, lançando-se sobre o seu rosto, adorará a Deus, declarando que Deus está verdadeiramente entre vós.

### A necessidade de ordem no culto

26 Que diremos, pois, irmãos? Quando vos reunis, cada um de vós tem salmo, tem doutrina, tem revelação, tem língua, tem interpretação. Faça-se tudo para edificação.
27 Se alguém falar em língua, faça-se isso por dois, ou quando muito três, e por sua vez haja intérprete.
28 Se, contudo, não houver intérprete, esteja calado na igreja e fale consigo mesmo e com Deus.
29 E falem dois ou três profetas, e os outros julguem.
30 Se, porém, a outro, que estiver assentado, for revelada alguma coisa, cale-se o primeiro.
31 Pois todos podereis profetizar, uns depois dos outros, para que todos aprendam e sejam consolados.
32 Os espíritos dos profetas estão sujeitos aos próprios profetas.
33 Pois Deus não é Deus de confusão, senão de paz. Como em todas as igrejas dos santos,
34 as mulheres estejam caladas nas igrejas. Não lhes é permitido falar; mas estejam submissas, *como* também ordena a Lei.
35 Se, porém, querem aprender alguma coisa, interroguem em casa a seu próprio marido; pois é vergonhoso que as mulheres falem na igreja.

**36** Saiu dentre vós a palavra de Deus? Ou veio ela somente para vós?
**37** Se alguém cuida ser profeta, ou espiritual, reconheça que as coisas que vos escrevo são mandamentos do Senhor.
**38** Se, porém, alguém ignora isso, ele mesmo será ignorado.
**39** Portanto, irmãos, procurai, com zelo, profetizar e não proibais o falar em línguas.
**40** Faça-se, porém, tudo com decência e ordem.

## A ressurreição

**15** Ora, irmãos, desejo lembrar-vos o evangelho que já vos tenho anunciado, o qual recebestes e no qual permaneceis,
**2** pelo qual também sois salvos se o retendes tal como o anunciei. Se não é que crestes em vão.
**3** Antes de tudo, vos entreguei o que também recebi: que Cristo morreu por nossos pecados, segundo as Escrituras,
**4** foi sepultado e ressurgiu ao terceiro dia, segundo as Escrituras.
**5** Em seguida foi visto por Cefas e depois pelos Doze.
**6** Depois foi visto, uma vez, por mais de quinhentos irmãos, dos quais vive ainda a maior parte, mas alguns já morreram.
**7** Depois foi visto por Tiago, depois por todos os apóstolos;
**8** e por último de todos apareceu também a mim, como a um que nasceu fora do tempo.
**9** Pois eu sou o menor dos apóstolos, que mesmo não sou digno de ser chamado apóstolo, porque persegui a igreja de Deus.
**10** Pela graça de Deus, porém, sou o que sou, e a sua graça para comigo não foi vã. Antes trabalhei muito mais do que todos eles; todavia não eu, mas a graça de Deus, que está comigo.
**11** Então, seja eu, sejam eles, assim pregamos e assim crestes.
**12** Ora, se pregamos que Cristo foi ressuscitado dentre os mortos, como dizem alguns de vós que não há ressurreição de mortos?
**13** E, se não há ressurreição de mortos, também Cristo não ressurgiu.
**14** E, se Cristo não ressurgiu, logo é vã a nossa pregação, e também é vã a vossa fé.
**15** Somos considerados como falsas testemunhas de Deus, pois testificamos contra Deus, que ressuscitou a Cristo, ao qual, porém, não ressuscitou, se, na verdade, os mortos não são ressuscitados.
**16** Pois se os mortos não são ressuscitados, também Cristo não foi ressuscitado.
**17** E, se Cristo não foi ressuscitado, é vã a vossa fé, e ainda permaneceis nos vossos pecados.
**18** E também os que dormiram em Cristo estão perdidos.
**19** Se esperamos em Cristo só nesta vida, somos os mais infelizes de todos os homens.
**20** Se de fato, porém, Cristo ressurgiu dentre os mortos e foi feito as primícias dos que dormem.
**21** Pois assim como a morte veio por um homem, também a ressurreição dos mortos veio por um homem.
**22** Pois assim como todos morrem em Adão, assim também todos serão vivificados em Cristo.
**23** Cada um, porém, por sua ordem: Cristo, o primeiro, depois os que são de Cristo, na sua vinda.
**24** Então virá o fim, quando tiver entregado o Reino a Deus, o

Pai, e quando houver destruído todo domínio, toda autoridade e todo poder.
25 Pois convém que ele reine até que haja posto a todos os inimigos debaixo dos seus pés.
26 Ora, o último inimigo que há de ser destruído é a morte.
27 Pois todas as coisas sujeitou debaixo de seus pés. Mas, quando diz que todas as coisas lhe estão sujeitas, claro está que se exceitua aquele que lhe sujeitou todas as coisas.
28 E, quando todas as coisas lhe estiverem sujeitas, então também o mesmo Filho se sujeitará àquele que todas as coisas lhe sujeitou, para que Deus seja tudo em todos.
29 De outra maneira, que farão os que se batizam pelos mortos? Se absolutamente os mortos não ressurgem? Por que se batizam eles então pelos mortos?
30 Por que estamos nós também a toda hora em perigo?
31 Eu vos declaro que cada dia morro gloriando-me em vós, irmãos, por Cristo Jesus, nosso Senhor.
32 Se, como homem, lutei em Éfeso com feras, que me aproveita isso, se os mortos não são ressuscitados? Comamos e bebamos, pois amanhã morreremos.
33 Não vos enganeis. As más companhias corrompem os bons costumes.
34 Voltai à sobriedade e não pequeis; pois alguns ainda não têm conhecimento de Deus — digo-o para vergonha vossa.
35 Alguém, contudo, dirá: *Como ressurgirão os mortos? E com que corpo virão?*
36 Insensato! O que tu semeias não é vivificado, se primeiro não morrer.
37 E, quando semeias, não semeias o corpo que há de nascer, mas o simples grão, como de trigo, ou de qualquer outra semente.
38 Deus, porém, dá-lhe o corpo como quer, e a cada semente o seu próprio corpo.
39 Nem toda carne é a mesma: uma é a carne dos homens, e outra a dos animais, outra a das aves e outra a dos peixes.
40 E há corpos celestes e corpos terrestres, mas uma é a glória dos celestes e outra a dos terrestres.
41 Uma é a glória do sol, e outra a glória da lua, e outra a glória das estrelas; uma estrela difere em glória de outra estrela.
42 Assim também é a ressurreição dos mortos. Semeia-se o corpo em corrupção, é ressuscitado em incorrupção.
43 Semeia-se em desonra, é ressuscitado em glória. Semeia-se em fraqueza, é ressuscitado em poder.
44 Semeia-se corpo animal, é ressuscitado corpo espiritual. Se há corpo animal, há também corpo espiritual.
45 Assim também está escrito: O primeiro homem, Adão, foi feito alma vivente; o último Adão, espírito vivificante.
46 Não veio primeiro o espiritual, mas o natural; e depois o espiritual.
47 O primeiro homem, sendo da terra, é terreno; o segundo homem é do céu.
48 Qual o terreno, tais são também os terrenos; e qual o celestial, tais também os celestiais.
49 E, assim como trouxemos a imagem do terreno, assim traremos também a imagem do celestial.
50 E agora digo isto, irmãos, que a carne e o sangue não podem

herdar o Reino de Deus, nem a corrupção herda a incorrupção.
**51** Eis que vos digo um mistério: Na verdade, nem todos dormiremos, mas todos seremos transformados,
**52** num momento, num abrir e fechar de olhos, ao soar a última trombeta. Pois a trombeta soará, e os mortos ressurgirão incorruptíveis, e nós seremos transformados.
**53** Pois convém que aquilo que é corruptível se revista da incorruptibilidade, e aquilo que é mortal se revista da imortalidade.
**54** E, quando o que é corruptível se revestir da incorruptibilidade, e o que é mortal se revestir da imortalidade, então se cumprirá a palavra que está escrita: Tragada foi a morte na vitória.
**55** Onde está, ó morte, o teu aguilhão?
Onde está, ó morte, a tua vitória?
**56** Ora, o aguilhão da morte é o pecado, e a força do pecado é a Lei.
**57** Graças, porém, a Deus que nos dá a vitória por nosso Senhor Jesus Cristo.
**58** Portanto, meus amados irmãos, sede firmes e constantes, sempre abundantes na obra do Senhor, sabendo que, no Senhor, o vosso trabalho não é vão.

### As coletas para os crentes de Jerusalém

**16** Ora, quanto à coleta para os santos, fazei vós também o mesmo que ordenei às igrejas da Galácia.
**2** No primeiro dia da semana, cada um de vós ponha à parte o que puder ajuntar, conforme a sua prosperidade, para que não se façam as coletas quando eu chegar.
**3** E, quando tiver chegado, enviarei os que por cartas aprovardes, para levar a vossa dádiva a Jerusalém.
**4** Se valer a pena que eu também vá, irão comigo.

### Pedidos pessoais

**5** Irei, porém, ter convosco depois de ter passado pela Macedônia (pois tenho de passar pela Macedônia).
**6** Bem pode ser que fique convosco e passe também o inverno, para que me encaminheis para onde quer que eu for.
**7** Não vos quero agora ver de passagem, mas espero ficar convosco algum tempo, se o Senhor o permitir.
**8** Ficarei, porém, em Éfeso até o Pentecoste,
**9** porque uma porta grande e promissora se me abriu, e há muitos adversários.
**10** E, se Timóteo for, vede que esteja sem temor convosco, pois trabalha na obra do Senhor, como eu também.
**11** Portanto ninguém o despreze. Enviai-o em paz, para que venha ter comigo. Eu o espero com os irmãos.
**12** Acerca do irmão Apolo, roguei-lhe muito que fosse com os irmãos ter convosco. Na verdade, não teve vontade de ir agora, mas irá quando se lhe ofereça boa oportunidade.
**13** Vigiai; estai firmes na fé; portai-vos varonilmente; fortalecei-vos.
**14** Fazei todas as vossas obras com amor.
**15** Agora vós irmãos bem sabeis que a família de Estéfanas é o primeiro fruto da Acaia e que se tem dedicado ao ministério dos santos. Rogo-vos

**16** que também vos sujeiteis a estes e a todo aquele que auxilia e trabalha na obra.

**17** Alegro-me, porém, com a vinda de Estéfanas, de Fortunato e de Acaico, porque eles supriram o que da vossa parte me faltava.

**18** Pois alegraram o meu espírito assim como o vosso. Reconhecei aos tais.

### Saudações finais

**19** As igrejas da Ásia vos saúdam. Saúdam-vos afetuosamente no Senhor Áquila e Priscila, com a igreja que está em sua casa.

**20** Todos os irmãos vos saúdam. Saudai-vos uns aos outros com ósculo santo.

**21** Esta saudação é do meu próprio punho, Paulo.

**22** Se alguém não ama ao Senhor Jesus Cristo, seja amaldiçoado! Vem, Senhor!

**23** A graça do Senhor Jesus Cristo seja convosco.

**24** O meu amor seja com todos vós em Cristo Jesus. Amém.

# 2CORÍNTIOS

### Prefácio e saudação

**1** Paulo, apóstolo de Jesus Cristo, pela vontade de Deus, e o irmão Timóteo, à igreja de Deus, que está em Corinto, com todos os santos que estão em toda a Acaia:
2 Graça a vós e paz da parte de Deus nosso Pai e do Senhor Jesus Cristo.

### O Deus de toda a consolação

3 Bendito seja o Deus e Pai de nosso Senhor Jesus Cristo, o Pai das misericórdias e o Deus de toda a consolação,
4 que nos consola em toda a nossa tribulação, para que também possamos consolar os que estiverem em alguma tribulação, com a consolação com que nós mesmos somos consolados por Deus.
5 Pois como as aflições de Cristo transbordam para conosco, assim também a nossa consolação transborda por meio de Cristo.
6 Se somos atribulados, é para vossa consolação e salvação; se somos consolados, para vossa consolação é, a qual se opera suportando com paciência as mesmas aflições que nós também padecemos.
7 A nossa esperança acerca de vós é firme, sabendo que, como sois participantes das aflições, assim o sereis também da consolação.
8 Não queremos, irmãos, que ignoreis a tribulação que nos sobreveio na Ásia. Fomos sobremaneira agravados mais do que podíamos suportar, de tal modo que até da vida desesperamos.
9 De fato, já em nós mesmos tínhamos a sentença de morte, para que não confiássemos em nós, mas em Deus, que ressuscita os mortos,
10 o qual nos livrou e em quem esperamos que ainda nos livrará de tão grande morte,
11 ajudando-nos também vós com orações por nós, para que por muitas pessoas sejam dadas graças a nosso respeito, pelo dom que nos foi concedido por meio de muitos.

### A mudança de planos de Paulo

12 Ora, a nossa glória é esta: O testemunho da nossa consciência, de que com simplicidade e sinceridade de Deus, não com sabedoria humana, mas na graça de Deus, temos vivido no mundo e especialmente para convosco.
13 Pois nenhuma outra coisa vos escrevemos, senão as que já sabeis ou reconheceis. E espero que até o fim as reconhecereis.
14 Como também já em parte reconhecestes em nós, que somos a vossa glória, como igualmente vós sereis a nossa no dia do Senhor Jesus.
15 Com essa confiança quis primeiro ir ter convosco, para que tivésseis duplo benefício.
16 Pensava ir visitar-vos em minha viagem à Macedônia e, ao retornar de lá, ir outra vez ter convosco e ser guiado por vós à Judeia.
17 Ora, planejando isso, usei de leviandade? Ou será que o que planejo, o faço de forma mundana, e há em mim o sim e o não?
18 Antes, como Deus é fiel, a nossa palavra para convosco não é sim e não.

**19** Pois o Filho de Deus, Jesus Cristo, que entre vós foi pregado por nós, isto é, por mim, Silvano e Timóteo, não foi sim e não, mas nele houve sim.
**20** Pois quantas promessas há de Deus, tantas têm em Cristo o sim, e por ele o amém, para a glória de Deus por nosso intermédio.
**21** Aquele, porém, que nos ungiu e confirma convosco em Cristo é Deus,
**22** o qual também nos selou e deu o penhor do Espírito em nosso coração.
**23** Invoco, porém, a Deus por testemunha sobre a minha alma de que é para vos poupar que não fui até agora a Corinto.
**24** Não que tenhamos domínio sobre a vossa fé, mas somos cooperadores da vossa alegria, porque é pela fé que estais firmados.

**2** Resolvi, por isso, não lhes fazer outra visita que vos causasse tristeza.
**2** Pois se eu vos entristeço, quem é que me alegrará, senão aquele que por mim foi entristecido?
**3** E escrevi-vos isto mesmo, para que, quando lá for, não tenha tristeza da parte dos que deveriam alegrar-me. Tenho confiança em vós todos, que a minha alegria é a de todos vós.
**4** Pois em muita tribulação e angústia de coração vos escrevi, com muitas lágrimas, não para que vos entristecêsseis, mas para que conhecêsseis o amor que abundantemente vos tenho.

### O perdão para o pecador

**5** Se alguém me entristeceu, não entristeceu só a mim, mas (para que não seja por demais severo) a todos vós.
**6** Basta-lhe ao tal esta repreensão feita pela maioria.
**7** De maneira que, pelo contrário, deveis antes perdoar-lhe e consolá-lo, para que o tal não seja de modo algum consumido por demasiada tristeza.
**8** Pelo que vos rogo que confirmeis para com ele o vosso amor.
**9** E para isso vos escrevi também, para por esta prova saber se sois obedientes em tudo.
**10** E a quem perdoardes alguma coisa também eu perdoo. E o que eu perdoei, se é que tenho perdoado, por amor de vós o fiz na presença de Cristo, para que não sejamos vencidos por Satanás.
**11** Pois não ignoramos os seus ardis.

### Ministros da nova aliança

**12** Ora, quando cheguei a Trôade para pregar o evangelho de Cristo, e uma porta se me abriu no Senhor,
**13** não tive descanso no meu espírito, porque não achei ali meu irmão Tito. De sorte que, despedindo-me deles, parti para a Macedônia.
**14** Graças, porém, a Deus, que sempre nos faz triunfar em Cristo e por meio de nós manifesta em todo lugar o cheiro do seu conhecimento.
**15** Pois para Deus somos o bom perfume de Cristo, tanto nos que se salvam como nos que se perdem.
**16** Para estes certamente cheiro de morte para morte, mas para aqueles cheiro de vida para vida. Mas *para estas coisas quem é idôneo?*
**17** Nós não somos, como muitos, falsificadores da palavra de Deus, antes falamos de Cristo com sinceridade, como de Deus na presença de Deus.

**3** Começamos outra vez a louvar-nos a nós mesmos? Ou necessitamos, como alguns, de cartas de recomendação para vós, ou de recomendação de vós?
**2** Vós sois a nossa carta, escrita em nosso coração, conhecida e lida por todos os homens.
**3** Já é manifesto que vós sois a carta de Cristo, ministrada por nós e escrita não com tinta, mas com o Espírito do Deus vivo, não em tábuas de pedra, mas nas tábuas de carne do coração.
**4** E é por intermédio de Cristo que temos tal confiança em Deus.
**5** Não que sejamos capazes, por nós mesmos, de pensar alguma coisa, como se partisse de nós mesmos, mas a nossa capacidade vem de Deus.
**6** Ele nos fez também capazes de ser ministros de uma nova aliança, não da letra, mas do Espírito; pois a letra mata, mas o Espírito vivifica.
**7** E, se o ministério da morte, gravado com letras em pedras, veio em glória, de maneira que os filhos de Israel não podiam fitar os olhos na face de Moisés, por causa da glória do seu rosto, ainda que desvanecente,
**8** como não será de maior glória o ministério do Espírito?
**9** Se o ministério da condenação foi glorioso, muito mais excederá em glória o ministério da justiça.
**10** Pois o que foi glorioso não o é em comparação com a glória insuperável.
**11** E se o que desvanecia teve sua glória, muito mais glória tem o que permanece.
**12** Portanto, tendo tal esperança, usamos de muita ousadia no falar.
**13** E não somos como Moisés, que punha um véu sobre a sua face para que os filhos de Israel não contemplassem o fim daquilo que desvanecia.
**14** De fato, seus sentidos foram endurecidos, pois até hoje, à leitura da antiga aliança, permanece o mesmo véu. Não foi removido, porque somente em Cristo é ele abolido.
**15** E até hoje, quando é lido Moisés, o véu está posto sobre o coração deles.
**16** Quando, porém, um deles se converte ao Senhor, então o véu é-lhe retirado.
**17** Ora, o Senhor é o Espírito, e onde está o Espírito do Senhor aí há liberdade.
**18** E todos nós, com o rosto descoberto, refletindo a glória do Senhor, somos transformados de glória em glória na mesma imagem, como pelo Espírito do Senhor.

### Tesouros em vasos de barro

**4** Pelo que, tendo este ministério, segundo a misericórdia que nos foi feita, não desfalecemos.
**2** Pelo contrário, rejeitamos as coisas secretas por vergonha; não agimos com engano, não falsificamos a palavra de Deus. Antes, recomendamo-nos à consciência de todos os homens, na presença de Deus, pela manifestação da verdade.
**3** Se, porém, o nosso evangelho ainda está encoberto, para os que se perdem está encoberto,
**4** nos quais o deus deste século cegou o entendimento dos incrédulos, para que não lhes resplandeça a luz do evangelho da glória de Cristo, que é a imagem de Deus.
**5** Pois não nos pregamos a nós mesmos, mas a Cristo Jesus, o Senhor, e nós mesmos somos vossos servos por amor de Jesus.

6 Pois Deus, que disse: Das trevas resplandecerá a luz, é quem brilhou em nossos corações, para iluminação do conhecimento da glória de Deus, na face de Jesus Cristo.

7 Temos, porém, este tesouro em vasos de barro, para que a excelência do poder seja de Deus, e não de nós.

8 Em tudo somos atribulados, mas não angustiados; perplexos, mas não desanimados;

9 perseguidos, mas não desamparados; abatidos, mas não destruídos;

10 levando sempre por toda parte o morrer do Senhor Jesus no nosso corpo, para que a vida de Jesus se manifeste também em nossos corpos;

11 e assim nós, que vivemos, estamos sempre entregues à morte por amor de Jesus, para que a vida de Jesus se manifeste também em nosso corpo mortal.

12 De maneira que em nós opera a morte, mas em vós, a vida.

13 E temos, portanto, o mesmo espírito de fé, como está escrito: Cri, por isso falei. Também nós cremos, por isso também falamos.

14 Sabendo que aquele que ressuscitou ao Senhor Jesus nos ressuscitará também por Jesus e nos apresentará convosco.

15 Tudo isso é por amor de vós, para que a graça, multiplicada por meio de muitos, torne abundantes as ações de graças para a glória de Deus.

### O desígnio e efeito das aflições

16 Por isso, não desfalecemos. Ainda que o nosso homem exterior se corrompa, o interior, contudo, se renova de dia em dia.

17 Pois a nossa leve e momentânea tribulação produz para nós eterno peso de glória, acima de toda comparação.

18 Portanto, nós não fixamos o olhar nas coisas que se veem, mas nas que não se veem. Pois as que se veem são temporais, e as que não se veem são eternas.

### A esperança do crente

5 Sabemos que, se a nossa casa terrestre deste tabernáculo se desfizer, temos da parte de Deus um edifício, uma casa não feita por mãos humanas, mas eterna, nos céus.

2 E, por isso, também gememos, desejando ser revestidos da nossa habitação, que é do céu;

3 porque, estando vestidos, não seremos achados nus.

4 Pois também nós, os que estamos neste tabernáculo, gememos angustiados, não porque queremos ser despidos, mas revestidos, para que o mortal seja absorvido pela vida.

5 Ora, quem para isso mesmo nos preparou foi Deus, o qual nos deu o penhor do Espírito.

6 Pelo que estamos sempre de bom ânimo, sabendo que, enquanto estamos presentes no corpo, estamos ausentes do Senhor.

7 (Andamos por fé, e não por vista.)

8 Temos, porém, confiança, preferindo deixar este corpo e habitar com o Senhor.

9 Pelo que muito desejamos ser-lhe agradáveis, quer presentes, quer ausentes.

10 Pois todos devemos comparecer perante o tribunal de Cristo, para que cada um receba segundo o que tiver feito por meio do corpo, ou bem ou mal.

## O ministério da reconciliação

11 Assim que, conhecendo o temor do Senhor, tentamos persuadir os homens. O que somos é manifesto a Deus, e espero que nas vossas consciências seja também manifesto.
12 Não nos recomendamos outra vez a vós, mas damo-vos oportunidade de vos gloriardes por nossa causa, para que tenhais que responder aos que se gloriam na aparência, e não no coração.
13 Se enlouquecemos, é para Deus; se conservamos o juízo, é para vós.
14 Pois o amor de Cristo nos constrange, julgando nós isto: um morreu por todos, logo todos morreram.
15 E ele morreu por todos, para que os que vivem não vivam mais para si, mas para aquele que por eles morreu e ressurgiu.
16 Assim que daqui por diante a ninguém conhecemos segundo a carne. Ainda que tenhamos conhecido a Cristo segundo a carne, contudo agora já não o conhecemos deste modo.
17 Portanto, se alguém está em Cristo, nova criatura é; as coisas velhas já passaram, tudo se fez novo.
18 E tudo isso provém de Deus que nos reconciliou consigo mesmo por Jesus Cristo e nos deu o ministério da reconciliação,
19 isto é, Deus estava em Cristo reconciliando consigo o mundo, não imputando aos homens os seus pecados, e nos confiou a mensagem da reconciliação.
20 De sorte que somos embaixadores da parte de Cristo, como se Deus por nós rogasse. Rogamos-vos, da parte de Cristo, que vos reconcilieis com Deus.
21 Aquele que não conheceu pecado, ele o fez pecado por nós, para que nele fôssemos feitos justiça de Deus.

**6** E nós, cooperando com ele, também vos exortamos a que não recebais a graça de Deus em vão.
2 (Pois ele diz:
Ouvi-te em tempo aceitável e socorri-te no dia da salvação.
Digo-te, agora é o tempo aceitável, agora é o dia da salvação.)
3 Não damos nenhum motivo de escândalo em coisa alguma, para que o nosso ministério não seja censurado.

## As dificuldades de Paulo

4 Antes, como ministros de Deus, recomendamo-nos em tudo: na muita paciência, nas aflições, nas necessidades, nas angústias,
5 nos açoites, nas prisões, nos tumultos, nos trabalhos, nas vigílias, nos jejuns,
6 na pureza, no saber, na longanimidade, na benignidade, no Espírito Santo, no amor não fingido,
7 na palavra da verdade, no poder de Deus; pelas armas da justiça à direita e à esquerda,
8 por honra e por desonra, por má fama e por boa fama; como enganadores, porém verdadeiros;
9 como desconhecidos, porém bem conhecidos; como morrendo, porém vivemos; como castigados, porém não mortos;
10 como entristecidos, porém sempre alegres; pobres, mas enriquecendo a muitos; nada tendo, mas possuindo tudo.

## Exortação à santidade

11 Ó coríntios, a nossa boca está aberta para vós, o nosso coração está aberto.

12 Não estamos retirando o nosso afeto de vós, mas vós estais retirando o vosso afeto de nós.
13 Ora, em recompensa disto (falo como a filhos), abri também o vosso coração.
14 Não vos prendais a um jugo desigual com os infiéis. Pois que sociedade tem a justiça com a injustiça? E que comunhão tem a luz com as trevas?
15 E que harmonia há entre Cristo e Belial? Ou que parte tem o fiel com o infiel?
16 E que acordo tem o templo de Deus com os ídolos? Pois vós sois santuário do Deus vivente, como Deus disse: Neles habitarei e entre eles andarei; e eu serei o seu Deus, e eles serão o meu povo.
17 Pelo que saí do meio deles,
    apartai-vos,
    diz o Senhor.
Não toqueis nada imundo,
    e eu vos receberei.
18 Eu serei para vós Pai, e vós sereis para mim filhos e filhas, diz o Senhor Todo-poderoso.

**7** Ora, amados, visto que temos tais promessas, purifiquemo-nos de toda a impureza tanto da carne como do espírito, aperfeiçoando a nossa santificação no temor de Deus.

### A alegria de Paulo

2 Recebei-nos em vosso coração. A ninguém prejudicamos, a ninguém corrompemos, a ninguém exploramos.
3 Não digo isso para vossa condenação; já antes tinha dito que estais em nosso coração para juntos morrermos e vivermos.
4 Grande é a ousadia da minha fala para convosco, e grande o meu orgulho a respeito de vós; estou cheio de consolação, transbordo de alegria em todas as nossas tribulações.
5 Pois mesmo quando chegamos à Macedônia, o nosso corpo não teve descanso algum, mas em tudo fomos atribulados: por fora combates; por dentro, temores.
6 Deus, porém, que consola os abatidos, consolou-nos com a vinda de Tito,
7 e não somente com a vinda dele, mas também pela consolação com que foi consolado de vós, contando-nos as vossas saudades, o vosso choro, o vosso zelo por mim, de maneira que muito me regozijei.
8 Ainda que vos tenha entristecido com a minha carta, não me arrependo, embora já me tivesse arrependido por ver que aquela carta vos entristeceu, ainda que por pouco tempo.
9 Agora, porém, me alegro, não porque fostes entristecidos, mas porque fostes entristecidos para o arrependimento. Pois fostes entristecidos segundo Deus, de maneira que por nós não fostes prejudicados em coisa alguma.
10 A tristeza segundo Deus opera arrependimento para a salvação, o qual não traz pesar, mas a tristeza do mundo opera a morte.
11 Quanto cuidado não produziu isto mesmo em vós, que segundo Deus fostes entristecidos! Que defesa, que indignação, que temor, que saudades, que zelo, que vingança! Em tudo provastes estar inocentes nesse assunto.
12 Portanto, ainda que vos tenha escrito, não foi por causa do que cometeu o erro, nem por causa do que sofreu o agravo, mas

para que o vosso grande cuidado por nós fosse manifesto diante de Deus.
13 Por isso, fomos consolados pela vossa consolação, e muito mais nos alegramos pela alegria de Tito, porque o seu espírito recebeu alívio por todos vós.
14 Se nalguma coisa me gloriei de vós para com ele, não fiquei envergonhado. Pelo contrário, como em tudo vos falamos com verdade, também a nossa glória para com Tito se achou verdadeira.
15 E o seu afeto para convosco é mais abundante, lembrando-se da obediência de todos vós, e de como o recebestes com temor e tremor.
16 Regozijo-me de em tudo poder confiar em vós.

### A coleta para os cristãos pobres da Judeia

8 E agora, irmãos, vos fazemos conhecer a graça de Deus dada às igrejas da Macedônia.
2 Em muita prova de tribulação houve abundância do seu gozo, e a sua profunda pobreza transbordou em riquezas da sua generosidade.
3 Pois segundo as suas posses (o que eu mesmo testifico), e ainda acima delas, deram voluntariamente.
4 Pedindo-nos com muitos rogos o privilégio de participarem deste serviço, que se fazia para com os santos.
5 E não somente fizeram como nós esperávamos, mas a si mesmos se deram primeiro ao Senhor e depois a nós, pela vontade de Deus.
6 De maneira que exortamos Tito que, como começou, assim também acabe esta graça entre vós.
7 Portanto, assim como em tudo tendes abundância: em fé, em palavra, em conhecimento, em todo o zelo e no vosso amor para conosco, assim também sobressaí nesta graça.
8 Não digo isto como quem manda, mas para provar, pelo zelo dos outros, a sinceridade do vosso amor.
9 Pois já conheceis a graça de nosso Senhor Jesus Cristo, que, sendo rico, por amor de vós se fez pobre, para que pela sua pobreza vos tornásseis ricos.
10 E aqui dou o meu parecer sobre o que vos convém: No ano passado, fostes os primeiros não só a dar, mas também a querer dar.
11 Agora, porém, completai a obra, para que, assim como houve a prontidão de vontade, haja também o cumprimento, segundo o que tendes.
12 Pois se há prontidão de vontade, será aceita segundo o que qualquer tem, e não segundo o que não tem.
13 Não digo isso para que os outros tenham alívio, e vós aperto,
14 mas para igualdade. Neste tempo presente, a vossa abundância supra a falta dos outros, para que também a sua abundância supra a vossa falta, e haja igualdade,
15 como está escrito: O que muito colheu não teve demais, e nada faltou ao que pouco colheu.
16 Dou graças a Deus, que pôs a mesma solicitude por vós no coração de Tito.
17 Pois ele aceitou a nossa exortação. E mais ainda, sendo muito zeloso, partiu voluntariamente para vós.
18 E com ele enviamos o irmão cujo louvor no evangelho está espalhado por todas as igrejas.

19 E não só isso, mas foi também escolhido pelas igrejas para ser nosso companheiro de viagem, no desempenho desta graça que por nós é ministrada para glória do Senhor e para provar a nossa boa vontade.
20 Queremos evitar que alguém nos censure por esta abundância, que por nós é ministrada.
21 Pois zelamos pelo que é honesto, não só diante do Senhor, mas também diante dos homens.
22 Com eles enviamos outro nosso irmão, o qual muitas vezes, e em muitas coisas, já experimentamos ser zeloso, e agora muito mais zeloso ainda pela muita confiança que em vós tem.
23 Quanto a Tito, é meu companheiro e cooperador para convosco; quanto a nossos irmãos, são embaixadores das igrejas e glória de Cristo.
24 Portanto, mostrai para com eles, perante as igrejas, a prova do vosso amor e da nossa glória a vosso respeito.

## Incentivos para a coleta

9 Ora, quanto à assistência que se faz a favor dos santos, não necessito escrever-vos.
2 Pois bem sei a vossa prontidão, pela qual me orgulho de vós para com os macedônios, dizendo-lhes que a Acaia está pronta desde o ano passado, e o vosso zelo tem estimulado a muitos.
3 Contudo, enviei estes irmãos para que a nossa glória a vosso respeito não seja vã nesta *parte, mas para que (como* já disse) possais estar prontos.
4 Pois se acaso os macedônios vierem comigo e vos acharem despreparados, nós nos envergonharemos (para não dizermos vós) deste firme fundamento de glória.
5 Portanto, julguei necessário exortar a estes irmãos, para que primeiro fossem ter convosco e preparassem antecipadamente a vossa contribuição, já antes anunciada, para que esteja pronta como expressão de generosidade, e não de avareza.
6 E digo isto: Que o que semeia pouco, pouco também ceifará, e o que semeia com fartura, com fartura também ceifará.
7 Cada um contribua segundo propôs no seu coração, não com tristeza ou por necessidade, pois Deus ama ao que dá com alegria.
8 E Deus é poderoso para fazer abundar em vós toda a graça, a fim de que tendo sempre, em tudo, toda a suficiência, abundeis em toda boa obra.
9 Conforme está escrito:
Espalhou, deu aos pobres;
a sua justiça permanece
para sempre.
10 Ora, aquele que dá a semente ao que semeia e pão para o alimento, também multiplicará a vossa sementeira e aumentará os frutos da vossa justiça.
11 Em tudo sereis enriquecidos para toda a generosidade, a qual faz que por nós se deem graças a Deus.
12 A ministração deste serviço não só supre as necessidades dos santos, mas também transborda em muitas graças, que se *dão a Deus.*
13 Visto que esta ministração prova que sois obedientes e seguis o evangelho de Cristo, eles louvarão a Deus. E também louvarão a Deus pela liberalidade das

vossas contribuições para com eles e para com todos.

14 E orarão com grande afeto por vós, por causa da excelente graça que Deus vos deu.

15 Graças a Deus pelo seu dom indescritível!

### Paulo defende a sua autoridade apostólica

**10** Ora, eu mesmo, Paulo, rogo-vos pela mansidão e benignidade de Cristo, eu que, na verdade, quando presente entre vós, sou humilde, mas quando ausente, ousado!

2 Rogo-vos que, quando estiver presente, não me veja obrigado a usar com confiança da ousadia que espero ter com alguns que nos julgam, como se andássemos segundo a carne.

3 Pois embora andando na carne, não militamos segundo a carne.

4 As armas da nossa milícia não são carnais, mas sim poderosas em Deus, para destruição das fortalezas.

5 Derrubamos raciocínios e toda altivez que se levante contra o conhecimento de Deus, e levamos cativo todo pensamento à obediência de Cristo.

6 E estaremos prontos para punir toda desobediência, quando for cumprida a vossa obediência.

7 Olhais para as coisas segundo a aparência. Se alguém confia de si mesmo que é de Cristo, pense outra vez isto consigo, que, assim como ele é de Cristo, também nós de Cristo somos.

8 Pois ainda que eu me glorie um pouco mais a respeito da nossa autoridade, a qual o Senhor nos deu para edificação, e não para a vossa destruição, não me envergonharei,

9 para que não pareça como se quisera intimidar-vos por cartas.

10 Pois as suas cartas, dizem, são graves e fortes, mas a presença pessoal é fraca, e a palavra desprezível.

11 Saiba o tal que, quais somos no falar por cartas, estando ausentes, tais seremos no fazer, estando presentes.

12 Não ousamos classificar-nos ou comparar-nos com alguns, que se louvam a si mesmos. Mas estes que se medem a si mesmos e se comparam consigo mesmos estão sem entendimento.

13 Nós, porém, não nos gloriaremos além da medida, mas conforme a reta medida que Deus nos deu, para chegarmos até vós.

14 Não nos estendemos além do que convém, como se não houvéssemos de chegar até vós, pois já chegamos também até vós no evangelho de Cristo.

15 Nem nos gloriando além da medida nos trabalhos alheios. Temos esperança de que, crescendo a vossa fé, seremos abundantemente engrandecidos entre vós, conforme a nossa medida,

16 para anunciar o evangelho nos lugares que estão além de vós, e não em campo de outrem, a fim de não nos gloriarmos no que já estava preparado.

17 Aquele, porém, que se gloria, glorie-se no Senhor.

18 Pois não é aprovado quem a si mesmo se louva, mas sim aquele a quem o Senhor louva.

### Paulo e os falsos apóstolos

**11** Quem dera me suportásseis um pouco na minha insensatez! Sim, suportai-me ainda.

2 Estou zeloso de vós com zelo de Deus. Tenho-vos preparado para

vos apresentar como uma virgem pura a um marido, a saber, a Cristo.

3 Temo, porém, que assim como a serpente enganou Eva com a sua astúcia, assim também sejam de alguma sorte corrompida a vossa mente, e se apartem da simplicidade que há em Cristo.

4 Pois se alguém for pregar-vos outro Jesus que nós não temos pregado, ou se recebeis outro espírito que não recebestes, ou outro evangelho que não abraçastes, de boa mente o suportais.

5 Penso, porém, que em nada fui inferior aos mais excelentes apóstolos.

6 E, se sou rude na palavra, não o sou, contudo, no conhecimento. Já em tudo temos provado isso totalmente entre vós.

7 Pequei, humilhando-me, para que vós fôsseis exaltados, visto que de graça vos anunciei o evangelho de Deus?

8 Despojei outras igrejas para vos servir, recebendo delas salário. E, quando estava presente convosco, se tinha necessidade, a ninguém fui pesado.

9 Pois os irmãos que vieram da Macedônia supriram a minha necessidade. Em tudo me guardei de vos ser pesado e ainda me guardarei.

10 Como a verdade de Cristo está em mim, esta glória não me será tirada nas regiões da Acaia.

11 Por quê? Por que não vos amo? Deus o sabe.

12 O que faço, porém, isso farei, para não dar oportunidade aos que a buscam a fim de que, naquilo em *que se gloria*m, sejam *ach*ados assim como nós.

13 Pois os tais são falsos apóstolos, obreiros enganosos, fingindo-se apóstolos de Cristo.

14 E não é de admirar, pois o próprio Satanás se transforma em anjo de luz.

15 Não é muito, pois, que os seus ministros se transformem em ministros da justiça. O fim deles será conforme as suas obras.

## Os sofrimentos de Paulo por amor ao evangelho

16 Outra vez digo, ninguém me julgue insensato, ou então recebei-me como insensato, para que também me glorie um pouco.

17 O que digo, não o digo segundo o Senhor, mas como por loucura, nesta confiança de gloriar-me.

18 Posto que muitos se gloriam segundo a carne, eu também me gloriarei.

19 Sendo vós sensatos, de boa mente tolerais os insensatos.

20 Com efeito, suportais até aquele que vos escraviza ou vos devora ou vos engana ou vos trata com desprezo ou vos fere no rosto.

21 Envergonhado o digo, como se nós fôssemos fracos, mas no que qualquer tem ousadia (com insensatez falo) também eu tenho ousadia.

22 São hebreus? Também eu. São israelitas? Também eu. São descendência de Abraão? Também eu.

23 São ministros de Cristo? Eu ainda mais (falo como fora de mim). Em trabalhos, muito mais; em açoites, mais do que eles; em prisões, muito mais; em perigo de morte muitas vezes.

24 Cinco vezes recebi dos judeus *uma* quarentena de açoites menos um.

25 Três vezes fui açoitado com varas, uma vez fui apedrejado, três vezes sofri naufrágio, uma noite e um dia passei no abismo;

26 em viagens muitas vezes, em perigos de rios, em perigos de assaltantes, em perigos entre patrícios, em perigos dos gentios, em perigos na cidade, em perigos no deserto, em perigos no mar, em perigos entre os falsos irmãos;
27 em trabalhos e fadiga, em vigílias muitas vezes, em fome e sede, em jejum muitas vezes, em frio e nudez.
28 Além das coisas exteriores, há o que diariamente pesa sobre mim, o cuidado de todas as igrejas.
29 Quem enfraquece, que também eu não enfraqueça? Quem se escandaliza, que eu não me queime por dentro?
30 Se é preciso gloriar-me, que seja no que diz respeito à minha fraqueza.
31 O Deus e Pai de nosso Senhor Jesus Cristo, que é eternamente bendito, sabe que não minto.
32 Em Damasco, o que governava sob o rei Aretas pôs guardas às portas da cidade dos damascenos, para me prenderem.
33 Mas por uma janela da muralha desceram-me num grande cesto, e assim escapei das suas mãos.

### A visão e o espinho na carne

**12** É necessário gloriar-me. Embora isso não adiante nada, passarei às visões e revelações do Senhor.
2 Conheço um homem em Cristo que há catorze anos foi arrebatado até o terceiro céu. Se no corpo não sei, se fora do corpo não sei, Deus o sabe.
3 E sei que o tal homem — se no corpo, se fora do corpo, não sei, Deus o sabe —,
4 foi arrebatado ao paraíso e ouviu palavras indizíveis, as quais não é lícito ao homem falar.
5 De um assim me gloriarei, mas de mim mesmo não me gloriarei, senão nas minhas fraquezas.
6 Ainda que me gloriasse, não seria insensato, porque estaria dizendo a verdade. Mas abstenho-me, para que ninguém pense de mim mais do que em mim vê ou de mim ouve.
7 E, para que não me exaltasse pelas excelências das revelações, foi-me dado um espinho na carne, a saber, um mensageiro de Satanás para me esbofetear, a fim de não me exaltar.
8 Três vezes orei ao Senhor para que o afastasse de mim.
9 Ele, porém, me disse: A minha graça te basta, pois o meu poder se aperfeiçoa na fraqueza. Portanto, de boa vontade me gloriarei nas minhas fraquezas, para que em mim habite o poder de Cristo.
10 Pelo que sinto prazer nas fraquezas, nas injúrias, nas necessidades, nas perseguições, nas angústias, por amor de Cristo. Pois quando estou fraco, então é que sou forte.

### O interesse de Paulo pelos coríntios

11 Fui insensato em gloriar-me, mas vós me constrangestes. Eu devia ser louvado por vós, visto que em nada fui inferior a esses tais apóstolos, ainda que nada sou.
12 Os sinais do meu apostolado foram manifestados entre vós com toda a paciência, por sinais, prodígios e milagres.
13 Em que tendes vós sido inferiores às outras igrejas, a não ser que eu mesmo não vos fui pesado? Perdoai-me esta injustiça.
14 Agora estou pronto para ir visitar-vos pela terceira vez, e não vos serei pesado, porque não

busco o que é vosso, mas sim a vós. Afinal de contas, não devem os filhos entesourar para os pais, mas os pais para os filhos.

**15** Eu de muito boa vontade gastarei e me deixarei gastar pela vossa alma, ainda que, amando-vos cada vez mais, seja menos amado.

**16** Seja, porém, como for, eu não vos fui pesado. Contudo, sendo astuto, vos prendi com fraude!

**17** Aproveitei-me de vós por intermédio de algum daqueles que vos enviei?

**18** Roguei a Tito e enviei com ele um irmão. Aproveitou-se Tito de vós? Acaso não andamos no mesmo espírito? Não seguimos as mesmas pisadas?

**19** Pensais que nos estamos desculpando convosco? Falamos em Cristo perante Deus, e tudo isso, ó amados, para a vossa edificação.

**20** Pois receio que, quando chegar, não vos ache como eu vos quero, e eu seja achado de vós como não me quereis: que de alguma maneira haja contendas, invejas, iras, porfias, detrações, mexericos, orgulhos, tumultos.

**21** Receio que, quando for outra vez, o meu Deus me humilhe no meio de vós, e eu chore por muitos daqueles que antes pecaram e não se arrependeram da impureza, da prostituição e da libertinagem que praticaram.

### Advertências e saudações finais

**13** É esta a terceira visita que vos faço. Por boca de duas ou três testemunhas será confirmada toda *palavra*.

**2** Já anteriormente o disse, e segunda vez o digo, como quando estava presente. Agora, estando ausente, o digo aos que antes pecaram e a todos os mais que, se outra vez for, não os pouparei,

**3** visto que buscais uma prova de que Cristo fala em mim, o qual não é fraco para convosco, antes poderoso entre vós.

**4** Ainda que tenha sido crucificado por fraqueza, contudo vive pelo poder de Deus. Nós também somos fracos nele, mas viveremos com ele pelo poder de Deus em vós.

**5** Examinai-vos a vós mesmos se permaneceis na fé; provai-vos a vós mesmos. Ou não sabeis quanto a vós mesmos que Jesus Cristo está em vós? Se não é que já estais reprovados.

**6** Espero, porém, que entendereis que nós não somos reprovados.

**7** Ora, rogamos a Deus que não façais mal algum, não para que sejamos achados aprovados, mas para que vós façais o bem, embora nós sejamos como reprovados.

**8** Pois nada podemos contra a verdade, senão em favor da verdade.

**9** Regozijamo-nos de estar fracos, quando vós estais fortes; e nossa oração é para o vosso aperfeiçoamento.

**10** Portanto, escrevo estas coisas estando ausente, para que, estando presente, não use de rigor, segundo o poder que o Senhor me deu para edificação, e não para destruição.

**11** Quanto ao mais, irmãos, adeus. Regozijai-vos, sede perfeitos, sede consolados, sede de um mesmo parecer, vivei em paz. E o Deus de amor e de paz será convosco.

**12** Saudai-vos uns aos outros *com ósculo santo*. Todos os santos vos saúdam.

**13** A graça do Senhor Jesus Cristo, o amor de Deus e a comunhão do Espírito Santo sejam com todos vós.

# GÁLATAS

## Prefácio e saudação

**1** Paulo, apóstolo (não da parte de homens nem por homem algum, mas por Jesus Cristo e por Deus Pai, que o ressuscitou dentre os mortos),
2 e todos os irmãos que estão comigo, às igrejas da Galácia:
3 Graça e paz a vós outros, da parte de Deus, nosso Pai, e do nosso Senhor Jesus Cristo,
4 o qual se deu a si mesmo por nossos pecados, para nos livrar do presente século mau, segundo a vontade de Deus, nosso Pai,
5 a quem seja glória para todo o sempre. Amém.

## A inconstância dos gálatas

6 Admira-me que tão depressa estejais passando, daquele que vos chamou na graça de Cristo, para outro evangelho,
7 o qual não é outro evangelho. Mas há alguns que vos inquietam, querendo perverter o evangelho de Cristo.
8 Mas, ainda que nós mesmos ou um anjo do céu vos anuncie outro evangelho além do que já vos anunciamos, seja amaldiçoado.
9 Assim como já o dissemos, agora de novo também o digo: Se alguém vos anunciar outro evangelho além do que já recebestes, seja amaldiçoado.
10 Persuado eu agora a homens ou a Deus? Ou procuro agradar a homens? Se estivesse ainda agradando aos homens, não seria servo de Cristo.
11 Faço-vos, porém, saber, irmãos, que o evangelho que por mim foi anunciado não é segundo os homens.
12 Não o recebi de homem algum nem o aprendi, mas eu o recebi pela revelação de Jesus Cristo.
13 Pois já ouvistes qual foi antigamente a minha conduta no judaísmo, como sobremaneira perseguia a igreja de Deus e a assolava.
14 E na minha nação excedia em judaísmo a muitos da minha idade, sendo extremamente zeloso das tradições de meus pais.
15 Quando, porém, aprouve a Deus, que desde o ventre de minha mãe me separou e me chamou pela sua graça,
16 revelar seu Filho em mim, para que o pregasse entre os gentios, não consultei pessoa alguma,
17 tampouco subi a Jerusalém para estar com os que já antes de mim eram apóstolos, mas parti para a Arábia e voltei outra vez a Damasco.
18 Depois, passados três anos, subi a Jerusalém para ver Pedro e fiquei com ele quinze dias.
19 E não vi nenhum outro dos apóstolos, senão Tiago, irmão do Senhor.
20 Ora, acerca do que vos escrevo, diante de Deus testifico que não minto.
21 Depois, fui para as regiões da Síria e da Cilícia.
22 Eu não era conhecido de vista das igrejas de Cristo na Judeia.
23 Somente tinham ouvido dizer: Aquele que antes nos perseguia, agora anuncia a fé que outrora procurava destruir.

24 E glorificavam a Deus a meu respeito.

**2** Depois, passados catorze anos, subi outra vez a Jerusalém com Barnabé, levando também comigo a Tito.

2 E subi por causa de uma revelação, e lhes expus o evangelho que prego entre os gentios. Mas particularmente aos que pareciam ter maior destaque, para que de maneira alguma não corresse, ou não tivesse corrido em vão.

3 Mas nem mesmo Tito, que estava comigo, sendo grego, foi constrangido a circuncidar-se.

4 E isso por causa dos falsos irmãos que se infiltraram em nosso meio com o fim de espionar a liberdade que temos em Cristo Jesus, para reduzir-nos à escravidão.

5 Não nos submetemos a eles nem ainda por uma hora, para que a verdade do evangelho permanecesse entre vós.

6 E, quanto àqueles que pareciam ser influentes (quais tenham sido noutro tempo, não importa; Deus não aceita a aparência do homem), esses, digo, que pareciam ser influentes, nada me acrescentaram.

7 Pelo contrário, viram que o evangelho da incircuncisão me fora confiado, como a Pedro o da circuncisão.

8 Pois Deus, que operou eficazmente em Pedro para o apostolado da circuncisão, operou também em mim com eficácia para com os gentios.

9 Quando *conheceram a graça* que me fora dada, Tiago, Cefas e João, que eram considerados as colunas, estenderam-nos a mão direita em sinal de comunhão, a mim e a Barnabé, para que nós fôssemos aos gentios e eles fossem à circuncisão.

10 Recomendaram-nos somente que nos lembrássemos dos pobres, o que também procurei fazer com diligência.

11 E, chegando Pedro a Antioquia, enfrentei-o cara a cara, porque sua atitude era condenável.

12 Porque, antes que alguns tivessem chegado da parte de Tiago, ele comia com os gentios. Mas, depois que chegaram, foi-se retirando e se apartou deles, temendo os que eram da circuncisão.

13 E os outros judeus também foram hipócritas, de maneira que até Barnabé se deixou levar pela sua dissimulação.

14 Quando, porém, vi que não andavam corretamente conforme a verdade do evangelho, disse a Pedro, na presença de todos: Se tu, sendo judeu, vives como os gentios, e não como judeu, por que obrigas os gentios a viverem como judeus?

15 Nós, que somos judeus por natureza, e não pecadores dentre os gentios,

16 sabemos que o homem não é justificado pelas obras da Lei, mas pela fé em Jesus Cristo, também temos crido em Jesus Cristo para sermos justificados pela fé em Cristo, e não pelas obras da Lei, porque pelas obras da Lei ninguém será justificado.

17 Se nós, que procuramos ser justificados em Cristo, fomos nós mesmos também achados pecadores, é Cristo ministro do pecado? De maneira nenhuma.

18 Se torno a edificar aquilo que destruí, constituo-me a mim mesmo transgressor.

19 Pois eu pela Lei estou morto para a Lei, a fim de viver para Deus.

**20** Estou crucificado com Cristo, e já não vivo eu, mas Cristo vive em mim. A vida que agora vivo no corpo, vivo-a na fé do Filho de Deus, que me amou e a si mesmo se entregou por mim.
**21** Não anulo a graça de Deus, pois, se a justiça provém da Lei, segue-se que Cristo morreu em vão.

### Fé ou cumprimento da Lei

**3** Ó insensatos gálatas! quem vos enfeitiçou? Não foi diante dos vossos olhos que foi exposto Jesus Cristo crucificado?
**2** Só quisera saber isto de vós: recebestes o Espírito pelas obras da Lei ou pela pregação da fé?
**3** Sois vós tão insensatos que, tendo começado pelo Espírito, acabeis agora pela carne?
**4** Será em vão que tenhais padecido tanto? Se é que isso também foi em vão.
**5** Aquele que vos dá o Espírito e que opera milagres entre vós, acaso o faz pelas obras da Lei ou pela pregação da fé?
**6** Assim como Abraão creu em Deus e isso lhe foi imputado como justiça,
**7** sabei, pois, que os da fé é que são filhos de Abraão.
**8** Ora, tendo a Escritura previsto que Deus havia de justificar pela fé os gentios, anunciou primeiro o evangelho a Abraão, dizendo: Em ti serão benditas todas as nações.
**9** De sorte que os que são da fé são benditos com o crente Abraão.
**10** Todos aqueles que são das obras da Lei estão debaixo da maldição, pois está escrito: Maldito todo aquele que não permanecer em todas as coisas que estão escritas no livro da Lei, para praticá-las.
**11** É evidente que pela Lei ninguém será justificado diante de Deus, porque o justo viverá pela fé.
**12** Ora, a Lei não é baseada na fé, mas: O que fizer essas coisas, por elas viverá.
**13** Cristo nos resgatou da maldição da Lei, fazendo-se maldição por nós, pois está escrito: Maldito todo aquele que for pendurado no madeiro.
**14** Ele nos resgatou para que a bênção de Abraão chegasse aos gentios por Jesus Cristo, e para que pela fé nós recebêssemos a promessa do Espírito.
**15** Irmãos, falo como homem. Se o testamento de um homem for confirmado, ninguém o anula nem lhe acrescenta alguma coisa.
**16** Ora, as promessas foram feitas a Abraão e a seu descendente. A Escritura não diz: E aos seus descendentes, como falando de muitos, mas: Ao seu descendente, dando a entender que se refere a um só, que é Cristo.
**17** Digo, porém, isto: Que tendo sido o testamento anteriormente confirmado por Deus, a Lei, que veio quatrocentos e trinta anos depois, não o invalida, de forma que venha a invalidar a promessa.
**18** Pois, se a herança provém da Lei, já não depende da promessa, mas Deus pela promessa a deu gratuitamente a Abraão.
**19** Logo, qual a razão de ser da Lei? Foi acrescentada por causa das transgressões, até que viesse o descendente a quem a promessa tinha sido feita. E foi ordenada por intermédio de anjos, pela mão de um mediador.
**20** Ora, o mediador não representa um só; mas Deus é um.

21 Logo, a Lei é contra as promessas de Deus? De modo nenhum. Pois, se fosse dada uma lei que pudesse vivificar, a justiça, na verdade, teria sido pela lei.
22 A Escritura, porém, encerrou tudo debaixo do pecado, para que a promessa pela fé em Jesus Cristo fosse dada aos que creem.
23 Antes, porém, que a fé viesse, estávamos sob custódia da Lei, encerrados para aquela fé que se havia de manifestar.
24 De maneira que a Lei nos serviu de tutor, para nos conduzir a Cristo, a fim de que pela fé fôssemos justificados.
25 Depois, porém, que a fé veio, já não estamos sob o controle do tutor.

### Filhos de Deus

26 Todos vós sois filhos de Deus pela fé em Cristo Jesus,
27 pois todos vós que fostes batizados em Cristo, vos revestistes de Cristo.
28 Dessa forma não há judeu nem grego, não há servo nem livre, não há macho nem fêmea, pois todos vós sois um em Cristo Jesus.
29 E, se sois de Cristo, então sois descendentes de Abraão e herdeiros conforme a promessa.

### O evangelho isenta-nos da Lei

**4** Digo que todo o tempo que o herdeiro é menino em nada difere do escravo, ainda que seja senhor de tudo.
2 Ele está debaixo de tutores e administradores até o tempo *determinado pelo pai*.
3 Assim também nós, quando éramos meninos, estávamos reduzidos à servidão, debaixo dos rudimentos do mundo.
4 Vindo, porém, a plenitude dos tempos, Deus enviou seu Filho, nascido de mulher, nascido sob a Lei,
5 para resgatar os que estavam debaixo da Lei, a fim de recebermos a adoção de filhos.
6 Porque sois filhos, Deus enviou ao nosso coração o Espírito de seu Filho, que clama: Aba, Pai.
7 Assim que já não és mais escravo, mas filho; e, se és filho, és também feito herdeiro por Deus.
8 Antes, porém, quando não conhecíeis a Deus, servíeis aos que por natureza não são deuses.
9 Agora, no entanto, conhecendo a Deus, ou antes, sendo conhecidos por Deus, como tornais outra vez a esses rudimentos fracos e pobres, aos quais de novo quereis servir?
10 Guardais dias, e meses, e tempos, e anos.
11 Receio por vós, que de algum modo eu tenha trabalhado em vão para convosco.
12 Irmãos, rogo-vos que sejais como eu, pois também eu sou como vós. Em nada me ofendestes.
13 E vós sabeis que primeiro vos anunciei o evangelho estando em fraqueza da carne.
14 Embora minha enfermidade na carne vos fosse uma tentação, não me rejeitastes nem me desprezastes; antes me recebestes como a um anjo de Deus, como ao próprio Cristo Jesus.
15 Qual é, logo, a vossa alegria? Dou-vos testemunho de que, se possível fora, teríeis arrancado os vossos olhos e os teríeis dado a mim.
16 Fiz-me, acaso, vosso inimigo, dizendo a verdade?
17 Os que tanto se esforçam para vos agradar não o fazem com

sinceridade, mas querem afastar-vos de mim, para que vós tenhais zelo por eles.
**18** É bom ser zeloso, mas sempre do bem, e não somente quando estou presente convosco.
**19** Meus filhinhos, por quem de novo sinto as dores de parto, até que Cristo seja formado em vós,
**20** eu bem quisera agora estar presente convosco e mudar o tom da minha voz, porque estou perplexo a vosso respeito.

### Sara e Hagar

**21** Dizei-me, os que quereis estar debaixo da Lei, não ouvis vós a Lei?
**22** Pois está escrito que Abraão teve dois filhos, um da escrava e outro da livre.
**23** Todavia, o que era da escrava nasceu segundo a carne, mas, o que era da livre, por promessa.
**24** O que deve ser entendido como ilustração, pois estas mulheres são as duas alianças. Uma aliança é do monte Sinai, gerando filhos para a escravidão, que é Hagar.
**25** Ora, esta Hagar é Sinai, um monte da Arábia, que corresponde à Jerusalém atual, porque é escrava com seus filhos.
**26** A Jerusalém que é de cima, porém, é livre, a qual é mãe de todos nós.
**27** Pois está escrito:
Alegra-te, estéril,
que não dás à luz;
esforça-te e clama,
tu que não estás de parto;
porque os filhos da
abandonada
são mais do que os da que
tem marido.
**28** Ora, vós, irmãos, sois filhos da promessa, como Isaque.
**29** Mas, como então o que nasceu segundo a carne perseguia ao que nasceu segundo o Espírito, assim é também agora.
**30** Que diz a Escritura? Lança fora a escrava e seu filho, pois de modo algum o filho da escrava herdará com o filho da livre.
**31** De maneira que, irmãos, somos filhos não da escrava, mas da livre.

### A liberdade em Cristo

**5** Cristo nos libertou para que sejamos de fato livres. Estai, pois, firmes e não torneis a colocar-vos debaixo do jugo da escravidão.
**2** Escutai! Eu, Paulo, vos digo que, se vos deixardes circuncidar, Cristo de nada vos aproveitará.
**3** De novo testifico a todo homem que se deixa circuncidar, que está obrigado a guardar toda a Lei.
**4** Separados estais de Cristo, vós os que vos justificais pela Lei; da graça tendes caído.
**5** Nós, porém, pela fé, aguardamos mediante o Espírito a justiça pela qual esperamos.
**6** Pois em Cristo Jesus nem a circuncisão nem a incircuncisão tem valor algum. O que importa é a fé que opera pelo amor.
**7** Corríeis bem. Quem vos impediu de obedecer à verdade?
**8** Esta persuasão não vem daquele que vos chamou.
**9** Um pouco de fermento leveda toda a massa.
**10** Confio de vós, no Senhor, que não haveis de pensar de nenhum outro modo. Mas aquele que vos inquieta, seja ele quem for, sofrerá a condenação.
**11** Eu, porém, irmãos, se ainda prego a circuncisão, por que é que

sou perseguido? Logo o escândalo da cruz está desfeito.
12 Quanto aos que vos andam inquietando, quem dera se mutilassem.
13 Vós, irmãos, fostes chamados à liberdade. Não useis, porém, a liberdade para dar ocasião à carne; mas servi-vos uns aos outros pelo amor.
14 Toda a Lei se cumpre numa só palavra, a saber: Amarás o teu próximo como a ti mesmo.
15 Se vós, porém, vos mordeis e devorais uns aos outros, vede que não vos consumais também uns aos outros.

### A vida pelo Espírito

16 Digo, porém: Andai no Espírito e não satisfareis os desejos da carne.
17 Pois a carne deseja o que é contrário ao Espírito, e o Espírito o que é contrário à carne. Estes opõem-se um ao outro, para que não façais o que quereis.
18 Se, porém, sois guiados pelo Espírito, não estais debaixo da Lei.
19 As obras da carne são conhecidas, as quais são: prostituição, impureza, libertinagem,
20 idolatria, feitiçarias, inimizades, porfias, ciúmes, iras, pelejas, dissensões, facções,
21 invejas, bebedices, orgias e coisas semelhantes a essas, acerca das quais vos declaro, como já antes vos preveni, que os que cometem tais coisas não herdarão o Reino de Deus.
22 O fruto do Espírito, porém, é: amor, alegria, paz, longanimidade, benignidade, bondade, fidelidade,
23 mansidão, domínio próprio. Contra essas coisas não há lei.
24 E os que são de Cristo Jesus crucificaram a carne com as suas paixões e desejos.
25 Se vivemos no Espírito, andemos também no Espírito.
26 Não nos tornemos convencidos, irritando-nos uns aos outros, invejando-nos uns aos outros.

### Fazer o bem a todos

**6** Irmãos, se alguém for surpreendido nalguma ofensa, vós, que sois espirituais, corrigi o tal com espírito de mansidão. Mas olha por ti mesmo, para que não sejas também tentado.
2 Levai as cargas uns dos outros e assim cumprireis a lei de Cristo.
3 Se alguém pensa ser alguma coisa, não sendo nada, engana-se a si mesmo.
4 Examine cada um a sua própria obra. Então terá motivo de glória só em si mesmo, não em outrem,
5 pois cada qual levará o seu próprio fardo.
6 E o que é instruído na palavra, reparta todas as coisas boas com aquele que o instrui.
7 Não vos enganeis: Deus não se deixa escarnecer. Tudo o que o homem semear, isso também colherá.
8 O que semeia na sua carne, da carne colherá a corrupção; o que semeia no Espírito, do Espírito colherá a vida eterna.
9 E não nos cansemos de fazer o bem, pois a seu tempo colheremos, se não houvermos desfalecido.
10 Então, enquanto temos oportunidade, façamos o bem a todos, mas principalmente aos da família da fé.
11 Vede com que grandes letras vos escrevi de meu próprio punho.

**12** Todos os que querem causar boa impressão, esses vos obrigam a circuncidar-vos, somente para não serem perseguidos por causa da cruz de Cristo. **13** Nem mesmo aqueles que se circuncidam guardam a Lei, mas querem que vos circuncideis, para se gloriarem na vossa carne. **14** Longe, porém, esteja de mim gloriar-me, a não ser na cruz de nosso Senhor Jesus Cristo, pela qual o mundo está crucificado para mim, e eu para o mundo. **15** Em Cristo Jesus nem a circuncisão nem a incircuncisão têm valor algum, mas sim o ser uma nova criatura. **16** E a todos os que andarem conforme esta regra, paz e misericórdia sejam sobre eles e sobre o Israel de Deus. **17** Finalmente, ninguém me perturbe, pois trago no meu corpo as marcas de Jesus. **18** A graça de nosso Senhor Jesus Cristo seja, irmãos, com o vosso espírito. Amém.

# EFÉSIOS

### Prefácio e saudação

**1** Paulo, apóstolo de Cristo Jesus pela vontade de Deus, aos santos que estão em Éfeso e fiéis em Cristo Jesus:
**2** Graça e paz a vós outros, da parte de Deus nosso Pai e do Senhor Jesus Cristo.

### As bênçãos espirituais em Cristo

**3** Bendito seja o Deus e Pai de nosso Senhor Jesus Cristo, o qual nos abençoou com todas as bênçãos espirituais nas regiões celestiais em Cristo.
**4** Pois nos elegeu nele antes da fundação do mundo, para sermos santos e irrepreensíveis diante dele. E em amor
**5** nos predestinou para sermos filhos de adoção por Jesus Cristo, para si mesmo, segundo o bom propósito da sua vontade,
**6** para louvor e glória da sua graça, a qual nos deu gratuitamente no Amado.
**7** Nele temos a redenção pelo seu sangue, a remissão dos pecados, segundo as riquezas da sua graça,
**8** que ele derramou profundamente sobre nós em toda a sabedoria e entendimento.
**9** E desvendou-nos o mistério da sua vontade, segundo o bom propósito que propusera em Cristo,
**10** de fazer convergir em Cristo todas as coisas, na dispensação da plenitude dos tempos, tanto *as que estão nos céus como* as que estão na terra.
**11** Nele, digo, em quem também fomos feitos herança, havendo sido predestinados, conforme o propósito daquele que faz todas as coisas, segundo o conselho da sua vontade,
**12** a fim de sermos para louvor da sua glória, nós, os que primeiro esperamos em Cristo.
**13** É também nele que vós estais, depois que ouvistes a palavra da verdade, o evangelho da vossa salvação. Tendo nele crido, fostes selados com o Espírito Santo da promessa,
**14** que é o penhor da nossa herança, para redenção da propriedade de Deus, em louvor da sua glória.

### Ações de graças e oração

**15** Pelo que, ouvindo eu também falar da fé que entre vós há no Senhor Jesus e do vosso amor para com todos os santos,
**16** não cesso de dar graças a Deus por vós, lembrando-me de vós nas minhas orações.
**17** Peço que o Deus de nosso Senhor Jesus Cristo, o Pai da glória, vos dê em seu conhecimento o espírito de sabedoria e de revelação.
**18** Oro também para que sejam iluminados os olhos do vosso entendimento, para que saibais qual seja a esperança para a qual ele vos chamou, e quais as riquezas da glória da sua herança nos santos,
**19** e qual a suprema grandeza do seu poder para conosco, os que *cremos*, segundo a operação da força do seu poder,
**20** que manifestou em Cristo, ressuscitando-o dentre os mortos e fazendo-o sentar-se à sua direita nos céus,

21 acima de todo principado, autoridade, poder, domínio e de todo nome que se nomeia, não só neste século, mas também no vindouro.
22 Deus sujeitou todas as coisas debaixo dos seus pés e sobre todas as coisas o constituiu cabeça da igreja,
23 que é o seu corpo, a plenitude daquele que enche tudo em todos.

### A salvação pela graça

2 Ele vos vivificou, estando vós mortos nos vossos delitos e pecados,
2 nos quais andastes outrora, segundo o curso deste mundo, segundo o príncipe do poder do ar, do espírito que agora opera nos filhos da desobediência.
3 Entre eles todos nós também antes andávamos nos desejos da nossa carne, fazendo a vontade da carne e dos pensamentos. E éramos por natureza filhos da ira, como também os demais.
4 Deus, porém, que é riquíssimo em misericórdia, pelo seu muito amor com que nos amou,
5 estando nós ainda mortos em nossos delitos, nos vivificou com Cristo (pela graça sois salvos)
6 e nos ressuscitou com ele, fazendo-nos assentar nas regiões celestiais, em Cristo Jesus,
7 para mostrar nos séculos vindouros as abundantes riquezas da sua graça, pela sua benignidade para conosco em Cristo Jesus.
8 Pois é pela graça que sois salvos, por meio da fé; e isso não vem de vós, é dom de Deus;
9 não das obras, para que ninguém se glorie.
10 Pois somos feitura sua, criados em Cristo Jesus para as boas obras, as quais Deus preparou para que andássemos nelas.

### Um em Cristo

11 Portanto, lembrai-vos de que vós outrora éreis gentios por nascimento e chamados incircuncisão pelos que no corpo se chamam circuncisão, feita pela mão dos homens;
12 que naquele tempo estáveis sem Cristo, separados da comunidade de Israel e estranhos às alianças da promessa, sem esperança e sem Deus no mundo.
13 Agora, porém, em Cristo Jesus, vós, que antes estáveis longe, já pelo sangue de Cristo chegastes perto.
14 Pois ele é a nossa paz, o qual de ambos os povos fez um e destruiu a parede de separação, a barreira de inimizade que estava no meio, desfazendo na sua carne
15 a Lei dos mandamentos, que consistia em ordenanças, para criar em si mesmo dos dois um novo homem, fazendo a paz,
16 e pela cruz reconciliar ambos com Deus em um só corpo, matando com ela a inimizade.
17 E, vindo, ele evangelizou a paz a vós que estáveis longe e aos que estavam perto.
18 Pois por ele ambos temos acesso ao Pai em um mesmo Espírito.
19 Assim já não sois estrangeiros nem forasteiros, mas concidadãos dos santos e membros da família de Deus,
20 edificados sobre o fundamento dos apóstolos e dos profetas, sendo o próprio Cristo Jesus a principal pedra angular.
21 Nele todo o edifício bem ajustado cresce para templo santo no Senhor.

22 E nele também vós juntamente sois edificados para morada de Deus no Espírito.

### Paulo, pregador aos gentios

**3** Por esta causa eu, Paulo, sou o prisioneiro de Cristo Jesus por vós, os gentios,
2 se é que tendes ouvido a dispensação da graça de Deus, que para convosco me foi dada,
3 isto é, o mistério que me foi manifestado pela revelação, como acima em poucas palavras vos escrevi.
4 Quando lerdes o que escrevi, podereis perceber a minha compreensão do mistério de Cristo,
5 o qual em outras gerações não foi manifestado aos filhos dos homens, como agora foi revelado pelo Espírito aos seus santos apóstolos e profetas.
6 O mistério é que os gentios são co-herdeiros e membros do mesmo corpo e coparticipantes da promessa em Cristo Jesus pelo evangelho.
7 Fui feito ministro deste evangelho, segundo o dom da graça de Deus, que me foi dado segundo a operação do seu poder.
8 A mim, o menor de todos os santos, me foi dada esta graça de anunciar entre os gentios, por meio do evangelho, as riquezas insondáveis de Cristo
9 e demonstrar a todos qual seja a dispensação do mistério, que desde os séculos esteve oculto em Deus, que a tudo criou.
10 E foi assim para que agora, pela igreja, a multiforme *sabedoria de Deus seja conhecida* dos principados e potestades nas regiões celestiais,
11 segundo o eterno propósito que fez em Cristo Jesus, nosso Senhor,
12 no qual temos ousadia e acesso em confiança, pela nossa fé nele.
13 Portanto, peço-vos que não desfaleçais nas minhas tribulações por vós, que são a vossa glória.

### A oração de Paulo pelos efésios

14 Por causa disso me ponho de joelhos perante o Pai de nosso Senhor Jesus Cristo,
15 do qual toda a família nos céus e na terra toma o nome.
16 Oro para que, segundo as riquezas da sua glória, vos conceda que sejais fortalecidos com poder pelo seu Espírito no homem interior,
17 para que Cristo habite pela fé no vosso coração. E oro para que, estando arraigados e fundados em amor,
18 possais perfeitamente compreender, com todos os santos, qual seja a largura, e o comprimento, e a altura, e a profundidade,
19 e conhecer o amor de Cristo, que excede todo o entendimento, para que sejais cheios de toda a plenitude de Deus.
20 Ora, àquele que é poderoso para fazer tudo muito mais abundantemente além daquilo que pedimos ou pensamos, segundo o poder que em nós opera,
21 a ele seja glória, na igreja e em Cristo Jesus, por todas as gerações, para todo o sempre. Amém.

### A unidade no corpo de Cristo

**4** Portanto, como prisioneiro do Senhor, rogo-vos que andeis como é digno da vocação que recebestes,
2 com toda a humildade e mansidão, com longanimidade, suportando-vos uns aos outros em amor,
3 procurando guardar a unidade do Espírito no vínculo da paz.

4 Há um só corpo e um só Espírito, como também fostes chamados em uma só esperança da vossa vocação;
5 um só Senhor, uma só fé, um só batismo;
6 um só Deus e Pai de todos, o qual é sobre todos, e por todos e em todos.
7 A graça, porém, foi dada a cada um de nós segundo a medida do dom de Cristo.
8 Por isso diz:
Subindo ao alto,
 levou cativo o cativeiro,
 e deu dons aos homens.
9 Ora, que significa "ele subiu", senão que também antes desceu às partes mais baixas da terra?
10 Aquele que desceu é o mesmo que subiu acima de todos os céus, para cumprir todas as coisas.
11 E ele mesmo deu uns para apóstolos, e outros para profetas, e outros para evangelistas, e outros para pastores e doutores,
12 tendo em vista o aperfeiçoamento dos santos para o desempenho do ministério, para a edificação do corpo de Cristo,
13 até que todos cheguemos à unidade da fé e do pleno conhecimento do Filho de Deus, à perfeita varonilidade, à medida da estatura da plenitude de Cristo,
14 para que não sejamos mais meninos, inconstantes, levados ao redor por todo vento de doutrina, pelo engano dos homens que com astúcia induzem ao erro.
15 Antes, seguindo a verdade em amor, cresçamos em tudo naquele que é o cabeça, Cristo,
16 do qual todo o corpo bem ajustado e ligado pelo auxílio de todas as juntas, segundo a justa operação de cada parte, faz o seu próprio aumento para a edificação de si mesmo em amor.

### Vivendo como filhos da luz

17 Portanto, digo isto e testifico no Senhor, para que não andeis mais como andam os outros gentios, na vaidade do seu pensamento,
18 obscurecidos no entendimento, separados da vida de Deus pela ignorância que há neles, pela dureza do seu coração.
19 Tendo-se tornado insensíveis, entregaram-se à depravação, para, com avidez, cometerem toda sorte de impureza.
20 Vós, porém, não aprendestes assim a Cristo,
21 se é que o ouvistes e nele fostes ensinados, conforme é a verdade em Jesus,
22 que, quanto ao trato passado, vos despojeis do velho homem, que se corrompe pelas concupiscências do engano;
23 e vos renoveis no espírito do vosso entendimento;
24 e vos revistais do novo homem, que segundo Deus é criado em verdadeira justiça e santidade.
25 Pelo que deixai a mentira e falai a verdade cada um com o seu próximo, pois somos membros uns dos outros.
26 Irai-vos, mas não pequeis: Não se ponha o sol sobre a vossa ira,
27 não deis lugar ao Diabo.
28 Aquele que furtava, não furte mais; antes, trabalhe, fazendo com as mãos o que é bom, para que tenha o que repartir com o necessitado.
29 Não saia da vossa boca nenhuma palavra torpe, mas só a que for boa para promover a edificação, conforme a necessidade, para que beneficie aos que a ouvem.

30 E não entristeçais o Espírito Santo de Deus, no qual fostes selados para o dia da redenção.
31 Livrem-se de toda a amargura, ira, cólera, gritaria, blasfêmias e malícia.
32 Antes, sede uns para com os outros benignos, compassivos, perdoando-vos uns aos outros, como também Deus vos perdoou em Cristo.

**5** Sede, pois, imitadores de Deus, como filhos amados,
2 e andai em amor como também Cristo vos amou e se entregou a si mesmo por nós, em oferta e sacrifício a Deus, em cheiro suave.
3 Mas a prostituição, e toda sorte de impureza ou cobiça, nem ainda se nomeie entre vós, como convém a santos;
4 nem torpeza nem conversa tola, nem chocarrices, que não convêm; antes, ações de graças.
5 Pois bem sabeis isto: Nenhum devasso, impuro, avarento, o qual é idólatra, tem herança no Reino de Cristo e de Deus.
6 Ninguém vos engane com palavras vãs, pois por essas coisas vem a ira de Deus sobre os filhos da desobediência.
7 Portanto, não sejais participantes com eles.
8 Pois outrora éreis trevas, mas agora sois luz no Senhor. Andai como filhos da luz
9 (pois o fruto da luz consiste em toda a bondade, justiça e verdade),
10 descobrindo o que é agradável ao Senhor.
11 E não *vos associeis* com as *obras* infrutuosas das trevas; antes condenai-as.
12 Pois o que eles fazem em oculto, até dizê-lo é vergonhoso.
13 Todas as coisas manifestas pela luz, porém, tornam-se visíveis, pois é a luz que a tudo manifesta.
14 Pelo que diz:
Desperta, ó tu que dormes,
   levanta-te dentre os mortos
   e Cristo te iluminará.
15 Portanto, vede prudentemente como andais, não como insensatos, mas como sábios,
16 aproveitando bem cada oportunidade, porque os dias são maus.
17 Pelo que não sejais insensatos, mas entendei qual seja a vontade do Senhor.
18 E não vos embriagueis com vinho, que leva à libertinagem, mas enchei-vos do Espírito,
19 falando entre vós com salmos, e hinos, e cânticos espirituais, cantando e salmodiando ao Senhor no vosso coração,
20 dando sempre graças por tudo a nosso Deus e Pai, em nome de nosso Senhor Jesus Cristo,
21 sujeitando-vos uns aos outros no temor de Cristo.

### Os deveres domésticos

22 As mulheres sejam, cada uma, submissas ao seu próprio marido, como ao Senhor,
23 pois o marido é o cabeça da mulher, como também Cristo é o cabeça da igreja, sendo ele próprio o salvador do corpo.
24 De sorte que, assim como a igreja está sujeita a Cristo, assim também as mulheres estejam em tudo sujeitas a seus maridos.
25 Maridos, amai vossa mulher, como também Cristo amou a igreja, e a si mesmo se entregou por ela,
26 para a santificar, purificando-a com a lavagem da água, pela palavra,

27 a fim de apresentá-la a si mesmo igreja gloriosa, sem mácula, nem ruga, nem coisa semelhante, mas santa e irrepreensível.
28 Assim devem os maridos amar, cada um, a sua mulher, como a seu próprio corpo. Quem ama sua mulher, ama-se a si mesmo.
29 Afinal de contas, nunca ninguém odiou a sua própria carne; antes, a alimenta e sustenta, como também o Senhor à igreja;
30 pois somos membros do seu corpo.
31 Por isso, deixará o homem seu pai e sua mãe, e se unirá a sua mulher, e serão os dois uma só carne.
32 Grande é este mistério, mas eu me refiro a Cristo e à igreja.
33 Assim também vós, cada um em particular, ame a sua mulher como a si mesmo, e a mulher respeite seu marido.

**6** Vós, filhos, sede obedientes a vossos pais no Senhor, pois isso é justo.
2 Honra a teu pai e a tua mãe — que é o primeiro mandamento com promessa —,
3 para que tudo te vá bem e vivas muito tempo sobre a terra.
4 E vós, pais, não provoqueis à ira vossos filhos, mas criai-os na disciplina e instrução do Senhor.
5 Vós, servos, obedecei a vossos senhores segundo a carne, com temor e tremor, na sinceridade de vosso coração, como a Cristo.
6 Não obedeçais a vossos senhores apenas quando estão olhando, só para agradar a homens, mas como servos de Cristo, fazendo de coração a vontade de Deus.
7 Servi de boa vontade como ao Senhor, não como a homens.
8 Sabendo que cada um receberá do Senhor todo o bem que fizer, seja escravo, seja livre.
9 E vós, senhores, fazei o mesmo para com eles, deixando as ameaças, sabendo também que o Senhor deles e vosso está no céu, e que ele não faz diferença entre as pessoas.

## A armadura de Deus

10 No demais, irmãos meus, fortalecei-vos no Senhor e na força do seu poder.
11 Revesti-vos de toda a armadura de Deus, para que possais estar firmes contra as astutas ciladas do Diabo.
12 Pois não temos de lutar contra a carne e o sangue, e sim contra os principados, contra as potestades, contra os poderes deste mundo tenebroso, contra as forças espirituais da maldade nas regiões celestes.
13 Portanto, tomai toda a armadura de Deus, para que possais resistir no dia mau e, havendo feito tudo, ficar firmes.
14 Estai, pois, firmes, tendo cingidos os vossos lombos com a verdade, e vestida a couraça da justiça,
15 e calçados os pés na preparação do evangelho da paz,
16 tomando, sobretudo, o escudo da fé, com o qual podereis apagar todos os dardos inflamados do maligno.
17 Tomai também o capacete da salvação e a espada do Espírito, que é a palavra de Deus.
18 E orai em todo tempo com toda oração e súplica no Espírito. Vigiai nisso com toda a perseverança e súplica por todos os santos.
19 Orai também por mim, para que me seja dada, no abrir da minha boca, a palavra com confiança, para com intrepidez fazer conhecido o mistério do evangelho,

20 pelo qual sou embaixador em cadeias, para que possa falar dele livremente, como devo falar.

### Saudações finais

21 Ora, para que vós também possais saber como estou e o que faço, Tíquico, irmão amado e fiel ministro do Senhor, vos informará de tudo.

22 Eu o envio para este mesmo fim, para que saibais do nosso estado, e ele console o vosso coração.

23 Paz seja com os irmãos, e amor com fé, da parte de Deus Pai e do Senhor Jesus Cristo.

24 A graça seja com todos os que amam nosso Senhor Jesus Cristo com amor incorruptível.

# FILIPENSES

### Prefácio e saudação

**1** Paulo e Timóteo, servos de Cristo Jesus, a todos os santos em Cristo Jesus, que estão em Filipos, com os bispos e diáconos:
2 Graça e paz a vós outros, da parte de Deus nosso Pai e do Senhor Jesus Cristo.

### Ação de graças e oração

3 Dou graças ao meu Deus todas as vezes que me lembro de vós,
4 fazendo sempre, em todas as minhas orações, súplicas por todos vós, com alegria,
5 pela vossa cooperação no evangelho desde o primeiro dia até agora.
6 Tendo por certo que aquele que em vós começou a boa obra a aperfeiçoará até o dia de Cristo Jesus.
7 Tenho por justo pensar isso de todos vós, porque vos tenho em meu coração, pois todos vós fostes participantes da minha graça, tanto nas minhas prisões como na minha defesa e confirmação do evangelho.
8 Deus me é testemunha das saudades que tenho de todos vós, na terna misericórdia de Cristo Jesus.
9 E esta é a minha oração: que o vosso amor aumente mais e mais em pleno conhecimento e toda percepção,
10 para que possais discernir as coisas excelentes, para que sejais sinceros e inculpáveis até o dia de Cristo,
11 cheios do fruto de justiça, que vem por meio de Jesus Cristo, para glória e louvor de Deus.

### As cadeias de Paulo contribuem para o avanço do Evangelho

12 E quero, irmãos, que saibais que as coisas que me aconteceram contribuíram para maior avanço do evangelho.
13 De maneira que as minhas cadeias, em Cristo, se tornaram conhecidas de toda a guarda pretoriana e dos demais.
14 Muitos dos irmãos no Senhor, motivados pelas minhas cadeias, ousam falar a palavra mais confiadamente, sem temor.
15 Verdade é que também alguns pregam Cristo por inveja e rivalidade, mas outros, de boa vontade.
16 Estes, por amor, sabendo que aqui estou para defesa do evangelho.
17 Aqueles, contudo, pregam Cristo por contenda, não sinceramente, pensando que poderão causar aflição enquanto estou preso.
18 Que, porém, importa? Contanto que Cristo, de qualquer modo, seja anunciado, ou por pretexto ou de verdade, nisso me regozijo, sim, e me regozijarei,
19 pois sei que isso me resultará em salvação, pela vossa súplica e pelo socorro do Espírito de Jesus Cristo.
20 A minha ardente expectativa e esperança é de em nada ser confundido, mas ter muita coragem para que, agora e sempre, Cristo seja engrandecido no meu corpo, quer pela vida, quer pela morte.
21 Pois para mim o viver é Cristo, e o morrer é lucro.

22 Se, contudo, o viver no corpo trouxer fruto para a minha obra, não sei então o que devo escolher. 23 De ambos os lados, porém, estou em aperto, tendo desejo de partir e estar com Cristo, o que é muito melhor; 24 mas julgo mais necessário, por amor de vós, permanecer no corpo. 25 E, tendo esta confiança, sei que ficarei e permanecerei com todos vós, para o vosso progresso e alegria na fé, 26 para que o motivo de vos gloriardes cresça por mim em Cristo Jesus, pela minha presença de novo convosco.

### A luta pela fé

27 O mais importante é que deveis portar-vos dignamente, conforme o evangelho de Cristo. Então quer vá e vos veja, quer esteja ausente, ouça acerca de vós que estais firmes em um mesmo espírito, combatendo com o mesmo ânimo pela fé do evangelho, 28 sem serdes intimidados pelos adversários. Isso para eles, na verdade, é sinal de destruição, mas para vós, de salvação, e isso da parte de Deus. 29 Pois vos foi concedido, por amor de Cristo não somente o crer nele, como também o padecer por ele, 30 tendo o mesmo combate que já em mim vistes e agora ouvis que é meu.

### O amor fraternal e a humildade

**2** Portanto, se há algum conforto em Cristo, se alguma consolação de amor, se alguma comunhão no Espírito, se alguma profunda afeição e compaixão, 2 completai a minha alegria, para que tenhais o mesmo modo de pensar, tendo o mesmo amor, o mesmo ânimo, pensando a mesma coisa. 3 Nada façais por contenda ou por vanglória, mas por humildade; cada um considere os outros superiores a si mesmo. 4 Não atente cada um somente para o que é seu, mas cada qual também para o que é dos outros. 5 De sorte que haja em vós o mesmo sentimento que houve em Cristo Jesus, 6 que, sendo em forma de Deus,
 não considerou que o ser
 igual a Deus era algo ao
 qual devia se apegar;
7 mas a si mesmo se esvaziou,
 tomando a forma de servo,
 fazendo-se semelhante aos
 homens.
8 E, achado na forma de homem,
 humilhou-se a si mesmo,
 sendo obediente até a
 morte, e morte de cruz.
9 Pelo que Deus o exaltou soberanamente
 e lhe deu um nome que é
 sobre todo o nome,
10 para que ao nome de Jesus se dobre todo joelho
 dos que estão nos céus,
 na terra e debaixo da terra,
11 e toda língua confesse que
 Cristo Jesus é o Senhor,
 para glória de Deus Pai.
12 De sorte que, meus amados, assim como sempre obedecestes, não só na minha presença, mas muito mais agora na minha ausência, assim também efetuai a vossa salvação com temor e tremor, 13 pois Deus é o que opera em vós tanto o querer como o efetuar, segundo a sua boa vontade.

# Filipenses 3

14 Fazei todas as coisas sem murmurações nem contendas,
15 para que sejais irrepreensíveis e sinceros, filhos de Deus inculpáveis no meio de uma geração corrompida e perversa, entre a qual resplandeceis como astros no mundo,
16 retendo a palavra da vida, para que no dia de Cristo possa gloriar-me de não ter corrido nem trabalhado em vão.
17 E, ainda que seja oferecido por libação sobre o sacrifício e serviço da vossa fé, estou alegre e me regozijo com todos vós.
18 E vós também regozijai-vos e alegrai-vos comigo por isso mesmo.

## Timóteo e Epafrodito

19 Espero no Senhor Jesus que em breve vos mandarei Timóteo, para que também eu esteja de bom ânimo, sabendo as vossas notícias.
20 Não tenho ninguém que, sinceramente, cuide do vosso bem-estar.
21 Pois todos buscam o que é seu, não o que é de Cristo Jesus.
22 Bem sabeis, porém, qual a sua experiência, e que serviu comigo no evangelho, como filho ao pai.
23 De sorte que espero enviá-lo a vós, logo que tenha visto a minha situação.
24 Confio, porém, no Senhor, que também eu mesmo em breve irei ter convosco.
25 Julguei, contudo, necessário mandar-vos Epafrodito, meu irmão, cooperador e companheiro nos combates, e vosso enviado para prover às minhas necessidades.
26 Pois tinha muitas saudades de todos vós e estava muito angustiado de que tivésseis ouvido que ele estivera doente.
27 De fato esteve doente e quase à morte, mas Deus se compadeceu dele, e não somente dele, mas também de mim, para que eu não tivesse tristeza sobre tristeza.
28 Por isso o enviei mais depressa, para que, vendo-o outra vez, vos regozijeis, e eu tenha menos tristeza.
29 Recebei-o no Senhor com toda a alegria e tende em honra homens como ele,
30 porque pela obra de Cristo chegou até bem próximo da morte, não fazendo caso da vida para suprir a ajuda que vós próprios não podíeis dar.

## A alegria cristã

**3** Quanto ao mais, irmãos meus, regozijai-vos no Senhor. Não me aborreço de escrever-vos as mesmas coisas, e é segurança para vós.
2 Acautelai-vos dos cães, acautelai-vos dos maus obreiros, acautelai-vos da falsa circuncisão.
3 Pois a circuncisão somos nós, que servimos a Deus em Espírito, nos gloriamos em Cristo Jesus e não confiamos na carne.
4 Ainda que eu também pudesse confiar na carne. Se algum outro pensa que pode confiar na carne, eu ainda mais:
5 Circuncidado ao oitavo dia, da linhagem de Israel, da tribo de Benjamim, hebreu de hebreus; segundo a Lei, fariseu;
6 segundo o zelo, perseguidor da igreja; segundo a justiça que há na Lei, irrepreensível.
7 O que, porém, para mim era lucro, considerei-o perda por causa de Cristo.
8 E, na verdade, considero também por perda todas as coisas,

pela excelência do conhecimento de Cristo Jesus, meu Senhor, por quem sofri a perda de todas essas coisas. Eu as considero como refugo, para que possa ganhar a Cristo
9 e ser achado nele, não tendo justiça própria, que vem da Lei, mas a que vem pela fé em Cristo, a saber, a justiça que vem de Deus pela fé.
10 Desejo conhecer Cristo, o poder da sua ressurreição e a comunhão dos seus sofrimentos, conformando-me com ele na sua morte,
11 para ver se de alguma maneira posso chegar à ressurreição dentre os mortos.

### Prosseguindo para o alvo

12 Não que já a tenha alcançado ou que seja perfeito, mas prossigo para alcançar aquilo para o que fui alcançado por Cristo Jesus.
13 Irmãos, não julgo que o tenha alcançado. Mas uma coisa faço: esquecendo-me das coisas que para trás ficam e avançando para as que estão diante de mim,
14 prossigo para o alvo, pelo prêmio da soberana vocação de Deus em Cristo Jesus.
15 Todos quantos somos perfeitos tenhamos este sentimento. E, se pensais de outra maneira, também Deus o revelará.
16 Andemos, contudo, segundo o que já alcançamos.
17 Irmãos, sede meus imitadores e observai os que andam segundo o exemplo que tendes em nós.
18 Pois muitos há, dos quais muitas vezes vos disse, e agora novamente digo, chorando, que são inimigos da cruz de Cristo.
19 O seu fim é a perdição, o seu Deus é o ventre, e a sua glória é a vergonha. Só pensam nas coisas terrenas.
20 A nossa pátria, porém, está nos céus, de onde esperamos o Salvador, o Senhor Jesus Cristo,
21 que transformará o nosso corpo de humilhação, para ser conforme o seu corpo glorioso, segundo o seu eficaz poder de sujeitar também a si todas as coisas.

### As últimas exortações

**4** Portanto, meus amados e mui saudosos irmãos, minha alegria e coroa, estai assim firmes no Senhor, amados.
2 Rogo a Evódia e a Síntique que sintam o mesmo no Senhor.
3 E peço-te também a ti, meu leal companheiro de jugo, que ajudes essas mulheres que trabalharam comigo no evangelho, e com Clemente, e com os outros cooperadores, cujos nomes estão no livro da vida.
4 Regozijai-vos sempre no Senhor. Outra vez digo: regozijai-vos.
5 Seja a vossa amabilidade conhecida de todos os homens. Perto está o Senhor.
6 Não andeis ansiosos por coisa alguma; mas em tudo, pela oração e pela súplica, com ações de graças, sejam as vossas petições conhecidas diante de Deus.
7 E a paz de Deus, que excede todo o entendimento, guardará o vosso coração e a vossa mente em Cristo Jesus.
8 Quanto ao mais, irmãos, tudo o que é verdadeiro, tudo o que é honesto, tudo o que é justo, tudo o que é puro, tudo o que é amável, tudo o que é de boa fama, se há alguma virtude e se há algum louvor, nisso pensai.

**9** O que aprendestes, e recebestes, e ouvistes de mim, e em mim vistes, isso fazei. E o Deus de paz será convosco.

### Paulo agradece os donativos recebidos

**10** Muito me regozijo no Senhor, pois finalmente renovastes o vosso cuidado a meu favor. Já tínheis cuidado antes, mas vos faltava oportunidade para mostrá-lo. **11** Não digo isso por causa de necessidade, pois já aprendi a contentar-me em toda e qualquer situação. **12** Sei passar necessidade e também ter abundância. Em toda maneira, e em todas as coisas, aprendi tanto a ter fartura como a ter fome, tanto a ter abundância como a padecer necessidade. **13** Posso todas as coisas naquele que me fortalece. **14** Todavia, fizestes bem em tomar parte na minha aflição. **15** E bem sabeis, ó filipenses, que no princípio do evangelho, quando parti da Macedônia, nenhuma igreja partilhou comigo no sentido de dar e de receber, senão vós; **16** porque até para Tessalônica mandastes não apenas uma vez, mas duas, o necessário para as minhas necessidades. **17** Não que eu procure as ofertas, mas procuro o fruto que aumente o vosso crédito. **18** Bastante tenho recebido, e tenho abundância. Estou bem suprido depois que recebi de Epafrodito o que da vossa parte me foi enviado, como cheiro suave, como sacrifício agradável e aceitável a Deus. **19** E o meu Deus suprirá todas as vossas necessidades, segundo a sua gloriosa riqueza em Cristo Jesus. **20** A nosso Deus e Pai seja dada glória para todo o sempre. Amém.

### Saudações finais

**21** Saudai a todos os santos em Cristo Jesus. Os irmãos que estão comigo vos saúdam. **22** Todos os santos vos saúdam, especialmente os da casa de César. **23** A graça de nosso Senhor Jesus Cristo seja com o vosso espírito.

# COLOSSENSES

## Prefácio e saudação

**1** Paulo, apóstolo de Cristo Jesus, pela vontade de Deus, e o irmão Timóteo,
**2** aos santos e irmãos fiéis em Cristo que estão em Colossos: Graça e paz a vós outros, da parte de Deus, nosso Pai, e do Senhor Jesus Cristo.

## Ação de graças e oração

**3** Graças damos a Deus, Pai de nosso Senhor Jesus Cristo, orando sempre por vós,
**4** desde que ouvimos falar da vossa fé em Cristo Jesus e do amor que tendes para com todos os santos;
**5** por causa da esperança que vos está reservada nos céus, da qual antes ouvistes pela palavra da verdade do evangelho,
**6** que já chegou a vós. Em todo o mundo este evangelho vai frutificando, como também entre vós, desde o dia em que ouvistes e conhecestes a graça de Deus em verdade.
**7** Aprendestes isso com Epafras, nosso amado conservo, que por vós é fiel ministro de Cristo,
**8** e que também nos declarou o vosso amor no Espírito.

## Paulo ora pelos colossenses

**9** Por essa razão, nós também, desde o dia em que o ouvimos, não cessamos de orar por vós e de pedir que sejais cheios do pleno conhecimento da *sua vontade, em toda a sabedoria* e entendimento espiritual.
**10** E oramos para que possais andar dignamente diante do Senhor, agradando-lhe em tudo, frutificando em toda a boa obra e crescendo no conhecimento de Deus;
**11** corroborados com toda a fortaleza, segundo a força da sua glória, em toda a paciência e longanimidade com alegria,
**12** dando graças ao Pai que nos fez idôneos para participar da herança dos santos na luz.
**13** Ele nos tirou do poder das trevas e nos transportou para o Reino do Filho do seu amor,
**14** em quem temos a redenção pelo seu sangue, a saber, a remissão dos pecados.

## A supremacia de Cristo

**15** Ele é a imagem do Deus invisível, o primogênito de toda a criação.
**16** Pois nele foram criadas todas as coisas que há nos céus e na terra, visíveis e invisíveis, sejam tronos, sejam soberanias, sejam principados, sejam potestades; tudo foi criado por ele e para ele.
**17** Ele é antes de todas as coisas, e todas as coisas subsistem por ele.
**18** E ele é a cabeça do corpo, a igreja; é o princípio, o primogênito dentre os mortos, para que em tudo tenha a preeminência.
**19** Pois foi do agrado do Pai que toda a plenitude nele habitasse,
**20** e que, havendo por ele feito a paz pelo sangue da sua cruz, por meio dele reconciliasse consigo mesmo todas as coisas, tanto as *que* estão na terra como as que estão nos céus.
**21** A vós também que, noutro tempo, éreis estranhos e inimigos na sua mente, pelas vossas obras más,

22 agora, contudo, vos reconciliou no corpo da sua carne, pela morte, para perante ele vos apresentar santos, irrepreensíveis e inculpáveis,
23 se é que permaneceis fundados e firmes na fé, não vos deixando afastar da esperança do evangelho que ouvistes, o qual foi pregado a toda criatura que há debaixo do céu, e do qual eu, Paulo, fui feito ministro.

### O trabalho e os combates de Paulo

24 Agora me regozijo no que padeço por vós, e na minha carne cumpro o resto das aflições de Cristo, pelo seu corpo, que é a igreja.
25 Eu fui feito seu ministro segundo a responsabilidade que me foi concedida para convosco, para cumprir a palavra de Deus:
26 O mistério que esteve oculto durante séculos e gerações e que agora foi manifesto aos seus santos.
27 A eles Deus quis fazer conhecer quais são as riquezas da glória deste mistério entre os gentios, que é Cristo em vós, esperança da glória.
28 A ele anunciamos, admoestando e ensinando a todo homem em toda a sabedoria, para que apresentemos todo homem perfeito em Cristo.
29 Para isso também trabalho, combatendo segundo a sua eficácia, que opera em mim poderosamente.

### Ansiedade de Paulo pelos colossenses

2 Quero que saibais quão grande combate tenho por vós, pelos que estão em Laodiceia e por quantos não me viram pessoalmente.
2 Combato para que o coração deles seja consolado e estejam unidos em amor e enriquecidos da plenitude da inteligência, para conhecimento do mistério de Deus, a saber, Cristo,
3 em quem estão ocultos todos os tesouros da sabedoria e da ciência.

### Advertência acerca das falsas doutrinas

4 Digo isso para que ninguém vos engane com palavras convincentes.
5 Pois ainda que esteja ausente quanto ao corpo, contudo em espírito estou convosco, regozijando-me e vendo a vossa ordem e a firmeza da vossa fé em Cristo.
6 Portanto, assim como recebestes Cristo Jesus, o Senhor, assim também andai nele,
7 arraigados e edificados nele, e confirmados na fé, assim como fostes ensinados, crescendo em ação de graças.
8 Tende cuidado para que ninguém vos faça presa sua, por meio de filosofias e vãs sutilezas, segundo a tradição dos homens, segundo os rudimentos do mundo, e não segundo Cristo.
9 Pois nele habita corporalmente toda a plenitude da divindade.
10 E recebestes a plenitude em Cristo, que é o Cabeça de todo principado e potestade.
11 Nele também fostes circuncidados com a circuncisão não feita por mãos humanas, mas com a circuncisão de Cristo;
12 tendo sido sepultados com ele no batismo, nele também ressurgistes pela fé no poder de Deus, que o ressuscitou dentre os mortos.
13 E a vós outros que estáveis mortos nos vossos pecados e na

incircuncisão da vossa carne, vos vivificou com ele, perdoando-nos todos os nossos delitos;

14 havendo riscado o escrito de dívida que havia contra nós nas suas ordenanças, o qual nos era contrário, tirou-o do meio de nós, cravando-o na cruz.

15 E, tendo despojado os principados e as potestades, os expôs publicamente ao desprezo e triunfou sobre eles na cruz.

16 Portanto, ninguém vos julgue pelo comer, ou pelo beber, ou por causa dos dias de festa, ou de lua nova, ou de sábados.

17 Essas são sombras das coisas futuras; a realidade, porém, encontra-se em Cristo.

18 Ninguém vos prive do prêmio, alegando humildade ou culto aos anjos, baseando-se em visões, enfatuado sem motivo algum na sua mente carnal,

19 e não se mantendo unido à cabeça, da qual todo o corpo, provido e organizado pelas juntas e ligaduras, vai crescendo com o aumento concedido por Deus.

20 Se estais mortos com Cristo quanto aos rudimentos do mundo, por que vos sujeitais ainda a ordenanças, como se vivêsseis no mundo,

21 como: não toques, não proves, não manuseies?

22 Todas essas coisas estão destinadas ao desaparecimento pelo uso, porque são baseadas em preceitos e ensinamentos dos homens.

23 Têm, na verdade, *aparência de sabedoria*, em culto voluntário, humildade fingida e severidade para com o corpo, mas não têm valor algum contra a satisfação da carne.

## Regras para o viver santo

**3** Portanto, se fostes ressuscitados com Cristo, buscai as coisas que são de cima, onde Cristo está assentado à destra de Deus.

2 Pensai nas coisas que são de cima, não nas que são da terra.

3 Pois morrestes, e a vossa vida está oculta com Cristo em Deus.

4 Quando Cristo, que é a nossa vida, se manifestar, então também vós vos manifestareis com ele em glória.

5 Fazei, pois, morrer a vossa natureza terrena: a prostituição, a impureza, a paixão, o vil desejo, e a avareza, que é idolatria.

6 Por essas coisas vem a ira de Deus sobre os filhos da desobediência.

7 Nelas também em outro tempo andastes, quando a vossa vida era dominada por elas.

8 Agora, porém, abandonai também todas estas coisas: a ira, a cólera, a malícia, a maledicência, as palavras torpes da vossa boca.

9 Não mintais uns aos outros, pois já vos despistes do velho homem com os seus feitos

10 e vos vestistes do novo, que se renova para o conhecimento, segundo a imagem daquele que o criou.

11 Aqui não há grego nem judeu, circuncisão nem incircuncisão, bárbaro, cita, servo ou livre, mas Cristo é tudo em todos.

12 Portanto, como eleitos de Deus, santos e amados, revesti-vos de compaixão, de benignidade, de humildade, de mansidão, de longanimidade.

13 Suportai-vos uns aos outros, perdoai-vos uns aos outros, se alguém tiver queixa contra outrem. Assim como o Senhor vos perdoou, assim também perdoai vós.

14 E, acima de tudo isso, porém, revesti-vos de amor, que é o vínculo da perfeição.
15 E a paz de Deus, para a qual fostes chamados em um só corpo, domine em vosso coração. E sede agradecidos.
16 A palavra de Cristo habite em vós abundantemente, em toda a sabedoria, ensinando-vos e aconselhando-vos uns aos outros, com salmos, hinos e cânticos espirituais, cantando ao Senhor com gratidão em vosso coração.
17 E tudo o que fizerdes por palavras ou por obras, fazei-o em nome do Senhor Jesus, dando por ele graças a Deus Pai.

### Os deveres domésticos

18 Mulheres, sede submissas a vosso próprio marido, como convém no Senhor.
19 Maridos, amai, cada um, a vossa mulher e não a trateis asperamente.
20 Filhos, obedecei em tudo a vossos pais, pois isso é agradável ao Senhor.
21 Pais, não irriteis os vossos filhos, para que não desanimem.
22 Servos, obedecei em tudo a vossos senhores segundo a carne, não servindo só na aparência, como para agradar aos homens, mas em simplicidade de coração, temendo a Deus.
23 E tudo o que fizerdes fazei-o de todo o coração, como ao Senhor, não aos homens,
24 sabendo que recebereis do Senhor a recompensa da herança. É a Cristo, o Senhor, que servis.
25 Quem faz injustiça receberá em troco a injustiça feita; nisso não há exceção para ninguém.

4 Senhores, dai a vossos servos o que é justo e direito, sabendo que também vós tendes um Senhor nos céus.

### Exortação à oração e à sabedoria

2 Perseverai na oração, vigiando nela com ações de graças.
3 Orai também juntamente por nós, para que Deus nos abra a porta da palavra, a fim de falarmos do mistério de Cristo, pelo qual estou preso.
4 Orai para que o manifeste como devo fazer.
5 Andai em sabedoria para com os que estão de fora, aproveitando bem cada oportunidade.
6 A vossa palavra seja sempre agradável, temperada com sal, para que saibais como deveis responder a cada um.

### Saudações finais

7 Tíquico, irmão amado, fiel ministro e conservo no Senhor, de tudo vos informará.
8 Eu o envio a vós para o mesmo fim, para que saibais o nosso estado, e ele console o vosso coração.
9 Ele irá com Onésimo, amado e fiel irmão, que é um de vós. Eles vos contarão tudo o que aqui se passa.
10 Aristarco, que está preso comigo, vos saúda, como também Marcos, o sobrinho de Barnabé. Acerca dele já recebestes instruções; se ele for visitar-vos, recebei-o.
11 Jesus, conhecido por Justo, também vos saúda. Esses são os únicos da circuncisão que cooperam comigo pelo Reino de Deus e têm sido para mim uma consolação.
12 Saúda-vos Epafras, que é um de vós, servo de Cristo Jesus, combatendo sempre por vós nas suas orações, para que vos

conserveis firmes, perfeitos e plenamente seguros em toda a vontade de Deus.
**13** Dou-lhe testemunho de que tem grande zelo por vós, como também pelos que estão em Laodiceia e pelos que estão em Hierápolis.
**14** Saúda-vos Lucas, o médico amado, e Demas.
**15** Saudai os irmãos de Laodiceia, Ninfa e a igreja que está em sua casa.
**16** Depois que esta epístola tiver sido lida entre vós, fazei que também o seja na igreja dos laodicenses, e a que veio de Laodiceia lede-a vós também.
**17** Dizei a Arquipo: Atenta para o ministério que recebeste no Senhor, para o cumprires.
**18** Eu, Paulo, escrevo esta saudação com meu próprio punho. Lembrai-vos das minhas cadeias. A graça seja convosco.

# 1TESSALONICENSES

### Prefácio e saudação

**1** Paulo, Silvano e Timóteo, à igreja dos tessalonicenses, em Deus Pai e no Senhor Jesus Cristo: Graça e paz vos sejam dadas.

### Ação de graças pelos tessalonicenses

2 Sempre damos graças a Deus por todos vós, fazendo menção de vós em nossas orações,
3 lembrando-nos sem cessar da obra da vossa fé, do vosso trabalho de amor e da vossa firmeza de esperança em nosso Senhor Jesus Cristo, diante de nosso Deus e Pai,
4 reconhecendo, irmãos, amados de Deus, a vossa eleição,
5 porque o nosso evangelho não foi a vós somente em palavras, mas também em poder, no Espírito Santo e em plena convicção, como bem sabeis quais fomos entre vós, por amor de vós.
6 E vós vos tornastes nossos imitadores e do Senhor, recebendo a palavra em muita tribulação, com alegria do Espírito Santo.
7 De maneira que fostes exemplo para todos os fiéis na Macedônia e na Acaia.
8 De vós fez-se ouvir a palavra do Senhor, não somente na Macedônia e Acaia, mas também em todos os lugares. A vossa fé para com Deus se espalhou, de tal maneira que não temos necessidade de falar coisa alguma;
9 pois eles mesmos anunciam de que forma fomos recebidos entre vós. Dizem-nos como vos convertestes dos ídolos a Deus, para servirdes o Deus vivo e verdadeiro,
10 e aguardardes dos céus a seu Filho, a quem ele ressuscitou dentre os mortos, a saber, Jesus, que nos livra da ira vindoura.

### O ministério de Paulo em Tessalônica

**2** Vós mesmos sabeis, irmãos, que a nossa estada entre vós não foi vã.
2 Havendo primeiro padecido e sido ultrajados em Filipos, como sabeis, tornamo-nos ousados em nosso Deus, para vos falar o evangelho de Deus, em meio a grande luta.
3 Pois a nossa exortação não procede de engano, nem de impureza, nem é feita com intenção de enganá-los.
4 Pelo contrário, como fomos aprovados por Deus para que o evangelho nos fosse confiado, assim falamos, não como para agradar aos homens, mas a Deus, que prova o nosso coração.
5 Como bem sabeis, nunca usamos de palavras bajuladoras nem de intuitos gananciosos; Deus é testemunha.
6 Não buscamos glória dos homens nem de vós, nem de outros, ainda que pudéssemos, como apóstolos de Cristo, ser-vos pesados.
7 Antes fomos brandos entre vós, como a mãe que acaricia seus próprios filhos.
8 Assim nós, sendo-vos tão afeiçoados, de boa vontade quiséramos dar-vos não somente o evangelho de Deus, mas também a nossa própria vida, porque nos éreis muito queridos.

**9** Certamente vos lembrais, irmãos, do nosso trabalho e fadiga; trabalhamos noite e dia para não sermos pesados a nenhum de vós, enquanto vos pregamos o evangelho de Deus.
**10** Bem sabeis vós e Deus, e sois testemunhas, de quão santa, justa e irrepreensivelmente procedemos para convosco, os que credes.
**11** Assim como bem sabeis de que modo vos exortávamos e consolávamos, a cada um de vós, como o pai a seus filhos,
**12** para que andásseis de um modo digno de Deus, que vos chama para o seu Reino e glória.
**13** Pelo que também damos, sem cessar, graças a Deus, porque, havendo recebido de nós a palavra da pregação de Deus, a recebestes não como palavra de homens, mas (segundo é, na verdade) como palavra de Deus, a qual também opera em vós, os que credes.
**14** Pois vós, irmãos, vos tornastes imitadores das igrejas de Deus em Cristo Jesus que estão na Judeia: Sofrestes de vossos próprios conterrâneos o mesmo que eles sofreram dos judeus,
**15** os quais também mataram o Senhor Jesus e os seus profetas e a nós nos perseguiram. Eles não agradam a Deus, são contrários a todos os homens
**16** e nos impedem de falar aos gentios para que estes sejam salvos. Desta forma sempre enchem a medida de seus pecados. A ira de Deus caiu sobre eles afinal.

### O desejo de Paulo de ver os tessalonicenses

**17** Nós, porém, irmãos, sendo privados da vossa presença, pessoalmente, por algum tempo, mas não de coração, tanto mais procuramos com grande desejo ver o vosso rosto.
**18** Por isso, quisemos ir ter convosco, pelo menos eu, Paulo, não somente uma vez, mas duas, mas Satanás nos impediu.
**19** Pois qual é a nossa esperança, ou alegria, ou coroa de glória na presença de nosso Senhor Jesus na sua vinda? Não sois vós?
**20** Na verdade, vós sois a nossa glória e a nossa alegria.

### A missão de Timóteo

**3** Pelo que, não podendo suportar mais o cuidado por vós, achamos por bem ficar sozinhos em Atenas
**2** e enviamos Timóteo, nosso irmão, ministro de Deus e nosso cooperador no evangelho de Cristo, para vos confortar e vos exortar acerca da vossa fé,
**3** para que ninguém seja abalado por estas tribulações. Vós mesmos sabeis que para isso fomos destinados.
**4** Com efeito, estando ainda convosco, predissemos que íamos ser afligidos, como sucedeu, e vós o sabeis.
**5** Portanto, não podendo eu também esperar mais, mandei-o saber da vossa fé, temendo que o tentador vos tentasse, e o nosso trabalho viesse a ser inútil.
**6** Vindo, porém, agora Timóteo de vós para nós, trouxe-nos boas notícias da vossa fé e amor. Contou-nos como sempre tendes boa lembrança de nós, desejando muito ver-nos, como nós também a vós.
**7** Por essa razão, irmãos, ficamos consolados acerca de vós, em toda a nossa aflição e necessidade, pela vossa fé.

8 Pois agora vivemos, se estais firmes no Senhor.
9 Que ação de graças poderemos dar a Deus por vós, por toda a alegria com que nos regozijamos por vossa causa diante do nosso Deus, 10 orando incessantemente noite e dia, para que possamos ver o vosso rosto e supramos o que falta à vossa fé?
11 Ora, o mesmo nosso Deus e Pai e nosso Senhor Jesus nos abram o caminho até vós.
12 O Senhor vos aumente e vos faça crescer em amor uns para com os outros e para com todos, como também nós para convosco.
13 Possa ele vos confirmar o coração, para que sejais irrepreensíveis em santidade diante de nosso Deus e Pai, na vinda de nosso Senhor Jesus com todos os seus santos.

### Vivendo para agradar a Deus

4 Finalmente, irmãos, nós vos rogamos e exortamos no Senhor Jesus que, como recebestes de nós, quanto à maneira por que deveis viver e agradar a Deus, assim andai, para que abundeis cada vez mais.
2 Pois vós bem sabeis que mandamentos vos temos dado pelo Senhor Jesus.
3 Esta é a vontade de Deus para a vossa santificação: que vos abstenhais da prostituição;
4 que cada um de vós saiba controlar o próprio corpo de forma santa e honrosa,
5 não dominados pelo desejo desenfreado, como os gentios, que não conhecem a Deus;
6 e que, nesta matéria, ninguém oprima ou engane a seu irmão. O Senhor é vingador de todas essas coisas, como também antes vos dissemos e testificamos.
7 Pois Deus não nos chamou para a impureza, mas para a santificação.
8 Portanto, quem rejeita estas coisas não rejeita ao homem, mas sim a Deus, que vos dá o seu Espírito Santo.
9 Quanto, porém, ao amor fraternal, não necessitais de que vos escreva, visto que vós mesmos estais instruídos por Deus que vos ameis uns aos outros.
10 E, com efeito, já assim o fazeis para com todos os irmãos que estão em toda a Macedônia. Exortamo-vos, porém, a que ainda nisso aumenteis cada vez mais.
11 Procurai viver quietos, tratar dos vossos próprios negócios e trabalhar com as vossas próprias mãos, como já vos temos mandado,
12 para que andeis honestamente para com os que estão de fora e não necessiteis de coisa alguma.

### A vinda do Senhor

13 Não quero, porém, irmãos, que sejais ignorantes acerca dos que já dormem, para que não vos entristeçais, como os demais, que não têm esperança.
14 Cremos que Jesus morreu e ressurgiu, assim também cremos que Deus tornará a trazer com ele todos os que dormem em Jesus.
15 Dizemos isso pela palavra do Senhor: que nós, os que ficarmos vivos para a vinda do Senhor, não precederemos os que dormem.
16 Pois o mesmo Senhor descerá do céu com grande brado, à voz do arcanjo, ao som da trombeta de Deus, e os que morreram em Cristo ressurgirão primeiro.

17 Depois nós, os que ficarmos vivos, seremos arrebatados com eles nas nuvens, para o encontro do Senhor nos ares e, assim, estaremos para sempre com o Senhor. 18 Portanto, consolai-vos uns aos outros com essas palavras.

## A necessidade de vigilância

**5** Irmãos, acerca dos tempos e das épocas, porém, não necessitais de que se vos escreva, 2 pois vós mesmos sabeis muito bem que o dia do Senhor virá como o ladrão de noite. 3 Quando andarem dizendo: Há paz e segurança, então lhes sobrevirá repentina destruição, como as dores de parto àquela que está grávida, e de modo nenhum escaparão. 4 Vós, porém, irmãos, já não estais em trevas, para que esse dia vos surpreenda como faz um ladrão. 5 Todos vós sois filhos da luz e filhos do dia. Nós não somos da noite nem das trevas. 6 Não durmamos, pois, como os demais, mas vigiemos e sejamos sóbrios. 7 Pois os que dormem, dormem de noite, e os que se embriagam, embriagam-se de noite. 8 Nós, porém, que somos do dia, sejamos sóbrios, revestindo-nos da couraça da fé e do amor e tendo por capacete a esperança da salvação. 9 Pois Deus não nos destinou para a ira, mas para alcançar a salvação por nosso Senhor Jesus Cristo, 10 que morreu por nós, para que, quer vigiemos, quer durmamos, vivamos com ele. 11 Pelo que vos exortai uns aos outros e vos edificai uns aos outros, como também estais fazendo.

## Instruções finais

12 Agora vos rogamos, irmãos, que tenhais consideração pelos que trabalham entre vós e os que presidem sobre vós no Senhor e vos admoestam. 13 Tratai-os com grande estima e amor, por causa da sua obra. Tende paz entre vós. 14 Exortamo-vos também, irmãos, que admoesteis os insubmissos, consoleis os desanimados, sustenteis os fracos e sejais pacientes para com todos. 15 Vede que ninguém retribua a outrem mal por mal, mas segui sempre o bem, uns para com os outros e para com todos. 16 Regozijai-vos sempre. 17 Orai sem cessar. 18 Em tudo dai graças, pois esta é a vontade de Deus em Cristo Jesus para convosco. 19 Não apagueis o Espírito. 20 Não desprezeis as profecias. 21 Examinai tudo. Retende o bem. 22 Abstende-vos de toda espécie de mal. 23 O mesmo Deus de paz vos santifique completamente. E todo o vosso espírito, alma e corpo sejam plenamente conservados irrepreensíveis para a vinda de nosso Senhor Jesus Cristo. 24 Fiel é o que vos chama, o qual também o fará.

## Saudação final

25 Irmãos, orai por nós. 26 Saudai a todos os irmãos com ósculo santo. 27 Pelo Senhor vos encarrego de ler esta epístola a todos os santos irmãos. 28 A graça de nosso Senhor Jesus Cristo seja convosco.

# 2TESSALONICENSES

### Prefácio e saudação

**1** Paulo, Silvano e Timóteo à igreja dos tessalonicenses, em Deus, nosso Pai, e no Senhor Jesus Cristo:
**2** Graça e paz a vós outros, da parte de Deus, nosso Pai, e do Senhor Jesus Cristo.

### Ação de graças e oração

**3** Sempre devemos, irmãos, dar graças a Deus por vós, como é justo, porque a vossa fé cresce muitíssimo, e o amor de cada um de vós aumenta de uns para com os outros.
**4** De maneira que nós mesmos nos gloriamos de vós nas igrejas de Deus por causa da vossa paciência e fé, e em todas as perseguições e aflições que suportais.
**5** Tudo isso é prova clara do justo juízo de Deus, e como resultado sereis tidos por dignos do Reino de Deus, pelo qual também padeceis.
**6** Deus é justo: Ele dará em paga tribulação aos que vos atribulam
**7** e a vós, que sois atribulados, alívio conosco, quando do céu se manifestar o Senhor Jesus com os anjos do seu poder,
**8** em chama de fogo. Ele tomará vingança dos que não conhecem a Deus e dos que não obedecem ao evangelho de nosso Senhor Jesus.
**9** Eles por castigo padecerão eterna perdição, banidos da face do Senhor e da glória do seu poder,
**10** quando vier para ser glorificado nos seus santos e admirado em todos os que creram, naquele dia (porque o nosso testemunho foi crido entre vós).
**11** Pelo que também rogamos sempre por vós, para que o nosso Deus vos faça dignos da sua vocação e, com poder, cumpra todo o bom propósito e a toda a obra da fé.
**12** Rogamos para que o nome de nosso Senhor Jesus seja em vós glorificado, e vós nele, segundo a graça de nosso Deus e do Senhor Jesus Cristo.

### O anticristo

**2** Ora, irmãos, quanto à vinda de nosso Senhor Jesus Cristo e à nossa reunião com ele, rogamo-vos
**2** que não desistais facilmente do vosso modo de pensar nem vos perturbeis, quer por espírito, quer por palavra, quer por epístola, como se procedesse de nós, como se o dia de Cristo já tivesse chegado.
**3** Ninguém de maneira alguma vos engane, pois isso não acontecerá sem que antes venha a apostasia e se manifeste o homem do pecado, o filho da perdição.
**4** Ele se opõe e se levanta contra tudo o que se chama Deus ou é objeto de culto, de sorte que se assentará, como Deus, no templo de Deus, querendo parecer Deus.
**5** Não vos lembrais de que essas coisas vos dizia quando ainda estava convosco?
**6** E agora vós sabeis o que o detém, para que a seu próprio tempo seja manifestado.
**7** Pois já o mistério da injustiça opera; somente há um que agora o detém até que seja afastado.
**8** E então será revelado o iníquo, a quem o Senhor desfará pelo sopro

da sua boca e destruirá pelo esplendor da sua vinda.

9 A vinda desse iníquo é segundo a eficácia de Satanás, com todo poder, sinais e prodígios da mentira 10 e com todo engano da injustiça para os que perecem. Perecem porque não receberam o amor à verdade para serem salvos.

11 Por isso, Deus lhes envia a operação do erro, para que creiam na mentira

12 e para que sejam julgados todos os que não creram na verdade, antes tiveram prazer na iniquidade.

### Permanecei firmes

13 Devemos, porém, sempre dar graças a Deus por vós, irmãos amados pelo Senhor, porque Deus vos escolheu desde o princípio para a salvação, pela santificação do Espírito e fé na verdade,

14 para o que também vos chamou pelo nosso evangelho, a fim de alcançardes a glória de nosso Senhor Jesus Cristo.

15 Assim, pois, irmãos, permanecei firmes e conservai as tradições que vos foram ensinadas, seja por palavra, seja por epístola nossa.

16 E o próprio nosso Senhor Jesus Cristo e nosso Deus e Pai, que nos amou e em graça nos deu uma eterna consolação e boa esperança,

17 console o vosso coração e os confirme em toda boa obra e palavra.

### Pedido de oração

**3** Finalmente, irmãos, orai por nós, para que a palavra do Senhor se propague e seja glorificada, como também o é entre vós.

2 E orai para que sejamos livres de homens perversos e maus, pois a fé não é de todos.

3 Fiel, porém, é o Senhor, que vos confirmará e guardará do Maligno.

4 Confiamos no Senhor que fazeis e continuareis a fazer o que vos mandamos.

5 Ora, o Senhor encaminhe o vosso coração ao amor de Deus e à constância de Cristo.

### Preceitos diversos

6 Mandamo-vos, porém, irmãos, em nome do Senhor Jesus Cristo, que vos aparteis de todo irmão que ande desordenadamente, e não segundo a tradição que de nós recebeu.

7 Porque vós mesmos sabeis como deveis imitar-nos. Não nos portamos desordenadamente entre vós

8 nem de graça comemos o pão de homem algum, mas com labor e fadiga, trabalhando noite e dia, para não sermos pesados a nenhum de vós.

9 Não porque não tivéssemos esse direito, mas para vos dar em nós mesmos exemplo, para nos imitardes.

10 Pois quando ainda estávamos convosco, vos ordenamos isto: Se alguém não quer trabalhar, também não coma.

11 Ouvimos que alguns entre vós andam desordenadamente, não trabalhando, antes intrometendo-se na vida alheia.

12 A esses tais, porém, ordenamos e exortamos por nosso Senhor Jesus Cristo que, trabalhando com sossego, comam o seu próprio pão.

13 E vós, irmãos, não vos canseis de fazer o bem.

14 Se, porém, alguém não obedecer à nossa palavra por esta carta,

notai o tal e não vos associeis com ele, para que se envergonhe. 15 Todavia, não o tenhais como inimigo, mas admoestai-o como irmão.

### Saudação final

16 Ora, o próprio Senhor da paz vos dê paz sempre e de toda maneira. O Senhor seja com todos vós.
17 Eu, Paulo, escrevo esta saudação com meu próprio punho. Este é o sinal em cada epístola. É assim que escrevo.
18 A graça de nosso Senhor Jesus Cristo seja com todos vós.

# 1TIMÓTEO

### Prefácio e saudação

**1** Paulo, apóstolo de Cristo Jesus, segundo o mandado de Deus, nosso Salvador, e de Cristo Jesus, esperança nossa,

2 a Timóteo, meu verdadeiro filho na fé: Graça, misericórdia e paz da parte de Deus nosso Pai e de Cristo Jesus, nosso Senhor.

### As falsas doutrinas e o evangelho da graça

3 Como te roguei, quando partia para a Macedônia, que ficasses em Éfeso, para advertires a alguns que não ensinassem outra doutrina,

4 nem se ocupassem com fábulas ou com genealogias intermináveis, que antes produzem controvérsias do que o serviço de Deus, na fé.

5 Ora, o intuito deste mandamento é o amor que procede de um coração puro, de uma boa consciência, de uma fé não fingida.

6 Alguns se desviaram dessas coisas e se entregaram a discursos vãos.

7 Querem ser mestres da lei, mas não entendem nem o que dizem nem o que com tanta confiança afirmam.

8 Sabemos, porém, que a Lei é boa, se alguém dela usa legitimamente,

9 tendo em vista que a lei não é feita para o justo, mas para os transgressores e rebeldes, os irreverentes e pecadores, os ímpios e profanos, para os parricidas, matricidas e homicidas,

10 para os devassos, os sodomitas, os roubadores de homens, os mentirosos, os que juram falsamente e para o que for contrário à sã doutrina,

11 conforme o evangelho da glória do Deus bendito, o qual me foi confiado.

12 Dou graças àquele que me fortaleceu, a Cristo Jesus, nosso Senhor, porque me considerou fiel, pondo-me no seu ministério,

13 a mim que outrora fui blasfemo e perseguidor e injuriador; mas alcancei misericórdia, porque o fiz ignorantemente, na incredulidade;

14 e a graça de nosso Senhor superabundou com a fé e o amor que há em Cristo Jesus.

15 Fiel é esta palavra e digna de toda a aceitação: que Cristo Jesus veio ao mundo para salvar os pecadores, dos quais eu sou o principal.

16 Por isso, contudo, alcancei misericórdia, para que em mim, o pior dos pecadores, Cristo Jesus mostrasse toda a sua longanimidade, para exemplo dos que haviam de crer nele e receber a vida eterna.

17 Ora, ao Rei eterno, imortal, invisível, ao único Deus, seja honra e glória para todo o sempre. Amém.

18 Esta instrução te dou, meu filho Timóteo, que, segundo as profecias que houve acerca de ti, por elas combatas o bom combate,

19 conservando a fé e a boa consciência, a qual alguns, havendo rejeitado, vieram a naufragar na fé.

20 Entre esses encontram-se Himeneu e Alexandre, os quais entreguei a Satanás para que aprendam a não blasfemar.

## Instruções sobre a adoração

**2** Exorto, pois, antes de tudo, que se façam súplicas, orações, intercessões e ações de graças por todos os homens,
**2** pelos reis e por todos os que exercem autoridade, para que tenhamos uma vida tranquila e sossegada, em toda piedade e honestidade.
**3** Pois isso é bom e agradável diante de Deus nosso Salvador,
**4** o qual deseja que todos os homens se salvem e venham ao conhecimento da verdade.
**5** Porque há um só Deus e um só Mediador entre Deus e os homens: Cristo Jesus, homem,
**6** que se deu a si mesmo em resgate por todos, para servir de testemunho a seu tempo.
**7** Para isso fui designado pregador e apóstolo (digo a verdade, não minto), mestre dos gentios na fé e na verdade.
**8** Quero, pois, que os homens orem em todo lugar, levantando mãos santas, sem ira nem contenda.

## Os deveres das mulheres cristãs

**9** Quero que, do mesmo modo, as mulheres se vistam com roupas decorosas, com modéstia e sobriedade, não com tranças, ou com ouro, ou pérolas, ou vestidos dispendiosos,
**10** mas (como convém a mulheres que fazem profissão de servir a Deus) com boas obras.
**11** A mulher aprenda em silêncio, com toda a submissão.
**12** Não permito que a mulher ensine nem que exerça autoridade sobre o marido, mas que esteja em silêncio.
**13** Porque primeiro foi formado Adão, depois Eva.
**14** E Adão não foi enganado, mas a mulher, sendo enganada, caiu em pecado.
**15** Todavia, será salva, dando à luz filhos, se permanecer com sobriedade na fé, no amor e na santificação.

## Os deveres dos bispos e dos diáconos

**3** Fiel é esta palavra: Se alguém deseja ser bispo, excelente obra deseja.
**2** É necessário, pois, que o bispo seja irrepreensível, marido de uma só mulher, vigilante, sóbrio, honesto, hospitaleiro, apto para ensinar;
**3** não dado ao vinho, não espancador, mas amável, inimigo de contendas, não ganancioso;
**4** que governe bem a sua própria casa, tendo seus filhos sob disciplina, com todo o respeito
**5** (pois se alguém não sabe governar a sua própria casa, como cuidará da igreja de Deus?);
**6** não pode ser recém-convertido, para que não se ensoberbeça e caia na mesma condenação do Diabo.
**7** Também é necessário que tenha boa reputação perante os de fora, para que não caia em descrédito e na armadilha do Diabo.
**8** Da mesma forma os diáconos sejam respeitáveis, sinceros, não dados a muito vinho, não cobiçosos de sórdida ganância,
**9** conservando o mistério da fé com a consciência pura.
**10** Também estes sejam primeiro provados, depois sirvam, se forem irrepreensíveis.
**11** Da mesma forma as mulheres sejam respeitáveis, não caluniadoras, sóbrias e fiéis em tudo.

12 Os diáconos sejam maridos de uma só mulher e governem bem seus filhos e sua própria casa.
13 Porque os que servirem bem como diáconos adquirirão para si uma boa posição e muita confiança na fé que há em Cristo Jesus.
14 Escrevo-te estas coisas, esperando ir ver-te em breve;
15 para que, se eu tardar, saibas como convém andar na casa de Deus, que é a igreja do Deus vivo, a coluna e o esteio da verdade.
16 Sem dúvida alguma, grande é o mistério da piedade:
Aquele que se manifestou em carne
foi justificado em espírito,
visto dos anjos,
pregado aos gentios,
crido no mundo,
recebido acima na glória.

### A apostasia nos últimos tempos

**4** O Espírito, porém, expressamente diz que nos últimos tempos alguns apostatarão da fé, dando ouvidos a espíritos enganadores e a doutrinas de demônios,
2 pela hipocrisia de homens que falam mentiras e têm cauterizada a própria consciência,
3 que proíbem o casamento e ordenam a abstinência de alimentos que Deus criou para os fiéis e para os que conhecem a verdade, a fim de usarem deles com ações de graças;
4 porque tudo o que Deus criou é bom, e não há nada que rejeitar, sendo recebido com ações de graças;
5 porque é santificada pela palavra de Deus e pela oração.

### Fidelidade e diligência no ministério

6 Transmitindo essas coisas aos irmãos, serás bom ministro de Cristo Jesus, alimentado com as palavras da fé e da boa doutrina que tens seguido.
7 Rejeita, contudo, as fábulas profanas e de velhas. Exercita-te a ti mesmo na piedade.
8 Pois o exercício físico para pouco aproveita, mas a piedade para tudo é proveitosa, tendo a promessa da vida presente e da que há de vir.
9 Fiel é esta palavra e digna de toda a aceitação.
10 Pois para isto é que trabalhamos e lutamos, porque esperamos no Deus vivo, que é o salvador de todos os homens, principalmente dos fiéis.
11 Manda estas coisas e ensina-as.
12 Ninguém despreze a tua juventude, mas sê exemplo dos fiéis, na palavra, no trato, no amor, no espírito, na fé, na pureza.
13 Persiste em ler, exortar e ensinar, até que eu vá.
14 Não desprezes o dom que há em ti, o qual te foi dado por profecia, com a imposição das mãos dos presbíteros.
15 Medita nessas coisas, ocupa-te nelas, para que o teu progresso seja manifesto a todos.
16 Tem cuidado de ti mesmo e da doutrina. Persevera nessas coisas; porque, fazendo isso, te salvarás, tanto a ti mesmo como aos que te ouvem.

### Acerca dos velhos e das viúvas

**5** Não repreendas asperamente um idoso, mas admoesta-o como se ele fosse seu pai; aos moços, como a irmãos;
2 às mulheres idosas, como a mães; às moças, como a irmãs, com toda a pureza.
3 Honra as viúvas que verdadeiramente são viúvas.

4 Se, porém, alguma viúva tiver filhos ou netos, aprendam eles primeiro a exercer piedade para com a sua própria família e a recompensar seus pais; porque isso é bom e agradável diante de Deus.
5 Ora, a que é verdadeiramente viúva e desamparada espera em Deus e persevera de noite e de dia em súplicas e orações;
6 mas a que vive em prazeres, mesmo viva, está morta.
7 Manda, pois, estas coisas, para que elas sejam irrepreensíveis.
8 Se, porém, alguém não cuida dos seus parentes, principalmente dos da sua casa, negou a fé e é pior que o incrédulo.
9 Não seja inscrita viúva com menos de sessenta anos, apenas a que tenha sido mulher de um só marido,
10 recomendada pelo testemunho de boas obras, se criou filhos, se exercitou hospitalidade, se lavou os pés dos santos, se socorreu os atribulados, se praticou toda sorte de boa obra.
11 Rejeita, porém, as viúvas mais novas, porque, quando se tornam levianas contra Cristo, querem casar-se;
12 tendo já a sua condenação por haverem quebrado o seu primeiro compromisso.
13 Além do mais, aprendem também a ser ociosas, andando de casa em casa; e não somente ociosas, mas também faladeiras e intrigantes, falando o que não devem.
14 Quero, pois, que as mais novas se casem, tenham filhos, sejam boas donas de casa e não deem motivo ao adversário para falar mal delas.
15 Porque já algumas se desviaram, indo após Satanás.
16 Se alguma mulher crente tem viúvas, socorra-as, e não se sobrecarregue a igreja, para que esta possa socorrer as que verdadeiramente são viúvas.

### Vários conselhos aos presbíteros

17 Os presbíteros que governam bem sejam estimados por dignos de duplicada honra, principalmente os que trabalham na palavra e no ensino.
18 Porque diz a Escritura: Não amordaçarás a boca do boi quando debulha. E: Digno é o obreiro do seu salário.
19 Não aceites acusação contra um presbítero, senão com duas ou três testemunhas.
20 Aos que pecarem, repreende-os na presença de todos, para que também os outros tenham temor.
21 Eu te exorto diante de Deus, de Cristo Jesus e dos anjos eleitos, que guardes essas instruções, nada fazendo com parcialidade.
22 A ninguém imponhas precipitadamente as mãos nem participes dos pecados alheios; conserva-te a ti mesmo puro.
23 Não bebas mais água só, mas toma também um pouco de vinho, por causa do teu estômago e das tuas frequentes enfermidades.
24 Os pecados de alguns homens são manifestos antes de entrarem em juízo, ao passo que os de outros manifestam-se depois.
25 Da mesma forma também as boas obras são manifestas antecipadamente; e as que não o são não podem ocultar-se.

### Os deveres dos servos

**6** Todos os servos que estão debaixo do jugo considerem seus senhores dignos de toda a honra,

para que o nome de Deus e a doutrina não sejam blasfemados.
2 E os que têm senhores crentes não os desprezem, porque são irmãos; antes os sirvam melhor, porque eles, que participam do benefício, são crentes e amados. Ensina e recomenda essas coisas.

### O amor do dinheiro

3 Se alguém ensina outra doutrina e não concorda com as sãs palavras de nosso Senhor Jesus Cristo e com a doutrina que é segundo a piedade,
4 é soberbo e nada sabe, mas delira acerca de questões e contendas de palavras, das quais nascem invejas, porfias, blasfêmias, suspeitas malignas,
5 contendas de homens corruptos de entendimento e privados da verdade, cuidando que a piedade é fonte de lucro.
6 De fato, grande fonte de lucro é a piedade com o contentamento.
7 Porque nada trouxemos para este mundo e nada podemos levar dele;
8 tendo, porém, sustento e com que nos vestir, estejamos contentes.
9 Os que, porém, querem ficar ricos caem em tentação e em laço, e em muitos desejos descontrolados e nocivos, os quais submergem os homens na ruína e perdição.
10 Porque o amor ao dinheiro é a raiz de todos os males; e nessa cobiça alguns se desviaram da fé e se atormentaram com muitas dores.

### A exortação a uma vida exemplar

11 Tu, porém, ó homem de Deus, foge dessas coisas e segue a justiça, a piedade, a fé, o amor, a paciência, a mansidão.
12 Combate o bom combate da fé, toma posse da vida eterna, para a qual também foste chamado, tendo já feito boa confissão diante de muitas testemunhas.
13 Exorto-te perante Deus, que todas as coisas vivifica, e de Cristo Jesus, que diante de Pôncio Pilatos deu o testemunho da boa confissão,
14 que guardes este mandamento imaculado e irrepreensível até a vinda de nosso Senhor Jesus Cristo;
15 que, no tempo próprio, há de ser revelada pelo bendito e único Soberano, Rei dos reis e Senhor dos senhores;
16 aquele que tem, ele só, a imortalidade e habita na luz inacessível, a quem nenhum dos homens viu nem pode ver, a ele seja honra e poder sempiterno. Amém.
17 Manda aos ricos deste mundo que não sejam altivos nem ponham a esperança na incerteza das riquezas, mas em Deus, que abundantemente nos dá todas as coisas para delas usufruirmos;
18 que façam o bem, sejam ricos de boas obras, generosos em dar e prontos a repartir,
19 que acumulem para si mesmos um bom fundamento para o futuro, para que possam alcançar a vida eterna.

### Conclusão e bênção

20 Ó Timóteo, guarda o depósito que te foi confiado, evitando as conversas vãs e profanas e as oposições da falsamente chamada ciência;
21 a qual professando-a alguns, se desviaram da fé. A graça seja convosco.

# 2 TIMÓTEO

### Saudação e ação de graças

**1** Paulo, apóstolo de Cristo Jesus, pela vontade de Deus, segundo a promessa da vida que está em Cristo Jesus,
**2** a Timóteo, meu amado filho: Graça, misericórdia e paz da parte de Deus Pai e de Cristo Jesus nosso Senhor.
**3** Dou graças a Deus, a quem, desde os meus antepassados, sirvo com uma consciência pura, de que sem cessar faço menção de ti nas minhas orações noite e dia.
**4** Lembrando-me das tuas lágrimas, desejo muito ver-te, para me encher de alegria;
**5** trazendo à memória a fé não fingida que há em ti, a qual habitou primeiro em tua avó Loide e em tua mãe Eunice, e estou certo de que também habita em ti.

### O exemplo de Paulo

**6** Por este motivo eu te exorto que despertes o dom de Deus que há em ti, pela imposição das minhas mãos.
**7** Porque Deus não nos deu o espírito de timidez, mas de poder, de amor e de moderação.
**8** Portanto, não te envergonhes do testemunho de nosso Senhor nem de mim, que sou prisioneiro seu; antes, participa comigo das aflições do evangelho segundo o poder de Deus,
**9** que nos salvou e chamou com uma santa vocação; não segundo as nossas obras, mas segundo o seu próprio propósito e a graça que nos foi dada em Cristo Jesus antes dos tempos eternos
**10** e que agora se manifestou pelo aparecimento de nosso Salvador Cristo Jesus, o qual destruiu a morte e trouxe à luz a vida e a imortalidade pelo evangelho,
**11** do qual fui constituído pregador, apóstolo e mestre.
**12** Por esse motivo sofro também estas coisas, mas não me envergonho; porque eu sei em quem tenho crido e estou certo de que ele é poderoso para guardar o meu depósito até aquele dia.
**13** Conserva o modelo das sãs palavras que de mim tens ouvido, na fé e no amor que há em Cristo Jesus.
**14** Guarda o bom depósito, mediante o Espírito Santo que habita em nós.
**15** Bem sabes isto, que todos os que estão na Ásia me abandonaram, entre eles Fígelo e Hermógenes.
**16** O Senhor conceda misericórdia à casa de Onesíforo, porque muitas vezes ele me reanimou e não se envergonhou das minhas algemas.
**17** Antes, vindo ele a Roma, diligentemente me procurou e me achou.
**18** O Senhor lhe conceda que naquele dia ache misericórdia diante do Senhor. E, quantos serviços me prestou ele em Éfeso, melhor o sabes tu.

### O bom soldado de Cristo

**2** Tu, pois, meu filho, fortifica-te na graça que há em Cristo Jesus.
**2** E o que de mim, através de muitas testemunhas ouviste, confia-o

a homens fiéis, que sejam idôneos para também ensinarem os outros.

3 Sofre, pois, comigo as aflições como bom soldado de Cristo Jesus. 4 Nenhum soldado em serviço se embaraça com negócio desta vida, a fim de agradar àquele que o alistou para a guerra. 5 Igualmente, o atleta não é coroado, se não lutar legitimamente. 6 O lavrador que trabalha deve ser o primeiro a participar dos frutos. 7 Considera o que digo, porque o Senhor te dará entendimento em tudo.

8 Lembra-te de que Jesus Cristo, que é da descendência de Davi, ressurgiu dentre os mortos, segundo o meu evangelho, 9 pelo qual sofro a ponto de ser preso como malfeitor; mas a palavra de Deus não está presa. 10 Por esse motivo, tudo suporto por amor dos eleitos, para que também eles alcancem a salvação que está em Cristo Jesus com glória eterna.

11 Fiel é esta palavra:
se já morremos com ele,
também com ele viveremos;
12 se perseverarmos,
com ele também reinaremos;
se o negarmos,
também ele nos negará;
13 se somos infiéis,
ele permanece fiel;
porque não pode negar-se a si mesmo.

### O obreiro aprovado

14 Lembra-lhes essas coisas, ordenando-lhes diante do Senhor que não tenham contendas de palavras, que para nada aproveitam, exceto para perverter os ouvintes. 15 Procura apresentar-te a Deus aprovado, como obreiro que não tem de que se envergonhar e que maneja bem a palavra da verdade. 16 Evita os falatórios inúteis, porque produzirão maior impiedade. 17 E a palavra desses corrói como câncer; entre os quais estão Himeneu e Fileto. 18 Esses se desviaram da verdade, dizendo que a ressurreição é já passada e perverteram a fé que tinham alguns.

19 Todavia, o firme fundamento de Deus permanece, tendo este selo: O Senhor conhece os que são seus, e: Qualquer que proferir o nome do Senhor aparte-se da injustiça.

20 Ora, numa grande casa não há somente vasos de ouro e de prata, mas também de pau e de barro; uns para honra, outros, porém, para desonra. 21 De sorte que, se alguém se purificar dessas coisas, será vaso para honra, santificado, idôneo para uso do Senhor e preparado para toda boa obra.

22 Foge também dos desejos da juventude; segue a justiça, a fé, o amor e a paz com os que, com um coração puro, invocam o Senhor. 23 E rejeita as questões insensatas e absurdas, sabendo que produzem contendas. 24 E ao servo do Senhor não convém contender, mas sim ser brando para com todos, apto para ensinar, paciente; 25 corrigindo com mansidão os que resistem, na expectativa de que Deus lhes conceda o arrependimento para conhecerem plenamente a verdade, 26 e que se desprendam dos laços do Diabo, por quem haviam sido presos, para cumprirem a vontade de Deus.

## A impiedade dos últimos tempos

**3** Sabe, porém, isto: Nos últimos dias sobrevirão tempos difíceis;
2 pois os homens serão amantes de si mesmos, gananciosos, presunçosos, soberbos, blasfemos, desobedientes a pais e mães, ingratos, profanos,
3 sem afeição natural, irreconciliáveis, caluniadores, sem domínio de si, cruéis, sem amor para com os bons,
4 traidores, atrevidos, orgulhosos, mais amigos dos prazeres do que amigos de Deus,
5 tendo aparência de piedade, mas negando-lhe o poder. Afasta-te também destes.
6 Porque entre estes estão os que se introduzem pelas casas e levam cativas mulheres néscias sobrecarregadas de pecados, levadas por todo tipo de desejos;
7 que aprendem sempre, mas nunca podem chegar ao conhecimento da verdade.
8 E, como Janes e Jambres resistiram a Moisés, assim também estes resistem à verdade, sendo homens corruptos de entendimento e reprovados na fé.
9 Não irão longe; porque a todos será manifesta a sua insensatez, como também aconteceu com a daqueles.

## A perseverança na sã doutrina

10 Mas tu tens seguido de perto o meu ensino, procedimento, intenção, fé, longanimidade, amor, perseverança,
11 perseguições e aflições, as quais me aconteceram em Antioquia, Icônio e Listra; quantas perseguições sofri, e o Senhor de todas me livrou.
12 E na verdade todos os que desejam viver piedosamente em Cristo Jesus padecerão perseguições.
13 Os homens maus e enganadores, porém, irão de mal a pior, enganando e sendo enganados.
14 Quanto a ti, porém, permanece naquilo que aprendeste e de que estás convicto, sabendo de quem o tens aprendido.
15 Pois desde a infância conheces as sagradas letras, que podem fazer-te sábio para a salvação, pela fé que há em Cristo Jesus.
16 Toda a Escritura é divinamente inspirada e proveitosa para ensinar, para repreender, para corrigir, para instruir em justiça;
17 a fim de que o homem de Deus seja perfeito e perfeitamente preparado para toda boa obra.

## Prega a palavra

**4** Exorto-te, pois, diante de Deus e de Cristo Jesus, que há de julgar os vivos e os mortos, na sua vinda e no seu Reino;
2 prega a palavra, insista a tempo e fora de tempo, admoesta, repreende, exorta, com toda a longanimidade e ensino.
3 Porque virá tempo em que não suportarão a sã doutrina; mas, tendo coceira nos ouvidos, se cercarão de mestres, segundo as suas próprias cobiças,
4 e se recusarão a dar ouvidos à verdade, voltando às fábulas.
5 Tu, porém, sê sóbrio em tudo, sofre as aflições, faze a obra de um evangelista, cumpre bem o teu ministério.

## Paulo prevê a sua morte

6 Quanto a mim, já estou sendo derramado como libação, e o tempo da minha partida está próximo.

**7** Combati o bom combate, acabei a carreira, guardei a fé.
**8** Desde agora, a coroa da justiça me está guardada, a qual o Senhor, justo juiz, me dará naquele dia; e não somente a mim, mas também a todos os que amarem a sua vinda.
**9** Procura vir ter comigo depressa.
**10** Porque Demas me abandonou, amando o presente século, e foi para Tessalônica; Crescente foi para a Galácia e Tito para a Dalmácia.
**11** Só Lucas está comigo. Toma a Marcos e traze-o contigo, porque me é muito útil para o ministério.
**12** Quanto a Tíquico, enviei-o a Éfeso.
**13** Quando vieres, traze a capa que deixei em Trôade, na casa de Carpo, e os livros, principalmente os pergaminhos.
**14** Alexandre, o latoeiro, causou-me muitos males; o Senhor lhe pague segundo as suas obras.
**15** Tu também te guardas dele; porque resistiu muito às nossas palavras.
**16** Ninguém me deu assistência na minha primeira defesa, antes todos me desampararam. Que isso não lhes seja cobrado.
**17** O Senhor, porém, esteve ao meu lado, me apoiando, e me fortaleceu, para que por mim fosse cumprida a pregação, e a ouvissem todos os gentios; e fiquei livre da boca do leão.
**18** E o Senhor me livrará de toda má obra e me levará salvo para o seu Reino celestial; a quem seja glória para todo o sempre. Amém.

### Saudações finais e bênção

**19** Saúda a Priscila e a Áquila e à casa de Onesíforo.
**20** Erasto ficou em Corinto. Quanto a Trófimo, deixei-o doente em Mileto.
**21** Apressa-te a vir antes do inverno. Saúdam-te Êubulo, Pudente, Lino, Cláudia e todos os irmãos.
**22** O Senhor seja com o teu espírito. A graça seja convosco.

# TITO

### Prefácio e saudação

**1** Paulo, servo de Deus e apóstolo de Jesus Cristo, segundo a fé dos eleitos de Deus e o pleno conhecimento da verdade que é segundo a piedade,
2 na esperança da vida eterna, a qual Deus, que não pode mentir, prometeu antes dos tempos eternos,
3 e, em tempos próprios, manifestou a sua palavra, pela pregação que me foi confiada segundo o mandamento de Deus, nosso Salvador,
4 a Tito, meu verdadeiro filho segundo a fé que nos é comum: Graça e paz da parte de Deus Pai e de Cristo Jesus nosso Salvador.

### O encargo de Tito em Creta

5 Por esta causa te deixei em Creta, para que pusesses em boa ordem o que ainda resta e, de cidade em cidade, estabelecesses presbíteros, como já te mandei:
6 aquele que for irrepreensível, marido de uma só mulher, que tenha filhos fiéis, que não possam ser acusados de dissolução, nem são desobedientes.
7 É necessário que o bispo seja irrepreensível, como despenseiro de Deus, não soberbo nem irascível, nem dado ao vinho, nem espancador, nem cobiçoso de torpe ganância.
8 Deve ser hospitaleiro, amigo do bem, sóbrio, justo, piedoso, temperante.
9 Deve reter firme a fiel palavra, que é conforme a doutrina, para que seja poderoso, tanto para admoestar na sã doutrina como para convencer os contradizentes.
10 Pois há muitos insubordinados, faladores vãos e enganadores, especialmente os da circuncisão.
11 É preciso tapar-lhes a boca, porque arruínam casas inteiras ensinando o que não convém, por pura ganância.
12 Um dentre eles, seu próprio profeta, disse: Os cretenses são sempre mentirosos, bestas ruins, ventres preguiçosos.
13 Este testemunho é exato. Portanto, repreende-os severamente, para que sejam sãos na fé,
14 não dando ouvidos a fábulas judaicas nem a mandamentos de homens que se desviam da verdade.
15 Todas as coisas são puras para os puros, mas nada é puro para os corrompidos e descrentes. Antes, a sua mente e sua consciência estão contaminadas.
16 Professam conhecer a Deus, mas negam-no pelas suas obras, sendo abomináveis, desobedientes e reprovados para toda boa obra.

### Exortações a diversos grupos

**2** Tu, porém, fala o que convém à sã doutrina.
2 Exorta os velhos a que sejam temperantes, respeitáveis, sensatos, sadios na fé, no amor e na constância.
3 As mulheres idosas, semelhantemente, sejam sérias no seu viver, como convém a santas, não caluniadoras, não dadas a muito vinho, mestras no bem.

4 Então poderão ensinar as mulheres mais novas a amar seus maridos e filhos,
5 a serem sensatas, honestas, boas donas de casa, bondosas, submissas a seus maridos, para que a palavra de Deus não seja difamada.
6 Exorta semelhantemente os jovens a que sejam moderados.
7 Em tudo te dá por exemplo de boas obras. Na doutrina, mostra integridade, reverência,
8 linguagem sã e irrepreensível, para que o adversário se envergonhe, não tendo nenhum mal que dizer de nós.
9 Exorta os servos a que sejam obedientes a seus senhores, sendo-lhes agradáveis em tudo, não os contradizendo,
10 não furtando, antes mostrando perfeita lealdade, para que assim tornem atraente em tudo o ensino de Deus, nosso Salvador.

### A graça da salvação manifestou-se a todos

11 Pois a graça de Deus se manifestou, trazendo salvação a todos os homens.
12 Ela nos ensina a abandonar a impiedade e as paixões mundanas, para que vivamos neste presente século sóbria, justa e piedosamente,
13 aguardando a bendita esperança e o aparecimento da glória do nosso grande Deus e Salvador Cristo Jesus,
14 o qual a si mesmo se deu por nós, a fim de *remir-nos de toda* iniquidade e purificar para si um povo todo seu, zeloso de boas obras.
15 Fala essas coisas, exorta e repreende com toda a autoridade. Ninguém te despreze.

### Os deveres dos fiéis

3 Lembra-lhes que se sujeitem aos governadores e autoridades, sejam obedientes, estejam preparados para toda boa obra,
2 que a ninguém difamem, e não sejam briguentos, mas pacíficos, mostrando toda a mansidão para com todos os homens.
3 Outrora nós também éramos insensatos, desobedientes, extraviados, servindo a várias paixões e prazeres, vivendo em malícia e inveja, odiosos e odiando-nos uns aos outros.
4 Quando, porém, se manifestou a bondade de Deus, nosso Salvador, e o seu amor para com os homens,
5 não por obras de justiça que houvéssemos feito, mas segundo a sua misericórdia, ele nos salvou mediante a lavagem da regeneração e da renovação pelo Espírito Santo,
6 que ele derramou ricamente sobre nós, por meio de Jesus Cristo nosso Salvador,
7 a fim de que, justificados por sua graça, sejamos feitos seus herdeiros segundo a esperança da vida eterna.
8 Fiel é a palavra. E quero que a proclames com firmeza, para que os que creem em Deus procurem aplicar-se às boas obras. Estas coisas são boas e proveitosas aos homens.
9 Evita, porém, questões tolas, genealogias, contendas e debates acerca da Lei, porque são coisas inúteis e vãs.
10 Ao homem que causa divisão, depois da primeira e segunda admoestações, evita-o,
11 sabendo que esse tal está pervertido e vive pecando e já por si mesmo está condenado.

## Recomendações particulares e saudações finais

**12** Quando te enviar Ártemas, ou Tíquico, procura vir ter comigo a Nicópolis, porque resolvi passar o inverno ali.
**13** Faze tudo o que puderes para ajudar a Zenas, doutor da lei, e a Apolo, para que nada lhes falte.
**14** Que os nossos também aprendam a aplicar-se às boas obras, para suprir as coisas necessárias, a fim de que não sejam infrutíferos.
**15** Saúdam-te todos os que estão comigo. Saúda a quantos nos amam na fé. A graça seja com todos vós.

# FILEMOM

### Prefácio e saudação

**1** Paulo, prisioneiro de Cristo Jesus, e o irmão Timóteo, ao amado Filemom, nosso cooperador,
**2** à irmã Áfia, a Arquipo, nosso companheiro de lutas, e à igreja que está em tua casa:
**3** Graça e paz a vós outros, da parte de Deus, nosso Pai, e do Senhor Jesus Cristo.
**4** Dou graças ao meu Deus, lembrando-me sempre de ti nas minhas orações,
**5** porque ouvi falar do amor e da fé que tens para com o Senhor Jesus e para com todos os santos.
**6** Oro para que a comunicação da tua fé seja eficaz no conhecimento de todo o bem que em nós há para com Cristo.
**7** Tive grande alegria e consolação no teu amor, porque por ti, ó irmão, o coração dos santos tem sido reanimado.

### A intercessão de Paulo por Onésimo

**8** Pelo que, ainda que tenha em Cristo grande confiança para te mandar o que te convém,
**9** prefiro, todavia, solicitar em nome do amor, sendo o que sou, Paulo, o velho e, também agora, prisioneiro de Cristo Jesus.
**10** Peço-te por meu filho Onésimo, que gerei nas minhas prisões.
**11** Outrora ele te foi inútil, mas agora a ti e a mim muito útil.
**12** Mando-o de volta a ti, a ele que é o meu coração.
**13** Eu bem quisera conservá-lo comigo, para que por ti me servisse nas prisões do evangelho.
**14** Nada, porém, quis fazer sem o teu consentimento, para que o teu benefício não fosse forçado, mas voluntário.
**15** Bem pode ser que ele se tenha separado de ti por algum tempo, para que o retivesses para sempre,
**16** não já como escravo, antes, mais do que escravo, como irmão amado, particularmente para mim, e quanto mais para ti, assim na carne como no Senhor.
**17** Portanto, se me tens por companheiro, recebe-o como a mim mesmo.
**18** E, se te causou algum prejuízo, ou te deve alguma coisa, lança-o na minha conta.
**19** Eu, Paulo, escrevo de meu próprio punho, eu o pagarei, para não dizeres que ainda me deves a própria vida.
**20** Sim, irmão, eu gostaria de receber de ti, no Senhor, este benefício. Reanima-me o coração em Cristo.
**21** Escrevo-te confiado na tua obediência, sabendo que farás ainda mais do que peço.

### Comunicações pessoais e saudações finais

**22** Ao mesmo tempo, prepara-me também pousada, porque espero que pelas vossas orações vos hei de ser restituído.
**23** Saúdam-te Epafras, meu companheiro de prisão em Cristo Jesus,
**24** Marcos, Aristarco, Demas e Lucas, meus cooperadores.
**25** A graça do Senhor Jesus Cristo seja com o vosso espírito.

# HEBREUS

### O Filho é superior aos anjos

**1** Havendo Deus outrora falado, muitas vezes e de muitas maneiras, aos pais, pelos profetas, **2** a nós falou-nos, nestes últimos dias, pelo Filho, a quem constituiu herdeiro de tudo, por quem fez o mundo.
**3** O Filho é o resplendor da sua glória e a expressa imagem da sua pessoa, sustentando todas as coisas pela palavra do seu poder. Havendo feito por si mesmo a purificação dos nossos pecados, assentou-se à direita da Majestade nas alturas.
**4** Assim ele se tornou tão superior aos anjos quanto o nome que herdou é mais excelente do que o deles.
**5** Pois a qual dos anjos disse jamais:
Tu és meu Filho,
 eu hoje te gerei?
E outra vez:
Eu lhe serei por Pai,
 e ele me será por Filho?
**6** E, novamente, ao inserir o primogênito no mundo, diz:
E todos os anjos de Deus o adorem.
**7** E, quanto aos anjos, diz:
Quem de seus anjos faz ventos;
 e de seus ministros,
 labaredas de fogo.
**8** Do Filho, porém, diz:
Ó Deus, o teu trono subsiste
 pelos séculos dos séculos;
cetro de equidade é o
 cetro do teu Reino.
**9** Amaste a justiça e odiaste
 a iniquidade;
por isso Deus, o teu Deus,
 te ungiu com óleo de alegria
mais do que a teus
 companheiros.
**10** Ainda:
Tu, Senhor, no princípio
 fundaste a terra,
e os céus são obra de
 tuas mãos.
**11** Eles perecerão, mas tu
 permanecerás;
todos eles, como roupa,
 envelhecerão.
**12** Qual um manto os
 enrolarás;
como roupa se mudarão.
Mas tu és o mesmo,
e os teus anos não acabarão.
**13** Ora, a qual dos anjos disse jamais:
Assenta-te à minha direita
 até que ponha os teus
 inimigos
 por estrado dos teus pés?
**14** Não são todos eles espíritos ministradores, enviados para servir a favor dos que hão de herdar a salvação?

### O perigo da falta de atenção

**2** Portanto, devemos dar mais atenção para as coisas que já temos ouvido, para que em tempo algum nos desviemos delas.
**2** Pois, se a palavra falada pelos anjos permaneceu firme e toda violação e desobediência recebeu justa retribuição,
**3** como escaparemos nós, se negligenciarmos tão grande salvação? Salvação esta que, começando a ser anunciada pelo Senhor, foi-nos depois confirmada pelos que a ouviram.

4 Também Deus testificou com eles, por meio de sinais, prodígios e vários milagres e dons do Espírito Santo, distribuídos segundo a sua vontade.
5 Não foi aos anjos que Deus sujeitou o mundo vindouro, de que falamos.
6 Antes, em certo lugar, testificou alguém, dizendo:
Que é o homem, para que dele te lembres?
E o filho do homem, para que o visites?
7 Fizeste-o um pouco menor do que os anjos,
de glória e de honra o coroaste
e o constituíste sobre as obras de tuas mãos.
8 Todas as coisas lhe sujeitaste debaixo dos pés.
Ora, visto que lhe sujeitou todas as coisas, nada deixou que não lhe esteja sujeito. Mas agora ainda não vemos todas as coisas sujeitas a ele.
9 Vemos, porém, aquele que, por um pouco, foi feito um pouco menor do que os anjos, Jesus, coroado de glória e de honra, por causa da paixão da morte, para que, pela graça de Deus, provasse a morte por todos.
10 Convinha que aquele para quem são todas as coisas e mediante quem tudo existe, trazendo muitos filhos à glória, consagrasse pelas aflições o autor da salvação deles.
11 Tanto o que santifica como os que são santificados provêm *todos de um só*. Por causa disso Jesus não se envergonha de lhes chamar irmãos,
12 dizendo:
Anunciarei o teu nome a meus irmãos,
cantarei louvores a ti no meio da congregação.
13 E outra vez:
Porei nele a minha confiança.
E ainda:
Aqui estou e aos filhos que Deus me deu.
14 Portanto, visto que os filhos participam da carne e do sangue, também ele participou das mesmas coisas, para que pela morte derrotasse o que tinha o poder da morte, isto é, o Diabo;
15 e livrasse a todos os que, com medo da morte, estavam por toda a vida sujeitos à escravidão.
16 Pois na verdade ele não socorre a anjos, mas sim à descendência de Abraão.
17 Pelo que convinha que em tudo fosse semelhante a seus irmãos, para ser misericordioso e fiel sumo sacerdote naquilo que é de Deus, a fim de fazer propiciação pelos pecados do povo.
18 Porque naquilo que ele mesmo, sendo tentado, padeceu, pode socorrer aos que são tentados.

### Cristo é superior a Moisés

**3** Pelo que, santos irmãos, participantes da vocação celestial, fixai sua mente em Jesus, o Apóstolo e Sumo Sacerdote da nossa confissão.
2 Ele foi fiel ao que o constituiu, como também o foi Moisés em toda a casa de Deus.
3 Jesus é tido por digno de maior glória do que Moisés, assim como um construtor de uma casa tem honra maior do que a casa que edificou.
4 Pois toda casa é edificada por alguém, mas o que edificou todas as coisas é Deus.

5 Moisés, na verdade, foi fiel em toda a casa de Deus, como servo, para testemunho das coisas que se haviam de anunciar;
6 Cristo, porém, como Filho, é fiel sobre a sua própria casa. Essa casa somos nós, se tão somente conservarmos firmes a confiança e a glória da esperança até o fim.
7 Assim, como diz o Espírito Santo:
Hoje se ouvirdes a sua voz,
8 não endureçais o vosso
coração,
como no dia da tentação
no deserto,
9 onde vossos pais me tentaram,
me provaram e viram,
por quarenta anos, as
minhas obras.
10 Por isso, me indignei
contra esta geração e disse:
Estes sempre erram em seu
coração e não conheceram os
meus caminhos.
11 Assim jurei na minha ira:
Não entrarão no meu
descanso.
12 Vede, irmãos, que nunca haja em qualquer de vós um coração perverso e incrédulo que vos afaste do Deus vivo.
13 Antes, exortai-vos uns aos outros todos os dias, durante o tempo que se chama Hoje, para que nenhum de vós se endureça pelo engano do pecado.
14 Temo-nos tornado participantes de Cristo, se é que guardamos firme até o fim a confiança que desde o princípio tivemos.
15 Enquanto se diz:
Hoje, se ouvirdes a sua voz,
não endureçais o vosso
coração,
como na provocação.
16 Ora, quais os que, tendo-a ouvido, o provocaram? Não foram todos os que saíram do Egito por meio de Moisés?
17 E contra quem se indignou por quarenta anos? Não foi contra os que pecaram, cujos corpos caíram no deserto?
18 E a quem jurou que não entrariam no seu descanso, senão aos que foram desobedientes?
19 E vemos que não puderam entrar por causa da incredulidade.

## Resta um descanso para o povo de Deus

4 Temamos, portanto, que, tendo-nos sido deixada a promessa de entrar no seu descanso, suceda parecer que algum de vós tenha falhado.
2 Pois também a nós foram anunciadas as boas-novas, como a eles, mas a palavra que ouviram nada lhes aproveitou, visto não ser acompanhada pela fé, naqueles que a ouviram.
3 Ora, nós, os que temos crido, entramos no descanso, tal como disse:
Assim jurei na minha ira
que não entrarão no meu
descanso.
Contudo as suas obras foram acabadas desde a fundação do mundo.
4 Pois em certo lugar disse ele assim do sétimo dia: E descansou Deus, no sétimo dia, de todas as suas obras.
5 E outra vez, no mesmo lugar: Não entrarão no meu descanso.
6 Visto que restam entrar alguns ainda e que, por causa da desobediência, não entraram aqueles a quem primeiro foram pregadas as boas-novas,
7 determina outra vez certo dia, chamando-o Hoje, dizendo, por meio de Davi, muito tempo depois, segundo antes fora dito:

Hoje, se ouvirdes a sua voz,
não endureçais o vosso
coração.

**8** Ora, se Josué lhes houvesse dado descanso, não teria falado depois disso de outro dia.
**9** Resta ainda, portanto, um repouso para o povo de Deus;
**10** pois aquele que entrou no descanso de Deus, ele próprio descansou de suas obras, como Deus das suas.
**11** Procuremos, portanto, entrar naquele descanso, para que ninguém caia no mesmo exemplo de desobediência.
**12** Pois a palavra de Deus é viva e eficaz e mais cortante do que qualquer espada de dois gumes; ela penetra até o ponto de dividir alma e espírito, juntas e medulas, e é apta para discernir os pensamentos e intenções do coração.
**13** E não há criatura alguma encoberta diante dele. Todas as coisas estão nuas e patentes aos olhos daquele a quem havemos de prestar contas.
**14** Visto que temos um grande sumo sacerdote, Jesus, o Filho de Deus, que penetrou nos céus, retenhamos firmemente a nossa confissão.
**15** Pois não temos um sumo sacerdote que não possa compadecer-se das nossas fraquezas, mas um que, como nós, em tudo foi tentado, porém sem pecado.
**16** Cheguemo-nos, pois, com confiança ao trono da graça, para que recebamos misericórdia e achemos graça, a fim de sermos socorridos *no momento oportuno*.

### Jesus Cristo, o grande Sumo Sacerdote

**5** Todo sumo sacerdote tomado dentre os homens é constituído a favor dos homens nas coisas concernentes a Deus, para oferecer tanto dons como sacrifícios pelos pecados.
**2** Ele pode compadecer-se devidamente dos que não têm conhecimento e andam errantes, pois ele mesmo está rodeado de fraquezas.
**3** E, por esse motivo, deve ele, tanto pelo povo como por si mesmo, fazer oferta pelos pecados.
**4** Ora, ninguém toma para si esta honra, senão o que é chamado por Deus, como o foi Arão.
**5** Assim também Cristo não se glorificou a si mesmo, para se fazer sumo sacerdote, mas o glorificou aquele que lhe disse:

Tu és meu Filho,
   eu hoje te gerei.

**6** Como diz em outro lugar:

Tu és Sacerdote, eternamente,
   segundo a ordem de
   Melquisedeque.

**7** O qual, nos dias de sua vida terrena, tendo oferecido, com grande clamor e lágrimas, orações e súplicas ao que o podia livrar da morte; e, sendo ouvido por causa da sua piedade,
**8** embora sendo Filho, aprendeu a obediência por meio daquilo que sofreu
**9** e, tendo ele sido aperfeiçoado, veio a ser o autor da eterna salvação para todos os que lhe obedecem,
**10** tendo sido por Deus chamado sumo sacerdote, segundo a ordem de Melquisedeque.
**11** A esse respeito temos muito que dizer, mas de difícil interpretação, porque vos tornastes lentos para aprender.
**12** Com efeito, devendo já ser mestres, por causa do tempo decorrido, ainda necessitais de que se vos torne

a ensinar os princípios elementares dos ensinamentos de Deus; e vos tornastes como necessitados de leite, não de alimento sólido.
13 Ora, todo aquele que ainda se alimenta de leite não está apto a ensinar a palavra da justiça, porque é criança.
14 O alimento sólido, porém, é para os adultos, para aqueles que, pela prática, têm as faculdades exercitadas para discernir tanto o bem como o mal.

### Os perigos espirituais

**6** Pelo que, deixando os ensinos elementares da doutrina de Cristo, prossigamos para a perfeição, não lançando de novo o fundamento do arrependimento de obras mortas e da fé em Deus,
2 o ensino sobre batismos e imposição de mãos e sobre a ressurreição dos mortos e o juízo eterno.
3 E assim faremos, se Deus o permitir.
4 É impossível que os que já uma vez foram iluminados, provaram o dom celestial, se fizeram participantes do Espírito Santo
5 e experimentaram a boa palavra de Deus e os poderes do mundo vindouro
6 e depois caíram sejam outra vez renovados para arrependimento, porque de novo estão crucificando para si mesmos o Filho de Deus e expondo-o à desonra.
7 A terra, que absorve a chuva que muitas vezes cai sobre ela e produz erva proveitosa para aqueles por quem é lavrada, recebe a bênção da parte de Deus.
8 Se, porém, produz espinhos e ervas daninhas, é rejeitada e perto está da maldição. O seu fim é ser queimada.

9 De vós, contudo, ó amados, esperamos coisas melhores e pertencentes à salvação, ainda que assim falemos.
10 Deus não é injusto; ele não se esquecerá da vossa obra e do amor que para com o seu nome mostrastes, pois servistes e ainda servis aos santos.
11 Desejamos que cada um de vós mostre o mesmo zelo até o fim, para completa certeza da esperança.
12 Não desejamos que vos torneis negligentes, mas sejais imitadores dos que pela fé e paciência herdam as promessas.

### Esperança, a âncora da alma

13 Quando Deus fez a promessa a Abraão, como não tinha outro maior por quem jurasse, jurou por si mesmo,
14 dizendo: Certamente te abençoarei e multiplicarei.
15 E assim, tendo Abraão esperado com paciência, alcançou a promessa.
16 Os homens juram por quem lhes é superior, e o juramento para confirmação é, para eles, o fim de toda contenda.
17 Assim que, querendo Deus mostrar mais abundantemente aos herdeiros da promessa a imutabilidade do seu conselho, se interpôs com juramento.
18 Deus fez isso para que por duas coisas imutáveis, nas quais é impossível que Deus minta, tenhamos forte consolação, nós, os que nos refugiamos em lançar mão da esperança proposta.
19 Temos essa consolação como âncora da alma, segura e firme, e que penetra até o interior do véu,

20 onde Jesus, como precursor, entrou por nós, feito sumo sacerdote para sempre, segundo a ordem de Melquisedeque.

## Melquisedeque, figura do sacerdócio eterno de Cristo

**7** Este Melquisedeque, rei de Salém, sacerdote do Deus Altíssimo que saiu ao encontro de Abraão quando este regressava da matança dos reis e o abençoou,
2 para quem Abraão separou o dízimo de tudo (primeiramente se interpreta rei de justiça, depois também é rei de Salém, ou seja, rei de paz.
3 Sem pai, sem mãe, sem genealogia, não tendo princípio de dias nem fim de vida, mas sendo feito semelhante ao Filho de Deus), permanece sacerdote para sempre.
4 Considerai quão grande era este, a quem até o patriarca Abraão deu o dízimo tirado dos despojos.
5 E os que dentre os filhos de Levi recebem o sacerdócio têm ordem, segundo a Lei, de tomar o dízimo do povo, isto é, de seus irmãos, ainda que estes sejam descendentes de Abraão.
6 Aquele, porém, cuja genealogia não é contada entre eles tomou dízimos de Abraão e abençoou o que tinha as promessas.
7 Ora, sem contradição alguma, o menor é abençoado pelo maior.
8 Aqui certamente recebem dízimos homens que morrem; ali, porém, os recebe aquele de quem se testifica que vive.
9 E, por assim dizer, por meio de Abraão, até Levi, que recebe dízimos, pagou dízimos,
10 porque ele estava ainda nos lombos de seu pai quando Melquisedeque saiu ao encontro deste.

## Uma melhor esperança

11 De sorte que, se a perfeição fosse pelo sacerdócio levítico (pois sob ele o povo recebeu a lei), que necessidade haveria ainda de que outro sacerdote se levantasse, segundo a ordem de Melquisedeque, e que não fosse contado segundo a ordem de Arão?
12 Pois mudando-se o sacerdócio, necessariamente se faz também mudança de lei.
13 Aquele de quem estas coisas se dizem pertence a outra tribo, da qual ninguém serviu ao altar,
14 visto ser evidente que nosso Senhor procedeu de Judá, tribo da qual Moisés nada falou acerca de sacerdócio.
15 E ainda muito mais evidente é isto, se à semelhança de Melquisedeque se levanta outro sacerdote,
16 que não foi feito segundo regras de uma linhagem, mas segundo o poder da vida indestrutível.
17 Pois dele assim se testifica:

Tu és sacerdote para sempre,
segundo a ordem de
Melquisedeque.

18 O mandamento anterior é revogado por causa da sua fraqueza e inutilidade
19 (pois a Lei nunca aperfeiçoou coisa alguma), e desta sorte é introduzida uma melhor esperança, pela qual chegamos a Deus.
20 E isso não ocorreu sem prestar juramento (pois certamente aqueles, sem juramento, foram feitos sacerdotes,
21 mas este, com juramento, por aquele que lhe disse:

Jurou o Senhor
e não se arrependerá:

Tu és sacerdote para sempre,
   segundo a ordem de
   Melquisedeque).
22 Jesus tornou-se assim a garantia de uma aliança superior.
23 Na verdade, aqueles foram feitos sacerdotes em grande número, porque pela morte foram impedidos de permanecer,
24 mas este, porque permanece eternamente, tem o seu sacerdócio perpétuo.
25 Portanto, pode também salvar perfeitamente os que por ele se chegam a Deus, vivendo sempre para interceder por eles.
26 Convinha-nos tal sumo sacerdote, santo, inocente, imaculado, separado dos pecadores e feito mais sublime do que os céus,
27 que não necessitasse, como os sumos sacerdotes, de oferecer cada dia sacrifícios, primeiro por seus próprios pecados e, depois, pelos do povo. Isso fez ele, uma vez por todas, quando a si mesmo se ofereceu.
28 Pois a Lei constitui sumos sacerdotes a homens sujeitos à fraqueza, mas a palavra do juramento, que veio depois da Lei, constitui ao Filho, perfeito para sempre.

### Cristo, o mediador de uma nova aliança

8 O ponto principal do que estamos dizendo é que temos um sumo sacerdote tal que se assentou à direita do trono da Majestade nos céus
2 como ministro do santuário e do verdadeiro tabernáculo que o Senhor fundou, não o homem.
3 Todo sumo sacerdote é constituído para oferecer dons e sacrifícios, pelo que era necessário que este também tivesse alguma coisa que oferecer.
4 Ora, se ele estivesse na terra, nem seria sacerdote, havendo já sacerdotes que oferecem dons segundo a Lei.
5 Eles servem num santuário que é figura e sombra das coisas celestiais. É por isso que Moisés divinamente foi avisado quando estava para construir o tabernáculo: Vê que faças tudo conforme o modelo que te foi mostrado no monte.
6 Agora, porém, Jesus alcançou ministério superior ao deles, como também a aliança da qual ele é mediador é superior à aliança antiga, que está firmada em promessas superiores.
7 Pois, se aquela primeira aliança tivesse sido sem defeito, nunca se teria buscado lugar para a segunda.
8 Deus, porém, repreendendo-os, diz:
   Virão dias, diz o Senhor,
   em que com a casa de Israel
   e com a casa de Judá
   estabelecerei uma nova
   aliança.
9 Ela não será segundo a
   aliança
   que fiz com seus pais
   no dia em que os tomei
   pela mão,
   para os tirar da terra
   do Egito,
   porque não permaneceram
   naquela minha aliança,
   e eu para eles não atentei,
   diz o Senhor.
10 Esta é a aliança que depois
   daqueles dias farei
   com a casa de Israel, diz o
   Senhor.
   Porei as minhas leis
   na sua mente,

e em seu coração as escreverei.
Eu serei o seu Deus,
e eles serão o meu povo.
11 E não ensinará jamais cada um ao seu próximo, nem cada um ao seu irmão, dizendo: Conhece ao Senhor, porque todos me conhecerão, desde o menor deles até o maior.
12 Pois lhes perdoarei a maldade de seus pecados e de suas iniquidades não me lembrarei mais.
13 Dizendo nova aliança, ele tornou antiquada a primeira. Ora, aquilo que se torna antiquado e envelhecido perto está de desaparecer.

### O culto no tabernáculo terrestre

**9** Ora, a primeira aliança tinha ordenanças de culto sagrado e também um santuário terrestre.
2 Foi preparado um tabernáculo. Na parte da frente estavam o candelabro, a mesa e os pães da proposição; a esse se chama o Santo Lugar.
3 Depois do segundo véu estava o tabernáculo que se chama o Santo dos Santos,
4 que tinha o altar de ouro do incenso e a arca da aliança, toda coberta de ouro, na qual estava um vaso de ouro, que continha o maná, a vara de Arão, que tinha brotado, e as tábuas da aliança.
5 Sobre a arca estavam os querubins da glória que, com a sua sombra, cobriam o propiciatório. Dessas coisas não falaremos agora pormenorizadamente.
6 Ora, estando essas coisas assim preparadas, continuamente entram no primeiro tabernáculo os sacerdotes, para realizar os serviços.
7 No segundo, porém, só o sumo sacerdote, uma vez no ano, não sem sangue, que oferece por si mesmo e pelos pecados de ignorância do povo.
8 O Espírito Santo estava dando a entender com isso que o caminho do Santo dos Santos ainda não está descoberto, enquanto continua em pé o primeiro tabernáculo.
9 Esta é uma parábola para o tempo presente, em que se oferecem tanto dons como sacrifícios que, quanto à consciência, não podem aperfeiçoar aquele que presta o culto.
10 Não passam de ordenanças de comida, bebidas e várias cerimônias de purificação, impostas até a época da reforma.

### O sangue de Cristo

11 Cristo, porém, tendo vindo como sumo sacerdote dos bens já realizados, por meio de um maior e mais perfeito tabernáculo, não feito por mãos, isto é, não desta criação,
12 e não por meio de sangue de bodes e bezerros, mas pelo seu próprio sangue, entrou no Santo dos Santos, uma vez por todas, havendo obtido uma eterna redenção.
13 Se a aspersão do sangue de bodes e de touros e das cinzas de uma novilha santifica os contaminados, quanto à purificação da carne,
14 quanto mais o sangue de Cristo, que pelo Espírito eterno se ofereceu a si mesmo imaculado a Deus, purificará a nossa consciência das obras mortas, para servirmos ao Deus vivo?
15 Por isso, ele é o mediador de uma nova aliança, para que, intervindo a morte para remissão dos

pecados que havia sob a primeira aliança, os chamados recebam a promessa da herança eterna.

**16** Onde há testamento, necessário é que intervenha a morte do testador,

**17** porque um testamento só é confirmado onde houve morte; ou terá ele algum valor enquanto o testador vive?

**18** É por isso que nem a primeira aliança foi consagrada sem sangue.

**19** Havendo Moisés anunciado a todo o povo todos os mandamentos segundo a Lei, tomou o sangue dos bezerros e dos bodes, com água, lã vermelha e hissopo, e aspergiu tanto o próprio livro como todo o povo,

**20** dizendo: Este é o sangue da aliança que Deus ordenou para vós.

**21** Semelhantemente aspergiu com sangue o tabernáculo e todos os vasos do ministério sagrado.

**22** Quase todas as coisas, segundo a Lei, se purificam com sangue; e sem derramamento de sangue não há remissão.

**23** Era necessário, portanto, que as figuras das coisas que estão no céu se purificassem com tais sacrifícios, mas as próprias coisas celestiais com sacrifícios superiores a estes.

**24** Pois Cristo não entrou em santuário feito por mãos, figura do verdadeiro, mas no mesmo céu, para comparecer, agora, por nós, perante a face de Deus.

**25** Nem também entrou para se oferecer a si mesmo muitas vezes, como o sumo sacerdote entra anualmente no Santo dos Santos, com sangue alheio.

**26** Doutra forma, necessário lhe fora padecer muitas vezes desde a fundação do mundo. Mas agora, na consumação dos séculos, uma vez por todas se manifestou, para aniquilar o pecado pelo sacrifício de si mesmo.

**27** E, como aos homens está ordenado morrer uma só vez, vindo depois disso o juízo,

**28** assim também Cristo, oferecendo-se uma só vez, para levar os pecados de muitos, aparecerá pela segunda vez, sem pecado, aos que o esperam para a salvação.

## A eficácia do sacrifício de Cristo

**10** A Lei, tendo a sombra dos bens futuros, e não a imagem exata das coisas, não pode nunca, pelos mesmos sacrifícios que continuamente se oferecem de ano em ano, aperfeiçoar os que se chegam ao culto.

**2** Doutra sorte, não teriam deixado de ser oferecidos? Pois tendo sido uma vez purificados os que prestam culto, nunca mais teriam consciência de pecado.

**3** Nesses sacrifícios, porém, cada ano se faz recordação de pecados,

**4** porque é impossível que sangue de touros e de bodes tire os pecados.

**5** Pelo que, ao entrar no mundo, diz:

Sacrifício e oferta não
 quiseste,
 mas corpo me preparaste;

**6** não te deleitaste em holocaustos
 e ofertas pelo pecado.

**7** Então eu disse: Aqui estou
 (no rolo do livro está escrito
 de mim),
 para fazer, ó Deus, a tua
 vontade.

**8** Depois de dizer como acima: Sacrifícios, ofertas, holocaustos e ofertas pelo pecado não

quiseste, nem deles te agradaste (os quais se oferecem segundo a Lei),
9 então acrescentou: Aqui estou, para fazer, ó Deus, a tua vontade. Tira o primeiro para estabelecer o segundo.
10 Nessa vontade é que temos sido santificados pela oferta do corpo de Jesus Cristo, feita uma vez por todas.
11 Todo sacerdote se apresenta dia após dia, ministrando e oferecendo muitas vezes os mesmos sacrifícios, que nunca podem tirar pecados.
12 Este, porém, havendo oferecido, para sempre, um único sacrifício pelos pecados, assentou-se à direita de Deus.
13 Daí por diante espera que os seus inimigos sejam postos por estrado dos seus pés,
14 porque com uma só oferta aperfeiçoou para sempre os que estão sendo santificados.
15 O Espírito Santo também o testifica. Primeiro diz:
16 Esta é a aliança que farei com eles
depois daqueles dias,
diz o Senhor:
Porei as minhas leis no
coração deles,
e as escreverei na sua
mente. Então acrescenta:
17 E jamais me lembrarei dos
seus pecados
e das suas iniquidades.
18 Ora, onde há perdão de pecados, não há necessidade de sacrifício *pelo pecado*.

### Exortação à perseverança

19 Portanto, irmãos, tendo ousadia para entrar no Santo dos Santos, pelo sangue de Jesus,
20 pelo novo e vivo caminho que ele nos consagrou pelo véu, isto é, pelo seu corpo,
21 e tendo grande sacerdote sobre a casa de Deus,
22 cheguemo-nos com verdadeiro coração, em plena certeza de fé, tendo o coração purificado de má consciência e o corpo lavado com água limpa.
23 Guardemos firme a confissão da nossa esperança, pois fiel é aquele que fez a promessa.
24 Consideremo-nos uns aos outros, para nos estimularmos ao amor e às boas obras.
25 Não deixando de congregar-nos, como é costume de alguns, mas admoestemo-nos uns aos outros, e tanto mais quanto vedes que se aproxima aquele dia.
26 Se voluntariamente continuarmos no pecado, depois de termos recebido o pleno conhecimento da verdade, já não resta mais sacrifício pelos pecados,
27 mas certa expectação horrível de juízo e ardor de fogo que há de devorar os adversários.
28 Todo aquele que quebrava a Lei de Moisés morria sem misericórdia, pelo testemunho de duas ou três pessoas.
29 De quanto maior castigo cuidais vós será julgado merecedor aquele que pisar o Filho de Deus, tiver por profano o sangue da aliança com o qual foi santificado e ultrajar o Espírito da graça?
30 Pois conhecemos aquele que disse: Minha é a vingança; eu retribuirei. E outra vez: O Senhor julgará o seu povo.
31 Horrenda coisa é cair nas mãos do Deus vivo.
32 Lembrai-vos, porém, dos dias passados, em que, depois de serdes

iluminados, suportastes grande combate de aflições.

33 Às vezes fostes expostos como em espetáculo, tanto de vergonha quanto de tribulações; às vezes vos tornastes coparticipantes com os que desse modo foram tratados.

34 Não somente vos compadecestes dos que estavam nas prisões, mas também com alegria aceitastes o espólio dos vossos bens, sabendo que tendes possessão superior e permanente.

35 Portanto, não lanceis fora a vossa confiança, que tem uma grande recompensa.

36 Necessitais de perseverança, para que, depois de haverdes feito a vontade de Deus, alcanceis a promessa.

37 Pois, ainda em pouco tempo,
  aquele que há de vir virá;
  não tardará.
38 O meu justo, porém, viverá da fé.
  E, se ele recuar,
  a minha alma não tem
  prazer nele.
39 Nós, porém, não somos daqueles que retrocedem para a perdição, mas daqueles que creem para a conservação da alma.

### Pela fé

**11** Ora, a fé é a certeza das coisas que se esperam e a prova das coisas que não se veem.

2 Foi por ela que os antigos alcançaram bom testemunho.

3 Pela fé, entendemos que os mundos foram criados pela palavra de Deus, de maneira que o visível não foi feito do que se vê.

4 Pela fé, Abel ofereceu a Deus mais excelente sacrifício do que Caim, pelo qual alcançou testemunho de que era justo, dando Deus testemunho das suas ofertas, e por meio delas, depois de morto, ainda fala.

5 Pela fé, Enoque foi trasladado, para não ver a morte; não foi achado, porque Deus o trasladara. Pois antes da sua trasladação, alcançou testemunho de que agradara a Deus.

6 Ora, sem fé é impossível agradar a Deus, porque é necessário que aquele que se aproxima de Deus creia que ele existe e que é galardoador dos que o buscam.

7 Pela fé, Noé, divinamente avisado das coisas que ainda não se viam e sendo temente a Deus, preparou uma arca para a salvação da sua casa, pela qual condenou o mundo e tornou-se herdeiro da justiça que é segundo a fé.

8 Pela fé, Abraão, sendo chamado para um lugar que havia de receber por herança, obedeceu e saiu, sem saber para onde ia.

9 Pela fé, peregrinou na terra da promessa, como em terra alheia, habitando em tendas com Isaque e Jacó, herdeiros com ele da mesma promessa.

10 Pois esperava a cidade que tem fundamentos, da qual Deus é o arquiteto e construtor.

11 Pela fé, também, a própria Sara recebeu poder de conceber um filho, mesmo fora da idade, porque teve por fiel aquele que lhe havia feito a promessa.

12 Pelo que também de um, e esse já sem vitalidade, descenderam tantos, em multidão, como as estrelas do céu e como a areia inumerável que está na praia do mar.

13 Todos estes morreram na fé. Não alcançaram as promessas. Viram-nas de longe e as saudaram.

E confessaram que eram estrangeiros e peregrinos na terra.

14 Ora, os que dizem tais coisas, claramente mostram que estão buscando uma pátria.

15 E se, na verdade, se lembrassem daquela de onde haviam saído, teriam oportunidade de voltar.

16 Agora, porém, desejam uma pátria melhor, isto é, a celestial. Pelo que também Deus não se envergonha deles, de ser chamado o seu Deus, pois já lhes preparou uma cidade.

17 Pela fé, Abraão, ao ser provado, ofereceu Isaque. Aquele que havia recebido as promessas ofereceu o seu unigênito,

18 embora Deus lhe tivesse dito: Em Isaque será chamada a tua descendência.

19 Abraão julgou que Deus era poderoso para até dentre os mortos o ressuscitar, e daí também em figura o recobrou.

20 Pela fé, Isaque abençoou Jacó e Esaú, no tocante às coisas futuras.

21 Pela fé, Jacó, próximo da morte, abençoou cada um dos filhos de José e adorou a Deus, apoiado sobre a extremidade do seu bordão.

22 Pela fé, José, próximo da morte, fez menção da saída dos filhos de Israel do Egito e deu instruções acerca de seus ossos.

23 Pela fé, Moisés, logo ao nascer, foi escondido por seus pais durante três meses, porque viram que o menino era formoso e não temeram o decreto do rei.

24 Pela fé, Moisés, sendo já homem, recusou ser chamado *filho da filha de faraó.*

25 Escolhendo antes ser maltratado com o povo de Deus do que, por algum tempo, ter a alegria do pecado.

26 Teve por maiores riquezas o desprezo de Cristo do que os tesouros do Egito, porque tinha em vista a recompensa.

27 Pela fé, deixou o Egito, não temendo a ira do rei; ficou firme porque viu aquele que é invisível.

28 Pela fé, celebrou a Páscoa e a aspersão do sangue, para que o destruidor dos primogênitos não os tocasse.

29 Pela fé, os israelitas atravessaram o mar Vermelho, como por terra seca; quando, porém, os egípcios, tentaram fazê-lo, se afogaram.

30 Pela fé, caíram os muros de Jericó, depois de rodeados por sete dias.

31 Pela fé, Raabe, a meretriz, tendo acolhido em paz os espias, não pereceu com os incrédulos.

32 E que mais direi? Certamente me faltará o tempo para falar de Gideão, de Baraque, de Sansão, de Jefté, de Davi, de Samuel e dos profetas,

33 os quais, pela fé, venceram reinos, praticaram a justiça, alcançaram promessas, fecharam a boca de leões,

34 apagaram a força do fogo, escaparam do fio da espada, da fraqueza tiraram forças, tornaram-se poderosos na batalha, puseram em fuga exércitos de estrangeiros.

35 Mulheres receberam pela ressurreição os seus mortos. Uns foram torturados, não aceitando o seu livramento, para alcançar superior ressurreição.

36 Outros experimentaram zombaria e açoites, e até algemas e prisões.

37 Foram apedrejados, tentados, serrados pelo meio, mortos a fio de espada. Andaram vestidos de

peles de ovelhas e de cabras, necessitados, aflitos e maltratados
38 (O mundo não era digno deles.) pelos desertos e montes, e pelas covas e cavernas da terra.
39 E todos estes, embora tendo recebido bom testemunho pela fé, não alcançaram a promessa.
40 Deus havia planejado coisa superior a nosso respeito, para que eles, sem nós, não fossem aperfeiçoados.

### Deus corrige seus filhos

**12** Portanto, visto que nós também estamos rodeados de tão grande nuvem de testemunhas, deixemos todo embaraço e o pecado que tão de perto nos rodeia e corramos com perseverança a carreira que nos está proposta,
2 olhando firmemente para Jesus, autor e consumador da nossa fé, o qual pela alegria que lhe estava proposta suportou a cruz, desprezando a afronta, e está assentado à direita do trono de Deus.
3 Considerai aquele que suportou tal oposição dos pecadores contra si mesmo, para que não vos canseis nem desanimeis.
4 Ainda não resististes até o ponto de derramar o próprio sangue, combatendo contra o pecado,
5 e já vos esquecestes da exortação que vos admoesta como filhos:

Filho meu, não desprezes a
   correção do Senhor
   e não desanimes quando por
   ele fores repreendido,
6 porque o Senhor corrige
   a quem ama
   e açoita a todo o que
   recebe por filho.

7 É para disciplina que suportais a correção; Deus vos trata como filhos. Pois que filho há a quem o pai não corrige?
8 Se, porém, estais sem disciplina, da qual todos são feitos participantes, sois então bastardos, não filhos.
9 Além disso, tivemos nossos pais humanos, os quais nos corrigiam, e os respeitávamos. Não nos sujeitaremos muito mais ao Pai dos espíritos, para vivermos?
10 Aqueles, na verdade, por um pouco de tempo, nos corrigiam como bem lhes parecia; mas este, para nosso proveito, para sermos participantes da sua santidade.
11 Na verdade, nenhuma correção parece no momento ser motivo de alegria, mas de tristeza. Contudo, depois produz um fruto pacífico de justiça nos que por ela têm sido exercitados.
12 Portanto, fortalecei as mãos cansadas e os joelhos vacilantes;
13 fazei veredas direitas para os vossos pés, para que o que é manco não se desvie inteiramente, antes seja curado.

### As duas alianças

14 Segui a paz com todos e a santificação; sem a santificação ninguém verá o Senhor.
15 Tende cuidado de que ninguém se prive da graça de Deus e de que nenhuma raiz de amargura, brotando, vos perturbe, e por ela muitos se contaminem.
16 Ninguém seja imoral, ou profano, como foi Esaú, que por uma refeição vendeu o seu direito de primogenitura.
17 Depois, como bem sabeis, querendo ele ainda herdar a bênção, foi rejeitado. Não achou lugar de arrependimento, embora com lágrimas o tivesse buscado.

18 Não tendes chegado ao monte palpável e ardente, à escuridão, às trevas e à tempestade,
19 ao sonido da trombeta e ao som de palavras tais, que, quantos o ouviram, rogaram que não se lhes falasse mais,
20 porque não podiam suportar o que se lhes mandava: Se até um animal tocar no monte, será apedrejado.
21 E tão terrível era a visão que Moisés disse: Estou todo aterrado e trêmulo.
22 Tendes, porém, chegado ao monte Sião e à cidade do Deus vivo, à Jerusalém celestial e aos muitos milhares de anjos,
23 à universal assembleia e igreja dos primogênitos inscritos nos céus. Tendes chegado a Deus, o juiz de todos, e aos espíritos dos justos aperfeiçoados,
24 a Jesus, o Mediador de uma nova aliança, e ao sangue da aspersão, que fala melhor do que o de Abel.
25 Vede que não rejeiteis ao que fala. Se não escaparam aqueles que rejeitaram o que sobre a terra os advertia, quanto menos escaparemos nós, se nos desviarmos daquele que nos adverte lá dos céus?
26 Então a sua voz abalou a terra, mas agora ele prometeu, dizendo: Ainda uma vez abalarei não só a terra, mas também o céu.
27 Ora, a declaração "Ainda uma vez" mostra a remoção das coisas abaláveis, como coisas criadas, para que as inabaláveis permaneçam.
28 Pelo que, tendo recebido um Reino que não pode ser abalado, retenhamos a graça, pela qual sirvamos a Deus agradavelmente com reverência e santo temor,
29 pois o nosso Deus é fogo consumidor.

## Exortações à vida cristã

**13** Permaneça o amor fraternal.
2 Não vos esqueçais da hospitalidade, pois por ela alguns, sem o saber, hospedaram anjos.
3 Lembrai-vos dos presos, como se estivésseis presos com eles, e dos maltratados, como sendo-o vós mesmos também no corpo.
4 Digno de honra entre todos seja o matrimônio, bem como o leito sem mácula, pois aos imorais e adúlteros Deus os julgará.
5 Seja a vossa vida livre do amor ao dinheiro, contentando-vos com o que tendes, pois ele mesmo disse:

Não te deixarei,
nunca te desampararei.

6 Assim, com confiança, ousemos dizer:

O Senhor é o meu auxílio;
não temerei.
O que me poderá fazer o
homem?

7 Lembrai-vos dos vossos guias, que vos falaram a palavra de Deus, e, atentando para o êxito da sua carreira, imitai-lhes a fé.
8 Jesus Cristo é o mesmo ontem, hoje e eternamente.
9 Não vos deixeis envolver por doutrinas várias e estranhas. Bom é que o coração se fortifique com a graça, não com alimentos que não trouxeram proveito nenhum aos que com eles se preocuparam.
10 Possuímos um altar do qual não têm direito de comer os que servem ao tabernáculo.
11 Os corpos dos animais, cujo sangue é trazido para dentro do santo lugar pelo sumo sacerdote como oferta pelo pecado, são queimados fora do acampamento.

12 E por isso também Jesus, para santificar o povo pelo seu próprio sangue, padeceu fora da porta.
13 Saiamos, pois, a ele, fora do acampamento, suportando a vergonha que ele suportou.
14 Pois não temos aqui cidade permanente, mas buscamos a que está por vir.
15 Portanto, ofereçamos sempre por meio dele a Deus sacrifício de louvor, que é o fruto de lábios que confessam o seu nome.
16 Não vos esqueçais de fazer o bem e de repartir com outros, pois com tais sacrifícios Deus se agrada.
17 Obedecei aos seus guias e submetei-vos a eles. Eles cuidam de vós, como quem há de prestar contas. Obedecei-lhes para que o façam com alegria, e não gemendo, pois isso não vos seria útil.
18 Orai por nós. Estamos certos de que temos boa consciência, desejando em todas as coisas portar-nos corretamente.
19 Rogo-vos, com firmeza, que assim façais para que eu mais depressa vos seja restituído.

## Votos e saudações finais

20 Ora, o Deus da paz, que pelo sangue da aliança eterna tornou a trazer dentre os mortos o nosso Senhor Jesus, o grande Pastor das ovelhas,
21 vos aperfeiçoe em toda boa obra, para fazerdes a sua vontade, operando em vós o que perante ele é agradável por meio de Jesus Cristo, ao qual seja glória para todo o sempre. Amém.
22 Rogo-vos, porém, irmãos, que suporteis esta palavra de exortação, pois vos escrevi resumidamente.
23 Sabei que o irmão Timóteo já está solto, com o qual, se ele vier depressa, vos verei.
24 Saudai a todos os vossos líderes e a todos os santos. Os da Itália vos saúdam.
25 A graça seja com todos vós.

# TIAGO

### Prefácio e saudação

**1** Tiago, servo de Deus e do Senhor Jesus Cristo, às doze tribos da Dispersão, saudações.

### Provas e tentação

**2** Meus irmãos, tende por motivo de grande alegria o passardes por provações,
**3** sabendo que a prova da vossa fé desenvolve a perseverança.
**4** Ora, a perseverança deve terminar a sua obra, para que sejais maduros e completos, não tendo falta de coisa alguma.
**5** Ora, se algum de vós tem falta de sabedoria, peça-a a Deus, que a todos dá liberalmente e não censura, e lhe será dada.
**6** Peça-a, porém, com fé, não duvidando, porque aquele que duvida é semelhante à onda do mar, impelida e agitada pelo vento.
**7** Não pense tal homem que receberá do Senhor alguma coisa;
**8** homem vacilante que é, inconstante em todos os seus caminhos.
**9** Glorie-se o irmão de condição humilde quando estiver em alta posição.
**10** O rico, porém, glorie-se na sua insignificância, porque ele passará como a flor da erva.
**11** Pois o sol sai com seu ardente calor e faz secar a erva; a sua flor cai, e a sua formosura perece. Assim murchará também o rico em seus caminhos.
**12** Bem-aventurado *o homem que suporta* a provação, porque, depois de ter passado na prova, receberá a coroa da vida, que o Senhor prometeu aos que o amam.
**13** Ninguém, ao ser tentado, diga: Sou tentado por Deus. Pois Deus não pode ser tentado pelo mal, e ele a ninguém tenta.
**14** Cada um, porém, é tentado por sua própria cobiça, quando esta o atrai e seduz.
**15** Depois, havendo esse desejo concebido, dá à luz o pecado; e o pecado, sendo consumado, gera a morte.
**16** Não vos enganeis, meus amados irmãos.
**17** Toda boa dádiva e todo dom perfeito é lá do alto, descendo do Pai das luzes, em quem não há mudança nem sombra de variação.
**18** Segundo a sua vontade, ele nos gerou pela palavra da verdade, para que fôssemos como os primeiros frutos do que ele criou.

### A prática da Palavra de Deus

**19** Sabei isto, meus amados irmãos: Todo homem seja pronto para ouvir, tardio para falar e tardio para se irar,
**20** pois a ira do homem não opera a justiça de Deus.
**21** Pelo que, despojando-vos de toda impureza e de todo vestígio do mal, recebei com mansidão a palavra em vós implantada, a qual é poderosa para vos salvar.
**22** E sede praticantes da palavra, e não somente ouvintes, enganando-vos a vós mesmos.
**23** Se alguém é ouvinte da palavra *e não* praticante, é semelhante ao homem que contempla no espelho o seu rosto natural e,
**24** depois de se contemplar a si mesmo, vai-se e logo se esquece de como era.

25 Aquele, porém, que atenta bem para a lei perfeita, a da liberdade, e nela persevera, não sendo ouvinte esquecido, mas executor da obra, este será bem-aventurado no que realizar.
26 Se alguém cuida ser religioso, mas não refreia a sua língua, antes engana o seu coração, a sua religião é vã.
27 A religião pura e imaculada para com nosso Deus e Pai é esta: Visitar os órfãos e as viúvas nas suas aflições e guardar-se incontaminado do mundo.

### Proíbe-se o favoritismo

**2** Meus irmãos, como crentes em nosso Senhor Jesus Cristo, Senhor da glória, não façais acepção de pessoas.
2 Por exemplo: Se na vossa reunião entrar algum homem com anel de ouro no dedo e com trajes de luxo e entrar também algum pobre andrajoso,
3 e atentardes para o que tem os trajes de luxo e lhe disserdes: Assenta-te aqui em lugar de honra; e disserdes ao pobre: Fica aí em pé, ou assenta-te abaixo do estrado dos meus pés,
4 não fazeis distinção entre vós mesmos e não vos tornais juízes movidos de maus pensamentos?
5 Ouvi, meus amados irmãos: Não escolheu Deus aos que são pobres aos olhos do mundo para serem ricos na fé e herdeiros do Reino que prometeu aos que o amam?
6 Vós, porém, desonrastes o pobre. Não são os ricos os que vos oprimem e vos arrastam aos tribunais?
7 Não são eles os que blasfemam o bom nome daquele a quem pertenceis?
8 Todavia, se cumprirdes a lei do Reino, encontrada na Escritura: Amarás o teu próximo como a ti mesmo, fazeis bem.
9 Se, porém, fazeis acepção de pessoas, cometeis pecado, sendo condenados pela Lei como transgressores.
10 Pois qualquer que guardar toda a Lei, mas tropeçar em um só ponto, torna-se culpado de todos.
11 Pois aquele que disse: Não adulterarás, também disse: Não matarás. Ora, se não adulteras, mas matas, tornas-te transgressor da Lei.
12 Falai de tal maneira e de tal maneira procedei, como aqueles que hão de ser julgados pela lei da liberdade,
13 porque o juízo será sem misericórdia para aquele que não usou de misericórdia. A misericórdia triunfa sobre o juízo!

### Fé e obras

14 Meus irmãos, que proveito há se alguém disser que tem fé, mas não tiver obras? Pode essa fé salvá-lo?
15 Se o irmão ou a irmã estiverem nus e tiverem falta de mantimento cotidiano,
16 e algum de vós lhes disser: Ide em paz, aquentai-vos e fartai-vos, mas não lhes derdes as coisas necessárias para o corpo, que proveito há nisso?
17 Assim também a fé, se não tiver obras, é morta em si mesma.
18 Alguém, porém, dirá: Tu tens fé, e eu tenho obras. Mostra-me a tua fé sem as tuas obras, e eu te mostrarei a minha fé pelas minhas obras.
19 Crês tu que Deus é um só? Fazes bem! Os demônios também o creem e estremecem.

**20** Queres comprovar, porém, ó homem insensato, que a fé sem as obras é inútil?
**21** Não foi pelas obras que o nosso pai Abraão foi justificado quando ofereceu sobre o altar o seu filho Isaque?
**22** Vês que a fé cooperou com as suas obras, e pelas obras a fé foi aperfeiçoada.
**23** E se cumpriu a Escritura, que diz: Abraão creu em Deus, e isso lhe foi creditado para justiça, e ele foi chamado amigo de Deus.
**24** Vedes então que o homem é justificado pelas obras, e não somente pela fé.
**25** De igual modo não foi a meretriz Raabe também justificada pelas obras, quando acolheu os espias e os fez partir por outro caminho?
**26** Assim como o corpo sem o espírito está morto, assim também a fé sem as obras é morta.

## A guarda da língua

**3** Meus irmãos, não sejais muitos de vós mestres, sabendo que receberemos um juízo mais severo.
**2** Todos tropeçamos em muitas coisas. Se alguém não tropeça em palavra, esse homem é perfeito e capaz de refrear todo o corpo.
**3** Ora, quando pomos freios na boca dos cavalos, para que nos obedeçam, conseguimos dirigir todo o seu corpo.
**4** Vede também os navios que, sendo tão grandes e levados por impetuosos ventos, com um *pequenino leme se voltam* para onde queira o impulso do timoneiro.
**5** Assim também a língua é um pequeno membro, mas se gaba de grandes coisas. Vede quão grande bosque um tão pequeno fogo incendeia.
**6** A língua também é fogo, mundo de iniquidade situada entre os nossos membros. Ela contamina todo o corpo, inflama o curso da natureza e é por sua vez inflamada pelo inferno.
**7** Toda espécie de feras, de aves, de répteis e de animais do mar se doma e tem sido domada pelo gênero humano,
**8** mas a língua, nenhum homem a pode domar. É mal incontido, está cheia de veneno mortal.
**9** Com ela bendizemos ao Senhor e Pai, e também com ela amaldiçoamos os homens, feitos à semelhança de Deus.
**10** Da mesma boca procedem bênção e maldição. Meus irmãos, não convém que isso seja assim.
**11** Pode a fonte jorrar do mesmo manancial água doce e água amarga?
**12** Meus irmãos, acaso pode uma figueira produzir azeitonas, ou uma videira figos? Tampouco pode uma fonte de água salgada dar água doce.

## Dois tipos de sabedoria

**13** Quem entre vós é sábio e entendido? Mostre pelo seu bom procedimento as suas obras em mansidão de sabedoria.
**14** Se, porém, tendes em vosso coração amarga inveja e sentimento faccioso, não vos glorieis, nem mintais contra a verdade.
**15** Essa não é a sabedoria que vem do alto, mas é terrena, animal e diabólica.
**16** Pois onde há inveja e sentimento faccioso, aí há confusão e toda obra má.
**17** A sabedoria que vem do alto, porém, é antes de tudo pura, depois

pacífica, moderada, tratável, cheia de misericórdia e de bons frutos, sem parcialidade e sem hipocrisia.
18 Ora, o fruto da justiça semeia-se em paz para os que promovem a paz.

### Submetei-vos a Deus

**4** De onde vêm as guerras e contendas entre vós? Não vêm disto, dos prazeres que nos vossos membros guerreiam?
2 Cobiçais, mas nada tendes. Matais e invejais, mas não podeis obter o que desejais. Combateis e guerreais. Nada tendes porque não pedis.
3 Pedis e não recebeis porque pedis mal, para o gastardes em vossos prazeres.
4 Adúlteros e adúlteras, não sabeis que a amizade do mundo é inimizade com Deus? Portanto qualquer que quiser ser amigo do mundo constitui-se inimigo de Deus.
5 Ou pensais que em vão diz a Escritura: O Espírito que ele fez habitar em nós tem intenso ciúme?
6 Antes, ele nos dá uma graça maior. Portanto, diz a Escritura: Deus resiste aos soberbos, mas dá graça aos humildes.
7 Sujeitai-vos, pois, a Deus. Resisti ao Diabo, e ele fugirá de vós.
8 Chegai-vos a Deus, e ele se chegará a vós. Lavai as mãos, pecadores, e vós de mente dividida, purificai o coração.
9 Senti as vossas misérias, lamentai e chorai. Converta-se o vosso riso em pranto, e a vossa alegria em tristeza.
10 Humilhai-vos perante o Senhor, e ele vos exaltará.
11 Irmãos, não faleis mal uns dos outros. Quem fala mal de um irmão ou julga a seu irmão, fala mal da Lei e julga a Lei. Ora, se julgas a Lei, não és observador da Lei, mas juiz.
12 Há só um legislador e juiz, aquele que pode salvar e destruir. Tu, porém, quem és, que julgas ao próximo?

### A falibilidade dos projetos humanos

13 E agora, vós que dizeis: Hoje ou amanhã iremos a tal cidade, lá passaremos um ano, negociaremos e ganharemos.
14 Ora, não sabeis o que acontecerá amanhã. O que é a vossa vida? É um vapor que aparece por um pouco e logo se desvanece.
15 Em lugar disso, devíeis dizer: Se o Senhor quiser, viveremos e faremos isto ou aquilo.
16 Agora, porém, vós vos orgulhais das vossas pretensões. Ora, toda vanglória tal como essa é maligna.
17 Aquele, pois, que sabe o bem que deve fazer e não o faz comete pecado.

### A condenação dos ricos opressores

**5** Agora, vós, ricos, chorai e pranteai, por causa das misérias que sobre vós hão de vir.
2 As vossas riquezas estão apodrecidas, e as vossas vestes estão comidas de traça.
3 O vosso ouro e a vossa prata se enferrujaram. A sua ferrugem dará testemunho contra vós e devorará a vossa carne como fogo. Entesourastes nos últimos dias.
4 Vede! O salário dos trabalhadores que ceifaram os vossos campos e que por vós foi retido com fraude está clamando. Os clamores dos ceifeiros chegaram aos ouvidos do Senhor Todo-poderoso.

5 Deliciosamente vivestes sobre a terra e vos deleitastes. Cevastes o vosso coração no dia de matança.
6 Condenastes e matastes o justo, que não resistiu a vós.

### A paciência no sofrimento

7 Sede, pois, irmãos, pacientes até a vinda do Senhor. Vede que o lavrador espera o precioso fruto da terra, aguardando-o com paciência, até receber as primeiras e as últimas chuvas.
8 Sede vós também pacientes e fortalecei o vosso coração, porque a vinda do Senhor está próxima.
9 Irmãos, não vos queixeis uns dos outros, para não serdes julgados. O juiz está à porta.
10 Irmãos, tomai como exemplo de sofrimento e paciência os profetas que falaram em nome do Senhor.
11 Como sabeis, temos por bem-aventurados os que perseveraram. Ouvistes da paciência de Jó e vistes o fim que o Senhor lhe deu. O Senhor é cheio de misericórdia e compaixão.
12 Sobretudo, porém, meus irmãos, não jureis, nem pelo céu, nem pela terra, nem por qualquer outra coisa. Seja, porém, o vosso sim, sim, e o vosso não, não, para não serdes condenados.

### A oração da fé

13 Está alguém entre vós aflito? Ore. Está alguém contente? Cante louvores.
14 Está alguém entre vós doente? Chame os presbíteros da igreja, e orem sobre ele, ungindo-o com óleo em nome do Senhor.
15 E a oração da fé salvará o doente; o Senhor o levantará. Se houver cometido pecados, lhe serão perdoados.
16 Portanto, confessai os vossos pecados uns aos outros e orai uns pelos outros, para serdes curados. A oração de um justo é poderosa e eficaz.
17 Elias era homem humano e estava sujeito às mesmas paixões que nós, mas orou com fervor para que não chovesse, e durante três anos e seis meses não choveu sobre a terra.
18 E orou outra vez, e o céu deu chuva, e a terra produziu o seu fruto.
19 Meus irmãos, se algum dentre vós se desviar da verdade e alguém o converter,
20 sabei que aquele que fizer converter um pecador do erro do seu caminho salvará da morte uma alma e cobrirá uma multidão de pecados.

# 1PEDRO

### Prefácio e saudação

**1** Pedro, apóstolo de Jesus Cristo, aos estrangeiros da Dispersão, no Ponto, na Galácia, na Capadócia, na Ásia e na Bitínia,
2 eleitos segundo a presciência de Deus Pai, na santificação do Espírito, para a obediência e aspersão do sangue de Jesus Cristo: Graça e paz vos sejam multiplicadas.

### Louvor a Deus por uma viva esperança

3 Bendito seja o Deus e Pai de nosso Senhor Jesus Cristo, que, segundo a sua grande misericórdia, nos gerou de novo para uma viva esperança, pela ressurreição de Jesus Cristo dentre os mortos,
4 para uma herança incontaminável, que jamais perecerá ou perderá seu valor, guardada nos céus para vós,
5 que pelo poder de Deus sois guardados, mediante a fé, para a salvação preparada para se revelar no último tempo.
6 Nisso vos exultais, ainda que no presente, por breve tempo, se necessário, sejais entristecidos por várias provações.
7 Essas provações são para que a prova da vossa fé, muito mais preciosa do que o ouro que perece, embora provado pelo fogo, redunde para louvor, glória e honra na revelação de Jesus Cristo.
8 Embora não o tendes visto, o amais; e embora não o vedes agora, credes nele e exultais com alegria inefável e cheio de glória,
9 recebendo o objetivo final da vossa fé: a salvação da vossa alma.

10 Desta salvação investigaram e minaram diligentemente os profetas que profetizaram da graça que vos era destinada,
11 para saber qual o tempo ou qual a circunstância que o Espírito de Cristo, que estava neles, indicava, quando predisse os sofrimentos de Cristo e as glórias que os seguiriam.
12 Aos quais foi revelado que não para si mesmos, mas para vós, eles ministravam estas coisas que agora vos foram anunciadas por aqueles que, pelo Espírito Santo enviado do céu, vos pregaram o evangelho. Coisas para as quais até os anjos desejam atentar.

### Sede santos

13 Portanto, estando com a mente preparada, sede sóbrios e esperai inteiramente na graça que se vos oferece na revelação de Jesus Cristo.
14 Como filhos obedientes, não vos conformeis com as concupiscências que antes tínheis na vossa ignorância.
15 Antes, porém, como é santo aquele que vos chamou, sede vós também santos em todo o vosso procedimento;
16 pois está escrito: Sede santos, porque eu sou santo.
17 Ora, se invocais por Pai aquele que, sem acepção de pessoas, julga segundo a obra de cada um, andai em temor, durante o tempo da vossa peregrinação,
18 sabendo que não foi com coisas perecíveis, como prata ou ouro, que fostes resgatados da vossa vã

maneira de viver, a qual por tradição recebestes dos vossos pais,
19 mas com o precioso sangue de Cristo, como de um cordeiro sem defeito e sem mancha,
20 o qual, na verdade, foi conhecido ainda antes da fundação do mundo, mas manifesto nestes últimos tempos por amor de vós,
21 que por ele credes em Deus, que o ressuscitou dentre os mortos e lhe deu glória, para que a vossa fé e esperança estivessem em Deus.
22 Tendo purificado a vossa vida na obediência à verdade, que leva ao amor fraternal não fingido, amai-vos ardentemente uns aos outros de coração,
23 tendo sido regenerados, não de semente corruptível, mas de incorruptível, pela palavra de Deus, a qual vive e é permanente.
24 Pois:
Toda a carne é como a erva,
e toda a glória do homem como a flor da erva.
Seca-se a erva e cai a sua flor,
25 mas a palavra do Senhor permanece para sempre.
E esta é a palavra que vos foi pregada.

### Jesus, a pedra viva

2 Deixando, pois, toda a malícia e engano, fingimentos e invejas, e toda sorte de maledicências,
2 desejai ardentemente, como meninos recém-nascidos, o puro leite espiritual, para por ele crescerdes para a salvação,
3 agora que já provastes que o Senhor é bom.
4 Chegando-vos para ele, pedra viva, rejeitada, na verdade, pelos homens, mas para com Deus eleita e preciosa,
5 vós também, como pedras vivas, sois edificados como casa espiritual para serdes sacerdócio santo, a fim de oferecerdes sacrifícios espirituais aceitáveis a Deus por Jesus Cristo.
6 Pois na Escritura se diz:
Vede, ponho em Sião uma pedra angular,
eleita e preciosa;
e quem nela crer
não será envergonhado.
7 Ora, para vós, os que credes, essa pedra é preciosa. Mas para os descrentes, a
pedra que os edificadores rejeitaram,
essa foi posta como a principal de esquina,
8 e:
Uma pedra de tropeço
e rocha de escândalo.
Tropeçam porque são desobedientes à palavra; para o que também foram destinados.
9 Vós, porém, sois a geração eleita, o sacerdócio real, a nação santa, o povo adquirido, para que anuncieis as grandezas daquele que vos chamou das trevas para a sua maravilhosa luz.
10 Antes não éreis povo, mas agora sois povo de Deus; antes não tínheis alcançado misericórdia, mas agora alcançastes misericórdia.

### O bom procedimento cristão

11 Amados, peço-vos, como a peregrinos e estrangeiros, que vos abstenhais dos desejos carnais, os quais combatem contra a alma.
12 O vosso procedimento entre aos gentios seja correto, para que, naquilo em que falam mal de vós, como de malfeitores, observando as vossas boas obras, glorifiquem a Deus no dia da visitação.

13 Sujeitai-vos a toda autoridade humana, por causa do Senhor, quer ao rei, como soberano, 14 quer aos governadores, como por ele enviados para castigo dos malfeitores e para louvor dos que fazem o bem. 15 Pois é a vontade de Deus que, pela prática do bem, façais emudecer a ignorância dos insensatos, 16 como livres, e não tendo a liberdade como desculpa para malícia, mas vivendo como servos de Deus. 17 Honrai a todos. Amai os irmãos. Temei a Deus. Honrai o rei.

### Os deveres dos que prestam serviços a outrem

18 Vós, servos, sujeitai-vos com todo o temor aos vossos senhores, não somente aos bons e amáveis, mas também aos maus. 19 Pois é louvável que alguém, por causa da consciência para com Deus, suporte tristezas, padecendo injustamente. 20 Que glória, porém, é essa, se, pecando e sendo esbofeteados por isso, o suportais com paciência? Se, porém, fazendo o bem, sois afligidos e o suportais com paciência, isso é agradável a Deus. 21 Para isso fostes chamados, porque também Cristo padeceu por vós, deixando-vos o exemplo, para que sigais as suas pisadas. 22 Ele não cometeu pecado, e na sua boca não se achou engano. 23 Quando foi injuriado, não injuriava e, quando padecia, não ameaçava. Antes, entregava-se àquele que julga justamente. 24 Ele mesmo levou em seu corpo os nossos pecados sobre o madeiro, para que, mortos para os pecados, pudéssemos viver para a justiça; pelas suas feridas fostes sarados. 25 Pois estáveis desgarrados como ovelhas, mas agora voltastes ao Pastor e Bispo da vossa alma.

### Os deveres dos casados

3 Semelhantemente, vós, mulheres, sede submissas a vosso marido, para que também, se alguns deles não obedecem à palavra, pelo procedimento de suas mulheres, sejam ganhos sem palavra, 2 observando a vossa conduta honesta e respeitosa.
3 A beleza das esposas não seja o enfeite exterior, como o frisado de cabelos, o uso de joias de ouro ou o luxo dos vestidos, 4 mas a beleza interior, no incorruptível traje de um espírito manso e tranquilo, que é precioso diante de Deus. 5 Pois assim se adornavam antigamente também as santas mulheres que esperavam em Deus. Estavam submissas a seus maridos, 6 como Sara obedecia a Abraão, chamando-lhe senhor. Sois filhas dela, se fazeis o bem, e não temeis nenhum espanto. 7 Igualmente, vós, maridos, vivei com elas com entendimento, dando honra à mulher, como vaso mais frágil e como sendo elas herdeiras convosco da graça da vida, para que não sejam impedidas as vossas orações.

### O sofrimento na prática do bem

8 Finalmente, sede todos de um mesmo sentimento, compassivos, cheios de amor fraternal, misericordiosos, humildes. 9 Não pagueis mal por mal, nem injúria por injúria. Pelo contrário,

bendizei, porque para isso fostes chamados, a fim de receberdes bênção por herança.

10 Pois quem quiser
desfrutar a vida
e ter dias felizes
refreie a sua língua do mal
e os seus lábios não
falem engano.
11 Aparte-se do mal e faça o bem; busque a paz e siga-a.
12 Pois os olhos do Senhor estão sobre os justos,
e os seus ouvidos atentos
à sua súplica,
mas o rosto do Senhor
é contra
os que fazem o mal.
13 Ora, quem é que vos fará mal, se fordes zelosos do bem?
14 Mas, ainda que venhais padecer por causa da justiça, bem-aventurados sois. Não temais as suas ameaças; não vos perturbeis.
15 Antes santificai Cristo, como Senhor, em vosso coração. Estai sempre preparados para responder com mansidão e temor a todo aquele que vos pedir a razão da esperança que há em vós.
16 Tende uma boa consciência, para que, naquilo em que falam mal de vós, como de malfeitores, fiquem confundidos os que blasfemam do vosso bom procedimento em Cristo.
17 Melhor é que padeçais fazendo o bem (se a vontade de Deus assim o quer) do que fazendo o mal.
18 Pois Cristo padeceu uma única vez pelos pecados, o justo *pelos injustos, para levar*-nos a Deus. Ele, na verdade, foi morto na carne, mas vivificado pelo Espírito,
19 no qual também foi e pregou aos espíritos em prisão,
20 os quais noutro tempo foram rebeldes, quando a longanimidade de Deus esperava, nos dias de Noé, enquanto se preparava a arca. Nela poucas (isto é, oito) almas se salvaram através da água,
21 que também agora, por uma verdadeira figura — o batismo — vos salva, o qual não é o despojamento da imundícia da carne, mas o compromisso de uma boa consciência para com Deus, por meio da ressurreição de Jesus Cristo,
22 que está à direita de Deus, tendo subido ao céu; a ele estão sujeitos os anjos, as autoridades e as potestades.

## A vida segundo a vontade de Deus

**4** Portanto, visto que Cristo padeceu por nós no seu corpo, armai-vos também vós deste mesmo pensamento, porque aquele que padeceu no corpo já rompeu com o pecado.
2 Então, no tempo que vos resta no corpo não vivais mais segundo os desejos dos homens, mas segundo a vontade de Deus.
3 Pois é bastante que no tempo passado tenhais cumprido a vontade dos gentios, andando em dissoluções, concupiscências, glutonarias, bebedices e abomináveis idolatrias.
4 E acham estranho não correrdes com eles no mesmo desenfreamento de dissolução e vos insultam.
5 Hão, porém, de dar conta àquele que está preparado para julgar os vivos e os mortos.
6 Pois é por isso que foi pregado o evangelho até aos mortos, para que, na verdade, fossem julgados segundo os homens no corpo,

mas vivessem segundo Deus em espírito.
7 Ora, já está próximo o fim de todas as coisas. Portanto, sede sóbrios e vigiai em oração.
8 Tende, antes de tudo, ardente amor uns para com os outros, porque o amor cobre uma multidão de pecados.
9 Sede hospitaleiros uns para os outros, sem murmuração.
10 Servi uns aos outros conforme o dom que cada um recebeu, como bons administradores da multiforme graça de Deus.
11 Se alguém fala, fale segundo as palavras de Deus. Se alguém ministra, ministre segundo a força que Deus dá, para que em tudo Deus seja glorificado por Jesus Cristo. A ele pertence a glória e o domínio para todo o sempre. Amém.
12 Amados, não estranheis a ardente prova que vem sobre vós para vos provar, como se coisa estranha vos acontecesse.
13 Pelo contrário, alegrai-vos no fato de serdes participantes das aflições de Cristo, para que também na revelação da sua glória vos regozijeis e alegreis.
14 Se pelo nome de Cristo sois vituperados, bem-aventurados sois, pois sobre vós repousa o Espírito da glória e de Deus.
15 Que nenhum de vós padeça como homicida, ou ladrão, ou malfeitor, ou como quem se intromete em negócios alheios.
16 Entretanto, se padece como cristão, não se envergonhe, antes glorifique a Deus por este nome.
17 Pois já é tempo que comece o julgamento pela casa de Deus; e se primeiro começa por nós, qual será o fim daqueles que são desobedientes ao evangelho de Deus?
18 E se é com dificuldade que o justo se salva, o que será do ímpio e do pecador?
19 Portanto, também os que padecem segundo a vontade de Deus encomendem as suas almas ao fiel Criador, fazendo o bem.

### Os anciãos e os jovens

5 Aos presbíteros, que estão entre vós, admoesto eu, que sou também presbítero com eles e testemunha das aflições de Cristo, como alguém que participará da glória que se há de revelar:
2 Apascentai o rebanho de Deus, que está entre vós, tendo cuidado dele, não por força, mas voluntariamente, não por torpe ganância, mas de boa vontade;
3 não como dominadores dos que vos foram confiados, mas servindo de exemplo ao rebanho.
4 E, quando se manifestar o sumo Pastor, recebereis a imperecível coroa de glória.
5 Semelhantemente, vós, jovens, sede submissos aos mais velhos. E cingi-vos todos de humildade uns para com os outros,
   porque Deus resiste aos
      soberbos,
   mas dá graça aos humildes.
6 Humilhai-vos, portanto, debaixo da potente mão de Deus, para que a seu tempo vos exalte.
7 Lançai sobre ele toda a vossa ansiedade, porque ele tem cuidado de vós.
8 Sede sóbrios e vigiai. O vosso adversário, o Diabo, anda em derredor, rugindo como leão, buscando a quem possa tragar.
9 Resisti-lhe, firmes na fé, sabendo que os mesmos sofrimentos

estão se cumprindo entre os vossos irmãos no mundo.

### Votos e saudações finais

10 E o Deus de toda a graça, que em Cristo Jesus vos chamou à sua eterna glória, depois de haverdes padecido um pouco, ele mesmo vos aperfeiçoará, confirmará, fortificará e fortalecerá. 11 A ele seja o poder para todo o sempre. Amém.

12 Por meio de Silvano, vosso fiel irmão, como o considero, escrevi resumidamente, exortando e testificando que esta é a verdadeira graça de Deus. Nela estai firmes. 13 A vossa coeleita em Babilônia vos saúda, como também meu filho Marcos. 14 Saudai-vos uns aos outros com ósculo de amor. Paz seja com todos vós que estais em Cristo.

# 2PEDRO

**Prefácio e saudação**

1 Simão Pedro, servo e apóstolo de Jesus Cristo, aos que conosco alcançaram fé igualmente preciosa pela justiça do nosso Deus e Salvador Jesus Cristo:
2 Graça e paz vos sejam multiplicadas, pelo conhecimento de Deus e de Jesus, nosso Senhor.
3 O seu divino poder nos deu tudo o que diz respeito à vida e à piedade, pelo conhecimento daquele que nos chamou por sua glória e virtude.
4 Desse modo ele nos tem dado grandíssimas e preciosas promessas, para que por elas vos torneis participantes da natureza divina, havendo fugido da corrupção que há no mundo por causa da cobiça.
5 Por isso mesmo, vós, empregando toda a diligência, acrescentai à vossa fé a bondade; à bondade, o conhecimento;
6 ao conhecimento, o domínio próprio; ao domínio próprio, a perseverança; à perseverança, a piedade;
7 à piedade, a fraternidade; e à fraternidade, o amor.
8 Pois, se em vós houver essas coisas em abundância, não vos deixarão ociosos nem infrutíferos no pleno conhecimento de nosso Senhor Jesus Cristo.
9 Aquele, porém, em quem não há essas coisas é cego, vendo somente o que está perto, havendo-se esquecido da purificação dos seus antigos pecados.
10 Portanto, irmãos, procurai fazer cada vez mais firme a vossa vocação e eleição. Pois, fazendo isso, nunca jamais tropeçareis,
11 e vos será amplamente concedida a entrada no Reino eterno de nosso Senhor e Salvador Jesus Cristo.
12 Pelo que não deixarei de exortar-vos sempre acerca destas coisas, ainda que as saibais e estejais confirmados na verdade já presente convosco.
13 E tenho por justo, enquanto estiver neste tabernáculo, despertar-vos com admoestações,
14 sabendo que brevemente hei de deixar este meu tabernáculo, como nosso Senhor Jesus Cristo já me revelou.
15 Procurarei, contudo, diligentemente que em toda ocasião depois da minha morte tenhais lembrança destas coisas.
16 Não vos fizemos saber o poder e a vinda de nosso Senhor Jesus Cristo, seguindo fábulas artificialmente compostas, mas nós mesmos vimos a sua majestade.
17 Pois ele recebeu de Deus Pai honra e glória, quando da magnífica glória lhe foi dirigida a seguinte voz: Este é o meu Filho amado, em quem me agrado.
18 Nós mesmos ouvimos esta voz vinda do céu, estando nós com ele no monte santo.
19 E temos ainda mais firme a palavra dos profetas, à qual bem fazeis se a ela prestarem atenção como a uma luz que ilumina em lugar escuro, até que o dia clareie e a estrela da alva surja em vosso coração.
20 Acima de tudo, lembrai-vos de que nenhuma profecia da Escritura é de particular interpretação.

21 Pois a profecia nunca foi produzida por vontade dos homens, mas os homens santos da parte de Deus falaram movidos pelo Espírito Santo.

## Os falsos mestres

**2** Houve também entre o povo falsos profetas, como entre vós haverá também falsos mestres, os quais introduzirão encobertamente heresias destruidoras, negando até o Senhor que os resgatou, trazendo sobre si mesmos repentina destruição. **2** E muitos seguirão as suas dissoluções, e, por causa deles, será blasfemado o caminho da verdade. **3** Por ganância vos explorarão com palavras fingidas. Para eles o juízo lavrado há longo tempo não tarda, e a sua destruição não dorme. **4** Pois, se Deus não poupou os anjos que pecaram, mas, havendo-os lançado no inferno, os entregou às cadeias da escuridão, ficando reservados para o juízo; **5** se não poupou o mundo antigo, embora preservasse Noé, pregoeiro da justiça, com mais sete pessoas, ao trazer o Dilúvio sobre o mundo dos ímpios; **6** se condenou à destruição as cidades de Sodoma e Gomorra, reduzindo-as a cinza e pondo-as para exemplo aos que vivessem impiamente; **7** e se livrou ao justo Ló, atribulado pela vida dissoluta daqueles perversos **8** (pois este justo, habitando entre eles, afligia todos os dias a sua alma justa com *as injustas obras* deles); **9** assim, sabe o Senhor livrar da tentação os piedosos e reservar os injustos para o dia do juízo, para serem castigados.

**10** Deus castigará especialmente aqueles que segundo a carne andam em imundos desejos e desprezam as autoridades. Atrevidos, arrogantes, não receiam blasfemar das dignidades, **11** ao passo que os anjos, embora maiores em força e poder, não pronunciem contra eles juízo blasfemo diante do Senhor. **12** Estes, porém, como animais irracionais, que seguem a natureza, feitos para serem presos e mortos, blasfemando do que não entendem, perecerão na sua corrupção. **13** Receberão a paga da injustiça. Tais homens têm prazer na luxúria à luz do dia. São nódoas e máculas, deleitando-se em suas festas, quando se banqueteiam convosco. **14** Têm os olhos cheios de adultério e são insaciáveis no pecado; iludem as almas inconstantes; têm um coração exercitado na ganância, são filhos da maldição! **15** Eles, deixando o caminho direito, desviaram-se, tendo seguido o caminho de Balaão, filho de Beor, que amou o prêmio da injustiça, **16** mas que foi repreendido pela sua transgressão: um mudo jumento, falando com voz humana, impediu a loucura do profeta. **17** Estes são fontes sem água, névoas impelidas pela tempestade, para os quais está reservada a escuridão das trevas eternamente. **18** Pois proferem palavras arrogantes de vaidade e nos desejos da carne iludem com dissoluções aqueles que estavam prestes a fugir dos que andam no erro. **19** Prometem-lhes liberdade, sendo eles mesmos escravos da

corrupção; porque de quem um homem é vencido, do mesmo é feito escravo.
**20** Se, depois de terem escapado das corrupções do mundo, mediante o conhecimento do Senhor e Salvador Jesus Cristo, forem outra vez envolvidos nelas e vencidos, tornou-se o seu último estado pior do que o primeiro.
**21** Melhor lhes fora não terem conhecido o caminho da justiça do que, conhecendo-o, desviarem-se do santo mandamento que lhes fora dado.
**22** Deste modo sobreveio-lhes o que diz este provérbio verdadeiro: O cão voltou ao seu próprio vômito; e a porca lavada voltou a rolar na lama.

### O Dia do Senhor

**3** Amados, esta é a segunda carta que vos escrevo. Nas duas cartas procuro despertar pensamentos puros na vossa mente.
**2** Quero que vos lembreis das palavras que já vos foram ditas pelos santos profetas e do mandamento do Senhor e Salvador, dado mediante os vossos apóstolos.
**3** Sabei primeiro que nos últimos dias virão escarnecedores, andando segundo os seus próprios desejos
**4** e dizendo: Onde está a promessa da sua vinda? Desde que os pais dormiram, todas as coisas permanecem como desde o princípio da criação.
**5** Eles, de propósito, ignoram isto, que pela palavra de Deus já desde a antiguidade existiram os céus e a terra, que foi tirada da água e no meio da água subsiste.
**6** Por essas coisas também pereceu o mundo de então, coberto pelas águas do Dilúvio.

**7** Os céus e a terra que existem agora, porém, pela mesma palavra, têm sido guardados para o fogo, sendo reservados para o dia do juízo e da perdição dos homens ímpios.
**8** Amados, não ignoreis uma coisa: que um dia para o Senhor é como mil anos, e mil anos como um dia.
**9** O Senhor não retarda a sua promessa, ainda que alguns a tenham por tardia. Ele é longânimo para convosco, não querendo que ninguém se perca, senão que todos venham a arrepender-se.
**10** O dia do Senhor, porém, virá como um ladrão. Os céus passarão com grande estrondo, e os elementos, ardendo, se desfarão, e a terra e as obras que nela há serão descobertas.
**11** Havendo, pois, de perecer todas essas coisas, que pessoas não deveis ser em santidade e piedade,
**12** aguardando e desejando ardentemente a vinda do dia de Deus, em que os céus, em fogo, se dissolverão, e os elementos, ardendo, se fundirão?
**13** Nós, porém, segundo a sua promessa, aguardamos novos céus e nova terra, nos quais habita a justiça.
**14** Pelo que, amados, aguardando estas coisas, procurai que dele sejais achados imaculados e irrepreensíveis em paz.
**15** Tende por salvação a longanimidade de nosso Senhor, como também o nosso amado irmão Paulo vos escreveu segundo a sabedoria que lhe foi dada.
**16** Em todas as suas cartas ele escreve da mesma forma, falando acerca destas coisas. Suas cartas contêm pontos difíceis de entender,

os quais os indoutos e inconstantes torcem, como o fazem também com as outras Escrituras, para sua própria perdição.

17 Vós, portanto, amados, sabendo isto de antemão, guardai-vos de que pelo engano dos homens perversos sejais juntamente arrebatados e deixais a vossa firmeza.

18 Antes, crescei na graça e no conhecimento de nosso Senhor e Salvador Jesus Cristo. A ele seja dada a glória, assim agora como até o dia da eternidade. Amém.

# 1 JOÃO

### A palavra da vida

**1** O que era desde o princípio, o que ouvimos, o que vimos com os nossos olhos, o que contemplamos e as nossas mãos tocaram, isso proclamamos com respeito ao Verbo da vida 2 (pois a vida foi manifestada, e nós a vimos, testificamos dela e vos anunciamos a vida eterna, que estava com o Pai, e nos foi manifestada). 3 O que vimos e ouvimos, isso vos anunciamos, para que também tenhais comunhão conosco. E a nossa comunhão é com o Pai e com seu Filho Jesus Cristo. 4 Essas coisas vos escrevemos, para que a nossa alegria seja completa.

### Andando na luz

5 Esta é a mensagem que dele ouvimos e vos anunciamos: que Deus é luz, e nele não há treva nenhuma. 6 Se dissermos que temos comunhão com ele, mas andarmos nas trevas, mentimos e não praticamos a verdade. 7 Se, porém, andarmos na luz, como ele na luz está, temos comunhão uns com os outros, e o sangue de Jesus Cristo, seu Filho, nos purifica de todo pecado. 8 Se dissermos que não temos pecado nenhum, enganamo-nos a nós mesmos, e não há verdade em nós. 9 Se confessarmos os nossos pecados, ele é fiel e justo para nos perdoar os pecados e nos purificar de toda injustiça. 10 Se dissermos que não pecamos, fazemo-lo mentiroso, e a sua palavra não está em nós.

### O mandamento do amor

**2** Filhinhos meus, estas coisas vos escrevo para que não pequeis. Se, porém, alguém pecar, temos um Advogado para com o Pai, Jesus Cristo, o justo. 2 Ele é a propiciação pelos nossos pecados, e não somente pelos nossos, mas também pelos de todo o mundo. 3 E nisto sabemos que o conhecemos: se guardamos os seus mandamentos. 4 Aquele que diz: Eu o conheço, mas não guarda os seus mandamentos é mentiroso, e nele não está a verdade. 5 Mas qualquer que guarda a sua palavra, o amor de Deus nele tem-se verdadeiramente aperfeiçoado. E nisso conhecemos que estamos nele. 6 Aquele que diz que está nele, também deve andar como ele andou. 7 Amados, não vos escrevo mandamento novo, mas um mandamento antigo, que desde o princípio tivestes. Este mandamento antigo é a palavra que ouvistes. 8 Contudo, vos escrevo novo mandamento, que é verdadeiro nele e em vós, porque as trevas vão passando, e já brilha a verdadeira luz. 9 Aquele, porém, que diz que está na luz, mas odeia seu irmão, até agora está nas trevas. 10 Aquele que ama seu irmão permanece na luz, e nele não há nenhum tropeço.

11 Aquele, porém, que odeia seu irmão está nas trevas e anda nas trevas; não sabe para onde vai, porque as trevas lhe cegaram os olhos.
12 Filhinhos, eu vos escrevo,
  porque os vossos pecados
    são perdoados,
  por causa do seu nome.
13 Pais, eu vos escrevo,
  porque conhecestes aquele
    que é desde o princípio.
  Jovens, eu vos escrevo,
    porque vencestes o
      Maligno.
14 Eu vos escrevi, meninos,
  porque conhecestes o Pai.
  Eu vos escrevi, pais,
  porque já conhecestes
    aquele que é desde o
      princípio.
  Eu vos escrevi, jovens,
    porque sois fortes
    e a palavra de Deus está
      em vós
    e já vencestes o Maligno.
15 Não ameis o mundo nem o que há no mundo. Se alguém ama o mundo, o amor do Pai não está nele.
16 Pois tudo o que há no mundo, a cobiça da carne, a cobiça dos olhos e a soberba da vida, não é do Pai, mas do mundo.
17 Ora, o mundo e a sua cobiça passam, mas aquele que faz a vontade de Deus permanece para sempre.

### Os anticristos

18 Filhinhos, esta é a última hora; e como ouvistes que vem o anticristo, já muitos anticristos têm surgido, pelo que conhecemos que é a última hora.
19 Saíram de nosso meio, mas não eram dos nossos. Pois se tivessem sido dos nossos, teriam ficado conosco; mas isso é para que se manifestasse que nenhum deles é dos nossos.
20 Mas vós tendes a unção que vem do Santo e sabeis tudo.
21 Não vos escrevi porque não soubésseis a verdade, mas porque a sabeis e porque nenhuma mentira vem da verdade.
22 Quem é o mentiroso senão aquele que nega que Jesus é o Cristo? Esse mesmo é o anticristo, esse que nega o Pai e o Filho.
23 Qualquer que nega o Filho também não tem o Pai; aquele que confessa o Filho tem também o Pai.
24 Portanto, o que desde o princípio ouvistes permaneça em vós. Se em vós permanecer o que desde o princípio ouvistes, também permanecereis no Filho e no Pai.
25 E esta é a promessa que ele nos fez: a vida eterna.
26 Estas coisas vos escrevo acerca dos que vos querem enganar.
27 E a unção, que vós recebestes dele, fica em vós, e não tendes necessidade de que alguém vos ensine. Mas como a sua unção vos ensina todas as coisas e é verdadeira, não é mentira, como ela vos ensinou, assim nele permanecei.
28 E agora, filhinhos, permanecei nele, para que, quando ele se manifestar, tenhamos confiança e não sejamos envergonhados por ele na sua vinda.
29 Se sabeis que ele é justo, sabeis que todo aquele que pratica a justiça é nascido dele.

### Os filhos de Deus

**3** Vede quão grande amor nos concedeu o Pai, que fôssemos chamados filhos de Deus. E somos mesmo seus filhos! O mundo não nos conhece porque não o conheceu.

2 Amados, agora somos filhos de Deus, e ainda não se manifestou o que havemos de ser. Mas sabemos que, quando ele se manifestar, seremos semelhantes a ele, porque assim como é, o veremos.

3 E todo o que nele tem esta esperança purifica-se a si mesmo, como também ele é puro.

4 Todo aquele que comete pecado transgride a Lei, pois o pecado é a transgressão da Lei.

5 E bem sabeis que ele se manifestou para tirar os nossos pecados. E nele não há pecado.

6 Todo aquele que permanece nele não vive pecando. Todo o que vive pecando não o viu nem o conhece.

7 Filhinhos, ninguém vos engane. Quem pratica a justiça é justo, assim como ele é justo.

8 Quem comete pecado é do Diabo, porque o Diabo peca desde o princípio. Para isto o Filho de Deus se manifestou: para destruir as obras do Diabo.

9 Aquele que é nascido de Deus não vive na prática do pecado, porque a semente de Deus permanece nele; não pode continuar pecando, porque é nascido de Deus.

10 Nisto são manifestos os filhos de Deus e os filhos do Diabo: quem não pratica a justiça não é de Deus, nem aquele que não ama seu irmão.

11 Esta é a mensagem que ouvistes desde o princípio, que nos amemos uns aos outros,

12 não sendo como Caim, que era do Maligno e matou seu irmão. E por que o matou? Porque as suas obras eram más e as de seu irmão, justas.

13 Meus irmãos, não vos admireis se o mundo vos odeia.

14 Nós sabemos que já passamos da morte para a vida, porque amamos os irmãos. Quem não ama permanece na morte.

15 Todo o que odeia a seu irmão é homicida. E vós sabeis que nenhum homicida tem a vida eterna permanente em si.

16 Nisto conhecemos o amor: que Cristo deu a sua vida por nós. E devemos dar a nossa vida pelos irmãos.

17 Quem tiver bens do mundo e, vendo o seu irmão necessitado, fechar-lhe o seu coração, como estará nele o amor de Deus?

18 Meus filhinhos, não amemos de palavra nem de língua, mas por obra e em verdade.

19 Nisso conheceremos que somos da verdade, e diante dele tranquilizaremos o nosso coração,

20 sabendo que, se o nosso coração nos condena, maior é Deus do que o nosso coração, e conhece todas as coisas.

21 Amados, se o coração não nos condena, temos confiança para com Deus,

22 e qualquer coisa que lhe pedirmos, dele a receberemos, porque guardamos os seus mandamentos e fazemos o que lhe é agradável.

23 Ora, o seu mandamento é este: Que creiamos no nome de seu Filho Jesus Cristo e nos amemos uns aos outros, segundo o mandamento que nos ordenou.

24 E aquele que guarda os seus mandamentos permanece em Deus, e Deus nele. E nisto conhecemos que ele permanece em nós: pelo Espírito que nos deu.

### Provai os espíritos

4 Amados, não creiais em todo espírito, mas provai se os espíritos

vêm de Deus, porque já muitos falsos profetas têm surgido no mundo.
**2** Nisto conheceis o Espírito de Deus: Todo espírito que confessa que Jesus Cristo veio em carne é de Deus,
**3** mas todo espírito que não confessa a Jesus não é de Deus. Este é o espírito do anticristo, do qual já ouvistes que há de vir e agora já está no mundo.
**4** Filhinhos, vós sois de Deus e já os vencestes, porque maior é o que está em vós do que o que está no mundo.
**5** Eles são do mundo, por isso falam do mundo, e o mundo os ouve.
**6** Nós somos de Deus, e quem conhece a Deus nos ouve; mas aquele que não é de Deus não nos ouve. Nisso reconhecemos o espírito da verdade e o espírito do erro.

### Deus é amor

**7** Amados, amemo-nos uns aos outros, pois o amor é de Deus. Quem ama é nascido de Deus e conhece a Deus.
**8** Aquele que não ama não conhece a Deus, porque Deus é amor.
**9** Nisto se manifestou o amor de Deus para conosco: em que Deus enviou o seu Filho unigênito ao mundo, para que por meio dele vivamos.
**10** Nisto está o amor: não em que nós tenhamos amado a Deus, mas em que ele nos amou e enviou o seu Filho como propiciação pelos nossos pecados.
**11** Amados, se Deus assim nos amou, nós também devemos amar uns aos outros.
**12** Ninguém jamais viu a Deus; mas se amarmos uns aos outros, Deus está em nós, e em nós é aperfeiçoado o seu amor.
**13** Nisto conhecemos que estamos nele e ele em nós: por ele nos ter dado do seu Espírito.
**14** Vimos e testificamos que o Pai enviou o seu Filho como Salvador do mundo.
**15** Todo aquele que confessar que Jesus é o Filho de Deus, Deus está nele, e ele em Deus.
**16** E nós conhecemos e cremos no amor que Deus tem por nós. Deus é amor. Quem está em amor está em Deus, e Deus nele.
**17** Nisto é aperfeiçoado em nós o amor, para que no dia do juízo tenhamos confiança; porque, qual ele é, somos nós também neste mundo.
**18** No amor não há medo. Antes o perfeito amor lança fora o medo, porque o medo produz tormento. Aquele que teme não é aperfeiçoado em amor.
**19** Nós o amamos porque ele nos amou primeiro.
**20** Se alguém disser: Eu amo a Deus, e odiar seu irmão, é mentiroso. Pois aquele que não ama seu irmão, a quem viu, como pode amar a Deus, a quem não viu?
**21** E dele temos este mandamento, que quem ama a Deus, ame também seu irmão.

### A fé no Filho de Deus

**5** Todo aquele que crê que Jesus é o Cristo é nascido de Deus, e todo aquele que ama o que o gerou também ama o que dele é nascido.
**2** Nisto conhecemos que amamos os filhos de Deus, se amamos a Deus e guardamos os seus mandamentos.
**3** Este é o amor de Deus, que guardemos os seus mandamentos. E os seus mandamentos não são penosos,

4 pois todo o que é nascido de Deus vence o mundo. Esta é a vitória que vence o mundo: a nossa fé.
5 Quem é o que vence o mundo senão aquele que crê que Jesus é o Filho de Deus?
6 Este é aquele que veio por água e sangue, isto é, Jesus Cristo. Ele não veio só pela água, mas pela água e pelo sangue. E o Espírito é o que dá testemunho, porque o Espírito é a verdade.
7 Pois três são os que dão testemunho no céu: o Pai, a Palavra e o Espírito Santo; e estes três são um.
8 E três são os que dão testemunho na terra: o Espírito, a água e o sangue; e estes três concordam.
9 Se recebemos o testemunho dos homens, o testemunho de Deus é maior, porque o testemunho de Deus é este, que de seu Filho testificou.
10 Quem crê no Filho de Deus, em si mesmo tem o testemunho. Quem não crê em Deus, mentiroso o faz, porque não crê no testemunho que Deus dá acerca do seu Filho.
11 E o testemunho é este: Deus nos deu a vida eterna, e esta vida está em seu Filho.
12 Quem tem o Filho tem a vida; quem não tem o Filho de Deus não tem a vida.
13 Estas coisas vos escrevi para que saibais que tendes a vida eterna, a vós que credes no nome do Filho de Deus.

## Observações finais

14 Esta é a confiança que temos nele, que, se pedirmos alguma coisa segundo a sua vontade, ele nos ouve.
15 E se sabemos que nos ouve em tudo o que lhe pedimos, sabemos que já alcançamos os pedidos que lhe fizemos.
16 Se alguém vir a seu irmão cometer pecado que não é para morte, pedirá, e Deus lhe dará vida, aos que não pecam para morte. Há pecado para morte, e por esse não digo que ore.
17 Toda injustiça é pecado, e há pecado que não é para morte.
18 Sabemos que todo aquele que é nascido de Deus não vive pecando; antes, o guarda Aquele que nasceu de Deus, e o Maligno não lhe toca.
19 Sabemos que somos de Deus e que o mundo inteiro jaz no Maligno.
20 Também sabemos que o Filho já veio e nos deu entendimento para conhecermos aquele que é verdadeiro. E estamos naquele que é verdadeiro, isto é, em seu Filho Jesus Cristo. Este é o verdadeiro Deus e a vida eterna.
21 Filhinhos, guardai-vos dos ídolos.

# 2JOÃO

### Prefácio e saudação

**1** O presbítero à senhora eleita e a seus filhos, a quem eu amo na verdade — e não somente eu, mas também todos os que conhecem a verdade —,
**2** por causa da verdade que está em nós e para sempre estará conosco:
**3** Graça, misericórdia e paz da parte de Deus Pai e de Jesus Cristo, o Filho do Pai, serão conosco em verdade e amor.

### Amor fraternal

**4** Muito me alegrei em ter achado alguns de teus filhos andando na verdade, assim como recebemos o mandamento do Pai.
**5** E agora, senhora, rogo-te, não como se escrevesse novo mandamento, senão o que tivemos desde o princípio: que nos amemos uns aos outros.
**6** E o amor é este: que andemos segundo os seus mandamentos. Este é o mandamento, como já desde o princípio ouvistes, para que nele andeis.
**7** Muitos enganadores têm saído pelo mundo, os quais não confessam que Jesus Cristo veio em carne. Tal é o enganador e o anticristo.
**8** Olhai por vós mesmos, para que não percais o que ganhastes, antes recebais plena recompensa.
**9** Todo aquele que vai além da doutrina de Cristo e não permanece nela não tem Deus; quem persevera na doutrina de Cristo, esse tem tanto o Pai como o Filho.
**10** Se alguém vem ter convosco e não traz esta doutrina, não o recebais em casa nem o saudeis.
**11** Quem o saúda participa das suas obras más.
**12** Tenho muito que vos escrever, mas não quero fazê-lo com papel e tinta. Antes, espero ir ter convosco e falar pessoalmente, para que a nossa alegria seja completa.
**13** Saúdam-te os filhos de tua irmã, a eleita.

# 3 JOÃO

### Prefácio e saudação

**1** O presbítero ao amado Gaio, a quem amo na verdade.
**2** Amado, desejo que te vá bem em todas as coisas e que tenhas saúde, assim como bem vai a tua alma.
**3** Muito me alegrei quando os irmãos vieram e deram testemunho da tua verdade, como tu andas na verdade.
**4** Não tenho maior alegria do que esta: a de ouvir que os meus filhos andam na verdade.
**5** Amado, procedes fielmente em tudo o que fazes para com os irmãos e para com os estranhos.
**6** Eles, perante a igreja, deram testemunho do teu amor. Se os encaminhares em sua jornada por modo digno de Deus, bem farás.
**7** Foi por causa do Nome que saíram, nada aceitando dos gentios.
**8** Portanto aos tais devemos acolher, para que sejamos cooperadores da verdade.
**9** Escrevi algumas palavras à igreja, mas Diótrefes, que gosta de ser o principal entre eles, não nos recebe.
**10** Pelo que, se eu for, trarei à memória as obras que ele faz, proferindo contra nós palavras maliciosas. Não contente com isso, não acolhe os irmãos, impede os que querem recebê-los e os expulsa da igreja.
**11** Amado, não imites o mal, mas o bem. Quem faz o bem é de Deus. Mas quem faz o mal jamais viu a Deus.
**12** Todos dão testemunho de Demétrio, até a própria verdade. Nós também damos testemunho, e sabes que o nosso testemunho é verdadeiro.
**13** Tenho muitas coisas que te escrever, mas não quero fazê-lo com tinta e pena.
**14** Espero, porém, ver-te brevemente, e falaremos pessoalmente.
**15** A paz seja contigo. Os amigos te saúdam. Saúda os amigos nome por nome.

# JUDAS

### Prefácio e saudação

**1** Judas, servo de Jesus Cristo e irmão de Tiago, aos chamados, queridos em Deus Pai, e guardados em Jesus Cristo:
**2** Misericórdia, paz e amor vos sejam multiplicados.

### Contra os ímpios e falsos mestres

**3** Amados, enquanto eu empregava toda diligência para vos escrever acerca da salvação que nos é comum, senti a necessidade de vos escrever, exortando-vos a batalhar pela fé que de uma vez por todas foi entregue aos santos.
**4** Pois certos homens se infiltraram descaradamente, os quais desde há muito estavam destinados para este juízo, homens ímpios, que convertem em dissolução a graça de nosso Deus e negam o nosso único Soberano e Senhor, Jesus Cristo.
**5** Quero lembrar-vos, se bem que já estais cientes de tudo isso, que o Senhor, tendo salvo um povo, tirando-o da terra do Egito, destruiu depois os que não creram.
**6** E aos anjos que não guardaram o seu principado, mas deixaram a sua própria habitação, ele os tem reservado em prisões eternas, na escuridão, para o juízo do grande dia.
**7** Assim também Sodoma e Gomorra e as cidades circunvizinhas entregaram-se à prostituição *e a práticas sexuais* antinaturais. E foram postas como exemplo, sofrendo a pena do fogo eterno.
**8** Contudo, semelhantemente também estes falsos mestres, sonhando, contaminam a sua carne, rejeitam toda a autoridade e blasfemam das dignidades.
**9** O arcanjo Miguel, porém, quando contendia com o Diabo e disputava a respeito do corpo de Moisés, não ousou pronunciar contra ele juízo de maldição, mas disse: O Senhor te repreenda.
**10** Estes, porém, difamam tudo o que não entendem; e naquilo que compreendem de modo natural, como os animais irracionais, até nisso se corrompem.
**11** Ai deles! Entraram pelo caminho de Caim; movidos pela ganância, foram levados pelo erro de Balaão; pereceram na revolta de Coré.
**12** Estes são manchas em vossas festas de amor, banqueteando-se convosco sem nenhum recato; pastores que se apascentam a si mesmos. São nuvens sem água, levadas pelos ventos; árvores sem frutos em pleno outono e desarraigadas, duplamente mortas.
**13** São ondas furiosas do mar, espumando as suas próprias sujidades; estrelas errantes, para as quais tem sido eternamente reservada a escuridão das trevas.
**14** Concernente a estes profetizou Enoque, o sétimo depois de Adão: Vede, o Senhor vem com milhares de seus santos,
**15** para fazer juízo contra todos e para fazer convictos todos os ímpios, acerca de todas as obras ímpias que impiamente praticaram e de todas as duras palavras que ímpios pecadores contra ele proferiram.

**16** Estes são murmuradores, queixosos, andando segundo os seus desejos puros, cuja boca diz coisas muito arrogantes, bajulando as pessoas por motivos interesseiros.

### Exortação aos fiéis

**17** Quanto a vós, amados, lembrai-vos das palavras que foram preditas pelos apóstolos de nosso Senhor Jesus Cristo,
**18** os quais vos diziam: No último tempo haverá escarnecedores, andando segundo seus desejos ímpios.
**19** São estes os que causam divisões; são sensuais e não têm o Espírito.
**20** Edificando-vos, porém, amados na vossa santíssima fé, orando no Espírito Santo,
**21** conservai-vos no amor de Deus, esperando a misericórdia de nosso Senhor Jesus Cristo para a vida eterna.
**22** E apiedai-vos de alguns que estão na dúvida,
**23** salvai-os, arrebatando-os do fogo; quanto a outros, tende misericórdia em temor, detestando até a roupa manchada pela carne.

### Doxologia

**24** Ora, àquele que é poderoso para vos guardar de tropeçar e apresentar-vos jubilosos e imaculados diante da sua glória,
**25** ao único Deus, nosso Salvador, por Jesus Cristo, o nosso Senhor, glória, majestade, domínio e poder, antes de todos os séculos, agora e para todo o sempre. Amém.

# APOCALIPSE

### Prólogo

**1** Revelação de Jesus Cristo, que Deus lhe deu, para mostrar aos seus servos as coisas que brevemente devem acontecer. Ele as enviou pelo seu anjo e as notificou ao seu servo João,
**2** que testificou da palavra de Deus, do testemunho de Jesus Cristo, de tudo o que viu.
**3** Bem-aventurado aquele que lê e bem-aventurados os que ouvem as palavras desta profecia e guardam as coisas que nela estão escritas, porque o tempo está próximo.

### Saudações e doxologia

**4** João, às sete igrejas que estão na Ásia: Graça e paz a vós outros, da parte daquele que é, que era e que há de vir, e da parte dos sete espíritos que estão diante do seu trono,
**5** e da parte de Jesus Cristo, que é a fiel testemunha, o primogênito dos mortos e o soberano dos reis da terra. Àquele que nos ama, em seu sangue nos lavou dos nossos pecados
**6** e nos fez reino e sacerdotes para o seu Deus e Pai, a ele seja glória e poder para todo o sempre. Amém.
**7** Vede, ele vem com as nuvens,
 e todo o olho o verá,
  até mesmo os que o
   trespassaram;
 e todas as tribos da terra se
  lamentarão sobre ele.
   Sim. Amém.
**8** Eu sou o Alfa e o Ômega, o princípio e o fim, diz o Senhor, aquele que é, que era e que há de vir, o Todo-poderoso.

### Alguém semelhante ao Filho do homem

**9** Eu, João, irmão vosso e companheiro convosco na aflição, no Reino e na perseverança em Jesus, estava na ilha chamada Patmos por causa da palavra de Deus e do testemunho de Jesus.
**10** Eu fui arrebatado em espírito no dia do Senhor e ouvi detrás de mim uma grande voz, como de trombeta,
**11** que dizia: O que vês, escreve-o num livro e envia-o às sete igrejas que estão na Ásia: a Éfeso, a Esmirna, a Pérgamo, a Tiatira, a Sardes, a Filadélfia e a Laodiceia.
**12** E voltei-me para ver quem falava comigo. E, ao voltar-me, vi sete candeeiros de ouro
**13** e no meio dos sete candeeiros alguém semelhante a um filho de homem, vestido com vestes talares e cingido à altura do peito com um cinto de ouro.
**14** A sua cabeça e seus cabelos eram brancos como lã, brancos como a neve, e os seus olhos como chama de fogo.
**15** Os seus pés eram semelhantes a latão reluzente, como que refinado numa fornalha, e a sua voz como a voz de muitas águas.
**16** Tinha ele na mão direita sete estrelas, e da sua boca saía uma afiada espada de dois gumes. O seu rosto era como o sol, quando resplandece na sua força.
**17** Quando o vi, caí a seus pés como morto. Mas ele pôs sobre

mim a sua mão direita, dizendo: Não temas. Eu sou o primeiro e o último.
**18** Eu sou o que vivo; fui morto, mas estou vivo para todo o sempre! E tenho as chaves da morte e do inferno.
**19** Escreve, pois, as coisas que tens visto, as que são e as que depois destas hão de acontecer.
**20** O mistério das sete estrelas que viste na minha mão direita e dos sete candeeiros de ouro é este: As sete estrelas são os anjos das sete igrejas, e os sete candeeiros são as sete igrejas.

### Carta à igreja de Éfeso

**2** Ao anjo da igreja de Éfeso escreve: Isto diz aquele que tem na mão direita as sete estrelas, que anda no meio dos sete candeeiros de ouro:
**2** Conheço as tuas obras, o teu trabalho e a tua perseverança. Sei que não suportas os maus; que puseste à prova os que se dizem apóstolos e não o são e descobriste que eram mentirosos.
**3** Tens perseverança e, por causa do meu nome, sofreste, mas não desfaleceste.
**4** Tenho, porém, contra ti que deixaste o teu primeiro amor.
**5** Lembra-te de onde caíste! Arrepende-te e pratica as primeiras obras. Se não te arrependeres, brevemente virei a ti e removerei do seu lugar o teu candeeiro, se não te arrependeres.
**6** Tens, porém, a teu favor, que odeias as obras dos nicolaítas, as quais eu também odeio.
**7** Quem tem ouvidos ouça, o que o Espírito diz às igrejas. Ao que vencer, darei o direito de comer da árvore da vida, que está no paraíso de Deus.

### Carta à igreja de Esmirna

**8** Ao anjo da igreja de Esmirna escreve: Isto diz o primeiro e o último, o que foi morto e reviveu:
**9** Conheço a tua tribulação e a tua pobreza (mas tu és rico) e a blasfêmia dos que se dizem judeus, e não o são, mas são sinagoga de Satanás.
**10** Não temas as coisas que estás para sofrer. Escutai: o Diabo lançará alguns de vós na prisão, para que sejais provados, e tereis uma tribulação de dez dias. Sê fiel até a morte, e eu te darei a coroa da vida.
**11** Quem tem ouvidos, ouça o que o Espírito diz às igrejas. O que vencer de modo algum sofrerá o dano da segunda morte.

### Carta à igreja de Pérgamo

**12** Ao anjo da igreja de Pérgamo escreve: Isto diz aquele que tem a espada afiada de dois gumes:
**13** Sei onde habitas, que é onde está o trono de Satanás. Contudo, reténs o meu nome e não negaste a sua fé em mim mesmo nos dias de Antipas, minha fiel testemunha, que foi morto entre vós, onde Satanás habita.
**14** Todavia, tenho algumas coisas contra ti: Tens aí os que seguem a doutrina de Balaão, que ensinava Balaque a lançar tropeços diante dos filhos de Israel, levando-os a comer das coisas sacrificadas aos ídolos e praticar a prostituição.
**15** Assim tens também alguns que seguem a doutrina dos nicolaítas.
**16** Arrepende-te, pois! Se não em breve virei a ti e contra eles batalharei com a espada da minha boca.
**17** Quem tem ouvidos, ouça o que o Espírito diz às igrejas. Ao que

vencer, darei do maná escondido; também lhe darei uma pedra branca, e na pedra um novo nome escrito, o qual ninguém conhece senão aquele que o recebe.

### Carta à igreja de Tiatira

**18** Ao anjo da igreja de Tiatira escreve: Isto diz o Filho de Deus, que tem os olhos como chama de fogo e os pés semelhantes a latão reluzente:
**19** Conheço as tuas obras, o teu amor, o teu serviço, a tua fé e a tua perseverança; sei que as tuas últimas obras são mais numerosas do que as primeiras.
**20** Tenho, porém, contra ti que toleras Jezabel, mulher que se diz profetisa. Com o seu ensino ela engana os meus servos, seduzindo-os a se prostituírem e a comerem das coisas sacrificadas aos ídolos.
**21** Dei-lhe tempo para que se arrependesse da sua imoralidade, mas ela não quer se arrepender.
**22** Portanto, a lançarei num leito de dores, bem como em grande tribulação os que com ela adulteram, caso não se arrependam das obras que ela incita.
**23** Ferirei de morte os seus filhos. Então todas as igrejas saberão que eu sou aquele que esquadrinha a mente e o coração, e darei a cada um de vós segundo as vossas obras.
**24** Digo, porém, a vós, os demais que estão em Tiatira, a todos quantos não têm esta doutrina e não conheceram, como dizem, as profundezas de Satanás, que outra carga não porei sobre vós.
**25** O que tendes, retende-o até que eu venha.
**26** Ao vencedor, que guardar até o fim as minhas obras, darei autoridade sobre as nações;
**27** com vara de ferro as regerá, quebrando-as como são quebrados os vasos de oleiro;
assim como também recebi autoridade de meu Pai.
**28** Também lhe darei a estrela da manhã.
**29** Quem tem ouvidos, ouça o que o Espírito diz às igrejas.

### Carta à igreja de Sardes

**3** Ao anjo da igreja de Sardes escreve: Isto diz o que tem os sete espíritos de Deus e as sete estrelas. Conheço as tuas obras; tens nome de que vives, mas estás morto.
**2** Sê vigilante e confirma o restante, que estava para morrer, pois não tenho achado as tuas obras perfeitas diante do meu Deus.
**3** Lembra-te, pois, do que recebeste e ouviste; obedeça-lhe e arrepende-te. Mas se não vigiares, virei sobre ti como um ladrão, e não saberás a que hora sobre ti virei.
**4** No entanto, também tens em Sardes algumas pessoas que não contaminaram as suas vestes. Elas comigo andarão vestidas de branco, pois são dignas.
**5** O que vencer será vestido de vestes brancas. De maneira nenhuma riscarei o seu nome do livro da vida, mas confessarei o seu nome diante de meu Pai e diante dos seus anjos.
**6** Quem tem ouvidos, ouça o que o Espírito diz às igrejas.

### Carta à igreja de Filadélfia

**7** Ao anjo da igreja de Filadélfia escreve: Isto diz o que é santo, o que é verdadeiro, o que tem a chave de Davi. O que abre e ninguém fecha, e fecha e ninguém abre:

**8** Conheço as tuas obras. Diante de ti pus uma porta aberta, que ninguém pode fechar. Sei que tens pouca força, entretanto guardaste a minha palavra e não negaste o meu nome.
**9** Aos da sinagoga de Satanás, aos que se dizem judeus e não o são, mas mentem, farei que venham e adorem prostrados a teus pés e saibam que eu te amo.
**10** Visto que guardaste a palavra da minha perseverança, também eu te guardarei da hora da tribulação que há de vir sobre todo o mundo, para provar os que habitam sobre a terra.
**11** Venho sem demora. Guarda o que tens, para que ninguém tome a tua coroa.
**12** A quem vencer, eu o farei coluna no templo do meu Deus, de onde jamais sairá. Escreverei sobre ele o nome do meu Deus e o nome da cidade do meu Deus, a nova Jerusalém, que desce do céu, da parte do meu Deus, e também o meu novo nome.
**13** Quem tem ouvidos, ouça o que o Espírito diz às igrejas.

### Carta à igreja de Laodiceia

**14** Ao anjo da igreja de Laodiceia escreve: Isto diz o Amém, a testemunha fiel e verdadeira, o princípio da criação de Deus:
**15** Conheço as tuas obras, que não és frio nem quente. Quem dera fosses frio ou quente!
**16** Assim, porque és morno, e não és frio nem quente, eu te vomitarei da minha boca.
**17** Dizes: Rico sou, estou enriquecido e de nada tenho falta. Mas não sabes que és um coitado, miserável, pobre, cego e nu.
**18** Aconselho-te que de mim compres ouro refinado no fogo, para que te enriqueças, e vestes brancas, para que te vistas e não seja manifesta a vergonha da tua nudez, e colírio, para ungires os teus olhos, a fim de que vejas.
**19** Eu repreendo e castigo todos quantos amo. Portanto, sê zeloso e arrepende-te.
**20** Eis que estou à porta e bato. Se alguém ouvir a minha voz e abrir a porta, entrarei em sua casa e com ele cearei, e ele comigo.
**21** Ao que vencer, darei o direito de assentar-se comigo no meu trono, assim como eu venci e me assentei com meu Pai no seu trono.
**22** Quem tem ouvidos, ouça o que o Espírito diz às igrejas.

### O trono no céu

**4** Depois destas coisas, olhei e vi que estava uma porta aberta no céu, e a primeira voz que ouvi, como de som de trombeta falando comigo, disse: Sobe para aqui, e te mostrarei as coisas que depois destas devem acontecer.
**2** Imediatamente fui arrebatado em espírito, e um trono estava posto no céu, e alguém assentado sobre o trono.
**3** E o que estava assentado tinha a aparência semelhante a uma pedra de jaspe e de sardônio, e ao redor do trono havia um arco-íris de aspecto semelhante à esmeralda.
**4** Ao redor do trono também havia vinte e quatro tronos, e vi assentados sobre os tronos vinte e quatro anciãos, vestidos de branco, que tinham nas suas cabeças coroas de ouro.
**5** Do trono saíam relâmpagos, vozes e trovões. Diante do trono

ardiam sete lâmpadas de fogo, as quais são os sete espíritos de Deus.
6 Também havia diante do trono como que um mar de vidro, semelhante ao cristal, e ao redor do trono, um ao centro de cada lado, quatro seres viventes cheios de olhos por diante e por detrás.
7 O primeiro ser era semelhante a um leão, o segundo semelhante a um touro, o terceiro tinha o rosto como de homem, e o quarto era semelhante a uma águia voando.
8 Os quatro seres viventes tinham, cada um, seis asas, e ao redor e por dentro estavam cheios de olhos. Não descansam nem de dia nem de noite, dizendo:
Santo, Santo, Santo é o
Senhor Deus,
o Todo-poderoso,
aquele que era, que é
e que há de vir.
9 Quando os seres viventes davam glória, honra e ações de graças ao que estava assentado sobre o trono, ao que vive para todo o sempre,
10 os vinte e quatro anciãos prostravam-se diante do que estava assentado sobre o trono e adoravam ao que vive para todo o sempre; eles lançavam as suas coroas diante do trono, dizendo:
11 Digno és, Senhor nosso e Deus nosso,
de receber a glória, a honra
e o poder,
pois tu criaste todas as coisas,
e por tua vontade existem e
foram criadas.

### O livro selado e o Cordeiro

**5** Vi na mão direita do que estava assentado sobre o trono um livro escrito por dentro e por fora, selado com sete selos.
2 Vi também um anjo forte, bradando com grande voz: Quem é digno de abrir o livro e de lhe romper os selos?
3 E ninguém no céu, nem na terra, nem debaixo da terra, podia abrir o livro nem olhar para ele.
4 E eu chorava muito, porque ninguém fora achado digno de abrir o livro, nem de o ler, nem de olhar para ele.
5 Todavia um dos anciãos me disse: Não chores! Olha, o Leão da tribo de Judá, a raiz de Davi, venceu para abrir o livro e os seus sete selos.
6 Então vi, no meio do trono e dos quatro seres viventes, e entre os anciãos, em pé, um Cordeiro, como havendo sido morto, e tinha sete chifres e sete olhos, que são os sete espíritos de Deus enviados por toda a terra.
7 E veio e tomou o livro da mão direita do que estava assentado no trono.
8 Logo que tomou o livro, os quatro seres viventes e os vinte e quatro anciãos prostraram-se diante do Cordeiro, tendo todos eles uma harpa e taças de ouro cheias de incenso, que são as orações dos santos.
9 E cantavam um novo cântico, dizendo:
Digno és de tomar o livro
e de abrir os seus selos,
porque foste morto,
e com o teu sangue
compraste para Deus
homens de toda tribo,
língua, povo e nação.
10 Para o nosso Deus os fizeste reino e sacerdotes,
e eles reinarão sobre a terra.
11 Então olhei e ouvi a voz de muitos anjos ao redor do trono,

dos seres viventes e dos anciãos; e o número deles era milhões de milhões e milhares de milhares, 12 proclamando com grande voz:
Digno é o Cordeiro,
que foi morto,
de receber poder, riqueza,
sabedoria, força,
honra, glória e louvor.
13 Então ouvi toda criatura que está no céu, na terra, debaixo da terra, no mar, e todas as coisas que neles há, dizerem:
Ao que está assentado sobre o
trono e ao Cordeiro
seja o louvor, a honra, a
glória e o poder para todo o
sempre.
14 E os quatro seres viventes diziam: Amém. E os anciãos prostraram-se e adoraram.

### Os selos

**6** Vi quando o Cordeiro abriu um dos sete selos. E ouvi um dos quatro seres viventes dizer, como se fosse voz de trovão: Vem!
2 Olhei e vi um cavalo branco. O seu cavaleiro tinha um arco, e foi-lhe dada uma coroa, e ele saiu vencendo e para vencer.
3 Quando o Cordeiro abriu o segundo selo, ouvi o segundo ser vivente dizer: Vem!
4 Então saiu outro cavalo, vermelho. Ao seu cavaleiro foi dado poder para tirar a paz da terra para que os homens se matassem uns aos outros. Também lhe foi dada uma grande espada.
5 Quando o Cordeiro abriu o terceiro selo, ouvi o terceiro ser vivente dizer: Vem! Olhei e vi um cavalo preto. O seu cavaleiro tinha uma balança na mão.
6 E ouvi uma como que voz no meio dos quatro seres viventes, que dizia: Uma medida de trigo por um denário; três medidas de cevada por um denário; e não danifiques o azeite e o vinho.
7 Quando o Cordeiro abriu o quarto selo, ouvi a voz do quarto ser vivente, que dizia: Vem!
8 Olhei e vi um cavalo amarelo. O seu cavaleiro chamava-se Morte, e o Inferno o seguia. Foi-lhes dado poder sobre a quarta parte da terra para matar com a espada, com a fome, com a peste e com as feras da terra.
9 Quando ele abriu o quinto selo, vi debaixo do altar as almas dos que foram mortos por causa da palavra de Deus e por causa do testemunho que deram.
10 E clamavam com grande voz, dizendo: Até quando, ó verdadeiro e santo Soberano, não julgas e vingas o nosso sangue dos que habitam sobre a terra?
11 E foram dadas a cada um deles compridas vestes brancas, e foi-lhes dito que repousassem ainda por pouco tempo, até que se completasse o número de seus conservos e seus irmãos, que haviam de ser mortos, como também eles foram.
12 Olhei enquanto ele abria o sexto selo. Houve um grande terremoto. O sol tornou-se negro como saco de cilício, e a lua tornou-se como sangue.
13 As estrelas do céu caíram sobre a terra, como quando a figueira, sacudida por um vento forte, deixa cair os seus figos verdes.
14 O céu recolheu-se como um pergaminho quando se enrola, e todos os montes e ilhas foram removidos dos seus lugares.
15 Os reis da terra, os grandes, os chefes militares, os ricos, os

poderosos e todo escravo e todo livre se esconderam nas cavernas e nos penhascos dos montes 16 e diziam aos montes e aos rochedos: Caí sobre nós e escondei-nos do rosto daquele que está assentado sobre o trono e da ira do Cordeiro! 17 Pois é vindo o grande dia da ira deles, e quem poderá subsistir?

## Os 144.000 selados

7 Depois destas coisas vi quatro anjos que estavam sobre os quatro cantos da terra, retendo os quatro ventos da terra, para que nenhum vento soprasse sobre a terra, sobre o mar ou contra árvore qualquer.
2 Vi outro anjo subir do lado do sol nascente, tendo o selo do Deus vivo. Ele clamou com grande voz aos quatro anjos, a quem fora dado o poder de danificar a terra e o mar, 3 dizendo: Não danifiqueis a terra, o mar ou as árvores até que tenhamos selado nas suas testas os servos do nosso Deus.
4 E ouvi o número dos que foram selados, e eram cento e quarenta e quatro mil, de todas as tribos dos filhos de Israel.
5 Da tribo de Judá doze mil foram selados; da tribo de Rúben, doze mil; da tribo de Gade, doze mil; 6 da tribo de Aser, doze mil; da tribo de Naftali, doze mil; da tribo de Manassés, doze mil; 7 da tribo de Simeão, doze mil; da tribo de Levi, doze mil; da tribo de Issacar, doze mil; 8 da tribo de Zebulom, doze mil; da tribo de José, doze mil; da tribo de Benjamim, doze mil.

## A visão dos mártires na glória

9 Depois destas coisas olhei e vi uma grande multidão, que ninguém podia contar, de todas as nações, tribos, povos e línguas, que estavam em pé diante do trono e perante o Cordeiro, trajando compridas vestes brancas e com palmas nas mãos.
10 Clamavam com grande voz: Salvação ao nosso Deus, que está assentado no trono, e ao Cordeiro.
11 Todos os anjos estavam em pé ao redor do trono e dos anciãos e dos quatro seres viventes. Eles se prostraram diante do trono sobre seus rostos e adoraram a Deus,
12 dizendo:
Amém.
Louvor, glória,
sabedoria, ação de
graças, honra,
poder e força
ao nosso Deus, para
todo o sempre.
Amém.
13 Então um dos anciãos me perguntou: Estes que estão vestidos de branco, quem são eles e de onde vieram?
14 Respondi-lhe: Senhor, tu o sabes. Disse-me ele: Estes são os que vieram da grande tribulação e lavaram as suas vestes e as branquearam no sangue do Cordeiro.
15 Por isso,
estão diante do trono de Deus
e o servem de dia e de noite
no seu templo;
e aquele que está assentado
sobre o trono
estenderá o seu tabernáculo
sobre eles.
16 Nunca mais terão fome;
nunca mais terão sede.
Nem sol, nem calor algum,
cairá sobre eles.
17 Pois o Cordeiro que está no meio do trono

## O sétimo selo e o incensário de ouro

**8** Quando ele abriu o sétimo selo, fez-se silêncio no céu por cerca de meia hora.

2 E vi os sete anjos que estavam em pé diante de Deus, aos quais foram dadas sete trombetas.

3 Veio outro anjo e ficou em pé junto ao altar, tendo um incensário de ouro. Foi-lhe dado muito incenso, para oferecê-lo com as orações de todos os santos sobre o altar de ouro, que está diante do trono.

4 E da mão do anjo subiu diante de Deus a fumaça do incenso com as orações dos santos.

5 Então o anjo tomou o incensário, encheu-o do fogo do altar e o lançou sobre a terra; e houve trovões, vozes, relâmpagos e terremotos.

6 Então os sete anjos que tinham as sete trombetas prepararam-se para tocar.

7 O primeiro anjo tocou a sua trombeta, e houve saraiva e fogo misturado com sangue, que foram lançados na terra. Foi queimada a terça parte da terra, a terça parte das árvores e toda a erva verde.

8 O segundo anjo tocou a trombeta, e foi lançado no mar como que um grande monte ardendo em fogo, e tornou-se em sangue a terça parte do mar.

9 E morreu a terça parte das criaturas viventes que havia no mar, e foi destruída a terça parte dos navios.

10 O terceiro anjo tocou a sua trombeta, e caiu do céu uma grande estrela, ardendo como uma tocha, e caiu sobre a terça parte dos rios e sobre as fontes das águas;

11 o nome da estrela era Absinto. A terça parte das águas tornou-se amarga, e muitos homens morreram por causa das águas, que se tornaram amargas.

12 O quarto anjo tocou a sua trombeta, e foi ferida a terça parte do sol, a terça parte da lua e a terça parte das estrelas, de modo que a terça parte deles se escureceu. A terça parte do dia não brilhou, e semelhantemente a da noite.

13 Enquanto eu olhava, ouvi uma águia que, voando pelo meio do céu, dizia com grande voz: Ai, ai, ai dos que habitam sobre a terra! por causa das outras vozes das trombetas dos três anjos que ainda vão tocar.

## A quinta trombeta

**9** O quinto anjo tocou a sua trombeta, e vi uma estrela que do céu caiu na terra. Foi-lhe dada a chave do poço do abismo.

2 E abriu o poço do abismo, e subiu fumaça do poço, como a fumaça de uma grande fornalha, e com a fumaça do poço escureceram-se o sol e o ar.

3 E da fumaça saíram gafanhotos sobre a terra, e foi-lhes dado poder, como o que têm os escorpiões da terra.

4 Foi-lhes dito que não causassem dano à erva da terra, a verdura alguma ou a árvore alguma, mas somente aos homens que não têm nas suas testas o selo de Deus.

5 Foi-lhes permitido não que os matassem, mas que por cinco meses os atormentassem. E o seu

tormento era semelhante ao tormento do escorpião, quando fere o homem.
6 Naqueles dias, os homens buscarão a morte e não a acharão; desejarão morrer, mas a morte fugirá deles.
7 A aparência dos gafanhotos era semelhante à de cavalos preparados para a guerra. Sobre as suas cabeças havia como que umas coroas semelhantes ao ouro, e os seus rostos eram como rostos de homens.
8 Tinham cabelos como cabelos de mulheres, e os seus dentes eram como os de leões.
9 Tinham couraças como couraças de ferro, e o ruído das suas asas era como o ruído de carros de muitos cavalos que correm ao combate.
10 Tinham caudas e ferrões semelhantes às dos escorpiões, e nas suas caudas tinham poder para danificar os homens por cinco meses.
11 Tinham sobre si como rei o anjo do abismo, cujo nome em hebraico é Abadom, e em grego, Apoliom.
12 Passado é já um ai; depois disso vêm ainda dois ais.

### A sexta trombeta

13 O sexto anjo tocou a sua trombeta, e ouvi uma voz que vinha das quatro pontas do altar de ouro, que estava diante de Deus,
14 a qual dizia ao sexto anjo, que tinha a trombeta: Solta os quatro anjos que *estão presos junto ao* grande rio Eufrates.
15 E foram soltos os quatro anjos que estavam preparados para aquela hora, dia, mês e ano, a fim de matarem a terça parte dos homens.
16 O número dos exércitos dos cavaleiros era de duzentos milhões. Eu ouvi o número deles.
17 E assim vi os cavalos nesta visão: os seus cavaleiros tinham couraças de fogo, de jacinto e de enxofre. As cabeças dos cavalos eram como cabeças de leões, e de suas bocas saíam fogo, fumaça e enxofre.
18 Por estas três pragas foi morta a terça parte dos homens, isto é, pelo fogo, pela fumaça e pelo enxofre, que saíam das bocas dos cavalos.
19 O poder dos cavalos está na sua boca e nas suas caudas; pois as suas caudas eram semelhantes a serpentes, e tinham cabeças, e com elas causavam dano.
20 Os outros homens, que não foram mortos por essas pragas, não se arrependeram das obras das suas mãos, para deixarem de adorar aos demônios e aos ídolos de ouro, de prata, de bronze, de pedra e de madeira que não podem ver, nem ouvir, nem andar.
21 Nem se arrependeram dos seus homicídios, nem das suas feitiçarias, nem da sua prostituição, nem dos seus furtos.

### O anjo e o livrinho

**10** Vi outro anjo forte descendo do céu, vestido de uma nuvem. Por cima da sua cabeça estava o arco-íris; o seu rosto era como o sol e as suas pernas como colunas de fogo,
2 e tinha na mão um livrinho aberto. Pôs o seu pé direito sobre o mar e o esquerdo sobre a terra
3 e clamou em alta voz, como quando ruge o leão. Tendo clamado, os sete trovões fizeram soar as suas vozes.

**4** E, quando os sete trovões fizeram soar as suas vozes, eu ia escrevê-las; mas ouvi uma voz do céu, que dizia: Sela o que os sete trovões falaram e não o escrevas.
**5** Então o anjo que vi em pé sobre o mar e sobre a terra levantou a sua mão direita ao céu
**6** e jurou por Aquele que vive para todo o sempre, o qual criou o céu e o que nele há, a terra e o que nela há, e o mar e o que nele há, que não haveria mais demora,
**7** mas nos dias da voz do sétimo anjo, quando ele estiver prestes a tocar a sua trombeta, se cumprirá o mistério de Deus, como anunciou aos profetas, seus servos.
**8** Então a voz que eu do céu tinha ouvido tornou a falar comigo e disse: Vai e toma o livrinho aberto da mão do anjo que está em pé sobre o mar e sobre a terra.
**9** Fui, pois, ao anjo e lhe pedi que me desse o livrinho. Disse-me ele: Toma-o e come-o. Ele fará amargo o teu ventre, mas na tua boca será doce como mel.
**10** Tomei o livrinho da mão do anjo e o comi. Na minha boca era doce como mel, mas, tendo-o comido, o meu ventre ficou amargo.
**11** Então foi-me dito: Importa que profetizes outra vez acerca de muitos povos, nações, línguas e reis.

### As duas testemunhas

**11** Foi-me dado um caniço semelhante a uma vara e foi-me dito: Levanta-te e mede o templo de Deus, o altar e os que nele adoram.
**2** Deixa, porém, o átrio que está fora do templo; não o meças, porque foi dado aos gentios. Estes pisarão a cidade santa por quarenta e dois meses.
**3** E darei poder às minhas duas testemunhas, e elas profetizarão por mil duzentos e sessenta dias, vestidas de saco.
**4** Estas são as duas oliveiras e os dois candeeiros que estão diante do Senhor da terra.
**5** Se alguém lhes quiser causar mal, das suas bocas sairá fogo e devorará os seus inimigos. Se alguém lhes quiser causar mal, importa que assim seja morto.
**6** Estes homens têm poder para fechar o céu, para que não chova durante os dias em que estiverem profetizando; e têm poder sobre as águas para convertê-las em sangue e para ferir a terra com toda sorte de pragas, quantas vezes quiserem.
**7** Quando acabarem o seu testemunho, a besta que sobe do abismo lhes fará guerra e os vencerá e matará.
**8** E os seus corpos ficarão expostos na praça da grande cidade, que espiritualmente se chama Sodoma e Egito, onde o seu Senhor também foi crucificado.
**9** Homens de vários povos, tribos, línguas e nações verão os seus corpos mortos por três dias e meio e não permitirão que sejam sepultados.
**10** Os que habitam na terra se regozijarão sobre eles e se alegrarão, mandando presentes uns aos outros, porque estes dois profetas tinham atormentado os que habitam sobre a terra.
**11** Depois daqueles três dias e meio, o espírito de vida, vindo de Deus, entrou neles, e eles se puseram de pé, e caiu grande temor sobre os que os viram.
**12** Então ouviram uma grande voz do céu, que lhes dizia:

Subi para aqui. E subiram ao céu em uma nuvem, e os seus inimigos os viram.

13 Naquela mesma hora, houve um grande terremoto, e caiu a décima parte da cidade. No terremoto foram mortos sete mil homens, e os demais ficaram atemorizados e deram glória ao Deus do céu.
14 É passado o segundo ai; o terceiro ai cedo virá.

## A sétima trombeta

15 O sétimo anjo tocou a sua trombeta, e houve no céu grandes vozes, que diziam:
Os reinos do mundo vieram a
  ser de nosso Senhor e do
  seu Cristo,
e ele reinará para todo o
  sempre.
16 E os vinte e quatro anciãos, que estão assentados em seus tronos diante de Deus, prostraram-se sobre seus rostos e adoraram a Deus,
17 dizendo:
Graças te damos, Senhor
  Deus, todo-poderoso,
que és e que eras,
  porque tomaste o teu
    grande poder e reinaste.
18 Iraram-se as nações;
  então veio a tua ira,
  o tempo de serem julgados os
    mortos
  e o tempo de dares
    recompensa aos profetas,
  teus servos, e aos santos e aos
    que temem
  o teu nome,
  *a pequenos e a grandes*,
  e o tempo de destruíres os
    que destroem a terra.
19 Abriu-se no céu o templo de Deus, e a arca da sua aliança foi vista no seu santuário. E houve relâmpagos, vozes e trovões, terremoto e grande chuva de pedras.

## A mulher e o dragão

**12** Viu-se um grande sinal no céu: uma mulher vestida do sol, tendo a lua debaixo dos pés, e uma coroa de doze estrelas sobre a cabeça.
2 Ela estava grávida e gritava com as dores de parto, sofrendo tormentos para dar à luz.
3 Viu-se também outro sinal no céu: um grande dragão vermelho, que tinha sete cabeças e dez chifres, e sobre as suas cabeças sete diademas.
4 A sua cauda levou após si a terça parte das estrelas do céu e lançou-as sobre a terra. O dragão parou diante da mulher que estava prestes a dar à luz, para que, dando ela à luz, lhe devorasse o filho.
5 Ela deu à luz um filho, um varão que há de reger todas as nações com vara de ferro. E o seu filho foi arrebatado para Deus e para o seu trono.
6 A mulher fugiu para o deserto, onde já tinha lugar preparado por Deus para que ali fosse alimentada durante mil duzentos e sessenta dias.
7 E houve guerra no céu: Miguel e os seus anjos batalhavam contra o dragão. E o dragão e os seus anjos batalhavam,
8 mas não prevaleceram, nem mais o seu lugar se achou nos céus.
9 E foi precipitado o grande dragão, a antiga serpente, que se chama Diabo e Satanás, que engana o mundo todo. Ele foi precipitado na terra, e os seus anjos foram lançados com ele.
10 Então ouvi uma grande voz no céu, que dizia:

Agora é chegada a salvação,
a força, o reino do
nosso Deus
e o poder do seu Cristo.
Pois já o acusador de
nossos irmãos foi
lançado fora,
o qual diante do nosso Deus
os acusava de dia e de noite.
**11** Eles o venceram pelo sangue
do Cordeiro
e pela palavra do seu
testemunho;
não amaram as suas vidas
até a morte.
**12** Pelo que vos alegrai,
ó céus e vós que neles
habitais.
Ai dos que habitam na terra
e no mar,
porque o Diabo desceu
a vós
e tem grande ira, sabendo
que pouco tempo
lhe resta.
**13** Quando o dragão se viu lançado na terra, perseguiu a mulher que dera à luz o filho varão. **14** E foram dadas à mulher as duas asas da grande águia, para que voasse até o deserto, ao seu lugar, onde é sustentada por um tempo, tempos e metade de um tempo, fora da vista da serpente.
**15** Então a serpente lançou da sua boca, atrás da mulher, água como um rio, a fim de fazer que ela fosse arrebatada pela corrente. **16** A terra, porém, ajudou a mulher, abrindo a sua boca e engolindo o rio que o dragão lançara da sua boca. **17** Então o dragão irou-se contra a mulher e foi fazer guerra aos demais filhos dela, os que guardam os mandamentos de Deus e mantêm o testemunho de Jesus.

**18** E o dragão parou sobre a areia do mar.

### A besta que subiu do mar

**13** E eu vi subir do mar uma besta que tinha dez chifres e sete cabeças; sobre os seus chifres tinham dez diademas e, sobre as suas cabeças, um nome de blasfêmia. **2** A besta que vi era semelhante ao leopardo, com pés como os de urso e a boca como a de leão. O dragão deu-lhe o seu poder, o seu trono e grande autoridade. **3** Então vi uma de suas cabeças como golpeada de morte, mas a sua chaga mortal foi curada. Toda a terra se maravilhou, seguindo a besta, **4** e adoraram o dragão que deu à besta a sua autoridade, e adoraram a besta, dizendo: Quem é semelhante à besta? Quem poderá batalhar contra ela?
**5** Foi-lhe dada uma boca para proferir arrogâncias e blasfêmias e foi-lhe dada também autoridade para continuar por quarenta e dois meses. **6** E abriu a sua boca em blasfêmias contra Deus, para blasfemar do seu nome, do seu tabernáculo e dos que habitam no céu. **7** Também lhe foi permitido fazer guerra aos santos e vencê-los. E foi-lhe dado poder sobre toda tribo, língua e nação. **8** E todos os que habitam sobre a terra a adorarão, esses cujos nomes não estão escritos no livro da vida do Cordeiro que foi morto desde a fundação do mundo. **9** Se alguém tem ouvidos, ouça. **10** Se alguém deve ir para o cativeiro,
para o cativeiro irá.

Se alguém deve ser morto à espada,
>necessário é que à espada seja morto.

Nisso repousa a perseverança e a fidelidade dos santos.

### A besta que subiu da terra

**11** Então vi subir da terra outra besta, que tinha dois chifres semelhantes aos de um cordeiro, mas falava como dragão.
**12** Exercia toda a autoridade da primeira besta na sua presença e fazia que a terra e os que nela habitavam adorassem a primeira besta, cuja chaga mortal fora curada.
**13** E fez grandes sinais, de maneira que até fogo fazia descer do céu à terra, à vista dos homens.
**14** Por causa dos sinais que lhe foi permitido fazer na presença da besta, enganava os que habitavam na terra e dizia-lhes que fizessem uma imagem à besta que recebera a ferida da espada e vivia.
**15** Foi-lhe concedido também que desse fôlego à imagem da besta, para que ela falasse e fizesse que fossem mortos todos os que não adorassem a imagem da besta.
**16** E fez que a todos, pequenos e grandes, ricos e pobres, livres e escravos, lhes fosse posto um sinal na mão direita, ou na testa,
**17** para que ninguém pudesse comprar ou vender, senão aquele que tivesse o sinal, ou o nome da besta, ou o número do *seu nome*.
**18** Aqui há sabedoria. Aquele que tem entendimento, calcule o número da besta, pois é o número de um homem. O seu número é seiscentos e sessenta e seis.

### O Cordeiro e os seus remidos no monte Sião

**14** Então olhei e vi o Cordeiro em pé sobre o monte Sião, e com ele cento e quarenta e quatro mil, que traziam escrito na testa o seu nome e o nome de seu Pai.
**2** E ouvi uma voz do céu, como a voz de muitas águas e como a voz de um grande trovão. A voz que ouvi era como de harpistas, que tocavam com as suas harpas.
**3** E cantavam um cântico novo diante do trono e diante dos quatro seres viventes e dos anciãos. Ninguém podia aprender aquele cântico, senão os cento e quarenta e quatro mil que tinham sido comprados da terra.
**4** Estes são os que não se contaminaram com mulheres, pois são virgens. Estes são os que seguem o Cordeiro para onde quer que vai. Estes são os que dentre os homens foram comprados para ser as primícias para Deus e para o Cordeiro.
**5** Na sua boca não se achou engano; são irrepreensíveis.

### O três anjos

**6** Vi outro anjo voando pelo meio do céu, tendo um evangelho eterno para proclamar aos que habitam sobre a terra e a toda nação, tribo, língua e povo,
**7** dizendo com grande voz: Temei a Deus e dai-lhe glória, porque é chegada a hora do seu juízo. E adorai aquele que fez o céu, a terra, o mar e as fontes das águas.
**8** Um segundo anjo o seguiu, dizendo: Caiu, caiu a grande Babilônia, que a todas as nações deu a beber do vinho da ira da sua prostituição.
**9** Seguiu-os ainda um terceiro anjo, dizendo com grande voz:

Se alguém adorar a besta e a sua imagem, e receber o sinal na sua testa, ou na sua mão, **10** também o tal beberá do vinho da ira de Deus, preparado, sem mistura, no cálice da sua ira. E será atormentado com fogo e enxofre diante dos santos anjos e diante do Cordeiro.

**11** A fumaça do seu tormento sobe para todo o sempre. Não têm repouso nem de dia nem de noite os que adoram a besta e a sua imagem e aquele que receber o sinal do seu nome.

**12** Aqui está a perseverança dos santos, daqueles que guardam os mandamentos de Deus e a fé em Jesus.

**13** Então ouvi uma voz do céu, que dizia: Escreve: Bem-aventurados os mortos que desde agora morrem no Senhor. Sim, diz o Espírito, descansarão dos seus trabalhos, pois as suas obras os acompanharão.

### A colheita da terra

**14** Olhei e vi uma nuvem branca e, assentado sobre a nuvem, um semelhante a filho de homem, tendo na cabeça uma coroa de ouro e, na mão, uma foice afiada.

**15** Então outro anjo saiu do templo, clamando com grande voz ao que estava assentado sobre a nuvem: Lança a tua foice e colhe, porque é chegada a hora de colher, pois já a seara da terra está madura.

**16** E aquele que estava assentado sobre a nuvem passou a sua foice pela terra, e a terra foi colhida.

**17** Outro anjo saiu do templo, que está no céu, o qual também tinha uma foice afiada.

**18** Ainda outro anjo saiu do altar, o qual tinha poder sobre o fogo, e clamou com grande voz ao que tinha a foice afiada, dizendo: Lança a tua foice afiada e ajunta os cachos da vinha da terra, porque já as suas uvas estão maduras.

**19** E o anjo passou a sua foice pela terra, colheu as uvas da vinha da terra e lançou-as no grande tanque da ira de Deus.

**20** E as uvas foram pisadas no tanque que ficava fora da cidade, e saiu sangue do tanque até aos freios dos cavalos, pelo espaço de mil e seiscentos estádios.

### O cântico de vitória

**15** Vi no céu outro sinal, grande e admirável: sete anjos, que tinham as sete últimas pragas; porque nelas é consumada a ira de Deus.

**2** E vi como que um mar de vidro misturado com fogo, e os que tinham vencido a besta e a sua imagem e o número do seu nome estavam em pé junto ao mar de vidro. Tinham as harpas de Deus

**3** e cantavam o cântico de Moisés, servo de Deus, e o cântico do Cordeiro, dizendo:

    Grandes e maravilhosas são
      as tuas obras,
    ó Senhor Deus, todo-
      -poderoso.
    Justos e verdadeiros são os
      teus caminhos,
    ó Rei dos séculos.

**4** Quem não te temerá, ó Senhor,
    e não glorificará
      o teu nome?
    Pois só tu és santo.
    Todas as nações virão e se
      prostrarão diante de ti,
    pois os teus juízos são
      manifestos.

5 Depois disso olhei, e abriu-se no céu o santuário do tabernáculo do testemunho,
6 e os sete anjos que tinham as sete pragas saíram do templo, vestidos de linho puro e resplandecente e cingidos à altura do peito com cintos de ouro.
7 Um dos quatro seres viventes deu aos sete anjos sete taças de ouro, cheias da ira do Deus que vive para todo o sempre.
8 E o templo se encheu de fumaça, procedente da glória de Deus e do seu poder, e ninguém podia entrar no templo, enquanto não se consumassem as sete pragas dos sete anjos.

## As sete últimas pragas

**16** Então ouvi, vinda do templo, uma grande voz que dizia aos sete anjos: Ide e derramai sobre a terra as sete taças da ira de Deus.
2 O primeiro saiu e derramou a sua taça sobre a terra, e apareceu uma chaga feia e dolorosa nos homens que tinham o sinal da besta e que adoravam a sua imagem.
3 O segundo anjo derramou a sua taça no mar, que se tornou em sangue como de um morto, e morreram todos os seres viventes que estavam no mar.
4 O terceiro anjo derramou a sua taça nos rios e nas fontes das águas, e se tornaram em sangue.
5 Então ouvi o anjo das águas dizer:

*Justo és tu, ó Senhor,*
   *que és e que eras, o Santo,*
   *porque julgaste estas coisas;*
6 porquanto derramaram o sangue de santos
   e de profetas,
também tu lhes deste sangue
   a beber;
   são merecedores disso.
7 E ouvi uma voz do altar responder:
   Na verdade, ó Senhor Deus,
      todo-poderoso,
   verdadeiros e justos são os
      teus juízos.

8 O quarto anjo derramou a sua taça sobre o sol, e foi-lhe permitido que abrasasse os homens com fogo.
9 Os homens foram abrasados com grande calor e blasfemaram contra o nome de Deus, que tem poder sobre estas pragas, mas não se arrependeram para lhe darem glória.
10 O quinto anjo derramou a sua taça sobre o trono da besta, e o seu reino se fez tenebroso. Os homens mordiam as suas línguas de dor
11 e, por causa das suas dores e das suas chagas, blasfemaram contra o Deus do céu e não se arrependeram das suas obras.
12 O sexto anjo derramou a sua taça sobre o grande rio Eufrates, e a sua água secou-se, para que se preparasse o caminho dos reis do Oriente.
13 Então vi três espíritos imundos, semelhantes a rãs, saírem da boca do dragão, da boca da besta e da boca do falso profeta.
14 São espíritos de demônios, que operam sinais e vão ao encontro dos reis de todo o mundo, a fim de congregá-los para a batalha, naquele grande dia do Deus todo-poderoso.
15 Eis que venho como ladrão! Bem-aventurado aquele que vigia e guarda as suas vestes, para não andar nu e não se veja a sua vergonha.

**16** Então congregaram os reis no lugar que em hebraico se chama Armagedom.
**17** O sétimo anjo derramou a sua taça no ar, e saiu grande voz do templo do céu, do trono, dizendo: Está feito.
**18** E houve relâmpagos, vozes, trovões e um grande terremoto, como nunca tinha havido desde que há homens sobre a terra, tal foi o terremoto, forte e grande.
**19** A grande cidade fendeu-se em três partes, e as cidades das nações caíram. Deus se lembrou da grande Babilônia, para lhe dar o cálice do vinho da indignação da sua ira.
**20** Todas as ilhas fugiram, e os montes desapareceram.
**21** E sobre os homens caiu do céu uma grande saraivada, pedras que pesavam cerca de um talento. E os homens blasfemaram contra Deus por causa da praga da chuva de pedra, porque a sua praga era muito grande.

### A mulher montada numa besta

**17** Veio um dos sete anjos que tinham as sete taças e me disse: Vem, eu te mostrarei a condenação da grande prostituta que está assentada sobre muitas águas.
**2** Com ela se prostituíram os reis da terra, e os que habitam na terra se embebedaram com o vinho da sua prostituição.
**3** Então o anjo me levou em espírito a um deserto. Ali vi uma mulher montada numa besta vermelha, que estava cheia de nomes de blasfêmia e que tinha sete cabeças e dez chifres.
**4** A mulher estava vestida de púrpura e vermelho e adornada com ouro, pedras preciosas e pérolas. Tinha na mão um cálice de ouro cheio das abominações e da imundícia da sua prostituição.
**5** E na sua testa estava escrito: Mistério, a grande Babilônia, a mãe das prostituições e das abominações da terra.
**6** Vi que a mulher estava embriagada com o sangue dos santos e com o sangue das testemunhas de Jesus. Quando a vi, admirei-me com grande espanto.
**7** Então o anjo me disse: Por que te admiras? Eu te direi o mistério da mulher e da besta que a leva, a qual tem sete cabeças e dez chifres.
**8** A besta que viste era e já não é, e subirá do abismo, e irá à sua destruição. Os que habitam na terra (cujos nomes não estão escritos no livro da vida desde a fundação do mundo) se admirarão, vendo a besta que era e já não é, mas que virá.
**9** Aqui é necessário a mente que tem sabedoria. As sete cabeças são sete montes, sobre os quais a mulher está assentada.
**10** São também sete reis. Cinco já caíram, um existe, o outro ainda não é chegado. Quando vier, convém que dure um pouco de tempo.
**11** A besta que era e já não é, é o oitavo rei. Pertence aos sete e vai à sua destruição.
**12** Os dez chifres que viste são dez reis que ainda não receberam o reino, mas receberão a autoridade, como reis, por uma hora, com a besta.
**13** Estes têm um mesmo propósito e entregarão o seu poder e autoridade à besta.
**14** Guerrearão contra o Cordeiro, e o Cordeiro os vencerá, porque é o Senhor dos senhores e o Rei dos

reis; vencerão também os que estão com ele, chamados eleitos e fiéis.
15 Então o anjo me disse: As águas que viste, onde se assenta a prostituta, são povos, multidões, nações e línguas.
16 A besta e os dez chifres que viste são os que odiarão a prostituta e a tornarão desolada e nua, comerão as suas carnes e a queimarão no fogo.
17 Pois Deus lhes pôs no coração o realizarem o propósito dele, concordando dar à besta o poder de reinar, até que se cumpram as palavras de Deus.
18 A mulher que viste é a grande cidade que reina sobre os reis da terra.

## A queda da Babilônia

**18** Depois destas coisas vi descer do céu outro anjo que tinha grande autoridade, e a terra foi iluminada com o seu esplendor.
2 Ele clamou com poderosa voz:
Caiu, caiu a grande
  Babilônia,
se tornou morada de
  demônios,
guarida de todo espírito
  imundo
e esconderijo de toda ave
  imunda e detestável.
3 Pois todas as nações beberam
  do vinho da ira da sua
  prostituição.
Os reis da terra se
  prostituíram com ela,
e os mercadores da terra se
  *enriqueceram com a*
  abundância da sua luxúria.
4 Ouvi outra voz do céu dizer:
Sai dela, povo meu,
  para que não sejas
  participante dos seus pecados,
para que não incorras nas
  suas pragas;
5 pois os seus pecados se
  acumularam até o céu,
  e Deus se lembrou das
    iniquidades dela.
6 Tornai a dar-lhe como ela vos tem dado;
  retribuí-lhe em dobro
  conforme as suas obras.
  No cálice em que vos deu
    de beber, dai-lhe a ela em
    dobro.
7 Quanto ela se glorificou e em luxúria esteve,
  foi-lhe outro tanto de
    tormento e pranto.
Diz em seu coração:
  Estou assentada como
    rainha;
  e não sou viúva, jamais verei
    o pranto.
8 Portanto, num mesmo dia
  virão as suas pragas,
  a morte, o pranto e a fome.
  Será queimada no fogo,
    pois forte é o Senhor Deus
      que a julga.
9 Os reis da terra, que com ela se prostituíram e viveram em luxúria, sobre ela chorarão e pranteação, quando virem a fumaça do seu incêndio.
10 E estando de longe pelo temor do tormento dela, dirão:
  Ai! ai da grande cidade,
    Babilônia, a cidade forte!
  Numa só hora veio o teu juízo.
11 E, sobre ela, choram e lamentam os mercadores da terra, porque ninguém mais compra a sua mercadoria,
12 mercadoria de ouro, de prata, de pedras preciosas, de pérolas, de linho fino, de púrpura, de seda e de escarlate; todo tipo de madeira de cedro e todo objeto de marfim,

de madeira preciosíssima, de bronze, de ferro e de mármore;
13 e canela, especiarias, perfume, mirra e incenso; vinho, azeite, flor de farinha e trigo; e gado, ovelhas, cavalos e carros; e escravos e até almas de homens.
14 O fruto da alma cobiçava foi-se de ti, e todas as coisas delicadas e suntuosas foram-se de ti, e não mais as acharás.
15 Os mercadores dessas coisas, que por ela enriqueceram, ficarão de longe, pelo temor do tormento dela, chorando e lamentando:
 Ai, ai da grande cidade,
  que estava vestida
 de linho, de púrpura, de
  escarlate,
 adornada com ouro,
 e pedras preciosas e pérolas!
 Numa só hora foram
  devastadas tantas riquezas!
17 E todo piloto e todo aquele que navega, os marinheiros e todos quantos negociam no mar se puseram de longe.
18 E, contemplando a fumaça do seu incêndio, clamavam: Que cidade é semelhante a esta grande cidade?
19 E lançavam pó sobre as suas cabeças e clamavam, chorando e lamentando:
 Ai, ai da grande cidade!
  na qual todos os que
  tinham navios no mar
  se enriqueceram à custa da
   sua opulência!
 Numa só hora foi assolada!
20 Exulta sobre ela, ó céu!
 E vós, santos e apóstolos e
  profetas!
 Deus contra ela vindicou a
  vossa causa.
21 Então um forte anjo levantou uma pedra qual uma grande mó e lançou-a no mar, dizendo:

 Com igual ímpeto
  será lançada Babilônia,
  a grande cidade,
  e nunca mais será achada.
22 E em ti não se ouvirá mais
  a voz de harpistas, de
   músicos,
  de tocadores de flautas
   e de clarins,
  nem artífice de arte alguma
  se achará mais em ti.
 Em ti não mais se ouvirá
  ruído das pedras de moinhos.
23 A luz de candeia
  não mais brilhará em ti.
  A voz de noivo e de noiva
  não mais em ti se ouvirá.
  Os teus mercadores eram
   os grandes da terra.
  Todas as nações foram
  enganadas pelas tuas
   feitiçarias.
24 E nela se achou o sangue
  dos profetas, dos santos
  e de todos os que foram
   mortos na terra.

## Aleluia!

**19** Depois destas coisas, ouvi no céu como que uma grande voz de numerosa multidão, que dizia:
Aleluia!
 A salvação, a glória,
 a honra e o poder pertencem
  ao nosso Deus,
2 pois verdadeiros e justos são os seus juízos. Julgou a grande prostituta, que havia corrompido a terra com a sua prostituição, e das mãos dela vingou o sangue dos seus servos.
3 E outra vez clamaram: Aleluia! E a fumaça dela sobe para todo o sempre.
4 Os vinte e quatro anciãos e os quatro seres viventes prostraram-se

e adoraram a Deus, que está assentado no trono, dizendo: Amém. Aleluia!

5 Então saiu do trono uma voz, que dizia:
Louvai o nosso Deus,
vós, todos os seus servos,
e vós que o temeis,
tanto pequenos como grandes.

6 Também ouvi uma voz como a de uma grande multidão, como a voz de muitas águas e de fortes trovões, que dizia:
Aleluia!
Pois já reina o Senhor nosso Deus,
o todo-poderoso.

7 Regozijemo-nos e exultemos e demos-lhe a glória!
Pois são chegadas as bodas do Cordeiro,
e já a sua noiva se aprontou.

8 Foi-lhe dado que se vestisse de linho fino,
resplandecente e puro.
O linho fino são os atos de justiça dos santos.

9 E disse-me: Escreve: Bem-aventurados aqueles que são chamados à ceia das bodas do Cordeiro. E disse-me ainda: Estas são as verdadeiras palavras de Deus.

10 Então me lancei a seus pés para adorá-lo, mas ele me disse: Olha, não faças isso! Sou conservo teu e de teus irmãos, que têm o testemunho de Jesus. Adora a Deus! Pois o testemunho de Jesus é o espírito da profecia.

### O cavaleiro do cavalo branco

11 Vi o céu aberto, e apareceu um cavalo branco. O seu cavaleiro chama-se Fiel e Verdadeiro; ele julga e peleja com justiça.

12 Os seus olhos eram como chama de fogo, e sobre a sua cabeça havia muitos diademas. Ele tinha um nome escrito que ninguém sabia senão ele mesmo.

13 Estava vestido de um manto salpicado de sangue, e o nome pelo qual se chama é o Verbo de Deus.

14 Seguiam-no os exércitos que estão no céu, em cavalos brancos e vestidos de linho fino, branco e puro.

15 Da sua boca saía uma espada afiada, para ferir com ela as nações. Ele as regerá com cetro de ferro. Ele mesmo é o que pisa o lagar do vinho do furor e da ira do Deus todo-poderoso.

16 No manto, sobre a sua coxa, tem escrito o nome: Rei dos reis e Senhor dos senhores.

17 Então vi um anjo em pé no sol, o qual clamou com grande voz a todas as aves que voavam pelo meio do céu: Vinde, ajuntai-vos para a ceia do grande Deus,

18 para comerdes carnes de reis, carnes de poderosos, carnes de cavalos e seus cavaleiros, carnes de todos os homens, livres e escravos, pequenos e grandes.

19 E vi a besta e os reis da terra, com os seus exércitos reunidos, para guerrearem contra aquele que estava montado no cavalo e o seu exército.

20 E a besta foi presa, e com ela o falso profeta que diante dela fizera os sinais com que enganou os que receberam o sinal da besta e os que adoraram a sua imagem. Estes dois foram lançados vivos no lago de fogo que arde com enxofre.

21 Os demais foram mortos pela espada que saía da boca do cavaleiro, e todas as aves se fartaram das suas carnes.

de madeira preciosíssima, de bronze, de ferro e de mármore;
13 e canela, especiarias, perfume, mirra e incenso; e vinho, azeite, flor de farinha e trigo; e gado, ovelhas, cavalos e carros; e escravos e até almas de homens.
14 O fruto que a tua alma cobiçava foi-se de ti. Todas as coisas delicadas e suntuosas foram-se de ti, e não mais as acharás.
15 Os mercadores dessas coisas, que com elas se enriqueceram, ficarão de longe, pelo temor do tormento dela, chorando e lamentando:
16 Ai, ai da grande cidade,
   da que estava vestida
de linho fino, de púrpura, de
   vermelho,
e adornada com ouro,
   pedras preciosas e pérolas!
Numa só hora foram
   assoladas tantas riquezas!
17 Todo piloto e todo aquele que navega, os marinheiros e todos quantos negociam no mar se puseram de longe.
18 E, contemplando a fumaça do seu incêndio, clamavam: Que cidade é semelhante a esta grande cidade?
19 E lançavam pó sobre as suas cabeças e clamavam, chorando e lamentando:
   Ai, ai da grande cidade!
     na qual todos os que
      tinham navios no mar
   se enriqueceram à custa da
     sua opulência!
   Numa só hora foi assolada!
20 Exulta sobre ela, ó céu!
   E vós, santos e apóstolos e
     profetas!
   Deus contra ela vindicou a
     vossa causa.
21 Então um forte anjo levantou uma pedra qual uma grande mó e lançou-a no mar, dizendo:
   Com igual ímpeto
     será lançada Babilônia,
      a grande cidade,
   e nunca mais será achada.
22 E em ti não se ouvirá mais
   a voz de harpistas, de
     músicos,
de tocadores de flautas
   e de clarins,
nem artífice de arte alguma
   se achará mais em ti.
Em ti não mais se ouvirá
   ruído das pedras de moinhos.
23 A luz de candeia
   não mais brilhará em ti.
   A voz de noivo e de noiva
   não mais em ti se ouvirá.
Os teus mercadores eram
   os grandes da terra.
Todas as nações foram
   enganadas pelas tuas
     feitiçarias.
24 E nela se achou o sangue
   dos profetas, dos santos
   e de todos os que foram
     mortos na terra.

### Aleluia!

**19** Depois destas coisas, ouvi no céu como que uma grande voz de numerosa multidão, que dizia:
Aleluia!
   A salvação, a glória,
   a honra e o poder pertencem
     ao nosso Deus,
2 pois verdadeiros e justos são os seus juízos. Julgou a grande prostituta, que havia corrompido a terra com a sua prostituição, e das mãos dela vingou o sangue dos seus servos.
3 E outra vez clamaram: Aleluia!
E a fumaça dela sobe para todo o sempre.
4 Os vinte e quatro anciãos e os quatro seres viventes prostraram-se

e adoraram a Deus, que está assentado no trono, dizendo: Amém. Aleluia!

5 Então saiu do trono uma voz, que dizia:
Louvai o nosso Deus,
vós, todos os seus servos,
e vós que o temeis,
tanto pequenos como grandes.

6 Também ouvi uma voz como a de uma grande multidão, como a voz de muitas águas e de fortes trovões, que dizia:
Aleluia!
Pois já reina o Senhor nosso Deus,
o todo-poderoso.

7 Regozijemo-nos e exultemos
e demos-lhe a glória!
Pois são chegadas as bodas do Cordeiro,
e já a sua noiva se aprontou.

8 Foi-lhe dado que se vestisse de linho fino,
resplandecente e puro.
O linho fino são os atos de justiça dos santos.

9 E disse-me: Escreve: Bem-aventurados aqueles que são chamados à ceia das bodas do Cordeiro. E disse-me ainda: Estas são as verdadeiras palavras de Deus.

10 Então me lancei a seus pés para adorá-lo, mas ele me disse: Olha, não faças isso! Sou conservo teu e de teus irmãos, que têm o testemunho de Jesus. Adora a Deus! Pois o testemunho de Jesus é o espírito da profecia.

### O cavaleiro do cavalo branco

11 Vi o céu aberto, e apareceu um cavalo branco. O seu cavaleiro chama-se Fiel e Verdadeiro; ele julga e peleja com justiça.

12 Os seus olhos eram como chama de fogo, e sobre a sua cabeça havia muitos diademas. Ele tinha um nome escrito, que ninguém sabia senão ele mesmo.

13 Estava vestido com um manto salpicado de sangue, e o nome pelo qual se chama é o Verbo de Deus.

14 Seguiam-no os exércitos que estão no céu, em cavalos brancos e vestidos de linho fino, branco e puro.

15 Da sua boca saía uma espada afiada, para ferir com ela as nações. Ele as regerá com vara de ferro. Ele mesmo é o que pisa o lagar do vinho do furor e da ira do Deus todo-poderoso.

16 No manto, sobre a sua coxa tem escrito o nome: Rei dos reis e Senhor dos senhores.

17 Então vi um anjo em pé no sol, o qual clamou com grande voz a todas as aves que voavam pelo meio do céu: Vinde, ajuntai-vos para a ceia do grande Deus,

18 para comerdes carnes de reis, carnes de poderosos, carnes de cavalos e seus cavaleiros, carnes de todos os homens, livres e escravos, pequenos e grandes.

19 E vi a besta e os reis da terra, com os seus exércitos reunidos, para guerrearem contra aquele que estava montado no cavalo e o seu exército.

20 E a besta foi presa, e com ela o falso profeta que diante dela fizera os sinais com que enganou os que receberam o sinal da besta e os que adoraram a sua imagem. Estes dois foram lançados vivos no lago de fogo que arde com enxofre.

21 Os demais foram mortos pela espada que saía da boca do cavaleiro, e todas as aves se fartaram das suas carnes.

## Os mil anos

**20** Então vi descer do céu um anjo que tinha a chave do abismo e uma grande cadeia na mão.
2 Ele prendeu o dragão, a antiga serpente, que é o Diabo e Satanás, e o amarrou por mil anos.
3 Lançou-o no abismo, ali o encerrou e selou sobre ele, para que não enganasse mais as nações, até que os mil anos se completassem. Depois disso é necessário que seja solto, por um pouco de tempo.
4 Vi também tronos, e aos que se assentaram sobre eles foi-lhes dado o poder de julgar. E vi as almas daqueles que foram degolados por causa do testemunho de Jesus e pela palavra de Deus, que não adoraram a besta nem a sua imagem e não receberam o sinal na testa nem nas mãos. Eles reviveram e reinaram com Cristo durante mil anos.
5 Os outros mortos, porém, não reviveram, até que os mil anos se completassem. Esta é a primeira ressurreição.
6 Bem-aventurado e santo aquele que tem parte na primeira ressurreição. Sobre eles não tem poder a segunda morte, mas serão sacerdotes de Deus e de Cristo, e reinarão com ele durante os mil anos.

### A derrota de Satanás

7 Quando se completarem os mil anos, Satanás será solto da sua prisão
8 e sairá para enganar as nações que estão nos quatro cantos da terra, Gogue e Magogue, cujo número é como a areia do mar, a fim de ajuntá-las para a batalha.
9 Subiram sobre a largura da terra e cercaram o arraial dos santos e a cidade querida. Mas desceu fogo do céu e os consumiu.
10 E o Diabo, que os enganava, foi lançado no lago de fogo e enxofre, onde estão a besta e o falso profeta. De dia e de noite serão atormentados para todo o sempre.

### O juízo final

11 Então vi um grande trono branco e o que estava assentado sobre ele. Da presença dele fugiram a terra e o céu, e não se achou lugar para eles.
12 E vi os mortos, grandes e pequenos, que estavam diante do trono, e abriram-se livros. Abriu-se outro livro, que é o da vida. Os mortos foram julgados pelas coisas que estavam escritas nos livros, segundo as suas obras.
13 O mar entregou os mortos que nele havia, e a morte e o além deram os mortos que neles havia, e foram julgados cada um segundo as suas obras.
14 Então a morte e o inferno foram lançados no lago de fogo. Esta é a segunda morte.
15 E todo aquele que não foi achado inscrito no livro da vida foi lançado no lago de fogo.

### O novo céu e a nova terra

**21** Então vi um novo céu e uma nova terra, pois já o primeiro céu e a primeira terra passaram e o mar já não existe.
2 Vi também a cidade santa, a nova Jerusalém, que de Deus descia do céu, ataviada como uma noiva para o seu noivo.
3 E ouvi uma grande voz, vinda do trono, que dizia: Agora o tabernáculo de Deus está com os homens. Deus habitará com eles, e eles serão o seu povo, e o próprio

Deus estará com eles e será o seu Deus.

**4** Deus enxugará de seus olhos toda lágrima. Não haverá mais morte, nem pranto, nem clamor, nem dor, pois já as primeiras coisas são passadas.

**5** E o que estava assentado no trono disse: Faço novas todas as coisas. E disse-me: Escreve, pois essas palavras são verdadeiras e fiéis.

**6** Disse-me mais: Está cumprido. Eu sou o Alfa e o Ômega, o princípio e o fim. A quem tiver sede, de graça lhe darei da fonte da água da vida.

**7** Quem vencer herdará todas as coisas, e eu serei seu Deus, e ele será meu filho.

**8** Quanto, porém, aos medrosos, aos incrédulos, aos abomináveis, aos homicidas, aos adúlteros, aos feiticeiros, aos idólatras e a todos os mentirosos, a sua parte será no lago que arde com fogo e enxofre, que é a segunda morte.

### A nova Jerusalém

**9** Então veio um dos sete anjos, que tinham as sete taças cheias das últimas sete pragas, e me disse: Vem, eu te mostrarei a noiva, a esposa do Cordeiro.

**10** E levou-me em espírito a um grande e alto monte e mostrou-me a grande cidade, a santa Jerusalém, que descia do céu, da parte de Deus.

**11** Ela brilhava com a glória de Deus, e o seu brilho era semelhante a uma pedra preciosíssima, como o *jaspe cristalino*.

**12** Tinha grande e alto muro com doze portas, e nas portas doze anjos, e nomes escritos sobre elas, que são os nomes das doze tribos dos filhos de Israel.

**13** Do lado do oriente tinha três portas; do lado do norte, três portas; do lado do sul, três portas; do lado do poente, três portas.

**14** O muro da cidade tinha doze fundamentos, e neles estavam os nomes dos doze apóstolos do Cordeiro.

**15** Aquele que falava comigo tinha como medida uma vara de ouro para medir a cidade, as suas portas e o seu muro.

**16** A cidade era quadrangular, o seu comprimento era igual à sua largura. Mediu a cidade com o caniço e tinha ela doze mil estádios de comprimento, e a largura e a altura eram iguais.

**17** Ele mediu o seu muro, e era de cento e quarenta e quatro côvados, segundo a medida de homem, que o anjo estava usando.

**18** O muro era construído de jaspe, e a cidade era de ouro puro, semelhante a vidro límpido.

**19** Os fundamentos do muro da cidade estavam adornados de toda espécie de pedras preciosas. O primeiro fundamento era de jaspe; o segundo, de safira; o terceiro, de calcedônia; o quarto, de esmeralda;

**20** o quinto, de sardônica; o sexto, de sárdio; o sétimo, de crisólito; o oitavo, de berilo; o nono, de topázio; o décimo, de crisópraso; o décimo primeiro, de jacinto; o décimo segundo, de ametista.

**21** As doze portas eram doze pérolas: cada uma das portas era uma só pérola. A praça da cidade era de ouro puro, como vidro transparente.

**22** Nela não vi templo, porque o seu templo é o Senhor Deus, todo-poderoso, e o Cordeiro.

**23** A cidade não necessita nem do sol, nem da lua, para que nela resplandeçam, pois a glória de

Deus a ilumina, e o Cordeiro é a sua lâmpada.

24 As nações andarão à sua luz, e os reis da terra trarão para ela a sua glória e honra.

25 As suas portas não se fecharão de dia, e noite ali não haverá.

26 E a ela trarão a glória e a honra das nações.

27 E não entrará nela coisa alguma impura, nem o que pratica abominação ou mentira, mas somente os que estão inscritos no livro da vida do Cordeiro.

### O rio e a árvore da vida

**22** Então me mostrou o rio da água da vida, claro como cristal, que procedia do trono de Deus e do Cordeiro.

2 No meio da sua praça, em ambas as margens do rio, estava a árvore da vida, que produz doze frutos, dando seu fruto de mês em mês. E as folhas da árvore são para a cura das nações.

3 Ali nunca mais haverá maldição. Nela estará o trono de Deus e do Cordeiro, e os seus servos o servirão

4 e verão a sua face, e na sua testa estará o seu nome.

5 Ali não haverá mais noite. Não necessitarão da luz de lâmpada, nem da luz do sol, pois o Senhor Deus os iluminará. E reinarão para todo o sempre.

6 Disse-me o anjo: Estas palavras são fiéis e verdadeiras. O Senhor, o Deus dos espíritos dos profetas, enviou o seu anjo para mostrar aos seus servos as coisas que em breve hão de acontecer.

### Jesus vem

7 Eis que cedo venho! Bem-aventurado aquele que guarda as palavras da profecia deste livro.

8 Eu, João, sou quem ouviu e viu estas coisas. E, havendo-as ouvido e visto, prostrei-me aos pés do anjo que me mostrava essas coisas, para adorá-lo.

9 Então ele me disse: Olha, não faças isso! Sou conservo teu e de teus irmãos, os profetas, e dos que guardam as palavras deste livro. Adora a Deus.

10 Disse-me ainda: Não seles as palavras da profecia deste livro, porque próximo está o tempo.

11 Quem é injusto, faça injustiça ainda; quem está sujo, suje-se ainda; quem é justo, faça justiça ainda; e quem é santo, santifique-se ainda.

12 Eis que cedo venho! A minha recompensa está comigo, para dar a cada um segundo a sua obra.

13 Eu sou o Alfa e o Ômega, o primeiro e o último, o princípio e o fim.

14 Bem-aventurados aqueles que lavam as suas vestes [no sangue do Cordeiro] para que tenham direito à árvore da vida e possam entrar na cidade pelas portas.

15 Ficarão de fora os cães, os feiticeiros, os adúlteros, os homicidas, os idólatras e todo aquele que ama e pratica a mentira.

16 Eu, Jesus, enviei o meu anjo para vos testificar estas coisas às igrejas. Eu sou a raiz e a geração de Davi, a resplandecente estrela da manhã.

17 O Espírito e a noiva dizem: Vem. Quem ouve, diga: Vem. Quem tem sede, venha; e quem quiser, tome de graça da água da vida.

18 Eu advirto a todo aquele que ouvir as palavras da profecia deste livro: Se alguém lhes acrescentar alguma coisa, Deus lhe acrescentará as pragas que estão escritas neste livro.

# Apocalipse 22

**19** E se alguém tirar quaisquer palavras do livro desta profecia, Deus lhe tirará a sua parte da árvore da vida e da cidade santa, que estão escritas neste livro.

**20** Aquele que dá testemunho destas coisas diz: Certamente cedo venho. Amém. Vem, Senhor Jesus.

**21** A graça do Senhor Jesus seja com todos. Amém.